ISBN 978-0-331-32271-2
PIBN 11202163

ZEITSCHRIFT

DER

INTERNATIONALEN MUSIK-
GESELLSCHAFT

Vierter Jahrgang 1902—1903

Herausgegeben

unter Mitredaktion von E. Euting und A. Mayer-Reinach

von

Oskar Fleischer

LEIPZIG

DRUCK UND VERLAG VON BREITKOPF & HÄRTEL.

INHALT.

Inhalt.

             Verlagsanzeigen.

ZEITSCHRIFT

DER

INTERNATIONALEN MUSIKGESELLSCHAFT.

Heft 1.   **Vierter Jahrgang.**   **1902.**

Erscheint monatlich. Für Mitglieder der Internationalen Musikgesellschaft kostenfrei, für Nichtmitglieder 10 ℳ. Anzeigen 25 ₰ für die 2 gespaltene Petitzeile. Beilagen 15 ℳ.

Über Klavierspiel und Tonbildung
nach Marie Jaëll's Lehrweise.

›Eine Anregung‹ schreibt Fräulein Tony Bandmann unter den Titel ihres in dieser Zeitschrift erschienenen Aufsatzes über ›Tonbildung auf dem Klavier‹. Und ›anregend‹ haben ihre interessanten Zeilen gewirkt, denn sie sind die direkte Veranlassung zu diesem Artikel, indem sie den Wunsch geweckt haben, die Mitglieder der ›Internationalen Musikgesellschaft‹ etwas näher bekannt zu machen mit dem sowohl klavier-pädagogisch wie ästhetisch bedeutenden Streben Frau *Marie Jaëll's*[1]), deren letzte Arbeit hierselbst in der Januar-Nummer von Oskar Fleischer so sympathisch beurteilt worden ist.

Es ist nicht meine Absicht, die Ideen von Marie Jaëll und ihre Werke eingehend zu besprechen, sondern in ihrem Geiste einige das Klavierspiel betreffende Punkte zu erläutern, welche mir einen besonders praktischen Wert zu haben scheinen.

Ein Hauptpunkt bei der Anschlagsbewegung, — ein Hauptfaktor bei jeder Bewegung ist: *Schnelligkeit*. Denn wir setzen voraus, daß beim Klavierspiel eine Anschlagsbewegung besteht, die mehr oder weniger direkt von den Fingern ausgeführt wird und sich immer durch einen Angriff, einen Griff in die Tasten äußert, wobei Schnelligkeit, Druck, Gewicht u. s. w. mehr oder weniger in Betracht kommen. Dann will ich auch feststellen, daß die Vollkommenheit, womit eine Bewegung ausgeführt wird, nicht abhängt von der partiellen Ausbildung irgend eines

---

1) Marie Jaëll: la Musique et la Psychophysiologie (Alcan éd.); le Mécanisme du Toucher (Colin); le Toucher-enseignement du piano (Costallat). Deutsche Übersetzung (Breitkopf und Härtel).

Körperteiles oder einer Muskelgruppe, sondern von der harmonischen Entwickelung des *ganzen Organismus*, welchen man sich als eine untrennbare Einheit zu denken hat, und dessen ungleiche, unharmonische innere Entwickelung eine ungleiche, unharmonische äußere Wirkung zur Folge haben würde. Die am besten entwickelten Organismen sind im Stande, ihre Bewegungen mit der größten Schnelligkeit auszuführen. Es ist bekannt, daß Blödsinnige immer schwerfällige Bewegungen machen, unfähig eine schnelle Bewegung auszuführen: ihre motorischen Funktionen stehen in genauem Verhältnis zu ihrer geistigen Schwäche. Wenn auch der Grad der Schnelligkeit einer Anschlagsbewegung sehr verschieden ist und ganz von dem Charakter der gewünschten Tonschattierung abhängt, so ist doch die *Fähigkeit* eine Bewegung resp. eine Anschlagsbewegung schnell ausführen zu können, erforderlich für den Klavierspieler, denn diese Fähigkeit ist der Beweis der bestehenden unmittelbaren Verbindung zwischen dem Gehirn und dem äußerlich thätigen Glied. Hieraus folgt die Notwendigkeit, den Organismus des Klavierspielers auch in dieser Richtung zu entwickeln. Sind aber die bisher angewendeten Fingerübungen zweckmäßig? Wohl erlangt man durch sie eine gewisse Gelenkigkeit und eine gewisse Muskel-Entwickelung, aber wir sind davon überzeugt, daß, wenn auch bis jetzt dieser Weg der einzig bestehende gewesen ist, er in vielen Fällen von dem Ziel ab und nicht zum Ziel geführt hat. In Bezug auf Schnelligkeit z. B. können wir schlagende Beweise anführen. Eine Reihe von Frau Marie Jaëll erprobter Experimente mit dem Chronometer von d'Arsonval, zur Messung der Zeitdauer einer Fingerbewegung bei normalen und abnormalen, klavierspielenden und nicht klavierspielenden Personen, ergaben im Durchschnitt folgende Resultate:

Normale Personen, welche längere Zeit
   auf gewöhnliche Art Klavier studiert
   hatten (Fortgeschrittene). . . . . . . 35 Hundertstel einer Sekunde.
Geistesschwache Personen. 30   »   »   »
Normale Personen, welche nie Klavier ge-
   spielt hatten. 14   »
Normale Personen, welche nach der Jaëll-
   Methode Klavier studiert hatten . . . 10   »

   Hiermit ist also bewiesen, daß die Vermehrung der Schnellkraft-Fähigkeit, deren wünschenswerte Ausbildung wir vorausgesetzt haben, abhängt von der mehr oder weniger richtigen Art des Studiums, — und daß die Jaëll-Lehrweise beachtenswerte Resultate erreicht hat.

   Es muß noch hinzugefügt werden, daß für die größtmögliche Schnelligkeit beim Klavierstudium eine *runde, ununterbrochene Bewegung* unbedingt

notwendig ist, weil jede andere Bewegung, z. B. die gewöhnliche Anschlagsbewegung des Hebens und Senkens, eine zweifache oder gebrochene Bewegung ist, und man folglich mehr Zeit und Kraft braucht, nicht nur
äußerlich, sondern auch innerlich, da für eine zweifache Bewegung zwei
Gedanken-Impulse nötig sind. Das Prinzip der einfachen, d. h. runden
Bewegung gilt für alle Bewegungen, sowohl für Hand- und Arm-, wie
für Fingerbewegungen. Im logischen Zusammenhange mit dieser Cirkular-
Bewegung steht ein Hauptfaktor der Jaëll'schen Methode: *Muskelspannung*.
Eigentlich ist die richtige Anwendung der Muskelspannung d. h. der
statischen Muskelwirkung, welche die dynamische Wirkung reguliert, bei
jeder unbewußt richtig ausgeführten Bewegung vorhanden. Aber bisher
wurde sie nie bewußterweise methodisch angewendet, wie auch die bisherige ganze pianistische Ausbildung größtenteils vom Zufall und von
der sich durchkämpfenden Naturkraft des Talentes abhing. Marie Jaëll's
Lehrweise fußt auf einer *wissenschaftlichen Analyse der Bewegung und
der Anschlagsberührung*, mit anderen Worten auf der Analyse der *Muskelwirkung* und der *Tastempfindungen*.

Fingerübungen sind nur dann richtig und nützlich, wenn statische
Muskelspannung (Unbeweglichkeit) und dynamische Thätigkeit (Bewegung)
gleichwertig in Wirkung treten. Bei einer vollkommen richtig ausgeführten Bewegung hält die Muskelspannung die nicht äußerlich aktiv
auftretenden Körperteile in einer bewußten Unbeweglichkeit und ermöglicht die vollkommene Beherrschung der äußerlich wirkenden Glieder,
sowohl in Bezug auf Schnellkraft wie auf Druck, Gewicht, Dauer, Oberfläche u. s. w. Bei einer solchen Bewegung ist jede äußerliche Stütze
ausgeschlossen; ein äußerlicher Stützpunkt schadet jeder Bewegung und
jeder Muskelwirkung. Folglich soll die Klaviatur nie eine Stütze für den
Finger oder die Hand sein. Muskelspannung ist eine erste Bedingung
für die Freiheit und die Leichtigkeit der Bewegung. Die kleinstmögliche
Bewegung ist immer die richtigste — was große Bewegungen nicht aus-
schließt, welche gegebenen Falls die kleinstmöglichen sein können; aber
als Regel gilt: ein Maximum der inneren Thätigkeit bei einem Minimum
der äußerlich sichtbaren Thätigkeit. Je mehr Muskeln zum Ausführen
einer Bewegung mitwirken, je vollkommener wird diese Bewegung sein.
Was das äußerlich Sichtbare betrifft, so sind darin auch die Gelenke
eingeschlossen. Die Gelenke müssen nur die Arbeit verrichten, welche
ihre Eigenart angiebt; Winkelgelenke, wie die des Ellbogens und der
Fingerglieder, treten bei Bewegungen natürlich hervor; bei drehbaren
Gelenken, wie denen der Mittelhand, ist jedes nicht unumgängliche Hervortreten ein Fehler. Das Hervortreten des Schultergelenkes soll streng
vermieden werden; bei Anfängern kommt es zwar häufig vor, ist aber eine
Ungelenkigkeit und eine Krafthemmung.

Wir verlassen hier das Gebiet der Bewegung »an sich« und wollen sehen, in welcher Art diese Bewegung vom Spieler für einen künstlerischen Zweck verwendet werden kann. Aus dem Vorhergehenden ergab sich, daß der ganze Körper die Mitwirkung seiner Muskelthätigkeit für die Initialbewegung herzuleihen hat; — das Nagelglied soll nun die Bewegung auf die Taste mit jeder verlangten Schattierung übertragen. Die Muskelspannung, Muskelbeherrschung ermöglicht dies, findet aber eine Ergänzung in der Mitwirkung des *Tastgefühls*. Der Angriff ist von der Bewegung abhängig; die Reaktion aber (das Loslassen der Taste) steht in Zusammenhang mit den Tastempfindungen. Auch dieser wichtige Punkt ist bisher beim Studium nicht in Betracht gezogen worden.

Die Organe des Tastgefühls bilden unzählige Nervenspitzen, deren äußerliche Merkzeichen die Papillarlinien sind, welche die Fingerspitzen bedecken. Diese Tastorgane wirken aber mit ungleicher Stärke und Schnelligkeit, weil das Tastgefühl z. B. an der Innenseite der Finger schärfer ist wie an der Außenseite und die Reaktion der Anschlagsbewegung beeinflußt, die dadurch schneller oder langsamer wird. Hierzu kommt noch, daß das Tastgefühl erlaubt, Anschlag, Kontakt und Druck zu kontrollieren, und auch in dieser Beziehung ein wertvoller Faktor des Klavierspiels ist. Eine Wechselwirkung von Muskelspannung und Tastempfindungen ist es also, welche dem Spieler die Beherrschung giebt über Bewegung und Anschlag, d. h. über den Klang und über die Tonverbindungen.

Die unendliche Verschiedenheit im Anschlag wird von den verschiedenen Abstufungen in Schnelligkeit, Druck, Gewicht sowie von der Größe der Fingerkontakte, von deren Richtung u. s. w. bedingt. Denn es giebt nicht nur *eine* Art der Tonbildung; Verschiedenheiten in Druck oder Gewicht z. B. bringen verschiedenartige Klangfärbungen hervor, beide vereint wieder eine andere Färbung und ein allein durch Finger-Schnellkraft ausgeführter Anschlag abermal eine andere. Das Tonkolorit des Vortrags, welches von der Art der Tonbildung abhängt, muß dem Charakter des Stückes entsprechen.

Die Tonverbindungen werden vor allem von der Richtung der Kontakt-Bewegungen bedingt, und diese wird von der geschriebenen Musik angewiesen, deren einzelne Noten, Figuren, Gruppen, Phrasen, von Finger-, Hand- oder Armbewegungen, einzeln oder in Gruppen ausgeführt werden, je nachdem symmetrisch oder parallel, aber immer sich eng dem Geschriebenen, d. h. dem Gedanken anpassend. Die Phrasierung wird dadurch eine sehr leichte, wie auch die Nüancierung durch die Verschiedenheit in Druck, Schnelligkeit, Gewicht erleichtert wird.

Die Größe des Tones hängt von dem Grade der Muskelspannung

ab und von dem Zurückhalten oder Freigeben der im ganzen Körper von
den Muskeln angesammelten Kraft.

Legato- und Staccato-Spiel hängen lediglich ab von der Schnelligkeit
des Angriffes und der Reaktion.

Bei der Jaëll-Lehrweise ist das *Bewußtsein* vorherrschend und bedingt
die richtige Ausführung der kleinsten Bewegung vor allem ein entwickeltes
Vorstellungsvermögen der Töne und der Bewegungen. Das Vorstellungsvermögen, eine angeborene durch besondere Schärfe sich auszeichnende
Eigenschaft wahrer Künstler, welche bei jeder künstlerischen Äußerung
in Betracht kommt — man denke an die außerordentliche Entwickelung
des Vorstellungsvermögens von Arm- und Handbewegungen, welche
Flechsig an *J. S. Bach's* Schädel konstatiert hat — ist daher auch für
jede künstlerische Erziehung von größter Wichtigkeit.

Ein genialer Griff Marie Jaëll's war die Anwendung von *Fingerabdrücken* für die Analyse des Anschlags und für das Klavierstudium.
Wenn man mit geschwärzten Fingerspitzen auf die weißen Klaviertasten
oder auf mit Kartonpapier versehenen Tasten spielt, so bleiben die Abdrücke der Angriffe deutlich sichtbar. In der Gesetzmäßigkeit der verschiedenen Anschlagsgruppen liegt die Harmonie des Spiels; die Fingerabdrücke verraten jeden Fehler, der dieser Harmonie im Wege steht.
Eine richtige Verbindung der auf den Fingerabdrücken sichtbaren, oben
erwähnten Papillar-Linien und eine entsprechende Größe der Abdrücke
werden bei richtigem Vortrag vorhanden sein. Als praktisches Ergebnis
dieser Untersuchungen gilt erstens eine rationelle, lokalisierte Hand- und
Fingerhaltung und zweitens die sichtbare Kontrolle für Fehler und Fortschritte. Selbständig Studierenden sind daher die Fingerabdrücke von
besonderem Nutzen.

Was das *Studium* betrifft, so findet man bei Marie Jaëll eine große
Vereinfachung der bisherigen Aufgabe. Die Anstrengung ist zwar eine
stärkere als die bisherige, weil eine tiefer durchdachte Arbeit verlangt
wird und der ganze Organismus sein Äußerstes leisten muß. Bei der
geringsten Bewegung wird sofort das Vollkommenste erstrebt. Aber die
Dauer der Übung ist eine weit kürzere: zwei Stunden, höchstens zwei
ein halb täglich sind genügend für eine pianistische Ausbildung — mehr
würde sogar schaden. Kinder dürfen nicht mehr als eine Stunde üben.
Selbstverständlich ist hier nur die Rede von der Jaëll'schen Lehrweise;
bei dem gewöhnlichen empirischen Studium ist das mechanische endlose
Wiederholen ein unvermeidliches Verhängnis. Wiederholt werden Noten,
Takte, Teile eines Stückes mit der neuen Methode überhaupt nie. Passagen üben ist, weil technisch unnütz, geistig abstumpfend und musikalisch störend, verboten. Einige sehr einfache Fingerübungen genügen zur
Einweihung der Schüler. Das Üben geschieht fast ohne Ton, denn rich-

tige Bewegungen üben heißt *Ton bilden*; — in jeder richtigen Bewegung schlummert der schöne Ton. Das Tempo bei der Übung ist immer äußerst langsam, weil nur ein sehr langsames Tempo die Anwendung der nötigen hochgradigen Muskelspannung sowie die vollkommene Ausführung der vorgeschriebenen Bewegungen bei fehlerlosem Notenspielen erlaubt — und weil physiologisch bewiesen ist, daß durchschnittlich bei einer Dauer von 0,72 Sekunde für jede Bewegung die Intensität des Aufmerksamkeit-Vermögens am meisten gesteigert ist. Schon wegen dieser Neuerung des Klavierstudiums: »kurze Übungsdauer, keine entnervenden Wiederholungen, kein Lärm«, wäre Marie Jaëll eine Wohlthäterin der Klavier-überreichen Menschheit, nicht nur des ausübenden Teiles, sondern auch des armen, gezwungen zuhörenden!

Eine *rationelle* Lehrweise des Klavierspiels, ein sicherer, auf festem, physiologischen Grund erbauter Weg, that Not. Die Jaëll-Methode ist ein solcher Weg. Das Spiel der großen Künstler, welche instinktiv das Richtige greifen, beweist, wie groß der Zusammenhang zwischen dem musikalischen Gedanken und der musikalischen Ausführung (d. h. Bewegung) ist. Die alte Lehrweise brach den Zusammenhang; sie lehrte einerseits tote Technik, andererseits Vortrag. Es giebt aber nur *eine Einheit*: Musik. Eine künstlerische Wiedergabe ist nur möglich, wenn der Zusammenhang zwischen Gedanken und Bewegungen besteht. Und nur die Lehrweise ist eine richtige, welche ohne Umwege die sich der Musik anpassenden physiologisch richtigen Bewegungen lehrt. Hier gilt das treffende Wort *Hanslick's*: »Der Begriff der Bewegung ist bisher in den Untersuchungen des Wesens und der Wirkung der Musik auffallend vernachlässigt worden; er dünkt uns der wichtigste und fruchtbarste.«

Steeg (Holland).   **Jeanne Bosch.**

Ein Brief Spontini's an Napoleon.

In seinem trefflichen Aufsatz »Napoleon Bonaparte's Musikpolitik« (Zeitschrift der IMG. III, Heft 11) führt Oskar Fleischer Klage darüber, daß eine aktenmäßige Feststellung der von Napoleon auf dem Gebiete der Musik entwickelten Thätigkeit bis heute noch nicht geschehen sei und führt dies auf die allzugroße Schwierigkeit zurück, mit der ein Musikhistoriker, der sich dieser Aufgabe unterziehen wollte, wohl zu kämpfen hätte. Dies trifft zum allergrößten Teile zu. Nicht außer Acht gelassen darf aber werden, daß sich das gesamte Quellen-Material nicht

mehr an Ort und Stelle befindet, daß es infolge verschiedenartiger Umstände in alle Welt zerstreut wurde, teilweise in Privat-Besitz geraten
ist und so nicht mehr jedermann offen steht. Solche verwaiste Kinder
der Musikgeschichte aufzusuchen und der Öffentlichkeit zu übergeben,
sollte eigentlich eifriger betrieben werden, als es bisher der Fall gewesen
ist. Manche wertvolle Bausteine können auf diese Art zusammengetragen
werden, und wenn jeder, der in die Lage kommt, es zu thun, sein Scherflein nach Kräften beiträgt, dann findet ein künftiger Verarbeiter der
gesamten Materie die Bahn von vielen Hindernissen bereits frei und er
erspart die aufreibende und nicht immer von Erfolg gekrönte Mühe, Be-
lege suchen zu müssen, um mit denselben Lücken zu verstopfen. Ich
bin in der angenehmen Lage, einen Brief Spontini's an Napoleon mit-
teilen zu können, jenen Brief, in welchem er wegen wiederholter Zurücksetzung seiner »Vestalin« beim Monarchen Klage erhebt. Der Brief
stammt aus der bekannten Autographen-Sammlung des Herrn Fritz Done-
bauer in Prag, der mir die Veröffentlichung desselben in liebenswürdigster
Weise gestattet hat. Die Unterschrift des Textdichters J o u y fehlt. Ich
gebe den Inhalt mit allen seinen stilistischen und orthographischen Eigenheiten im nachstehenden wieder. Der Brief, nicht datiert, aber sicherlich
aus dem Jahre 1806 stammend, hat einen Umfang von drei Seiten in
quarto und lautet folgendermaßen:

*«Sire Il n'est point d'injustice contre la quelle vos sujets ne trouvent un re-
cours au pied du Trône de Votre Majesté, nous osons donc esperer qu'elle
daignera accueillir la supplication que nous avons l'honneur de lui adresser,
comme auteur et compositeur de la tragedie lyrique intitulé la Vestale.*

*Cet ouvrage reçu par le Jury de l'Opera avec la plus grande faveur, honoré
de l'Auguste protection de S. M. l'Imperatrice Reine, dont vus même, Sire, avez
ordonné la mise en scene, il y a plus d'un an, etait au moment de paraitre
lorsque l'on en suspendit l'execution pour s'occuper uniquement de l'opera de
Trajan, que la reconnaissance publique attend avec une impatience si vive.
Nous partageons avec trop d'enthousiasme ce sentiment universel pour n'avoir
pas cedé, avec joie, la place aux auteurs assez heureux pour avoir été jugés
dignes dans une pareille circonstance d'être les interpretes de l'admiration generale.*

*Mais aujourdhui, Sire, nous apprenons avec la plus vive douleur que Mon-
sieur le préfét du Palais chargé de l'admiration[1]) de l'opera, vient de donner
l'ordre d'ajourner indefiniment la Vestale, et de faire passer l'opera de la mort
d'Adam immediatement aprés le triomphe de Trajan. Qu'il nous soit permis
de representer à Votre Majesté, que l'opera de la Vestale est annoncé depuis six
mois, qu'il est depuis longtems sur l'affiche, que toutes les loges sont louées, que
les etudes sont achevées et les decorations prêtes, que le poëme même est imprimé
sous les auspices de S. M. l'Imperatrice qui a daigné en agréer la dedicace, et
que sans parler du tort irreparable que nous causerait le passe-droit dont on
nous menace, il serait egalement prejudiciable aux interets de l'administration
qui se verrait, par ce retard, obligée recommencer les travaux que nous avons*

---

1) Soll wohl heißen *administration*. Die Redaktion.

*faits depuis six mois. Nous osons ajouter, Sire, que les suffrages les plus
respectables nous permettent d'esperer que cet ouvrages ne sera pas indigné
d'arrêter un moment les regards de Votre Majesté.*

*Nous la supplions avec respect d'accueillir notre humble reclamation et nous
nous estimerions trop heureux si Elle daignait nous admettre à l'honneur de
la lui presenter nous même.*

*Nous sommes avec le plus profond respect Sire De Votre Majesté Imperiale
et Royale Les tres humbles, tres obeissants serviteurs et tres fideles sujets*

(Jouy)   Spontini.»

Podersam (Böhmen).   **Ernst Rychnovsky.**

Novelties &c. in London.

Although the summer musical season in London was one of great activity, 40 and 50 concerts a week being given for a period extending over
a month, comparatively few novelties were produced. The preparation for
the postponed Coronation disturbed the even tenor of musical ways, and it
seemed to be generally recognized that the period was not one propitious
for the production of new compositions.

The new Handel Society (est. 1882, cond. J. S. Liddle) produced on
May 6 for the first time in London Humperdinck's setting of Uhland's
"Glück von Edenhall" (same as Schumann's op. 143); which failed to please
those whose knowledge of the composer's music only extended to his opera
"Hänsel and Gretel". At same concert a new choral piece "Ave Caesar"
by H. F. Birch-Richardson, heard for first time, proved refined and
scholarly music. At a chamber-music concert by Jessie Grimson on May 16
was produced a M.S. quartett in B♭ by the violinist Frank Bridge; it
indicated ability to invent pleasing themes, and facility of development.
The Philharmonic concert on May 29 was distinguished by the first performance in England of Rachmaninoff's 2nd P. F. concerto in C minor,
op. 18, and by the production of a Coronation march by Cowen. The
concerto is very characteristic of the modern Russian school, but appeared
unequal in merit. The first movement, based on broad and dignified themes,
is the most satisfactory from a constructive point of view; the adagio is
poetical but indeterminate; the finale is loosely knit, but concludes effec-
tively. The P. F. part is extremely brilliant, while forming an integral
portion of the work. The concerto was magnificently played by Basil
Sapellnikoff. Cowen's march is gay and festive in character, and an inspiriting piece. At the Philharmonic concert on July 2, (afternoon), Kubelik
took part in the first performance of a violin concerto by Alberto Randegger, jun., a young composer of great promise; but who in this instance
ventured on a work beyond his present abilities, the themes and their
treatment being too slight for this form of composition. Of artistic importance was the Overture to Mackenzie's recently composed light opera
"The Cricket on the Hearth". This, based on the principal themes in the

opera, is essentially English in character and musical idiom, and delightfully fresh. At the same concert were heard a cycle of 5 songs, baritone and orchestra, by Percy Pitt; and a nocturne, contralto and orchestra, "A Summer Dawn" by Herbert Bedford; the former distinguished by great earnestness of expression, and the latter by dramatic perception. Amongst novelties at minor concerts may be mentioned first performance in England of Martucci's sonata in Fminor op. 52 for P. F. and Violoncello, played by Herbert Fryer and Bertie Withers at concert on May 29. The work appeared to be exceedingly clever and genial in character. A new quartett in A minor by J. B. McEwen, professor at the R. A. M., was heard at Bechstein Hall on June 17, and showed originality of themes and attractive and forcible developments. The most notable of the many "Coronation" concerts took place at the Albert Hall on June 11. At this the successful march-songs for which 3 prizes had been offered by the Earl of Mar, respectively £ 100, £ 50, and £ 25, were sung by the Royal Choral Society. Three hundred march-songs had been sent in, from which 5 were selected, the first prize being to Alicia A. Needham for "The Seventh English Edward", a stirring and meritorious ditty. Other prize-winners were Drs. Ch. Vincent and F. J. Sawyer, and Messrs. Miles B. Foster and H. M. Higgs.

The most conspicuous of the Coronation marches of the year formed part of the orchestral voluntaries at the ceremony of Westminster Abbey on August 9. These were severally by Mackenzie, Saint-Saëns, Cowen, and Percy Godfrey. Elgar's concluded the service. The coronation music selected by Sir Frederick Bridge, organist of Westminster Abbey, originally covered a period of 5 centuries. Tallis's litany was then omitted, to shorten the service; but the selection still remained finely representative of English church music. Parry's anthem "I was glad" is a remarkably noble composition, dignified, intense, and strong. The "Homage" anthem by Bridge was happily conceived, and attested to its composer's imagination and scholarship. Parratt's "Confortare" was most effective. The music was superbly rendered, the choir not only containing the combined choristers of the Chapels Royal, St. Paul's Cathedral, and Westminster Abbey, but many solo vocalists of world-wide reputation.

Only 2 new operas were produced during the Grand Opera season, Herbert Bunning's "Princesse Osra" and Ethel M. Smyth's "Der Wald". The former contains some very expressive music, but the composer has somewhat overtaxed his present abilities, and this combined with the imperfections of the libretto militated against its success. "Der Wald" had a more favourable reception. In this work the libretto is stronger than the music, greater originality pertaining to it than to its musical treatment. The "forest-music", albeit little suggestive of the scene, is an excellent piece of choral writing; the village dance on the other hand is most appropriate to the situation. In its entirety the work is essentially musicianly, and shows abilities greatly in excess of those usually possessed by lady composers.

The season of Grand Opera in English, begun on August 25 at Covent Garden Theatre (the Moody-Manners Company engaged by Messrs. Frank Rendle and Neil Forsyth), has proved so remarkably and perhaps unexpectedly successful, as to justify the hope, not only of its being repeated next year, but of its ultimately leading to the establishment of a regular English Opera season. There are numerous works by British writers superior to many by foreign composers that are mounted at Covent Garden, played twice or thrice and never heard again. The list of English-speaking artists of repute is rapidly increasing, and the success of Rendle and Forsyth's venture would seem to indicate that many now neglected British works only require to be interpreted by soloists enjoying public favour, and under conditions prevailing at the opera house in the grand season, to become widely appreciated. One thing is certain, the Chorus of the Moody-Manners company compares favourably with any in the world. The voices are rich in quality, brilliant, and resonant; and the choristers have shown an alertness and intelligence that seem to put new life into hackneyed operas.

Notable artistic advance has been made at the Promenade Concerts at the Queen's Hall, the 8th season of which commenced on August 23. Consequent on their being acquired by a syndicate, their value has been considerably increased. The programmes on Monday evenings have been chiefly devoted to Wagner, on Tuesdays the orchestral works of Schubert and Brahms have been given chronologically, on Wednesdays and Fridays respectively Tschaikoffsky's and Beethoven's symphonies have been played in the order of their original production, and the programmes on the so-called "Popular" nights have presented most attractive selections of music of the highest class. It is not too much to say that so commendable and comprehensive a scheme has never before been submitted to music-lovers. Henry J. Wood has secured remarkably good performances, considering the little time that could be devoted to the rehearsal of important works after the study of novelties. The latter will be separately noticed.

London.   F. Gilbert Webb.

Das Musikleben in Rufsland 1901—1902.

I.

Die Frühlings-Saison hat sich in diesem Jahre bis Mitte Mai hingezogen. Erst am 20.—24. Mai[1]) endeten die Konzerte von Nikisch und des Kaiserlichen Hof-Orchesters, nach welchen dann die Sommer-Saison in ihre vollen Rechte eintrat. Meinen vorjährigen Bericht schloß ich mit der Nachricht über die Allerhöchste Berufung des Professors Stepan Smolensky als Direktors der Hofkapelle (Kaiserliche Sänger-Kapelle); mit ihr habe ich auch die Chronik der abgelaufenen russischen Musik-Saison anzufangen. Das erste hervorragende Faktum unseres Musiklebens steht in Verbindung mit der Thätigkeit des neuen Direktors; es ist die Feier des 150jährigen Geburtstages des berühmten russischen Kirchen-Komponisten Bortniansky, des ehemaligen ersten Direktors der Kaiserlichen Sänger-Kapelle[2]). 76 Jahre

1) Die in meinem Berichte angegebenen Daten sind neuen Stils.
2) Dmitry Stepanowitsch Bortniansky (geboren 1751 in Gluchow, Gouvernement Tschernigoff) kann man überhaupt als den ersten, wirklich genialen russi-

sind seit seinem Tode verflossen und die Kapelle entfremdete sich seines großen Lehrers immer mehr. Die Handschriften und Ausgaben seines Nachlasses ließen sich die Ratten in den Kellergewölben gut schmecken; Smolensky brachte sie wieder ans Licht, und jetzt erst läßt sich hoffen, daß wir unseren ersten russischen Tonmeister wieder kennen lernen werden. Außer einer feierlichen Seelenmesse, welche in der Hauptkirche des Smolensky-Friedhofes (neben der Bortniansky begraben liegt) stattfand und bei welcher die Sänger-Kapelle den Messengesang von Bortniansky vortrug, veranstaltete die Kapelle an demselben Abend (8. Oktober) eine feierliche Musikaufführung. Die beiden Abteilungen derselben wurden von Professor Smolensky je mit einer Rede eingeleitet, worin er auf die Verdienste Bortniansky's für die Hofkapelle und für die orthodoxe Tonkunst hinwies. Von Bortniansky's Kirchengesängen wurden hier aufgeführt: der berühmte Lobgesang *Ehre unserem Gott in Zion*, sowie das *VII. Cherubinische Lied* und das schöne Lied der Verherrlichung der Mutter Gottes (*Dostoïno*); alle drei Kompositionen zählen zu den populärsten von Bortniansky. Die zweite Abteilung dagegen enthielt Werke von historischem Wert und Interesse, nämlich ein reizendes Orchester-Rondo aus der Oper *Quinto Fabio* (1779), sowie zwei große geistliche Konzerte (*Herr, Deiner Macht erfreut sich der Zar* und ein zweichöriges *Te Deum*) gleichfalls mit Orchester-Begleitung; die beiden letzten Kompositionen sind prachtvolle musikalische Merkzeichen der ersten Kunstepoche in Rußland oder — besser gesagt — des russischen Hof-Konzert-Stils [1]) Katharina's II. Das Interesse

schen Tondichter betrachten. Ein großes, reich begabtes Talent, studierte er in Bologna 1768—1779 bei dem berühmten Padre Martini. Sein Talent bewies er schon in Italien, wo er für die Opernbühnen in Bologna, Venedig, Rom, Modena und Neapel verschiedene Opern, komische wie ernste, nicht ohne Beifall schrieb, die wenig hinter anderen, damals sogar berühmten italienischen Opern zurückstehen; zwei von seinen Jugend-Opern, *Alcide* (Venedig 1778) und *Quinto Fabio* (Modena 1779) sind glücklicherweise in autographer Partitur erhalten geblieben und befinden sich in der Bibliothek der Hofkapelle. Nach Rußland 1780 als Kammersänger zurückgekehrt, wurde Bortniansky erst als Lehrer und dann als Komponist des Kaiserlichen Hofchores angestellt; 1796 wurde er zum Direktor der Vokalmusik und Intendant der Hofkapelle ernannt. Von Anfang seiner Musikthätigkeit in seiner Heimat an beschränkte er sich nicht nur auf den Kirchengesang (hauptsächlich für verschiedene Festlichkeiten am Hofe), sondern er schrieb auch eine ganze Reihe weltlicher Werke, einige Opern (zum Beispiel *Le Faucon*, Gatschino 1786; *Le fils rival*, Pawlowsk 1787), welche an fürstlichen Höfen gegeben wurden, und eine Reihe »Sonate di Cembalo« (1784), Quartette, Quintette (1787), Konzerte und Sinfonie für Kammermusik-Besetzung (1790), die meist der Großfürstin Maria Theodorowna gewidmet sind; außerdem noch verschiedene Arien, Lieder, Duette u. s. w. Aber schon zur Zeit seiner Bestätigung als Direktor der Sänger-Kapelle verließ Bortniansky das Gebiet der weltlichen Komposition (bis jetzt sind alle seine weltlichen Kompositionen unseren Musik-Forschern unbekannt geblieben) und widmete sich ausschließlich dem russischen Kirchengesange, den er von der italienischen Unnatur seiner Vorgänger, der »berühmten Maestri« Galuppi, Sarti und anderer befreit hat. Bortniansky hat die Rückkehr zum alten orthodoxen Kirchengesang vorbereitet, darin liegt auch die eigentliche Bedeutung seines großen Talentes. Seine Kunst war rein, klar, herzinnig; seine einfachen Kirchenlieder waren wirklich Gott gewidmet. Bortniansky starb am 8. Oktober 1825.

1) Diesen kennen wir nur nach Memoiren und Beschreibungen des glänzenden russischen Hoflebens vor 100—120 Jahren; die neuerweckten Werke von Bortniansky schildern uns viel anschaulicher den Hof-Konzert-Stil, wie er zu der Zeit herrschte,

der Versammlung wurde von einer kleinen Ausstellung von Bortniansky's Handschriften und ersten Ausgaben seiner Werke in Anspruch genommen. Außer der Hofkapelle wurde Bortniansky's Andenken auch in Moskau (Konzert der Synodal-Schule), in Charkow (Kaiserliche Musikgesellschaft) und besonders in Pensa gefeiert. Ein Chor-Dirigent der letztgenannten Stadt, Herr A. Kastorsky, veranstaltete am 23. März unter seiner persönlichen Leitung ein schönes geistliches Konzert, welches nur Bortniansky's Kompositionen gewidmet war. Zu diesem Konzert war von der hiesigen Kunstschule eine neue Büste des genialen Kirchensängers nach einem alten Stich modelliert worden.

Dank der Initiative der Hofkapelle ist jetzt das Interesse für Bortniansky geweckt. Die beiden Reden von Professor Smolensky, sowie einige Artikel von N. J. Kómpanejsky [1]) und anderen zeigen, daß die Zeit der Mißachtung Bortniansky's schon im Schwinden ist. Glinka und Tschaïkowsky — ihrem Beispiele folgend auch viele andere — verstanden Bortniansky nicht, hielten seine schöne, klare Melodieführung nur für eine leichtwiegende, süß-schmachtende und hofgünstige. Bortniansky aber war ein großer und der erste echte Tondichter in Rußland; er verstand den eigentlichen Kirchengesang so, wie ihn weder Glinka noch Tschaïkowsky verstehen konnten. Es war ihm jedoch nicht gegeben, plötzlich die vom Hofe beliebten italienischen Meister, welche auch in dem orthodoxen Kirchengesang gewirtschaftet und ihn italianisiert haben, bei Seite zu werfen; trotzdem wußte er nicht nur den Hof zu befriedigen, sondern auch den Kirchengesang hochzustellen und die alt-russischen Kirchen-Gesangsweisen zu bewahren. Erst jetzt beginnen die Verdienste Bortniansky's als Förderer des russischen Kirchengesanges klarer hervorzutreten.

Ein Sohn des verstorbenen russischen Lieder-Komponisten A. E. Warlamoff, der talentvolle Hof-Schauspieler K. A. Warlamoff, suchte die Aufmerksamkeit unserer Musikwelt auf seinen Vater gleichfalls bei Gelegenheit der hundertsten Wiederkehr seines Geburtstages zu lenken [2]). Leider kam ein großes Gedächtnis-Konzert nicht zu Stande; nur einige private Vereine sowie das Moskauer Konservatorium erinnerten sich der Säkular-Feier und veranstalteten einige Lieder-Abende.

Ein großer Sprung führt mich von Warlamoff zu Beethoven, dessen 75ster Todestag auch in Rußland nicht unbemerkt vorüberging. Die beiden ersten Beethoven-Konzerte veranstalteten das St. Petersburger Konservatorium und die Kaiserliche Musikgesellschaft. Das X. Symphonie-Konzert der letzteren am 22. Februar brachte die I. und IX. Symphonie (Dirigent Herr M. Fiedler aus Hamburg) und das Es-dur-Klavierkonzert (Professor Essipowa). — An dem Beethoven-Abend (7. April) der Musikpädagogischen Gesellschaft in St. Petersburg wurde eine kleine Beethoven-Sammlung mit circa 90 Nummern ausgestellt; das Programm enthielt: das Es-dur-Quartett

---

als noch keine russische National-Oper, kein Kunstlied entstanden waren. Dieser brillante Konzert-Stil war eigentlich ein Kind der pompösen italienischen Oper und des russischen Kirchengesanges, bestimmt, zur Verherrlichung der feinsinnigen Kaiserin und der Hofleute beizutragen.

1) Alle diese in der »Russischen Musik-Zeitung« veröffentlicht.

2) Alexander Egorowitsch Warlamoff (geboren 15./28. November 1801. gestorben 15./28. Oktober 1848) komponierte 223 Lieder, unter anderen den berühmten »Roten Ssarafan«. Die vollständige Biographie Warlamoff's veröffentlichte S. Bulitsch St. Petersburg. 1901).

op. 74), eine Violin-Sonate, 5 geistliche Lieder aus dem op. 48, sowie den *Erlkönig* (von R. Becker vollendet, erste Aufführung hier¹, 3 Vokal-Trios darunter die Kanons *Abbé Stadler* und *Ich bitt' dich*), die Flöten-Serenade, einige Klavier-Kompositionen und 2 Chöre: Chor der Mönche aus der *Musik zu Wilhelm Tell* und Finale aus *Fidelio*. — Weder Moskau. noch die Provinz eine kleine Ausnahme machte Tiflis, wo das Gymnasium einen Beethoven-Abend arrangierte) gedachten des Todestages des großen deutschen Meisters.

Nicht viel reger äußert sich das Interesse für die heimatlichen Meister. In meinem vorjährigen Berichte wies ich bereits auf die Eröffnung der Subskription für ein Glinka-Volksdenkmal in St. Petersburg hin. Und wenn auch bis jetzt schon 30 000 Rubel gesammelt sind, darf man nicht vergessen, daß das Ergebnis des zweiten und der folgenden Jahre immer kläglicher ausfallen wird; dabei bekümmert sich der Glinka-Denkmal-Ausschuß nur wenig um die Vergrößerung seines Fonds. Bis jetzt haben die größten Erträge einige Konzert- und Opern-Unternehmungen abgeworfen. Mit gutem Beispiel ging Herr A. Archangelsky, der in Rußland geschätzte Chor-Dirigent, voraus, indem er seinem schön geschulten Chor ein Konzert in St. Petersburg veranstaltete, dessen zweite Abteilung Glinka gewidmet war, die erste dagegen der zweichörigen Messe von Fr. Osk. Wermann. In dem Glinka gewidmeten Teile begegneten wir einer Reihe schöner *Lieder* sowie einer wenig bekannten *Jugend-Kantate* (Prolog) aus dem Jahre 1825. Diese wurde von Glinka in Smolensk geschrieben zur Zeit des Todes Kaisers Alexander's I. und der Tronbesteigung Nicolai's I.; gleichzeitig wurde sie auch in Smolensk aufgeführt, wo der junge Komponist selbst die B-dur-Arie, als Genius verkleidet, sang. Außer der letztgenannten Arie besteht die Kantate noch aus zwei Chören im älteren Stil. — In Kischinew, Tula und Wladimir wurden noch Konzerte zum Besten des Glinka-Fonds gegeben. In der ersten Stadt zeichnete sich der Musikdirektor W. Hutor aus, in den beiden anderen wirkte Herr Musikdirektor Ssafonoff (Moskau) mit dem Schüler-Orchester des Moskauer Konservatoriums mit. Einen recht traurigen Eindruck machte das Glinka-Konzert des St. Petersburger Marien-Theaters am 23. März. Das Programm enthielt zwar eine ganze Reihe von Liedern, Fragmenten aus beiden Opern (und zwar solchen, die gewöhnlich bei den Vorstellungen ausgelassen werden), Ouverture und Walzer aus dem *Leben für den Zar*, *La Jota Aragonesse* und *Kamarinskaja*. Trotz der prachtvollen Leistungen des Opern-Orchesters unter Direktion von E. Napravnik glänzte das Publikum jedoch durch Abwesenheit. Es ist dies auch ganz begreiflich: denn solche Konzerte locken unser Publikum nicht an. Bei Glinka kann man keine Reklame machen. die jetzt zum Anlocken des Publikums unerläßlich ist! Nichts ohne Reklame! Sogar solche Künstlerkräfte wie Schaljapin, der beliebteste und berühmteste Bariton in Rußland, konnten sich ohne dieses Hilfsmittel nicht durchschlagen! Wir sehen jetzt, daß eine pikante Sängerin, wie Fr. Wjalzewa mit einer kleinen Stimme, ohne Bildung, aber mit großem Aplomb hausbackene Zigeunerlieder singen und in der Adelsversammlung 3 – 4 vollbesetzte Konzerte, von welchen jedes gegen 8000 Rubel einbringt, geben kann! Wir sehen, daß ernste Gesellschaften, um Geld für ihre Wohlthätigkeits-Fonds zu schaffen, solche Konzerte und Belustigungen unternehmen, bei welchen die Kaiserlichen Schauspieler — Zirkus-Akrobaten vorstellen, die Opernsänger — Leiermänner und Gassensänger spielen oder eine Operette aufführen, wie es zum Beispiel jetzt alljährlich die Russische Theater-Gesellschaft macht! Und da soll ein gutes Glinka-Konzert seine Zuhörer finden?!

Meiner früheren Anordnung folgend, gehe ich nun zu den verstorbenen Musikern der verflossenen Saison über. — Antonina Iwan. Abarinowa (1842—1901), eine hochbegabte dramatische Schauspielerin der St. Petersburger Hof-Bühne; 1861—1877, vor ihrem Übergang zum Schauspiel, war sie ein talentvolle Altistin, sang in Italien, Odessa, Tiflis, Moskau und St. Petersburg (Hoftheater). — Feodor. Feodor. Becker (1853—1901), einer der begabtesten Chordirigenten in St. Petersburg, wo er den »Melnikoff-Chor« leitete und Regisseur-Gehülfe an der Kaiserlichen Oper war. — S. P. Kasansky (gestorben 1901 in Tiflis), ein begabter Musikkritiker. — Was. Fed. Komarow (gestorben 1901 in Moskau), ein Kenner und Förderer des orthodoxen Kirchengesanges. — Baron Boris Alex. Fitinhoff-Schell (1829—1901), einer der letzten Repräsentanten des russischen Dilettantismus; begabter Komponist, aber ohne ernste Schulbildung; als Pianist einer der beliebtesten Schüler Henselt's. Seine Werke sind 4 Opern: *Mazeppa* (1859), *Dämon* (1886), *Juan de Tenorio* (1888), *Olofern* (1881); 2 Oratorien: *Johannes Damascenus* (1879), *Stabat Mater* (1876); 2 Ballets: *Die Tulpe von Harlem* (1887) und *Aschenbrödel* (1893); viele Orchester-, Klavier- und Vokal-Kompositionen. — Olga Naprawnik, geb. Schneider (gestorben 1902 in St. Petersburg), Gemahlin des hochgeschätzten Kapellmeisters der Kaiserlichen Oper, ehemals eine talentvolle Opernsängerin (Kontralto). — Konstantin Petr. Nelidoff (1867—1901), junger reichbegabter Musik-Pädagog in Nischny-Novgorod; schrieb eine Reihe bedeutender Artikel in der »Russischen Musik-Zeitung« über Musik-Unterricht und -Erziehung. — Ksenia Alex. Prochorowa-Maurelli (1836—1902), eine geschätzte Gesanglehrerin in Charkow, dann in Kiew, ehemals Sängerin, Schülerin von Nissen-Saloman; mit großem Erfolg sang sie Agathe und andere Rollen in der Kaiserlichen Oper, dann in Italien; 1873 widmete sie sich ausschließlich dem Gesangunterricht.

II.

Selbst in den Kaiserlichen Theatern wird ein volles Haus nur unter Mitwirkung zweier berühmter Sänger (Schaljapin und Ssobinoff, die beide dem Moskauer Großen Theater angehören) erreicht. Bemerkenswert ist, daß sich an den genannten Instituten, hauptsächlich dem St. Petersburger, neuerdings eine neue anti-wagnerische Stimmung geltend macht, im Gegensatz zu der kurzen Zeit, als Fürst Wolkonsky die Direktion in Händen hatte. Unter dem vor zwei Jahren neueingetretenen Direktor, Herrn Teljakowsky, wird dies recht fühlbar, obwohl auch in der verflossenen Saison Wagner's *Siegfried* zum ersten Mal in russischer Sprache in St. Petersburg über die Bretter ging und für die nächste Saison schon — furchtbar für die russische Musikkritik — die *Götterdämmerung* in Aussicht genommen ist. Aber bei den Wagner-Aufführungen fühlt man, daß diese Vorstellungen jetzt ein unvermeidliches Übel sind[1] (so wurde auch *Siegfried* aufgeführt); auch von *Tristan*

---

[1] Die vorjährige erstmalige Aufführung der *Walküre* war noch während der Verwaltung des Fürsten Wolkonsky im Repertoire Allerhöchst bestätigt worden, und schon zu seiner Zeit wurde mit der Einstudierung und der Inscenierung des Musikdramas begonnen.

und Isolde hörte man nichts in diesem Jahre, und ich vermute, wohl nicht ohne Grund, daß das geniale Meisterwerk auf lange aus dem hiesigen Repertoire beseitigt ist.

In St. Petersburg ist neben der Kaiserlichen Oper in erster Linie das Kaiserliche Marien-Theater zu nennen, das eine neue Oper in dem »Kaiser Nicolai II. Volkshaus« und zwei neue Opern in Wohlthätigkeits-Vorstellungen brachte. Die private italienische Opern-Gesellschaft (Impressario Guidi) und zwei russische Opern-Unternehmungen während der großen Fastenzeit unter Herrn Ljubimoff und Fürsten Zeretelli sind nicht der Rede wert. Das Marientheater brachte im Ganzen vier neue Opern, darunter eine von Mozart (*Figaro's Hochzeit*), die andere von Weber (*Freischütz*)! Mozart ist ein allzu seltener Gast auf der russischen Opernbühne, und von seinen Werken insbesondere *Figaro's Hochzeit*[1]). Ich glaube nicht zu irren, wenn ich behaupte, daß diese Musik-Komödie in der St. Petersburger russischen Hofoper schon seit 100 Jahren nicht aufgeführt worden ist (die erste russische Aufführung in St. Petersburg fand zwischen 1796—1800 statt). Die Mozart'sche Oper erlebte ihre erste Wiederaufführung am 8. Oktober 1901, brachte es jedoch nur auf vier Vorstellungen und verschwand dann wieder, vielleicht für weitere — 100 Jahre. Sie wurde nach der Übersetzung von Tschaïkowsky gegeben und von E. Kruschewsky neu einstudiert; das Sänger-Ensemble war besser als bei Gelegenheit des vor einigen Jahren neu einstudierten *Don Juan*. Die zweite Opern-Novität, die *Zarenbraut* von Rimsky-Korssakoff, eroberte die St. Petersburger Hofbühne erst am 12. November 1901, nachdem sie schon zwei Jahre früher von einer Privat-Operntruppe gegeben worden war. Im Gegensatz zu der Aufführung in der Privat-Oper im Jahre 1899, sowie zu den Aufführungen in Moskau und in der Provinz, hat die *Zarenbraut* auf der Hofbühne nur einen mäßigen Erfolg gehabt; doch lag die Schuld daran nicht in der Aufführung selbst, die an und für sich vortrefflich war, sondern in der Oper selbst. Ihre Musik bewegt sich in alter Form, mit abgeschlossenen Musikstücken; es fehlt an einer wirklich dramatischen Handlung. Nur in einzelnen Scenen wird die Aufmerksamkeit der Zuhörer und Zuschauer erweckt, es sind dies: das echt volkstümliche Lied der Ljubascha (ohne Begleitung), die erste Arie der Zarenbraut (welche vieles gemein hat mit der klassischen Antonida-Arie in dem *Leben für den Zar*), das kleine Orchester-Solo bei dem Vorüberziehen des Zaren und endlich die Schlußscene der wahnsinnig gewordenen Zarenbraut. Dieses Werk des hochbegabten Meisters steht den früheren reizenden Opern Rimsky-Korssakoff's, seinem *Pskowitjanka*, *Mainacht*, *Mlada* und besonders *Schneewittchen* weit nach. Die *Zarenbraut* wurde nur zehn Mal gegeben, wird sich aber wahrscheinlich auch im nächsten Jahre auf dem Repertoire halten. Der 10. Dezember 1901 brachte als dritte Novität Weber's *Freischütz* nach fast 15-jähriger Ruhe. Die jetzige Besetzung stand der, welche ich vor 15 Jahren im Marientheater hörte, bedeutend nach; nur das Orchester, mit E. Napravnik an der Spitze, spielte schön wie immer. Auch die Inscenierung war — auf »Moskauer« Art — bunt und nicht der einfachen Dichtung entsprechend. Die Wolfsschlucht war mehr grob und grotesk, als naiv und märchen-

---

1) Ich weiß nicht, ob die Oper in Moskau gegeben wurde, außer in einer Konservatoriums-Vorstellung, zu welcher P. Tchaïkowsky den Text ins Russische übersetzte; in der Provinz giebt man überhaupt keine Oper von Mozart!

haft (zum Beispiel zog anstatt der wilden Jagd der Hexenzug aus Boïto's
»Mephistofele« am Himmel vorbei!). Noch eins fehlte dem ·jungen, ewig
frischen *Freischütz* — seine einfachen Dialoge; die Oper wurde mit den von
Berlioz hinzugefügten Recitativen gegeben. Das ganze klassische Werk
verlor deshalb seinen wahren Wert, seine Herzlichkeit und Einfachheit. —
Als vierte Novität endlich erschien Wagner's *Siegfried* zum ersten Mal in
St. Petersburg in russischer Übersetzung (von Hrn. Thümenjeff) am 17. Februar als Benefiz-Vorstellung des hiesigen Opern-Orchesters. Ich muß aber
aufrichtig bekennen, daß *Siegfried* in seiner russischen Gestalt keinen Sieg
errungen und unsere Wagnerianer nicht befriedigt hat. Der Erfolg war im
ganzen weit geringer als der der *Walküre* im vorigen Jahr. Die erste und
zweite Aufführung dieses Musik-Dramas verlief grau in grau, langweilig,
ohne Verständnis für die Schönheiten der genialen Wagner'schen Musik (mit
Ausnahme des jungen reichbegabten Tenors Jerschoff in der Titelrolle und
Fräulein Litwin als Brünhilde): in Allem bemerkt man die gegen-wagnerische
Stimmung, die jetzt bei den Kaiserlichen Theatern herrscht. Wagner's Tondramen betrachtet man eben wie ein unvermeidliches Übel! · Das Orchester,
die übrigen Sänger, die ganze Inscenierung, überhaupt die Aufführung des
Siegfried zeigen dies offenkundig. Wenn es in der nächsten Saison mit der
Götterdämmerung ebenso ergeht, sollte man das Werk lieber unangetastet lassen.
— Um mit der Thätigkeit des Marien-Theaters zum Schluß zu kommen, muß
ich hier noch hinzufügen, daß außer dem gewöhnlichen Repertoire, mit dem
die Leser schon aus meinen früheren Berichten bekannt sind, noch folgende
Opern in der verflossenen Saison neu einstudiert wurden: Verdi's *Othello*
am 19. November zur Benefiz-Vorstellung des zweiten Kapellmeisters, Herrn
Eduard Kruschewsky, der sein 25jähriges Jubiläum feierte; Humper-
dinck's *Hänsel und Gretel*, Tschaïkowsky's *Jolantha* und Rubinstein's
Dämon, letzterer in neuer Inscenierung. Für die nächste Saison hat das
Marien-Theater außer der *Götterdämmerung* noch in Aussicht gestellt: *Servilia*
von Rimsky-Korssakoff, *Francesca da Rimini* von Napravnik und *Das
Eishaus* von Korestschenko (letzteres vor zwei Jahren ohne großen Erfolg
im Moskauer Großen Theater aufgeführt). Nachzutragen wäre noch, daß das
St. Petersburger Hof-Ballett im Marien-Theater in diesem Jahre zum
ersten Mal zwei Ballette aufgeführt hat: *Silvia* von Delibes und *Javotte*
von Saint Saëns.

Das Kaiserliche Marien-Theater wurde noch für manche Wohlthätigkeits-
Konzerte und Gast-Vorstellungen freigegeben, so zum Beispiel der Italienischen Oper, der Wiener Operette und anderen. Zwei weit interessantere
Wohlthätigkeits-Vorstellungen bescherten uns die beiden neuen Opern russischen
Ursprungs: *Prinzessin Träumerei* von Julius Bleichmann (Erst-Aufführung
in Moskau 1900—1901) und *Urvasi* von Eduard Dlussky. Beide Opern
wurden je nur ein einziges Mal hier aufgeführt (die erste am 22. Februar,
die zweite am 25. März), beide mit ganz gutem Erfolg. Es ist jetzt fast
Mode geworden, Opern und Operetten für Wohlthätigkeits-Unternehmungen
nur für einen Abend einzuüben, um das Kassen-Erträgnis zu erhöhen, doch
wieviel Mühe, Arbeit und Kosten verursacht es! Bei der geringen Zahl
der Proben kann von einem liebevollen Einstudieren natürlich nicht die
Rede sein.

Bevor wir von St. Petersburg scheiden, muß ich noch die Opern-Vorstellungen des »Kaiser Nikolai II. Volkstheaters« erwähnen. Außerhalb des

gewöhnlichen Repertoires werden hier von Zeit zu Zeit neue oder wenig bekannte Opern aufgeführt, so zum Beispiel als gut aufgenommene Novität die hübsche Oper *Die Zigeuner* von A. Schäfer (Kapellmeister des Volkshauses) am 30. Dezember, dann die reizende *Mainacht* von Rimsky-Korssakoff am 24. März und erst unlängst, am 20. Juni, die dramatische Oper *Tscharodeika (Die Zauberin)* von Tschaïkowsky.

In Moskau spielte sich das Opernleben 1901—1902 nur in dem Kaiserlichen Theater und der russischen Privat-Oper im Theater von Ssolodownikoff ab. In der Thätigkeit des ersteren gab es wohl wenig neues. Die Direktion und das Publikum begnügten sich mit dem Auftreten der hier so beliebten Tenoristen Ssobinoff und Baritonisten Schaljapin, sowie mit einigen Gastrollen der St. Petersburger Sänger. Das diesjährige Repertoire des Großen Theaters unterscheidet sich allzu wenig von dem vorjährigen. Nur zum Schluß der Winter-Saison wurden hier plötzlich einige Wagner-Vorstellungen gegeben, einige davon von der Kaiserlichen Direktion veranstaltet; die anderen dagegen (während der großen Fastenzeit) verdanken wir einem Privat-Unternehmen. Zur Leitung der ersteren wurde Herr Baidler aus Bayreuth aufgefordert, der sich überhaupt einige Winter-Monate in Moskau aufhielt, um öfters im Großen Theater Opern zu dirigieren. Am 24. Februar wurde die *Walküre* zum ersten Mal in Moskau in russischer Sprache gegeben. Das geniale Werk hatte einen großen Erfolg. Einige Tage darauf, am 5. März, wurde auch *Siegfried* aufgeführt, der schon vor einigen Jahren in Moskau »russifiziert« worden war. Gleich darnach trat die große Fastenzeit in ihre Rechte. In der Frühlings-Saison wurden beide Opern nicht wieder gegeben; wir wollen aber hoffen, daß das Absetzen derselben vom Repertoire des Großen Theaters sich nicht auch auf die nächste Saison erstrecken möge, obwohl es in den Kron-Theatern nicht zu den Seltenheiten gehört, daß eine neu aufgeführte Oper nur 1—2 Mal gegeben wird! Mit den beiden genannten Werken hatten die Wagner-Vorstellungen jedoch noch nicht ihr Ende erreicht. Während der Saison bildete sich nämlich ein Kreis von Wagner-Gönnern, welcher die Mittel sammelte, um einige »Muster-Vorstellungen« der Musikdramen in Moskau zu ermöglichen. Es gelang ihnen, das Große Theater zu diesem Zweck zu bekommen und einige »Wagner-Sänger« nach Moskau einzuladen. Am 20. und 23. März wurden gleichfalls *Walküre* und *Siegfried* aufgeführt, aber in deutscher Sprache. Beide Vorstellungen leitete Herr Wilhelm Keß, der bekannte frühere Dirigent der Moskauer Philharmonie-Konzerte[1]. Folgende·Künstler waren zur Mitwirkung aufgefordert worden: die Damen Felia Litwin, Pleichinger (aus Berlin), Dongez und Wallker (beide aus Dresden), die Herren Kraus (Berlin), Perron (Dresden) und andere. Beide Vorstellungen hatten ebenfalls einen sehr guten Erfolg, aber im Ganzen waren sie von Muster-Vorstellungen weit entfernt.

Doch kehren wir zu der Thätigkeit der Kaiserlichen Theater und zwar zum Neuen Theater, zurück. Hier wurden, wie auch in der verflossenen Saison, leichtere, meist komische Opern gegeben. Zu nennen wären zwei neue Einakter, die beide an einem Abend, am 24. November, zum ersten Mal aufgeführt wurden; es sind: *Ein Gelage während der Pest* von C. Cui

---

1) Jetzt ist Herr Keß als Leiter des Philharmonie-Konservatoriums in Moskau bestätigt.

und *Mozart und Salieri* von Rimsky-Korssakoff. Beide Opern sind fast
in getreuer Anlehnung an Puschkin's »Dramatische Scenen« komponiert;
der Text blieb in beiden Fällen unverändert. Sie sind im Stil der »melodischen Deklamation« gehalten, welche ein Merkmal der »Neu-russischen
Musik-Schule« (Balakireff—Mussorgsky—Cui—Rimsky-Korssakoff) ist und
seit dem *Steinernen Gast* von Dargomigsky (1870) datiert[1]). Bei dem
letzteren spielt das Orchester keine wichtige Rolle; der Stimme, dem gesprochenen Recitativ ist die harmonische und melodische Gestaltung der Musik
gänzlich untergeordnet. C. Cui und Rimsky-Korssakoff sind nicht so erfin-
derisch im melodischen Recitativ wie Dargomigsky; darum sind nur Einzelheiten ihrer Deklamation anziehend (bei Cui besonders das einfache und
innige Lied der Mary, während Rimsky-Korssakoff Mozart's berühmte »Phantasie« in der Orchester-Begleitung meisterhaft benutzt und durchgeführt hat.

Bei Betrachtung der Thätigkeit der Moskauer Privat-Oper muß von vornherein bemerkt werden, daß letztere sich in der verflossenen Saison zu wenig
entwickeln konnte. Die Gesellschaft hatte manche schweren Tage zu überwinden, und gerade zur besten Zeit der Opern-Saison, vor den Weihnachts-
Feiertagen, hörten die Vorstellungen nach dreimonatiger Dauer plötzlich
wegen Geldmangels auf. Die größte Schuld lag an Frau Winter, dem Impressario der Privat-Oper (nächst Herrn S. Mamontoff), die zu wenig Geschicklichkeit in der geschäftlichen Leitung zeigte oder vielmehr hauptsächlich ihren
persönlichen Vorteil im Auge hatte. Aber nach diesen schweren Tagen
ist die Privat-Oper auf anderer Grundlage wieder neu erstanden, dank der
Unterstützung von Seiten der reichen Russischen Theater-Gesellschaft. In
der verflossenen Saison wurden als Novitäten *Tscherewitschky*[2]) von Tschaïkowsky (1876) und *Gorjuscha* von Rubinstein (1888) zur Darstellung
gebracht. Beide waren sorgfältig einstudiert, doch nur die erste Oper von
gutem Erfolg begleitet.

Die Thätigkeit verschiedener Opern-Truppen in der Provinz ergiebt
noch weniger neues. Es braucht hier nur erwähnt zu werden, daß Kiew
mit einem neuen Stadt-Theater bereichert worden ist, welches am 28. September mit einer *Kantate* »Kiew« von Hr. Garteweld und der National-
Oper *Das Leben für den Zar* von Glinka eröffnet wurde. — In Charkow
fand das Unternehmen des Fürsten Zeretelli ein recht unglückliches Ende,
nachdem es dieser Stadt in der verflossenen Saison doch einige unbekannte
Opern bescheert hatte, unter anderen *Lakmé* von Delibes und die *Chowan-
tschina* von Mussorgsky. — In Odessa ist die italienische Oper noch am
ehesten zu genießen, eine russische Oper (natürlich mit den Lieblingen der
Mode — Schaljapin und Ssobinoff) ist dem dortigen Stadt-Theater nur zur
Fastenzeit oder während der Frühlings-Saison vergönnt. — In Tiflis hat
sich das Repertoire des Kron-Theaters um die reizende *Mainacht* von Rimsky-Korssakoff und die Operette *Die Glocken von Corneville* von Planquette vermehrt.

---

1) Der *Steinerne Gast* ist auch getreu nach der gleichnamigen dramatischen Dichtung von Puschkin komponiert; er besitzt keine Arien und Chöre; die Musik bildet
eine hoch interessante lyrische Deklamation (melodische Recitative); bis jetzt ist das
Werk noch nicht anerkannt, war Anlaß eines großen Streites und Kampfes in unserer
Musikkritik, hat aber manche starke Anhänger.

2) So werden die Frauen-Schuhe in Klein-Rußland genannt. Das Sujet dieser
Oper ist der reizenden Weihnachts-Erzählung »Wakula der Schmied« von Gogol
entnommen.

III.

Das Konzertleben in Rußland brachte in der verflossenen Saison recht wenig Neues und Bedeutsames. Mein Bericht darüber verkürzt sich noch mehr, weil ich schon früher über einige Konzerte (Bortniansky, Glinka und andere) das Nötige mitgeteilt habe.

Die Symphonie-Versammlungen in der St. Pétersburger und Moskauer Sektion der Kaiserlichen Musikgesellschaft verflossen eigentlich in sanfter Ruhe. In St. Petersburg standen sie wieder unter Leitung verschiedener Dirigenten, welche zuweilen mit einem recht bunten und wenig ernsten Programm auftraten. Als Dirigenten in den St. Petersburger Symphonie-Konzerten sehen wir die Herren Klenowsky (aus Tiflis), Hessin (Laureat des St. Petersburger Konservatoriums, als Dirigent Schüler von Nikisch) und Max Fiedler (aus Hamburg). Klenowsky gab hier zum ersten Male die II. Symphonie (G-moll) von Kalinnikoff, ein frisches, reizendes Werk des unlängst verstorbenen Komponisten, welches aber seiner I. Symphonie nachsteht; außerdem hörten wir noch die IV. Symphonie F-moll) von Tschaïkowsky und die VI. Symphonie von Glazunoff. Das Übrige waren kleine Stücke, welche ein ernstes Konzert-Programm besser unberücksichtigt hätte lassen müssen. Das Debut des jungen begabten Herrn Hessin, der erst unlängst seine Studien bei Nikisch und Mottl beendet hat, war im Ganzen recht gut gelungen; er führte die *V. Symphonie* von Beethoven, *Fantastische Symphonie* von Berlioz, *Parsifal-Vorspiel* von Wagner und andere vor und zeigte, daß er ein wirkliches, obwohl auch noch nicht voll entwickeltes Talent zum Dirigieren hat. Wenig neues brachte auch Herr Fiedler: *Tod und Verklärung* von R. Strauß, das dritte Fragment aus Smetana's *Heimat* und Wagner's *Tannhäuser und Venus* (aus der Pariser Redaktion des Tannhäuser). — Die Moskauer Konzerte führte wie früher Professor Ssafonoff, und hier hörten wir die *III. Symphonie* von Saint-Saëns, Verdi's *Requiem*, *Messias* von Händel; an russischen Werken wurden hier zum ersten Male Kompositionen von Fräulein Kaschperowa aus St. Petersburg (*Klavier-Konzert*), Cui (Orchester-Suite *A Argenteau*), Rimsky-Korssakoff (der ganze 3. Akt der Oper *Mlada* in Konzertaufführung), Tschaïkowsky (*Manfred*-Symphonie) und Wassilenko (Die Sage von der Stadt Großer Kytège und dem ruhigen See Swetojar). Der letzte gehört zu den jüngsten Moskauer Komponisten, seine Symphonie, mit welcher er zum ersten Male auftrat, fand allgemeinen Beifall. — Von der Thätigkeit der Moskauer Sektion der Kaiserlichen Musikgesellschaft sei hier noch die Aufführung der *Entführung aus dem Serail* von Mozart im Konservatorium erwähnt. — Noch weniger neues finden wir in den Konzerten der Provinz-Sektionen derselben. In Kiew (Dirigent A. Winogradsky) wurde zum ersten Male R. Strauß' *Don Juan* aufgeführt. Das Werk blieb hier ganz unbegriffen. Ein Symphonie-Konzert leitete Herr Ssafonoff aus Moskau, worin er Beethoven's *Eroica*, Glazunoff's *Frühling* und zwei Vorspiele aus Wagner's *Meistersingern* brachte. — In Poltawa (Dirigent D. Achscharumoff) wurde zum ersten Male die neue russische *Symphonie* des Charkowschen Komponisten W. Ssokalsky aufgeführt. — In Riga verschönte die Kammermusik-Abende der hiesigen Sektion die Mitwirkung des St. Petersburger Komponisten A. Arensky, unter dessen Leitung hier auch ein Symphonie-Konzert gegeben wurde. — In Tiflis verabschiedete sich der bisherige Leiter der Symphonie-Versammlungen, Musikdirektor Nic. Kle-

nowsky, welcher Januar 1902 nach St. Petersburg übersiedelte, wo er eine
Stelle als Inspektor der Hofkapelle annahm; an seine Stelle als Dirigent trat
der hiesige Violinist, Herr Sserbuloff ein.

Im Übrigen brachte das russische Musikleben Konzerte von Herrn
A. Siloti und Professor Werschbilowitsch, welche am 19. Oktober die St.
Petersburger Konzert-Saison eröffneten. Der talentvolle Pianist spielte eine
neue *Klavier-Sonate* op. 74 von Glazunoff, Hexameron von Liszt, Thalberg,
Pixis, Herz und Chopin und eine schöne 4-händige *Suite* von Rachmaninoff (zu-
sammen mit der Komponistin am zweiten Klavier). Nach dem St. Petersburger
Konzert machten die beiden Konzertierenden mit großem Beifall eine Kon-
zertreise nach Moskau, Kiew, Kischinew, Nikolaew, Odessa, Charkow u. s. w.
— Wie auch früher veranstaltete die St. Petersburger Musikpädagogische
Gesellschaft eine Reihe von Musikabenden, von welchen, außer dem früher
erwähnten Beethoven-Konzert, nur ein Liszt-Abend (am 30. Oktober) und
ein Abend der alten Meister (30. Januar) erwähnt sein mögen. Der Liszt-
Abend brachte zwei hier noch gar nicht bekannte Werke: *Elegie*, gewidmet
dem Andenken der Frau Mouckhnoff, sowie das Concert pathétique (gespielt
von den Herren Medem und Lemba). In der Bibliothek der Gesellschaft
wurde daneben eine kleine Liszt-Ausstellung veranstaltet. Der zweite Abend
brachte Klavier-Sonaten von Häßler, Kuhnau, Paradisi und Turini,
welche von Frl. Goldenblum auf einem Clavecin von 1781 (Gabriel Bunte-
bart et Stevers, Londini) ausgeführt wurden; es folgten 2 Streich-Quartette
und Trio von Tartini, die A-moll-Sonate für Flöte und Klavier von Händel und andere. — Die russischen Symphonie-Konzerte wurden in
der verflossenen Saison von Professor Ljadoff geleitet; sie brachten folgende
Novitäten: eine gut-klingende *Hebräische Rhapsodie* von Zolotareff, *Adagio
und Scherzo* für Orchester von Kalafati (wirkungslos) und eine neue (zweite)
Symphonie in *C-moll* von Skrjabin. — Die Populären Konzerte des
Grafen Scheremetjeff hatten wie früher einen überfüllten Saal, obwohl
sie jetzt in der Ausführung zu wünschen übrig lassen. Es ist nämlich ein
Fehler der Konzert-Administration, daß sie jetzt immer große schwer aus-
führbare Werke wählt, zu deren Bewältigung sie weder Kraft noch Kunst-
mittel genug besitzt. So zum Beispiel hat sie außer einem hausbackenen
Oratorium (*Johannes Damascenus*) des unlängst verschiedenen Komponisten
Fitinhoff-Schell, zum ersten Male die *Christliche Trilogie* von Hamerick, *An
der Klosterpforte* von Grieg, sogar Liszt's *Christus* und Schumann's *Faust-
Musik*, sowie eine Reihe Oratorien von Mozart, Mendelssohn u. s. w. aufgeführt!

Außer diesen ständigen Konzerten traten in St. Petersburg noch zwei
Konzert-Unternehmungen während der verflossenen Saison in Thätigkeit, die
erste unter dem Titel »Abende der Musik unserer Zeit«, welche ein kleiner
Kreis von jungen Anfängern veranstaltete. Bisher gaben die Abende,
welche im Dezember begannen, nichts wichtiges und wirklich interessantes,
wenn man Werke von Nicht-Mitgliedern, wie Glazunoff, oder solchen jungen
Komponisten wie — Scarlatti, Buxtehude u. s. w. abrechnet. Einen ganz
anderen Eindruck machte eine neue prachtvolle Unternehmung des Kaiserlichen Hoforchesters. Baron Konstantin von Stackelberg, Direktor des
Hoforchesters, veranstaltete eine Reihe von Versammlungen, in welchen
fast ausschließlich Musik-Novitäten aufgeführt wurden. Ich habe bisher noch
nichts über das Hoforchester mitgeteilt, welches in der letzten Zeit auch ins

öffentliche Musikleben eingetreten ist. Seine gegenwärtige hohe Bedeutung hat das Hoforchester ausschließlich durch die Energie und Liebe ihres Direktors, Seiner Excellenz Baron K. von Stackelberg, erreicht. Das Hoforchester ist 1882 unter dem Namen »Chor der Hofmusiker« gegründet und hatte den Charakter eines Militär-Chores, obwohl es nicht nur ein Blas-, sondern auch ein Streich-Orchester bildete (jetzige Dirigenten sind Hermann Fliege und Hugo Wahrlich). Die beiden Orchester spielten schon im Jahre ihrer Gründung am Kaiserlichen Hofe. Von 1884 an wurde das Publikum für einen geringen Eintrittspreis zu den Hauptproben zugelassen und schon in demselben Jahre erhielt der Chor die gegenwärtige Benennung als Hoforchester. 1897 bekam es' ein neues Statut, und schon im vorigen Jahre trat das Orchester als ein prachtvoll geschultes und kunstreifes Institut hervor. Das ist auch ganz verständlich, denn sein Haupt ist ein feinsinniger, hochgebildeter und energischer Freund der Musik. Das Orchester besteht aus besten Ausführungs-Kräften, das Institut erfreut sich ausgiebiger Unterstützung seitens des Kaisers, besitzt eine reiche Bibliothek u. s. w. Endlich steht das Hoforchester außerhalb des Einflusses der verschiedenen Parteien und der Zeitungs-Kritiker, seine Stellung ist exklusiv und daraus läßt sich leicht entnehmen, wieviel Nutzen das Hoforchester dem russischen Musikleben zu bringen vermag, indem es neue Werke jeder Art und Richtung aufführen kann. So entstand auch der Gedanke, Versammlungen der »Musik-Novitäten« zu veranstalten, die eine große und fühlbare Lücke in unserem Konzertleben ausfüllen. Am 24. März fand die erste Versammlung statt, bald folgten weitere; *Der Schwan von Tuonel* von Sibelius, symphonischer Prolog *König Oedipus* von Schillings, *Heldenleben* von Rich. Strauß (zweimal aufgeführt), ferner Werke von Grieg, Franck, Sinding, ein schönes neues *Klavier-Konzert* von Nikolaeff, *Zigeuner-Rhapsodie* von Rachmaninoff, *Ilja Murometz*-Kantate von Juferoff und andere — alles Werke, die wir bisher nicht gehört hatten.

Außer diesen Konzerten sind noch folgende erwähnenswert: 1) das französische Konzert unter Leitung des Pariser Komponisten Alfred Bruneau, welches am 11. Januar Frau Dolina arrangierte; das Programm enthielt unter anderem Fragmente aus beiden Opern des Dirigenten, *Messidor* und *Der Sturmwind*, sowie die Ouverture aus Chabrie's *Gwendoline*, *Italienische Suite* von Charpentier u. s. w. Ich kann nicht sagen, daß alle diese Werke einen größeren Erfolg, als den sogenannten *succès d'estime* hatten. Dagegen fand der in diesem Konzerte zum ersten Male aufgetretene Pariser Violinist Hr. Thibaud einen glänzenden Erfolg (Violin-Konzert von Tschaïkowsky). 2) Ein seltenes Vergnügen waren die Konzerte des hochbegabten Pianisten Herrn Max Pauer; sein Erfolg in Moskau, wo er in einem Cyklus von Konzerten alle Beethoven'schen Sonaten spielte, war noch schöner und glänzender. 3) Drei Konzerte, welche Herr Gustav Mahler aus Wien dirigierte, können sich auch zu den besten künstlerischen Erfolgen rechnen. Der berühmte Wiener Dirigent leitete die *Manfred-Symphonie* von Tschaïkowsky, Werke von Mozart, Beethoven, Wagner und anderen. Sein erstes Auftreten in der nördlichen Residenz war im höchsten Grade gelungen. In seinem ersten Konzert spielte auch der hier beliebte Pianist E. Sauer sein neues *Klavier-Konzert*. 4) Endlich gab Herr A. Nikisch noch vier Konzerte, aber — diesmal ging es anders als früher. Sein erstes Konzert, von Herrn A. Siloti veranstaltet, war wie früher glorreich; er dirigierte die *IV. Symphonie*

von Tschaïkowsky, Ouvertüren von Beethoven, Mozart, Wagner, sowie eine Ouvertüre mit großem Lärm von Glazunoff (*Festliche Ouvertüre*);
Herr Siloti spielte ein neues reizendes *Klavier-Konzert* von Rachmaninoff.
Nach einem Monat wurde der geschätzte Dirigent von einer Wohlthätigen
Gesellschaft eingeladen, drei Konzerte zu geben, welche im Taurischen Palast
stattfanden.   Die Akustik des Saales ist furchtbar, jede Note, jeden Accent
hört man doppelt, weil an den großartigen Saal des Palais noch die mächtigen Räumlichkeiten der Orangerie anschließen.   Einen Genuß konnten unter
solchen Umständen die Ausführung nicht bieten.   Nicht besser stand es mit
dem Programm.   Herr Nikisch wählte für die drei Konzerte drei Symphonien
und gegen zwölf Ouvertüren, darunter manche genügend abgedroschene oder
wenig künstlerische von russischen Opern-Komponisten!   Die Wahrheit ist
traurig; aber hier, wie in Moskau hat sich der Kurs des genialen Dirigenten
ziemlich tief herabgesenkt.

In dem Moskauer Konzertleben spielen außer den Symphonie-Versammlungen der Kaiserlichen Musikgesellschaft noch die Philharmonie-Konzerte
eine große Rolle.   In diesem Jahre wurden sie von Herrn Siloti geleitet..
Als Dirigent steht Herr Siloti nicht so hoch wie als Pianist.   Am besten
gelang ihm die *Faust-Symphonie* seines großen Lehrers Liszt, sowie die
Ausführung des *Klavier-Konzertes* von Rachmaninoff und *Danse Macabre*
von Liszt, wo Herr Siloti als Pianist auftrat.   Im Übrigen brachte er folgende Novitäten: *Aus dem Reiche der Illusionen*, symphonische Dichtung von
Conüs, *Der Schwan von Tuonel* von Sibelius und ein neues *Klavier-Konzert*
von Arensky (gespielt von dem Komponisten).

Außer den Philharmonie-Konzerten muß ich noch die Konzerte der jungen
Gesellschaft für die Propaganda nationaler Musik nennen, geleitet von Herrn
Goedicke.   Die Moskauer Liedertafel gab das Oratorium *Arminius* von
Bruch.   Schönen Erfolg hatte der talentvolle Pianist Skrjabin, der ein
Konzert aus eigenen Kompositionen veranstaltete.

Von konzertierenden Virtuosen und Gästen seien hier noch genannt:
Professor Auer, Barcewitsch, Gabrilowitsch (Ekaterinoslaw, Kischinew,
Odessa); Frau Ant. Glasser, welche mit Herrn Rienzi zwei historische
Konzerte (Liederabende) in Orell und Witebsk gab; A. Grünfeld (St. Pe-
tersburg, Moskau, Kischinew, Charkow, Odessa), Frau Dolina, Medem
(St. Petersburg, Odessa), Nikolaeff (St. Petersburg, Kiew; er ist jetzt als
Musikdirektor an Stelle des Herrn Klenowsky nach Tiflis berufen), Mak-
simoff (St. Petersburg, Moskau, Tiflis), Rosenthal (beide Residenzen), Frau
Olenina d'Alheim (beide Residenzen), Sarasate (Odessa), Brüder Ssapel-
nikoff (Odessa, Riga u. s. w.) und andere.

Wenn ich sodann noch die Eröffnung einer neuen Pianoforte-Fabrik von
Offenbacher und Co. in St. Petersburg und die Gründung neuer Wohlthätiger
Gesellschaften der Kirchensänger in St. Petersburg und Pensa, sowie einer
neuen Gesellschaft des orthodoxen Kirchengesanges in Tiflis erwähne, so
hoffe ich so ziemlich alles genannt zu haben, was uns das letzte Jahr Bedeutsames im Russischen Musikleben gebracht hat.

St. Petersburg.   **Nic. Findeisen.**

Musikaufführungen.

(Zusendung von Programmen erwünscht.)

Agnetheln (Ungarn). 17. August. Kirchenkonzert zur Vorfeier von des Königs Geburtstag unter Leitung unseres Mitgliedes, des Musikdirektors und Organisten Wilhelm Stammler: Bach, Präludium und Fuge C-dur; Stücke von Mendelssohn, Schumann, Brahms, Saint-Saëns, t'Kruys.

Libau (Kurland). Die Symphonie-Konzerte des Kurhaus-Orchesters brachten mehrere Novitäten, so im 9. Konzert (16. August) eine Ungarische Ouvertüre von J. Bloch und eine Sonate für Klavier und Violine unseres Mitgliedes Mich. Jósefowicz, die demnächst in Warschau im Druck erscheinen wird.

Vorlesungen über Musik.

Vorlesungen über Musikwissenschaft und Musik an Universitäten im Wintersemester 1902.

(Vergleiche auch Jahrgang III, Heft 12.)

Darmstadt (Technische Hochschule). Privatdozent Dr. Nagel: Beethoven's Klavier-Sonaten, 1 Stunde. Die Entwicklung der Klaviermusik, 1 St. Harmonielehre, 1—2 St. Kontrapunkt II. Teil, 2 St. Gesangs-Übungen, 2 St.

Giefsen. Universitäts-Musiklehrer Trautmann: L. van Beethoven und seine Werke mit Beispielen am Klavier, 1 St. Elementar-Theorie und Harmonielehre, 1 St. Übungen in Partiturspiel, Klavier, Violine und Gesang.

Greifswald. Musiklehrer Reinbrecht: Übungen im liturgischen Kirchengesang, 2 St. Allgemeine Geschichte der Musik, 1 St. Harmonielehre, 1 St.

Halle. Universitäts-Musikdirektor Prof. Reubke: Harmonielehre und Kontrapunkt, 1 St. Ausgewählte Kapitel aus der Musikgeschichte, 1 St.

Königsberg. Universitäts-Musikdirektor Brode: Harmonielehre, 1 St. Allgemeine Musikgeschichte, 1 St.

Kopenhagen. Prof. Dr. A. Hammerich: 1) Beethoven und sein Zeitalter, 2. Grundriß der Musikgeschichte vom Jahre 1600 an.

Marburg. Universitäts-Musikdirektor Jenner: Über deutsche Instrumentalmusik nach Beethoven, 1 St. Über Harmonielehre (mit praktischen Übungen), 1 St.

Münster in Westf. Domvikar und Lektor Cortner: Geschichte der Kirchenmusik von Gregor dem Großen bis Palestrina. Choralkunde, 1 St. Erklärung der Choral-Tonarten. Praktische Übungen, 1 St.

Prag. Prof. Dr. Rietsch: Geschichte der Instrumentalmusik, 2 St. Musikästhetik, 1 St. Musikwissenschaftliche Übungen, 1 St. — Schneider: Einführung in das Studium der Theorie der Musik, 2 St. Musikalische Theorie, 1 St. Stimmbildung und Singübungen, 2 St.

Wien. Prof. Dr. Adler: Musikalische Stilperioden (als Einführung in die Geschichte der abendländischen Musik), 1 St. Erklären und Bestimmen von Kunstwerken, 2 St. Übungen im musikhistorischen Institut, 2 St. — Privotdozent Dr. Dietz: Die Symphonie im 18. und 19. Jahrhundert, 2 St. Musikalische Neuromantik, 1 St. — Universitäts-Musikdirektor Prof. Grädener: Harmonielehre, 2 St. Kontrapunkt a capella, I. Teil: Die Grundarten des einfachen Kontrapunktes, 2 St. — Lektor Weinwurm: Gesangskurs für Anfänger mit geringen Vorkenntnissen, zur Vorbereitung für den Männerchorgesang, 2 St.

Berlin. Für den »Verband für Hochschulpädagogik« hielt Dr. Hans Schmidkunz am 20. Sept. im Rathaus einen Vortrag: »Aus der Geschichte der Kunstschulen, I. Tonkunst.«

Hamburg. Im Auftrage der Oberschulbehörde hält Prof. Dr. Oskar Fleischer
aus Berlin vom 20.– 25. Oktober einen Cyclus von Vorträgen über »Die Zeit der
heroischen Oper« mit folgender Disposition: Die Musik der französischen Republik.
Conservatoire und Napoleon. Cherubini und Mehul. Spontini. Rossini. Die Restau-
rationszeit in Paris. Meyerbeer. (Siehe Verzeichnis der Vorlesungen der Oberschulbehörde im Winterhalbjahre 1902—1903.) — Seit 1875 hält unser Mitglied Professor
Emil Krause regelmäßige musikwissenschaftliche Vorträge mit ergänzenden Musikbeispielen ab, die durchaus der Beachtung und Nachahmung wert sind. In der verflossenen Saison 1901—1902 widmeten sich die wöchentlich wiederkehrenden Vorträge
der Oper (vorzugsweise der modernen) und der Orchestermusik von ihren Anfängen
bis zur Gegenwart, wobei die Musikstücke meistenteils von hervorragenden Künstlern
und Künstlerinnen, wie Lula Gmeiner, Ernestine Schumann-Heinck, Josefine von
Artner, Heymann u. s. w., die Orchester-Vorträge und Chöre vom Verein Hamburger
Musikfreunde und von einheimischen Kräften unter Leitung der Herren Fiedler, Kopecky,
Landau, Eisenberg u. a. ausgeführt wurden. Für das künftige Semester, das am
14. Oktober beginnt, bilden das Lied und die Arie nebst deren Abarten und das
Konzert für alle Instrumente mit Orchester, von ihrem Beginn bis auf die Jetztzeit.
das *Thema probandum.*

Nachrichten von Lehranstalten und Vereinen.
(Übersendung von Jahresberichten u. dgl. erwünscht.)

– – –

Berlin. Das als *Hochschule für angewandte Musikwissenschaft* vor zwei Jahren
von Max Battke begründete Lehrinstitut wandelt sich jetzt in ein *Seminar für
Musik* um, dessen Leitung Herr Battke beibehält, indem ihm ein Beratungsausschuß
mit den Professoren Dr. Oskar Fleischer, W. Freudenberg, Gustav Hollaender, Ernst M. Jedliczka, Waldemar Meyer, Siegfried Ochs, Philipp Rüfer, Hofkapellmeister Dr. Karl Muck, Dr. Alfred Chr. Kalischer
und Wilhelm Berger zur Seite tritt. Die Anstalt ist kein neues »Konservatorium der Musik«, dessen es bekanntlich in Berlin nicht bedarf, sondern dient nur
theoretischer Lehre. Weder im Instrumentenspiel noch Sologesang wird unterrichtet;
Zweck des Seminars ist vielmehr: der musikalischen Halbbildung und dem Hand-
werkertum in der Musik, dem gedankenlosen Musikmachen und Musikhören entgegen
zu treten. Die Schüler sollen die Musik wie eine Sprache und ihre Zeichen wie eine
leicht lesbare Schrift begreifen lernen. damit die ausübenden Künstler leicht den Weg
zum Verständnis der wiederzugebenden Tonschöpfungen finden und die Hörer vornehme Kunst mit eigenem, reifem Urteil zu genießen vermögen. Nicht das Auge soll
als vermittelndes Organ für die Lernenden in den Vordergrund treten, sondern das
Ohr. Daher werden hier der Ausbildung vor allem Gehörsübungen, Musikdiktat.
Primavista-Lesen und -Singen zu Grunde gelegt, eine Methode, die gewiß den Beifall
aller Einsichtigen verdient. Die Anstalt will durch einen verständigen und natur-
gemäßen Unterrichtsgang und möglichste Anschaulichkeit und Sebstbethätigung der
zu Unterrichtenden den Musikpädagogen ebenso dienen, als Anfängern und Laien.
So zum Beispiel werden die Instrumente einzeln praktisch vorgeführt, um selbst Auskunft zu geben über ihre Klangfarben und ihre solistischen und orchestralen Fähigkeiten. Damit wird der Schüler allmählich und in fesselnder Weise zum Hören
orchestraler Werke vorbereitet; gemeinschaftliche Konzertbesuche mit daran anschließenden gemeinsamen Besprechungen des Gehörten klären das Urteil, Übungen in der
musikalischen Formenlehre führen in das Verständnis der Kompositionen weiter ein
und geben somit die Mittel zu einem tieferen Musikempfinden und Musikverständnis.
Auf diese Weise soll der musikalische Wissensstoff, den nun einmal niemand umgehen
kann, welcher in der Tonkunst mehr sieht, als ein bloßes Spiel und eine müßige
Unterhaltung, der aber nur zu leicht in tote Regeln eingesargt wird, lebendig und somit selbst für den Laien benützbar werden. Unseren Musiklehrern kann es gewiß nichts

schaden, einer solchen Unterrichtsweise näher zu treten, und denjenigen Schülern, welche nur privatim bei einem Lehrer oder als Autodidakten ein Instrument spielen lernen, wird die Anstalt das Konservatorium ersetzen, indem sie ihnen die notwendigen Elementar-Kenntnisse in einer unmittelbar brauchbaren Form übermittelt. Jedenfalls wird man dem durchaus zeitgemäßen Institut sein Interesse nirgends versagen; wir hoffen, daß dem gut durchdachten Plane eine entsprechende Durchführung zu teil werde.

Cöln. Der soeben erschienene Jahresbericht des *Konservatoriums der Musik* von 1902 (Du Mont-Schauberg, 66 Seiten 8⁰) weist ein Lehrpersonal von 40 Herren und einen Schüler-Bestand von 518 im abgelaufenen Schuljahre namentlich nach. Davon entstammen 401 dem Rheinland und Westfalen, 69 dem übrigen Deutschland, 4 Österreich, 11 Holland, 3 Belgien, 4 Schweiz, 1 Frankreich, 8 Großbritannien, 1 Norwegen, 2 Rußland, 1 Spanien, 7 Amerika, 6 Ostindien. Die Anstalt gliedert sich in 1) eine Instrumentalschule mit Übungen im Vomblattspiel, in Kammermusik und Orchester (letzteres bestehend aus 36 Violinen, 6 Bratschen, 8 Violoncellen, 2 Kontrabässen, 2 Flöten, 3 Oboen, 3 Klarinetten, 2 Fagotten, 2 Hörnern, 2 Trompeten); 2) eine Gesangschule, die sich in eine dreistufige Chorgesangklasse und in die Klassen für Sologesang, für Solfeggio, für Deklamation, italienische Sprache, deutsche Litteraturgeschichte und Ensemble-Gesang scheidet; 3) eine Musiktheorie-Schule mit Klassen für allgemeine Musiklehre, Harmonielehre, Kontrapunkt, Kompositionslehre, Instrumentationslehre, Partiturspiel, Anleitung zum Dirigieren, Diktierübung (allgemeine Musiklehre und Gehörübungen), Musikgeschichte und Formenlehre, Liturgik; 4) eine Theaterschule für die Oper und zwar für Sologesang, Opern-Ensemble, körperliche Ausbildung (Mimik) und Darstellungskunst; 5) ein Seminar für Lehrer (vorläufig nur für Klavier) mit Vorlesungen über Methodik des Klavier-Unterrichtes, praktischer Unterrichts-Erteilung und Konferenzen des Leiters mit den Schülern zur Besprechung pädagogischer Fragen und Erfahrungen; 6) eine Abteilung der Vorbereitungs- und Nebenklassen für Violine und Klavier. 22 interne und 12 öffentliche Musikabende gaben den Schülern und Schülerinnen Gelegenheit, ihr Können praktisch zu erweisen, wobei Werke von 110 Komponisten zur Aufführung kamen, darunter von 7 Schülern der Anstalt. In den Prüfungen erhielten 18 Damen und Herren das Reife-, 32 das Befähigungs-Zeugnis. Eine besondere Feier bereitete das Konservatorium seinem bewährten und jetzt leider verstorbenen Direktor Prof. Dr. Franz Wüllner zu seinem 70. Geburtstage durch eine große Schüler-Aufführung von Kompositionen seiner Feder, der eine Wüllner-Feier im großen Gürzenich-Saale folgte, ebenfalls mit mehreren seiner Kompositionen. In das Lehrpersonal tritt neu ein der Pianist Otto Voß aus Berlin.

Dresden. Der Dresdener Anzeiger vom 18. August enthält einen Bericht von Dr. K. Benndorf über die Musiksammlung der Königlichen öffentlichen Bibliothek in Dresden, wonach deren Bestand gegenwärtig auf mehr als 16000 Notenbände und -Hefte und mehr als 3500 Bücher, Broschüren und dergleichen angewachsen ist. Die Bibliothek faßt in sich: die Musikabteilung der Königlichen Bibliothek nebst den alten Musikalien der Rats-Bibliothek zu Löbau, der Landesschule in Grimma, der Kirchen-Bibliotheken respektive Kantorei-Gesellschaften von Pirna, Schwarzenberg, Schellenberg und Glashütte, meist dem 16. und 17. Jahrhundert entstammend; ferner die Königliche Privat-Musikaliensammlung, in die seit über 200 Jahren alles einfloß, was sich die Mitglieder des sächsischen Herrscherhauses zu ihrem Privatgebrauch anschafften und was durch Dedikation in den Besitz des Hofes gelangte; schließlich die Musikalien aus dem Schlosse zu Oels. Die Bibliothek ist durch diese — zum Teil erst in jüngster Zeit geschehene — glückliche Zusammenfassung der wichtigsten Musik-Sammlungen Sachsens zu einer der beachtenswertesten Musikbibliotheken Deutschlands geworden, ganz besonders da sie dadurch ein Archiv und authentisches Spiegelbild des so reichen und autoritativen Musiklebens Sachsens im 16.—18. Jahrhundert darstellt. Für Kirchenmusik und Oper, Gesang wie Instrumental-Musik dieser Zeit fließen die Quellen reichlich; besonders genannt werden mag die Sammlung von Violin- und Violoncello-Werken, die Klaviermusik von 1770—1830 mit zahlreichen, heut meist verschollenen Komponisten, etwa 1500 Werke der Kammermusik des

18. Jahrhunderts, circa 2000 Textbücher vom Ende des 17. Jahrhunderts bis zur Gegenwart, die Hinterlassenschaft der Prinzessin Amalie (bekanntlich einer der begabtesten Komponistinnen aller Zeiten) und schließlich die kostbarsten Autographe, wie Kyrie und Gloria der Bach'schen H-moll-Messe, der Jubelouverturen- und Euryanthen-Partitur Weber's und von Kompositionen Caldara's und Vivaldi's. Auch an seltenen Musikdrucken, geschichtlichen und theoretischen Werken fehlt es nicht, und — was sehr wichtig — an einem bequem zu benutzenden alphabetischen Katalog der ganzen Bibliothek, der wir mit ihrem Kustos und unserem Mitgliede Dr. Benndorf eine ihrer Bedeutung entsprechende ausgiebige Benutzung wünschen.

Gotha. Der *Böhner-Verein* beabsichtigt, die vorzüglichsten Musiker und Tondichter Thüringens aller Zeiten in einer eigenen Druckschrift gesammelt zu vereinigen und ersucht, zur Erzielung möglichster Vollständigkeit ihm Biographien und Notizen über solche zukommen zu lassen. Bis jetzt weist das Verzeichnis der in Aussicht genommenen Musiker 82 Namen auf. Mögen das Beispiel des »Böhner-Verein« andere Vereine mit ähnlichen Arbeiten, deren Folgen bei sachlicher Ausführung sehr segensreich sein können, nachahmen!

Notizen.

Bayreuth. Wie jetzt festgestellt ist, werden im nächsten Sommer keine *Festspiele* stattfinden, sondern erst wieder im übernächsten Jahre.

Berlin. Richard Strauß wird mit dem Berliner Tonkünstler-Orchester in der nächsten Konzert-Saison wiederum *6 große moderne Konzerte* im Neuen Königlichen Operntheater veranstalten. Unter anderem werden drei größere Werke von Richard Strauß und Chorwerke von Gustav Mahler und Gustave Charpentier zur Aufführung kommen. Die drei genannten Komponisten werden ihre Werke persönlich leiten. — Die Jugend durch die besten Vorbilder zu erziehen, haben sich als Ziel die *Jugend-Konzerte* vorgesteckt, welche den kommenden Winter in Berlin als Neuerscheinung im Musikleben auftauchen. Die Idee ist ausgegangen und wird verwirklicht von Max Battke, dem Leiter des Seminars für Musik; geschäftsführend steht ihm zur Seite das »Komitee für Kunstpflege in der Schule.« Das erste Konzert (für Gemeindeschüler) fand am 20., das zweite (für Schüler und Schülerinnen der höheren Schulen) am 27. September im großen Saale der Philharmonie statt. Das Programm war naturgemäß dem Auffassungsvermögen der jugendlichen Zuhörerschaar angepaßt. Bei den Liedern war auch der Name des Dichters angegeben. Für die nächsten Konzerte sollen die Liedertexte den Schulleitern und Gesanglehrern vorher zugänglich gemacht werden, damit die Jugend auf ein rechtes Verständnis hingeleitet werden kann. Die Instrumentalmusik soll möglichst in den Hintergrund treten. Die Konzerte werden voraussichtlich alle zwei Monate in paralleler Form veranstaltet werden.

Bournemouth. — At ensuing series of 60] *Symphony Concerts* (II, 88, III, 362) W. Berger of Berlin Klindworth-Scharwenka conservatorium comes to conduct his 2 symphonies; the first, op. 71 in B♭, comp. 1897, no. 1431 of Breitkopf and Härtel Partition-Bibliothek; the second, op. 80, perf. by Weingartner at Berlin and Munich and by Mahler at Vienna, &c., now first time in England. A leading article on the former is in "Musical News", 24 November 1900. The following are British pieces announced, almost all new music: —

Bantock, Symphonic Poem and "Eastern Songs". Bedford, Concert Overture. Bell, 2 pieces from "Mother Carey". Bennett, ov. Cymbeline, and Suite. Burton, symph. in E minor. Carse, Symphonic March. Cliffe, symphonies in C minor and E minor. Cobb, 3 pieces. Cowen, Coronation March, and Welsh Symphony. Davis, Coronation March, and Ballade "The Cenci". Dunhill, Rhapsody. Elgar, ov. Cockaine, 2 Military Marches, and Symphonic Variations. German, ov. Henry VIII, Thanksgiving Hymn, and symph. poem "Hamlet". Gatty, Concert Valse. Godfrey, 3 pieces. Holbrooke, ov. "Renaissance", and Suite no. 4. Hurlstone, var. on Hungarian Air. Key-

ser, Scherzo. **King**, Concert Overture. **Lohr**, Symphony. **Mackenzie**, ov. "Cricket on the Hearth", and suite "In London Town". **Maclean**, concert-piece "On the Heights". **Matthay**, ov. "In May Time". **Pitt**, suite "Paolo and Francesca", and Coronation March. **Ronald**, song-cycle, and ballet-suite "Britannia's Realm". **Ross**, Homage March. **Stanford**, Clarionet Concerto, Irish Symphony, and Irish Rhapsody no. 1. **Swepstone**, "Les Ténèbres". **Wallace**, "The Creation". **Walthew**, P. F. Concerto. **Woods**, Suite in F.
R. A. M.

Dresden. In ihrem *Bericht über das Spieljahr 1901/1902* giebt die Königliche Generaldirektion der Hoftheater für die *Königliche Hofoper* bekannt, daß in dem gedachten Zeitraum an 266 Abenden 64 verschiedene Opern, eine dramatische Dichtung (»Manfred«) und vier verschiedene Ballets zur Aufführung kamen. An 15 Abenden fanden Konzerte der Königlichen Kapelle (Sinfonie-Konzerte u. s. w.) statt. In einer Matinée führte sich Edouard Colonne mit seinem Pariser Orchester ein. Überdies fand im Opernhaus am 13. Dezember 1901 für den »Verein Dresdner Presse« eine musikalisch-dramatische Aufführung statt, während daselbst am 10. Januar 1902 Frau Sada Yacco und das Kaiserlich japanische Hoftheater-Ensemble und am 15. März 1902 Mr. Coquelin aîné und die Gesellschaft des Théâtre de la Porte Saint Martin gastierten. Von den 64 Opern wurden zum ersten Male gegeben: »Der polnische Jude« (Karl Weiß), »Das Mädchenherz« (Buongiorno), »Feuersnoth« (Richard Strauß), »Die Glocken von Corneville« (Planquette), »Hoffmann's Erzählungen« (Offenbach) und »Rübezahl« (Stelzner). Das Königliche Opernhaus wurde in der aus Anlaß des Hinscheidens König Alberts vorzeitig (am 19. Juni, mitten in einer »Meistersinger«-Vorstellung) abgebrochenen Spielzeit von 271987 zahlenden Personen besucht. Von ihnen waren 11154 Inhaber der seit dem 1. Februar 1902 eingeführten Jahres-Stammsitze.

Hovingham. — *Musical Festival* at this Yorkshire village (II, 39) on 7, 8 August 1902, twelfth year, first of English autumn festivals. Cond. Canon Pemberton. Parry's "Judith" (Birmingham, 1888), Ch. Wood's "Song of the Tempest" (new). Joachim and Fanny Davies gave concertos.
R. A. M.

London. — With regard to Woolhouse book on "Musical Intervals and Temperament" noticed in "Kritische Bücherschau", there are 4 classes of the *division of the octave*: — (a) just intonation according to simplicity of ratio, only possible for a chord or two, owing to incommensurability of elements, (b) just and unjust elements mixed, or "unequal temperament", practically the old tuning, (c) all elements unjust, but yet all equal to one another (or as near equal as the laws of number will permit). Of this last class there are several specimens other than the familiar twelve-equal-semitone division, and that of 730 degrees deserves particularly to be noticed.

In a thousand equal-degree division the unit is nothing specially technical, and the arrangement is merely decimal. W. gives these figures: — $\varkappa\acute{o}\mu\mu\alpha$ 18 degrees (out of 1000), $\lambda\epsilon\widetilde{\iota}\mu\mu\alpha$ or diatonic semitone 93, lesser tone 152, greater tone 170, minor third of scale 263, major third 322, fourth 415, fifth 585, minor sixth 678, major sixth 737, octave 1000. This not really a temperament, and comparison with what are considered just elements shows 5th of scale as sharp, and 4th of scale as flat, which would be almost unique.

W.'s seven hundred and thirty equal-degree division is based on $\sigma\chi\acute{\iota}\sigma\mu\alpha$ as unit. That is to say, greater tone minus lesser tone = $\varkappa\acute{o}\mu\mu\alpha$. Two diatonic semitones or $\lambda\epsilon\widetilde{\iota}\mu\mu\alpha\tau\alpha$ minus greater tone = lesser $\delta\acute{\iota}\epsilon\sigma\iota\varsigma$. $\varkappa\acute{o}\mu\mu\alpha$ minus lesser $\delta\acute{\iota}\epsilon\sigma\iota\varsigma$ = $\sigma\chi\acute{\iota}\sigma\mu\alpha$, by which small amount only is 5th flattened. Here the division figures are: — $\sigma\chi\acute{\iota}\sigma\mu\alpha$ 1 degree (out of 730), lesser $\delta\acute{\iota}\epsilon\sigma\iota\varsigma$ 12, $\varkappa\acute{o}\mu\mu\alpha$ 13, greater $\delta\acute{\iota}\epsilon\sigma\iota\varsigma$ 25, lesser chromatic semitone 43, greater chromatic semitone 56, diatonic semitone or $\lambda\epsilon\widetilde{\iota}\mu\mu\alpha$ 68, lesser tone 111, greater tone 124, minor third of scale 192, major third 235, fourth 303, fifth 427, minor sixth 495, major sixth 538, minor seventh 606, major seventh 662, octave 730. Comparison with "just" elements shows great purity of interval, with deviation-figures uniformly low all through. No workable temperament shows such low deviations. Division is eminently useful for calculating purposes conjoined with practical. It has not been found mentioned by Hugo Riemann or any other continental writer.

There is another division of one hundred and eighteen equal degrees. Here the diatonic semitone or λεῖμμα is 11 (out of 118), lesser tone 18, greater tone 20.

The fifty-three equal-degree division of Nicholas Mercator (c. 1675) is familiar and serviceable; adopted here for calculating and even in a way constructing purposes by R. H. M. Bosanquet (St. John's, Oxford, 5 papers before the Musical Association). This is founded on a κόμμα as unit. Here the figures may be attached to terms thus: — κόμμα 1 degree (out of 53), enharmonic δίεσις 2, chromatic δίεσις 3, chromatic semitone 4, diatonic semitone or λεῖμμα 5, minor tone 8, major tone 9, minor third of scale 14. major third 17, fourth 22, fifth 31, octave 53. Comparison with "just" shows a 4th and 5th of scale nearly as pure as in the 730°, and remaining deviations distributed almost equally to all other intervals from semitone upwards. However the denominator 53 is still too large for any real constructional purpose.

There is another of fifty equal-degrees, likewise with a κόμμα unit. The tones here are all alike, whatever advantage may lie in that. Thus the diatonic scale is (out of 50) 8, 8, 5, 8, 8, 8, 5. This is the "equal harmony" of Robert Smith's Harmonics (1749 &c.).

In the thirty-one equal-degree division of Huyghens (1698) the unit is an enharmonic δίεσις. The tones are here again all alike. The ratio figures are: — enharmonic δίεσις 1 (out of 31), chromatic semitone 2, diatonic semitone or λεῖμμα 3, tone 5. Comparison with "just" shows a very bad 4th and 5th of scale, but very good major 3rd and minor 6th of scale.

There is a division of nineteen equal degrees, with equal tones. Here diatonic semitone or λεῖμμα is 2 (out of 19), tone 3. Comparison with "just" shows the worst 4th and 5th of scale of all, but minor 3rd and major 6th of scale almost dead just. A division of 19 is moderate enough in total to be applied to a keyed instrument.

In the universally adopted twelve equal-degree division ("equal temperament"), the diatonic semitone or λεῖμμα is 1 (out of 12) and tone is 2. Worked out in terms of vibration-figures, with C at 512 per second, Woolhouse's results are in the twice-accented octave: — C 512.00, C♯ 542.44, D 574.70, D♯ 608.87, E 645.08, F 683.44, F♯ 724.08, G 767.13, G♯ 812.75, A 861.08, A♯ 912.28, B 966.53, C 1024.00. Comparison with "just" shows (as well known) that the 4th and 5th of scale come out fairly pure, while the 3rds and 6ths of scale are heavily loaded.

The following table shows the deviations from just, reduced to a single denomination, i. e. brought out in terms of a σχίσμα under the 730° plan, for each of the above 8 octave-divisions. Anyone studying the figures thus co-ordinated will have a clear bird's-eye view of the whole artificial-scale-formation question. s = sharp, f = flat: —

Interval	In 1000° plan	In 730° plan	In 118° plan	In 53° plan	In 50° plan	In 31° plan	In 19° plan	In 12° plan
Deviations from "just" in terms of a σχίσμα								
Semitone	0.08 f.	0.03 s.	0.81 s.	0.90 s.	5.03 s.	2.68 s.	8.87 s.	7.14 f.
Min. Tone	0.00	0.04 s.	0.39 s.	0.77 f.	5.84 s.	6.78 s.	4.30 s.	10.70 s.
Maj. Tone	0.05 s.	0.05 f.	0.32 f.	0.83 f.	7.25 f.	6.30 f.	8.78 f.	2.38 f.
Minor 3rd (of scale)	0.03 f.	0.02 f.	0.24 f.	0.82 f.	2.22 f.	3.63 f.	0.09 s.	9.52 f.
Major 3rd	0.05 s.	0.01 f.	0.08 s.	0.86 f.	1.41 f.	0.48 s.	4.48 f.	8.33 s.
Fourth	0.03 f.	0.02 s.	0.16 s.	0.04 s.	3.62 s.	3.15 s.	4.39 s.	1.19 s.
Fifth	0.03 s.	0.02 f.	0.16 f.	0.04 f.	3.62 f.	3.15 f.	4.39 f.	1.19 f.
Minor 6th	0.05 f.	0.01 s.	0.08 f.	0.86 s.	1.41 s.	0.48 f.	4.48 s.	8.33 f.
Major 6th	0.03 s.	0.02 s.	0.24 s.	0.82 f.	2.22 s.	3.63 s.	0.09 f.	9.52 s.

Other equal-degree octave-divisions not dealt with by W. are these: — ;a) There is a 301° division by Sauveur (1653—1716), appearing also as 3010°, and again higher as 30103° in De Morgan's 30103 "jots". (b) The 1200° centesimal or semitone-cent division is merely the "equal" temperament multiplied by 100. (c) There is a 55° by Sauveur and Esteve. (d) A 43° by Sauveur, called mérides. (e) A 27° meantone by Salinas (1512—90). And so on. — Those who teach singing from purely relational notation naturally try to found themselves on the highest-numbered acoustical divisions, giving the nearest approach to "just"; e. g. John Curwen (1816—80) on De Morgan's 30103 "jots". But Pierre Galin (1786—1821) was content to by considered to follow Huyghens's 31°, and his successor Emile Chevé (1804—64) reduced this in an eccentric way to 29° (with sharp 5ths and A♮ lower than G♯). C. M.

At the *Coronation of King Edward VII* in Westminster Abbey on 9 August 1902 (III, 453, 511) the following music was performed: — (a) New coronation marches by Cowen (played Philharmonic, III, 493), Godfrey (Company of Musician's Prize March II, 445, III, 371), Mackenzie (Crystal Palace, Alhambra, &c.), Saint-Saëns ;embodying old English air of XVI century, already used by him in "Henry VIII", Paris, 1883). Also Elgar's Imperial March, Gounod's march from "Reine de Saba" and Marche du Sacre from "Jeanne d'Arc", Tschaikoffsky's Alexander III march, Wagner's Huldigungsmarsch and Kaisermarsch (this with chorus at the hymn). (b) New service-pieces (anthems &c.) by Bridge, Parratt, Parry. Also service-pieces not new, by Gibbons (the "English Palestrina" and org. of Westminster Abbey 1523—25;, Handel (Zadock the Priest, as at every Coronation beginning with George II, 1727), Purcell ;org. of the Abbey 1680—95), Stainer, Stanford, Sullivan, Wesley (son). All this service-music publ. in 1 vol. by Novellos, preface by F. G. Edwards. It is a great pity that the Anglican Church so much encourages mixture of styles in the service-music; otherwise either Parry or Bridge could have made a better effect by writing the whole. In service for George II (1727) Handel wrote 3 anthems besides "Zadock". In that for George III (1761) Boyce wrote 8 anthems, though cut down in performance to 5. In that for Victoria (28 June 1838), Handel greatly predominated; though Attwood, Boyce, Knyvett, Smart also in programme. Religious worship is that which more than anything requires homogeneity in the adjuncts. — The choir was: — trebles 124, men-altos 89, tenors 101, basses 140; total 454 ;against 288 in 1838). The trebles were boys (whereas many women in 1838) from: — Chapels Royal, St. James's Windsor, Savoy, Hampton Court, St. Katharine's in Regent's Park; Cathedrals, Westminster Abbey, St. Paul's, Rochester, Southwark; Churches, All Saints Margaret Street, St. Andrew's Wells Street, St. Peter's Eaton Square, Temple. Disposed mostly in side-aisles (with sub-conductors), divided according to cathedral practice into "Decani" (dean's side, south) and "Cantoris" (precentor's side, north). — At the organ Walter Alcock, org. of Chapel Royal, St. James's. Orchestra 68 (against 117 in 1838, but much of the 117 was multiplicated wind), and 10 special trumpeters; all on organ-screen (rood-screen). Conductor and General Director, Sir Frederick Bridge (assisted by Sir Walter Parratt, Master of the King's Music, George Martin, org. of St. Paul's, and Dr. J. C. Bridge, org. of Chester Cathedral). The nominal list of all performers concerned is in "Musical Times" of 1 September 1902. — The order of ceremony was: — Entrance of Sovereign, with anthem (Parry); Vivats by the 40 King's Scholars of Westminster School; Presentation of Sovereign to people by archbishop, with fanfares; pre-communion service, with Introit and Nicene Creed; Taking the oath; The Anointing, with anthem (Handel); Reception of insignia; Coronation, with short anthem (Parratt); Inthronization and reception of Homage, with anthem (Bridge); Coronation of the Queen Consort; Partaking of the Eucharist; The Blessing; Recess, with Te Deum (Stanford); Departure of the Sovereign. — This music now not exterior to, but woven into, the ceremonial. To do this, while intending on all necessary composers, an intricate task. Bridge's powers of administration have been distinguished.

In "Musical News" of 13. Sept. 1902, answering an objector, W. H. Cummings demonstrates that *Handel* (1685—1759) dropped the umlaut at and after naturalization (1726) at least. To say nothing of evidence from printed documents and well-known autographs elsewhere, C. has in his own possession (III, 369) the will with 4 codicils, each signature without umlaut, and an authograph signature in Theodora (1749) the same. Handel was not in this country "Händel" or Hendel.

With reference to the Lund Cathedral organist *long-service* case, Thomas N. Webber of Axminster, Devon, has been parish-organist there for 64 years.

A concert is projected of *Sullivan early works* prior to "Tempest" (1861), such as disclosed in Sammelbände III, 543. In particular, revival of the "Timon of Athens" ov. in C minor (R. A. M., 1857) and the D minor overture (R. A. M., 1858), and the String Quartett (Leipzig, 1859,.

The *St. James's Hall* (between Piccadilly and Regent Street) has been improved at cost of £ 30,000, so as better to compete with Queen's Hall. Architect, Walter Emden. Re-seated entire last year and this. New double-windows to ventilate, while excluding street-sounds. Lighter colours throughout inside. Piccadilly entrance re-decorated Moorish. Regent Street entrance enlarged by taking new premises. New staircase-approaches. No warming apparatus whatever (though this successful at Queen's Hall and Covent Garden), and as lighting now electric the matter is worse.

Last year England exported musical instruments value £ 225,000; but imported *foreign musical instruments* value £ 1,352,000. Of the latter, about £ 850,000 from Germany, direct or through Holland. A quarter-century ago its import from Germany was just over £ 100,000.   E. G. R.

Marienbad. An dem Hause, wo Chopin im Jahre 1836 während seines Aufenthalts hierselbst gewohnt hat, ist kürzlich eine aus Marmor hergestellte *Gedenktafel* mit einer polnischen und französischen Inschrift enthüllt worden.

Preston. — Trade-guilds or Craft-guilds are of unknown antiquity in England, but beginning of Plantagenets saw them in full force. When they united town-wise they obtained charters quod habeant gildam mercatoriam. This was translated in English as "guild-merchant" privilege, by doggrel; but the substantive is the "guild", and it does not imply merchant-trader-capitalists like the Hansas. Preston in Lancashire had its gilda mercatoria charter from Henry II (1154—1189), and alone of English towns has kept up celebration thereof. A *"guild merchant" festival* recorded in 1397 (under Richard II). Again in 1562 (under Elizabeth), since when every 20 years unbroken for 3½ centuries, always associated with music. The festival this year (called as above in half-English a "Guild Merchant") was held first week of September, with modern oratorios, cantatas, &c. This the second of the autumn festivals (see Hovingham).   R. A. M.

Scarborough. — First *Festival* held at this Yorkshire watering place on 18, 19 Oct. 1899, at the Spa, but local organization rather crude. Cowen's Ode "The Passions", Sullivan's "Golden Legend", and classics. Cond. Cowen (who specially well known in North). Since then concerts by local Musical Union. Second Festival now held 17 to 19 Sept. 1902, at Empire Building, orig. built for Fisheries Exhibition. Designed to attract season-visitors. No novelties. Chorus 250. Band from London. Cond. Cowen.   R. A. M.

Schöneberg bei Berlin. Die unter Leitung des Konzertsängers Herrn A. N. Harzen-Müller stehenden, an jedem zweiten und vierten Sonntag im Monat in der Aula der Hohenzollern-Schule stattfindenden *Volksunterhaltungsabende* begannen am 14. September mit einem »Mendelssohn-Abend«. Den Vortrag hielt Herr Musikschriftsteller Wellmer, die Musikvorträge, Klavier und Gesang, wurden von den Damen Marie Zalewski und Betsy Schot und den Herren O. Zalewski und A. N. Harzen-Müller ausgeführt.

Tunis. Mit Unterstützung seitens der sehr zahlreichen italienischen Kolonie wird hier ein *Theater-Neubau* errichtet, der ausschließlich für Aufführungen *italienischer Opern* reserviert werden soll. Das »Rossini-Theater«, wie es heißen wird, soll im Laufe des kommenden Winters eröffnet werden.

Wien. Von dem Österreichischen Unterrichtsministerium sind für das hiesige

Konservatorium zwei Staatspreise für vorzügliche Leistungen gestiftet worden. Der eine derselben im Betrage von 800 Kronen gelangt an der Meisterschule für Klavier zur Verteilung; er wird vom nächsten Jahre an auf Antrag der für die Diplomprüfung eingesetzten Kommission vom Ministerium alljährlich verliehen werden. Der zweite Staatspreis im Betrage von 1000 Kronen wird für die beste Leistung auf dem Gebiete der Komposition jährlich, gleichfalls von 1903 angefangen, zur Verteilung gelangen. Durch diesen Preis sollen hervorragende Talente wenigstens durch einige Zeit nach Absolvierung ihrer Studien der Erwerbssorgen enthoben werden. Der Preis ist aber nicht ausschließlich für Schüler des Wiener Konservatoriums vorbehalten, sondern auch für Absolventen aller anderen österreichischen Anstalten, an welchen Kompositionsschulen bestehen. Auch der letztere Preis wird vom Ministerium auf Antrag einer gemischten, aus Lehrkräften des Wiener Konservatoriums und anderen hervorragenden Fachmännern zusammengesetzten Kommission, vor welcher die Werke zur Aufführung gelangen, verliehen werden.

Worcester. — The *Three Choirs Festival* (i. e. of 3 cathedrals Gloucester, Worcester, Hereford) began definitely 1724; since when yearly at those places in rotation. Started for cathedral services by united choirs on grand scale, with orchestra; having evening concerts of oratorios &c. in Shire Halls; and collections, with profits if any, to a clerical charity. Handel's Messiah admitted to cathedral from 1759, other oratorios (chiefly Handel) from 1787. In 1875 a temporary re-action at Worcester to revert to the original design, but did not prevail. Of late years much instrumental orchestra-music in the cathedrals; and constant new works, many of these being in cathedrals. — The 179th Festival this year 7 to 12 September at Worcester. The united ages of the 3 organists (Gloucester A. Herbert Brewer, Worcester Ivor Atkins. Hereford G. R. Sinclair) is barely over 100; a great contrast with previous practice. for Done e. g. died in 1895 org. of Worcester aged 80. Elgar, aetate 45, a polemic modernist, and self-reliant, has been born and bred, and to this day resides, in Worcestershire; and being the centre of W. England or Midland music, he of course incites his own generation. The influences of Ouseley (1825—1889) and Elgar, in the same locality, have been just 2 opposite poles, and a quarter-century has seen the change, new wine into old bottles. Add to this that Elgar is a Catholic, and his "Gerontius", done here for its pressing musical claims, is on John Henry Newman's fervid Catholic poem. The two things combined have provoked a second re-actionary feeling like 1875. It has been said that "Gerontius" was a direct representation of doctrines alien to an English cathedral; which has been met by altering many of the words. It has been said that Tschaikoffsky's Pathetic Symphony (done in cathedral on 10th) was not the least suitable for such a place, and that the younger men wish simply to get all the advantage they can out of the cathedrals viewed as sonorous concert-rooms having convenient funds behind them; this has been met only by over-riding the objections. The undersigned is on the side of the objectors on both scores. A modern poem with its direct imagery does introduce and accentuate feelings of theological difference, which ancient words in Latin, become almost a formula, do not; and if the clergy are in earnest, they could not possibly allow the drama of "Gerontius" to be acted in its ipsissima verba before their eyes and giving the sanction of the Protestant church-building for which they are in trust. A converse case would not be permitted for a moment in the Catholic church. As to the second point, the motive is irrefragably what the objectors say, and it is just a question how far the encroachment should be indulged. The saying "Render unto Caesar" was made very long ago, and church and concert-room ought each to be sufficient for themselves. If there are not concert-rooms enough, let them be built. One thing is perfectly clear, that churches or cathedrals are not meant to be the fora judicialia, where the critical faculty is the predominant one, for assessing new works. The 3-choirs might do worse than look back to their original aim and starting point. — Omitting familiar pieces or classics, following were the noticeable works done: — Bach, cantata "The Lord is a sun and shield" (1st time in England). Granville

Bantock (1868—, symph. poem (in Hall) "Witch of Atlas", on Shelley (new); see I, 352, III, 372, 409). Hugh Blair (1864—), oratorio "Deborah at Barak" (new), on hymn at Judges, ch. V.; he is Corporation Organist at Battersea; the work is somewhat in the Parry school; the choice of the Sisera incident not fortunate. George W. Chadwick (1854—), ov. (in Hall) "Melpomene", written 1887, last done here at Philharmonic 13 June 1895; curiously he conducts Musical Festival of Worcester, Massachusetts. H. Walford Davies, oratorio "The Temple" (new); mixture of the old reflective method and modern dramatic method; earnest and ambitious music; he succeeded E. J. Hopkins (+ II, 214; in 1898 as org. of Temple Church, London. Elgar (1857—), "Sursum corda" for orchestra; also (in Hall) "Cocaigne" overture: also "Gerontius" (Birmingham Festival 1900, now better sung); also arrangement of "God Save the King" in 4 parts, orchestra alone, sop. solo, quartett, chorus and tutti. Horatio W. Parker (1863—), Act III of oratorio "St. Christopher", op. 43 (1896); a most extraordinary sham-etymology adopted in this text, where Christopher (χριστο-φόρος) appears as a giant Offerus who served a king, then Satan, then Christ after which he was Christofferus; work will be heard entire at Bristol Festival (8—11 Oct. 1902); composer well known from Yale. Parry (1848—), song with orch. "The Soldier's Tent"; perhaps the most poetical vocal item in the Festival. Percy Pitt (1870—), Coronation March (1896, see III, 333). Stanford (1852—), Symphony in D. op. 56. Rich. Strauss (1864—), symph. poem (in Hall) "Tod und Verklärung". — The chorus were 282, all from the 3 counties, new departure, which encourages local spirit, but the singing might be more full-hearted. Band from London. Conductor, Ivor Atkins. Attendance which may be ascribed to works, Blair 1174, Davies 1465, Elijah 2535, Gerontius 3130. All below what is usual (cathedral holds 3500), but weather bad. Collections at door about the same as usual. — Excellent programme-books by Herbert Thompson (III, 221).   C. M.

Franz Wüllner, geboren 28. Januar 1832 zu Münster in Westfalen, gestorben 7. September 1902 zu Braunsfels an der Lahn. 1856 Klavierlehrer am Konservatorium in München, 1884 Dirigent der dortigen Hofkapelle (Kirchenchor) und später Leiter der Chorgesangsklassen der Königlichen Musikschule, 1869 Dirigent der Hofoper und der Akademie-Konzerte, 1877 Hofkapellmeister in Dresden. Seit 1882 ist Wüllner Direktor des Kölner Konservatoriums und der dortigen Gürzenich-Konzerte. Wüllner's Kompositionen vermochten eine nachhaltige Wirkung nicht zu erringen, dagegen erfreuen sich seine »Chorübungen der Münchener Musikschule« und die Recitative zu Weber's »Oberon« allgemeiner Anerkennung. Des größten Rufes erfreute er sich mit Recht als Musik-Pädagog; das Kölner Konservatorium gelangte unter seiner Führung zu mustergiltigem Ausbau. Sein Name ist mit der Ausbreitung von Wagner's Musik durch die Erst-Aufführungen von »Rheingold« und »Walküre« eng verknüpft. Mit weitem Blick begabt wandte er sein Interesse mit Erfolg allen Disziplinen der Musik zu und errang sich als köstlichstes Gut im Reiche der Kunst eine fast völlige Vorurtheilslosigkeit und Objektivität, die ihn am Ende seines Lebens auch in die engsten Beziehungen zur Musikwissenschaft brachte; noch vor wenigen Jahren übernahm er einen Sitz im Vorstande der ministeriellen Musikgeschichtlichen Komission zur Herausgabe der Denkmäler deutscher Tonkunst.

Kritische Bücherschau
der neu-erschienenen Bücher und Schriften über Musik.
Referenten: O. Fleischer, Ch. Maclean.

Bayreuther Bühnenbilder. (Greiz, Dr. G. Henning's Graph. Kunstanstalt (Otto Henning). Serie »Der fliegende Holländer« (3 Bilder) ℳ 15.—. Serie »Der Ring des Nibelungen« (13 Bilder) ℳ 16,—. Serie »Parsifal« (8 Bilder) ℳ 12,—.

Von den für das Bayreuther Festspielhaus von Hofrat Professor Brückner gemalten Entwürfen der Bühnen-Dekorationen existierten bisher nur photographische Reproduktionen, die natürlich nur eine sehr unvollkommene Vorstellung und schwache Erinnerung von den glänzenden und stimmungsvollen Scenerien bieten konnten. In dieser Sammlung liegt nunmehr die erste und allein autorisierte künstlerische Reproduktion der Bühnenbilder vor. Die einzelnen Bilder sind in Quartformat hergestellt, auf starken Karton aufgezogen und in hübsch ausgestatteten Mappen eingelegt, in ihrer Farbenpracht nicht nur ein reizendes Andenken für den Bayreuth-Besucher, sondern auch ein historisch wertvolles Denkmal für die Bühnen-Festspiele. O. F.

Broesel, Wilhelm. Kundry. Ein Beitrag zur Auffassung der weiblichen Gestalt in Richard Wagner's Parsifal. Leipzig, E. W. Fritzsch. — 26 S. 8⁰.

Sucht den psychologisch höchst rätselhaften Charakter der Kundry verständlich zu machen durch Erörterung der Frage, ob diese absichtlich Parsifal sittlich verderben wolle, oder nur unbewußt das Böse thue, also ein sittlicher Charakter sei. Letzteres bejaht der Verfasser, Kundry stehe in enger Beziehung zum christlich-religiösen Begriffe der Erbsünde, der Sinnlich- und Sündlichkeit; sie muß sündigen, kämpft aber gegen die Sünde und strebt nach Erlösung. Die Broschüre ist der genialen Darstellerin der schwierigen Rolle, Marianne Brandt, gewidmet, dürfte aber auch jeder ihrer Nachfolgerinnen von Vorteil sein. O. F.

Hesse, Max. Deutscher Musiker-Kalender 1903. 18. Jahrgang. Leipzig, Max Hesse. — 567 S. kl. 8⁰. ℳ 1,50. Der treffliche Kalender gestaltet sich

immer vollkommener. Durch das jetzt hinzugefügte alphabetische Gesamt-Register der im Buche vorkommenden Personen-Namen, deren Zahl ich auf etwa 9000 veranschlage, wird einem von vielen Seiten empfundenen Mangel abgeholfen. Vielleicht darf ich auf die in unserer Zeitschrift (III, S. 471) gegebene Anregung hinweisen, wenn ich den Wunsch ausspreche, daß das »Geschichtliche« über die einzelnen Städte noch weiter ausgeführt werden möge. Vortreffliche Stahlstiche des verstorbenen Dr. Friedrich Chrysander und des jüngst zum Professor der Musikwissenschaft in München ernannten Dr. A. Sandberger schmücken das handliche Taschenbuch und ein kleiner Aufsatz von Prof. H. Riemann über J. Stamitz wird die Leser auf einen vergessenen Großmeister der Musik aufmerksam machen. O. F.

Julier, Carl. Stimmbildung und Gesangunterricht. Karlsruhe, J. Lang, 1902. — 31 S. 8⁰. ℳ —,50.

Eine Anregung, die Stimmbildungslehre unter die Prüfungsfächer der Musiklehrer einzureihen, da nachgerade die Schäden des heutigen Gesangunterrichts in den Volksschulen als Folge der Unkenntnis vieler Gesanglehrer, selbst betreffs der aller-primitivsten Grundlagen, erschreckend hervortreten. »Wenn man bedenkt, wie die menschlichen Stimmen vom zartesten Alter, von dem Kindergarten an bis hinauf zur letzten Klasse der Mittelschule oft — man möchte sagen — systematisch ruiniert werden, indem man ihnen Aufgaben zumutet, denen sie in keiner Weise gewachsen sind, woher soll dann im späteren Alter die gesunde Stimme kommen?« (S. 6.) »Man kann die traurigsten Beobachtungen machen und alle Stufen der Krankheit kennen lernen vom einfachen Räuspern, von dem das Sprechen oft unterbrochen wird, bis zur jämmerlichsten Krächzstimme.« (S. 7.) Schuld daran tragen vor allem die Gesanglehrer. »Der Existenzkampf auf dem Gebiete der Gesangskunst ist heute mehr denn je ein Kampf der Intelligenzen ... Leute ohne die geringste künstlerische und wissenschaftliche Vorbildung erkühnen sich, Künstler heranbilden zu wollen« und was gewissenlose Gesanglehrer in mechanischer Ausbildung völlig ungebildeter Schüler gesündigt haben, grenze ans Unglaubliche. (S. 24 f.) Zur methodischen Ausbildung in den Grundlagen der Stimmbildungslehre entwirft der Verfasser einen Plan, der meiner Meinung nach recht wohl durchführbar wäre. Wann werden solche Stimmen von Predigern in der Wüste gehört werden?   O. F.

Karpath, Ludwig. Siegfried Wagner als Mensch und Künstler. (Moderne Musiker Nr. 10.) Leipzig, Hermann Seemann Nachfolger. — 42 S. 8⁰. ℳ 1,—.

Ein hübsches Schriftchen für Freunde des Hauses Wagner, reich verziert mit Bildern des jungen Wagner von seiner Kinderzeit an; es schildert, wie Siegfried zuerst zur Architektur berufen zu sein scheint, sich aber nach seiner Weltreise der Musik zuwendet, worin er sich seit 1891 durch eine Mitarbeit an den Bayreuther Festspielen (selbständige Inscenierung des »Fliegenden Holländer« 1901) und seine Opern (Bärenhäuter, Herzog Wildfang) bethätigte. Wenn er dabei als »Wiedererwecker der deutschen Volksoper« (S. 39) gepriesen wird, so scheint das mehr gut gemeint als zutreffend zu sein. Dazu bleibt der Zukunft in dieser Beziehung noch zu viel zu thun übrig.   O. F.

Küffner, Dr. Karl. Die Musik in ihrer Bedeutung und Stellung an den bayrischen Mittelschulen. Wissenschaftliche Beilage zum Jahresbericht der K. Kreisrealschule Nürnberg 1901—1902. Nürnberg J. L. Stich, 1902 — 116, S. 8⁰.

Der Verfasser geht von der befremdlichen Thatsache aus, daß trotz des allgegenwärtigen Musikmachens in unserer Zeit so häufig Klagen kompetenter Männer — er führt Aussagen von J. Stockhausen und Dr. Klassert besonders an — über Mangel an Verständnis der Grundlagen der Musik zu hören seien. Da es sich für den Musikunterricht in den Schulen um das Mittel zwischen zu großer Über- und Unterschätzung der Tonkunst handelt, so untersucht der Verfasser zunächst die spezifisch musikalische Wirkung in ihrer Bedeutung für das Geistesleben überhaupt. Er geht dabei bis in das Altertum zurück und zeigt an der Hand maßgebender Quellen die Entwicklung der Wertschätzung der Musik in den verschiedenen Kultur-Epochen. hinein bis in die Jetztzeit, die sich infolge des Übergewichtes der »Aufklärung«, des Pietismus und materialistischer Anschauungen durch eine offenbare Minderbewertung der Musik seitens der Pädagogen sehr zu ihren Ungunsten von allen früheren Zeiten unterscheidet. Mit schlagenden Nachweisen legt Verfasser nicht nur die Möglichkeit einer allgemein-bildenden Wirkung der Musik Kapitel II; dar, sondern stellt ihre ethische Macht geradezu als eine Notwendigkeit auf. Er weist sodann den allgemeinen Bildungswert der Musik im einzelnen nach und zeigt, wie sich die bayrische Mittelschule im 19. Jahrhundert in der Praxis diesem wichtigen Erziehungsfaktor gegenüber verhalten hat (Kapitel III), bespricht den gegenwärtigen Stand des Musikunterrichts daselbst (Kapitel IV) und schließt mit einer Reihe von Anregungen und Wünschen (Kapitel V). Er fordert, daß der Gesang-Unterricht auf allen Mittelschulen obligatorisch werde, dieser soll und darf nicht sogar schlechter gestellt sein als Turnen, Schönschreiben und Zeichnen; ohne Verpflichtung der Schüler zum Singen keine Disziplin und kein regelmäßiger Fortschritt des Unterrichts. Man gebe Mathematik und klassische Sprachen frei und sehe zu, wie viele aus innerem Drange und mit heißem Bemühen sich dem Studium dieser Fächer widmen. Das Axiom von der Voraussetzung besondrer musikalischer Anlagen für das Singen ist falsch, jeder normale Junge ist dazu fähig. Nicht-Veranlagung ist meist nur ein Vorwand der Drückeberger in den Mittelklassen. das heißt in der Zeit der Pubertät, wo der zukünftige Jüngling überhaupt anfängt, gegen die Öffentlichkeit scheu, zurückhaltend und maulfaul zu werden. Gegen diese Neigung würde gerade das Singen die wesentlichsten Dienste leisten. Eben so ist die Überbürdung nur ein Vorwand, denn viele Schüler nehmen diese Bürde freiwillig auf sich und andererseits ist das Singen vielmehr geeignet, den ermüdeten Geist neu zu beleben. Namentlich fehlt es der Gesanglehrer-Stellung an amtlicher Autorität; es müßten Mittelschullehrer selbst durch besonderes akademisches Studium dafür herangebildet, jedenfalls aber das bisherige Nebenamt zu einem ordentlichen Lehramt gemacht und mit akademisch gebildeten Fachleuten besetzt werden: weder ausschließlich Pädagogen noch bloße Berufsmusiker, sondern beides zusammen.
          O. F.

Laudin, Victor. Richard Wagner und die Religion des Christentums. Königsberg in Pr., Thomas und Oppermann, 1902 — 28 S. 8⁰. ℳ 0,50.

Ein Vortrag, den der Verfasser im kirchlichen Verein in der Reihe apologetischer Vorträge in Königsberg gehalten hat, der nachweist. daß Wagner's Geistesleben von echt christlicher Religiosität getragen und durchdrungen gewesen ist. Wie ernst und heilig Wagner privatim über da

Christentum dachte, wird uns von Wolzogen und anderen ausführlich bezeugt; hier legt uns ein Pfarrer von Geist und Gemüt dar, wie diese Fäden, die sich von Wagner's Innenleben zur christlichen Religion je länger je dichter gesponnen haben, sich auch in sein künstlerisches Gestalten einflechten. Religion, so sagt er, ohne innerliches Selbsterleben, das ist ohne Phantasie, ist tote Dogmatik; wahre Religion ist an sich schon ein Stück Künstlertum. Wagner's Phantasie war von Jugend auf durch die christliche Erziehung beeinflußt, das Moment der Erlösung und Reinigung von allem Irdisch-sündlichen und der Rückkehr zum Rein-Menschlichen, d. i. jenem Göttlichen, wie es uns bei unserer Geburt von Natur gegeben ist, verquickt sich mit fast allen seinen großen Conceptionen. Tannhäuser, Nibelungen, Parsifal werden hier als die Eckpfeiler, Anfang, Mitte und Ende dieser Entwickelung in Wagner näher beleuchtet und überall die rein christliche Tendenz der inneren Entwicklung Wagner's hervorgehoben, die ihn schließlich mit Notwendigkeit zu einem Antipoden Nietzsche's, des Verächters der Selbstlosigkeit, machen mußte. Laudin's Darlegungen sind ernst, würdig, frei von Salbung und positiv.
O. F.

Maier, Anton. Das musikalische A-B-C für den Männer-Chorgesang. Ein kurzer, leichtfaßlicher Leitfaden zur Erwerbung derjenigen musikalischen Kenntnisse, die jedem brauchbaren Sänger eigen sein müssen. 5., wesentlich vermehrte Auflage. Nürnberg, C. Koch, 1902 — 27 S. kl. 8⁰. *M* —,30.

Tritt für systematische Gesang-Übungen (Tonbildung, Notenlesen, Intervall-Treffen u. s. w.) der Gesangvereine ein und will dazu einen kurzen und leicht-faßlichen Leitfaden bieten, enthält mithin die elementarsten Grundkenntnisse mit Notenbeispielen. O. F.

Pierrard, Louis. Le Violon. Son histoire et son origine; avec un précis d'acoustique et des notions sur sa construction. Gand, C. Annoot-Braeckman (Ad. Hostec, Succ.), 1902 — 63 S. 8⁰. fr. 1,25.

Verfasser ist Geigenmacher in Gent und behandelt hier die Geschichte der Streichinstrumente in kursorischer, freilich wenig wissenschaftlicher Weise. Die außereuropäischen Instrumente kurz besprechend widmet er sich natürlich vorzüglich der Violine und den Geigenmacher-Schulen und giebt seine Erfahrungen auf dem Gebiete des Geigenbaues. O. F.

Pückler, Heinrich Graf. Gesang und Kunst. Offener Brief. Schweidnitz, Buchdruckerei L. Heege (Oscar Güntzel) — 9 S. 8⁰.

Beklagt die *superflua abundantia* von Dilettantismus in der Musik und besonders im Gesange; fordert eine schöne Tonbildung als Grundlage alles guten Gesanges und richtet sich gegen die zu starke Betonung des Deklamatorischen und gegen die Übermacht der modernen Oper, durch welche sich die Kunst von den Massen herabziehen lasse, statt sie zu erheben. »Coulissen und Kostüme, Worte und Gesten werden nie und nimmer im Stande sein, die (gesanglich durchgebildete) Stimme in ihrem ästhetischen Einfluß zu ersetzen«; das Gefühl für die Schönheit des gesungenen Tones müsse neu belebt werden, »das geniale Nichtwissen ist geradezu gefährlich.« O. F.

Renner, Josef (jun.). Moderne Kirchenmusik und Choral. Eine Abwehr. Leipzig, F. E. C. Leuckart, 1902 — 21 S. 8⁰.

In dem Schriftchen verwahrt sich der Verfasser, Domorganist und Lehrer an der Kirchenmusikschule in Regensburg, gegen einen anonymen Angriff im Gregoriusblatt auf seine Komposition eines *Te Deum,* der diesem den Charakter einer katholischen Kirchenmusik abspricht, da es keine Berührungspunkte mit dem gregorianischen Chorale mehr habe. Dabei kommt es zu einer prinzipiellen, höchst interessanten und wichtigen Auseinandersetzung zwischen liberaler und konservativer Anschauung in der (katholischen) Kirchenmusik, das heißt zwischen denen, die im gregorianischen Chorale die einzige Grundlage und im Palestrinastil die einzige Grundform der katholischen Kirchenmusik sehen, also nur der rein diatonischen Schreibweise die Daseins-Berechtigung zuerkennen, und denjenigen, die da meinen, daß die Kirchenmusik die Sprache ihrer Zeit reden dürfe. Verfasser vertritt den letztgenannten Standpunkt. In der That läßt die katholische Kirche in Fragen der Technik und der Kunst sehr weiten Spielraum, wenn nur die durch den Gottesdienst gebotenen Schranken nicht überschritten werden. Jeder Stil kann kirchlich, jeder unkirchlich sein, je nachdem er die gottesdienstliche Andacht befördert oder nicht; dies gilt vom diatonisch-archaistischen ebenso als vom chromatisch modernen. Rigoros ist die katholische Kirche nur in Beziehung auf die Textbehandlung. Im Verlauf der weiteren Polemik kommen Prinzipien-Fragen zur Sprache, die durch die stete Vergleichung der archaischen mit der modernen Kompositionsweise sehr lehrreich sind, weil sie einen feingebildeten musikhistorischen Sinn des Verfassers verraten und das Schriftchen der an dem persönlichen Streite nicht interessierten Allgemeinheit, besonders aber den Musikforschern empfehlen.   O. F.

Riesen, Paul. Revolte oder Reform? Das schlüssellose Noten-System der Zukunft. Dresden, Riesen und Calebow, 1902. (Mit Porträt des Verfassers). — 21 S. gr. 8⁰.

Verfasser ist nach verschiedenen Versuchen, die er hier ebenfalls darlegt, zu dem — ihm offenbar unbekannten — Sechslinien-System der alten italienischen Klavier-Notation gelangt, nur daß er eine der 6 Linien stärker als Grundstrich malt, indem er die erste Hilfslinie oberhalb oder unterhalb des Linien-Systemes zu dem 5-Linien-System als selbständige (dickere) Linie hinzunimmt. Dadurch bleibt also dem Auge unser gebräuchliches 5-Linien-System als solches deutlich erkennbar, obgleich es zu einem solchen von 6 Linien erweitert worden ist. Liegt nun unser gewöhnliches doppeltes Linien-System mit Violin- und Baßschlüssel vor, so erreicht man damit, daß das obere System identisch ist mit dem unteren, da bei beiden die Noten auf den Linien *e g h d f a* heißen, nur mit dem Unterschied, daß zwischen beiden Systemen der Abstand von zwei Oktaven ist:

Damit ist Einheit zwischen beiden Systemen geschaffen, die Schlüssel können also füglich wegbleiben. Vorteil: Die Schüler brauchen nur die Noten eines Systems zu erlernen, entweder die des Violin- oder des Baßschlüssels. Das ist ja immerhin etwas, reicht aber doch nicht im mindesten aus, um die pomphafte Art des Verfassers (Selbstporträt, Titel und Selbstkritik; 1000 Exemplare sollen schon vor Erscheinen verkauft worden sein!) zu rechtfertigen. Wo bleiben alle übrigen Schlüssel-Verbindungen, die doch nun einmal außerhalb der Klavier-Notation nicht zu umgehen sind? Wert hat der Vorschlag des Verfassers allein für den engen Kreis des Elementar-Unterrichtes in der Musik, und allenfalls noch (woran der Verfasser aber wohl nicht gedacht hat) für den ersten Unterricht im Schlüssellesen.   O. F.

Seidl, Arthur. Wagneriana, 3. Band. Die Wagner-Nachfolge im Musik-Drama, Skizzen und Studien zur Kritik der »modernen Oper«. Berlin, Schuster & Löffler, 1902 — 524 S. 8⁰.

Der ziemlich starke Band ist eine Sammlung von musikalischen Kritiken und Aufsätzen, die der Verfasser in seiner Eigenschaft als Berufs-Journalist für Tagesblätter und Zeitschriften geliefert hat. Derartige Kritiken pflegen ein kurzes Leben zu haben; das Interesse verfliegt mit dem Werke, das sie besprechen, und auch die über Werke von bleibendem Werte müssen einen starken Gehalt in sich besitzen, wenn sie noch über den Tag hinauswirken wollen. Fehlt er, dann hat es — wissenschaftlich genommen — wenig Zweck, solche Eintagsfliegen zu sammeln: nicht die Menge, sondern die Art giebt den Ausschlag. Unerläßliche Vorbedingung scheint aber immer ein gewisser litterarischer Wert und besonders angenehme Lesbarkeit zu sein. Eins befremdet hier aber gleich von vornherein: die Sprache ist ungelenk und oft fehlerhaft (man denke sich Wörter wie *rerabfaßt*!), in der deutschen Syntax sieht es böse aus 'stete Schachtelsätze und Inversionen) und der Ausdruck hat einen Hang zu Schwulst und Unklarheit (siehe z. B. S. 385 ff.). Ich bin während des Lesens das Gefühl des Unbehagens nicht los geworden, das mir Unnatur und Geschraubtheit stets verursachen, und da ich vermute, daß es vielen anderen ebenso geht, so bedauere ich im Interesse des Inhaltes die dadurch entstehende Einbuße an Wirkung. Der Verfasser hat von und über Musik viel gehört, gesehen und gelesen, offenbar auch über die gegenwärtige Musiklage viel nachgedacht, und er vertritt seinen Standpunkt mit erfreulicher Überzeugtheit, die freilich nicht selten einen Stich in fanatische Einseitigkeit annimmt. Der Verfasser ist Wagnerianer äußerster Richtung, das heißt er schließt alles, was sich nicht irgendwie zu Wagner in Beziehung bringen läßt, aus seinem Seelenleben aus und verlangt, daß alle anderen Leute dasselbe thun sollen. Ob er über Schiller und Goethe, oder über Beethoven, Gounod oder Draeseke abhandelt, mit Leuten vor, neben oder nach Wagner — bei allen fragt er zunächst:

wie verhält er sich zu Wagner? Und je nachdem prägt er dann seine Stimmung für oder gegen ihn. Ich nehme an, daß dies unbewußt und ungewollt geschieht, aber es geschieht. Mit kurzen Worten: die kritische Objektivität geht diesem Werke ab, dessen Nebentitel — wie das Vorwort besonders hervorhebt — »nicht mehr *erlebte* und nicht *angewandte*, sondern ausdrücklich *kritische Ästhetik* lautet«. Der Grund hiervon ist leicht zu finden; man braucht nur die Stellen anzusehen, wo von der Musik vor Gluck und Beethoven die Rede ist: es fehlt an musikgeschichtlichem Sinn. Daher auch die ausgesprochene Neigung, eine Lebensberechtigung einzig und allein der Musik der Gegenwart zuzuerkennen. Für ihn ist die Kunst, die vor Wagner und vielleicht noch seinen unmittelbaren Vorgängern lebte, tot, sie hat ihm nichts zu sagen, nichts zu bieten und ist ihm höchstens der Hügel, der aufgeschüttet wurde, damit die gegenwärtige sich Tempel und Wohnhaus darauf bauen könne. Was würde der Verfasser wohl in 50 Jahren sagen, wenn man dann ebenso über unsere Musik dächte, als er über die vergangene? Würde er dann nicht nach geschichtlicher Gerechtigkeit rufen?

O. F.

Sering, Professor F. W. Allgemeine Musiklehre in ihrer Beziehung auf das Notwendigste für Lehrer und Schüler in jedem Zweige musikalischen Unterrichts. Herausgegeben von K. Kühn, Königlichem Seminar-Musiklehrer in Drossen. 5., verbesserte Auflage. Lahr, Moritz Schauenburg — 54 S. 8⁰. ℳ 0,80.

Ein vortrefflicher Leitfaden für den Elementar-Unterricht in der Musik, der seit langem in den Präparanden-Anstalten Badens amtlich eingeführt ist und sich praktisch bewährt hat. Die neueste Auflage ist nach den Grundsätzen des 1901 verstorbenen Verfassers unter Verbesserung besonders des Kapitels von der Intervallenlehre bearbeitet worden. Die Lehre von den Tönen und ihren Bezeichnungen, den Noten und Tonarten, der Rhythmik, Dynamik und den Akkorden wird in knappest zureichender Form abgehandelt, ohne psychologische, historische und ähnliche Erklärungen hinzu zu ziehen. Was gesagt wird, ist indessen Ausfluß einer angemessenen Beherrschung auch dieser wesentlichen wissenschaftlichen Grundlage. Das Werkchen gehört zu den guten musikalischen Elementarbüchern.

O. F.

Winckler, Hugo. Die babylonische Kultur in ihren Beziehungen zur unsrigen. Ein Vortrag. Mit 8 Abbildungen. Leipzig, J. C. Hinrichs' sche Buchhandlung, 1902 — 53 S. 8⁰.

Ein höchst anregendes Büchlein, das den kühnen Versuch macht zu beweisen, daß in unserem deutschen Volkstum von einer durch Babylon beeinflußten Urkultur noch mancherlei Überreste deutlich zu erkennen seien. Auf welchem Wege diese Kultur-Elemente zu uns gekommen, ist ungewiß, aber sie reichen bis in die ersten Zeiten europäischer Geschichte, die ja im Verhältnis zur babylonischen und ägyptischen so kindlich jung ist. Ganz überzeugend scheint mir, was Verfasser von den astronomischen Grundlagen der babylonischen Kultur und ihren Nachwirkungen auf religiöse, philosophische, sociale, auch musikalische u. s. w. Verhältnisse und Anschauungen sagt. Von jeher haben die Babylonier (Chaldäer) als die Lehrmeister der Menschheit in der Astronomie gegolten, haben damit nicht nur die kosmischen Anschauungen der Völker im Keime beeinflußt und sind für den bürgerlichen Kalender und die Zeitrechnung aller europäischen Nationen maßgebend geworden, sondern haben damit zugleich indirekt in das Geistesleben dieser Kulturländer eingegriffen, da sich die Rechenkunst nebst Münzen, Maßen und Gewichten mit ihrem Duodezimal-System, der ganze Aberglaube der Astrologen und verschiedene andere Anschauungen an die astronomischen Künste angelehnt haben. Auch die Musik gehört mit zu den von der Astronomie beeinflußten Künsten; die ganze Lehre von der Sphärenmusik gehört hierher. Auf diesen Zusammenhang zwischen Musik und Astronomie weist auch der Verfasser an einigen Stellen seines hübschen Werkchens hin, ohne freilich irgend näher auf dieses interessante und wichtige Verhältnis einzugehen, dessen Beleuchtung ich mir übrigens schon längst vorgenommen habe. O. F.

Woolhouse, W. S. B. Treatise on Musical Intervals and Temperament. London, Charles Woolhouse, New edition, 1901; pp. 143, small 8vo 3/.

The trained ear is sensible of the difference of musical intervals. For apprising others of the same there are 3 methods: either pictorial (by notation), or descriptive (by nomenclature), or computative (by arithmetical ratio-figures). This last rests on data given by tonometrical physicists, 2500 years ago and today. For simple broad results, the data of transversely-excited equal-tensioned different-lengthed strings; read in terms of the proportion between the different lengths which furnish different sounds; as given by the ancients Pythagoras of Samos, Eucleides of Alexandria, &c. For results of all degree down to the smallest, the data of various sound-vibration-creating and sound-vibration-indexing machines; read in terms of the proportion between the different number of vibrations per time-unit which furnish different sounds; as given by the moderns Savart, Cagniard de la Tour, Seebeck, Scheibler, Appunn, Helmholtz, Meyer, Rayleigh, &c. Musicians mostly take these results on faith, especially as to the "vibrations" of modern science. But still if they need proof, there is the monochord always ready to be stretched, bridged, sounded, measured; and the Siren and other machines always ready to be set in motion and read or calculated from. Both are cases of induction made easy. Nor is it the least remarkable thing in the science of acoustics (for other physics could well be imagined) that the resulting arithmetical ratios are precisely the same both in the old string-length question, and in the modern vibration-number question. Irreflection makes us callous to this highly fortunate concurrence and simplification. — Now in spite of the labours of practical notationists, and technical theorists generally, the fact does remain that the whole of our melody, harmony, and polyphony, is nothing but a vast system of relations between sounds of different pitch (alias intervals), which relations can only, in the last resort, be expressed by mathematical figures. It is quite conceivable therefore that mathematics may one day take such a development as to be able to hold up a faithful mirror to the most intricate polyphony. If so, it will furnish the real ultimate "harmony" book of the future; not in the sense of giving laws to music, but in the sense of recording and systematizing its phenomena. — The same ratio-acoustics, along with physiology, would probably in the simplest way explain the at present half-mysterious fact of the note of slowest vibration (the most bass note) being the predominant one and giving the sense of tonality. The same ratio-acoustics, along with elementary philosophy would probably extinguish the deep-rooted fallacy that the "harmonic chord" or "partial-tones" phenomenon is the *basis* and origin of our harmony, a condition of thought which confuses an extremely limited analogy with a cause. A cabbage might as well be called the basis of a rose-tree, because both grow in the ground. The English musical theoretic literature of the 3rd quarter of 19th century is simply saturated with this easy mind-juggle, the

notion that the intervals of our melodic and polyphonic system are "developed out of" the notes found in the partial-note chord; and a professorial lecturer (Colin Brown, 1818—96, Euing music-lecturer at Anderson's College, Glasgow) is discovered gravely "deriving" our diatonic scale by picking out consecutively (5 octaves high up) the 24th, 27th, 30th, 32nd, 36th, 40th, and 48th upper partial-tones of a prime note. Than this, absurdity could go no farther. An amateur musician and homoeopathic doctor named Alfred Day (1810—49) was specially fascinated with these ideas, carrying them into the domain of chord-classification; where, if he furnished some conveniences, it was at the expense of logic. A notable Principal, Roy. Acad. of Music, unwisely followed him; whence many tears. Even technical theorists are now beginning to demand that the harmonic chord shall take a seat further back, and that the "root" idea of harmony (in so far as it means anything) shall be philosophically defined. — For all these reasons musicians should welcome, not despise, ratio-acoustics. If aesthetic sense is their practical guide, mathematical law must be at the back of all. — Present author begins with the traditional, and mainly necessary, facts of just or approximately just intonation. Of the several divisions of the octave in that class, he relics chiefly on the division of 730 equal degrees, taking $\sigma\chi\iota\sigma\mu\alpha$ as unit or $1/730$th part, and the rest falling into whole numbers (see "Notizen".) In substituting this by the bye for "ratios", $1/2$, $3/4$, &c., and their combinations (page 3), which he condemns as inadequate, he might decidedly have made it clearer that his own figures are themselves only ratios with a least common denominator. Though giving divisions for just or approximately just intonation, he is staunch to practical "equal" temperament, and so proceeds (pp. 34—53). The vibrational values of the latter at page 40 (for 7 octaves, carried to 2 places of decimals, are convenient and trust-worthy, on C = 512 per second. Some side-points, e. g. : — in unaided temperament of voices and violins, it is always 2nd of scale which bears the brunt of mutilation and compromise, thus confirming theory; trade usage of "equal" temperament began here 1846 (p. forte, Broadwoods) and 1854 (organ, Walker and Willis', a century and a half after Continent (J. G. Neidhardt, d. 1739; A. Werckmeister, 1645—1706). Author mathematically epitomizes the "beat" question (pp. 67—84). The section on harmonic 7th being too flat for our system is perhaps flogging a dead horse. In editing, it should have been stated that the dimensions at page 120 are of 3 celebrated Stradivari instruments, "Messie" violin, "Janzé" viola. Franchomme violoncello, and borrowed from Antoine Vidal. On the other hand the gauge-dimensions for bow at pp. 121—131 seem to be original. Author was engaged for years on the "Nautical Almanack", which has enabled mariners and commerce to conquer the seas. Present cheaply issued book recommendable as bearing on what may be a science of the future. C. M.

Eingesandte Musikalien.

Referenten: O. Fleischer, A. Göttmann.

Verlag Hermann Beyer & Söhne, Langensalza.

Eitner, Robert. Fantasie für das Pianoforte zu vier Händen. ℳ 2,40.

Der Verfasser hat mit dieser sehr hübschen und melodiösen Komposition alle diejenigen überrascht, die da glauben, daß ein Musikforscher ein Mann sein müsse, der in der Musik-Produktion selbst nichts zu leisten wisse und darum sich auf die Gelehrsamkeit »resigniere«. Dieser Aberglaube kommt ja freilich, wenn auch langsam und sehr allmählich, jetzt immer mehr aus der Mode und wird hoffentlich bald ganz versiechen. Eitner's flüssige und dabei kontrapunktorisch trefflich gearbeitete Fantasie kann nur dazu mithelfen, das ungerechte Vorurteil zu zerstreuen. O. F.

Verlag Georg Bratfisch, Frankfurt a. O.

Mohaupt, Franz. Quintett in Cdur für 2 Violinen, Viola, Cello und Klavier. Op. 11. Preis komplett ℳ 12,—. Klavier-Auszug ℳ 6,—.

Das dem Waldemar Meyer-Quartett und der Hofpianistin Fräulein Elisabeth Jeppe gewidmete Werk wurde vor mehreren Jahren durch die vorgenannten Künstler gelegentlich eines Konzertes des »Vereins zur Förderung der Kunst« mit vielem Erfolg als Manuskript zur Aufführung gebracht. Für den nüchtern Urteilenden zeigte die damalige Aufführung, daß man es hier mit einem durchaus talentierten Komponisten zu thun habe, dessen Art der Arbeit aber noch viel des Ungleichwertigen biete. Die vorliegende jetzt im Druck erschienene Partitur bestätigt das voraus Gesagte vollkommen. Mohaupt besitzt als besonderen Vorzug eine lebhafte, wenn auch nicht in die Tiefe gehende Phantasie, welche von Smetana und Dvořák merklich beeinflußt ist. Besonders scheint mir der Letztere auch in Bezug auf den thematischen Aufbau auf Mohaupt's Entwickelung starken Eindruck gemacht zu haben. Der erste Satz ist ein flottes Stück, das sich mehr in äußerlicher Brillanz gefällt. Besser steht es um den zweiten Satz, das Scherzo, welches gute und gegensätzlich charakterisierte Themen enthält. Den Höhepunkt des Werkes bringt der dritte Satz (Andante con variazioni) mit einer solch stattlichen Reihe guter Eigenschaften, daß dadurch das ganze Opus gleich auf einen weitaus höheren künstlerischen Standpunkt gestellt wird. Leider dehnt sich diese satzweise Steigerung nicht allein nicht auch auf den letzten Satz aus, sondern dieser fällt derart gegen alle anderen ab, daß man diese geringe Selbstkritik, welche hier der Komponist zeigt, im Interesse des ganzen Werkes auf das Lebhafteste bedauern muß. A. G.

Verlag Breitkopf & Härtel, Leipzig.

Bach, Joh. Seb. Werke, nach der Ausgabe der Bachgesellschaft. Orgelbüchlein, 46 kürzere Choralbearbeitungen für Klavier zu 4 Händen. Veröffentlichungen der Neuen Bachgesellschaft, Jahrgang II, Heft 1.

Das »Orgelbüchlein« des Leipziger Orgelmeisters, dessen Autograph sich in der Berliner Königl. Bibliothek befindet, ist zum Studium der Anfänger im Pedalspiel geschrieben. Auf 164 Choräle berechnet, enthält es deren doch nur 46, alle mit obligat behandeltem Pedal. Um diese meisterlichen Kompositionen auch Klavierspielern zugänglich zu machen, hat sie hier Bernh. Friedrich Richter auf Grundlage von Ernst Naumann's Orgel-Ausgabe für das Klavier zu vier Händen arrangiert. Daß sie dadurch, trotz meisterhafter Bearbeitung, nicht gewinnen, ist ohne weiteres klar.

Becker, Albert. Werke für Violine und Pianoforte, Band I und II, je ℳ 4,50.

Die Werke des verstorbenen Berliner Domkapellmeisters, dessen sympatische Gesichtszüge uns aus einem wohlgelungenen Porträt entgegenblicken, sind alle aus feinsinnigem Musikergeiste geboren. Echte

Kunst, nicht Künstelei trotz aller Beherrschung und mannigfaltigster Inanspruchnahme der Technik, sind auch diese Variationen über ein altes Lied, eine Phantasie
in E-dur, ein Konzertstück in G-dur, eine
Ballade, ein Scherzo und 5 Adagio einer
schöpferischen Phantasie entquollen, ohne
den krankhaften Zug steten grundlosen
Harmonien - Wechsels und ohne die Geschraubtheit enharmonischer und chroma-
tischer Klügeleien in freier Melodik und
geistvoller Polyphonie dahinfließend, kern-
gesund und daher erquickend. Vor allem
erfreut mich daran die schöne, klare Archi-
tektonik.   O. F.

Loewe, Carl. Werke. Gesamtausgabe der Balladen, Legenden, Lieder
und Gesänge für eine Singstimme,
im Auftrage der Loewe'schen Familie
herausgegeben von Dr. Max Runze.
BandXV. Lyrische Fantasien. Alle-
gorien. Hymnen und Gesänge. Hebräische Gesänge. *M* 3, —.

Die ›lyrische Fantasie‹ wie die ›Alle-
gorie‹ Loewe's knüpfen an die Ballade an,
nur daß in der ersteren das lyrische, in
der letzteren das dramatische Element be-
stimmend ist. In beiden Formen hat der
Balladen-Meister in der Zeit von 1836 bis
1839 Vorzügliches geschaffen, vor allem
den allerliebsten ›Kleinen Haushalt‹ und
die prächtigen ›Feuer›gedanken‹, die besten
Vertreter beider Gattungen. Zu ihnen bilden die 20 schon 1823—1825 komponierten
›Hebräischen Gesänge‹ Lord Byron's gewissermaßen Vorstudien, in deren Mono-
logen, Choralgesängen, Schlachtgesängen
und Elegien sich ein starkes dramatisches
Leben entwickelt. Mendelssohn veran-
schlagte ihren Wert besonders hoch. Des
öfteren hat sich Löwe zeitweilig der Bal-
ladenform entschlagen, um in mehr lied-
mäßigen Gesängen eine reichere Manig-
faltigkeit seines Könnens zu gewinnen;
Runze stellt drei solche Übergangsstadien
oder Gesangsperioden in Loewe's Schaffen
auf, deren nicht verächtliche Erzeugnisse
uns der vorliegende Band überliefert. Den
Beschluß desselben macht der Klavier-Auszug des Oratoriums ›Die Zerstörung von
Jerusalem‹, das Loewe nach dem Textbuche
Gustav Nicolai's 1829 komponierte und dem
Könige Friedrich Wilhelm III von Preußen
widmete. Der treffliche Herausgeber giebt
in seinem ausführlichen Vorworte alle
wünschenswerten Auskünfte über die Einzel-
zelheiten der 38 Nummern dieses Bandes.
                                        O. F.

Opern-Album. Beliebte Stücke aus
modernen Opern für Klavier. *M* 3, —.

Enthält Stücke aus den Opern von C.
Reinecke (Manfred), H. Hofmann (Donna
Diana), F. v. Holstein (Haideschacht), F.
Curti (Lili-Tsee), W. v. Baußnern (Dürer
in Venedig), H. Zöllner (Das hölzerne
Schwert und Versunkene Glocke), F. Mottl
(Pan im Busch), A. Enna (Cleopatra), P.
Cornelius (Gunlöd), A. Wallnöfer (Ed-
dystone), E. d'Albert (Rubin), R. Wagner
(Fliegender Holländer, Lohengrin, Tristan
in den Transkriptionen von F. Liszt), giebt
somit einen kleinen aber gefälligen Auslug
auf die moderne Opern-Produktion. O. F.

Verlag Georg D. W. Callwey, Kunst-
wart-Verlag. München.

Batka, Richard. Bunte Bühne, Fröhliche Tonkunst. Herausgegeben vom
Kunstwart. 1.—4. Folge, 1902.

›Die Mode der Überbrettelei flaut allerorten schon ab‹, sagt Batka in seinem Vorwort mit dem Ausdrucke des Bedauerns
darüber, daß damit zugleich das Gute zu
Grunde zu gehen drohe, was in ihr lag,
nämlich der erquickende Frohsinn und das
Bestreben, die nun einmal volksbeliebten
Variétés zur Veredelung der Volksge-
schmackes zu benützen. Die Gründe dieses
Abflauens sieht Batka — wohl mit Recht
— darin, daß die Überbrettisten sich nur
auf die ›Moderne‹, das heißt auf die Produktion ihrer eigenen Kliquen-Dichter und
Kliquen-Komponisten, verlassen zu können
glaubten und sich dabei nur zu schnell
verlassen sahen. Aber der Humor ist leider
bekanntlich kein Privileg der modernsten
Zeit, gerade unsre Gegenwart scheint vielmehr in dieser Beziehung sehr stiefmütter-
lich bedacht zu sein, und deshalb bedürfen
wir der Anleihen von früheren humorvolle-
ren Zeiten. Batka zeigt nun durch seine
vortreffliche Sammlung humoristischer Tonstücke aller Zeiten, wie viel die Musik seit
dem 16. Jahrhundert an Humor in der
Musik aufzuweisen hat, ohne daß man
seiner auch nur annähernd so recht gewahr
und ihm in unseren Konzerten gerecht geworden ist. Vier Hefte der Sammlung
liegen bereits vor mit nicht weniger als
50 Stücken in unmittelbar brauchbaren
Partituren, eins hübscher als das andre,
fast alle aber von Lebenslust und Heiterkeit, Frohsinn und sprudelnden Scherzen
überschäumend, angefangen von dem Lands-
knecht-Ständchen und dem Echo-Stücklein
des Orlandus Laßus und dem ›Hallo‹ des
wackeren Thomaskantors Schein, über J.
S. Bach, Haydn, Mozart, Beethoven, Löwe,
Weber, Schubert, Mendelssohn und Schumann hinweg bis zu Cornelius, Hugo Wolf,
Plüddemann und Sommer. Fürwahr eine
lustige, herzerquickende Wanderung, für

die dem braven Sammler dankbar sein wird, wer auch nur einen einzigen zeugungsfähigen Bazillus des Witzes in seinem Blute beherbergt. Damit ist schon ein recht ansehnliches Repertoire für solche «Überbrettl« geschaffen, die nicht in Frivolität und Plattheit aufgehen mögen. Batka hat auch bereits praktisch die Probe darauf gemacht, daß eine gut-getroffene Auswahl daraus auf ein großes Publikum seiner Wirkung sicher ist, indem er im Februar dieses Jahres in Prag einen humoristischen Musikabend auf der Bühne mit Dekoration, Kostüm und Aktion unter großem Beifall in Scene setzte. Wünschen wir seinem Vorgehen weiteren Erfolg und seiner Sammlung eine Fortsetzung; unserem Musikleben wird beides nichts schaden. **O. F.**

Verlag Otto Forberg, Leipzig.

Filke, Max. Frühlingsnacht (Anna Esser). Für Männerchor, Sopran-(oder Tenor)-Solo und Soloquartett mit Klavierbegleitung (nebst Streichquintett ad. libit.), op. 44. Klavier-Ausgabe *M* 4,—, Orchester-Partitur *M* 8,—.

Podbertsky, Theodor. Eines frummen Landsknechts Lieder (Julius Gersdorff). Ein Cyclus für Männerchor a capella oder mit Begleitung von kleinem Orchester oder Klavier, op. 128. Klavier-Ausg. und Stimmen *M* 6,—, Orchester-Partitur *M* 6,— n.

Verlag C. F. Kahnt, Leipzig.

Capellen, Georg. Noch sind die Tage der Rosen (Roquette). Lied am Klavier, op. 11, *M* 1, —.

Verlag D. Rahter, Hamburg und Leipzig.

Kaun, Hugo. Gesangscene für Violoncell und Orchester oder Pianoforte. Op. 35. Partitur und Orchesterstimmen in Abschrift. Für Violoncell und Pianoforte *M* 2.—

Der nicht allzu reichhaltigen neueren Violoncell-Litteratur hat Hugo Kaun, der jetzt in Berlin lebende, früher in Milwaukee viele Jahre an erster Stelle thätige Komponist, eine schöne Bereicherung durch die Herausgabe seiner Gesangscene zuteil werden lassen. Es ist ein klangschönes, von edler Melodik getragenes Stück, das dieses prächtige Kantilenen-Instrument in all seinen natürlichen Eigenschaften zur Geltung bringt. Das dem bekannten Violoncellisten Jacques van Lier gewidmete Werk

sei allen mit großem, warmem Ton begabten Cellisten auf's Beste empfohlen. **A. G.**

Goens, Daniel van. Cantabile für Violoncell mit Begleitung des Orchesters oder des Pianoforte. Op. 34. Partitur und Orchesterstimmen in Abschrift. Für Violoncell und Pianoforte *M* 2.—

Auch diese Violoncellkompositionen stehe ich nicht an als gut zu bezeichnen, wenn sie auch nicht den sinnlichen Klangreiz der Melodik so zu entfalten wissen, wie es in Hugo Kaun's Gesangscene der Fall ist. Dort tritt das seelische Moment mit einer gewissen Selbstverständlichkeit an uns heran, während Daniel van Goens in seiner Phantasie nüchterner erscheint, andrerseits in Bezug auf technische Finessen mehr verlangt. Jedenfalls aber verdient auch dieses Stück das Interesse der Violoncellisten. **A. G.**

Woyrsch, Felix. Improvisationen für Pianoforte. Op. 44. Zwei Hefte. Preis je *M* 2,—.

Der in Altona lebende Komponist, welcher sich durch sein Passions-Oratorium einen guten Namen gemacht hat, zeigt sich in diesen acht Improvisationen als ein fein empfindender Meister der Kleinkunst. Die einzelnen Stücke sind zwar inhaltlich nicht gleichwertig, jedoch sind so fein-ciselirter Arbeit, daß ihr näheres Studium wahre Freude bereitet. In Bezug auf die Technik geben sie keine besonderen Rätsel auf.

Verlag Chr. Friedr. Vieweg, Quedlinburg.

Baselt, Fritz. 2 Lieder für Männerchor, op. 103. 1) Eine Tageweise. 2) Der Rhein ist mein! Jede Partitur *M* 0,80.

Hoft, Norbert. Rheinsage, Ballade von E. Geibel, für 4 und 6 stimmigen Männerchor, op. 35. Partitur *M* 2,—.

Schrader, Heinr. Ländler des Verliebten. Gedicht von O. J. Bierbaum, für Männerchor, op. 62. Partitur *M* 0,80.

Zerlett, J. B. Der Ring (J. Kerner), für Männerchor, op. 229. Partitur *M* 1,20.

Zuschneid, Karl. Deutsche Bankettlieder nach Gedichten von August Sturm. Für Männerchor, op. 61. Das Heft *M* 0,50.

Inhalt: 1) Vaterländischer Trinkspruch. 2) Germania. 3) Weihelied. 4) Deutsches Weinlied. 5) Rheingold. 6 Mosellied.

Zeitschriftenschau

zusammengestellt von

Ernst Euting.

--- --

Abkürzungen für die Musikzeitschriften.

AdlM	Les Annales de la Musique (organe officiel de la Fédération Musicale de France), Paris, 5 Place Saint-François-Xavier.	**MSu**	La Musique en Suisse, Neuchâtel, Delachaux & Niestlé.
AM	L'Avenir Musical, Genève, 20, Rue Général-Dufour.	**MT**	Musical Times, London, Novello & Co
		MTW	Musik- und Theaterwelt, Berlin, Dr. Alfleri.
AMZ	Allgemeine Musik-Zeitung, Charlottenburg, P. Lehsten.	**MW**	Die Musik-Woche, Leipzig, Johannisgasse 3.
		MWB	Musikalisches Wochenblatt, Leipzig, E. W. Fritzsch.
BB	Bayreuther Blätter, Bayreuth, H. v. Wolzogen.	**NM**	Nuova Musica, Firenze, E. Del Valle de Paz.
BfHK	Blätter für Haus- und Kirchenmusik, Langensalza, H. Beyer & Söhne.	**NMP**	Neue musikalische Presse, Wien, Arthur E. Bosworth.
BW	Bühne und Welt, Berlin, Otto Elsner.	**NMZ**	Neue Musik-Zeitung, Stuttgart, C. Grüninger.
C	Caecilia, Straßburg i. E., F. X. Le Roux & Co.	**NZfM**	Neue Zeitschrift für Musik, Leipzig, C. F. Kahnt Nachf.
Co	Caecilia, Breslau, Franz Goerlich.		
CEK	Correspondenzblatt d. ev. Kirchengesangvereins, Leipzig, Breitkopf & Härtel.	**OCh**	The Organist and Choirmaster, London W. 9, Berner's Street.
CM	Le Cronache Musicali, Roma, tip. E. Voghera.	**PA**	Le Progrès artistique, Paris, 22—23 passage des Panoramas.
CMu	Courrier Musical, Menton, 1, rue Arduino.	**PJ**	Piano Journal, London, W. Rider & Son.
CO	Cäcilienvereinsorgan, Regensburg, F. Pustet.	**RA**	Revista artistica, San Paulo (Brasilien), J. de Mello Abreu.
DBG	Deutsche Bühnen-Genossenschaft, Berlin, F. A. Günther & Sohn.	**RAD**	La Revue d'art dramatique, Paris, Société d'éditions artistiques et littéraires, librairie Ollendorff, 50, Chaussée d'Antin.
DGK	Deutsche Gesangskunst, Berlin. Otto Dreyer.		
DIZ	Deutsche Instrumentenbau-Zeitung, Berlin, Mansteinstrasse 8.	**RE**	Revue Éolienne, Paris, Toledo & Cie.
DMMZ	Deutsche Militärmusiker-Zeitung, Berlin, A. Parrhysius.	**RHC**	Revue d'Histoire et de Critique Musicales. Paris. H. Welter. 4 Rue Bernard Palissy.
DMZ	Deutsche Musikzeitung. Berlin, P. Simmgen.	**RM**	România Musicală, Bucuresti, Str. Olteni 46.
DVL	Das deutsche Volkslied, Wien, Dr. J. Pommer.	**RMG**	Russkaj Musijkaalja Gazeta, St. Petersburg, Nic. Findeisen.
Et	Etude, Philadelphia, Theo. Presser.		
GBl	Gregorius-Blatt, Düsseldorf, L. Schwann.	**RMI**	Rivista musicale italiana, Torino, Fratelli Bocca.
GBo	Gregorius-Bote, ibid.		
GM	Le Guide Musical, Bruxelles, Office Central.	**RMZ**	Rheinische Musik- und Theater-Zeitung, Köln a. Rh., Schafstein & Cie.
GMM	Gazzetta Musicale di Milano, Milano, Ricordi & Co.		
H	Das Harmonium, Leipzig, Breitkopf und Härtel.	**RR**	Review of Reviews, London, Horace Marshall & Son.
JM	Journal Musical, Paris, Baudouin — La Londre.	**S**	Signale f. d. musikal. Welt, Leipzig, B. Senff.
		Si	Siona, Gütersloh, C. Bertelsmann.
K	Kirchenchor, Frastanz, F. J. Battlogg.	**St**	The Strad, London, E. Shore & Co.
KCh	Kirchenchor, Rötha, J. Meißner.	**SA**	Sempre Avanti, Amsterdam, Allert de Lange.
KL	Klavierlehrer, Berlin, M. Wolff.	**SC**	Santa Cecilia (Rivista mensuale di musica sacra e liturgica), Torino, via Berthollet 9.
KVS	Kirchenmusikalische Vierteljahrsschrift, Salzburg, Anton Pustet.		
KW	Kunstwart, München, G. D. W. Callwey.	**SH**	Sängerhalle, Leipzig, C. F. W. Siegel.
L	Lyra, Wien, Anton August Naaff.	**SGB**	St. Gregoriusblad, Haarlem, St. Jacobsgodshuis.
M	Ménestrel, Paris, Heugel & Co.		
Mo	Music, London, 186 Wardour Street.	**SMT**	Svensk Musiktidning, Stockholm, Frans J. Huß.
Mu	Music, Chicago, W. S. B. Mathews.		
MB	Muziekbode, Tilburg, M. J. H. Ressels.	**SMZ**	Schweizerische Musikzeitung, Zürich, Gebrüder Hug & Co.
MC	Musical Courier, New York, 19, Union Square.		
MH	Musikhandel und Musikpflege, Leipzig, Verein der Deutschen Musikalienhändler.	**SZ**	Schweizerische Zeitschrift für Gesang, St. Gallen, Zweifel-Weber.
		TK	Der Tonkunst, Berlin, Ernst Janetzke.
MfM	Monatshefte für Musikgeschichte, Leipzig, Breitkopf & Härtel.	**TSG**	Tribune de St. Gervais, Chevalier Maresq &Co.
		TV	Tijdschrift der Vereeniging v. N.-Nederlands Muz., Amsterdam, Fr. Muller & Co.
Mk	Die Musik, Berlin, Schuster & Löffler.		
MM	Monde Musical, Paris, A. Mangeot.	**TW**	Das Tonwort, Eisleben, Carl Eltz.
MMG	Mitteilungen der Berliner Mozart-Gemeinde, Berlin, Raabe & Plothow.	**U**	Urania, Erfurt, Otto Conrad.
		WCh	Wegweiser durch die Chorgesang-Litteratur, Köln, H. vom Ende.
MMR	Monthly Musical Record, London, Augener & Co.		
		WvM	Weekblad voor Muziek, Amsterdam, Erven Munster & Zoon.
MN	Musical News, London, 130 Fleet Street.		
MR	Musical Record, Boston, Lorin F. Deland.	**Z**	Zenelap, Budapest, VIII Prater u. 44.
MS	Musica Sacra, Regensburg, F. Pustet.	**ZfI**	Zeitschrift für Instrumentenbau, Leipzig, P. de Wit.
MSfG	Monatsschrift für Gottesdienst und kirchliche Kunst, Göttingen, Vandenhoeck & Ruprecht.	**Zg**	Zenevilág, Budapest, L. Hackl.

Adler, Felix. Tristan-Probleme — Die Freistatt (München, Gabelsbergerstraße 77) 4, Nr. 34.
—— Czechische Musik — ibid. Nr. 38.

Allihn, M. Die Pianola — ZfI 22, Nr. 33.
—— Die Spielhülfen bei der Orgel — ibid. Nr. 34 ff.

Anonym (Un Habitué du Conservatoire)

Le nouveau Conservatoire de musique — M, Nr. 3729.

Anonym. La réouverture de l'Opéra-Comique — MM 14, Nr. 17.

Anonym. Coronation music at Westminster Abbey — MMR, Nr. 381.

Anonym. The coronation of King Edward VII and Queen Alexandra in the Collegiate Church of St. Peter in Westminster — MT, Nr. 715 [illustriert].

Anonym. Horatio Parker — ibid. [illustriert].

Anonym. Folkmusik i Jämtland — SMT 22, Nr. 13.

Anonym. P. et L. Hillemacher — PA, Nr. 1118.

Anonym. Die 50jährige Jubelfeier des Hoftheaters zu Hannover — DBG 31, Nr. 36.

Anonym. Georg Schwechten † — ZfI 22, Nr. 34 [mit Portrait].

Anonym. Das Neue Stadttheater in Köln (Eröffnung am 6. September) — Vossische Zeitung (Berlin) 10. September 1902, Morgenblatt.

Anonym. Das Schuljahr 1901/1902 des Gregoriushauses in Aachen — GBo 19, Nr. 8.

Anonym. Welches sind die Lebensbedingungen des Cäcilienvereins — C 19, Nr. 8.

Anonym, Dr. Fr. Witt's Grundsätze für cäcilianische Kirchenchöre — Cc 10, Nr. 9.

Anonym. M. Brosig. Seine Stellung zur instrumentalen Kirchenmusik — Cc 10, Nr. 9.

Anonym. Bestrebungen zur Hebung der Kirchenmusik in der katholischen Kirche — Si 1902, Nr. 7/8.

Anonym. Aus dem Jahresbericht des Vereins Schweizerischer Tonkünstler — SMZ 42, Nr. 24.

Appia, Adolph. Der Saal des Prinzregenten-Theaters [zu München]. Eine technische Betrachtung — Die Gesellschaft 'Dresden und Leipzig, E. Pierson's Verlag) 18, Nr. 15/16.

Arend, Max. Le dièse, la dièse oder le dièze? Eine Anregung für unsere Philologen — KL 25, Nr. 18.

— Bayreuth 1902 — BfHK 6, Nr. 9.

B., M. Musik in Kapstadt — NMZ 23, Nr. 19.

Bailly, Edmond. Der Ton in der Natur (Wesen des Tones; die Harmonie der Sphären; iniverselle Harmonien; die Stimmen der Natur) — Neue metaphysische Rundschau (Groß-Lichterfelde, Carlstaße 3) 5, Nr. 1 ff.

Barbey, Jeanne-Marie. Chansons du Morbihan — Revue des Traditions Populaires (Paris, J. Maisonneuve) 17, Nr. 7/8 [mit Notenbeispielen].

Battke, Max. Ein Wort für die Jugend-Konzerte — Pädagogische Zeitung (Berlin, Seestraße 63) 31, Nr. 37.

Benedict, Siegmund. Der Fliegende Holländer im Bayreuther Festspiel — NMZ 23, Nr. 19.

Benndorf, K. Die Musiksammlung der Königlichen öffentlichen Bibliothek in Dresden — Dresdner Anzeiger, Montags-Beilage 2, Nr. 33/34.

Blaschke, Julius. Lenau und die Musik (Gedenkblatt zu seinen hundertjährigen Geburtstage) — DMZ 33, Nr. 34.

Bloch, Ernest. Le poème symphonique et la pantomime — MSu 2, Nr. 21.

Bn., O. La Bibliothèque Royale de Musique du Palais Buckingham — M, Nr. 3727.

Boeckh, Fr. Das VI. bayerische evangelische Kirchengesangvereinsfest am 4. und 5. Juni in Schwabach — CEK 16, Nr, 8/9.

Bolte, Johannes. Italienische Volkslieder aus der Sammlung Hermann Kestner's — Zeitschrift des Vereins für Volkskunde (Berlin, A. Ascher & Co.) 12, Nr. 2.

Bouyer, Raymond. Chopin découvert et jugé par Schumann — M, Nr. 2726.

—— Encore la »Sonate, en si bémol mineur« et réquisitions Chopinesques — ibid., Nr. 3728.

—— »L'âme du piano« et le génie dévoué de Franz Liszt — M, Nr. 3729.

Breithaupt, R. Kunst und Musikwissenschaft — Mk 1, Nr. 23.

Bruns, Paul. Bayreuth und München 1902 — S 60, Nr. 38 f.

C., A. F. und J. C. C. Record of American Folk-Lore — Journal of American Folk-Lore (Boston and New-York, Houghton, Mifflin & Oo.) 1902, April-Juni.

Cappocci, Giovanni. Battista. Dell' arte del canto — GMM 57, Nr. 34 ff.

Carrand, G. Heureuse convalescence de la musique française — Minerva (Paris) 15. Juli 1902.

Chamberlain, H. St. Der Bayreuther Festspielgedanke. Alte und neue Wagner-Schriften — Tägliche Rundschau (Berlin) Beilage 1902, Nr. 173.

Chevalier, Paul-Emile. Théâtre-Lyrique. »Charlotte Corday« drame musical en 3 actes et un prologue, d'Armand Silvestre, musique de M. Alexandre Georges; »Les Deux Billets«, opéra-comique en un acte, musique de Ferdinand Poise — M. Nr. 3726.

Cobbett, W. W. The secret of Stradivari — MN, Nr. 599 ff [Besprechung des Werkes »Antonio Stradivari, his Life and Work« von Hill].

Combe, Edouard. Concours international de musique (Genève) — MSu 2, Nr. 21.

Cooke, J. F. Music in London — Et, August 1902.

Cordoneanu, C. M. Cântul coral în şcólele secundare — RM 13, Nr. 14.

Descey, Ernst. Das sechste deutsche Sängerbundesfest in Graz — Mk 1, Nr. 23.

Drofsong, Albert. Das neue Stadttheater in Köln — Illustrierte Zeitung (Leipzig, J. J. Weber) Nr. 3090.

Droste, C. Max Lange's Beethoven-büste — MW 2, Nr. 32 [mit Abbildung'.

Duine, F. Folklore de Dol — Annales de Bretagne. Juli 1902.

Duquesnel, F. Le théâtre de Meilhac et Halévy — Le Gaulois (Paris) 8. Juli 1902.

E. Das XI. solothurnische Kantonal-Gesangfest in Balsthal — SMZ 42, Nr. 24.

E., H. La musique de chambre à Paris — PA, Nr. 1118f.

Ernault, E. Chansons populaires de la Basse-Bretagne — Revue Celtique, April 1902.

Eymieu, Henry. Les Concours du Conservatoire — PA, Nr. 1117f.

Falk, J. Das Jahresfest des Evangelischen Kirchengesangvereins für den Konsistorialbezirk Cassel am 22. und 23. Juni — CEK 16, Nr. 8/9.

Fedeli, Vito. Le Feste Orfeoniche di Ginevra — GMM 57. Nr. 37.

Flemming, Oswald. Ein neues Orchesterinstrument — DMMZ 24, Nr. 38 [handelt über Mustel's »Céleste«].

Francke, A. H. Ladakhi songs — The Indian Antiquary (Bombay, Education Society's Press), Juli 1902.

Geisler, H. Kirchenmusikalische Controversen — NMP 11, Nr. 34/35.

Gerelli, Arsace. Il successo trionfale della »Germania« di A. Franchetti al Teatro Grande di Brescia — GMM 57, Nr. 35.

Geyer, Christian. Johann Georg Herzog — MSfG 7, Nr. 9.

Gieseler, Eb. Akustischer Touren-Anzeiger — Sitzungsberichte der niederrheinischen Gesellschaft für Natur- und Heilkunde zu Bonn (Bonn) 1902, Seite 102f.

Göhler, Georg. Giuseppe Martucci — KW 15, Nr. 22.

Goepfart, R. Urteile der ausländischen Fachpresse über die Thätigkeit der deutschen dramatischen Tonsetzer — Weimarische Zeitung, 9. Juli 1902.

Graves, Frederick. The art of Richard Wagner — The Westminster Review (London, R. Brimley Johnson) September 1902.

Grimsehl, E. Die Demonstration von Seilwellen und die Bestimmung der Schwingungszahl der Töne mit Hilfe von schwingenden Saiten — Zeitschrift für den Physikalischen und Chemischen Unterricht (Berlin, Julius Springer) 15, Nr. 4 [mit Abbildung'.

Gruner, H. Aus Falkenstein's kircheumusikalischer Vergangenheit — KCh 13. Nr. 9.

Grunsky, K. August Stradal — NMZ 23, Nr. 19 [mit Portrait].

Guillemin, A. Echelle universelle des mouvements périodiques, graduée en savarts et millisavarts — Comptes Rendus ... de l'Académie des Sciences (Paris, Gauthier-Villars) 28. April 1902.

Guillaume, L. Chansons du Morbihan — Revue des Traditions Populaires (Paris, J. Maisonneuve) 17, Nr. 6.

Gutzmann, Hermann. Über Hörübungen mittelst des Phonographen — Monatsschrift für Ohrenheilkunde (Berlin, Oscar Coblentz) 36. Nr. 8.

H., A. Die Wagner-Festspiele in München — NMZ 23, Nr. 19f.

Hartwig. Phonograph, Telegraphophon und Photographophon — Das Wissen für Alle (Wien, Perles) 2, Nr. 20.

Harzen-Müller, A. N. Musikalisches aus der großen Berliner Kunstausstellung und der Secession 1902 — Mk 1, Nr. 23.

Hasler, Joh. Kantonales Cäcilienfest in Rorschach — SZ 9, Nr. 18/19.

Herzog, Walther. Deutsche Zivilmusiker im In- und Ausland — DMZ 33, Nr. 37.

Hiller, Paul. Das neue Kölner Stadttheater und sein Leiter Julius Hofmann — NZfM 69, Nr. 37 [mit Abbildung].

Johannsen, Heinrich. Über die kirchenmusikalische Ausbildung der Theologie-Studierenden in Schleswig-Holstein — CEK 16, Nr. 8/9.

Jörg. Klinger's Beethoven — Die Umschau (Frankfurt am Main) 6, Nr. 25.

Jullien, A. Les opéras français de Gluck restitués par Mlle Fanny Pelletan — Journal des Débats (Paris) 20. Juli 1902.

Kähler, Otto. Altes und Neues von Brahms — Hamburger Nachrichten, 9. Juli 1902.

Kalischer, Alfr. Chr. Die Ausgabe Beethoven'scher Klaviersonaten durch das Leipziger Konservatorium — MW 2, Nr. 23.

Karpath, Ludwig. »Zaide« von Mozart. Zur bevorstehenden Erstaufführung in der Wiener Hofoper — S 60. Nr. 42.

Kellen, Tony. Die Honorare der dramatischen Schriftsteller und Komponisten — BW 4, Nr. 22ff.

Kefsler, Fr. Das VII. Kirchengesangfest des Evangelischen Kirchengesangvereins für die Pfalz am 22. Juni in Grünstadt — CEK 16, Nr. 8/9.

Kleffel, Arnold. Volkslied und Volksoper — Die Woche (Berlin, August Scherl) 4. Nr. 38.

Kling, Henri. Un hommage à Wehrstedt
— MSu 2, Nr. 21.
—— Franz Grast (1803—1871) — ibid.,
Nr. 22.
—— Zur Centenarfeier des schweizerischen
Komponisten Louis Niedermeyer —
NZfM 69, Nr. 35/36.
—— Das Genfer Musikfest vom 15. bis 18.
August — SZ 9, Nr. 18/19.
Koegel, F. Zur Psychologie Wagner's
— Die Kultur 1, Nr. 4.
Kohler, J. Begegnung mit Richard Wag-
ner [1877] — Der Tag (Berlin, August
Scherl) 20. Juli 1902.
Kohut, Adolph. Karl Simrock und die
Musik. Persönliche Erinnerungen zu
dem hundertsten Geburtstage des Dich-
ters und Gelehrten (28. August 1902),
— NMZ 23, Nr. 18 [mit Portrait'.
—— Aus dem Briefwechsel eines Geiger-
königs — Die Gegenwart (Berlin W. 57)
31, Nr. 32 [ungedruckte Briefe R. Wagner's, Rheinberger's, Gade's u. a.
an Johann Lauterbach].
Kopfermann. Das XVII. Jahresfest des
Evangelischen Kirchengesangvereins für
den Consistorialbezirk Wiesbaden am 14.
und 15. Juni — CEK 16, Nr. 8/9.
Krause, Emil. Sechstes allgemeines deutsches Sängerbundesfest in Graz, vom
26.—30. Juli 1902 — BfHK 6, Nr. 9.
—— 6. Schleswig-Holsteinisches Musikfest
am 15.—16. Juni in Kiel — SH 42, Nr. 38.
Kretzschmar, Max. Recollections of Robert Franz — MMR, Nr. 381.
Kretzschmar. Musikalische Zeitfragen —
Die Grenzboten 61, Nr. 31 ff.
Kuhn, Max. Die »Jüdin« von Halevy und
ihre Bedeutung als Musikdrama — NZfM
69, Nr. 35/36 ff.
Kunc, Pierre. La Littérature dans la
musique symphonique contemporaine —
GM 48, Nr. 35/36 ff.
L., W. Christoph Hoischen — H, 25.
August 1902.
—— Hofberg's expressives 2 manualiges
Saugluft-Harmonium mit geteiltem fünf-
oktavigem Prolongement-Automat — ibid.
Lalo, P. Concours du Conservatoire —
Le Temps (Paris) 29. Juli 1902.
Laparcerie, Marie. »Parysatis«, drame
en 3 actes de Mᵐᵉ Jane Dieulafoy, mu-
sique de Camille Saint-Saëns — RAD
17, Nr. 9.
Lefeuve, Gabriel. L'Association Syndicale
des Artistes-Musiciens Instrumentistes
fondée en 1876 — Courrier de l'Orches-
tre (Paris, 3, Rue du Chateau-d'Eau) 1,
Nr. 8.
Lessmann, Otto. Die Richard Wagner-
Festspiele im Prinz-Regenten-Theater zu
München — AMZ 29. Nr. 34/35.
—— August Klughardt † — ibid.

Louis, Rudolf. »Orestes« von Wein-
gartner — BfHK 6, Nr. 9.
—— »Lobetanz« von Ludwig Thuille —
ibid.
Lozzi, C. L'Imperatore Francesco II a
Milano in cerca di cantanti pel Teatro
di Vienna — GMM 57, Nr. 37.
Maclean, Charles. Bruges and the »Schola
Cantorum«. A note from tour — MT.
Nr. 715 [illustriert].
Macquart, Emile. Le cœur de la maî-
tresse (chanson ardennaise) — Revue des
Traditions Populaires (Paris, J. Maison-
neuve) 17, Nr. 7/8 [mit Notenbeispielen].
Maltézos, C. Contribution à l'étude des
tuyaux sonores — Comptes Rendus...
de l'Académie des Sciences (Paris, Gau-
thier-Villars) 24. März 1902.
Marteau, Henri. Art musical et démo-
cratie — MSu 2, Nr. 21 ff.
Mangeot, A. »Parysatis« aux Arènes de
Béziers (17 août 1902) — MM 14, Nr. 16
[mit zahlreichen photographischen Auf-
nahmen].
—— Les modes — MM 14, Nr. 17.
—— »Parysatis« — ibid. [Analyse mit
Notenbeispielen].
—— Les musiciens d'orchestre. Deux syn-
dicats — ibid.
Menzel, Hans. Die Musikinstrumente auf
der Oberlausitzer Gewerbe- und Indus-
trie-Ausstellung in Zittau 1902 — ZfI
22, Nr. 34 ff. [illustriert].
Merz, Oscar. Die Bühnenfestspiele in
Bayreuth 1902 — Mk 1, Nr. 23.
Möhler, Anton. Gedanken über die Musik
der alten Hebräer und der vorklassischen
Antike — Mk 1, Nr. 23.
Molmenti, Pompeo. I Gridi di Venezia
— GMM 57, Nr. 36.
Motta, José Vianna da. Ein Werk des
Altmeisters J. S. Bach in neuer Bear-
beitung — KL 25, Nr. 18 [betrifft die
»Aria mit 30 Veränderungen« in der Be-
beitung für Konzertvortrag von Karl
Klindworth].
Mühlenbein. Die Choralreform unter
Gregor XIII — Der Katholik 1901, Nr. 12.
Münch, L. Ein akustischer Versuch mit
der Blitztafel — Zeitschrift für den Phy-
sikalischen und Chemischen Unterricht
(Berlin, Julius Springer) 15, Nr. 3.
Myers, Charles S. Beiträge zur Akustik
und Musikwissenschaft, ed. by Dr. Carl
Stumpf. Heft 3 — Mind (London, Wil-
liams & Norgate) Juli 1902 [Besprechung].
N., H. De opvoeringen in het Prinz-Re-
genten-Theater te München — WvM 9,
Nr. 36 f.
Neukomm, Edmond. Les »daillons« de
Lorraine — M, Nr. 3728.
Nf. Die Organistenfrage in der reformier-
ten Kirche — SMZ 42, Nr. 26.

Nodon, Albert. La musique et les couleurs — Sciences, Art, Nature, 17. Mai 1902.

Nosca, Egon. Corona Schröter — AMZ 29, Nr. 36.

Pirani, Eugenio v. Quer durch Rußland. Reise-Erinnerungen — NZfM 69, Nr. 38 f.

Philippi, Eugen. Die Gründung einer Tantièmen-Anstalt in Deutschland. — Deutsche Musikdirektoren-Zeitung (Leipzig) 4, Nr. 36.

Pfeiffer, Georges. Le concours de Lille — MM 14, Nr. 16.

Pochhammer, Adolph. Der Dilettantismus und die Hausmusik — Die Umschau (Frankfurt a. M.) 6, Nr. 10.

Quittard, Henri. J.-P. Westhoff. Notes sur la musique en France au XVIIe siècle) — RHC 2, Nr. 8.

R., M. La loi Parsifal — GM 48, Nr. 37.

Rank, Wilhelm. Ungedruckte Briefe Friedr. Chopin's an den Komponisten Fontana — Prager Tagblatt, 20. Juli 1902.

Real, Heinrich. Die »Lohnbewegung« der Musiklehrer — NMZ 23, Nr. 19.

Riat, Georges. La décoration théâtrale au XVIIIe siècle — RAD 17, Nr. 9.

Röthig, Br. Die Eitz'sche Schulgesang-Methode — KCH 13, Nr. 9.

S.-B., J. 38. Deutsche Tonkünstler-Versammlung in Krefeld — SMZ 42, Nr. 25 f.

Säuberlich, Otto. Musikaliendruck — MH 4, Nr. 49.

Saul, Theo. Amerikanische Orchester — S 60, Nr. 41.

Samazeuilh, Gustave. Les représentations de Béziers. Théâtre des Arènes: »Parysatis«, drame en 3 actes de Mme Jane Dieulafoy, musique de M. Camille Saint-Saëns — GM 48, Nr. 35/36.

Schiedermair, Ludwig. Richard Strauß in amerikanischer Beleuchtung — Die Freistatt (München, Gabelsbergerstraße 77) 4, Nr. 34.

Schneider, Louis. Le premier concours du Conservatoire — RHC 2, Nr. 8.

Schnerich, Alfred. Mozert's Requiem — Salzburger Volksblatt 1902, Nr. 170.

Schorr, Jean. La musique en Roumaine — MM 14, Nr. 16.

Schultze, Adolf. Siegfried Ochs — NMZ 23, Nr. 18 [mit Portrait].

Schüz, A. Die Sonate, ihre Vergangenheit und ihre Zukunft — NMZ 23, Nr. 19 ff.

Segnitz, Eugen. Georg Göhler — NMZ 23, Nr. 18 [mit Porträt].

—— Otto Nicolai's Aufenthalt in Rom — ibid.

—— Die Richard-Wagner-Festspiele im Prinz-Regenten-Theater zu München am 22., 23., 25. und 27. August 1902 — MWB 33. Nr. 36 ff.

—— Die Richard-Wagner-Festspiele im

Prinzregenten-Theater zu München — AMZ 29. Nr. 36.

Seibert, W. Die Musik der Gegenwart und der Zukunft — Die Kultur 1, Nr. 3.

Serfass, C. La chanson catholique du massacre de Vassy. Bulletin de la Société d'Histoire du Protestantisme français, 1902, Nr. 6.

Smend, Julius. Wie man in Frankreich unseren Bach verketzert und verherrlicht — MSfG 7, Nr. 9.

Sonne, Hermann. Der XVII. deutsch-evangelische Kirchengesang-Vereinstag in Hamm i. W. vom 8.—10. Juni 1902 — CEK 16. Nr. 8/9.

—— Das XXIII. Kirchengesangfest des Evangelischen Kirchengesangvereins für Hessen am 1. Juni in Schwabsburg —ibid.

Stadler, M. Über die Erlösungsfrage in ihrem musikalischen Ausdruck — KL 25, Nr. 17 [nach einem Vortrag].

Stempel, Fritz. Mititärkonkurrenz — DMZ 33, Nr. 35 [gegen die Konkurrenz der Militärkapellen für die Civilmusiker].

Steuer, M. Eine unbekannte Oper Verdi's [»La forza del destino«] — S 60, Nr. 40.

Storck, Karl. Wie ein Klavier entsteht — Daheim (Leipzig, Velhagen & Klasing) 13. September 1902 [illustriert].

—— Unsere Gartenkonzerte — AMZ 29, Nr. 36.

Suplente. »Germania« di Alberto Franchetti al Teatro Solis di Montevideo — GMM 57, Nr. 38.

T., L. Parysatis au théâtre des arènes de Béziers — RHC 2, Nr. 8.

Teibler, Hermann. Die Wagner-Festspiele im Prinzregenten-Theater zu München — BW 4. Nr. 23.

Thibaut, P. J. La Musique des Mevlévis — RHC 2, Nr. 8 ff [mit Notenbeispielen].

Thiefsen, Karl. Neuere Kammermusik — S 60, Nr. 40.

Thompson, Herbert. Wagner at Bayreuth and at Munich — MT, Nr. 715 [betrifft die diesjährigen Wagner-Festspiele].

Tiersot, Julien. La musique à Madagascar — M, Nr. 3737 ff.

Tottmann, A. Das 79. Niederrheinische Musikfest zu Düsseldorf in den Pfingsttagen von 18.—20. Mai — U 59, Nr. 8.

Urban, E. Richard Strauß als Dramatiker — Norddeutsche Allgem. Zeitung (Berlin) Beilage 1902, Nr. 162.

Viotta, Henry. De muzikale toekunst van Duitschland — De Gids [Amsterdam, P. N. van Kampen & Zoon) August 1902.

Vivarelli, Liberio. Per il canto corale — GMM 57, Nr. 38.

Vogel, E. Zur Abwehr der Konkurrenz durch musizierende Beamte und Dilettanten — DMZ 33, Nr. 36.

Volbach, Fritz. August Klughardt † — Mk 1, Nr. 23.

Wagner. Die Choralfrage und ihre Lösung durch Leo XIII — Wissenschaftliche Beilage zur Germania (Berlin) 1902, Nr. 21.

Whipple, Guy Montrose. An analytic study of the memory image and the process of judgment in the discrimination of clangs and tones — American Journal of Psychology Worcester, Mass., Louis N. Wilson) April 1902.

Wilke, Arthur. Musik und Elektrizität — DIZ, 1902, Nr. 34 [behandelt die Möglichkeit der Erzeugung musikalischer Töne vermittelst Elektrizität].

Wimermark, J. Eine Richard Wagner-Reminiscenz — NMZ 23, Nr. 16.

Winterfeld, A. von. Corona Schröter's Verhältnis zu Goethe und zu Schiller — NMZ 23, Nr. 18.

Wirth, Moritz. Die Lösung der »Parsifal«-Frage (Bayreuth und München) — MWB 33, Nr. 38.

Zamacoïs, M. Considerations sur les instruments de musique — Le Gaulois (Paris) 26. Juli 1902.

Zschorlich, Paul. Bahn frei für Messager — Die Freistatt (München, Gabelsbergerstraße 77) 4, Nr. 35.

Buchhändler-Kataloge.

Bratfisch, Georg, Frankfurt a. O. — Beliebte Musikalien aus dem Verlage (Salon- und Tanzmusik, humoristische Gesänge, Männerchöre, Schulliederbücher u. s. w.). 26 S. gr. fol.

Breitkopf & Härtel, Leipzig. — Mitteilungen der Musikalienhandlung No. 70, September 1902. Mit Bild von Niels W. Gade.

Danner, G. Theaterbuchhandlung in Mühlhausen i. Thür. — Verzeichnis empfehlenswerter und erprobter Aufführungen jeder Art für Gesang-Vereine. (Vorträge mit und ohne Bühne, Kouplets, Duette, Männerchöre u. s. w.). 52 S. 8⁰.

Eytelhuber, Victor. Wien VIII, Lerchenfelderstraße 40. — Bücher-Antiquariats-Anzeiger No. 2.

Kaufmann, Richard. Stuttgart, Schloßstraße 37. — Katalog No. 94 des antiquarischen Bücherlagers: Theorie und Geschichte der Musik. Geistliche und weltliche praktische Musik. Liturgik. Hymnologie. Theater. Dramaturgie. Dramatische Schriften. 34 S. 8⁰.

Schmidt, C. F. Heilbronn a. N. — Musikalien-Verzeichnis No. 303. Streichinstrumente ohne und mit Pianoforte. 190 S. kl. 8⁰.

Vieweg, Chr. Friedr. Quedlinburg. — Katalog No. 21. Werke für Männerchor, 16 S. 8⁰. Enthält Neuheiten besonders von Fritz Baselt, Heinrich Schröder, J. B. Zerlett und Karl Zuschneid.

v. Zahn & Jaensch, Antiquariat, Dresden. — Katalog No. 137. Zeitschriften, Bibliothekswerke, Bibliographie (sehr wenig Musik).

Mitteilungen der „Internationalen Musikgesellschaft".

Neue Mitglieder.

Altmann, Dr. Wilhelm, Oberbibliothekar an der Königl. Bibliothek in Berlin, Menzelstraße 34, Friedenau.

Musikerbund, Wiener (Wilhelm Schrecker) in Wien 8/2. Bennogasse 4 1/5.

Musikgesellschaft, Allgemeine (Bibliothekar Rich. Kisling) in Zürich.

Kopp, Br. Seminar-Oberlehrer in Frankenberg in Sachsen.

Änderungen der Mitgliederliste.

Rietsch, Prof. Dr. Heinrich. Prag-Smichow jetzt Karlsgasse 10.

Schulz, Dr. Gottfried. Königlicher Sekretär der Königlichen Hof- und Staatsbibliothek in München jetzt Königinstraße 33 III l.

Tischer, Gerhard Dr. phil. jetzt Burg Zieverich bei Bergheim a. d. Erft (Rheinland).

Preisausschreiben.

Auf unser Preisausschreiben über die Frage: »Welches ist die beste Methode, Volks- und volksmäßige Lieder nach ihrer melodischen (nicht textlichen) Beschaffenheit lexikalisch zu ordnen?« sind seinerzeit vier Arbeiten eingegangen und zwar mit den Motti:

I. Das Volkslied bildet in der europäisch-abendländischen Musik u. s. w.
II. Die Himmel rühmen des Ewigen Ehre.
III. Simplex sigillum veri.
IV. Ich will zu Land ausreiten.

Diese Arbeiten sind den Herren Preisrichtern zur Beurteilung zugegangen und von vieren derselben in sehr ausführlichen Gutachten beurteilt worden; der fünfte Herr konnte wegen längerer Krankheit nur ein kurzes Votum, und zwar für die dritte Arbeit abgeben, während einer der vier erstgenannten wegen ungenügender Beherrschung der deutschen Sprache, in welcher sämtliche vier Arbeiten abgefaßt sind, zwar formell das Preisrichteramt niederlegt, sachlich aber in ausführlicher Beurteilung sich für die Arbeit I entscheidet. Von den übrigen drei Preisrichtern stimmen einer ebenfalls für die Arbeit I und in zweiter Linie für IV, die beiden anderen für die Arbeit IV. Letzterer ist somit durch den Ausschreiber der Preisaufgabe, Herrn D. F. S c h e u r l e e r im Haag, der Preis zuerkannt und das Exemplar der Gesamtwerke J. P. Sweelinck's in der Seiffert'schen Ausgabe der »Vereeniging voor Noord-Neederlands Muziekgeschiedenis« übermittelt worden. Der Verfasser dieser preisgekrönten Arbeit ist

Herr Professor Dr. Oswald Koller in Wien.

Die Arbeit wird demgemäß auch im nächsten Hefte unserer Sammelbände (November) veröffentlicht werden. Die übrigen Preisarbeiten, deren jede wissenschaftlichen Wert besitzt, hoffen wir, ebenso wie nach eingeholter Erlaubnis die interessanten Gutachten der Herren Preisrichter ganz oder auszüglich später veröffentlichen zu können.

Die Centralgeschäftsstelle.

Das fünfte Verzeichnis der Mitglieder der IMG.

vom 1. Oktober liegt diesem Hefte bei, aus welchem man ersehen wird, daß sich unsere Gesellschaft trotz des beträchtlichen Abganges von Mitgliedern in Folge Todesfalles im letzten Jahre auf der bei dem Ernste unserer Publikationen nicht unbeträchtlichen Höhe von gegen 800 Mitgliedern erhalten, freilich leider auch nicht vermehrt hat. Einer Propaganda im Sinne kaufmännischer Reklame sind wir begreiflicher Weise auch fernerhin abgeneigt, hoffen vielmehr von den Gleichgesinnten, welche die stillen, aber segensreichen Wirkungen der IMG. schon jetzt nicht verkennen, daß sie unsere Bestrebungen, denen wohl selbst der Voreingenommene die Anerkennung einer strengen Sachlichkeit nicht versagen kann, durch Mitarbeit am nützlichen Werke unterstützen. Wir fordern selbstverständlich von unseren Mitgliedern nicht im entferntesten die Selbstlosigkeit und Aufopferung, deren wir uns selbst im Dienste der Sache unterziehen, wagen aber zu hoffen, daß die positiven Leistungen der IMG. unsere bisherigen Freunde zu weiterer Propaganda anfeuern, die bisherigen Feinde aber zu unseren Freunden umwandeln mögen; allein die hehre Kunst der Musik wird davon den Vorteil haben. Denen aber, die uns bisher durch treue Mitarbeit so thatkräftig unterstützt haben, sagen wir zum Beginne des vierten Jahres unserer Gesellschaft von Herzen unseren Dank und bitten sie, uns ferner Treue um Treue bewahren zu wollen.

Die Centralgeschäftsstelle.

Zur gefälligen Beachtung.

Mit der alljährlichen Rechnungslegung beschäftigt, richten die Kassierer B r e i t - k o p f & H ä r t e l in Leipzig die freundliche Bitte an die Mitglieder, noch rückständige Beiträge recht bald an sie gelangen zu lassen.

Ausgegeben Anfang Oktober 1902.

Für die Redaktion verantwortlich: Professor Dr. O. F l e i s c h e r, Berlin W., Motzstr. 17.
Druck und Verlag von B r e i t k o p f & H ä r t e l in Leipzig.

ZEITSCHRIFT

DER

INTERNATIONALEN MUSIKGESELLSCHAFT.

Heft 2.   **Vierter Jahrgang.**   **1902.**

Erscheint monatlich. Für Mitglieder der Internationalen Musikgesellschaft kostenfrei, für Nichtmitglieder 10 *M.* Anzeigen 25 *Pf* für die 2 gespaltene Petitzeile. Beilagen 15 *M.*

Das dritte Musikfest in Sheffield am 1.—3. Oktober.

Zu den »unumstößlichen Wahrheiten«, die sich in der Beurteilung der Engländer bei uns festgesetzt haben, gehört auch der Glaubenssatz: die Engländer sind eine unmusikalische Nation! Daß England bisher keine Komponisten hervorgebracht hat, die mit ihren Schöpfungen in die musikalische Weltlitteratur eingedrungen sind, ist zuzugeben, indeß: sind alle diejenigen, die musikalisch nicht selbst produzieren, ohne Weiteres als unmusikalisch zu bezeichnen? Sein oder Nichtsein in dieser Beziehung hängt doch wohl viel mehr von dem Verhältnis ab, in welchem ein Volk sowohl wie das Individuum zur Musik steht, was die Musik ihnen für ihr Gemütsleben, in weiterem Sinne auch für ihren Bildungsstandpunkt bedeutet, mit einem Worte, wie tief das Bedürfnis nach musikalischer Erhebung in der Volksseele wie in der des Einzelnen lebendig ist. Wer das englische Musikleben kennen gelernt hat, ist zunächst erstaunt über die enorme Aufnahmefähigkeit des Publikums. Aus dieser allein aber Schlüsse auf die musikalische Disposition desselben zu ziehen, wäre wohl verkehrt; wer jedoch dieses Publikum beobachtet hat, wie es sich andächtig an die Musik hingiebt und von dieser sich zu einer Stärke der Begeisterung anfeuern läßt, die der einer südländischen Zuhörerschaft durchaus nicht nachsteht, der wird dann doch wohl zu der Überzeugung gelangen müssen, daß dem vielverschrieenen »nüchternen und praktischen Volk der Krämer« ein Idealismus, wenigstens der Musik gegenüber, inne wohnt, der nicht unterschätzt werden sollte, und der sich besonders da mit fortreißender Kraft bethätigt, wo ein öffentliches Interesse mit im Spiele ist. Beweise für diese Ansicht hat das Musikfest in Sheffield geliefert, das in den ersten drei Tagen des Oktober stattgefunden hat und dem ausländischen Besucher Gelegenheit in Fülle darbot, englisches Musiktreiben, englisches Publikum, seinen Geschmack und seine Freude an der Musik zu beobachten. Sheffield ist eine der regsamsten Industriestädte Englands, um so mehr mußte es auffallen, daß sowohl in den Mittags- wie in den Abendkonzerten, von denen jedes reichlich vier Stunden einschließlich einer längeren Pause in Anspruch nahm, die weite Albert-Hall bis auf den

letzten Platz gefüllt war, daß diese anderthalb bis zweitausend Männer und
Frauen sich ihrer Berufsthätigkeit für so lange Zeit entzogen, um sich
künstlerischen Genüssen hinzugeben, und daß diese Menge mit einer Inbrunst
und Ausdauer den verschiedenen Vorträgen folgte, die auf ein lebhaftes
Mitfühlen der Musik und einen tiefen Respekt vor den Kunstwerken und
den ausführenden Künstlern schließen lassen.

Aber nicht nur der bei so festlicher Gelegenheit sich versammelnde, gebildete Teil der Bevölkerung erweist sich als musikbedürftig, auch die
arbeitenden Klassen wollen an der Sonne sitzen, und ihren musikalischen
Bedürfnissen kommt die Stadt entgegen, indem auf deren Kosten in
den sieben oder acht großen öffentlichen Parks Musikbanden Freikonzerte
veranstalten, zu denen die Arbeiter zu vielen Tausenden sich drängen.
Freilich, an den Werken der zeitgenössischen englischen Komponisten
gemessen, scheint die Begabung der Engländer für die Musik verhältnismäßig gering zu sein, indeß dürfte diese Erscheinung wohl hauptsächlich mit der Thatsache in Verbindung stehen, daß der Einfluß zweier
deutschen Meister, Händel's und Mendelssohn's, noch der jetzigen
Generation verhängnisvoll ist, da die englischen Komponisten während der
ganzen zweiten Hälfte des neunzehnten Jahrhunderts nichts Höheres kannten,
als jenen beiden Großen nachzueifern, 'und das englische Publikum den
Wert seiner vaterländischen Komponisten abmaß und wohl zumeist auch noch
jetzt vielfach abmißt nach dem Grad, in dem sie ihre nationale Eigenart im
Aufblick zu der Ausdrucksweise eines oder des andern jener beiden Meister
zu opfern imstande waren bezw. noch sind. Nur Einer hat in jüngster Zeit
den Mut gehabt, Er selber zu sein und zu bleiben: Edwald Elgar, dessen
Oratorium »der Traum des· Gerontius« vor zwei Jahren zuerst in Birmingham aufgeführt wurde und das inzwischen auch auf dem diesjährigen Niederrheinischen Musikfeste zu Düsseldorf mit großem Erfolge gehört worden ist,
von dem ferner ein Variationenwerk für Orchester und eine das Straßen-
leben Alt-Londons schildernde Ouverture auch dem deutschen Publikum die
Vorstellung verschafft haben, daß dieser geistvolle Autodidakt vermutlich der
kommende Mann für die englische Musik sein wird, der den musikschöpfer-
ischen Geist seines Volkes aus den hemmenden Banden einer nur allzu lange
gepflegten Tradition erlösen, und dem freien, aus eigener Gemütstiefe schöpf-
enden und in eigenen Ausdrucksformen sich bewegenden Schaffen zurück-
geben wird. Von Elgar kamen in Sheffield im dritten Konzerte das genannte Oratorium und die »Krönungs-Ode« unter Leitung des Komponisten
zur Aufführung. Die letztere, im Auftrage der Regierung für die Krönung
des regierenden Königs Eduard geschrieben, ist ein durchaus volkstümlich
gehaltenes Werk von mächtiger Wirkung. Das thematische Material der
sechs Abschnitte desselben ist in klaren Linien entworfen und kommt in
wohlklingendem Chor- und Orchestersatz zu leicht verständlicher und durchsichtiger Verarbeitung. Eingestreute Soli sorgen für ausreichende klangliche
Gegensätze.

Zwischen Elgar und den übrigen zeitgenössischen Komponisten, die mit
Werken in dem Sheffielder Programm vertreten waren, steht Hubert
H. Parry als Bindeglied. Parry ist ohne Zweifel ein Talent von Bedeutung
und ein in allen Satzkünsten erfahrener Meister, aber auch an ihm ist die
neuere Zeit vorübergegangen, ohne tiefere Spuren in seinem Schaffen zurückzulassen! Sein im letzten Konzerte unter seiner Leitung zur Aufführung

gelangtes Chorwerk »Blest Pair of Sirens« erfreut sich in England großer
Beliebtheit, dank seines außerordentlich wirkungsvollen Chorsatzes für acht
Stimmen, neben dem auch die glänzende Orchester-Behandlung in Betracht
kommt. Der gedankliche Inhalt ist freilich konventionell, eine eigenartige
Persönlichkeit spricht sich in dieser Musik nicht aus; was den Komponisten
aber auszeichnet, ist eine außerordentliche Frische und Wärme der Empfindung, die ihre Wirkung auf die Zuhörer nicht verfehlt, weil sie der kunstvollen theoretischen Arbeit soviel Leben einhaucht, daß diese in glattem
Fluß, ohne die Mühe der Mache zu verraten, an dem Ohre vorüberzieht.
Man muß es den englischen Komponisten überhaupt zugestehen, daß sie sich
auf die Künste des Kontrapunktes trefflich verstehen. Was Ernst und Fleiß zu
Wege zu bringen vermögen, das steht ihnen zu Gebote, und selbst Werke
wie die Kantate »Gareth and Linet« von Henry Coward, wie die »Oda
to the Passions« von Cowen, lassen trotz ihres geringwertigen Gedanken-
materials doch die sicher gestaltende Hand guter Musiker erkennen. Beide
Komponisten leiteten ihre Werke selbst, ebenso Coleridge Taylor seine
Kantate »Meg Blane«, eine seichte, wenn auch außerordentlich wirkungsvolle
Musik, die in einem Musikfest-Programm nicht richtig plaziert ist.

Die genannten Werke, von denen die von Cowen und Coleridge Taylor
besonders für das diesjährige Sheffield-Festival geschrieben worden sind und
ihre überhaupt erste Aufführung erlebten, wurden zwar mit Beifall aufgenommen, aber sie hatten doch — von der Krönungs-Ode Elgars und dem
Parry'schen Werke abgesehen — einen schweren Stand gegenüber den Werken
deutscher Herkunft, die die Programme füllten. Mendelssohn fiel Anfang
und Ende des Festes zu, dort »Elias«, hier der »Lobgesang«; Brahms war
mit dem »Triumphlied«, Händel mit einer Auswahl von Chören und Soli
aus »Israel in Egypten«, Bach mit der Motette »Jesu meine Freude« und
außerdem der Slave Dvorak mit seinem »Stabat mater« vertreten. Neu war
»Wanderers Sturmlied« für sechsstimmigen Chor von Rich. Strauß, das
mit seinem komplizierten Tonsatz und seiner krausen Harmonik dem Chor
eine schwierige Aufgabe stellte.

An Orchesterwerken kamen zur Aufführung Liszt's zweite Rhapsodie,
das Vorspiel zum 3. Akte des Lohengrin, die Gmoll-Sinfonie von Mozart,
die Pathetische Sinfonie von Tschaikowski, das Parsifal-Vorspiel und eine
sinfonische Dichtung »Ostern« für Orchester und Orgel von Fritz Volbach,
ein Werk von edlem Gehalt, geschmackvoller Faktur und schöner, wirkungsvoller Orchester-Behandlung, das dem anwesenden Komponisten enthusiastische
Ehrungen seitens des Publikums eintrug.

Nur ein einziges Instrumentalsolo kam zum Vortrag, aber es zählte für
viele: Beethoven's Violin-Konzert, meisterhaft von Eugène Ysaye gespielt.
Im Übrigen tummelte sich ein Heer von Gesangssolisten mit Vorträgen ver-
schiedener Art. Frau Ella Russell spendete die Ozean-Arie aus Weber's
»Oberon«, David Bispham die beiden Gesänge für Bariton und Orchester
»Hymnus« und »Pilgers Morgenlied« von Rich. Strauß, Frau Russell und
Ben Davies ein prachtvolles, leidenschaftdurchglühtes Duett aus Peter Cor-
nelius' unvollendet gebliebener Oper »Gunlöd.« · Außerdem waren an den
Chorwerken solistisch betheiligt: Miss Maggie Purvis, Miss Ada Crossley,
Miss Muriel Foster, Miss Agnes Nicholl, Madame Kirkby Lunn, Mr. John
Coates, Mr. Ffrangcon Davies, und Mr. William Green, Künstler, die sich
durchweg eines mehr oder weniger großen Ansehens beim englischen Publi-
kum zu erfreuen haben.

Was nun die Ausführung des Riesen-Festprogrammes anbetrifft, so erzwingen sich zunächst die Leistungen des Chores die Bewunderung des Ausländers. Von dem wundervollen Klang dieser. dort vereinigt gewesenen 320 Stimmen kann sich Der keine Vorstellung machen, der sie nicht hat singen hören. Majestätisch im Forte, süß und einschmeichelnd im Piano, immer von edlem Klang, nie herb und rauh, und von tadellosem dynamischen Gleichgewicht seiner Stimmen zu einander, so gab sich der Sheffield-Chor namentlich in den beiden Werken von Mendelssohn und der Selektion aus Händel's »Israel.« Auf diese Musik, auf diesen Gesangstil ist der Chor eingeübt, wie ich Ähnliches nirgends kennen gelernt habe. Der Chormeister Henry Coward, der leider als Komponist nur Untergeordnetes leistete, hat sich als Erzieher des Chores als eine Kraft ersten Ranges erwiesen. Freilich, mit des Geschickes Mächten konnte auch dieser Künstler keinen ewigen Bund flechten, denn mehrfach war doch zu erkennen, daß auch dieser ausgezeichnete Chor nicht infallibel ist. Das trat besonders beim Acappella-Gesange in Elgar's »Traum des Gerontius«, in »Wanderers Sturmlied«, im »Stabat mater« und in der Bach'schen Motette hervor, wo doch zuweilen recht bedenkliche Intonationsschwankungen zu bemerken waren. Auch geistig kam der Chor der Bach'schen Musik nicht nahe, dergleichen singt z. B. unser Berliner Domchor oder der Philharmonische Chor doch ausdrucksvoller und feiner durchgearbeitet. Aber der Schwung, die Frische, der Glanz, womit die Chöre von Mendelssohn, Händel, Parry u. s. w. gesungen wurden, müssen denn doch als etwas Ungewöhnliches gepriesen werden. Und schier unverwüstlich erschien die Ausdauer der Damen und Herren des Chores, denn zum Schluß des Festes, das den Kräften doch wahrhaftig eine Riesenleistung zugemutet hatte, klangen die Stimmen so frühlingsfrisch, so strahlend, wie zum Beginn. Von überwältigender Wirkung war übrigens zum Anfang des letzten Konzertes der Gesang des *God save the King*, an dem sich neben dem Chor das ganze Auditorium stehend beteiligte, begleitet vom Orchester und der vollen Orgel.

Diese letztere, ein großes klangkräftiges Werk von Cavaillé-Coll in Paris, ist zu dem Feste einer gründlichen Reparatur unterworfen worden, namentlich mußte sie auf den neuen Kammerton herabgestimmt werden. Um mit der erheblichen Ausgabe dafür nicht den Fonds des Festes zu beschweren, hat ein Privatmann, Mr. E. Willoughby Firth, der sich auch als Ehrensekretär dem Feste gewidmet hatte, die Kleinigkeit von 800 £ (16 000 M.) gestiftet!

Und nun endlich das Orchester, das in London durch Mr. Henry Wood, den genialen Kapellmeister der Queen's Hall, zusammengestellt und für die Aufgaben des Festes herangebildet worden ist. Einstmals war der verstorbene Sir Arthur Sullivan der unvermeidliche Leiter der Musikfeste in den großen Städten Englands. Behäbig saß dieser Mann zurückgelehnt in seinem bequemen Lehnstuhl vor dem großen Tonkörper, und ob er seine »Goldene Legende« oder die neunte Sinfonie, ein modernes Nichts, oder eine Bach'sche Kantate dirigierte, sein Gleichmut blieb unwandelbar, und ohne Aufregung schlug er brav den Takt. Als dann Hans Richter in das Land berufen wurde und mit der Leitung auch von Musikfesten betraut wurde, begann eine neue Zeit, und dem Wirken dieses großen Meisters des Taktstocks ist es wohl hauptsächlich zuzuschreiben, daß die Leistungen der englischen Orchester technisch wie geistig bedeutende Fortschritte gemacht haben.

In Mr. Wood hat die englische Hauptstadt nun einen jungen, einheimischen Dirigenten erhalten, der sein Amt denn doch etwas höher auffaßt, als es s. Z. Sir Arthur gethan hat. Ist er äußerlich etwas beweglicher, als nötig wäre, wenn er ein gut geschultes Orchester vor sich hat, so strahlt doch von ihm ein echt künstlerischer Geist auf das Orchester aus, und mit seinem erkennbar starken Musikempfinden reißt er die ausübenden Kräfte mit sich fort, die unter dem Banne seines Willens und Wollens ihm folgen, wie er's verlangt. Hier steht ein geborener Dirigent vor uns, ein Mann mit vibrirenden Nerven, der die Kunstwerke, die er zur Aufführung bringt, innerlich verarbeitet hat und sie nachschaffend zu tönendem Leben erweckt. Mr. Wood hat in Sheffield eine wahrhafte Gigantenarbeit verrichtet, denn neben den großen Orchesterwerken hat er den größten Teil der Chorwerke und sämtliche Solistenvorträge zu leiten gehabt, und angesichts dieser Arbeitsleistung ist die Frische zu bewundern, mit der er bis zum letzten Tone seines Amtes waltete. Zwei Persönlichkeiten also sind es, die gegenwärtig eine neue Epoche des Musiklebens in England vertreten: Edward Elgar als schaffender Künstler und Henry Wood als Dirigent. Nicht unerwähnt darf der Organist Mr. Phillips bleiben, der sowohl in der Begleitung der Chorwerke wie in der Ausführung des Orgelpartes in Volbach's sinfonischer Dichtung sich als ein geschmackvoller Künstler ausgewiesen hat.

Die drei Tage des diesjährigen Sheffielder Musikfestes, obgleich sehr anstrengend, gewährten doch viel des Anregenden und Interessanten sowohl innerhalb wie außerhalb des Konzertsaales, und gedenkt man der künstlerischen Gaben, die in so überreichem Maße dargeboten wurden, so darf auch der glänzenden Gastfreundschaft dankbar gedacht werden, die den eingeladenen Gästen von Seiten angesehener Familien der Stadt und des Festkomités entgegengebracht worden ist. Wir Ausländer haben von Neuem mit Bewunderung wahrgenommen, in wie großartiger Weise der Engländer sich der Kunst und den Künstlern gegenüberstellt. Da macht sich kein Protzentum breit, das herablassend mit Blick, Wort und That beleidigt, sondern dankbar stellt sich der vornehme Engländer in verbindlicher Weise neben den Künstler, der ihn durch sein Können und seine Begabung erfreut und innerlich bereichert hat. Diesen Standpunkt sollte man in Deutschland nicht so von oben herab betrachten.

Charlottenburg.   Otto Lefsmann.

Der Gaukler unserer lieben Frau.

Mirakel in drei Akten von M. Léna. Musik von J. Massenet.

Erste deutsche Aufführung am Stadttheater in Hamburg.

Die bretonische Sage von Jean, dem Jongleur, der der Mutter des Heilands in seiner besonderen Art dient, hat schon einmal den Weg über den Rhein in deutsches Land gefunden: in einer Erzählung von Wilhelm Hertz, die freilich nicht so bekannt geworden ist, als daß J. Massenet für den Reiz der Neuheit seines Werkes zu fürchten Ursache gehabt hätte. In einer

ganz schlichten und naiven Form feiert nun hier jene alte französische Sage
ihre Auferstehung auf der Opernbühne. Schlicht und naiv: daß dem Stoff,
indem er durch den Destillationsapparat eines Librettisten ging, eines jener
gefährlichen Geister, die alles verderben, indem sie mit den Gährungsfermenten
des eigenen Wesens den klaren, reinen Urstoff prickelnd trüben, die Kind-
lichkeit gewahrt blieb, daß die mystische Fabel den treuherzig sinnigen
Charakter des Originals bei seiner Beförderung zur höheren Würde einer
Operndichtung nicht eingebüßt hat, ist merkwürdig genug. Und so finden
wir das Beste und Feinste der alten Überlieferung auch noch in der neuen
Form wirksam fortbestehen.

Das Opernbuch Massenet's nennt sich ausdrücklich Mirakel, nicht etwa
Drama. Ein Drama setzt treibende Kräfte und Motive voraus; es bedarf
der Kontraste, der Linien und Charaktere, die sich schneiden, der Entwickelung und des Endziels. Ein Bühnenwerk, ein dramatisches Spiel, das auf
Kampf und Streit, auf der Magnete Lieben und Hassen, auf die Kontra-
punkte zur Thematik des Lebens und die reibenden Dissonanzen verzichtet,
schreitet aus der ureigensten Interessen- und Wesens-Sphäre des Dramas
hinaus. In unserer Oper ist nun von alledem, was zum Wesen und der
Natur des Dramas gehört, nicht das Geringste zu spüren. Der Vorgang an
sich ist so winzig, daß er ohne Aufputz, ohne dekoratives Beiwerk gar nicht
ausgereicht hätte, die behaglichen Formen einiger kleiner Bühnenbilder zu
füllen. Der ›Held‹ des Stückes ist ein Gaukler, halb Spielmann, halb
Marktschreier, ein wandernder Straßenmusikant, mit dem wir gleich in der
ersten Szene Bekanntschaft machen: ein armer Kerl, verhungert, herunter-
gekommen und in seinen Liedern und Kunststücken stark rückständig und
veraltet. Er zaubert Eier aus dem Hut, läßt seinen Teller auf einem Stäbchen tanzen und führt selbst einen Reifentanz so schwerfällig aus, daß er
mit Recht von seinen Zuschauern ausgelacht und verhöhnt wird. Denn das
Publikum will jederzeit das Neue. Man verlangt also lustige Trinklieder
von ihm: der Eine schlägt das *Credo* vom Betrunkenen vor, der Andere das
Te Deum vom großen Faß oder das *Gloria* vom tief Gesunkenen. Jean, so
heißt unser Gaukler, geht auf die burlesk religiöse Stimmung seiner Umgebung ein. Das Marienfest, das man feiert, mischt der Jahrmarktsfreude
der Menge fromme Elemente hinzu und in ihrer Harmlosigkeit setzen die Leut-
chen die trivialsten Erscheinungen des Alltags mit heiligen Ceremonien in Verbindung. Es entspricht durchaus dieser wunderlichen Stimmung, wenn sich
Jean endlich mit dem ›Halleluja vom Wein‹ produziert. Jeder seiner
Couplet-Strophen schickt er ein paar lateinische Floskeln aus der katholischen
Liturgie voraus, als wenn es sich um einen feierlichen kirchlichen Akt, um
ein Hochamt handelte. Das Volk stellt eben auch die Lustigkeit und das
Vergnügen in den Dienst der Muttergottes, die man ehrt und feiert.
Man ist ihr zu Ehren so vergnügt und so ausgelassen. Die Leistung Jean's
wird mit einem wahren Beifallsgebrüll aufgenommen; Jean ist der Held der
Situation geworden und alle, die vordem auf dem großen Platz vor der
Abtei Cluny in Paris an Scherzen mancher Art, an Tänzen und an Lust-
barkeiten des Marktes sich ergötzt, drängen sich jetzt um ihn. Den geistlichen
Vätern im nahen Kloster mag nun der Lärm zu groß geworden sein: der
Prior des Klosters erscheint auf der Bildfläche und vor dem eifernden Herrn
flieht und zerstiebt die vergnügte Gesellschaft in alle Winde. Nur Jean
bleibt zurück, und den guten und zerknirschten, in Seelenangst vergehenden

Jean, der sich schon von höllischen Flammen versengt fühlt, donnert denn auch der geistliche Hirte recht kräftig an, nicht ohne Schelmerei und Gutmütigkeit, einer liebenswürdigen Beimischung seines christlichen Zorns, die der stöhnende Jean in seiner kindlichen Seele freilich nicht zu würdigen vermag. Jean kommt erst wieder zu sich, als ihm der Prior sanftmütig und wohlwollend zuredet, der Welt zu entsagen, den Erdenstaub von den Füßen zu schütteln und als frommer Laien-Bruder in das Kloster einzutreten und der lieben Frau fortan zu dienen. Jean zögert. Er kann sich trotz seiner Frömmigkeit doch nicht so ohne weiteres entschließen, die Freiheit seines Vagabundentums aufzugeben. Indessen, der Magen entscheidet. Es kommt nämlich zufällig der Bruder Bonifacius, der Küchenmeister, herbei, der salbungsvoll von den Freuden des Klosterlebens erzählt, von Kohl und Salat von Kapaunen und Schinken, von Kerzen und Lilien zu Ehren der Jungfrau, aber auch von Burgunder. Das hilft. Jean tritt in das Kloster ein und stärkt sich zu gottgefälligem Thun im Verein mit den frommen Brüdern sofort an einem gründlichen Frühstück.

Im zweiten Akt nimmt das Textbuch eine kulturhistorische Pose an. Wir dürfen hier einen Blick werfen in das Innere eines Klosters und auf jene Kulturthätigkeit der Mönche, der Künste und Wissenschaft so unendlich viel zu danken haben. Wir werden dessen Zeugen, wie die Mönche von Cluny musizieren, wie sie lateinische Hymnen anstimmen zu Ehren der göttlichen Jungfrau, Hymnen, die fromme Brüder gedichtet und auch komponiert haben. Aber nicht genug an den redenden Künsten. Auch in den bildenden sind sie tüchtig. Ein Bildhauer setzt Schlägel und Meißel an eine fast vollendete Marmorstatue der Mutter Gottes, ein anderer hat ihr Bildnis auf goldenem Grund gemalt. Jean sitzt unter diesen kunstfertigen Mönchen: tief unglücklich, weil er allein es nicht vermag, der Gebenedeiten zu dienen wie die Brüder. Nicht Latein versteht er; malen, dichten, singen, so ernst, groß und würdevoll wie die Brüder: nichts von allem kann er. Ihm bleibt nur seine Gaukelei, sein karges Spiel auf der Bauernleier, sein ungeschicktes Tanzen, seine alten Kunststücklein, die niemand mehr sehen will, nicht einmal das Volk auf der Straße. Und trotzdem beschließt er, der Gottesmutter in seiner Art zu dienen, schlecht und recht, wie er es eben vermag.

Im dritten Akt finden wir ihn in voller That vor dem Muttergottesbild in der Kapelle der Abtei: ein rührendes Gebet steigt von seinen Lippen zu der Göttlichen empor. Dann beginnt er ganz in der gewohnten Weise der Gaukler seine Vorstellung. Er verneigt sich vor dem imaginären Publikum, er macht der Muttergottes seinen ergebensten Kratzfuß; er geht im Kreise herum, den Sammelteller in der Hand. Endlich schmettert er los: mit einem stolzen Schlachtenlied. Da fällt ihm ein, daß die Jungfrau den Lärm nicht liebt. Demütige Entschuldigung. Nun versucht er es mit Minneliedern; da versagt ihm das Gedächtnis. Schließlich tanzt er mit wahrer Begeisterung, wie einst der König David vor der Bundeslade, einen grotesken, groben Tanz nach einer barbarischen Melodie. Inzwischen sind die Mönche in der Kapelle erschienen. Starr vor Staunen und Entsetzen wollen sie sich auf den frevelnden Kirchenschänder werfen. Da sinkt der Gaukler ohnmächtig vor dem Bild der Jungfrau zu Boden und ein Wunder geschieht, eben jenes Mirakel, das uns der Titel der Oper versprochen hat. Die Kerzen am Bild flammen auf, Engelstimmen tönen mild und sanft. Die Jungfrau lächelt still auf ihren feurigen Verehrer nieder und voll mütterlicher Güte neigt sie

ihre Hand zu ihm hin. Aus seiner Ohnmacht erwacht, lauscht Jean in Ver-
zückung den überirdischen Stimmen und dem lateinischen Gebet der Mönche,
die anbetend in die Knie gesunken. Seine letzten Worte sind:

> O mein!
> Ich verstehe Latein . . .!

Wissend geworden im Nahen des Todes, stirbt er: selig, ein großes, treues
und liebes Kind, eine keusche, sonnige Seele.

Man muß es dem Dichter dieses katholisierenden Textbuches zugestehen,
daß seine Zuthaten, mit denen er der knappen Sage die für ein Theaterstück notwendige räumliche Ausdehnung gegeben hat, dem Stoff geschmackvoll
angepaßt sind und natürlich und zwanglos wirken. Wenn auch dem Stück die
innere Entwickelung fehlt, wenn seine Menschen psychologisch sich nicht
wandeln, unverändert am Ende dieselben sind wie am Anfang, auch wenn
es kein Schicksal ist, das in dieser schlichten Handlung sich vollzieht, keine
Tragödie, die uns erhebt, indem sie uns zerschmettert: so schaut uns doch
auch hier das Leben mit seinen unergründlichen Augen an. Einen guten,
liebenswürdigen Menschen wie diesen Jean, kann man sich schon gefallen
lassen, auch wenn er einmal nicht als Problem, als Rätsel kommt, auch
wenn er uns keine Nüsse zum Knacken aufgibt. Und im übrigen ist das
Textbuch lebendig und, von einigen Längen abgesehen, auch unterhaltsam.

Es ist im großen und ganzen nicht allzuviel, was man über die Musik
Massenet's sagen kann. Eine planvolle saubere Kunst, reinlich und geschmackvoll. Aber weit entfernt von gesegneter Fruchtbarkeit, von Überfluß an
Ideen und allen Merkmalen einer starken, schöpferischen Kraft, einer frucht-
schwer reifen Persönlichkeit. Nicht daß ich die Reife der Künstlerschaft
Massenet's auch nur einen Augenblick bezweifeln wollte. Reif sein ist das
Ziel aller Künstlerschaft, reif bleiben und in immer neuen Ernten reifen, ihr
ewiges Wunder. Aber Massenet hat seine Ernten schon eingeheimst. Auf
seinen Feldern gehen neue Saaten nicht mehr auf und was er jetzt sammelt,
das sind verlorene Körner, verstreute und verschwendete Ähren aus früheren
Zeiten des Segens. Indessen, was Massenet immer noch auszeichnet, was
ihn, den Künstler hinaushebt über zahlreiche jüngere und kraftvollere Rivalen, das ist sein feines ästhetisches Gewissen, sein erlesener Geschmack.
Nie wird uns eine Rohheit, ein musikfeindlicher Klang, nie eine unsaubere
Phrase, nie eine musikalische Zote in seiner Musik verletzen. Und wenn
leider das melodische Vermögen an keiner Stelle seiner Oper in ursprünglich
frischem Quellstrahl hervorbricht, wenn es in den lyrischen Stellen eben noch
zu einer freundlichen, feinlinigen und zartschattierten Melodik kommt, die
ein wenig an den Ton der französischen Salon-Romanzen erinnert, so weiß
doch der Stimmungsmaler in Massenet lebhafter zu fesseln. Er malt namentlich in den mystischen Momenten, dort, wo der Dialog auf das Gebiet des
Marienkultes hinüberspielt und bei der Schilderung von Ereignissen aus der
Heiligenlegende verweilt, mit dämmernden weichen Farben und innigen, sen-
sitiven Tönen. Er versteht sich auf die Heimlichkeit, auf ganz schlichte,
einfache und volkstümliche Wendungen; er gebraucht Melismen, die wir vom
Volkslied her kennen und spinnt sie in zarten Fäden weiter. Er weiß seinen
Orchesterton altertümlich zu färben, bald mit diatonischen Tonfolgen, bald
mit den wesenlos leeren Klängen aus den frühen Zeiten des Mittelalters,
aus der Epoche der Hucbald'schen Quinten.

· Nur dort, wo wir von ihm eine entscheidende Melodie, einen vollen melodischen Genuß verlangen, dort enttäuscht er, dort bleibt er uns alles schuldig. Indessen, alles schuldig bleiben ist ja auch vornehm und dieser Art von Vornehmheit begegnen wir gleich in der Anfangsscene der Oper.

Das Volk tanzt in dieser ersten Scene die Bergerette, wie der Name sagt, einen Schäfertanz. Wie gerne möchten wir da an einem zündenden Einfall Feuer fangen! Und gerade hier ein mageres, pastorales Allerweltsthema, die grellen Farben einer hohlen, realistischen Schilderung, gebrochene Linien, gerade hier ein capricciöser Geist, der nach der negativen Seite des Musikmachens hin zeigt und zu sagen scheint: dort, wo du nicht bist, ist das Glück, das Glück der Melodie ... Merkwürdig, daß von dieser Scene lebhafte Erinnerungen zu dem Deutschen Max Schillings und der Musik seines »Pfeifertags« hinübergleiten! Die Brücke, die hier von dem Franzosen zu ,dem Deutschen führt, bildet wohl die Gleichartigkeit der Scene und die Ähnlichkeit der in den Vordergrund gestellten Personen: dort bei Schillings die Pfeifer von Dusenbach, die des besonderen Schutzes unserer lieben Frau sich erfreuen; — hier ein Marienfest, das mit Tanz und Musik gefeiert wird und der Jongleur Jean, der wohl mit einigem historischen Recht als entfernter Vetter der Pfeifer von Dusenbach gelten kann.

Man darf bei der musikalischen Armut dieser Scene nicht daran denken, was vor Massenet in Secuen dieser Art geleistet worden ist, wie ein Bizet Tanzscenen und Volksgetriebe über das Conventionelle und Althergebrachte hinausgehoben und musikalisch geadelt hat. Bei Massenet tritt ein seelenloses, gespreiztes Komödiantentum auf den Plan, eine lediglich äußerliche Lebhaftigkeit, der Herzenswärme und Humor fehlt. Eitel Geberden und Lärm; Schall, aber keine Musik.

Es liegt in der wenig ergiebigen und niemals mühelos und üppig strömenden Erfindung Massenet's, wenn seine Gestalten in ihren musikalischen Umrissen und in dem geistigen Spiegelbild, das uns in seiner Musik von ihnen entgegen tritt, zu einer bestimmten, einfachen und persönlichen Menschwerdung, zu einer überzeugenden musikalischen Plastik, zu individuellem Leben nicht gelangen können. Es ist eine etwas gewöhnliche Haus- und Familien-Melodik, der Massenet in seiner Oper huldigt. Die über Gebühr bevorzugte Diatonik und eine zumeist physiognomielose Rhythmik sind es, die die prägnanten individuellen Unterschiede in der Melodik dieser Musik verwischen und zugleich die dramatische Linie löschen. Mit der Ähnlichkeit von Zwillingsgeburten verbunden, Kinder eines Vaters, der seinen Nachkommen als Erbteil und Mitgift nur die typische Physiognomie des braven Manns mit auf den Lebensweg gegeben hat, tragen alle diese Melodien die Züge eines wenig markanten Familiengesichtes. Und wo Massenet charakterisiert und dramatisch malt, wo er seiner Musik Lichter aufsetzt und ihren Ausdruck zuspitzt, dort geht er nicht selten ganz äußerlich zu Werke. Man sehe sich doch einmal die musikalische Zeichnung seines Jean genauer an! Jean psalmodiert zunächst auf leeren Quartenharmonien, und diese Quartenleere heftet sich auch an sein persönliches Motiv, das dahinschleicht, müde, beschränkt auf kleine Intervalle, arm, wie mit leeren Taschen und fast möchte man sagen, mit leerem Kopf, wenn Jean nicht zu jenen Armen im Geiste gehörte, die Gott schauen werden. Und immer wieder hören wir diese löcherigen Quartenklänge; sie wollen uns andeuten, daß die Kunst Jeans leer und windig ist. Das Halleluja vom Wein, die große Nummer,

die Jean anstimmt, ist matt im Ausdruck und ohne Erfindung. Ein besonderes Motiv — es tritt in B-dur auf — schwebend und zart, hat Massenet
der Mutter Gottes gewidmet und die heilige Jungfrau hat die Widmung
angenommen. Ich möchte dieses Motiv das *Marienmotiv* nennen. Es ist
sanft und liebenswürdig, aber doch auch lyrisch konventionell, fast Phrase
und wird als solche um so deutlicher empfunden, als es unzählige Male
wiederkehrt. Bei weitem wertvoller als die Honigzellen dieses Motivs.
erscheint mir die schöne, ruhevolle Melodie, die im Vorspiel zum II. Akt
die Situation beherrscht; es ist eine Melodie der Güte und sie umspielt stets
die Reden des Priors, der als wohlwollender und gütiger Mann mehrfach in
die Streitscenen dieses Aktes eingreift. Auch sie hat freilich Vorfahren und
ihre wesentlichen Züge kennen wir schon aus Verdi's Othello. Die meiste
Musik und die glücklichsten Eingebungen mag trotzdem dieser II. Akt enthalten
und sicher stehen wir vor einer der schönsten Scenen des Werkes, wenn
Jean im Gefühl seiner Ohnmacht in bittere Klagen und Thränen ausbricht.
weil er nicht wie die gelehrten Brüder der Jungfrau zu dienen vermag.
Das bleiche Kolorit des Orchesters, die klagenden Seufzer tiefer Flötenlaute.
die ruhelos gequälte Bewegung des $^5/_4$-Taktes heben diese F-moll-Scene auf
die Höhe der wahren Kunst empor. Hier bewegt sich Massenet auf einem
Niveau, das seiner würdig ist. Auch die bissigen Figuren, mit denen die
künstlerisch schaffenden Brüder in ihrem pharisäischen Dünkel den armen
Jean verspotten, sind bemerkenswert als echt künstlerische Accente, dagegen
ist der Kunststreit selbst, in dem die Mönche sich verwickeln, wieder musikalisch arm. Wie reizlos, dieser klösterliche Sänger- und Künstlerkrieg!
Den Laokoon in Musik zu setzen, das ist ein gefährliches und sicher auch
ein unmusikalisches Beginnen. ... Noch einmal fesselt uns in diesem Akt
Massenet mit einem eigenen Klang und das geschieht in der Legende von
der Flucht der Jungfrau Maria. Das Stück baut sich auf einem sehr ausdrucksvollen und gewählt harmonisierten Motiv auf, das zwar vor einem
Ben Akiba nicht bestehen kann, aber ungemein wirkungsvoll und vor allem
künstlerisch verwendet wird. Die Legende lenkt in fromme Regionen. Wie
ein Kindergebet klingt der ruhevolle $^6/_8$ Takt: eine ganz naive, schlichte und
rührende Melodie, die in ihrer wiegenden Fortführung an den amüsanten
Kehrreim in dem bekannten »Phyllis und die Mutter« erinnert. Die Legende
erzählt hier von dem frommen Blümlein, der Salbei, die dem Jesuskind in
der Not einmal als Wiege gedient hat. Unter dem Zwang dieser vom Geist
des alten Volksliedes inspirierten melodischen Bildung steht von hier ab bis
zum Ende die ganze Melodik der Oper. Wir finden diese süße bittende
Melodie, die in uns eine Neben-Vorstellung von gefalteten Händen und
frommem Augenaufschlag erstehen läßt, fast bis zum Überdruß wiederholt in
dem Pastorale, mit dem der mystische dritte Akt beginnt. wo sie mit dem
Marienmotiv in innige Gemeinschaft tritt. Die Musik der großen Scene:
Jean vor dem Bild der heiligen Jungfrau, spielt die Rolle einer Coda: sie
bringt keine neuen Themen, kein neues Material, sondern repetiert noch
einmal die melodischen Hauptsachen aus den vorhergehenden Akten und
überschwemmt die Scene mit einem zwar reichlichen, aber nur dünnem und
lauem Aufguß. Geistreiche Züge und stimmungsvolle Einzelnheiten können
über die unleugbare Armut des Ganzen nicht hinwegtäuschen. Schon daß
Massenet die alten Schubläden noch einmal aufmacht, daß er von monotonen
Wiederholungen lebt und der Kunst, Reste geschickt zu verarbeiten, sich in

die Arme wirft, schon das ist kompromittierend. Der Schluß der Oper, auf
den bewährten Effekt der Theater-Apotheose und der Engelchöre gestellt —
Gounod ist hier nicht allein Vorgänger, — vollzieht sich dennoch nicht ohne
starke Wirkung. Es ist das Verdienst der Handlung und der alte, ungebrochene
Zauber der Musik als eines Stimmungselementes hervorragendster Art, wenn
wir kühlen und skeptischen Menschen von heute hier in die mystischen
Kreise des Mirakels uns hinaufgehoben fühlen und wenn zu uns aus der
Handlung heraus mit zwingender Kraft unwillkürlich die Erinnerung an das
Bibelwort von den Selig-Einfältigen emporsteigt, das durch die Geschichte
des Gauklers Jean so rührend illustriert wird.

Man wird auch in dem musikalischen Rezept, mit dem Massenet hier
seine starken und bannenden Wirkungen erzielt, nicht die geringsten neuen
Mischungen entdecken. Diese Verschiebungen der Harmonien auf Terzen-
stufen, die goldenen Wolken der Arpeggien, die flimmernden Lichter zittern-
der Violinakkorde, die psalmodierenden Stimmen der Mönche, zum Murmeln
gedämpft auf tief schauernden Saiten, die uralten Dreiklangsharmonien, auf
denen die Engel und die himmlischen Heerscharen singen: es ist das von
den Vätern überkommene Rezept, das heute noch genau so wirkt wie damals,
als es neu war.

Noch möchte ich, bevor ich von der Oper Massenet's scheide, von der ich
bedaure, daß ich in ihr nur einen Niedergang, nicht aber einen Aufgang
sehen kann, auf einiges Positive in ihrer Musik hinweisen, das den Lyriker
Massenet von einer neuen Seite zeigt: ich meine das humoristische und das
burleske Element, das in seinem Gaukler Blasen wirft und das an dieser
blutarmen und nervenschwachen Musik als erfreulicher Vorzug sich angenehm
bemerkbar macht. Allenthalben finden sich in der Gaukler-Musik Ansätze
humoristischer Art: in den Chören komisch malende Züge, trällernde Kehr-
reime, die auf humoristische Töne gestimmt sind, witzige Triller, u. s. w.
Von den parodistischen Angriffen, denen das *Pater noster* und alte kirchliche Intonationen gelegentlich ausgesetzt werden, war schon oben die Rede.
Versteckte parodistische Neckereien enthält z. B. auch die Strafpredigt des
Priors; doch bleibe es dahingestellt, ob das Citat aus dem Parsifal — das
Schreitmotiv aus der Verwandlungsmusik! — mit Bewußtsein und Absicht
seinen Platz in jener Strafpredigt angewiesen bekam, die der Prior Jean
dem reinen Thoren hält, oder ob hier eine unbewußte Reminiscenz dem
Komponisten einen Possen gespielt hat. Der Humor Massenet's umspielt
jedenfalls am lichtvollsten die behagliche Gestalt des Bruders Bonifacius, der
als Koch den Brüdern und der Jungfrau, vor allem aber sich selbst zur
Lust und Freude lebt. Er ist die gelungenste Figur der ganzen Oper; er
singt in Motiven, die echt aus dem Geist der Spieloper heraus geschaffen sind.
Auch seine Koloraturen, die fast wie eine gutmütige Karrikatur Händel's
anmuten, gehören zu den alten Traditionen des komischen Stils. Und sein
Motiv, das einem heiter bewegten Gemüt, einer treuherzigen und jovialen
Schwerfälligkeit und einer harmlos beweglichen Zunge in gleichem Maße
gerecht wird, besitzt unter den Themen und musikalischen Gebilden der
Massenet'schen Oper allein einen entschiedenen Rhythmus und eine persön-
liche Physiognomie. Vielleicht erleben wir es noch, daß uns Massenet in
seinem reifsten Alter mit einer komischen Oper überrascht. Sie würde am
Ende möglicherweise ernster zu nehmen sein als seine ernstesten Werke.

Hamburg.   **Ferdinand Pfohl.**

Der Pfeifertag von Max Schillings.

Zur Aufführung im Berliner Opernhaus am 17. September.

Schillings' heitere Oper ist kein ganz neues Werk mehr. Es hat schon vor drei Jahren seine Erstaufführung in Schwerin unter Hermann Zumpe erlebt und mußte die ganze Zeit hindurch, obgleich mehrere auswärtige und viel kleinere Bühnen seine Einstudierung bereits vorgenommen hatten, auf seine Aufführung im Berliner Opernhaus warten. Aber ich sehe gerade in der Zähigkeit, mit der die Oper sich langsam, sicher alle bedeutenden Bühnen gewinnt, ein Zeugnis ihres Wertes und glaube ruhig aussprechen zu können, daß sie überall, an deutschredenden Theatern wenigstens, gern und mit Beifall aufgenommen werden wird. Nun denke man allerdings nicht, daß wir mit dem Pfeifertag ein Werk gewonnen haben, daß sich dauernd halten kann und etwa ein Erfolg beschieden sein wird, wie seinerzeit Humperdinck's »Hänsel und Gretel«. Der Pfeifertag wird mit der Zeit wieder vom Schauplatz verschwinden, vielleicht weniger seiner musikalischen als seiner textlichen Eigenschaften halber. Aber das Werk gehört doch zu den besten Erzeugnissen, die uns die nach-wagner'sche Periode geschenkt hat, weit besser als die vielen Musikdramen der letzten Jahre, die sich alle als äußerst kurzlebig erwiesen und die, mit wenigen Ausnahmen, nichts anderes brachten als Epigonenmusik im schlimm-sten Sinne des Wortes. Schillings ist einer der wenigen zeitgenössischen Komponisten, die bei Anwendung aller von Wagner ererbten Prinzipien doch im Epigonentum nicht stecken bleiben, sondern etwas eigenes zu sagen haben. Schon des Komponisten Erstlingswerk, die »Ingwelde« bewies diesen per-sönlichen Zug, im Pfeifertag scheint mir das noch deutlicher ausgeprägt zu sein. Ob übrigens die Bezeichnung »heitere Oper«, die nur zu leicht den Gedanken an »komische Oper« wachrufen kann, das Werk charakteristisch bezeichnet, dürfte fraglich erscheinen, denn Schillings bleibt, wenn er sich auch vorwiegend heller Farben bedient, doch in seiner Kompositionsweise auf seinem bisherigen Schaffensgebiet, dem Musikdrama.

Wie lange der Erfolg dem Werke treu bleiben wird, ist schwer zu sagen. Der schlimmste Feind der Oper ist ihr eigener Text. Weniger die Arbeit des Dichters Graf Sporck, der schon die Ingwelden-Dichtung lieferte, als der Inhalt des Stückes, der Kernpunkt, auf dem die Handlung sich aufbaut. Der Vorwurf ist äußerst dürftig und schwach, so schwach, daß des Dichters ganz geschickte Hand . daraus kein wertvolles Textbuch schaffen konnte. Seine Arbeit ist trotz mancher recht holprigen Verse gar nicht übel, aber selbst einem bedeutenderen Poeten wäre es mit der Dramatisierung dieses Spielmannsscherzes wahrscheinlich nicht viel besser gegangen.

Ich will versuchen, die Vorgänge kurz zu skizzieren. Der Herr von Rappoltstein, dessen Vorfahr der einst verachteten Pfeifergilde des Oberelsaß gegen einen an ihn zu entrichtenden Zoll Rechte und Schutz gegeben hat, ist oberster Pfeiferkönig. Zu seiner Burg wallen alljährlich am Tage nach Mariä Geburt die Pfeifer, bringen ihm ihre Huldigung dar und halten unter seinem Vorsitz die jährliche Gerichtssitzung ab. Vor Jahren hat der Burgherr seinen einzigen Sohn Ruhmland verstoßen, weil es diesem nicht gut genug schien, als Schirmherr über den Pfeifern zu thronen, sondern weil er selbst ein Pfeifer werden wollte. Jetzt muß der Alte noch den Kummer erleben, daß Herzland, seine herrlich aufgeblühte Tochter, einen jungen Pfeifer, Velten Stacher, dessen Schwester Alheit als ihre Gespielin im Schlosse lebt, liebt und nicht von ihm lassen will. Ruhmland, den der Vater und die übrigen Pfeifer für untergegangen halten, hat sich als Verstoßener wacker durchgekämpft, hat die Freundschaft Velten's und die Liebe seiner Schwester Alheit errungen und kommt unter dem Namen Rasbert, als den ihn die fortschrittlich gesinnten Pfeifer außerordentlich schätzen, mit Velten zusammen zum Pfeifertag. Nun setzt die Intrige der beiden Liebespaare ein. Da der Vater gutwillig Herzland nicht mit Velten vereinen wird, an eine Verbindung des Paares Ruhmland-Rasbert und Alheit vor einer Versöhnung zwischen Vater und Sohn gar nicht zu denken ist, sinnt Velten auf eine List. Als Lebenden, so sagt er, schmähen ihn alle, denn sie fürchten den kühnen jungen Gesellen; ist er aber tot, so werden sie dem Toten, dem zu früh Dahingeschiedenen, den sie dann nicht mehr zu fürchten haben, gern alles Gute nachsagen, gern jede Ehre gewähren. So läßt sich Velten scheinbar vom Blitz erschlagen und erwacht erst wieder zum Leben, als der Burgherr an der Bahre des vermeintlich Toten erklärt, gern gäbe er ihm sein Kind zum Ehebund, könnte er ihn damit wieder zum Leben erwecken.

Diese Vorgänge sind folgendermaßen gruppiert. Im ersten Akt sehen wir das Treiben der Menge vor dem Thore der Burg, sehen das Ankommen der Pfeifer und das Huldigungskonzert, bestehend in zwei Liedern, die von Rasbert und Velten gesungen werden. Der zweite Akt bringt die Gerichtssitzung im Wirtshaus zur Sonne, die durch ein jäh hereinbrechendes Gewitter gestört wird. Velten, der sich erbietet, einen Weg aus dem von den Fluten des Dorfbaches umspülten Hause zu bahnen, wird scheinbar vom Blitz erschlagen. Dritter Akt: der Totgeglaubte liegt auf der Bahre, wo er zuweilen von den Mitverschwörern Ruhmland und Alheit mit Speise und Trank gelabt wird. Der Unterpfeiferkönig Jockel, der den lebenden Velten fürchtete und haßte, hält ihm jetzt eine ergreifende Trauerpredigt, der Burgherr, wie oben schon erwähnt, erklärt, er gäbe ihm gern die Tochter zum Weib, wäre er nur wieder zum Leben zu bringen. Da, o Wunder, der Tote wird lebendig, Herzland sinkt ihm in die Arme, der Vater giebt, widerstrebend seinem eigenen Wort folgend, die beiden zusammen, hat aber nun die große Freude, in Rasbert seinen Sohn Ruhmland wiederzufinden, der ihm mit Alheit im Bunde die Gewähr auf die Fortdauer seines Geschlechtes giebt.

Der eigentliche Kernpunkt der Handlung ist also, wie wir deutlich sehen, dramatisch recht unbedeutend. Aber der Dichter hat es immerhin verstanden, durch gelungene Schilderung des Milieus ein nicht uninteressantes Buch zu schaffen. Setzt man sich einmal über die Nichtigkeit der Fabel hinweg, so kann man doch, namentlich in den zwei ersten Akten, an den farbenprächtigen Bühnenbildern seine Freude haben. Nur im dritten Akt vermochten der Textdichter und — der Komponist, um dies vorwegzunehmen, sich nicht auf der gleichen Höhe zu halten. Das ist sehr bedauerlich, denn der abfallende dritte Akt vermindert den guten Eindruck der beiden ersten leider bedeutend.

Was Schillings' Musik betrifft, so muß ihr zugestanden werden, daß sie sich weit über den Text erhebt. Aber gerade die Thatsache, daß dem

Komponisten der dritte parodistisch gefärbte Akt weniger gelungen ist, giebt einen deutlichen Beweis seiner eigenartigen Begabung. Wenn auch diese heitere Oper ihn in jeder Beziehung viel fortgeschrittener zeigt als in der Ingwelde, so ersieht man doch nur zu deutlich, daß seine Begabung ihn nicht auf das Gebiet des musikalischen Lustspiels hinweist, sondern auf den Weg des Musikdramas, den er bereits erfolgreich beschritten hat. Wäre diese »heitere Oper« wirklich textlich als musikalisches Lustspiel vorgesehen, der Komponist wäre dann nicht weit gekommen. So aber bietet das Werk in seinen beiden ersten Akten große musikdramatische Momente, deren Verarbeitung dem Komponisten ausgezeichnet gelungen ist, wogegen ihm zur musikalischen Zeichnung des dritten, humoristischen Aktes trotz einiger schön geratenen Stellen doch wenig Farben auf seiner Palette zur Verfügung standen.

Sehe ich die hervorragendsten Musikstellen des Werkes durch, so habe ich als Schillings' bestes die beiden großen Ensemble-Steigerungen am Schluß des ersten und des zweiten Aktes zu erwähnen, neben diesen die beiden Huldigungslieder im ersten und den Bericht Rasbert's im zweiten Akt. Das sind Stellen, in denen der Komponist wirklich Ureigenstes giebt. Die größte Perle der Oper ist das Huldigungslied Rasbert's. Auch der Anfang des ersten Aktes, sehr stimmungsvoll mit Posaunenchören hinter der Scene beginnend, der Aufzug der Pfeifer im ersten Akt vor der Burg, der Huldigungszug vor dem Burgherren im zweiten Akt sind ausgezeichnet gelungen. Die Chöre und Ensemblestellen sind sehr klangschön geschrieben, das Orchester, wie nicht anders zu erwarten war, ist von größtem Farbenreichtum. Meines Erachtens schreibt Schillings von allen unseren zeitgenössischen Komponisten den am schönsten klingenden Orchestersatz. Übrigens muß erwähnt werden, daß er im Orchester ein neues Instrument mit verwendet, die von Stelzner konstruierte Violotta, eine große Viola, die er um eine Oktave transponierend im Violinschlüssel notiert.

Vor dem dritten Akt steht ein Orchestervorspiel »Von Spielmanns Leid und Lust«. Dieses, auf zwei plastisch erfundenen Themen sich aufbauende Orchesterstück ist eine der schönsten und wirkungsvollsten Gaben, die uns der Symphoniker Schillings bescheert hat. Es wird, wie im Theater, so auch im Konzertsaal einer großen Wirkung jederzeit sicher sein.

Die Aufführung, die dem Werk im Berliner Opernhaus zu teil wurde, war in jeder Beziehung ausgezeichnet. Die Herren Grüning, Hoffmann, Knüpfer und Lieban, die Damen Herzog und Hiedler gaben ihr bestes. Am Pult saß Richard Strauß, der als umsichtiger und großzügiger Leiter für den Komponisten eintrat. Auch scenisch ging unter Droescher alles vorzüglich.

Berlin. **Albert Mayer-Reinach.**

Erstaufführung von Leo Blech's Oper „Das war ich"
in Dresden.

»Das war ich!« Dorf-Idylle in einem Aufzuge nach Johann Hutt von Richard Batka, Musik von Leo Blech — so heißt die einaktige Oper, welche am 6. Oktober in Dresden ihre erste Aufführung erlebte. Mit nur 5 Personen unter Verzicht auf den Chor ist der Dichter imstande gewesen, ein Stück zu schreiben, welches trotz aller seiner Einfachheit, ja vielleicht gerade dadurch, wirkt: ein Beweis seiner technischen Vollendung. Die Handlung spielt in einem deutschen Dorfe um das Jahr 1830. Bei hochgehendem Vorhange sieht man das junge, hübsche Röschen mit einem Körbchen am Arme in den von der lachenden Morgensonne beschienenen Garten heraustreten. Dem Röschen ist aber gar nicht sonnig zu Mute: sie liebt den Knecht Peter, der beim verheirateten Pächter Paul — ihrem Vetter — bedienstet ist; der letztere setzt aber der Vereinigung der Liebenden Widerstand entgegen. Während Röschen auf die Leiter steigt, um Kirschen zu pflücken, kommt der Pächter, eine Pfeife rauchend, gemächlich aus dem Hause. So wie er jedoch seine Base Röschen entdeckt, regt sich auch schon sein Appetit. Die Gelegenheit ist günstig, da seine Frau noch schläft. Er will Röschen von der Leiter herunterlocken, und als ihm dieses nicht glückt, zieht er sie an der Schürze herunter, und fängt sie in seinen Armen auf. Galant lädt er sie ein, neben ihm auf der Bank Platz zu nehmen; Röschen setzt sich aber auf die Karre, deren Handhaben der Pächter ergreift, um sein Bäschen spazieren zu fahren. Weil Röschen aber diesen derben Scherz übel nimmt, zieht er andere Saiten auf: Röschen muß ihm beichten, was sie denn bei ihren Rendezvous mit Peter treibe, auf den er sehr eifersüchtig ist. Indem sie Blumen begießt, erzählt ihm das junge Mädchen, daß Peter ihr Blumen pflücke, und den schönsten Strauß ihr an die Brust stecke. Unterdessen pflückt auch der Pächter einen Strauß, den er dem Röschen ansteckt — ganz wie Peter. Die Rolle des Peter gefällt ihm so gut, daß er sie weiterspielt, und so erhascht er Röschen, und raubt ihr trotz ihres Sträubens und Schreiens einen Kuß. Diese ganze Scene ist aber von der klatschsüchtigen Nachbarin belauscht worden, welche jetzt mit den Worten: »Nein! das ist zu viel!« ihr Fenster zuwirft. Röschen und der Pächter fahren auseinander, und flüchten vor der Nachbarin, welche gerade im Morgenanzug atemlos und in boshafter Erregung auftritt, und eine Philippica über die Schlechtigkeit der Männer anstimmt. Im Grunde genommen ist sie jedoch beim Gedanken an die Pächterin schadenfroh, da diese jetzt dafür gestraft sei, daß sie ihr den Pächter weggstibitzt hätte; »hätt' er mich zur Frau genommen, wär' es nie so weit gekommen.« Die Nachbarin beschließt jetzt, der Pächterin die ganze Geschichte brühwarm zu erzählen, und geht ab, um Toilette zu machen. Jetzt kommt der Pächter hervor: sein Rettungsplan ist gefaßt, und zum Glück für ihn kommt gerade seine Frau aus dem Hause. Mit auffallender Freundlichkeit nähert er sich ihr, und behandelt sie so galant, wie noch nie; anfangs fällt das seiner Frau auf, aber schließlich glaubt sie dennoch an das Wiederaufflammen seiner legitimen Zärtlichkeit — so etwas glauben die Frauen immer gern! Der Pächter arrangiert es nun mit großer List, daß sich zwischen seiner Frau und ihm genau dieselbe

Scene abspielt, die er eben erst mit Röschen aufgeführt hat: zuerst werden
die Blumen zum zweiten Male begossen, darauf steckt er seiner Frau ein
Sträußchen an, sodann küßt er sie, und endlich muß sie eine Ausfahrt per
Schubkarren machen. Nun kann die Nachbarin kommen: es schadet nichts
mehr! Während das Ehepaar den Blicken entschwindet, tritt Peter auf, um
im Garten zu arbeiten, und verräth in einem Liedchen die Gefühle, welche
sich bei jungen Männern von einem gewissen Alter regelmäßig in jedem
Frühling einzustellen pflegen. Da Röschen doch nicht erscheint, geht er sie
suchen. Nun begegnen einander die Nachbarin und die Pächterin. Jene
will jetzt ihre Neuigkeiten »an den Mann« bringen; diese ist aber gestem-
pelt, und als ihr die Nachbarin die Schandthaten Röschen's berichtet, antwortet sie ihr natürlich: »Nachbarin, das war ja ich!« Darüber geraten die
beiden natürlich in Streit, und trennen sich wutentbrannt. Sobald die Luft
wieder rein ist, huschen der Pächter und Röschen wieder hervor. Auf den
Rat des Ersteren spielt sich die bewußte Scene zum dritten Male jetzt
zwischen dem ahnungslosen Peter und Röschen ab. Bloß zur Spazierfahrt
kommt es nicht, da die Nachbarin erscheint, um dem Peter ein Licht auf-
zustecken. Natürlich findet sie bei ihm ebensowenig Glauben, wie bei der
Pächterin, und die Folge davon ist ein Streit-Terzett, welches sich durch das
Hinzutreten von Pächter und Pächterin zu einem Quintett auswächst. Es
endigt damit, daß die Nachbarin nun selbst auf den Karren gesetzt und
unter allgemeinem Gelächter der Darsteller und des Publikums von Peter
abgeschoben wird. Jetzt ersucht die Pächterin ihren Mann, den Verdrieß-
lichkeiten ein Ende zu machen, und in die Verlobung der jungen Leute zu
willigen. Den anfänglichen Widerstand des Pächters überwindet seine Frau
durch die Worte: »wenn du noch zögerst, glaub' ich beinah', daß die Nachbarin richtig sah.« Nun erfolgt Verlobung und das notwendige Schlußquartett. Wie alle gerade im schönsten Singen sind, öffnet plötzlich die
Nachbarin ihr Fenster, und schreit im höchsten Discant: »es war doch der
Pächter und nicht der Knecht!« Alle lachen, die Nachbarin verschwindet,
und der Vorhang fällt unter rauschendem Beifall des Publikums.

Auf die Musik war ich um so mehr gespannt, als ich Herrn Kapell-
meister Leo Blech schon als vortrefflichen Lieder- und Orchesterkomponisten
kenne. Im allgemeinen möchte ich behaupten, daß ihm in der vorliegenden
Oper die lyrischen Stellen am besten geglückt sind. Hier zeigt er natürlichen Fluß und Innerlichkeit; so in den Auftrittsliedern Röschen's und
Peter's, welche strophisch komponiert sind; so stellenweise im Duett zwischen
Röschen und dem Pächter (besonders im Walzertempo) und im hübschen
Schlußquartett: »wo sich Lieb' mit Lieb' verbindet«; bloß das abschließende
alla breve, welches im unisono der Singstimmen das Fugenthema der Ouverture bringt, ist gewiß sehr gut gemeint, da es aber weder musikalisch noch
textlich, sondern bloß durch die Klangfülle eine Steigerung bringt, würden
wir gern darauf verzichten. Wie man es von Blech gar nicht anders erwarten konnte, ist die Orchester-Behandlung meisterhaft. In den geheimen
Künsten des Kontrapunktes ist er tief erfahren, und er versäumt keine Gelegenheit, um mit der Musik die Charakteristik zu unterstützen. Aber in
den beiden letzten Punkten thut er des Guten entschieden zu viel —
namentlich für eine Dorf-Idylle. Und was nützt auch aller Kontrapunkt,
wenn er nicht den Wohllaut hebt, wie wir es an Bach, Mozart, Richard
Wagner u. a. bewundern? Leo Blech's Künste wirken nicht erwärmend.

sondern geistreich, blendend. Ja das ist es: wo ihm ein einfacher, packender Gedanke fehlt, da greift er zu einem Orchester-Effekt oder zu einem unerwarteten und unmotivierten musikalischen Kunststück; »denn eben, wo Begriffe fehlen, da stellt ein Wort zur rechten Zeit sich ein.« Man hat Blech mit Humperdinck verglichen — unserer Meinung nach mit Unrecht: Humperdinck's Kontrapunkt ist ungleich klarer und stimmungsvoller; Leo Blech aber sucht oft die fehlende Stimmung durch Kontrapunkt zu ersetzen. Eher wäre er mit Anton Urspruch zu vergleichen. — Es ist ferner sehr bedauerlich, daß Leo Blech die von Humperdinck eingeschlagene Richtung weiter verfolgt, und in seinem sogenannten Klavierauszuge jeden doppelten, dreifachen und vierfachen Kontrapunkt aufnimmt, den irgend ein Instrument ausführt. Bei Humperdinck ist das wenigstens alles charakteristisch, und in stich- und kugelfestem Satze geschrieben; das kann man von Blech nicht sagen. Dadurch erschwert man nur unnütz das Spielen der Klavierauszüge. Es kommt noch soweit, daß die Dirigentenlaufbahn ausschließlich von Klavier-Akrobaten eingeschlagen werden kann, und daß jedem Musiker, welcher etwas Besseres zu thun hat, als sein. Leben lang täglich 8 Stunden Klavier zu »ochsen«, diese Carriere einfach verschlossen bleibt. Schon heute würde Richard Wagner an jedem Theater wegen seines schlechten Klavierspieles gekündigt werden. Daß das ein unermeßlicher Schade nicht nur für den Kapellmeisterstand, sondern für die ganze dramatische Kunst ist, liegt auf der Hand. Darum empfiehlt es sich, daß die Herren Opern-Komponisten ihre Klavierauszüge nicht selbst schreiben, sondern dieses Amt lieber einem tüchtigen Arrangeur überlassen. Sie werden dann u. a. noch den Vorteil haben, daß das Publikum die Klavierauszüge wirklich kauft; und dadurch werden ihre Opern viel populärer werden. — Um auf Leo Blech zurückzukommen: das Streben dieses vortrefflichen Musikers sollte vor allen Dingen auf Verinnerlichung und einfachere, reinere Linien gerichtet sein; dann wird er sich gewiß davor hüten, in seinen kommenden Opern einen Kontrapunkt zu schreiben, hinter dem nichts steckt, und über sein soeben besprochenes Werk wird er dann ebenso denken, wie Balzac, der seine ersten Romane geschrieben haben wollte *pour se délier la plume.* Immerhin beweist Leo Blech auch hier viel Talent und ungewöhnlich viel Geist; und so können wir das Anhören dieser Oper nur auf das Wärmste empfehlen: wem die Musik zu hoch ist, der wird seine Rechnung immer noch bei dem vortrefflichen Texte finden. —

Die Aufführung unter Schuch's Leitung verlief natürlich tadellos. Was dieser geniale Dirigent in die Hand nimmt, kann nie langweilig ausfallen. Und selbstverständlich klappte alles, wie am Schnürchen, was bei der großen Schwierigkeit aller Partien und des Orchesterparts viel zu bedeuten hat. Um mit den Damen anzufangen: Frl. Nast als Röschen war, wie stets, entzückend; gesanglich wie schauspielerisch bot sie wieder eine abgerundete Leistung; auch die melodramatischen Stellen sprach sie sehr schön. Und dabei sah sie reizend aus, was in ihrem Fache ganz besonders wichtig ist. Frl. Eibenschütz ist beinahe zu schade für die Rolle der Nachbarin; da die Partie aber dem Frl. v. Chavanne zu hoch lag, mußte Frl. Eibenschütz eben daran glauben. Es ist aber auch geradezu eine Zumutung des Komponisten, daß er die Nachbarin als Altpartie bezeichnet. Wenn ein Frl. v. Chavanne nicht einmal damit fertig werden konnte, so war es eben keine Altpartie, sondern höchstens eine Partie für einen hochdramatischen Sopran. Warum muß man denn durchaus immer so komponieren, daß der Darsteller sich die Stimme ruiniert, wenn er den Anforderungen des Komponisten gerecht werden will? Und dabei ist Leo Blech noch selbst ein erfahrener Kapellmeister! Um so unverzeihlicher! Immerhin fand sich Frl. Eibenschütz mit dieser schwersten Partie der Oper gut ab. Um auch Frl. Krull etwas Angenehmes zu sagen, so sei erwähnt, daß sie die wenig dankbare Rolle der Pächterin mit schöner Tongebung sang, soweit sich überhaupt dazu Gelegenheit bot. Herr Scheidemantel sang und spielte den Pächter mit sprudelnder Laune und nie versagender Charakteristik. Auch Herr Jäger machte stimmlich und darstellerisch aus der etwas physignomielosen Partie des Peter alles, was sich daraus machen ließ. Alles in allem bedeutete diese Erstaufführung für uns einen Kunstgenuß, und so wünschen wir der kleinen Oper *mille anni felici.*

Dresden.   Richard von Wistinghausen.

Mozart's „Zaide" in der Wiener Hofoper.

Geehrter Herr Redakteur!

Ihrem Wunsche, für die »Zeitschrift« einen Rechenschaftsbericht über meine Bühnen-Bearbeitung der Mozart'schen »Zaide« zu geben, entspreche ich am besten durch das Vorwort zu meinem neuen Texte.... Die Aufführung in der Wiener Hofoper, die innige Freude, mit der die Sänger und das Orchester unter Bruno Walter's Leitung sich an die Aufgabe machten, die sympatische Aufnahme bei dem modernen Publikum, das durch die Handlung nicht etwa angeregt werden konnte, hat den Wert dieser Mozart-Musik auch für unsere Zeit erwiesen. Wenn meine kritischen Kollegen mit Nachdruck betonten, daß »Zaide« trotz u. s. w. keine »Repertoire«-Oper werden könne, so sind sie zweifellos im Rechte. Mit »Repertoire«-Opern möchte »Zaide« keineswegs konkurrieren. Weit bedeutendere Werke Mozart's, wie die »Entführung« oder »Così fan tutte«, können auf der heutigen Bühne — leider! — ebenfalls nicht als »Repertoire-Opern« gelten. Welche Stellung ist denn überhaupt den Werken Mozart's im »Repertoire« der Opernbühnen gegönnt! Ich wollte nur, daß man »Zaide« höre. Nun zum Vorwort!

Im Jahre 1780 hat Mozart in Salzburg eine »ernsthafte Operette« vollendet. Sie ist, wenn auch Mozart damals erst 24 Jahre zählte, doch nicht im gewöhnlichen Sinne als »Jugendwerk« zu nehmen; sie leitet die letzte Dekade des Mozart'schen Lebens, seine große Periode des Opernschaffens ein. Daher ihr zwiespältiger, bald jugendlich naiver, bald männlich vollreifer Grundcharakter. Der deutsche Text rührt von dem erzbischöflichen Hoftrompeter Schachtner, dem Freunde der Mozart'schen Familie, her. Mozart's Vater dachte an eine Aufführung des Werkes in Wien, schrieb aber im Dezember 1780, es sei mit dem »Schachtner'schen Drama« (!) wegen der Landestrauer jetzt nichts zu machen. Ein Jahr später — ich folge der Darstellung Otto Jahn's — bittet Wolfgang den Vater, die Operette doch nach Wien zu bringen; der Vater mahnt wieder zu einer Aufführung. Aber Mozart entgegnet: »Wegen dem Schachtner seiner Operette ist es nichts ...

Ich habe nur gesagt, daß das Stück — die langen Dialoge ausgenommen, welche aber leicht abzuändern sind — sehr gut seye; aber nur für Wien nicht, wo man lieber k o m i s c h e Stücke sieht.‹

Die ›Entführung aus dem Serail‹ war das ›komische Stück‹, das Mozart dann in Angriff nahm. ›Idomeneo‹, für den Münchener Karneval geschrieben, war unmittelbar vorangegangen. An die Musik zu dem Schachtner'schen ›Drama‹ wurde nun nicht mehr gedacht, obwohl eine zur Aufführung bestimmte, sorgsam durchgearbeitete Partitur vorlag. Die ›Entführung‹, welche nach Goethe's Wort ›Alles niederschlug‹, mußte auch den verwandten Stoff jener ernsthaften Operette niederschlagen.

Erst im Jahre 1838 brachte Joh. André in Offenbach das Mozart'sche Werk wieder ans Licht. Carl Gollmick, ein Frankfurter Musiker und witziger Musikschriftsteller — seine Korrespondenzen und Beiträge für die ›Leipziger Allgemeine Musikalische Zeitung‹ kann man im 50. Bande mit Vergnügen lesen — machte sich an die Ausarbeitung des Textes. Das Schachtner'sche Textbuch war verloren gegangen und konnte trotz eines Aufrufes nicht mehr gefunden werden. Der tapfere Gollmick verwob die vorhandenen Gesangstexte der Mozart'schen Partitur mit einer neuen Handlung und besserte zur Not an den Schachtner'schen Versen. Anton André schrieb eine Ouverture und ein Finale zu der Mozart'schen Musik, der beides fehlte. Das Werk erhielt jetzt erst den Titel ›Z a i d e‹.

Gollmick's Verdienst ist hoch zu preisen. Mit Pietät ging er an die rettende Arbeit. Er bekannte aber, daß er nicht nur die Musik Mozart's, sondern auch die Gesangstexte der ›Zaide‹ als eine ehrfurchtgebietende Reliquie betrachte. Es war ein Wagnis, die Ehrfurcht auch auf die Verse Schachtner's auszudehnen. Das Ärgste rottete Gollmick aus, wie den Anfang des Duetts: ›Meine Seele hüpft vor Freuden.‹[1] Auch diese Verse Schachtner's strich Gollmick aus dem Texte:

> ›Diese holden Augenlider,
> Dieses Mundes Purpurrot,
> Bringt mir alles zehnfach wieder,
> Würgt mich auch dein Unsinn todt.‹

Andere fürchterliche Beispiele zitiert Otto Jahn. Gollmick hat nicht energisch genug durchgeforstet. Singt Schachtner's Zaide, da sie dem schlummernden Geliebten ihr Bildnis umhängt:

> ›Ihr süßen Träume, wiegt ihn ein,
> Und lasset seinem Wunsch am Ende
> Die wollustvollen Gegenstände
> Zu holder Wirklichkeit gedeih'n.‹

so begnügte sich Gollmick, an der gefährlichen Stelle nur die ›ahnungsvollen Gegenstände‹ einzusetzen ... Auch die ›langen Dialogen‹, welche Mozart tadelt, fehlen in Gollmick's weitschweifiger und umständlicher Prosa nicht; sie stehen jeder Verwendung für die moderne Bühne entgegen. Die Handlung hat Gollmick nach altem, von der Romantik mit Edelmut reichlich übergossenem Rezepte gestaltet: Alazim ist Günstling des mächtigen Sultans

---

[1] Charakteristisch scheint es mir, daß der junge Mozart thatsächlich bei dem Worte ›h ü p f t‹ einen ansehnlichen Hupfer in die Oktave macht.

Soliman. Er verhilft dem edlen Spanier Gomaz, der in die Gewalt Soliman's gelangt war und als Sklave die Liebe der Zaide, der Favoritin des Sultans, gewinnt, zur Flucht mit der Geliebten; er selbst will mit ihnen fliehen. Hat doch Gomaz, wie wir zu nicht geringer Überraschung erfahren, dem Alazim in Cadix, da der Türke von den Spaniern überfallen wurde, das Leben gerettet. Bei Soliman trifft also der Lebensretter mit dem Geretteten wieder zusammen. Die Flucht gelingt nicht. Soliman dürstet nach Rache. Ein Gewitter bricht los und beim Scheine eines Blitzes erkennt Gomaz an der Brust Alazim's, der sein Kleid aufgerissen hatte, um sich dem tötlichen Streiche Soliman's darzubieten, ein Zeichen — Alazim ist der Bruder des Gomaz, der nun das Wort nimmt: »Zu jener Zeit, wo die Maurenscharen Hispaniens Gefilde überschwemmten und Christenraub ihnen zum fanatischen Gesetz wurde — der Mutter vom Busen risset Ihr den Säugling, entführend übers Meer zu Eures Gottes Glauben ihn zu erziehen — da brannte mein Vater in einer solchen Schreckensnacht dem älteren Bruder und mir mit glühendem Eisen zwei gleiche Zeichen auf die Brust, um vielleicht einst die Geraubten wiederzuerkennen — Du, Alphonso, warst das Opfer, und Du, o Fürst, des Schicksals Werkzeug, ihn uns wiederzufinden — erkenne die Hand des Allgewaltigen! (Reißt sich das Kleid auf.) Siehe her. (Der Horizont erheitert sich.)«

Das muß selbst einen Soliman rühren! Er verzeiht ... Die komplizierte und mit der Rettungsgeschichte kombinierte Erkennungsscene in Gollmick's Fassung folgt dem Quartett, mit welchem Mozart's Partitur abschließt. Diese dramatisch wichtigste Scene ist somit der Herrschaft des gesprochenen Wortes überliefert. An das Ende setzte aber André seinen gutgemeinten, langatmigen Schlußchor, der uns weit von der Musik Mozart's entfernt.

Der trotz bester Absicht verunglückte Versuch Gollmick's konnte mir den Mut nicht nehmen, Mozart's »Zaide« ein zweites Mal den Archiven zu entreißen und ins Leben zu stellen. Dieses Beginnen bedarf fast einer Entschuldigung. Denn solche Rettungsversuche erwecken nicht gerade Sympathie: Die Meisterwerke der Unsterblichen kennt man zur Genüge, klassische Werke aber, die eines zudringlichen Bearbeiters bedürfen, finden wenig Vertrauen ... »Zaide« war Anlaß, daß der Händel-Biograph Friedrich Chrysander, mit Otto Jahn in einen Gelehrtenstreit über Freiheit und Willkür der Gesangsformen in »Zaide« verwickelt, einen scharfen Angriff auf Mozart machte, dessen Kunst er, der nur einen Gott, seinen Händel kennt, da arg entstellt. (Allgemeine Musikalische Zeitung 1881.) Gleichwohl muß selbst Chrysander die zart humoristische Gestaltung des Schlusses in der zweiten Tenor-Arie von »Zaide« (»Teurer Freund, wie dank' ich dir«) als einen Mozart'schen Meisterzug erklären; und das Terzett, so gesteht er, gehört in seinem knappen ersten Teile zum »Schönsten, was Mozart geschrieben hat.« Ebenso rühmt er den »meisterlichen Schwung« des Quartetts. Nach meiner persönlichen Empfindung müßte auch die erste Arie der »Zaide«, das Melodrama des Anfangs neben seinen Vieles vorausahnenden, modernen Wendungen, dann das innig beseelte Duett in seiner merkwürdig knappen Form, müßte die Lach-Arie, die Mozart in herzlichster Laune zeigt, jede fühlende Seele beglücken. Neben konventionellen Zügen in mancher Arie erkennt man entzückende Einzelheiten, wie die reizvolle musikalische Schilderung der ängstlich flatternden Nachtigall in Zaidens zweiter Arie, die schön individualisierten Stimmen in dem Quartett, die bei aller Be-

schränkung auf die einfachsten Orchestermittel geradezu unerschöpflichen
Variationen der zartesten instrumentalen Färbungen [1]) auch bei oberflächlicher
Beschäftigung mit der Partitur der Zaide. Beachtenswert scheinen mir die
beiden Melodramen in »Zaide«, eine besonders interessante, an Stelle der
Recitative gesetzte Nachbildung des Benda'schen Melodrams, für welches sich
Mozart begeistert hatte. (Brief vom 12. November 1778 bei Otto Jahn,
3. Auflage, I., 577.) Auch die mannigfaltige, vielfach ganz eigenartig freie
Form der Gesangsstücke in »Zaide« fesselt den ästhetischen Sinn. Wie die
Bildnis-Arie am Anfang, weist in »Zaide« auch manches Andere schon auf
spätere Werke Mozart's.

Otto Jahn's Bemerkung, daß »Zaide« durch wesentliche Umgestaltung
bühnengerecht werden könnte, habe ich mir zu Herzen genommen. Ich
änderte die Handlung und gestaltete sie so einfach wie möglich, damit sie
nur den Grund bilde, von dem die sanft leuchtenden Farben der Mozart'
schen Musik sich abheben. Von der beliebten Türkei — nicht ein einziges Motiv Mozart's in »Zaide« deutet auf dieses Opernland — verlegte
ich den Schauplatz nach einer barbarischen Insel. Ich wollte mit Mozart's
erster »Entführung« nicht der zweiten zu nahe kommen. Von eingebrannten
Erkennungszeichen absehend, stellte ich zwei hellenische Freunde den
Barbaren gegenüber. Diese Milderung, auch durch Verlegung der Handlung
in die alte Zeit, schien mir ratsam für die überaus zarte, ruhige Art der
musikalischen Linienführung in »Zaide«. Demgemäß änderte ich die Namen
des Originals und ließ nur bei dem Titel »Zaide«, den ich beibehielt, die
Herkunft des weiblichen Wesens im Ungewissen. Aus dem Original und
der Gollmick'schen Bearbeitung des Textes entfernte ich alle jene Worte,
Verse, Dialoge, Motive, die mir veraltet oder gegen Vernunft und Geschmack
gerichtet schienen. Die von Gollmick sehr glücklich gezeichnete komische
Figur des Aufsehers führte ich mit einer — allerdings nicht eben aufregenden
— Intrigue schon in den ersten Akt ein, um in das liebliche, nur von
Sorgen beschattete Liebes-Idyll des ersten Aufzuges mehr dramatisches Leben,
und eine, wenn auch noch so lose Spannung zu bringen.

Den Dialog des ersten Aktes habe ich vollständig erneut.

Ich bemühte mich trotzdem, die Führung der Scenen mehr naiv als alt-
klug modern zu gestalten. Der zweite Akt [2]) verträgt nach meiner Empfindung bei der Einfachheit der Handlung keine Längen. Drei große, von
Otto Jahn mit vollem Rechte als zu lang, als »alte Formel« bemängelte
Arien (»Gerecht ist Soliman«, »Tiger wetze deine Klauen« und »Ihr Mächtigen seht ungerührt«) glaubte ich darum opfern zu dürfen; ich steuerte ohne
Umschweife auf die »Krönung des Werkes«, auf das Quartett zu. Die Arie
der Zaide mit dem »Solo-Tiger« gab ich nur schweren Herzens preis. Sie
wäre aber bei einer Bühnen-Aufführung nur von einer dramatischen Sängerin
großen Stils zu bewältigen und brächte — wie denn überhaupt »Zaide« an
Stilmischungen reich ist — einen fremdartigen Charakter in das vorwiegend
liebliche Werk.

1) »In dem Orchester ist ein so rühriges Leben, das man mit Interesse verfolgt,
der Klang ist so kräftig und schön, es treten so feine Nuancierungen heraus, daß
man überall den Meister erkennt.« (Jahn).

2) Die Streitfrage, ob Mozart's Original drei Akte umfaßte, kann eine Bearbeitung für die moderne Bühne nicht berühren. Die Handlung durfte in keinem Falle
über drei Akte gespannt werden.

Die Musik blieb bis dahin von jeder Zuthat, von Eingriffen frei; ich
gestattete mir nur die Transposition der Löwen-Arie des Tyrannen aus der
Tenorlage in den Baß-Schlüssel und demgemäß auch die zutreffenden Änderungen der Tyrannen-Stimme im Quartett. Es lag im Charakter der Opern-
produktion zur Zeit der »Zaide«, daß man wuchtige Gestalten, wie den
Tyrannen einem Tenor überantwortete. Der Tenor bedeutete schon einen
starken Gegensatz zu den Kastraten. Wir vertragen das heute nicht. Der
Instrumentation dieser Löwen-Arie habe ich, durch die Transposition technisch
genötigt, Flöten zur Aufhellung der tiefer gelegenen Klanggruppen beigegeben. Das ist aber auch die einzige musikalische Modifikation oder Zuthat, deren ich mich schuldig machte. Das Klangwesen der Mozart'schen
»Zaide«-Partitur ist sonst in allen Stücken rein und unberührt geblieben.

Ein musikalischer Schluß-Satz fehlte dem Werke. Das Quartett war
nicht fürs Ende geschaffen, und Fremdes nach dem Beispiele André's wollte
ich nicht anschließen, um für das Gewitter und für das Umschlagen der
Stimmung des Tyrannen nach dem Quartett noch eine gesteigerte Musik
zu gewinnen. Da erinnerte ich mich der Mozart'schen Musik zu dem
Gebler'schen Schauspiele: »Thamos, König von Ägypten«. Mit unwesent-
lichen, nur auf den besonderen Fall bezogenen Textänderungen konnte die
große, durch den Oberpriester eingeführte Schluß-Scene von »König Thamos«
auch als Abschluß der »Zaide« verwertet werden. Diese Scene, wenngleich
kühner als die Musik zu »Zaide«, ist zur Zeit der »Zaide« geschrieben.
(Vergl. Otto Jahn, 3. Aufl., II. Nachtrag.) Eine anachronistische Sünde glaube
ich also keineswegs begangen zu haben, eher durch den reichen chorischen
Abschluß eine ästhetische. Vielleicht wird mir Verzeihung, wenn man bedenkt, daß schon das Quartett, reicher in der Struktur und im Orchester,
sich über die früheren Teile des Werkes hebt, daß ferner Chrysander nachgewiesen hat, wie weit sich »Zaide« von dem Charakter der deutschen
Operette entfernte, daß endlich die immer belebteren, gesteigerten Vorgänge
des zweiten Aktes gegen Schluß ein Auslaufen in eine Chorscene zum mindesten nicht abweisen ... Man hat Mozart's Chöre zu »König Thamos«, um
sie der Öffentlichkeit zu erhalten, als Hymnen mit untergelegtem lateinischen
Texte von der Bühne in die Kirche getragen, und eben jene Chorscene dem
ursprünglich dramatischen Bühnenzwecke, welchem sie wiedergebe, als
»Motette« entzogen. Mozart schrieb im Jahre 1783 aus Wien: »Es thut
mir recht leid, daß ich die Musique zum König Thamos nicht werde nützen
können. Dieses Stück ist hier, weil es nicht gefiel, unter die verworfenen
Stücke, welche nicht mehr aufgeführt werden. Es müßte nur blos der Musik
wegen aufgeführt werden, und das wird wohl schwerlich gehen. Schade ist
es gewiß!« ... Nun ist die Musique doch »genützt« ... Mit der Gewitterscene aus »König Thamos«, an deren Stelle Mozart die Chorscene erst später
gesetzt hat, glaubte ich diese Schluß-Scene nicht unpassend einzuleiten. Als
Zwischenakt-Musik verwendete ich einen Zwischenakt gleichfalls aus »König
Thamos«, jenes prächtige Orchesterstück, das »allgemeine Verwirrung«, den
Gegensatz der Verschwörer und des Königs Thamos mit seinen Anhängern
erkennen lassen sollte. Ähnliche Gegensätze und ebenso »allgemeine Verwirrung« sind aber im Zwischenakt von »Zaide« während der Flucht und
der Verfolgung zu illustrieren. Ich zog also ohne Bedenken auch dieses
dramatisch belebte Orchesterstück aus der Vergessenheit; es soll wieder einem
dramatischen Zwecke dienen.

Als selbständige Ouverture, die dem Original der »Zaide« ebenso wie das Finale fehlt, empfahl ich die G-dur-Ouverture vom Jahre 1779, also ebenfalls im »Zaide«-Jahre geschrieben.

Im ganzen giebt also »Zaide« in der von mir gewagten Fassung nicht zum mindesten auch ein vollkommenes Bild der Mozart'schen Schaffensperiode in der letzten Salzburger Zeit. Ich maße mir nicht an, aus Stücken Mozart's ein einheitliches Kunstwerk zusammengeschweißt zu haben. Die Musik zu »Zaide« aber und aus »König Thamos« die Zwischenaktsmusik in D-moll, die Gewitterscene und die Schlußscene, dann die Ouverture aus derselben Zeit scheinen mir doch zu gut für Bibliothek-Staub, und wahrlich nicht zu schlecht für eine liebevolle Aufführung im Lichte des Bühnenlebens. Darum glaubte ich Gollmick's ehrlichen Versuch erneuern zu dürfen.

Nach einem »Erfolge« im gewöhnlichen Sinne geizt diese Musik Mozart's nicht, aber sie ist wohl wert, daß man ihr mit Freude bis ins einzelne folge. Ich wäre glücklich, wenn meine bescheidene Arbeit diese Freude wenigstens nicht stören würde.

Wien.　　　　　　　　　　　　　　　　　　　　**Robert Hirschfeld.**

Recent English Opera in London.

It has been the critical custom to smile at the various schemes that from time to time have been submitted to the chances of public favour in the cause of an English Opera. Feeble stock-singers, feeble choruses, above all, feeble translations of libretti, have so impinged themselves upon the very idea of an English Opera scheme that the actual thought of it has become associated with all that is third-rate in art, with the tinsel decorations of a Whitechapel theatre, with the swaggering green-velveted tenor of remote provincial towns. This year however the Moody-Manners Company has changed all that; and at no less a place than Covent Garden itself has completed a successful season that has, literally, had no previous parallel. In some respects, for example, even the Grand Season has had to be content with a second place in the year's operatic chronicle; in a word, the so-called impossible has been achieved, and a definite success has been wrought out of materials that hitherto have been, in the anticipation, associated only with indulgent smiles at their best, and with uproarious laughter in their average condition. Thirty-five performances were given altogether; and they were performances well worthy of any opera-house which had been let for a special purpose, for the exploiting of one special idea. Inferior in antiquity and splendour to the work provided during the big season, the Moody-Manners Company yet showed their capabilities, even when wrestling with rivalries that belong to an European artistic struggle, as a combination which is capable of really serious and grave artistic accomplishments. Here, however, one pauses in praise. English Opera has not yet by any means come to any superlative fruition, by reason of this much bepraised season. It is true that much has been done; and indeed much has been written to accentuate all the things that have been accomplished. But with that sta-

tement made, a word of warning becomes necessary. We all know that
the minor details of opera have for a very long time been a matter of the
most indifferent consideration; under the régime immediately in tenancy at
Covent Garden however those details have received extraordinary attention,
with the result that it has been found possible for those who walk in the
"unconsidered ways" to catch up actually to what may be called "Prima
Donna selections" of grand opera. In a word the Moody-Manners Company has worked rather for an ensemble than for a series of specialities;
and herein it has met with an indubitable success.

There are some operas which demand necessarily the attraction of the
single singer; and the soloists of the Moody-Manners Company have fulfilled
that demand, that condition, with no uncertainty of result. Madame Fanny
Moody was a host in herself. She sang and acted with a spirit and a sense
of enthusiasm the merit of which cannot easily be overrated. Her Marguerite was really a very artistic and most attractive creation; and her Brünnhilde was an admirable piece of work, if it was not altogether distinguished
by the touch of heroism which makes the figure of Brünnhilde so difficult
and separate a dramatic conception in all the list of Wagnerian characters.
Her particular charm however was manifested in parts of less ambitious
scope. She understands completely how to accommodate herself in the not
quite superlative rôles of operatic art, to the taste of the every day public;
and she uses her knowledge with no uncertain effect. Mme Blanche Marchesi also has taken a prominent part among the soprano singers, and has
really done, in her own individual way, remarkably well. It is true that
she makes no rivalry of any sort or kind with the acknowledged operatic
stars of the time; she can scarcely lay claim to the possession of a voice
that is likely to conquer the world by any sheer sentiment of beauty; but
she can act; and she assuredly has the capacity of infusing a certain histrionic
spirit into her "vocal manner" — a phrase for which Burney is admirably
responsible. Her Santuzza, to make one selection, was a piece of work that
was fully felt, fully thought out, and fully enacted according to that point
of view. Mlle Zélie de Lussan, to take into consideration another well known
artist who added her undoubted quota to the success of the season, suffers
from the brilliance of her success in a single part — Carmen. She is so
excellent a singer, so deliberate an artist, that one cannot refrain from ad-
miring her in this particular rôle; but one can still wish that she would
do something to increase her reputation in many parts for which she is
eminently fitted. Nevertheless, one remembers the stock quotation. "I can
call spirits from the vasty deep". "But will they come when you do call
them?" Mlle de Lussan has called up the spirit of Carmen with no small
success; perhaps she feels that if she were to call others they would not
come when she did summon them; and with that criticism one has perforce
to leave that subject, declining upon the performances of mere man.

Joseph O'Mara and John Coates take the highest honours of the Season,
so far as tenors are concerned. O'Mara is a singer of remarkable ability,
and an actor with a really sensitive temperament. His experience is a wide
one; and he uses every fragment of that experience in order to reach the
best artistic issues. His share in such works as "Cavalleria Rusticana" or
"Il Trovatore" remains as a genuinely pleasing memory. Coates belongs to
a more meditative order of singers; he is careful about effects; he is cal-

culating in most of his histrionic actions. And he does excellent service to the art of music drama. Possibly he works too hard; there were times when his singing seemed to come from an overstrained throat — a malady most incident to energetic singers, but one which they should avoid as poison itself. Philip Brosel has been achieving also some very meritorious results; his Canio in "Pagliacci" has become something of a classic, so absolutely is he identified with the methods which the part clamours for. The stage-work of Charles Manners has not been very extensive during the season; but his Mephistopheles — to name this instance — is always so intelligent, and consequently so interesting, that a word of praise in this connection becomes altogether necessary. Fox, Dever and others have also largely contributed to the undoubted success of the season. That success has already begotten sheaves of gossip as to the possibility of a renewal of the experiment next year. The idea is a good one; and there seems to be no real reason why the engagement of Covent Garden Theatre by the Moody-Manners Company should not become an annual occurrence. The provincial success of the undertaking alone in the past season would justify such a repetiton of success — a repetition however which would bring in its train a certain definite responsibility. We should look to such a season as in some respects fulfilling the rôle of a pioneer, of being the means of introduction of good and serviceable lyric work to the opera-lovers of London. Something of that sort has been accomplished this year already; but that very fact makes one eager for more. There cannot be the least doubt that the musical public of the metropolis will patronize good music if it is laid before them; Henry Wood has definitely proved that at the Queen's Hall; it only remains that the right conditions be fulfilled, and Charles Manners, calling the time, will find that the public will surely pay the piper.

London.   **Vernon Blackburn.**

Musikaufführungen.

(Zusendung von Programmen erwünscht.)

Berlin. Oper. Die kgl. Oper brachte seit Beginn der Wintersaison 3 Novitäten. Am 17. September gingen »Der Pfeifertag« von Schillings, am 9. Oktober die zweiaktige Oper »Das Glockenspiel« von Urich, Text von Méry und Gheusi, und »La Navarraise« (das Mädchen von Navarra) von Massenet, Text von Claretie und Cain in Szene. Das Opernhaus des Westens brachte am 8. Oktober die Oper »Der Dorflump« des bekannten ungarischen Geigenvirtuosen Yenö Hubay. Einen großen Erfolg errangen nur Der Pfeifertag (siehe Spezialbericht Seite 60) und das Mädchen von Navarra, während die beiden anderen total abfielen. Der Massenet'-sche Einakter erregte den Wunsch, hier in Berlin auch die anderen Werke des Komponisten aufgeführt zu sehen. Bis jetzt ist nämlich noch kein anderes Werk des französischen Komponisten hier bekannt. — In der Hofoper fanden 2 interessante Gastspiele statt, Ende September gastierte Dr. Briesemeister — unsern Lesern aus der diesjährigen Bayreuth-Besprechung bekannt — als Loge mit größtem Erfolg, konnte aber in 2 weiteren Rollen nur wenig gefallen. In der Aufführung der »Navarraise« gastierte mit größtem Erfolge Mad. de Nuovina von der Opéra comique in Paris, wußte indeß als Margarethe nicht den gleichen Beifall zu erwecken. — In den Konzertsälen ereignete sich bereits so vieles, daß ich nur die wichtigsten Sachen erwähnen kann. Zunächst kommen die großen Orchesterkonzerte in Betracht. die unter der Leitung von Nikisch mit dem philharmonischen Orchester im Saale der

Philharmonie, unter Weingartner (kgl. Hofkapelle) im Opernhaus und unter Richard Strauß mit dem neuen Symphonie-Orchester im Neuen kgl. Opernhaus (Kroll) stattfinden. Nikisch brachte eine neue Suite op. 43 Dmoll von Tschaikowsky, deren vierter Satz »Marche miniature« zwar wiederholt werden mußte, die aber an Erfindungskraft hinter den großen symphonischen Werken des Komponisten entschieden zurücksteht. Im gleichen Konzert, das noch die zweite Symphonie vom Brahms und die Ouvertüre zu »Benvenuto Cellini« von Berlioz brachte, erspielte sich Ferruccio Busoni mit dem fünften Konzert von Saint-Saëns einen großen Erfolg. Weingartner errang sich in seinem ersten Konzert mit der Es-dur Symphonie von Mozart, im zweiten Konzert mit Wagner's Faustouvertüre und dem Siegfried-Idyll große Erfolge. Dagegen wollte die zum ersten Mal gebrachte »Trauer- und Triumph-Symphonie« von Berlioz (1840 komp.) mit ihren nur zu äußerlichen Effekten, die die innere Hohlheit des Werkes nicht verdecken können, wenig gefallen. Richard Strauß brachte im ersten Konzert die Bruckner'sche Symphonie Nr. 1, c-moll, die Friedenserzählung aus seinem »Guntram«, einen Monolog aus der Oper »Der faule Hans« von Alex. Ritter, beide von dem Tenoristen Forchhammer gesungen, eine symphonische Dichtung von Schillings, »Zwiegespräch« betitelt, und die Liszt'schen Festklänge. Die beiden Opernfragmente waren noch das beste des Tages, während die Symphonie Bruckner's und das Schillings'sche Tongedicht nur sehr geteilten Beifall fanden. Von Chorkonzerten fand bis jetzt nur ein einziges statt, dürfte aber als der Höhepunkt aller bisherigen Veranstaltungen bezeichnet werden: die am 15. Oktober stattgehabte Aufführung von fünf Bach'schen Kantaten durch den philharmonischen Chor unter Siegfried Ochs. Die Klangschönheit, die dieser Chor entwickelt, ist unübertrefflich, dabei zeigt sich der Dirigent als gründlicher Kenner Bach's. Es war ein seltener Genuß. — Von den Kammermusik-Veranstaltungen gedenke ich neben je einer Aufführung des Joachim- und Halir-Quartetts eines Quartettabends der Herren Waldemar Meyer und Genossen, die mit Eugen d'Albert am Klavier das zweite Klavierquintett op. 5 von Sgambati und das Es-dur-Quintett von Schumann in ausgezeichneter Weise zu Gehör brachten. Ein neues Kammermusik-Unternehmen muß noch erwähnt werden: die Herren Anton Hekking (Cello), Artur Schnabel (Klavier) und Wittenberg (Violine) veranstalten eine Reihe populärer Trio-Abende, deren beide erste bereits unter dem Zeichen »Ausverkauft« standen. Das Zusammenspiel der 3 Herren ist dem aequivalent, ich hörte Trios von Beethoven und Dvorak in ausgezeichneter Weise. Am ersten der beiden Abende sang die bekannte Altistin Therese Behr 3 Lieder des Herrn Schnabel, die sehr ansprachen. — Von Solisten-Konzerten möchte ich den Lieder-Abend eines jungen Komponisten Bernhard Sekles erwähnen, der sich, unterstützt durch die Sopranistin Clara Bornmüller und den Baritonisten Alex. Heinemann, als anscheinend großes Talent erwies, ferner das Konzert des vielversprechenden Klavierspielers Beklemischeff und der Violinisten Alex. Lewinger und Alex. Petschnikoff.

Darmstadt. Der hiesige Richard Wagner-Verein veranstaltete am 6. Oktober seinen dritten historischen, ausschließlich Carl Maria von Weber gewidmeten Abend. Das Programm enthielt: 8. Scene des I. Aktes aus »Euryanthe« (Eglantine, Frau Balser-Landmann), Grand Duo concertant für Klavier und Clarinette, op. 48: (Herren Dr. Willibald Nagel und Alfred Riechers), Klavier-Konzert Es-dur, op. 32 (Dr. Nagel), Clarinetten-Konzert Nr. 1 in Fmoll op. 73, außerdem 14 Lieder (Frau Balser-Landmann, Herr Reinhardt).

Dresden. Die Hofoper brachte Anfang Oktober mit großem Erfolg die einaktige Oper »Das war ich« von Leo Blech zur Uraufführung, (Siehe Spezialbericht Seite 63). Am 21. des Monats ging ebenda die erste deutsche Aufführung der Puccini'schen »Tosca« in Scene (Bericht folgt im nächsten Heft).

Elberfeld. Das Stadttheater brachte am 14. Oktober die Uraufführung der Oper »Rymond« von Koczalski. Der Erfolg war groß, wenn auch nicht ohne Widerspruch. Die Musik des ehemaligen Wunderkindes gipfelt jedoch in lyrischen Höhepunkten, während die dramatische Ader des Komponisten der Vertonung des Vorganges nicht in gleichem Maße gewachsen ist.

Frankfurt am Main. Donizetti's »*Don Pasquale*« in einer neuen Bearbeitung durch Otto Julius Bierbaum (Text) und Wilhelm Kleefeld (Musik) errang hier einen glänzenden Erfolg (Bericht folgt im nächsten Heft).

Hamburg. Ein neues Werk Massenet's »Le jongleur de Notre-Dame« kam im Stadttheater zur ersten Aufführung in Deutschland. (Siehe Spezialbericht Seite 53).

Lübeck. 3. Oktober. In einem von Frau van der Hellen unter Mitwirkung des Cellisten Jacques van Lier veranstaltetem Konzert brachte letzterer ein bisher unbekanntes, kürzlich von dem Oberbiliothekar der Musik-Abteilung der Kgl. Bibliothek in Berlin, Herrn Dr. Kopfermann, aufgefundenes Adagio von Beethoven, von Herrn van Lier für Cello arrangiert, auf seinem Instrument zum Vortrag.

St. Petersburg. Im kaiserlichen Marientheater ging eine neue Oper Rimski-Korssakow's »Servilia« in Szene.

Wien. In der Hofoper ging ein Jugendwerk Mozart's, »Die Zaide«, in einer Bearbeitung Dr. Robert Hirschfeld's mit Erfolg über die Bühne. Der Bearbeiter ergänzte das Werk durch Stücke aus Mozart's Musik zu dem Schauspiel »König Thamos« (Siehe Spezialbericht S. 66).

Vorlesungen über Musik.

Berlin. In der Lessing-Hochschule hat Herr Dr. G. Münzer für die Monate Oktober und November zwei Cyklen von je acht Vorträgen angekündigt: 1) *Richard Wagner und sein Hauptwerk »Der Ring des Nibelungen«*; 2) *Anleitung und Einführung zum Verständnis klassischer und moderner Tonwerke.*

Helsingfors (Finnland). Herr Dr. Ilmari Krohn hält während des laufenden Studienjahres (September 1902 bis Mai 1903) an der Universität folgende Vorlesungen: Entwicklung der Kirchenmusik des Mittelalters, 1 Stunde; Robert Schumann als Komponist und Ästhetiker, 1 St. — Außerdem las Herr Dr. Krohn in dem Ferienkurs für nicht-akademisches Publikum vom 4.—16. August in fünf Vorträgen über »Die alten Tonarten und ihr Auftreten in finnischen Volksmelodien«.

Nachrichten von Lehranstalten und Vereinen.

Berlin. Der Konzert- und Opernsänger Herr Umberto F. Fava hat hier eine *Sprachschule für Musikfreunde* errichtet, die insbesondere der Pflege der italienischen Sprache gewidmet sein soll. Außer italienischer Grammatik und Konversation wird ein Spezialkursus für Sänger mit folgendem Lehrplan abgehalten: Behandlung der Vokale allein, sowie in Verbindung mit Konsonanten; Wortübungen; Lektüre eines ausgewählten italienischen Opern-Textbuches; die Fraktion und das Atmen in der italienischen dramatischen Phrase; musikalische Interpretation berühmter italienischer Lieder oder Arien, sowie einzelner Opernpartien.

Breslau. Im kommenden Winter werden seitens des *Bohn'schen Gesangvereins* vier historische Konzerte stattfinden. Die Konzerte sind wie folgt festgesetzt. Am 30. November 1092: Loewe und Goethe (Goethe'sche Dichtungen von Carl Loewe komponiert); am 14. Dezember 1902: Lieder mit Worten. (Soli, Duette, gemischte Chöre, Männerchöre) und ohne Worte (Klavier) von Mendelssohn Bartholdy; am 22. Februar 1903: Julius Schäffer († 10. Februar 1902) als Komponist; am 8. März 1903: Geistliche Kompositionen von Joseph Ignatz Schnabel (1767—1831), unter Mitwirkung des Spitzer'schen Männergesang-Vereins. Die Konzerte finden, ebenso wie im Vorjahre, als Matinéen in der Aula Leopoldina der Kgl. Universität statt.

Helsingfors (Finnland). Das hiesige *Musikinstitut*, ein Privat-Unternehmen mit staatlicher Subvention, konnte im September die Feier seines zwanzigjährigen Bestehens begehen. Der Direktor der Anstalt, Herr Martin Wegelius, leitet das Institut seit dem Tage der Gründung und hat es auf die hohe Stufe gestellt, auf der es heute steht. In Anerkennung seiner Verdienste hat ihm die Regierung eine lebenslängliche jährliche Gratifikation von 3000 Francs zuerkannt. **Mannheim.** Die Leitung der nunmehr das vierte Unterrichtsjahr beginnenden *Hochschule für Musik* hat die Errichtung eines »Musiktheoretischen Seminars zur Erweiterung und Vertiefung der allgemeinen musikalischen Bildung« ins Auge gefaßt und den Herrn Musikdirektor Ph. Bade mit der Erstattung von »Akademischen Vorlesungen über Musiktheorie« betraut. Die hauptsächlichsten Themen, die diesen Vorlesungen zu Grunde liegen, lauten u. a.: Wesen der Musik überhaupt — Die allgemeine Musiklehre (Tonlehre, Intervalle, Dreiklänge, Septimenakkorde, Verzierungen, Rhythmik, Melodielehre) — Das harmonische Prinzip (der vierstimmige Satz) — Das melodische Prinzip — Motivlehre — Über den Kontrapunkt — Organik — Instrumentenlehre — Partiturlehre — Formenlehre — Vokal- und Instrumentalmusik — Über Talent und musikalische Anlagen — Über Musikunterricht — Die Kunstformen. Des weiteren sind in Aussicht genommen: »Vorträge mit Interpretationen am Klavier und musikphilosophische Vorlesungen«, die von Herrn Musikdirektor Ph. Bade und Herrn Kapellmeister Arthur Blaß übernommen wurden.

Notizen.

Berlin. Am 2. November werden im Beisein der Kaiserlichen und Königlichen Majestäten die beiden neuen Gebäude der Hochschule für Musik und bildende Künste unter großen Feierlichkeiten eröffnet, worüber in nächsten Hefte berichtet werden wird. — Der bekannte Musikforscher Robert Eitner feierte am 22. Oktober seinen siebzigsten Geburtstag. Er schaut auf ein arbeitsreiches Leben zurück, das er vor allem der Durchforschung der Bibliotheken nach musikalischen Schätzen widmete, und ist der eigentliche Begründer der Bibliothekskunde auf musikwissenschaftlichem Gebiete geworden. Seine wichtigsten Werke sind in dieser Hinsicht das vortreffliche »Verzeichnis neuer Ausgaben alter Musikwerke« und das noch unvollendete »Quellen-Lexikon«. Dazu gründete er 1869 die *Gesellschaft für Musikforschung*, welche die Monatshefte für Musikgeschichte und Publikationen älterer Musikwerke herausgiebt und damit der musikwissenschaftlichen Forschung immer neue Anregungen verlieh. Auch als Komponist war er thätig und zeigte noch jüngst (vergleiche Zeitschrift IV, S. 39), welch anmutige Frische sich hier sein Geist trotz unentwegter strengster Gelehrtenarbeit bewahrt hat. Geboren ist Eitner am 22. Oktober 1832 in Breslau; 1853 siedelte er nach Berlin über und lebt seit 1883 in stiller Zurückgezogenheit in Templin in der Uckermark. — Unter der Bezeichnung *Neue und selten aufgeführte Orchesterwerke* wird Ferruccio B. Busoni im November drei Konzerte mit dem Philharmonischen Orchester veranstalten. In Aussicht genommen sind unter anderem: skandinavische Kompositionen von Sinding und Sibelius, französische von Saint-Saëns und Ropartz, englische von Elgar, ferner eine sinfonische Dichtung des Direktors der Königlichen Akademie in Budapest, E. von Mihalowitsch, und Liszt's zweiter Mephisto-Walzer. Soweit es möglich ist, werden die Komponisten ihre Werke selbst dirigieren.

Bitterfeld. Die Bitterfelder Ortsgruppe des »deutschen Sprachvereins« veranstaltete in den Tagen vom 3. bis 6. Oktober in den Räumen der dortigen Realschule eine Ausstellung zur Wappen-, Familien- und Ortskunde der Kreise Bitterfeld und Delitzsch. Eine Abteilung gab dabei ein Bild von der Entwickelung des Musiklebens in den Städten der beiden Kreise. Wir heben das Interessanteste heraus:

1. Handschriftliche Hymnensammlung mit kunstvollen Initialen aus der Delitzscher Stadtkirche 1435. 2. Martin Rinckart, geb. 1586 zu Eilenburg. Bildnis, Handschriften, Jubel-Comoedia 1618, Musikalisches Triumph-Cräntzlein 1619 (aus der Um-

gebung des Komponisten stammend). 3. Sam. Scheidt, geb. 1587 zu Halle: Bildnis, Tabulatura nova 1624 (Handexemplar des Komponisten) und Neuausgabe, drei handschriftliche Briefe des Meisters an den Bitterfelder Rat und andere auf Scheidt bezügliche Schriftstücke aus den Ratsakten. 4. Thomas Selle, geb. zu Zörbig 1599: Bildnis und Schriften über den Komponisten. 5. Christoph Schultze, gestorben als Kantor zu Delitzsch 1683: Handschriften, Kompositionen (Collegium musicum delicii charitativum 1647, Unterweisung in der Singe-Kunst 1649, Passion 1653) und andere Druckwerke. 6. Werke von Marpurg, Quantz, Friedemann Bach u. a. (aus Bitterfelder Archiven). 7. Programme und Texte zu Kirchenmusiken des 18. und 19. Jahrhunderts. 8. Franz Abt, geb. zu Eilenburg 1819: Bildnisse und handschriftliche Kompositionen. 9. Bildnisse, alte Musikinstrumente, handschriftliche Kompositionen, Programmbücher und Trinkhörner aus dem Besitz der Kantoreien. 10. Oskar Fleischer, geb. zu Zörbig 1856: Bildnis und einige Werke.

Wenn man allerorten im Anschluß an heimatkundliche Ausstellungen das musikgeschichtliche Material an's Tageslicht ziehen uud ordnen wollte, so wäre damit der Musikwissenschaft ein wesentlicher Dienst geleistet. Denn diese kann nur da mit Erfolg einsetzen, wo eine reichliche und gründliche Kleinforschung vorangegangen ist. Daran aber gerade fehlt es auf musikalischem Gebiete, obgleich in den Archiven der kleinen und kleinsten Städte eine reiche Fülle schätzenswerten Materials noch unentdeckt lagert. Niemals sollte man es versäumen, den Ausstellungen, die zu Heimatfesten und Städtetagen, zu Provinzialversammlungen und anderen festlichen Gelegenheiten veranstaltet werden, eine Musikabteilung hinzuzufügen. Namentlich müßten sich auch unsere städtischen Sammlungen für Ortskunde der musikgeschichtlichen Vergangenheit der Heimat mit Liebe annehmen und unter sachkundiger Beihilfe eine besondere Abteilung bilden. War doch Musik die einzige Kunst, die unsere Altvorderen in den Mittel- und Kleinstädten pflegten; sie hob den Bürger empor über das Alltägliche, sie steigerte seine Freuden und linderte seinen Schmerz. Auch die bescheidenste Sammlung wird das Interesse des Fachmannes erregen und einen Stein bieten zu dem großen Bau der Wissenschaft. A. W.

Bristol. — A *Musical Festival* was held here 8, 9 October 1902; conductor George Riseley, org. of Colston Hall. Among other things Berlioz' Requiem (1837, op. 5, for burial of Gen. Damrémont). Alfred Kalisch (III. 412) says in "World" newspaper. —

"His effects are all external; his megalomaniac religion was more a matter of overwrought nerves than conviction. The extraordinary apparatus of extra brass and additional drums which he calls into being here is interesting — just as the largest steam-hammer in the world would be interesting — but it is not beautiful, or even impressive. And it is not even used with the highest skill. The great machine creaks and lumbers heavily along. We are never able to feel that the whole had been invented in one moment of inspiration, but it sounds horribly laboured and uncouth, just because it was written at such a breakneck speed. The common-place ideas are stifled in the mass of sound and yards of dry counterpoint. Yet it is extraordinary; and one cannot but admire the intrepidity of the young orchestral pioneer who, in 1837, could think of accompanying a chorus in a Requiem with flutes and trombones. But if one asks oneself whether the effect is really a devotional one, one must confess that it is not. The only really beautiful number is the simplest — the Sanctus, in which there is an expressive tenor solo."

Nevertheless the effect at Bristol was immense. B. has conquered with his instrumental music, and is likely to conquer with his choral. Elgar conducted "Cocaigne" overture, Coronation Ode (see "Sheffield"), and "Pipes of Pan" song (1st time in England). Grieg's "Bergliot" recited (Brown Potter). Song-cycle by the local teacher Joseph Roeckel (1838 —), youngest son of Opera-director J. A. Roeckel (1783—1870), and brother of Wagner's Augustus Roeckel (1814—1876). Theo. Parker conducted his "St. Christopher" entire (IV, 32). Paderewski in concertos. E. G. R.

Cardiff. — The Rev. Joseph Harris, editor of the Seren Gomer, wrote in 1814: — "It is supposed by some, and no one can disprove it, that Welsh was the language spoken by Adam and Eve in Paradise". If that was so, it is difficult to know by whom Gaelic was talked, for philology shows it to be older. However this may be, modern Welsh is practically the same language that was heard spoken by Caesar and Agricola, and it shows no signs yet of being abandoned. It is closely allied to Breton. The Eisteddfod, an annual national "sitting" for the encouragement of Welsh bardism, music, and general literature, dates from at least the end of the 4th century A. D. This lasts 3 or 4 days. whereas prizes are competed for; among other things for choral and solo singing, and singing with the harp. In 1883 the Eisteddfod was held here at Cardiff (Caer-Taff, Fort of the Taff), the southern port of Wales; in deference to its size, though it is not central. Singers being stimulated by this, two *General Music Festivals* were held in 1892 and 1895 (Barnby). In 1892 were done in particular Mackenzie's "Dream of Jubal", and the Welsh composer Joseph Parry's "Saul of Tarsus"; in 1895, Tinel's "St. Francis", first time in England. Money was lost; at former £ 700, at latter £ 500. However, undeterred, a third Festival was held this year 8—10 October, cond. Cowen. — Noticeable works only need be mentioned. Cowen's dramatic oratorio "Ruth" was written for Worcester Festival of 1887 (libretto Joseph Bennett); the music always in sympathy with the situation, and fascinating by its grace and melodiousness; the dance-music in harvest scene most original. The "Beatitudes" of César Franck (1882—1890) occupied him from 1870 to 1880. He had previously written oratorios "Ruth" (1846), and "Redemption" (1872). He has been described as a man always in a hurry, always in black, and always wearing too short trowsers. This music does not accord with eccentricity. The form of book is unique. The 8 blessings announced by the Saviour in Matth. V, 3—10, are placed as mottoes at head of as many sections. The librettist, Mme. Colomb, freely illustrates the mottoes. A number of characters speak in the 1st person. There are: — children of pleasure, terrestrial choir, celestial choir, slaves, heathen, Israelitish women, 4 Pharisees, a wife, a widow, an orphan, a husband, the Virgin Mary, Satan, the Voice of Christ. Each number illustrates the antithesis of the blessing, succeeded by illuminating words from the Saviour and confirmatory phrases from the celestial choir. In the final number the defeat of Satan is announced in a solo by the Virgin Mary, and there is a chorus of jubilation. Great and impressive contrasts are induced. The instrumentation is perhaps the weakest feature, but the whole is a nobly conceived and fluently written composition, a good deal stronger in calibre than Gounod's "Redemption" or "Mors et Vita". Audience much impressed. — Saint Saëns' "Samson and Dalilah" was partly written in 1869, and first produced on the stage in 1877 at the Grand Ducal Theatre, Weimar; repeated at Rouen and Paris. First heard complete in London at Covent Garden Promenades (Cowen) in 1893. At Queen's Hall in 1896 and 1899, and elsewhere. The contralto Muriel Foster, lately come much into notice, distinguished herself here as Dalilah. — Two orchestral "tone-poems" by Arthur Hervey were commissioned for Festival, "On the Heights" and "On the March". H. is well known for songs and chamber-music, and see under "London". The first is a meditation with main theme quietly melodious, working up to a climax after the central point of piece. The second jubilant and inspiriting. Specially well orchestrated. Immediate success with the audience. Composer conducted. — No Welsh music, and much French music, at this Festival. It has at last paid its way; will now become triennial. Cowen showed much ability. — The "Pilot" of 18 October 1902 has a full special article on the "Beatitudes" by W. Barclay Squire. Thus regarding Bruckner and Franck, and *Franck's art-life:* —

"To Bach posterity has made some amends for the neglect with which he was treated by his own generation, but there are many nearer our own day to whom the whirling of time has not yet brought its revenge, and whose life-work, if it is known at all, still trembles in the balance of the judgment of posterity. Among the composers of the last century two names are specially prominent — if the epithet is not misleading — as those of men whose career was passed in a steady pursuit of their art, undeterred by neglect, and unattracted by the charms of popular success. There is indeed a striking similarity between the lives of Anton Bruckner and César Franck. Both were singularly simple-hearted and devout, and to both renown has only come slowly and by degrees after their deaths.

In the case of Bruckner, posthumous fame seems slower to make amends than it does in that of Franck, but the latter had the good fortune to gather round him a group of young men who, sometimes not too wisely, have of late years devoted themselves to the propaganda of a cult for their deceased master. ... At present there is a tendency among his pupils to rank his name among the greatest of the last century: while, on the other hand, one cannot altogether disregard the sneers with which men like Gounod received his music, nor the utterances of so respectable an authority as M. Saint-Saëns, who has pronounced him an "influence néfaste" in modern French music. His position among his European contemporaries will probably eventually be that of one who narrowly missed the first rank. ... Seemingly destined in his boyhood to become a mere pianoforte virtuoso, at an early age Franck settled in Paris, where for the remaining 50 years of his life he was content to live in comparative obscurity, barely supporting his family by constant labour in teaching, and only composing for his own pleasure and with no prospect of earning money by his music. For 10 or 12 hours a day he gave lessons, besides conducting a large amount of instruction by correspondence. On Sundays he presided at the organ at St. Clotilde, and, though his position as Professor of Organ and Improvisation at the Conservatoire gained for him in 1885 the title of Chevalier of the Legion of Honour, yet he was held of so little consideration by his colleagues that the Conservatoire was not even officially represented at his funeral in 1890. So modest were his means that though he was both attracted and repelled by Wagner's music, he was never able to afford a journey to Bayreuth to hear "Parsifal". For a man living a life of constant toil to have produced such works as Franck did in almost every branch of music, his character must have been one of singular force. He had no opportunity of hearing any of his most important compositions, and the work upon which he set most store and by which he hoped to be ultimately judged, his oratorio "Les Béatitudes", was only performed in Paris 3 years after his death. Since then it has slowly, but steadily, made its way; it has been heard in Belgium and Germany, and though two years ago a single performance at Glasgow passed almost unnoticed, last week it formed the most interesting feature at the Cardiff Festival. ... The prevailing note of the music throughout is its intense sincerity and deep religious feeling — not the kind of superficial religiosity to be found in what Huysmans has dubbed the "mystique égrillarde" of Gounod, but a deeper and more earnest religion to find a counterpart to which one has to go back to the sacred music of Bach".   E. G. R.

Köln am Rhein. In der letzten Sitzung der städtischen Musikkommission, der Vorstände des Konservatoriums und der Konzertgesellschaft wurde Generalmusikdirektor Fritz Steinbach in Meiningen einstimmig als Nachfolger des kürzlich verstorbenen Prof. Dr. Wüllner in dessen Eigenschaft als *städtischer Kapellmeister, Direktor des Konservatoriums* und der *Gürzenich-Konzerte* erwählt. Herr Steinbach, der die Wahl angenommen hat, wird sein neues Amt am 1. März antreten.

London. — The record of *Henry J. Wood* (see Sheffield) is partially given in Stratton and Brown's Dictionary (III, 377), nowise in others. The following is fuller account to date. 1870 b. in London. 1880 deputy organist at St. Mary's, Aldermanbury. 1883—5 gave organ-recitals at Fisheries Exhibition, S. Kensington. 1886 entered R. A. M.; where under Prout, Steggall, W. Macfarren, Garcia, &c., and accompanist to vocal classes. 1889 cond. of Rouseby Opera Company. 1890—2 cond. of various ventures (Carl Rosa, Burns and Crotty, provincial tours; Thomas's "Mignon" at Royalty theatre, Gounod's "Medecin malgré Lui" at Crystal Palace; &c.). 1892 cond. Lago's Opera Season (Eugene Onegin, &c.) at New Olympic theatre. 1892—4 taught operatic singing in London (Queen's Hall was opened 25 November 1893). 1894 musical adviser and chorus-master for Schultz-Curtius's Wagner Concerts (Mottl). 1895 engaged by Robert Newman for Queen's Hall Promenade concerts, Symphony concerts, Sunday concerts, &c. (about 900 concerts to date). 1896 cond. Stanford's "Shamus O'Brien" at Opera Comique theatre (over 100 nights). 1897—1902 conducted large Societies at Nottingham and Wolverhampton. 1898 appeared before Queen Victoria at Windsor with orch. of 110. 1902 cond. Sheffield Festival, his first festival engagement. Formerly W. composed a great deal, which discontinued for last 9 years. Has lectured, and published a vocal method.

"Musical Times" of 1st October 1902 gives an account of *Fritz Volbach*, whose "Easter" performed at Sheffield. Not yet in dictionaries. Born 17 December 1861 at Wipperfürth near Cologne. First at Cologne Conservatorium (F. Hiller). Then to

Universities of Heidelberg and Bonn. In 1885 entered at Roy. Acad. of Music at Berlin; with Haupt (organ), Grell and Taubert (counterpoint). In 1886 Professor of history &c. at same. In 1891 became conductor of Societies and Handel Festivals at Mayence. Has written life of Handel. Compositions besides the above: — Ballad-cycle, "Page and King's Daughter"; symph. poem, "Es waren zwei Königskinder"; Gutenberg Jubilee cantata; quintett for wind and piano; cantata "Raphael"; etcetera.

E. G. R.

Mannheim. Der Bühnenumbau des Hof- und Nationaltheaters, der neben allen der Neuzeit entsprechenden technisch-maschinellen Einrichtungen auch eine Tiefer-legung des Orchesterraumes brachte, ist zum Beginn der Saison vollendet worden. — Wie im Vorjahre wird auch im kommenden Winter das Großherzogliche Hoftheater-Orchester unter Leitung des Hofkapellmeisters W. Kähler acht »Musikalische Aka-demien« unter Mitwirkung hervorragender Solisten im Hoftheater veranstalten. Zur Bequemlichkeit der Konzert-Abonnenten hat die Direktion eine ausführliche Übersicht über die nach den vorläufigen Festsetzungen in Aussicht genommene Werke heraus-gegeben. Hiernach sollen von größeren Werken aufgeführt werden: Sinfonie Nr. 3 und 5 von Beethoven, 4. Sinfonie von Brahms, 3. Sinfonie von Bruckner (Dmoll), Sin-fonie mit dem Paukenschlag von Haydn, Sinfonie Fdur op. 9 von Hermann Götz, 5. Sinfonie Emoll von Tschaikowsky, »Eine kleine Nachtmusik« von Mozart, »Till Eulenspiegel« von Richard Strauß, Suite für Streichorchester von R. Volkmann (op. 63), »Tàbor«. Symphonische Dichtung aus dem Cyclus »Mein Vaterland« Nr. 5 von Fr. Smetana. An Novitäten sind noch zu nennen: »Lemminkäinen zieht heim-wärts«, Legende für großes Orchester von J. Sibelius; 2. Sinfonie in Esdur, »Das Gefilde der Seeligen«, Symphonische Dichtung von Weingartner.

Paris. Les Concours de sortie du *Conservatoire de musique et de déclamation* ont eu lieu comme de coutume, au mois d'août dernier. Parmi les noms de lauréats qui peuvent devenir célèbres dans l'avenir et qu'il faut dès maintenant enregistrer, citons; pour la composition (le sujet était, comme de coutume, une cantate, Alcyo-ne, de MM. Eugène et Edouard Adenis): M.M. A. Kunc, élève de M. Ch. Lenep-veu, 1er grand prix; Roger Ducasse, élève de M. G. Fauré, 1er second grand prix; et Bertelin, élève de M. Ch. Lenepveu, membre de l'IMG., élève de M. Ch. Widor. Les autres premiers prix furent: pour l'harmonie, Mlle de Orelly et M. Marcel Rous-seau; pour la fugue, M. Gallois; pour le solfège MM. Billot, Levison; Melles Emeric, Guionie et Lassara; pour l'accompagnement au piano: Mlle L. Joffroy et M. Estyle; pour le violon, MM. Lastringant, de Montureux; pour le piano, MM. Florian et Krie-ger; Mlles H. Debrie, Arnaud et Abadie; pour l'orgue, M. Foudrain.

Aux concours publics, les premiers prix furent ainsi décernés:

Contrebasse: MM. Gaugin et Gasperini; Alto: MM. Vieux, Marchet et Drouet; Violoncelle: Mlle Clément, M. Bedetti; Violon: Mlles Stubenrauch, Playfair, Védrenne et Chemet; MM. Bloch et Dorson; Harpe: Mlles Meunier et Poulain (2e prix; pas de 1er prix); Piano: MM. Garès, Gille, Arcouet; Mlles Lemann, Neymark et Mallet. Pour le chant, les premiers prix échurent à M. Billot et à Mlles Demougeot, Gril et Féart. Ceux d'Opéra-comique à Mlle Van Gelder; pour les hommes, il n'y eut ni 1er ni 2d prix; des accessits furent accordés à MM. Levison et Mirveille; les prix d'Opéra enfin, à M. Gilly, à Mlles Féart et Demougeot.

Les premiers prix pour les bois (flûte, hautbois, clarinette et basson) ont été à MM. Dusausoy, Gobert, Arambourou et Oubradous; pour les cuivres (cor, cornet à pistons, trompette et trombone), à MM. Lamouret, Harscoat et Vignal (ex aequo), Bailleul et Bizet (idem); Foissy et Delbos (idem).

Les grands *Concerts symphoniques, Colonne et Lamoureux*, ont recommencé leurs séances le 19 octobre. Au Châtelet, M. Colonne à l'intention de faire entendre cette saison:

Œuvres pour soli, chœurs et orchestre.

Bach: Cantate pour tous les temps; Berlioz: La Damnation de Faust; Gustave Charpentier: La Vie du Poète; Claude Debussy: La Demoiselle élue;

César Franck: Les Béatitudes; Schumann: Faust; Saint-Saëns: Parysatis; Richard Wagner: Fragments de la Tétralogie et de Parsifal.

Œuvres symphoniques:

Symphonies de Haydn, Mozart, Beethoven, Schumann, Brahms (Les quatre symphonies!; de Franck, Gernsheim, Lalo, Rabaud et Widor.

Œuvres diverses:

Les deux Invitation à la valse de Berlioz et Weingartner; les deux Marche hongroise de Berlioz et de Liszt; les deux Procession nocturne de Liszt et Rabaud; le Mazeppa de Liszt; le Don Juan de Richard Strauss; diverses œuvres de compositeurs français: Massenet, Busser, Bachelet, d'Indy, Joncières, Pierné, Trémisot, Kœchlin, etc.

Les artistes suivants doivent prêter leur concours pour l'exécution de ce programme varié: les chefs d'orchestre Grieg, Nikisch, Gernsheim et Mlynarski, directeur du Conservatoire de Varsovie; les pianistes Carreño, Diémer, Pugno, Philipp, Goldschmidt et Wurmser; les violonistes Auer, Sarasate, Jacques Thibaut, Ysaye; et, pour la partie vocale, Mmes Bréma, Caron, Ekman, Gulbranson, Lilli Lehmann, Felia Litwinne et Marcella Pregi.

Au Nouveau-Théâtre, où M. Chevillard dirige des Concerts de l'Association du Concerts Lamoureux, les œuvres suivantes sont inscrites au programme: Les neuf Symphonies (Beethoven); les quatre Symphonies (Schumann); la 4e de Brahms; la Damnation de Faust (Berlioz); le Rheingold, déjà exécuté les 19 et 26 octobre et des fragments du troisième acte de Parsifal; la Hunnenschlacht et la Faust-Symphonie, de Liszt; des fragments d'Armide (Gluck); une Symphonie de J.-G. Ropartz, le kapellmeister de Nancy; les Valses romantiques, de Chabrier-Mottl; le Prélude à l'Après-midi d'un Faune (Debussy); Thamar (Balakirev); Concerto pour piano (L. Moreau); La Forêt (Glazounov); Namouma, suite d'orchestre (Lalo). Parmi les artistes déjà engagés pour ces concerts, les kapellmeister Weingartner et R. Strauss; Mmes Teresa Carreño, Bloomfield-Zeitler et Faliero-Dalcroze; MM. Louis Diémer, E. Sauer, H. Marteau, de la Cruz, Fröhlich; Mme Jeanne Raunay, etc.

La Société des Concerts du Conservatoire, n'a pas encore définitivement arrêté son programme; cependant, parmi les œuvres que dirigera M. Georges Marty, on peut déjà citer:

La Passion selon S.-Jean (J.-S. Bach); la IXe Symphonie; l'Oratorio de Noël (Saint-Saëns); le Requiem (Mozart); le Quam dilecta (Rameau); le Songe d'une nuit d'été (Mendelssohn); parmi les virtuoses qui se feront entendre au Conservatoire, citons MM. Louis Diémer et Ed. Risler, pianistes, et le violoniste Louis Capet.

L'Opéra prépare, après l'innommable Don Juan (en cinq actes, je crois et un ballet! qu'il joue en ce moment), les reprises de: la Statue (Reyer), Henry VIII (Saint-Saëns); et les premières représentations d'un ballet, Bacchus (Duvernoy) et des Bajazzo (Leoncavallo) qui servira de rentrée à M. Jean de Reszké.

M. Albert Carré, directeur de l'Opéra-comique annonce un certain nombre de nouveautés très intéressantes et qui preuvent qu'il désire maintenir son théâtre au premier rang de nos scènes lyriques: la première nouveauté de la saison sera Muguette (Edmond Missa); puis viendra la Carmélite (Raynaldo Hahn); ensuite, Titania (Georges Hüe); la Reine Fiametta (X. Leroux); le Secret de maître Cornil (Parès); etc. Comme reprises, après celle du Roi d'Ys, d'Edouard Lalo, M. Carré promet celles de la Princesse Jaune (Saint-Saëns); le Pré-aux-Clercs (Hérold); le Médecin malgré lui (Gounod); Richard-Cœur-de-Lion (Grétry), etc.   J.-G. P.

Sheffield. — Several "Shires" of N. England, as Bamboroughshire, Hallamshire, Hexhamshire, Islandshire, Norhamshire, are generally ignored. Sheffield is capital of Hallamshire, extreme N. of Derbyshire, extreme S. of Yorkshire. Derby and Yorks both celebrated for broad accent, and rich singing-voices. Sheffield, catching water-shed of several hills, had many water-dams, and hence a tool-grinding industry, which became a general cutlery trade. Northern artisans always cultivate music. — The first *Musical Festival* here was on 9 October 1805. From 1809 to 1822 this was triennial with Leeds and York (cf. Three Choirs Festival of West Midlands, Gloucester, Worcester, Hereford, IV, 31), From 1833 to 1844 it was quadrennial with Leeds, York, and Hull. Then for 50 years musical lethargy. — In the nineties a remarkable man came on the scene. Henry Coward, b. at Liverpool 26 November 1849 but a York-shireman and brought up at Sheffield, began life (8—22) as an artisan, a working cutler. At age 22, having latterly taught local singing-classes under Curwen's Tonic Sol Fa College, he left the artisan bench to become successively pupil-teacher in one private school, master of another, head-master of a Government Board school. All this time he had been training singing-classes, conducting choirs, and writing music for the same, as an amateur. For 15 years from age 34 he was mus. critic to the "Sheffield Independent". At age 39 he adopted music-teaching and music-lecturing as a profession. At age 40 he went to Oxford and took Mus. Bac. degree (1889), at age 45 Mus. Doc. (1894). These are very unusual proceedings for an artisan wholly self-taught. "Musical Times" of 1st January 1902 contains full account of C. — C.'s impressive personality, restless push, and skill in choir-training stimulated Sheffield in 1895 to a revived Festival ("Elijah", 10 October 1895, St. Cecilia Mus. Society, cond. by himself). On 13, 14 October 1896 a 2nd Festival, cond. by August Manns; principal works "Elijah", "Golden Legend", Parry's "Job", Berlioz' "Faust". The few critics who attended this were astonished at choral results. On 11—13 October 1899 a 3rd Festival cond. by August Manns; principal works Elgar's "King Olaf", Saint Saëns' "Samson' and Delilah", Parry's "King Saul", "Golden Legend", "Hymn of Praise", Choral Symphony. The northern counties have strong English "sporting" instincts, and hence a passionate eagerness to outvie Leeds chorus, the premier chorus of England ;III, 60). Leeds Festival dates practically from 1874, Birmingham from 1768; but Sheffield at once under Cowards's chorus-master initiative shook supremacy of both. The Sheffield "Albert Hall", built 1873, is small, yet profit on the 2 Festivals was £ 1635. — For 1902 Festival (1—3 October 1902) unlimited efforts to confirm 1899 impression. Manns having retired, Henry J. Wood (see London) was engaged as gen. conductor. He stipulated for Diapason Normal pitch (A. 435 vib. per second at 59° Fahrenheit; I, 21), and immediately the Secretary of Festival, Mr. Willoughby Firth, gave £ 800 from his own purse to lower pitch of Cavaillé-Coll organ. This was built at 444, but raised during erection to 452. Amount "guaranteed" for Festival £ 12,512. Voluntary chorus of 335 (90, 81, 74, 90), almost a chorus of 335 soloists. Principal works set down: — "Elijah", "Gareth and Linet" (H. Coward, new), "Triumphlied" (Brahms), "Gerontius" and "Coronation Ode" (Elgar), "Wandrer's Sturmlied" &c. (Rich. Strauss), "Ode to Passions" (Cowen), "Israel in Egypt", "Jesu, priceless treasure" (Bach), Stabat Mater (Dvorak), "Meg Blane" (Coleridge Taylor, new), "Easter" (Volbach, newly arranged), Duet from Gunlöd (Cornelius, arr. by Mottl), "Blest Pair of Sirens" (Parry), "Hymn of Praise". Almost too much music. — In the result Wood made this Festival the most remarkable provincial event of the year. His rendering of the "Elijah", only to be described as an absorption of the whole and a giving of it out again, was an exhibition never before seen in England. The works performed must be spoken of on some other occasion; except to note that "Gerontius", almost a failure at Birmingham in 1900, was a complete success here. E. G. R.

Strafsburg im Elsafs. Für den bevorstehenden Winter werden 8 *Konzerte* des *städtischen Orchesters* unter Leitung des Direktors des städtischen Musikkonservatoriums, Professor Franz Stockhausen, angekündigt. Die Programme werden folgende Orchesterkompositionen enthalten: a) Ouvertüren: Beethoven, »Leonore« Nr. 1, Beethoven, »Egmont«, Beethoven, »Weihe des Hauses«; Berlioz, »König Lear«; Brahms, »Tragische«, Brahms, »Akademische«; Dvorak, »Karneval-Overtüre«, Dvorak, »Mein Heim«; Edw. Elgar, »Konzert-Ouvertüre«; Gluck, »Alceste«; Goldmark, »Sakuntala«; Haydn, »Ouvertüre zur Oper »Isola disabitata«; Massenet, Ouverture de Phèdre; Mendelssohn, »Meeresstille und Glückliche Fahrt«; Weber, »Abu-Hassan«, Weber, »Euryanthe«. b) Symphonien: Beethoven, Nr. 1 und 5; Berlioz, »Fantastique«, Berlioz, »Romeo und Julie«; Brahms, D-dur Nr. 2; Dräseke, »Tragische Symphonie« in C-dur; Glazounow, Nr. 5 B-dur; Haydn, »La Reine«, Haydn, »Ungedruckte Symphonie« in F-dur; H. Huber, 2. Symphonie (Böcklin); Tschaikowsky, Symphonie Nr. 2 und 5; Mozart, D-dur; Schubert, C-dur; Schumann, Es-dur Nr. 3; Dvorak, Nr. 2 D-moll. c) Symphonisches: Berlioz, 3 Sätze aus »Damnation«; Bizet, Suite »Jeux d'enfants«; Bach, Brandenburgisches Konzert« in G-dur, Bach, Suite für Flöte und Streichorchester; Brahms, Serenade in D-dur, Brahms, Variationen über ein Thema von Haydn; César Franck, »Le chasseur maudit«; Paul Dukas, »L'apprenti sorcier«; Grieg, 2 elegische Melodieen für Streichorchester; Liszt, Symphonische Dichtung »Orphée«; Mozart, Concertantes Quartett für Blasinstrumente; Saint-Saëns, »Danse macabre«, Saint-Saëns, »Rouet d'Omphale«; Schubert, Entre-Akt, Musik aus »Rosamunde«; Volkmann, Serenade in D-moll; Volbach, »Es waren zwei Königskinder«; R. Strauß, »Tod und Verklärung«.

Stuttgart. An der Stelle, wo das am 19. Januar 1902 abgebrannte alt-ehrwürdige *Hoftheater* stand, soll ein großer Monumentalbau erstehen, dessen Fertigstellung jedoch mehrere Jahre in Anspruch nehmen wird. Um nun während des Neubaues dem Gesamt-Personal von Oper und Schauspiel ein Heim zu schaffen, wurde in weniger als sechs Monaten ein solider Theaterbau, Interims-Theater genannt, aufgeführt und am 12. Oktober in Gegenwart des Königspaares durch eine Festvorstellung des »Tannhäuser« seiner Bestimmung übergeben. Der Zuschauerraum mit seinen 1100 Plätzen zeichnet sich durch vortreffliche Akustik aus. Man hofft, daß das Interims-Theater auch nach Fertigstellung des eigentlichen Hoftheaters der Kunst erhalten bleiben und dieses der Oper, jenes dem Schauspiel dienen wird.

Wien. Der Unterrichtsminister von Hartel hat an sämtliche Landes-Chefs den nachstehenden Erlaß ergehen lassen: Die *»Universal-Edition«*-Aktiengesellschaft in Wien, Maximilianstraße Nr. 11, beabsichtigt im Rahmen ihres mustergiltigen Unternehmens eine Reihe von Bänden zu veröffentlichen, deren Gesamtheit *»Das Volkslied in Österreich«*, eine musikalisch-nationale Sammlung in einzelnen Bänden darstellen soll, wie sie bisher in so vollständiger Weise noch nicht existiert. Die Perlen des österreichischen Volksliedes sollen auf diese Weise nicht allein im Lande selbst, sondern, der internationalen Vertriebsthätigkeit der »Universal-Edition« entsprechend, der gesamten musikalischen Welt zugänglich gemacht werden. Die Gesellschaft beabsichtigt, die Lieder sowohl mit dem Original-Nationaltext, als auch in guter deutscher Übersetzung erscheinen zu lassen. Da dieses auf die Erhaltung der Volkslieder und deren weiteste Verbreitung gerichtete Unternehmen nicht nur ein patriotisches Werk darstellt, sondern auch der heimatlichen Kunst und dem österreichischen Volkscharakter ein unvergängliches Denkmal zu setzen bestimmt erscheint, halte ich dasselbe in jeder Beziehung für förderungswürdig. Die Beschaffung des umfangreichen Materials würde jedoch der Gesellschaft bedeutende Schwierigkeiten bereiten, und es könnte, wenn dies derselben allein überlassen bliebe, die Vollständigkeit der Sammlung leicht Schaden nehmen. Ich beabsichtige daher die Gesellschaft hierin nach Kräften zu unterstützen. Am zweckmäßigsten erscheint mir in dieser Beziehung, wenn die Mitwirkung der Schulbehörden, insbesondere auch des Lehrpersonals des Landes, weiter die einzelnen Musiklehranstalten (hierbei in erster Linie die staatlich subventionierten), endlich die einzelnen musikalischen Vereine und sonst als Sammler von Volksliedern bekannte Persönlichkeiten herangezogen würden. Ich beehre mich daher, Eure Exellenz zu ersuchen, von Obigem die Schulbehörden zu verständigen und deren Mitwirkung an dem Gelingen des Werkes zu veranlassen, sowie die übrigen dabei in Betracht kommenden Faktoren auf das Unternehmen entsprechend aufmerksam zu machen und denselben die möglichste Mitwirkung ans Herz zu legen. Als Material für das Werk wären zunächst die bereits in Druck erschienenen Ausgaben der betreffenden nationalen Volkslieder, weiter Manuskripte solcher Volkslieder und Abschriften derselben aus Sammlungen und musikalischen Archiven zu betrachten. Die aus der Beschaffung dieses Materiales sich ergebenden Kosten ist die genannte Gesellschaft bereit, aus Eigenem zu tragen, doch wird dort, wo es sich um die Bewilligung namhafterer Beträge handelt, vorher die hierortige Zustimmung einzuholen sein. Hinsichtlich der von Eurer Excellenz diesbezüglich eingeleiteten Maßnahmen, sowie über das Resultat derselben sehe ich einem Berichte seinerzeit entgegen. Der Minister für Kultus und Unterricht: Hartel m. p.

Kritische Bücherschau
der neu-erschienenen Bücher und Schriften über Musik.
Referenten: W. W. Cobbett, E. Euting, O. Fleischer, W. Grey, Elsa Schmidt, J. Wolf.

Denkmäler der Tonkunst in Österreich. Oswald von Wolkenstein, Geistliche und Weltliche Lieder, ein- und mehrstimmig. Bearbeitet: der Text von Josef Schatz, die Musik von Oswald Koller. Wien, Artaria & Co., 1902. 7 Reproduktionen, Vorbemerkung und 233 Seiten in Folio. ℳ 20,—.

Mit der Herausgabe der Lieder des Wolkensteiners, eines der letzten Vertreter des Minnesangs, haben sich die Denkmäler der Tonkunst in Österreich ein bedeutendes Verdienst um deutsche Litteratur und Musik erworben. Zwar lagen die Texte bereits seit 1847 durch Beda Weber veröffentlicht vor. Diese Ausgabe war aber, worauf Zingerle in den Sitzungsberichten der Wiener Akademie (phil. historische Klasse, Jahrgang 1870) besonders hingewiesen hat, völlig ungenügend. Die Musik des Wolkensteiners war bisher nahezu ein leeres Blatt. Wer wußte etwas von Melodien und gar von mehrstimmigen Gesängen Oswalds? Einige wenige Melodien im Altdeutschen Liederbuche von Fr. M. Böhme machten die ganze Kenntnis aus, die wir vom Wolkensteiner-Codex, einem der ältesten Denkmäler mehrstimmiger gemessener Musik in Deutschland, besaßen.

Die Textausgabe Josef Schatz's zu beurteilen halte ich mich nicht für kompetent. Seine Beschreibung der der Ausgabe zu Grunde liegenden Handschriften in Wien und Innsbruck ist jedenfalls mustergiltig und die zusammenfassende Lebensbeschreibung des Wolkensteiners höchst dankenswert.

Stand schon der germanistische Bearbeiter bei der Fülle von Lesarten keiner kleinen Aufgabe gegenüber, so hatte der musikalische mit den größten Schwierigkeiten zu kämpfen, Schwierigkeiten, die nur derjenige richtig abzuschätzen weiß, der selbst Wolkenstein-Lieder übertragen hat. Schon bei den einstimmigen Gesängen ist es nicht immer leicht zu entscheiden, ob gemessene oder ungemessene Weisen vorliegen. Tage, ja Wochen erfordert es aber zuweilen, die Stimmen eines mehrstimmigen Satzes zu vereinigen. Manche Notenreihen scheinen anfangs jedem Lösungs-Versuche zu spotten, bis endlich Schreiber-Willkürlichkeiten eliminiert und Eigenheiten der Notation erkannt werden. Daß derartige Tonreihen nicht immer eine in allen Punkten gesicherte Lösung zulassen, braucht wohl nicht betont zu werden. Auch ich bin an mehreren Stellen zu anderen Lösungen gelangt, ohne aber größere Richtigkeit für dieselben in Anspruch nehmen zu wollen. Im Gegenteil stehe ich nicht an, der Leistung Koller's meine größte Achtung zu bezeugen.   J. W.

Hill (see below). Antonio Stradivari. London, W. E. Hill & Sons, 1902. pp. 303. Royal 4 to, 11³/₄ in.×8¹/₄ in. £ 2/2/0.

Fuller title is: — Antonio Stradivari, his Life and Work (1644—1737) by W. Henry Hill, Arthur F. Hill, F. S. A., and Alfred E. Hill, with an introductory note by Lady Huggins. Drawings by Shirley Slocombe, chromolithographed by Nister of Nuremberg. — The long-delayed appearance of this book is an example of wise reticence. Premature publication would have prejudiced the value it undoubtedly possesses as a complete store-house of information. Research made with the assistance of Signor Mandelli of Cremona into the archives of his native town. Chapter on family history sepulture, &c. is in consequenee full of interest, but as far as his life is concerned S. surrendered himself so completely to his work for 75 years that nothing else matters. This is fortunate for the world. Influenced by Amati up to 1690 (the "amatisé" pattern), in the next decade by Maggini (long pattern), he worked on individual lines for the rest of his life, but occasionally reverted to old patterns. With an infinite capacity for taking pains, S. was thus far a genius; but he relied rather on careful experiment, and comparison with predecessors' work, than on flashes of intuition. Finest period from 1700 to 1715, but superb work turned out when an octogenarian; one violin is labelled 1737, d'Anni 93, the year of his death. Facsimiles given of this label and of many others. Chapter on the violoncellos of S. a note-worthy contribution to the literature of the instrument, previous writers having dealt very meagrely with the subject. Yet S. made violoncellos which represent the high-water-mark of his achievements. Piatti's opinion confirm this. That player's instrument went to a Berlin banker at the record price of £ 4000. The violoncello belonging formerly to King Frederick William of Prussia has disappeared. German readers may be able to give information of its whereabouts. Over 1100 instruments are estimated to be in existence, probably many more made by S. His violas have a clarity of tone too much akin to the violin. His inlaid instruments are of great beauty. Though an illiterate man, an artist of great merit, as shown by his designs for the ornamentation of accessories such as tail-pieces, bridges, pegs, violin-cases, &c. Wood used, almost exclusively maple for back and sides, exclusively pine for belly, willow for blocks and linings. The Cremona varnish is considered by the authors in its relation to the timbre of the instrument. A story (qy. apocryphal) is told by a member of the S. family that the recipe of this varnish is still in existence. Interesting correspondence in 1637 between Galileo and Fra Micanzio anent an Amati violin throws light on the prices obtained. Much pains and research devoted by authors to the question of prices paid for S. violins in earlier and later times. The want of care shown by owners of S. violins is commented on, but it is gratifying to learn that so many fine specimens still exist. It is less gratifying to observe that some of them have been bequeathed to small local museums instead of to the national collections. The book may be considered to be of international interest, it is written by experts, and it is illustrated with chromolithographs which are in advance of anything of the kind produced so far. These illustrations are extraordinarily vivid.   W. W. C.

Krause, Emil. Vokalmusik — Kunstmusik. Historisches und Pädagogisches. Hamburg, Boysen, 1902. 95 S. 8°.

Neuauflage und Erweiterung des 1891 erschienen Werkchens ›Die Entwickelung des einstimmigen Liedes am Klavier und dessen Abarten‹. Vf. behandelt jetzt nicht nur den einstimmigen Gesang, sondern auch den unbegleiteten Chorgesang sowie die ein- und mehrstimmigen Formen des Sologesanges in Kirche, Oper und Konzert. Anerkennenswert ist, was er über die Musik des 18. und 19. Jahrhunderts darbietet. Hier beweist er tiefergehende historische Kenntnis und treffendes musikalisches Urteil. Beherzigenswert sind auch die Ratschläge, die er in den Kapiteln ›Zur Ausbildung des Sologesanges‹ und ›Das Konzert-Repertoire der Sängerinnen und Sänger‹ giebt. Leider entstellen eine Fülle von Druckfehlern das Büchlein.   J. W.

Kross, Emil. The Art of Bowing. English translation by Gustav Sänger. Heilbronn, G. F. Schmidt. London, Breitkopf and Härtel. Crown 4 to. 6 sh.

This translation of Kross's "Kunst der Bogenführung", a work already favourably known in Germany, should be welcome to English teachers and students of the violin. Although illustrations abound, taken from concertos and studies of the best writers, it is practically a treatise upon the technique of bowing, and an exhaustive one so far as the violin is concerned. It is to be regretted that the violoncello is not also considered. The author has wisely followed for the most part the beaten track trodden by famous classical players, past and present. Viotti, Rode, and Joachim are quoted in support of the teachers who rightly insist that the bow shall not lie on the strings full, but only with the edge; and all the instructions, detailed and subtle as some of them are, tend towards one central point, — the management of the bow by the wrist without direct aid from the upper arm, and with the aid of the fore-arm in certain bowings, the Martelé for instance. A mastery of the latter bowing the author thinks will lead to the attainment of a staccato bow, one of the finest ornaments of solo-playing, and according to some authorities an inborn gift of nature. A system of finger-gymnastics is recommended, and much stress is laid upon the desirability of practising long slow bowing, without shading, and without trembling of the stick. This, and much beside, is put very clearly before the reader, and so far the translation is to be praised. But it sadly needs revision in the matter of orthography and syntax. Publishers issuing translations are ill-advised not to be particular on these heads. Cf. II, 280 (Petherick), and II, 446 (Balfour).   W. W. C.

Lankow, Anna. Die Wissenschaft des Kunst-Gesanges. Mit praktischem Übungs-Material von Anna Lankow u. Manuel Garcia. Englische Übersetzung von E. Buck. Leipzig, Breitkopf & Härtel, 1902. M 10,—.

Die Verfasserin beschäftigt sich in diesem Werke speziell mit der Behandlung und Festsetzung der Register, namentlich mit der ausgedehntesten Wertschätzung des Kopfregisters. Sie will, laut der Vorrede, dem Studierenden zu einer fertigen »Stimm-Claviatur« verhelfen, mit der er, entsprechend seiner Begabung, den Klassikern oder den Romantikern, sowie dem Opern-, Oratorien- oder Konzertgesang gerecht werden kann. Die Verfasserin betont mit Recht, daß sich der »bel canto« der italienischen Schule mit der Sprachtechnik, welche letztere besonders durch die Wagner'schen Tondramen bedingt wurde, vereinigen soll, um die Grundlage für unsere deutsche Gesangskunst zu bilden. Anna Lankow wünscht vor allen Dingen, dem Schüler das sichere Bewußtsein des Tonansatzes zu geben und appelliert, bei dem Lehrer wie dem Schüler, an Geist, Verstand und Schönheitssinn für den Ton, sowie an mechanische Glätte und Sicherheit.

Um alles dieses zu erreichen, giebt sie eine kurze, klare Anleitung, wie der Lehrer die Stimmprüfung vorzunehmen habe, ferner Regeln für den Atem und die Anwendung der Register. In diesem letzten Punkte weicht die Verfasserin erheblich von den bisher üblich gewesenen Gesangsmethoden ab. Sie läßt, beim Beginn des Studiums der Frauenstimme Brust- und Mittelregister völlig ruhen und beschäftigt sich nur mit dem Mechanismus des Kopfregisters — auch in der Lage des Mittel- und Brustregisters. Der hier entwickelte Kopfton soll die Stimme viel süßer und geschmeidiger machen. Wenn der Schüler nun die Fähigkeit erreicht, z. B. c mit Brust-, Mittel- und Kopfregister zu singen, so erreicht er dadurch 3 verschiedene Klangwirkungen, die er, geschmackentsprechend, dem Text gegenüber anwenden kann. Wie allerdings eine Frauenstimme dieses c mit Kopfstimme ansetzen soll, ist mir nicht ganz klar. Nach meiner Erfahrung kann ich nur in der Mittellage Mittel- und Kopfton zur Anwendung bringen, aber nicht im Brustregister. Die Verfasserin führt ferner aus, daß die Entwicklung der Stimme durch den Kopfton in allen Lagen 5 ihrer Schülerinnen das vierte oder Flageolet-Register verdanken. Es mag gerne zugegeben werden, daß ein derartiges Studium der Ausbildung der hohen Stimmlage von Vorteil ist, aber nur für solche Stimmen, die von Natur dazu beanlagt sind. Einer Altistin z. B. sollte es wohl schwer werden, sich durch noch so eifriges Studium diese Flageolet-Töne anzueignen. Ein übertriebenes Üben nach dieser Richtung hin würde wohl den Ruin der Höhe zur Folge haben.

Die Verfasserin giebt dann einen Auszug über physiologische Beschreibung der Registerwechsel aus dem Handbuch der deutschen Gesangspädagogik von Hugo Goldschmidt. Mir erscheint es zweifelhaft, daß ein Laie (und solche sind doch wohl meistens die Studierenden) sich daraus, ohne das Modell eines Kehlkopfes, vernehmen kann. Einen teilweisen Ersatz dafür bieten die Abbildungen des Kehlkopfes und der Stimmbänder bei der Tonbildung in den verschiedenen Stimmlagen. Sich darüber ein klares Bild zu machen, kann nur jedem Gesangstudierenden dringend empfohlen werden. — Ferner ist von großer Wichtigkeit, wenn auch nicht neu, daß die Verfasserin darauf hinweist, daß das Ohr des Lehrers, wie des Schülers, das wichtigste Hauptmoment beim Schulen der Stimme bedeutet.

Anna Lankow beginnt von der ersten Stunde an mit der Erlernung der Kehlkopf-Führung. Langer Atem und großer Ton kommen bei ihr erst in zweiter Linie. Sie hält es sogar vernunftgemäß für falsch, mit steifmachenden, gehaltenen Tönen zu beginnen. Diese Art des Studierens ließe bei jungen oder kleinen Stimmen Härte und Schärfe eintreten und beraube sie des Glanzes und der Schönheit. Ich kann mir nur denken, dass dieser Zustand lediglich bei unfachgemäßem, übertriebenem Üben eintreten könnte. Für Coloratur-Stimmen mag die Lankow'sche Methode wohl am Platze sein, ob es aber gelingen wird, eine verhältnismäßig kleine Stimme auf diese Art weittragend zu machen, wie es z. B. Frau Amalie Joachim durch ihre Methode meistens erreichte, erscheint mir sehr fraglich. — In der Verwerfung des Glottis-Ansatzes wird der Verfasserin jeder gesangkünstlerisch Gebildete Recht geben. Derselbe ist nur in ganz seltenen Fällen, des verstärkten Ausdruckes halber, anzuwenden. Z. B.: »Ha, Du bist elend!«

Die Anleitung zur Erlernung des Tonansatzes mit vorgeschobenen Konsonanten, je nach der individuellen Veranlagung des Schülers, sowie die Behandlung der dünnen, flachen Stimmen durch dunkle Vokale ist ausgezeichnet. Das Studieren von der Höhe zur Tiefe begründet Anna Lankow damit, dass die Arbeit der Stimmbänder nach oben fortwährend gesteigert wird, daß also beim Üben von unten nach oben die Stimmbänder Gelegenheit zum relativen Ruhen haben.

Was Anna Lankow über die Aussprache und Atemtechnik sagt, will mir nicht recht genügend erscheinen. Ich halte eine bestimmte Sprach- und Atem-Übung, getrennt von dem eigentlichen Gesangs-Studium, für unsere deutsche Gesangskunst für absolut notwendig. Bemerkenswerte Anleitungen giebt die Verfasserin für die Ausbildung der Männerstimmen. Auch hier will sie die Regel befolgt wissen, von unten nach oben zu studieren, um durch das Abwärtsführen der dünnen Kopftöne in die Mittelstimme eine echte voix mixte zu erzeugen, deren Klangfarbe von der der Mittelstimme zu unterscheiden, nur dem feinsten Ohre möglich sei. Diese voix mixte soll also den zarten Kopfton mit dem kräftigen Mittelton verbinden, welche Methode ich gerade zum Ausgleichen dieser verschiedenen Register für außerordentlich wichtig halte. Der hier besprochenen Studium-Skizze fügt Anna Lankow praktische Übungen von sich und Manuel Garcia hinzu, und zwar von der leichtesten bis zur schwierigsten Art der Ausführung. Auch diese Übungen halte ich hauptsächlich für hohe Coloratur-Stimmen geeignet. Eine Stimme jedoch, deren Eigenart auf die Ausführung getragener Kompositionen hinweist, und die demgemäß ihre größere Leistungsfähigkeit in einem weit ausstrahlenden Ton finden soll, kann wohl mancherlei aus der Lankow'schen Methode lernen, aber nicht ausreichendes, geeignetes Übungsmaterial darin finden. Jedenfalls aber kann dieses Werk jedem Gesanglehrer und Gesangstudierenden dringend empfohlen werden, da es mancherlei neue Gedanken enthält, deren Wert jeder an sich und seinem Studium erfahren wird. E. S.

Musiker - Kalender, Allgemeiner Deutscher, für 1903. Berlin, Raabe & Plothow. 1. Teil: Notizbuch, 2. Teil: Adreßbuch — 155 und 472 + 52 S. kl. 8⁰.

Der 25. Jahrgang dieses höchst schätzenswerten Taschenbuchs beweist, daß die Herausgeber emsig gearbeitet haben, es immer vollkommener zu gestalten. Das Adreßbuch versagt nur in seltenen Fällen. Verwunderlich ist, daß die Herausgeber wohl von der Existenz der Rivista musicale italiana unterrichtet sind, die Sammelbände der IMG. unter den Zeitschriften aber nicht nennen, obwohl in dem Bericht auf S. 44 des Adreßbuches diese Publikation erwähnt wird. Doch auch diese Lücke wird im nächsten Jahrgang ausgefüllt sein. Und daß der Kalender noch recht oft die Presse passieren und sich immer mehr Freunde erwerben möge, wünsche ich ihm zu seinem Jubiläum von Herzen. J. W.

Prüfer, Dr. Arthur. Sebastian Bach und die Tonkunst des 19. Jahrhunderts. Antrittsvorlesung, gehalten am 10. Mai 1902 in der Aula der Universität zu Leipzig, Leipzig, Pöschel & Trepte, 1902. 23 S. 8⁰.

Geht auf die Wichtigkeit und jetzigo unverkennbar bedeutsame Entwicklung der musikgeschichtlichen Studien und Bestrebungen, als deren großartigste er die »Internationale Musikgesellschaft mit ihrer völkerverbindenden Arbeit« (S. 5) nennt, näher ein und exemplifiziert ihren Segen an der fruchtbringenden Bachforschung. O. F.

Schäfer, Karl L., Privatdozent an der Universität Berlin. Musikalische Akustik (mit 35 Abbildungen). Leipzig, G. J. Göschen'sche Verlagshandlung, 1902. 158 Seiten, kl. 8⁰. ℳ —,80.

Wie sämtliche Publikationen der Sammlung Göschen bezweckt auch das vorliegende Bändchen keineswegs selbständige neue Forschungen zu bieten, sondern lediglich dem gebildeten Laien eine klare, leichtverständliche Einführung in die betreffende Materie unter Berücksichtigung des heutigen Standes der Wissenschaft zu vermitteln. Die gestellte Aufgabe hat der Verfasser glänzend gelöst, ja man kann getrost behaupten, daß er an klarer, gedrungener Darstellung, unter Vermeidung aller nicht unumgänglich notwendigen physikalischen und philosophischen Fachausdrücke, Mustergiltiges geleistet hat. Der Inhalt gliedert sich in 3 Teile: die Gehörswahrnehmungen; die Tonerzeugung und die wichtigsten Instrumente; die Töne in musikalischer Beziehung (Konsonanz, Dissonanz, Tonverwandtschaft, Leiterbildung). E. E.

Segnitz, Eugen. Richard Wagner in Leipzig (Musikalische Studien V). Leipzig, H. Seemann Nachf. 1901. — 80 S. 8⁰.

Segnitz, Eugen. Franz Liszt und Rom. (Musikalische Studien VIII). Leipzig, H. Seemann Nachf. 1901. — 74 S. 8⁰.

Steinitzer, Dr. Max. Musikalische Strafpredigten. Veröffentlichte Privatbriefe eines alten Grobians. München, Alfred Schmid Nachf. (Uniko Hensel). — 81 S. 8⁰.

Eine Satire, die sich meist im Tone eines wirklichen Grobians mit allen Ornamenten von Schimpfwörtern und Anzüglichkeiten aller Art bewegt und deshalb wohl nicht nach jedermanns Geschmack sein dürfte, trotzdem aber in rauher Schale manch guten Kern reiner Sachlichkeit und fruchtbarer Anregung birgt. Der Verfasser geißelt den kritiklosen Musik-Referenten ebenso als den aufgeblasenen Opernsänger, der nur ›Stimmbesitzer‹ ist, den alles könnenden und besser wissenden Elementarschullehrer und Dirigenten, den nur auf der ›Empfindung‹ und dem naturgegebenen Talente fußenden Dilettanten, den die Stimmbildungslehre für Schwindel erklärenden Hofkapellmeister, die Gesangvereinler, die musikprotegierende Frau Landgerichtsdirektor, den angeblichen ›Konservatoriumsdirektor‹ u. s. w. zuweilen ganz treffend und ergötzlich. In der That ist es ja nur zu häufig schwer, über unser Musikleben *satiram non scribere*. O. F.

Tetzel, Eugen. Allgemeine Musiklehre und Theorie des Klavierspiels. Mit einigen Übersichts-Tabellen und schematischen Darstellungen. Berlin, Otto Jonasson-Eckermann, 1902. — 48 S. gr. 8⁰.

Für Dilettanten und angehende Musiker bestimmt giebt das Büchlein die wissenswertesten Elementarkenntnisse über Takt, Rhythmus, Harmonielehre. Definitionen der allgemeinen musikalischen Begriffe und technischen Ausdrücke und schließlich eine Anzahl Katechismus-Fragen zur Befestigung des gelernten Stoffes beim Schüler — alles in klarer, wohldurchdachter, präziser und dabei für den Anfänger doch verständlicher Weise. O. F.

Wagner, Dr. Peter. Einführung in die Gregorianischen Melodien. 1. Teil. Ein Handbuch der Choralwissenschaft. 2. vollständig umgearbeitete und vermehrte Auflage. Ursprung und Entwicklung der liturgischen Gesangsformen bis zum Ausgang des Mittelalters. Freiburg (Schweiz), Universitäts-Buchhandlung (B. Veith) 1901. — XI u. 344 S. 8⁰. — Gebunden ₰ 6.—.

Young, Filson. Mastersingers. Appreciations of Music and Musicians, with an Essay on Hector Berlioz. London, William Reeves, 1902. pp. 202, Demy 8vo.

A series of short and unconnected articles written in a pleasant and fluent, if rather redundant, style. The subjects range from "Bach's Organ Fugues" (one of the best numbers in the series) to "Tschaikoffsky's 6th Symphony", and to the work of such contemporary composers as Villiers Stanford &c. As an "appreciation", the little chapter on "Charles Hallé" is perhaps the happiest of all, in respect of both matter and manner. The "Pastoral Symphony" also is treated in just the right spirit, though an occasional tendency is shown towards reading into the work more than is warranted, especially in view of Beethoven's own famous description of it as "mehr Ausdruck der Empfindung als Malerei". To the student perhaps the articles will not appear to be strikingly illuminative, or to show the subjects which they touch in any light that is at once new and true. In his chapter on "The Composer in England" moreover, and again in his estimate of Berlioz's "direct achievements" as a musician, the author's grasp of his subject-matter seems incomplete. But in the book as a whole, and more particularly in the essay on Saint-Saëns, the general reader will find appreciations that are almost always essentially just, stated in a way that is likely to stamp in his mind the salient points of each of the various subjects.

Wm. G.

Zeckwer, Richard. A scientific investigation of piano touch. 7 Seiten Text mit 5 Figuren und 1 Tafel.

Ein Vortrag, welchen Verfasser am 23. April vor der physikalischen Abteilung des Franklin Instituts zu Philadelphia über Klavier-Anschlag gehalten hat. Mit Hilfe eines geistvoll konstruierten Apparates, der die Stellung der Tasten zu einander beim Spiel auf einem mit Ölruß geschwärzten rotierenden Papiercylinder aufzeichnet, beweist er, daß beim Legatospiel eine Taste noch eine kurze Zeit niedergedrückt bleibt, während die folgende bereits angeschlagen ist und daß der Satz der Virgil-Technik: legato entsteht dann, wenn Auf-click und Nieder-click zweier Tasten gleichzeitig erfolgen, nicht ganz richtig ist. Mit Hilfe desselben Apparates stellt er auch die Schnelligkeitsgrenze eines jeden Fingers fest; sie beträgt 6—8 Noten in der Sekunde. Den Satz, daß eine Person, welche niemals Klavier gespielt hat, ebenso viele Nieder-schläge mit einem Finger zu erzielen vermag als ein wohlgeübter Pianist, hat, wenn ich mich nicht sehr täusche, zuerst der verstorbene Klavierpädagoge Prof. Raif ausgesprochen. J. W.

Eingesandte Musikalien.

Referenten: W. Altmann, A. Göttmann, J. Wolf.

Verlag Chr. Bachmann, Hannover.

Rehfeld, Fabian. Op. 82. Adagio religioso für Violine (G-Saite) oder Cello mit Orgel- oder Klavierbegleitung; op. 83. »Wo du hingehst, da will ich auch hingehen« (Trauungsgesang) für eine Singstimme mit Begleitung der Orgel, des Harmoniums oder des Pianoforte.

Das Adagio ist ein dankbares, für Kirchenkonzerte geeignetes Stück, in dem eine Stelle leider sehr an Mozart's »Thränen vom Freunde vergossen« erinnert; der Gesang wird bei Trauungen zweckentsprechend gefunden werden. W. A.

Wehrs, Albert von. Romanze für Streichinstrumente. Stimmen ℳ 1,50. Klavierauszug ℳ 1'—.

Ein unbedeutendes Stück im ächten Biedermeier-Ton. A. G.

Verlag Carl Gießel junior, Bayreuth.

Schuchardt, Friedrich. Op. 4. Petrus Forschegrund. Oratorium. Klavierauszug mit Text. Preis ℳ 6,— n.

Der Verlag von Carl Gießel in Bayreuth beweist in fast allen seinen Neuherausgaben ein schönes Streben bisher weniger fruktifizierte Gebiete der musikalischen Komposition zu fördern. Namentlich sind es die Kammermusik für Bläser und das Oratorium, denen er seine Fürsorge gewidmet. Auf letzterem Gebiete hatte der Verlag durch des so früh verstorbenen Klughardt »Zerstörung Jerusalems« vielen und berechtigten Erfolg. Nachdem er nun im vorigen Jahre das zweite Oratorium Klughardt's »Judith« der Öffentlichkeit übergeben, widmet er jetzt seine Aufmerksamkeit einem jungen Komponisten aus Gotha, dessen dreiteiliges Oratorium »Petrus Forschegrund« zweifellos das Dokument eines guten Talentes ist. Das nicht große, auch keineswegs schwierige, bereits in Gotha, Leipzig und Eisenach erfolgreich aufgeführte Werk, behandelt die Legende »Der Mönch von Heisterbach«. Die Schwester des Komponisten hat den Stoff in geeignete Verse geschmiedet, ohne jedoch die Sage von dem zweifelnden Mönch, der vergeblich über den Sinn der Worte »Ein Tag ist Gott wie tausend Jahre — und tausend Jahre wie ein Tag« grübelt, um dann an sich selbst nach 300 Jahren das Wort Gottes wunderbar zu erleben, psychologisch genügend zu vertiefen. Umso angenehmer berührt es, daß der Komponist diesen ziemlich flachen Text in einer Weise vertonte, die in Bezug auf das technische und formale Können eine große Achtung abnötigt. Schuchardt ist sich zwar seines eigenen Ich's noch nicht bewußt, wir sehen in ihm noch nicht das rein Persönliche, immerhin zeigt er einen so lebhaften Sinn für das Melodische, ferner für den orchestralen und choralen Wohlklang, wie es in gleicher Intensität nicht oft bei Anfängern zu finden. Schuchardt scheint mir mehr eine sinnende weiche Natur zu sein, von Himmelstürmerei ist bei ihm nichts zu finden; an Ecken und Kanten stößt man sich nicht, es entwickelt sich alles glatt, jedoch nicht ohne Anläufe zu dramatischer Bewegung. Das nichts weniger als auf asketischen Harmonieen aufgebaute Oratorium dürfte vielen kleineren Chorvereinen eine sehr willkommene Novität sein, ist es doch ein nach jeder Richtung hin dankbares Werk, das die Mühen des Einstudierens durch seine Leichtverständlichkeit lohnt. Alles in Allem hat mir das kompositorische Wollen Schuchardt's viel Interesse abgenötigt. Weiteren Äußerungen seines Talentes zu begegnen würde mir eine Freude sein. A. G.

Verlag Henry Litolff, Braunschweig.

Schultze-Biesantz, Clemens. Symphonische Tongedichte: 1) Glücksritter. 2) Patheticon. 3) Humoristischer Marsch für großes Orchester. Partitur.

Entschieden ein bedeutendes Werk, wenngleich der Marsch nicht auf der Höhe der beiden anderen Sätze steht; der Komponist hat schöne Ideen und verwendet sie sehr geschickt. Eine andere Frage ist, ob das Aufgebot des großen modernen Orchesters dafür wirklich notwendig war; die Aufführbarkeit ist dadurch ja sehr beschränkt, und dies ist im Interesse des sehr begabten Komponisten nur zu bedauern.
W. A.

Verlag D. Rahter, Hamburg und Leipzig.

Nölck, August. Op. 50. Acht leichte Tonstücke für die Jugend. Für Pianoforte. Preis ℳ 3,—.

Nette kleine Sachen, welche den im Klavierspiel etwas Vorgeschrittenen Freude machen werden.
A. G.

— Op. 70. Zwölf melodische Tonstücke für Pianoforte. Zwei Hefte à ℳ 2,—.

Auch diese einfachen Sächelchen sind mit vielem Geschick für die klavierspielende Jugend komponiert und ihres, wenn auch nicht allzugroßen pädagogischen Wertes wegen zu empfehlen.
A. G.

Wille, Georg. Tonleiter-Studien für Violoncell. Preis ℳ 3,—.

Der größte Vorzug dieser Studien ist der, daß der Lehrer der Mühe des Übungen-Aufschreibens enthoben ist. Im Übrigen gelang es auch Herrn Wille nicht, die öde Trockenheit der Tonleiter-Übungen genußreicher zu gestalten.
A. G.

Wolf-Ferrari, E. Op. 10. Sonate für Pianoforte und Violine. Preis ℳ 5,—.

Das Talent dieses Komponisten, dessen op. 5 und 6 ich bereits in dieser Zeitschrift besprochen habe, scheint mit jedem neuen Werke mehr im Sande zu verlaufen. Besonders in der vorliegenden Sonate giebt sich ein so lebhafter Drang nach öder Phrase, ein solch ausgesprochener Mangel an Selbstkritik kund, der im Hinblick auf die paar talentvollen Anläufe in op. 5 und 6 aufs Lebhafteste zu bedauern ist. Was Herr Wolf-Ferrari in dieser sogenannten Sonate bietet ist bezüglich der organischen Entwickelung und der thematischen Ausgestaltung von hervorragender Unreife. Das

ist eitel Notenschreiberei, nicht aber die nur durch strenge Selbstzucht zu ermöglichende bewußte Außerung eines Talentes.
A. G.

Woyrsch, Felix. Op. 48. Vier Metamorphosen für Pianoforte. Heft I Preis ℳ 2,50; Heft II Preis ℳ 2,—.

Felix Woyrsch, der bekannte Dirigent der Altonaer Singakademie, hat sich durch sein Passions - Oratorium als ein hervorragender Könner gezeigt. Auch auf dem engen Gebiet des Klavierstücks beweist er seine vollendete technische Meisterschaft. Seine Metamorphosen sind feinciselierte Stimmungsbilder, welche, ohne technische Rätsel aufzugeben, dem musikalisch empfindenden Pianisten viel interessantes in Bezug auf rhythmische und dynamische Variabilität der einfachen Themen bieten.
A. G.

Verlag J. Rieter-Biedermann, Leipzig.

Gernsheim, Friedr. Op. 71. »Auf der Lagune.« Fantasiestück für Pianoforte.

Hübsch vorgetragen, wird dieses klangschöne, Clotilde Kleeberg zugeeignete Stück eines feinfühlenden und feingebildeten Musikers gern gehört werden; einzelne Stellen sind auch harmonisch interessant.
W. A.

Verlag W. Sandoz, Neuchatel.

Barclau, Otto. Op. 9. Acht Männerchöre. Zwei Hefte. Preis à Fr. 0,80 n.

Der durch seine Orgelkompositionen schon bekannte, jetzt als Organist der Kathedrale St. Pierre, als Lehrer für Orgel und Komposition, sowie als Dirigent der Société de chant sacré in Genf lebende Komponist, beweist mit seinem op. 9, daß er auch die Klangmöglichkeiten des vierstimmigen Satzes für Männerstimmen genau studiert hat und vollauf beherrscht. Besonders wirkungsvoll sind die mehr patetischen dem Calvin-Festspiel entnommenen Chöre »Vaterlandshymne« und »Gebet vor der Schlacht«, doch werden auch die rein lyrischen Chöre »Botschaft« und »Ständchen« sich viele Freunde erwerben.
A. G.

Verlag C. F. Schmidt, Heilbronn a. N.

Sauer, Ludwig. Op. 30. »Haidezauber«, Vier Stücke für Orchester aus der Musik zum gleichnamigen Märchendrama von Mornuy; op. 31. Vorspiel zu dem Märchendrama

»Haidezauber« für großes Orchester. Partitur.

Hübsch empfundene, anspruchslos sich gebende Stücke, welche auch im Konzertsaal willkommen sein werden; die Instrumentation erscheint sehr geschickt und durchsichtig, hübsche Klangeffekte werden namentlich durch Teilung der Streichinstrumente erzielt. Die einzelnen Stücke entsprechen durchaus ihrem Titel (»Im Haidetann«, »In der Dorfschenke«, »Elfenreigen« und »Sturm auf der Haide«). Bedeutender scheint mir das sehr schwungvoll abschließende Vorspiel zu sein, das ebenso wie die Stücke keine allzu hohen Ansprüche an die Ausführenden stellt.

W. A.

Verlag Albert Stahl, Berlin und G. Schirmer, New-York.

Kaun, Hugo. Op. 39. Quintett für das Pianoforte, 2 Violinen, Viola u. Violoncello komponiert. ℳ 15,—n.

Ruhig mit Empfindung — Intermezzo — einfach mit inniger Empfindung — Markig, leidenschaftlich bewegt.

Das Werk zeichnet sich weniger durch bedeutende Themenbildung als vielmehr durch hübsche Verarbeitung und prächtige Farbengebung aus. Die Stellen, in denen zarte Empfindungen zum Ausdruck kommen, gelingen dem Verfasser am besten. Die beiden Mittelsätze werden am meisten ansprechen, namentlich der dritte Satz ist in eitel Wohllaut getaucht. Von offenbaren Druckfehlern, die mir bei der Durchsicht aufgefallen sind, vermerke ich: S. 28 erste Violine, drittletzter Takt, vorletzte Note Achtel statt Viertel; S. 44 Klavierbaß vorletzter Takt ist *fis* statt *f* zu lesen.

J. W.

Süddeutscher Musikverlag, G. m. b. H., Straßburg i. Els.

Koessler, Hans. Der 46. Psalm (Gott ist uns're Zuversicht und Stärke) für Doppelsoloquartett und Doppelchor (16stimmig, a capella). Partitur ℳ 8,— netto.

Hans Koessler, dessen Sextett für Streichinstrumente nach meiner festen Überzeugung zu den besten Werken unserer neueren Kammermusiklitteratur zu zählen ist, hat auch mit diesem 16stimmigen Chorwerk wiederum ein großes Kunstwerk geschaffen. Gleich vorzüglich in Anlage und Aufbau, ist das Werk von solch ergreifender, echt-kirchlicher Gedankentiefe und Stimmung, von solch edler Melodik und wahrer Gottgläubigkeit des Ausdrucks, daß ein möglichst eingehendes Studium nicht genug empfohlen werden kann. Auch hier zeigt sich der Komponist in der Beherrschung der technischen Mittel als ein Meister. Auf das Sorgfältigste ist (ieses A capella-Werk bezüglich seiner Klangwirkungen abgewogen und ausgefeilt; da steht keine Note zu viel oder zu wenig, mag das auf stets interessanter Harmonik entfaltete kontrapunktische Geflecht auch noch so verwickelt sein. Es ist eine Schöpfung von crystallner Klarheit. Stimmlich und musikalisch auf festen Füßen stehende Chorvereine dürften das schöne, eine prächtige Aufgabe bietende Werk mit offenen Armen begrüßen.

A. G.

Thuille, Ludwig. Op. 22. Sonate für Violoncello und Pianoforte. ℳ 8,— netto.

Die Sonate des vortrefflichen Komponisten des »Lobetanz« wurde zuerst auf der Tonkünstlerversammlung in Crefeld im Frühling dieses Jahres und zwar mit ausgesprochenem großen Erfolg gespielt. Wie berechtigt dieser war, beweist das jetzt im Druck mir vorliegende Werk, aus dem die ganze kraftstrotzende Schaffensfreudigkeit Thuille's, seine echte ehrliche Künstlerschaft einem entgegenleuchtet. Tiefe der Erfindung und großzügige Plastik der Ausarbeitung reichen sich hier in einer Weise die Hand, daß man dieses Werk unbedingt als eine kompositorische Großthat auf dem Gebiete der Cello-Litteratur umsomehr erklären muß, als Thuille auch in Bezug auf die Behandlung des mehr sich in den tieferen Lagen ergebenden Celloparts eine solche Eigenart und großartige Sachkenntnis bezüglich der charakteristischen Klangwirkungen dieses Instrumentes zeigt, wie sie mir noch nie vorgekommen. Daß unsere Cellovirtuosen sich in noch ungestilltem Heißhunger um die Wiedergabe dieses Kunstwerks reißen werden, liegt auf der Hand, möge dieser neue Messias der Cello-Litteratur sich nun auch weiterhin durch die baldige Komposition eines Konzertes als ein Förderer dieses Instrumentes erweisen; dem Wunsche vieler unserer ersten Cellisten glaube ich sicher damit Ausdruck zu geben.

A. G.

Verlag »Universal-Edition«, Aktiengesellschaft, Wien.

Salter, Norbert. 75 Etüden für das Violoncello von J. J. F. Dotzauer. In progressiver Reihenfolge herausgegeben. 3 Bände.

Eine Neuausgabe älterer Werke halte ich stets für vollkommen überflüssig, wenn nicht der betreffende Herausgeber uns absolut neue Gesichtspunkte zu entwickeln weiß, oder wenigstens den Zweck seiner Herausgabe genügend zu begründen versteht. In beiden Fällen bleibt uns Herr Salter die Antwort schuldig, ja sogar die auf dem Titelblatt besonders vermerkte »progressive Reihenfolge« ist von so fragwürdiger Gestalt, daß sich wohl so bald kein Schüler finden dürfte, der diese Studienprogression bewältigt.   A. G.

Verlag Chr. Friedr. Vieweg's Buchhandlung, Quedlinburg.

Burger, Max. Op. 28. Fünf Vortragsstücke für Violoncello und Pianoforte. Übungsmaterial zur Einführung in das Lagenspiel neben dem systematischen Lehrgang mit genauer Angabe des Fingersatzes und Striches. Preis $\mathcal{M}$ 2,50.

Die kleinen Stücke zeigen den Komponisten als einen genauen Kenner seines Instrumentes und erfüllen ihren Zweck nach jeder Richtung hin recht gut.
                                              A. G

Zeitschriftenschau

zusammengestellt von

Ernst Euting.

Verzeichnis der Abkürzungen siehe Zeitschrift IV, Heft 1, S. 42.

Adler, Felix. Zum Beginn der Konzertsaison in München — Die Freistatt (München, Enhuberstrasse 8) 4, Nr. 40.
—— Robert Franz. Ein Gedenkblatt — ibid. Nr. 42.

Algermissen, J. L. Das neue Stadttheater in Cöln — Über Land und Meer (Stuttgart) 45, Nr. 2 [illustriert].

Altenburg, W. Reinklingende Blechblasinstrumente und deren Herstellung durch W. Heckel in Biebrich — ZfI 23, Nr. 1.

Altmann, Wilh. Bernhard Molique (geb. 7. Oktober 1802) — Mk 2, Nr. 1, [mit Porträt].

Anonym (»Dotted Crotchet«). Exeter and its Cathedral — MT Nr. 716 [mit musikgeschichtlichen Notizen und zahlreichen Illustrationen].

Anonym. Ein Harmonium im Gesangunterrichte — KCh 13, Nr. 10 [gegen die Benutzung des Harmoniums].

Anonym. Die Kirchenchöre an der Wende des 15. zum 16. Jahrhundert, ein Spiegelbild so mancher Kirchenchöre an der Wende des 19. und 20. Jahrhunderts — Cc 10, Nr. 10.

Anonym. Der Hauptzweck der Kirchenmusik ist nicht die Erbauung allein — KVS 17, Nr. 3.

Anonym. Vom Choralkursus und der XV. Generalversammlung des elsässischen Cäcilienvereins zu Colmar (8.—13. September) — C 19, Nr. 9.

Anonym. Bestimmungen über die Aufnahme in das Verzeichnis der erschienenen Neuigkeiten des deutschen Musikalienhandels — MH 5, Nr. 1.

Anonym. Lettere inedite di G. Rossini — Rassegna Nazionale (Florenz) 1. Juli 1902.

Anonym. Schulgesang fürs Leben — KW 15, Nr. 24.

Anonym. Die Musikerfamilie André [in Offenbach] — MMG, Februar 1902.

Anonym. Modern ausgestattete Tasteninstrumente von G. Mola auf der Internationalen Ausstellung für moderne dekorative Kunst in Turin — ZfI 23, Nr. 1 [illustriert].

Anonym. Von der Schlesischen Kunst- und Kunstgewerbe-Ausstellung in Liegnitz 1902 — DIZ 1902, Nr. 1 [behandelt die ausgestellten Musikinstrumente].

Anonym (»Musicus«). Das Musikleben Jokohamas — NMZ 23, Nr. 21.

Anonym. La salle Æolian — MM 1902, Nr. 18.

Anonym. Ernst Wilhelm Fritzsch — MWB 33, Nr. 43f [mit Porträt].

Arend. Die Sixtinische Kapelle in Deutschland — BfHK 6, Nr. 10.

Arend. Analyse harmonique du prélude de »Tristan et Yseult« — Le Courrier Musical (Paris) 1902. Nr. 11f.

Arend, Max. Das Räthsel der Octave. Eine akustisch-harmonische Betrachtung — MWB 33, Nr. 40ff.

b., e. »Zaïde«. Deutsche Operette in 2 Akten von W. A. Mozart. In neuer Bearbeitung von Dr. Rob. Hirschfeld zum erstenmale in der Wiener Hofoper aufgeführt am 4. Oktober 1902 — NMP 11, Nr. 41.

B., G. La Méthode de Marie Jaëll — GM 48. Nr. 39.

B., M., Entwicklung und Stand des Musikinstrumenten-Außenhandels der Vereinigten Staaten von Amerika nach Herkunfts- und Bestimmungsländern — ZfI 22, Nr. 36.

B., W. Einiges über »gesangliche Ausbildung« der Mitglieder unserer Kirchenchöre — CEK 16, Nr. 10.

Bacha, Eugène. La sensibilité musicale des poètes — GM 48, Nr. 42.

Beaujon, Ed. Podiums de concert — MSu 2, Nr. 23.

Berney, L.-S. A propos du Concours International de Genève et du Centenaire Vaudois — AM, Nr. 115.

Bienenfeld, E., Hugo Goldschmidt's »Studien zur Geschichte der italienischen Oper im 17. Jahrhundert« — NMP 11, Nr. 40 [Besprechung].

Birgfeld, R. »Der Gaukler unserer lieben Frau« von Jules Massenet — DMZ 33, Nr. 40 [anlässlich der Erst-Aufführung in Hamburg].

Blaschke, Julius. Beethoven und Goethe — DMMZ 24, Nr. 39.

— Schubert und Goethe — NZfM 69, Nr. 43.

Blumenthal, Paul. Musikalische Formen und deren historische Entwicklung — BfHK 6, Nr. 10 f.

Brandes, Friedrich. »Das war ich«. Dorfidylle in einem Aufzuge von Leo Blech — S 60, Nr. 47/48 [Uraufführung am 6. Oktober im königlichen Opernhause zu Dresden].

Breithaupt, R. M. Opernkrise und Stoffnot — Deutsche Stimmen (Berlin) 1902, Nr. 4.

Brenet, Michel. La jeunesse de Rameau — RMI 9, Nr. 3 f.

Brunker, Frances. Miss Eugenie Joachim and Madame Blance Marchesi. Two celebrated teachers of singing — Girl's Realm (London, 10, Norfolk Street) October 1902.

Buck, Rudolf. »Der Pfeifertag« von Max Schillings. Erstaufführung im Kgl. Opernhause zu Berlin am 17. September 1902 — AMZ 29, Nr. 39.

— »Das Glockenspiel«. Oper in 2 Akten von J. Méry und P. L. Gheusi. Musik von J. Urich — ibid, Nr. 42 [Erstaufführung im Kgl. Opernhause zu Berlin am 9. Oktober 1902].

Buhe, Eduard. Über den Einfluß der Totalaufmeißelung auf das Gehör — Archiv für Ohrenheilkunde (Leipzig, F. C. W. Vogel) 56, Nr. 3/4.

Burkhardt, Max. An der Wiege des Kunstliedes — RMZ 3, Nr. 34 f.

Cagliardi, E. Verdi in seinen Briefen — Neue deutsche Rundschau 1902, Nr. 7.

Capellen, Georg. Die »musikalische« Akustik als Grundlage der Harmonik und Melodik (mit experimentellen Nachweisen am Klavier) — NZfM 69, Nr. 40 ff.

Collingwood, W. G. Ruskin's Music — Good Words, Octoberheft 1902.

Combe, Edouard. Le privilège de Parsifal — MSu 2, Nr. 23.

Conrat, Hugo Johannes. Das Manuscript-Autograph des »Don Giovanni« — NMZ 23, Nr. 21.

Cramer, H. Friedrich Grützmacher als Erzieher — NZfM 69, Nr. 40 f.

Curson, Henri de. La musique d'Hoffmann d'après quelques travaux nouvellement publiés — GM 48, Nr. 41 [gemeint ist E. T. A. Hoffmann].

Débay. La première de »Pelléas et Mélisande« — Le Courrier Musical (Paris) 1902, Nr. 10.

Decsey, Ernst. Hugo Wolf's »Corregidor« — Die Gesellschaft (Dresden und Leipzig, E. Pierson's Verlag) 18, Nr. 17/18.

Droste, C. Alois Burgstaller — BW 4, Nr. 20.

— Carl Perron — ibid, Nr. 21.

— Neue Gäste in Bayreuth — ibid.

Dubitsky, Franz. Die symmetrische Umkehrung in der Musik — MTW 5, Nr. 36 [Besprechung des Buches von Hermann Schröder].

— Die Entstehung der komischen Oper — ibid, Nr. 40 [Besprechung des gleichnamigen Buches von Nicolo d'Arienzo, deutsch von Ferd. Lugscheider].

— Die Partitur des 20. Jahrhunderts. Mitteilung einer »lesbaren« Schreibweise — ibid, Nr. 41.

Duncan, Edmundstoune. Prefaces and dedications — MMR, Nr. 382.

E., F. G. J. B. Cramer (1771—1858) — MT, Nr. 716 [mit zahlreichen Illustrationen].

Eccarius-Sieber. Die Musikinstrumente auf der Düsseldorfer Kunst- und Gewerbe-Ausstellung — Mk 2, Nr. 1.

— Die Honorarfrage im musikalischen Unterricht: Heranziehung des Publikums zu der Invaliditäts- und Alters-Versorgung — KL 25, Nr. 19.

Ehlers, Paul. Komponist und Publikum — AMZ 29, Nr. 41.

Embacher, Hans. Aus Friedrich Nietzsche's Briefwechsel mit Erwin Rohde — Mk 2, Nr. 2 f.

Ertel, Paul. Der Pfeifertag — DMZ 33, Nr. 39 [Besprechung der gleichnamigen Oper von Max Schillings anlässlich der Erstaufführung in Berlin am 17. September 1902].

Eschbach. Festpredigt, gehalten auf der XV. Generalversammlung des elsässischen Cäcilienvereins zu Colmar (8.—13. September 1902) C 19, Nr. 10.

Esser, Cateau. Muzikale tekst-interpretatie — SA 4, Nr. 1.

Franz, Marie. Der Gesangunterricht an unseren Volks- und Bürgerschulen — NMP 11, Nr. 42.

Friedlaender, Ernst. Einige archivalische Nachrichten über Georg Friedr. Händel und seine Familie — MMG, Februar 1902.

Frommel, Otto. Professor Wolfrum über Ziele und Aufgaben der kirchlichen Musik in der Gegenwart — MSfG 7, Nr. 10.

G[enée], R. Die ersten Entwürfe Mozart's zu »Figaros Hochzeit«, nach den Originalhandschriften mit Facsimiles und Kopien der Handschriften — MMG, Februar 1902.

Gellé, E. De la résonnance des sons vocaux. Rôle du voile dans la voix de fausset — La Voix Parlée et Chantée (Paris) Juni 1902.

Göhler, Georges. Johannes Brahms — MSu 2, Nr. 24 ff.

Golther, W. Titel, Benennung und Widmung in Richard Wagner's Werken — BW 4, Nr. 20.

Grand-Carteret, John. Les titres illustrés et l'image au service de la musique. 2de partie. Le titre de musique et la lithographie. Première période: 1817—1830 — RMI 9, Nr. 3 [mit zahlreichen Facsimiles].

Greisl, Ludwig. Max Zenger — SH 42, Nr. 39 ff.

Guillemin. Les premiers éléments de l'acoustique musicale — La Voix Parlée et Chantée (Paris) Mai un Juni 1902.

H. R. Zomer-uitvoeringen in de Groote Kerk te Naarden, onder leiding van J. Schoonderbeek — MB 1902, Nr. 22.

Hagemann, Carl. Bayreuther Inscenierungskunst — BW 4, Nr. 20.

Hartmann, Ludwig. Erika Wedekind — BW 5, Nr. 1 [illustriert].

Hellouin, Frédéric. Louis XIV et la musique religieuse — GM 48, Nr. 38.

Heuß, Alfred. Karl Nef, Zur Geschichte der deutschen Instrumentalmusik in der zweiten Hälfte des 17. Jahrhunderts — S 60, Nr. 43 [Besprechung].

Hiller, Paul. Franz Wüllner † — Mk 2, Nr. 1 [mit Jugend-Porträt].

Hoffmeister, Aug. Die Karlsruher Oper in der Spielzeit 1901/1902 — MTW 5, Nr. 36.

Hohenemser, Richard. J. K. F. Fischer als Klavier- und Orgelkomponist — MfM 34, Nr. 9 ff.

Hoischen, Chr. Das deutsche Harmonium der Gegenwart; sein Wesen und seine Bedeutung als Haus- und Konzert-Instrument — H, September 1902 [nach einem Vortrag].

Jagow, Eugen von. »Parysatis« von Saint-Saëns — NMZ 23, Nr. 20.

Jansen. Zur Förderung des Chorgesanges — Zeitschrift der Lehrer an den höheren Schulen (Berlin, Weidmann'sche Buchhandlung) 1, Nr. 7.

Karpath, Ludwig. Zaide [von Mozart]. Uraufführung in der Wiener Hofoper am 4. Oktober 1902 — S 60, Nr. 45/46.

Katt, Fr. Musik und Theater in Berlin nach den Freiheitskriegen [Auszüge aus der Haude- und Spenerschen Zeitung, Oktober-Dezember 1816) — MTW 5, Nr. 41.

Kikuchi, Junichi. Untersuchungen über den menschlichen Steigbügel mit Berücksichtigung der Rassenunterschiede — Zeitschrift für Ohrenheilkunde (Wiesbaden, J. F. Bergmann) September 1902.

—— Das Gewicht der menschlichen Gehörknöchelchen mit Berücksichtigung der verschiedenen Rassen — ibid.

Kling, H. Die französische Hofmusik unter Kaiser Napoleon I. — SZ 9, Nr. 21 f. [nicht selbständige Forschung, sondern Auszug aus Schletterer, Geschichte der Hofkapelle der französischen Könige S. 206 ff.].

Kloß, Erich. Aus Richard Wagner's Züricher Zeit — BW 4, Nr. 20.

—— Mathilde Wesendonck † — Mk 2, Nr. 1.

Koegel, Fritz. Zur Psychologie Wagner's — Die Kultur (Köln) 1902, Nr. 4.

Kohut, Adolph. Ein Geigerkönig (Johann Lauterbach) — MTW 5, Nr. 40.

Lankow, Madame. The Wagner Cycle in Munich — MC, Nr. 1175.

Lavitry-Veillon, O. Histoire de l' Oratorio — MM 1902, Nr. 18 ff.

Lehmann, Lilli. Über den Ausdruck — Die Woche (Berlin, August Scherl) 4, Nr. 41.

Lenoel-Zevort. L'influence passionnelle sur le son — La Voix Parlée et Chantée (Paris) Juli 1902.

Leßmann, Otto. Eröffnung des Interimtheaters zu Stuttgart am 12. Oktober — AMZ 29, Nr. 42.

Levin, Julius. Pariser Musikleben — S 60, Nr. 43 ff.

Loudmill. Raoul Pugno — MM 1902, Nr. 19 [illustriert].

Lozzi, C. La musica nella famiglia di Galileo Galilei — GMM 57, Nr. 42.

Lüstner, Karl. Totenliste des Jahres 1901 — MfM 34, Nr. 8 [enthält kurze biographische Notizen über sämtliche im Jahre 1901 verstorbenen Musiker].

Maclean, Charles. Sheffield Musical Festival — MN, Nr. 606.

Malherbe, Charles. Un précurseur de Gluck (Le Comte Algarotti) — RHC 2, Nr. 9 ff.

Mangeot, A. Lettre d'un siffleur — MM 1902, Nr. 19.

Mans, Gustav. Kunst und Reklame — Mk 2, Nr. 2.

Marchesi, S. Musical progress in France — MMR, Nr. 382.

Marcus, Otto Ph. Ein Kapitel über moderne Lied-Compositionen — SZ 9, Nr. 21.

Marnold. C. Débussy et les »Nocturnes« — Le Courrier Musical (Paris) 1902, Nr. 9.

Marsop, Paul. Der Musiksaal der Zukunft — Mk 2, Nr. 1.

Max, Cécile. Notes sur quelques femmes-compositeurs: Mademoiselle Jeanne Blancard — La Fronde (Paris, 14, rue Saint-Georges) 11. September 1902.

—— Madame Wanda Landowska — ibid, 28. August 1902.

Mercati, G. Di alcuni antichi riti Anconitani — Rassegna Gregoriana (Rom) 1902, Nr. 4.

Morsch, Anna. Die Einführung der modernen Etude im Unterrichtsplan — KL 25, Nr. 19 ff.

Mozzoni, E. Le feste Rossiniane — Rassegna Nazionale (Florenz) 1. Juli 1902.

Mund, H. Der ethische Wert der Musik — RMZ 3, Nr. 34.

Münser, Georg. Der Pariser und der deutsche Tannhäuser — Mk 2, Nr. 1 ff.

Naaff, Ant. Aug. Die Musikkunst-Erkenntnis nach den Anschauungen der Neuzeit — L 26, Nr. 1 ff.

—— Peter Rosegger — ibid, Nr. 1.

Nagel, Willibald. Die Entwicklung der Musik in England — Mk 2, Nr. 1 f.

Newmarch, Rosa. Schumann in Russia — MMR, Nr. 382.

Noetzsch, Richard. Musikalische Reisefrüchte aus Italien — KCh 13, Nr. 10.

Novi, O. Un musicista popolare (Antonio Mazzolani) — Rivista Teatrale Italiana (Neapel) 1. Mai 1902.

O., C. v. Der Pfeifertag. Heitere Oper von Ferd. Graf Sporck. Musik von Max Schillings — WvM 9. Nr. 12.

Oudin, Edouard. »Madame la Présidente«, opérette en trois actes de MM Paul Ferrier et Auguste Germain. musique de M. Edmond Diet (Bouffes Parisiens, 1re le 12 septembre) — RAD 17, Nr. 10.

Pagenstecher, K. Richard Wagner und die deutsche Schule — BW 4, Nr. 20.

Panse, Rudolf. Zu Herrn Dr. Adler's Arbeit: »Eine Rhythmus-Theorie des Hörens« — Zeitschrift für Ohrenheilkunde

(Wiesbaden, J. F. Bergmann) September 1902 [vergl. Zeitschriftenschau III, Nr. 10].

Pastor, Willy. »Der Pfeifertag« von Max Schillings in Berlin — Mk 2, Nr. 2.

Pfeilschmidt, Hans. Zum 50jährigen Jubiläum des Rühlschen Vereins in Frankfurt a. M. — Mk. 2, Nr. 2.

Ponten, J. S. Organist en zangers te Hoogmis en Requiem-mis — SGB 27, Nr. 7.

Pottgiefser, Karl. Über Opernkonkurrenzen — SA 4, Nr. 1.

Prochaska, Rudolph. Robert Franz — Mk 2, Nr. 2.

Prümers, Adolf. Über das Hässliche in der Musik — MWB 33, Nr. 39.

Pudor, Heinrich. Winke für's Auswendigspielen — TK 6, Nr. 16.

Puttmann, Max. Justin Heinrich Knecht (geb. 1752) — Mk 1, Nr. 24 (mit Porträt].

—— Joseph Joachim Raff. Ein Gedenkblatt — TK 6, Nr. 15.

R., E. Der Sologesang im Gottesdienste — BfHK 6, Nr. 10.

R . . . . . s, B. Die Musik vom sociologischen Gesichtspunkt — NMZ 23, Nr. 20 ff.

Rabich, Ernst. Bach dem Volke? — BfHK 6, Nr. 10.

Ramrath, Conrad. Veranlagung und Berufswahl im Gebiete der Kunst (mit besonderer Berücksichtigung der Musik) — WCh 3, Nr. 12.

Rebenstorff, H. Über Tonlöschröhren für die singende Flamme — Zeitschrift für den Physikalischen und Chemischen Unterricht (Berlin, Julius Springer) 5, Nr. 5.

—— Versuche mit akustischen Flammen — ibid.

Recknagel, G. Die Musik im deutschen Sprichwort, eine Sprachstudie — NMZ 23, Nr. 22.

Regenitter, Rudolf. Das neue Stadttheater in Köln — BW 5, Nr. 1 [illustriert].

Richter, Bernh. Friedr. Eine Abhandlung Joh. Kuhnau's — MfM 34, Nr. 9 f.

Richter, C. H. Nationales und internationales Musikfest in Genf — NMZ 23, Nr. 20.

Riemann, Ludwig. Über Ton-Rhythmik und Stimmenführung — KL 25. Nr. 20 [Besprechung des Buches von A. J. Polak].

Riesenfeld, Paul. Richard Strauß. Eine Seelenanalyse — Nord und Süd 1902, Nr. 305.

Rimini, E. Das runde Fenster als einziger Weg für die Übertragung der Töne aus der Luft auf das Labyrinth — Zeitschrift für Ohrenheilkunde (Wiesbaden, J. F. Bergmann) September 1902 [Besprechung des unter vorstehendem Titel erschienenen Werkes von Carlo Secchi].

Rojahn, Ferdinand. Die norwegis Volksmusik — 5, Nr. 36.

Rolland, Romain. Rossini — RHC 2, Nr. 9.

Rovaart, M. C. van de. Zola en de muziek — WvM 9, Nr. 41.

Roy, Emilio. Beethoven in Madrid — Nuestro Tiempo (Madrid, Calle de Fuencarral 114) 1902, Nr. 20.

Rupp, E. Zur Vollendung der 1000sten Walcker-Orgel — ZfI 22, Nr. 36 [illustriert].

S., S. S. Worcester Musical Festival — MMR, Nr. 382.

S.-O., C. Das musikalische Leben einer kleinen Schweizerstadt im 19. Jahrhundert — SMZ 42, Nr. 27.

Saint-Saëns, C. Don Giovanni — MM 1902, Nr. 19.

Sand, Robert. Les lettres de Franz Liszt à la princesse Carolyne de Sayn-Wittgenstein — GM 48, Nr. 39 ff.

Schäffer, Karl. Münchener Festspiel-Erinnerungen — MTW 5, Nr. 40.

Schalk, J. A. S. van. G. L. Bots: Missa in hon. B. M. V. ad quinque voces inaequales — SGB 27, Nr. 7/8.

Schiedermair, Ludwig. Veit Weinberger. Ein Münchner Musikantenleben aus dem 17. Jahrhundert — Die Freistatt (München, Enhuberstraße 8) 4, Nr. 41.

—— Emanuel Schikaneder — Mk 1, Nr. 24 [mit Porträt].

Schillings. Zum »Kern der Wagner-Frage« — Beilage zur Allgemeinen Zeitung (München) 1902, Nr. 30.

Schlegel, Leander. Willem Mengelberg — MWB 33, Nr. 40 [mit Porträt].

Schmid, Otto. Die Geschichte des Dresdener Hof-Orchesters — Mk 1, Nr. 24 [illustriert].

Schmidt, L. Musik und moderne Litteratur — Deutsche Monatsschrift (Berlin, A. Duncker) September 1902.

Schneider, Louis. Quelques notes sur la harpe chromatique sans pédales (Système Gustave Lyon) — RHC 2, Nr. 9 ff.

Schoenrock, A. Verifikation einer Stimmgabel und Versuch einer photographischen Prüfungsmethode von Stimmgabeln — Deutsche Mechaniker-Zeitung (Berlin, Julius Springer) 1902, Nr. 13 f.

Schrijver, J. Over zoogenaamd »Moderne Tooneelkunst« — SA 4, Nr. 1 f.

Schuch, Julius. Wilhelm Kienzl — L 26, Nr. 1 ff [mit Porträt].

Schultse, Ad. Emma Koch — NMZ 23, Nr. 21 [mit Porträt].

—— Gabriele Wietrowetz — ibid, Nr. 22 [mit Porträt].

—— Meta Geyer — ibid [mit Porträt].

Schwerin, Cl. Frh. von. Die Ausdrucks-formen der Musik und die Tonmalerei — Mk 1, Nr. 24.

Segnitz, Eugen. Augusta Götze — KL 25, Nr. 20.

—— Wilhelm Bernhard Molique — AMZ 29, Nr. 40.

Seibert, Willy. Prof. Emanuel Wirth, zu seinem 25jährigen Jubiläum geschrieben — RMZ 3, Nr. 36.

—— Raoul Koczalski's Oper »Rymond« in Elberfeld — ibid.

Sittard, H. De voorloopers van ons tegenwoordig klavier — MB 17, Nr. 34.

Söhle, Karl. Alfred Stelzner's »Rübezahl« — Die Gesellschaft (Dresden und Leipzig, E. Pierson's Verlag) 18, Nr. 17/18.

Solerti, Angelo, Le rappresentazioni musicali di Venezia dal 1571 al 1605 per la prima volta descritte — RMI 9, Nr. 3.

Spies, Ernst. Bernhard Molique (geb. 7. Oktober 1802) — DMZ 33, Nr. 42.

Spitta, Fr. Zur Geschichte der Pflege des Kirchenliedes im Zeitalter der Reformation — MSfG 7, Nr. 10.

Steinhauer, C. Über rheinisch-westfälische Gesangwettstreite — SH 42, Nr. 39.

Steinitzer, Max. Musikalische Paläontologie — Mk 2, Nr. 1.

Steuer, Max. Die Oper vom Schnürboden — Vossische Zeitung (Berlin) 4. Oktober 1902, Morgen-Ausgabe.

—— J. J. Abert. Ein Gedenkblatt zu des Künstlers 70. Geburtstag (21. September 1902) — Mk 1, Nr. 24 [mit Porträt in 2, Nr. 1].

—— Karl Liebig (1801—1872) — ibid. 2, Nr. 1 [mit Porträt].

Stieglitz, Olga. Das musikalische Gedächtniss — AMZ 29, Nr. 42.

Storch, E. Über die Wahrnehmung musikalischer Tonverhältnisse. Antwort an Dr. A. Samojloff — Zeitschrift für Psychologie und Physiologie der Sinnesorgane (Leipzig, J. A. Barth) 29, Nr. 4/5.

Storck, Karl. Der Parsifalbund — Der Türmer (Stuttgart), Greiner & Pfeiffer) 5, Nr. 1.

—— Martin Plüddemann's Balladen — ibid.

—— Naturmusik — KW 15, Nr. 20.

Strobl, Karl Hans. Gustav Mraczek's »Der gläserne Pantoffel« — Die Gesellschaft (Dresden und Leipzig, E. Pierson's Verlag) 18, Nr. 17/18.

Struthers, Christina. The expression of the minor third — MMR, Nr. 382.

Tabanelli, N. La vera donna nel concetto di R. Wagner — Rivista Teatrale Italiana (Neapel) 1. Juni 1902.

Teibler, Hermann. Bayreuth und München — BfHK 6, Nr. 20.

—— Hugo Wolf — Daheim (Leipzig, Velhagen & Klasing) 39, Nr. 1 [mit Porträt].

Tischer, Gerhard. Das Streichorchester und seine Aufgaben — AMZ 29, Nr. 41.

Treitel. Neuere Theorien über die Schallleitung — Zeitschrift für Ohrenheilkunde ,Wiesbaden, J. F. Bergmann). September 1902.

Udine, Jean d'. Art et démocratie (La musique aux humbles) — MSu 2, Nr. 24.

Urban, Erich. Richard Strauß in neuen Liedern — Mk 1, Nr. 24.

W., G. Moderne Kirchenmusik und Choral — GBl 27, Nr. 9 [Entgegnung auf das gleichnamige Schriftchen von Renner-Regensburg'.

Wagner. Was ist echte Kirchenmusik? Ansprache, gehalten zu Colmar, bei der Generalversammlung des Elsässischen Cäcilienvereins am 11. September 1902 — C 19, Nr. 9f.

Wagner, P. Le due melodie dell' Inno ›Ave Maris Stella‹ — Rassegna Gregoriana (Rom) 1902, Nr. 5.

Weber, Wilh. Otto Barblau — NMZ 23, Nr. 20 [mit Porträt,.

Weber-Bell, Nana. Vokalform und Konsonanz — MTW 5, Nr. 39.

Werner, Arno. Moderne Forderungen an den Gesanglehrer der höheren Schulen und seinen Unterricht — Mitteilungen des Vereins seminarisch gebildeter Lehrer an höheren Unterrichtsanstalten, 1902, Nr. 39.

Winterfeld, A. von. Bernhard Molique. Ein Gedenkblatt zur hundertsten Wiederkehr seines Geburtstages ,7. Oktober) — NMZ 23, Nr. 20 [mit Porträt].

Wirth, Moritz. Die Tischscene, Thür und Baum in der Walküre — MWB 33, Nr. 43.

Wolff, Karl. Franz Wüllner † — NMZ 23, Nr. 21 ,mit Porträt:.

—— Das neue Theater in Köln — ibid. [mit Abbildung].

Wölkerling. Wilh. Schweizer Volksgesang — TK 6, Nr. 17.

Zschorlich, Paul. Parsivalomanie — Die Zeit 1, Nr. 49.

—— Militärmusik — TK 6, Nr. 16.

Buchhändler-Kataloge.

Alicke, Paul. Dresden-A., Grunaerstr. 19. — Antiquariats-Katalog Nr. 35. Katalog des deutschen Bibliophilen Justizrat Dr. Felscher-Hirschberg. 1000 vortreffliche Werke in schönen Exemplaren. Darin Musik S. 25 f. (Geringfügig.)

Heberle, J. M. (H. Lempertz' Söhne.) Köln, Breitestraße 125—127. — Katalog der reichhaltigen nachgelassenen Kunst-Sammlungen der Herren Okonomierat Jacob Haan († Köln), RentnerHenry Terstappen (†Bracht) u. s. w. Versteigerung zu Köln 22.—25. Oktober 1902. Darunter Nr. 725—767 Musikinstrumente, besonders Zithern- und Lauten-Arten, auch einige Blasinstrumente. Mit Gruppenbild von Instrumenten.

Jacobson, Wilh. & Co. Breslau, Tauentzienstr. 5. — Antiquariats-Katalog Nr. 179. 1080 hervorragende Werke aus Kunst, Litteratur und Wissenschaft. 62 S. 8⁰. Musik S. 44—51.

List & Francke. Leipzig, Thalstr. 2. — Lager-Verzeichnis Nr. 346. Autographen, 50 S. 8⁰. Darunter Tonkünstler S. 29—45, Bühnenkünstler S. 45—51.

Schmidt, C. F. Heilbronn, Cäcilienstr. 62. — Musikalien-Verzeichnis Nr. 304. Musik für kleines und großes Orchester, Orchester-Werke (in kleiner Besetzung) mit Pianoforte und Harmonium. Musik für Streich-Quintett-Orchester, Pariser Orchester u. s. w. Nachtrag ›Neuheiten‹. 126 S. kl 8⁰.

Mitteilungen der „Internationalen Musikgesellschaft".

Ortsgruppen.

Berlin.

Die erste Sitzung nach den Sommerferien (zugleich die fünfte des Vereinsjahres) fand am 15. Oktober in dèm bisherigen Versammlungsraume in der Burggrafenstraße Nr. 17 statt. Unser Vorsitzender, Herr Major a. D. Dr. O. Körte, hatte es selbst übernommen, einen Vortrag zu halten und zwar über ›Lautenmusik‹.

Von den Arabern über Spanien und Sicilien nach Europa verpflanzt, trat die Laute im 15. Jahrhundert in die Musikgeschichte ein, indem sie, neben Tanzmusik und Gesangs-Begleitung, die mehrstimmige Kunst-Vokal-Musik sich zu eigen machte und eine besondere Notation erfand. Schon Anfangs des 16. Jahrhunderts liegen Lauten-Drucke vor, die solche Arrangements mehrstimmiger Vokal-Musik, auf nur einer Laute zu spielen, zeigen; daneben Tänze und Gesänge mit Lautenbegleitung, sowie Versuche, instrumental zu komponieren. Letztere zum Teil noch sehr naiv, namentlich auch im Gebrauch der Chromatik. Ab und zu findet man aber doch schon ein überraschend sicheres Tonalitätsgefühl und manchmal ganz moderne Leitern und Wendungen: der Vortragende gab hierzu aus Lautenbüchern von 1507, 1508, 1523, 1529 und 1535 entsprechende Beispiele, charakterisierte sodann Form, Inhalt und Stil der Instrumental-Stücke (Preambeln, Ricercares, Préludes). gab ein Beispiel malender Musik: »La guerre« (gedruckt 1529 bei Attaingnant) und erwähnte eine besondere, seltsame Form der Instrumental-Musik: Tastar de corde (in einem Lautenbuch 1508), in welchem 2 rhythmisch verschiedene Sätze formell zu einem Ganzen verbunden sind. Ein zur Probe (auf dem Klavier) vorgetragenes Prélude (Attaingnant 1529) fiel auf durch seine Tonalität, Stilreinheit, sowie durch rhythmischen Wechsel und sehr ungewöhnliche harmonische Wendungen. Redner wies auch auf volksliederartige Motive hin, die hier und da in solchen Stücken auftauchen. Den größten Anstoß zur Entwicklung der Instrumental-Musik hat anscheinend der Tanz gegeben, indem die Instrumenten-Spieler sich die bisher verachteten volkstümlichen Elemente des Tanzes (Tanzlieder), nämlich scharfe Taktierung und Periodisierung zu eigen machten. Vielleicht sind die ersten Wurzeln der Suite, die später zur Symphonie sich auswuchs, in jenen Folgetänzen zu erblicken, die wir bereits im Anfang des 16. Jahrhunderts als solche gedruckt finden. In Frankreich (Attaingnant 1529) hatte die Basse-dance 3 Teile, von denen der letzte, Tordion, zu den ersten beiden etwa im Verhältnis von Allegretto zu Andante stand. In Italien (Petrucci 1508) war die Pavana prinzipiell dreiteilig: Pavana, Saltarello, Piva, im Verhältnis Andante, Allegretto, Presto.

Endlich beleuchtete Redner die Laute als Begleiterin des Einzelgesanges. Meist sind diese Kompositionen nur Arrangements von Frottolen etc.; die als Beispiele vorgetragenen italienischen und französischen Lieder nehmen sich jedoch wie monodisch erfunden aus und wären es wert, auch heute noch gesungen zu werden. Wenn auch die Geburtsstunde der Monodie in die Wende des 16. Jahrhunderts verlegt wird, in der Volks-Musik war sie schon weit früher, gewiss aber im 15. Jahrhundert üblich. Wie also die Laute bei der Taufe der Instrumental-Musik Pathe stand, so half sie andererseits die Monodie als Kunst-Form mindestens vorbereiten.

Eine auffallende textliche und melodische Ähnlichkeit eines der Lieder (ital.) mit »Inspruck ich muss dich lassen« von H. Isaak wurde beiläufig erwähnt.

Nach dem anregenden Vortrage des Herrn Dr. Körte gab die »Vereinigung zur Förderung der Blas-Kammermusik«, unter gütiger Mitwirkung einiger anderer Herren, zwei historisch interessante Stücke zum Besten: 1) Sonate in F-dur für 2 Oboen und Baß (Fagott) von Händel, 2) ein Mozart zugeschriebenes, nur handschriftlich erhaltenes Adagio. Beide wurden mit lebhaftem Beifall aufgenommen.

Der nächste Vortragsabend, der satzungsgemäß am 19. November stattfinden müßte, ist, da dieser Tag mit dem Bußtag in Preußen zusammenfällt, auf den 12. November verlegt worden. Die Herren Dr. Otto Abraham und Dr. Erich von Hornbostel werden die Güte haben, über »Ostasiatische Musik« (mit phonographischen Demonstrationen) zu sprechen. Gäste sind bei unseren Sitzungen stets willkommen.   Ernst Euting.

Frankfurt a. M.

Die Reihe der dieswinterlichen Vorträge eröffnete am 29. September Herr Dr. Willibald Nagel (Darmstadt), welcher das Einleitungs-Kapitel seines demnächst erscheinenden Werkes »Beethoven und seine Klavier-Sonaten« [1] in gut besuchter Versammlung unter großem Beifall zur Verlesung brachte. Mit sicherem Gestaltungsvermögen und in schöner Form giebt der Verfasser darin eine Darstellung der künst-

---

1) Der erste Band soll noch vor Weihnachten im Verlag von Beyer & Söhne in Langensalza herauskommen.

lerischen Entwicklung und des Bildungsganges Beethoven's. Es wird gezeigt, wie der
Jugendliche zuerst durch Neefe's Einfluß auf Bach hingewiesen und wie das Studium des großen Meisters bedeutungsvoll für sein Schaffen, namentlich in seinen
letzten Lebensjahren, wurde. Nach Besprechung der in Bonn entstandenen verhältnismäßig wenigen Jugendarbeiten und einem Hinblick auf Beethoven's Bedeutung als
Klavierspieler wird die Lehrzeit in Wien unter Haydn, Schenk und Albrechtsberger einer Betrachtung unterzogen und hervorgehoben, daß letzterer dem jungen
Feuergeist zwar theoretische Kenntnisse zu vermitteln, dagegen dem hohen Fluge des
erwachenden Genius nicht zu folgen vermochte. In einem Vergleich der Entwicklung
der Litteratur mit derjenigen der Musik des damaligen Zeitalters wird gezeigt, daß
Beethoven, obwohl er die Lücken seiner Bildung nie ganz auszufüllen im stande war,
doch keine geringere Stellung als Goethe oder Schiller im deutschen Kulturleben behauptet. Liebevoll wird des Meisters inneres Leben, seine Scheu, sich zu erschließen,
bei der nie in ihm erlöschenden Sehnsucht, einmal einem Menschen zu begegnen,
dem er sich ganz hingeben könne, geschildert. Es wird betont, wie Beethoven ganz
anders als seine Vorgänger an den weltbewegenden Fragen der Zeit in seinem Schaffen teilnahm, niemals aber, von wenigen Ausnahmen abgesehen, seine Kunst zur Darstellung äußerer Vorgänge benutzte. Wohl sprengt seine Form die bis dahin inne-
gehaltenen Schranken, aber sie überschreitet nicht die Grenzlinien künstlerischer
Schönheit. Seine Werke erfordern zu eindringendem Verständnis eine hohe allgemeine
Bildung. Seine künstlerische Entwicklung lassen seine Klavier-Sonaten in vollem Umfang erkennen, Tondichtungen des tiefsten subjektiven Gehalts, in welchen den Spielern neben der Aufgabe des Erfassens der hohen Beethoven'schen Gedankenwelt nicht
geringe technische Probleme gestellt werden. Bei der Beantwortung der Frage nach
der Möglichkeit einer Erklärung der Beethoven'schen Sonaten nach ihrem künstlerischen Gehalt wird die Frage der Ausdrucksfähigkeit der Instrumentalmusik überhaupt erörtert, und dieser die Eigenschaft, konkrete Vorstellungen, bestimmte Zustände
und Erscheinungen der organischen oder anorganischen Natur, historische Ereignisse
und anderes mehr zu schildern, aberkannt. Jede scharf umrissene Definition, wie sie
die Sprache geben kann, ist der absoluten Musik versagt. Ist die Schwierigkeit der
ästhetischen Wertung der Musik im wesentlichen aus der Vieldeutigkeit ihrer einzelnen Teile zu erklären, so kommt doch Beethoven unserem Verständnis durch die
unvergleichliche Klarheit und Prägnanz seines musikalischen Ausdrucksvermögens
sehr entgegen. Unsere leidliche Kenntnis der Weise seines philosophischen Denkens
und menschlichen Fühlens, die sprechende Art seiner Rhythmik und Melodik, die
Eindringlichkeit seiner Harmonik, die Sorgfalt, mit welcher er die dynamischen
Zeichen verteilt, alles dies trägt dazu bei, uns das Verständnis seiner Werke zu erleichtern, und beachten wir daneben die steten gegensätzlichen Elemente, wie sie
seinen Tondichtungen eigen, die rasche Ablösung kontrastierender Bildungen, die
Unterbrechung der Entwicklung der einen durch anders geartete u. s. w., kurz, »halten wir uns vorwiegend an den Meister selbst und das, was er uns an Schlüsseln zum
Verständnis seiner Werke an die Hand gegeben hat, so dürfen wir hoffen, seine Welt
sich vor uns aufthun zu sehen, auch wenn wir uns sagen müssen, daß überall das
Wort zu arm ist, einen auch nur annähernden Begriff von der Herrlichkeit und Er-
habenheit dessen zu geben, was seine Kunst uns geschenkt hat«.

Es war nach dem Vortrage noch Neuwahl eines Vorstandsmitgliedes an Stelle
des ausscheidenden Kassierers, des Herrn Bankdirektors Fester, vorzunehmen. Die
Wahl fiel auf Herrn Theodor Gerold.   Albert Dessoff.

Neue Mitglieder.

Blathwayt, Arthur P. Watford. Frogmore, Herts.

Frewer, Frank. L. R. A. M. 6 Wilmot Place. Rochester Road. Camden Road. London, N. W.

König, Albert. Privatier. Budapest, Palatingasse 24.

Mayer-Reinach, Adolf. Mannheim, Lameystraße 6.

Miller, George Elliott. 26 Micheldever Road, Lee, S. E.

Perry, Margar., Miss. Boston. Mass. 312 Marlborough Street.

Raillard, Theodor. Leipzig, Pfaffendorfer Straße 5 II.

Sachs, M. E. Königlicher Professor und Lehrer an der Königlichen Akademie der Tonkunst. München, Habsburger Platz 2/0.

Williams, E. Victor. 20 Charleville Circus, Sydenham, S. E.

Änderungen der Mitgliederliste.

Abert, Dr. Herm. Berlin, jetzt Halle an der Saale. Gütchenstraße 7.

Hilger, Professor Dr. A. München, jetzt Luisenstraße 25.

Krohn, Dr. Ilmari, Privatdozent. Helsingfors, jetzt Kangasala (Finnland).

Neisser, Dr. Arthur. Schriftsteller. München, jetzt Wien IX, Pramergasse 3.

Schering, Arnold, stud. phil. Leipzig, jetzt Humboldstraße 25 II.

Inhalt des gleichzeitig erscheinenden

Sammelbandes.

Oswald Koller (Wien). Die beste Methode, Volks- und volksmäßige Lieder nach ihrer melodischen Beschaffenheit lexikalisch zu ordnen.

Friedrich Ludwig (Potsdam). Die mehrstimmige Musik des 14. Jahrhunderts.

Julien Tiersot (Paris). Ronsard et la musique de son temps.

Edward J. Dent (Cambridge). The Operas of Alessandro Scarlatti.

Rosa Newmarch (London). Mily Balakireff.

Otto Wagner (Galatz). Das rumänische Volkslied.

Alfred Einstein (München). Zum 48. Bande der Händel-Ausgabe.

S. de Lange (Stuttgart). Satzfehler (?) bei Bach.

Von unseren Beiheften erscheint gleichzeitig:

Heft IX. Arno Werner, Geschichte der Kantorei-Gesellschaften im Gebiete des ehemaligen Kurfürstentums Sachsen. 84 S. 8°. Preis ℳ 3,—.

Einbanddecken zu Beiheften, Zeitschrift und Sammelbänden sind zum Preise von je 1 Mark von Breitkopf und Härtel in Leipzig zu beziehen.

Ausgegeben Anfang November 1902.

Für die Redaktion verantwortlich: Professor Dr. O. Fleischer, Berlin W., Motzstr. 17.
Druck und Verlag von Breitkopf & Härtel in Leipzig.

ZEITSCHRIFT

DER

INTERNATIONALEN MUSIKGESELLSCHAFT.

Heft 3. **Vierter Jahrgang.** **1902.**

Erscheint monatlich. Für Mitglieder der Internationalen Musikgesellschaft kostenfrei, für Nichtmitglieder 10 ℳ. Anzeigen 25 ₰ für die 2 gespaltene Petitzeile. Beilagen 15 ℳ.

An unsere Mitglieder.

Die Abhaltung eines **musikwissenschaftlichen Kongresses** gehört bekanntlich von vornherein zu dem Programm der Internationalen Musikgesellschaft. Anläßlich der Einweihung des Wagner-Denkmales in Berlin durch Seine Majestät den Deutschen Kaiser wird nun im Herbst 1903 ein siebentägiges internationales Musikfest nebst einem internationalen musikwissenschaftlichen Kongreß stattfinden, zu welchem wir hiermit sämtliche Mitglieder der Internationalen Musikgesellschaft schon jetzt einzuladen das Vergnügen haben. Bisher sind dem Komitee eine große Zahl von Fürstlichkeiten und Persönlichkeiten der hohen Aristokratie mehrerer Länder, sowie hervorragende Mitglieder der geistigen und Finanz-Aristokratie beigetreten. Die in Aussicht genommenen Festlichkeiten werden zu dem bedeutendsten gehören, was jemals auf international-musikalischem Gebiete geleistet worden ist; der ausgeworfene Fonds beträgt die Summe von einer halben Million Mark. Wir hoffen im Interesse unserer Bestrebungen, daß die Internationale Musikgesellschaft, der eine besondere Ehren-Stellung bei dieser Unternehmung eingeräumt worden ist, sich durch reges Interesse an den Vorbereitungen beteiligen und die Wahrnehmung ihrer Interessen durch rege persönliche und litterarische Teilnahme an dem Kongreß bethätigen wird. Weitere Nachrichten über den Fortgang der Vorbereitungen werden wir unseren Mitgliedern teils durch die Zeitschrift, teils durch persönliche Mitteilung zugehen lassen, und möchten nur vorläufig den herzlichen Wunsch aussprechen, der großen Tragweite dieser günstigen Konstellationen für alle Bestrebungen der IMG. durch vertrauensvolles Entgegenkommen und geeignete Mitarbeit Rechnung tragen zu wollen. Die Centralgeschäftsstelle.

Oskar Fleischer.

Emile Zola et la Musique.

La perte récente du grand écrivain que fut Emile Zola n'atteint pas seulement les lettres françaises, mais aussi l'art en général, car Zola s'occupa de critique d'art (ne fut-il pas l'un des «inventeurs» d'Edouard Manet?) et, voici une quinzaine d'années, il commença à s'intéresser à la musique, à laquelle il avait été jusque-là indifférent. Il se mit alors, sinon à en étudier les principes, du moins à en suivre les manifestations avec l'application qu'il apportait à tout ce qui attrait son attention; il acheta même un piano, révélait-il à un rédacteur du *Gil Blas*[1]), à l'époque où Alfred Bruneau travaillait avec lui à la partition de l'*Attaque du Moulin*. Avec régularité, Zola s'était mis à suivre les grands concerts symphoniques, et souvent, le dimanche, on voyait au balcon du Châtelet, l'auteur des *Rougon-Macquart* applaudir les Symphonies de Beethoven ou les fragments de Wagner, dont l'œuvre devait irrésistiblement le hanter.

La première œuvre lyrique à laquelle collabora Emile Zola fut *le Rêve*, représenté à l'Opéra-Comique où il donna par la suite l'*Attaque du Moulin*. A l'occasion de l'apparition de cette dernière pièce, le maître romancier, dont les idées sur l'opéra, ou mieux, sur le Drame lyrique, s'étaient précisées avec l'expérience, et avaient pris dans son esprit une forme définitive, exprima dans un long article, ses théories, ses *desiderata* relativement au Drame musical français tels qu'il le concevait.

De cet article, maintenant enfoui dans la collection du *Journal*, je ne crois pas inutile de reproduire les passages essentiels que voici:

Le Drame lyrique.

«Sur le tard de ma vie, je me suis intéressé à la musique, ayant fait l'heureuse rencontre d'Alfred Bruneau, une des intelligences les plus vives, un des passionnés et des tendres les plus pénétrants que j'ai connus. Et, dans cette question si intéressante de la musique au théâtre, je suis frappé chaque jour davantage de l'importance capitale, décisive, pour le musicien, de ce qu'on appelle un bon poème . . . . Dernièrement, lors de la mort de Gounod, en lisant les articles qui appréciaient son œuvre, j'ai remarqué que ses nombreux insuccès, au théâtre, étaient tous attribués, par les critiques, aux défauts de malencontreux poèmes . . . . Et, pourtant, c'était l'époque où un poème n'était qu'un prétexte à musique . . . .

«Aujourd'hui, que la nouvelle formule du drame lyrique triomphe,

[1) *Gil Blas*, 22 novembre 1893.

on doit donc comprendre l'importance grandissante que prend la nécessité d'un bon poème. Je suis convaincu que les échecs récents de plusieurs jeunes compositeurs de talent sont dus au choix fâcheux d'une pièce qui est tombée et qui les a écrasés. Dans un drame lyrique, selon moi, il doit y avoir un milieu nettement indiqué et des personnages vivants, en un mot, une action humaine que le rôle du musicien est uniquement de commenter et de développer; et, dès lors, tout va dépendre de cette action, de ce milieu et de ces personnages, car le musicien aura beau dépenser un talent énorme, il n'intéressera pas, il ne pourra faire ni vrai ni grand si on le force à lutter contre une histoire baroque et des pantins sans cœur ni cervelle.

«On a justement bataillé dans la presse, ces temps derniers, pour savoir quelle part devait être faite, l'œuvre commune achevée, au librettiste et au musicien. Et il m'a bien semblé que le plus grand nombre traitaient le premier comme un simple manœuvre, chargé de gâcher la besogne au second.

«En effet, rien n'est plus court, et rien ne semble plus facile à établir qu'un poème. En trois semaines, un fabricant habile doit pouvoir fournir cela sur mesure, d'autant plus qu'on est coulant sur la qualité des vers. Songez, ensuite, au travail énorme du musicien: une partition exige des mois et parfois des années de travail; et il y a encore l'orchestration, plus de mille pages de musique à écrire. Aussi l'idée qu'au théâtre, sur la recette, le librettiste touche autant que le compositeur, peut-elle paraitre injuste. D'autre part, les livrets sont généralement si mauvais, même ceux des opéras restés au répertoire, qu'on s'explique l'étonnement des gens, lorsqu'ils apprennent que l'auteur des paroles et l'auteur de la musique sont traités sur le même pied. Il est vrai que la justice finit toujours par s'établir, car le nom du musicien seul demeure.

«Et, cependant, je viens de dire combien un bon poème est rare, j'entends un poème qui aide le musicien, au lieu de le desservir. Questionnez les jeunes compositeurs, ils vous raconteront tous leur souci, leur désespoir, dans cette chasse au livret qu'ils rêvent et qu'il ne peuvent trouver. Il n'est donc pas sage de se montrer dédaigneux de la besogne du poète. Si humble qu'on la fasse, elle devient d'une gravité exceptionnelle, du moment que l'œuvre commune en dépend. Les exemples sont malheureusement là: tout croule quand le poète n'a pas pris le musicien sur ses épaules pour le porter.

«Je trouve donc qu'il est un peu puéril de discuter sur les parts à faire au librettiste et au compositeur; et j'ai une solution très simple

pour les mettre absolument d'accord: c'est que le compositeur soit son
propre librettiste. Oui! ma conviction est qu'aujourd'hui, avec le drame
lyrique, le musicien doit écrire lui-même son poème. Je ne m'explique
même pas qu'il puisse en être autrement.

‹Qu'on réfléchisse à ce que je disais plus haut: la musique n'est plus
à part, elle enveloppe l'action, elle fait corps avec le personnage. Dès
lors, il me paraît impossible que l'action et les personnages naissent d'un
côté, tandis que leur vie et leur âme poussent de l'autre. Il y a là une
intimité telle, un organisme si étroitement lié dans ses parties, que le
père unique s'impose. Si je cherche à m'imaginer la genèse d'un drame
lyrique, je vois les êtres, je vois les faits s'engendrer les uns par les
autres musicalement, apportant la symphonie comme l'air qu'ils respirent,
développant la phrase chantée comme la voix qui leur est propre. Deux
pères pour cet enfant qui ne doit avoir qu'un cœur et une seule tête me
gênent absolument .... Lorsqu'on n'écrit pas soi-même son poème, il y
a encore une façon de le faire sien, c'est de s'entendre affectueusement
avec un poète au point de n'être plus qu'un avec lui.

* *

‹Ah! ce drame lyrique français, il me hante! Quand un génie despotique et tout puissant comme Wagner, se produit dans un art, il est
certain qu'il pèse terriblement sur les générations qui suivent. Nous
avons vu cela, dans notre poésie, après Hugo, Lamartine et Musset: il
semble, aujourd'hui, que le lyrisme soit épuisé à jamais. Nos jeunes
poètes se tourmentent désespérément pour conquérir une originalité. De
même, en musique, la formule wagnérienne, si logique, si pleine, si totale,
s'est imposée d'une façon souveraine, à ce point qu'en dehors d'elle, dès
longtemps, on peut croire que rien ne se créera d'excellent et de nouveau. Le sol est conquis, il ne pousse plus que des œuvres filles du
maître .... Et c'est pourquoi, depuis que mon ami Bruneau me fait
aimer la musique, je réfléchis parfois à ces choses. Négliger Wagner, ce
serait enfantin. Toute sa conquête doit être acquise. Il a renouvelé la
formule, il n'est plus permis de retourner en arrière et d'en accepter une
autre. Seulement, au lieu de s'immobiliser avec lui, on peut partir de
lui; et la solution n'est certainement pas ailleurs, pour nos musiciens
français. Rien n'est immobile, tout marche et progresse. D'autres maîtres viendront qui feront vieillir Wagner. Puis, les races sont là qui
différencient les œuvres lorsque le même souffle créateur a passé sur le
monde.

‹Alors, je me suis imaginé que le drame lyrique français, tout en
partant de la symphonie continue à l'orchestre, qui développe les situations et commente les personnages, tout en ne faisant plus du chant que

l'expression des cerveaux et des cœurs, pourrait s'affirmer à part, dans la passion, dans la clarté vive du génie de notre race. Je vois un drame plus directement humain, non pas dans le vague des mythologies du Nord, mais éclatant entre nous, pauvres hommes, dans la réalité de nos misères et de nos joies. Je n'en suis pas à demander l'opéra en redingote, ou même en blouse. Non: il me suffirait qu'au lieu de fantoches, au lieu d'abstractions, descendues de la légende, on nous donnât des êtres vivants, s'égayant de nos gaietés, souffrant de nos souffrances. Et je voudrais encore que le poème intéressât par soi-même, comme une histoire passionnante qu'on nous raconterait. On peut l'habiller de velours si l'on veut; mais qu'il y ait des hommes dedans, et que de toute l'œuvre sorte un cri profond d'humanité.

A voilà le mot lâché. Je rêve que le drame lyrique soit humain, sans répudier ni la fantaisie, ni le caprice, ni le mystère. Toute notre race est là, je le répète, dans cette humanité frémissante, dont je voudrais que la musique traduisît les passions, les douleurs et les joies. Ah! musiciens, si vous nous touchiez au cœur, à la source des larmes et du rire, le colosse Wagner lui-même pâlirait, sur le haut piédestal de ses symboles! La vie, la vie partout, même dans l'infini du chant! ....» [1]

* * *

Comment Zola mit-il en pratique ses théories du Drame lyrique français? Les quatre œuvres qui sont sorties de sa collaboration, soit avec le librettiste Louis Gallet et le compositeur Alfred Bruneau, soit avec Bruneau tout seul, le témoignent amplement.

Les deux premières, le Rêve [2] et l'Attaque du Moulin [3], sont tirées d'œuvres antérieures du romancier; le livret de l'une comme de l'autre a été mis en vers par Louis Gallet; les deux dernières: Messidor [4] et l'Ouragan [5], sont des œuvres absolument nouvelles pour le fond comme pour la forme, et Zola lui-même, rompant avec les traditions séculaires en a écrit, en prose, les livrets.

L'expression de la théorie réaliste, «naturaliste», de Zola, relative au Drame musical, peut-être pas très neuve en toutes ses parties, était, on peut le dire un acte de courage. Le grand romancier n'en était d'ailleurs pas à ses débuts, et — sans vouloir faire une allusion déplacée ici à des événements récents rien moins que musicaux, — il devait par la suite donner une autre preuve de courage, d'héroïsme, qui a rendu

---

1) *Le Journal*, 22 novembre 1893.

2) Première représentation à l'Opéra-Comique, le 24 juin 1891.

3) Première représentation à l'Opéra-Comique, le 24 novembre 1893.

4) Première représentation à l'Opéra, le 19 février 1897.

5) Première représentation à l'Opéra-Comique, le 29 avril 1901.

son nom universel. Après avoir, pendant vingt ans bataillé presque sans
relâche, soulevé presque sans cesse des émeutes dans la gent littéraire,
après s'être imposé par des chefs-d'œuvre retentissants à ce public qui
le bafoua et se méprit sur son compte, comme il a fait avec Wagner. —
Zola, dans le théâtre lyrique dont les chefs-d'œuvre du maître de Bayreuth
lui avaient montré la puissance et comme l'utilité sociale, voulut exercer
l'effort de sa volonté laborieuse.

Il voulut se mesurer avec le colosse wagnérien, au risque de se mettre
à dos tous les fanatiques admirateurs, — souvent bien mal renseignés, —
du grand *Worttondichter*. Il avait son musicien, Alfred Bruneau qui,
d'abord, avait eu l'intention de tirer un opéra de *la Faute de l'abbé Mouret*;
mais le sujet ayant été déjà retenu par Massenet, Zola réserva à Bruneau
le Rêve, dont le roman allait paraître. Depuis lors, quatre partitions ont
vu le jour, en dix ans, période relativement brève si l'on considère quelle
masse de préjugés était à soulever, quels obstacles, si étrangers à l'art
parfois, faillirent ajourner (pour combien de temps?) la représentation
de certaines.

*   *

Une analyse rapide de ces quatre drames lyriques en montrera la
tendance, et comment Zola fut, tantôt en harmonie, et tantôt en dés-
accord avec ses propres principes.

Le livret tiré du *Rêve* par Louis Gallet suit pas à pas jusqu'au dénouement, le roman. C'est l'histoire simple d'une jeune orpheline, Angélique, recueillie jadis par de braves gens qui lui ont appris le métier
de brodeur qu'ils exercent dans une ville épiscopale du Nord de la
France, à l'ombre de la cathédrale. Angélique devient amoureuse d'un
jeune homme, Félicien de Hautecœur, dont le père n'est autre que
l'archevêque, qui fut autrefois marié. Celui-ci, malgré les supplications
de Félicien, interdit à son fils d'épouser la pauvre orpheline, qu'il aime
lui aussi. Angélique tombe grièvement malade; le sacrement d'extrême-
onction, que lui administre le prélat, la rend quasi-miraculeusement à la
santé. L'évêque de Hautecœur autorise alors le mariage, mais au moment où (ceci est la conclusion du roman) Angélique redescend les marches de l'église, au bras de Félicien, elle meurt en plein «rêve». Le
librettiste modifia cette fin, et, dans un dénouement plus «opéra-comique»,
il laissa les jeunes gens vivre ce rêve.

Cette action simple, tirée du roman de Zola qui étonna le plus ses
lecteurs habituels, par son caractère mystique, par le mélange incessant
des choses religieuses aux actions de la vie réelle, par l'étrangeté aussi
du milieu, permit au compositeur d'écrire une partition qui fut vivement
discutée dans le monde musical et artistique. Mais il n'entre pas dans
le cadre de cette étude d'en parler. . . .

Avec l'*Attaque du Moulin* (dont le livret, par Louis Gallet, suit dans
ses grandes lignes la première nouvelle des *Soirées de Médan*), Bruneau
avait à traiter un sujet plus franchement réaliste, pris, comme le demandait Zola lui-même, «dans la réalité de nos misères et de nos joies», un
sujet presque contemporain, l'action se passant lors de la guerre de 1870[1]).

Au premier acte, dans la grande cour de son moulin, le meunier
Merlier célèbre les fiançailles de sa fille Françoise avec un jeune flamand
du nom de Dominique Pennequer. L'annonce de la guerre déclarée
éclate au milieu de la joie générale, faite par le tambour du village.
L'acte se termine par un monologue devenu célèbre, dit par Marcelline
personnage ajouté par le librettiste), la vieille servante. qui perdit jadis
ses deux fils à la guerre:

> «*Oh! la guerre! l'horrible guerre!* . . . .
> *Tous les travaux anéantis,*
> *La mort du pauvre monde et le deuil au village!* . . . .»

Dominique, n'étant pas Français, ne partira pas. Tel est le premier
acte. Au second, c'est l'attaque du moulin. Dans la version moderne
(1870) de la pièce, le décor représentait à peu près les célèbres *Dernières Cartouches*, de Neuville. Dominique, trouvé les mains noires de
poudre est arrêté: il sera fusillé. Le capitaine ennemi lui promet cependant la vie sauve s'il consent à guider ses troupes à travers la forêt.
Le jeune homme refuse; on l'enferme. On le voit s'accouder à la fenêtre et chanter de bien peu vraisemblables *Adieux à la Forêt*; après lesquels se place un duo, bien invraisemblable aussi, avec Françoise qui
par une échelle extérieure, est venu jusqu'à la fenêtre. A la nuit tom-
bante, Dominique s'enfuira par cette échelle.

Le troisième tableau, après la bataille, se passe à l'extérieur du
moulin. L'appel des sentinelles retentit tristement; un jeune soldat de
faction chante un lied mélancolique de son pays; on entend aussi des
jeunes filles chanter gaiement (un soir de bataille!). Puis vient un dialogue, presque philosophique et bien invraisemblable, entre Marcelline
et la sentinelle ennemie:

Marcelline.

Soldat, de quel pays êtes-vous?

La Sentinelle.

De là-bas!

De l'autre côté du grand fleuve.

----

1) Lors des représentations de 1891. pour des raisons soi-disant de prudente con-
venance, on transporta l'action en 1792! A Nancy, à Besançon, on a joué l'œuvre de
Zola et Bruneau en costumes modernes (1870) et l'événement a prouvé qu'il n'y avait
aucun inconvénient sérieux à le faire.

Marcelline.

Vous avez encore votre mère?

La Sentinelle.

Oui, veuve
Et très vieille, et très seule, au village. Ah! c'est loin!

Marcelline.

La pauvre femme! Dieu si bon en prenne soin!

La Sentinelle.

Il est aussi là-bas une fille aux mains blanches
Blonde, avec de grands yeux, bleus comme des pervenches,
Que j'aime bien, qui m'aime bien.

Marcelline.

La pauvre enfant! Et pouvez-vous me dire
Pourquoi vous vous battez?

La Sentinelle.

Pourquoi? en sait-on rien?

Marcelline.

Vous êtes venus pour tout tuer, tout détruire
Chez nous.

La Sentinelle.

Je ne sais pas pourquoi je suis venu!
Je sais que je voudrais retourner vers ma mère,
Vers mon amie .... Eh! mais, au large! arrière!

Dominique cependant s'est glissé jusqu'au jeune soldat, et le tue.
L'homme tombe en poussant un cri; on accourt. Si demain Dominique,
dont la fuite se découvre, n'est pas retrouvé, Merlier sera fusillé. ....

Dans la cour du moulin en ruines, au dernier tableau, on voit Françoise, anxieuse, et Marcelline qui l'entraîne à la recherche de son fiancé.
Celui-ci, imprudent, paraît bientôt, il se cache avec elle, dans la cour
même, derrière le puits. Merlier, à son tour, arrive, précédé du capitaine
ennemi; s'il essaye de fuir, les sentinelles ont l'ordre de tirer sur lui.
Mais, on entend les clairons français qui s'approchent; Dominique (par
quelle invraisemblance?) va rejoindre les troupes libératrices. L'ennemi,
avant de quitter la place, fusille le vieux meunier.

«....... Oh! la guerre!
Héroïque leçon et fléau de la terre!»

clame Marcelline en manière de conclusion.

Ce livret de l'*Attaque du Moulin*, où les théories de Zola sont si
souvent violées par son propre collaborateur, offrait sur celui du *Rêve*

un grand avantage, dont le compositeur a profité largement: les caractères des personnages en sont d'une humanité beaucoup plus vraie, plus générale, plus *reinmenschlich*, suivant l'expression de Wagner, et cela, malgré les costumes et l'époque déterminés. C'est dans l'*Attaque du Moulin* (en ne se plaçant toujours qu'au point de vue littéraire), qu'on peut, il me semble, le mieux juger de Drame lyrique tel que le concevait l'auteur des *Rougon-Macquart*. On voit dans cette pièce le défaut du système et comment, tout en faisant «vrai», l'auteur a dû faire des concessions à l'invraisemblable, en plus d'une situation.

Avec *Messidor*, on a affaire non plus à un texte tiré d'un roman écrit précédemment, revu, remanié, rimé par un librettiste de profession, mais à une œuvre nouvelle. Zola a prétendu, en ces quatre actes qui symbolisent les quatre saisons de l'année, glorifier le travail. Voici en quelques mots le sujet:

Autrefois, les habitants de la vallée de Bethmale (dans l'Ariège), étaient riches; le ruisseau, qui charriait de l'or, les dispensait de tout travail pénible. Mais l'un d'eux, Gaspard, ayant établi une usine et détourné le torrent, a accaparé la richesse commune et ruiné la région. De laveurs d'or qu'ils étaient les habitants ont dû se faire laboureurs et cultiver le sol ingrat, desséché. — Au début de la pièce, on voit Guillaume, découragé revenir au logis triste de Véronique, sa mère, qui l'accueille avec ces mots:

«*O mon enfant, te souviens-tu, lorsque ton père vivait encore, avant la terrible mort qui nous l'a pris, te souvient-tu des jours où nous étions riches? Et tout le village, avec nous, était riche, tandis que, maintenant, la misère et la faim sont partout!*

«*Des ruisseaux, venus des grands rocs, là-bas, coulaient devant nos portes, roulant de l'or. Chaque famille avait sa part du torrent, dont elle lavait le sable et cette poudre d'or recueillie, cette magnifique moisson d'or, nous faisait vivre heureux, loin des villes où nous la vendions depuis des siècles.*»

Deux éléments d'intrigue viennent élargir cette donnée première. Guillaume aime Hélène la fille du riche usinier Gaspard, mais celle-ci, que tant d'autres ont déjà recherchée pour sa fortune, n'ose non plus se décider pour Guillaume, qu'elle aime cependant; Véronique, d'autre part, oppose un obstacle à cet amour: elle révèle à son fils que «son père est mort en tombant dans le gouffre; c'est Gaspard qui a fait le coup; ose donc aimer la fille de l'assassin». Mais une catastrophe arrangera les choses: un écroulement de rochers écrasera l'usine, et, Gaspard étant ruiné, les jeunes gens pourront s'épouser. En outre, et là n'était pas le moindre attrait de curiosité de ce livret, la lutte entre le capital et le travail y

est posée, sinon discutée et résolue. Un ouvrier, Mathias, qui, instruit
dans les grandes villes, y est devenu anarchiste, à la suite du refus de
Gaspard de l'embaucher, symbolise, assez heureusement le conflit perpé-
tuel du travail contre le capital. Mathias organise des réunions en plein
vent (il y a là une réminiscence de *Germinal*), ameute la foule à la dé-
molition de l'usine. .... Or, il arrive que cet anarchiste a volé un
«collier magique»; sorte de *Deus ex machina*, d'antithèse du *Ring* du
Nibelung; ce collier d'or «qui donne la joie et la beauté aux êtres purs,
force les coupables à se livrer». Mathias se déclare donc l'assassin
du père de Guillaume, et Gaspard, ruiné, étant lavé de ce crime, aucun
obstacle ne s'oppose plus à l'union d'Hélène et du jeune homme.

Dans *Messidor*, encore plus que dans l'*Attaque du Moulin*, Zola chercha,
on le sent, à concilier la pratique avec ses théories. L'œuvre étant
destinée au grand opéra, il habille ses personnages un peu trop «de
velours», selon son expression. Ici, le velours, c'est .... un ballet, placé
suivant la coutume, au milieu de la pièce, au début du troisième acte,
et qui, à la représentation, était exécuté au début du premier. Cette
Fête de l'Or (tel est le titre de ce divertissement chorégraphique) a pour
cadre «*une salle immense, creusée dans le roc ... Ce n'est qu'une grotte
prodigieuse dont les stalactites forment des piliers et les ogives ... une
nef de rêve, une grandiose ébauche d'église cyclopéenne. Et toute la salle
immense semble taillée dans l'or naturel d'une mine d'or .... Une lumière surnaturelle, égale, éblouissante, noie la vaste salle ....*» Au fond,
une statue de la Vierge tenant dans ses bras l'Enfant-Jésus des mains
duquel «*coulent des ruisseaux de poudre d'or*». Dans ce décor féerique
évoluent deux peuples de danseuses, l'un conduit par *la Reine*, l'autre
par *l'Amante*, symboles de l'ambition et de l'amour. Ni l'une ni l'autre
ne conquiert l'Or; à la fin cependant, l'Or s'anime; il montre comment
il est l'Or de bonté et l'Or de beauté. .... Soudain Véronique paraît;
elle a trouvé le chemin qui conduit à la divinité; tout s'écroule dans les
ténèbres. ....

Les personnages de *Messidor* sont plutôt, sauf l'anarchiste Mathias.
vigoureusement dessiné, des abstractions, des symboles, que des êtres
réellement vivants. Il y a un Berger, qui n'a aucune influence sur l'action du drame et ne semble pas avoir plus d'importance qu'un accessoire.
Fort pittoresque d'ailleurs, mais d'une invraisemblable psychologie, ce
Berger parle de «la souffrance, éternelle comme le monde»; il chante:
«Je suis le gardien, le solitaire», etc.

Somme toute, ce premier texte d'opéra dû à l'imagination de Zola,
malgré des pages fort belles «littérairement», plus belles comme scénario
de roman que comme livret à mettre en musique, marquait plutôt un
recul qu'un progrès sur l'*Attaque du Moulin*. L'effet cependant fut con-

sidérable et, si cette nouvelle bataille livrée par le grand romancier contre le préjugé et la routine s'était tournée en victoire incontestée, les conséquences en eussent été immenses. L'événement ne se produisit pas.

Le dernier drame lyrique dû à la collaboration de Zola et Bruneau, l'*Ouragan*, est, à mon sens, par sa réalisation, de beaucoup supérieur à *Messidor*. Le sujet en est plus «purement humain»; et il gagne en réalité, justement par le vague de certains détails matériels. Le poète, dans l'*Ouragan*, nous transporte dans une région maritime imprécise, dans une sorte de Bretagne, qui n'est cependant pas la Bretagne, dans l'île de Goël: île battue de tempêtes, d'«ouragans» terribles, mais dont un coin délicieux, la «baie de Grâce», offre un asile toujours sûr aux navires qui y atteignent. Dans l'île de Goël, vivent depuis des mille ans, deux familles ennemies. Deux sœurs, l'aînée, Marianne, orgueilleuse et vindicative, et Jeannine, de caractère opposé, douce et amoureuse, ont jadis aimé le même homme, Richard; Jeannine l'aime encore; sorte de Hollandais volant, Richard est depuis des années errant sur les mers; reviendra-t-il jamais? .... Marianne qui a épousé Richard, a obligé sa sœur à épouser le frère de celui-ci, Landry, ivrogne et brutal. Et la malheureuse pense toujours à Richard.... Un jour, l'ouragan fait se réfugier un navire dans la baie de Grâce; c'est Richard qui revient, ramenant une petite fille qui répond au nom de Lulu, créature étrange de rêve et fantaisie, qui contraste agréablement par son innocence sauvage avec ces êtres aux passions exaspérées. L'arrivée du voyageur n'a fait que ranimer la passion de Jeannine et la haine de Marianne pour sa sœur. Dans un tableau d'une horreur indicible, au milieu des éléments déchaînés, d'une tempête terrible qui engloutit une partie des navires de l'orgueilleuse Marianne, Richard tue Landry, puis il repart dans l'inconnu, vers l'oubli, que symbolise la petite Lulu, sa compagne. Le dernier tableau, après ces sombres et tragiques horreurs, amène le calme sur la mer et dans les âmes des deux femmes, maintenant seules à jamais. Les éléments se sont apaisés; Marianne a renoncé à sa haine contre sa sœur à qui elle ne veut plus disputer l'amour de Richard. Et le rideau se ferme, tandis que gaiement, dans le soleil et sur la mer calme, les navires de Goël partent pour la pêche.

Sans doute, Emile Zola, — l'analyse succincte qu'on vient de lire de ses livrets d'opéra le montre en plus d'un endroit, — a, emporté par le genre même auquel il s'attaquait, violé les règles qu'il avait posées et selon lesquelles il voulait créer un Drame lyrique français. Mais tous, malgré des défauts qu'il lui était d'ailleurs difficiles d'éviter au début (Wagner lui-même a bien eu le droit d'écrire *les Fées* avant *Tristan et*

Yseult!) sont théâtralement, littérairement, intéressants. Ils marquent, — comme cette *Louise* de Charpentier qui, triomphante aujourd'hui, eut tant de mal à paraître au feu de la rampe, — une époque, une ère nouvelle, dans l'histoire de notre musique française. Charpentier, Bruneau, par ces œuvres de vie et de sincérité, ont achevé, eux Français, la bonne besogne commencée chez nous par la révolution wagnérienne, aujourd'hui universellement victorieuse. Ils ont rendu le vieil opéra impossible désormais en France et, non-seulement en France, mais chez tous les peuples de culture musicale. Aucun retour offensif n'est plus à craindre, d'une façon générale, de la part des vieux fantômes meyerbeeriens ou rossiniens. Le vieil opéra-comique, ce «genre éminemment national», lui aussi, a reçu le coup de grâce. Pour une grande part, Zola aura contribué à ce résultat immense. Quelle que soit dans l'avenir, je le répète, la place que l'histoire assignera à des œuvres comme celles de Bruneau, elles ont, dès maintenant, l'incontestable mérite d'avoir frayé comme de hardis pionniers, une voie nouvelle à l'art dramatico-lyrique. Si elles ne s'imposent pas, maintenant du moins, avec l'autorité despotique de celles de Wagner, c'est que leur temps n'est pas encore venu; mais ce temps viendra: nous l'attendons avec confiance.

Paris.   J.-G. Prod'homme.

„Klinger's Beethoven" vom musikalischen Standpunkte aus betrachtet.

Selten hat ein plastisches Kunstwerk die Aufmerksamkeit der weitesten Kreise in so hohem Maße auf sich gelenkt, als »Klinger's Beethoven.« Es ist schwer zu sagen, wo über die Eigenart dieser Schöpfung eifriger diskutiert wird, ob unter den Bildhauern oder unter den Musikern. — So weit eine öffentliche Meinungsäußerung über Klinger's Werk stattgefunden, ging dieselbe im allgemeinen vom Standpunkt der bildenden Kunst aus. Man hat untersucht, inwieweit dieses Kunstwerk einen Fortschritt darstellt, und ist je nach dem eingenommenen Standpunkte zu einem verbimmelnden oder ablehnenden Urteil gelangt. Gewiß liegt die Kritik über ein Kunstwerk der Plastik zunächst bei den Sachverständigen dieser Materie. Aber wenn der Plastiker sich auf das Nachbargebiet der Musik begiebt, dann darf wohl auch der Musiker seinerseits ein Urteil darüber abgeben, wie weit es dem Bildner gelungen ist, sich auf diesem fremden Terrain Gebiet zu erobern.

Zwei Fragen sind es, die der Musiker einem Beethoven-Standbild gegenüber stellen muß. Zunächst wird er prüfen, ob die Gestalt mit dem Bilde übereinstimmt, das man sich nach glaubwürdigen Überlieferungen von der Persönlichkeit des Tonheroen machen muß. Was uns an Klinger's Beethoven befremdet, ist die vielbesprochene Nacktheit des Körpers; nicht weil wir an der Nacktheit als solcher Anstoß nehmen, — Beethoven's Gestalt wäre uns in der kleinsten Zehenspitze anbetungswürdig — sondern weil dieser nackte Körper Proportionen zeigt, welche wenigstens zum Teil nicht gut mit Beethoven's wahrer Gestalt übereinstimmen dürften. Beethoven war eher klein, als groß. Sein Körper war nach authentischen Berichten ›gedrängt, von starkem Knochenbau und kräftiger Muskulatur, sein Kopf ungewöhnlich groß‹. Für seine Erscheinung im Leben charakteristisch war also seine Kleinheit. Er war ein untersetzter, kräftiger Mann. Sehen wir uns Klinger's Statue an, so werden wir den Eindruck nicht los, daß dieser Beethoven, stehend gedacht, eine große, mehr schlanke Figur zeigen würde. Wir empfinden daher diesen marmornen Leib trotz aller plastischen Vollendung, die ihm der Künstler gegeben, als ein störendes Element. Wir denken an das gleichgültige Modell, das zu dieser angenommenen Gestalt Beethoven's gesessen haben mag.

Wir konzentrieren nun unser Interesse auf den Beethovenkopf, der diesem Körper aufgesetzt ist, und suchen hier den Beethoven, den wir kennen.

Klinger hat seinem Beethoven wohl die bekannte Gesichtsmaske von Klein zu Grunde gelegt. Er hat sie frei benutzt, wie das sein gutes künstlerisches Recht war. Mit Glück sind die unteren Partien des Antlitzes gebildet. In gewisser Hinsicht neu erscheinen uns Stirn und Augen. Beethoven's Stirn war ›hoch und breit‹ und zeigte dazu eine Wölbung nach vorn. Überhaupt war bekanntlich der Schädelbau Beethoven's ein kolossaler. Besaß doch das Schädelgewölbe die Dicke eines halben Zolles! Das Auge war klein, es versteckte sich, wie berichtet wird ›beim Lachen beinahe ganz in den Kopf. Dagegen trat es plötzlich in ungewöhnlicher Größe hervor, rollte entweder blitzend herum, den Stern fast immer nach oben gewandt, oder es bewegte sich gar nicht, stier vor sich hinblickend, so bald sich irgend eine Idee seiner bemächtigte.‹

Bei Klinger ist die machtvolle Wirkung der Beethoven-Stirn, die wie ein Felsen in die Welt geragt haben muß, durch die Anordnung des Haares, — es war struppig und wild — beeinträchtigt. Es verdeckt die Seitenpartien der Stirn. Sie erscheint unbedeutender als sie gewesen sein muß[1]. Zu bedauern ist, daß Klinger auf seine erste Idee verzichtet hat, den Augen durch Farbe Leben und Ausdruck zu verleihen. Nach der Aussage eines begeisterten Verehrers dieser Beethovenstatue hat Klinger den Tonheroen in dem Momente der Inspiration dargestellt. Wie verschieden ist aber der Ausdruck dieses erloschenen Auges von demjenigen, dessen zwingende Gewalt uns von den Zeitgenossen Beethoven's geschildert wird! Wenn irgendwo, so war bei Beethoven's Auge Klinger's unerhörte Meisterschaft in der Färbung und Beseelung des Steines am Platze. Stirn und Auge Beethoven's sind schon machtvoller dargestellt worden, als wir sie hier sehen.

Indessen ich will diese und andere Fragen nach der Portraitwahrheit, die freilich bei Klinger wohl gestellt werden dürfen, bei Seite lassen. Sie erscheinen auch nebensächlicher Natur gegenüber der Frage nach dem geistigen Moment, das aus der Statue zu uns spricht.

Daß Klinger mehr an einer Darstellung der Idee Beethoven, als an der Körperlichkeit desselben lag, das beweist wohl die Anlage des ganzen Werkes. Nun versuche man sich vorzustellen, was alles der ungeheure

---

1 Es ist bemerkenswert, daß Professor Schumann von einer niederen Stirn spricht!

Weltenbegriff »Beethoven« enthält, und man trete vor die Statue, versuche ihr prüfend in das furchtbare Antlitz zu schauen. Was anderes spricht aus diesen Zügen als der düsterste Pessimismus! Beethoven sieht aus, wie wenn er **Brahms** wäre, das heißt der Brahms des Requiem und der vier ernsten Gesänge. — Gewiß, den letzten Satz der Cis-moll-Sonate, die Appassionata, die ersten Sätze aus der C-moll-Sinfonie und der Neunten, die könnte dieser Mann, in dessen Antlitz sich nie ein Lächeln gezeigt haben kann, und der nur in alle Abgründe der Seelenqualen geblickt haben muß, wohl geschaffen haben. Aber man denke an den Sternentanz der A-dur-Sinfonie, an den Naturhymnus der Pastorale, den Freudendithyrambus der Neunten Sinfonie, an die verklärte Mystik der letzten Sonaten, an die religiöse Hingabe der Adagios und dann wieder an das weltdurchhallende, so derbe und doch so heilige Lachen der Scherzi und der himmelanflammenden Allegrosätze, — und man wird die Kluft zwischen dem Musiker Beethoven und Klinger's Plastik ermessen. Gewiß auf Beethoven's Leben lastete die furchtbarste Tragik, die je einen Menschen betroffen, aber nicht das tragische Geschick machte Beethoven's Größe aus, sondern die Überwindung des Geschickes. Beethoven war ein Sieger über das Leben. Er besaß vor allem den **schicksalüberwindenden, titanenhaften, wahrhaft genialen Humor.** Der fehlt bei Klinger ganz und damit ein Hauptmerkmal Beethovenscher Art und Größe!

Es ist von der größten Wichtigkeit auf diesen Punkt nachdrücklichst hinzuweisen, denn gerade die kolossale Wucht, mit der Klinger seinen Beethoven, wie er ihn auffaßte, zu gestalten wußte, kann zu einer einseitigen Auffassung von Beethoven's Kunst sehr viel beitragen. Seit wie langer Zeit bemühen sich die Volkserzieher, Kritiker, Ästhetiker und Künstler dem Publikum das Gruseln vor der klassischen Kunst abzugewöhnen! Wie viel Mühe hat es gekostet, den Leuten klar zu machen, daß Beethoven kein ewig ernster, finsterer Grübler gewesen ist. — Da tritt die machtvoll düstere Erscheinung dieser Statue in den Vorstellungskreis der Menge — und siehe, das beglückte Lächeln, das eben bei dem Namen Beethoven die Lippen zu verschönen begann — verschwindet, denn wer könnte dem Beethoven, den jene Statue zeigt, einen heiteren Laut zutrauen? Man hatte wohl nur falsch verstanden. Seine Kunst muß düster, ernst, furchtbar sein!

Es kann dieser Widerspruch zwischen Klinger's Beethoven und dem wirklichen Beethoven wohl von niemand geleugnet werden, und er kann auch zugegeben werden, ohne daß darum Klinger's Größe als Plastiker in Zweifel gezogen zu werden braucht. Niemals wird es selbst dem größten Künstler gelingen, in der starresten aller künstlerischen Ausdrucksmittel, dem harten unbeweglichen Stein, darzustellen, was nur die bewegteste, vielgestaltigste, ätherischste aller Künste allein zu sagen vermag. Aus der ungeheuren Ideenwelt »Beethoven« konnte der Plastiker nur **einen kleinen Teil, nur einen Moment** in Stein bannen! Klinger nahm hierzu dasjenige, was seiner **eigenen Individualität** von Beethoven verwandt und congenial war. So wurde die Statue **Klinger's Beethoven**, nicht **Beethoven.** In geringerem Maße zeigt Klinger dasselbe Verfahren übrigens auch bei seiner Liszt-Büste. Wer würde vor diesem zackigen, agressiven Gesichte, das uns von einem Revolutionär der Tonkunst vielleicht etwas sagt, wohl etwas von der himmlischen Güte, der religiösen Schwärmerei dieses Genius ahnen? Daß im übrigen die Bedenken des Musikers gegen Klinger's Beethoven nichts mit

der Bewunderung zu thun haben, die wir der rein plastischen Vollendung
des Werkes zollen, das braucht wohl nicht erst versichert zu werden. Und
wir neigen uns in Verehrung vor dem Bildner, dem das Kostbarste dieser
Erde für einen Beethoven gerade gut genug schien, und der in seiner genialen Schöpferkraft erst da still stand, wo es kein Vorwärts mehr gab — an
den Grenzen seiner Kunst!

Berlin. **G. Münzer.**

Paris et la Musique.

Des nouveautés musicales? — Hélas! combien peu nombreuses les œuvres
qui obtinrent la faveur de la première exécution, depuis près d'un an!

Les directeurs des théâtres lyriques, préoccupés de la fatale question
d'argent et embarrassés par des complications de mise en scène, ne par-
viennent à réaliser qu'un petit nombre de drames musicaux, au cours d'une
saison; quant aux directeurs des grands concerts, affolés par leur étrange
public de snobs, ils n'osent presque plus varier les programmes, et finalement
s'entêtent à «faire de l'argent» avec les numéros consacrés: ils nous lasse-
raient, si c'était possible, de merveilles comme la symphonie en ut mineur
de Beethoven, ou la neuvième, et de partitions telles que la Damnation
de Faust de Berlioz!

Plus que jamais, tout est subordonné à ce pouvoir aimable et stupide
que l'on appelle la Mode. Il faut, certes, reconnaître que la mode a parfois sur l'éducation du public une influence salutaire; si la foule a conçu le
mépris des sucreries musicales et de toutes les banalités élaborées par les
collaborateurs de l'antipoète Scribe, c'est bien grâce à la vogue du
Wagnérisme. Mais la mode est plus généralement nuisible, parce qu'elle
est capricieuse. Maudissons-la à ce titre, mais cependant ne cherchons pas
à la corriger: on ne corrige que les criminels logiques et responsables ...

Donc, comme il sied de n'applaudir que haute et savante musique, on
a trouvé de bon ton une exposition rétrospective de la symphonie.
Ce fut, pour les femmes du monde, l'occasion d'inaugurer quelques chapeaux
nouveaux, 9 pour Beethoven, 3 ou 4 pour Mozart réduit à la sélection,
1 pour Méhul ou pour Gossec qui ne s'y attendait guère, d'autres pour
Mendelssohn, Saint-Saëns, Brahms, Lalo, enfin 4 du dernier genre
pour le divin Schumann. Ce fut aussi, pour les musiciens, l'heureuse
occasion de réentendre quelques pages chéries, trop souvent vouées au silence.
A cette histoire de la symphonie, M. Tiersot, notre confrère, consacra un
excellent article, que n'ont pas oublié les lecteurs de cette Revue; nous nous
bornerons, pour notre part, à signaler la reprise de symphonies modernes
intéressantes au point de vue de l'évolution actuelle: celles de Lalo et de
M. Paul Dukas.

La *Symphonie en sol mineur* de Lalo n'avait pas été entendue depuis
quelques années; on ne saurait donc trop féliciter M. Chevillard d'avoir
voulu la reprendre, en une exécution tout à fait de premier ordre. L'œuvre
est forte et digne de succès quoique beaucoup trop théâtrale par son orchestration: le premier mouvement et surtout le quatrième nous rappellent

sans cesse *le Roi d'Ys*, par leurs effets plutôt dramatiques que lyriques:
mais il faut louer sans réserve les deux autres mouvements, nettement symphoniques et d'un caractère charmeur et farouche, d'une inspiration très
personnelle.

L'autre symphonie moderne, — car il est superflu de s'étendre sur la
Symphonie en ré mineur de César Franck, désormais classique de même que
la troisième de Saint-Saëns, — est une œuvre plus récente, jouée pour la
première fois à un concert de l'Opéra il y a cinq ans à peine: c'est une
Symphonie en ut majeur, qui a, du jour au lendemain, établi la réputation
du compositeur Paul Dukas. Ici le procédé théâtral est complètement
écarté: c'est la symphonie traditionelle, belle d'architecture et de poétique
élévation. Le premier mouvement est tout à fait remarquable avec ses
motifs précis, bien exposés, puis développés et enchevétrés en un métier
subtil et joli, une instrumentation variée et toujours bien sonnante. Des
qualités analogues se retrouvent dans le dernier morceau, fort impressionnant
encore, quoique un peu long; malheureusement, sans altérer absolument la
cohésion de l'ensemble, le deuxième mouvement est bien plus terne, et
l'auteur se sent sûrement plus à l'aise dans les passages de force que dans
les passages émus: sa muse est assez marmoréenne, elle a le geste, mais
elle reste froide . . .

Toujours aux Concerts Lamoureux, mentionnons la première audition
en France d'une œuvre ancienne, mais demeurée très moderne par l'éton-
nante richesse de l'orchestration: la *Dante-Symphonie* de Liszt. Le début
et la péroraison de sa première partie sont admirables et d'une infernale
puissance bien adéquate à la Divine Comédie; mais entre les deux surgissent
trop d'épisodes, raccordés de façon artificielle, et l'auditeur est fatigué par
le décousu d'une telle conception. Malgré son austérité, la seconde partie
est préférable; elle aboutit à des chœurs de toute beauté et laisse une impression vraiment grandiose.

Quatre œuvres nouvelles, toutes les quatre pour chant et orchestre, furent
diversement accueillies. La première, insignifiante, banale, et médiocrement
orchestrée, rapporta quelques coups de sifflet à son auteur, M. G. de Saint-
Quentin. Une autre, composée par M. Henry Büsser et chantée par
Mⁱˡˡᵉ Hatto, de l'Opéra, ne fut guère plus goûtée. Au contraire le public
et la presse prodiguèrent applaudissements et éloges à une partition de
Georges Hüe, *Edith au col de cygne*, ainsi qu'à son interprète, Mᵐᵉ Marthe
Chassang. Ayant de bonnes raisons pour ne parler ni de la chanteuse,
ni du poème, nous ne saurions cependant passer sous silence la parfaite
musicalité de l'œuvre et le grand charme de son orchestration (Concerts Lamoureux). Signalons aussi *la Fin de l'Homme*, de M. Ch. Kœchlin, qui
obtint un certain succès aux Concerts Colonne.

Quelques poèmes symphoniques obtinrent des insuccès d'estime; *Adonis*,
de la musique soignée, mais démodée, de Th. Dubois; puis *Soir d'Automne*
et *Juin*, de M. Trémisot, des médiocrités conventionnelles assez bien dé-
fendues par les amis du compositeur; enfin une *Eglogue* de M. Henri
Rabaud, jolie de sonorités, d'un modernisme pas très neuf, aimable en
somme.

A la Société des Concerts (Conservatoire) l'orchestre et les chœurs
sont maintenant dirigés par MM. Georges Marty et Emile Schvartz.
La musique ancienne compose la plus grande partie des programmes et l'on

put, au cours de la saison dernière, réaliser une exécution de la *Messe en
si mineur* de Bach, malheureusement avec des solistes chanteurs déplorables.
On monta également *Rédemption* de César Franck, et l'on fit entendre
quelques virtuoses consacrés, tels que M. A. de Greef, musicien impeccable,
un des rois du piano, et M. Francis Planté, le magicien d'antan et de
naguère, qui charme par le jeu et fascine par le geste.

Arrivons à l'Opéra et constatons que la première série de représentations de *Siegfried* suscita plus de curiosité que d'enthousiasme. Faut-il
s'en prendre au seul M. Jean de Reszké, trouvé trop Roméo pour le
grand rôle wagnérien? A vrai dire on n'a soigné que les décors et l'on
n'a tenu aucun compte des mouvements prescrits par le compositeur. Nombreuses pourtant furent les représentations de ce Siegfried ralenti, alourdi,
empâté, pontifiant ... — Moins nombreuses les représentations d'*Orsola*,
musique terne sur un livret inane. Les auteurs de la musique, MM. Paul
et Lucien Hillemacher, ont pourtant beaucoup de talent: souhaitons leur,
pour l'avenir un peu plus de chance, principalement dans le choix du poème.

M. Arthur Coquard, mieux avisé, écrit lui-même ses livrets: il réalisa
ainsi un drame plus vivant, en cette *Troupe Jolicœur*, jouée à l'Opéra
Comique au début de l'été et reprise lors de la réouverture. La musique
n'est pas bien et le livret pas fameux; aussi l'un convient-il à l'autre; l'ensemble a paru convenir à des spectateurs pas exigeants. — Les dilettantes
se trouvaient, du reste, occupés ailleurs, car la discussion fut et est encore
très vive, au sujet de *Pelléas et Mélisande*, pièce de M. Maurice Maeterlinck, musique de M. Claude Debussy. Du même compositeur nous avions
dernièrement écouté trois beaux poèmes instrumentaux, *Nocturnes*, d'un art
très neuf et raffiné, sorte de peinture polyphonique. Nous nous promettions
beaucoup de joie à l'audition de *Pelléas et Mélisande*. Bien franchement,
sans snobisme ni parti pris, nous avons éprouvé une grande déception.
L'orchestre frissonne et murmure exquisement autour de l'action jolie et
touchante imaginée par M. Maeterlinck, mais les interprètes sont des chanteurs ... qui ne chantent pas! Emploient-ils au moins le procédé moderne
appelé déclamation lyrique? Non: ils psalmodient. Il faut avouer que
l'innovation est troublante et rend le drame lent et monotone. En présence
de certains objets d'art très modernes et fantaisistes au possible, on demeure
parfois embarrassé: qu'est ceci? encrier ou essuie-plumes? La partition
de Pelléas est presque aussi déconcertante: est-ce de la musique de scène?
est-ce de la musique dramatique? Ne cherchons pas à résoudre la question:
l'œuvre est singulière, mais d'un métier toujours intéressant, et la tentative
est d'un artiste. Le décor musical est délicieux, quoique trop généralement
demi-teinte pour le théâtre; les interludes bruissent et charment, tout en
évoquant quelques souvenirs de l'école russe; l'expression des deux derniers
tableaux est très juste et émouvante; ah! si le compositeur (en allemand
on l'appelerait plutôt «Tonmaler») combinait un peu moins et musiquait
un peu plus! ...

Et nous avons la grève des musiciens d'orchestre! Ceux-ci ré-
clament une indemnité de répétitions et une augmentation d'appointements.
Ils ont, en général, pleinement raison, et nous espérons que leurs vœux
seront exaucés par les directeurs de théâtres et de music-halls. Mais leur
syndicat agit d'une façon rude et dont le public a lieu d'être surpris: n'a-t-il
pas mis à l'index les œuvres de Saint-Saëns et de Louis Ganne! La

Danse Macabre et la *Marche Lorraine* étant inscrites sur un programme de concert, les instrumentistes refusent d'exécuter ces morceaux. Nous croyons que le premier devoir d'un musicien d'orchestre était d'obéir à son chef comme un soldat, et d'oublier ses dilections ou antipathies personnelles. Ce boycottage est inadmissible. Si le public allait se mettre en grève, à son tour? . . .

. Paris.   **Maurice Chassang.**

„Dornröschen" von Humperdinck und Donizetti's „Don Pasquale".

Zu den Erstaufführungen in Frankfurt a. M.

In unserem Opernhause fand am 12. November die allseits mit größter Spannung erwartete Uraufführung von »Dornröschen«, Märchen in einem Vorspiel und drei Akten von E. B. Ebeling-Filhès, Musik von Engelbert Humperdinck, statt. Daß sich gerade die Frankfurter Bühne, als die Kunde kam, Humperdinck sei mit einer neuen Schöpfung hervorgetreten, das Recht der Erstaufführung sicherte, dafür sprachen hier eine Menge Beweggründe. Ist doch der Name des Komponisten durch seine frühere Lehr- und schriftstellerische Thätigkeit mit den hiesigen Verhältnissen eng verwachsen, und begegnete doch auch sein frisches und hübsches Märchenspiel »Hänsel und Gretel« (mit den trefflichen Kräften Schacko und Jäger) gerade hier einem seltenen großen und lange andauernden Erfolg. Dann kamen im März 1897 das im Ganzen sehr gut aufgenommene »deutsche Märchen«: »Königskinder«, und später die verschiedenen Aufführungen seiner letzten absoluten Orchesterschöpfung »Maurische Rhapsodie« in unseren Konzertsaal. Nun hieß es auf einmal, der Schöpfer von »Hänsel und Gretel«, welches Werk sich — wie lange kein deutsches Kunstwerk — im Fluge alle Bühnen eroberte, habe ein neues, seiner eigenartigen künstlerischen Begabung entsprechendes Werk vollendet! Eine neue Märchenmusik! Man las dann wiederholt, daß die Komposition des »Dornröschen« nur eine Zwischenarbeit darstelle, der sich Humperdinck, vom Gegenstande plötzlich auf das Lebhafteste angezogen, ausschließlich widmete, nachdem seine Hauptarbeit der letzten Jahre, die dreiaktige komische Oper »Die Hochzeit wider Willen«, bereits bis zur Vollendung des zweiten Akts gediehen war. Fast in letzter Stunde kam die allerdings schon etwas befremdende Nachricht, Humperdinck wolle sein »Dornröschen« nur als ein »Ausstattungsstück«, zu dem er »allerhand Musik« geschrieben habe, angesehen wissen. Doch auch das konnte vielleicht noch von größtem Interesse sein, zumal da man sich an manche hübsche Scenen in »Hänsel und Gretel« erinnerte; man war berechtigt, anzunehmen, daß die Musik eines Mannes, der einen derart gut eingeführten und schon kraft seiner hohen künstlerischen Würden so klingenden Namen trägt, gewiß auch vielerlei Anregungen bieten werde. Bekannte Musiker, viele Bühnenleiter und Vertreter namhafter Tageszeitungen und der Fachpresse waren also, wie vorauszusehen war, an diesem Abend herbeigeeilt, in der Erwartung, einem vollwertigen Kunstwerk oder wenigstens einer anregenden Bereicherung des Spielplans unserer Bühnen zu begegnen. Es ist leider anders gekommen. Um alle diese schönen Hoffnungen ärmer und — bitter enttäuscht mag so mancher der Gäste unsere schöne Mainstadt verlassen haben.

»Keine Dichtungsart versteht dem menschlichen Herzen so feine Worte zu sagen, als das Märchen.« Diese sinnigen Worte Herders kennzeichnen ebenso kurz als trefflich das Wesen und die tiefe Wirkung einer Herz und Gemüt erhebenden guten Märchendichtung. Zeigte in »Königskinder« das Textbuch von Ernst Rosmer (Frau Else Bernstein) feines poetisches Erfassen und die Kunst, eine in ihrer Eigenart reizvolle Stimmung über das Ganze zu breiten, so ist von der sogenannten Dichtung »Dornröschen« von Frau Ebeling-Filhès — nach einer anderen Lesart sollen es sogar zwei Damen sein — leider das gerade Gegenteil zu sagen. Der für einen ganzen Theaterabend natürlich zu kurze Vorwurf eines der schönsten Märchen ist im vorliegenden Libretto in das Prokrustesbett gelegt worden, in dem nun alle die herzigen kleinen Motive zu unglaublich langen Vorgängen, in denen ganz neue Gestalten auftreten, ausgereckt wurden. Bis zu dem Moment, da das holde Königstöchterlein sich an der Spindel verletzt, und alles mitten im Gange des fröhlichen Festes in den tiefsten Schlaf verfällt, hält sich die Handlung so ziemlich treu an das prächtige Grimm'sche Original. Von da ab spucken aber in den nächsten Scenen allerhand Anlehnungen an große dramatische Vorbilder und die Sucht, dem Ganzen einen bedeutenderen Anstrich zu geben, herum. Die böse Fee Dämonia, Hexe, Armida und Venus zugleich, der in das Wässrige verpflanzte Loge des behenden Quecksilbergeistes und Jung-Siegfried in der Rolle des zweiten Prinzen Reinhold treten nun in den Vordergrund der Aktion. In der Ahnengalerie eines alten Schloßes findet der Prinz (nach hundert Jahren ist es natürlich der Enkel des Prinzen Reinhold I.) in Dornröschens Porträt das Traumbild seiner Sehnsucht, die er in den poetisch geradezu ergreifenden Versen zu rührendem Ausdruck bringt:

> »In dem Schloß, dem altersgrauen,
> Wirst du eine Rose schauen,
> Frisch und schön, doch schwer zu brechen;
> Denn der Rose Dornen stechen.«

Das Ideal seines Herzens zu suchen und zu befreien, ist nun Reinholds Sache und zudem ein seit Wagner besonders beliebter Erlösungsgedanke. In öder Felsenlandschaft findet er Dämonia, welche ihm rät, die sein Lieb errettenden Verlobungsringe im Reiche der Gestirne zu suchen. Dies führt zu der einzigen, allerdings ganz prächtigen Scene, die für den Titel eines Ausstattungsstückes wirklich zu sprechen vermag. Allein auch hier findet der moderne Tamino nicht das, was er eifrig zu suchen bemüht ist. Quecksilber-Loge führt den Prinzen in den Felsenschacht, hier werden die Ringe gefunden. Da erscheint Dämonia, die als Venus oder Kundry den anständigen Prinzen mit ihren Verführungskünsten umgarnen will, aber zur Strafe für ihr sündiges Unterfangen durch einen wohlgezielten Schwertstoß in ein hoffentlich reineres Jenseits befördert wird. Sehr hübsch sagt das Textbuch:

> »Triumph! Jetzt durchbohrt ihr der Kühne das Herz;
> Da stürzt sie und windet sich jammernd vor Schmerz!«

Quecksilber, der dieses in der Koulisse unter Blitz und Donner vor sich
gehende Erlösungsfaktum rührig mitverfolgt, führt darauf den Prinzen an
die lichte Oberwelt. Die Dornenhecke sinkt, der Garten mit allen darin befindlichen Personen, wie er zu Ende des zweiten Bildes gewesen, wird sichtbar. Im Turmgemach erweckt Reinholds Kuß das schlafende Königskind.
Alles wird nun vollends wach und freut sich in hellstem Sonnenglanz über
den kurzen Epilog der von Wolken getragenen Fee Rosa, die viel Schönes
von dem »im Rosenlande waltenden Lenz« und »den zarten Banden der
Liebe« zu sagen hat. — Der Aufbau der Dichtung ist ebenso gesucht als
dürftig, könnte aber vielleicht noch mehr gewinnen, wäre das ganze Reim-
geschmiede nur einigermaßen erträglicher. Es erinnert in vielen Stellen an
jene gefürchtete Poeterei, die man in der »Dichterecke« kleiner Provinz-
blätter anzutreffen pflegt.

Als reines »Ausstattungssück« genommen, bietet das »Dornröschen« nur
in einem einzigen Bilde: »Im Reiche der Sterne« wirklich das, was man in
dieser Beziehung erwartet; alle übrigen Scenen erheben sich in dem gedachten
Effekt nicht besonders über das übliche Mittelmaß gewohnter Dekorations-
technik. Allein dort, wo der Prinz bei Sonne, Mond und sämtlichen Sternen
nach dem Verbleib der bedeutungsvollen Ringe zu fragen hat, wirkte die
strahlende Inscenierung des belebten Himmelsraums wahre Wunder und rief
den lebhaftesten Eindruck des Abends hervor. Auf welchen Standpunkt
ist nun Humperdinck, unter unseren Komponisten gewiß einer von denen,
die der Aufführung ihrer Werke sicher sein können, eigentlich geraten? Als
der deutsche Architekt Joseph Furttenbach um das Jahr 1627 eine Studien-
reise durch Italien machte, schrieb er voll Bewunderung über die in Florenz
geschauten scenischen Kunststücke: »Und seyn dergleichen Verwandlungen
in unterschiedlichen Gestalten offt sechs bis sieben in einer Commedien gesehen worden; die Wolken thaten sich auf mit Erscheinung lieblicher Musici,
und nach poetischer Weiß erzeigten sich Dii oder Götter, die fuhren auf die
Erde in mancherlei Gestalt . . . . . Dies sind diejenige Werk, darauf die
Italiäner sehr viel spendiren, und das nit unbillich; denn was kan grossen
Herren sampt dero Frauenzimmer grössere Ergötzlichkeit verursachen, als ein
dergleichen schön wunderlich oft verwandelndes Gebäw vor Augen zu haben
— dardurch die schweren Gedanken gar in liebliche Standt verändert
werden, sintemal das Gesicht zuvörderst etwas Schönes anschawen soll, be-
neben das Ohr die darbei habende holdselige Musica, drittens die Vernunfft
des herfür kommenden Orators oder Commedianten so zierliches Reden mit
grosser Erquickung anhören thut . . . . . .« Hat dafür der »deutscheste«
Komponist Weber gewirkt, oder Wagner mit dem ganzen Einsatz seiner Idee
so heiß gestritten, um ein denkendes Publikum an geweihter Stätte für die
höchste Kunst zu erziehen, daß ein gewiß sehr ernst zu nehmender Musiker
heute auf derlei Äußerlichkeiten ältester Theatermache verfällt?

Was die Musik Humperdinck's betrifft, nach Zahl der kleinen Musikstücke
und ihrer Bedeutung eigentlich der unwesentlichste Teil der ganzen Schöpfung,
so schwankt sie zwischen einem geradezu gesucht vereinfachten Schumann-Stil
(Rose Pilgerfahrt) und der in den relativ besten Stellen der Partitur bekannt-
geschickten und von gut klingender Instrumentation unterstützten Schreibweise des Autors der lyrischen Stellen in »Hänsel und Gretel«. Allein wie
vermißt man hier den dort frischen und liebenswürdigen Entwurf und die
zahlreichen »Treffer«, von denen schon einer allein dem »Dornröschen« ein

ganz anderes Relief verliehen haben würde! Das hübsche Vorspiel des Märchens, ein paar nette Gedanken während des einzigen schönen Moments, da sich Dornröschens Herz, ein namenloses Glück ahnend, in die Ferne sehnt, und die eben erblühte Mädchenknospe mit Wind, Wellen und Blumen trauliche Zwiesprache hält, sind neben der gut empfundenen Emoll-Ballade, die sich ganz wirkungsvoll nach der volkstümlichen Edur-Weiterführung wendet, als das Wertvollste dieser Begleitungsmusik anzusehen. Allem übrigen fehlt im Ganzen Originalität in der Erfindung und die zwingende Kraft eines wünschenswerten Eindrucks, wie auch die Melodik (wie in »Festklänge« oder den recht matten Walzer-Rhythmen des »Sphärenreigen«) gelegentlich die Grenzen einfacher Billigkeit streift. — Hinsichtlich des Gesamteindrucks stört der ewige Wechsel zwischen Sprechen, Melodram nnd kurzen Orchestersätzen. Kaum hat das Ohr irgendwo einen Ruhepunkt gefunden, so wechselt sofort der Charakter des Entwurfs, der einem aus unzähligen Flicken zusammengesetzten Teppich gleicht. Über das unwirksame und künstlerisch Unnatürliche des Melodrams selbst braucht an dieser Stelle gewiß nichts mehr oder gar neues gesagt zu werden. Dieser Stil wurde leider den musikalisch ungleich höher stehenden »Königskindern« schon zum Verhängnis.

Für die sorgfältige Vorbereitung und Aufführung des »Dornröschen« hatte man auf unserer Bühne — neben den ersichtlich nicht unbeträchtlichen Kosten für die prächtige Ausstattung der wichtigsten Scenen — weder Fleiß noch Mühe gescheut, um allem, was hier verlangt war, möglichst gerecht zu werden. Hinsichtlich der in allen Einzelheiten trefflichen und bühnenkundigen Leitung der Scenen durch Oberregisseur Krähmer, und der im ganzen tadellos funktionierenden maschinellen und dekorativen Einrichtung war besonders in dem Bilde, wo alle Wunder des Sternenhimmels gezeigt wurden, alles geschehen. Frau Schacko, eine bekannte Interpretin speciell Humperdinckscher Partien, bot auch als »Dornröschen« in Anmut des Spiels und Gesangs ihr bestes Können, wie sich auch die übrigen vielen Mitwirkenden ihrer zum Teil recht ungewohnten Aufgaben bestens entledigten. Am Schlusse der Aufführung wurde der anwesende Komponist selbstverständlich einige Male gerufen.

Die im allgemeinen gelungene Neueinstudierung von Donizettis »Don Pasquale« in neuer Bearbeitung des textlichen und musikalischen Teiles von Otto Julius Bierbaum und Dr. Wilhelm Kleefeld wurde am 15. September sehr freundlich aufgenommen. Diese neue Verdeutschung des »Don Pasquale« ist, wie Bierbaum in einem kurzen Vorwort betont, nicht in der Absicht unternommen worden, aus dem italienischen Operntexte eine deutsche Operndichtung zu machen, die berechtigt wäre, mit litterarischen Prätensionen aufzutreten. Ihre einzige Absicht sei vielmehr die, dem Original so genau als irgend möglich zu folgen, sowohl im Inhalt als in der Form, und die deutschen Worte den Noten genau den italienischen entsprechend zu unterlegen. Darin, daß dies bei den früheren Übersetzungen gar nicht versucht worden ist, erblickt Bierbaum die Ursache der Vernachlässigung des »Don Pasquale« auf den deutschen Bühnen. Das ist nun freilich nicht der einzige Grund, warum man jetzt über so viele, einst vielbejubelte Opern des Meisters von Bergamo zur Tagesordnung übergegangen; er liegt vielmehr in der Schwierigkeit der gesanglichen Ausführung der meisten hier in Frage kommenden Partien, mit denen seiner Zeit eine Grisi, Alboni, Artôt und Patti, und Sänger, wie Tamburini und Lablache, alle Welt zu begeistern vermochten. Daß sich die besten Werke der ausgesprochenen Opera buffa bezüglich des Wohlklanges der Sprache, der spielenden Bewältigung des raschen Parlandos im Dialog, und nicht zuletzt des unerläßlichen Temperaments der leichtflüssigsten Darstellung nur recht schwer auf deutschen Boden verpflanzen lassen, ist trotz der vielen Versuche eine alte Erfahrungssache. Bierbaum hat die Übersetzung des Textes, dem eine der Charakterkomödien Goldoni's zu Grunde liegt, mit ersichtlichem Eifer und mancherlei Geschick (besonders in den mehr lyrisch gehaltenen Scenen) unternommen. Leider stören den typischen Charakter des Ganzen sprachliche Wendungen, die überall sonst hineinpassen mögen, nur nicht in Donizetti's hübsche komische Oper. Man urteile selbst nach folgenden Beispielen: ›Dieser Knalleffekt war bitter‹, ›Das kokette Gesteck‹, ›Welche Schwefelbande‹, ›Mich zerquetscht der Sehnsucht Bürde‹; Norina verlangt einen Wagen mit Gummirädern, und der Chor ergeht sich etwas im Überbrettl-Stil in den fidelen Worten ›Alles tip-top, in großem Stile, wir schwimmen im Fett, hallelujah!‹ So wird fröhlicher Sinn leicht in störenden Unsinn verwandelt, und der Wunsch des Übersetzers, die reizende Oper den deutschen Sängern mundgerechter und dadurch das Werk in Deutschland heimisch zu machen, leider nicht in allen Stücken erfüllt. ›Die Moral von der Geschichte aufzufinden ist nicht schwer,‹ nämlich bei Neubearbeitungen den vorliegenden Werken hübsch die Sprache und den Stil ihrer Zeit, aus der sich die Produktion eines Kunstwerkes ergiebt, zu wahren. Könnte man doch einen Canaletto auch nie und nimmer zu einem deutschen Landschaftsbilde heutiger Manier ummalen! Kleefeld hat bezüglich der Anordnung und einiger geschickter Retouchen in der Partitur glücklich gearbeitet und dem Werke alle charakteristische Schönheit, die ihm Donizetti mit auf den Weg gegeben, künstlerisch zu wahren verstanden, so daß die besten musikalischen Momente auch diesmal ihre volle Wirkung erzielen mußten.

Frankfurt am Main.   **Hans Pohl.**

The English Provincial Festivals of 1902.

There has been a goodly crop of musical festivals in the English provinces, especially during the months of September and October. Worcester, Scarborough, Sheffield, Bristol, Cardiff, and Norwich are the towns thus distinguished; and, on reviewing the aggregate result, I think it may be fairly said that it has on the whole made for artistic excellence. In each locality a higher standard of performance has been set than that to which it is accustomed, and the contemporary school of British composers has been brought into prominence, and has met with some wholesome encouragement. As regards the programmes, they have, in addition to new works, included much that was interesting, while retaining the usual stock oratorios. Without these last no British festival could exist; for not only does their presence go far to ensure paying audiences, but they lighten the work of full rehearsal, for which the time is generally miserably inadequate. "Elijah" was, as a matter of fact, given at each of these six festivals, "Messiah" at three, the "Hymn of Praise", Berlioz's "Faust" at two; while "Israel in Egypt", Gounod's "Redemption", and Sullivan's "Golden Legend" made their appearance each once.

Taking these constant features for granted then, let me turn to matters of more special interest, reviewing briefly each festival in turn.

The first in date was the *Worcester* festival, which took place on September 9—12. It furnished three novelties of average importance, showing marked difference in tendency. The two choral works gave evidence of the influence of Hubert Parry. One was an oratorio, "The Temple", by H. Walford Davies, organist of the Temple Church in London. Its musicianship is exceptional, the contrapuntal texture of the chorus-writing being noteworthy for its power and virility. The "book", admirable in its construction and arrangement, was prepared by the composer, and shows his thoughtfulness no less than does his music. The orchestration aims at characteristic colour, for which purpose the composer has employed a larger number of brass instruments than is customary, but the effect is rather too much in the direction of sonority. The construction of the music is exceedingly interesting, the composer having endeavoured to combine the modern freedom and directness of dramatic expression with a use of "absolute" forms, which are employed with great ingenuity. As a whole the oratorio is an interesting and impressive work; where it seems to fall short of greatness is in charm and in warmth of emotional feeling, but it deserves further hearing, which may in many respects modify one's primary impression. In Hugh Blair's setting of "The Song of Deborah and Barak" there is an obvious effort to reproduce the rugged abruptness and dramatic energy of the text, which is in many instances highly successful, but is not obtained without a certain crudity that detracts from the beauty and easy flow of the music. With a little more naturalness the cantata would be infinitely improved. Of a different type was the third novelty, a symphonic poem by Granville Bantock, now Principal of the Midland Institute at Birmingham. It is an attempt to embody in music some features of Shelley's poem "The Witch of Atlas", and is a remarkable and successful piece of orchestral writing full of effects that are piquant, original and charming. In clearness and coherence of structure it is less satisfying, reminding one more of a series of dissolving views than of a single complete picture.

It is to Worcester, three years ago, that the English festivals owe their introduction to contemporary American music, Horatio William Parker's "Hora Novissima" having then been given for the first time in this country, under the composer's direction. Since then he has written a Psalm for the Hereford Festival, and this year, as will be seen later, his name has appeared in three festival programmes. At Worcester he conducted the Third Part of his oratorio "St. Christopher", which may be more conveniently discussed when I come to deal with the performance of the entire work at Bristol. Another American composer was represented at Worcester, George Whitfield Chadwick's overture "Melpomene", a well-written work on orthodox lines, being included in the programme. For the rest, the name of Richard Strauss made its first appearance in the programme of a first-class English festival, his symphonic poem "Tod und Verklärung" being played in a manner that did credit to the festival conductor Ivor Atkins, a young musician who since

the previous festival has acquired a much greater command of both himself
and his forces, and bids fair to become an excellent orchestral conductor.
A Church Cantata by Bach, "Gott der Herr ist Sonn' und Schild", was a
novelty, so far as this country is concerned, and had been edited by Ivor
Atkins for the occasion with an English version of the text.

On the 17—19 September a festival took place at *Scarborough*. It is
a young institution, this being only the second festival that has taken place,
and the programme, being contrived for the purpose of attracting the public
at large, was not of more than local interest. Indeed the curious circumstance about the event was that performances of all-round excellence, under
a conductor as able as Frederick Cowen, and works as popular as "Messiah",
"Elijah", Berlioz's "Faust", failed to draw anything approaching a paying
audience; which may, I suppose, be taken as an indication of how follow a
field this district affords. The only really interesting thing was a miscel-
laneous programme consisting almost entirely of works by native composers.
There was the breezy and vivid Choral Ballad "The Revenge" by Stanford,
an overture "The Butterfly's Ball" by Cowen, marches by Mackenzie and
Elgar, and a song by Goring Thomas.

The *Sheffield* Festival, on 1—3 October, may fairly be described as the
sensational festival of the year. It had a programme of more than average
interest, a conductor who has both temperament and experience in Henry
J. Wood, and a well chosen set of principals. But its extraordinary excellence was entirely owing to the prowess of its chorus, and this in its turn
I should attribute to the very exceptional powers of the chorus-master
Henry Coward. So remarkable is the result of his work that one is tempted
to endeavour to analyse the cause of his success. I think it lies in three
things; a knowledge of choral effects and vocal style, an inexhaustible
enthusiasm, and an almost unique power of communicating that enthusiasm
to those whom he teaches. The Sheffield singers had done a tremendous
amount of work in preparation for the festival, but there was no sign that
they were stale. They showed some indications that they were physically
tired, it is true; but there was no slackening of their mental faculties, none
of the dulness that comes of being wearied of one's task. Their singing in
Elgar's "Gerontius" showed their virtuosity in a striking light, for they not
only possessed mechanical perfection, but they sang with real dramatic intelligence. Of course the danger of this is suggested by the word "virtuosity", which I have just used; it is the danger which besets every clever
performer that he may be tempted to look upon music as a means for displaying his cleverness, and there is just a suspicion that at Sheffield choral
"effects" are too anxiously sought after. Still, one does not wish to stint
one's praise of performances that were marvellously fine, but only to point
to a very real danger that should be guarded against. The "Wandrer's
Sturmlied" of Richard Strauss, the "Triumphlied" of Brahms, and Dvořák's
"Stabat Mater", were among the more interesting choral works that were
performed; and there were two choral works composed specially for the
occasion, besides one that was heard for the first time in public. This last
was Elgar's "Coronation Ode", in which a broad popular character is sought
after, and most satisfactorily attained. It will be remembered that this Ode
was to have been given at the State performance in Covent Garden Theatre,
one of the abortive festivities in connection with the Coronation, and that

the composer, commissioned to procure the best possible chorus to sing in it, paid Sheffield the very sincere compliment of choosing his singers from the festival chorus. Coleridge Taylor, who had made himself famous with his "Hiawatha" cantatas, had lost ground with the "Blind Girl of Castel Cuillé" which he wrote for Leeds, so his work for Sheffield was anticipated with an interest not unmingled with anxiety. However "Meg Blane" proved a vigorous, picturesque composition, thoroughly in keeping with Robert Buchanan's powerful poem, and perhaps the most inspired choral work the festival season has produced. The other new work was a cantata, "Gareth and Linet", by Henry Coward, which was hardly worthy of so important an occasion. As chorus-master Coward has done great things for Sheffield; but there are diversities of gifts, and his is not the creative faculty.

The triennial festivals at *Bristol* had been suspended, the Colston Hall, in which they take place, having been burnt down about three years ago. They were resumed in a new and more capacious Hall on 8—11 October. Male-voice choruses have long been a speciality in Bristol, and I am inclined to think the most characteristic thing in the festival was the performance of Mendelssohn's "Antigone", in which a choir of 350 men took part. It was perhaps hardly "legitimate", for the music is no more intended for so huge a body of voices than it is for a concert-performance, but it was a fine piece of singing. The west country voices have not the weight or the ring of Yorkshire voices, but they have a fine quality peculiarly their own, and in George Riseley they have a chorus-master and conductor merged in one who thoroughly understands it, — and whom they thoroughly understand. The most important thing in the festival was however the Requiem of Berlioz, which makes such demands upon the resources of choir and orchestra that it is seldom heard. It is perhaps rather too self-conscious to be styled great, but it has a power and impressiveness that are undeniable. The choral side of the performance was very satisfactory, but the orchestral effects were not always perfectly realised. The time for full rehearsal is always insufficient on these occasions, — indeed this is one of the weakest points in connection with our English festivals, — and this makes it difficult to do complete justice to a work so complex and abnormal as the "Messe des Morts". In anticipation of a visit from Grieg, his music was almost excessively represented. The pianoforte concerto was beautifully played by Leonard Borwick. The male-voice choir was again heard to advantage in the "Landerkennung"; and the dramatic poem "Bergliot", for recitative with orchestral accompaniment, was given, but suffered from the melodramatic mouthing of the lady-reciter. The only actual novelty was a song-cycle "Illusions", a pleasant but undistinguished composition, quite unsuited to such an occasion, by a local composer Joseph L. Roeckel. The appearance of Paderewski, who played Beethoven's Fifth Concerto and his own beautiful "Polish Fantasia", was an incident of the festival that deserves record.

Of the *Cardiff* festival I can only speak from hearsay, as, by an extraordinary blunder, it coincided with the Bristol festival. Like that event, it had been in abeyance for some years, and this was the first conducted by Frederick Cowen, who as one of the most experienced conductors we possess, had no difficulty in securing from his chorus, a Welsh one with fine voices and emotional power, some excellent performances; Berlioz's "Faust" and Saint-Saëns' "Samson and Dalilah" being especially fine. The event of the festival was the production of César Franck's "Beatitudes", a work more often talked of than heard. It seems to have been finely performed on the whole, and to have made a genuine impression by its sincerity of expression, elevation of tone, and refined musicianship. Cowen's "Ruth" was revived, and a novelty was supplied in two orchestral "tone pictures" by Arthur Hervey, entitled respectively "On the Heights" and "On the March". The success they made was immediate, and, judging from a later experience at Norwich, to which I shall come presently, it was well-deserved. Horatio Parker's oratorio "St. Christopher" was an important feature of the programme. It is a work showing very exceptional facility and readiness of resource, and an unlimited command of orchestral colouring. It is hard to express why, with all these qualifications, it fails to completely satisfy the hearer. The Third Act, which was given at Worcester, is vivid and picturesque throughout, the choruses in ecclesiastical style being admirably treated; but in the other Acts the interest is not so well sustained, and one fails to recognise a distinctive individuality. · The composer is too purely eclectic.

The *Norwich* festival on 21—24 October must have created something like a record in the matter of novelties. In 4 days no fewer than 10 composers appeared to conduct their own works, the majority of which were heard for the first time in public on this occasion. The cleverest and most elaborate composition was Mackenzie's "London Day by Day", an orchestral suite suggested by life in the metropolis. In the first movement the Westminister Chimes are treated as a ground-bass, on which are superimposed no less than 25 variations, each of which is intended to suggest some feature of London life. Then we have a look into the fashionable quarter, represented by a beautiful waltz; and next a "Song of Thanksgiving", inspired by the Proclamation of Peace last June; and the last movement is a picture of Bank Holiday on Hampstead Heath, a musical extravaganza most cleverly worked out. It may perhaps be doubted whether, having regard to the playful purpose of much of the suite, it is not almost excessively elaborated, so that a lighter touch would have achieved an even better result; but for fine musicianship combined with genial humour and real feeling the work is a remarkable one, quite outside the ordinary ruts of convention. Another orchestral work possessing a really genuine charm was Stanford's new Irish Rhapsody in D minor. op. 78. It is based on two fine traditional Irish melodies, which are treated with consummate art, the structure and refined colour of the music being beyond praise. Taking it altogether, it is doubtful whether anything conveying such a sense of artistic completeness has been produced at any of the group of festivals with which I am dealing. Parry's "Ode to Music" was only a quasi-novelty, having been given on two semi-public occasions at the Royal College of Music, in connection with the opening of the new Concert Hall. It is in the same vein as many predecessors from the same pen, strenuous in its choral writing, which is more successful than the orchestration; while its strong point is in the keen literary sense which enables the composer to appreciate every point in the words he sets, and in the unerring taste which shows him the exact limitations of his art. Cowen's "Coronation Ode" had the disadvantage of a rather silly, vapouring poem, which might perhaps account for a certain lack of conviction one feels in the music; it however rises to the occasion in its stateliness, effectiveness, and avoidance of commonplace. Edward German is a master of bright rhythms

and dexterous counterpoint, and though his „Rhapsody on March Themes"
(a revised version of an older work) presents no new side to his character,
it displays his individual powers to marked advantage. Frederick Cliffe is
a composer who by his first symphony made a striking début in the musical
world, but has given cause for regret that he has not followed it up as he
might fairly have been expected to do. His important contralto scena, "The
Triumph of Alcestis", is indeed a powerful work, showing the all pervading
influence of Wagner, and distinguished by its glow of colour and emotional
melody. Somewhat similar in aim and character, but showing less complete
technical mastery, was a setting of the Balcony Scene from "Romeo and
Juliet", for contralto and baritone, by Herbert Bedford. He too has not
escaped the Wagnerian spell, but there was real passion in his music, which
reflected most happily the moonlight and voluptuous mood of the theme, and
was least satisfactory in the treatment of the declamation. In marked contrast to all the new compositions which have been considered was one by
Alberto Randegger junior, grand-nephew of the able musician who has conducted the Norwich Festivals since 1881. "Werther's Shadow", as it is
styled in the English version, was a novelty only so far as England is
concerned, being a one-act opera which has been given on the stages of
Leipzig and some Italian cities. It is essentially of the modern Italian
school, ultra-emotional, with melody that is vocal though making tremendous
demands upon the physical powers of the singers who take the two principal
parts. The dramatic power and verve are, in spite of obvious crudities,
unmistakeable, and, with a greater sense of artistic reticence, the composer's
abilities should carry him far. Arthur Hervey, who is both a critic and a
creative musician, appeared in the latter capacity as composer of an overture
entitled "Youth"; a brilliant, melodious, and highly effective piece, not aiming
too high, but reaching its aim with complete success. The clear, genial
music, ably conducted, made an instant impression; so that Hervey, who was
the only musician to produce new works at more than one festival, may
boast of having won two distinct successes at Cardiff and Bristol. Lastly
Landon Ronald, a young and rising composer, conducted a pleasant song-
cycle, "Summer Time", a recent but not entirely new composition. As
regards the general performances, one of the finest of which was of Verdi's
Requiem, they were exceedingly good, having regard to the material available.
The Eastern Counties are not the best district for producing chorus-voices,
but A. H. Mann, who has recently assumed the office of chorus-master at
Norwich, had made the most of his choir, and effected a distinct improvement.

I have said nothing of the singers at these festivals, who were for the
most part well known vocalists. But I should like to record the marked
advance made by some of a younger generation. Muriel Foster found her
opportunity in the illness of Marie Brema, and by her singing in Elgar's
"Gerontius" and Saint-Saëns' "Samson and Dalilah", as well as in other
works, materially advanced her position as one of our leading concert con-
traltos. Ada Crossley is also well known and appreciated as a consummate
artist; but she too made a step in advance by her fine singing at Norwich
in Brahms's Rhapsody and Verdi's Requiem. Then John Coates deserves a
word of praise for his dramatic yet reticent singing of the part of Gerontius;
he is a tenor who sings with brains, and this means a good deal. Perhaps

the most marked progress was shown by H. Lane Wilson, who has never had so great an opportunity as at Worcester, where he sang the principal baritone part in two novelties, and in the Bach cantata, with musical intelligence and beauty of voice. A word is also due to Ffrangçon Davies for the warmth and dramatic power of his singing at Sheffield.

And now as to Music Festivals generally. No doubt there is much to be urged against them on abstract grounds. This periodic glut of music cannot be wholesome, and it is too often, like the serpent's sleep, succeeded by a comatose condition; though, on the other hand, it must be remembered that the value of a high standard in musical performance is in itself a good thing in most provincial districts, and works for an all round improvement. From this point of view, then, a musical festival may be looked upon as a triennial or annual object-lesson and is not quite without its permanent influence on local music. Even if we cannot consider the musical festival as in itself an admirable institution, it is at the least a necessary evil, arising directly from another and greater evil — the lack of efficient orchestras in the English provinces; and it is chiefly on this ground that a plea may be offered on its behalf. There was a time when in a country town an incomplete collection of incompetent fiddlers, eked out by a flautist who joined in when he found the place, together with any other weird instruments that might be pressed into service, and all kept together by a pianoforte or harmonium, gave very general satisfaction when they scrambled through the music of Handel, or blundered through that of Mendelssohn. Circumstances have however conspired against such proceedings being tolerated as generally as they were, even until recent times. Of course there is the spread of musical education, to which may fairly be attributed some of this wholesome intolerance. Then, as has been suggested, the incursion of London bands at our provincial festivals must have raised the standard of appreciation of orchestral music, and created a noble discontent with the prevailing state of orchestral affairs in nearly all provincial towns; the district served by the Hallé band being the chief exception, at any rate till late years. Another element has been the fact that though a scratch band might wrestle more or less successfully with the scores of Handel, and even of Mendelssohn and his many imitators, it finds the later type of oratorio and cantata far beyond its powers. Such modern masterworks as the German Requiem of Brahms, the Stabat Mater of Dvořák, the Requiem of Verdi, the Faust of Berlioz, or, to come to our own country, Arthur Sullivan's "Golden Legend", Parry's "Job", Stanford's Requiem, Elgar's "King Olaf", or Coleridge Taylor's "Hiawatha", — all these typical works are tabooed to the majority of choral societies, simply because with the orchestral means at their disposal any attempt to perform them will inevitably result in a lamentable caricature of the composer's intentions. Now no one would surely be so retrograde as to wish contemporary composers, other than the merest hacks and poetasters of music, to accommodate their inspirations to the halting powers of provincial choral societies. Rather should the choral societies be encouraged to improve their orchestras, and public opinion be educated to demand such an improvement — and to pay for it. Until that happy consummation, the establishment of efficient local orchestras — still, it is to be feared, a long way off — there is one way in which enterprising choral societies may in some cases be able to realise their ambition; and this is the concentration of the season's efforts on a series of concerts which may be dignified by the name of "festival". By this means it becomes possible to gather together a competent orchestra, and, having done so, to make the most of it. To have a local permanent orchestra always at hand is, from every point of view, a far more desirable state of things; but this seems so far out of the range of practical politics at present that some toleration may be shown, even by those who object to "festivals" per se, to those who are adopting this short-cut out of an apparent impasse.

I might remark finally that a rather striking sign of the times is the multiplication of musical festivals, not on a large scale like those above-named, but smaller affairs, of which Hovingham, a mere village, and Bridlington, a small Yorkshire watering-place whose enterprise is commonly confined very strictly to the holiday season, may serve as examples. It is worthy of note, in passing, that these owe their existence primarily to the energy of amateur conductors, and it is no reflection on professional musicians to mention that my experience tends to show amateurs, who can afford to pursue their own inclinations, as comparing very favourably with their professional brethren, who have often to cater for the desires of an otiose and philistine public. A short while ago an ingenious writer in the "Spectator" expressed some surprise that no millionaire took it into his head to spend upon an orchestra as much money as it costs to maintain a single yacht or keep one race-horse; thus following the fashion of the Esterhazys and many Continental magnates of their time. I myself have often wondered that no musical plutocrat has arisen in our times who should attempt so distinctly "sporting" an undertaking as the running of an opera-house or an orchestra on artistic, and not merely commercial, lines. It would not be so very risky a venture, for, if only it were well enough done, it would surely go far towards paying its way. What Mr. A. W. M. Bosville, the "squire" of Thorpe Hall, Bridlington, has done for his little annual festival at that town, may well serve as an illustration on a modest scale of what a wealthy amateur can accomplish. That gentleman may fairly be said to "run the show" single-handed; for he arranges the programme, trains the chorus, writes his very original and exhilarating programme-analyses, conducts the concerts, and — pays the piper into the bargain, making good the inevitable deficit. Now we do not require our musical millionaires to be quite such Admirable Crichtons as this; the humble but necessary office of paymaster is all we ask them to fill, but this they might do with a good grace. There is at least one good thing about these smaller festivals to which I have referred; they exist for the sake of music alone, and do not imitate their older brethren in making charity the cloak for their existence. It is a good sign that music should be considered of sufficient value to the community to deserve support without reference to the destination of a problematical surplus.

The moral of it all is, then, that these festivals, large or small, if they do not represent the highest possible ideal, furnish a practical expedient for hearing the best music performed with, at any rate, an approach to efficiency quite impossible under the conditions existing in most English provincial towns.

Leeds.   **Herbert Thompson.**

Musikberichte.

Referenten: **E. Istel, A. Mayer-Reinach, O. Neitzel, W. Ortmann, F. Pfohl,
H. Pohl, J.-G. Prod'homme, C. Prost, E. Reuß, A. Schering.**

———

Barmen. Der Barmer Volkschor brachte unter seinem Dirigenten Karl Hopfe
die neueste Symphonie Gustav Mahler's, die auf der diesjährigen Tonkünstlerversammlung in Krefeld erstmalig gehört wurde, zur Aufführung. Das Werk hatte großen
Erfolg.

Berlin. (20. Oktober bis 20. November.) Unsere beiden Opernhäuser haben je
ein neues Werk von größerer Bedeutung gebracht, das kgl. Opernhaus die einaktige
Oper »Feuersnot« von Richard Strauß, die Oper des Westens das Goldmark'sche
»Heimchen am Herd«. Beide Werke haben bereits mehrere Aufführungen erlebt.
Der Goldmark'schen Oper scheint diesmal ein dauernderer Erfolg beschieden zu sein,
als vor circa 6 Jahren, wo das Werk im kgl. Opernhaus zuerst gegeben wurde; die
Aufführung, die das Theater des Westens bot, muß auch durchweg gelobt werden. —
Die Darbietung der »Feuersnot« im Opernhaus war das »Ereignis« dieses Monats.
Richard Strauß, der sein Werk selbst dirigierte, wurde enthusiastisch gefeiert. Aller-
dings spricht hier auch die persönliche Beliebtheit des Komponisten nicht wenig mit.
Als Fazit bleibt aber jedenfalls zu berichten, daß wir in der »Feuersnot« (siehe Bericht in der Zeitschrift, Jahrgang III, S. 245 ff.) ein Werk von größter Bedeutung
gewonnen haben, dem ein andauernder Erfolg beschieden sein dürfte. Nur eines hat
mich — und so auch viele andere — befremdet: was sollen die Stellen, in denen der
Komponist sein Publikum nicht ganz ernst zu nehmen scheint, was sollen die Verse
und musikalischen Anspielungen auf seine Stellung als Nachfolger Richard Wagner's.
Man sehe nur:

> »Im Hause, das ich heut zerhaun'
> Haust Reichhart einst der Meister.
> Der war kein windiger Gaukler, traun,
> Der hehre Herrscher der Geister.«

Wer unter Meister Reichhart zu verstehen ist, das hört man nur zu deutlich im Orchester durch die Klänge des Walhall-Motivs. Und weiter:

> »Sein Wagen kam allzu gewagt euch vor,
> Da triebt ihr den **Wagner** aus dem Thor —
> Den bösen Feind, den triebt ihr net aus —
> Der stellt sich euch immer aufs neu' zum **Strauß.**«

Und hierzu erklingt ein Motiv aus der Strauß'schen Erstlingsoper »Guntram«. Ich
frage mich, hat ein Komponist von solch allgemein anerkannter Bedeutung nötig,
derartige Mätzchen in seinem Werk anzubringen? Ich muß auch gleichzeitig bemerken, daß mir gerade die Stelle, aus denen die obigen Verse citiert sind, die Ansprache Kunrad's, etwas sehr in die Länge gezogen scheint und die dadurch entstandenen musikalischen Längen sehr empfunden werden. Aber trotz dieser Ausstellungen,
die ja nur eine einzige Stelle der ca. 1½ Stunden dauernden Oper treffen, darf doch
nicht vergessen werden zu betonen, daß das Werk, als ganzes betrachtet, den besten
Werken seines Schöpfers getrost an die Seite gestellt werden darf. — Am gleichen
Abend, an dem die »Feuersnot« in Scene ging, kam noch ein neues Ballet von Saint-
Saëns, »Javotte«, zur Aufführung, das aber nach dem vorangegangenen Einakter einen
schweren Stand hatte.

Auch in den Konzertsälen erschien Richard Strauß mehrere Male mit großen
Werken auf der Bildfläche, jedesmal unter dem gleichen Jubel des Publikums. Mit
seinem Heldenleben errang sich Nikisch im dritten philharmonischen Konzert größte
Lorbeeren, die Sinfonie aus Italien, op. 16, führte der Komponist im zweiten seiner
modernen Orchesterkonzerte selbst vor und im ersten Abend des Dessau-Quartetts

spielte er mit dem Primgeiger, dem ausgezeichneten Konzertmeister der kgl. Kapelle, seine Violinsonate op. 18 in Es-dur. Zeigt die Sinfonie »Aus Italien«, obwohl das frühere der beiden Werke, schon deutlich den kommenden Komponisten von »Tod und Verklärung«, so läßt dagegen die Sonate, obwohl in ihrer Art sehr schön, noch nichts von dem Zukunfts-Mann ahnen. Aus dem Programm des schon erwähnten II. Modernen Konzerts erwähne ich noch die Mitwirkung Emil Sauer's als Interpret eines eigenen Klavier-Konzertes, das aber als Komposition wenig interessierte. Der Spieler dagegen errang sich einen großen Erfolg. — Unter den Orchesterkonzerten des Monats stehen in erster Linie die zwei Konzerte der Meininger Hofkapelle unter Fritz Steinbach, denen beiden Altmeister Joachim seine Mitwirkung lieh. Aus dem Programmen hebe ich hervor: Mozart, Sinfonie concertante für Violine, Viola (Prof. Wirth) und Orchester; Dvorak, Suite für Blasinstrumente, op. 44; Bach, 5. Brandenburger-Konzert (am Klavier Georg Schumann, Flöte: Manigold-Meiningen); Elgar, Variationen; Georg Schumann, Serenade für großes Orchester und die 3. und 4. Symphonie von Brahms. Nach den Brahms-Darbietungen erreichte die Begeisterung ihren Höhepunkt. Nikisch brachte im II. Philharmonischen Konzert, in dem Felia Litwinne (Bruxelles) solistisch mitwirkte, die C-moll-Symphonie Nr. 2 von Bruckner, die einen guten, aber nicht stürmischen Erfolg errang. Weingartner führte im III. Konzert der kgl. Kapelle ein Orchesterstück »Der Zauberlehrling« von Paul Ducas mit Erfolg vor, errang aber die Lorbeeren des Abends mit einer wundervollen Interpretierung der Schumann'schen B-dur-Symphonie. Von Orchesterkonzerten sind noch als Kuriosität die 2 Orchester-Abende zu erwähnen, die der bekannte Pianist Busoni mit den Philharmonikern behufs Aufführung unbekannter Werke veranstaltete. Hinsichtlich der Zusammenstellung der Programme war der Künstler, der sich auch in seine ungewohnte Dirigententhätigkeit nicht sehr glücklich hineinfand, schlecht beraten. Das beste neugebrachte Werk, wenn auch an frühere Kompositionen seines Schöpfers nicht heranreichend, war »En saga« von dem Finnen Sibelius. — Das Gastspiel Sarah Bernhard's brachte uns die Musik zu »Phèdre« von Massenet, die unter der Direktion Edouard Colonne's sehr gefiel. — Von Chor-Aufführungen ist in erster Linie eine Wiedergabe der Haydn'schen »Jahreszeiten« durch den Stern'schen Gesangverein unter Friedrich Gernsheim's Leitung zu erwähnen. Der Chor, wie die Solisten Frau Herzog und Alex. Heinemann lösten ihre Aufgabe glänzend. Die Singakademie (Dirigent Georg Schumann) brachte mit Messchaert als besten Solisten den »Paulus« von Mendelssohn zu prachtvoller Aufführung, am Bußtag (19. November) wurden im kgl. Opernhaus unter der hervorragenden Leitung Dr. Muck's das Requiem von Cherubini und Fragmente aus Parsifal (Vorspiel und Abendmahlsscene) zu Gehör gebracht. Unter den Solisten ragte Knüpfer, der Bayreuther Gurnemanz, besonders hervor. — Von Kammermusik-Aufführungen erwähne ich neben den Quartett-Vereinigungen Joachim's, Waldemar Meyer's und des Schnabel-Hekking-Wittenberg-Trios Streichquartetts, die das Tschaikowsky'sche Es-moll-Quartett op. 30 zu glänzender Wiedergabe brachten, einen Trio-Abend des Holländischen Trios (neue Werke von Sinding und Scharwenka), den ersten Abend des Gustav-Holländer-Quartetts, in welchem der Primgeiger mit Ernst Jedliczka eine neue Violinsonate eigener Komposition mit großem Erfolg spielte, sowie das schon genannte Konzert der Dessau-Vereinigung, in dem Richard Strauß mitwirkte. Die Solisten-Konzerte alle anzuführen, ist unmöglich: es finden jetzt im Durchschnitt täglich 3—4 derartige Konzerte statt. Ich nenne nur das hervorragendste: Godowsky, der in einem Klavierabend den Beweis erbrachte, daß er nicht nur ein unerreichter Techniker, sondern auch glänzender Musiker ist, Henri Marteau, der das Beethoven'sche Violin-Konzert mit vollendeter Meisterschaft spielte, Clotilde Kleeberg, die sich in Weber's As-dur-Sonate und kleineren Stücken Chopin's, Saint-Saëns' u. s. w. von ihrer glänzendsten Seite zeigte. Ferner müssen mit größter Auszeichnung genannt werden: der Geiger Cäsar Flesch (Konzerte von Beethoven, Dubois, Paganini; die Pianisten Otto Hegner (Paganini-Variationen Brahms, 6 neue Stücke von Juon) und Waldemar Lütschg (F-moll-Sonate Brahms), die Sängerinnen Lilli Lehmann, Lula Mysz-Gmeiner (3 neue Lieder von Hausegger) und Therese Behr (ein besonderes Bravo den 3 Begleitern: Reinhold Herrmann, Eduard Behm,

Arthur Schnabel), die Sänger von zur Mühlen (Schubert's Winterreise) und Ettore
Gandolfi (letzterer beim ersten Auftreten schon mit größtem Erfolg). In einem gemeinsamen Klavierabend stellten sich ferner James Kwast und Frau Kwast-Hodapp
vor, Wilhelm Kienzl gab mit Emmy Destinn einen Liederabend eigener Kompositionen
und Eduard Behm spielte im ersten Konzert des Kotzolt'schen Gesangvereins seine
neue Violin-Sonate in A-dur mit Bernhard Dessau zusammen. Zum Schluß trage
ich noch den Bericht über das in den letzten Tagen stattgehabte Konzert des Richard-
Wagner-Vereins nach, in welchem sich Siegmund von Hausegger mit Glück als Dirigent, aber weniger glücklich als Komponist vorstellte. Aber daß im Rahmen dieses
Konzertes fast der ganze dritte Akt Tannhäuser in Konzertform gebracht wurde, dafür fehlt doch hier in Berlin, wo der »Tannhäuser« so und so oft auf der Bühne des
Opernhauses erscheint, jeder vernünftige Grund.   A. M.-R.

   Dresden. Die größeren Städte leiden in musikalischer und vielleicht in jeder
künstlerischen Beziehung unter der Überfülle der angebotenen Leistungen. Es hat
den Anschein, als ob das jetzige Geschlecht der Künstler materiell ernten soll, was
das vorige geistig oder, richtiger gesagt, schöpferisch gesäet hat; denn vorläufig decken
sich Angebot und Nachfrage dergestalt, daß man fast überall, und besonders hier in
Dresden, von einem recht guten Geschäftsgang reden darf. Wird er lange anhalten?
oder wird auch auf diesem Gebiete in Bälde einmal eine Krisis eintreten? Jetzt ist
eine solche noch durchaus nicht in Aussicht. Auch scheinen die übrigen »schlechten
Zeiten« hierbei gar keine Rolle zu spielen; denn der Besuch der Theater und Konzerte
läßt nicht viel zu wünschen übrig. Die Königliche Hofoper, die naturgemäß im
Mittelpunkte des Interesses steht, macht hiervon wohl eine Ausnahme; aber das liegt
an der Verwicklung verschiedener Verhältnisse. Erstens giebt es kein Abonnement,
und die Verwaltung muß mit dem jedesmaligen Publikum eines Abends rechnen. Nun
ist es nicht gerade leicht, ein über 1700 Personen fassendes Haus jeden Abend von
Neuem zu füllen, zumal da an jedem Abend in der Woche gespielt wird. Sodann ist
es nun schon seit geraumer Zeit das Bestreben der leitenden Faktoren des Institutes
geworden, in der Aufführung der zeitgenössischen Werke allen anderen Theatern voran-
zugeben. Dadurch sind die meistens interessanten »Ereignisse« herbeigeführt worden,
die natürlich einen großen Reiz gewähren, selbst wenn die Neulinge nicht immer einen
bleibenden Wert besitzen. Durch jenen Reiz nun ist das Publikum verwöhnt worden
und möchte gern immer in ganz besonderer Weise gereizt werden. Da das nicht so oft
zu ermöglichen ist, so wartet es mit seinem Besuche dann bis zum — nächsten »Ereignis«, während das Haus inzwischen nicht immer den Anblick einer befriedigenden
Fülle bieten kann.

   Von den besprochenen »Ereignissen« sind nun in den letzten Monaten schon zwei
zu verzeichnen gewesen. Anfangs Oktober wurde die einaktige Oper »Das war ich«
aufgeführt. Die geschickte Bearbeitung dieses älteren französischen Vorwurfs hat
Richard Batka unternommen, und die Musik dazu hat Leo Blech geschrieben.
Sie ist melodiös und fein gearbeitet, vielleicht an manchen Stellen zu kunstvoll, und
geht dadurch weit über den Rahmen der harmlosen Handlung hinaus. Hoffentlich
findet der hervorragende Komponist bald einen größeren Stoff, an dem er sein bedeutendes Können ungehindert entfalten kann. Das Werk fand lebhafte Anerkennung
und erhielt sich diese auch in mehreren nachfolgenden Aufführungen. (Vgl. Spezialbericht im vorhergehenden Heft.) — Schon vierzehn Tage später erlebte die »Tosca«
von Puccini hier ihre erste Aufführung in Deutschland, deren Aufnahme eine rauschende war, und die dem anwesenden Komponisten und den Mitwirkenden zahlreiche
Hervorrufe eintrug. Beide Werke waren von Herrn Geheimrat von Schuch einstudiert und geleitet worden, und besonders in dem letzteren entfaltete er seine große
Geschicklichkeit, die Vorzüge einer Neuheit in glänzendem Lichte zu zeigen und
etwaige Mängel geschickt zu verdecken. Über das Werk selbst meldet unser Spezialbericht Näheres.

   Noch ein drittes Werk erlebte im Oktober seine erste hiesige Aufführung, das
in Wien und Karlsruhe vor mehreren Jahren gegeben wurde. Es ist »Die Maienkönigin« von Gluck in einer textlichen und musikalischen Umgestaltung von

Kalbeck und dem verstorbenen Wiener Hofkapellmeister J o h. N e p. F u c h s. Das kleine einaktige Schäferstück wirkte recht anmutig.

Außer dem Interesse an den theatralischen Begebenheiten in der Königl. Hof-oper ist aber noch ein besonders lebhaftes für die von ihr veranstalteten S i n f o n i e -K o n z e r t e vorhanden. Es sind in jedem Winter ihrer zwölf: sechs giebt das Orchester auf seine Rechnung ohne Mitwirkung von irgendwelchen Solisten und sechs mit solchen giebt die General-Direktion. Es ist schwer, in ihnen einen Platz zu bekommen, da die Teilnahme am Abonnement eine ganz ungewöhnliche ist. Erwähnenswert aus den bisherigen drei Konzerten ist die Aufführung der geistvollen »Dornröschen«-Musik von Tschaikowsky.

Die Musikalienhandlung F. R i e s veranstaltet fünf »P h i l h a r m o n i s c h e K o n -z e r t e« unter Mitwirkung von auswärtigen Solisten, in deren Leistungen die Haupt-anziehungskraft dafür ruht.

Nun sollte naturgemäß die Erwähnung des großen Dresdener Gemischten Chores folgen. Einen solchen giebt es nicht und kann es vorläufig nicht geben, weil es zu viele kleinere oder auch größere giebt. Die Zersplitterung hat manchen Schaden ge-stiftet. Vor einem Jahre hat sich wieder ein neuer Verein, der D r e s d e n e r C h o r -g e s a n g v e r e i n unter Leitung des Komponisten W. v. B a u s s n e r n gebildet. Er hat eine rühmliche That vollführt: eine Aufführung des »C h r i s t u s« von L i f z t, die manchen fanatischen Gegner des Werkes in seinen bisherigen Überzeugungen wankend gemacht hat.

Über die Kammermusikkonzerte und die einzelnen Palmen in der Sandwüste der Solisten das nächste Mal. **E. R.**

Elberfeld. Einen großen Erfolg hatte im Stadttheater die in Deutschland erst-malig aufgeführte Oper »Die Marketenderin« von Godard.

Frankfurt am Main. O p e r. Seit zwei Jahren hat unsere Bühne unter der energi-schen Leitung des neuen Intendanten Jensen einen sehr erfreulichen Aufschwung ge-nommen, zu dem auch die endliche Lösung der Tenorfrage durch das Engagement der Herren Forchhammer aus Dresden und Tijssen aus Amsterdam viel beigetragen. Einem in jeder Hinsicht glänzenden Erfolge begegnete am 28. September »Samson und Dalila« von Saint-Saëns mit Forchhammer und Frau Greeff-Andrießen in den Titelpartien. Der neue Kapellmeister Dr. E. K u n w a l d erwies sich auch bei dieser Gelegenheit als ein sehr begabter und vielversprechender Dirigent. Weniger sprach die Neueinstudierung von Gounod's »Romeo und Julie« an. Am 23. Oktober folgten die lyrischen Scenen »Eugen Onägin« von Tschaikowsky. Für das Undramatische des ganzen Entwurfs entschädigten die hier zahllosen orchestralen Feinheiten, die besonders in der prächtigen Briefscene (Tatjana: Frau Kernic) großen Anklang fanden. Über die hiesigen Uraufführungen des »Dornröschen« von Humperdinck und Donizetti's »Don Pasquale« (in der Bearbeitung von Bierbaum und Kleefeld) wird an anderer Stelle ausführlich berichtet. — In den K o n z e r t s ä l e n herrschte ein geradezu be-ängstigendes Getriebe, so jagte eine Veranstaltung die andere. In den Museums-konzerten bot K o g e l schöne Aufführungen der ersten Symphonie und der »Rhapsodie« von Brahms (Altsolo: Frau Schumann-Heinck), des hier wohlbekannten »Heldenleben« von Richard Strauß, und als Novitäten die Ouvertüre zu »Les Barbares« von Saint-Saëns und den »Sturm« von Tschaikowsky. In der Ouvertüre wechseln raffinierte Instrumentaleffekte und gute melodische Stellen mit großen Längen und in der Er-findung recht dürftigen Momenten ab; auch der »Sturm« gehört nicht zu den ge-dankenreichen Schöpfungen des russischen Komponisten. Musikhistorischem Interesse mußten auch die reizvollen drei Sätze des selten gehörten »Notturno« für vier kleine Streichorchester und zwei Hörner von Mozart begegnen. — Die Opernhauskonzerte stehen diesmal unter dem Zeichen der Gastdirigenten. Das erste leitete W e i n g a r t n e r, der bei dieser Gelegenheit seine große, aber nicht gerade großzügige symphonische Dichtung »König Lear« und die hübsch geschriebene, aber nirgends originelle zweite Symphonie in Es-dur aufführte. Ausgezeichnet spielte R e i s e n a u e r an diesem Abend das A-dur-Klavierkonzert von Liszt. Als Dirigent des Kaim-Orchesters, das heuer in seiner Qualität leider etwas zu wünschen übrig läßt, wußte Weingartner in seinen

beiden ersten Konzerten, die der individuellen Ausgestaltung der Symphonien 1—5 von
Beethoven galten, natürlich größeres Interesse zu erwecken. — Steinbach bot in
zwei Abenden der Meininger Hofkapelle mit der trefflich gespielten ersten Symphonic
und den Variationen über ein Thema von Haydn von Brahms, sowie den ganz geschickt geschriebenen, aber nur zu lang geratenen Orchestervariationen, op. 36, von
Elgar sehr anregende Gaben. Die Wiedergabe der harmlosen Tarantelle für Flöte
und Klarinette, op. 6, von Saint-Saëns durch Manigold und Mühlfeld zeigte wieder
von neuem, wie vorzügliche Bläser das Ensemble sein eigen nennt. — Mit einer großen
akademischen Feier leitete der »Rühl'sche Gesangverein« das Fest seines 50jährigen
Bestehens ein. Der Verein hat unter seinen vier Dirigenten: Rühl, Friederich, Julius
Kniese und jetzt Dr. Bernhard Scholz, sowohl in der Pflege der klassischen Meisterwerke wie bezüglich des Eintretens für Schumann, Berlioz, Liszt, Brahms, Cesar Franck.
Tinel u. A. das Ersprießlichste für unser Kunstleben geleistet. Das Festkonzert selbst
brachte Beethoven's »Missa solemnis«, ein Werk, das der Verein schon im Jahre 1855
hier eingeführt hatte. — In der Reihe der vielen Kammermusik-Veranstaltungen seien
die beliebten Abende des Museumsquartetts (Heermann, Rebner, Bassermann und
Hugo Becker) hervorgehoben, die als Novitäten das dem Andenken Tschaikowsky's
gewidmete A-moll-Quartett, op. 35, von Arensky und eine Sonate für Klavier und Cello
von Ernst v. Dohnányi brachten. Arensky, hier durch sein frisches D-moll-Klaviertrio
und ein interessantes D-dur-Quintett bekannt, bietet in den Variationen des Quartetts
das Beste seines Könnens, wie auch Dohnányi, der in seiner Sonate dem Klavierpart
ein vorzüglicher Interpret war, in den Veränderungen des dritten Satzes und einem
mehr effektvollen Scherzo viel kompositorisches Talent zu zeigen im stande war. Einen
ungetrübten Genuß bereitete uns wiederum das »Böhmische Streichquartett« mit
dem Es-moll-Quartett von Tschaikowsky und Beethoven's A-moll-Quartett, op. 132.
Zum Schlusse sei noch das neugegründete »Frankfurter Kammermusik-Ensemble« von
Frau Florence Bassermann (Klavier) und den Solobläsern unseres Theaterorchesters
erwähnt, das die Idee, dem Frankfurter Konzertleben eine neue und anregende Seite
zu verleihen, glücklich verwirklicht hat. Die Ausführung des Mozart'schen Quintetts
für Klavier, Oboe, Klarinette, Horn und Fagott, der ersten Sonate für Klavier und
Klarinette von Brahms, op. 120, und des Sextetts von Thuille gab davon gute Kunde.
H. P.

Hamburg. Das große künstlerische Ereignis der letzten Wochen war eine scenische Aufführung von Berlioz' Damnation de Faust, mit der unser Stadttheater
eine sehr beachtenswerte Kraftprobe abgelegt und sich zugleich einen starken Erfolg
gesichert hat. Das Berlioz'sche Werk auf die Bühne zu bringen, von der es ja seinen
Ausgang genommen, der »unkörperlichen Legende« die Formen des körperlichen
Dramas zu geben, seinen Inhalt sichtbar zu machen, der Gedanke war zu naheliegend, als
daß man ihn ohne Weiteres bemerkt und den Versuch hätte wagen mögen. Ein halbes
Jahrhundert mußte vergehen, ehe ein kluger und geistvoller Theatermann, Herr Raoul
Gunsbourg, Direktor des Opernttheaters in Monte Carlo, Berlioz mit kühnem Griff
zu packen wußte und auf die Bühne stellte, wo die Faustmusik mit ihrem dramatischen Pulsschlag, mit den zahlreichen theatralischen Elementen ihres Stils eine neue
Heimat gefunden hat. Das Experiment, den Berlioz'schen Faust zu inscenieren, ist in
hohem Maße geglückt. Freilich, den losen Zusammenhang der Faust-Scenen dramatisch
zu verdichten, ein echtes Drama auf die Bühne zu stellen, das konnte schon darum
nicht gelingen, weil der Bearbeiter aller Eingriffe in die Substanz des Berlioz'schen
Werkes und der durchgreifend konstruktiven Arbeit sich enthielt. Die Inscenierung
selbst mußte aus demselben Grunde dem Werke den Charakter einer Feerie, eines
glänzenden Ausstattungsstückes geben. Und ein Ausstattungsstück, allerdings eines inter-
essantester Art, ist denn auch die Damnation auf der Bühne geworden. Wie Gunsbourg die Musik Berlioz' dekorativ unterstützt, durch scenische Vorgänge, pompöse
Aufzüge (»Rakoczy-Marsch«) belebt, durch Pantomimen erklärt (»Tanz der Irrlichter«:.
das bleibt immer erstaunlich genug und will als Arbeit eines phantasie- und geistvollen Kopfes ebenso gebührend gewürdigt sein, wie die Leistung des Opernchors, der

hier Aufgaben schwierigster Art zu lösen hat. Den Faust sang Herr Birrenkoven, das Gretchen Frau Fleischer-Edel; beide boten Hervorragendes.

Das Konzertleben Hamburgs hat sich inzwischen zur vollen Breite entwickelt: die großen Symphoniekonzerte haben begonnen, die Kammermusik fängt an, fast zudringlich zu werden, und auch Solistenkonzerte, Abende fremder und einheimischer Sänger, Pianisten und Geiger, sind uns in erklecklicher Anzahl in Aussicht gestellt. An der Spitze des Hamburgischen Konzertlebens steht merkwürdigerweise ein nicht-Hamburgisches Unternehmen: die Konzerte des Berliner Philharmonischen Orchesters, die Arthur Nikisch dirigiert. Sie behaupten unter den Hamburgischen Symphoniekonzerten großen Stils den ersten Rang: die überragende Genialität des Dirigenten und die Virtuosität des Orchesters, die edle Klangfülle und die bewunderungswürdige Klangschönheit eines erlesenen Instrumentalkörpers haben diesen Konzerten eine uneinnehmbare Position geschaffen. Von den Orchesterspenden Nikisch's und der Berliner Philharmoniker hebe ich hervor die Symphonie in D-dur von Joh. Brahms, jene in C-moll (Nr. 2) von Anton Bruckner; ferner die Orchestersuite in D-moll op. 43 von Tschaikowsky: mit der Fugeneinleitung und dem glänzenden Kometenschweif feiner, geistreicher und amüsanter Musik; und endlich von bekannteren Werken wegen der ganz wunderbaren Wiedergabe, die ihm zu Teil geworden, das »Waldweben« aus dem »Siegfried«. Nikisch besitzt in Hamburg eine große Anzahl unbedingter und enthusiastischer Anhänger. Seine Konzerte weisen übrigens auch die höchste Besuchsziffer auf: im Gegensatz zu den Konzerten der Hamburger »Philharmonischen Gesellschaft«, deren Freunde sich veranlaßt sahen, in den Tageszeitungen einen Aufruf zu erlassen, in dem u. a. gesagt war, daß die Philharmonische Gesellschaft gezwungen sein würde, sich aufzulösen, wenn ihr, wie bisher, die Abonnenten fern blieben. Dirigent der Philharmonie ist Richard Barth, ein gediegener Musiker, ein vorzüglicher Geiger und trefflicher Chormeister, in welch letzterer Eigenschaft er als Dirigent des Lehrergesangvereins und der Singakademie besonders geschätzt wird. Zu den besten Leistungen des Orchesterdirigenten Barth gehören seine Brahms-Aufführungen. Wir hörten letzthin die »tragische Ouverture« von ihm in innerer und äußerer Vollendung. Einen festen Platz in unserem Musikleben haben sich die Orchesterkonzerte Max Fiedler's errungen. Max Fiedler, ein Orchesterführer von großer Energie und schärfstem rhythmischen Bewußtsein, zeichnet sich namentlich durch die Wahl zugkräftiger Solisten, sowie durch den Novitätenkult seiner Programme aus. Er repräsentiert in dieser Beziehung das fortschrittliche Element unseres stark konservativen Musiklebens. Jedes seiner Programme bringt ein neues Stück. So danken wir gleich seinem ersten Konzert die Bekanntschaft eines tief empfundenen, durch Erlebnis, Kunst und Erfindung gleich hervorragenden Werkes »Meine Jugend« von dem Böhmen Jos. B. Foerster; es folgten Hans Pfitzner's geniale Ballade »Herr Olaf« und endlich eine Wiederholung des problematischen »Don Quixote« von Richard Strauß, zu dessen überzeugtesten Aposteln Fiedler gehört. Von den sonstigen Konzerten der letzten Wochen erwähne ich einen Klavierabend der kleinen Paula Szalit, eines musikalischen und pianistischen Talentes allerersten Ranges, und endlich ein Kompositionskonzert des Hamburgischen Künstlers Ferdinand Thieriot, der sich als ernster, gediegener und auch als liebenswürdiger Musiker in erster Linie mit seiner Symphonie in C-dur (Nr. 3) zu erkennen gab. F. Pf.

Kiel. Der im Mittelpunkt des hiesigen Musiklebens stehende »Kieler Gesangverein« brachte unter Leitung des Universitätsmusikdirektors Prof. Hermann Stange eine wohlgelungene Aufführung von Schumann's »Paradies und Peri«. Unter den Solisten ragte die Altistin Iduna Walter-Choinanus hervor. — Im ersten Orchesterkonzert des gleichen Vereins spielte Klotilde Kleeberg mit größten Erfolg. — Das Stadttheater brachte als erste Novität Zöllner's »Versunkene Glocke« unter der Leitung Kapellmeister Dechant's. Das Werk gefiel sehr. W. O.

Köln. Die beiden wichtigsten Ereignisse des angebrochenen musikalischen Winters bilden das Debut des neuen städtischen Kapellmeisters Fritz Steinbach und die Eröffnung des neuen Stadttheaters. Der im August verstorbene Dr. Franz

Wüllner war ein Mann von so umfassender musikalischer Begabung und Erprobtheit,
er vereinigte in solchem Grade eine vorzügliche Direktionsgabe mit bedeutender pädagogischer Geschicklichkeit, daß er für den schwierigen Kölner Doppelposten des
Gürzenichkonzert-Dirigenten und des Konservatoriums-Direktors gerade der rechte
Mann war. Daß Steinbach aus der großen Zahl von Bewerbern als der einstimmig
gewählte emporstieg, beweist jedenfalls das einhellige Vertrauen, das man ihm an
leitender Stelle entgegen trägt. Er hat dasselbe bereits in zwei Konzerten in vollem
Umfange gerechtfertigt. Seine Orchesterleitung hat auch in anderen Werken, als
denen von Brahms, auf die er ja auch nach der Meinung seiner Gegner als ein-
geschworen gilt, imponiert. Ein sehr schönklingendes, auf Tristan-Bahnen wandeln-
des, aber selbständig empfundenes Vorspiel zur Oper »Oenone« von Volkmar Andreä
zeigte ihn auch in einer Neuheit von schneller Anpassungsfähigkeit, und sowohl Beethoven mit der Eroica wie Tschaikowsky mit der »Pathetischen« fanden in Steinbach
einen begeisterten und feinfühligen Ausdeuter. In seinem Konzert, das er außerdem
mit der Meininger Hofkapelle in der hiesigen Philharmonie gab, und in welchem er
wohl nicht ohne Absicht auch einem Strauß (Don Juan), Wagner (Tristan-Vorspiel
mit der leider so ganz aus der schönen Formlinie fallenden, obschon von Wagner
selber herrührenden Liebestod-Koda) und Berlioz (mit seinem köstlichen Carnaval romain) Gastrecht gewährte, ließ er über seine Vielseitigkeit und musikalische Inter-
nationalität keinen Zweifel. Namentlich in dynamischer Hinsicht hat er unserem
Orchester und dem Publikum manche Lichter aufgesteckt, die bisher im Gürzenich
noch nicht erglommen waren. Wichtiger noch war die Frage, ob er mit unseren
Grandseigneurs und Ladys, welche den Konzertchor darstellen, sich zu benehmen
wissen werde. Wie ich schon in meinem Nekrolog über Wüllner in der Kölnischen
Zeitung hervorhob, hatte Wüllner dieses sein Schoßkind in seinen letzten Lebensjahren ein wenig vernachlässigt. Selten, daß einmal eine ganz vollendete Chorleistung
zum Vorschein kam. Steinbach soll denn auch nicht wenig von den Leistungen des
Konzertchors enttäuscht gewesen sein. Seine sehr anstrengenden Proben wurden indeß vom Chor sehr willig hingenommen, ließen dann im Requiem von Brahms auch
gleich in der bereits erwähnten Dynamik vieles Treffliche hervortreten. Jedenfalls
zeigte er, daß ihm die richtige »Chorhand« nicht abgeht. Vom 1. März 1903 ab, zu
welchem Termin er sein neues Amt definitiv antritt, wird er denn wohl noch manch
ernstes Wort mit dem Chor sprechen. Die nicht von Steinbach dirigierten Konzerte
werden inzwischen von berühmten Gast-Dirigenten geleitet werden, was zwecks der
Aufrüttelung unseres etwas verknöcherten Musiklebens nicht vom Übel ist. Das
Konservatorium behilft sich inzwischen mit einem Direktorat, aus drei Haupt-
lehrern zusammengesetzt. Die Maschinerie war so gut vom seligen Wüllner eingeölt,
daß sie wohl auch eine Weile in dieser Weise fortlaufen kann. Sehr intensiv ist im
übrigen unser musikalisches Leben nicht, man müßte denn die Veranstaltungen der
zahlreichen Männergesangvereine mit beliebten Solisten als musikalische Ereignisse
hinstellen. Die Geigerin Fräulein Jollivet und der Tenorist Vernon, die im Konzert
des Männergesangvereins auftraten, haben nur zum Teil befriedigt. Die Kammermusik erfährt nach wie vor durch das Quartett der Herren Prof. Heß, Körner, Prof.
Schwartz und Grützmacher eine gediegene Pflege. Ihm hat sich ein aus Angehörigen
des Theaterorchesters gebildetes Quartett Kolkmeyer zugesellt, doch kamen Neuheiten bis jetzt nicht zum Vorschein. Nicht so günstig wie im Konzertleben liegen
die Dinge auf dem Gebiete der Oper. Das neue prächtige Stadttheater ist eröffnet
und die Spielzeit um acht auf neun Monate verlängert worden, aber das alte Stadttheater, das ich (zu großem Verdruß der Herren Stadträte) vor vier Jahren entweder zur Spezialitätenbühne oder zur Markthalle empfahl, ist nicht geschlossen worden, und dadurch ist der von mir und vielen vorausgesehene Zustand eingetreten, daß
das Angebot an theatralischer Kost die Nachfrage bedeutend übersteigt. Dazu kommt
noch, daß Direktor Hofmann im ganzen mit neuen Kräften nicht soviel Glück gehabt
hat, wie sonst, daß der prächtige Rahmen des neuen Hauses die Ansprüche auch in
künstlerischer Hinsicht hinaufschraubt. Hofmann hat vorläufig einmal seine Demission angeboten, die nicht angenommen worden ist. Es kriselt also, und die Krise

wird zu einer Katastrophe führen, wofern nicht das hochzuverehrende Publikum in sich geht und die Vorstellungen besser besucht. O. N.

Königsberg. Das Stadttheater brachte erstmalig ein Singspiel »Jery und Bätely« von Georg Hartmann mit gutem Erfolg.

Leipzig. Im Mittelpunkt des Konzertlebens stehen, wie immer, die Gewandhauskonzerte. An Novitäten führte Nikisch neben den obligaten klassischen Sinfonien bisher auf: Bruckners dritte Sinfonie D-moll, Strauß' Liebesszene aus »Feuersnot«, Weingartner's Sinfonie Es-dur, Dvořák's Ouverture »Carneval«. Als Solisten fungierten die Herren Felix Kraus (Arien von Bach und Händel), Sapellnikoff (Tschaikowsky, Klavierkonzert B-moll), Berber (Bach, Violinkonzert A-moll), Hekking (d'Albert, Cellokonzert), die Damen Alice Schenker, Minnie Nast, Marcella Preghi (Lieder und Arien). Die in dieser Saison ins Leben getretenen »Neuen Abonnementskonzerte« (Eulenburg) finden ihrer auserlesenen Programme wegen allseitigen Beifall. Weingartner, Steinbach, Stavenhagen teilten sich in die Direktion. Reisenauer spielte Liszt's A-dur-Konzert, Konzertmeister Wendling (Meiningen) ein Konzertstück von Kahn, Bertram sang den »Feuerzauber«. Neben Liszt und der Moderne erschien Bach mit dem 5. Brandenburgischen und dem Konzert für 4 Klaviere auf dem Programme. Winderstein's philharmonische Konzerte brachten Bruckner's dritte Sinfonie, Festklänge von Liszt, Till Eulenspiegels lustige Streiche von Strauß, Carneval in Paris von Svendsen mit den Herren Lambrino, Forchhammer, Halir, Frau Mysz-Gmeiner als Solisten. Quartettmusik wird wenig gemacht. Neben den Böhmen, die uns zweimal besuchten, bilden die Gewandhaus-Kammermusikabende der Herren Berber, Heyde, Sebald, Klengel den Hauptanziehungspunkt. Neu eingerichtet sind populäre Kammermusikabende der Herren Roesger, Hamann, Hering, Heintzsch, Hausen, und Ferd. Schäfer's »Symphonische Vortragsabende« mit Solisten, die für Billiges gute Musik bieten und entschiedene Aufmunterung verdienen. An Solistenkonzerten verdienen erwähnt zu werden Wüllner's Liederabend, Reisenauer's, v. Bose's Klavierabende, Gesangsabende der Damen Math. Haas, Hild. Börner, E. Widen, Hel. Stägemann. Klughardt's »Judith« erlebte durch die Singakademie eine Aufführung, ohne sonderlich anzusprechen, Händel's »Debora« durch den Riedel-Verein. A. Sch.

Mailand. Im Teatro lirico wurde erstmalig die Oper »Adrienne Lecouvreur« von Cilea aufgeführt und errang einen großen Erfolg. Das Textbuch ist von Cavalotti geschrieben.

Mannheim. Als größtes Ereignis der bisherigen Konzertsaison darf auf solistischem Gebiet das Auftreten Moritz Rosenthal's im ersten Konzert des philharm. Vereins bezeichnet werden. Auch Emmy Destinn-Berlin fand im ersten Akademie-Konzert großen Beifall. — Hofkapellmeister Kähler brachte im letzten Akademiekonzert Bruckner's Symphonie Nr. 7 als Neuheit. — Im Hoftheater ging als erste Novität der Saison Tschaikowsky's »Eugen Onägin" in Szene, mit Kähler am Dirigentenpult und Kromer in der Titelrolle.

München. Pünktlich mit dem 15. Oktober begann auch dieses Jahr die Konzertsaison, die sich von der vorangegangenen durch mannigfache Verschiebungen persönlicher Natur auszeichnet. Für Aufführungen großen Stiles stehen hier, um dies dem mit den Münchner Verhältnissen nicht vertrauten Leser zu künftiger Orientierung gleich mitzuteilen, zwei Orchester ersten Ranges und zwei geräumige Konzertsäle zur Verfügung. Im »Odeon«, das zugleich der »Akademie der Tonkunst« als Unterkunft dient, konzertiert die von diesem Institut wohl zu unterscheidende »Musikalische Akademie«, eine alte, der Verfassung nach freie Vereinigung der Hoforchester-Mitglieder, die sich, nach Art der Wiener Philharmoniker, ihren Dirigenten jedes Jahr neu wählt, während im Kaim-Saal, der Schöpfung des rührigen Hofrats Dr. Kaim, das erst wenige Jahre alte Kaim-Orchester sich rasch als unentbehrlichen Faktor des Münchner Musiklebens erwiesen hat. In jene republikanische Verfassung der ehrwürdigen Akademie ist nun eine Bresche gelegt worden, die eine völlige Neuorganisation des Institutes vorbereiten helfen wird: obwohl die Akademie, der das eiserne Zepter des neuernannten General-Musikdirektors Hermann Zumpe unbequem wurde, sich für einen Teil der Konzerte seinen Kollegen Franz Fischer und seinen Ex-Kollegen Bernhard Stavenhagen (letzterer zur Entschädigung für die Hofkapellmeister-Stelle zum Direktor der Akademie der Tonkunst ernannt) erkor, wurde ihr durch einen Machtspruch von allerhöchster Stelle Zumpe zum alleinigen Dirigenten bestellt und damit endlich die Gewähr für eine stetige Fortentwicklung gegeben. Bei Kaim hingegen regiert der seit 1898 gewonnene Weingartner als Leiter der 12 großen Kaimkonzerte in diesem Winter wieder als Alleinherrscher, nachdem er von einem, ihm künstlerisch äußerst gefährlich gewordenen Nebenbuhler befreit worden ist. Hatte doch der jugendliche Siegmund von Hausegger es verstanden, die von ihm geleiteten Kaim'schen »Volks-Symphonie-Konzerte« und »Modernen Abende« durch feinsinnige Programmauswahl und grandiose Gestaltungskraft derart in den Mittelpunkt des Interesses zu rücken, daß selbst der Glanz des Namens Weingartner in München stark zu erblassen drohte, Nun, da Hausegger es vorgezogen, sich auf ein Jahr zu schöpferischer Thätigkeit zurückzuziehen, macht sich die Lücke im hiesigen Konzertleben, das ihm so überaus viel verdankte, schmerzlich bemerkbar. Stavenhagen, durch einen überaus feinen Schachzug Dr. Kaim's an seine Stelle berufen, wird, das lehren schon die bisherigen Konzerte, ihn nicht ersetzen können, und Frankfurt am Main, das vom nächsten Winter an Hausegger gleich auf 10 Jahre sich verpflichtet hat, wird eine belebende Kraft erhalten, die uns leider, so scheint es, für immer verloren ist. Dagegen hat der Porges'sche Chorverein, der unter der gut gemeinten, aber oft nicht gerade glücklichen Direktion seines verstorbenen Begründers zu rechter Wirksamkeit nicht gelangen konnte, nun in Siegfried Ochs einen Dirigenten erhalten, der die sehr zerfahrenen Chorverhältnisse Münchens ins rechte Geleise zu bringen wohl berufen wäre; gelingt es, Ochs ganz an München zu attachieren, so wäre damit die Aussicht auf wirklich vollendete Choraufführungen, die hier leider so überaus selten geworden, gewonnen.

Gehen wir nun noch mit wenigen Worten auf die bisherigen Konzerte ein, so wäre zu bemerken, daß die Akademie sich unter Zumpe's Leitung leider einer allzu einseitig klassicistischen Neigung hingiebt, so daß trotz feinster Ausführung der gespielten Werke doch das Interesse an ihren Darbietungen etwas erlahmt. Weingartner hat bisher namentlich mit einer nicht genug zu rühmenden herrlichen Wiedergabe der Liszt-schen Dante-Symphonie excellirt, während seine beiden Novitäten, »Der Zauberlehr-ling« von Dukas und die Böcklin-Symphonie von Huber, obwohl feinsinnig instru-mentirt, keinen tieferen Eindruck zurückließen. Von den Solisten-Konzerten, die gewöhnlich im Festsaale des »Bayrischen Hofes« und im Saale der Gesellschaft »Mu-seum« ihr Heim finden, sind ein Klavier-Abend Reisenauer's, ein Schubert-Loewe-Abend des Baritonisten Loritz, eines begabten Gura-Schülers, ein Goethe-Abend des Tenoristen Bergen mit Kompositionen von Schubert und Hugo Wolf, ein Duett-Abend der Damen Stavenhagen und Walter-Choinanus, ein Konzert der Sopranistin Hertha Ritter mit S. v. Hausegger am Klavier, sowie ein Peter-Cornelius-Abend von Johanna Dietz rühmend hervorzuheben. Die Kammermusik war durch eine Veranstaltung der Frau v. Kaulbach-Scotta in Gemeinschaft mit Stavenhagen, Bennat und Vollnhals, einen Abend des Hösl-Quartetts, sowie ein Gastspiel des Rosé-Quartetts und des Böhmischen Streichquartetts vertreten. Noch wäre ein eigenartiges Konzert, dem Referent beizuwohnen leider verhindert war, zu erwähnen: der Kammermusiker Scherrer brachte unter Mitwirkung der Bogenhausener Künstlervereinigung und einiger Gui-tarren- und Mandolinenklubs Instrumentalstücke des 16. Jahrhunderts zur Aufführung. unter anderem Kanzonen für Laute, ein Ave Maria von Arcadelt für drei Blockflöten und eine Baß-Blockflöte, ein altfranzösisches Kriegslied für Blockflöten und Pauken sowie Tänze für Blockflöten, Guitarren und Trumscheit.

Die Hofoper, die sich nach den Kraftanstrengungen der Wagner-Festspiele im amphitheatralischen Prinzregententheater und der Mozart-Aufführungen in dem ent-zückenden Rokoko-Residenztheater etwas erholen zu wollen scheint, ist bisher mit den versprochenen Novitäten noch im Rückstande; statt dessen bescherte sie uns zwei Neueinstudirungen älterer Werke, indem sie dem Spielplan zu Anfang der Saison, Boieldieu's »Weiße Dame« in feinsinniger Gestaltung und in den letzten Tagen Auber's »Stumme von Portici« in grandioser scenischer Pracht und ausgezeichneter musika-lischer Ausarbeitung wieder einverleibte. Namentlich das Auber'sche Werk, das in den packenden Chorpartien und der edlen pantomimischen Begleitmusik noch nichts von seiner Wirkungskraft eingebüßt hat, ist als eine Glanzleistung Possart'scher Inscenier-kunst und Zumpe'scher Orchesterleitung zu bezeichnen — der schönen neuen von Frahm hergestellten Dekorationen nicht zu vergessen. Von den Mitwirkenden zeich-neten sich Knote (Masaniello) und Dr. Walter (Alphonso) ganz besonders aus; die Rolle der Fenella hatte man diesmal, sehr zum Vorteil der psychologischen Vertiefung, einer Schauspielerin (Fräulein Swoboda) übertragen: wer die dell' Era in Berlin als Fenella gesehen, konnte hochinteressante Vergleiche im einzelnen ziehen.   E. I.

Paris. Mettant à exécution les projets dont ils avaient fait part à leur public MM. Colonne et Chevillard ont dirigé, dans leurs premières séances, l'un les quatre Symphonies de Brahms, dont c'était la première audition intégrale à Paris; l'autre les quatre Symphonies de Robert Schumann. Les auditeurs du Châ-telet n'ont peut-être pas saisi toute la portée, à cette unique audition, de la musique Symphonique de Brahms encore peu connue et appréciée en France; et M. Colonne serait, à mon avis, bien inspiré en donnant au cours de cet hiver une seconde audi-tion d'œuvre naguère encore tout à fait ignorées. Trois auditions de la Neuvième de Beethoven ont suivi, accueillies avec enthousiasme, malgré une exécution trop défectueuse, malheureusement, de la part des chœurs et du ténor. Comme nouveau-tés, M. Colonne a dirigé: la Marche du Couronnement du roi d'Angleterre, écrite récemment par M. Camille Saint-Saëns; la Fin de l'Homme, long récit dra-matisé, sur un poème de Leconte de Lisle, de M. Ch. Kœchlin; deux petits Po-èmes dramatiques de M. Trémisot; et la Toussaint, lamento de M. Victorin Joncières. Aucune de ces œuvres n'a obtenu de succès marqué, et seule, la pre-mière a été inscrite deux fois au programme. Plusieurs Concertos ont été exécutés: celui de J.-S. Bach pour deux violons, par Mlles Elise Playfair et Renée Chemet, toutes deux couronnées aux derniers concours du Conservatoire et membres de l'or-chestre Colonne; le Concerto en mi bémol de Liszt, par M. Mark Hambourg: celui en la mineur, de Schumann; et celui en ré, pour violon, de Beethoven, op. 61. Aux Concerts-Lamoureux, Mme Montreux-Barrière s'est fait applaudir dans les Variations symphoniques de César Franck.

Jusqu'ici un seul concert de musique de chambre, la Nouvelle Société phil-harmonique de Paris (fondée l'an dernier), a recommencé ses auditions: déjà le Quatuor Rosé, de Vienne et le Quatuor Heermann, de Francfort, s'y sont fait entendre: le premier dans les Quatuors No. 5, op. 3 de Haydn, en si b ma-jeur de Mozart et No. 2, op. 18, de Beethoven; le second, avec M. Van Waefel-ghem comme second alto, dans le Quintette en fa majeur de Brahms, et le Quatuor en sol majeur de Mozart. A ce deuxième concert, M. Baldelli se fit longuement applaudir dans différents airs et ariettes de la vieille école italienne, aux-quelles les auditeurs modernes ne sont plus guère accoutumés et qui, par cela même, sans doute, n'en ont été que plus goûtés, chantés avec un art consommé du bel canto.

Des deux uniques théâtres lyriques de Paris l'Opéra seul a déjà, donné une pièce nouvelle, le ballet de Bacchus, en cinq tableaux, de MM. Gheusi et Duvernoy, œuvre peu intéressante tant par le livret que par la partition. Il annonce une exécution solennelle des Huguenots, à l'occasion de la 1000ᵉ représentation de l'œuvre de Meyerbeer, qui aura lieu en janvier.

Quant à ceux de province, ils se sont bornés presque tous à faire leur réouver-ture avec le répertoire archi-usé de Meyerbeer, Halévy, Gounod, etc., pour ne pas parler de l'odieuse opérette, toujours florissante, hélas? A Lyon, on a donné en oc-tobre, la première représentation, dans cette ville, de la Sapho de Massenet.
                                                                                                    J.-G. P.

Stettin. Die Konzertsaison hat recht kräftig eingesetzt, obgleich wir auf einen so wichtigen Faktor des öffentlichen Musiklebens, wie Sinfoniekonzerte ihn bilden, wegen der sich immer ungünstiger gestaltenden Orchesterverhältnisse — Stettin hat noch kein städtisches Orchester — anscheinend ganz verzichten müssen. Es sind vor-wiegend Künstlerkonzerte, über die zu berichten ist. Quartettabende gaben das Ber-

liner Waldemar Meyer-Quartett sowie die hiesige Kammermusikvereinigung des Herrn
Paul Wild. Großen Erfolg hatte ein Konzert, das Rose Ettinger, Sandra Drouker
und Alex. Petschnikoff veranstalteten, ebenso errang sich die Sängerin Lula Mysz-
Gmeiner und das Sänger-Ehepaar Hildach großen Beifall. — Der Sängerbund des
Stettiner Lehrervereins brachte eine brillante Aufführung des neuesten Männerchor-
werkes seines Dirigenten, Prof. Dr. C. Ad. Lorenz, »Die Oceaniden«, die Premiere
eines neuen Chorwerkes »Golgatha« des gleichen Komponisten wird vorbereitet. Reges
Interesse fand ein geistliches Konzert, das der Unterzeichnete als Chorleiter veranstaltete und das nur Kompositionen der Vor-Bach'schen Zeit brachte.   C. P.

    Wiesbaden. Das Hoftheater brachte am 27. November eine einaktige Oper »Nac-
rodal« von Otto Dorn zur Uraufführung. Das Werk gefiel außerordentlich.

Vorlesungen über Musik.

    Berlin. 30. Oktober. Vortrag des Herrn Dr. Hans Schmidkunz über *Musik
und Ethik* in der Ethischen Gesellschaft. — Im Berliner Handwerker-Verein sprach
Herr Direktor Dr. Löwenberg *Über die Geschichte und das Wesen der Geige.*

Notizen.

    Berlin. Am 1. Oktober trat eine neue Musik-Zeitschrift unter dem Titel *Deut-
sche Tonkünstler-Zeitung*, Offizielles Organ der Berliner Tonkünstler-Vereins, an die
Öffentlichkeit. Das Blatt erscheint während der Konzert-Saison dreimal monatlich. —

    Bordeaux. Auf Veranlassung des Abtes Artigarum war hier ein *Kongreß* zu-
sammengetreten, um über die Frage zu entscheiden, ob und in welcher Weise der
gregorianische Gesang zu begleiten sei. Dieser Kongreß, welcher unter dem Ehren-
vorsitze des Kardinals Lecot tagte, kam unter anderem zu folgenden Beschlüssen:
Die Begleitung des gregorianischen Gesanges entspricht einem Bedürfnisse der Zeit.
Chromatik und accidentielle Erhöhung sind zu vermeiden. Nicht jede Note soll durch
Accorde beschwert werden. Vorschlagsnoten und Vorhalte sind mit großer Vorsicht
anzuwenden. Die Septime darf nur vorbereitet eingeführt und muß nach der Regel
aufgelöst werden.

    Edinburgh. — The fact that 4 monthly Historical Concerts were by Ordinance
of the Scottish Universities Commissioners substituted for the single yearly "Reid
Concert" prescribed by the bequest of Genl. Reid (né Robertson, 1721—1807) was
mentioned at Z. II, 320. Not yet in Dictionaries. The first Hist. Concert of present
session was on 12 November 1902, on *French Violin Music*, Senaillé to Rode. The
following is abstract of Prof. Niecks's remarks thereat.

    The Italians were the first to distinguish themselves in violin playing and violin
composition. And they not only preceded all other nations in these respects, but also
remained long supreme among them. Next in order of time came the Germans, who however were very far from equalling the purity and perfection of that Italian art during its
grand period — the period of Corelli (1653—1713), Tartini (1692—1770), and Viotti (1753
—1824), to mention the three supreme masters, the third of whom was also the last of the
really great. This may be said without forgetting Paganini (1782—1840), for he belongs
to a new order. The French were for a considerable time unprogressive, and the progress
that was made later 'on seems to have depended chiefly on the influence of the Italian
violinists, exercised either directly by their teaching or indirectly by their compositions.

When Italy could boast of a Torelli, of two Vitalis, a Bassani, and a Corelli, and Germany of such minor stars as Biber, J. J. Walther and Strungk, France was still in a quite rudimentary stage. What is known of Lully's and his disciple's playing, of Louis XIV's famous Vingt-quatre Violons du Roi, reveals a pitiable state of matters — unacquaintance with shifting and the cultivation of nothing but little tunes. Although until late in the 18th century French violin playing and violin composition were generally not on a high level, there were a few men who did admirable work both in the production of noble music and in the extension of the resources of the instrument. The most notable of these sporadic masters are Senaillé, Leclair, Gaviniés, and Barthélemon; the full efflorescence of this early period of French violin playing being brought to view in the triple constellation Kreutzer, Rode, and Baillot, who made their school the leading European school. To distinguish it from the modern Franco-Belgian school (inspired to some extent by Paganini, built up chiefly by the Belgians De Beriot and Vieuxtemps, and having as the most eminent French master Alard), it may be said that the characteristics of the former were fulness of tone and breadth of style, those of the latter are elegance, delicacy, finish, lightness, and virtuosic brilliancy. — Jean Baptiste Senaillé (1686—1730) studied under Anet, who was a pupil of Corelli's and the first distinguished violinist met with in history. Jean Marie Leclair (1697—1764), the most important composer of the early French violinists, had for his master Corelli's pupil Somis. Pierre Gaviniés (1728—1800), whose master is unknown, but who certainly experienced the influence of Tartini — indeed Viotti called him the French Tartini — was, while less gifted as a composer, a great developer of the violin technique, and on that account is not without some reason held by his countrymen to have been the founder of French violin-playing in the higher sense. His difficult studies are still of the greatest utility to students of the violin. François Hippolyte Barthélemon (1741—1808), who lived long in England, formed himself so thoroughly on the Italian masters, especially Corelli, that the London violinist Salomon said of him when he died; "We have lost our Corelli — no one is left now to play those sublime soli". The studies of Rodolphe Kreutzer (1766—1831) and Pierre Rode (1774—1830), as well as some of their concertos, continue up to the present day indispensable means in the training of violinists. That the studies of these two masters, especially of the latter, are not mere finger and bow exercises, but things of beauty, and that their concertos, again especially those of the latter, do not altogether deserve the neglect which is their lot at our present-day concerts, can be easily proved. In short, from the works of these old French masters, from Senaillé down to Rode, one learns once more two always forgotten truths: "In times which the gay world of to-day no longer knows the noblest lived and laboured, and left rich treasures for humanity"; and "in the domain of art as elsewhere, the sum of our experience, but not the intelligence and talent, has become greater". — To give some measure of completeness to this account, the names of a few more famous violinists may be added; François Francœur (1698—1787), Dauvergne (1711—1797), and Mondonville (1711—1772), whose masters are unknown; Saint-Georges (1745—1799), a pupil of Leclair; Vachon (1731—1802), a pupil of Chiabran (Piedmontese school); and Pagin (b. 1721), Touchemoulin (1727—1801), and Laboussaye (1735—1818), pupils of Tartini. **M. K.-F.**

Eger. Am 25. November wurde die vom Egerer Männergesang-Verein »Sängerbund« zur Erinnerung an den deutschböhmischen Tonmeister *W. H. Veit* gestiftete *Gedenktafel* an dessen ehemaligem Wohnhause am Marktplatz (Schillerhaus) feierlich enthüllt.

Frankfurt am Main. Als nächste Novitäten an der Oper sind in Aussicht genommen: Karl Weis' »Die Zwillinge«, Goldmark's »Götz von Berlichingen« und »Guntram« von Richard Strauß. Das Dezember-Opernhaus-Konzert leitet Colonne-Paris.

Freiburg (Schweiz). Die philosophische Fakultät der Universität schreibt einen Preis von 500 Francs für eine *Geschichte der modernen Volkslieder-Sammlungen* von des »Knaben Wunderhorn« bis auf heute aus. Die Arbeit muß in deutscher Sprache abgefaßt und bis zum 1. Mai 1904 dem Dekan der philosophischen Fakultät eingeliefert werden. Die näheren Bestimmungen finden Interessenten im Verzeichnis der Vorlesungen für das laufende Wintersemester S. 31. Diese Ausschreibung ist ein erfreuliches Zeichen der, hoffentlich baldigen Zukunft, daß man endlich einmal bei den Preisthemen der Universitäten und anderer Institute auch der musikwissenschaftlichen Forschung ihr Recht auf Berücksichtigung einräumt.

Gera (Reuß). Mitte Oktober wurde hier der mit einem Kostenaufwand von

1½ Millionen Mark von Seeling entworfene *Neubau des fürstlichen Theaters* mit
einer Fest-Vorstellung vor geladenem Publikum eröffnet. Das Haus faßt 1200 Personen und soll dem Schauspiel und der Oper dienen.

Liverpool. — On 19 November 1902, the Plain Chant Boys' Choir of St. Joseph's.
Grosvenor Street, lately formed for exec. of Plain Chant acc. to most ancient tradition, 'gave public recital of following *Gregorian melodies*, as transcribed direct from
Solesmes office-books by Dom A. Macquereau, Prior of St. Peter's of Solesmes.
The monks and nuns of S. are now in exile at Appuldurcombe, Ventnor, Isle of
Wight. Their residence in England, and the action in preparation at new Westminster Cathedral (mus. dir. R. R. Terry), will influence revival of traditional Catholic
iturgical music. Cf. the movement in France of mus. director Ch. Bordes, late of
St. Gervais, Paris (II, 407). (a) 3 Antiphons for Easter, from collection of Hartker, monk
of St. Gall († 1011). That Swiss-German monastery was founded by an Irishman
St. Callach, latinized to Gallus († 646). (b) Responsorium "Media Vita", 4th mode,
ascr. to Notker, monk of St. Gall († 912). Used by laity in middle ages as incantation to bring death on an enemy, was forbidden except with leave of Diocesan.
German transl. in XIV century. (c) Alleluia, "Salve Virga florens", 7th and 8th mode,
from MS. of XII century in Treves library (Bohn MS.). The melody ranges through
a 12th, and is extraordinarily flexible. (d) Missa in festis B. M. V., to melodies in
XI and XII century MSS. The Sanctus, in 5th mode, is one of the most beautiful
works of the middle ages. (e) Antiphon, "O Sacrum Convivium", 5th mode, ascr. to
Th. Aquinas (1274). (f) Hymn, "Salve festa dies", 4th mode, ascr. to Venantius Fortunatus of Treviso, † Bp. of Poitiers in early VII century (also wrote "Vexilla Regis".
(g) Alleluia, "Rosa Vernans", 5th mode, modern in old style.   M. S. D.

London. — The four-day *Gresham Lectures* (Sir F. Bridge) were given 21—24 October 1902. Subjects; — Early German clavier music and the manieren, with illustrations on T. L. Southgate's 1556 clavichord by Mrs. J. E. Borland (II, 350). Purcell's
Sonatas for 2 violins, bass, and harpsichord; 3 of these scarcely performed works (see
Sammelbände, I, 623) were played from specially revised parts; the music is without
exaggeration really astonishing. Gluck's operas; the overtures on full orchestra.

The following is the record of *Arthur Hervey* lately appearing prominently as
composer (I, 24; III, 457; IV, 78), given incompletely in dictionaries. Born of Irish
parents in Paris, 26 Jan. 1855. Educ. at Oratory Catholic School, Edgbaston, Birmingham. Intended for Diplomatic Service, took up music definitely at age 25. From
1889 to 1892 mus. critic to "Vanity Fair", and since 1892 to "Morning Post". Written
"Masters of French Music" (1894), and articles in New Volumes of Encyclopaedia Britannica; and see III, 457 for the Grant Richards series. Chamber music apart, principal works performed (first time): —

21 May, 1885, Court Theatre, opera "Fairy's Post Box" (Palgrave Simpson).
21 November, 1890, St. James's Hall, dramatic overture, "Love and Fate".
11 September, 1901, Gloucester Festival, descriptive scena for baritone "The Gates of
Night" (Findon).
11 October, 1902, Cardiff Festival, tone pictures, "On the Heights" and "On the
March".
22 October, 1902, Norwich Festival, overture "Youth".   E. G. R.

The Preface to *Prout's edition* of the full score of the "*Messiah*" (Novello) has
been published in advance of score. The latter is "edited, and the additional accompaniments largely re-written, by Ebenezer Prout". For accuracy, without waiting for
the overdue Chrysander edition (not then out), Prout made his own collation of the
different extant copies and printed editions available in this country: — (a) Handel's
autograph MS. (in the King's Music Library at Buckingham Palace), oblong folio,
10 staves to the page, 9¾' × 12', 275 pages. H. bequeathed all his original MS. scores
to John Christopher Smith (recte Schmidt), and the latter gave them to George III.
(b) A photo-lithograph of the above pub. by Sacred Harmonic Society in 1868. (c)
Another ditto (with some extra numbers which had been added at Dublin), pub. by
Chrysander, as facsimile-volume of the German Händel-Gesellschaft series. (d) Two

copies of the original made by hand by Smith; one the first taken off the original, the "Dublin score" (because H. conducted first performance from it), bequeathed by Ouseley (1825—89) to St. Michael's College, Tenbury, Worcestershire, this too having the extra numbers; the other a copy possessed formerly by Wm. Hayes and now by Otto Goldschmidt. The 3rd Smith-copy, of Hamburg, was not here directly collated. e) A MS. volume by Smith containing many of the airs, now possessed by W. H. Cummings. (f) The printed edition published by Randall and Abell (successors to Walsh) in 1767, eight years after H.'s death, exceedingly incorrect. (g) Sam. Arnold's edition of 1789, almost as much so. (h) The printed editions, with additional accompaniments, known as those of Breitkopf and Härtel (1803), Addison, Novello, the London Handel Society, Peters, and Franz (1885). — Eighty-seven wrong notes were found common to all previous editions. — Regarding accompaniments added to Handel's original work, Prout has frankly used his own judgment; merely assessing the work of others, Mozart (1803 edition) included. He has added whatever he considers practically necessary. Also added a written-out new organ-part, and new parts for the secco. Also added bowing, dynamic, and metronomic signs. The edition is a practical one for the English market; there are many shades of opinion (cf. I. 17), but this action will probably be decisive here for some time. To confirm it, new orchestral parts have been made, and a revised 8vo vocal score with new pianoforte accompaniment will come out. — It is understood that F. G. Edwards's notes on history and first performance, as appearing in "Musical Times" of 1st November 1902, will be included; on reading these one feels strong doubts about the 24-day theory (such gaping fables are inveterate); they bring out new fact that actual publication of first printed edition was on 7 July 1767. See also Herbert Thompson's useful digest of whole case abstracted at Z. III, 70. — On 8 November 1902 the author lectured on the autograph before Incorp. Soc. of Musicians. On 12 November 1902, the work was performed acc. to the new edition at Queen's Hall (cf. II, 20), with chorus 100, orchestra 65 (cf. II, 245). Prout conducting, W. H. Cummings at the pianoforte with single violoncello and double-bass for the secco; soloists Nicholls, Kirkby Lunn, Chandos, Pierpoint. — The Preface is full of informatory matter, and the following is abstract of and comment on some portions.

It is extremely doubtful whether any other great musical work exists, the text of which is in even approximately so corrupt a condition as that of the "Messiah". Only those who have carefully collated the published editions, whether of the full or of the vocal score, with the original manuscript (now readily accessible through the photo-lithographed facsimiles), or with the contemporary transcripts made by Handel's amanuensis Christopher Smith, can have the least idea either of the number or character of the mistakes which are to be found in many movements. The earliest edition of the score published for the first time in anything like a complete form, by Randall and Abell the successors of Walsh, and known as the Walsh edition, is, like most of the first editions of Handel's works, extremely incorrect; for its date see further on. Arnold's edition, which was the the next to follow, appeared in 1769, and is little more than a reprint of that which had preceded it; the internal evidence proves clearly that it had never been collated with the original manuscript. Subsequent editors have, with hardly an exception, copied from these early editions, or from one another. Of all the numerous editions consulted in the preparation of the present volume, not a single one is even approximately correct in its text. These remarks are of course exclusive of the Händel-Gesellschaft edition (Chrysander and Seiffert) just out since the Preface was written.

The additional accompaniments to "Messiah" used in this country are those known as Mozart's, for which he is only partially responsible. During the later years of his life Mozart wrote additional accompaniments, at the request of Baron von Swieten, to four of Handel's works, — "Acis and Galatea", "Messiah", "Ode for St. Cecilia's Day", and "Alexander's Feast". From the autograph catalogue of his compositions, which he kept from February 1784 till within a few weeks of his death, it is seen that he arranged the "Messiah" in March 1789. The work was published in 1803 by Breitkopf and Härtel, but not exactly in the state in which Mozart had left it. Johann Adam Hiller, the first conductor of the Gewandhaus concerts at Leipzig, had already made an arrangement of the oratorio, and much of his version was incorporated in the published score, which bore the title "F. G. Händel's Oratorium Der Messias, nach W. A. Mozart's Bearbeitung". The credit of the first discovery of Hiller's participation in the "Mozart" score is due to the late E. F. Baumgart of Breslau, who, in an article in the "Niederrheinische Musikzeitung" of 1 February 1862, showed that the song "If God be for us" in the distorted form in which it appears in the "Mozart" score was copied without alteration from Hiller's arrangement of the "Messiah" mentioned above. The question has since been fully investigated by Julius Schäffer of Breslau, and the results will be found in his two articles in Nos. 43 and 44 of the "Musikalisches Wochenblatt" for 1881. Though Mozart's autograph of his Messiah arrangement has disappeared, yet those for the other works are all in the Royal Library at Berlin, and the full scores of each of them is published. The author has carefully collated every page of these scores to ascertain what was really Mozart's method of procedure; and he assumes that everything in the "Messiah" score to which nothing analogous can be found in the other and authentic Mozart arrangements may be safely attributed to Hiller. These accompaniments by the bye were first introduced into England by Ashley at a Lenten Oratorio at Covent Garden Theatre on 29 March 1805. — Even deducting the J. A. Hiller features, and putting aside also accuracy (for the Walsh edition had to be followed by Mozart), author regards Mozart's version as unsatisfactory. First because there are figured-bass loci where M. has scored no accompaniments, yet indicated no pianoforte; this point seems laboured, for in Germany the latter has always been taken as a matter of course. Secondly because of the added harmonies; this is a point of taste, though certainly the substitution of $\frac{6}{4}$ for $\frac{6}{3}$ for instance seems to change style in a crucial degree. Thirdly because of the instrumentation; wherein author (who wrote the article on "Additional Accompaniments" in Grove's Dictionary of 1880) differs from Mozart over a great number of details. W. H. Husk (1814—87), librarian to Sacred Harmonic Society, in article "Messiah" in Grove's Dictionary, considered that Mozart's addit. accompaniments to the same "had received almost universal acceptance and had come to be regarded as nearly an integral part of the composition". However there has been a restless feeling lately, caused mainly no doubt by the numerous local variations on and tamperings with the 1803 version, and the desire to have something solving practically all moot points, and present attitude is the result. If Prout dissents from Mozart, he dissents still more from Mozart-cum-Hiller. As to Franz (1885), he apparently regards it as too much a replica of Mozart to be useful for present purpose.

On the trombone question, author uses them extensively to double alto, tenor and bass parts in choruses, considering that this was a traditional practice both in Mozart's own church music and in Handel's oratorios. — As to the organ, author recognizes apparently that a modern organ is to Handel's organ much as a doublebass to a viola, and rejects therefore the whole Handelian tradition; substituting his own arrangement, mostly using organ for climaxes. He wishes this part to be played every where just as written; but in England it has always been the custom to leave very much to impromptu instinct and accommodation of the organist, guided by the conductor. Either way, in Handel oratorios the organist controls the effect. — As to the secco, author prescribes Pianoforte with single violoncello and double-bass, but provides alternative string one-desk parts. As to conducting the secco, he gives some rules which would perhaps fetter discretion.

This edition does not, like the Chrysander edition, give variant versions of numbers. On the contrary it relegates to an Appendix, and without any new additional accompaniments or manipulation, the numbers not here generally performed. It is essentially a practical edition.   C. M.

Norwich. — This *East-Anglian Music Festival* (in Norfolk) goes back to 1770, and has been triennial since 1824; but has never, like the West Midlands (IV, 31), the Yorkshire festivals (IV, 82), or the Niederrheinische Musikfeste for instance, been held vicissim with other towns. Suffolk and Cambridgeshire have little indigenous music. Norwich (Venta Icenorum) is a Norman city, once full of Flemish. A succinct hist. of festival is in "Grove". While staunch to old composers, and in particular the ever-beautiful Spohr, has been remarkable for numerous novelties, many of them out of the way. In 78 years only 4 conductors: — Smart during 13 years, Taylor 4, Benedict 37, Randegger 24 to date. The 27th Festival was held in St. Andrew's Hall, once the nave of the monastery of the Frati di Sacco, on 21—24 October 1902. Details of music elsewhere in another writer's general survey of 1902 festivals. — The "Werther's Shadow" one-Act opera (arranged as cantata with new prologue) of Alberto Randegger junior, has been heard on stage in Rome, Milan, Trieste, and Leipzig. Written when he was 19. Italian text by Arturo Franci, English version by Paul England. On Christmas Eve those who have killed themselves for love may return to the loved-one, and Goethe is said to have contemplated this sequel.

An immensely clever work, be it here stated. Kubelik played R.'s Violin Concerto in D minor at the Philharmonic on 2 July 1902. Brahms's op. 53, on Goethe's visit to the Werther-like Plessing at Wernigerode, came appropriately at the same festival. — The Stanford new "Irish Rhapsody", op. 78, is founded on a battle-tune "Leatherbags Donnell", and a melody "Eimer's Farewell to Cuchullin". It illustrates the loves of Cuchullin, the Hound or faithful friend of the Smith, and Eimer "daughter of Forgal Manah"; the whole an episode of the pre-Christian epic Tain Bo Cuailgné, or Cattle Spoil of Coolney. The world knows nothing of the beauties of this ancient literature. "Well I know the great wrong I do my father, But thus, even thus I fly with thee; As the sea draws down the little Tolka, So thou, O Cuchullin drawest me."

E. G. R.

München. An der hiesigen Universität hat sich Herr Dr. Theodor Kroyer als Privatdozent für Musikwissenschaft habilitiert. Seine Probevorlesung behandelte: ›Die Instrumental-Formen des XVII. Jahrhunderts‹. — Die Königliche Hoftheater-Intendanz hat bereits *die Aufführungstage der Richard Wagner-Festspiele für 1903*, wie folgt, bekannt gemacht:

Sonnabend,	8. August		Rheingold	
Sonntag,	9. »		Walküre	
Montag,	10. »		Siegfried	
Dienstag,	11. »		Götterdämmerung	I. Cyklus.
Freitag,	14. »		Lohengrin	
Sonnabend,	15. »		Tristan und Isolde	
Montag,	17. »		Tannhäuser	
Dienstag,	18. »		Die Meistersinger	
Freitag,	21. »		Lohengrin	
Sonnabend,	22. »	II. Cyklus.	Tristan und Isolde	
Dienstag,	25. »		Rheingold	
Mittwoch,	26. »		Walküre	III. Cyklus.
Donnerstag,	27. »		Siegfried	
Freitag,	28. »	IV. Cyklus.	Götterdämmerung	
Montag,	31. »		Tannhäuser	
Dienstag,	1. September		Die Meistersinger	
Freitag,	4. »		Lohengrin	
Sonnabend,	5. »		Tristan und Isolde	
Montag,	7. »		Tannhäuser	
Dienstag,	8. »		Die Meistersinger	V. Cyklus.
Freitag,	11. »		Rheingold	
Sonnabend,	12. »		Walküre	
Sonntag,	13. »		Siegfried	
Montag,	14. »		Götterdämmerung	

Zu obiger Zusammenstellung ist zu bemerken, daß die Klammern je einen Cyklus umfassen, das heißt je eine ganze Reihe der zur Aufführung gelangenden Werke in unmittelbarer Folge. Jeder Cyklus umfaßt somit acht Abende: den Ring, Lohengrin, Tristan, Tannhäuser und Die Meistersinger in abwechselnder Reihenfolge.

Oxford. — The *Oxford University Library* (oldest and largest such in Europe) was first established 1367—1409, with Bp. Cobham's collection, in a room of St. Mary's Church, and called Cobham Library. Its librarian was then University Chaplain, with duty to say Masses for deceased benefactors. Humphrey, Duke of Gloucester (1391—1447, Protector of England in minority of his nephew Henry VI), greatly added to library, and it was established at present site, over the old Divinity School, 1444—1480; called then Duke Humphrey's Library. His notorious hospitality caused later curious inversion; the poor would stay behind at St. Paul's (where his monument was) and say they were going to "dine with Duke Humphrey", whence synonym for starvation. Custody of library was careless for half a century, and about 1550 all MSS. and books were finally pillaged by reckless Reformation proceedings; in 1556 the bookshelves were destroyed. Then Thomas Bodley (1545—1612), private gentleman, diplomatist, scholar, began its re-construction and re-endowment (mostly from his own funds) in 1597. It was opened to usual privileged readers, with 2000 volu-

mes, on 8th November, 1602. Endowment by land began 1609. Since called B o d -
l e i a n Library, and the curator "Bodley's librarian" (III, 452). As Bacon said to
him and of him, Bodley "built an ark to save learning from deluge". Principal subsequent accretions by benefaction: — Wm. Herbert, 3rd Earl of Pembroke (1580—1630).
gave Barocci collection from Venice, 242 vols. of Greek MSS. Archbishop Laud
(1573—1644) gave nearly 1300 MSS., in all principal Eastern and Western languages.
John Selden (1584—1654) bequeathed 8000 vols. General Lord Fairfax (1612—1671)
gave a mass of genealogical MSS. In 17th and 18th centuries the Vernon, Pococke,
Huntington, Clarendon, Rawlinson, &c. collections. In 1801 first large musical bequest
came from Rev. Osborne Wight (catalogue by Havergal). Rich. Gough (1755—1809),
bequeathed 3700 vols., mostly topographical history. Edmund Malone (1741—1812)
bequeathed over 8000 vols. of dramatic lit. and early poetry. Francis Douce (1757—1834)
bequeathed 17,000 printed vols. and 393 MSS. In 1885 the library of the Music
School fell in. Under Copyright Acts the Bodleian can claim (as also can Brit. Museum, Cambridge University Library, Edinburgh University Library, Trinity College
Dublin) copy of every book published in Kingdom; it receives so some 40,000 vols.
annually, of which however more than half are periodicals. Constant purchases since
the beginning. Main annual revenue about £ 2700 by endowment, and £ 5000 by
grant from University Chest. The specialities, theology and material for British history. Present total about 625,000 printed books and 30,000 MSS. The t e r c e n t e n a r y
of Bodley's opening was celebrated here 8, 9 October, 1902, a month in advance so
as to be in vacation. — In last year Prof. H. E. Wooldridge (III, 113) gave 133 photographs (MS. Mus. d. 145) from the 13th century musical MS. Plut. 29. 1 in the Lau-
rentian library at Florence. There was purchased the only known copy of the Y o r k
G r a d u a l, large folio of 15th century with music in full (MS. Lat. liturg. b. 5); this
was described by Rev. W. H. Frere in Journal of Theological Studies for July, 1901.
The publication (only 125 copies) of early-date Bodleian music by Sir John Stainer,
continued after his death by his eldest son and younger daughter, was described at
vol. III, 458 of the Zeitschrift. Library contains earliest known specimen of n e u m e s,
written probably 9th century. The librarian, E. W. B. Nicholson, promises a work on
this and the other neume MSS.   F. R. S.

Paris. Un événement qui est peut-être le premier en date dans l'histoire de la
Musique, est la *Grève des Musiciens d'orchestre de Paris.* Ceux-ci, qui ont formé à
l'imitation de nombreuses villes de province et de l'étranger, un Syndicat profession-
nel, dans le but d'améliorer leur condition parfois misérable (certains musiciens, à Paris, ont été obligé d'accepter des salaires de 75 francs par mois!), avaient mis en
demeure, le 1er novembre, les directeurs de concerts, théâtres et autres spectacles, de
se conformer au tarif minimum élaboré l'an dernier par le Syndicat. Grâce à l'en-
tente parfaite de tous les musiciens, satisfaction leur a été donnée presque immédiatement et l'association qui, avant la grève, ne comptait que 1750 membres a vu ce
chiffre s'accroître de plus de 250 au cours de la première quinzaine de novembre.
Un seul incident regrettable a été à signaler. M. Saint-Saëns, qui n'en est pas à sa
première excentricité extra-musicale, oubliant que sans les humbles collaborateurs du
compositeur que sont les musiciens, celui-ci ne serait rien, adressa une dépêche, in-
jurieuse en la circonstance, aux syndiqués. Ceux-ci, à l'unanimité, s'engagèrent à ne
plus jouer sa musique. La menace fut éxécutée le dimanche suivant, au concert populaire du Cours-la-Reine; mais, à la demande de MM. Charpentier et Bruneau, co-
présidents d'honneur du Syndicat, l'interdit fut levé à la dernière réunion. J.-G. P.

Wien. Das Komitee für das hier zu errichtende *Brahms-Denkmal* hatte drei
einheimische Künstler, die Herren W e y r, K u n d m a n n und B e n k, sowie Max
K l i n g e r zu einer engeren Konkurrenz eingeladen. Der Klinger'sche Entwurf, dessen
Ausführung den Kostenvorschlag des Preisausschreibens weit überschritten hätte, mußte
aus diesem Grunde von vornherein ausgeschlossen werden, so daß nur die Arbeiten
der drei Wiener Künstler in Betracht kamen. Die Jury entschied sich schließlich für
den Prof. Weyr'schen Entwurf.

Kritische Bücherschau

der neu-erschienenen Bücher und Schriften über Musik.
Referenten: O. Fleischer, C. Thiel, J. Wolf.

Bayreuther Bühnenbilder. Greiz, Henning. — Die Serie »Der fliegende Holländer« kostet nicht 15,— ℳ, wie in Folge Druckfehlers in Zeitschrift III, 1, S. 33 angegeben, sondern nur 5,— ℳ.

Bondesen, J. D. Læren om Contrapunkt. Kjøbenhavn, Th. Petersen, 1902. 151 S. 8⁰.

Klar und anschaulich werden an Hand guter Beispiele die Lehren des einfachen, doppelten, dreifachen, vierfachen und polymorphen Kontrapunkts entwickelt.
J. W.

Closson, E. L'instrument de musique comme document ethnographique. Extrait du *Guide musical.* Bruxelles, Th. Lombaerts, 1902. — 37 S. 8⁰.

Die Broschüre bildet einen der Vorträge über Musikinstrumente, die der Verf., Assistent am Museum des Brüsseler Konservatoriums, Winter 1901 in Brüssel gehalten hat. Er tritt für die vielfach in ihrem musikwissenschaftlichen Werte gering geschätzten exotischen Instrumente ein, und sieht es besonders auf die Darlegung der Analogien ab, die sich bei einer Vergleichung der Tonwerkzeuge der verschiedensten Rassen und Völker in oft bewundernswürdiger Weise ergeben und die teils von den akustischen und natürlichen Notwendigkeiten diktiert sind, teils auf Entlehnungen des einen Volkes vom anderen zurückgehen. Besonders interessiert ihn die Frage nach dem »ersten Musikinstrumente der Menschheit«, als welches er dasjenige ansieht, das dem Menschen erlaubte, willkürlich einen Rhythmus oder einen Ton hervorzubringen, sei es ein Schlaginstrument oder aber ein Gebrauchswerkzeug wie der Bogen des Jägers. Die Abhandlung ist mit wissenschaftlichem Sinne und auf Grund guter geschichtlicher Kenntnisse geschrieben.
O. F.

Göhler, Dr. Albert. Verzeichnis der in den Frankfurter und Leipziger Meßkatalogen der Jahre 1564 bis 1759 angezeigten Musikalien. Angefertigt und mit Vorschlägen zur Förderung der musikalischen Bücher-

beschreibung begleitet. Leipzig, Kommission C. F. Kahnt Nachf., 1902. — 4 Teile: 20 + 64 + 96 + 34 S. 8⁰. ℳ 8,—.

Das Werk bildet sozusagen die Fortsetzung der Arbeit des Verfassers, welche unsre Sammelbände III Heft 2 gebracht haben. Der Inhalt der Leipziger Meßkataloge ist hier mit allen bibliographischen Angaben in drei Abteilungen nach Jahrhunderten, dem 16., 17. und 18., alphabetisch geordnet, so daß man das Nachschlagen nach irgend einem Werke sehr bequem hat. Im ersten Teile des Werkes werden »vorläufige Vorschläge zur Umgestaltung des Betriebes der musikalischen Bücherbeschreibung« entwickelt, die viele gute Anregungen geben und von einer gründlichen bibliothekarischen Einsicht zeugen. Was mir — um eine Kleinigkeit zu nennen — nicht recht als praktisch einleuchten will, ist die Einteilung des ganzen Bücherstoffes nach Jahrhunderten; Werke eines und desselben Verfassers, der zwei Jahrhunderten angehört, müssen dabei immer Verlegenheit bereiten. Göhler will daher, daß »öffentlich vereinbart werde, welchem Jahrhundert ein jeder Komponist und Schriftsteller zugeteilt werden soll«. Hierin steckt eine von den Willkürlichkeiten, zu welchen alle nicht von Natur gegebene Klassifikation verführt und die einem Bibliothekar oder Forscher unsägliche Mühe verursachen können. Ich würde auch bei dem vorliegenden Materiale der Meßkataloge eine solche Teilung des Stoffes lieber vermieden gesehen haben; man findet ein Werk viel schneller, wenn man nur ein Alphabet durchzusehen, als wenn man in zwei, drei oder mehr Registern umherzusuchen hat. Das Werk Göhler's ist für den Bibliographen von hohem Werte, und es angeregt zu haben, ist ein großes Verdienst des Herrn Hofrates Dr. von Hase.
O. F.

Heinemann, A. Die Orgel. Ihr Bau und ihre Behandlung. Für Seminaristen und Lehrer bearbeitet. Mit 9 Tafeln Abbildungen. Langensalza, F. G. L. Greßler. — ℳ 1,20.

In gedrängtester Kürze will der Verfasser den Seminaristen diejenigen Kenntnisse über Struktur, Behandlung und Pflege der Orgel vermitteln, welche er als angebender Organist unbedingt notwendig hat. Diesen Zweck kann das Werkchen wohl erreichen, doch wären für eine Neuauflage eingehendere Erklärungen über neuere Erfindungen, insbesondere Pneumatik, sehr erwünscht. Auch der Abschnitt »Geschichtliches« bedarf der Korrektur — (so ist beispielsweise die Annahme, daß »Bernhard der Deutsche« der Erfinder des Orgelpedals sei, unerwiesen) —, sowie eine die modernen Bestrebungen besser berücksichtigende Ergänzung. C. T.

Hoursch's Opern-Führer. Nr. 1—15. Verlag von Hoursch & Bechstedt, Köln a. Rh. Je ca. 16 S. kl. 8⁰, je *M* 0,15.

Nicht eine Sammlung von Operntextbüchern, sondern kurze Nachrichten über den Komponisten und die Entstehung der Opern, knappe Darstellungen des Ganges der Handlung und einige Notizen über die Musik; für die Orientierung eiliger Opernbesucher ganz gut brauchbar. Erstreckt sich wohl vorzugsweise auf Opern, die gegenwärtig das Repertoire beherrschen.
O. F.

Kellen, Tony. Die Not unsrer Schauspielerinnen. Studien über die wirtschaftliche Lage und die moralische Stellung der Bühnenkünstlerinnen, zugleich Mahnwort und Wegweiser für junge Damen, die sich der Bühne widmen wollen. Leipzig, Otto Wigand, 1902. — IV + 155 S. 8⁰. *M* 2,—.

Ein Buch, welches so recht geeignet ist, allen denen, die sich dem Theater widmen wollen, als Ratgeber zu dienen. Verfasserin scheint aufs Genaueste orientiert. Sie zeigt, welch schwerer Beruf der der Bühnenkünstlerin ist, welch ungemeine Anforderungen an Geist und Körper er stellt und welche Opfer er auferlegt. Unverblümt bespricht Verfasserin die vielen Gefahren und Schwierigkeiten, welche an die jungen Bühnenkünstlerinnen herantreten, bevor sie eine Position erlangt haben. Sie beleuchtet die gesellschaftliche Stellung und wirtschaftliche Lage derselben, erörtert die Faktoren, von denen nicht selten die Erlangung einer Position abhängt, deckt die Quelle auf, aus der häufig der Toiletten-Aufwand, die crux der Bühnenkünstlerinnen, bestritten wird, schildert die Notlage, in der sie sich vielen Agenturen gegenüber befinden, und läßt auch die Recht- und Machtlosigkeit vielen

Direktionen gegenüber nicht unerwähnt. Entspricht die Darstellung den Thatsachen, so ist es wünschenswert, daß der Staat regelnd eingreife. J. W.

Kretzschmar, Hermann. Musikalische Zeitfragen. Zehn Vorträge. Leipzig, C. F. Peters, 1903. — 135 S. 8⁰.

Ein vortreffliches Buch, das Musikern wie Musikliebhabern in gleicher Weise Neues, Belehrendes, Anregendes zu sagen weiß. Aktuelle Fragen sind es zumeist, die hier Erörterung finden, wie der Nutzen der Musik und ihre Gefahren, welche letzere K. besonders in der Unklarheit und dem Dahindämmern der Geister beim Musizieren erblickt und die er namentlich durch V o r - a n s t e l l u n g d e s g e i s t i g e n E l e m e n t e s in der Musik bekämpft wissen will. (S. 22.) Auch sonst spricht er — in starker Übertreibung — von der »Verdummung der Musiker« (S. 10), die besonders die Gelehrten-Kreise der Musikpflege abwendig zu machen begonnen habe. Zu ähnlichem Ergebnis gelangt der Verfasser bei seinen Untersuchungen über den Musikunterricht in der Volksschule und auf den höheren Lehranstalten, über den Privatunterricht in der Musik, über die Ausbildung der Fachmusiker und über die Musik auf den Universitäten. Bei allen diesen scharfen Erörterungen weist er immer wieder auf den hauptsächlichen wunden Punkt in unserem Musikleben hin: auf die Notwendigkeit, unsre Musikpflege mehr zu vergeistigen und mit größerem sittlichen und intellektuellen Ernst durchdringen zu lassen. Unsre Musik-Organisationen (musikalischer Unterricht in allen seinen Zweigen, Vereinsleben, Musikkritik, Institute) bedürfen der Reform unter Anlehnung an die Organisationen früherer Zeiten und in musikwissenschaftlichem Sinne. Der Pflege des musikgeschichtlichen Studiums räumt er dabei naturgemäß eine wesentliche Stelle ein. »Es ist eine dringende und segensreiche Aufgabe der Universitäten, den Musikerstand durch einen starken Einschub besser unterrichteter Elemente zu heben, vor der drohenden Plebejerherrschaft zu bewahren, der grenzenlosen Unsicherheit des musikalischen Urteils feste und bewährte Maßstäbe, dem Spekulantentum Ideen und Ideale, dem Partei- und Kliquenwesen Selbständigkeit und Unabhängigkeit entgegenzustellen. Das ist der allgemeine Dienst, den die Universitäten der praktischen Musik zu leisten haben« (S. 83). In vielen seiner Ausführungen finde ich mich mit dem Verfasser in voller Übereinstimmung; ähnliche Gesichtspunkte habe ich ja auch öffentlich wie in meinen Vorlesungen oft genug aufgestellt. Nur die Art, wie Verf. die Musikwissenschaft an den Universitäten gelehrt wissen will, fordert meinen entschiedenen Widerspruch heraus. Seine diesbezüglichen Ansichten gipfeln in dem Satze, daß die Musikwissenschaft in erster Linie die Pflicht habe, der Musik und den praktischen Bedürfnissen des Musiklebens zu dienen. Dies ist eine völlige Verkennung ihrer Aufgabe und wäre, allgemein befolgt, der Ruin dieser jetzt so schön erblühenden Universitäts-Wissenschaft. Eine solche praktische Aufgabe hat wohl der musikgeschichtliche Unterricht an Konservatorien zu lösen, nicht aber der an der Universität; hier muß er in erster und letzter Linie sein und bleiben eine Wissenschaft mit eignem Ziele, nämlich mit dem der Forschung, für welche es keine andre Richtschnur, als die des Suchens nach Wahrheit gibt und ge n darf. Will man ihr die praktische V dwendbarkeit im Dienste der Tonkünstler zur Richtschnur setzen, — dann ade, du unabhängige Forschung, dann ade du Wissenschaft! Verlangt Verfasser doch selbst ›S. 78), sie dürfe ›keinesfalls ihre erste Aufgabe darin suchen, andern Wissenschaften Hilfsdienste zu leisten‹, an Stelle dessen soll sie nun vielmehr nur dazu da sein, S. 82, den musikgeschichtlichen Unterricht der Musikschulen zu ergänzen, diesen also Hilfsdienste zu leisten. Deshalb wird der Musikwissenschaft von K. ›vorzugsweise neuere Musikgeschichte‹ zudiktiert, ›archäologische‹ Forschung wird als Kräftevergeudung verpönt, Tonschriftenforschung und mittelalterliche Musikkunde sind nur ›technische Disziplinen‹, die einem Lektor !!‹ zuzuweisen wären 'S. 84‹. ›Das Wesentliche für einen Universitätslehrer der Musikwissenschaft besteht darin, daß er ein guter Musiker, ein praktischer Künstler ist‹, denn ›bei dem Musikhistoriker ist die eigne praktische Tüchtigkeit die Grundlage alles Urteilens!‹ Ja, frage ich, wozu brauchen wir dann eigentlich noch die Musikwissenschaft? Dann ist sie ja eine wahre Bagatelle, die ein intelligenter Musiker, etwa ein tüchtiger Kapellmeister, so en passant lernt, um sich dann vermöge seiner ›praktischen Tüchtigkeit‹ und ›guten Musikerschaft‹ auf das Katheder zu setzen und Musikwissenschaft zu dozieren. Solche Leute, die die Musikgeschichte vorsingen und vorspielen, statt selber kritisch beleuchten wollen, haben wir immer schon gehabt; dazu bedurfte es gar nicht erst einer unglaublich entsagungsvollen Arbeit mehrerer Generationen, um über diese praktischen Ziele hinauszukommen und die Musikwissenschaft zu einer forschenden Wissenschaft, wie es alle anderen sind, zu erheben. Wenn die Musikwissenschaft weiter nichts will als jenes,

dann ist sie nur eine intelligent gehandhabte Kunstfertigkeit, gehört zum Universitätsunterricht nur wie Turnen, Fechten und Reiten und wird niemals das Recht haben, als Wissenschaft den anderen Wissenschaften gleichberechtigt zur Seite zu treten. Dann kann man ruhig weiter die Universitäts-Musikdirektoren die musikwissenschaftlichen Vorlesungen im Nebenamte mit besorgen lassen.　　O. F.

Livonius, Dr. Ludwig von Beethoven. Ein Gedenkblatt zum 75. Todestage des unsterblichen Meisters. Mit einem Anhang: Beethoven's Missa solemnis. Kiel und Leipzig, Lipsius & Tischer, 1902. — 52 S. 8⁰. ℳ 1,—.

Eine größtenteils auf Kompilation beruhende knappe Darstellung des Lebens und der populärsten Werke Beethoven's, ohne Berücksichtigung der neuesten Untersuchungen für das Allgemeinverständnis des gebildeten Publikums hübsch und warm geschrieben.　　O. F.

Metropolitan Museum of Art. Handbook Nr. 13. Catalogue of the Crosby Brown Collection of Musical instruments of all nations, prepared under the Direction, and issued with the authorization of the donor. I. Europe. New York, Metropolitan Museum of Art, 1902. — XXXV und 302 S. gr. 8⁰.

Die Crosby Brown Collection ist wohl die vollständigste Sammlung von nationalen Musikinstrumenten. Mit dem Sammeln begann ihre Begründerin Missis Brown 1884, 1889 übergab sie ihre 300 Instrumente dem Arts-Museum in New-York, die mit den schon vorhandenen 45 Instrumenten vereinigt den Grundstock der jetzt 2784 Instrumente enthaltenden Sammlung bildete. Diese rapide Entwicklung einer so bedeutenden Sammlung entspricht ganz der amerikanischen Thatkraft und macht der Einsicht der Museumsverwaltung alle Ehre. Der vorliegende Katalog thut dies ebenfalls. Die Beschreibung der einzelnen Instrumente ist knapp und übersichtlich und beschränkt sich auf die Angabe des jeweils vorliegenden Thatbestandes, ohne sich auf geschichtliche oder musikalische Erörterungen einzulassen; zum Teil sind die Angaben zu kurz. Beispielsweise wird bei den Harfen wohl die Höhe des Instrumentes und die Anzahl der Saiten angegeben, nicht aber auch die Länge der Saiten, die für die Feststellung ihrer Stimmung gewiß sehr notwendig zu wissen wäre; ähnlich fehlen bei den Holzblasinstrumenten die Maße der Fingerlöcher. Der Katalog ist aber abgesehen von diesem Mangel allen Lobes wert. Der gewaltige Stoff ist gut gruppiert und die vielen photographischen Bilder machen das Ganze besonders anschaulich und brauchbar. O. F.

Nagel, Dr. Willibald. Goethe und Beethoven. Vortrag gehalten in Darmstadt zum Besten des Goethe-Denkmals. Musikalisches Magazin, Abhandlungen über Musik und ihre Geschichte, herausgegeben von Professor Ernst Rabich. Langensalza, H. Beyer & Söhne, 1902. — 25 S. 8⁰. ℳ 0,40.

Eine hübsche Darstellung des persönlichen Verhältnisses des Dichter- und des Tonfürsten, die in dem Nachweise gipfelt, daß Beethoven unentwegt für Goethe begeistert war, während letzterer für Beethoven und seine Kunst so gut als gar kein Verständnis hatte. O. F.

Noack, Eduard. Hoftheater - Erinnerungen. Auslese hervorragender Theatervorstellungen und Konzerte aus circa 13000 Gesamtaufführungen des Königlichen Theaters zu Hannover, zum 50jährigen Jubiläum herausgegeben und mit zahlreichen historischen Anmerkungen versehen. Hannover, M. & H. Schaper, 1902. — 91 S. kl. 8⁰.

Der Verfasser. der frühere Souffleur am Hannoverschen Hoftheater, gibt uns hier eine Chronik der Aufführungen dieses Institutes, das vor 50 Jahren unter H. Marschner's musikalischer Leitung eröffnet wurde. Den alten Hannoveranern mag beim Durchblättern des Büchleins wohl manche liebe Erinnerung wieder lebendig werden; es fehlt hier nicht an fröhlichen und amüsanten. aber auch nicht an ernsten und musikgeschichtlich interessanten Reminiscenzen, zum Beispiel an Berlioz, an die Pepita, an die grossen Tenöre A. Niemann, Th. Wachtel und F. Nachbaur, an J. Joachim, H. von Bülow und den unglücklichen Ernst Frank. O. F.

Ottzenn, Curt. Telemann als Opernkomponist. Ein Beitrag zur Geschichte der Hamburger Oper. Berlin, E. Ebering, 1902. — 88 S. 8⁰. Dazu Noten-Beilagen 48 S. Gr. fol.

Vergleiche die Besprechung dieser Dissertation Zeitschrift III, S. 497 f., die hiermit in vollständiger Veröffentlichung vorliegt. O. F.

Riemann, Hugo. Anleitung zum Partiturspiel. Max Hesse's illustrierte Katechismen Nr. 30. Leipzig, M. Hesse, 1902. — 127 S. 8⁰. ℳ 1,50, geb. ℳ 1,80.

Als erster Versuch eines methodischen Unterrichtes im Partiturspiel höchst beachtens- und empfehlenswert. Das Ganze schreitet in drei Etappen vorwärts: 1. die notengetreue Wiedergabe mehrstimmiger Sätze am Klavier: Umgruppierung (Vertauschung von oben und unten der Notierung). Transponirende Instrumente. Dem Klavierspieler ungewohnte Schlüssel. Überblick über gehäufte Systeme. Studium polyphoner Instrumental- und Vokalsätze als Hauptförderungsmittel des Partiturspieles. 2. Einfache Formen der Umlegung: Spiel von Streichquartetten. Auseinander- und Näherlegung von Begleitstimmen. Klaviermäßige Umgestaltung von Figurationen und akkordischen Accenten. Verzicht auf füllendes Beiwerk in polyphonen Stellen. 3. Ersatz für Orchesterwirkungen: Tremolierende Töne und Akkorde. Paukenwirbel. Einige Klavierarrangements. Aus diesem Inhalte ersieht man wohl schon ohne weiteres, daß der Verf. seine Aufgabe vortrefflich angefaßt hat. O. F.

—. Katechismus der Orchestrierung (Anleitung zum Instrumentieren). Max Hesse's illustrierte Katechismen Nr. 31. Leipzig, M. Hesse, 1902. — 118 S. 8⁰. ℳ 1,50, geb. ℳ 1,80.

Für den angehenden Komponisten, der nicht zu der schon etwas veralteten Instrumentationslehre von Berlioz oder der etwas unhandlichen von Gevaert greifen will, ein brauchbarer Leitfaden, ausgestattet mit vielen Notenbeispielen. der indessen die Kenntnis der Fähigkeiten, des Umfanges und der technischen Behandlung (als durch den »Katechismus der Musikinstrumente« gegeben) voraussetzt und lehrt. wie man etwa einen Klaviersatz oder überhaupt ein bereits konzipiertes Tonstück in das Orchester umzusetzen habe. Es ist also dieses Heftchen gewissermaßen das Gegenstück zu dem vorigen. welches das umgekehrte Verfahren (Umsetzung einer Orchesterpartitur in Klaviersatz) behandelt. O. F.

Rollett, Dr. Hermann. Beethoven in Baden. Biographischer und stadtgeschichtlicher Beitrag. 2. ergänzte Auflage. Mit 5 Abbildungen. Wien, C. Gerold's Sohn, 1902. — 24 S. 8". *M* 1,—.

Der Verfasser, Stadtarchivar in Baden bei Wien, wo sich Beethoven in den Jahren 1804, 1807 und von 1813 bis 1825 fast alljährlich vorübergehend aufhielt, hat hier aus Beethoven's Briefen alle auf Baden bezüglichen Stellen und aus dem Munde von Zeitgenossen einige amüsante Beethoven-Anekdoten zusammengetragen. Die Häuser, in denen Beethoven einst Wohnung genommen, sind in Abbildungen dargestellt. Das Büchlein erschien zuerst 1870 und bietet dem Beethoven-Biographen einiges unbekannte Klein-Material.   O. F

Schulze, Carl. Stradivari's Geheimniss. Ein ausführliches Lehrbuch des Geigenbaues. Berlin, Fussingers Buchhandlung, 1901. — 135 S. 8°. Mit 6 Tafeln. *M* 8,—

Der Verf. ist einer unserer intelligentesten Geigenbauer in Berlin, der sich mit dem Aufgebot eines nicht verächtlichen Scharfsinnes und des größten Fleißes viele Jahre hindurch mit der Lösung des Problems beschäftigt hat, wodurch gerade die alten italienischen Geigen und insbesondere die des Stradivari ihre so viel bewunderte Schönheit und Kraft des Klanges erreicht haben. Worin sich dabei der Verf. von seinen Kollegen und Mitstreitern auf diesem Gebiete rühmlich unterscheidet ist, daß er mit der praktischen Fertigkeit und technischen Erfahrung eine zwar autodidaktische, aber umsomehr anerkennenswerte Kenntnis der einschlägigen Litteratur über Akustik verbunden und die einzelnen Gesetze, die Savart, Ohm, Helmholtz und andere Gelehrte dargelegt haben, nachempfunden und

für sein spezielles Thema nutzbar gemacht hat. Beachtenswert in dieser Hinsicht scheint mir die Erklärung der Entstehung der Schwingungsknoten durch Reflexion der Bewegung (S. 227). Wichtiger für den aufgestellten Zweck ist der Nachweis, daß die besten Meister des italienischen Geigenbaues, allen voran Stradivari und Giuseppe Guarneri del Gesù die einzelnen Teile ihrer Instrumente gegen einander in bestimmte einfache arithmetische Verhältnisse gebracht haben, wie 1:2:3:4:5:6, oder 3:5, 8:15, 64:81, die auch in der Arithmetik der Musik eine ausschlaggebende Rolle spielen. Man erinnert sich dabei unwillkürlich an Dr. Großmann's Nachweis, daß auch die Eigentöne der einzelnen Teile einer Stradivari-Geige in musikalischem Verhältnisse zu einander stehen und ahnt, daß hier ein innerer Zusammenhang zwischen beiden unabhängig geführten Forschungen bestehen muß, der uns dem Schlüssel des ganzen Geheimnisses sehr nahe führt. Schulze geht übrigens bei seiner Arbeit verständiger Weise nicht, wie man es bisher immer gethan hatte, von der Messung der äußeren Verhältnisse der Geige aus, sondern von denen des inneren Hohlraumes und veranschaulicht seine Messungen durch sehr genau ausgeführte Konstruktionszeichnungen. Im übrigen bringt er schätzenswerte Winke aller Art über die Technik des Geigenbaues, und wenn er auch bisweilen zuviel anstrebt, so wird man ihm doch nirgends nachsagen können, daß er nicht über alles gewissenhaft nachgedacht und in einer so selbständigen Weise das schwierige Kapitel des praktischen Geigenbaues durchleuchtet hätte, wie selten Jemand vor ihm. Jedenfalls muß das Buch als die seit einem viertel Jahrhundert erfreulichste Erscheinung auf diesem Gebiete betrachtet werden.

O. F.

Eingesandte Musikalien.

Referenten: **W. Altmann, A. Mayer-Reinach, J. Wolf.**

Verlag Bosworth & Co., Leipzig, London, Paris, Wien.

Bantock, Granville. Russian Scenes. Suite. Piano solo. *M* 2,50 n.

Möglich, daß dieses Werk in seiner Originalgestalt für Orchester sich wirkungsvoll erweist, im Klavierarrangement nimmt

es sich nicht sehr vorteilhaft aus; die Erfindung der einzelnen Tänze, denn aus weiter nichts besteht diese Suite, ist ziemlich dürftig.   W. A.

Coerne, Louis Adolphe. Op. 62. Drei kleine Trios für Violine, Violoncello und Pianoforte. Je *M* 2,—.

11*

Germer, Heinrich. Neue Akademische Ausgabe.

Nr. 26. Kjerulf, op. 12, Nr. 4. Caprice. ℳ —,80.

Nr. 27. Kjerulf, op. 12, Nr. 5. Berceuse. ℳ —,50.

Nr. 28. Kjerulf, op. 12, Nr. 6. Impromptu. ℳ —,80.

Nr. 36. Mendelssohn, F., op. 14. Rondo capriccioso. ℳ 1,50.

Nr. 40. Mendelssohn, F., Lieder ohne Worte. ℳ —,50.

Eine Ausgabe, welche sich in der Praxis so bewährt und so viele Freunde erworben hat, wie die Germer's, bedarf keiner Empfehlung.   J. W.

Horváth, G. Moderne Klavierstücke. Nr. 2 Wiegenlied. Nr. 3 Menuett. Brauchbare Salonstücke, musikalisch aber unbedeutend.   A. M.-R.

Wittenbecher, Otto. Suite Italienne pour Piano. Nr. 1 Gondoliera, Nr. 2 Canzonetta, je ℳ 1,20, Nr. 3 Dolce far niente, ℳ 1,50, Nr. 4 Tarantelle, ℳ 1,80.

Gale, G. R. Trois Morceaux pour Piano. Nr. 1 Barcarolle, ℳ 1,80, Nr. 2 Nachtstück, ℳ 1,50, Nr. 3 Scherzo, ℳ 1,80.

Während Wittenbecher's Kompositionen sich über ein flaches Getöne nicht hinausheben, weiß Gale in anspruchsloser Form etwas Eigenes zu sagen.   J. W.

Verlag Bote & Bock, Berlin.

Schillings, Max. Der Pfeifertag. Heitere Oper in drei Aufzügen. Dichtung von Ferdinand Graf Sporck. Vollständiger Klavierauszug mit Text bearbeitet von Richard Mors. ℳ 15,—.

— Erntelieder von Franz Evers für eine Singstimme mit Klavier komponiert von ... Op. 16. 1. Freude soll in deinen Werken sein. 2. Nach gethaner Arbeit ist gut ruhn. 3. Und wieder ein Gang durch die Heide. 4. Von den Hügeln hallen lachende Lieder.

Von den 4 neuesten Schillings'schen Liedern scheinen mir die 3 ersten am besten gelungen, wogegen das vierte, in welchem der Komponist den Faden des Zusammen-

hangs zusehends verliert, minderwertig ist. Unmotivierte, harmonisch harte Verbindungen fallen allerdings im ersten und dritten Lied mitunter auf, aber als ganzes betrachtet, dürfte doch jedes einzelne der drei ersten Lieder im Konzertsaal, gut gesungen, seiner Wirkung sicher sein.   A. M.-R.

Verlag Breitkopf & Härtel, Leipzig.

Denkmäler deutscher Tonkunst. Erste Folge. Zehnter Band. Orchester des XVII. Jahrhunderts. I. Journal du Printemps von Johann Caspar Ferdinand Fischer; II. Zodiacus von D. A. S. Herausgegeben von Ernst von Werra. 1902. XVII u. 148 S. fol. ℳ 15,—.

In einer trefflichen Ausgabe von Ernst von Werra liegen hier zwei Instrumentalwerke von Meistern des ausgehenden 17. Jahrhunderts vor, auf deren Bedeutung als Vorläufer Bach's in der orchestralen Suitenkomposition Karl Nef in seiner verdienstlichen, als Beiheft IV veröffentlichten Studie »Zur Geschichte der deutschen Instrumentalmusik etc.« nachdrücklich hingewiesen hat. Beide Werke gehören zu den ersten, mit denen die lullianisch-französische Balletsuite in die deutsche Musik eingeführt wurde. Auf ein höheres Niveau gehobene wirkliche Tanzformen treten uns hier in homophonem Satze in bunter Folge entgegen. Frische, gefällige Melodien und scharf pointierte Rhythmen treffen wir fast durchgehends an; nicht selten überraschen uns harmonische Feinheiten. Bemerkenswert ist bei J. C. Fischer, zu dessen Leben übrigens der Herausgeber neues Material beiträgt, die mehrfache Verbindung von Trompeten mit dem Streichquartett und dem bassierenden Cembalo. Die Initialen D. A. S., mit denen der Verfassername des Zodiacus angegeben ist, haben durch Albert Göhler Aufklärung erfahren. Nach der Anzeige im Frankfurter Meßkatalog 1699 gehört das Werk einem gewissen Schmierer zu, der Frankfurter Katalog der Fastenmesse 1710 führt es unter dem Verfasser J. A. Schmicerer an. Nef und Riemann schreiben Schmicorer. Beide Werke verdienten, unsern Musikern näher bekannt zu werden.   J. W.

Henschel, Georg. Op. 59. Requiem (Missa pro defunctis) für Chor, Solostimmen und Orchester. Klavierauszug mit Text. ℳ 6,—.

Offen gesagt, ich hätte nicht erwartet, daß Herr Henschel ein solches Werk komponieren könnte; der frühe Tod seiner Gattin und Kunstgenossin hat ihn dazu angeregt. Wenn auch das „Dies irae" nicht höchsten Ansprüchen genügen wird, so ist es doch zweckentsprechend. Die Melodik in allen Sätzen ist eine durchaus noble, die Erfindung nicht ohne Eigenart, der Satz häufig voll kontrapunktischer Feinheiten; namentlich die kanonische Form beherrscht H. sehr gewandt. Das Werk verrät überall eine geschickte Hand und ist sehr sangbar gehalten. Es dauert nur wenig über eine Stunde. Es sei zur Aufführung recht warm empfohlen. **W. A.**

Verlag Max Brockhaus, Leipzig.

Humperdinck, Engelbert. Dornröschen. Märchen in einem Vorspiel und drei Akten von E. B. Ebeling-Filhès. Musik von ... Klavierauszug mit Text von Alfred Brüggemann und Philipp Rödelberger. ℳ 10,—.

Verlag Heinrichshofen, Magdeburg.

Scheinpflug, Paul. Op. 1. 6 Gesänge für eine mittlere Singstimme mit Klavier. Nr. 1 ℳ 1,—, Nr. 4 ℳ —,80, Nr. 2, 3, 5, 6 je ℳ 1,20. — Op. 2. 6 Gesänge für hohe Stimme. Nr. 1, 2, 4, 6 je ℳ 1,20, Nr. 3, 5 je ℳ 1,—.

Richter, Otto. Die streitende Kirche Christi. Für gemischten Chor, Orgel, 3 Trompeten, Pauken, Oboen und Klarinetten. cplt. ℳ 3,—.

Kubin, Paul. Zehn Lieder für eine Singstimme mit Klavierbegleitung op. 8. 2 Hefte je ℳ 2,50.

Das Chorstück von Richter ist zwar gut chormäßig geschrieben und dürfte auch in der Kirche einigermaßen wirken, entbehrt aber jeder musikalischen Bedeutung. Von den Liedern gebe ich denen von Kubin bei Weitem den Vorzug. Sie haben vor den Kompositionen Scheinpflug's, die sich sowohl in ihrer harmonischen Verarbeitung, wie der Verwendung des Klaviersatzes sehr unnatürlich geben, den Vorzug sinngemäßer Verwendung des Begleitungsinstrumentes und geben sich in der Deklamation schlicht und natürlich. Ich hebe als bestes Nr. 1 Liebesdeutung, Nr. 4 Schließe mir die Augen beide, Nr. 5 Bitte, Nr. 10 Winternacht hervor. Starke Individualität entwickelt Kubin allerdings nicht. Aber er weiß die Texte wirkungsvoll musikalisch zu gestalten. **A. M.-R.**

Verlag C. F. Kahnt Nachfolger, Leipzig.

Beethoven, L. van. Variationen über ein Thema aus Händel's »Judas Maccabäus« für Pianoforte und Violoncell. Zum Konzertvortrage eingerichtet von Friedrich Grützmacher. ℳ 3,—.

Rubinstein, Anton. Op. 50 Nr. 1 Nocturne für Violine und Pianoforte übertragen von Richard Schweizer. ℳ 1,50. — Op. 44. Romanze für Viola und Pianoforte übertragen von Albert Tottmann. ℳ 1,50.

Schumann, Camillo. Op. 20. Zwei Konzertstücke für Violoncell mit Begleitung des Pianoforte. Nr. 1 Romanze, Nr. 2 Mazurka, je ℳ 2,50.

Recht empfehlenswert zum Vortrag, da dankbar und nicht ohne Eigenart. **W. A.**

Schwartz, Alex. Zwei Stücke für Cello und Klavier. ℳ 2,50.

Nicht uninteressant, obwohl etwas gesucht. **W. A.**

Wittenbecher, Otto. Trauungslied für eine Singstimme mit Violoncell oder Violine und Orgel oder Harmonium. ℳ 1,50.

Verlag D. Rahter, Hamburg und Leipzig.

Palaschko, Johannes, Op. 28. Miniaturen. Acht leichte Stücke für Violine (innerhalb der 1. Position) mit Begleitung des Pianoforte. Nr. 1 Marsch, Nr. 2 Spanischer Tanz, Nr. 3 Andante cantabile, Nr. 4 Rondino, Nr. 5 Lied, Nr. 6 Negertanz, Nr. 7 In der Einsamkeit, Nr. 8 Studie. Complet ℳ 5,—, einzeln ℳ 1,— bis ℳ 1,80.

Es ist mit Freude zu begrüßen, wenn Männer von dem Talent und dem technischen Können, wie es Palaschko besitzt, sich in den Dienst der Jugend stellen. Seine Miniaturen sind hübsch empfunden und zeichnen sich vor allem durch eine flüssige Melodik aus. **J. W.**

Verlag **Hermann Seemann Nach-**
folger, Leipzig.

Kleinmichel, Richard. Neue vollständige Klavierschule für den An-
fangsunterricht. 123 S. fol. Geh.
.*M* 3,—; geb. .*M* 4,—.

Ein treffliches Studienwerk des leider
so früh verstorbenen verdienstvollen Musikers und Musik-Pädagogen.

Verlag E. **Simon** Sortiment, Stettin.

Gretscher, Philipp. Op. 20. Weiser
und Poet. Lied für eine Singstimme mit Klavierbegleitung.
— Op. 21. Vorbei. Lied für eine
Singstimme mit Klavierbegleitung.

Mit diesen beiden Liedern hat der
Stettiner Verlag einen guten Griff gethan.
Gretscher hat hier 2 wundervoll empfundene Lieder geschaffen, an denen Sänger
wie Publikum ihre Freude haben werden.
                     A. M.-R.

Verlag Chr. Fr. **Vieweg**,
Quedlinburg.

Koch, Friedr. E. Op. 27. Halleluja.
Eine Festkantate nach Worten der
Bibel. Klavierauszug .*M* 4,50, jede
Chorstimme .*M* 0,45, Orchester-Par-
titur und Stimmen leihweise.

Eine tüchtige Arbeit von schöner Klang-
wirkung; der erste Teil steht an Bedeutung
hinter den andern beiden zurück. Der
Chorsatz bietet mit Ausnahme weniger
Stellen keine besonderen Schwierigkeiten.
Das Werk erlebte an Kaisers Geburtstage
1902 in der königlichen Akademie der
Künste zu Berlin seine Erstaufführung.
                     J. W.

Verlag R. & F. **Washbourne,**
London.

Barraud, C. W. S. J. Cantica Sion
or English Anthems set to Latin
Words for the service of the Catholic
Church. vol. III Offertories for the
Sundays and Festivals of the whole
year. Part I Advent Price 1/10;
Part II Christmas. Price 2/4.

Verfasser macht einige Anthem-Kom-
positionen bedeutender englischer Kirchenmusiker des 17. und 18. Jahrhunderts wie
Rogers, Blow. Goldwin, Croft, Greene,
Nares, S. Wesley und Attwood dadurch
für die katholische Kirche nutzbar, daß er
ihnen an Stelle der englischen Original-
texte lateinische Offertorium-Texte unter-
legt.   J. W.

Zeitschriftenschau

zusammengestellt von

Ernst Euting.

Verzeichnis der Abkürzungen siehe Zeitschrift IV, Heft 1, S. 42.

a. Die neuen **Stelzner**'schen Streichinstrumente — NMZ 23, Nr. 23.

Adler, Felix. Marie **Gutheil-Schoder**
als Carmen — Die Freistatt (München,
Enhuberstrasse 8) 4, Nr. 44.

—— Hugo **Wolf** aus seinen Briefen —
ibid. Nr. 46.

Alllhn, M. Ein neues Harmonium aus
Th. **Mannborg**'s Werkstatt — ZfI 23,
Nr. 5.

Altenburg, W. **Schreiber**'s Boehm-
flöte mit Gis-Mechanik — ZfI 23, Nr. 4
[mit Abbildung].

Anonym. Rudolf **Glickh** — H, Oktober
1902 [mit Porträt].

Anonym. Der organisierte Fest-Haupt-

gottesdienst vom 6. bayerischen Kirchengesangvereinstag in Schwabach — Si
1902, Nr. 10.

Anonym. »Germania« di Alberto **Fran-**
chetti al Teatro Communale di Bologna
— GMM 57, Nr. 46.

Anonym. Das **Didaktophon**. (Ein
Apparat für den Elementarunterricht im
Gesang.) - NMP 11, Nr. 46 [mit 2 Ab-
bildungen].

Anonym. Dr. **Elgar's** »Dream of Gerontius« at the Worcester Festival —
The Tablet (London) 20. September 1902.

Anonym. Zum Schluße der Festspiele
1902. Ansprachen des Grafen v. **Wol-**
kenstein-Trostburg, von H. **Thode**

und H. v. Wolzogen — BB 25, Nr. 10/12.

Anonym. The Bodleian Library and its music — MT, Nr. 717 [mit Abbildungen und Facsimiles].

Anonym. Mr. Charles Jennens, the compiler of Handel's »Messiah« — ibid. [mit Porträt].

Anonym. Die Orgel der St. Bavo-Kirche in Haarlem — ZfI 23, Nr. 3 [illustriert].

Anonym. Ein altes Harmonium mit merkwürdigen Zungenstimmen — ibid.

Anonym. Bechstein-Flügel nach einem Entwurf von Otto Eckmann — DIZ 7. November 1902 [illustriert].

Anonym. Gillet på Solhaug. Opera i tre akter af Wilhelm Stenhammar. Texten från Henrik Ibsens skådespel »Gillet på Solhaug« — SMT 22, Nr. 16.

Anonym. Deutschlands Musikinstrumenten-Ausfuhr nach Mittel- und Süd-Amerika — ZfI 23, Nr. 4.

Anteros. Leoncavallo's »Bohème« — SMT 22, Nr. 15.

Armstrong, W. Mark Hambourg — Et, Oktober 1902 [mit Porträt].

Barton, Edwin H. and S. C. Laws. Airpressures used in playing brass instruments — Proceedings of the Physical Society of London (London, Taylor und Francis) Juli 1902.

Bellaigue, Camille. L'Esprit dans la musique — Revue des Deux Mondes (Paris, 15 rue de l'Université) 1. November 1902.

Botstiber, Hugo. Herbert Spencer über Musik und Musiker — Die Zeit, 32, Nr. 418.

Bour, J. Der kirchenmusikalische Kongress in Brügge (Belgien) — C 19, Nr. 11.

Brandes, Friedrich. »Tosca«. Musikdrama in 3 Akten von V. Sardou, L. Illica und G. Giacosa. Musik von G. Puccini — S 60, Nr. 51/52.

Brayley, A. W. The first organ in America — Neu England Magazine (Boston, 5, Park Square) Oktober 1902.

Buchmayer, Richard. Neue Beiträge zur Geschichte der Bach'schen Familie — S 60, Nr. 51/52.

Buck, Rudolf. Feuersnot. Ein Singgedicht in einem Akt von Ernst v. Wolzogen. Musik von Richard Strauß. Erstaufführung im Kgl. Opernhause zu Berlin am 28. Oktober 1902 — AMZ 29, Nr. 45.

C., L. De Bruid der Zee (la Fiancée de la Mer), opéra von Jan Blockx — RAD 17, Nr. 11 [anläßlich der Erst-Aufführung im Théâtre Flamand in Gent].

Caussy, F. Richard Wagner et la sensibilité française — Mercure de France (Paris, 15. rue de l' Echaudé St. Germain) Oktober 1902.

Chamberlain, H. S. Heinrich von Stein, ein Wagnerianer als Philosoph — BB 25, Nr. 10/12.

Chantavoine, Jean. Beethoveniana — RHC 2, Nr. 10.

Closson, Ernest. Die jung-französische Schule — S 60, Nr. 57.

— Die Meeresbraut. Lyrisches Drama in drei Akten von Nestor de Tière. Musik von Jan Blockx. Erstaufführung im Monnaie-Theater zu Brüssel am 18. Oktober — S 60, Nr. 51/52.

Cursch-Bühren, Franz Theodor. Gottfried Grunewald — SH 42, Nr. 43.

Curzon, Henri de. Le centenaire d'Adolph Nourrit (1802—1839) — GM 48, Nr. 44.

— Croquis d'artistes: Jean Périer — ibid. Nr. 46.

Cutler, Edward. The performance of orchestral or operatic music in churches — MN. Nr. 609.

D., J. Rückblicke auf die Düsseldorfer Ausstellung — GBl 27, Nr. 10 [behandelt Musik, bildende Kunst und Kunstgewerbe].

Dauriac, L. Des images suggérées par l'audition musicale — Revue Philosophique (Paris, Félix Alcan) Novbr. 1902.

— De la musique considérée comme source du drame wagnérien — Critique Indépendante (Paris) August 1902.

Delines, Michel. La musique dramatique en Russie. Antonovitsch Cui — Bibliothèque Universelle, September 1902.

Dixon, Edward T. Contributions to a Psychological Theory of Music. By Max Meyer, Professor of Experimental Psychology, University of Missouri — Mind [London, Williams & Norgate] Oktober 1902 [ausführliche Besprechung].

Drees, Heinrich. Hans Sachs — BW 5, Nr. 4 ff. [mit Abbildungen].

Droste, C. Jean Kubelik — Illustrierte Zeitung [Leipzig, J. J. Weber] Nr. 3098 [mit Porträt].

E., F. G. Handel's Messiah: some notes on its history and first performance — MT, Nr. 717.

E., G. La »Fiancée de la Mer«, à Bruxelles — L'Européen (Paris, 24, rue Dauphine) 2, Nr. 47.

Eccarius-Sieber, A. Die Musik-Instrumente auf der Düsseldorfer Kunst- und Industrie-Ausstellung — KL 25, Nr. 21 [mit Abbildungen].

— Aufruf zur Gründung eines allgemeinen Verbandes der deutschen Musiklehrer — ibid. Nr. 22.

Eitz, Carl. Klangverwandtschaft und Tonalität — TW 1902. Nr. 3.

Evans, E. P. Richard Wagner — Open Court [London, Kegan Paul] Oktober 1902.

Fellner, A. Mozart als Freimaurer in

der Wiener Loge »Zur gekrönten Hoffnung« — MMG, Oktober 1902.
—— Mozart und die Wiener Tonkünstler-Wittwengesellschaft — ibid.

Fousserau, M. G. Appareil simple pour observer les phénomènes de diffraction et d'interférence — Journal de Physique (Paris, 11, rue Rataud) Oktober 1902.

France, Frédéric de. La Fiancée de la Mer. Opéra de Jan Blockx — RAD 17, Nr. 11 [mit Porträt des Komponisten].

G., K. Das Stuttgarter Interims-Theater — NM 23, Nr. 23.

Gardiner, George B. The home of the German band — Blackwoods Magazine (London and Edinburgh, William Blackwood & Sons) Oktober 1902.

Gebeschus, J. Das Wagner-Museum in Eisenach und seine Erinnerungen — MW 2, Nr. 36.
—— Wie China singt und dichtet — ibid. Nr. 38.

Geck, R. Neue deutsche Theaterbauten: I. Stuttgart Interimstheater), II. Gera Hoftheater., III. Frankfurt a. M. (Schauspielhaus. — BW 5, Nr. 4 [mit Abbildungen.

Geisler, H. Der Musiksaal der Zukunft — NMP 11, Nr. 43.

Genée, Rudolph. Über einige Musikhandschriften von Mozart — MMG, Oktober 1902.
—— Aloysia Lange geb. Weber und Joseph Lange — ibid. [mit 2 Porträts].
—— Die neuesten Bühnenaufführungen von Mozart's »Don Juan« — ibid.

Glover, H. Our relations with music and art — Parent's Review, August 1902.

Goepfart, Karl. Altes und neues allgemein Wissenswertes über die Streichinstrumente des Orchesters [Beitrag zur Aufklärung und Einigung über verschiedene Fach- und Streitfragen] — BfHK 6, Nr. 11.

Göttmann, Adolf. Gesangstudium und Gesangmethode — Mk 2, Nr. 3.

H., A. Eugen Gura — NMZ 23, Nr. 23 [mit Porträt].

Harris, G. Percy. The study by amateurs of musical theory — MN, Nr. 608.

Hassenstein, P. Über die Notwendigkeit der Einführung der Harmonielehre auf dualer Grundlage in unsere Musikschulen — TK 6, Nr. 19.

Held, Leo. Bülow als Censor — Mk 2, Nr. 3.

Hennig, C. R. Moderne Musikästhetik in Deutschland. Historisch-kritische Übersicht von Paul Moos — AMZ 29, Nr. 43 f [Besprechung.

Heuberger, R. Die Partitur des XX. Jahrhunderts — NMP 11, Nr. 45 [Besprechung

des gleichnamigen Buches von Franz Dubitzky].

Hiles, Henry. Early English song and minstrelsy — MN, Nr. 609 f.

Hirsch, C.-H. M. de Boufflers au clavecin — Mercure de France (Paris) September 1902.

Höck, Pastor. Die Hochmesse in der St. Laurentiuskirche zu Rinkenis [Dänemark] — Si 1902, Nr. 10.

Hoffmann-Krayer, E. Léon Pineau, Les vieux chants populaires scandinaves — Schweizerisches Archiv für Volkskunde (Zürich. Emil Cotti's Witwe) 6, Nr. 3 [Besprechung].

Hood, A. Bayreuth 1902 — Oxford Point of View (Oxford, Simpkin) 15. Oktbr. 1902.

Imbert, Hugues. Les souvenirs de Marietta Alboni au Musée Carnavalet — GM 48, Nr. 45.
—— Taine musicien, d'après sa correspondance — ibid. Nr. 46 ff.

John, Alois. Wenzl Heinrich Veit. Lebensbild eines deutsch-böhmischen Tonmeisters — L 26, Nr. 3 ff.

Joss, Victor. »Das war ich!« Dorfidylle in einem Aufzuge von Richard Batka, Musik von Leo Blech. [I. Aufführung am kgl. deutschen Landestheater in Prag am 15. Oktober — AMZ 29, Nr. 47.

Kalbeck, M. Aus Brahms' Jugendzeit — Deutsche Rundschau (Berlin) 29, Nr. 1.

Kalisch, A. The Sheffield Festival — MC, Nr. 1178.

Kessler, Adolf. Justinus Kerner und die Maultrommel — NMZ 23, Nr. 23 f.

Klauwell, Otto. Das Klavierspiel — ein hervorragendes Mittel allgemeiner Geistesbildung — KL 25, Nr. 22 ff.
—— Der Wert musiktheoretischer Kenntnisse für das Klavierspiel — Mk 2, Nr. 3.

Kleefeld, W. Bayreuth und das Wagnererbe — Westermann's Illustrierte Deutsche Monatshefte. Oktober 1902.

Knosp, Gaston. Das Theater der Lamas — AMZ 29, Nr. 46.

Kohut, Adolph. Fürst Bismarck und die Musik — MTW 5, Nr. 42.

Krabbo, Hermann. Die »Feuersnot« von Richard Strauß, eine alte Sage vom Zauberer Virgil — Sonntagsbeilage zur Vossischen Zeitung (Berlin 9. Novbr. 1902.

Krause, Ernst. Musik und Gliederthiere — Prometheus (Berlin, Rudolf Mückenberger) Nr. 665.

Krauss, Rudolf. Ein vergessener schwäbischer Komponist (Friedrich Jonathan Knapp) — Beilage zur Münchener Allgemeinen Zeitung, 28. August 1902.

L., W. Baß- und Diskant-Koppel, oder ungeteilte Oktav-Koppel? — H, Oktbr. 1902.

Lalo, P. La musique [le Wagnérisme,

Pelléas et Mélisande) — Le Temps (Paris; 5. August 1902.

Laloy, Louis. M. M. Claude Debussy et Paul Dukas — RHC 2, Nr. 10.

Lastret, Louis. Gustave Charpentier et le Théâtre du Peuple — RAD 17, Nr. 11.

Laws, S. C., siehe unter Barton.

Leander, A. Musikdrama und Oper — MMG, Oktober 1902.

Lichtenberg, R. Frhr. von. Holländer-Nachklänge — BB 25, Nr. 10/12.

Lisitsuin, M. Kirche und Musik — Russki Viestnik (St. Petersburg, Nevski 136) Oktober 1902.

Louis, Rudolf. Von Münchener Komponisten — BfHK 6. Nr. 11 [behandelt zeitgenössische Münchener Komponisten].

Lubosch, W. Zur Ästhetik der symphonischen Dichtung — Mk 2, Nr. 4f.

Lukáts, Victor von. Carl Loewe in Wien. Ein Erinnerungsblatt — NMP 11, Nr. 44.

Lusstig, J. C. Richard Strauß' »Feuersnot«. Erstaufführung im Berliner Opernhause — BW 5, Nr. 4.

Lynen, William La Fiancée de la Mer. Drame lyrique en trois actes. Poème flamand de Nestor de Tière. Paroles françaises de Gustave Lagye. Musique de Jean Blockx. Première représentation à Bruxelles au Théâtre Royal de la Monnaie — MSu 2, Nr. 26.

Mangeot, A. Jacques Thibaud chez lui — MM 14, Nr. 20 [illustriert].

—— Visite aux morts: Au Cimetière du Père-Lachaise — ibid. Nr. 21 [mit Abbildungen der Grabdenkmäler Boieldieu's, Cherubini's, Grétry's und Chopin's].

Manz, G. Richard Wagner und seine Familie. Ungedruckte Briefe Richard Wagner's an seine Schwester Klara — Tägliche Rundschau (Berlin) 1902, Unterhaltungsbeilage Nr. 232ff.

Marteau, Henri. L'archet — MSu 2, Nr. 25.

Mauclair, Camille. La peinture musicienne et la fusion des arts — Revue Bleue (Paris, 41 bis, rue de Châteaudun) 6. September 1902.

Max, Cécile. Sur quelques femmes compositeurs: Madame Rita Strohl — La Fronde (Paris, 14, rue Saint-Georges) 4. und 5. November 1902.

Meier, L. E. Das Stimmbildungs-System Anna Lankow — NZfM 69. Nr. 44.

Meinck, E. Homerisches bei Richard Wagner — BB 25, Nr. 10/12.

Mund, H. Über das gegenwärtige Kunstgesangsstudium — AMZ 29. Nr. 46.

Nagel, Willibald. Beethoven und seine Klavier-Sonaten — BfHK 6. Nr. 11 [Aus-

zug aus einem demnächst unter gleichem Titel erscheinenden Werk].

Nef, K. Denkmäler deutscher Tonkunst — SMZ 42, Nr. 29.

Neitzel, Otto. Rymond. Oper in drei Akten und sechs Bildern. Musik von Raoul Koczalski. Uraufführung am Elberfelder Stadttheater am 14. Oktober 1902 — S 60. Nr. 49/50.

—— Andreas Hofer. Volksoper in vier Akten von Emanuel Moor — S 60, Nr. 57.

Newman, Ernest. Mr. Herbert Spencer and the origin of music — MMR, Nr. 383.

Oudin, Edouard. Madame la Présidente. Opérette en trois actes de MM. Paul Ferrier et Auguste Germain, musique de M. Edmond Diet — RAD 17, Nr. 10.

—— L'Armée des Vierges, opérette en trois actes, de MM. Ernest Depré et Louis Hérel, musique de E. Pessard — ibid. Nr. 11.

P., L. Max Klinger's Beethoven — Voßische Zeitung (Berlin) 28. Oktober 1902, Abendblatt.

Parker, D. C. A note on Russian music — MMR, Nr. 383.

Pauli, Walther. Johann Friedrich Reichardt. Zur 150. Wiederkehr seines Geburtstages — Mk 2, Nr. 4f.

Péladan. De l'interprétation wagnérienne à Bayreuth et à Paris — Grande Revue (Paris) 1. August 1902.

Pfordten, Hermann Freih. v. d. Hausmusik — S 60, Nr. 49/50.

Pirani, Eugenio. In giro per l'America: Note di viaggio — GMM 57, Nr. 43.

Platzbecker, Heinrich. Jean Louis Nicodé — MW 2, Nr. 38.

Pougin, Arthur. Le testament de Viotti — M 68, Nr. 45ff.

Prout, Ebenezer. The German Handel Society's edition of the »Messiah« — MMR. Nr. 383.

Pudor, Heinrich. Übt die Musik moralische Wirkungen aus? — TK 6, Nr. 21.

Puttmann, Max. Das Liegnitzer Musikfest — AMZ 29, Nr. 46.

—— Die Einweihung der neuen Gebäude der Berliner Kunstakademieen — DMMZ 24, Nr. 45.

—— Johann Friedrich Reichardt. Zu seinem 150. Geburtstage — DMMZ 24, Nr. 47.

Quittard, Henri. L'opinion d'un Français sur la musique italienne au XVIIe siècle — RHC 2, Nr. 10.

R. Briefe von Wenzel Heinrich Veit [veröffentlicht im Egerer Jahrbuche für 1903] — NMP 11, Nr. 44.

R., J. A. Frédéric Lemaître, zijne kunst en zijne volgelingen — SA 4. Nr. 2.

Raabe, Peter. Die Braut der See (La

Fiancée de la Mer). Lyrisches Drama in 3 Akten. Text von Nestor de Tière, Musik von Jan Blockx. (Aufgeführt am ›Théâtre Royal de la Monnaie‹ in Brüssel) — AMZ 29, Nr. 45.

Rabl, Walter. Emil Sauer's II. Konzert (C moll) für Klavier und Orchester — — AMZ 29, Nr. 43.

Rayleigh. Interference of sound — Nature (London. Macmillan & Co.) Nr. 1697.

Reinle, Karl Emil. Dr. Josef Pommer, Volksmusik der deutschen Steiermark, Band I — Schweizerisches Archiv für Volkskunde (Zürich, Emil Cotti's Witwe) 6, Nr. 3 [Besprechung].

Richardson, A. Madeley. Church music in relation to worship — MN. Nr. 608 [nach einem Vortrag].

Richter, C. H. Gustav Ferrari — SMZ 42, Nr. 29.

Richter, Georg. ›Tosca‹. Musikdrama in drei Akten von Sardou, L. Illica und G. Giacosa. Musik von Giacomo Puccini — NZfM 69, Nr. 46.

Rietsch. Historische Musik und Böhmens Anteil daran — Deutsche Arbeit (München Callway) 1, Nr. 9.

Rolland, Romain. La musique pendant la révolution — Pages Libres, 12. Juli 1902.

Rosnay, Félix de. Richard Wagner à l' Opéra — Revue Catholique et Royaliste, 20. April 1902.

Rossat, Arthur. Chants patois jurassiens — Schweizerisches Archiv für Volkskunde (Zürich, Emil Cotti's Witwe) 6, Nr. 3.

Rühlemann, Carl. Der Wert der Eitzschen Tonwortmethode für den Gesangunterricht in der Volksschule — Beilage zum TW 1902, Nr. 3.

Ruta, R. Fisiologia della musica (In rapporto agli esseri animati) — GMM 57, Nr. 45.

S., J. S. Sheffield and Cardiff triennial musical festivals — MMR. Nr. 383.

S., O. ›Das war ich‹ von Leo Blech — NMZ 23, Nr. 23.

Saint-Saëns. Essai sur les lyres et cithares antiques. Lecture faite à l' Académie Française, dans la séance du 25 octobre 1902 — GM 48, Nr. 45.

Sallès, A. Le festival wagnérien de 1902. A Bayreuth et à Munich — Le Salut Public (Lyon) 30. August 1902.

Sch., F. X. Arbeiter-Symphoniekonzerte — Die Freistatt (München, Enhuberstraße 8) 4, Nr. 45.

Sch., W. Moderne Trauermusik bei Beerdigungen — GBl 27. Nr. 10 ff.

Schäfer, Teo. Dornröschen. Dreiaktiges Märchen von E. B. Ebeling-Filhès. Musik von Engelbert Humperdinck — S 60, Nr. 57.

Schjelderup, Gerhard. Alois Schmitt † — AMZ 29, Nr. 43 [mit Porträt].

— — ›Tosca‹. Musikdrama in drei Akten von V. Sardou, L. Illica und G. Giacoso. Musik von Giacomo Puccini — ibid. Nr. 44 [Besprechung anlässlich der ersten Dresdener Aufführung].

Schlemüller, Hugo. Zum 50 jährigen Jubiläum des Rühl'schen Gesangvereins in Frankfurt a. M. — NMZ 23, Nr. 24.

Schmid, Otto. ›Das war ich!‹ Dorf-Idylle in einem Aufzuge nach Johann Hutt von Richard Batka. Musik von Leo Blech. (Ur-Aufführung am 6. Oktober 1902 zu Dresden) — BfHK 6, Nr. 11.

— — Alois Schmitt ¦† am 15. Oktober 1902) — Mk 2, Nr. 4.

Schmidkunz, Hans. Klavierlehrers Erdenwallen — Die Gesellschaft (Dresden und Leipzig, E. Pierson's Verlag) 1902, Nr. 21.

— — Musik und Ethik — AMZ 29, Nr. 47 [nach einem Vortrag].

Schmidt. Die Stellung der Musik zur modernen Litteratur — Deutsche Monatsschrift 1, Nr. 12.

Schultze, Ad. Teresa Carreño — NMZ 23, Nr. 24 [mit Porträt].

Schuster. Volkslied und Urheberrecht — Deutsche Arbeit (München, Callway) 1, Nr. 10 f.

Schüß, A. Musik und Metaphysik — AMZ 29, Nr. 43 ff.

Segnitz, Eugen. Johann Friedrich Reichardt — AMZ 29, Nr. 47 [mit Porträt].

Seydlitz, R. Frhr. von. Zu Franz Liszt's Ehren [mit Originalbriefen des Meisters] — Die Gesellschaft (Dresden und Leipzig, E. Pierson's Verlag) 1902, Nr. 20.

Sigrist, Eugen. Jahresbericht über den Stand und die Tätigkeit des Cäcilien-Vereins der Diözese Straßburg für das Jahr 1901/1902 — C 19, Nr. 11.

Skraup, Karl. Das königliche Interims-Theater in Stuttgart — Über Land und Meer (Stuttgart) 45, Nr. 5 [mit Abbildung].

Snodgras, J. M. F. Der Mormonentempel und das Tabernakel mit seiner großen Orgel in Salt Lake City, Utah, Nord-Amerika — ZfI 23, Nr. 4 [illustriert].

Söhle. Aus Seb. Bach's Lehrjahren - Der Türmer (Stuttgart, Greiner & Pfeiffer) 4, Nr. 11.

Solenière, E. de. Chopin — MM 14, Nr. 20.

Solvay, Lucien. La Fiancée de la mer, de Jan Blockx, au théâtre de la Monnaie de Bruxelles — M 68, Nr. 43 [illustriert].

Spanuth, August. Musikalisches und Geschichtliches aus New York — S 60, Nr. 55/56.

Spitta, Friedrich. Die Veröffentlichungen

der neuen Bach-Gesellschaft nach ihrer textlichen Seite — MSfG 7, Nr. 11.

Sternfeld, Richard. Richard Wagner und die Juli-Symphonie von Hector Berlioz — Mk 2, Nr. 4.

Steuer, M. Berliner Jugendkonzerte — Illustrierte Zeitung (Leipzig, J. J. Weber) Nr. 3098 [illustriert].

—— Die Einweihung der königlichen Hochschule für Musik in Berlin — Mk 2, Nr. 4.

Storck, Karl. Die Entstehung der Hausmusik. Ein Beitrag zu ihrer Psychologie. — Der Türmer (Stuttgart, Greiner & Pfeiffer) 5, Nr. 2.

—— Vom internationalen Opernmarkt — ibid.

Stratton, H. W. Music and crime — Arena, Februar 1902.

Tappert, Wilhelm. Ein musikalischer Prolog zu Ehren Napoleons — AMZ 29, Nr. 45.

Theinert, H. Jahrhundertfeier eines deutschen Trinkliedes und Mitteilungen aus dem Leben des Sänger-Komponisten Ludwig Fischer (1745—1825) — Mk 2, Nr. 4 (Trinklied »Im kühlen Keller sitz' ich hier«).

Thibaut, J. La musique instrumentale chez les Byzantins — Echos d'Orient, · September-Heft 1902.

Urban, Erich. Puccini und die Jung-Italiener — Mk 2, Nr. 4.

Viotta, Henri. Een onvoltooide opera van Mozart [Zaïde] — De Gids [Amsterdam, P. N. van Kampen & Zoon] November 1902.

W., H. von. Mathilde Wesendonck [† 29. August 1902] — BB 25, Nr. 10/12.

Wadsack, A. Musikalische Erziehung. Ein Beitrag zum Kapitel »Kunst und Kind« — NMP 11, Nr. 44 ff.

Wagner. Was ist echte Kirchenmusik? Ansprache, gehalten zu Colmar, bei der Generalversammlung des elsäßischen Cäcilienvereins, am 11. September 1902 durch den Universitätsprofessor Dr. Wagner (Freiburg i. Schweiz) — GBo 19, Nr. 10 ff.

Watson, H. Some musical and other impressions of a visit to Sicily — Manchester Quaterly [Manchester, Sherratt & Hughes] 15. Oktober 1902.

Winterfeld, A. von. Johann Friedrich Reichardt als Kapellmeister Friedrichs des Großen. Zur 150. Wiederkehr seines Geburtstages — Sonntagsbeilage zur Vossischen Zeitung (Berlin) 23. November 1902.

Z., Y. Le Jongleur de Notre-Dame (Der Gaukler unserer lieben Frau), Mirakel in 3 Akten. Dichtung von Maurice Léna. Deutsch von Henriette Marion. Musik von Jules Massenet — NZfM 69, Nr. 44.

Zijnen, Sibmacher. Minna (Wagner) en .... Mathilde — SA 4, Nr. 2.

Buchhändler-Kataloge.

Breitkopf & Härtel. Leipzig. — Volksausgabe. Bibliothek der Klassiker und modernen Meister der Musik, 1950 Bände mit Supplementen I—VII und Anhang I und II. — Antiquarische Musikalien, Verlagsreste. II. Gesangmusik. 33 S. 16⁰. — Ausgewählte Werke aus dem Verlage von Joseph Williams in London. 24 S. 8⁰. — Mitteilungen der Musikalienhandlung Nr. 71. November 1902. Mit Medaillonbild von Robert und Clara Schumann. S. 2714 bis 2760.

Breslauer & Meyer. Berlin, Leipzigerstraße 136. — Litterarischer Jahresbericht und Weihnachts-Katalog 1902. Musik S. 35 f. und 68 f.

Carlebach, Ernst. Heidelberg, Hauptstraße 136. — Deutsche Litteratur. Antiquarisches Verzeichnis Nr. 255. Musik und Musikwissenschaft S. 52—54.

Challier, Ernst. Großer Lieder-Katalog, enthaltend die neuen Erscheinungen vom Juli 1900 bis Juli 1902, sowie eine Anzahl älterer, bisher noch nicht aufgenommener Lieder. Neunter Nachtrag. Gießen (Ernst Challier's Selbstverlag), 1902. S. 1677 bis 1803, fol. Giebt von über 10000 Liedern die Textanfänge in alphabetischer Ordnung, ihre Fundorte und meist auch den Preis.

Eytelhuber, Victor. Wien VIII, 1. Lerchenfelderstraße 40. — Bücher-Antiquariats-Anzeiger Nr. 3 des wissenschaftlichen und modernen Antiquariats. Neue Erwerbungen aus allen Literaturgebieten (darunter auch weniges über Musik S. 27).

Forberg, Otto. Leipzig, Stephanstr. 10. — Für Gesangvereine (I. Neue Chorwerke. II. Neue Humoristica für Gesangvereine). 24 S. Lex.

Helbing, Hugo. München, Liebigstr. 21. —

Auktions-Katalog der sehr reichhaltigen
Bibliothek und Graphica-Sammlung des in
München 1901 verstorbenen Herrn Dr. Franz
Schnitzer. Bücher des XV. und XIX. Jahr-
hunderts aus verschiedenen wissenschaftlichen Gebieten. (Darunter: Nr. 605 M.
Zeiller, Epistolische Schatzkammer. Nr. 666
Les Beautés de l'Opéra 1845, Nr. 832, 1566
—70 u. 1641 Kommersbücher. Unter den
Kunstblättern viele musikalische Darstel-
lungen.)
Huster, Alfred. Dresden, Kleine Plauen-
sche Straße 58. — Musik-Instrumente
(Streich-, Blas-, Klavier-Instrumente u. s. w.).
23 S. 8⁰.
Kampffmeyer, Th. Berlin SW., Friedrich-
straße 20. — Nr. 410. Bücher-Verzeichnis
über Werke aus allen Gebieten des Wissens. (Wenig über Musik.)
Kaufmann, Richard. Stuttgart, Schloßstraße
37. — Katalog 95. Porträts berühmter
Männer und Frauen. hauptsächlich vom 16.
bis zur Mitte des 19. Jahrh. (J. S. und Ph.
E. Bach. G. Benda, Breitkopf, Brockes, Cherubini, Dalberg, Gelinek. Gleim, Gottsched,
Graun. Haydn, Hiller, Hummel, und and.).
58 S. 8⁰.
Kerler, Heinrich. Ulm. — Antiquarischer
Katalog Nr. 309. Bibliotheca theologica.
III. Abteilung: Ritualismus, Cultus, Liturgik, Hymnologie. Darunter Perg.-Hand-
schrift aus dem 12. Jahrh. de antipho-
nario recte instituendo (ℳ 250) und
viele Gesangbücher deutscher Städte. 16 S. 8⁰.
Leuckart, F. E. C. Leipzig. — Geistliche
und Orgel-Musik für Kirche, Schule und
Haus. 16 S. gr. 8⁰. — Neue Kammermusik.
— Mitteilungen für Männergesangvereine,
1901, Nr. 3. 16 S. gr. 8⁰.
Liepmannssohn, Leo. Berlin, Bernburger-
straße 14. — Catalogue d'un très beau
choix d'Autographes de Musiciens (Manuscrits de Musique, lettres et pièces diverses)
formant la collection de feu Mr. Alfred Bovet (de Valentigney). Première partie:
Compositeurs et virtuoses: J. S. Bach et ses
fils, Bassani, Beethoven, Berlioz, Bizet,

Boesset, Brahms, Caldara, Chopin, Cimarosa,
D'Anglebert, Dieupart, Donizetti, Durante,
Frescobaldi, Gluck, Hasse, Haydn, Lalande,
Liszt, Lully, Marcello, Mendelssohn, Meyer-
beer, Mozart, Piccini, Rameau, Rousseau,
Schumann, Spontini, Tartini etc. 100 S. 8⁰.
Meyer. Friedrich. Leipzig, Teubnerstr. 16.
— Antiquariats-Katalog Nr. 40. Bibliothek
Ewald Böcker, Kösen. Abteilung I. Me-
moiren, Biographien, Briefwechsel, Por-
träts. — Katalog Nr. 41. Abteilung II.
Deutsche Litteratur und ihre Geschichte
von 1750 bis zur Gegenwart. Dramaturgie.
— Katalog Nr. 43. Kunst und Kunstgeschichte. Illustrierte Werke aller Zeiten,
Kunstgewerbe, Architektur, Musik, Kunst-
blätter.
Müller, J. Eckard. Halle, Barfüßerstr. 11.
— Antiquarischer Anzeiger Nr. 15. Ger-
manische und romanische Sprache und Litteratur. Folklore.
Peters, Leipzig. — Edition Peters 1902—
1903. Neuigkeiten. 8 S. gr. fol.
Reinecke, Gebrüder. Leipzig. — 7. Par-
tituren-Katalog. Neueste und empfehlens-
werte Männerchöre (vierstimmig ohne Be-
gleitung von Reissiger, P. Heinz, Burg-
staller, Liebeskind, Nolopp, Oesten, Zanger
in Musik). 16 S. gr. 8⁰.
Spitzner, Arno. Leipzig, Gerichtsweg 12.
— Katalog antiquarischer Musikalien. 48 S.
gr. 8⁰.
Völcker, Karl Theodor. Frankfurt am Main,
Römerberg 3. — Antiquarischer Anzeiger
Nr. 40. Werke aus verschiedenen Wissen-
schaften. 18 S. 8⁰. — Katalog Nr. 240.
Theologie, darin: Hymnologie. S. 74—79.
Weigel, Adolf. Leipzig, Wintergartenstr. 4.
— Mitteilungen für Bücherfreunde. 6. und
7. Stück. 32 S. gr. 8⁰.
Zahn & Jaensch. Dresden. — Katalog
Nr. 138. Goethe und Schiller, Lessing.
Klopstock, Herder, Jean Paul. Wieland und
die Litteratur der klassischen Periode. An-
hang: Die Romantiker. Zum Teil aus der
Bibliothek von Gustav E. Schwender aus
Dresden. 100 S. gr. 8⁰.

Mitteilungen der „Internationalen Musikgesellschaft".

Ortsgruppen.

Berlin.

Der im letzten Berichte für den 12. November angekündigte Vortrag über *ostasiatische Musik* fand an genanntem Tage vor einer zahlreichen und auserlesenen Zuhörerschaft statt. Zunächst sprach Herr Dr. Otto Abraham über *Siamesische Musik*. Er führte folgendes aus:

Die exotische Musik bietet gleiches Interesse für Ethnologen, Musiker und Psychologen. An überliefertem Notenmaterial kann man sie nicht studieren, weil die Noten ungenau und meist nach europäischem Geschmack zugerichtet (harmonisiert) sind. Phonograph und Tonmesser sind unentbehrliche Hilfsmittel für das Studium der exotischen Musik. Vortragender studierte siamesische Musik 1900 als Mitarbeiter von Prof. Stumpf gelegentlich eines Gastspiels einer siamesischen Hoftheatertruppe.

Der Allgemeineindruck der siamesischen Musik ist fremdartig für uns; eine sinnliche Gefühlswirkung tritt nicht ein, wahrscheinlich weil die Aufmerksamkeit durch die Musik zu fortwährenden Sprüngen gezwungen und nicht durch reproduzierte Vorstellungen in eine bestimmte Richtung geleitet wird. Die Fremdartigkeiten betreffen vor allem die Tonhöhen der siamesischen Instrumente. Die Abstimmung derselben ist vorzüglich; mit unseren Intervallen stimmen jedoch nur die Oktaven überein, alle anderen weichen stark von den unsrigen ab. Die Siamesen haben eine siebenstufige, gleichschwebend temperierte Tonleiter, ihr Sekundenintervall ist also $= 7\sqrt{2}$.

Die Siebenstufigkeit ist vielleicht auf die dem Buddha heilige Siebenzahl zurückzuführen. Die geometrische Gleichstufigkeit kann nur, da mathematische Berechnung auszuschließen ist, dadurch entstanden sein, daß die geometrisch gleichen Intervalle sich den Siamesen als gleiche Empfindungsabstände darstellten. Alle anderen Hypothesen wären ungleich komplizierter. So liefern uns die Siamesen einen Beweis des Weber-Fechnerschen Gesetzes, allerdings nur für Tonqualitäten, daß der geometrischen Progression der Reize eine arithmetische Progression der Empfindungen entspricht. Ein solcher Beweis kann durch unsere Musik nicht erbracht werden, weil wir nach Konsonanzen, nicht nach Distanzen urteilen; solche Konsonanzen fehlen bei den Siamesen.

Die Musik der Siamesen ist taktlich gegliedert nach Art unseres 2- und 4-Vierteltaktes. Die Erkennung desselben wird jedoch sehr erschwert durch die häufige Anwendung von Synkopen und deren Accentuierung durch die Pauken. Die Siamesen haben ein sehr gutes Melodiegedächtnis, aber anscheinend kein absolutes Tonbewußtsein. Tonica und Tonarten sind bei ihnen vorhanden. Die siamesische Musik hat für unser Ohr Dur-Charakter trotz der neutralen Terz. Wie schwankend das Urteil bei den neutralen Intervallen ist, zeigte Vortragender an einem siamesisch abgestimmten Xylophon: Melodische Reminiscenzen lassen uns besonders leicht ungewohnte Intervalle in bekannte umdeuten. Die siamesische Musik ist trotz ihrer Mehrstimmigkeit keine nach unseren Begriffen harmonische, sie entspricht in ihrem Stil der Heterophonie und der ersten Form des mittelalterlichen Discantus.

Zum Schlusse zeigt Vortragender an Phonogrammen die Eigenartigkeit des Tonsystems, des Musikstils und der musikalischen Ausdrucksfähigkeit der Siamesen.

Sodann gab Herr Dr. Erich v. Hornbostel eine Darstellung der *japanischen Musik*, welche in erweiterter Form als Abhandlung in dem nächsten Sammelband der IMG. in extenso erscheinen wird.

Nach einer, der vorgeschrittenen Stunde wegen, nur kurzen Diskussion, in welcher Prof. Fleischer auf den wahrscheinlichen Zusammenhang ostasiatischer mit europäischer Musikkultur, vermutlich vermittelt durch Babylon, hinwies, schloß der Vorsitzende, Herr Major a. D. Dr. Körte, die Sitzung, indem er den beiden Rednern im Namen der Versammlung den Dank für ihre hochinteressanten Vorträge abstattete.

Ernst Euting.

Frankfurt a. M.

In der Monatsversammlung am 3. November sprach Herr Th. Gerold über »Die Behandlung der Vorschläge bei den Klassikern«. Dem Vortrag lag folgende Disposition zu Grunde:

Es ist zwar schon viel über die »Vorschläge« geschrieben worden. Trotzdem herrscht in dieser Frage noch viel Unklarheit; und angesichts der Willkürlichkeiten und Geschmacklosigkeiten, die man in diesem Punkte täglich im Konzertsaal wie im Theater hören muß, scheint es nützlich zu sein, von Zeit zu Zeit wieder auf die Regeln hinzuweisen, welche die Theoretiker des 18. Jahrhunderts aufgestellt haben. Allerdings sehen wir auch diese schon (so J. A. Hiller, Türk) klagen über die Schwierigkeit, eine Einigung herbeizuführen. Ein schwieriger Punkt ist schon die Verschiedenheit in der Schreibweise und Notierung der Vorschläge. In manchen Fällen, wie zum Beispiel in der Betonung der kurzen Vorschläge, differieren die Meinungen sehr. Redner bespricht die Ansichten Tosi's, Agricola's, J. A. Hiller's, Ph. E. Bach's, W. Mozart's, Türk's und anderer und vergleicht sie untereinander. Die von diesen Lehrmeistern aufgestellten Regeln werden jedesmal durch Beispiele, die der Redner vorsingt, illustriert. Es wird auf die Notwendigkeit hingewiesen, den Rhythmus eines Satzgliedes trotz der Vorschläge zu wahren, was auch Prof. Stockhausen betont hat. Endlich giebt der Redner Beispiele für die Behandlung der Vorschläge im Recitativ, sowohl in Oratorien, wie in italienischen und französischen Opern. Zum Schluß wird der Wunsch ausgesprochen, daß nicht allein in den sogenannten Kritischen Ausgaben, sondern auch in denjenigen Ausgaben, die in den Musikschulen gebraucht werden, die Vorschläge originalgetreu notiert werden; die IMG. sollte versuchen auch in diesem Sinne zu wirken.   **Albert Dessoff.**

Leipzig.

Die erste Monatsversammlung der Ortsgruppe in dieser Saison fand Montag, den 3. November, abends im Saale der städtischen Schule für Frauenberufe statt. Der Vorsitzende, Herr Universitäts-Professor Dr. Arthur Prüfer, bewillkommnete die erschienenen Mitglieder und Gäste in dem neuen Raum, der für diesen Winter in dankenswertester Weise durch Vermittelung des Herrn Oberbürgermeister Dr. Tröndlin der Ortsgruppe zur Verfügung gestellt worden ist. Hierauf teilte er mit, daß leider der verdiente zweite Vorsitzende, Herr Kantor Professor Gustav Schreck, sein Amt niedergelegt hat, daß aber Herr Justizrat Dr. Röntsch an seiner Stelle in den Vorstand eingetreten ist. Mit dem Dank für die Übernahme dieses Amtes konnte Herr Professor Dr. Prüfer zugleich einen zweiten Dank an Herrn Justizrat Dr. Röntsch verbinden für eine bedeutende, durch ihn vermittelte Zuwendung aus einer hiesigen Stiftung, durch die die Ortsgruppe aus unwürdiger pekuniärer Lage befreit worden ist. — Hierauf wandte sich der Vorsitzende dem eigentlichen Programm der ersten Monatsversammlung zu. Er besprach die Neuausgabe des Orgelbüchleins von Joh. Seb. Bach, die im Auftrage der Neuen Bachgesellschaft der Leipziger Organist, Herr Bernhard Friedrich Richter in einem vierhändigen Arrangement für Klavier besorgt hat. Die Herren Pfitzner und Stock erwarben sich den Dank der Anwesenden durch den Vortrag von sechs Nummern dieser Choral-Vorspiele. Den Hauptteil des Abends füllte ein inhaltlich sehr reiches und durch seinen Gegenstand sehr wichtiges Referat des Herrn Professor Dr. Prüfer aus über die Aufsatzfolge von Professor Dr. Hermann Kretzschmar, die unter dem Titel: Musikalische Zeitfragen in den Grenzboten erscheint und die demnächst auch als Buch im Verlage von C. F. Peters veröffentlicht werden soll. Dem mit großem Beifall aufgenommenen Referat über diese Aufsätze, in denen der ganze Musikbetrieb unserer Tage nach seiner künstlerischen, pädagogischen und socialen Seite hin behandelt wird, schloß sich eine kurze Debatte an, an der sich außer dem Unterzeichneten Herr Kantor Gustav Borchers beteiligte. Letzterer sprach sich über die methodischen Fortschritte der jüngsten Zeit im Schulgesange aus: es ist trotz des denkbar größten

Widerstandes, der zu überwinden war, durch staatliche Anordnung jetzt bereits erreicht, daß Sachsen mit den Reformen des Gesangunterrichtes in den Gymnasien, wie sie Professor Dr. Kretzschmar verlangt, an der Spitze marschiert, wenn auch noch viel zu thun übrig bleibt. **Martin Seydel.**

Wien.

In der am 11. November abgehaltenen Sitzung sprach Professor Oswald Koller »Über die Musik der Minnesänger«. Der Vortragende gab einen geschichtlichen Überblick über die Versuche, die Frage nach der Notation der Minnesänger-Weisen zu lösen, erläuterte die Runge-Riemann'sche Theorie an mehreren Beispielen und wies an der Hand der Theoretiker des XIII. Jahrhunderts, besonders an Johannes de Grocheo nach, daß man außer dem gregorianischen Choral und der strengen Mensuralmusik noch eine dritte, sowohl in der Notation als auch in der Kompositionsweise verschiedene Art der Musik, die von Grocheo *musica vulgaris* genannt wird, annehmen müsse, als deren Repräsentant die einstimmige weltliche Musik des Mittelalters anzusehen ist. **O. Koller.**

Neue Mitglieder.

Allen, Hugh Percy, M. A., Mus. Doc., New College, Oxford.
Chybiński, Adolf, stud. phil. et mus. Krakau, Floriangasse 32 II.
Coward, Henry, Mus. Doc., 286 Western Bank, Sheffield.
Jacobi, Martin, Komponist, Charlottenburg, Grolman-Straße 60 III.
Karlowicz, M., Warschau, Jasna 10.
Koenig, Madame Rose, 20 Ladbroke Square, London, W.

Newman, Ernest, 54 Grove Street, Liverpool.
Raff-Konservatorium, Frankfurt a. M., Eschenheimer Anlage 5.
Rahter, D., Musikalien-Verleger, Leipzig, Rabensteinplatz 3.
Sheppard, W. J., M. D., 211 Upper Richmond Road, Putney, London, S. W.
Shinn, F. G., Mus. Doc., 4 Sydenham Park, Sydenham, London, S. E.
Tatham, Miss Janet, Dallington Lodge, Guildford.

Änderungen der Mitgliederliste.

Sannemann, Pastor, Hettstedt jetzt Charlottenburg, Schloßstraße 5.
Sonneck, O. G., jetzt Chief of Music Division of the Library of Congress, Washington, D. C., 1808 H. St. N. W.
Warmünde, Meta, Buenos-Aires jetzt Hamburg, Hansaplatz 5 I.

Nachricht.

Den Herren, die im vergangenen Frühjahr durch die in den Sammelbänden (Februar 1902) veröffentlichte Arbeit über die Meßkataloge veranlaßt wurden, Fragen an mich zu richten, teile ich mit, daß das versprochene

Verzeichnis der in den Meßkatalogen angezeigten Musikalien

erschienen ist (vergl. »Bücherschau« im vorliegenden Heft). Weitere Anfragen treffen mich unter Leipzig, Poststraße 3 II. **Dr. Albert Göhler.**

Ausgegeben Anfang Dezember 1902.

Für die Redaktion verantwortlich: Professor Dr. Oskar Fleischer, Berlin W., Motzstr. 17.
Mitverantwortlich: Dr. Ernst Euting und Dr. Albert Mayer-Reinach in Berlin.
Druck und Verlag von Breitkopf & Härtel in Leipzig.

Beihefte.

Zu unseren beiden offiziellen Publikationsorganen ist seit Jahresfrist ein drittes, sozusagen nicht-offizielles getreten, zu dessen Bezug die Mitglieder nicht verpflichtet sind und welches in zwanglosen Heften erscheint. Diese **Beihefte der Internationalen Musikgesellschaft** haben den Zweck, die ›Sammelbände‹ zu entlasten. Wie in der ›Zeitschrift‹ nur Aufsätze von höchstens einem Druckbogen Länge aufgenommen werden können, so hat sich für die ›Sammelbände‹ das Prinzip als zweckmäßig herausgestellt, nur Abhandlungen von höchstens fünf Druckbogen Umfang aufzunehmen. Um aber den diesen Umfang übersteigenden Arbeiten von Wert ebenfalls Platz zu schaffen, sollen die ›Beihefte‹ dienen. Das schon vor Auftreten der Internationalen Musikgesellschaft unter dem Titel ›**Sammlung musikwissenschaftlicher Abhandlungen von deutschen Hochschulen**‹ begründete Unternehmen ist in den ›Beiheften‹ aufgegangen. Den Mitgliedern der Internationalen Musikgesellschaft steht es frei, ob sie die Beihefte, die selbständige neue Forschungen enthalten, beziehen wollen. Diese Beihefte, die durch sämtliche angesehene Buchhandlungen des In- und Auslandes oder unmittelbar von der Verlagshandlung Breitkopf & Härtel bezogen werden können, werden je nach Umfang zu mäßigen Preisen portofrei an die subskribierenden Mitglieder geliefert. Die bisher erschienenen Hefte der ersten Reihe der Sammlung musikwissenschaftlicher Arbeiten werden unter denselben Bedingungen den Mitgliedern abgegeben.

Die Centralgeschäftsstelle der Internationalen Musikgesellschaft.

Beihefte der Internationalen Musikgesellschaft.

ZEITSCHRIFT

DER

INTERNATIONALEN MUSIKGESELLSCHAFT.

Heft 4. **Vierter Jahrgang.** **1903.**

Erscheint monatlich. Für Mitglieder der Internationalen Musikgesellschaft kostenfrei, für Nichtmitglieder 10 ℳ. Anzeigen 25 ₰ für die 2 gespaltene Petitzeile. Beilagen 15 ℳ.

Die weitere Entwickelung der Kammermusik.

Es ist schon von mancher Seite die Meinung ausgesprochen worden, daß die Kammermusik keine weitere Entwickelung über die letzten Werke Beethoven's hinaus haben könne; auch ist nicht zu leugnen, daß die Werke der neueren Komponisten die Wahrheit dieser Meinung im allgemeinen bestätigen. Abgesehen von dem erhabenen Inhalt der letzten Beethoven'schen Werke, die zu übertreffen nur einem gleichgearteten Genius gelingen kann, ist in der Form der Werke neuerer Meister kein wesentlicher Fortschritt, keine weitere Entwickelung nachzuweisen. Wenn bei Beethoven der Formalismus der älteren Meister durchbrochen ist und, in freier Entwickelung der künstlerischen Idee, die derselben entsprechende Form an Stelle der hergebrachten Form trat, so ist diese dem Genius notwendige Freiheit von manchen späteren Komponisten als Grund für Verachtung und gänzliche Vernachlässigung der hergebrachten Formen betrachtet worden. Sie meinten in dem Aufgeben der alten Formen den Fortschritt zu finden, ohne eine neue begründete und faßliche Form zu suchen.

Da die instrumentale Kammermusik, von welcher hier zunächst die Rede ist, mit der symphonischen Musik eine ähnliche Verwandtschaft hat, wie in der Dichtung die Novelle mit dem Roman, so liegt es nahe, für die weitere Entwickelung der Kammermusik auf den gleichen Weg hinzuweisen, den Berlioz und Liszt mit dem Übergang von der alten symphonischen Form zur symphonischen Dichtung eingeschlagen haben. Dieser Weg führt zu der Forderung, daß jedes Kammermusikwerk eine Tondichtung sein soll.

Da es noch viele Vertreter der Anschauung giebt, die symphonische Dichtung sei ein Abweg, weil die Musik nur ein Spielen mit tönenden Formen sei, die nichts bestimmtes ausdrücken können, so wird diesen das Beschreiten dieses Weges natürlich auch als ein Fehler erscheinen.

Wenn auch nicht zu erwarten ist, daß sich die Vertreter der alten Anschauung eines Besseren belehren lassen wollen, so mögen doch einige
Gedanken zur Prüfung dieser Angelegenheit Platz finden.

Es wird niemand, der musikhistorische Kenntnisse hat, abstreiten
können, daß in früheren Jahrhunderten die Tonstücke zum größten Teil
nur ein Spielen mit tönenden Formen waren. Es liegt der Vergleich mit
den Arabesken der bildenden Künste nah. Wie sich bei diesen aus der
Verbindung und Verschlingung von ein- oder mehrfarbigen Linien Figuren bildeten, wie in diese Figuren Pflanzen- und Tierformen und zuletzt
auch Menschenformen aufgenommen wurden, die einen bestimmten Ge-
fühlsausdruck zeigten, so hat im Laufe ihrer Entwickelung die Tonkunst,
die anfangs nur den Gesetzen der Symmetrie folgte, später eine Anzahl
von bestimmten Formen (Pflanzen) und einen bestimmten Ausdruck
(Tiere und Menschen) gewonnen. Wenn die Verbindung und Verschlingung der Linien sowie die Pflanzenformen noch nicht im stande
waren, den Arabesken einen bestimmten Ausdruck zu verleihen, so wurde
dies möglich mit der Anwendung von Tier- und Menschenformen, insbesondere von Köpfen. In diesen konnte die Form zum Träger der
inneren Empfindung, des Seelenlebens werden, womit der Schritt vom
rein formellen Ausdruck zur beseelten Darstellung gemacht war. Ähnlich hat sich aus dem reinen Formenspiel der Töne, nach Feststellung
einiger bestimmter Formen, zu diesen der Ausdruck tierischer und mensch-
licher Empfindung gesellt und hat die Tonkunst zur Seelensprache erhoben. Das Schaffen Beethoven's in seiner letzten Periode können wir
vergleichen mit der Loslösung der Tier- und Menschenteile aus der
Arabeske und der vollen Ausgestaltung dieser Tier- und Menschenformen
im Sinne einer bestimmten Empfindung. Wie in der vollständigen Gestalt die Empfindung des Wesens deutlicher zum Ausdruck kommt, als
im stilisierten Teil einer Form in der Arabeske, so kommt auch in einem
Tonstück die den Komponisten erfüllende Idee deutlicher zum Ausdruck,
wenn er sich vom Formalismus frei macht und die seiner Idee entsprechende Form findet.

Dieser Übergang von den im Laufe der Entwickelung entstandenen
Formen zu neuen Formen, die eine Idee deutlicher zum Ausdruck bringen,
als jene, ist vollkommen berechtigt. Auf gleichem Wege sind ja auch
die herkömmlichen Formen entstanden. Wenn die bereits vorhandene
Form nicht geeignet war, die Idee des Komponisten deutlich zum Ausdruck zu bringen, so bildete er eine neue, die seinem Zweck entsprach.
Fand die neue Form Anerkennung und Nachahmung, so war sie für die
späteren Geschlechter eine herkömmliche geworden. Wie es nun viele
Leute giebt, die dem Herkömmlichen eine Art Heiligkeit zuerkennen, so
giebt es auch unter den Musikern viele, die die überlieferten Formen für

Gesetze halten, die nicht übertreten werden dürfen, und daher jeden verdammen, der diesen Gesetzen entgegenhandelt. Warum soll aber den
Jungen verboten sein, was den Alten als Recht zuerkannt wird? Warum
soll der Übergang von der allgemeinen Form, die doch im gewissen Sinne
ein Formalismus ist, zu der besonderen Form für jede Idee als ein Verbrechen gegen die Kunst gelten? Es kann kein vernünftiger und überzeugender Grund gefunden werden, die Bildung neuer Formen zu verdammen, wenn diese dazu dienen, die Idee deutlicher zum Ausdruck zu
bringen, als die älteren Formen.

Aber das Bilden neuer Formen ist keine leichte Sache, und schon
mancher hat sich vergeblich bemüht, für seine Idee die rechte Form zu
finden. Die rechte Form ist aber bei Tonstücken von höchster Wichtigkeit, weil bei der Flüchtigkeit der Erscheinung nur ganz klare und bestimmte Verhältnisse dem Hörer zum deutlichen Bewußtsein kommen und
ihm das Verständnis des Gehörten ermöglichen. Dieser Umstand wird
von neueren Komponisten nicht immer gebührend gewürdigt, und das ist
die Ursache, daß manche Werke nicht den erwarteten Eindruck machen,
wenn auch der Inhalt ein wirklich bedeutender ist.

Von der herkömmlichen Form abzuweichen, kann nur dem geraten
werden, der eine besondere Idee auszudrücken hat, die wirklich eine
Abweichung von der üblichen Form verlangt. Aber nicht das Abweichen
genügt, sondern viel wichtiger und schwieriger ist es, die rechte neue
Form zu finden. Wenn diese von der überkommenen Form stark ab-
weicht, so ist für den Hörer eine Bezeichnung der Idee in Worten, also
ein Programm, das beste Mittel, ihm das Verständnis der neuen Form
zu erschließen. Schon Beethoven hat in einzelnen Fällen die Notwendigkeit empfunden, durch Worte eine Andeutung seiner Idee zu geben. Es
sei nur ein Fall erwähnt. Das Streichquartett in a-moll op. 132 hat im
dritten Satz die Überschrift: »Heiliger Dankgesang eines Genesenen an
die Gottheit, in der lydischen Tonart« und später: »Neue Kraft fühlend«.
Diese Bemerkungen lassen den vorhergehenden Satz leicht als den Ausdruck des Krankseins erfassen. Und in der That sind die mit lichten
Augenblicken abwechselnden Fieberphantasien eines Kranken sehr leicht
zu erkennen. Ebenso ist im Anfang des letzten Satzes leicht zu erkennen,
wie Anläufe zu neuem Wirken genommen werden, die anfangs nicht gelingen. So wirft die Überschrift zum 3. Satz auch Licht auf die Idee
vom 2. und 4. Satz. Was hier Beethoven andeutungsweise tat, kann
aber recht wohl als der Keim einer neuen Regel gelten, die verlangt,
dass die Ideen des Komponisten, die ihn bei seiner Komposition leiten,
in Worten angegeben werden. Diese Angaben können in kurzen Sätzen,
in freier oder gebundener Redeform oder in ausführlicher Beschreibung
eines Vorganges bestehen.

Wenn nur eine Stimmung oder ein Zustand angegeben ist, so wird kein zwingender Grund zu größeren Abweichungen von den gewöhnlichen Formen vorhanden sein. Wenn aber ein Vorgang angegeben ist, so kann leicht ein zwingender Grund zur Abweichung von diesen Formen vorhanden sein.

Äußere Vorgänge als solche können in Tönen keinen bestimmten Ausdruck finden; sondern es können höchstens durch gewisse charakteristische Klänge mit Hilfe von Ideenverbindung Vorstellungen von äußeren Vorgängen erweckt werden, wie z. B. durch Trompetenfanfaren die Vorstellung einer Schlacht, durch Hornrufe die Vorstellung einer Jagd. Die Nachahmung von Geräuschen des äußeren Lebens durch Töne ist zwar eine schon alte und auch jetzt nicht unbeliebte Sache; jedoch kann ihr kein hoher künstlerischer Wert zuerkannt werden. Mag es das Rauschen des Waldes oder der Wellen, das Murmeln einer Quelle, das Tosen eines Gewitters, der Gesang von Vögeln oder sonst etwas sein, was in Tönen täuschend nachgeahmt wird, so ist das immer eher als ein Kunststück zu betrachten, denn als eine Kunstleistung. Die letztere fordert selbständige Gestaltung der Tonverbindungen zum Ausdruck einer Empfindung, aber nicht die Nachahmung von Vorgängen in der äußeren Welt. Erst durch musikalische Verarbeitung können solche Nachahmungen eine höhere künstlerische Bedeutung gewinnen. Wenn sie im Dienst einer künstlerischen Idee verwertet sind, können sie als Mittel zum Ausdruck von gewissen Stimmungen sehr brauchbar sein. Weit bedenklicher, als die Nachahmung von Geräuschen ist die zuweilen angestrebte Nachahmung von Eindrücken anderer Sinne durch Töne. Was gesehen, gerochen, geschmeckt und getastet wird, kann nicht in Tönen ausgedrückt werden. Und wenn ein Komponist wirklich glaubt, es sei ihm eine solche Absicht gelungen, so wird ihm die Meinungsverschiedenheit von Hörern, die seine Absicht nicht kennen, den Beweis vom Gegenteil liefern. Wenn nicht Worte den gedachten Sinn solcher Versuche angeben, so wird fast jeder Hörer anders raten. Bei dramatischen Werken können Vorgänge auf der Bühne an Stelle der Worte die Bedeutung solcher Musik klar machen. Aber die Musik allein kann niemals die Eindrücke anderer Sinne, als des Gehörs, bestimmt zum Ausdruck bringen.

Das Gebiet der musikalischen Ausdrucksfähigkeit liegt zwischen den Polen von höchster Lust und tiefstem Schmerz einerseits, von vollster Ruhe und heftigster Tätigkeit andererseits. Die unendlich vielen Grade der Abstufung und Abwechslung, die zwischen diesen Polen liegen, geben eine unerschöpfliche Anzahl von Möglichkeiten zur Gestaltung von Kunstwerken in Tönen.

Die Musik ist nach Schopenhauer's Anschauung der unmittelbare Ausdruck des Willens. Befriedigung des Willens ist Lustgefühl, Widerstand gegen die Befriedigung ist Unlustgefühl; Tätigkeit in der Befrie-

digung ist Freude und Wonne, Tätigkeit zur Beseitigung des Widerstandes ist Kampf und Streit, der zur Freude des Siegens oder zum
Schmerz des Unterliegens führt. Trauer und Ermattung folgen dem
Unterliegen, heitere Ruhe der frohen Tätigkeit. Auf diese Grundzüge
lassen sich alle guten Angaben über die Idee eines Tonstückes zurückführen.

Was nun die Gestaltung selbst betrifft, so ist darüber Folgendes zu
sagen. Als Grundformen des musikalischen Ausdrucks sind die Motive
zu bezeichnen. Sie sind die Keime, aus denen sich die Themen entwickeln, und aus der Verarbeitung der Themen entstehen die ganzen
Sätze. Ein Motiv muß einen bestimmt ausgeprägten Charakter haben,
wenn es künstlerisch wertvoll sein soll. Es ist zu vergleichen mit dem
individuellen Charakter eines Menschen, der alle weitere Entwickelung
maßgebend beeinflußt. Wenn der Charakter eines Menschen ohne hervortretende Züge ist und nur die gewöhnlichen und alltäglichen Eigenschaften zeigt, so ist von diesem Menschen keine hervorragende Leistung
zu erwarten, und er wird die Aufmerksamkeit seiner Nebenmenschen nicht
lange fesseln können. Ein musikalisches Motiv muß eine besondere
Eigentümlichkeit haben, welche die Entwickelung und Verarbeitung für
den Hörer dauernd zu einer fesselnden Sache macht. Es ist daher die
Wahl und Gestaltung der Motive eine sehr wichtige Sache, und wer sich
damit tagelang beschäftigt, wird keine verlorene Zeit zu beklagen haben,
sondern er wird den Segen spüren, den ein voll ausgereiftes Motiv für
die Arbeit bringt.

Das Thema, welches sich aus dem Motiv entwickelt, ist zu vergleichen
mit dem Menschen, der sich seinem Charakter nach entwickelt hat. Dem
Hauptmotiv können sich verwandte Motive anschließen, wie auch fördernde
Umstände den Menschen in seiner Entwickelung begünstigen können. Es
können aber auch gegensätzliche Motive das Hauptmotiv hindern, sich
frei zu entfalten, ebenso wie widrige Umstände den Menschen an der Entwickelung seines Charakters hindern können. Es ist aber auch möglich,
das ganze Thema aus dem Hauptmotiv allein zu bilden, wie es auch
Menschen giebt, die ohne fördernde oder hindernde Einwirkung sich ganz
ihrer Eigenart entsprechend entwickeln. Daß ein Thema der letzten Art
die schärfste Charakteristik haben muß, ist nicht zu bezweifeln.

Weil durch das Gegensätzliche jede Sache zu stärkerer Wirkung
kommt, so ist auch in der musikalischen Form die Anwendung eines
zweiten Themas, das einen charakteristischen Gegensatz zum ersten bildet,
im Laufe der Entwickelung als eine Notwendigkeit erkannt worden.
Weitere Themen sind möglich, manchmal sogar notwendig; aber zwei
werden als unbedingtes Erfordernis für die weitere Entwickelung eines
Kammermusiksatzes zu gelten haben. Das zweite Thema, sowie auch

weitere Themen, stehen in anderen Tonarten, als das Hauptthema. Die herkömmliche Regel ist, daß bei Sätzen in Durtonarten das zweite Thema in der Durtonart der Oberquinte, ausnahmsweise in einer terzverwandten Durtonart, selten in einer Molltonart steht; bei Sätzen in der Molltonart dagegen steht das zweite Thema in der Durtonart der kleinen Oberterz oder der großen Unterterz, ausnahmsweise in der Dur- oder Molltonart der Oberquinte. Diese tonartlichen Verhältnisse sind die natürlichsten und werden ohne wichtige Gründe nicht außer Acht zu lassen sein. Wenn aber die Themen als Ausdruck von menschlichen Charakteren verstanden werden, als tönende Erscheinung der wollenden Seele, dann ist nicht abzuweisen, daß auch solche Themen in Gegensatz zu einander treten, die keine harmonische Verwandtschaft miteinander haben, sondern sich sehr fern stehen. Es treffen ja auch im Leben oft ganz entgegengesetzte Willensrichtungen aufeinander und müssen sich miteinander abfinden. In früherer Zeit war es üblich, den ersten Teil eines Satzes, welcher die Themen enthält, zu wiederholen, damit sich dieselben dem Hörer besser einprägten. Dies ist in neuerer Zeit ziemlich außer Gebrauch gekommen und wird sogar bei der Ausführung älterer Tonwerke, welche diese Vorschrift haben, oft unterlassen, nicht immer mit guter Wirkung. Es mag ja sein, daß im allgemeinen jetzt mehr Auffassungsvermögen und besseres Musikverständnis bei den Hörern vorhanden ist, als es früher der Fall war; aber es ist doch ratsam, solche Themen, die schwer verständlich sind, zweimal hören zu lassen. Wenn man die einfache Wiederholung verwirft, kann man auch eine teilweise Umgestaltung bringen. Es ist jedenfalls notwendig, daß der Hörer die Themen erfaßt hat, wenn er fähig sein soll, die Durchführung derselben zu verstehen.

Der erste Teil ist zu vergleichen mit der Charakterschilderung der Personen, welche in der Dichtung miteinander in Beziehung treten. Die Durchführung ist zu vergleichen mit der Einwirkung, welche die Personen aufeinander ausüben, und die nachfolgende Wiederholung ist zu vergleichen mit dem Ergebnis, welches diese gegenseitige Einwirkung gebracht hat. In der herkömmlichen Form besteht dies Ergebnis darin, daß das zweite Thema zur Tonart des ersten Themas geführt worden ist. Der Durchführungsteil ist in gewissem Sinne die dramatische Scene, in welcher statt äußerer Vorgänge mit handelnden Personen nur die verschiedenen Willensrichtungen, die Charaktere dieser Personen aufeinander einwirken. Daß hierbei auch episodenhaft neue Motive auftreten können, ist nicht ausgeschlossen; doch vermindern diese eher die Bedeutung des Vorgangs, als daß sie dieselben erhöhen.

Wenn zwei verschiedene Kräfte aufeinander einwirken, so wird entweder eine die andere überwinden, oder es wird ein gegenseitiger Ausgleich erfolgen, sodaß jede Kraft etwas von ihrer Eigentümlichkeit aufgiebt, um sich der andern anzupassen, oder es kann auch eine vollständige Verbindung der beiden Kräfte zu gleichzeitigem Wirken erfolgen. Im ersten Falle wird, bei Anwendung des Vergleichs auf die Musik, das eine Thema nicht wieder auftreten, wenn die Durchführung zu Ende ist; im 2. Fall wird jedes Thema mit Elementen des andern gemischt erscheinen bei tonartlicher Einheit; im 3. Fall werden beide Themen zusammen auftreten, jedes in seiner vollen charakteristischen Art. Daß die dritte Art die am meisten befriedigende Form ist, läßt sich leicht einsehen; sie entspricht auch am besten dem Geist der Musik, welcher auch das Verschiedene zu harmonischer Wirkung vereinigt, ohne die Besonderheit zu unterdrücken oder wesentlich einzuschränken.

Nachdem nun die Gestaltung des ersten Satzes in der sogenannten Hauptform oder Sonatenform entwickelt ist, muß die Bildung der andern Sätze besprochen werden. In der hergebrachten Form der Kammermusik ist keine motivische oder thematische Einheit in den verschiedenen Sätzen vorhanden. In seltenen Fällen kommen in späteren Sätzen wieder Motive des ersten Satzes zur Anwendung. Wenn aber eine Einheit des ganzen Werkes erreicht werden soll, so ist die Beibehaltung der Hauptmotive oder mindestens des ersten Hauptmotivs unbedingt notwendig. Jeder einzelne Satz spricht dann eine gewisse Stimmung aus, die sich aus den verschiedenen Verhältnissen ergiebt, in denen der Charakter wirksam ist. Die Themen werden sich demgemäß aus dem gleichen Motiv verschieden bilden; sie können entweder in melodischer und rhythmischer Hinsicht von den Themen des ersten Satzes abweichen, oder sie können auch nur rhythmisch umgestaltet werden, allenfalls auch nur melodisch. Die Gefahr der Eintönigkeit ist bei weitem nicht so groß, als man oft fürchtet. So wenig langweilig es uns wird, wenn in einer Dichtung ein charaktervoller Mensch in verschiedenen Lebenslagen, in Freude und Leid, in Ernst und Scherz, in hohem Streben und in dumpfer Ergebung u. s. w. geschildert wird, ebensowenig wird ein charaktervolles Motiv, das verschiedenen Stimmungen entsprechend gestaltet ist, langweilig wirken. Wenn der Komponist die Fassung findet, die jeder Stimmung am besten entspricht, so wird der Hörer kaum merken, daß die Themen alle aus den gleichen Motiven gebildet sind, die im ersten Satz vorkommen; er wird aber die Empfindung einer größeren inneren Einheit des Werkes bekommen, als er sie bei andern Werken fühlt.

Die Anzahl und die Reihenfolge der Sätze hängt von der den Komponisten leitenden Idee ab. Daß in der Anordnung das Gesetz von der Wirkung des Gegensatzes nicht außer Acht gelassen werden darf, versteht sich von selbst. Es sollen nicht zwei Sätze gleichartiger oder stark verwandter Stimmung aufeinander folgen, sondern sie sollen durch einen Satz getrennt sein, der zu ihnen einen Gegensatz in der Stimmung bildet.

Daß Ausnahmen durch eine besondere Idee veranlaßt werden können, ist nicht ausgeschlossen; doch ist in solchen Fällen eine klare Bezeichnung der leitenden Idee in Worten sehr notwendig.

Die mittleren Sätze sind vorherrschend lyrischer Art. Der langsame, ernste Satz hat statt der Sonatenform oft die dreiteilige Liedform oder die Variationenform. In ihm kommen weihevolle Erhebung, Schmerz, Trauer, Trost, Sehnsucht, heilige Liebe und ähnliche Stimmungen zum Ausdruck, die nur ausnahmsweise durch schroffe Gegensätze unterbrochen werden. Es ist daher der Durchführungsteil in der Regel nur kurz; oft treten an seine Stelle Episoden, die einen Gegensatz zur Stimmung der Themen bilden. Der schnelle, heitere Satz, den die meisten Kammermusikwerke enthalten, stammt von der Tanzform her und dient zum Ausdruck von Frohsinn und Lustigkeit, von Humor und Ausgelassenheit, aber auch von komischer Ernsthaftigkeit und ähnlicher Stimmungen. Auch in diesem Satz ist gewöhnlich wenig thematische Arbeit zu finden; aber in den meisten Fällen wird die Stimmung des ersten Teils durch eine gegensätzliche Stimmung im sogenannten Trio unterbrochen. In den Mittelsätzen erscheint die einfache Wiederholung des ersten Teils nach der Durchführung, oder nach dem ihre Stelle vertretenden Gegensatz, eher gerechtfertigt, als im ersten und letzten Satz. Damit soll nicht gesagt sein, daß dies besser sei, als eine Wiederholung des ersten Teils mit sinngemäßer Steigerung oder Abminderungen der anfänglichen Stimmung.

Wird nur das Motiv des Hauptthemas in allen Sätzen beibehalten, so treten in den Sätzen, die dem ersten folgen, neue Motive in den Nebenthemen auf. Es ist nun eine sehr nahe liegende Steigerung des Inhalts, jedes neue Motiv oder Thema im nachfolgenden Satz wieder mitzuverwenden; mindestens ist eine Verwendung der neuen Motive im letzten Satz sehr berechtigt und wirksam. Der letzte Satz bildet im ganzen Werk einen ähnlichen Abschluß, wie ihn die Wiederholung der Themen nach der Durchführung in jedem Satz bildet. Wie schon ausgeführt wurde, ist es die befriedigendste Form der Wiederholung, wenn die beiden Themen unter Wahrung ihrer Eigentümlichkeit zusammen erklingen. So wird für den letzten Satz als das befriedigendste Ergebnis zu betrachten sein, daß alle Hauptthemen der vorhergehenden Sätze darin in friedlicher Vereinigung ausklingen, nachdem die näher verwandten Themen in der Durchführung mit den andern Themen im Spiel der Gegensätze aufgetreten sind. Da zur Gestaltung eines Kammermusikwerkes dieser Art eine sehr sorgfältige Bildung der Motive und Themen notwendig ist, weil sie im mehrfachen Kontrapunkt geschrieben sein müssen, so wird nur ein Komponist von großer Begabung und mit sehr guter Schulung im stande sein, einer solchen Aufgabe vollkommen gerecht zu werden.

Solche Musiker, die vom Dichten in Tönen nichts wissen wollen, sondern nur ein Formenspiel als berechtigt anerkennen, werden natürlich die vorstehenden Darlegungen verwerfen. Trotzdem sei auch ihnen eine Anregung nicht vorenthalten, die selbst vom rein formellen Standpunkt aus berücksichtigt werden kann. Unter Beibehaltung der bisherigen Form bis zum Schluß der Durchführung ist eine Weiterbildung dadurch möglich, daß in dem Wiederholungsteil sogleich beide Themen zusammen auftreten und dann in der Umkehrung gebracht werden, oder daß nach der Wiederholung des ersten Themas dieses dann zugleich mit dem zweiten Thema auftritt.

Werden die Komponisten im Sinn dieser Ausführungen eine weitere Entwickelung der Kammermusik versuchen, so ist kein Absterben dieses Zweiges der Tonkunst zu befürchten, sondern es ist die Zeit einer neuen und reichen Blüte sicher zu erwarten.

München. **M. E. Sachs.**

Serov.

Alexander Nicholaevich Serov, born at Petersburg in 1820, was one of the earliest enlightened critics in Russia. As a child he received an excellent education. Later on he was entered at the School of Jurisprudence, where he passed as "peculiar" among his comrades and only made one intimate friend. The latter — a youth a few years his junior — was Vladimir Stassov, destined to become a greater critic than Serov himself. Stassov in his "Reminiscences of the School of Jurisprudence" has given a most interesting account of this early friendship, which unfortunately ended in open hostility when in later years the two men developed into the leaders of opposing camps. When he left the School of Jurisprudence in 1840, Serov had no definite views as to his future, only a vague dreamy yearning for an artistic career. At his father's desire he accepted a clerkship in a government office which left him leisure for his musical pursuits. At that time he was studying the Violoncello. Gradually he formed, if not a definite theory of musical criticism, at least strong individual proclivities. He made some early attempts at composition which did not amount to much more than improvisations. Reading his letters to Stassov at this time, we see that, joined to a vast but vague ambition, was the irritating consciousness of his lack of genuine creative inspiration.

In 1842 Serov became personally acquainted with Glinka, and although he was not at that period a fervent admirer of this master's music, yet personal contact with so great a man gave him an impulse towards more serious work. He began to study Glinka with newly opened eyes, and became enthusiastic over "Life for the Tsar" and some of his songs. But when in the autumn of the same year "Russlan and Lioudmilla" was first mounted, his enthusiasm seems to have received a check. He announced to Stassov his intention of studying the opera seriously; but his study, judging from what he writes on the subject, must have been very superficial; all that was new and lofty in intention seems to have passed clear over his head. The document is interesting too, as showing how indifferent he was at that time to the great musical renaissance which Wagner had inaugurated in Western Europe and to the equally remarkable movement of which Balakirev was the leader in Russia.

In 1843 Serov began to think of composing an opera; but he was as unstable in his choice of a subject as in his selection of a musical ideal. He finally decided upon "The Merry Wives of Windsor", and had actually made some initial attempts, when his musical schemes were cut short by his transference from Petersburg to the dull provincial town of Simferopol. Here he made the acquaintance of the revolutionary Bakounin, who had not yet been exiled to Siberia. The personality of Bakounin made a deep impresssion upon Serov as it did later on upon Wagner.

Under his influence Serov began to take an interest in modern German philosophy and particularly in the doctrine of Hegel. As his intellect expanded the quality of his musical ideas improved. They showed greater originality; but it was an acquired originality rather than innate creative impulse. He acquired the theory of music with great difficulty; and as he was exceedingly anxious to master counterpoint, Stassov introduced him by letter to the celebrated theorist Hunke, then residing in Petersburg. Serov corresponded with Hunke, who gave him some advice, but the drawbacks of the system of college by post were only too obvious to the eager pupil separated by two thousand versts from his teacher. During this time he was continually on the point of throwing up his appointment and devoting himself entirely to music; but his father sternly discountenanced what he called "these empty dreams".

It was through journalism that Serov first acquired the much-desired footing in the musical world. At the close of the forties musical criticism in Russia had touched its lowest depths. The two leading men of the day, Oulibichev and Lenz possessed undoubted ability, but had simply drifted into specialism; the one as the panegyrist of Mozart, the other as that of Beethoven. And besides this both of them published their works in German. All the other critics of the leading journals might well have said in the language of Wordsworth, "Our birth is but a sleep and a forgetting". These were the men whom Moussorgsky car-

icatured so mercilessly in his satirical songs. It is not surprising therefore that Serov's first articles, which appeared in the contemporary in
1851, should have created a sensation in the musical world. We have
seen that his literary equipment was by no means complete, that his
convictions were still fluctuant and unreliable; but he was now awake to
the movements of the time, and joined to a cultivated intelligence a "wit
that fells you like a mace". His early articles dealt with Mozart, Beethoven, Donizetti, Rossini, Meyerbeer and Spontini; and in discussing the
last-named he explained and defended the historical ideal of the music-
drama. Considering that at that time Serov was practically ignorant of
Wagner's work, the conclusions which he draws do credit to his fore-
sight and reflection.

As I am considering Serov as a composer, rather than as a critic,
I need not dwell at length upon this side of his work. Yet it is almost
impossible to avoid reference to that long and bitter conflict which he
waged with Stassov. The writings of Serov valuable as they were half
a century ago, because they set men thinking, have now all the weakness of purely subjective criticism. He was inconstant in his moods,
violent in his prejudice, and too often hasty in his judgments; and
throughout the three weighty volumes which represent his collected works
there is no vestige either of orderly method, or of a reasoned philosophy
of criticism. The novelty of his style, the prestige of his personality,
and perhaps we must add the deep ignorance of the public he addressed,
lent a kind of sacerdotal authority to his utterances. But like all sacerdotal divulgations they did not always tend to enlightenment and liberty
of conscience. With one hand Serov pointed to the great musical
awakening in Western Europe, with the other he sought persistently to
blind men's eyes to the important movement that was taking place around
them. In 1858 Serov returned from a visit to Germany literally hyp-
notized by Wagner. To quote his own words: — "I am now Wagner
mad. I play him, study him, read of him, talk of him, write about him,
and preach his doctrines. I would suffer at the stake to be his apostle".
In this exalted frame of mind he returned to a musical world of which
Rubinstein and Balakirev were the poles; which revolved on the axis
of nationality. In this working, practical world, busy with the realisation
of its own ideals and the solution of its own problems, there was as
yet no place for Wagnerism. And well it has proved for the development of music in Europe that the Russians chose at that time to keep
to the high road of musical progress with Liszt and Balakirev, rather
than make a rush for the cul-de-sac of Wagnerism. Serov had exas-
perated the old order of critics by his justifiable attacks on their sloth
and ignorance, had shown an ungenerous appreciation of Balakirev and

his school, and had adopted a very luke-warm attitude towards Rubinstein and the newly established Musical Society. Consequently he now found himself in an isolated position. Irritated by a sense of being sent to Coventry, he attacked with extravagant temper the friend of years in whom, as the champion of nationality, he imagined a new enemy. The long polemic waged between Serov and Stassov is sometimes amusing, and always instructive; but on the whole I should not recommend it as light literature. Serov lays on with bludgeon and iron-headed mace; Stassov retaliates with a two-edged sword. The combatants are not unfairly matched; but Stassov's broader culture keeps him better armed at all points, and he represents to my mind the nobler cause. The war has never quite ceased to smoulder and has sometimes broken out afresh, although it has long since been practically decided in favour of the nationalists.

When Serov the critic felt his hold on the musical world growing slacker, Serov the composer determined to make one desperate effort to recover his waning influence. He was now over forty years of age, and the great dream of his life — the creation of an opera — was still unrealised. Having acquired the libretto of "Judith", he threw himself into the work of composition with an energy born of desperation. There is something fine in the spectacle of this man, who had no longer the confidence and elasticity of youth, carrying his smarting wounds out of the literary arena, and replying to the taunts of his enemies, "Show us something better, than we have done", with the significant words "Wait and see". Serov with his extravagances and self-satisfied obstinacy of opinion has never been a sympathetic character to me; but I admire him at this juncture. At first the mere technical difficulties of composition threatened to overwhelm him. The things which should have been learnt at twenty were hard to acquire in middle-life. But with almost superhuman energy and perseverence he conquered his difficulties one by one, and in the spring of 1862 the opera was completed.

Serov had many influential friends in aristocratic circles, notably the Grand Duchess Helena Paolovna who remained his generous patroness to the last. On this occasion, thanks to the good offices of Count Adelberg, he had not, like so many of his compatriots, to wait an indefinite period before seeing his opera mounted. In March 1863 Wagner visited Petersburg, and Serov submitted to him the score of "Judith". Wagner was specially pleased with the orchestration, in which he cannot have failed to see the reflection of his own influence. The general style of "Judith" recalls that of "Tannhäuser" or "Lohengrin"; but here and there are some curious and inconsistent reminiscences of Meyerbeer. As regards picturesque effect "Judith" is admirable, though the dramatic colouring is somewhat coarse and flashy. Serov excels in showy scenic effects; but we miss the careful attention to detail, and the delicate handling characteristic of Glinka's work, qualities which are carried almost to a fault in some of Rimsky-Korsakoff's operas. But the defects which are visible to the thoughtful critic, seemed virtues to the Russian public. "Judith" enjoyed a great popular success, rivalling even that of "A Life for the Tsar". The mounting too was on a scale of magnificence hitherto unknown in the production of national opera. The subject of Judith and Holofernes is well adapted to Serov's opulent and sensational manner. The scene in the Assyrian camp, where Holofernes is depicted surrounded by all the pomp and luxury of an oriental court, is considered one of the best numbers in the opera. The chorus and dances of the Odalisques are full of the languour of eastern sentiment. The March of Holofernes, the idea of which is probably borrowed from Glinka's March of Chernomor in "Russlan and Lioudmilla", is also exceedingly effective. For, whatever we may think of the quality of that inspiration which for over twenty years refused to yield material for the making of an opera, there can be no doubt that Serov acquired from the study of Wagner a remarkable power of effective orchestration. Altogether, when we consider the circumstances under which it was produced, we can only be surprised how little "Judith" smells of the lamp. We can hardly doubt that the work possessed intrinsic charms and virtues, apart from mere external glitter, when we see how it fascinated, not only the general public, but many of the young musical generation, of whom Tchaikovsky was one. Although in later years no one saw more clearly the defects and make-shifts of Serov's style, he always spoke of "Judith" as one of his "first loves" in music.

If "Judith" had remained the solitary and belated offspring of Serov's slow maturity I am not sure that his reputation would have suffered. But there is no age at which a naturally vain man cannot be intoxicated by the fumes of incense offered in indiscriminate quantities. The extraordinary popular success of "Judith" showed Serov the short-cut to fame. The autumn of the same year which witnessed its production saw him hard at work upon a second opera. The subject of "Rogneda" is taken from an ancient Russian legend of the time of Vladimir, "Crimson Sun", at the moment of conflict between Christianity and the old Slavonic paganism. "Rogneda" was not written to a ready-made libretto, but in Serov's own words to a text adapted piecemeal "to the necessary musical situations". It was completed and mounted in the autumn of 1865. We shall look in vain in "Rogneda" for the higher purpose, the effort at psychological delineation, the comparative solidity of workmanship, which are features of "Judith". Nevertheless the work amply fulfilled its intention, to take the public task by storm. I have never heard "Rogneda", therefore I prefer to quote the opinion of a much greater authority, that of Tchaikovsky himself. Speaking of this work he says: — "The continued success of 'Rogneda', and the firm place it holds in the Russian repertory, are due not so much to its intrinsic beauty as to the subtle calculation of effects which guided its composer... The public of all nations are not particularly exacting in the matter of aesthetics; they delight in sensational effects and violent contrasts, and are quite indifferent to deep and original works of art if the "*mise en scène*" is not highly coloured, showy and brilliant. Serov knew how to catch the crowd; and if his opera suffers from poverty of melodic inspiration, from want of organic sequence, from weak recitative and declamation, and from harmony and instrumentation which are crude and merely decorative in effect — yet what sensational effects the composer succeeds in piling up! Mummies who are turned into geese and bears, real horses and dogs, the touching episode of Ruald's death, the Prince's dream made actually visible to our eyes, the Chinese gongs made all too audible to our ears; all this — the outcome of a recognised poverty of inspiration — literally crackles with startling effects. Serov, as I have · said, had only a mediocre gift, united to great experience, remarkable intellect and extensive erudition; therefore it is not surprising to find in Rogneda numbers — oases in a desert — in which the music is excellent. As to those numbers which are special favourites with the public, as is so frequently the case, their real value proves to be in inverse ratio to the success they have won."

Some idea of the popularity of "Rogneda" may be gathered from the fact that tickets were subscribed for twenty representations in advance. This success was followed by a pause in Serov's literary and musical activity. He could now meet his enemies in the gate and point triumphantly to the children of his imagination. Success too seems to have softened his hostility to the national school, for in 1866 he delivered some lectures before the Musical Society upon Glinka and Dargomijsky which are remarkable not only for clearness of exposition, but for fairness of judgment.

In 1867 Serov began to consider the production of a third opera, and selected one of Ostrovsky's plays on which he founded a libretto entitled "The Power of Evil". Two quotations from letters written about this time reveal his intention with regard to the new opera. "Ten years ago", he says, "I wrote much about Wagner. Now it is time to act. To embody the Wagnerian theories in a music-drama written in Russian, on a Russian subject." And again: — "In this work besides observing as far as possible the principles of dramatic truth, I aim at keeping more closely than has yet been done to the forms of Russian popular music, as preserved unchanged in our folk-songs. It is clear that this demands a style which has nothing in common with the ordinary operatic forms, nor even with my two former operas". Here we have Serov's programme very clearly put before us: — the sowing of Wagnerian theories in Russian soil; but in order that the acclimatisation may be complete he adopts the forms of the folk-songs. He is seeking in fact to fuse Glinka and Wagner, and produce a Russian music-drama. Serov was a connoisseur of the Russian folk-songs, but he had not that natural gift for assimilating the national spirit, and breathing it back into the dry-bones of musical form, which Glinka did. In creating this Russo-Wagnerian work, Serov created something purely artificial; a hybrid which could bring forth nothing in its turn. It is characteristic too of Serov that he regards this experiment of founding an opera upon the forms of the national music as a purely original idea; ignoring the fact that Glinka, Dargomijsky and Moussorgsky had all produced similar works; and that the two latter had undoubtedly written "music-dramas", which though not strictly upon Wagnerian lines, were perhaps better suited to the genius of the nation.

Ostrovsky's play, upon which the "Power of Evil" is founded, is a strong and gloomy drama of domestic life. A young merchant's son abducts a girl from her parents, and has to atone by marrying her. He soon wearies of enforced matrimony and begins to amuse himself away from home. One day, while drinking in an inn, he sees a beautiful girl, and falls desperately in love with her. The neglected wife discovers her husband's infidelity and murders him in a jealous frenzy. The story is rather sordid, and does not sound very suitable for musical treatment; but the action of the play takes place at Carnival time, which gives occasion for several lively scenes from national life. The work never attained the same degree of popularity as "Judith" and "Rogneda".

Serov died rather suddenly of heart disease in January 1871. The orchestration of the "Power of Evil" was completed by one of his most talented disciples, Soloviev.

In one of his latest musical articles, Stassov, after the lapse of thirty years, writes of Serov as follows: — "A fanatical admirer of Meyerbeer, he nevertheless caught up all the superficial characteristics of Wagner; from whom he derived his taste for marches, processions, festivals, every sort of pomp and circumstance, every kind of external decoration. But the inner world, the spiritual world, he ignored and never entered; it interested him too little. The individualities of his dramatis personae were completely overlooked. They are mere mario-

nettes." Two more quotations throw an interesting light on Serov. The
first is a confession of his musical tastes written by himself not long
before his death: — "After Beethoven and Weber I like Mendelssohn
fairly well; I love Meyerbeer; I adore Chopin; I detest Schumann and
all his disciples; I am fond of Liszt — with numerous exceptions; and
I worship Wagner, especially in his latest works which I regard as the
non plus ultra of the symphonic form to which Beethoven led up." The
second quotation is Wagner's tribute to the personality of his disciple: —
"For me Serov is not dead; for me he still lives actually and pal-
pably. Such as he was to me, such he remains and ever will, the noblest
and highest minded of men. His gentleness of soul, his purity of feeling, his serenity, his mind which reflected all these qualities, made the
friendship which he cherished for me one of the gladdest gifts of my
life."

London.   **Rosa Newmarch.**

Dittersdorfiana.

Einige Beiträge zur Dittersdorf-Bibliographie.

Die Centenarfeier von Dittersdorf's Todestag, die eine erneute Beschäftigung mit der Persönlichkeit und den Werken des verdienstvollen Meisters
veranlaßte, hat außer einer Flut von Aufsätzen in Fachzeitschriften und
Zeitungen auch eine kleine Reihe von Publikationen, die bleibenden Wert
beanspruchen dürfen, gezeitigt: die durch Liebeskind veranstaltete, freilich
etwas unzuverlässige Neuausgabe einer Anzahl von Instrumentalwerken[1]),
die von Thouret besorgte Übersetzung der Hermes'schen Analysen zu den
Ovid-Symphonien[2]), ein revidiertes Textbuch zu »Doctor und Apotheker«
von Wittmann[3]) und schließlich als bedeutendste Erscheinung das auf ein-
gehendem Quellenstudium beruhende Buch »Dittersdorfiana« von Carl Krebs[4]).
Das Werk bringt zunächst einen zum Teil bereits in der »Deutschen Rundschau« publizierten biographischen Aufsatz, der durch eine Menge treffender
Bemerkungen und historischer Ausblicke von den massenweise veröffentlichten, fabrikmäßig hergestellten Auszügen aus der Autobiographie des Meisters
sich auszeichnet; sodann einen dankenswerten Neudruck der beiden Abhandlungen Dittersdorf's, die in der Allgemeinen Musik-Zeitung vom Jahre 1798
veröffentlicht wurden, außerdem die Hermes'sche Analyse nach dem französischen Original in der Königlichen Hausbibliothek zu Berlin, jenem merkwürdigen kleinen Büchlein, das bis jetzt meines Wissens Unicum geblieben
ist, sowie eine Zusammenstellung von Urteilen über den allgemeinen Charakter der Ditterdorf'schen Musik (hier vermisse ich jedoch die Erwähnung

---

1) Leipzig, Gebrüder Reinecke.   2 Berlin. Parrhysius.
3) Leipzig, Reclam.   4 Berlin, Gebrüder Paetel.

von J. C. Lobe's schönem Aufsatz in »Konsonanzen und Dissonanzen«,
Leipzig 1869, S. 257ff.); ferner einen Abschnitt »Personalien«, in dem gleichfalls eine kleine Lücke zu verzeichnen ist: bei der Ikonographie wurde das
in der Kaiserlich Königlichen Familien-Fideikomißbibliothek zu Wien befindliche ovale Brustbild (Kupferstich von Löschenkohl) vergessen, das
sich auch 1892 auf der Wiener Musik- und Theaterausstellung befand[1]). Den
weitaus wertvollsten Bestandteil des Buches, auf den auch der Autor das
Hauptgewicht zu legen wünscht, bildet eben der erstmalige Versuch zur Zusammenstellung eines thematischen Verzeichnisses der Dittersdorf'schen Werke.
Krebs registriert deren 341 ungedruckte und gedruckte, noch vorhandene
und solche, die nur in den Breitkopf'schen Katalogen als ausgeboten nachzuweisen sind, nach Gattungen geordnet und, soweit es möglich war, in
historischer Reihenfolge. Daß dies Verzeichnis auf absolute Vollständigkeit
keinen Anspruch machen kann, verhehlt sich der Verfasser keineswegs, und
da er zugleich im Vorwort für Ergänzungen und Berichtigungen im voraus
dankend quittiert, so will ich, soweit meine Kenntnis reicht, hier einige
Beiträge geben.

Von der Symphonie Nr. 67, von der dem Verfasser kein Exemplar nachzuweisen gelang, besitzt die Münchner Hof- und Staatsbibliothek 14 Stimmen;
hinzugesetzt sind 2 Flöten, 2 Trompeten und Pauken »in usum societatis
Musicae«. Daß die C dur-Symphonie Nr. 93 in einem schönen von H. Kretzschmar für die Akademischen Orchester-Konzerte in Leipzig 1896 besorgten
Neudruck[2]) in Partitur und Stimmen vorliegt, ist ebenfalls dem Verfasser
entgangen; Kretzschmar hat einige Stellen, die unter dem Wegfall des Cembalo litten, diskret gefüllt. Von dem unter Nr. 133 angeführten »Combatti-
mento« wäre die ebenfalls in München befindliche Handschrift, die dem
Liebeskind'schen Neudruck zu Grunde lag, zu erwähnen gewesen, doch fehlt
hier die 2. Oboe. Eine gleichfalls in München sich befindende »Parthie« in
Es dur (Mus. ms. 1723) in 4 Sätzen (Partitur) für 2 Oboen, 2 Klarinetten,
2 Hörner, 2 Fagotten scheint bis jetzt noch ganz unbekannt zu sein und
fehlt im Verzeichnis völlig.

(ohne Tempo-Angabe)

Von den Quartetten sind in der Payne-Eulenberg'schen kleinen Partitur-
ausgabe nicht bloß drei, wie Krebs meint, sondern schon seit längerer Zeit
alle sechs der Artaria'schen Kollektion neugedruckt worden (die übrigen als
Nr. 136, 137, 138 bei Payne). Eine Partitur des »Hieronymus Kericker«
befindet sich in München; bei den gedruckten Klavierauszügen dieser Oper
thut Krebs dem alten Gerber unrecht: der in dessen Lexikon aufgeführte
Klavier-Auszug vom Jahre 1792 existierte wirklich und erschien (71 Seiten)
bei Breitkopf & Härtel, von Siegfried Schmiedt hergestellt. Er stellt die
Originalausgabe dar, während die Goetz'sche Ausgabe weiter nichts als ein
unbefugter Nachdruck ist: Joh. Mich. Goetz in Mannheim hat überhaupt die
damalige Rechtsunsicherheit bezüglich geistigen Eigentums weidlich ausgenutzt.

---

1) Vergl. den Fachkatalog der musikhistorischen Abteilung von Deutschland und
Österreich-Ungarn, S. 236.

2) Breitkopf & Härtel.

Außerdem existiert noch ein zweiter, 136 Seiten umfassender Auszug, ebenfalls von Schmiedt bei Breitkopf herausgegeben (ohne Jahr). Bezüglich des »roten Käppchen« ist zu erwähnen, daß der von Gerber genannte Leipziger Klavier-Auszug ebenfalls von Schmiedt herrührt und bei Breitkopf erschien als »Auswahl der vorzüglichsten Arien und Gesänge« (Exemplar in München). Einen von Carl Khym besorgten Nachdruck gab Goetz heraus (ohne Jahr). Aus der Oper »Der Schiffspatron« erschien das Rondo »Steige Freundin sanfter Lieder« und das Duett »Alle Blümchen« in den »Rheinischen Musen« Band V, Heft 3. Ebenfalls in einer Zeitschrift verborgen befindet sich ein von Krebs nicht erwähntes Lied Dittersdorf's: »Von des Rades Spindel mag's baumeln« in J. D. Falk, Taschenbuch für Freunde des Scherzes, 1. Jahrgang 1797, Seite 243. Von allergrößtem Interesse weniger in künstlerischer als in politischer Hinsicht ist jedoch die bei Krebs unter Nr. 326 verzeichnete Cdur-Messe. Die Münchner Bibliothek besitzt nämlich eine Manuskriptpartitur (nur Kyrie und Gloria enthaltend) mit dem Vermerk: »Nota: Ist bey der Kayser-Krönung in Frankfurth gemacht worden (Schanze scripsit in Mense Febr. 1793.)« Es handelt sich hier um nichts geringeres als um die Krönung des letzten römischen Kaisers deutscher Nation Franz II. am 14. Juli 1792, als schon die Wetterwolke der französischen Revolution drohend am Horizont aufstieg, um bald vernichtend herniederzugehen. Übrigens besitzt die Bibliothek von dieser denkwürdigen Messe noch 11 Stimmen (Orgelstimme als Generalbaß und eine Prinzipalvioline zum Gloria mehr als die Dresdner Stimmen, wogegen die Viola und die beiden Oboen fehlen und eine besondere Kontrabaßstimme nicht ausgeschrieben ist). Es liegt in der Natur der erstmaligen Anlage eines thematischen Verzeichnisses, daß es im Laufe der Zeit vielfach durch Nachträge ergänzt und berichtigt werden muß; das tut aber der Verdienstlichkeit der Arbeit im ganzen wenig Eintrag: jeder, der sich ernsthaft mit Dittersdorf beschäftigen will, wird eben des Krebs'schen Buches nicht entraten können.

München.   Edgar Istel.

„Tosca" von Puccini.
(Zur Aufführung am Dresdner Opernhaus).

Die Ansichten über das Wesen der Kunstgattung, die wir »Oper« genannt haben und teilweise noch nennen, haben im Laufe der letzten Jahrzehnte eine beachtenswerte Wandlung durchmachen müssen. Bei dem Erscheinen eines neuen Werkes war früher die erste und fast einzige Frage: wie ist seine Musik beschaffen, und welchen Wert kann sie beanspruchen? Aus der Antwort glaubte man auf die Bedeutung und die Stellung der neuen Erscheinung in der Kunstgeschichte schließen zu können. Daß bei allen Werken, die zur Darstellung auf der Bühne geschaffen werden, diese immer in erster Linie ihre Rechte geltend machen würde, das zog man niemals in Betracht. Auch der Hinweis auf die Geschichte der Musik und der darin verzeichneten Begebenheiten konnte jenen Irrtum nicht beseitigen. Wenn die »Euryanthe« von Weber zum Beweise angeführt wurde, daß eine

von Schönheit strotzende Musik, die sogar die des »Freischütz« noch überragt, wegen der ungeschickten und unverständlichen Handlung und der Personen, die gar kein Interesse für sich erwecken können, niemals zur vollen
Geltung gelangt sei, so wurde zum Gegenbeweise auf die Beliebtheit der
»Zauberflöte« von Mozart hingewiesen, die sich doch wirklich eines mangelhaften und oft einfältigen Textes erfreue, ohne daß dadurch die Wirkung
der Musik beeinträchtigt wird. Dabei wurde nur übersehen, daß das Ganze
ein Volksstück im wahren Sinne des Wortes ist, daß die Personen Leben
besitzen und durch ihr Thun und Treiben das Publikum zur Teilnahme
daran zwingen.

Die Anschauungen darüber sind allmählig andere geworden. Man hat
einsehen gelernt, daß nur die harmonische Wechselwirkung zwischen einem
Drama und seiner Musik oder, wenn man will, auch umgekehrt ein voll-
kommenes Kunstwerk erzeugen kann. Darum sind auch die schaffenden
Musiker in der Wahl der dramatischen Stoffe aufmerksamer und vorsichtiger
geworden. Sie wissen jetzt, daß sie von diesem Stoffe in mehr als einer
Beziehung abhängig sind, nicht nur im Hinblick auf den Erfolg des ganzen
Werkes, sondern auch beim Schaffen selbst schon, indem sie durch vorhandene
Mängel in der Entwicklung der Musik gehindert, gelähmt, durch die Vorzüge
dagegen zu größerer Hingabe fortgerissen werden können. Auch lautet jene
Frage jetzt: wie ist die Handlung? Und dann wird erst nach der Musik gefragt.

In dem vorliegenden Falle handelt es sich um ein Drama »Tosca«, das
Sardou vor einigen Jahren für die französische Schauspielerin Sarah
Bernhard geschrieben hat. Es gehört zu jenen Virtuosenstücken, die weniger
der Kunst als der Künstler wegen verfaßt werden, die aber darum nicht
ohne weiteres zu verdammen sind; denn es giebt unter den Künstlern genug
sogenannte Virtuosen, die nun einmal mit den vorhandenen Rollen oder
Musikstücken nichts anzufangen wissen und anderer Dinge zur Entfaltung
ihrer Kräfte bedürfen. Damit sie nun nicht in Versuchung geraten, Kunstwerke zu ihren Künsten zu benutzen und sie mehr oder weniger dadurch
herabzuwürdigen, ist jenes Verfahren, wie es Sardou und mit ihm andere
französische Dichter und Komponisten eingeschlagen haben, wohl zu billigen.
Es entstehen auf diese Weise Eintagsfliegen, die mit der Kunst als solcher
nichts zu tun haben, ihr aber auch nicht schaden. Sind sie mit einiger
Geschicklichkeit hergestellt worden, so wird ihnen das Interesse, das sie beanspruchen, auch nicht vorenthalten werden können.

Daß solch ein Stück, das viel aufgeführt, und über das viel geredet und
geschrieben wird, einen Musiker reizen kann, es zu einem musikalischen
Drama zu verwerten, ist wohl begreiflich; hat das Stück doch durch den erzielten Erfolg schon eine gewiße Lebensfähigkeit bewiesen. Die Sensation,
die es hervorgerufen hat, wird ihm auch in dem neuen Gewande, wenn dieses
ihm gut steht, zweifellos treu bleiben. Darum hat sich der italienische
Komponist, G. Puccini, der durch seine Opern »Manon Lescaut« und »La
Bohème« schon bekannt geworden war, dieses Schauspiel von L. Illica und
G. Giacosa zu einem — Musikdrama in drei Akten umarbeiten lassen, wozu
er dann die Musik geschaffen hat: so lautet wenigstens die Anzeige auf dem
Titelblatte des Klavierauszuges. Die Handlung spielt im Juni 1800 in Rom.
Der berüchtigte Chef der Polizei, Baron Scarpia, will die Sängerin Floria
Tosca dem Maler Cavaradossi, dem sie in Liebe zugetan ist, abspenstig
machen. Der Gang der politischen Ereignisse kommt ihm zu Hilfe. Angelotti,

der Konsul der ehemaligen Republik, ist in seine Hände geraten, aber von
der Engelsburg, wo er ihn gefangen hielt, entflohen. Cavaradossi verbirgt
ihn und wird dafür von Scarpia gefangen genommen. Durch die Folter soll
er zum Verrat des Schlupfwinkels gezwungen werden — aber vergeblich.
Doch die anwesende Tosca macht ihn kund, um ihren Geliebten zu retten.
Dieser wird halbtot, mit Blut überströmt, hereingetragen und hört die Nachricht, die Scarpia von dem Siege Bonaparte's bei Marengo erhält. Er sieht
die Befreiung Roms aus den Händen eines Scarpia heraufleuchten und giebt
seiner Freude darüber offenen und — unvorsichtigen Ausdruck. Scarpia
läßt ihn zum Tode verurteilen. Davor kann ihn Tosca bewahren, wenn sie
sich jenem ergiebt. Nach schwerem Kampfe willigt sie ein. Als aber Scarpia,
liebedürstend, sich ihr nähern will, ersticht sie ihn. Am anderen Morgen
sollte Cavaradossi nur zum Schein erschossen werden, wird aber doch tötlich
getroffen. Tosca stürzt sich von der Höhe der Engelsburg herab, um den
Häschern zu entgehen, die sie als die Mörderin Scarpia's ergreifen wollen.

Es kam dem Dichter Sardou nicht darauf an, eine innerlich begründete
Handlung zu schaffen oder feiner entwickelte Charaktere zu zeichnen. Es
sollte ein geschicktes Stück werden, das Aufsehen machte und durch die
grauenhaften Vorgänge ein schauerliches, aber darum um so lebhafteres
Interesse erregte. Das ist es geworden, und so ist auch dieses — Musikdrama geworden. Die Gelegenheit, sein Können zu zeigen, ist dem Komponisten geboten worden, und er hat es gezeigt, natürlich oft in schroffer,
fast krasser Weise, wie es der Stoff bedingt hat. Schon der Anfang erregt
Verwunderung. Eine Ouverture giebt es nicht. Als Einleitung dienen drei
langsam gespielte Akkorde: der B dur-Dreiklang mit der Terz oben, der
As dur-Dreiklang mit der Quinte oben und der E dur-Dreiklang in der Oktav-
lage. Damit soll der „verfluchte Scarpia« gezeichnet werden. Es wird weiter
kein versöhnendes Motiv gegenübergestellt. Der erste Akt spielt in einer
Kirche. Ein Meßner macht sich mit den Malgeräten Cavaradossi's zu schaffen.
In der musikalischen Zeichnung dieser Figur ist Puccini wohl am glücklichsten gewesen. Eine natürliche Leichtigkeit der rhythmischen Figuren
kennzeichnet eine besondere Ursprünglichkeit der Erfindung, während die
größeren melodischen Züge nicht immer einen ungezwungenen Eindruck
machen. Es liegt wohl daran, daß die verschiedenen Personen, besonders
Tosca und der Maler, nirgends ihren Empfindungen völlig freien Lauf lassen
können, sondern ewig durch den aufgeregten Gang der Handlung unterbrochen werden. Auch lehnt sich der Komponist in dem Bestreben, melodisch
breiter zu gestalten, zu sehr an Gounod und Verdi an und gelangt daher
nicht zu der nötigen Selbständigkeit. Doch kann und soll dies kein Vorwurf sein. Wo erscheint heutzutage die neue Melodie? Wir dürfen uns
der Tatsache nicht verschließen, daß wir am Abschluß einer großen, gewaltigen Entwicklungsperiode der musikalischen Kunst stehen und damit auch
an den Grenzen der Erfindung, der ureigenen Ursprünglichkeit angelangt sind.
Wir können wohl sehen, daß überall Ansätze zu neuen Dingen vorhanden
sind; wie aber diese selbst ausfallen werden, wie die Musik sich entwickeln
wird, das sehen wir nicht. Können wir uns so nicht an den vollkommenen
Gestaltungen einer neuen Musik erfreuen, so müssen wir doch mit Befriedigung auf die Anstrengungen blicken, die zur Erschaffung einer solchen
gemacht werden. Dabei kommt es wohl zu manchen Auswüchsen und Ausgeburten, wie das immer bei dem Streben nach Vervollkommnung der tech-

nischen Hilfsmittel der Fall ist. Den wirklichen Vorteil davon macht sich dann das — Genie zu Nutze, das immer das Resultat aus den Erfindungen der Talente zur Verwirklichung seiner Idee, eben des gekommenen Neuen verwendet.

Um die Musik möglichst an den dichterischen Vorwurf anzuschließen, hat Puccini keine Mühe gescheut, in der Mannigfaltigkeit der Modulationen und dem Wechsel der Taktarten bis an die äußerste Grenze zu gehen. Dadurch erhalten auch selbst kleine und unbedeutende Vorgänge ein charakteristisches Gepräge. Ist ihm aber eine breite Ausdehnung gestattet, so weiß er sie geschickt zu benutzen, wie am Schluße des ersten Aktes, wo alles zur Kirche kommt, um einem Tedeum für einen Sieg beizuwohnen. Auch hat er in der Instrumentation an dieser Stelle nicht gespart; der Aufzug der Geistlichkeit, so glänzend er auch auf der Bühne gestaltet werden mag, wird immer noch durch den lärmenden Glanz des Orchesters verdunkelt werden. Sonst ist jedoch seine Instrumentation, besonders in der Begleitung der Singenden, rühmenswert. Keine Stimme wird gedeckt, und die Deklamation sowohl wie die Gesangsstellen können leicht zur Deutlichkeit gelangen. Nur an den Stimm-Umfang der Sänger stellt er ungeheure Anforderungen. Besonders die Vertreter der beiden Hauptrollen, des Malers und der Tosca, müssen Unglaubliches leisten. In ersterer Beziehung wird jedoch ein lyrischer Tenor mit einer hohen Stimmlage den Forderungen des Komponisten gerecht werden können; aber an der Sopran-Partie kann, wenn sie nicht geändert wird, die Verbreitung des Werkes scheitern. Die Vertreterin der »Tosca« muß naturgemäß, wie aus der obigen Schilderung der Entstehung des Stückes hervorgeht, in erster Linie eine hervorragende Darstellerin sein. Alle Momente der glühenden Leidenschaft, der Eifersucht, des Hasses, des Abscheues, der Tatkraft müssen ihr für die Wiedergabe der schauspielerischen Seite der Rolle zu Gebote stehen. Sie muß die scenische Darstellung des ganzen Stückes ermöglichen. Solche Darstellerinnen finden sich unter den hohen Koloratur-Sopranistinnen meistens nicht: aber nur eine solche wiederum wird die Rolle singen können, wenigstens wie sie der Komponist geschrieben hat. Bisher haben nun nur die Sängerinnen mit einer tieferen Sopran-Lage sich als vorzügliche Schauspielerinnen bekundet. Wenn also Puccini eine durchaus geeignete Vertreterin für seine »Tosca« finden will, so muß er an der Partie einige Änderungen vornehmen, die übrigens sehr leicht zu machen sein werden, da die Verwendung der hohen Noten meistens eine willkürliche ist und nicht etwa mit einer großen seelischen Steigerung in Verbindung steht.

Jedenfalls verdient der Komponist viel Beachtung und wird auch in Zukunft noch Erfreuliches leisten. Doch möge er nicht wieder an einem solchen Schreckgebilde Gefallen finden. Die Musik ist eine herrliche Unterstützung im Drama; aber sie soll nicht dazu verwendet werden, solche Stoffe zu — veredeln. Gerade wegen ihres edlen Wesens, wegen ihrer Veredlungs-Möglichkeit soll sie nie einen unwürdigen Dienst leisten. Nur wenn der Stoff frei ist von äußerer Effekthascherei, nur wenn er durch seine innere Wahrhaftigkeit zu wirken im Stande ist, dann kann auch die Musik ihren vollen Zauber entfalten. Die Schönheit allein tut es nicht: sie wird stets gehoben durch die Umgebung, in der sie erscheint, und durch den Zweck, dem sie dient.

Noch eine Frage muß beantwortet werden, nicht etwa aus sachlicher Not-

wendigkeit, sondern weil sie der jetzt landläufigen Gewohnheit entspricht: ist
die Musik wagnerisch? Nein; denn es kann keine Musik wagnerisch sein,
außer der Wagner'schen selbst. Aber sie ist, wie oben gesagt worden ist,
dramatisch korrekt, und damit entspricht sie einem Teil der von Wagner
aufgestellten Forderungen, deren Berechtigung er in seinen »Gesammelten
Schriften« an der Hand der vorhandenen Opernwerke nachgewiesen hat.
Darunter befindet sich auch die Forderung einer selbständigen Melodie, die
in breitem Flusse das innere Leben der Personen ausströmen läßt. Nur
muß diese Melodie nicht Zweck, sondern Mittel zum Zweck der Unterstützung
der Handlung sein; denn als Zweck allein gehört sie in den Bereich der
Konzertmusik. Den Komponisten der »Tosca« haben sein Wissen und sein
Können richtig geleitet. Der Weg, den er betreten hat, wird ihn sicher
weiterführen.

Dresden.   Eduard Reuß.

Wiener Musikbrief.

Die innere Schwäche und Leere des Wiener Musiklebens wird so recht
offenbar, wenn man es versucht, einem internationalen Leserkreis die Entwicklung einer Wiener Musik-Saison zu schildern. Da will man doch über
mühsam aufgeblähte Lokalgrößen und Lokalereignisse hinwegsehen und nur
die Höhenzüge betrachten. Welche Verlegenheit! Daß die Weltvirtuosen, wie
Ysaye und d'Albert auch Wien berühren, ist zu natürlich und in der Organisation der Künstler-»Tournéen« begründet. Man kennt die Vorzüge dieser
Künstler und ihre Programme. Man weiß auch, daß ein Liederabend der
Lili Lehmann in Wien ebenso rühmlichen Verlauf nimmt wie in Berlin
und daß die Lili Lehmann ihre eigene dramatische Auffassung des »Erlkönig« hat. Bronislav Hubermann ist über die Wunderkind-Jahre hinaus,
tritt aus dem Reiche des genial Unbewußten in das Gebiet der musikalischen
Bewußtheit. Bildung, Wissen und die damit verbundene Reflexion bestimmen
auf dem Grunde reicher Anlage nunmehr die Leistungen des Jünglings. So
zieht der junge Geiger mit dem Rüstzeug des Verstandes, musikalisch tief
empfindend, von neuem in den Kampf der Welt. Das »böhmische Streichquartett« ist auf klassischen Wegen noch unruhiger geworden. Das Wiener
Quartett Rosé hat seine reine Harmonie, die Ruhe der Stimmenführung, aber
auch die ihm eigentümliche Realistik bewahrt, welche am gesunden Klange
schönes Gefallen findet, ohne den musikalischen Dingen doch auf den letzten
geistigen Grund zu gehen. Das Quartett Joachim hat in vier Abenden,
wenn auch diesmal matter und weniger zuverlässig in der Stimmung, uns
wieder das Geheimste der Beethoven'schen Kunst enthüllt, Brahms'sche Tiefen
erhellt und uns neuerdings, in dem Largo des Haydn'schen G-moll-Quartetts
Op. 74, offenbart, wie der alte ahnungsvolle Haydn zu dem späteren Beethoven
die Wege sucht. Soll ich noch das Joachim-Quartett preisen? Oder soll ich
schildern, wie Emil Sauer, der als Tonschmeichler immer koketter wird, als
Haupt einer »Meisterschule« dem Wiener Konservatorium aufgesetzt wurde,
wo nun Spezialisten in Sauer-Manier künstlich erzeugt werden? Oder soll
ich von dem neuesten Klavier-Konzert Emil Sauer's berichten, das er uns

vorführte, von der sinnlosen Häufung und Schaustellung aller erdenklichen Orchestereffekte, pianistischer Lockmittel und eitler Klangspielereien für Virtuosenzwecke? Anton Foerster, der gediegene Berliner Pianist, hat seine Bearbeitung der grandiosen Bach'schen Orgel-Toccata und Fuge in C-dur mit dem wundervollen Mittelsatz in A-moll nach Wien gebracht und damit Dank erworben. Die Vorführung dieses Werkes war im Gegensatz zu dem beliebten Abhaspeln der Gewohnheitsprogramme hier schon ein Konzert-Ereignis zu nennen. Ein »großes« Konzert unter Leitung Siegfried Wagner's zu Gunsten der Frau Materna, die ihr ansehnliches Vermögen verloren hat, mußte eher als gesellschaftliches Ereignis gelten. Die stille Sammlung für ein Ehrengeschenk wäre taktvoll gewesen. Es ist ungehörig, Armut öffentlich zu annoncieren, nachdem man Reichtümer übermütig verschleudert hat... Die Konzerte der Gesellschaft der Musikfreunde haben Schumann's »Faust«-Scenen und Wolfrum's in Deutschland bestbekanntes Weihnachts-Mysterium, die achtenswerte Arbeit eines tüchtigen, erfahrenen, empfindenden Tondichters gebracht. Ferdinand Löwe dirigierte. Der Cyklus der Philharmoniker ist ohne merkliche Erhebung bis zum vierten Konzerte gediehen. Da Gustav Mahler, der Direktor der Hofoper mit dem Hofopernorchester nicht harmoniert, leitet jetzt Josef Hellmesberger die philharmonischen Konzerte. Nach genialem Individualismus, welcher Begeisterung, aber auch musikalische Excesse wie Beethoven-»Verbesserungen« hervorrief, nun Korrektheit und landläufige Tradition, welche den Nerven Ruhe läßt und jede Erregung vermeidet.

Erfreulich in dem Wiener Musikleben ist der Aufschwung des jungen Wiener Konzertvereins, den opferfreudige, selbstlose Wiener Bürger begründet baben, um der Musikstadt Wien endlich neben den philharmonischen Konzerten, die den weiteren Schichten der Bevölkerung unzugänglich sind, eine größere Zahl symphonischer Produktionen zu bieten. Das neue Orchester des Konzertvereins, dem das Berliner philharmonische Orchester zum Muster diente, veranstaltet an Dienstag- und Mittwoch-Abenden und einschließlich der außerordentlichen Produktionen — alljährlich die »Neunte« — nahezu zwanzig Konzerte zu mäßigem Preise; es besorgt die Begleitung der Virtuosen, denen die Philharmoniker wegen ihrer Beschäftigung in der Hofoper an Abenden nicht leicht zur Verfügung stehen; es bietet an Sonntagen und Donnerstagen »populäre« Symphonie-Konzerte, die in der ersten Abteilung durchaus ernste Musik, in der zweiten Abteilung heitere und leichtere Stücke in sorgsamer Auswahl und Tanzmusik ausschließlich von Strauß und Lanner bringen. Da liegt der ethische Schwerpunkt des Konzertvereins, denn es wird durch diese populären Veranstaltungen dem Unwesen der geschmackswidrigen Militärmusik-Programme wirksam gesteuert. Ferdinand Löwe hat das neue Orchester auf eine ansehnliche Stufe gehoben; sein Programm gruppiert um die klassischen Grundwerke auch alles Wertvolle moderner Meister. Bis zur Gründung des Konzertvereins hat Wien, das große Wien mit dem einzigen ständigen Symphonie-Orchester der Philharmoniker, mit acht sehr exclusiv gehaltenen Konzerten für die dem Gelde nach »oberen« Zweitausend sich behelfen müssen.

In der Hofoper ruht das Reformwerk, das Gustav Mahler mit Feuer begonnen hatte. Eine Zeit lang grollte der Direktor; nur selten erschien er am Dirigentenpult; die eifrig und mit großem künstlerischen Erfolge vorgenommenen Neuscenierungen klassischer Werke wurden immer seltener. Innerer

Zwist wurde nach außen getragen; jeden Augenblick gab es eine »Affäre«.
Plötzliche Entlassungen, unmotivierte Erwerbungen, zwecklose Gastspiele,
welche das Ensemble beständig in Unruhe brachten, schufen eine unleidliche
Situation. In der neuen Saison aber wendete sich Gustav Mahler ebenso
schnell wie er unmutig geworden war wieder zur Arbeit. Nun hatte er
abermals zu kämpfen — mit widrigen Verhältnissen aller Art. Seine Bassisten
erkrankten der Reihe nach; ein einziger verläßlicher Bariton, Herr Demuth,
stand ihm zu Gebote; die erste dramatische Sängerin, Fräulein von Mildenburg, wird in leidendem Zustande die längste Zeit der Hofoper ferngehalten,
und Frau Gutheil-Schoder, die Tausendkünstlerin, welche aus aller Verlegenheit helfen könnte, sah häuslichen Freuden entgegen. Mahler's Virtuosität,
aus mittleren, ja untergeordneten Kräften durch Erziehung, Drill und unge-
ahnte Anspannung aller schlummernden Energien ein tüchtiges Ensemble zu
bereiten, wurde wieder lebendig. So studierte er die »Hugenotten«, welche
durch viele Jahre vom Spielplan ausgeschlossen waren. Oben auf der Bühne
wollte zwar kein einziger Sänger und keine Sängerin so recht in den Stil
Meyerbeer's passen, der eigentlich Stillosigkeit ist, aber Direktor Mahler am
Dirigentenpulte gab der Aufführung den Schein des Lebens. Wo die Naturen fehlten, brachte seine Energie Ersatz. Den ersten Tafelchor, den Bade-
chor, den Rataplan-Chor schnitt er aus dem Werke, damit die Teile fester
gefügt erscheinen; die Recitative empfingen neuen dramatischen Ausdruck;
Vornehmheit wurde über Meyerbeer's Brutalitäten wie ein Schleier gelegt;
Meyerbeer wurde in den musikalischen Adelstand erhoben. Das war recht
sonderbar, aber machte Wirkung. Seit jenem denkwürdigen Renaissance-
Abende der »Hugenotten« wurde das Werk wöchentlich zweimal unter starkem
Zulauf des Publikums aufgeführt. Erst Tschaikowsky's »Pique Dame« bot
wieder eine Abwechslung im Spielplan. Tschaikowsky's Nachruhm füllt die
Konzertsäle wie die Hofoper jetzt mit den Schöpfungen des russischen Komponisten. Nach »Onegin« und »Jolanthe« führte Gustav Mahler nun auch
»Pique Dame« vor; in glänzender Ausstattung und in einer Doppelbesetzung,
welche aus der Première an der Hofoper an zwei aufeinanderfolgenden Abenden
zwei Erstaufführungen machte. Slezak und Schmedes wechselten in der
Hauptrolle des vom Spieldämon besessenen Hermann. Trotzdem war der Erfolg nur mäßig. Die zahlreichen Schönheiten der Partitur sind unverkennbar;
die schönsten Stücke liegen aber neben der dramatischen Linie. Tschaikowsky
ist in der Oper mehr Lyriker und nicht stramm genug für den dramatischen
Aufbau. Die Musik zerfließt auf dem Grunde des Textes in den zartesten
Farben, in wundervollen, von den tieferen Klängen der Holzbläser mit Vorliebe beschatteten und verdüsterten Klagen, Seufzern und wehmutsvollen Melodien. Das Werk des Russen, aus der Pique-Dame-Novelle Puschkin's gestaltet, ist längst nicht mehr unbekannt; es stammt aus Tschaikowsky's letzter
Schaffensperiode. Das Kartenspiel mit seinen wunderlichen, der Musik wenig
zugänglichen Refrains: »Drei Karten!« und der Lösung »Drei! Sieben! Aß!«
drängt sich unheimlich in die Liebesgeschichte und gibt der Oper einen sonderbar abstoßenden Charakter. Tschaikowsky's Musik mag noch so reizvoll und
zart durchgebildet sein — die Leidenschaft des Spielers regt nicht Gefühle
auf, die nach musikalischem Ausdruck ringen. Diesen inneren Riß verdecken
auch die prächtigen sieben Scenenbilder und die tief melancholischen Me-
lodienzüge Tschaikowsky's nicht. Die Liebe selbst ist in dieser Oper zu sehr
mit den materiellen Strebungen der Gewinnsucht verquickt. Wir pflegen doch

in der Oper, wenn sie nur die Tonkunst zu reicher Tafel ladet, am wenigsten darnach zu fragen, wie die Liebenden ihr materielles Dasein gestalten werden. Oder hat man sich je darum bekümmert, ob Lohengrin vom Gral auch mit den Mitteln ausgerüstet wurde, um mit Elsa einen Hausstand gründen und seine Familie standesgemäß ernähren zu können?

Wien.   **Robert Hirschfeld.**

Musikberichte.

Referenten: **V. Andreae, W. Behrend, C. Goos, E. Istel, A. Mayer-Reinach, O. Neitzel, W. Ortmann, F. Pfohl, H. Pohl, J.-G. Prod'homme, C. Prost, E. Reuß, C. H. Richter, A. Schering, Ad. Thürlings, F. Walter.**

Basel. Am 7. Dezember fand hier ein äußerst interessantes historisches Konzert mit Benutzung von Instrumenten aus dem Historischen Museum statt. Unter Mitwirkung von Frl. Frieda Siegrist (Sopran), Frau Moosherr-Engels (Cembalo), Frau Walter-Straus (Cembalo), der Herren Degen (Tenor), Wetzel (Laute), Prof. Bertholet (Violine), Vermeer (Viola), Braun (Viola da Gamba) und Sarasin (Violoncello) kam folgendes Programm zur Ausführung: 1) Sinfonia und Arie »Gehe aus auf die Landstraßen« für Tenor, Violen und Cembalo 1657 von J. R. Ahle. 2) Sarabande für Clavichord von Händel, 3) 2 Lieder für Sopran mit Laute aus Schlick's »Tabulaturen etlicher Lobgesäng« 1512 und Attaignant's »Sammlung von Lautenstücken« 1529. 4) Präludium und Fuge Cis-dur aus Bach's »Wohltemperiertem Klavier«. 5) Sonata für Viola da Gamba und Cembalo von Händel. 6) Sonatensatz für 2 Cembali von Wilh. Friedemann Bach. 7) 3 Lieder für Tenor und Cembalo aus Sperontes' »Singender Muße an der Pleiße« 1747. 8) Andante und Menuett für Viola d'amore 1770 von Milander. 9) 2 Lieder für Sopran, Violine und Cembalo aus dem »Musikalischen Zeitvertreib« 1746. 10) 2 Lieder von Zelter und Reichardt. 11) Sinfonia für 2 Violinen, Viola da Gamba und Cembalo von Rosenmüller 1667.

Berlin. (20. November bis 19. Dezember.) Oper. Als glänzender Griff der General-Intendanz erwies sich das Engagement des bekannten Baritonisten Theodor Bertram, der von Anfang November bis in den Dezember hinein in einer Reihe seiner besten Partien auftrat. Namentlich als Holländer, Don Juan und Wotan erregte er den größten Enthusiasmus. Das Opernhaus besitzt jetzt drei wirklich glänzende Baritonisten: Bertram, Hoffmann und Berger bilden ein hervorragendes Trio. — Neuheiten bekamen wir im Opernhaus keine zu hören, dagegen drei Neueinstudierungen. Zuerst Gounod's selten aufgeführte Oper »Romeo und Julia«, die bei den Vergleichen, die man mit der »Margarethe« zu ziehen gezwungen war, sich als sehr interessant, wenn auch lange nicht als diesem Werke gleichwertig erwies. Die Aufführung konnte nicht so ganz befriedigen, wie man es erwarten durfte, doch zogen sich die Träger der Titelrollen, Frl. Farrar und Herr Philipp, denen sich noch Knüpfer in gewohnter Trefflichkeit anschloß, ganz gut aus der Affaire. In teilweise neuer Besetzung gingen sodann in den letzten Tagen Fidelio (zu Beethoven's Geburtstag und zum 400. Male im Opernhaus) und Euryanthe in Szene. Konnte Frl. Plaichinger, die sonst so treffliche, die Partie der Leonore nicht ganz erschöpfen, so bot dagegen Emmy Destinn als Euryanthe eine Meisterleistung. Im Theater des Westens gastierte Francesco d'Andrade zu wiederholten Malen in seinen bekannten Partien.

In den Konzertsälen gab es wieder unglaublich viel zu hören, erst in den letzten Tagen verminderte sich der Andrang etwas. Das Weihnachtsfest bietet hier glücklicherweise energisch Ruhe, obwohl immerhin vereinzelte Konzertgeber in den kommenden 14 Tagen auftreten werden. Aber es sind nur wenige, so daß selbst der vielgeplagte

Musikberichterstatter des Berliner Musiklebens etwas aufatmen kann. — Im Laufe der heute zu besprechenden Zeit fanden 7 große Orchesterkonzerte statt, das III. Moderne Konzert unter Richard Strauß, 4. und 5. Philharm. Konzert (Nikisch), der 4. und 5. Abend der kgl. Kapelle (Weingartner) und 2 Konzerte der Meininger Hof-Kapelle. Programm und Ausführung nach stehen davon an erster Stelle das letzte Philharmonische Konzert (9. Symphonie Beethoven's und Brahms' Klavierkonzert B dur mit Eugen d'Albert am Flügel; sowie das Beethoven-Konzert der Meininger, in dem einerseits Steinbach sich mit der Vorführung der Eroica und der König Stefan-Ouvertüre als glänzender Beethoven-Interpret erwies, andererseits Frau Roeger-Soldat sich mit dem Violinkonzert den ungeteilten Beifall der Hörer erspielte. In dem Tags vorher stattgehabten 3. Konzert hatte Steinbach mit 2 Novitäten von Robert Kahn und Walter Lampe zwar wenig Glück, stellte aber am Schluß des Programms die 2. Symphonie von Brahms so vollendet hin, wie sie wohl selten in gleicher Weise zu hören sein dürfte. Großen Beifall errang auch ein Mozart'sches Quartett für konzertante Oboe, Klarinette, Horn und Fagott mit Orchester, trefflich von den Herren Gland, Mühlfeld, Gumpert und Albert (Mitgliedern der Kapelle) gespielt. Arthur Nikisch brachte im 4. seiner Konzerte als Novität Weingartner's 2. Symphonie in Es dur, die jedoch sehr geteiltem Beifall begegnete. Immerhin konnte der anwesende Komponist persönlich den Dank seiner Freunde entgegennehmen. Auch Pfitzner's Ballade »Herr Oluf« vermochte, von Scheidemantel gesungen, nur wenig zu erwärmen. Weingartner selbst brachte im vierten seiner Orchesterkonzerte ein Konzert für Streichorchester von Händel (Soli: Halir, Dessau und Dechert), die Es dur-Symphonie von Haydn und C dur-Symphonie von Schubert, im fünften die Bruckner'sche Symphonie Nr. 6 in A dur, die nur in den Mittelsätzen gefiel, sowie die D dur-Symphonie von Mozart und 2. Leonoren-Ouvertüre. Namentlich die beiden letzten Stücke übten in Weingartner's glänzender Interpretation großen Zauber aus. Wenig glücklich in der Programm-Zusammenstellung schien mir das III. Strauß-Konzert. Der Wert der symphonischen Dichtung »Pan« von Bischoff dürfte sehr zu bestreiten sein, ebenso der des allerdings glänzend und geistvoll instrumentierten Orchesterscherzes »Marche joyeuse« von Chabrier. Liszt's »Hungaria« hatte da einen leichten Sieg. Willy Burmester glänzte in diesem Konzert als Interpret Bach'scher Violinstücke. — Chor-Orchesterkonzerte fanden in der angegebenen Zeit nur drei von Bedeutung statt, ein Konzert der Singakademie, das die B moll-Messe von Albert Becker brachte, und 2 Konzerte des Philharmonischen Chors, die beiden letzteren, wie immer, im Vordergrund des Interesses stehend. Die Veranstaltungen der Singakademie, so trefflich sie auch sind, namentlich seitdem die Leitung des Chores in Georg Schumann's Händen liegt, pflegen doch in dem allgemeinen musikalischen Leben Berlins keine deutlichen Spuren zu hinterlassen. Die Hauptschuld mag daran liegen, daß infolge des in dem eigenen Konzertsaal der Singakademie herrschenden Platzmangels nur ein geringer Bruchteil der Berliner Konzertbesucher sich Eintrittsgelegenheit verschaffen kann; die paar hundert zur Verfügung stehenden Plätze sind zudem meist seit Jahren in festen Händen. Anders bei den übrigen Chorvereinen, deren bedeutendster, wie schon öfters betont, der Philharmonische Chor ist. Die Konzerte, die in unserem größten Konzertsaal, der Philharmonie, vor sich gehen, können von dem größeren Teil des Publikums, dem über 2000 Plätze zur Verfügung stehen, besucht werden, was dem Andrang allerdings auch noch nicht ganz entspricht. Diesmal feierte der Verein, der im Jahre 1882 von seinem jetzigen Leiter, Prof. Siegfried Ochs, mit geringer Zahl gegründet wurde, das Jubiläum seines 20jährigen Bestehens mit zwei Festkonzerten. Das eine brachte Haydn's »Schöpfung«, das andere ausschließlich neue, hier noch nicht aufgeführte Chorwerke. Am wertvollsten war wohl eine Vertonung des 13. Psalms von Otto Taubmann; ferner kamen in Betracht ein in prachtvollem Stimmungsgehalt gesetzter a capella-Chor von Richard Strauß »Der Abend«, der aber die Grenzen des technisch Ausführbaren allzu weit überschreitet, »Das Sonnenlied« von Fr. E. Koch, das jedoch sehr des inneren Zusammenhangs entbehrt, und ein recht hübsch, aber wenig tief angelegter Chor »Mahomets Gesang« von Rob. Kahn. Zwischendurch sang Frau Herzog, die auch in der »Schöpfung« die Sopranpartie meisterhaft durchführte, neue Lieder von Pfitzner, Humperdinck und E. E. Taubert. Der treffliche Gründer und Leiter des Chors wurde verdientermaßen gefeiert. Als Chorkonzerte verdienen sonst noch ein Konzert der Hugo Goldschmidt'schen Madrigalvereinigung genannt zu werden, die unter der Direktion Dr. Hugo Leichtentritt's ausschließlich Werke des 16. Jahrhunderts zu Gehör brachte, ferner ein Konzert des Weinbaum'schen Männerchors; des Putsch'schen a capella-Vereins und des Domchors (Dirigent: Prüfer). — Kammermusik hörten wir diesmal recht viel. Von den Einheimischen traten auf den Plan das Schumann-Halir-Dechert-Trio mit dem Cmoll-Quartett von Strauß (Bratsche: Kammermusiker Müller) und einem Trio op. 34 in Adur von Graf Hochberg, dem Generalintendanten der Hofbühnen; das Trio Barth, Wirth, Hausmann, die Schnabel-Wittenberg-Hekking-Vereinigung (zwei Konzerte, in deren erstem Friedr. Gernsheim mit Hekking seine Cellosonate op. 12 spielte); dann zwei Kammermusik-Vereinigungen, die sich um den Pianisten Vianna da Motta gruppierten, durch die das Fmoll-Klavierquartett von César Franck, ein Quartett von Tanejew und ein Sextett Bdur von Hans Huber zur Aufführung kamen, und je ein Konzert des Waldemar · Meyer-Quartetts und des holländischen Trios. Ganz besonderes Interesse aber erweckten drei ausländische Vereinigungen, das Pariser Trio von Jaques Thibaud, Joseph Thibaud, André Hekking (einem Neffen des obengenannten Anton Hekking), sowie zwei Brüsseler Quartettgenossenschaften: die Herren Schörg, Daucher, Miry, Gaillard einerseits, Zimmer, Fr. Doehard, Lejeune und E. Doehard andererseits. Namentlich die erste Vereinigung erspielte sich mit einem Quartett von Vincent d'Indy, op. 35 Ddur, einen großen Erfolg. Interessante Kammermusikwerke kamen ferner noch zur Aufführung durch die Herren Schmidt-Badekow und Heinz Beyer (Cello-Sonate hmoll von Juon), Consolo und Argiewicz (Violin-Sonate Fdur op. 12 Da Venezia), van Lier und James Kwast (Cello-Sonate von Ludwig Thuille, dmoll op. 22). — Über die Solistenkonzerte muß ich mich kurz fassen. Ich nenne, in der Reihenfolge wie sie auftraten, nur die bedeutendsten: Jaques Thibaud (zwei Abende, Violinkonzerte Mozart, Mendelssohn), Jos. Thibaud (Klavier) und André Hekking (Cello), die ein gemeinsames Konzert gaben, Ernesto Consolo (Konzertstück Da Venezia und Konzert bmoll), Martucci, Alfred Wittenberg, Frederick Dawson, Wladimir von Pachmann (Chopin-Abend), Godowsky und Harold Bauer, deren erster die früher bereits gewonnene Meinung nur bestärkte, während der zweite, hier noch unbekannt, größtes Interesse erweckte, Waldemar Lütschg (Schumann-Abend), Lucien Capet (Violin-Konzert von Gernsheim mit dem Komponisten am Pult), den Cellisten Gérardy und zuletzt die nunmehr 16jährige Paula Szalit, die die meisten Erwachsenen schon heute in Schatten stellt. Von Sängern interessierten am meisten Dr. Wüllner, der in seinem zweiten Konzerte interessante neue Lieder von Ansorge brachte, Alex. Heinemann, zwei Schweriner Kammersängerinnen, Aline Friede und Minna Alken-Minor, Hermann Gura (am Klavier Richard Strauß) und, selbstverständlich, Lilli Lehmann in ihrem 2. und 3. Liederabend. Zum Schluß erwähne ich noch eine ganz eigenartige Veranstaltung: der Genfer Komponist Jaques-Dalcroze veranstaltete zwei Aufführungen einer Reihe selbstkomponierter Kinderlieder, die gleichzeitig gesungen und getanzt resp. gespielt wurden. Weniger des musikalischen Gehalts wegen als des eventuell in Betracht kommenden musikalisch-erzieherischen Wertes halber verdienen diese Bestrebungen vollste Beachtung.   A. M.-R.

Bern (Schweiz). Unsere Abonnementkonzerte, die unter Leitung von Karl Munzinger stehen, mußten aus ihrer altgewohnten Stätte, die trotz kaum zureichenden Raumes zu teuer geworden war, nach der französischen Kirche auswandern, einem hohen, düstern Raume, in dem intimere Darbietungen sich schwer einschmiegen. Wir hörten in zwei Konzerten Mendelssohn's A-dur- und Brahms' F-dur-Symphonie, Grieg's Herbstouverture Op. 11 und Rheinberger's Vorspiel zu den sieben Raben, dazu ein paar Sätzchen aus Beethoven's Prometheus, alles solide und, wie üblich, bunt gemischte Musik in tüchtiger Ausführung, die durch die ungewohnte Klarheit des Gesamtklanges in dem weiten Raume nicht erleichtert war. Albert Geloso aus Paris spielte im ersten Konzert mit südlichem Feuer das 3. Violinkonzert, Op. 61, h-moll von Saint-Saëns und Stücke von René Lenormand und César Geloso. Im zweiten Konzert traten zwei Klavierkünstler, Jules Nicati und George Humbert, wohl auch Pariser, auf den Plan, die einen Doppelflügel aus der Pleyel'schen Offizin zur Verfügung hatten und auf diesem Mozart's Es-dur-Konzert (Köch. 365) mit schöner Wirkung vortrugen, die nur dadurch merklich beeinträchtigt war, daß der eine Künstler die Passagen flott und glatt daherfließen ließ, während die andere sich bemühte, sie mehr in modernem Sinne auszuarbeiten. Einheitlicher und ruhiger wirkten kleinere Kompositionen von Reinecke und Saint-Saëns. Der Doppelflügel, echt Pleyel-schen Timbres, für Mozart nicht ungeeignet, klang gut, sah aber mit seinem großen viereckigen Deckel unvorteilhaft aus. Ein Wagestück war es, im zweiten Konzert zwischen die viele Instrumentalmusik als einzige Gesangsnummer zwei Lieder von Brahms, allerdings zwei der substantielleren, einzuschieben; allein die einheimische Künstlerin, Fräulein Emma Gerock (Alt) entledigte sich dieser Aufgabe zu allgemeinem Danke.

Etwas ängstlich sah man der ersten Kammermusiksoirée entgegen, da auch diese Veranstaltungen in die französische Kirche hatten verlegt werden müssen. Zu allgemeiner Überraschung war das aber gerade für das Quartett von entschiedenem Vorteil. Die Herren Jahn, Beyer, Opel und Monhaupt gaben zur Eröffnung eines der Quartette von Dittersdorf, Es-dur, mit einem wunderschönen, choralartigen Andante. Die leicht verständliche, aber doch fesselnde Musik erklang in einer Tonfülle und Tonschönheit, wie der überfüllte Museumssaal sie nie hatte bieten können. Ein junger schweizerischer Pianist, Herr Dom. v. Reding aus Zürich, der in seinen schüchternen Anfangsstadien an der Berner Musikschule tätig gewesen war, erwies sich im Vortrage der Es-dur-Sonate Op. 7 von Beethoven als ein vorgeschrittener und gereifterer Künstler. Er spielte noch mit den Herren Jahn und Monhaupt, die Aufführung beschließend, das Trio Nr. 2, Op. 10, des Basler Komponisten Hans Huber, eine Arbeit mit gefälligen, nicht immer großen Themen und leider auch etwas uneinheitlicher Durchführung. — Mit einer wahren Flut von Solistenkonzerten, für eine Stadt mittlerer Größe viel zu reichlich, wurde die Saison gleich von Anfang überschwemmt. Wir hörten die Müllerlieder von Schubert, die der Züricher Tenorist Robert Kaufmann vortrug. Herr Munzinger begleitete auf dem Klavier; Deklamation der fünf nicht komponierten Lieder gab die Abrundung. Eine dankenswerte, für Bern neue Darbietung! — Camilla Landi hatte sich für ihren Liederabend (23. Nov.) aus 3 altitalienischen Stücken (P. Secchi, Lungi dal caro bene; A. Scarlatti, Se Florindo; Marcello, Il mio bel fuoco), sechs deutschen (Brahms, Schubert, Strauß), fünf französischen (Chaminade, Holmès, Moniuszko, Massenet) Nummern ein Programm zusammengestellt, an das in dieser Vielseitigkeit nicht leicht eine andere Sängerin unserer Tage sich wagen dürfte. Die Durchführung war meisterhaft, doch wollten manche Zuhörer bemerkt haben, daß die Wirkung nicht ganz mehr so anscheinend mühelos, wie früher, und so ohne Inanspruchnahme außerkünstlerischer Mittel, wozu wir auch die Auswahl vorwiegend düsterer Texte voll Totengräberei rechnen möchten, erreicht worden sei. Den Klavierpart hatt Herr Albert Quinche aus Neuenburg übernommen. — Eine sehr tüchtige Leistung war auch der Klavierabend des Herrn Willy Rehberg aus Genf. Hauptnummern waren Beethoven's Op. 53, die 18 charakteristischen Stücke Op. 6 und die Davidsbündlertänze von Schumann, beides mit großer Sorgfalt und Klarheit vorgetragen. Leider mußte der Besuch gerade dieses Abends unter der Überfülle der Konzerte leiden.   A. Th.

Budapest. Im Königlichen Opernhaus ging am 16. Dezember die neueste Oper Goldmark's »Götz von Berlichingen« zum ersten Mal in Scene und errang einen glänzenden Erfolg. Der Komponist wurde enthusiastisch gefeiert. Wir werden in einem der nächsten Hefte über das Werk noch genauer berichten.

Dresden. In die Königliche Hofoper ist »Der Mikado« eingezogen, zunächst zum Besten der Genossenschaft Deutscher Bühnenangehöriger, sodann als Genosse der Klassiker, der alten und neuen; denn er steht bereits für diese Woche dreimal auf dem Repertoire. Der »Fidelio«, der dazwischen zum Besten des Pensionsfonds des Opernchores gegeben werden soll, wird dagegen einen schweren Stand haben. Sonst hat sich seit dem Erscheinen der »Tosca« kein besonderes Ereignis in der Oper zugetragen: das nächste wird wohl »Odysseus' Tod« von Bungert werden, dessen Aufführung schon im Januar stattfinden soll.

Von den Kammermusik-Vereinigungen hat die der Herren Petri, Bauer, Spitzner, Wille bereits im vorigen Winter sämtliche Quartette von Beethoven an sechs Abenden gespielt und wiederholt jetzt diese aufs Höchste zu rühmende Leistung. Unter den bisher gebotenen Genüssen ragt die Wiedergabe des Adagio im Es-dur-Quartett Op. 127 gewaltig hervor; denn sie war bis in jede Kleinigkeit hinein meisterhaft. Das war ein Hinauswachsen über die Materie, an die der Spieler durch sein Instrument gebunden ist: nur der seelische Inhalt wurde geoffenbart — in denkbar. größter Vollendung. Das Publikum, das sich an diesen Abenden einfindet, ist zwar ein großes, könnte aber in Anbetracht der Vorzüglichkeit der Darbietungen ein viel größeres sein. Daß dies noch nicht der Fall ist, daran sind wohl die Programme des Tonkünstlervereins schuld, der in seinen vier öffentlichen Aufführungsabenden allerdings Werke aufführt, die außerhalb des Kreises der verschiedenen Quartettgesellschaften liegen; in seinen nur den männlichen Mitgliedern zugänglichen Übungsabenden aber die gesamte Kammermusik-Litteratur berücksichtigt. Durch diese Mannigfaltigkeit lenkt er natürlich das Interesse eines zahlreichen Publikums auf sich, von dem ein bedeutender Teil beispielsweise dem Petrischen Quartett entzogen wird. Der erste von dem Tonkünstlerverein veranstaltete Abend war dem Andenken der im Laufe dieses Jahres verstorbenen Mitglieder gewidmet. Es wurde zuerst die »Maurerische Trauermusik« von Mozart zur Erinnerung an den König Albert gespielt. Neben anderen Werken erklang dann noch ein dem Tonkünstlerverein gewidmetes Quintett für Blasinstrumente von Klughardt. — Auch ein auswärtiges Streichquartett, das der Brüsseler Herren Schörg, Daucher, Miry, Gaillard, kam, sah einen leeren Saal und — siegte durch seine ausgezeichneten Leistungen derart, daß das für Januar angekündigte zweite Konzert zweifelsohne auch einen materiellen Erfolg erzielen wird.

Klavierabende wurden von Consolo, Reisenauer und d'Albert veranstaltet und waren mehr oder weniger gut besucht. Von den Liederabenden müssen besonders zwei genannt werden, der von Frau Lilli Lehmann und der von Herrn Ludwig Wüllner gegebene. Der letztere hat die ganze »Winterreise« allein gesungen, nein, aufgeführt; denn das Wesentliche seines Vortrags liegt nicht im Gesange, sondern in der dramatischen und mimischen Umgestaltung des Liedes. Nichts ist gefährlicher in der Kunst als die Unklarheit über den Styl einer Gattung. Das Lied muß auch in seiner Wiedergabe Lied bleiben und darf nicht als das Bruchstück eines verunglückten Dramas aufgefaßt werden. Wenn das Publikum trotzdem durch sein Erscheinen und seinen Beifall eine gewisse Teilnahme für diese Experimente bekundet, so ist sein Geschmack vorübergehend auf Abwege geraten, von denen es baldigst — auch ohne Hülfe — wieder ablenken möge.   E. R.

Frankfurt am Main. Oper. Am 16. Dezember fand die Uraufführung der dreiaktigen komischen Oper »Die Zwillinge« von Karl Weis statt. Der Name des böhmischen Komponisten ist durch seine, den Titel »Volksoper« tragende, Bühnenschöpfung »Der Polnische Jude« in mehreren Städten bekannt geworden, einem musikalischen Theaterstück, das durch die schaurigen Effekte und die aufregende Spannung der Handlung vielfach einen äußeren Sensationserfolg zu erringen vermochte. Den Stoff zu »Die Zwillinge« entnahm Weis Skakespeare's »Was ihr wollt«, einem der bühnenwirksamsten Lustspiele des großen Briten; das famose Libretto haben R. Schubert und F. Adler, zwei Prager Schriftsteller, nach der Prosavorlage des Komponisten außerordentlich geschickt und den Geist des Stückes treffend, verfaßt. Schon früher hatte sich Weis mit dem Lustspiel von Shakespeare beschäftigt und eine Oper »Viola« geschrieben (vor einigen Jahren im tschechischen Nationaltheater in Prag gegeben), aus der mehrere Motive in »Die Zwillinge« verwendet wurden. In dieser Beziehung steht also das letzte Werk zu dem früheren im nahen Verwandschaftsverhältnis und dürfte als eine beabsichtigte Verbesserung und Neubearbeitung der alten Idee aufgefaßt werden. Die ganze Kritik der neuen Oper giebt der Narr in dem Shakespeareschen Original: »Denn alles was ausgebessert wird, ist doch nur geflickt.« Und geflickt scheint uns hier, trotz allen gegenteiligen Versicherungen doch Manches zu sein, da die drei Akte (besonders der letzte) so viel Ungleichwertiges enthalten, daß es kaum anzunehmen ist, daß dies Alles plötzlich einer neuen Eingebung folgend entstanden wäre. Das Beste bietet die Partitur in der recht flüssigen Ouvertüre und in dem ersten Akt, der in dem hübschen As-dur Ständchen des Narren, einem ganz originellen Kanon, dem kleinen Sätzchen der Kammerzofe Olivia's, zwei größeren Ensembles und dem recht lebendigen Finale wirklich ansprechende und melodisch-gefällige Musik bietet. Im Ganzen zeigt dieser Akt die immerhin beachtenswerten Vorzüge des in enge Grenzen gebannten freundlichen Talents des Komponisten, der in Vielem über ein natürliches Bühnengeschick, guten Klangsinn und eine gewisse Leichtigkeit der Konzeption verfügt, wenn auch weder hier, noch in den beiden folgenden Akten Wesentliches an tiefer gehender Erfindungskraft zu verspüren ist. Die Szene der Olivia im zweiten Akt und das Duett mit Sebastian bewegen sich in der Dutzend-Phrase konventioneller Lyrik, wie auch die auf der Bühne witzigen Malvolio-Szenen, die der Humor des Originals noch am meisten rettet, von der Musik leider fast völlig im Stiche gelassen werden. Ebeno auch im dritten Akt, wo es Weis in der Klimax des Werkes an der nötigen Kraft gebricht, solchen Momenten ein dramatisch wirkungsvolles Leben zu verleihen. Alles in Allem verliert sich die Oper in lauter kleinen, teilweise sogar ganz hübschen Ansätzen, und in einer in den lustigen Stellen zwischen Smetana und Nicolai schwankenden musikalischen Illustration, läßt aber jeglichen großen Zug und die richtige Entwickelung vermissen. Die im Ganzen recht gute Aufführung, aus deren Rahmen sich Frau Kernic als temperamentvolle Viola, der vielversprechende junge Bassist Reich als Narr, und unser vorzüglicher Meistersinger-David Schramm als Junker Bleichenwang vorteilhaft abhoben, begegnete einer sehr freundlichen Aufnahme, so daß der anwesende Komponist wiederholt erscheinen konnte. — Eine Meistersinger-Aufführung zeigte in teilweiser Neubesetzung der Partitur treffliche Leistungen der Frau Kernic als Evchen, und des vorerwähnten Bassisten Reich als Pogner. Je zwei Engagementsgastspiele des Tenors Konrad-Breslau und des Baritonisten von Ulmann-Königsberg verliefen resultatlos. — Über die letzten dreiundvierzig Konzerte ist im Sinne der Umgekehrten Pliniusworte: »Multa, non multum« zu berichten. Im Museum bot Kogel eine künstlerisch sehr lebendige Wiederholung der vierten Symphonie in Es-dur von Glazounow, dessen fünfte und sechste Symphonie, sowie eine Anzahl anderer Werke des hochbegabten Petersburger Komponisten bei uns wohlbekannt geworden sind. Sprach hier das »Scherzo« wiederum am meisten an, so fielen auch in der Symphonie »Harold en Italie« von Berlioz das prächtig gespielte »Marzia«, die reizvolle »Serenade« und die eindrucksvolle Ausgestaltung des interessanten Finales vorteilhaft auf. Professor Herman Ritter-Würzburg verlieh den Solostellen auf seiner Viola alta ebenso große künstlerische als klangliche Geltung. Ein von Professor Hugo Heermann als Novität zu Gehör gebrachtes Violinkonzert in D-moll von Fr. v. Erlanger (London) erwies sich als recht freundlicher Ausdruck eines ebensolchen Talents, das hier nur im zweiten Satz Anspruch auf größere Beachtung erheben darf. Der Baßbariton Ettore Gandolfi sang mit seinem kräftigen Organ eine Arie aus Spohr's »Faust« mit mehr Geschmack, als weitere Nummern von Taneglia und Boito. Der ausgezeichnete Menter-Schüler Wassily Sapellnikoff, der hier im vorigen Jahre mit dem E-moll Klavierkonzert von Chopin so großen Eindruck hervorrief, entsprach in dem seiner Individualität scheinbar recht ferne liegenden A-moll Konzert von Schumann nicht den Erwartungen, die man auch seinem diesmaligen Erscheinen entgegenbrachte. Ein musikalisch interessantes Ereignis bildete das dritte, von Colonne geleitete Opernhauskonzert. Die stark konventionell erfaßte Coriolan-Ouvertüre war über die in ihren Details geistvoll gezeichneten Sätze der D-moll Symphonie von César Franck, dem französischen Bruckner, bald vergessen. Die den Musiker überall, namentlich aber in den Variationen des zweiten Satzes interessierenden formalen Schönheiten des leider nur allzulang geratenen Werkes brachte der um die moderne Kunst hochverdiente Pariser Dirigent ebenso geistvoll zum Erklingen, wie er den reizvollen Teilen der bekannten Orchestersuite »Impressions d' Italie« von Charpentier allen Esprit dieser ausgesprochenen »musique expressive« zu wahren verstand. Nach der Venusbergszene (in der späteren Bearbeitung) aus Wagners »Tannhäuser« zollte man Colonne besonders lebhaften Beifall. Noch weit weniger als das letzte Mal konnte in dem von Weingartner gebotenen Kaimkonzert die Qualität des Orchesters (speziell in den Bläsern) hinsichtlich der Wiedergabe der »Pastorale« und der siebenten Symphonie von Beethoven, dieser »herrlichen Apotheose des Tanzes«, befriedigen. Der geniale »Wille« des Dirigenten und die »Vorstellung« des Orchesters konnten an diesem Abend absolut keinen harmonischen Bund eingehen. — Das diesjährige Buß- und Bettag-Konzert des Caecilienvereins bot unter Professor Grüter's Leitung eine chorisch sehr eindrucksvolle Aufführung des. »Judas Maccabaeus« von Händel, in der Bearbeitung von Friedrich Chrysander. Neben dem vorzüglichen Vertreter der Titelpartie Forchhammer, unserem trefflichen Tristan-Darsteller, sei noch die Leistung von Frau Rückbeil-Hiller (Stuttgart) mit besonderer Anerkennung erwähnt. Großem Interesse begegnete das Konzert des von Direktor M. Fleisch geleiteten stattlichen Sängerchors des Lehrervereins, dessen künstlerische Darbietungen der sonst üblichen Quartsextakkord-Litteratur stets sorglich aus dem Wege gehen. Von den beiden Novitäten des Abends wird das großangelegte »Der Wald« für Soli, Männerchor und Orchester, Op. 85, von Bernhard Scholz sicher bald seinen Platz in den Programmen der wirklich leistungsfähigen Männergesangvereinigungen finden. Auch die »Nordische Sommernacht« von Mikorey, dem jetzigen Hofkapellmeister in Dessau, zeigt in Chor und Orchester eine offensichtlich große Begabung, von der noch viel zu erhoffen ist. Der Solopartien in beiden Werken hatten sich Fräulein Dietz und Herr Tijssen, der lyrische Tenor unserer Bühne, auf das Beste angenommen, wie auch beide Solisten nach Arien von Spohr und Massenet vielem Erfolg begegneten. Sowohl der Caecilienverein wie der Sängerchor des Lehrervereins wiederholten ihre Programme in zwei Volkskonzerten, welche Veranstaltungen sich hier einer bemerkenswerten Unterstützung und Aufmerksamkeit erfreuen. — In einem Kammermusikabend des »Frankfurter Streichquartetts« — Konzertmeister Heß und Genossen — lernten wir ein Streichquartett, op. 2 in A-dur von Reinhold Glière (1875 in Kiew geb.) kennen. Der junge Komponist, ein Schüler von Arensky und Tanejew, bietet in dem schönen Variationensatz sein Bestes, und zeigt auch in den anderen, interessant geschriebenen Teilen in Rhythmik und Melodik ein unstreitig echtes und vielversprechendes Talent.   H. P.

Genf. Unsere herrliche Stadt, so reich an Naturreizen, so bedeutend in wissenschaftlicher Beziehung, ein Sammelpunkt der Fremden, die hier lange verweilen, um ihren Kindern die sorgfältigste Erziehung zu gewähren, unser kalvinistisch frommes altes Genf — das protestantische Rom — ist in musikalischer Beziehung noch jung. Seit 1871 hier gefesselt, bin ich ein aufmerksamer Beobachter der musikalischen Entwicklung gewesen und, wenn es erlaubt ist, bevor wir über Aktualitäten berichten, einen kurzen historischen Überblick zu geben, so wollen wir einiger Männer gedenken, die hier als Musiker gewirkt haben. In den siebziger Jahren lebte hier »der alte Wehrstädt«, der den leibhaftigen Beethoven noch gekannt hatte. Wehrstädt war Direktor des »Chant Sacré« und Klavierlehrer dazu. Als solcher schwörte er auf Weber und — — J. B. Cramer. Die erste Etude des Letzteren war sein Probestein, um Pianisten zu prüfen. Er starb und seine Erinnerung lebt heute nur in einigen Alten fort. Nach ihm kam ein Musiker von Gottes Gnaden, ein edler Mensch und Philosoph: Hugo von Senger. Derselbe begründete die klassischen Orchesterkonzerte mit Aufopferung seines ganzen Ichs, inbegriffen seines Vermögens. Willy Rehberg, der Pianist, hat den Dirigentenstab seit zehn Jahren in den Händen und schwingt ihn mit Begeisterung. Jährlich finden zehn Abonnementskonzerte statt, die uns in puncto Orchester- und Virtuosenmusik auf dem Laufenden halten.

Es existiert in Genf ein Konservatorium, welches viele vorzügliche Lehrer beschäftigt hat und noch beschäftigt (Liszt hat die Klavierklassen begründet). Von den heutigen Lehrkräften seien erwähnt: Willy und Ad. Rehberg, Oscar Schulz, Marteau, Jaques-Dalcroze, Barblau, Leop. Ketten, Dami, Pahnke, Reymond, Kling, Henri u. s. w. Seit 1886 besteht unter des Unterzeichneten Leitung die »Académie de Musique«, die ebenfalls stolze Namen aufzuweisen hat. Hans v. Bülow, Mathis Lussy, Frau Olga Swowna Cezano, Theophile Ysaye, Alfred Veit, Fritz Schousboë,

L. Rey, Alb. Rehfous, Frau Zorrigi-Heiroth u. s. w. Außer dem genannten «Chant sacré«, der von Otto Barblau geleitet wird, bestehen und blühen »La société de chant du Conservatoire« und viele Gesangvereine französischer und deutscher Sprache.

Die Musica Sacra wird durch drei Unternehmungen gepflegt. An der S. Peterkirche wirkt Hr. Otto Barblau, der z. B. im letzten Sommer 25 Konzerte gab, in dem uralten Temple de la Madeleine giebt Hr. Otto Wend jährlich zehn Konzerte und in der Viktoriahalle wirkt Hr. Darnault durch einen Cyklus geistlicher Konzerte.

Die Viktoria-Halle in Genf ist vielleicht der schönste Konzertsaal der Erde (1800 Plätze). Außerdem sind der Reformationssaal (2000), das Konservatorium (500), das Casino de St. Pierre (500), das Athénée (250) zu nennen.

Seit einigen Jahren bestreben sich die hiesigen Komponisten mit ihren Brüdern der deutschen Schweiz eine Schweizer Komponistenschule zu begründen. Als deren Chef muß Jaques-Dalcroze bezeichnet werden. Dorch, Klose, Bloch, Eckert, P. Maurice, Ferrari u. s. w. gehören zu dieser neuen Richtung und haben sich alle mehr oder weniger in Genf entwickelt.

Ein neues Unternehmen bereitet sich für das kommende Jahr vor: es werden in der Viktoria-Halle zweimal monatlich an Sonntagsnachmittagen populäre Konzerte stattfinden, die unter des Unterzeichneten künstlerischer Leitung, bei ganz billigen Eintrittspreisen, dem Volke das Beste zu bieten versprechen. Qui vivra verra.

Nach dieser kurzen Übersicht werden wir in der nächsten Nummer von dem berichten, was sich an Interessantem seit Anfang dieser Saison zugetragen hat.

C. H. R.

Hamburg. Unser Stadttheater zog mit der Oper »Theodor Körner«, deren Uraufführung sich die Direktion Bittong-Bachur gesichert hatte, eine blanke Niete. Die Autoren, die beiden Brüder A. und St. Donaudy, zwei Palermitaner am Anfang der Zwanziger, für die in der Tagespresse stark die Reklametrommel gerührt wurde, haben Alles getan, um ihrem Werk nach außen hin eine besondere Signatur zu geben: sie gingen dem guten alten Namen »Oper« ängstlich aus dem Wege und nannten ihr Werk mit gesuchter Tautologie »biographische Handlung«; sie beginnen mit einem Schauspielfragment, der letzten Scene aus Körners »Zriny«, sie schließen mit Gewehrsalven und Pulverdampf; sie bemächtigen sich mit keckem Griff zahlreicher alter deutscher patriotischer Lieder: »Du Schwert an meiner Linken« — »Stimmt an mit hellem hohem Klang«; sie verschmähten nicht einmal den Krähwinkler Landsturm und widmeten zum Überfluß ihre gemeinsame Arbeit sogar »Alldeutschland« und apostrophieren Körner als einen Heros der Menschheit. Kurz, sie gaben sich alle erdenkliche Mühe, dem deutschen Michel zu gefallen. Umsonst. Das Werk ist nicht lebensfähig, die Handlung schwerfällig und umständlich, die Musik ohne Charakter, ohne Eigenart und in ihrer rhythmuslosen Struktur ganz undramatisch. Man darf sich billig wundern, daß ein unreifes opus dieser Art den Weg auf unsere Opernbühne finden konnte und man muß fürchten, daß es nicht eben künstlerische Gründe gewesen sind, die seine Aufführung bewirkt haben. Die Aufführung selbst, mit dem temperamentvollen Tenor Herrn Pennarini in der Titelrolle, war durchaus anerkennenswert. Eine reichere Ausbeute bot in den letzten vier musikschweren Wochen der Konzertsaal. Die Hamburgische Philharmonie erzielte einen großen und wohlverdienten Erfolg mit der prachtvollen Chorleistung, die sie, unter der Leitung Prof. R. Barth's mit Händels »Josua« bot. Das schöne und bedeutsame Werk kam in der Bearbeitung Chrysander's zu ungemein frischer und lebendiger Wirkung: Neben dem lange vernachlässigten, ja verrufenen »Deborah« ein glänzender Beweis für die Notwendigkeit der Chrysanderschen Händelreform, für ihren außerordentlichen Wert, für ihre positive Natur. Chrysander hat auch im »Josua« vor allem das Drama gerettet und es ist berechtigt, daß das mächtige, phantasievolle Stück sogar mit einem neuen, erweiterten Titel »Josua und Othniel« versieht. Denn die Gestalt des Othniel, in der alten Fassung des Werkes ziemlich episodisch, tritt hier aus den Nebenkulissen in den Vordergrund der Handlung. Das Oratorium wirkte in dieser neuen Form so imposant, daß selbst die mehr als zweifelhaften Leistungen der solistisch beteiligten Damen keinen Schaden anzurichten vermochten. Die philharmonischen Konzerte, die sonst lieber nach rückwärts als nach vorwärts schauen, machten übrigens auch der modernsten Musik ein Zugeständnis mit einer guten Aufführung des geistreichen Orchesterschwankes »Till Eulenspiegel« von Richard Strauß. Als Klavierspieler interessierte wiederum Emil Sauer in hohem Maß mit seiner delikaten Virtuosität. Er spielte u. A. ein neues Klavierkonzert eigener Komposition (C-moll), ein raffiniertes Treibhausprodukt pianistischer Kultur. Max Fiedler brachte in seinen letzten beiden Konzerten die innerlich schwere und tiefe E-moll-Symphonie von Brahms und ein sehr warm koloriertes, sehnsüchtig geschwelltes, aber in den Ideen gar zu bekanntes Stimmungsbild »Der Frühling« von A. Glazunow. Von seinen Solisten enttäuschte bitter mit einer flachen, nicht einmal technisch einwandfreien Prunkvirtuosität Frau Wedekind aus Dresden, während Eugen d'Albert mit dem poetischen Vortrag von Beethovens G-dur-Konzert entzückte. d'Albert spielte noch einmal zusammen mit den »Böhmen«, und zwar das Klavierquartett von Brahms. Bei Fiedler kam d'Albert auch als Komponist zu Wort, mit stärkstem Eindruck in wertvollen Liedern, die seine Gattin Hermine d'Albert feinsinnig sang. Noch ein anderer Klaviermeister kehrte bei uns ein: der geniale Busoni, der zusammen mit dem »böhmischen Streichquartett« in idealer Vollkommenheit und unnachahmlichem Kolorit das E-moll-Quintett von Sinding spielte. Die Böhmen selbst wurden enthusiastisch gefeiert. Mit Recht: ihr Quartettspiel ist ein Wunder. Arthur Nikisch führte mit den Berliner Philharmonikern in seinem letzten Konzert Weingartners hier schon bekannte Es-dur-Symphonie, ferner die dreisätzige D-dur Symphonie von Mozart (Nr. 38) und die schimmernde »Liebesscene« aus R. Strauß »Feuersnot« auf: Alles mit feinstem Stilgefühl und in bethörender Klangschönheit. In den Freudenbecher fiel indessen ein bitterer Tropfen: nämlich der Cellokonzerte zwei, die die Geduld der Zuhörer über Gebühr in Anspruch nahmen, obwohl es der excellente Jean Gérardy war, der sich in ihnen breitete und streckte.   F. Pf.

Karlsruhe. Wenn wir einen kurzen Rückblick auf das Musikleben Karlsruhes in der ersten Hälfte dieses Winters werfen, so haben wir von einer Überfülle zu berichten, für die unsre Stadt trotz der eben erreichten 100000 Einwohner noch nicht groß genug ist. Die Leitung des Großherzoglichen Hoforchesters hat die Zahl der Konzerte erhöht, und die rührige Konzertdirektion Hans Schmidt sucht durch Gewinnung hervorragender Künstler erfolgreich in einen Wettbewerb einzutreten. Sie eröffnete auch den Reigen der Veranstaltungen mit einem dreitägigen Musikfest als Nachfeier zu dem 40jährigen Regierungsjubiläum Großherzog Friedrichs. Das Wagnis, mit einem zu diesem Zweck erst zusammengebrachten Chor ein Oratorium aufzuführen, gelang vorzüglich, wenn auch die Klangfülle des Chors der großen Anzahl der Mitwirkenden nicht ganz entsprach. Dirigiert wurde die »Schöpfung« von F. Weingartner, der das Kaimorchester mitbrachte; über ihn, wie über die von ihm inspirierte Kapelle ist nichts neues zu sagen. Unter den Solisten ragte Rose Ettinger besonders hervor; in dem Künstlerkonzert des nächsten Tages trug den Löwenanteil Ed. Risler davon; während den dritten Tag neben Gesangsvorträgen von Rose Ettinger das Heermann'sche Quartett mit einem auserlesenen und künstlerisch vollendet durchgeführten Programme ausfüllte. Des weiteren hörten wir das Böhmische Streichquartett, das durch die klangvollendete und tiefempfundene Wiedergabe des Beethoven'schen A-moll-Quartetts geradezu erschütterte und zwei sehr anziehende neurussische Kompositionen von Borodin und Taneïew brachte. Große Freude machte es allen Kunstfreunden, Reisenauer zum erstenmale hier hören zu können; gediegenes Programm und wunderbare Ausführung rissen die Zuhörer hin. —

Über den Konzerten des Hoforchesters unter Felix Mottl's Leitung, deren Programme in früheren Jahren durch eine gewisse Einseitigkeit bei weniger fortschrittlich gesinnten Musikfreunden manchmal Unbehagen erweckt hatten, leuchtet dieses Jahr ein besonders glücklicher Stern. Die für Karlsruhe noch unbekannten Werke waren durchweg nicht nur hochinteressant, sondern auch sehr ansprechend. Großen Dank schulden wir Felix Mottl für die liebevolle Ausführung von Bruckner's 4. Symphonie, der »romantischen«; charakteristische Musik boten auch zwei Sätze aus Smetana's Hussiten-Symphonie, und besonders glücklich erwies sich die Wahl einer sehr bejahrten »Novität«, Bach's »dramma per musica« vom Wettstreit zwischen Phöbus und Pan. Wie hier

Bach trotz der sehr bedenklichen Verse Picander's tiefe Empfindung und heiterste Laune vereinigt, wie er in Stimmbehandlung und Verwendung der Instrumente stets das Angemessenste trifft, wie er endlich in Phöbus und Pan sich selbst und seine niedriggesinnten Gegner nicht ohne übermütige Selbstverspottung charakterisiert, — das alles läßt sich nur hören, nicht mit Worten wiedergeben. Die Aufführung unter Mitwirkung der ersten Kräfte des Hoftheaters war tadellos. — Von den Solisten dieser Konzerte möchten wir nur die klassisch gerichtete Geigenkünstlerin Frieda von Kaulbach-Scotta und die wunderbare Altistin Ernestine Schumann-Heink erwähnen, deren phänomenal volle und zugleich weite Stimme im Konzertsaal, wie im Theater gleich tiefen Eindruck machte. In der Oper waren die letzten Monate infolge von Personalschwierigkeiten, vielfachen Erkrankungen etc. nicht sehr ergiebig. Das Hauptereignis waren zwei Neueinstudierungen. Gluck's Iphigenie in Aulis zeigte trotz der Bemühung der Leitung und der mitwirkenden Kräfte, welche Schwierigkeit unsern Darstellern Gluck'scher Stil bereitet. — »Don Juan« hat eine vollständige Neubearbeitung in Text und Musik erfahren; der Grundsatz, auch hier, wie in Wagner's Werken, alle Striche zu beseitigen, wodurch insbesondere auch das letzte Finale nach Don Juans Untergang vollständig wieder hergestellt wurde, fand jedoch wenig Anklang. Man erinnerte daran, daß Mozart selbst auf mehrere Nummern später gern verzichtete, und fand, daß die dramatische Wucht durch diese pietätvollen Rettungen nur verloren habe.   C. G.

Kiel. Die letzten Wochen brachten unserem musikalischen Leben mancherlei wertvolles. Die Herzogliche Hofkapelle aus Meiningen veranstaltete unter Steinbach's Leitung zwei in jeder Beziehung gelungene Konzerte, in denen sich der Dirigent insonderheit als vorzüglicher Interpret der klassischen Großmeister und als bedeutender Brahms-Kenner erwies. Der unter Direktion von H. Johannsen stehende Lehrer-Gesangverein brachte in seinen beiden ersten Abonnements-Konzerten Wüllner und Burmester als Solisten und legte auch selbst tüchtige Proben seiner fortschreitenden Entwickelung ab. Unsere Oper arbeitet unter Direktor Häusler recht glücklich. In einer wohlgelungenen Carmen-Aufführung sang Toni Seiter vom Prinzeß-Theater in London die Titelpartie in trefflichster Weise, während Hans Mohwinkel den Escamillo verkörperte. Auch die Signorina Prevosti gab neue Proben (Traviata) ihres bedeutenden Könnens. Auf dem Gebiete der Kammermusik boten der erste Duo-Abend der Herren Keller-Kiel und Kopecky-Hamburg, sowie der zweite Abend des Hamburger Streichquartetts (Zajíc-Schloming-Löwenberg-Gowa) Vorzügliches.   W. O.

Köln. Drei Gürzenich-Konzerte sind seit meinem letzten Bericht aus der Welt der Pläne in die der Thatsachen übergeführt worden. Da Steinbach sein Amt erst zum 1. März antrat, so mußte er sich vorläufig mit dem ersten und zweiten Gürzenich-Konzert begnügen; im dritten schwangen Mottl, im vierten Strauß, im fünften Richter das Scepter.

Neues brachte das Mottl'sche Konzert nur in dem Liebesduett aus Strauß' Feuersnot, das sehr zündete, seltenes in der Kantate »Bleib bei uns« von Bach. Sehr gefeiert wurde er namentlich nach Schubert's »Unvollendeter«. Als Solisten wirkten Prof. Pauer, Baritonist Breitenfeld und Frl. Bertha Morena, von denen die letzten zwei dem Duett, sowie dem Abschied Wotans von Brünnhilden zu gewaltiger Wirkung verhalfen. Im nächsten (vierten) Konzert legte Richard Strauß eine Lanze für sein hochverehrtes Vorbild Liszt durch eine von poetischer Erfassung zeugende Darbietung von dessen Bergsymphonie ein. Für das Verständnis Liszt's hat Wüllner, der sonst jeder Kunstrichtung von Bedeutung gerecht wurde, nicht genügend in Köln vorgearbeitet, als daß die Vorführung sich allgemeiner Würdigung erfreut hätte: die Wissenden freilich packte sie um so tiefer. Aus dem übrigen Programme seien noch Neff's Chor der Toten, die Liebesscene (für Orchester allein) von Strauß, sowie die Darbietungen von Frau Bloomfield-Zeisler mit ihrem vortrefflichen, obschon diesmal ein wenig nervösen und nicht gerade durch seltene Wahl ausgezeichneten Klavierspiel hervorgehoben. Richter überraschte ganz Köln, indem er ein so erzkonservatives Werk wie Haydn's Schöpfung zum Inhalt des fünften Konzerts erwählt hatte, in der die Soli von den Herren Rob. Kaufmann, Sistermans und Frau Herzog in bekannter hervorragender Weise gesungen wurden.

Aus den Kammermusikabenden des Gürzenich-Quartetts (Hess und Genossen) sei die Vorführung des ernsten und gediegenen F-moll-Quartetts von Georg Schumann mit dem Komponisten am Klavier erwähnt. Im Stadttheater ist die neulich gemeldete Krisis zum Ausbruch gekommen: Hofmann ist auf seinen dringenden Wunsch von der Theaterleitung entbunden worden, wird sie aber bis zur Ernennung eines Nachfolgers noch weiterführen. In künstlerischer Hinsicht war ein entschiedener Fortschritt zu verzeichnen. Die Fühlung zwischen dem versenkten Orchester und den Bühnengöttern verbesserte sich von Tag zu Tag, die Vorstellungen nahmen an Durcharbeitung zu und die Zauberflöte, Aïda, Walküre, Carmen erfüllten, von prächtiger Inscenierung unterstützt, die höchsten Anforderungen. Von neuen Werken kamen Emanuel Moór's Volksoper Andreas Hofer und »Das war ich«, Dorfidylle von Leo Blech, zur Aufführung. Das Moór'sche Werk ist sehr talentvoll, in den Themen etwas zu reich und dabei nicht kernig genug, aber von bedeutender Steigerung im dritten und vierten Akt, sodaß von Moór wohl noch Gelungeneres zu erwarten steht. Blech's Partitur ist sehr geistreich, reizvoll instrumentiert, für eine Dorfidylle etwas zu kunstvoll geraten und einer ohrenfälligen Melodik etwas zu absichtlich aus dem Wege gehend, aber in wesentlichem Maße unterstützt durch das amüsante Textbuch Batka's. Bis jetzt hat es sich mit Hoffnung auf Dauerhaftigkeit auf dem Spielplan behauptet. Hoffmann's Erzählungen, der liebenswürdige Schwanengesang des alten Spötters Offenbach, wurde endlich auch bei uns gegeben und fand in ausgezeichneter Wiedergabe und Inscenierung eine begeisterte Aufnahme. Man hört auf den Trams schon überall die Barkarole summen. O. N.

Kopenhagen. Jetzt endlich, gegen Weihnachten, haben die Konzerte wie gewöhnlich etwas aufgehört und ein Rückblick auf das, was bisher geleistet worden ist, scheint passend. Von unseren Konzert-Instituten ist der *Musikverein* (*Musikforeningen*) das älteste. Im Jahre 1836 gegründet, hatte der Verein seine Glanzperiode während Gade's langjähriger vortrefflicher Leitung. Der jetzige Dirigent ist Professor Fr. Neruda. Der Verein giebt zur Zeit nur drei Konzerte mit Chor und Orchester in der Saison. Bisher wurden aufgeführt: Gade's »Ossian-Ouvertüre« und seine wenig gespielte, fein angelegte Kantate »Der Strom« (Mahomets Gesang) für Soli, Chor, Klavier und Orchester, Beethoven's A-dur-Symphonie und Bruckner's Te Deum ohne eigentlich durchschlagenden Erfolg. — Der *Cäciliaverein*, unser nächstältester Verein, dessen Zweck schon im Namen liegt, brachte unter Fr. Rung einen fast abendfüllenden sehr gut aufgeführten Auszug aus Händel's »Messias«. — Die *Kapellkonzerte* unter Johann Svendsen (drei in der Saison) brachten bisher nur eine Novität, eine farben- und phantasiereiche Legende von Jean Sibelius; sonst wurden Brahms' Akademische Ouvertüre und Gade's Neunte Symphonie aufgeführt; eine interessante schwedisch-finnische Sängerin, Frau Ida Ekmann, assistierte. — Der ganz neue *Dänische Konzertverein* — mit dem durchaus berechtigten Zweck, nur dänische Musik vorzuführen, was aber bisher das Publikum nicht besonders interessiert hat! — giebt zwei große und ein kleines Konzert. Wir hörten im ersten eine neue wertvolle, sogenannte Symphonie von dem begabten erst 35jährigen Carl Nielsen, Violinist der Königlichen Kapelle. Gegenstand des Werkes sind nach Angabe des Komponisten »Die vier Temperamente«; schon daraus und aus dem Umstand, daß die »Symphonie« eigentlich keine feste Tonalität hat (wir hörten den ersten Satz als H-moll, den dritten als Es-moll, den letzten als A-dur) geht hervor, daß hier eigentlich nur von einer symphonisch gearbeiteten Folge von Stücken die Rede sein kann. Abgesehen davon ist die »Symphonie« das Werk einer eigenartigen, etwas bizarren und entschieden energischen Begabung. Bei einem ersten Anhören interessierten mehr die Ausarbeitung als die Motive an sich, doch scheint der dritte Satz (Melancholie) und vierte (Sanguinität) auch ursprünglich schöne Musik zu enthalten. Auf alle Fälle gehört das Werk, das sehr gut aufgenommen wurde, zu den Arbeiten, die man recht gern noch einmal hören möchte. Mit vielem Beifall wurde auch eine andere Neuheit »Ein Volkslied« von Otto Malling (Gedicht von Holger Drachmann aufgenommen. Für Soli, Chor und Orchester komponiert trifft das schönklingende Konzertstück sehr gut einen einfachen, aber künstlerisch gediegenen Volkston.

14*

Konzertierende Künstler sind in reichem Maße außerhalb der Vereine aufgetreten. Hier sei nur bemerkt, daß der vortreffliche Willy Burmester langsam aber sicher sich durch fünf Konzerte die höchste Sympathie des Publikums, dem sein Name und seine Bedeutung ursprünglich ganz unbekannt schienen, erkämpft hat. Mit ihm trat der Berliner Pianist Mayer-Mahr ein paar Mal mit Glück auf. Auch das hier sehr geschätzte Brüsseler-Quartett (Schörg) besuchte uns noch einmal. Der hiesige Violinist und Komponist Fini Henriques und die vorgenannte Frau Ekmann gaben, beide mit großem Erfolge, ihre eigenen Konzerte. Populäre Konzerte, die gewöhnlich wohlbesuchten *Palaiskonzerte*, giebt mit gutem Programm und guter Ausführung jeden Sonntag Herr Joachim Andersen.

Die *Oper* brachte neulich eine Novität, was leider gar zu selten geschieht, und zwar eine von besonderem Interesse: »Saul und David« von dem vorgenannten Carl Nielsen, der hiermit als Opern-Komponist debütierte. Schon bei erstmaligem Hören erkannte man in der Oper einen ungewöhnlich begabten Komponisten und dessen in dem Werke kundgegebene Intelligenz, energisches Wollen und bedeutendes Können; dagegen zeigt sich der Anfänger auf der Opernbühne in dem Mangel an dramatischer Schlagkraft und Charakterzeichnung (nur Saul ist mehr und zwar glücklich ausgeführt) und wohl auch bisweilen an dramatischer Stimmung. Das Interesse bleibt jedoch durch die oft ganz treffliche technische Ausarbeitung und die schöne und wirkungsreiche Chorlyrik gefesselt, obwohl der Komponist leider öfters mit für dramatische Musik ziemlich kleinen Motiven arbeitet. Das Werk gefiel sehr und der dirigierende Komponist wurde hervorgerufen, was um so mehr besagen will, als er vornehm auf alle äußerlichen (auch klanglichen) Effekte verzichtet hat.   W. B.

Leipzig. Am 23. November gelangte Liszt's »Legende von der Heiligen Elisabeth« im Stadttheater zur szenischen Darstellung. Liszt selbst hat sich, wiewohl nicht apodiktisch, gegen eine solche ausgesprochen, in der Ansicht, daß das dabei hervortretende Zwitterhafte etwas Ungesundes und in dieser Gestalt seiner Schöpfung nicht unbedingt zuträglich sei. Für ein Drama zu wenig bühnenwirksam, für ein Oratorium zu bunt und bilderreich, erinnert das Werk unwillkürlich an die wundererfüllten Legendengeschichten des alten italienischen Oratoriums. Die szenische Aufführung hat, vom Dramatischen ganz abgesehen, jedenfalls das für sich, daß die Phantasie der Hörer, die der eigenartigen, oft in die Länge strebenden Kunst Liszt's ferner stehen, durch gleichzeitige Aufnahme gehörter und gesehener Eindrücke bei weitem stärkere und nachhaltigere Impulse empfängt als bei einer konzertmäßigen. Dem rein musikalischen Erfassen der feinen psychologischen Detailarbeit steht freilich das Bühnenbild mehr als einmal hindernd im Wege. Die Aufführung war szenisch durch Herrn Oberregisseur Goldberg, musikalisch durch Herrn Kapellmeister Hagel sorgsam vorbereitet und verlief ohne bemerkenswerte Zwischenfälle. Frl. Korb in der Titelrolle, Frl. Sengern als Landgräfin, Herr Schütz als Landgraf gaben prächtige Gestalten ab. Wenn der Erfolg dennoch kein zündender war, so lag das wohl am Fehlen jener unsichtbaren, geisterverbindenden Macht, auf die unser Musikleben viel zu wenig Rücksicht nimmt, der die »Heilige Elisabeth« selbst ihre Entstehung und noch kürzlich eine begeisterte Aufnahme in Weimar verdankt, nämlich am Mangel innerer Verknüpfung dieser im edelsten Sinne so zu bezeichnenden »Gelegenheits-Musik« mit gewissen außerhalb des Kunstgebietes liegenden Leitideen, die das eine Mal patriotischen, das andere Mal persönlichen Charakter trugen. Scharf aufmerkende Dirigenten oder Chorleiter werden in Zukunft die Fälle zu erspähen haben, in denen Kunstwerke mit leise tendenziösen Zügen, wie dieses, sich zwanglos bedeutungsvollen äußeren Umständen anpassen lassen. Der Erfolg eines Stückes hängt nicht so sehr von der Qualität der Aufführung, als von der Gesamtstimmung des Publikums ab: ein offenes Geheimnis, das so manchen Widerspruch in der Praxis erklärt. Leider pflegen wir aber alle an der Kardinalfrage: Aus welchem Grunde wird eigentlich Musik gemacht? mit bangem Gewissen vorbei zu schleichen. — An wirklichen Opernnovitäten brachte der November und die erste Hälfte des Dezember nichts. Als Gäste traten Frl. von Tergow und die Herren Krauße und Bertram auf.

Im Gewandhause hörten wir inzwischen eine ausgezeichnete Aufführung der

Beethoven'schen »Missa solemnis« (Solisten: die Damen Seyff-Katzmayr, Osborne, die Herren Urlus, F. Kraus) und der Pastoralsinfonie. D'Albert feierte als Komponist mit der Konzertszene »Das Seejungfräulein« und Liedern, vorgetragen von Frau Hermine d'Albert, als Pianist mit Schumann's Amoll-Konzert und der Schubert-Liszt'schen Wandrerfantasie Triumphe. Im vierten »neuen« Abonnementskonzert stellten sich das Ehepaar Petschnikoff und die Sängerin Frl. Garnier aus Paris mit zum Teil selten gehörten Stücken vor. Das Böhmische Streichquartett schloß seinen vierabendlichen Cyklus mit Streichquartetten von Haydn, Beethoven und Dvorák's Streichquintett op. 97. Herr Winderstein brachte neben Klughardt's Symphonie Cmoll das Brahms'sche Doppelkonzert für Violine und Cello. Liederabende gaben die Herren Noë, A. Smolian, Bertram, Wüllner, Meyn, während die Pianisten in den Herren E. Consolo (mit dem Geiger Argiewicz zusammen), B. Hinze-Reinhold, R. Platt, weiblicherseits in den Damen A. Schytte und Alice Ripper vertreten waren. Der Bach-Verein führte unter H. Sitt's Leitung das Weihnachts-Oratorium auf.   A. Sch.

Mannheim. Ein bedeutsames Ereignis unseres Musiklebens war das Erscheinen **Weingartner's** an der Stätte seiner ehemaligen Wirksamkeit. Er dirigierte als Gast in der vierten musikalischen Akademie mit glänzendem Erfolg seine Es-dur-Symphonie, die für hier Novität war, und seine schon 1897 beim Tonkünstler-Fest hier aufgeführte symphonische Dichtung »Das Gefilde der Seligen«. Als Klaviersolist wirkte Reisenauer in diesem wohlgelungenen Konzerte mit. — Zu dem Frankfurter Streichquartett des Professors Heermann gesellte sich mit kammermusikalischen Darbietungen zum ersten Mal das Frankfurter Trio (Rebner, Hegar, Friedberg) und erfreute durch sorgfältig vorbereitetes Spiel. — Die rührige Hochschule für Musik veranstaltete zwei sehr beifällig aufgenommene Aufführungen der Kinder-, Tanz- und Volkslieder von Jacques Dalcroze, die erste unter Mitwirkung des Komponisten und seiner Gattin. — Aus der Flut der übrigen Konzerte sei noch eines hervorgehoben: ein von A. Hänlein veranstaltetes Orgelkonzert, in dem der Konzertgeber die zehn Choral-Vorspiele aus dem Brahms'schen Nachlaß vortrug und ihnen — ein bestens gelungener Versuch — jeweils die zugehörigen Choräle in Bach'schem vierstimmigem A-capella-Satz nachfolgen ließ (gesungen vom Chor der Hochschule für Musik). — Die Frage der Neubesetzung des Heldentenor-Faches an unserer Oper, das durch Krug's Weggang im September 1903 frei wird, fand eine befriedigende Lösung durch das Engagement Friedrich Carlen's vom Bremer Stadttheater, der nach erfolgreichem Gastspiel als Tannhäuser, Tristan und Prophet auf 3 Jahre verpflichtet wurde.
                                                                F. W.

München. Nun schaukelt unser kritisches Schifflein munter auf den Sturzwellen der musikalischen Sturmflut, doch: *fluctuat nec mergitur*; winkt ihm doch bald die Hafen-Ruhe der Weihnachtszeit, bis es dann wieder hinauszieht »zu neuen Taten«. Die erste Hälfte der Saison liegt bald abgeschlossen hinter uns, dann tritt die musikalische Schonzeit, auch durch die bald sich eröffnenden karnevalistischen Freuden geboten, ein, um uns für den zweiten Teil der Winter-Kampagne zu stärken. Schlossen doch beispielsweise Weingartner's Kaimkonzerte neulich ab, um erst im März den Cyklus wieder aufzunehmen. Neben der Vorführung sämtlicher Beethoven-Symphonien bescherte uns der illustre Dirigent einige Novitäten, mit denen er leider wenig Glück hatte: »Der Frühling« von Glazunoff, ein raffiniert instrumentierter Klingklang, entwickelte noch nicht einmal so viel Wärme, als nötig wäre, den Winterschnee zu schmelzen, und eine Suite aus der Musik zu dem Schauspiel »Christian II.« von Sibelius vermochte uns nicht von der Überzeugung abzubringen, daß man bei uns das winzige Talent des neuaufgetauchten finnischen Komponisten erheblich überschätzt. Da mochte man schon lieber die novitätenarmen Konzerte Zumpe's vorziehen, der uns wenigstens »Tod und Verklärung« von Strauß, Liszt's Faust-Symphonie und Berlioz's Römische Karneval-Ouvertüre in Aufführungen allerersten Ranges vorführte. Leider hat auch die ebenfalls unter Zumpe's Führung stehende Hofoper bis jetzt immer noch keine ihrer Versprechungen erfüllt: als einzige Abwechslung im Einerlei des Repertoirs brachte sie eine komplette Nibelungenring-Aufführung, die freilich im einzelnen sehr ungleichwertig war. Wirklich hervorragendes leisteten eigentlich nur

Feinhals (Wotan), Hofmüller (Mime) und Frau Senger-Bettaque (Brünnhilde). Im übrigen sei bemerkt, daß der »Ring« gegenwärtig für die nächstjährigen Festspiele im Prinzregenten-Theater scenisch und musikalisch völlig neu einstudiert wird und daß man bei der Energie Zumpe's und Possart's wohl versichert sein darf, Bayreuth mindestens ebenbürtige Vorstellungen zu erhalten. Gegenüber Weingartner's Novitäten-Mißgeschick und Zumpe's Zurückhaltung hat nun Stavenhagen in den letzten Wochen plötzlich eine ungemeine Rührigkeit namentlich im Dienste seines Meisters Liszt entwickelt. Ihm danken wir vor allem die Münchener Erstaufführung zweier äußerst selten gehörter Werke Liszt's, des »Triomphe funèbre du Tasse«, eines tiefergreifenden Epilogs zu Goethe's Tasso, zum Teil aus den Motiven der bekannten als Prolog gedachten symphonischen Dichtung aufgebaut, und sodann des Chorwerkes »Die Glocken des Straßburger Münsters«, einer Kantate, die Liszt im Jahre 1874 nach einem Gedichte von Longfellow (und zwar wahrscheinlich ursprünglich auf den englischen Text) für Baritonsolo, Chor, Orchester und Orgel komponierte. Die dem Gedicht zu Grunde liegende Scene versetzt uns in Nacht und Sturm auf die Turmspitze des Straßburger Münsters, von dem Lucifer mit seinen Geistern das die stolze Pyramide krönende Kreuz herabzureißen bemüht ist; den Gegensatz zwischen Himmel und Höllenmächten schildert die Musik in grandioser Weise, dazwischen dröhnen die ehernen Stimmen der Glocken. Außerdem gab Stavenhagen noch einen Lisztabend in Gemeinschaft mit Georg Liebling, der das Es-dur-Konzert spielte. Auch eine vortreffliche Aufführung des Brahms'schen »Deutschen Requiems« verdanken wir dem rührigen Dirigenten. An Kammermusik hörten wir zweimal Thuille's neue Cello-Sonate in D-moll, ein Werk, das zu den bedeutendsten Erscheinungen auf diesem Gebiete gehört, sowie schon im Vorjahre hier gespieltes Es-dur-Klavierquintett. Das einheimische Hösl-Quartett brachte außerdem noch das leider so selten gespielte Bruckner'sche Streichquintett und ein neues, recht anmutiges Klavierquintett in G-moll des hiesigen Komponisten Anton Beer-Walbrunn zu Gehör. In Gemeinschaft mit dem ausgezeichneten Cellisten Kiefer, dem wir die Bekanntschaft mit dem D-moll-Konzert von Klengel und dem A-moll-Konzert Schumann's verdanken, spielte Herr Hösl noch das Doppelkonzert für Violine und Violoncell (A-moll) von Brahms — zum ersten Male in München in der Originalbesetzung mit Orchester. Daß die Böhmen an ihrem zweiten Abend, an dem sie unter anderem Beethoven's letztes A-moll-Quartett brachten, wieder stürmischen Beifall ernteten, versteht sich. Auch Joachim und Genossen wurden gefeiert, doch hat sich leider auf das Spiel des greisen Meisters schon der Reif des Alters gesenkt. Von den Solisten-Konzerten, die diesmal alle nicht über den Durchschnitt hinausragten, sei nur das Auftreten Sarasate's, des alten Hexenmeisters, hier registriert.

Historisch interessant waren neben einer Aufführung zweier Motetten von J. S. Bach (»Ich lasse dich nicht«) und Palestrina (»O magnum mysterium«) durch den Chorschulverein unter Leitung des rührigen Dom-Kapellmeisters Wöhrle besonders zwei Konzerte des jetzt von Carl Ehrenberg, einem tüchtigen jungen Musiker, dirigierten »Orchestervereins«. Diese aus Dilettanten der ersten Gesellschaftskreise Münchens bestehende Vereinigung giebt, hat sich bald ihr 100. ausschließlich die Wiedergabe selten oder nie gehörter Werke zur Aufgabe gemacht, und wir danken ihr so die interessantesten Wiederbelebungen, zum Teil im Rahmen entzückender Kostümfeste, — so beispielsweise der »Platea« von Rameau und des reizenden Singspiels »Les voitures versées« von Boieldieu. Neulich hörten wir eine anmutige kleine Sinfonie in F-dur (Op. 4 Nr. 2) von Franz Xaver Richter (1709—1789), einem der hervorragendsten vorhaydnschen Sinfoniker der Mannheimer Schule, erst kürzlich in den von Sandberger redigierten »Denkmälern der Tonkunst in Bayern« herausgegeben, außerdem ein Dramma per Musica »Orfeo e Euridice«, das Haydn bei seinem zweiten Londoner Aufenthalt schrieb, aber nicht vollendete und dessen Chöre zum Teil recht eigenartig sind, während die Arien nicht gerade mehr interessant erscheinen. Die merkwürdigste »Novität« des Abends war ein »Chant sur la mort de Joseph Haydn«, den Cherubini im Jahre 1802 schrieb, als er die falsche Kunde vom Tode des Meisters, der bekanntlich erst 1809 starb, erhielt. Aber noch bevor Cherubini das Werk, das sofort mit einem langen Kondolenzbrief an den Fürsten Esterhazy gedruckt wurde, zur Aufführung bringen konnte, kam von Wien die Kunde, daß Haydn noch lebe, und so ließ der französische Meister sofort die ganze Auflage vernichten. Nur einige wenige Partituren und Klavierauszüge, die der Verleger bereits nach Deutschland geschickt hatte, blieben erhalten, und eine dieser Partituren, der auch die diesmalige Aufführung zu Grunde liegt, besaß Hans von Bülow, der das Werk in seiner launigen Art stets »das Requiem aus Mißverständnis« nannte. Wie tief indessen Cherubini den Tod des von ihm so sehr bewunderten und verehrten Altmeisters empfand, davon zeugt diese edle und warme Trauermusik für 3 Solostimmen und Orchester. — In seinem zweiten dieswinterlichen Konzert stellte der Verein den gewaltigen Johann Sebastian Bach seinen beiden bedeutendsten Söhnen gegenüber. Vom Vater hörten wir das 6. Brandenburgische Konzert in B-dur, wobei die Gamben durch Celli ersetzt wurden, sowie den pomphaft festlichen Sinfonie-Satz für Solo-Violine, 3 Trompeten, Pauken, 2 Oboen und Streichorchester. Der älteste und zweifellos ursprünglich begabteste Sohn Wilhelm Friedemann war durch ein in der Erfindung hochbedeutendes Konzert für Klavier und Orchester vertreten, das den unglücklichen genialen Sprossen des großen Meisters als direkten Vorläufer Beethoven's kennzeichnet. Eine Orchester-Sinfonie in F-dur von Philipp Emanuel, der eine Zeitlang seinen Vater an Ruhmesglanz überstrahlte, zeigte aufs neue, wie wichtig dieser Meister als Übergang von der älteren Kontrapunktik zur geschmeidigeren Polyphonie und moderneren Homophonie ist.   E. I.

Paris. Concerts et Théâtres. — La Société des Concerts du Conservatoire a repris ses séances hebdomadaires; rien de nouveau n'y a encore été donné.

Aux Concerts-Lamoureux (Chevillard) peu de nouveautés également; une Eglogue de Henri Rabaud; le prélude du Juif polonais d'Erlanger; le deuxième Concerto de Brahms; le Prélude à l'Après-midi d'un Faune (Debussy); le Concerto en ré de Händel, par MM. Sechiari et Quesnot; le Concerto en ut, de Saint-Saëns, par Mme Bloomfield-Zeisler.

Aux Concerts-Colonne, trois auditions successives et fort applaudies, de la IXe Symphonie; deux de la Damnation de Faust, de Berlioz qui est toujours le Kassastück du Châtelet; une audition de M. Van Dyck, dans des fragments de Wagner et de Berlioz; le Don Juan de Richard Strauss, qui n'a pas été jugé à sa valeur; deux auditions du violiniste Kreisler (Concertos de Beethoven et de Mendelssohn; le Trille du Diable, de Tartini): tel est en résumé le bilan du mois écoulé. Au Nouveau-Théâtre, où M. Colonne donne, le jeudi, des five o'clock musicaux, on a entendu à la première séance Van Dyck (lieder de Schubert et de Schumann), à la deuxième, Mlle Marcella Pregi, l'impeccable Marguerite de la Damnation de Faust, dans Dichterliebe de Schumann et diverses mélodies de Gounod, Silvio Lazzari et Julien Tiersot; aussi que dans cinq Noëls de Peter Cornelius, qui ont été assez peu applaudis. Peter Cornelius! Encore un compositeur génial presque totalement ignoré en France et dont le nom même n'est connu que des spécialistes. Il serait à souhaiter que cet essai de M. Colonne fût renouvelé plus souvent et qu'on fît entendre aux Parisiens des fragments au moins d'œuvres que le rayonnement éclatant de celles de Wagner a seul empêché d'apercevoir. A ces concerts du jeudi, M. Colonne donne volontiers, et avec raison, des Concertos ou des Suites de Bach, de Händel et des fragments tirés des anciens maîtres français, tels que Méhul, Rameau, etc.

L'Association des Grands Concerts, sous la direction de M. Victor Charpentier, fondée il y a un an, a déjà fait entendre Harold en Italie, la partition si romantique de Berlioz, des œuvres de M. Bourgault-Ducoudray et sous sa direction; l'ouverture de Joseph (Méhul); le prélude du Déluge (Saint-Saëns), un fragment de Rédemption (C. Franck), une Fantaisie hongroise de Liszt, etc.

A la Nouvelle Société Philharmonique, les Quatuors Hess, de Cologne et Hayot, de Paris, ont interprété des œuvres de Beethoven, Schumann, Grieg et Brahms (Sextuor, op. 18); la Société des Instruments à vent s'y est fait entendre avec le plus grand succès dans un Quintette de Mozart, un Ottetto de

Beethoven et une Danse suédoise et Rondo de Gouvy. Parmi les solistes, il faut citer M. Alfred Cortot; Mlles Thérèse Behr, Leander Flodin, Olga de Welgounoff, M. L. Fröhlich.

M. René Lenormand, avec le concours de Mlle Gaëtane Vicq et de M. G. Mauguière, a fait une intéressante conférence sur Le Lied allemand et la Mélodie française, illustrée de nombreux exemples tirés des œuvres de Schubert, Schumann, Massenet, Saint-Saëns, Lalo, Gounod et Lenormand lui-même, ainsi que de Chausson, Duparc, Brahms, R. Strauss, Borodine et Grieg.

Deux récitals de violon, donnés au Nouveau-Théâtre par M. Jacques Thibaud, avec l'orchestre Colonne, ont valu à ce jeune virtuose, l'un des premiers de l'Ecole française actuelle, un véritable triomphe. Au programme figuraient les Concertos en mi, de Bach; en mi b, de Mozart; celui de Mendelssohn; ceux de Max Bruch en sol mineur et Saint-Saëns, en si mineur; et d'autres pièces solo: Romances (Beethoven); Prélude, Gigue, Gavotte (Bach).

Au même Nouveau Théâtre, la société dramatique l'Œuvre a mis à la scène le Manfred de Byron avec la musique de Schumann; quatre représentations ont eu lieu, dont la plus grande part du succès revint de droit à l'orchestre Chevillard.

A l'Opéra, la première des Paillasse, de Leoncavallo, a eu lieu avec M. Jean de Reszké le 17 décembre; à l'Opéra-Comique, le lendemain, la Carmélite de MM. Catulle Mendès et Raynaldo Hahn, dont c'est le début au théâtre lyrique.

En Province, un certain nombre de sociétés symphoniques ont opéré leur réouverture; à Lille notamment, M. Maquet a dirigé à ses Concerts le Roméo et Juliette, de Berlioz, qui depuis longtemps n'a pas paru intégralement dans les concerts parisiens.

A Amiens, qui ne possède pas de grands concerts, M. Desmonts et ses camarades Casadesus et Nanny, ont été donnés un concert dont la plupart des morceaux, empruntés aux vieux auteurs, ont été exécutés par ces trois artistes sur des instruments anciens; MM. Casadesus (viole d'amour) et Nanny (contre-basse) ont exécuté en duo une Gavotte de Lorenziti (1780), le Coucou de Bruni (1780) la 1e Sonate et un Adagio de Borghi (1784); quant à M. Desmonts, virtuose sur le violoncelle et la viole de gambe, il avait choisi une Sonate de Boccherini, une Aria de Bach et différents pièces modernes. Ces trois artistes font partie de la Société des Instruments anciens qui doit prochainement donner un concert collectif dans la même ville.   J.-G. P.

Stettin. Der Stettiner Musikverein führte in dem ersten seiner drei Oratorien-Konzerte am 27. November seines Dirigenten, Professor Dr. C. Ad. Lorenz, neuestes Chorwerk, die Passions-Kantate »Golgatha« erstmalig auf. Der Autor, der als Nachfolger Carl Loewe's sich in nunmehr 36jähriger künstlerischer Thätigkeit um die hiesige öffentliche Musikpflege hervorragende Verdienste erworben hat, ist in der musikalischen Welt besonders durch seine weltlichen Oratorien »Otto der Große«, »Krösus« und »Die Jungfrau von Orleans« vorteilhaft bekannt geworden; letzteres hat innerhalb weniger Jahre in mehr als 20 Städten, darunter Köln, Düsseldorf, Münster, Hildesheim, Posen und Leeuwarden in Holland, Aufführungen erlebt. Die Handlung der in Rede stehenden Passions-Kantate beschränkt sich nur auf die Schilderung der Ereignisse auf dem Hügel von Golgatha; im Brennpunkt derselben stehen die 7 Worte des Erlösers, aus deren Einteilung in »Worte der Liebe«, »Worte des Leidens« und »Siegesworte« sich sogleich die Dreiteilung des Werkes ergiebt. Als Texworte dienen neben den Worten der Heiligen Schrift, nach künstlerischen Gesichtspunkten aus den verschiedenen Teilen derselben frei ausgewählt, auch Kirchenlied-Strophen und freie Dichtungen des Textverfassers, Predigers Licent. Dr. Lülmann hier. Die Musik C. Ad. Lorenz' zeigt die stark ausgeprägte Künstler-Individualität ihres Autors in hellstem Lichte; Tiefe und Echtheit der Empfindungskraft, Vornehmheit und Innigkeit des Ausdrucks sind neben der Bekundung der vollendeten Meisterschaft in der Beherrschung des Rein-Technischen als die charakteristischen Eigenschaften dieser Musik zu nennen, die von Sentimentalität ebenso frei ist wie von grüblerischer Sprödigkeit und Herbheit. Lorenz redet in dieser »Passion« durchaus als moderner Komponist, namentlich in Bezug auf Harmonik und Instrumentation; er verzichtet aber keineswegs auf die abgeschlossene Form in Chören und Arien sowie auf die Erzielung absolutesten Wohllautes in Chor und Orchester. Geben schon die ernste, natürliche, und darum eindringliche Melodik, die Gewissenhaftigkeit im Nachgehen der Textgedanken, die reiche Polyphonie sowohl des Chor- als auch des Orchestersatzes dem Ganzen durchaus das Gepräge wirklich geistlicher Musik, so wird dieser Eindruck noch wesentlich durch die reiche Einflechtung des evangelischen Chorals erhöht, in dessen verschiedenartigster künstlerischer Verwertung Lorenz absolute Meisterschaft bekundet. Die Instrumentation zeigt nicht nur die glänzendsten und modernsten Farben des Orchesters, sondern ist reich an feinsinnigen und geistreichen Zügen. Die Aufführung durch den weit über 300 Mitglieder zählenden Chor des Musikvereins war eine excellente, der Eindruck des Werkes ein tiefer. Um die Interpretation der sehr dankbaren Solopartien machten sich in erster Linie Frau Geller-Wolter und Eugen Hildach verdient.

Im Stadttheater (Direktor Fr. E. Gluth) ging am 14. Dezember als erste Opern-Novität Heinrich Zöllner's »Versunkene Glocke«, von Kapellmeister Moritz Grimm sehr sorgfältig vorbereitet, in Scene. Julius Zarest (Glockengießer) und Otti Hey (Rautendelein) boten gesanglich und darstellerisch hervorragende Leistungen.

C. P.

Straßburg i. E. Unser Stadttheater brachte am 28. November eine neue Behandlung des unsterblichen Cervantes'schen Romans in Opernform heraus: Sancho, komische Oper in vier Akten, Text von Yves-Duplessis, Musik von Eugen Jaques-Dalcroze. Die Aufführung nahm unter Kapellmeister Lohse, der sich um die feine Ausmeißelung des Orchesterparts sehr viel Mühe gab, einen sehr befriedigenden Verlauf, die Aufnahme der Oper war namentlich vom zweiten Akt an sehr günstig und verschaffte dem anwesenden Komponisten zahlreiche Hervorrufe. Wie schon aus dem Titel zu ersehen, hat sich der Textdichter nicht den Ritter Don Quixote selbst, sondern dessen hausbacknen, aber um Mutterwitz wie um Appetit nie verlegenen Gefährten Sancho Pansa zum Helden erwählt, und zwar hat er dessen denkwürdige Statthalterschaft auf der von so heiß ersehnten und von dem scherzliebenden Herzog ihm verliehenen Insel als Handlungsherd erwählt.

Für die Aufeinanderfolge einer ganzen Anzahl ergötzlicher Situationen hat Cervantes schon wacker vorgearbeitet, und so sehen wir denn Don Quixote hoch zu Roß und Sancho weniger hoch zu Esel feierlich einziehen, den letzteren als neugebacknen Gouverneur sofort einen nicht gerade sehr aristokratischen Hunger verspüren, der nun von dem schlauen Herzog und dem gesamten von diesem angestifteten Hofgesinde durch allerhand solenne Staatsaktionen, als da sind: Verlesung des Ernennungsdekrets, feierlicher Dankgottesdienst in der Kirche, hochnotpeinliche Gerichtssitzung, hintangehalten wird. Und als nun Sancho, jeder Etikette zum Trotz, sich ein fürstliches Mahl bestellt und, von den Bratendüften berauscht, sich zu Tische setzt, erscheint der grausame Leibmedikus und läßt ihm unter dem Vorwand, die Speisen könnten dem statthalterlichen Magen übel bekommen, ihm die dampfenden Gerichte vor der Nase wegtragen, kaum daß es ihm gelingt, einige armselige Krumen Brot oder geröstete Erdäpfel von der schwelgerischen Tafel fort hinter das Gehege der Zähne zu bugsieren. Zu allem Unglück überfallen ihn nun noch die geheuchelten Feinde, er wird, vor Angst schlotternd, in eine Eisenrüstung gesteckt und zur Zielscheibe der Angriffsmaskerade gemacht, bei der ihm schließlich der Athem vergeht und er zu Boden stürzt. Da setzt denn, um ihm den Eindruck des wilden Kriegsgetümmels zu erwecken, die ganze Soldateska über ihn hinweg — zum Glück schützt ihn sein Küraß vor schlimmern Verletzungen — Grund genug, daß er die Statthalterei satt bekommt und ihr entsagt. In die Oper hinein spielt auch ein hübscher, lyrisch naiver Liebesroman von Sanchetta, der Tochter Sanchos, mit Carasca, dem Barbier. Teresa, Sanchos Weib, ist von der Erhöhung ihres Mannes zum Statthalter benachrichtigt worden und wird gar im Galawagen abgeholt, um Zeugin von der kurzen Regierung ihres Mannes zu sein. Den redlichen Carasca weist sie als Bewerber um Sanchetta's Hand von diesem Augenblick an schnöde zurück, da ihr ein alter vermeintlicher Marquis, der eigentlich nur Kammerdiener ist, als schwiegersöhnliches Ideal vorschwebt. Carasca ist, wie man weiß, der Überwinder Don Quixotes im Zweikampf, der dessen Rückkehr in die Heimat bewirkt. Hieraus wie aus dem Zusammenbruch der statthalterlichen Herrlichkeit Sanchos ergiebt sich denn auch in Teresas Gesinnungen ein Frontwechsel, sodaß sie dem Bunde ihres Töchterchens mit Carasca nichts mehr in den Weg stellt. Der Text ist im allgemeinen geschickt und theatergemäß, er leidet nur ein wenig an Weitschweifigkeit, die gerade bei der musikalischen Behandlung, welche ja ohnehin schon die Neigung zur Breite in sich trägt, sich doppelt bemerkbar macht, sowie an geistreichelnder Verfeinerung, für die die Musik schlechterdings nicht zu haben ist. Dem barock komischen Element, das durch Teresas Einfügung noch bereichert wird, steht die Liebesepisode in wohltuendem Gegensatz, aber doch etwas zu knapp gegenüber. Die Musik des durch sein Violinkonzert, sein Quartett, seine Kinderlieder schnell bekannt gewordenen Jungschweizers Jaques-Dalcroze ist außerordentlich fein in der Arbeit und ansprechend in der Erfindung. Wenn sie sich einerseits an der derben Komik der Situationen die Zähne ein wenig ausbiß und andererseits sich zu weit in dem Gestrüpp des Textes verirrte, so liegt der Fehler mehr an der Textanlage sowie an dem Bestreben des Komponisten, zu ehrliche und zu gründliche Arbeit verrichten zu wollen, die solchem Stoff gegenüber eigentlich nicht von Nöten gewesen wäre. Als hochbegabter aussichtsvoller Komponist ist Dalcroze auf Schritt und Tritt zu erkennen.					O. N.

Am 19. Dezember erschien wieder eine Opernneuheit als Uraufführung: »Der Münzenfranz« von Kößler, die ebenfalls sehr warm aufgenommen wurde.

Zürich. An der Spitze der musikalischen Welt in Zürich steht Friedrich Hegar. Ihm verdankt die Stadt den ganzen Aufschwung, den das Musikleben hier genommen hat. Seit dem Bau der neuen Tonhalle wurde der Zudrang zu den 10 Abonnements-Sinfoniekonzerten von Jahr zu Jahr bedeutend grösser; dieses Jahr war der Saal für diese Konzerte ausverkauft, so daß man genötigt wurde, von nun an jede Aufführung zu wiederholen. Wir haben schon 6 dieser Konzerte hinter uns. Auf ihren Programmen stehen: die Sinfonien: Beethoven B-dur, Hans Huber No. 3 C-dur, Haydn B-dur, Brahms E-moll; ferner die Werke: Jubelouverture v. Weber, Ouverture zu Hamlet von Woyrsch, Ouverture zu Iphigenie in Aulis v. Gluck, Wotans Abschied und Feuerzauber aus »Walküre«, »König Lear«, sinfon. Dichtung v. Weingartner, Genoveva-Ouverture v. Schumann, »les Eolides« v. C. Franck, Ouverture v. Massenet, »impressions d'Italie« von Charpentier, Faustouverture v. Wagner; ferner die Violinkonzerte in D-moll v. Wieniawsky (W. Ackroyd), in a-moll v. Goldmark (Rosa Hochmann, und das neue Konzert von Jaques-Dalcroze (H. Marteau). Es traten auf: als Pianisten: A. Reisenauer (A-dur-Konzert von Liszt) und Frl. Etelka Freund (Saint-Saëns, G-moll-Konzert, ferner die Sängerinnen: F. Koenen und Jeanne Lederc, und der Baritonist F. Feinhals. Sehr großen Erfolg hatte die 3. Sinfonie (heroische in C-dur) von Hans Huber, die eine mustergiltige Aufführung erlebte. Mit diesem Werke und dem zum ersten Male gespielten Trio hat Huber das erreicht, was man von ihm erwartete. Einen ebenbürtigen Erfolg erzielte Marteau mit dem Konzert von Jacques-Dalcroze. Neben diesen 10 Abonnementskonzerten haben wir auch 6 Kammermusikaufführungen der Herren R. Freund (Klavier, und des Qartetts: W. Ackroyd, H. Treichler, J. Ebner und W. Treichler. Mit Ausnahme des erwähnten Trios von Huber kam hier als Novität nur ein Quartett von Stanford. Den 2. Kammermusikabend übernahm die Société de musique de chambre pour instruments á vent de Paris. In dieser Saison fanden bis jetzt erst 2 Chorkonzerte statt. Die erste Aufführung des »Gemischten Chores Zürich« war die letzte seines früheren Dirigenten Hermann Suter, der nun nach Basel berufen wurde. Wir hörten: Nenie von Götz, Lieder von ,Brahms (Frau Rusche), Acapella-Lieder: »Vineta« und »Fahr wohl« von Brahms und ein mit großem Beifall aufgenommenes Stück von Hegar: »Liederfrühling«; Oskar Noë sang dann einige Lieder von Hugo Wolf, worauf des gleichen Komponisten »Elfenlied« und »Feuerreiter« folgten, dann kamen Gesänge mit Orchesterbegleitung von Strauß (Sistermann) und zum Schluß die Dichtung für Musik (Solostimmen, Chor und Orchester): »Charons Nachen« des Unterzeichneten, der Suters Nachfolger als Dirigent des »Gemischten Chores Zürich«

wurde. Im Dezember gab auch der Züricher Männerchor« sein 1. Konzert, in dem als Novität der »Deutsche Michel« seines Dirigenten C. Attenhofer mit Erfolg zur Aufführung gelangte. Ferner spielten hier in dieser Saison neben vielen andern Solisten auch: Risler, Sarasate und B. Marx-Goldschmid. **V. A.**

Vorlesungen über Musik.

Barcelone. A l'Académie Royale des Sciences et des Arts, M. le Dr. Santiago Mundi, donna lecture à une conférence sous le titre «Importance des systèmes harmoniques dans la constitution de la mathématique». Il commença par la formation de la gamme musicale de l'école pythagoricienne, démontrant que l'intervalle appelé semi-ton n'est pas précisément la moitié du ton. Après le genre diatonique il expliqua les tétracordes caractéristiques des genres chromatique et enharmonique, les différences du premier avec celui qui porte le même nom aujourd'hui, et la disparition du second, inconnu dans les temps modernes, la modification que Ptolomée introduit dans la gamme musicale en modifiant la tierce majeure, la mineure et l'intervalle du semi-ton, et appelant l'attention de ses auditeurs sur le petit intervalle nommé «comma» qui est la différence entre les tierces mineures qui ne sont pas toutes égales, et aussi entre les quintes également diverses. En multipliant ou divisant les nombres de vibrations par un facteur determiné, le son augmente ou diminue d'un semi-ton, d'où la constitution des gammes chromatiques ascendentes ou descendentes. Dans la dernière partie de sa conférence, il fit voir que si la mathématique a exercé une si grande influence dans la musique, les systèmes harmoniques, par contre, aidaient à constituer le fondement de l'analyse mathématique et de la géométrie, analytique et projective, par exemple, le grand nombre de définitions et théorèmes qui ont rapport aux systèmes harmoniques. La science moderne en substituant à ces derniers les systèmes enharmoniques a fait un gran pas en avant, et c'est grace à eux qu'on a pu dechiffrer les aphorismes d'Euclide considerés comme enigmatiques.

Bern. Den Cyklus der akademischen Vorträge für ein weiteres Publikum eröffnete am 20. November Herr Professor Dr. Thürlings, der über *Die schweizerischen Tonkünstler im Zeitalter der Reformation* sprach. In Aussicht gestellt sind ferner Vorträge des Herrn C. Heß über *Hektor Berlioz* und des Herrn Dr. Schönemann über *Das Zustandekommen des Höraktes.*

Dresden. Am 14. Dezember las in dem vom Stadtverein für innere Mission veranstalteten dritten Komponisten-Abend Herr Ed. Reuß über *Rob. Volkmann,* sein Leben und seine Stellung in der Kunstgeschichte als Einleitung zu der Aufführung Volkmann'scher Werke.

Paris. Cours et Conférences. Au Conservatoire, le 20 novembre, M. Bourgault-Ducoudray a repris, comme chaque année, son Cours d'Histoire de la Musique. Il se propose de traiter l'Histoire du clavier, c'est-à-dire de tous les instruments qui ont précédé le piano: virginale, épinette, clavicembalo, clavecin, et le piano lui-même; il analysera, au cours de cette étude, les œuvres écrites pour ses différents instruments, depuis le XVI° siècle jusqu'à nos jours, tant en France qu'à l'étranger.

A l'Ecole des Hautes Etudes sociales, la musique occupe sur le programme de 1902-1903, une place importante: treize cours, sous la direction de M. Romain Rolland, seront professés, par MM. Théodore Reinach (La Mélodie dans la Musique grecque), Louis Laloy (La Musique antique et le Chant grégorien), Pierre Aubry (Histoire de la Musique française, des origines à la Renaissance), Houdard (L'Evolution du Rhythme musical, de l'antiquité gréco-romaine à la Renaissance), Henry Expert (La Musique française au temps de la Renaissance), Romain Rolland (Les Origines de l'Opéra), Julien Tiersot (La Musique au temps de la Révolution), Ch. Malherbe (Le Romantisme de Berlioz), Henry Lichtenberger (Questions d'Esthétique et d'Histoire musicale moderne), Jules Combarieu (La Musique au point de vue sociologique), Lionel Dauriac (Richard Wagner); Hellouin (Gossec), et Vincent d'Indy (César Franck).

Comme on le voit, la plupart des sujets traités se rapportent à l'Histoire de la Musique française et sont abordés pour la première fois dans des cours publics; par des érudits qui font autorité en la matière; le fait est d'autant plus remarquable que, jusqu'en ces derniers temps, l'histoire de la musique comme celle de l'Art en général n'avait pas droit de cité dans les Universités françaises; depuis une dizaine d'années, cependant, plusieurs thèses de doctorat-ès-lettres avaient été soutenues en Sorbonne par MM. Romain Rolland (Les Origines de l'Opéra), Jules Combarieu (Les Rapports de la Musique et de la Poésie) et Emmanuel (La Danse grecque). A la Sorbonne même, M. Lionel Dauriac continue à professer son cours libre d'Esthétique musicale.

J.-G. P.

Nachrichten von Lehranstalten und Vereinen.

Bruxelles. On annonce que M. Mailly, le distingué professeur du cours supérieur d'orgue au *Conservatoire*, songerait à prendre sa retraite. Cette décision sera vivement regrettée de tous ceux qui savent la très grande place qu'il su conquérir, tant par son enseignement que par sa maîtrise personnelle, dans un pays où l'école d'orgue a conservé les hautes traditions. M. Mailly a, dit-on, reçu les offres les plus brillantes pour faire une dernière tournée de concerts en Europe et en Amérique, tournée dans laquelle il serait accompagné par un de ses élèves, Charles-Marie Courboin, jeune virtuose de dix-sept ans, lauréat du Conservatoire bruxellois, attaché comme organiste-virtuose à Notre-Dame d'Anvers. Les récitals de M. Courboin font, en ce moment, sensation dans cette ville; et M. Mailly profiterait de sa tournée pour présenter son élève au grand public des deux mondes.

Notizen.

Belfast. The Kruse Quartett (Kruse, Inwards, Ferir, Walenn) have taken up *Verdi's String Quartett* in E minor (1873), and played it here at the November-December Lawrence Walker concerts. It is time that this work, so gracious, strong, masterly, and opening almost a new chapter of its own, should be revived.

M. S. D.

Berlin. Zu dem lebhaftesten Bedauern aller Berliner Kunstkreise ist der wegen seines wohlwollenden und sachlichen Wirkens allgemein verehrte General-Intendant der Königlichen Schauspiele Excellenz Graf von Hochberg von dem schwierigen Amte, das er 16 Jahre lang mit ungewöhnlicher Hingabe und mit vielem Glück verwaltet hat, zurückgetreten, wie er es bereits seit Jahresfrist geplant hatte.

Dublin. In Jan. 1902 began in Rome the "Rassegna Gregoriana" pub. by Desclée, Lefebvre and Co. In March 1902 began here an "*Irish Musical Monthly*", devoted to Catholic Music in church and school, pub. by Browne and Nolan, edited by our member Rev. H. Bewerunge. Considering the special musical aptitude of the nation. Irish music is appallingly backward. A country where all the flat is bog must be poor. In churches for a poor population, there are no means for musical display. In poor schools music comes in as the last grace; till just now it was taught in only 15 per cent of the Irish primary schools. Then, alas, the noble and beautiful Irish language (see Grammatica Celtica, J. C. Zeuss, 1856), which has fought through thousands of years, and taken but 18 scriptory letters into its service, is in a fair way to die out, crushed by the superior weight and organization of the Teutonic languages; and failing, it carries with it the instinctive knowledge of folk-melodies. Thirdly it must be admitted that as to art-products, the 100-mile sea between this and England, and the still greater distance to Europe, prevents a standard and vitiates judgment. For these reasons, especially the first two, an Irish musical newspaper has an important future. As to scope of this, Catholics are in Ireland as 4 to 1. Maynooth College, from which edited, was founded by Govt. for indigenous education of the Catholic priesthood in 1795, when French Revolution had closed the seminaries in France. The village is the ancestral home of the Fitzgeralds or Geraldines. The newspaper will watch over school music on one side, and stimulate church music (plain-chant or figured) on the other. It is conducted in a decorous dignified manner, and is full of useful information. Irish music wants waking up very badly, but if that is achieved the isolation of the country will be its gain, for it has the natural genius within itself. And in all difficult Irish questions, even political, let it be remembered, the Irish bog has no miasma! M. S. D.

Edinburgh. On 10th December 1902 Prof. Niecks lectured (2nd Historical Concert, cf. IV, 140) on *British-Irish harpsichord and pianoforte music*, 16th to 19th century; pianoforte, Fanny Davies. Six periods were taken.

(1) The greatest period of English clavier music was under Elizabeth and James I. A numerous and prolific English school then influenced the Netherlands and Germany. Byrd (c. 1538—1623) was the most perfect and universal genius in that golden age of English music, John Bull (c. 1563—1628) was the most brilliant virtuoso, Orlando Gibbons (1583—1625) was its last development. The speciality of these composers in instrumental music was the variation form, the varying of popular songs and dances. This school enormously widened technique and enriched the peculiar clavier language; indeed it originated a new clavier style, truly adapted to the instrument, and distinguished by lightness of treatment and wealth of varied and interesting figure; the air of modernness about some of these early compositions is truly surprising. Illustrations from the above were now played on harpsichord, then repeated on pianoforte. (2) Subsequent to that first period there are only met solitary individuals producing notable clavier music; and they, with one exception or perhaps two, cultivated this branch subordinately and even merely incidentally, exercising no influence and enjoying no reputation beyond their own country. The amiable solid John Blow (1648—1708) wrote chiefly and best for voices; his younger contemporary Henry Purcell (1658—1695), the most vigorous and exuberant genius among the English musicians of modern times, although throwing off now and then excellent things for the clavier, gave his main strength to the theatre and the cathedral. (3) The pleasing and sometimes happily inspired, but by no means grandly magisterial, James Nares (1715—1783) shows in his output less disproportion than usual between the quantity of harpsichord and vocal compositions; and Thomas Arne (1710—1778), distinguished above all by natural ease and tunefulness, had an absorbing preference for the stage. (4) In fact it is not till the Irishman John Field (1782—1837) that in post-Jacobean times there is met with a clavier-composer pure and simple, and one of European fame and influence in pianoforte playing and composition. In addition to this distinction, Field has the high merit of being the creator of the Nocturne. (5) Next to him, the delicate-fibred Sterndale Bennett — whom Schumann described as a "poetic beautiful soul", and "an angel of a musician" — proved himself the most original and fertile producer of pianoforte music. (6) In more recent times the British and Irish composers have been too busy with chorus and orchestra, in cantata, oratorio, opera, and symphony, to find leisure to occupy themselves with the poor and humble pianoforte. Notwithstanding this general neglect of the clavier by the composers in these parts, there exists however a great deal more of interesting, pleasing, and sterling music of this sort than most people are aware of. In fact the conclusion might be come to, that if the

British and Irish composers have neglected the clavier, the British public have still more neglected their composers for the clavier. Under this 6ᵗʰ period the illustrations given were from Cowen, Elgar, Mackenzie, O'Neill, Pitt, Somervell, Stanford, Taylor, and Tovey.

At the 2ⁿᵈ meeting of the 15ᵗʰ session of the local Bach Society, on 11 December 1902, a recital was given by Helen Macgregor (violin) and J. A. Fuller Maitland (harpsichord); i. e. the violin sonata in E, and the 30 Goldberg variations for harpsichord solo. The latter were prefaced by remark that 3 persons were concerned, the patron Freiherr v. Kayserling, the clavier-player Johann Theophilus Goldberg, and the composer Bach; the first, second, and third of each triad of variations might be held as written to please each of those persons respectively. On 12ᵗʰ December 1902. lecture by J. A. Fuller Maitland before Musical Education Society on the late P. F. works of Brahms, with many illustrations op. 116—119 played by himself. Op. 117, no. 1, "Schlaf sanft, mein Kind" (Herder), was in fact to the ballad-words "Lady Anne Bothwell's Lament". — On the 13ᵗʰ December 1902 before the Branch Incorp. Soc. of Musicians, Miss Alice Chambers Bunten lectured on ancient Dramatic Ballads and the minstrels' tunes thereto; and in illustration the following English and Scottish were sung, Sir Patrick Spens, Young Johnston, Chevy Chase, The two Corbies, The Douglas Tragedy, Sir Eglamore, Sweet William's Ghost, Giles Scroggin's Ghost.

M. K.-P.

Gera (Reuß). Im Konzertsaale des neuen Theaters werden im Laufe des Winters unter Leitung des Hofkapellmeisters Kleemann mehrere *Volks-Sinfoniekonzerte* zu billigen Preisen stattfinden.

Giebichenstein bei Halle. Am 25. November, dem 150. Geburtstag Johann Friedrich *Reichardt's* († 1814) fand am Grabe des Komponisten eine *Gedenkfeier* statt. Der alte Grabstein, der erneut worden war, wurde bei dieser Gelegenheit enthüllt; ein Sängerchor trug Reichardt'sche Kompositionen vor.

Görlitz. Das *15. schlesische Musikfest* unter Protektion des Grafen Hochberg und unter Leitung von Dr. Muck wird am 21. bis 23. Juni 1903 in der alten Görlitzer Musikfesthalle stattfinden.

Halle a. S. An der hiesigen Universität hat sich Dr. Hermann Abert als Privatdozent für Musikgeschichte habilitiert. In seiner Probevorlesung behandelte er »*Die Opernreform Gluck's*«; das Thema seiner Antrittsvorlesung am 20. Dezember lautete: »*Romantik in der Musik*«.

Keighley. *Handel's "Jephtha"* with Sullivan's addit. accompaniments was revived on 18th November 1902 by the Musical Union of this (Yorkshire) town. E. G. R.

London. — Regarding F. Gilbert Webb's remark (III, 447) that the musical critic should keep to himself, and spend his life "between the concert-room, a hansom cab, and an unlocated flat", the tabulation below shows the extent to which *musical criticism* in England is anonymous and impersonal. — The first list is of daily newspapers which maintain a separate department (large or small, regular or occasional) for music. The second list is the same for ordinary weeklies. The third list is for newspapers (weekly and monthly) which are wholly devoted to music. — The Year shows foundation-date of the newspaper. The Capital Letters show extent to which the musical matter in the newspaper is signatorially authenticated. Thus: — "A" = without any signature. "B" = pseudonymous signature, "C" = initialled, "D" = full-signed. The newspaper is responsible for the opinions in "A", but generally considered not so in "D". In the case of "C", the name is not known to the general public, but is readily traceable. — The Numeral Figures show the scriptory style adopted in writing the musical part of the newspaper. "1" = entirely impersonal; this is properly speaking used by reporters, not classed as part of the editorial personal staff. "2" = written with first person plural, "we". This particle originally meant the total combination of literary men, business men, and printers, banded together to bring out the newspaper. As representing that idea it still remains the foundation of English journalism. Rightly speaking the editorial "we" is used only by writers who are entitled to speak in the name of the editorial personal staff, and who also sink their individuality. It must be admitted it is, through inadvertence or ignorance, abused. When employed over individual signatures it is incongruous. When employed in connection with details of the writer's personal individuality, sensations, and experiences, it becomes ridiculous. "3" = written in the name of an individual, speaking of himself in the third personal singular, in the official manner. "4" = written in the name of an individual, speaking of himself in the first person singular; the success of this depends on the tact of the writer.

The following will be observed from the tabulation. (A) No daily newspaper on the list gives its editor's name. The musical matter in the great mass of dailies, and in all provincial dailies, is quite anonymous. The "Morning Leader" (1892), and the three evening papers "Echo" (1868), "St. James's Gazette" (1880), and "Star" (1888), admit initials. So also just recently the "Daily News" (1846). Almost all the dailies use the reporting indeterminate style, avoiding any personal pronoun. In the „Daily Telegraph" (1855), the "Manchester Guardian" (1821), the "Pall Mall Gazette" (1865), the "St. James's Gazette" (1880), the "Star" (1888), the "Times" (1785), and the "Yorkshire Post" (1754), the contributors appear authorized to use the editorial "we". The use of the 1st person singular style can only be traced to the "Echo" (1868), the "Morning Leader" (1892), and just recently the "Daily News" (1846). (B) Even the weeklies scarcely ever give their editor's name. The anonymous musical contribution prevails in more than half, and initialled or signed musical matter is given by the remainder. No inference can be drawn on this, and papers widely diverging in tone give contributors' initials. In the "Pilot" (1900) over signature occasionally, the "Referee" (1877) over pseudonym, the "Saturday Review" (1855) over initials, and the "World" (1874) over initials, the 1st person singular is used. In "Truth" (1877) the greater part of paper is nominally written by editor himself in the 1st person singular. (C) The practice in the wholly musical weekly and monthly papers is various, and can be seen from the tabulation. — The arguments for signing or initialling musical criticism appear to be, (a) that aesthetics are essentially a matter of individual opinion, (b) that it is more interesting to know what an individual thinks than what a corporate body thinks, (c) that prejudice or partiality are best avoided by open signature. The arguments counter appear to be (a) that many other things also, where signature is never applied, are matters of individual opinion, (b) that the reader is best served in the long run by a strong paper and plainly the anonymous method gives the greatest strength, and furthermore that the constant presentation of one personality becomes monotonous, (c) that with a highly developed journalistic organization and editorial system there is already sufficient check on prejudice or partiality. Whatever the arguments, the daily Press in England is almost unanimous in anonymity, while the other method has found entrance mostly in weeklies where the review element is predominant and in the specialized papers. Nota bene that in carrying out the English system, the self-obliterating lives of the working journalists show a devotion amounting almost to heroism.

As addendum some words as to the merits in principal cases; the remarks apply only to music. Among provincial papers, the criticism is conspicuously able in the Leeds "Yorkshire Post" (1754) and the "Manchester Guardian" (1821), two very fine old-established papers. The "Daily News" (1846) is unique in having a daily column of musical information and dissertation, besides the usual occurrence-reports; the column is very ably compiled, and its preparation by one individual marks the white heat at which London journalism is carried on. The "Daily Telegraph" (1855) has a Tuesday column, Music of the Day, besides the occurrence-reports, and is in the hands of the most experienced of London critics, with a staff. The "Times" (1785), in its ordinary musical notices is much sought after for authoritative opinions, and with its Friday Literary Supplement (1900) has generally a special musical article by this or that hand. The "Pall Mall Gazette" (1865), has also a Friday feuilleton by a refined writer. The "Morning Post" (1772), without regular column, is written vivaciously by a practical musician for the upper ten thousand. The "Standard" (1857), without regular column, is noticeable for full information and prompt judgment on every current event; the principal critic has a staff. Of the weekly general papers: — The "Athenaeum" (1828) is a paper of research and calm judgment. The column in "Truth" (1877) is distinguished by complete knowledge of the world, musical and otherwise. The "Observer" (1792) and "Sunday Times" (1822) are Sunday papers with well-digested news and good average opinions. The "Referee" (1877), also a Sunday paper. has a laughing philosopher, who seldom condemns and never injures. The "Pilot" (1900), "Saturday Review" (1855), "Speaker" (1890), and "Spectator" (1828), have articles only occasional, but always of decided ability. Of the musical papers proper: — The "Irish Musical Monthly" represents Catholic church and school music. The "Monthly Musical Record", pub. by Augeners, is a paper of school interests and general culture. "Music", of London, represents chamber-music and general culture. The "Musical Courier", of London, represents the concert-profession. The "Musical Herald", pub. by Curwens, represents Tonic Sol Fa interests, and has extensive replies to correspondents. "Musical News" (weekly) represents the Royal College of Organists and general culture. "Musical Opinion" represents current news and the trade. The "Musical Standard" (weekly), pub. by Reeves, represents aesthetic considerations and general culture. The "Musical Times", pub. by Novellos, represents the organist world, musical history, and general culture, and has a vast news-system. The "Organist and Choirmaster" represents the organ and organists, and has learned replies to correspondents. The "Orchestral Times" represents orchestral players and bandsmen.

(A) Daily Newspapers: — Birmingham Daily Post (1857). A, 1. Bradford Observer (1834), A, 1. Daily Chronicle (1855), A, 1. Daily Express (1900), A, 1. Daily Graphic (1890,. only regularly illustrated daily in the world, A, 1. Daily Mail (1896), A, 1. Daily News (1846), only newspaper with a daily separate column devoted to musical news and discussion; till 1. November 1902, A, 1; since then C, 4. Daily Telegraph (1855). weekly separate column "Music of the Day", A, 2. Echo (1868). oldest halfpenny evening paper, C, 4. Evening News (1881), A, 1. Glasgow Herald (1782), A, 1. Globe (1803), oldest evening paper, A, 1. Irish Times (1859), A, 1. Leeds Mercury (1718), A, 1. Liverpool Courier (1808), A, 1. Manchester Courier (1825), A, 1. Manchester Guardian (1821), A, 2. Morning Advertiser (1794), A, 1. Morning Leader (1892), C, 4. Morning Post (1772), A, 1. Pall Mall Gazette (1865), weekly feuilleton, A, 2. St. James's Gazette (1880), C, 2. Scotsman (1817), A, 1. Standard (1857), A, 1. Star (1888), C, 2. Times (1785), A, 2. Westminster Gazette (1893), A, 1. Yorkshire Post (1754), A, 2. These are 28 dailies. None give editor's name. For mus. contributors, twenty-three are "A", and 5 are "C", with "D" as a rare occurrence. As to style used by mus. contributors, eighteen are "1", seven are generally "2", and three only are "4". — (B) Weekly Newspapers: — Athenaeum (1828), "The Week" and "Musical Gossip", A, 2. Black and White (1891), illustrated. A, 1. Era (1837), the theatre. A, 2. Graphic (1869), illustrated, A, 1. Guardian (1846), A, 2. Illustrated London News (1842), C, 1. Illustrated Sporting and Dramatic News (1874), B, 2. Observer (1792), "The Musical World", A, 2. Pilot (1900), CD, 4. Queen (1861), A, 2. Referee (1877), "Of Matters Musical", pseudonym "Lancelot", B, 4. Saturday Review (1855), C, 4. Speaker (1890), C, 1. Spectator (1828), C, 3. Sunday Special (1897), C, 2. Sunday Times (1822), "Music and Musicians", A, 2. Times Literary Supplement (1901), A, 1. Truth (1877), A, 4, editorial 1 st person. World (1874), C, 4. These are 19. Only 2 give editor's name. For mus. contributors, ten are "A", two are "B", and seven are "C", with "D" only occasional. As to style used by mus. contributors, five are "1", eight are "2", one is "3", and five are "4". — (C) Musical Weeklies and Monthlies (but the only 2 weeklies are "Musical News" and "Musical Standard"): — Irish Musical Monthly, Monthly Musical Record, Music (of London), Musical Courier (of London), Mus. Herald, Mus. News, Mus. Opinion, Mus. Standard, Mus. Times, Organist and Choirmaster, Orchestral Times. These are 10. None now give editor's name. Each is mixed, A, B, C, D. Each is mixed 1, 2, 3. Musical Standard uses 4, others almost wholly exclude it.   C. M.

The following is the correct record of *Herbert Bunning*, promised at III, 482. Born, London, 2 May 1863, son of a ship-owner; at school at Harrow, at which time intended for bar; went to Brasenose College, Oxford, and passed thence as Univ. candidate to Roy. Milit. College, Sandhurst; got commission to 4th (Queen's Own) Hussars, wherein served as Lieutenant 1884—1886; left Army and studied composition 1886—1890 under Cesare Dominicetti (Milan) and Vincenzo Ferroni (Milan). Married Marguerite Wilhelmine, Marquise de Moligny. Settled in London 1891. Was Music-

director of Lyric Theatre 1892—1893, and Prince of Wales's Theatre 1894—1896.
Misc. compositions apart, principal works performed (first time): —

27 Feb. 1892, Cryst. Palace Saturday, scena bar. (Oudin) and orch. "Lodovico Il Moro".
1892, Lyric Theatre (run), Incidental music to "Incognita".
1893, Lyric Theatre (run), "Shepherd's Call".
1893, Lyric Theatre (run), Ballet-music for "Golden Web".
4 April 1896, Crystal Palace Saturday, 4 movements, "Village Suite".
1 July 1897. Philharmonic, ov. "Spring and Youth".
24 April 1897. Crystal Palace Saturday, dramatic ov. "Mistral".
14 and 18 July 1902, Royal Opera Covent Garden, 3-Act Opera "La Princesse Osra".
12 Nov. 1902, Sandringham, Intermezzo.

Trinity College, London, having presented from its accumulated funds to the
University of London a capital sum sufficient to found a new *"King Edward Pro-
fessorship of Music"*, Sir Frederick Bridge was on 26th November 1902 elected by
the University as Professor. He has now announced 5 Friday afternoon lectures (Jan.
to May) at S. Kensington. — The donor-College is a thriving institution founded
1872, teaching within its walls and examining there and elsewhere. It teaches, gives
scholarships &c., like other academies. Its ordinary diplomas by examination are
Associate, Licentiate, Fellow. It also gives Teacher certificates ("Higher Examina-
tions"). Also through some 200 local examination-centres in Kingdom, and some 100
in the Colonies, Student certificates. The numbers examined are very great. Its
special Queen Victoria Lectureship (course of about 3) was founded in 1872, late
Queen's Jubilee Year; annual appointment; see II, 285, 404. — London University
founded 1837 was since 1857 a general examining and degree-giving body only. Subjects were, Arts (in the special sense), Laws, Science, Medicine, and Surgery. After
2 Royal Commissions (Lord Selborne 1882, Lord Cowper 1892) Act of Parlt. was passed 1898, and Univ. was reconstituted 1900. Objects are: — (a) to give it more
direct educational control, to which end certain London institutions are affiliated to
it, (b) to democratize the education by opening new subjects, (c. to teach the teachers.
The development is important, and the music-chair will share in it. In Germany ·5
per mille go to University, in England ·2. — On 28th Nov. a Banquet was given to
Sir F. Bridge in recognition of his services in directing Coronation Music (IV, 29).
Prime Minister of England was to have been in chair, but his place taken by Chief
Secretary to Ireland. Brilliant function. Most leaders of profession present. Sir F. B.
in course of speech deprecated abolition of Greek at Oxford Matriculation, which
measure since rejected.

The following London concert-halls and showroom-halls have one by one dis-
appeared for concert purposes: — Brinsmead Rooms, Broadwood Rooms, Collard
Rooms, Cramer Rooms, Crosby Hall, Exeter Hall, Hanover Square Rooms, Kirkman
Rooms, London Tavern Rooms, Neumeyer Rooms, Prince's Hall, St. Cecilia's Hall,
St. Martin's Hall, Wornum Rooms. Increasing ground-value forces them into more
profitable employment. There remain available for hire by public at this moment, not
including suburbs, only: — Albert Hall (excessive size, v. III. 370), Queen's Hall (large),
Bechstein Hall (sub-medium size, v. II, 358), Queen's Hall (large), St. Andrew's Hall
(small), St. James's Hall (medium), Salle Erard (small), Steinway Hall (small). Now
St. James's Hall is being sold to an English-American syndicate, who will, notwithstanding improvements just made (IV, 30), pull it down and erect new Theatre-Hotel-
Restaurant on very large scale. This Hall, opened March 1858, is only remaining
available one built on the correct musical principle of oblong shape with parabaloid
end at focus of which the music; it is to be feared the principle will be lost with
the Hall. Its acoustic properties are near perfect. When a new one is built elsewhere to replace, as seems certain, the idea of a conjoined "Music House" (III, 197)
may be taken up. "Lancelot" in "Referee" of 28 December says that afternoon
chamber &c. concerts should be given in theatres.

On the 18th December 1902 at a "Broadwood Concert" our member Dr. Alan
Gray (b. 1855, from 1883 to 1892 music-director of Wellington College school for

boys, 1892 succeeded Stanford as org. of Trin. Coll. Cambridge) gave first London public performance from Brahms's posthumous 11 organ preludes, op. 122. In spite of the evidence of R. Heuberger in the "Signale", one cannot tell how long these had been on the stocks. The new *"Broadwood Concerts"* are 12 fortnightly evening chamberconcerts Nov. to April, with expectation of developing. Prices by comparison with ordinary quite low, 5/, 3/, and 1/. Abandonment of system or profuse invitationtickets. Aim at giving an opening to native artists which shall stop or mitigate the annual benefit-concert device (which are the opposite of a pecuniary benefit), and at same time give opportunity for native chamber-composers. If anyone can carry out this high-minded policy, it will be the firm named.   E. G. R.

Mailand. Das Haus Giulio Ricordi läßt mit Anfang des Jahres 1903 eine *Verschmelzung* seiner beiden *Zeitschriften* ›Gazzetta Musicale di Milano‹ und ›Musica e Musicisti‹ in eine illustrierte Monatsschrift mit dem Titel ›*Musica e Musicisti, Gazzetta Musicale di Milano*‹ eintreten.

Mannheim. Anläßlich der Einweihung der neuen Festhalle findet Ostern ein mehrtägiges *Musikfest* statt, das von Hofkapellmeister Kähler und Generalmusikdirektor Mottl geleitet wird. Ferner veranstaltet der philharmonische Verein in dem gleichen Gebäude in den Tagen vom 20.—23. April ein *Beethovenfest* mit dem Kaim-Orchester unter Weingartner's Direktion. Sämtliche Beethoven'sche Symphonien werden aufgeführt werden.

Münster (Westfalen). Zum *Lektor der Musik* an der hiesigen *Universität* wurde Herr Musikdirektor Dr. Wilhelm Nießen ernannt.

Sheffield. Sir Alex. Mackenzie gave here on 10th November a lecture on *"Life and Works of Liszt"*; illustrations by Marguerite Elzy (II, 138), pupil of Oscar Beringer; choral works by Sheffield Musical Union under Coward (IV, 52, 82). At concert on 18th idem Coward's "Gareth and Linet" and Coleridge-Taylor's "Meg Blane", cond. by composers; orchestra wholly local, a new organization.   E. G. R.

Speyer. Der Speyergau-Sängerbund erläßt ein *Preisausschreiben* für deutsche Komponisten zur Beschaffung von drei *volkstümlichen Männerchören* für das nächste Sängerfest im Jahre 1904 und setzt als Preise 50, 40 und 30 Mark aus. Die näheren Bedingungen können kostenlos bezogen werden durch den Vorsitzenden des geschäftsführenden Ausschusses, Lehrer J. Schultz in Speyer am Rhein.

Taranto. Auf Veranlassung von Dr. Carrieri hat der Magistrat von Taranto, der Vaterstadt Giovanni *Paisiello's*, beschlossen, die *Gebeine* dieses Meisters, welche in der Kirche Donnalbina zu Neapel liegen, nach Taranto überzuführen.

Wien. Am 30. November fand hier die Eröffnung eines neuen Konzertsaales durch ein Festkonzert mit ausschließlich Schubert'schen Kompositionen vor einem zahlreich erschienenen geladenen Publikum statt. Der neue Saal, der sich in der Nähe des Geburtshauses Franz Schubert's (Währingerstraße 46) befindet, führt den Namen *Schubert-Saal* und ist für kleinere Veranstaltungen, wie Lieder-, Klavier- und Kammermusik-Abende berechnet. Er faßt ungefähr 200 Personen. An der Stirnseite befindet sich ein überlebensgroßes Kopfrelief Franz Schubert's in künstlerischer Ausführung. Die Akustik des Saales ist vorzüglich.

Kritische Bücherschau

der neu-erschienenen Bücher und Schriften über Musik.

Referenten: F. Suarez Bravo, O. Fleischer, O. Gerke, Ch. Maclean, A. Mayer-Reinach, J. Wolf, C. Thiel.

Abert, H. Robert Schumann. Berühmte Musiker, herausgegeben von H. Reimann, Bd. XV. Verlag Harmonie, Berlin 1902. 111 S.

Mit wenigen sicheren Strichen entwirft uns Verfasser ein treues Bild vom Leben und Wirken Robert Schumann's. Besonders betont er den Einfluß, den Jean Paul auf die Entwickelung des Meisters gewonnen hat. Seine musikalischen Urteile verraten tiefstes Verständnis schumannischer Kunst und eingehendste Kenntnis der Kunst-Strömungen der damaligen Zeit. Die schlichte, warmherzige Sprache, die fesselnde Darstellung, die hübsche Ausstattung mit interessanten Bildern und Faksimilien werden dem Buche überall eine freundliche Aufnahme sichern. Auch der Fachgenosse wird es nicht ohne Nutzen lesen, da es auf der Höhe der Forschung steht. J. W.

Anonym. Einhundert Jahre Musik-Geschichte. Schuster und Löffler, Berlin, 1902 — 103 S. 8⁰ ℳ 1,—.

Erschien als Beilage zur »Musik« und registriert, Jahr für Jahr des 19. Jahrhunderts durchgehend, die wichtigsten Ereignisse des Musiklebens in knappester Form. O. F.

Baker, Theodore. A Biographical Dictionary of Musicians. New York, G. Schirmer. London, C. Woolhouse. 1901. pp. 653, Crown 8vo. 20/.

A universally recognized book of musical reference makes the alarming statement, "In dictionaries one work can never supersede another, and perfect information is only to be got by consulting all". Is it however a fume of fancy, to suppose that the present Society could map-out, co-ordinate, the whole musical-dictionary subject, so as to lead to labours practically supersessive? Musical dictionaries deal with 2 main categories, Subjects and Persons; the former too vague term comprising things, ideas, and art-products (χρήματα, νοήματα, τεχνήματα). To these, key-matter, such as Bibliography, is a necessary complement. And our member J. G. Prod'homme would add Places (III. 469). But each one of these (Things, Ideas, Art-products, Persons, Books, Places), is — excepting Topography and Minor Biography — an international subject. A general Musical Lexicon, conceived in conference, and centrally executed, could take the field; leaving it to different countries to rally round it with national works on supplementary lines roughly pre-arranged. It is evident that contemporary and minor biography is best done on the spot. The Stratton and Brown "British Musical Biography" described at Z. III, 377 (the best British work of its kind), would exactly fit in such scheme. The present work less so, being more ambitious, and including all lands. — Theoretical or prospective classifications apart, present volume is exceedingly useful. Inclusive as above, it gives special prominence to British and American musicians (about 800 out of 6000), with leaning to the living; and is for that combination the most up to date. Also noteworthy for accuracy. Compiled by an individual, and the judgments embodied are sound, average, and unobtrusive. 300 vignettes (from pictures and photographs) by the Russian Alex. Gribayédoff; some really good likenesses, and the whole giving to pages a pleasant uniform tone. Few books can be recommended with such confidence. C. M.

Balaguer, Victor. I Pirenei. Trilogia lirica con un prologo. Tratta dal poema...e tradotta in italiano da José Mª· Arteaga Pereira. Barcelona: MCMI. 104 S. 8⁰.

Traduction presque littérale du «libretto» de la trilogie du maître Pedrell. L'auteur de la traduction est professeur de musique à Barcelone, et déjà connu par des travaux analogues. F. S. B.

Brée, Malwine. Die Grundlage der Methode Leschetizky. Mit Autorisation des Meisters herausgegeben. Mit 47 Abbildungen der Hand Leschetizkys. Mainz, B. Schott's Söhne, 1902. 98 S. gr. 4⁰. ℳ 5,—.

Verfasserin ist seit 10 Jahren Assistentin des berühmten Wiener Klavier-Pädagogen,

dessen Porträt das Buch — ein Prachtwerk in seiner vortrefflichen buchhändle-
rischen Ausstattung — schmückt. Man
darf nach allen gegebenen Umständen das
Werk als des Meisters geistiges Eigentum
betrachten, jedenfalls stellt es die authentische Darstellung des Lehrganges Leschetizky's dar, wie dieser selbst in einem Briefe
an die Verf. ausdrücklich erklärt. O. F

Brenet, Michel. Additions inédites
de Dom Jumilhac à son traité de
«La science et la pratique du plain-
chant» (1673), publiées d'après le
manuscrit de la Bibliothèque nationale. Paris, Bureaux de la Schola
cantorum, Rue Stanislas 15. 49 S.
gr. 4⁰.

Eine der besten Darstellungen der
Theorie des Gregorianischen Gesanges ist
die 1673 anonym erschienene Science et
pratique du plain-chant, die noch heute
nicht unbrauchbar ist. Wegen des merkwürdig seltenen Vorkommens der Original-
ausgabe in den Bibliotheken veranstalteten
schon Nisard und Alexandre Le Clercq
1847 eine sorgsame, textkritische Neuausgabe davon, ohne zu ahnen, dass ein
Exemplar des Druckwerkes mit zahlreichen
Änderungen und Verbesserungen von des
Autors Hand noch vorhanden sei. Der
vielumstrittene Name des Autors war Dom
Jumilhac, geb. 1611, gest. 1682 in S. Ger-
main-des-Prés. Seine eigenhändigen Kor-
rekturen waren wohl für eine zweite Auflage bestimmt, die aber nicht erschienen
ist; hier werden sie nun in dankenswerter
Weise zusammengetragen. Sie sind zum
Teil sehr umfangreich, besonders in der
Partie II, IV, VI und VIII. Zur Partie
VIII hat Jumilhac sehr viele Notenbeispiele
nachgetragen. Für den Forscher über den
Gregorianischen Gesang, namentlich aber
für den Besitzer oder Benützer des Jumilhac'schen Werkes dürften diese Ergänzungen
unerläßlich sein.   O. F.

Broesel, Wilhelm. Richard Wagners
Senta. Ein Beitrag zu deren Auffassung. Leipzig, F. Reinboth. —
25 S. 8⁰. ℳ 0,50.

Der Verf. hat die Senta schon einmal
zum Gegenstand einer Untersuchung gemacht in einer kleinen bei E. W. Fritzsch
in Leipzig erschienenen Schrift »der Charakter der Senta und seine ideale Gestaltung«. Viel neues sagt daher die vorliegende Broschüre nicht; sie bespricht die
Bayreuther Aufführungen und gipfelt in
dem Satze, daß bei diesen sich bisher eine
bestimmte verläßliche Maßgabe noch nicht

herausgestellt habe, sondern jeder Darsteller nach eigenem Befinden spiele; dabei
sinke nur zu oft die Senta zu einer bloßen
Opernfigur herab.   O. F.

Carreras y Bulbena, Joseph Rafel.
Carlos d'Austria y Elisabeth de
Brunswick Wolfenbüttel à Barcelona y Girona. (Catalonischer Text
mit deutscher Übersetzung.) Barcelona, Tip. «L'Avenç», 1902. 587 S.
8⁰. Ptas. 12.

L'auteur dédie son ouvrage »Zum guten
Andenken des kaiserlichen königlichen
Hauses Österreich, des fürstlichen Hauses
Liechtenstein und der catalanischen alten
Sittenreinheit.« Quoique la partie princi-
pale de ce livre, comme appartenant à
l'histoire générale ne soit pas de notre
ressort, il y a une grande partie destinée à
faire connaître la musique à la cour de
l'Archiduc Charles d'Autriche pendant qu'il
fût le Prétendant au trone de l'Espagne,
à la mort de Charles II. Le plus grand
des compositeurs de qui l'auteur fait mention est, sans contredit D'Astorga. Son
drame pastoral «Dafni» fût représenté à
Barcelone, devant l'archiduc et son épouse,
le mois de juin de 1709. On trouve aussi
des notices sur divers musiciens de Barcelone, comme Mossen Francesch Valls.
maître de la cathédrale et Père Rabassa;
et des indications sur quelques opéras de
Caldara et d'autres compositeurs qu'on mit
en scène. L'auteur, répétant ce que l'historien Capmany dit dans ses «Memorias
historicas» explique comment «beschloss der
Zwanzigerrath am 24. December 1708 einen
Saal der Lotja, oder Seebörse, für Opern-
vorstellungen herzurichten, zur Unterhaltung
Karls von Oesterreich. Es ist wohl sicher,
daß «Il più bel nome» (Componimento da
Camera per musica, poesia del Dr. Pietro
Pariati, musica d'Antonio Caldara), in dem
großen Geschäftsabschlußsaale aufgeführt
wurde, den die Kaufleute an bestimmten
Tagen gern zur Ergötzung der königlichen
Herrschaften hergaben. Da jedoch Karl
von Oesterreich ein großer Musikliebhaber
war und gern ein Lokal betrieben hätte,
wo er sich öfters mit Musikaufführung
unterhalten könnte, scheint es wohl den
Kaufherren beschwerlich gefallen zu sein
den großen Geschäftsabschlußsaal zu jeder
Tagesstunde hergeben zu sollen und somit
beschlossen sie dem hohen Liebhaber einen
besonderen Saal zu überlassen. Es ist wohl
gewiß, daß in diesem Saale Musikstücke
zum Namens- und Geburtstage Karls und
Elisabeths nach der Sitte des Wiener
Kaiserhofes aufgeführt wurden; wir finden
jedoch so etwas nirgends bestimmt berich-

tet. Narcis Feliu de la Pèna erwähnt bloß, daß von Ende Januar 1709 bis zur Fastenzeit desselben Jahres, die am 13. Februar begann, die Zeit mit Opern und Musikfesten auf Kosten des Königs verbracht wurde, so wie auch mit Festbezeigungen des Gesandten Portugals in dessen Haus und Straße, die mit einem Gastmahl und Serenade im Sankt Georgsaale del Deputation endeten, die Karl und seine Gemalin mit ihrer Gegenwart beehrten aus Freude über die glückliche Ankunft der Königin von Portugal in Lissabon.‹ Il y a dans les appendices, des reproductions en fac-similè de chansons politiques contemporaines, du drame pastoral de D'Astorga, d'un ‹Villancico› de Joseph Gaz, maître de chapelle à la cathédrale de Gerona, et le ‹Tono à solo humano› de Pedro Rabassa, avec d'autres pièces curieuses. F. S. B.

Chamberlain, Houston Stewart. El Drama Wagneriá. Traducció de Joaquim Pena. Barcelona, Fidel Giró, 1902. — V u. 222 S. 8⁰. 3 Ptas.

L'ouvrage bien connu de Chamberlain vient d'être traduit au catalan par le président de l'Association wagnérienne de Barcelone, et distribué parmi les associés. Ce qui fait l'intérêt de cette publication c'est la lettre écrite par l'auteur tout expressément pour elle, datée à Vienne le 7 mars dernier, et très flatteuse pour les lecteurs espagnols: ‹Je me trouvais pour la première fois à Bayreuth; je ne connaissais personne. Tremblant d'émotion, je finissais ma promenade autour de la Festspielhaus, et je contemplais dans le lointain la résidence Wahnfried, où habitait — car il vivait encore! — le maître. Je m'assis — non sans crainte — à une table; un voisin frivole et sans enthousiasme m'aurait été insupportable; un voisin, à guise de certains allemands apocalyptiques et sentencieux, m'aurait enlevé la vie et la gaité: Dieu, par bonheur, l'avait disposé différemment. J'avais vis-à-vis de moi Joaquin Marsillach[1] avec quelques uns de ses amis, et pour voisin Rogelio de Egusquiza[2], accompagné aussi de plusieurs compatriotes. En somme, je me trouvais au milieu de la phalange internationale, dans une île espagnole, et je me trouvais à mon

---

1) Marsillach Lleonart, Joaquin (1859—1883), né à Barcelone: auteur du livre ‹Ricardo Wagner›, le premier essai biographique et critique publié en Espagne sur l'œuvre du réformateur de Bayreuth.
2) Peintre espagnol contemporain, né à Santander et résidant à Paris.

goût. L'enthousiasme de tous ces hommes — plusieurs desquels furent plus tard mes amis — avait l'ardeur vibrante du Midi quoique laissant intacte son indépendance mâle et hautaine. Il y avait en eux une certaine harmonie entre l'admiration intellectuelle et l'admiration émotive, que je n'ai pu trouver que très rarement et grâce à laquelle leur enthousiasme pour l'œuvre de Wagner se manifestait d'une façon magnifique; mais sans leur faire perdre jamais l'équilibre. Une telle attitude me fût — et m'est encore — profondément sympathique; et dès lors j'ai toujours cherché à Bayreuth la compagnie des espagnols et j'ai conservé avec eux une correspondance non interrompue sur des questions d'art et d'esthétique.

Ayant appris, il y a longtemps, de mes amis espagnols, je suis heureux aujourd'hui de profiter de l'occasion qui se présente de payer une partie de ma dette en apprenant aux enfants des générations nouvelles quelques-unes des pensées mûries par une longue expérience de Bayreuth et par de nombreux travaux littéraires sur l'œuvre et la personalité de Richard Wagner. C'est pour moi un honneur que j'estime en toute sa valeur, le fait que l'Association wagnérienne de Barcelona ait bien voulu publier la traduction de mon livre; j'ai l'espoir que les espagnols l'accueilleront avec autant d'indulgence et de sympathie que l'ont accueillie les français et les allemands. Je n'ai point voulu faire un exposé de doctrine; je n'ai point voulu faire un système dogmatique: au contraire, j'ai tâché tout simplement de débrouiller l'esprit de préjugés et de formules; j'ai tâché d'enseigner à juger avec liberté les œuvres dramatiques de l'un des plus grands poètes de l'humanité.› F. S. B.

Chavarri, Eduardo L. El Anillo del Nibelungo. Tetralogia de R. Wagner. Ensayo analítico del poema y de la música, con 150 fotograbados y ejemplos musicales. (Biblioteca de Critica y Estética.) Madrid, B. Rodriguez Serra, 290 S. 8⁰. Ptas 3.

Formant le premier volume d'une bibliothèque de critique et d'esthétique en projet, M. Chavarri, critique du journal de Valence ‹Las Provincias›, vient de publier un essai analytique du poème et de la musique de la tétralogie wagnérienne.

Le livre est écrit avec autant de connaissance de la matière que de grâce dans le style. L'auteur ressent une admiration enthousiaste pour la production qu'il analyse, ‹une des créations les plus grandioses qu'ait pu imaginer la fantaisie d'un poète;›

quand il en expose les beautés, il le fait toujours d'une façon qui révèle l'impression profonde qu'elles lui produisent, et que lui, à son tour, s'efforce de communiquer au lecteur; l'exposition des thèmes conducteurs n'occasionne pas le moindre fatigue et l'intérêt de la lecture ne déchoit même pas pour le lecteur ignorant les principes du solfège. L'adroite critique de l'auteur signale les moments culminants de l'action dramatique, et à cet effet il a auparavant pénétré à fond dans l'idée fondamentale de la tragédie: voilà pourquoi il prête toute son attention à la scène entre Brunhilde et Wotan au deuxième acte de «la Walkyrie» pour expliquer le changement de volonté du dieu; à celle de Wotan avec Erda, au commencement du troisième acte de «Siegfrid», scène d'un grandiose eschylien; à celle qui, dans le «Crépuscule des Dieux» se déroule entre Brunhilde et sa sœur Waltraute; précisément toutes celles que «des spectateurs superficiels considèrent inutiles», préjugés dont Mr. Chavarri rend responsables «les interprétations insuffisantes données par des artistes qui sont seulement des chanteurs sans connaissance des intentions de l'auteur.»

Il y a dans ce genre là d'autres préjugés qu'il faudrait rectifier.

Récemment encore, la première représentation de «Siegfried» à Paris — on ne dira point que nous avons choisi une ville de deuxième ordre — a donné lieu à des manifestations dans la presse que pouvaient démontrer tout hors une idée sérieuse du caractère du drame musical. Pour ces enthousiastes, la preuve évidente de la supériorité des représentations du Grand Opéra, comparées à celles des principaux théâtres de l'Allemagne, consistait en premier lieu, dans la magnificence des décors et surtout, dans la reproduction du Dragon, détail regardé et soigné par la direction du théâtre avec plus d'attention et de scrupule que s'il se fût agi des facultés dramatiques des principaux personnages de l'œuvre, de Wotan, de Brunhilde ou de Siegfried. **F. S. B.**

Draescke, Felix. Kontrapunkt und Fuge, 2 Bände. (Louis Oertel, Musikbibliothek Band 21 und 22). Louis Oertel, Hannover. 187 und 205 S. 8⁰. Je ℳ 5,— broschiert, je ℳ 6,— gebunden.

Eine empfehlenswerte Kontrapunkt-Lehre im freien Stil. Verfasser setzt gründliche Kenntnis der Harmonielehre voraus und beginnt sofort mit dem dreistimmigen Satz. Seine Lehrweise ist klar, seine Beispiele gut gewählt. Der erste Band umfaßt den einfachen sowie den mehrfachen Kontrapunkt und den Kanon, der zweite den figurierten Choral und die Fuge.

J. W.

Der siebzehnte deutsch-evangelische Kirchengesang-Vereinstag zu Hamm in Westfalen am 8. und 9. Juni 1902. Leipzig, Breitkopf und Härtel, 1902. 80 S. 8⁰ ℳ —,60.

Die Schrift enthält neben den Fest-Gottesdienstordnungen, Fest-Predigten und Sitzungsberichten den trefflichen Vortrag von Otto Richter aus Eisleben über »Liturgische Andachten und Volks-Kirchenkonzerte in Stadt und Land«. Verfasser weist auf Volks-Kirchenkonzert und liturgische Andacht als geeignete Mittel hin, das der Kirche entfremdete Volk derselben wieder zuzuführen. Beide sind Gemeindefeiern und unterscheiden sich dadurch von einander, daß letztere die Mitwirkung des Geistlichen nicht entbehren kann, gottesdienstliche Feier ist, während ersteres nur lose mit der Kirche durch Ort der Aufführung und Inhalt der Musik verknüpft ist. Mitthätigkeit der Gemeinde ist für das Kirchenkonzert erwünscht, für die liturgische Andacht Bedingung. In ersterer soll die Musik die Herzen religiösen Empfindungen geneigt machen, in letzterer das religiöse Gefühl vertiefen. Hier darf Musik nicht mehr Selbstzweck sein, alles Konzerthafte muß zurückgedrängt werden. In Beidem erkennt Verfasser das Ideal evangelischer Kirchenmusik. Beherzigenswert sind seine Winke für die Anlage und Ausgestaltung solcher Feiern, dankenswert der Nachweis der allgemein zugänglichen einschlägigen musikalischen Litteratur.

J. W.

Deutscher Bühnen-Spielplan. Mit Unterstützung des deutschen Bühnenvereins. 1901/1902 Register. Leipzig, Breitkopf & Härtel, 1902. — 140 S. 8⁰ — ℳ 2,—.

Eine dankenswerte Veröffentlichung. Das erste nach Städten geordnete Register ermöglicht einen schnellen Überblick über den Spielplan der einzelnen Theater, das zweite nach Werken geordnete über die Verbreitung und — da Zahlen auch sprechen — die Aufnahme der Werke beim Publikum. **J. W.**

Domenech Espanyol, Michel. L'Apothéose musicale de la Religion catholique. Parsifal de Wagner. Traduit du catalan par Jules Villeneau.

Barcelone, Fidel Giró, 1902. 278 S
8⁰. Fr. 5.

L'auteur de ce curieux ouvrage appartient à l'Association wagnérienne de Barcelone: c'est un ardent admirateur de l'art
wagnérien, mais seulement tel qu'il se mani-
feste dans «Parsifal»: les autres créations du
maître n'ont pas de valeur transcendentale à
ses yeux. C'est un livre étrange tantôt
musical, tantôt théologique, destiné à prouver cette singulière thèse: «C'est par
l'inspiration de l'Esprit-Saint que Wagner
a écrit «Parsifal». De là l'originalité, caractère spécial de cette œuvre, et de toutes
celles antérieures, qui n'étaient que pré-
paratoires.» Et, non-seulement le drame
dernier de Wagner est une révélation mais
le livre même de Mr. Domenech, l'est aussi.
C'est lui qui l'affirme à la page: «Ce
livre est un ensemble de révélations: bien
que l'acquisition des vérités qu'il contient
m'ait coûté de grands efforts et investigations,
les idées les plus lumineuses m'ont toujours
été inspirées sans effort, d'une façon in-
espérée, indépendante de la volonté et de la
sèche réflexion, véritables intuitions ou inspirations. Et l'inspiration, lorsqu'elle a pour
objet des choses divines, s'appelle révélation.» Ces lignes serviront pour faire
connaître le ton général de l'ouvrage lorsque
l'auteur ne se borne pas à la question en-
visagée du côté exclusivement musical: mais
quand il limite ses aperçus à la musique
du drame de Wagner, il démontre avoir
de celui-ci une étude très-profonde, et il
donne des explications qui méritent d'être
méditées.   F. S. B.

Encyclopaedia Britannica, Vols. I-VII
(A-P) of New Volumes. Edinburgh
and London, Adam and Charles
Black; London, "The Times", Printing House Square. 1902. About
pp. 800 each, Demy 4 to. 10³/₄'
×8¹/₂'.

The prospectus (pp. 174, size as above)
is issued in the name of the Manager of
"The Times". The inquirer wishing to
know exact connection between these "New
Volumes" and the last or Ninth Edition
(1875—89) will dismiss the language of
advertisement, and go to the Editorial
Preface to last of New Volumes. He will
find even this more periphrastic than precisely explanatory of that point. Following
is an account of the whole matter in the
fewest practicable words. — Edition I was
prepared by a literary syndicate, and pub.
1768—71 in 3 vols. 4 to at Edinburgh (Bell
and Macfarquhar); this had pp. 2670, copper-
plates 160. In 120 years there followed

8 more editions, all at Edinburgh. Thus,
showing vols. and pages within bracket: —
Ed. II, 1776 -84 (10—8595); Ed. III, 1787
—97 18—14,579); Ed. IV, 1801—10 (20—
16,033); Ed. V, 1814—17 (20—16,017);
Ed. VI, 1820—23 (20—16,017); Ed. VII,
1830—42 (21—17,011); Ed. VIII, 1853- 61
21—17,957); Ed. IX, 1875—89 (24—21,572).
Edition I being really a Dictionary of Arts
and Sciences, the Encyclopaedia in its wider
sense, with biography, history, &c., began
at Ed. II. Note that Ed. IX had become
8 times the size of the first. — Now among
the General Encyclopaedias which adopt
the wholly one-series-alphabetical system
there are still distinct methods of execut-
ing the same, of which 3 may be held here
typical. The almost universal method
(cf. Conversations Lexica) is to break up
the different sciences and wide categories
into manageable paragraphs, just correla-
tive with the extent to which in practical
life men of sound culture are found to
break them up for their every-day thought
and reference; and to bind these paragraphs
together by a thorough supervisory plan,
and an extensive cross-reference system 'for
which see particularly Ephraim Chambers
1728), with a final verbal index. In writing
these paragraphs, no exclusive reliance is
placed on deep specialists. On the contrary, as such mostly ignore perspective
and omit foreshortening, and as there is a
highly-trained literary class who are perfectly competent to cull all flowers of the
specialists, reliance is placed rather on this
last class; they have a truer idea of perspective and are much more amenable to
editorial discipline. Encyclopaedias so conducted have the merits, that they can be
kept within reasonable dimensions, and that
they can be with some ease entirely revised
at short intervals. There are several English
specimens, of which one perhaps is pre-
eminently the best. A second typical
plan is merely to place in alphabetical
order large treatises on wide themes; an
English-residing French savant, Dennis de
Coetlogon, published one such "Universal
Hist. of Arts and Sciences", 161 articles,
2 vols. large folio, London 1745. The
third typical plan was to develop Coetlogon combined with first plan. This the
Encyclopaedia Britannica. The E. B. has
from the first plumed itself on a very partial
breaking-up, and an extensive insertion of
long unbroken-up treatises by specialists,
mixed with the short paragraphs. In the
opinion of the undersigned, such design is,
viewed as a philosophy of human needs, or
indeed as a literary concinnity, a monument of misreckoning. However everything
earnest has its market. The high authority

of contributors, the very magnificence of enterprise, have carried this scheme through. It has called forth a learned, if not a popular, constituency. The E. B. has sold its 9th edition at the rate of about 50,000 for England, 400,000 for America. — The proprietary (now a Company) have had the problem of bringing up to date the 9th edition of 24 most ponderous volumes, in the main 20 years old. There may be valid business reasons why the old matter could not be in bulk reprinted, with revision carried out by apposition, addition, or replacement; all in one alphabetical series. They are not stated. The problem has been met by a Supplement half the extent of the original; i. c. in 11 similar volumes, of which 7 as above and the rest promised within a few months. It has been 4 years in preparation; setting beginning about 1899, and the set-matter kept standing for correction. The full title of the Supplement is: — "The New Volumes of the Encyclopaedia Britannica, constituting in combination with the existing volumes of the 9th edition the Tenth Edition of that work, and also supplying a new, distinctive and independent Library of Reference dealing with recent events and developments". The 11 volumes will contain 10,000 articles, in 7000 pages, by 1000 contributors, with 2500 new illustrations. An index of 600,000 entries, on whole of 9th edition and present Supplement, and on a scale unprecedented in any country, will complete and make cohere the work. The rapid issue of the volumes (will be only a year first to last) marks great administrative activity. — Analysis shows the real detailed connection of New Volumes with original. The new articles will be either (a) articles of 9th edition repeated again and brought up to date, esp. for gazetteer matter with latest census; or (b) articles supplementary to those of same title in original; or (c) new articles, these being very important, and containing also some biographies of living persons. — The faults are these. The main design, inherited from 100 years ago, already described; compromise is no drawback, but must be founded on practicability, which this does not seem to be. Now agaih the additional labour is given of the 2 alphabetical series ·24 vols. + 11 vols.), joined only by index. And the volumes are unwieldy. Next (and this is important) there is nothing to distinguish the 3 above-named classes of supplementary article, except backward-and forward reference; a prefixed sign could have shown which was which. The illustrations are in point of uniform taste not up to standard, and, against some admirable

maps, collotypes, &c., contain some cheap modernisms. Each volume is preluded by a dissertation on some general topic, having nothing to do with volume: a device of attraction scarcely worthy. — The merits are; first, the absolute excellence of the separate articles, superior to the previous, and reflecting the better-rounded literary culture of the present day; secondly the thoroughly up-to-date nature of the information, which is a just claim. — There are 3 editors-in-chief, 19 departmental editors, 4 associate editors, 2 sub-editors. Many articles are initialled and traceable to contributors (of whom a careful separate biographical catalogue); many are judiciously reserved as editorial, and not initialled. Among the contributors are (besides numerous American) Dutch, French, German, Italian, Russian, Scandinavian, Spanish; all translated. 71 Universities are represented, 117 Learned Societies. One can but admire the vastness, sumptuousness, of the emprise. The 11 New Volumes are said to have cost £ 100.000. — Music is adequately represented. The very honourable position of departmental editor for Music is held by J. A. Fuller Maitland. The musical contributors are E. Dannreuther, H. Walford Davies, Arthur Hervey, A. J. Hipkins, Robin H. Legge, Lionel Monckton, J. H. Poynting, W. Barclay Squire, R. A. Streatfield; an ennead of sound writers. — For terms of subscription for "New Volumes", with or without old, application is to be made to the "Times" office.　　C. M.

Hellouin, Frédéric. Feuillets d'histoire musicale française. Première série. Paris, Libraire A. Charles, 1903 — 167 S. 8⁰ — fr. 3,50.

Ein fesselnd geschriebenes Werk, in welchem Verfasser in leichtem Stile eine Reihe interessanter musikgeschichtlicher Themata behandelt, unter denen ich die Geschichte des Metronoms in Frankreich, die biblische Oper am Anfange des 19. Jahrhunderts, den Ursprung des verdeckten Orchesters von R. Wagner, Leben und Wirken von Mondonville und die musikalische Stenographie als besonders wertvoll heraushoben möchte.　　J. W.

Istel, Dr. Edgar. Richard Wagner im Lichte eines zeitgenössischen Briefwechsels (1858 bis 1872). Sonderabdruck aus der Zeitschrift »Die Musik«. Berlin u. Leipzig, Schuster & Löffler, 1802. — 72 S. Lex.

Kalischer, Dr. Alfr. Chr. Neue

Beethovenbriefe, herausgegeben und erläutert. Berlin, Schuster & Löffler, 1902. — VIII u. 21 S. 8⁰.

Der Verf. hat sich mit Erfolg auf die Beethoven-Forschung verlegt und uns bereits mit mehreren kleineren Veröffentlichungen erfreut, die freilich meist in Zeitungen und Zeitschriften verstreut sind. Hier hat er nun diese verschiedenen Einzelveröffentlichungen, soweit sie Briefe betreffen, zu einem ganzen Bündel zusammengethan, umfassend die Briefe an Zmeskall, Nanette Streicher, Anton Schindler u. a., teils von ihm, teils bereits von anderen, teils noch gar nicht veröffentlicht. Es ist ja natürlich viel gleichgiltiges und biographisch untaugliches Material darin, indessen hat Verf. recht, daß meistenteils selbst das kleinste Zettelchen gerade bei Beethoven nicht ohne Interesse ist, weil sich — wie wohl kaum bei einem anderen — seine brummige oder übersprudelnde Laune auch in den unbedeutendsten Äußerungen seines Geistes scharf ausprägt. Wenn er seinen jugendlichen Freund Karl Holz als »bestes Mahagoni-Holz« oder gar als »Zündholz« apostrophiert und ihn zum Früh-, nicht Spätstück einladet; oder wenn er der Frau Streicher berichtet, er habe seinem Hausmädchen zu Neujahr ein halb Dutzend Bücher an den Kopf geworfen und seitdem habe sie sich gebessert, denn es sei wahrscheinlich durch Zufall etwas davon in ihr Gehirn geraten; oder wenn er seinem Amanuensis Schindler im Stile des Sultans-Ordre befiehlt, dass er sich Nachmittags im Kaffeehaus einzufinden habe, um sich über verschiedene strafbare Handlungen vernehmen zu lassen, widrigenfalls er einen 24stündigen Arrest zu gewärtigen habe; oder wenn er sich in possenhaften Anreden und Unterschriften ergeht, so zeugt das alles von einem oft köstlichen Humor. Andererseits fehlt aber auch der schwermüthige Ernst, der massive Zorn, die tiefste Melancholie nicht in den Tausenden von Zeugnissen seines Lebens. Wer dieses kennt, wird in dem Buch nicht ohne tiefe Bewegung lesen können.   O. F.

La Mara, Briefe von Hector Berlioz an die Fürstin Carolyne Sayn-Wittgenstein. Leipzig, Breitkopf und Härtel, 1903 — VI und 188 S. 8⁰, ℳ 3; geb. ℳ 4.

Der freundschaftlich innig vertraute Briefwechsel, den Berlioz mit der Freundin Liszt's in den Jahren 1852 bis 1867 führte, ist einer der musikgeschichtlich interessantesten, die wir überhaupt besitzen. Berlioz schüttelt darin seine ganze Künstlerseele

mit einer höchst wertvollen Offenheit aus und da ihm, dem echten Franzosen, außer seinen eigenen Interessen kaum irgend etwas der Beachtung wert ist, so lernen wir in diesen Briefen den Komponisten kennen wie er leibt und lebt: mit seinem übergroßen Egoismus, mit seinem flackernden *esprit*, seinem verzehrenden Ehrgeiz, seiner pessimistischen Niedergeschlagenheit über seine Mißerfolge. Die innerliche Haltlosigkeit des Mannes ist es gewesen, die dem ausgiebigen Briefwechsel zwei Jahre vor dem Tode des Musikers ein allmähliches Ende bereitet haben. Liszt, der für R. Wagner die selbstloseste Propaganda machte, die es jemals gegeben, konnte für Berlioz aus inneren und äußeren Gründen nicht entfernt so erfolgreich eintreten, und Berlioz neigte auch zu nichts weniger, als zu Dankbarkeit und Rücksichtnahme; so konnte es nicht ausbleiben, daß der Fürstin Freundschaft sich allmählich von dem originellen und hochbegabten Manne gänzlich abwandte. Die Form der Briefe ist echt französisch, noch espritvoller als die über seine Reise durch Deutschland und wir können überall scharfe Beobachtungen über die damaligen Musikzustände und Musikpraktiken machen, die für den Musikhistoriker das größte Interesse haben.   O. F.

La Mara. Musikalische Studienköpfe. Fünfter Band: Die Frauen im Tonleben der Gegenwart. 3. neubearbeitete Auflage. Mit 24 Bildnissen. Leipzig, Breitkopf & Härtel. — XI u. 380 S. 8⁰. ℳ 4,—.

Die Einleitung weist auf die Thatsache hin, daß bisher noch keine Komponistin erstanden sei, die epochemachend oder bahnbrechend gewirkt habe; um so mehr sei es der Frau beschieden, der ausübenden Tonkunst dienen zu können als Virtuosin des Gesanges oder des Spiels, insbesondere des Klavieres. La Mara stellt uns in 24 Lebensbildern solche Virtuosinnen dar, die Liszt's Forderung, der Virtuos müsse das vom Komponisten erschaffene Tonwerk in seiner Seele frei nachzuschaffen verstehen, durch ihr Wirken vollauf erfüllt haben. Da die Absicht der Verfasserin von vornherein darauf geht, die großen Künstlerinnen nur der Gegenwart zu porträtieren oder doch nur derjenigen, deren Einfluß auch über ihren Tod hinaus noch lebendig ist, so hat sie aus dem bisherigen Bestande der Namen neun ausgeschieden und ebensoviele in der vorliegenden Neuauflage neu eingeschaltet, sodaß sie nunmehr die kurzen Lebensskizzen bietet der Klaviervirtuosinnen: Clara Schumann, S. Menter, Ingeborg v. Bronsart, A Essipoff, L. Rappoldi, T. Careño, der Geigerin W. Neruda-Normann und der Sängerinnen P. Viardot-Garcia, M. Wilt, A. Joachim, D. Artot, A. Götze, P. Lucca, M. Brandt, A. Patti, Chr. Nilsson, A. Orgeni, A. Materna, L. Lehmann, F. Moran-Olden, E. Schumann-Heink, M. Sembrich, E. Gulbranson und N. Melba. Auch in der neuen Form wird sich dieser interessante Teil der Sammlung alte Freunde erhalten und neue erwerben. O. F.

Loewengard, Max. Lehrbuch des Kanons und der Fuge, Verlag Dreililien, Berlin, 1902 — 87 S. 8⁰.

Mit Recht erblickt der Verfasser in dem Kanon mehr eine Schul- als eine Kunstform. — Nachdem der Schüler mit dem Entwurf des Kanons überhaupt bekannt geworden, erhält er Anleitung über die Ausarbeitung der verschiedenartigsten, selbst kompliziertesten kanonischen Formen, und soll auf diese Weise Sicherheit in der imitatorischen Behandlung eines Themas im Rahmen der Fuge gewinnen. In knapper, aber erschöpfender und anschaulicher Weise entwickelt nun der Verfasser den allmählichen Aufbau der 2, 3 und 4 stimmigen einfachen Fuge. Einige Bemerkungen über die »freie« und »Doppelfuge« beschließen das Werk, dem auch der Musiker strenger Observanz — abgesehen von einigen nicht ganz einwandsfreien Stimmführungen der beigegebenen Beispiele — zustimmen dürfte. C. Th.

Nodnagel, Ernst Otto. Jenseits von Wagner und Liszt. Königsberg 1902. Verlag der Ostpreußischen Druckerei und Verlagsanstalt. 8⁰.

Das Buch enthält eingehende Abhandlungen über Mahler, Hugo Wolf, Arnold Mendelssohn, Richard Strauß, Max Schillings, drei »Perspektiven« (das naturalistische Melodram, Gesangsprosodie, der Symbolismus in der Musik), und als Anhang Siegfried Wagner's »Bärenhäuter« und Mahler's »Vierte Symphonie«. Freut man sich einerseits, über Leben und Werke der besprochenen Komponisten manch interessantes und wertvolles zu erfahren, so stört andererseits aufs empfindlichste das stete Sich-Vordrängen der Person des Verfassers. An manchen Stellen wirkt das geradezu lächerlich. So, wenn er zum Beispiel Seite 155 sagt: »Meine Ideen über das Problem (das naturalistische Melodram, hat Humperdinck in seinen Königskindern zu verwirklichen gesucht, leider auf verkehrtem Wege« und dergleichen mehr. Man kommt da unwillkürlich zu der Frage: wer ist denn eigentlich Ernst Otto Nodnagel? Wer übrigens eine rationelle Methode des Schimpfens erlernen will, der sehe sich den ersten Artikel über Gustav Mahler an. Nebenbei möchte ich dem Verfasser doch raten, wenn er wieder einen seiner Gegner mit der Melodie »du bist verrückt mein Kind« (zu Seite 156, widerlegen will, doch sich erst aus dem Klavierauszug der »Fatinitza« zu überzeugen, daß dort diese Melodie steht und nicht in »Boccaccio«, wie er so operettenkundig mitteilt. A. M.-R.

Ossorio y Gallardo, Carlos. El baile. Barcelona, Pertierra, Bartoli y Ureña, 1902, 176 S. 8⁰. Ptas 3.

Ce n'est point un traité de la danse, étudiée scientifiquement: son auteur est un chroniqueur dont la plume pleine d'aménité a tracé un tableau animé et brillant de chacune des danses espagnoles les plus typiques ou des étrangères le plus fortement acclimatées en Espagne, le Menuet, les Sévillanas, le Zortzico basque; la Valse brillante, l'Habanera, la Valse Boston, la Sardana catalane, le Pas de quatre et la Jota. Chacun des chapitres est adjoint d'un exemple musical écrit expressément pour le livre. F. S. B.

Parry, C. Hubert H. The Music of the Seventeenth Century. The Oxford History of Music vol. III. Oxford, at the Clarendon Press, 1902. VIII u. 474 S. 8⁰. ℳ 15 netto.

Der von Parry herausgegebene dritte Band der Oxforder Musikgeschichte reiht sich würdig dem ersten Bande Wooldridge's an. Mit großer Sachkenntnis legt Verf. die Hauptströmungen dar, welche zur Entwickelung der Musik im 17. Jahrhundert beigetragen haben, und unterstützt seine gewandte Darstellung durch eine Reihe geschickt ausgewählter interessanter Beispiele. Es ist nur natürlich, daß Verf. bei der Musikgeschichte seines Landes mit ganz besonderer Liebe verweilt. Gehört doch das 17. Jahrhundert noch zu der Glanzzeit englischer Musikübung. Die Periode der Königin Elisabeth, die Zeit der Madrigalisten und Virginalisten, war, wenn auch im Niedergange, doch noch nicht abgeschlossen, jene der grossen englischen Kirchenmusiker setzt sich fort, die englische Oper steht mit Purcell auf der Höhe. Daß die deutsche Musikgeschichte nur verhältnismäßig geringe Berücksichtigung gefunden hat, liegt wohl daran, daß dem Herrn Verf. die Quellen schwer zugänglich sind und gediegene allgemein verbreitete Spezialschriften nur in geringer

Zahl vorliegen. Nefs jüngst erschienene
Schrift vermochte Verf. offenbar nicht mehr
zu berücksichtigen, sonst wäre er wahrscheinlich über die deutsche Instrumentalmusik in der 2. Hälfte des 17. Jahrhunderts
zu einem günstigeren Urteil gelangt. Verwunderlich ist es, bei einer Aufzählung von
etwa 30 deutschen Meistern Joh. Georg
Ahle besonders hervorgehoben zu finden,
dagegen nichts zu erfahren von der Thätigkeit eines Hans Leo Hassler, eines Melchior
Franck, eines Schein, nichts zu hören von
der Bedeutung eines Heinrich Albert für
das deutsche Lied. Richtig stellen will ich
die Namen Schlick, Steigleder, Mursch-
hauser. Vortrefflich ist die Bedeutung der
italienischen Musik für die gesamte Musikentwickelung erfaßt. Überhaupt stellt der
Band als Ganzes eine hervorragende Leistung
dar.   J. W.

Pedrell, Felipe. Emporio cientifico é
histórico de organografia musical
antigua española. Barcelona, Juan
Gili, Librero, 1901. 147 S. 12⁰.

Petit ouvrage de dimensions aussi res-
treintes que riche en renseignements. Pre-
nant le mot «organographie» dans le sens
que l'employait déjà Michael Praetorius,
dans son ouvrage Syntagmatis musici
tomus III. de Organographia (Wolfenbüttel, Elias Holwein, 1619), c'est-à-dire,
l'art de juger, comparer et décrire les instruments de musique. l'auteur se livre à une
recherche pleine d'érudition et de curiosité
sur les principaux instruments en usage en
Espagne pendant le Moyen-âge et la Renaissance.

Il se divise en trois parties: 1⁰ Décla-
ration et énumération des instruments; 2⁰ Description et construction, et 3⁰: Assemblage
polyphonique instrumental, à ce qu'ont
toujours tendu les instruments dans la pratique. Les miniatures des livres manuscrits,
les sculptures et les peintures qui ornent
les constructions religieuses et civiles, les
livres de littérature en général et de la
musique en particulier, et les chartes
ont été les principales sources où il a puisé
un grand nombre de renseignements précieux qui font de ce livre un ouvrage de
consultation permanente.

Parmi les livres dont il s'est servi le plus,
M. Pedrell en cite trois: la «Declaracion
de instrumentos» de Fray Juan Bermudo
(Osuna, 1555), le «Melopeo y Maestro» de
Cerone (Naples, 1613), et la «Escuela música» de Fray Pablo Nassarre (Saragosse,
1724-1723). De l'aide puissante qu'il a
trouvée non seulement dans ces ouvrages
spéciaux mais encore dans d'autres purement littéraires et qui traitent d'organo-

graphie par incidence seulement, nous en
avons la preuve dans le profit qu'il a su
tirer des poèmes satyriques du fameux Don
Juan Ruiz, Archiprêtre de Hita (siècle XIV)
du «Poêma de Alfonso XI», du «Cancionero
de Baena», de Juan del Encina, etc. C'est
contribution d'une grande valeur à l'étude
des instruments musicaux en Espagne,
étude qui présente de grandes difficultés et
des lacunes.   F. S. B.

Seidl, Arthur. Moderne Dirigenten.
Verlag: Schuster und Loeffler, Berlin. 48 S. 8⁰.

Ich bin selten unbefriedigter von der
Lektüre eines Buches gewesen als nach
Kenntnisnahme des Inhalts dieser nur 48
Seiten zählenden Schrift. Seidl spricht
zunächst über »Das moderne Dirigenten-
Problem«, ohne hier aber etwas wesentlich
neues beizubringen, geschweige denn die
Frage erschöpfend zu behandeln. Im
zweiten Teil, »Profile und Charaktere«
überschrieben, giebt er eine Charakteristik
der bedeutendsten zeitgenössischen Dirigenten, beginnend mit dem vor 2 Jahren
verstorbenen Münchener Generalmusikdirektor Hermann Levi, dem Betrachtungen
über Schuch, Richter, Mottl u. s. w. folgen.
Die Urteile, die der Verfasser hier fällt,
dürfen, wenn sie auch sehr subjektiv gehalten sind, doch allgemeine Geltung
beanspruchen, aber in zwei Fällen muß
gegen die Beurteilung resp. Nichtbeurteilung
zweier hochbedeutender Dirigenten entschieden protestiert werden. Wie kommt
der Verfasser dazu, einen Dirigenten von
der Kapazität des Berliner Hof-Kapellmeisters Dr. Muck ganz zu übergehen
(denn die 2 kurzen Erwähnungen Seite 39
und 48 können da nicht gerechnet werden?
Oder hält der Verfasser die Thätigkeit
eines erstklassigen Theater-Kapellmeisters
nicht für würdig genug, um ihn zu einem
»modernen Dirigenten« zu stempeln? Und
was soll das denkbar ungerechteste Urteil
über den Meininger Generalmusikdirektor
Fritz Steinbach, den der Verfasser als
einen »Takt-Profoß« bezeichnet, in dem »die
liebe Feldwebelei des Orchesterdrills und
der Korporalsdiszipin von ehedem wieder
aufzuleben scheint«? Wahrlich, ein solches
Urteil verdient nicht ernst genommen zu
werden, ebensowenig wie der öfters wiederkehrende Ausdruck Brahminen-Kult für
Brahms-Kult«, der nur lächerlich wirken
kann. Über den Stil des Buches redet
man am besten gar nicht.   A. M.-R.

Spencer, Herbert. Facts and Comments. London and Edinburgh,
Williams and Norgate, 1902. Demy
8vo, pp. 205. 6/.

Author (1820—) occupied 40 years in developing into a scheme of biology, psychology, sociology, ethics, &c., the dictum of Von Baer, that all things proceed from indefinite homogeneity to definite heterogeneity, — and back again. This coupled with an incessant presentation of the λόγος τῆς ἀγνοίας makes an ingenious, painstaking, and well illustrated philosophy. But in last 2 years he, aged 80—82, has put together all the grains of thought left in his note-books, and made therewith 39 remainder-essays, mostly very short, and engaged to be his final publication. Five are on music: — (a) A cursory reprobation of display-music, (b) A defence (against Ernest Newman &c.) of his theory that music is a direct resultant of emotional articulate speech, (c) A theory of developed art-music, (d) A praise of Meyerbeer, (e) On some "Musical Heresies", i. e. some minor excurseses of his own. A work by S. cannot be ignored; otherwise inclination would be, like the sons of Noë, to throw the veil with averted head. Cases have been known where sages adopted a self-complacent attitude towards arts with which they were constitutionally out of touch; but no case can be recalled so strong as that shown in passages for instance at pp. 19 and 33.

C. M.

Stern, Adolf. Franz Liszt's Briefe an Carl Gille. Mit einer biographischen Einleitung. Leipzig, Breitkopf & Härtel, 1903. — LXV u. 96 S. 8⁰. Mit Gilles Bildnis. ℳ 5,—.

Liszt's vertrautester Freund, sein geschäftlicher Berater und der eifrigste Vorkämpfer für den Komponisten Liszt, der Geheime Hofrat Gille in Jena, verdient wohl diese warm gehaltene Biographie seines Freundes Stern, ebenso als sein Verhältnis zu Liszt die Wiedergabe der Korrespondenz beider rechtfertigt. Im Jahre 1892 lernte ich den alten, mitteilsamen Herrn beim Prinzen Reuß kennen, wo ihn die Anwesenheit der geistvollen Gattin des deutschen Botschafters und Weimarer Prinzessin zu stundenlangen Erzählungen aus dem reichen Schatze seiner Erinnerungen anregte. Da schilderte er, wie er an der Leiche Goethe's Totenwacht gehalten habe, da sprach er in dithyrambischer Beredsamkeit von Liszt und erzählte ergötzliche Anekdoten von Wartburgfahrten mit ihm, Lassen u. a. Damals forderte mich der Prinz auf, diese Erinnerungen in einer Niederschrift festzuhalten; aber es war mir unmöglich, die Fülle der vielgestaltigen Bilder auch nur in den Umrissen getreu wiederzugeben. Als einziges greifbares

Andenken an jene Begegnung blieben mir nur einige Briefe Gille's, die er an mich richtete und denen er ein Paar Briefe Liszt's an ihn selbst als ferneres Erinnerungszeichen für mich beilegte. Mit großer Freude begrüße ich daher das vorliegende Buch. Aber nicht nur persönlich, sondern auch sachlich ist diese Gabe von Wichtigkeit; war doch Gille auch nächst Liszt die Seele des Allgemeinen deutschen Musikvereins, und nächst dem vortrefflichen Großherzog Karl Alexander die Seele der Liszt-Stiftung mit dem Liszt-Museum, kurz der Bannerträger fast der gesamten Liszt-Tradition. Was in diesem Buche geboten wird, ist daher zugleich authentisches Material vom ersten bis zum letzten Buchstaben zur Biographie Liszt's selber. Ein Anhang bringt schließlich interessante Briefe von Richard Wagner und Peter Cornelius an Gille. O. F.

Sutro, Emil, Das Doppelwesen der menschlichen Stimme. (I. Abteilung.) Versuch einer Aufklärung über das seelische Element in der Stimme. Berlin, W. Fussinger (1902). — XIV und 324 S. 8' ℳ 3,—; geb. ℳ 4,—.

Der Verfasser hat die Absicht, das so lange Menschen Philosophie treiben, wohlbekannte und vielerörterte Thema von dem Doppelwesen der menschlichen Natur in einem großen Werke zu behandeln, dessen I. Abteilung hier vorliegt. Ich persönlich stehe dieser Arbeit und ihren Tendenzen durchaus antipathisch gegenüber. Einem naturwissenschaftlich gebildeten Menschen stehen bei den Ausführungen des Herrn Verfassers einfach die Haare zu Berge — falls er nicht *sapientis modo* über die Geduld des Papiers lächelt und auch den hohen Mut des Verlegers bewundert. Der stark subjektiv gefärbte Ton ist auch nicht geeignet, Sympathien zu erwecken. Wenn der Verfasser sich an einer Stelle (S. 29) allerdings nur einen Dilettanten der Wissenschaft nennt und von dem Vorrecht, das ihm diese Thatsache einräumt, recht herzhaften Gebrauch zu machen verspricht, so hindert ihn das doch nicht über Alles, was von ernsthaften Forschern in seiner Frage bereits erörtert ist, in der derbsten Weise hinweg zu kritisieren — gerade so wie er auch, trotz seiner Angabe kein Musiker zu sein (S. 35), Gesangslehrern das vermeintlich patentierte Anrecht an der menschlichen Stimme in einigen derben Ausfällen streitig zu machen sucht (S. 14). Ganz kurz will ich jedoch noch, um seine Bescheidenheit nicht zu kurz kommen zu lassen, darauf aufmerksam machen, daß er auch einmal bemerkt, er mache keinen besonderen Anspruch auf Scharfsinn (S. 31).

Vor den Naturwissenschaften und ihren durch gewissenhafte Untersuchungen fast erwiesenen, oft uralten Dogmen hat Herr S. wenig Respekt, wohl weil er sich damit gar nicht erst beschäftigt hat. Die einfachsten physikalischen und physiologischen Thatsachen, die heutzutage selbst den Laien interessieren und bekannt sind, die aber einem Menschen, der über sie ein wissenschaftliches Werk schreiben will, ganz selbstverständlich klar sein müssen, sind ihm völlig fremd. Mit der Kühnheit des auf eignen Bahnen wandelnden, von Sachkenntnis unbeeinflußten Autodidakten wirft er, wie Herr Gesanglehrer Schneider in dem Vorworte sagt, »den ganzen Wust der als unzugänglich erkannten Lehrsätze jener Wissenschaften über Bord und fängt mit der Ausarbeitung seiner Pläne völlig von vorne an«. (S. VIII.)

Verfasser will, wie er dies in der sehr weitschweifigen Einleitung durch einen »künftigen Recensenten« in teils großsprecherischer, teils fast naiver Weise erzählen läßt, die Stimme der Speiseröhre (Oesophagus) entdeckt haben. Diese sei in dem Atmungsvorgange für den Gesamtorganismus von derselben Bedeutung wie die Luftröhre. Die Doppelnatur des mit der göttlichen Seele begabten Menschen sei dabei dargestellt durch die beiden Halbkugeln der Brust und des Bauches; indem erstere den seelischen, letztere den materiellen Faktor repräsentiere. Der Kehlkopf habe sein Gegenstück in der »Replica«, einem rätselhaften Kehlkopf der Speiseröhre, der unter der Zunge liegen soll. Wie die Luftröhre den Brustkorb, so versorge die Speiseröhre die Bauchhöhle mit Luft — der Unterleib also atmet durch den Magen! Die Lungen, vom übrigen Körper getrennt durch das vermeintlich undurchlässige Zwerchfell, wären als viel zu ungenügend anzusehen, um das ganze große Körpergebiet mit Luft zu versorgen, und die Abgabe von Luft an das Blut in den Lungen sei ein viel zu unklarer Vorgang, um glaubhaft zu sein (103). Seinem »einfachen und ungelehrten Begriffsvermögen« (103) muß allerdings dieser (trotz seiner Einfachheit) hoch komplizierte Lebensvorgang ohne jede Kenntnis chemischer und physiologischer Prozesse unklar erscheinen. Noch mehr des Erstaunlichen: die ursprüngliche Quelle der Tonerzeugung soll, abgesehen von den Lungen, in den Nieren, der Harnröhre und der Blase liegen (58), wie wir dies selbst kontrollieren könnten (!?). Auch Herz und Gehirn sei von größter Wichtigkeit für die Tonbildung. Daran hätte bisher noch niemand gedacht!

Man hätte eben bis jetzt fälschlicher Weise die Lungen allein für das große Luftreservoir des Körpers angesehen. Die aus ihnen heraustretende Luft sei jedoch gar nicht stark genug, um die Muskel- und Knorpelgewebe in tönende Schwingungen zu versetzen. Der innere atmosphärische Druck sei es, der plötzlich ausströme und Töne hervorbringe. (Dieser wird natürlich in Wirklichkeit immer von dem äußeren Luftdruck kompensiert!) Dazu hat der Verfasser sich noch eine merkwürdige Sorte von unsichtbaren Kanälen im Körper konstruiert, die für das Ein- und Ausströmen der Luft gebraucht werden sollen (92. Weiter: Die Stimme ist ein Ausdruck der Seele (— also dürfte ein Taubstummer keine Seele haben). Da diese in jedem Körperteile lebe, entspringe auch die Stimme jedem Teile des menschlichen Körpers (59 — ein einfacher logischer Schluß! Ich bitte Sie, Herr Sutro, drücken Sie sich einmal mit Ihrer Leber oder mit dem Darme, diesen Sitzen Ihrer schönen Seele, aus!

Eine Anregung zu all diesen Erwägungen giebt Verfasser an, beim Studium der englischen Sprache bekommen zu haben. Hierbei fand er idiomatische Schwierigkeiten bei der Aussprache des »r« und entdeckte den Unterschied zwischen Zungen- und Gaumen = »r« (138). Diese zwar längst bekannte, in seinen Augen jedoch hochbedeutsame »Entdeckung« reklamiert er für sich allein »indem er nichts Wichtigeres in der ganzen Menschheits-Geschichte findet« (139). Über die Unterschiede des Idioms der Deutschen und Engländer, die er auf Grund seiner Untersuchungen nicht für stammverwandt hält. verbreitet er sich des Längeren, indem er die allermerkwürdigsten Anschauungen dabei entwickelt. (Das Leben liegt beim Deutschen im Oberkiefer, beim Angelsachsen im Unterkiefer (169). Ein Angelsachse kann kein Leibeigner sein: seine Sprache verbietet es (183) u. s. f.)

Die Anschauungen, die Verfasser dabei über das Wesen der Sprache entwickelt, werden dem Ethnologen wie dem Philologen höchstens zum Kopfschütteln Anregung geben. und die über den Gesang können auf urteilslose Gemüter nur verwirrend wirken. Man bedenke nur, daß er Sprechen und Singen für denselben Vorgang (220) hält, wobei der Rachen allerdings der Erzeugungsort für den Gesang, die Mundhöhle der für die Sprache sein soll (86).

Es ließen sich noch viele derartige merkwürdige Stellen zitieren. Es mögen nur einige Pröbchen genügen: »Die Entdeckung der Speiseröhrenstimme ist die umfassendste Entdeckung, die jemals in Betreff unsres ganzen menschlichen Wesens gemacht worden ist. Sie wird eines Tages zu den größten Errungenschaften zählen — —« und ähnlich öfters wiederholt: »Die größte psychisch-physiologische Entdeckung, die man je machte« (310). »Leute, die seine Forschungen nicht beachten, geben auf unwissenschaftlichen Wegen«. »Es ist der »einzig Sehende« (37), der den geheimnisvollen Schleier des Lebens gelüftet hat« (44) und »es ist unmöglich, daß diese Thatsachen widerlegt werden können« (28) u. s. w.

Irgend einen positiven Endzweck des merkwürdigen Buches oder einen positiven Beweis der zahlreich vorhandenen Behauptungen wird man bei beendeter Lektüre nicht finden.   O. G.

Vancell y Roca, Juan. El libro de música y canto. Tratado de solfeo y cantos escolares. Gramática razonada, Lectura y Escritura musicales simultaneas al alcance de las más pequeñas inteligencias. Primera parte. Barcelona, Fidel Giró, 1902. 146 S. 8⁰. 3 Ptas.

C'est un traité de pédagogie musicale à l'usage des Écoles normales dans lesquelles vient d'être introduit l'enseignement de la musique qui n'existait pas avant.
                    F. S. B.

Vries, Henry. General-Katalog sämtlicher Zither-Musikalien (Münchener- und Wiener-Stimmung). Leipzig, Breitkopf & Härtel, 1902. Ausgabe A (für Musikalien-Händler) 282 S. fol. ℳ 8,—; Ausgabe B (für Zitherspieler) ℳ 3,—.

Umfaßt circa 18000 Werke der Zitherliteratur nach Titeln alphabetisch geordnet, mit Angabe der Komponisten, Art der Stücke, Opuszahl, Verleger, Preis und mit dem Vermerk, ob im Baß- oder Violin-Schlüssel erschienen; ein unentbehrliches Nachschlagebuch für Musikalien-Händler und Zitherspieler, das zugleich erkennen läßt, welch ungeahnten Umfang die Lite-

ratur für dieses Instrument angenommen hat.   O. F.

Wagner, R. Die Musik und ihre Klassiker in Aussprüchen Richard Wagners. 2. unveränderte Auflage. Leipzig, F. Reinboth. — 110 S. 8⁰., brosch. ℳ 1,50.

Ein Ungenannter hat hier die Aussprüche Wagners über Musik im allgemeinen und über seine Vorgänger im Tonschaffen Bach, Gluck, Haydn, Mozart, Beethoven, Weber und Spohr aus Wagner's Schriften zu bequemem Vergleiche zusammen getragen, um das Vorurteil von des Bayreuther Meisters Verachtung der Klassiker zu zerstreuen. Die Schriftstellen über ausländische Komponisten, wie Palestrina, Cherubini, Spontini, Auber, sind dieses Zweckes wegen unberücksichtigt gelassen, ebenso die über Meyerbeer u. a.
                    O. F.

Wagner, Ricart. El Capvespre dels Déus. Tercera jornada de la Tetralogia L'Anell del Nibelung. Traducció catalana de Geroni Zanné y Antoni Ribera. Barcelona, Fidel Giró, Impresor, 1901. 103 S. 12⁰. 2 Ptas.

La fidélité avec laquelle les traducteurs catalans ont rendu le texte original est grande, malgré la difficulté de la tâche qu'ils s'ont imposé puisque, au même temps, on a respecté l'accent rhythmique. F.S.B.

Wette, Adelaida. Hensel y Gretel. Cuento lírico en tres actos y cinco cuadros. Version española de V.Ll. Música de E. Humperdinck. [Barcelona.] Fidel Giró, impresor. [1902.] 51 S. 8⁰.

Traduction faite pour satisfaire des besoins éditoriaux, sans aucune valeur littéraire.   F. S. B.

Eingesandte Musikalien.

Referenten: **W. Altmann, A. Feith, O. Fleischer, A. Göttmann, A. Mayer-Reinach, C. Thiel, J. Wolf.**

Verlag Chr. Bachmann, Hannover.

Ritzau, Hermann. Zwei Menuette, op. 16. Für Pianofortorte ℳ —,80.

Verlag Bosworth & Co., Leipzig, London, Paris.

Coerne, Louis Adolphe. Op. 62. Drei kleine Trios in kanonischer Form für Violine, Violoncello und Pianoforte. Nr. 1. ℳ 2,—.

— Op. 63. Concertino in D-dur für Violine und Pianoforte. ℳ 3,50.

Norden, Leo. Hänsel und Gretel. Kinderlieder-Album.

Eine höchst brauchbare Sammlung. Alle die kleinen Liedchen, welche unsere Lieblinge immer und immer wieder hören wollen, sind hier vereinigt. J. W.

Reinecke, Carl. Op. 258. Pastellbilder für Pianoforte. 7 Hefte komplett ℳ 6,60.

Das Opus 258, welches der bekannte Leipziger Meister seinem Enkelkinde gewidmet hat, läßt nichts von dem hohen Alter Reinecke's vermuten. Jugendlicher Frohsinn und Lebhaftigkeit kennzeichnen vielmehr — mit Ausnahme des melancholischen letzten Stückes — die einfache Melodik dieser für schon technisch vorgeschrittene und mit musikalischem Sinn begabte Klavierschüler berechneten Kompositionen. A. G.

Sitt, Hans. Op. 75. Trois Morceaux pour Viola avec Accompagnement de Piano. Nr. 1 Elegie; Nr. 2 Rêverie; Nr. 3 Barcarole. à ℳ 1,80.

Gut gearbeitete Vortragsstücke, welche dank ihres wohlklingendes Satzes als zweckentsprechende Bereicherungen der recht armen Bratschenliteratur freudig zu begrüßen sind. A. G.

— Op. 78. Zwölf kleine melodische Vortragsstücke für Violine und Pianoforte-Begleitung. 12 Hefte je ℳ 1,20.

Sämtlich in der ersten Lage ausführbar. sind diese einfachen Stückchen sowohl melodisch, wie rhythmisch von nicht zu unterschätzendem pädagogischen Nutzen. A. G.

Stark, Ludw. Stimmen der Heimat. 122 ausgewählte Volkslieder und volkstümliche Gesänge in teils zweistimmigem, teils neuem vierstimmigen Satze. 3. Auflage, 242 S. kl. 8', brosch. ℳ 1,—.

Verlag Breitkopf & Härtel, Leipzig.

Bach, J. S. Sechs Trios für Pianoforte, Violine und Viola nach den Orgel-Sonaten bearbeitet von B. Todt. 3 Hefte je ℳ 4,80.

Bei dem Mangel an derartigen Trios wird obige, von einem trefflichen Bachkenner herrührende, recht gute Bearbeitung sehr willkommen sein, zumal nun auch des Orgelspiels Unkundige sich bequem diese herrlichen Sonaten zugänglich machen können. Auch als Ensemble-Übungen sind sie sehr geeignet. W. A.

Bonin, Ludwig. Op. 53. Schwanenlied. Für eine mittlere Stimme mit Klavierbegleitung. ℳ 1,—.

Schwach in der Erfindung, schwächer in der Ausgestaltung, am schwächsten in der Deklamation. bot dieses Op. 53 für die Herausgabe durchaus keine zwingenden Gründe dar. A. G.

Centola, Ernesto. Technik des Violinspiels. Teil V. Höhere Stufe, Doppelgriffe. ℳ 3,—.

Eine vollständige Bewertung des italienischen Schulwerkes ist durch den allein vorliegenden fünften Teil nicht zu ermöglichen. wenn auch die Zusammenstellung der Übungen für Doppelgriffe von vielem Geschick zeugt. A. G.

Floersheim, Otto. Gesang für die G-Saite der Violine mit Klavierbegleitung. Für Violoncell übertragen von Jacques van Lier. ℳ 2,60.

Das dankbare Violinstück Floersheim's hat durch die geschickte Einrichtung für Violoncello von Jacques van Lier nicht das Geringste von seinem Wohlklang eingebüßt. A. G.

Harmonium. Sammlung von Tonstücken für das Harmonium arrangiert von Rudolf Bibl. Neue Reihe, Heft IV und V je ℳ 1,—.

Klengel, Paul. Drei Charakterstücke in Mazurkaform. Op. 28. Für Klavier zu zwei Händen. 3 Hefte je ℳ 1,—.

Das liebenswürdige Talent Klengel's kommt in diesen einfachen Klavierstücken wieder recht zum Ausdruck. Grazie und wohlklingender Satz sind die besonderen Eigenschaften dieser Charakterstücke.

A. G.

Koeppen, Paul. Normal-Harmonium-Literatur mit eingedruckten Registerzeichen. Kellermann, op. 54 und 55. Hebräische Gesänge je ℳ 2,50.

Rennes, Catharina van. Frühlingsblumen. Einstimmige Kinder-Liedchen. (Breitkopf & Härtel's Musikalische Jugend-Bibliothek) ℳ 2,—.

Gute Kinderlieder zu schaffen, gehört zu den schwersten Aufgaben Vorbedingung ist ein guter Text, der kindlich in der Fassung und dessen Inhalt der Gedankenwelt des Kindes entnommen sein muß. Über diesen Text hat sich eine ganz einfache und klar gegliederte naive Melodie geringen Umfangs zu erheben, eine Melodie, welche zur Seele des Kindes zu sprechen vermag, von ihm erfaßt und verstanden wird.

Allen Anforderungen genügende Texte haben der Verfasserin nicht vorgelegen und auch der Übersetzer der holländischen Texte hat sich die Aufgabe zuweilen etwas zu leicht gemacht. Kükelükü kräht kein Hahn in Deutschland und schwarz-rot sind doch im Leben nicht die deutschen Farben. Plattheiten des Textes haben Verfasserin auch ab und zu zu seichter Melodiebildung verleitet. So zum Beispiel bei den hochpoetischen Worten: »Sei willkommen wieder hier, lieber Storch, du altes treues Tier«, die durch falsche Textbehandlung noch an Trivialität gewinnen. Am besten gelungen und wirklich ganz vortrefflich ist das Lied: Der alte Bettler. Es ist aber alles andere, nur kein Kinderlied.

J. W.

Riemann, Hugo. 6 originale chinesische und japanische Melodien für Violine mit Klavier. ℳ 2,60.

Inhalt. Chinesisch: 1 Feierlicher Marsch beim Einzuge des Kaisers in den Tempel. 2) Trauermarsch (Totenklage). 3) Dame Wang (weltliche Ballade). 4) Tai Tschong (Geigenmelodie). — Japanisch: 1) Neujahrs (Frühlings)-Lied. 2) Liebeslied (mit Samiseng).

Röntgen, Julius. Nederlandsche Dansen der 16de Eeuw voor vierhandig Klavier. Met eene inleiding van D. F. Scheurleer. 1. Bundel. Uitgave XXV der Vereeniging voor Noord - Nederlands Muziekgeschiedenis. ℳ 1,30.

Verlag Drei Lilien, Berlin.

Behr, Hermann, 2 Lieder für Singstimme mit Klavier. 1. Aurikelchen, 2. Volkslied.

Einfache, aber sehr schön empfundene Lieder.

A. M.-R.

Loewengard, Max. 2 Lieder für Singstimme mit Klavier. 1. Ganz im Geheimen. 2. Abschied.

Hübsch empfunden, recht wirkungsvoll.

A. M.-R.

Mendelssohn, Arnold. Federzeichnungen. Fünf charakteristische Stücke für 2-hdg. Klavier. Cpl. ℳ 4,50.

— Op. 24. Drei Tonsätze für Violine und Klavier. 1. In memoriam ℳ 1,20, 2. Melodie ℳ 2,25, 3. Scherzo ℳ 2,25.

Diese neuen Mendelssohn'schen Stücke, die Federzeichnungen wie die Tonsätze, bilden wertvolle Gaben der zeitgenössischen Literatur. A. M.-R.

Zumsteeg, Johann Rudolf. Ausgewählte Lieder, eingeleitet und herausgegeben von Ludwig Landshoff.

Verlag wie Herausgeber gebührt der Dank aller Musiker und Musikliebhaber für diese Arbeit. A. M.-R.

Verlag K. Ferd. Heckel, Mannheim.

Glaesz, Alex. v. Op. 22. 5 Klavierstücke.

Gefällige Salonmusik. A. M.-R.

Hallwachs, Karl. Op. 12. Lieder eines fahrenden Spielmanns, für Singstimme mit Klavier.

Charakteristisch empfundene, gesanglich geschriebene Lieder-Kompositionen, darunter besonders zu empfehlen: a) Oft er neu dir was vermacht; b) Worte trügen, Worte fliehen. A. F.

— Op. 19. Zehn Gedichte von C. F. Meyer für eine Singstimme mit Klavier.

Wohl ansprechende Lieder, die auf dem Konzertpodium in Ehren bestehen dürften trotz der nicht gerade hervorragenden Erfindung des Komponisten, der mit der Vertonung C. F. Meyer'scher Gedichte seiner Produktivität eine dankbare Aufgabe stellte. Für den mit dem strengsten Maßstabe messenden Musiker kommen in Betracht: a) das allerliebst empfundene »Seelchen«; b) das frische »Schnitterlied«; c) das schwung- und temperamentvolle »Ewig jung ist nur die Sonne«. A. F.

Meyer-Olbersleben, Max. Op. 60. Vier Lieder für eine Singstimme mit Klavierbegleitung. Nr. 1. Die letzte Sonne. 2. Mein Schätzelein. 3. Auferstanden. 4. O traue nicht.

— Kleine Albumblätter für die Jugend. ℳ 1,50.

Verlag Gebrüder Hug & Co., Leipzig und Zürich.

Hegar, Friedrich. Op. 32. Königin Bertha. Ballade von Fr. Rohrer für Männerchor komponiert. Part. ℳ 2,80, jede Stimme ℳ —,50.

Die Stimmung des hübschen Textes ist trefflich wiedergegeben. Ein wirkungsvoller Satz liegt vor, der allen Freunden guten Männergesanges empfohlen sei. J. W.

Othegraven, A. von. Op. 17. Der Rhein und die Reben (F. von Sallet) für achtstimmigen Männerchor. Partiur ℳ 2,40, jede Stimme ℳ —,60.

Das Werk ist mit guter Kenntnis des herkömmlichen Männerchor-Stils gesetzt und wird auch seine Wirkung nicht verfehlen. Individuelle Züge weist es nicht auf. J. W.

Zoellner, Heinrich. Op. 79. Die Toteninsel (Th. Moore-Freiligrath). Für Männerchor. Partitur ℳ 1,80, jede Stimme ℳ —,30.

Ein höchst interessantes, kühn konzipiertes Werk. Tritoni, leere Harmonien,

Quinten-Parallelen, Quinten-Schlüsse u. s. w. werden zur Charakteristik herangezogen, um den düsteren Text auszumalen. Die Aufführung verlangt einen tüchtig geschulten Chor. J. W.

Verlag C. F. Kahnt Nachfolger, Leipzig.

Brendel, Felix. Anton Rubinstein, Romanze in Es-dur Op. 44 für Harmonium und Klavier übertragen. ℳ 1,50.

Möskes, Hermann. Drei Lieder für eine Singstimme mit Pianofortebegleitung. Komplett ℳ 1,80.

Stradal, August. Übertragungen Franz Liszt'scher Lieder und Gesänge für Pianoforte zu zwei Händen.

Nr. 7. Der Fischerknabe. ℳ 1,50.

Nr. 18. ‹Oh! quand je dors.‹ ℳ 1,50.

Nr. 23. Nimm einen Strahl der Sonne. ℳ 1,—.

Nr. 24. Schwebe, schwebe, blaues Auge ℳ 1,—.

Nr. 27. Kling leise, mein Lied. ℳ 1,80.

Nr. 47. Bist du! ℳ 1,50.

Prächtige Übertragungen mit brillantem Klaviersatz. A. G.

Kollektion Litolff, Braunschweig.

Buttschardt, Karl. Op. 50. Praktisches Lehrbuch der Musikwissenschaft. Eine Abhandlung des gesamten musik-theoretischen Stoffes zum speziellen Gebrauch beim höhern Klavierunterricht. Zwei Bände je ℳ 2,50.

Wie aus dem Vorwort des Verfassers ersichtlich, will derselbe mit diesem Lehrbuch eine Lücke ausfüllen zwischen der klavierspielenden Praxis und der musikalischen Theorie. Er sagt sehr richtig, daß für den werdenden Klavierspieler nach erfolgter Durcharbeitung der Harmonielehre die organische Ausgestaltung einer Beethoven'schen Sonate oder eines Chopin'schen oder Schumann'schen Stückes gewöhnlich die nämliche *terra incognita* sei, wie vor dem Theoriestudium. Die Aufgabe, welche sich der Verfasser gestellt, hat er insofern nicht ohne Geschick gelöst, als er an der Hand von sehr gut ausgewählten Beispielen aus den Klavierwerken älterer und neuerer Meister von Stufe zu Stufe theoretisch in die melodisch harmonischen Gebilde, sowie in die Form und den ganzen thematischen Aufbau einzelner Klavierstücke einführt. Das künstlerische Bewußtsein und Verständnis wird bei den Schülern durch diese Art pädagogischen Vorgehens zweifellos mehr angeregt und eine größere Selbständigkeit des Denkens und Arbeitens erzielt. Alles, was der Klavierspieler an Theorie wissen muß, führt der Verfasser gewissenhaft an und veranschaulicht alle besonderen Schwierigkeiten in der Phraseologie und den metrischen Verhältnissen auf recht praktische Art, wenn auch für Dilettanten manche Ausdrucksweise mir etwas zu gelehrt erscheint. Ob die neuen Ausdrücke »Aufhalt« für Vorhalt und »werdende und gewordene Zeit« für gute und schlechte Zeit so viel mehr besagen, möchte ich nicht behaupten, doch kann da jeder nach seiner Façon selig werden. Jedenfalls ist das vorliegende Werk ein gut durchgearbeitetes, das von dem theoretischen wie praktischen Können seines Verfassers das beste Zeugnis giebt und verdient in weitesten Kreisen so viel als möglich bekannt zu werden.   A. G.

Verlag A. A. Noske, Middelburg.
(Breitkopf & Härtel, Leipzig).

Anrooy, P. G. van. Piet Hein, Holländische Rhapsodie für großes Orchester mit Benutzung von J. J. Viotta's Liedchen der Silberflotte. Partitur *M* 12,— 4-händig. Klavier *M* 3,—.

Kuyper, Lize. Sonate voor Piano en Viool. *M* 4,50 n.

Ein recht annehmbares Werk, dessen einzelne Sätze nicht bloß schöne Melodien in hübschem Gewande enthalten, sondern in ihrem Wert fortlaufend steigern, so daß das Finale am wertvollsten ist. Recht originell ist der Mittelsatz des das Scherzo vertretenden Bolero. Der fortwährende Wechsel der Tonarten war wohl nicht immer nötig.   W. A.

Lies, Otto. Sonata quasi una Fantasia op. 21. *M* 3,—.

Mehr freie Phantasie, als Sonaten-Satz, dem trotz viel versprechender Anläufe das Sprunghafte anklebt, ohne einer gewissen Verve zu entbehren; hübsch nimmt sich das erste A-dur Thema im Andante aus, das Andante maestoso klingt fast orchestral gedacht, wie ich überhaupt in diesem Werke viel eher eine Art Orchesterkomposition zu sehen veranlaßt bin als ein im Sinne des Klaviersatzes gearbeitetes Ton-

stück. Formelle Gewandheit und wohl entwickelter Sinn für thematische Arbeit ist nicht zu verkennen, jedoch wirken die vielen Tempowechsel und die zu oft wiederkehrenden Hauptthemen ermüdend. Harmonisch interessieren einige klanglich auffallende Modulationen.   A. F.

Röntgen, Julius. Op. 41. Sonate voor Piano en Violoncel. *M* 6,— n.

Endlich einmal wieder eine Violoncell-Sonate, in der dieses Instrument vom Klavier nicht unterdrückt wird und dankbar behandelt ist. Die Melodik ist durchaus vornehm; nicht ohne Originalität sind namentlich das Scherzo und das famose Finale. Auch zur öffentlichen Aufführung zu empfehlen.   W. A.

Verlag D. Rather, Hamburg und Leipzig.

Krug, Arnold. Für die junge Welt. Leichte Klavierstücke, op. 107. *M* 3,—.

Bitte, Walzer, Großvaters Geburtstag. Ballspiel, Romanze, Marsch. Die heiligen drei Könige, Hinaus ins Freie.

Paul, Emil. Op. 14. Trio leicht ausführbar für Pianoforte, Violine und Violoncell. *M* 3,—.

Verlag Ricordi & Co., Mailand.

Martini, Padre G. B. Alcuni brani di Sonate scelti, riveduti e diteggiati colla maniera d'esecuzione di tutti gli abbellimenti e coi segni per il colorito e l'accentuazione da Mario Vitali, Professore di Pianoforte nel Liceo Rossini di Pesaro. (Edizioni Ricordi, Biblioteca del Pianista). *M* 1,20.

Inhalt: 1) Adagio, estratto dalla 2ᵈᵃ Sonata; 2) Vivace, dalla Sonata Iᵃ per il Cembalo; 3) Sonata 2ᵃ per l'Organo.

Verlag Ries & Erler, Berlin.

Feith, Alfred. 3 Lieder für Singstimme mit Klavierbegleitung. 1. Wenn ich in deine Augen seh. 2. Erlösung. 3. Unvergessen. Preis des Heftes *M* 1,50.

Diese drei Lieder, von denen namentlich das zweite als wertvolle Gabe eines ausgezeichneten Musikers sich dokumentiert, dürften im Konzertsaal ihrer Wirkung sicher sein.   A. M.-R.

Körte, Oswald. Prinzessin und

Schweinehirt. Oper für die Jugend in 3 Aufzügen. Frei nach dem Märchen H. C. Andersen's »Der Schweinehirt«. Klavierauszug nebst vollständ. Textbuch und Aufführungsrecht für das Haus *M* 10,—.

Eine allerliebste, sehr melodiöse Jugendoper, leicht ausführbar mit 8 Personen und stummem Personal, lustig, graziös und von naiver Charakteristik, die die Kinder gewiß mit Lust und Liebe aufführen und die Erwachsenen mit großem Vergnügen anhören werden. Jetzt, wo man an der Erziehung der Jugend zur Kunst (zuweilen mit wunderlichen Mitteln) arbeitet, dürfte dies scheinbar leicht hingeworfene Werk eine besonders zeitgemäße und dankbar anzunehmende Gabe sein, besser jedenfalls als Kinderbälle und ähnliche Thorheiten, weil auch fürs spätere Leben sichere Früchte und dankbare Rückerinnerungen verheißend.

O. F.

Verlag Rieter-Biedermann, Leipzig.

Lange, S. de. Konzertstück (Toccata-Adagio-Finale) für die Orgel. Op. 82. *M* 3,— n.

In diesem Opus bietet der Komponist unseren Organisten ein breit angelegtes, gut gearbeitetes und — wenn auch nicht gerade originelles — so doch wirkungsvolles Tonstück für ihre Konzertvorträge.

C. Th.

Stange, Max. Op. 86. Vier Lieder für gemischten Chor (a cappella). Nr. 1. Nachtigall; 2. Friede der Nacht; 3. Glocken der Heimat; 4. Lenzesmahnen. Partitur *M* 2,—, Stimmen je *M* —,60.

— Op. 87. Fünf Lieder aus »Musikantenstücklein« [von Julius Gersdorff] für 4 Männerstimmen, Solo oder Chor. Nr. 1 Sei gegrüßt, Frühlingszeit; 2 In stiller Nacht; 3 Wanderfreude; 4 Empor, mein Lied; 5 Gelobt sei Frau Musika. Partitur jeder Nummer *M* 1,—, jede Stimme *M* —,15.

— Op. 88. Sechs Lieder für drei weibliche Stimmen (oder Frauenchor) [nach Gedichten von Julius Gersdorff] Heft I: Vier Lieder a cappella: Nr. 1 Der Lenz ist da; 2 Das Abendglöcklein; 3 Wasserlilie; 4

Des Finken Frühlingslied. Partitur *M* 1,50, Stimmen je *M* —,60. Heft II: 2 Lieder mit Begleitung des Pianoforte: Nr. 5 Am Meere; Nr. 6 Der junge Tag. Partitur *M* 1,50, jede Stimme *M* —,30.

Werke eines gediegenen, vornehm empfindenden Musikers, der mit der Leistungsfähigkeit der menschlichen Stimme und dem Chorsatze aufs Beste vertraut ist. Angenehme Melodie, hübsche Stimmführung, interessante Harmonie und gute Klangwirkung sind fast durchweg anzutreffen.

J. W.

Zenoni, Baldi. Vier Trios für Orgel. Op. 5. *M* 2,50.

Bescheideneren Ansprüchen dürften diese einfachen, melodischen Sätze genügen.

C. Th.

Verlag Schlesinger'sche Musikhandlung, Berlin.

Egidi, Arthur. Psalm 84 (Wie lieblich sind deine Wohnungen) für 6-stimmigen Chor a cappella, op. 6. Partitur *M* 2,—.

Juon, Paul. Op. 15. Sonate für Bratsche und Klavier. *M* 6,—.

Eine sehr wertvolle Bereicherung der spärlichen Bratschenlitteratur. Der sehr talentvolle Komponist, der im Geiste von Brahms schreibt, weiß uns in knapper Form viel zu sagen und zwar durchweg nur Schönes und Bedeutendes. Die Klavierstimme erfordert einen geübteren Spieler als der dankbare Bratschenpart. W. A.

Verlag C. Schmidt & Co., Triest.

Gentilli, D. Composizioni: Scale, terze, arpeggi e cadenze per Violino. Corone 1,—.

Verlag Arno Spitzner, Leipzig.

Brambach, C. Jos. Op. 115. Vier Lieder für Männerchor. Nr. 1. Hinaus in die Ferne; 2. Fahr' wohl; 3. Winters Einzug; 4. Preis des Vaterlandes. Partitur jeder Nummer *M* —,60. Stimmen je 15—20 *Pf*.

Hartmann, P. von An der Lahn-Hochbrunn. Sommerständchen für Männerchor. Part. *M* —,60, jede Stimme *M* —,15.

Kühnhold, C. Op. 113. Abendfriede.

16*

Thema aus »Ave Maria« von
L. Böhner. Ausgabe für Männerchor.
Partitur $\mathcal{M}$ —,60, Stimmen je
$\mathcal{M}$ —,15.

Nagler, Franciscus. Op. 10, Nr. 2.
Sehnsucht für Männerchor. Part.
$\mathcal{M}$ 1.—, jede Stimme $\mathcal{M}$ —,20.

— Op. 18. Sonnengesang (Jul. Gersdorff) für Männerchor. Part. $\mathcal{M}$ 1,—,
jede Stimme $\mathcal{M}$ —,20.

Preiſs, A. Op. 46. Die Katze läßt
das Mausen nicht. Für vierstimmigen
Männerchor. Part. $\mathcal{M}$ —,60, jede
Stimme $\mathcal{M}$ —,15.

Schultz, Edwin. Op. 249. Nr. 1. Lieder
aus der Jugendzeit. Für vierstimmigen Männerchor. Part. $\mathcal{M}$ 1.—, jede
Stimme $\mathcal{M}$ —,20.

Urban, Otto. Op. 17. Frühling. Für
vierstimmigen Männerchor. Part.
$\mathcal{M}$ 1.—, jede Stimme $\mathcal{M}$ —,20.

Wagner, Hans. Op. 36. Elsula
(O. Kernstock). Männerchor mit
Soloquartett. Part. $\mathcal{M}$ 2.—, jede
Stimme $\mathcal{M}$ —,60.

Wagner, Rudolf. Op. 167. Den ich
nicht leiden mag (O. Schlotke). Für
Männerchor. Part. $\mathcal{M}$ —,60, jede
Stimme $\mathcal{M}$ —,15.

Wohlgemuth, Gustav. Op. 38a.
Mägdlein hab Acht. Für Männer-
chor. Part. $\mathcal{M}$ —,60, jede Stimme
$\mathcal{M}$ —,15.

Zanger, G. Op. 31. Kaiserlied (E. Ries)
für Männerchor. Part. $\mathcal{M}$ —,60,
jede Stimme $\mathcal{M}$ —,15.

Zoellner, Heinrich. Op. 81. Drei
Lieder für vierstimmigen Männer-
chor. Nr. 1 Maienlüftchen; Nr. 2
Schöne Augen; Nr. 3 Abendlied.
Partitur jeder Nummer $\mathcal{M}$ —,60 bis
1.00, jede Stimme 15—20 $\mathcal{G}$.
Interessant gearbeitete, fein empfundene
Chöre.   J. W.

Süddeutscher Musikverlag,
Straßburg im Elsaß.

Koeſsler, Hans. Sonate (in E-moll)
für Violine und Klavier. $\mathcal{M}$ 5,—.

Die vier Sätze dieser ausgezeichnet gearbeiteten und harmonisch recht interessanten Sonate gehen ohne Unterbrechung
in einander über; am originellsten ist das
Scherzo. Wenn auch die meisten Themen
nicht besonders prägnant sind, so dürfte
das Werk im ganzen doch viele Freunde
finden, und sei hiermit auch zur öffentlichen
Aufführung empfohlen.   W. A.

Verlag Werner Söderström,
Porvoossa (Borgå, Finland).

Krohn, Ilmari. Adventti-ja Joulu-
virsiä. Rytmillisillä sävelmillä,
harmoniumin säestyksellä sovittanut
(Advent- und Weihnachtslieder mit
rhythmischen Melodien unter Begleitung des Harmonium arrangiert).
$\mathcal{M}$ 1,75.

Verfasser bietet eine Reihe von 30 finnischen Choralweisen in der beim Volke
gebräuchlichen Form dar. Einige derselben,
welche ihm isorhythmisch vorlagen, hat er
polyrhythmisch umgestaltet, und allen eine
freie Begleitung beigegeben, die sich mit
der Singweise zu wirkungsvollem Satze
verbindet.   J. W.

Verlag Chr. Friedr. Vieweg,
Quedlinburg.

Baumfelder, Friedrich. Op. 374.
Frühling und Winter. Klavier-
Auszug $\mathcal{M}$ 3,50, jede Chorstimme
$\mathcal{M}$ —,60.
Seichte Chormusik.   J. W.

Rudnick, W. Drei patriotische Gesänge für 2—3-stimmigen Schulchor
oder 4-stimmigen Männerchor mit
Klavierbegleitung. I. Lied der deutschen Flotte (G. Weck), II. Kaiserlied, III. Das neue deutsche Reich
(J. Wolff).

Teschner, W. Op. 3. Zwei Lieder
für gemischten Chor. I. Seeglocken
(M. von Stern), II. Herbstlied (H.
v. Fallersleben). Partitur complet
$\mathcal{M}$ 1,—; jede Chorstimme zu I
$\mathcal{M}$ —,15, zu II $\mathcal{M}$ —,10.

Zuschneid, Karl. Op. 54. Zwei
Vaterlandslieder. Nr. 1 Gebet fürs
Vaterland. Nr. 2 Preis der Heimat.
Partitur $\mathcal{M}$ 1,—, jede Chorstimme
zu 1 wie zu 2 je $\mathcal{M}$ —,10.

Zeitschriftenschau

zusammengestellt von

Ernst Euting.

Abkürzungen für die Musikzeitschriften.

AdlM Les Annales de la Musique (organe officiel de la Fédération Musicale de France), Paris, 5 Place Saint-François-Xavier.
AM L'Avenir Musical, Genève, 20, Rue Général-Dufour.
AMZ Allgemeine Musik-Zeitung, Charlottenburg, P. Lehsten.
BB Bayreuther Blätter, Bayreuth, H. v. Wolzogen.
BfHK Blätter für Haus- und Kirchenmusik, Langensalza, H. Beyer & Söhne.
BW Bühne und Welt, Berlin, Otto Elsner.
C Caecilia, Straßburg i. E., F. X. Le Roux & Co.
Cœ Cæcilia, Maandblad voor Muziek, 's-Gravenhage, Martinus Nijhoff.
Cg Caecilia, Breslau, Franz Goerlich.
CEK Correspondenzblatt d. ev. Kirchengesangvereins, Leipzig, Breitkopf & Härtel.
CM Le Cronache Musicali, Roma, tip. E. Voghera.
CMu Courrier Musical, Mentone, 1, rue Ardoino.
CO Cäcilienvereinsorgan, Regensburg, F. Pustet.
DBG Deutsche Bühnen-Genossenschaft, Berlin, F. A. Günther & Sohn.
DGK Deutsche Gesangskunst, Berlin, Otto Dreyer.
DIZ Deutsche Instrumentenbau-Zeitung, Berlin, Mansteinstrasse 8.
DMMZ Deutsche Militärmusiker-Zeitung, Berlin, A. Parrhysius.
DMZ Deutsche Musikerzeitung. Berlin, P. Simmgen.
DVL Das deutsche Volkslied. Wien. Dr. J. Pommer.
Et Etude, Philadelphia, Theo. Presser.
GBl Gregorius-Blatt, Düsseldorf, L. Schwann.
GBo Gregorius-Bote, ibid.
GM Le Guide Musical, Bruxelles, 7, rue Montagne des Aveugles.
GMM Gazzetta Musicale di Milano, Milano, Ricordi & Co.
GR Gregorianische Rundschau, Graz, Buchhandlung »Styria«.
H Das Harmonium, Leipzig, Breitkopf und Härtel.
IMM The Irish Musical Monthly, Dublin, Browne & Nolan.
K Kirchenchor, Frastanz, F. J. Battlogg.
KCh Kirchenchor, Rötha, J. Meißner.
KL Klavierlehrer, Berlin, M. Wolff.
KVS KirchenmusikalischeVierteljahrsschrift, Salzburg, Anton Pustet.
KW Kunstwart, München, G. D. W. Callwey.
L Lyra, Wien, Anton August Naaff.
M Ménestrel, Paris, Heugel & Co.
Mc Music, London, 185 Wardour Street.
Mu Music, Chicago, W. S. B. Mathews.
MB Muziekbode, Tilburg, M. J. H. Kessels.
MC Musical Courier, New York, 19, Union Square.
MH Musikhandel und Musikpflege, Verein der Deutschen Musikalienhändler.
MfM Monatshefte für Musikgeschichte, Leipzig, Breitkopf & Härtel.
Mk Die Musik, Berlin, Schuster & Löffler.
MM Monde Musical, Paris, A. Mangeot.
MMG Mitteilungen der Berliner Mozart-Gemeinde, Berlin, Raabe & Plothow.
MMR Monthly Musical Record, London, Augener & Co.
MN Musical News, London, 130 Fleet Street.
MR Musical Record, Boston, Lorin F. Deland.

MS Musica Sacra, Regensburg, F. Pustet.
MSfG Monatsschrift für Gottesdienst und kirchliche Kunst, Göttingen, Vandenhoeck & Ruprecht.
MSu La Musique en Suisse, Neuchâtel, Delachaux & Niestlé.
MT Musical Times, London, Novello & Co.
MTW Musik- und Theaterwelt, Berlin, Dr. Alfieri.
MW Die Musik-Woche, Leipzig, Johannisgasse 3.
MWB Musikalisches Wochenblatt, Leipzig, E. W. Fritzsch.
NM Nuova Musica, Firenze, E. Del Valle de Paz.
NMP Neue musikalische Presse, Wien, Arthur E. Bosworth.
NMZ Neue Musik-Zeitung, Stuttgart. C. Grüninger.
NZfM Neue Zeitschrift für Musik, Leipzig, C. F. Kahnt Nachf.
OCh The Organist and Choirmaster, London W., 9, Berner's Street.
PA Le Progrès artistique, Paris, 22—23 passage des Panoramas.
PJ Piano Journal, London, W. Rider & Son.
RA Revista artistica, San Paulo (Brasilien), J. de Mello Abreu.
RAD La Revue d'Art Dramatique, Paris, Société d'éditions artistiques et littéraires, librairie Ollendorff, 50, Chaussée d'Antin.
RE Revue Éolienne, Paris, Toledo & Cie.
RHC Revue d'Histoire et de Critique Musicales, Paris. H. Welter. 4 Rue Bernard Palissy.
RM România Musicală, Bucuresti, Str. Olteni 46.
RMG Russkaij Musikaalja Gazeta, St. Petersburg, Nic. Findeisen.
RMI Rivista musicale italiana, Torino, Fratelli Bocca.
RMZ Rheinische Musik- und Theater-Zeitung, Köln a. Rh., Schafstein & Cie.
RR Review of Reviews, London, Horace Marshall & Son.
S Signale f. d. musikal. Welt, Leipzig, B. Senff.
Si Siona, Gütersloh, C. Bertelsmann.
St The Strad, London, E. Shore & Co.
SA Sempre Avanti, Amsterdam, Allert de Lange.
SC Santa Cecilia (Rivista mensuale di musica sacra e liturgica), Torino, Marcello Capra.
SH Sängerhalle, Leipzig, C. F. W. Siegel.
SMT Svensk Musiktidning, Stockholm, Frans J. Huß.
SMZ Schweizerische Musikzeitung, Zürich, Gebrüder Hug & Co.
SZ Schweizerische Zeitschrift für Gesang, St. Gallen, Zweifel-Weber.
TK Die Tonkunst. Berlin. Ernst Janetake.
TSG Tribune de St. Gervais, Chevalier Maresq & Co.
TV Tijdschrift der Vereeniging v. N.-Nederlands Muz., Amsterdam, Fr. Muller & Co.
TW Das Tonwort, Eisleben, Carl Eitz.
U Urania, Erfurt, Otto Conrad.
WCh Wegweiser durch die Chorgesang-Litteratur, Köln, H. vom Ende.
WvM Weekblad voor Muziek, Amsterdam, Erven Munster & Zoon.
Z Zenelap, Budapest, VIII Prater-u. 44.
ZfI Zeitschrift für Instrumentenbau, Leipzig, P. de Wit.
Zg Zenevilág, Budapest, L. Hackl.

Adler, Felix. Von einem Vergessenen (Ludwig Spohr) — Freistatt (München, Enhuberstraße 8) 4, Nr. 49.

Amiel, André. »Parysatis« de Camille Saint-Saëns aux arènes de Bézieres — RE 5, Nr. 38 ff [illustriert].

Anonym. Die Orgel in der Kirche zu den Barfüßern in Augsburg, ein Meisterstück des berühmten Klavier- und Orgelbauers Johann Andreas S t e i n — Zf I 23, Nr. 6 ff [illustriert].

Anonym. Der künstlerische Nachlaß Hugo Wolf's — NMP 11, Nr. 47 [Chronologisches Verzeichnis].

Anonym. Hugo Wolf — L 26, Nr. 6 ff [illustriert].

Anonym. »Cristoforo Colombo« di Alberto Franchetti al Teatro Liceo di Barcellona — GMM 57, Nr. 48 [Sammlung von spanischen Preß-Stimmen].

Anonym. Leo XIII. und der gregorianische Choral. Ansprache, gehalten auf der Generalversammlung des Seckauer Diözesan-Cäcilien-Vereins zu Graz am 16. Oktober 1902 — GR 1, Nr. 11.

Anonym (Dotted Crotchet). Wells Cathedral — MT, Nr. 718 [mit Abbildungen und musikgeschichtlichen Notizen].

Anonym. Zur Förderung des Chorgesanges — Mitteilungen der Lehrer an höheren Schulen, 1902, Nr. 41 [Entgegnung auf Jansen's gleichnamigen Artikel [vergl. Zeitschriftenschau IV, Nr. 2].

Anonym. Two Christmas hymns and tunes [»Christians, awake«: »Once in Royal David's City«] — MT, Nr. 718.

Anonym. En dansk konsert-trio [Karen och Henry Bramsen, Ellen Beck] — SMT 22, Nr. 17.

Anonym. The H a n d e l portrait at Gopsall — MT, Nr. 718 [mit Abbildung].

Anonym. Organ playing at catholic services — IMM 1, Nr. 10.

Armstrong, Wm. Ossip G a b r i l o w i t s c h — Et, November 1902.

Averkamp, Anton. Jan Pietersz. S w e e - l i n c k en zijne werken — Cae 60, Nr. 1.

Baughan, Edward A. In defence of the virtuoso — MMR, Nr. 384.

Bekker, Paul. Über Musikpädagogik — DMZ 33, Nr. 49.

Berggruen, O. Lettres inédites de B e r l i o z — M, Nr. 3741.

Befsler, Willibrord. Mariä Himmelfahrt in seiner geschichtlichen Entwicklung — GR 1, Nr. 6/7.

Böck - Gnadenau, Josef. Wo wohnte Beethoven in Wiens Umgebung? — Mk 2, Nr. 6.

Boutarel, Amédée. Une curiosité musicale: Marche funèbre en l'honneur du général Hoche. composée sur la demande du général Bonaparte par Giovanni Paisiello — M, Nr. 3742 ff.

Breithaupt, R. M. Musik und Schule — Mk 2, Nr. 5.

Brufsel, Robert. »Bacchus«, ballet en deux actes et cinq tableaux, d'après Mermet, de MM. Georges H a r t m a n n et

J. Hansen, musique de M. Alphonse Duvernoy — RAD 17, Nr. 12.

Calvocorressi, M.-D. La saison musicale 1901-1902 — TSG 8, Nr. 10.

Campi, A. Anna L a n k o w's »Wissenschaft des Kunstgesangs« [Leipzig, Breitkopf & Härtel] — NMP 11, Nr. 48 [Besprechung].

Case, W. S. »A bas le Piano!« — MN. Nr. 615 [wendet sich gegen einen kürzlich in Paris gemachten Vorschlag, das Klavier als minderwertiges Instrument zu behandeln und es von der Verwendung in Symphonie-Konzerten auszuschließen].

Cecil, George. Englich church singing — Musical Opinion and Music Trade Review [London, 35, Shoe Lane Nr. 303.

Centanini, F. P. Pietro M a s c a g n i — Critic [New-York, Putnam] Novbr. 1902.

Chantavoine, Jean. B e e t h o v e n nach der Schilderung des Baron de T r é m' o n t — Mk 2, Nr. 6.

Closson, Ernest. Quintes parallèles — GM 48, Nr. 50.

Conrat, Hugo. B r a h m s, wie ich ihn kannte — NMZ 24, Nr. 1 ff.

Conrat, Hugo Johannes. Urteile bedeutender Männer über M o z a r t's Don Giovanni — NMZ 24, Nr. 2.

Combarieu, J. Les primitifs de la musique et de la peinture. A propos de l'exposition de Bruges — Le Temps [Paris] 11. Oktober 1902.

Coquard, A. La Troupe Jolicœur — Art du Theatre [Paris, 51, Rue des Ecoles], November 1902.

Costa-Ferreira, J. de. La musique à Rio-de-Janeiro — RAD 17, Nr. 12.

Curzon, Henri de. Jean de R e s z k é — GM 48, Nr. 50.

Delgay, Léon. La Salle Æolian. Une nouvelle salle de concert — RE 5, Nr. 38 [reich illustriert].

Dippe, Gustav. Oper und gesunder Menschenverstand — Deutschland [Berlin] 1, Nr. 1 f.

Doire, René. »Bacchus«, ballet de M. A. Duvernoy — MM 14. Nr. 22.

Ebner, Th. S c h i l l e r contra W a g n e r — Beilage zur Allgemeinen Zeitung [München] 1902. Nr. 250.

Edmondstoune, Duncan. Carols and Songs of Christmastide — MMR, Nr. 384.

Egel, A. W. »Die Feen« von Richard W a g n e r — MW 2. Nr. 42f.

Evans, E. P. Richard W a g n e r — Open Court [London, Kegan Paul] Novbr. 1902.

Fenn, W. W. Millais and Music — Chambers's Journal [London, 47, Paternoster Row], Dezember 1902.

Ferneuil, Th. »Pelléas et Mélisande« de M. Claude D e b u s s y à l'Opéra-Comique

— Revue Philomatique (Paris) 12. August 1902.

Findon, B. W. Municipal concerts for the poor — New Liberal Review (London, 33, Temple Chambers), Dezembers 1902.

Fischer, Karl. Volkslied und Männergesang — SH 42, Nr. 49.

Fürst, L. Das Konzentrieren beim Kunstgenuß — AMZ 29, Nr. 49.

Galetzki, Th. v. Das Publikum und das musikalische Kunstwerk — Welt und Haus (Berlin) 1, Nr. 33.

Gerhard, C. Der Humor in der Musik — Die Gegenwart (Berlin, W. 57) 62. Nr. 46.

Gjellerup, Karl. Musik und Weltanschauung — Beilage zur Norddeutschen Allgemeinen Zeitung (Berlin) 1902, Nr. 262.

Gietmann, G. Der heilige Augustin und der Palmengesang — GR 1, Nr. 12.

Glöckner, Willi. »Dornröschen«. Märchen in einem Vorspiel und drei Akten von E. B. Ebeling-Filhès. Musik von Engelbert Humperdinck. Erste Aufführung in Frankfurt am Main — AMZ 29, Nr. 48.

Gogarten, Arete. Sternsinger und Dreikönigsspiele — AMZ 29, Nr. 51/52.

Günther, Rudolf. Das fünfundzwanzigjährige Jubiläum des Evangelischen Kirchengesangvereins für Württemberg — CEK 16, Nr. 12.

Hartmann, Ludwig. Über Orgelbau und Orgelspiel in Deutschland und Italien vom Beginn des Mittelalters bis zum Ende des 16. Jahrhunderts. Eine Studie — Si 27, Nr. 11 f.

Hellmer, Edmund. Hugo Wolf-Briefe — Die Zeit (Wien I) Nr. 427.

Herbert, S. A. A sidelight on Richard-Strauß — New Liberal Review (London, 33, Temple Chambers), Dezember 1902.

Herold. Zur neuen Chorordnung von Liliencron's — Si 27, Nr. 11.

Heuberger, Richard. Aus der ersten Zeit meiner Bekanntschaft mit Brahms — Mk 2, Nr. 5.

Heuß, Alfred. Die spanischen Lautenmeister des 16. Jahrhunderts. Von G. Morphi — S 60, Nr. 58/59 [Besprechung].

Hiller, Paul. »Andreas Hofer«, Volksoper in 4 Akten von Emanuel Moór. Text nach einem Plane des Komponisten — NZfM 69, Nr. 49.

Hirschberg, Leopold. Luigi Cherubini's Missa solemnis — BfHK 6, Nr. 12.

Holthof, L. Wie eine Kirchenorgel entsteht — Über Land und Meer (Stuttgart) 45, Nr. 3.

Horn, Mich. Die neue Orgel in der Stadtpfarrkirche zu Judenburg — GR 1, Nr. 1.

Hüttner, Georg. Musik als Volksbildungs-mittel — Dortmunder Zeitung, 23. September 1902

Imbert, H. »Bacchus«, ballet de M. Alphonse Duvernoy — GM 48, Nr. 48.

—— »Manfred« de Robert Schumann. Première représentation au Théâtre de l'Œuvre — ibid. Nr. 50.

—— »Paillasse«, drame lirique, musique de M. R. Leoncavallo. Première représentation à l'Opéra de Paris — ibid., Nr. 51.

—— »La Carmélite«, comédie musicale, musique de M. Reynaldo Hahn. Première représentation à l'Opéra-Comique de Paris le 16 décembre 1902 — ibid.

Jonson, G. C. Ashton. Music and Mechanism — World's Work (London, Heinemann), Dezember 1902.

Irving, Minna. Music in the Philippines — MC, Nr. 1184.

Istel, Edgar. Richard Wagner und die neunte Symphonie — Mk 2, Nr. 6.

Jullien, A. Richard Wagner à Paris en 1849 — Journal des Débats (Paris) 12. Oktober 1902.

Ive, Oliver. Virtuosity — MN, Nr. 612.

Kalisch, A. Richard Strauß's »Feuersnot« in Berlin — MMR, Nr. 384.

—— The Norwich Festival — ibid.

Kalischer, Alfr. Chr. Ein ungedruckter Brief Beethoven's — Mk 2, Nr. 6.

—— Ein unbekannter »Bolero a solo« von Beethoven — ibid.

Karlyle, Charles. Die Meininger in London — S 60, Nr. 64/65.

Karpath, Ludwig. Pique Dame. Oper in 3 Akten und 7 Bildern. Text nach einer Puschkin'schen Novelle von Modest Tschaikowsky. Für die deutsche Bühne bearbeitet von Max Kalbeck. Musik von Peter Tschaikowsky. Erste Aufführung am Wiener Hofoperntheater am 9. Dezember 1902 — S 60, Nr. 64/65.

Kohut, Adolph. Johann Friedrich Reichardt. Ein Erinnerungsblatt zu seinem hundertfünfzigsten Geburtstag — NMZ 24, Nr. 1 ff.

Köper. Über die Andacht beim Gesange — MS 1902, Nr. 12.

Kretzschmar, H. Die Musik als freie Kunst — Die Grenzboten (Berlin) 61, Nr. 45.

Ky., A. Die »Matthäus-Passion« in der Wiener Singakademie — NMP 11, Nr. 51.

L., O. Die neue königliche Hochschule für Musik in Charlottenburg — AMZ 29, Nr. 48 [mit Abbildung].

Lederer, Victor. Die Braut des Czaaren (Cárská nevěsta). Oper in drei Akten von Rimsky-Korsakow. Erste Aufführung im czechischen Nationaltheater zu Prag am 4. Dezember 1902 — S 60, Nr. 66.

Leoncavallo, R. How I wrote »Pagliacci«
— The North American Review (New-
York, Franklin Square) 88, Nr. 5.

Lefsmann, Otto. Clara Schumann —
AMZ 29, Nr. 50f [Besprechung der Clara
Schumann-Biographie von Berthold Litz-
mann].

Marchesi, S. The concert season in Paris
— MMR, Nr. 384.

Marschalk, Max. Moderne Kapellmeister
— Südwestdeutsche Rundschau (Frankfurt a. M.) 1902, Nr. 14.

Marshall, Hans. Joh. Friedrich Reichardt. Zu des Komponisten 150. Geburtstage am 25. November — Saale-
Zeitung (Halle a. S.) 1902, 1. Beiblatt zu
Nr. 550.

Martinet, Ch. Le Théâtre Romand —
MSu 2, Nr. 27.

Marx, Otto. Pioniere der deutschen Musik
in England — DMZ 33, Nr. 48f.

Materna, Hedwig. Richard Wagner's
Frauengestalten (Elisabeth, Elsa) — DBG
46, Nr. 31.

Mathias, F. X. Die Choralbegleitung —
GR 1, Nr. 1ff.

Maurel, Victor. L'harmonie de l'art scéno-
graphique — MSu 2, Nr. 27.

Mayrhofer, Isidor. Die Schwierigkeiten
bei Durchführung der liturgischen Musik
— GR 1, Nr. 4f.

Meifsner, Franz Hermann. Beethoven
und Menzel — Mk 2, Nr. 6.

Milligen, S. van. Frederik de Groote als
musicus — Cae 60, Nr. 1.

Molitor, Ambrosius. Einführung in die
gregorianischen Melodien. Von P. Wagner. II. Auflage — GR 1, Nr. 2ff [aus-
führliche Besprechung].

Molkenboer, Antoon. Bayreuth en de
moderne decoratieve kunst — Cae 60,
Nr. 1 [illustriert].

Mollard, William. »Bacchus«, ballet en
trois actes et cinq tableaux; musique de
M. Alphonse Duvernoy — L'Européen
Paris, 24, rue Dauphine), 20. Dezember
1902.

Moreno, H. »La Carmélite« à l'Opéra-
Comique — M, Nr. 3743.

Mühlenbein, J. Die mittelalterlichen
Choraltheoretiker und ihre Lehre des
Vortrages — GR 1, Nr. 3.
—— Philosophische Vorfragen über die
mittelalterliche Anschauung vom Schönen
und vom Rhythmus — ibid. Nr. 4f.

Muntz, Maximilian. Vom deutschen Volksliede — DVL 4, Nr. 8.

N. Eine neue dänische Oper (»Saul und
David« von Carl Nielsen) — S 60,
Nr. 64/65.

Nathan, P. Klinger's »Beethoven«
— Die Nation (Berlin, Georg Reimer
20, Nr. 5.

Nef, Karl. Eine schweizerische Musikbibliothek — SMZ 42, Nr. 33 [behandelt
die Gründung einer Musikbibliothek in
Basel].

Nef, Willi. Das Lied des Totengräbers
im Hamlet — SMZ 42, Nr. 34.

Neitzel, Otto. »Sancho.« Lyrisches Lustspiel. Text von Yve Plessis, deutsch
von Felix Vogt. Musik von E. Jaques-
Dalcroze. Erste Aufführung am Straßburger Stadttheater am 28. November
1902 — S 60, Nr. 62/63.

Nordin, Hans. Zwei Gesänge für sech-
zehnstimmigen, gemischten Chor a cappella von Richard Strauß Op. 34 —
AMZ 29, Nr. 49 [Besprechung mit Noten-
beispielen].

O., C. von. Feuersnot. Ein Singgedicht
in einem Akt von Ernst v. Wolzogen.
Musik von Richard Strauß — WvM 9,
Nr. 49.

O., E. G. Pastoralmessen — NMP 11,
Nr. 51.

Pastor, Willy. Klinger's Beethoven
— Beilage zur Täglichen Rundschau
(Berlin: 1902, Nr. 252.

Pfeilschmidt, Hans. Die Uraufführung
von Humperdinck's »Dornröschen«
in Frankfurt a. M. — Mk 2, Nr. 5.

Philipps, R. C. On the comparison of
musical intervals — Musical Opinion and
Music Trade Review (London, 35, Shoe
Lane) Nr. 303.

Platshoff-Lejeune, E. Fremde Orchester
bei schweizerischen Festen — Die Instrumentalmusik (Beilage zur SMZ) 3,
Nr. 12.
—— Die Musikgeschichte als Kulturwissen-
schaft — SMZ 42. Nr. 31.

Pommer, Josef. Vom ersten steirischen
Sängerbundesfeste — DVL 4, Nr. 9.
—— Sechstes Deutsches Sängerbundesfest
in Graz vom 26. bis 30. Juli 1902 — ibid.

Pougin, Arthur. »Paillasse«, opéra en
deux actes, paroles et musique de M.
Leoncavallo, texte français de M.
Eugène Crosti. Première représentation
à l'Opéra le 17 décembre 1902 — M,
Nr. 3743.

Pratt, S. G. Is the art of music merely
a fashion? — Mc, Oktober 1902.

Puttmann, Max. Justinus Heinr. Knecht.
Zu seinem 150. Geburtstage — BfHK 6,
Nr. 12.

R., F. Rymond. Oper in 3 Akten (6 Bildern). Dichtung von Alexander Graf
Fredro (Vater). Ins Deutsche übersetzt
von V. E. Mussa. Musik von Raoul
Koczalski. Aufführung in Aachen am
23. November 1902 — AMZ 29, Nr. 48.

R., M. Les concerts symponiques Busoni
à Berlin — GM 48, Nr. 48.

Raabe, Peter. Steinerne Musik. Eine Betrachtung über die Grenzen der Musik — SA 4, Nr. 3 ff.

Reichel, Alexander. Zum Erscheinen der zehnten Auflage von Hanslick's »Vom Musikalisch-Schönen« — SMZ 42, Nr. 32.

Riemann, Ludwig. Der Gassenhauer — DVL 4, Nr. 8 ff.

Römer, A. Die neuen akademischen Hochschulen zu Berlin-Charlottenburg — Die Kunst (München, Bruckmann), 4, Nr. 3 [illustriert].

—— Die neuen akademischen Hochschulen für die bildenden Künste und für Musik — Moderne Kunst (Berlin, Rich. Bong) 17, Nr. 8 [illustriert].

Rovaart, M. C. van de. Muziek in het Rijksmuseum — WvM 9, Nr. 50.

Rudolf, John. »Sancho.« Musikalische Komödie in 4 Akten und einem Vorspiel. Text von R. Yve-Plessis, deutsch von Felix Vogt. Musik von Émile Jacques-Dalcroze — NZfM 69, Nr. 51. [Erste deutsche Aufführung am Straßburger Stadttheater am 28. November 1902.]

Saavedra, Dario. Einiges über das Wesen der Musik — WvM 9, Nr. 51.

Schäfer, Theo. »Dornröschen.« Märchen in einem Vorspiel und 6 Bildern von Ebeling-Filhès, Musik von Engelbert Humperdinck — NMZ 24, Nr. 1.

Schettini, A. Che cosa è il bello nell' arte musicale — GMM 57, Nr. 48.

Schlemüller, Hugo. Die Zwillinge. Komische Oper in drei Akten nach Shakespeare's »Was ihr wollt«, Musik von Carl Weis. Uraufführung im Stadttheater zu Frankfurt a. M. am 16. Dezember — S 60, Nr. 66.

Schmidt, Hermann. Musikalisches und musikalische Kritik am Anfang des neunzehnten Jahrhunderts — DMZ 33, Nr. 48 ff.

Schmidt, Leopold. Das Opernwesen der Gegenwart — Deutsche Monatsschrift (Berlin, Alexander Duncker), Novbr. 1902.

Schmitz, Eugen. Gedanken über die Zukunft des Musikdramas — Freistatt (München, Enhuberstraße 8) 4, Nr. 48.

Schultze, Ad. Irma Sänger-Sethe — NMZ 24, Nr. 2.

Schürz, A. Die Sonate der Zukunft — NMZ 24, Nr. 1 ff.

Segnitz, Eugen. Liszt's Legende von der heiligen Elisabeth. Scenische Aufführung im Neuen Stadttheater zu Leipzig am 23. November 1902 — AMZ 29, Nr. 49.

Seydler, Anton. Zum VI. deutschen Sängerbundesfeste in Graz (26.—30. Juni 1902) — GR 1, Nr. 6/7.

Skraup, Karl. Das Interimstheater in Stuttgart — Über Land und Meer (Stuttgart) 45, Nr. 6.

Smend, Julius. Wolfrum's Reform der evangelischen Kirchenmusik — MSfG 7, Nr. 12.

Solenière, Eugène de. Musiques du »Je t'aime« — RE 5, Nr. 37.

Spitta, Friedrich. Zur Diskussion über das Magnificat — MSfG 7, Nr. 12.

—— Kritiken und praktische Winke für Weihnachten und die Jahreswende — ibid.

Stainer, Cecie. Sir Hubert Parry on seventeenth-century Music — MT, Nr. 718 [Besprechung der Oxford History of Music, Vol. III].

Symons, A. The music of Richard Strauß — Monthly Review (London, Murray), Dezember 1902.

Teibler. Die Wagner-Festspiele in München — Die Wahrheit. 8, Nr. 10.

Tomlinson, J. Lance. Our famous living organists — Sunday Strand (London, Newnes) Dezember 1902.

Untersteiner, Alfredo. L'opera italiana in Germania — GMM 57, Nr. 51.

Vancsa, Max. Ein Weihnachtsmysterium nach Worten der Bibel und Spielen des Volkes von Philipp Wolfrum. (Erste Wiener Aufführung am 13. November 1902.) — NMP 11, Nr. 49.

—— »Pique Dame.« Oper von Peter Tschaikowsky — ibid. Nr. 50.

—— Philipp Wolfrum — ibid. Nr. 51 [mit Porträt].

Vey, Carl. Die Entstehung des deutschen vierstimmigen Männerchors — MWB 33, Nr. 50.

Viotta, Henri. Jets over het ontstaan van Parsifal en Die Meistersinger — De Gids (Amsterdam, P. N. van Kampen & Zoon) Dezember 1902.

—— Tristan und Isolde, als sage en drama — Cae 60, Nr. 1.

Vivell, Cölestin. Die Gesänge Julians von Speier zu seinen Reimoffiicien auf die Heiligen Franciscus und Antonius — GR 1, Nr. 6/7 ff.

Vollmar, H. Klinger's Beethoven bei Keller & Reiner — Beilage zur Norddeutschen Allgemeinen Zeitung (Berlin) 1902, Nr. 254.

Wagner, Pet. Das Graduale »Viderunt« der dritten Weihnachtsmesse — GR 1, Nr. 12 f.

—— Über die Tonart des Oster-Kyrie — GR 1, Nr. 2.

—— Die beiden Melodien des »Ave Maris Stella« — ibid. Nr. 4 f.

—— Aus der Werkstatt des gregorianischen Graduale — ibid. Nr. 8/9.

Walter, W. E. Pietro Mascagni — — Bookmann (New-York, Dodd, Mead & Co.), November 1902.

Weber, Wilh. Ein Oratorienentwurf von Goethe — NMZ 24, Nr. 1.

Wedgwood, James. Modern organ control, from a player's point of view — Mc 8, Nr. 2.

Weiss, Johann. Choralcurs durch Prof. Dr. P. Wagner in Graz — GR 1, Nr. 11.

Welti, Heinrich. Richard Strauß und seine zweite Oper — Die Nation (Berlin, Georg Reimer) 20, Nr. 6.

Wibl, J. Kirchenmusikalische Ausbildung an unseren Lehrer-Bildungs-Anstalten? — GR 1, Nr. 6/7.

—— Die nachtridentinische Choralreform zu Rom — ibid. Nr. 8/9 ff [Besprechung des gleichnamigen Werkes von Molitor].

Williams, C. F. Abdy. Some Pompeiian Musical Instruments and the Modes of Aristides Quintilianus — The Classical Review (London, David Nutt) 16, Nr. 8.

Wolfsteiner, Willibald. Wozu Liturgik — GR 1, Nr. 3.

Zijnen, Sibmacher. Opmerkingen over Tristan und Isolde — SA 4, Nr. 3.

Buchhändler-Kataloge.

Ackermann, Theodor. München, Promenadenplatz 10. — 1) Antiquariats-Katalog Nr. 507. Geschichte der Musik, theoretische Werke u. s. w. 677 Nummern, 22 S. 8⁰. — 2) Kataloge Nr. 511—515. Kunst und Kunstgeschichte.

Breitkopf & Härtel. Leipzig. — 1) Musikalischer Monats-Bericht. Nr. 11/12. November-Dezember 1902. — 2) Auswahl aus dem Verlage von C. Joubert in Paris mit Nachtrag. 24 und 7 S. 8⁰.

Breslauer & Meyer. Berlin, Leipzigerstraße 136. — Gute Bücher, die sich zu Weihnachtsgaben besonders eignen (Musik: S. 25 und Nr. 947 (Berlioz), 994, 1231, 1282ᵇ, 1303 u. s. w.).

Fock, Gustav. Leipzig, Schloßgasse 7—9. Weihnachts-Katalog 1902. 32 S. fol.

Haase, Ernst. Berlin W. 35. — Neuigkeiten, Weihnachten 1902. 30 S. kl. 8⁰.

Harmonie. Verlagsgeschäft für Literatur und Kunst. Schöneberger Ufer 32. — Katalog 1903. Theater, Musik, Literatur, Kunst, Humoristika, Überbrettl, Kinderbücher, Musikalien. 32 S. quer-8⁰.

Heuser, Louis. Neuwied a. Rh. — Verzeichnis der Volkslieder- und Männerchor-Sammlungen von Karl Becker. 16 S. 8⁰.

Kampffmeyer, Th. Berlin, Friedrichstr. 20. — Weihnachts-Katalog Nr. 411, enthaltend schöne Wissenschaften, Klassiker, Kunstgeschichte, Kunstgewerbe und Jugendschriften. 74 S. 8⁰.

Kühl, W. H. Berlin, Jägerstr. 73. — Literarische Neuigkeiten des Jahres 1902. 40 S. Lex.

Lederer, F. E. (Franz Seeliger). Berlin, Schillstr. 14. Bücher-Katalog. 32 S. 8⁰.

Löffler, Richard. Dresden, Struvestr. 5. — Katalog Nr. 25. Auswahl guter und wertvoller Bücher aus allen Literaturgebieten.

Merseburger, Carl. Leipzig. — Empfehlenswerte Bücher und Musikalien. 16 S. Lex.

Mittler's Sortiments-Buchhandlung (A. Barth). Berlin. Mohrenstraße 19. — Illustrierter Weihnachts-Katalog, 102 S. gr. fol. nebst Beilagen. Musikliteratur S. 35 f.

Müller, J. Eckard. Halle a. S., Barfüßerstraße 11. — Katalog Nr. 95. Werke von allgemeinem Interesse. Deutsche Literatur, darunter Musik. 34 S. 8⁰.

Pech, Franz. Hannover, Marienstr. 41. — Antiquariats-Katalog Nr. 37. Schönwissenschaftl. Literatur, Geschichte und Geographie, Kulturgesch., Kunst, Kunstgewerbe, Musik (S. 38 f) u. s. w.

Schmidt, C. F. Heilbronn. — Musikalien-Verzeichnis Nr. 305. Musik für Klavier, Orgel und Harmonium, Teil I. 142 S. kl. 8⁰.

Tonger, P. J. Köln a. Rh. — Auszug aus dem Verlags-Katalog. 144 S. 8⁰.

Weber, W. Berlin, Charlottenstraße 48. — Verzeichnis neuer Bücher. Musikwissenschaft S. 54—56.

Mitteilungen der „Internationalen Musikgesellschaft“.

Ortsgruppen.

Berlin.

In der Ortsgruppensitzung vom 17. Dezember 1902 hielt der Geigenbauer Herr Otto Möckel (— die Einladungen nannten irrtümlicherweise Herrn Oswald Möckel —) einen Vortrag *Über das Wesen italienischer Geigen und deren Fälschungen*.

Der Vortragende beleuchtete zunächst in fachmännischer Weise die Eigenarten der italienischen Geigen, wobei er auch darauf hinwies, daß die Geigenbauer Italiens ohne Zutun der Wissenschaft, lediglich durch empirisches Arbeiten, eine nicht wieder erreichte Höhe der Kunst erklommen hätten. Auf die Vorzüge dieser Instrumente übergehend, die er hauptsächlich auf der Verwendung geeigneten Holzes und auf die richtige Stärke-Berechnung zurückführte, hob er besonders hervor, daß die Italiener weit bessere Holzkenner gewesen seien, als die Mehrzahl der heutigen Geigenbauer. Er erläuterte ferner die Einwirkung des Lackes auf den Ton, pries die unerreichte Schönheit der Farbe, die ihren Grund in dem natürlich durch die Sonne gebräunten Holz und durch eingesogenes Öl habe, hielt es aber für ausgeschlossen, daß das sogenannte italienische Geheimnis darin zu suchen sei. Besonders interessierte die Behauptung des Vortragenden, daß die Stärke der Resonanzplatten, hauptsächlich der Decke, eine große Einwirkung auf die Saitenspannung ausübe. Herr Gregor von Akimoff spielte dann verschiedene Meisterinstrumente, um die Klangverschiedenheiten zu Gehör zu bringen. Es war eine sehr ansehnliche Sammlung alter Geigen im Gesamtwerte von über 80 000 Mark, die der Vortragende zur Verfügung gestellt hatte, darunter Werke von Amati, Guarneri (Petrus und Joseph), Montagnana, Seraphin, Gagliano, Gabrielli, Guadagnini, Guarneri del Gesù und Stradivari. — Der zweite Teil des Vortrags behandelte das Thema der Fälschungen alter Meisterinstrumente, wobei Herr Möckel manch' überraschenden Einblick gab in die Werkstatt berufsmäßiger Fälscher, die mit unglaublicher Raffiniertheit zu Werke gehen und deren Fleiß und Geschicklichkeit einer besseren Sache würdig wären. Die Ausführungen des Redners gipfelten in dem Rat, daß beim Geigenkauf in erster Linie die Prüfung durch das Ohr den Ausschlag geben müsse, denn ein im Prüfen geübtes Ohr lasse sich durch eine Imitation schwerlich täuschen; leider beurteile man meist den Wert alter Geigen nach der bestrickenden oder häßlichen Erscheinung des Äußeren, wodurch gewissenlosen Fälschern ihr Handwerk sehr erleichtert werde.

Nach dem mit großen Beifall aufgenommenen Vortrag konnte der vorgeschrittenen Zeit wegen leider keine Diskussion mehr stattfinden. Herr Möckel mußte sich darauf beschränken, einige an ihn gerichtete Fragen kurz zu beantworten. Es folgte dann noch seitens der »Vereinigung zur Förderung der Blas-Kammermusik« der Vortrag des Andante aus dem Oktett für Blasinstrumente von Beethoven, um dessen Einstudierung Herr Arno Rentsch sich verdient gemacht hatte. **Ernst Euting.**

Frankfurt a. M.

In der am 15. Dezember abgehaltenen Monatsversammlung sprach der Vorsitzende der hiesigen Ortsgruppe, Herr Dr. Richard Hohenemser, über »Die altenglische Klaviermusik«. Der Redner führte aus:

Die Engländer gelten allgemein für ein unmusikalisches Volk, jedoch mit Unrecht. Zwar hat England seit dem Ende des 17. Jahrhunderts keinen wirklich bedeutenden Komponisten mehr aufzuweisen, und einen Palestrina oder Bach hat es niemals besessen. Daß es aber dem englischen Volke als solchem nicht an musikalischer Begabung fehlt, beweist in erster Linie sein Reichtum an charakteristischen und schönen Volksliedern. Sicher ist auch, daß England in der Geschichte der älteren Musik eine hervorragende Rolle spielte. Vielleicht hat es sogar zu Zeiten entscheidend in die Entwickelung eingegriffen.

Hierauf folgte ein kurzer geschichtlicher Überblick unter besonderer Hervorhebung des berühmten Sommerkanons aus dem 13. und der Thätigkeit Dunstable's im 15. Jahrhundert. Zur Zeit der Königin Elisabeth blühte gleichzeitig die Kirchenmusik (Tye, White, Tallis, Bird und als letzter Gibbons), das Madrigal (Morley, Weelkes, Wilbye, Bennett u. s. w.) und die Virginalmusik, die älteste Klaviermusik, die wir kennen. Im Druck erschien aus diesem Gebiet damals nur ein Werk »Parthenia«, 1603, mit Kompositionen von Bird, Bull und Gibbons. Dagegen sind zahlreiche handschriftliche Sammlungen erhalten. Sie gerieten rasch in Vergessenheit und wurden erst in der 2. Hälfte des 18. Jahrhunderts durch Hawkins und Burney an's Licht gezogen, die auch einzelne Proben veröffentlichten. 1812 gab Th. Smith drei Stücke von Hugh Aston, dem ältesten bekannten Virginalisten heraus; später folgte ein Neudruck der »Parthenia«. Aber das genügte nicht, um von der Bedeutung der Virginalisten ein richtiges Bild zu geben. Das ist annähernd erst möglich, seit 1899 ein umfang-

reiches Manuskript, das sogenannte Fitz-William-Virginalbook, früher als Virginal-
buch der Königin Elisabeth bekannt, von Fuller-Maitland und Barkley Squire veröffentlicht wurde. Im Anschluss an die Vorrede der Herausgeber berichtete der
Vortragende kurz über die Schicksale des Manuskriptes, über seine äußere Beschaffenheit, Notation, Takteinteilung, Versetzungszeichen, Verzierungen u. s. w. In der
Handschrift, welche Kompositionen etwa aus der Zeit von 1550 bis 1620 enthält,
dürfte keine der damals gepflegten Gattungen der Virginalmusik fehlen. Im Ganzen
tritt uns diese Musik schon auf einer erstaunlich hohen Entwickelungsstufe entgegen.
Ihre Wurzeln sind uns völlig unbekannt. Am ehesten könnte man eine Entstehung
aus der Lautenmusik vermuten; aber bis jetzt fehlt dafür jeder historische Anhaltspunkt. Jedenfalls hat sie mit der deutschen und romanischen Lautenkunst viel Ähnlichkeit, namentlich darin, daß auch sie die homophone Schreibweise mit der Melodie
in der Oberstimme ausbildet. Außerdem kommt aber in ihr eine rein instrumentale
Polyphonie und die motivische Arbeit zur Geltung, und inhaltlich wie formell steht
sie weit über der Lautenmusik.

Hierauf wurden die einzelnen Gattungen besprochen: zuerst die Bearbeitung Gre-
gorianischer Melodien, wobei auf die damals noch enge Verbindung der Klavier- und
Orgelmusik hingewiesen wurde, dann die Übertragung mehrstimmiger Vokalkomposi-
tionen, endlich als Höhepunkt die Variationen über Lieder und Tänze. Dabei wurde
mit dem Vorbehalt, daß weitere Veröffentlichungen ein anderes Bild ergeben könnten,
dem Style William Bird's, der deutlich den Zusammenhang mit der vokalen und kirchlichen Schreibweise erkennen lasse, derjenigen John Bull's gegenüber gestellt, welcher
die Klaviertechnik nach den verschiedensten Seiten hin weitergebildet habe und dabei
nur selten in's rein virtuosenhafte verfallen sei. Schließlich folgte noch die Besprechung der rein instrumentalen Formen: Präludium, die verschiedenen Arten der Fantasia, Toccata u. s. w.

Unter den im Virginalbook vertretenen Ausländern ist J. P. Sweelinck der bedeutendste. Seine engen Beziehungen zur englischen Klaviermusik hat M. Seiffert in
der Gesamtausgabe seiner Werke und in der »Geschichte der Klaviermusik« nachgewiesen. Sweelinck übertrug die englische Eigenart zum Teil auf seine Schüler, was
z. B. in Scheidt's »Tabulatura nova« deutlich zu erkennen ist. Aber im Ganzen entwickelten die Deutschen zunächst vorzugsweise den Orgelstyl, und später kamen für
die Klaviermusik neue Anregungen aus Frankreich, wo sich eine, wie es scheint, rein
nationale Entwickelung vollzogen hatte. In England selbst versiechte der Strom der
Erfindung fast plötzlich. Aber die Leistungen der Virginalisten beanspruchen nicht
nur das größte historische Interesse, sondern haben zum Teil auch hohen künstlerischen Wert. Zum Beweise dessen wurden verschiedene Beispiele, namentlich von
Bird und Bull, vorgeführt, um deren Wiedergabe sich Herr Organist C. Breitenstein
verdient machte. An den sehr interessanten Vortrag knüpfte sich eine kurze Debatte.

Albert Dessoff.

Neue Mitglieder.

Barendt, Miss Gertrude, Liverpool, 11
Hampstead Road.
Hornbostel, Dr. Erich von, Berlin, W 15,
Kaiserallee 205.
Neitzel, Dr. O., Cöln, Hansaring 23.

Ortmann, W., Gesanglehrer, Kiel, Adolph-
str. 38.
Pfohl, Ferd., Hamburg, Sechslingspforte 8.
Prost, C., Stettin-Grünhof, Gartenstr. 2.
Reufs, Eduard. Dresden, Strehlenerstr. 32.
Walter, Dr. Friedrich, Mannheim, C. 8. 10b.

Ausgegeben Anfang Januar 1903.

Für die Redaktion verantwortlich: Professor Dr. Oskar Fleischer, Berlin W., Motzstr. 17.
Mitverantwortlich: Dr. Ernst Euting und Dr. Albert Mayer-Reinach in Berlin.
Druck und Verlag von Breitkopf & Härtel in Leipzig.

Miss Cooper   Schumann.   Halir.   Wirth.   Joachim.   Hausmann.   Frau Grumbacher.

E. v. Mendelssohn.   Herm. Reiche.   Markees.   Paul Meyerheim.
v. Menzel.   L. P. Grimm.   v. Keudell.   Dr. Toeche-Mittler.
A. von Werner.   Fr. von Leyden   Gernsheim.   v. Oettingen.   A. Haertel.
Rob. von Mendelssohn.   Friedheim.   Felix Possart.
Radecke.   Rossberg.   Schultzen- von Asten.
Schwechten.   Ochs.   von Asten.
Leop. Schmidt.

ZEITSCHRIFT

DER

INTERNATIONALEN MUSIKGESELLSCHAFT.

Heft 5.   **Vierter Jahrgang.**   **1903.**

Erscheint monatlich. Für Mitglieder der Internationalen Musikgesellschaft kostenfrei, für Nichtmitglieder 10 ℳ. Anzeigen 25 ₰ für die 2 gespaltene Petitzeile. Beilagen 15 ℳ.

An unsere Mitglieder.

Die Zeit des Musik-Kongresses in Verbindung mit einem würdigen Musik-Feste bei Gelegenheit der Weihe des Richard-Wagner-Denkmales durch Se. Majestät den Deutschen Kaiser ist nunmehr auf Dienstag, den 30. September bis Montag, den 5. Oktober festgesetzt. Über die festlichen Veranstaltungen (Denkmals-Weihe, Bankett, historische Konzerte, Elite-Oper im Königl. Opernhause u. s. w.) wird in besonderen Einladungen, welche an unsere Mitglieder ergehen, ausführlich Mitteilung gemacht werden. Der Kongreß selbst ist so angeordnet, daß dessen Teilnehmern die Gelegenheit verbleibt, allen diesen Festlichkeiten beiwohnen zu können.

Die Sitzungen des Kongresses finden in 4—5 Sektionen statt; es sind: 1) die Sektion für Musik-Wissenschaft (Musik-Geschichte, Ästhetik, Akustik) und Universitäts-Unterricht, 2) die für Musik-Pädagogik, 3) die für musikalische Bibliothekskunde und Schriftwesen, 4) die für Instrumentenbau und eventuell 5) die für Konzertwesen und Kritik. Die Aufgaben dieser Sektionen werden durch Kommissionen, gebildet von hervorragenden Männern der betreffenden Fächer, in Berlin derart vorbereitet, daß alles Unwichtige und Überflüssige und alles gar zu Spezielle von vornherein ausgeschlossen wird, so daß jeder Zeitverlust vermieden und nur positiv Neues und Wichtiges in dem Kongresse zur Verhandlung kommt. Jeder Sektion ist möglichst ein eigener Tag gewidmet.

Die Tagesordnungen der Sektionen setzen sich zusammen:

1) aus Vorschlägen und Thesen mit nachfolgender Diskussion und ev. Beschlußfassung (Vortragszeit für den Referenten 10, für jeden Teilnehmer an der Diskussion 3—5 Minuten);

2) aus Berichten über den Stand einzelner besonders aktueller Fragen (Vortragsdauer des Referates 15—20 Minuten; Diskussion nur auf Antrag);

3) aus Vorlegung hervorragender neuer Forschungen oder Vorführung und Erklärung wichtiger neuer Erfindungen (Vortragsdauer: etwa 30 Minuten).

Da wir wohl hoffen dürfen, daß unsere verehrten Mitglieder an dem Kongresse lebhaftes Interesse haben und betätigen werden, so bitten wir schon jetzt, beabsichtigte Vorschläge, Vorträge u. s. w. mit kurzer Darstellung des Inhaltes an uns gelangen zu lassen.

Die Centralgeschäftsstelle.
Oskar Fleischer.

Herbert Spencer as Musician.

I.

To those who, like myself, have long been careful students of Herbert Spencer's works, and are conscious how much of intellectual discipline and of stimulus to right thinking they owe to him, the announcement that his little book of "Facts and Comments" is to be the last volume from his pen, inevitably causes a pang of regret. That Spencer should have lived to complete his great philosophical and scientific undertaking, after having been threatened with so many shipwrecks of health and vitality, — this is indeed a matter for our congratulation. His life and his work are now happily rounded off in a way that he himself could not have anticipated thirty years ago; yet so reluctant are we to admit that the mere process of the years can ultimately vanquish the intellects of the best and noblest of our race, that we do not welcome this reminder, from himself, that there comes a time when every man must lay down his arms and agree that his work is done. Nevertheless, it is better to have these little Essays than not to have had them. They are, of course, plainly an old man's thoughts, but all the more interesting, all the more charming, — to me at any rate — on that account. I cannot say I agree with all the opinions the author has here put forward; but it is an exhilarating spectacle to see this old philosopher, at an age when most men are thinking only of their physical comforts, arguing clearly and dispassionately upon all kinds of subjects, abstract and concrete, with no other impulse than a lofty desire to reach the pure truth.

Here we are concerned only with the musical portions of the volume, — in relation to which alone, as a matter of fact, I venture to stand in the opposite camp to Herbert Spencer. Two of the Essays — those on "The Origin of Music" and "Developed Music", — are an attempt to maintain intact certain theories of music and its genesis which the author first put forward more than forty years ago. He then argued that music arose from impassioned speech, the several stages of the development being speech, emotional speech, recitative, and fully formed music. This theory has met with a good deal of criticism in its time; and the author has spent many happy hours in rapping over the knuckles a number of people who hold other theories on the subject. He had no difficulty in disposing of Darwin and his conception that music arose from the amatory instincts of some of our early ancestors; for Darwin philosophised upon the matter with a very limited knowledge of the psychology of music, and his divagations in the art are about as impressive as a treatise on Bimetallism by Tschaikovsky would have been, or a dissertation on peasant proprietorship by Brahms. It must be confessed that some of the critics of the speech-theory gave Spencer gratuitously easy chances of scoring at their expense. Both Richard Wallaschek and the late Edmund Gurney, for example, while demonstrating satisfactorily, as I think, that Spencer's theory was inadequate to explain all the facts, must needs exaggerate certain elements in their own case to the point of sheer error. Spencer had undoubtedly taken too little account of rhythm in his theory of the origin of music; but when Wallaschek, rushing to the other extreme, laid it down that "the one essential feature in primitive music is rhythm, melody being a matter of accident", he needlessly gave Spencer the opportunity for an easy correction. In the same way, Gurney was so bent on proving that Spencer's theory did not go far enough that he himself, by the mere impetus of his own demonstration, was carried a great deal too far. It was as if, in combating the proposition that two and two made three, he felt bound to assert that two and two made five. Here again Spencer, by fastening on the more obvious exaggerations of his opponent, easily turned them to the account of his own theory.

In "Facts and Comments" the philosopher returns to the fray, and deals with my own criticisms of the speech-theory — in my "Study of Wagner" — in the same way as he had previously dealt with those of Gurney and Wallaschek. That is to say, he fails to perceive the precise trend of my arguments, and devotes his space to a more or less purely verbal criticism of one or two of my remarks, deducing from them meanings I never intended them to bear, and then disposing elaborately of these illegitimate deductions. As, however, I have replied with some fulness in the London "Monthly Musical Record" of November and December last, I may be excused from going over the ground again in this place. Here I will only say that his theory fails to show how the first step of all is possible — the transition from mere speech to melody, — and that it fails to take account of the potent fact that the germ from which

17*

melody grows, — namely, the expression of feeling in pure sound — is
an even more primitive phenomenon of the human organism than speech
can be. Hence the elaborate demonstration, in the essay on "Developed
Music", of how music has come to be more complicated in melody, harmony, rhythm, and form, in the course of its long evolution, really gives
no support to Herbert Spencer's original theory. All that he here says
of the evolution of the art is perfectly true; but it does not help us to
get over the primal, difficulty of the speech-theory. "Already" he remarks, "I have said or implied that those who combat the hypothesis
here defended, not looking at things from the evolution point of view,
do not bear in mind that in course of time there arise complicated products out of simple germs." He really does us an injustice. I personally
am as firmly convinced as the philosopher that complicated modern music
grew out of simple germs. What I cannot believe is that music grew out
of speech; and in removing the point of origin a little further back, and
fixing upon the vague expression of vague feeling in equally vague sound
as the source of that mighty river we now know, I contend that I am
really deriving music from a rather simpler germ than that posited by
Spencer. For a fuller exposition of my own argument, however, I may
be permitted to refer to the articles already mentioned.

II.

Many people may think Spencer right in his speech-theory; but I am
afraid he will find very few to agree with his essay on "Some Musical
Heresies". Here his main complaint is against the modern orchestra, in
which, he thinks, there is too marked a predominance of the strings.
"We accept the qualities of orchestral music as in a sense necessary;
never asking whether they are or are not all that can be desired. But
if we succeed in escaping from these influences of custom, we may perceive that orchestras are very defective. Beauty they can render; grace
they can render; delicacy they can render; but where is the dignity,
where is the grandeur? There is a lack of adequate impressiveness.
Think of the volume and quality of the tones coming from an organ,
and then think of those coming from an orchestra. There is a massive
emotion produced by the one which the other never produces: you cannot
get dignity from a number of violins . . . . Yet a further defect is
produced in orchestral music by the supremacy of stringed instruments.
Not only are the violins predominant in the sense that they yield the
greater part of the sound, but also in the sense that their presence is
continuous; they are always making themselves heard. The result is a
lack of massive variety; there are plenty of small varieties, but not enough
of large ones."

Surely the author cannot have heard much modern music, or if he has, he has listened to it with only half his attention. What he says of the undue predominance of the strings is fairly true of the music of the eighteenth century and beginning of the nineteenth; undoubtedly this music often produces a feeling of monotony of colour by its too great reliance upon the string section of the orchestra. But apart from the general advance in orchestral writing as a whole, modern composers have learned of what an infinite variety of effect, massive and delicate, the stringed instruments themselves are capable. A Glazounow, a Tschaikovsky or an Elgar can get almost as much "body" out of the strings alone as an eighteenth century composer could out of the whole of his orchestra, simply because he knows how to "lay out" the various parts. The author seems oblivious of the gigantic advance musicians have made in the knowledge of orchestral resources during the last fifty years; perhaps he is still thinking of Haydn's "Seven Last Words" and the symphonies of Mozart. Has not one of the complaints of the Philistine, for some time past, been what he calls the "undue predominance" of the brass in Wagner and Tschaikovsky? And as for the greater massiveness of the organ, surely the author cannot be aware of the magnificent effects of sonority our modern musicians can get, not only out of the orchestra as a whole, but out of any one section of it. He has evidently never heard such superb examples of tone-building as the final chord of "Ein Heldenleben", or he would not talk so confidently of the superior quality of the organ, — an instrument which at its best has only one or two of the good qualities of a fine orchestra, while it is immensely inferior to the orchestra in a score of respects, particularly in the matter of variety of timbre. Compared with the multicolored, vibrating, iridescent light of the modern orchestra, the organ is as the illuminated bottles in the chemist's window to a rainbow.

Herbert Spencer's reliance upon the older music for his data appears again in the remark that "There is another way in which the bass-element is unduly subordinated. Besides having too small a share in the mass of sounds which constitute any complex composition, it is habitually excluded from the leadership. The theme is invariably given to the treble, and the bass is relegated to the accompaniment". This recalls to me the remark of a somewhat blasé young friend of mine, — who after too much of the moderns, saw nothing but innocuous milk in the music of the ancients — to the effect that a Beethoven symphony was so delightfully easy to follow, the theme always being in the first violins. That, of course, is an exaggeration; still there is sufficient truth in the saying to give point to the author's complaint, and to shew the order of music upon which it is based. Here, again, if he were to take up concert and

opera going with the enthusiasm of his youth and middle age, he would
find that things have altered a good deal since Meyerbeer was supposed
to have said the last word in opera. He would discover that the theme
is not "invariably given to the treble", nor the bass merely "relegated
to the accompaniment". Simply to tell the author that he is not quite
up to date, however, would be needlessly unphilosophical. The interesting feature of the case is this dissatisfaction with the sensuous quality
of a good deal of the older music, felt by one who grew up under the
spell of that music, and who indeed hardly knows any other. Surely it
is not a very criminal offence if we, the younger generation, who have
had Wagner and Berlioz and Liszt and Tschaikovsky and Strauss dinned
into our ears ever since we began to take an interest in music, should
find the classics a little lacking at times in the colour that is as wine
to the blood. Henceforth no one need feel ashamed that he cannot appreciate the Pastoral Symphony after Wagner's Trauermarsch, or the
overture to "Don Giovanni" after the "Francesca da Rimini" of Tschaikovsky. If the eighteenth century orchestration seems to lack massiveness,
and to have an undue predominance of the string element, to the ears
of these easy-going old gentlemen who were born before the new dis-
pensation, we younger bloods may surely be forgiven for now and again
losing our temper over the often uncritical ancestor-worship to which many
estimable musicians are still given. Of course all proper allowance must
be made for the fact that the great men of the past had not our magnificently varied orchestral instruments at their disposal. But after taking
all this into consideration, it remains true that, as Spencer says, the lack
of "massive variety" is "a grave defect, ... for it is at variance with
a universal principle of art. Achieved by arrangement of contrasts, great
and small, art of every kind forbids that monotony caused by the directing of constant attention to one element. Orchestral effects need much
greater specialisation. Sounds of different qualities should at one moment
be used for one purpose and then sounds of other kindred qualities
should be used for another purpose; thus differentiating the masses of
sound more than at present". Well, this is precisely what we succeed
in doing in our modern orchestration; and it is pleasant to find an out-
sider, as the author modestly calls himself, thus accurately characterising one of the main causes of the monotony of colour in a good deal
of the older music.

III.

Herbert Spencer, indeed, is refreshingly original in more than one of
his speculations; this quality comes, I suppose, from his always having
looked at music free from any of the traditional prepossessions that beset

the professional musician or critic. I cannot agree with him in his ingenious attempt to crack up Meyerbeer at the expense of Mozart; but I certainly think that Meyerbeer is unduly neglected nowadays. Wagner made all that kind of music so unpalatable to us for a time that it needs some inducement to bring us back to it; but when we do return to it we shall, I think, find more in it than the past generation has been willing to admit. Again, it is gratifying to have Spencer laying his finger quietly but unerringly upon one of those weak points in the symphonic form which the advocates of "poetic" music do well to insist upon. "Among future changes", he remarks, "some old forms of orchestral music may possibly lose their pre-eminence. It is said that the symphony was originally a suite de pièces, — the pieces being dance-music. Hence, considered as a work of art, the symphony has no natural coherence. Further, it seems that since in the choice of pieces to form the suite, the aim must have been variety, the successive pieces were selected not for their kinship but for their absence of kinship". Taking this in a broad sense, Spencer's objection is perfectly valid. This lack of inevitable articulation in the symphony as a whole, this absence of any clear reason why the work should be in so many movements, and why these movements should be of this or that character, drive the modern composer to the symphonic poem, where there is a reason for beginning at this point and ending at that, and where the form is determined by the nature of the matter, instead of by a purely arbitrary convention. I have no hesitation in appropriating to the symphonic poem, in its best moments, the following description which Spencer employs in a slightly different connection: "Thus might be achieved that coherence which, characterising evolution, should characterise a work of art. There would also result the heterogeneity which is a trait of development; as well as that concomitant trait of increasing definiteness, implied by the finished form of the conception. At the same time the auditor would have the pleasure of watching the gradual unfolding of the composer's idea, and the successive exaltations of the sentiment expressed; while the variety in unity would be step by step made manifest". No better justification could be found of the symphonic poem, with its attempt to make a living whole of a certain complex of ideas, binding the various factors into one coherent mass, yet allowing to each of them the fullest liberty consistent with the cumulative effect of them all.

IV.

The Essay with which I venture to disagree most completely is that on "The Purpose of Art". Proceeding upon the basis of a distinction, made in an earlier paper, between mind and intellect, Spencer thinks

that the present "educational mania, having for its catchwords 'Enlightenment, Information, Instruction', tends in all ways to emphasise this er-
roneous identification of mind with intellect". He finds this belief justified
in the sphere of art, where, "as in other spheres, there is under-valuation
of the emotional element in mind and over-valuation of the intellectual
element". To establish this decidedly questionable proposition, he first of
all quotes disapprovingly Matthew Arnold's dictum that "it is by a large,
free, and sound representation of things, that poetry, this high criticism of life, has truth of substance". Upon this he remarks, "Not
the arousing of certain sentiments but the communication of certain ideas
is thus represented as the poet's office". Surely this is interpreting Arnold's words a little too narrowly, looking rather to the letter than to
the spirit. Arnold would have repudiated the paraphrase Spencer gives
of his words. Every lover of poetry can see at once the real sense of
Arnold's phrase about poetry being a high criticism of life. He means
that by the magic of the poet's presentation of what goes on in the
macrocosm and the microcosm, by his divine gift of illuminating the
ordinary things within and without us that for us duller spirits are untouched by light and uninformed with high emotion, he lets us see more
deeply into the world of things and into the soul of man than we could
do without his aid. By looking in his crystal glass we see life more
comprehensively, more sympathetically; cruder conceptions are purged out
of us; we become capable of a broader synthesis, a more harmonious
association with the great indwelling forces of the universe. In this way,
and in this way only, does the poet "criticise" life for us. It is not that
he attempts to establish by logic any definite proposition about life, but
that by his "large, free, and sound representation of things" he resolves,
if it is only for a moment, some of the discords of life, and so helps us
to "read the riddle of the painful earth". To suppose that Arnold meant
to disparage the emotional element and over-value the intellectual element
in poetry is to misunderstand strangely a poet of such singularly high
and noble emotional effect as Arnold himself.

To see Spencer's error in regard to poetry will help us to see through
his cognate error in regard to music. "Now the same thing", he says,
"is happening in respect of music. This too is to be regarded as an
intellectual exercise. It is an appeal to mind; and mind being conceived
as intellect it is an appeal to intellect. A composer must write to express, not feelings but enlightening ideas, and the listener must seek out
and appreciate these ideas . . . . Musicians often give applause to
compositions as being scientific — as being meritorious not in respect of
the emotions they arose but as appealing to the cultured intelligence of
the musician". Coming from any one but Herbert Spencer, one would

feel inclined to say that this was the language of parody. I cannot imagine where he has found reasons for this exaggerated alarmism. Music surely was never more "emotional" than at present; the devotees of classical restraint and sobriety allege, indeed, that the emotion of much modern music is so remotely associated with intellect as to be verging on hysteria. Nor do musical critics quite deserve the censure the philosopher would pass upon them. When they speak of the cleverness or „science" of a piece of music in which the emotional element is lacking, they really intend no more than to damn it with faint praise. Admiration we must always give to anything that shows cleverness, be it the mental agility of a Cinquevalli or the physical agility of a Kubelik; but as a rule we manage to rank these accomplishments in their proper degree in the hierarchy of things. In music it is the feeling that we look for, not the intellect, — if I may for a moment make that very fallacious distinction.

It seems to me, indeed, that Spencer has been singularly unhappy in his separation of intellect and emotion; and those who have learned psychology from his own masterly work on the subject will be the first to accuse him of a temporary lapse into the unscientific. No such clear dividing line as Spencer now tries to draw can possibly be drawn between the emotions and the intellect, more especially in art. As I listen to a fine piece of music it is my emotion, I suppose, that is stirred by the poignancy of this or that expression; and it is my intellect, I suppose, that judges the work as a whole, pronounces its design to be good, its proportions harmonious, its subordination of the parts to the whole duly carried out. But is there no crossing, no interblending, of these two currents, is there no emotion in my perception of the unity in diversity of the elements of the work, no intellect judging the emotions as they arise, and pronouncing this one to be purer, broader, saner, or healthier than that? I cannot help thinking that Herbert Spencer's distinction is, so far as art is concerned, entirely superficial. When I have read one of his own superb demonstrations, or travelled under his guidance to the discovery of a new generalisation in psychology or in sociology, I have often felt that there was something more in my mind than the mere perception that the logic was right or that I had reached such and such a point by such and such stages. There was also present an emotional element, a sense of joy in the symmetry and completeness of the thing. This feeling is present, perhaps, in the contemplation of all good literary work well done, — a faint tinge of colour, a ray of heat, that mingles and blends with and informs the colder and drier processes of the pure intellect. And if we feel this warmer pulse in the most rigorous philosophical work, how can Spencer doubt its existence in our appreciation of those musical compositions which to him appear merely "scientific"? Apart from any more obviously emotional qualities which they may possess, there is a sheer artistic joy in the contemplation of the composer's handling of his material. It is not an intellectual perception, in Spencer's depreciatory application of that term; it is a pure stream of satisfaction from the founts of feeling.

Herbert Spencer, it may be, stands a little distance outside the innermost circle of musical appreciation; and to him, no doubt, many things appear merely scientific or formal that to others are surcharged with emotion. In any case, there can be, I think, no question that his attempt to set up these partitions between feeling and intellect in our modern music will not bear analysis. When he remarks that "if, like Mr. Ernest Newman, [the listener] thinks music good in proportion as it 'adds something to our knowledge of life' and while listening, seeks for such knowledge, he will lose that which the music should give him, and, as I believe, will get nothing instead", — when he says this he shows clearly how fundamental his misunderstanding is. He has misinterpreted me as he misinterpreted Arnold. For the kind of knowledge of life that is applicable to the various departments of life I will go to the sciences that make such matters their object; but whatever I may learn there will not shake my conviction that Wagner and Bach and Schubert have brought me into closer touch with the greater and finer issues of life, even as Shakespeare and Molière and Tourgenieff have done. The author may cease disturbing himself over the trend which he imagines music to be taking, away from the emotional and towards the intellectual. We who love and understand music more than he — I say it with no hint of disparagement of one whose life has been mainly spent in strenuous philosophic toil — we to whom music means more than it can ever do to him, because it fills our smaller consciousness while it is but a relaxation, a diversion, in the profounder processes of his, we can at least assure him that the musician of today has as big a heart as the musician of the past, and that at no time, probably, in the history of the world, has music brought such emotional balm to the soul of man as in these days of our too mechanical and too oppressive civilisation.

Liverpool.   **Ernest Newman.**

Ungedruckte Briefe von Franz Liszt, Anton Rubinstein und Charlotte Birch-Pfeiffer.

Im Besitze meines Vaters, des Hofkapellmeisters a. D. und Komponisten J. J. Abert in Stuttgart, befindet sich eine Reihe von Briefen, deren Veröffentlichung wohl auch in weiteren musikalischen Kreisen Interesse erregen dürfte.

Das erste dieser Schriftstücke aus der Feder Franz Liszt's enthält die Danksagung des Meisters für die Widmung eines »Märchen« betitelten Charakterstücks für Klavier von J. J. Abert. Es hat folgenden Wortaut:

Sehr geehrter Herr!

Durch die freundliche Aufmerksamkeit der Widmung Ihres »Mährchens« haben Sie mir eine besondere Freude bereitet, für welche ich Ihnen meinen aufrichtigsten Dank sage. — Dieses »musikalische Tonbild« ist von vorzüglicher klarer Wirkung, gleichsam orchestral gedacht und dabei angenehm zu spielen. Für meinen Theil hätte ich zwar gerne gesehen, wenn Sie die Zwischen- und Durchführungssätze etwas reichhaltiger staffiert hätten und vielleicht der zweiten Hälfte des Hauptmotivs

mehr Raum in der Ausarbeitung gegönnt. Beiläufig gesagt ließ sich auch das Hauptmotiv (Pag. 7) ganz bequem weiter fortführen, ungefähr wie ich mir erlaube es Ihnen auf dem beiliegenden Notenblatt anzudeuten. Mögen Sie daran keineswegs eine Critik verspüren, sondern es blos als einen kleinen Beweis des künstlerischen Interesse welches mir Ihr Werk, durch seine Gelungenheit, einflößt, freundlich aufnehmen.

Im späteren Sommer gedenke ich Wagner in Luzern zu besuchen und komme dann wahrscheinlich wieder auf der Durchreise nach Stuttgard. Sehr erwünscht wäre es mir, Ihre Oper, von welcher ich so rühmliches gehört, kennen zu lernen, und ich behalte mir vor Sie zu bitten mir die Partitur — sowie auch die in Prag aufgeführte Fest-Ouverture — bei unserem nächsten Wiedersehen mitzutheilen.

Für heute empfangen Sie nochmals, sehr geehrter Herr, den Ausdruck meines verbindlichen Dankes, nebst der Versicherung der ausgezeichnetsten Achtung mit welcher Ihnen verbleibt

freundlichst ergeben
F. Liszt.

Weymar 6ten Juny 59.
(Herrn Herrn J. J. Abert Componist Stuttgard per adresse Hôtel Marquardt.)

Der liebenswürdig-höfliche Ton, den Liszt hier dem 27 jährigen Kom-

ponisten und Kontrabassisten der Stuttgarter Hofkapelle gegenüber anschlägt, vor allem aber die sorgfältige Kritik, die er seinem Werke
angedeihen läßt, ist charakteristisch für das stets hilfsbereite Wesen des
Meisters, der eine bloß formelle Danksagung verschmäht und auch hier
die Gelegenheit benützt, dem jungen Talent fruchtbringende Anregung
zuteil werden zu lassen. Die erwähnte Oper ist Abert's dramatisches
Erstlingswerk »Anna von Landskron«, das kurz zuvor in Stuttgart seine
erste Aufführung erlebt hatte; die Ouvertüre (E dur) war zur Feier des
50jährigen Jubiläums des Prager Konservatoriums geschrieben. Dem
Briefe ist eine Noten-Beilage, 16 Takte enthaltend, von Liszt's Hand
beigegeben.

Anton Rubinstein schrieb am 24. Dezember 1864 von St. Petersburg
aus an Abert:

Lieber Herr Abert!

Recht herzlichen Dank für Ihren freundlichen Brief und ehrende Zusendung der Partitur »Columbus« — leider kam sie um einen Monat zu spät
um meinem dringenden Wunsche sie diesen Winter in unseren Conzerten
aufzuführen nachzukommen — doch nächsten Winter wird sie auf den Programmen nicht fehlen und gewiß den großen Erfolg haben, den sie mit soviel Recht überall wo sie aufgeführt wurde gehabt hat. —

Allgemein heißt es, daß die Musikzustände seit der neuen Regierung[1]
sich in Stuttgardt bessern werden, ich will es hoffen, insbesondere was Sie
anbetrifft — Sie dürfen nicht länger in dieser Stellung bleiben und werden
es auch hoffentlich nicht — jedenfalls wird die Viardot[2] es nicht unterlassen haben es höheren Orts nachdrücklich zu betonen, und gewiß nicht
ohne Erfolg.

Haben Sie etwas Neues unter der Feder? gewiß eine Oper — auch ich
bin dabei, aber es geht langsam — es ist zu schwer bei meinen vielen Be-
schäftigungen an einem Werke zu arbeiten, wo Seelenruhe, Gedankenruhe,
überhaupt Concentration die erste Bedingung ist — ich werde froh sein
wenn ich diesen Sommer mit der fertigen Skizze zu Hartmann[3] komme
(der übrigens noch vieles am Text zu ändern haben wird); an ein ausarbeiten,
feilen u. s. w. ist nicht zu denken — außerdem habe ich so viele Projekte
zu Instrumentalsachen die ich gerne ausführen möchte — aber wann, wo,
wie das weiß der liebe Himmel! es ist doch wirklich zu dumm bestellt mit
den Componisten; haben sie eine gute Stellung so nimmt sie ihnen die Zeit
zum arbeiten weg, haben sie keine Stellung so nehmen ihnen Nahrungssorgen
jede Frische und Gesundheit der Gedanken weg — das Ideal wäre, nach
einer schweren, in Dürftigkeit zu überstehenden Zeit (und die halte ich für
unumgänglich nöthig um ihn im Leben wie in der Kunst recht zu stählen)
müßte der Künstler ein Rentier werden um recht in Ruhe und ohne weitere

---

1) Am 25. Juni 1864 bestieg König Karl I. den württembergischen Thron.

2) Auf die Verwendung der Frau Viardot wurde Abert bald darauf (1867, an
Eckert's Stelle Hofkapellmeister.

3) Moritz Hartmann, der bekannte Schriftsteller, war von 1863—1868 in Stuttgart tätig.

Verpflichtung arbeiten zu können — aber es wird auch ewig nur ein Ideal bleiben, denn zur Verwirklichung dessen müßten alle Herrscher so jung wie der König von Baiern sein und alle Künstler so interessant wie Wagner.

Adieu, auf Wiedersehen im Juni — ich freue mich schon jetzt darauf und grüße Sie und Ihre liebe Frau herzlichst

Ihr
Ant. Rubinstein.

Ein drittes Schreiben enthält die Entgegnung Charlotte Birch-Pfeiffer's auf Abert's Ansuchen um Umarbeitung des Textes seiner Oper «Anna von Landskron«. Es lautet:

Berlin, 3. April 1860.

Geehrter Herr!

So sehr mich Ihr Vertrauen ehrt, und so viel Interesse ich für ein schönes musikalisches Talent (wie das Ihrige mir bereits rühmlichst bekannt ist) zu jeder Zeit hatte, so ist es doch für einen Autor von Ruf eine ganz eigene Sache einen Operntext zu schaffen — denn der Librettist steht da ganz auf gleicher Stufe mit einem Arzt: stirbt ein Patient, so hat ihn der Doktor umgebracht, kommt er durch, so hat es seine Natur gethan — und fällt eine Oper, so ist, ohne Frage, das Libretto die Ursache, macht sie Furore, so spricht man von der Musik — und berührt das Libretto niemals! So ist es mindestens bei uns in Deutschland, wo alle Welt für die geniale Musik der Hugenotten und des Propheten schwärmt, und Niemand von den unübertrefflichen Tragödien sprach die Scribe für diese Compositionen geliefert! — In Frankreich, wo der Librettist die gleiche Tantième wie der Componist bezieht, kann er sich mindestens an den materiellen Erfolg halten, wenn man ihm sonst nichts läßt — in Deutschland ist auch von diesem keine Rede, der Compositeur wird in solcher Weise honoriert, daß er kaum wagen darf (wenn er nicht in den glänzendsten Verhältnissen lebt) sich ein theures Opernbuch zu kaufen, und gute Librettos geben auch gute Stücke, ein Autor aber der solche zu verfassen versteht, also gesucht ist, ist theuer, was ganz natürlich ist — d. h. was in Deutschland theuer heißt. So ist denn ein angehender Componist gezwungen sich mit Mittelgut — oft mit Schlechtem zu begnügen, und vergeudet seine herrlichsten Gaben an unfruchtbares Feld, das gar keine Ärndte tragen kann. —

All diese traurigen Reflexionen, so nüchtern sie Ihnen klingen mögen, sind Resultate meiner langjährigen Bühnen-Erfahrung, und ich spreche sie Ihnen so offen aus, als Ihr Schreiben an mich Offenheit athmet. — Ihr Opernbuch ist schlecht, entschieden unbrauchbar, und es ist ein Bürge für Ihr außergewöhnliches Talent, daß sich eine Intendanz entschloß, dieses Libretto aufzuführen, der Beweis für eine seltene Begabung es durch Musik genießbar zu machen — allein ich habe nie erlebt, daß der Componist durch Umarbeitung eines Buches etwas Bedeutendes erreicht hätte, selbst Scribe vermochte das nicht zu ermöglichen, denn der Nordstern (das neue Libretto an Stelle des bekannten »Feldlager in Schlesien«, das Meyerbeer zur Eröffnung unseres Opernhauses im Jahr 44 componiert hatte) ist vielleicht das Mißlungenste was dieser geniale Librettist gemacht hat — daraus kommt nie etwas Rechtes, und ich würde Ihnen eher rathen, diese Oper ganz zu verwerfen, als sich mit Änderungen zu quälen. — Meinen Beistand zu

einer solchen Arbeit betreffend, könnte ich sie nie übernehmen; ich hatte
vor zwanzig Jahren, wo mein Most noch jung war, meinem Freund Meyerbeer versprochen zu seinem Crocciato einen neuen Text schreiben, wollte es
durchsetzen, und arbeitete, mit der Partitur in der Hand, drei Wochen an
dem ersten Act — dann bekam ich eine Gehirnentzündung und mußte den
Plan aufgeben! eine solche Unternehmung, vollends in meinem Alter — ist
undenkbar! — Ich habe mich ungern auf Opern eingelassen, habe auch keine
brauchbaren geschrieben, als: Santa Chiara für den Herzog von Coburg,
und »Die Großfürstin« für Flotow, ich glaube nicht daß ich das rechte
Talent dazu besitze; — ich habe der D. Bühne 75 Stücke· geliefert, dadurch
bin ich daran gewöhnt immer die Handlung als Hauptsache, und mich selbst
als Mittelpunkt der Arbeit zu betrachten — ein rechter Librettist jedoch
darf nur Ambos, nicht Hammer sein wollen — muß sich unterordnen
können — das aber kann ich nicht und gestehe offen, daß wenn der Herzog
und Hr. v. Flotow meine Librettis nicht besser gefunden hätten als ich sie
fand, sie wären nie componiert worden.   Einen guten Stoff hatte ich, er
war für Felix Mendelssohn bestimmt, der dafür begeistert war, er starb
ehe mein Buch fertig war und jener Stoff — die einzige Oper mit Liebe
für ihn und die Lind begonnen — ist bei den Todten: heute könnte ich
ihn nicht mehr vollenden. — Somit sage ich Ihnen aufrichtig: meine Opern
sind — nach meiner Ansicht — nicht das was sie sein müßten, und dennoch kann ich keinen Operntext unter 100 Louis d'or schreiben, da er mir
die Zeit für meine anderen lit. Arbeiten kostet, und es ist nur die Zeit,
nicht meine Mühe, die damit honorirt wird.   Darum würde ich Ihnen nicht
zu mir rathen, wenn Sie mich fragen, denn ich müßte vorher sagen »es ist
möglich, daß ich einmal recht was Gutes liefere — es kann aber auch recht
mittelmäßig werden, denn bei einer Oper kann ich nicht für mich ein-
stehn«. Da haben Sie die ganze volle Wahrheit, machen Sie nun damit
was Sie für Ihr Bestes halten. —

Meine ersten Lorbeeren betreffend, sind Sie im Irrthum — diese brachte
mir meine eigentliche Heimath: München, wo ich im 14. Jahr schon Jungfrau von Orleans etc. spielte, in Prag war ich auf Urlaub von München
aus, doch ist Prag mir immer eine höchst interessante Stadt. . . .

Verzeihen Sie meine Handschrift einer Halbblinden und seien Sie aller
Hochachtung versichert von Ihrer ergebensten

Charl. Birch-Pfeiffer.

Halle a. S.   **Hermann Abert.**

Neues von Robert und Clara Schumann.

Eine Festgabe von seltener Gediegenheit und Vornehmheit hat uns der
Breitkopf & Härtel'sche Verlag in dem jüngst erschienenen ersten Bande
der Biographie Clara Schumann's[1]) beschert.   Es ist eine nur zu wohl

---

[1) Clara Schumann.   Ein Künstlerleben nach Tagebüchern und Briefen von
Berthold Litzmann.   Leipzig, Breitkopf & Härtel, 1902.

begründete Klage, daß unter der fast unübersehbaren Masse dessen, was
über moderne Kunst und Künstler geschrieben wird, sehr weniges einen
wirklich dauernden Wert besitzt. Einseitige Gefühlsbetrachtung und das
noch weit schlimmere unduldsame Partei- und Kliquenwesen sind nur allzu
häufig am Werke, um die gedeihliche Entwicklung und Vertiefung des Verständnisses für die Tonkunst und ihre Geschichte in weiteren Kreisen zu
hemmen. Hier liegt nun ein Werk vor, das, von aller ästhetisierenden
Schönrednerei fern, auf Grund eines reichen handschriftlichen Materials ein
überaus fesselndes Lebens- und Kulturbild entrollt. Man könnte Anstoß
daran nehmen, daß ein Literar-Historiker es unternimmt, eine Musiker-Bio-
graphie zu schreiben. Litzmann ist sich dieser Schwierigkeit wohl bewußt;
mit richtigem Instinkt umgeht er (die ziemlich verunglückten Erörterungen
über die Geschichte der Klavier-Musik vor Schumann abgerechnet) alles eigentlich Musikwissenschaftliche und hält sich an das Biographische und Kulturhistorische. Aber dafür herrscht in dem Werke eine Objektivität, die dem
modernen Musik-Schriftsteller nur zur Nacheiferung empfohlen werden kann.
Da findet sich kein herausforderndes Kunst-Urteil, keine versteckte Polemik
gegen Andersfühlende. Um ein Wort L. v. Ranke's zu gebrauchen, sieht
Litzmann seine Aufgabe darin, zu schildern, »wie es eigentlich gewesen ist«.
Auf breitem kulturhistorischem Hintergrunde erhebt sich das Künstlerbild
Clara Wieck's; nicht nur die musikalischen, sondern auch zahlreiche literarische und sonstige Größen jener geistig so reich bewegten Zeit ziehen an
uns vorüber. Da ist der 83jährige Goethe, der »der kunstreichen Clara
Wieck« sein Brustbild schenkt, ferner Bettina von Arnim, von der es im
Tagebuch der jungen Künstlerin heißt: »Höchst geistreiche, feurige Frau —
— was Musik betrifft lauter falsche Urteile«. Die Musiker jener Epoche
sind fast vollzählig vertreten. Es zeigt sich deutlich in Clara's Konzerten,
wie allmählich Schritt für Schritt dem geistlosen Virtuosentum der Boden
abgegraben und der künstlerischen Interpretation klassischer und moderner
Tonwerke die Bahn bereitet wird. Nach Franz Liszt steht gerade Clara
Schumann in allererster Reihe unter den Vorkämpfern für jenes neue
Ideal.
     Überaus dankenswert ist die klare und nie schönfärberische Darstellung
der Familien-Verhältnisse, wodurch der Legendenbildung ein für allemal ein
Riegel vorgeschoben ist. Der sich in beinahe dramatischer Steigerung ab-
spielende Kampf zwischen Friedr. Wieck, seiner Tochter und Rob. Schu-
mann bildet den Hauptinhalt des Werkes. Seine Ursprünge reichen bis in
Clara's zartestes Jugendalter zurück. Die Scheidung Wieck's von Clara's
Mutter bildete den ersten grellen Mißton in ihrem jungen Leben, sie zeigt
uns den Vater gleich zu Anfang in seiner ganzen Rücksichtslosigkeit. Eine
solch' innige Herzensgemeinschaft zwischen Eheleuten, wie sie bei Clara und
Schumann gleich von Anfang an hervortritt, verstand Wieck's praktisch-
nüchterner Sinn einfach nicht. Seine Ideale vom Glück des Lebens bewegten sich in einer ganz anderen Richtung, und hierin haben wir auch die
psychologische Begründung für seinen hartnäckigen Widerstand gegen die
Verbindung Clara's und Robert's zu suchen. Aber so sehr er sich auch
durch seine stets wachsende Verbohrtheit in dieser Hinsicht die Sympathien
des Lesers Schritt für Schritt entfremdet, so entbehrt doch sein Charakterbild, wie es sich in diesem Buche zum ersten Male in voller Schärfe entwickelt, nicht zahlreicher fesselnder Einzelzüge. Sein scharfer Verstand, seine

eiserne Konsequenz und nicht zuletzt eine starke Dosis urwüchsigen Humors bilden ein wohltuendes Gegengewicht gegen seine häusliche Tyrannei.

Neben Clara Wieck ruht das Interesse naturgemäß auf Robert Schumann. Alles Glück und alle Qualen der Brautzeit beider, die sich zuzeiten zu einem wahren Martyrium ihrer Liebe steigerten, finden in zahlreichen Briefen einen beredten Ausdruck. Biographisch von Wichtigkeit ist die endgültige authentische Darstellung des Verhältnisses Schumann's zu Ernestine von Fricken, auch Miss Anna Robena Laidlaw gibt mehrfach Anlaß zu kleinen humorvollen Neckereien zwischen den Verlobten [1]). In sehr bedenklichem Lichte erscheint Carl Banck, Schumann's anfänglicher Mitarbeiter, der sich an Wieck's Machinationen gegen diesen beteiligte und dabei zeitweilig auch noch bei der Stiefmutter Clara's Unterstützung fand.

Verändert sich Schumann's Charakterbild den bisher erschienenen Briefsammlungen und Biographien gegenüber auch nicht in seinen wesentlichen Zügen, so bereichert das neue Werk doch unsere Kenntnis von seinen künstlerischen Anschauungen und seinen Kompositionen in nicht unbedeutender Weise. Namentlich über seine Lied-Schöpfungen erhalten wir interessante Aufschlüsse. So erledigt sich die Ansicht, als habe Schumann auch bei seinen Liedern unter dem Banne des Instruments gestanden, von selbst durch seine eigenen Worte [2]): »Meistens mach' ich sie stehend oder gehend. Es ist doch eine ganz andere Musik, die nicht erst durch die Finger getragen wird — viel unmittelbarer und melodiöser«. Wir lernen die Stimmung kennen, der die Komposition des Heine'schen »Liederkreises«, der »Mondnacht«, der »Myrten« ihre Entstehung verdankt, auch ist von dem Operntext »Doge und Dogaressa« nach E. T. A. Hoffmann die Rede, den Schumann 1840 im Entwurfe fertig hatte und Julius Becker in Verse bringen sollte. Ebenso ergibt sich für die Klavierstücke mancher beherzigenswerte Anhaltspunkt. So enthalten die Novelletten Op. 21 (der Name stammt von Clara's Namensschwester, der Sängerin Clara Novello, da »Wiecketten« nicht gut geklungen hätte) »Spaßhaftes, Egmontgeschichten, Familienscenen mit Vätern, eine Hochzeit, kurz äußerst liebenswürdiges«. Und von den Kreisleriana Op. 16 heißt es: »Eine recht ordentlich wilde Liebe liegt darin in einigen Sätzen, und Dein Leben und meines und manche Deiner Blicke. Die Kinderscenen sind der Gegensatz, sanft und zart und glücklich, wie unsere Zukunft« (Brief vom 3. August 1838). Über die Wandlung in seiner Schreibweise, die während des Jahres 1838 vor sich ging und schon in den Jugendbriefen angedeutet wird, spricht sich Schumann sehr deutlich aus [3]): »Ich schreibe jetzt bei weitem leichter, klarer, und, glaub' ich, anmutiger; sonst löthete ich Alles lothweise aneinander und da ist vieles Wunderliche und wenig Schönes herausgekommen... mit den Formen spiel' ich. Überhaupt ist es mir seit etwa anderthalb Jahren, als wär' ich im Besitz des Geheimnisses; Vieles liegt noch in mir«.

Wie in allen modernen Musiker-Biographien, so erhebt sich auch hier die Gestalt Fr. Liszt's bedeutsam heraus. Ihn, den begeisterten Interpreten des »Carnaval«, nennt auch Schumann »doch gar zu außerordentlich«, wenn er auch einmal »zuviel Flitterwesen« in seinem Spiel zu entdecken glaubt [4]). Auch von Fr. Wieck finden sich einige ebenso treffende als amüsant zu lesende Urteile über Kunst und Künstler. So nennt er Chopin einmal einen

1) S. Jansen in der Zeitschrift der IMG. Februar 1902, S. 188 f.
2) S. 407.   3) S. 182.   4) S. 413 f.

»hübschen Kerl, aber durch Paris liederlich und gleichgültig gegen sich und seine Kunst geworden« [1]. Die Sinfonie Rich. Wagner's aber vergleicht er im Gegensatz zu einer in soliden Geleisen sich bewegenden, aber langweiligen Sinfonie von Schneider einem Einspänner: »er führe über Stock und Stein und läge alle Minuten im Chausseegraben, wäre aber dem ohngeachtet in einem Tage nach Wurzen gekommen, obgleich er braun und blau gesehen habe« [2].

Der Band, der mit drei Jugendbildnissen Robert's und Clara's geschmückt ist, schließt mit der Vermählung beider ab. Beide treten damit als Menschen wie als Künstler in eine neue Phase ihrer Entwicklung ein, auf deren quellengeschichtliche Darstellung durch Litzmann's gewandte Feder man mit Recht gespannt sein darf.

Halle a. S.   Hermann Abert.

Zur weiteren Entwicklung der Kammermusik.

Der hochinteressante Aufsatz von M. E. Sachs »Die weitere Entwicklung der Kammermusik« S. 165 im laufenden Jahrgang unserer Zeitschrift wird hoffentlich auf viele Komponisten recht anregend wirken [3], dürfte aber bei manchem, der der Kammermusik etwas ferner steht, den Anschein erwecken, als sei die Forderung des Verfassers, daß wo möglich ein Haupt-Thema allen Sätzen eines Kammermusik-Werkes zugrunde liegen solle, bisher noch nie erfüllt worden ist. Ohne irgend den Gegenstand erschöpfen zu wollen, möchte ich hier kurz darauf hinweisen, in welchen Kammermusik-Werken dasselbe Thema in verschiedenen Sätzen wiederkehrt.

Das älteste [4] Beispiel bietet wohl Franz Schubert, der im Finale seines Es-dur-Klaviertrios das Haupt-Thema des Andantes zweimal ausgiebig wiederbringt. Mendelssohn kehrt am Schlusse des Finales seines Es-dur-Quartetts Op. 12 noch einmal zum ersten Satz zurück und schließt sein Finale genau wie den ersten Satz. Die Introduktion des ersten Satzes seines Quartetts Op. 13 benutzt er auch zum Abschluß des Finale. Im Finale seines Oktetts Op. 20 für Streichinstrumente verwendet er das Hauptthema des vorhergegangenen Scherzos. Ein großer Freund von Themen-Wiederholungen, nicht bloß in seinen Sinfonien, ist Schumann. Das Fugen-Thema des Finales seines Klavier-Quintetts ist dem Haupt-Thema des ersten Satzes entnommen: am Schlusse des Andantes seines Klavier-Quartetts anticipiert er das Haupt-Thema des Finale. Ein Thema des ersten Satzes kehrt auch im Finale

---

1) S. 42.   2) S. 54.

3) Daß auch unter Beibehaltung der alten Formen treffliche moderne Kammermusik-Werke geliefert werden können, steht ohne jeden Zweifel; als ein derartiges Werk möchte ich z. B. das Klaviertrio Op. 51 von Ed. Schütt anführen, ferner die Streichquartette von Taneiew und Weingartner, endlich die Bratschensonate Op. 15 und das Klaviertrio Op. 17 von Paul Juon.

4) Daß Beethoven die Spieler seiner Streichtrio-Serenade Op. 8 mit dem Marsch. mit dem sie gekommen sind. auch abziehen läßt, möchte ich nicht als ein die Forderung des Herrn Sachs erfüllendes Beispiel ansehen.

seiner ersten Sonate für Klavier und Violine wieder; in seiner zweiten derartigen Sonate findet sich im Scherzo und Adagio ein gleiches Thema.   In
seinem dritten Klaviertrio verwendet endlich Schumann das Trio des Scherzos
auch für den letzten Satz.   Brahms knüpft in seiner Klavier-Sonate Op. 1
das erste Thema des Finale an das Haupt-Thema des ersten Satzes an;
ferner führt er sowohl in seinem dritten B-dur-Streichquartett als dem Klarinetten-Quintett den Variationen-Schlußsatz auf den ersten Satz zurück; ein
Thema des langsamen Satzes seiner ersten Violin-Sonate kehrt im Finale
wieder.   Gade kehrt im Schlußsatz seiner »Novelletten« für Klaviertrio zum
Anfangssatz zurück.   Ebenso Th. Gerlach in seiner Miniatur-Suite Op. 25
für Streich-Quartett.   Volkmann nimmt Einleitung und Schluß des ersten
Satzes seines B-moll-Klaviertrios Op. 5 am Ende des letzten Satzes wieder
auf und erweckt dadurch eine große inhaltliche und formale Geschlossenheit
des ganzen Werkes.   Die rührende Totenklage, mit welcher Tschaikowsky
sein großes A-moll-Klaviertrio beginnt, schließt dieses auch ab; in diesem
Trio nehmen einzelne Variationen des einen Themas selbständige Gestalt
(Mazurka, Walzer) an.   Auch Josef Labor läßt sein Quintett Op. 11 mit
dem Schlusse seines ersten Satzes ausklingen.   Bei Heinrich von Herzogenberg schließt das Finale seines ersten Klavier-Quartettes Op. 75 genau
so wie das darin befindliche Andante.   Ernst v. Dohnányi greift im Finale seines Klavier-Quintetts Op. 1 noch einmal auf das Haupt-Thema des
ersten Satzes zurück.   Paul Juon beginnt und schließt das Finale seines
Streichquartetts Op. 5 mit dem Haupt-Thema seines ersten Satzes.   Derselbe
Komponist bildet (wohl nach dem Vorgange Tschaikowsky's) aus dem Thema
seiner Variationen in seiner Violin-Sonate Op. 7 gleich ein Scherzo; ähnlich
verfährt er auch in seinem Sextett Op. 22, wo er das Menuett und Intermezzo aus dem Thema der Variationen ableitet.   Grieg bringt im Finale
seines Streichquartetts nicht bloß die Einleitung des ersten Satzes, sondern
zieht auch das Scherzo herbei.   Felix Weingartner verarbeitet in der
Introduktion des Finales seines 1. Streichquartetts das Hauptthema des ersten
Satzes; in dem langsamen Satze seines 2. Streichquartetts bringt er (zwischen
Abschnitt 24 und 25) im Violoncello leise gemahnend das Hauptthema des
1. Satzes.   Eine Art »Idée fixe« wie in Berlioz' fantastischer Sinfonie findet
sich auch in der zweiten Sonate für Klavier und Violine von Busoni.

Dieser fußt dabei sicherlich auf César Frank, der in allen vier Sätzen
seiner Sonate für Klavier und Violine dasselbe Thema erklingen läßt, ein
Verfahren, das von ihm besonders ausgebildet ist und sich auch in seinem
Klavier-Quintett (und wenn ich nicht irre, auch in seinem ersten Klaviertrio
und Streichquartett) erkennen läßt.   Ebenso verfährt auch S. Lazzari in
seiner Violin-Sonate.   Chévillard nimmt das Haupt-Thema seiner Sonate
für Klavier und Violoncell Op. 15 im zweiten Satze wieder auf.

Am besten und am idealsten hat aber die von Sachs erhobene Forderung
bereits Brahms in seiner Fis-moll-Klavier-Sonate Op. 2 erfüllt, in deren
vier Sätzen dasselbe Thema in immer etwas abweichender Form erscheint,
ebenso auch kürzlich Vincent d'Indy in seinem Streichquartett Op. 35
(Paris, Durand); diesem ganzen, ziemlich ausgedehnten Werke liegt nur ein
sehr prägnantes Thema zugrunde, das in sehr geistvoller Weise verarbeitet ist.

Eine Spielerei ist es dagegen, wenn Rubinstein seine dritte Violin-
Sonate damit beginnt, daß er die ersten Themen seiner beiden ersten Sonaten
aneinander reiht, ohne irgendwie darauf zurückzukommen.

Berlin-Friedenau.   Wilh. Altmann.

„Messidor" von Alfred Bruneau.

(Uraufführung in deutscher Sprache im Münchener Hoftheater
am 15. Januar 1903.)

-- ----

Die Frage, ob und wieweit Vorgänge des modernen Lebens dem musikalischen Drama als Gegenstand dienen können, ist schon mannigfach erörtert, lebhaft bejaht und ebenso verneint worden; kein Einsichtiger jedoch
dürfte der Überzeugung ermangeln, daß es hierbei sich nicht um ein totes
Theoretisieren handeln kann, sondern alles auf die lebendige Tat selbst ankommt. Als ein höchst interessantes Beispiel zu der angeregten Frage ist
entschieden das Bruneau'sche als ›lyrisches Drama‹ bezeichnete Werk, dessen
Dichtung (in Prosa!) kein Geringerer als Emile Zola verfaßt, zu betrachten,
umsomehr, als auf Grund dieser Oper sowohl Freunde wie Gegner naturalistischer Tendenzen auf ihre Rechnung kommen. Diese werden darauf hinweisen, daß es hier wieder geglückt ist, Musik aus alltäglichen Ereignissen
zu schöpfen, jene werden mit nicht minderem Recht behaupten, daß dies
nur möglich war durch enge Anlehnung an Naturstimmungen und Hinein-
ziehen phantastischer, dem realen Leben entrückter, dafür aber dem Geist
der Musik außerordentlich nahestehender Vorgänge. Und gerade diese
Mischung von Realistik und Phantastik, so ungeschickt sie auch stellenweise
vollzogen wurde, erscheint mir bedeutungsvoll, umsomehr, als sich auch in
anderen Werken moderner französischer Komponisten — ich erinnere nur
an Charpentier's ›Louise‹ — ähnliche Ansätze, wenn auch nur andeutungsweise, finden. Der Stoff des Werkes ist den Lesern dieser Zeitschrift
schon zur Genüge aus dem interessanten Aufsatz ›Emile Zola et la musique‹
von Prod'homme (Heft 3, S. 109 dieses Jahrgangs) bekannt, so daß ich denn
gleich zur Besprechung der lebendigen Bühnenwirkung übergehen kann.
Trotz einzelner großer Schönheiten ist die Dichtung Zola's, des großen
Romanciers, aber schwachen Dramatikers, leider verfehlt, und sie komponieren
hieß für Bruneau eigentlich nichts anderes, als eine schon vor Beginn des
Gefechts sicher verlorene Schlacht schlagen. Tendenz überall, aber wenig
pulsierendes Leben, hochtönende Reden, aber keine scharfumrissenen Gestalten.
Nur in der Milieu-Schilderung erkennen wir hie und da die großartige Gestaltungskraft des genialen französischen Dichters, dem auch namentlich im
zweiten Akte einige wahrhaft vortreffliche Scenen geglückt sind.

Was nun die Musik betrifft, so zeigt sich Bruneau hier als durchaus
vornehmer, maßvoller Komponist, dem jedoch zweifellos eine ausgeprägte persönliche Physiognomie ermangelt. An Wagner's Errungenschaften ist er nicht
achtlos vorbeigegangen, aber andererseits gerät er in dem Streben nach einem
nationalen Stil in den Bann jener Melismen, die schon bei seinem Lehrer
Massenet zur bloßen Formel geworden, oder er ahmt unverblümt die Jung-
italiener, namentlich den so hochbegabten, wahrhaft eigenartigen Puccini
nach, dem ja auch Charpentier so viel verdankt. Abgesehen von einer Scene
des ersten Akts, dem Schluß des zweiten und dem Anfang des dritten Akts,
die wirklich schöne stimmungsvolle Musik aufweisen, muß ich gestehen, in
dem vieraktigen Werk mich nicht gerade gelangweilt, aber auch musikalisch
nicht sonderlich angeregt gefunden zu haben; ein breiter, gleichmäßiger, allmählich monoton werdender Fluß rauscht am Ohr vorbei. Scenisch wie

18*

musikalisch trotz vortrefflicher Ausführung gänzlich mißglückt war entschieden
das symphonische Zwischenspiel nebst einer in Ballett ausartenden Pantomime »die Legende vom Gold«, an und für sich ein äußerst glücklicher
Gedanke, der aber dreimal so lange, als für seine Wirkung gut wäre, aus-
gesponnen ist.

Über die Aufführung unter Hofkapellmeister Röhr ist nur Günstiges zu
berichten. Bürger als Wilhelm, Bauberger als Mathias, Klöpfer als Kaspar,
Frl. Fremstadt als Veronika und Frl. Koboth als Helene taten ihr bestes,
Regisseur Fuchs, Ballettmeisterin Jungmann und Maschinen-Direktor Klein
dürfen ebenfalls mit Genugtuung auf die Vorstellung zurückblicken. Auf ein
langes Leben an unserer Bühne wird das Werk freilich kaum rechnen können;
die Aufnahme war, merkwürdigerweise auch nach dem guten zweiten Akt-
schluß, recht reserviert und wurde erst nach dem recht schwächlichen vierten
Akte etwas wärmer, als die Darsteller den Komponisten fast mit Gewalt
hervorzerrten.

Daß das Werk in Deutschland dauernd festen Fuß fasse, halte ich für
gänzlich ausgeschlossen; die Münchener Aufführung bleibt ein recht interessantes Experiment. Immerhin sollte man es jedoch einmal auch mit Bruneau's vorigem Werk »L'attaque du moulin« versuchen, das eine Episode
aus dem Kriege 1870/71 behandelt und uns stofflich also schon viel näher
steht. Ich halte es für durchaus verkehrt, einen Bühnenspielplan nach einseitig nationalen Gesichtspunkten aufzustellen, warum aber bei der Spärlich-
keit der Münchener Erstaufführungen und der Fülle nach Bühnenleben sich
sehnender guter deutscher Werke, die schon jahrelang im Archiv der Aufführung harren, die Wahl gerade auf dieses Werk fiel, vermag ich nicht
einzusehen.

München.   Edgar Istel.

Budapester Musikbrief.

Uraufführung des Goldmark'schen »Götz von Berlichingen« u. s. w.

Es hat auch sein Gutes, in der Kultur ein wenig zurückgeblieben zu sein;
man hat dann wenigstens noch nicht unter den Auswüchsen der Überkultur
zu leiden. Dieses Vorzugs genießen wir Budapester im Vergleich zu andern
mehr nach Westen gelegenen Großstädten. Unsere öffentlichen musikalischen
Veranstaltungen haben sich in gleichem Maße mit dem wachsenden Musik-
bedürfnis entwickelt, aber noch nicht darüber hinaus, nicht bis zu jener ver-
wirrenden, beängstigenden Menge von Konzerten, deren Anzeigen die Spalten
der Berliner und Wiener Zeitungen füllen. Nicht zuletzt sind es die enor-
men Kosten, mit denen hierzulande die Veranstaltung eines Konzertes verbunden ist, welche der Flut von mittelmäßigen und unter-mittelmäßigen
Darbietungen einen Damm setzen. Nur Virtuosen von Weltruf, Künstler
ersten Ranges dürfen hier ein Konzert wagen, finden dann aber auch ein
so zahlreiches und dankbares Publikum wie nur irgendwo. Ein d'Albert,
ein Sauer, ein Isaye, die alle in dieser Saison wiederholt auf dem Podium
erschienen sind, wissen davon zu erzählen.

Für gute symphonische Aufführungen sorgt — in Ermangelung einer eigentlichen Konzert-Kapelle — unser treffliches Opern-Orchester unter Leitung des talentvollen, strebsamen Stefan Kerner. Hier waren es insbesondere zwei Neuheiten, die ein tiefergehendes Interesse erregten: die zweite Symphonie (C-moll) von Tschaikowsky und eine Symphonie unseres jugendlichen Landsmannes Ernst von Dohnányi. Die Wirkung der russischen Symphonie wächst von Satz zu Satz: nach dem ersten, etwas weichlichen, in larmoyanter Klage zerfließenden Satz, der dem Titel Symphonie nur durch seine Ausdehnung, nicht aber durch seinen Inhalt gerecht wird, folgt eine Art Karavanen-Marsch, ein mit leichter Hand hingeschriebenes Stück mit diskret aufgetragenem Lokalton, pikant und natürlich zugleich; endlich ein Scherzo, in dem der Wind bald pfeifend die Steppe fegt, bald leise mit Blüten kost; dann das Finale mit kurzem russisch-volkstümlichem Thema, das in einer schier unerschöpflichen Fülle von Variationen nach und nach das ganze Orchester in seinen Höhen und Tiefen aufwühlt und schließlich zu einer hinreißend glanzvollen und wilden Orgie aufstachelt.

Die Symphonie Dohnányi's, im Auslande bereits wiederholt mit bedeutendem Erfolg aufgeführt (Mainz, Manchester u. s. w.) hat auch hier allgemeine Bewunderung erregt. Die stupende technische Geschicklichkeit, die sich darin kundgibt, vermöchte bei einem so jungen Manne fast Bedenken erregen, würden sich daneben nicht auch unverkennbare Symptome gährender Jugendkraft bemerkbar machen. Der vierundzwanzigjährige Musiker von Gottes Gnaden kann sich gar nicht genugtun im Aufgebot orchestraler Mittel und kontrapunktischer Künste, die er allerdings beide mit souveräner Meisterschaft beherrscht. Ein glänzendes Zeugnis hohen künstlerischen Wollens und eminenter Begabung, scheint diese Symphonie zu einem Triumphzug durch die ganze musikalische Welt berufen zu sein.

Unsere Oper war durch die Uraufführung von Goldmark's neuestem Werke, dem »Götz von Berlichingen«, der Schauplatz eines bedeutsamen musikalischen Ereignisses. Das Unternehmen des berühmten Komponisten hatte zweifache Bedenken erregt: Goethe's Sturm- und Drang-Drama als Oper, und als Oper des Komponisten der »Königin von Saba«, — das schien ein doppeltes Problem, an Unlösbarkeit dem gordischen Knoten vergleichbar. Der durchschlagende Erfolg von Goldmark's »Götz« in Budapest spielte die Rolle von Alexander's Schwerthieb. Mag das Problem gelöst sein oder nicht, unsere Oper hat mit dem Götz ein Zugstück ersten Ranges gewonnen. Nach der Première, deren Vorbereitung der Komponist mit jugendlichem Feuereifer persönlich leitete, konnte man noch im Zweifel darüber sein, ob der rauschende Erfolg dem Werke selbst oder dem hier aufrichtig verehrten Schöpfer der »Königin von Saba« gegolten habe. Seitdem haben acht in kurzen Zwischenräumen aufeinanderfolgende Aufführungen des Werkes vor ausverkauftem Hause diesen Zweifel gründlich beseitigt.

Scenen aus »Götz von Berlichingen« nennt Goldmark sein neuestes Werk vorsichtigerweise. In der Tat erscheint der Schwerpunkt des Dramas derart verschoben, daß nicht mehr Götz, sondern Adelheid die Hauptperson ist. Von den zahlreichen »Bildern«, in welche die Oper zerfällt — wenn ich nicht irre, sind es deren neun — sind die meisten und gelungensten dem Liebesdrama gewidmet, das sich zwischen Adelheid, Weislingen und Franz abspielt. Diese Scenen sind es vornehmlich, an die der Komponist seine beste Kraft, seine wärmste Empfindung, seine intensivsten Farben ge-

wendet hat. Zumal die Scene, in welcher Adelheid dem Liebsten das Gift
für den Gatten aufdrängt, erhebt sich zu hoher dramatischer Wirkung. Auch
das Vehmgericht und die Erdrosselung Adelheid's — letztere in krassestem
Realismus auf der Bühne vorgeführt — sind Meisterstücke charakteristisch
begleitender Musik. Götz selbst tritt uns nur näher in seinem Schmerz um
den Treubruch Weislingens; hier findet der Komponist Töne von überzeugender Gemütswärme. Die erste Scene, die uns Götz als behäbigen
Hausvater zeigt, wollte nicht so recht in Musik aufgehen. Hier, wie im
Verlaufe der Oper noch oft, wirken die Mittel und Mittelchen, mit denen
der Librettist (Herr Willner) den spröden Stoff dem Musiker gefügig machen
will, recht verstimmend. Auch für die Einfügung der operettenhaften Pagen-
scene in das dritte Bild (Palast des Bischofs von Bamberg) wissen wir dem
Librettisten wenig Dank, obwohl sie musikalisch mit viel Verve ausgeführt
ist. Was hier an bühnenwirksamen Kontrasten gewonnen wird, bedeutet
immer einen Verlust an Stileinheit. Sympathisch berührt wieder das letzte
Bild, Götzens Tod, in seiner musikalischen Schlichtheit und Innigkeit. Diese
Scene, ganz und gar auf die unveränderten Worte Goethe's komponiert,
beschließt in wirksamer Weise ein Werk, dem schon aus dem Grunde ein
hervorragender Platz in der zeitgenössischen Produktion gebührt, weil es
durchaus das Walten einer eigenartigen künstlerischen Persönlichkeit und
einer im kräftigen Zugreifen wie im feinen Ausglätten gleich geübten
Künstlerhand erkennen läßt. Um den großen Erfolg der Novität haben
sich, neben dem Dirigenten Herrn Raoul Mader, die Darsteller der Haupt-
Rollen, Takács (Götz), Krammer (Adelheid), Beck (Weislingen) und
Bochnicek (Franz) hervorragende Verdienste erworben.

Auf dem Gebiete der Kammer-Musik wirken zwei Quartett-Gesellschaften.
Den Herren Hubay, Kemeny, Szerémi und Poppér sind wir zu besonderem
Danke verpflichtet für die glänzende Aufführung des selten gehörten Quin-
tettes von Bruckner. In den von der Quartett-Gesellschaft Grünfeld-Bürger
veranstalteten Sonntag-Nachmittags-Konzerten hörten wir ein geschickt gearbeitetes neues Streich-Quartett von Albert Siklós, einem unserer begabtesten jüngeren Komponisten. Hier war uns auch dankenswerte Gelegenheit
geboten, die Pianistin Frau Vilma Adler aufs neue zu bewundern, in
deren Spiel technische Vollendung mit hoch entwickelter künstlerischer Feinfühligkeit einen glücklichen Bund geschlossen haben. Auch Frau Bloomfield-Zeisler, die wir bei Hubay-Popper hörten, erwies sich im Vortrage der Klavier-Partie von Dvorak's beliebtem A-dur-Quintett als treffliche
Kammermusik-Spielerin.

Budapest.   **Victor von Herzfeld.**

Musikberichte.

Referenten: **V. Andreae, W. Behrend, C. Goos, F. Götzinger, E. Istel, A. Mayer-Reinach, A. Neifser, O. Neitzel, A. Neustadt, W. Ortmann, F. Pfohl, H. Pohl, J.-G. Prod'homme, C. Prost, E. Reufs, C. H. Richter, E. Rychnowsky, A. Schering, Ad. Thürlings, F. Walter, P. Werner.**

Basel. Das Musikleben Basels erhielt diesen Winter ein neues Gepräge nnd besonderes Interesse durch den Wechsel des Konzertkapellmeisters. Seit 27 Jahren verwaltete Dr. Alfred Volkland, den die Baseler allgemeine Musikgesellschaft an Stelle Ernst Reiter's an die Spitze ihrer Abonnementskonzerte berufen hatte, die Ämter eines Direktors der Sinfoniekonzerte, des Basler Gesangvereins und der Liedertafel. Volkland's Stärke beruhte in der Chordirektion. Seine Aufführungen im Basler Münster, namentlich Bachscher Passionen, haben weit über die Grenzen der Schweiz hohes Ansehen genossen. In den letzten Jahren war er rasch alt und ein Wechsel besonders im Interesse der neuesten Kompositionen nicht unwillkommen geworden. Nach dem freiwilligen Rücktritt Volkland's nahm Herrmann Suter aus Winterthur seine gesamte Direktionstätigkeit in die Hand. Die bisherigen Proben des neuen Kapellmeisters, eines jüngeren Mannes von allgemein musikalischer und humanistischer Bildung, der ursprünglich als Nachfolger Fritz Hegar's in Zürich ausersehen war, haben ungemein befriedigt.

In den Abonnementskonzerten stellte sich neben den klassischen und romantischen Sinfonikern Tschaikowsky mit der 4. Sinfonie in F moll ein, und als weitere Novität erschien César Franck's tiefinnerliche, aber mehr technisch anregende als populäre D moll-Sinfonie. Belebend wirkte die Konzertouverture »Londoner Leben« von Elgar, ein flott koloriertes Programmstück. Unter den Solisten ragten hervor Geloso (mit dem Hmoll-Konzert von Saint-Saëns), ein warmblütiger Geiger spanischer Herkunft und französischer Schule, und Alfred Reisenauer als ein eminenter Techniker (Liszt, A dur-Konzert). Mary Garnier aus Paris war leider in ihren Bravour-Arien durch starke Insdisposition lahm gelegt; dagegen holte sich Tilly Koenen aus Köln mit ihrer reinen, weichen Altstimme verdiente Erfolge.

Um die Abonnementskonzerte gruppieren sich die Kammermusik-Aufführungen, darunter in erster Linie die von der Musikgesellschaft von jeher veranstalteten Abende, welche durch die glückliche Acquisition neuer Kräfte einen respektablen Aufschwung genommen haben. Am ersten Abend war Mühlfeld in den Klarinettenquintetten von Brahms und Mozart unser Gast, im dritten Otto Hegner, ein Baseler Kind, in der Waldsteinsonate und im Fmoll-Quartett von Brahms. Im Übrigen bildet das Streichquartett (unter dem von Weimar übergesiedelten Joachimschüler Hans Kötscher) den Grundstock der Programme. — Zu diesen offiziellen Soireen kommen eine Reihe von privaten Veranstaltungen, voran das Brüsseler Quartett, das unsere Stadt regelmäßig besucht und, dank der großen Verbreitung guter Dilettantenquartette in Basel, stets freudige Begeisterung hervorruft. Erwähnenswert bleibt noch der Sonatenabend der Geschwister Hegner (Otto und seine fast ebenso begabte Schwester Anna, die Geigerin), in dem eine neue Sonata graciosa von Hans Huber sich unbestrittenen Erfolg errang; es ist ein klares, leichtflüssiges Werk von vorzüglicher Arbeit.

In der Vokalmusik konzentriert sich das Interesse der gebildeten Kreise auf die Aufführungen des Gesangvereins, des geschultesten der verschiedenen gemischten Chöre. Das erste der üblichen drei Konzerte brachte die Faust-Szenen von Schumann; sie gelangen in den Chören vorzüglich, während die Solisten den Erwartungen keineswegs entsprachen, umsoweniger, als in den früheren Faustaufführungen erste Kräfte (Meschaert, van Rooy) die Ansprüche gesteigert hatten.

Das Opernpersonal unseres Stadttheaters hat sich diesen Winter recht gut angelassen. An bemerkenswerten Neuaufführungen herrscht jedoch, wie auf allen Bühnen mittleren Ranges, empfindlicher Mangel. Neben dem landläufigen Repertoire ist

einzig eine freilich vortreffliche, auch in der Ausstattung weit über dem Durchschnitt
stehende Aufführung der »Königin von Saba« von Goldmark hervorzuheben.
Gegenwärtig steht noch Alles unter dem gewaltigen Eindruck des Meininger
Orchesters. Brahms, für dessen Interpretation die Direktion Steinbach's bekanntlich
als vorbildlich gelten kann, füllte den ganzen ersten Teil des einmaligen Konzertes.
Die Wiedergabe der Variationen über den St. Antoni-Choral und der vierten Sinfonie
wirkten wie eine Offenbarung durch die erstaunliche Klarheit und innere Energie des
Vortrags. Brahms genießt in Basel, wo er wiederholt selbst dirigiert hat und seine
Hauptwerke längst eingebürgert sind, hohe Verehrung, und so gestaltete sich das
Gastspiel der Meininger Hofkapelle zu einem Ereignis ersten Ranges. Das Konzert
brachte außer Brahms noch ein Streicherkonzert von Bach, eine Bläserserenade von
Mozart, Stücke kleineren Formates und das Meistersinger-Vorspiel.   F. G.
    Berlin. (20. Dezember bis 20. Januar.) Die kgl. Oper brachte am 18. Januar
zur Feier des Krönungstages die Uraufführung der Oper »Anno 1757« des bekannten
Frankfurter Komponisten Bernhard Scholz. Ich muß gestehen, dass es mir absolut
unbegreiflich ist, wie die Leitung unseres Opernhauses sich dazu verstehen konnte
ein derartig schwaches Werk aufzuführen. Man weiß wirklich nicht, worüber man,
sich mehr wundern soll, über die Naivität des Textdichters, Richard Scholz, oder über
das vollständige Versagen des diesen schwachen Text vertonenden Komponisten. Ein
mitleidiges Lächeln auf den Gesichtern aller Zuhörer: das war die Wirkung des Abends.
Es ist bedauerlich, über einen anerkannten Musiker und so ausgezeichneten Theoretiker,
als der Bernhard Scholz seit langem mit Recht gilt, ein solch scharfes Urteil abgeben
zu müssen, aber es bleibt noch viel unbegreiflicher, wie dieses Werk, dessen Mißerfolg
jeder Kundige voraussehen mußte, überhaupt auf die Bühne unserer Oper kommen konnte.
Schade um die Mühe, die sich unsere ersten Darsteller, Grüning, Bertram, Hoffmann,
die Destinn und andere gaben; das Werk konnte dadurch nicht gerettet werden. Richard
Strauß saß am Dirigentenpult: wie ihm wohl dabei zu Mute gewesen sein mag? — Von
der weiteren Tätigkeit der Hofoper erwähne ich eine im ganzen sehr gut verlaufene Ring-
Aufführung und eine Neueinstudierung der »beiden Schützen« von Lortzing. Richard
Strauß' »Feuersnot« hält sich andauernd mit größtem Erfolg auf dem Spielplan. —
Im Theater des Westens, das in den letzten Tagen eine gut gelungene Neueinstudierung
des »Römischen Karneval« von Johann Strauß brachte, gastierten als »Traviata« Mad.
Ella Madier de Montjau und als Fides im »Prophet« Ottilie Metzger mit großem
Erfolge.
    In den Konzertsälen war es um die Weihnachtszeit natürlich recht still. Am
20. Dezember gab das böhmische Streichquartett ein Konzert, in welchem Eugen
d'Albert am Flügel Beethoven's Trio in B dur op. 97 zu Gehör gebracht wurde. Noch
zwei weitere Kammermusikabende fielen in diese Zeit: eine Matinée des Hermann
Schröter-Quartetts, in dem eine Suite in G moll von Johann Sebastian Bach zu hören
war, und ein Abend der Halir-Vereinigung, in deren Programm sich ein neues Quartett von Felix Weingartner befand. Sonst erwähne ich nur noch das Konzert des
Violinisten Klingler (Beethoven-Konzert und mit Hausmann zusammen das Doppelkonzert von Brahms) sowie den am 22. Dezember stattgehabten Beethoven-Abend der
kgl. Kapelle unter Weingartner, aus dessen Programm ich die mit gewohnter Meisterschaft dirigierte Leonoren-Ouverture in C. No. 3 sowie das selten gehörte Tripelkonzert (Soli: Schumann, Halir, Dechert) hervorhebe.
    Weingartner eröffnete mit der kgl. Kapelle auch die Konzerte des neuen Jahres:
am 2. Januar brachte er die Cmoll-Symphonie No. 5 Beethoven's und als Uraufführung eine »tragische Symphonie« in D moll von E. N. von Reznicek, dem bekannten
Komponisten der »Donna Diana«. Allein trotz der glänzenden Wiedergabe, die das
Werk erfuhr, wollte kein rechter Erfolg zustande kommen. Das VI. Philharmonische
Konzert (Nikisch) am 12. Januar brachte als Novität Bruchstücke aus Humperdinck's
Märchenoper »Dornröschen«, die jedoch nur mäßig ansprachen; als weitere Gaben
verzeichnete das Programm Haydn's »symphonie militaire« und Tschaikowsky's
V. Symphonie in E moll, welch letztere nicht endenwollenden Jubel hervorrief. Für
die Interpretierung des russischen Tonsetzers scheint Nikisch auch der berufenste

Dirigent zu sein. Emile Sauret, der den solistischen Teil des Abends übernommen hatte, brachte das Amoll-Konzert von Vieuxtemps zu Gehör. Ein interessantes Programm brachte das vierte der von Richard Strauß geleiteten modernen Konzerte: die symphonische Dichtung »Hamlet« von Liszt, eine »Irish Rhapsody« op. 78 von Stanford, die symphonische Phantasie »Aus unserer Zeit« von Gustav Brecher, des Dirigenten eigene Meisterschöpfung »Tod und Verklärung«, sowie verschiedene Lieder mit und ohne Orchesterbegleitung. Das wertvollste des Programms war zweifelsohne des Dirigenten eigenes Werk, das, je öfter man es hört, mehr gewinnt. Gut gefiel ferner die »Irish Rhapsody« trotz mancher nicht wegzuleugnenden Längen, während das Brecher'sche Werk ein großes Talent noch in vergeblichem Ringen mit der Gestaltung des musikalischen Stoffes zeigt. — Von Chor-Orchester-Konzerten fanden je ein Konzert der Singakademie (Händels »Samson«) und eines des Stern'schen Gesangvereins (mit gemischtem Programm) statt. Die Singakademie hat sich unter Leitung Georg Schumann's wieder zu einer achtunggebietenden Position emporgerungen; das Werk erfuhr mit den Damen Grumbacher, de Jong, Therese Behr, den Herren Sommer und Heinemann als hervorragenden Solisten eine recht gute Wiedergabe. Wann wird übrigens einmal mit der doch längst als falsch erkannten Methode gebrochen, die Secco-Recitative außer dem Klavier noch durch die Bässe und Violoncelle begleiten zu lassen? — Etwas zu reichhaltig war das Programm des Stern'schen Vereins. Den Beginn machten vier der nachgelassenen Orgel-Choralvorspiele von Brahms, die aber trotz der ausgezeichneten Interpretierung durch Professor Reimann in diesem großen Raum nicht recht ansprechen wollten. Das folgende Chorstück »Rorate coeli« von Bruch zeigte sich als eine der schwächeren Schöpfungen des Meisters, während Gernsheim's »der Nibelungen Überfahrt« für Soli, Chor und Orchester einen schönen Erfolg errang. Das Loreley-Finale und die IX. Symphonie vervollständigten das Programm. Gernsheim, der in der Neunten die traditionellen Tempi — im Gegensatz zu manchen der in letzter Zeit hier gehörten Aufführungen — wahrte, brachte das Werk zu prachtvoller Gesamtwirkung. Der Chor erledigte seine Aufgaben ausgezeichnet; von den Solisten sind Heinemann, Frau Herzog und die Altistin Walter-Choinanus zu nennen.

Von Kammermusikaufführungen haben wir bereits mehr als genug zu verzeichnen. Den Beginn machte die Vereinigung Zajic-Grünfeld, die unter Mitwirkung Stavenhagen's und verschiedener Mitglieder der kgl. Kapelle Brahms' F-moll-Klavierquintett op. 34 und ein Septett für Streicher, Klavier und Trompete von Sains-Saëns zur Aufführung brachte. In einem Abend der Herren Barth, Wirth, Hausmann kam durch Barth und Kammermusiker Rüdel Beethoven's Hornsonate op. 17 zur Aufführung. Weitere Abende gaben die Joachim- und Holländer-Quartette, das Waldemar Meyer-Quartett (Klarinettenquintett-Brahms mit Kammervirtuos Schubert zusammen), das bereits akkreditierte Brüsseler Quartett der Herren Schörg, Daucher, Miry und Gaillard, das Trio Schumann, Halir, Dechert und — als erstes Debut in Berlin — die Dortmunder Vereinigung der Herren Schmidt-Reinecke, Aßmus, Hermann und Cahnbley, denen sich am Klavier zur Ausführung des Dvorak'schen A-dur-Quintetts noch Herr Potthoff zugesellte.

Von den Solistenkonzerten beschränke ich mich wieder auf die hervorragendsten. Eugen d'Albert gab einen Klavierabend in der Philharmonie unter dem Zeichen »ausverkauft«. Er war glänzend disponiert und gestaltete die Vorführung der Waldsteinsonate und Schumann's »Karneval« zu selten schönen musikalischen Ereignissen. Den nahezu gleichen Erfolg erreichte Eduard Risler mit 3 Klavierabenden, deren erster ausschließlich Beethoven'sche Sonaten brachte. Im zweiten Konzert interessierte namentlich seine Klavierübertragung des Strauß'schen »Till Eulenspiegel«. Von Klavierkünstlern, die mit großem Erfolg spielten, erwähne ich ferner Johann Wijsman, Georg Liebling, Karl Friedberg und den jüngsten von allen, Artur Schnabel, der sich als Interpret des Brahms'schen B-dur-Konzerts und des a-moll-Konzerts op. 17 von Paderewsky glänzend behauptete. Dagegen wollte seine Vertonung der Goethe'schen »Aussöhnung« für Singstimme mit Orchester weniger gefallen. Von Violinkonzerten seien genannt diejenigen von Gabriele Wietrowetz (Doppelkonzert Bach unter Joachim's Mitwirkung), Aldo Antoniotti (Konzert a-moll Dvorak) und Matteo Crickboom; von

Gesangskünstlerinnen Lili Lehmann, Marie Hertzer-Deppe, Lula Myß-Gmeiner und
Rosa Olitzka. Zum Schluß erwähne ich noch einen von der Lessing-Gesellschaft
veranstalteten Mendelssohn-Abend, in dem das Ehepaar Hildach, Heinrich Grünfeld
und Emma Koch mitwirkten, sowie den wohlgemeinten, aber entschieden fehlgeschla-
genen Versuch, Rubinstein's »Christus« zur Darstellung und zur Anerkennung zu
bringen. Schade um die große Mühe, die sich viele Sänger (Raimund von zur Mühlen
an der Spitze) unter Leo Schrattenholz' Leitung gaben: das Werk ist nicht lebensfähig.

A. M.-R.

Bern. Das Weihnachtskonzert des Cäcilienvereins brachte uns unter Karl Munzinger's Leitung den »Messias« von Händel, mit »Instrumentation von Mozart
und Rob. Franz«, also in der hergebrachten Form. Manche der an sich reizvollen
Ausfüllstimmen hätte man gern hergegeben für die Orgel, die bei den Chorschlüssen
doch sehr vermißt wird. Leider aber sind in der französischen Kirche Orgel und
Podium an den entgegengesetzten Enden aufgestellt, so daß jene außer Betracht
bleiben muß. Hergebracht ist bei uns auch die Weglassung des dritten Teiles des
großen Meisterwerkes. Man könnte zur Abwechselung doch auch einmal Stücke aus den
beiden ersten Teilen streichen. Die Hereinnahme der E-dur-Arie in den zweiten Teil
ist nur mit ungeschickt klingenden Übergängen möglich. Chor, Orchester und Solisten
(Fräulein Dick-Bern, Fräulein Sommerhalder-Basel, Herr Dörter-Mainz und
Herr Sistermans-Wiesbaden)) leisteten Tüchtiges, der zuletzt genannte Hervorragendes. Das Quartett (siehe vorigen Bericht) verdient Dank für den Vortrag von Klughardt's op. 61 in D-dur, einer Komposition, die das Interesse bis zum Schluß wach
erhält; außerdem spielte es am selben Abend unter Zuziehung des Herrn Tuczek
Mozart's in ein Streichquartett umgesetzte ernste Serenade in C-moll (Köch. 388.
406), dazwischen sang Fräulein Prochaska-Bern (Alt' neuere Lieder (Karl Munzinger, Abschied, im Manuskript). — In den Druck meines letzten Berichts hat
sich gegen Schluß vor »Die Davidsbündlertänze« ein falsches »und« eingeschlichen
statt eines Kommas; der aufmerksame Leser wird dies schon korrigirt haben.

A. Th.

Breslau. Im Stadttheater, das sich unter der Einwirkung des in Breslau seit
einem Jahrzehnt herrschenden Theatermonopols allmählich zur kompletten Opernbühne
herausgebildet hat, hielt man es im Beginne der laufenden Saison mit Fafner's: »Ich
liege und besitze«. Die alteingesessenen Repertoire-Opern, mit den »Meistersingern«,
»Siegfried« und allenfalls »Carmen« als künstlerischen Höhepunkten, bildeten bis tief
in den November hinein das ständige Menu. Etwas Abwechslung brachten nur Saint-
Saëns' »Samson und Dalila« und Charpentier's »Louise«, die aber vom Publikum schon
wieder auf den Aussterbeetat gesetzt sind. Schließlich erinnerte man sich aber an
die den Abonnenten gemachten Versprechungen und brachte rasch nacheinander zwei
Novitäten heraus. Die eine »Fedora« von Giordano, ging Mitte November, die andere,
Wolf-Ferrari's »Aschenbrödel«, am Weihnachtstage in Scene. Die Partitur zu »Fedora«
ist geistvoll gearbeitet, birgt eine Fülle wirklich schöner, melodischer Wendungen,
besticht durch das leuchtende Kolorit der Instrumentation und übt durch die effekt-
voll gesetzten Schlußduette des zweiten und dritten Aktes eine starke dramatische
Wirkung aus. Das Libretto aber verschmilzt mit der Musik nicht zu einem einigen
Kunstwerke. Man wird vielmehr den Gedanken keinen Augenblick los, daß man es
im Grunde genommen mit einem rezitierenden Drama zu tun habe. Die Oper brachte
es, trotz einer glänzenden Aufführung mit Frau Verhunk in der Titelrolle, über
einen Achtungserfolg nicht hinaus. Einen durchschlagenden Erfolg hatte auch »Aschenbrödel« nicht zu verzeichnen. Die Schuld lag wiederum an dem Mißverhältnisse zwischen dem Texte und der Musik. Letztere ist so wahr im dramatischen Ausdrucke,
so glühend, leidenschaftlich und modern, daß sie den Stoff in das blendende Licht
der Wirklichkeit zerrt, vor dem das geheimnisvolle Halbdunkel der Märchenwelt mit
seinem ganzen Zauber zerrinnt. Um die vorzüglich gelungene Aufführung hatten sich
Herr Kapellmeister Prüwer und Herr Regisseur Kirchner hochverdient gemacht.

In unseren Konzertsälen herrschte bis jetzt ein ungemein reges Leben. Einheimische und auswärtige Künstler mühten sich in Menge um die Gunst des Publi-

kums. Zog auch so mancher sang- und klanglos wieder von dannen, glückte es anderen doch wenigstens künstlerische Erfolge in Fülle einzuheimsen. Zu nennen wären hier u. a. der Geiger Hubermann und der Pianist Godowsky. Volle Häuser erzielten nur das Böhmische Streichquartett, Sarasate und der geniale Liederinterpret Ludwig Wüllner. Gegenüber den Meiningern unter Steinbach und dem Kaim-Orchester unter Weingartner, die uns in je zwei Konzerten exquisite Kunstgenüsse vermittelten, hatte natürlich die Kapelle des im Mittelpunkte des hiesigen Musiklebens stehenden Orchestervereins einen schweren Stand. Doch sorgte der ausgezeichnete, tatkräftige und begeisterungsfähige Leiter derselben, Dr. Dohrn, dafür, daß sie hinter ihren Vorbildern nicht allzuweit zurückblieb. In seinen Programmen bekundet er eine glückliche Vielseitigkeit. Als bedeutsamste Novität der ersten sechs Abonnement-Konzerte ist S. von Hausegger's Barbarossa-Sinfonie zu verzeichnen. Eine bedeutende Höhe erklomm das Orchester mit Liszt's grandioser Faust-Sinfonie, während die ebenfalls unter Dohrn's Führung stehende Singakademie mit einer in jeder Hinsicht vorzüglichen Aufführung der »Missa solemnis« brillierte. In den Kammermusik-Abenden herrschten bis jetzt Beethoven und Brahms. Georg Schumann's F-moll-Quintett, das viel Wollen und in den ersten beiden Sätzen auch ein bedeutendes Können verrät, wurde freundlich aufgenommen. Weniger Gegenliebe fand das gut gearbeitete, aber etwas farblose G-dur-Streichquartett von Strässer. Eine nur dem Breslauer Musikleben eigentümliche Erscheinung sind ständige historische Konzerte. Durch Professor Bohn 1881 ins Leben gerufen, haben sie bereits die stattliche Zahl von 90 erreicht. Besonderes Interesse beanspruchte das erste in dieser Saison, das sich mit Löwe als Komponist Goethe'scher Dichtungen befaßte.

P. W.

Dresden. Herr Rüdiger vom Hof- und Nationaltheater in Mannheim sang dreimal in der Königlichen Oper — »Veit«, »Mime« und »Eisenstein« — mit gutem Erfolge, wenn auch seine Stimme für das große Haus nicht ausreicht. Am 12. Januar hat der »Ring« wieder begonnen. Im »Rheingold« trat der Bayreuther »Loge«, Herr Dr. Briesemeister, auf und machte berechtigtes Aufsehen. Diese Sicherheit in der Darstellung, diese Genauigkeit in der Wiedergabe des musikalischen Teiles und endlich diese gewissenhafte Beobachtung der Verbindung zwischen der Musik und der Bewegung auf der Bühne sind eben die Errungenschaften einer Mitwirkung in Bayreuth. Das ist der große Erfolg der dortigen Arbeit, und darin stehen alle heutigen Theater hinter Bayreuth zurück.

Im Konzertleben bildeten die beiden Konzerte Felix Weingartner's mit seinem Kaim-Orchester die Höhepunkte der letzten Zeit. Sie fanden am 12. und 14. Januar statt und waren nicht gut besucht, weil für diese beiden Tage »Rheingold« und »Walküre« im Königlichen Opernhause angesetzt worden waren. Im zweiten Konzert steigerte sich der Beifall von Nummer zu Nummer so, daß die Oberon-Ouvertüre wiederholt werden mußte. Weingartner's Direktion ist ruhiger und tiefer geworden. Was er früher oft zu viel tat, hat einer sorgfältigen Selbstbeherrschung weichen müssen. Der Genuß ist jetzt ein ungetrübter zu nennen. — Die Leere ist das charakteristische Merkmal für eine große Anzahl Konzerte. Busoni hatte einen leeren Saal und mußte seinen zweiten Klavierabend absagen; im ersten hatte er die Appassionata in lauter kleine Abschnitte zerlegt. Über dem Hang, deutlich zu phrasieren, waren die großen melodischen Züge ganz verloren gegangen. Auch störte eine oft wiederkehrende willkürliche Veränderung der dynamischen Vorschriften. Den »Heiligen Franziskus den Wogen« von Liszt ließ er in 'einer Überladung von technischen Hinzufügungen ertrinken. Eine technisch vollendete Wiedergabe erfuhr die Mazeppa-Etüde von Liszt. — Auch Reisenauer spielte an seinem zweiten Klavierabend im leeren Raume. Er stand unter dem Banne der Nachricht von der Erkrankung seiner Mutter. Sonst hätte er gewiß die großzügige Kantilene der »Bénédiction de Dieu« von Liszt vollkommener zur Geltung gebracht. — Das Brüsseler Quartett Schörg und Genossen steigerte bei seinem zweiten Erscheinen noch bedeutend den Eindruck des ersten Abends.

In dem von Herrn von Schuch geleiteten Sinfonie-Konzert der Königlichen

Kapelle trat Jan Kubelik auf. Er besitzt die staunenswerte Technik eines Burmester oder Thomson, ohne den letzteren im Tone auch nur annähernd zu erreichen.
Von den heutigen Geigern sind ihm Petschnikoff und Ysaye an Tiefe der Empfindung
und Größe des Stils weit überlegen. Wie gelangte er nun trotzdem zu dem unbegreiflichen Aufsehen, das er augenblicklich macht? Er hat eine etwas auffallende
Erscheinung — dunkles Haar, blasse Wangen. Außerdem — und das ist das Entscheidende — hat er in Amerika einen vortrefflichen »Manager« — Geschäftsführer
gefunden, der ihm zu einem großen Vermögen verholfen hat. Und wer als reicher
Mann von dort zurückkommt, den halten wir guten Deutschen leider sofort für einen
großen Künstler! Damit soll keineswegs die Bedeutung, die der jugendliche Kubelik
für sich beanspruchen kann, heruntergesetzt werden; es soll vielmehr nur das Übertriebene hervorgehoben werden, das in der Überschätzung seiner Verdienste liegt,
womit den hochverdienten anderen Geigern der Gegenwart und der Kunst selbst geschadet wird. Er wurde selbstverständlich gebührend anerkannt; aber die Generalprobe, die bei solchen Anlässen gewöhnlich sehr gut besucht wird, war nur halbvoll,
und das Haus war, trotzdem es beinahe ausverkauft war, doch bei anderen Künstlern
schon ganz voll gewesen.

Wir Deutschen besitzen die lobenswerte Eigenschaft, uns der ausländischen Kunst
und ihren Künstlern niemals zu verschließen; aber wir sollten doch eine gewisse
Vorsicht beobachten und nicht so oft den — Vergessenheitstrank trinken: der Rausch,
den er verursacht, ist ein empfindlicher.   E. R.

Frankfurt am Main. Oper. Seit der Aufführung der »Zwillinge« von Karl
Weis, die wie vorauszusehen, über die üblichen Abonnementsvorstellungen kaum herausgekommen sind, ist auf unserer Bühne etwas Ruhe eingetreten, da man sich zu
neuen Taten rüstet. Ende dieses Monats soll Goldmark's »Götz von Berlichingen«
die erste deutsche Aufführung erleben, darauf ist Weingartner's »Orestie« in Aussicht
genommen. So ist für diesmal nur eine äußerst gelungene Neueinstudierung von
Auber's »Die Stumme von Portici« zu verzeichnen, deren Vorbereitung sich unser
neuer temperamentvoller Kapellmeister Dr. Kunwald und Oberregisseur Krähmer sehr
angelegen sein ließen. Eine in allen Stücken künstlerische Leistung bot Ejnar Forchhammer als Masaniello, dessen ganz nach der realistischen Seite hinneigende Darstellung (besonders im letzten Akt) weit über den üblichen Rahmen der »alten« Oper
hinausragte. Erst so ist es freilich zu verstehen, daß auch einst ein Richard Wagner
von der »Stummen« manche Anregung empfangen konnte. Statt der gewohnten Besetzung der Fenella durch die jeweilige Prima-Ballerina übertrug man diese Rolle
unserer vielseitig verwendbaren Sängerin Frau Kernic, deren gleich lebendiges als
wohldurchdachtes Spiel großem Interesse begegnete. In zwei auf ein Engagement
hinzielenden Gastspielen wies Max Dawison-Hamburg zwar ganz sympathische und
wohlgeschulte Mittel auf, doch konnten in beiden Partien (Vater Germont und
Holländer) seine undeutliche Aussprache und das konventionelle Spiel weniger befriedigen.

Auch im Konzertsaal hat die schöne Weihnachtszeit dem bei uns oft allzu
hastenden Singen, Flöten und Geigen etwas Einhalt geboten. Die Museums-Konzerte
brachten unter Kogel's Leitung gleich großzügige Aufführungen der phantastischen
Symphonie von Berlioz und der siebenten (E-dur) Symphonie von Anton Bruckner,
dessen Werke hier mehr aufgeführt werden sollten, als es leider der Fall ist. Die
seit 1884 durch Nikisch in Leipzig eigentlich erst »programmfähig« gewordene »Siebente« des allezeit still für sich weiterschaffenden Wiener Meisters Antonius mußte
auch diesmal — trotz der bekannten logischen Schwächen — durch den Aufbau und
die zahlreichen Stimmungsbilder des ersten Satzes, das herrliche Adagio, den von
quellender Melodik getragenen Gegensatz im »Scherzo« und den Aufschwung des
Finales des tiefen musikalischen Gehalts wegen imponieren. Aus dem Programm
eines Liszt-Abends sei besonders die eindrucksvolle Wiedergabe der Faust-Symphonie
und der schöne Vortrag einiger Lisztlieder durch Forchhammer hervorgehoben. In
der Reihe der solistischen Darbietungen verdienen die gesanglichen Gaben der Frau
Lili Lehmann-Berlin und die geniale Ausgestaltung des »ritterlichen« Es-dur Konzerts

von Liszt durch d'Albert, dessen Ouverture und Gavotte aus seinem »Improvisator« nur achtungsvollen Beifall erhielten, rückhaltslose Anerkennung. Etwas äußerlich, aber sonst recht temperamentvoll spielte Fran Langenhan-Hirzel-München das gleiche Liszt-Konzert, mit dem kurz vorher erst d'Albert eine so tiefgehende Wirkung zu erzielen verstanden. In zwei kurz aufeinander folgenden Konzerten verabschiedeten sich die »Meininger« vom Frankfurter Konzertpublikum. Das heute noch im Zeichen Bülow-Brahms siegende, besonders in den Bläsern ganz ausgezeichnete Orchester bot unter der Leitung F. Steinbach's, der am 1. März sein neues Amt in Köln antritt, mit Schubert's »himmlischen Längen« der C-dur Symphonie, drei Sätzen aus der leider so wenig gespielten Bläser-Serenade op. 44 von Dvorák und der vierten Symphonie von Brahms besonders hohen Genuß. Der erste Solist der beiden Konzerte, Georg Schumann, der Leiter der ehrwürdigen Berliner Singakademie, interessierte als Bachspieler im fünften Brandenburger Konzerte ungleich mehr, denn als Komponist seiner »Variationen und Doppelfuge über ein lustiges Thema«, welcher viel zu langen Orchesterschöpfung Originalität und der richtige musikalische Humor ganz bedenklich fehlen. Stürmische Ehrungen bereitete das Publikum dem zweiten Solisten, Altmeister Joachim, nach der Mozartschen Haffner-Serenade und dem A-moll Konzert von Viotti. In einem Kammermusik-Abende der Museums-Gesellschaft verliehen die Herren Professor Heermann, Rebner, Bassermann und Professor Becker unter Mitwirkung des hiesigen trefflichen Pianisten K. Friedberg dem interessanten F-moll Klavierquintett von Sgambati eine ebenso temperamentvolle Beseelung, wie das kürzlich von Spanien und Frankreich wiederum mit neuen künstlerischen Ehren zurückgekehrte »Frankfurter Trio« (die Herrn Friedberg, Rebner und der ernst vorwärtsstrebende Cellist Johannes Hegar) dem C-moll Trio von Brahms. Zum Schlusse sei noch Frau Kwast-Hodapp genannt, die in einem Klavierabend Liszt's großangelegte, von Schumann so hochgewertete H-moll Sonate mit ebenso feinem Erfassen poetischen Gehalts zu Gehör brachte, wie — vereint mit James Kwast — das »Konzerto pathétique« in E-moll von Liszt.

H. P.

Genf. Die ersten fünf Abonnements-Konzerte sind verklungen. Dieselben finden im Theater statt, einem nach der Pariser Oper gebauten Kunsttempel, der einige der der Stadt vermachten Millionen des Herzogs von Braunschweig verschlungen hat. Die Plätze sind gewöhnlich alle am Anfang der Saison in festen Händen. Wer nicht Platz findet, begnügt sich mit der Generalprobe. Die Konzerte stehen unter dem Zeichen des Dualismus von Orchester- und Virtuosen-Leistungen. Wichtig ist der Zwischenakt, in welchem sich die elegante Welt im Foyer des Theaters ergeht. Böse Zungen wollen behaupten, daß manch ein Jüngling nur dieser Foyer-Promenade wegen ins Konzert gehe. Nun, es sei ihm verziehen, denn, wahrlich, der Aufzug all dieser Damen-Pensionate, die ja in Genf zahlreich sind, ist ein nicht zu unterschätzendes Schauspiel.

Von Orchesterstücken der ersten fünf Konzerte citieren wir Schubert's unvollendete Symphonie, »Sadko«, sinfonisches Gemälde von Rimsky-Korsakoff, erste Symphonie von Beethoven, Auszüge aus »Tristan«, Burlesque von Richard Strauß, Finale der »Götterdämmerung«, Prélude d'Amour und Marche pour une fête joyeuse von Sylvio Lazzari, Liebesscene aus »Feuersnot« von Richard Strauß, Préludes von Liszt, G-moll-Symphonie von Franz Berwald.

Als Solisten traten auf: der Pianist Eduard Risler (Beethoven, Es-dur-Konzert, Impromptu in B-dur von Schubert, G-moll-Rhapsodie von Brahms und Mephisto-Walzer von Liszt), Frau Senger-Bettaque von der Münchener Oper (Isolde), der Geiger Matteo Crickboom (Beethoven'sches Violin-Konzert, Havanaise von Saint-Saëns, 28. Etude von Fiorillo), der Pianist Ernesto Consolo (B-moll-Konzert von Martucci, Ballade von Grieg), und der Geiger Henri Marteau (Tor Anlin's Violin-Konzert).

Wie man sieht, werden wir betreffs der Orchester- und Virtuosenstücke auf dem Laufenden gehalten, aber diese ausgewählten Menus der Abonnements-Konzerte passen nicht für alle Gaumen. Wir leben im Zeitalter sozialer Fragen und musikalisch macht sich in unserer Republik und unserem Kanton Genf die Annäherung der Klassen durch populäre Bestrebungen geltend.

Da ist seit unserem Januarbericht eine Blume erblüht, die den bezeichnenden Namen »Mimi Pinson« führt. Bekanntlich ist Mimi Pinson die Heldin des Romanes »La Bohème« von Murger und als solche der Spitzname der Pariser Ladenfräulein. Charpentier, der jetzt so berühmte Komponist der »Louise», hat das Werk der »Mimi Pinson« in Paris großartig durchgeführt, 1200 Schülerinnen, ein wahres Volks-Konservatorium, und Frau Torrigi-Heiroth, Gesangs-Professorin an der Genfer Académie de Musique hat hier die Initiative in energischer Art ergriffen und vorläufig 300 Schülerinnen angenommen, die — ohne jegliche finanzielle Forderung — in Gesang (Frau Torrigi-Heiroth), Klavier (C. H. Richter), Theorie (Frau Pettmann) und Tanz, Mimik, ästhetische Bewegungen (Frau Rita-Rivo) unterrichtet werden. Eine Subskription ist eröffnet, um dieses Werk von sozialer und pädagogischer Bedeutung auf die Dauer zu erhalten. Die bisher gebotenen Räume der Académie de Musique werden mit der Zeit zu eng, es sind Anschaffungen von Musikalien u. s. w. zu machen. Hr. Charpentier, der übrigens zu der bevorstehenden Première der »Louise« in Genf erwartet wird, hat das Ehren-Präsidium der Genfer »Mimi Pinson« angenommen.

Dem sozialen Drange folgend, fingen am 18. Januar die Volkskonzerte in der Victoriahalle an. Dieselben stehen unter künstlerischer Leitung des Unterzeichneten, der seinen Mitarbeitern der ersten Audition, Fräulein Marguerite Carrichon, Sopran, Herrn Jos. Seligmann, Schüler Joachim's, und der Deklamationsklasse der Académie de Musique, vertreten durch Fräulein Bourquin, Thorel und Herrn Vierne hiermit für den durchschlagenden Erfolg seinen Dank ausspricht! Die zweite Audition soll am 15. Februar stattfinden[1]).

Um unsere Berichte à jour zu halten, wird der nächste Artikel von den wichtigsten anderen Konzerten der Saison zu handeln haben.   C. H. R.

Hamburg. »Mit einem frohen und mit einem feuchten Auge« denken wir an die beiden neuen Opern zurück, die uns das neue Jahr gebracht: unsere Dankbarkeit gilt Leo Blech's Dorfidyll »Das war ich«, das wie überall, wo dieses reizende, musi-

---

1) Einen uns aus Genf zugehenden Bericht über das erste der von unserem Mitarbeiter C. H. Richter ins Leben gerufenen Konzerte fügen wir hier bei:

Dimanche après-midi a été inaugurée la série de Concerts populaires que M. le prof. Richter dirigera.

M. Richter est parti de l'idée que la plus grande partie de la population ne peut assister aux concerts donnés le soir et dans le courant de la semaine et qu'il y avait lieu d'organiser le dimanche après-midi des concerts populaires à prix réduits. L'idée est excellente. On se rapelle que le comité des Concerts d'abonnement avait tenté le même essai en répétant le concert du samedi à des prix populaires, le dimanche après-midi. Pourquoi n'avoir pas persévéré? Nous félicitons en tout cas chaudement M. Richter de sa généreuse pensée. Dimanche après-midi, au Victoria-Hall, un public relativement nombreux avait répondu à l'appel. Les solistes étaient: M. Seligmann, violoniste, ex-élève de Joachim, qui a fait preuve de belles qualités de son et d'une réelle virtuosité qu'un peu plus de chaleur n'aurait pas déparée. La Sonate en la majeur de Beethoven détonait un peu dans cette salle d'un luxe légèrement criard. MM. Schulz et Seligmann en donnèrent d'ailleurs une fine interprétation. Le Deuxième Concerto de Bruch, et deux pièces bien connues de Wienawsky. Un «bis» nous fit retomber dans le domaine peu musical des succès facilement obtenus au moyen de sourdine, etc.

La seconde soliste, Mlle Carrichon, a dit d'une belle voix l'Air de Sigurd, de Reyer, le joli Conte, de M. Richter, et deux pièces de «Lara» et «Chrétien».

La classe de diction de l'Académie de musique produisit trois élèves: Mlles Bourquin, Thorel et M. Vierne. Un très bon point à Mlle Thorel; ses deux partenaires faisaient aussi honneur à M. Fournier, leur professeur. N'oublions pas que M. Richter tint avec distinction la partie d'accompagnement, et souhaitons-lui le meilleur succès pour ses futurs concerts populaires.   O. W.

kalisch echtbürtige Werk zu würdiger Aufführung gelangt ist, so auch bei uns einen starken und berechtigten Erfolg errang. Und unser Bedauern knüpft sich an die Uraufführung von Georg Jarno's komischer Oper »Der zerbrochene Krug«, eine Arbeit, die in ihrer Armut genau das Gegenteil von Leo Blech's fast überreicher, fast zu üppiger Musik bedeutet. Um den Ruhm dieser Uraufführung wird man Hamburg also nicht beneiden: Jarno's »Zerbrochener Krug« besteht in Wirklichkeit aus einem kleinen Schutthaufen von Operettenscherben. Alles erinnert hier an die Operette: Melodie und Rhythmik, die zwischen Trompetersentimentalität und Salon-Album hin und her schwankt, die Instrumentation und die dramatische Charakteristik, so weit von einer solchen die Rede sein kann. Und leider hat es auch der Textautor, Heinrich Lee, versäumt, dem skrupellos darauf los musizierenden Komponisten den Weg in den Hörselberg der Operette zu verlegen und den Operettenneigungen Jarno's eine entschiedene Richtung nach der edlen und würdigeren Seite hin, zu geben. Man kann nicht einmal sagen, dass der Grundplan des Werkes verfehlt ist. Wenn der Textautor aus dem einen Akt Kleist's deren drei macht, so lassen sich dafür plausible Gründe beibringen: wir sehen all das alles leibhaft, was in der unvergleichlichen Gerichtsszene Kleist's nur erzählt wird. Und das nächtliche Abenteuer des Dorfrichters Adam gibt wahrlich einen guten, komischen Akt. Indessen, das Brimborium: überflüssige Volksszenen ohne Charakter, Tänze, Quartette und der Hausrat der Fabrikoper überwiegen und hemmen so unser Interesse, das sich erst wieder an dem letzten Akt erfrischt, in dem Heinrich von Kleist endlich selbst zu Worte kommt. Hier aber fühlt der Komponist plötzlich, wie so ganz und gar überflüssig einem so vollendeten und unmusikalischen Kunstwerk wie dem »zerbrochenen Krug« gegenüber jegliche Musik ist und er macht ein schüchternes und verschämtes, aber dafür um so längeres Melodram! Ein tragikomisches Eingeständnis. Das Werk fand den bekannten heftigen Premièrenbeifall. Einen Jubiläumsbeifall wird es sicher nicht finden! Es wurde übrigens unter der Leitung C. Gille's recht gut aufgeführt. — Das Ereignis des hamburgischen Konzertsaals im neuen Jahr war ein Richard Strauß-Abend: diesen Charakter hatte nämlich der »Verein hamburgischer Musikfreunde« seinem Vereinskonzerte gegeben, dessen Leitung dem berühmten Komponisten anvertraut worden war. R. Strauß führte von eigenen Kompositionen die Liebesszene aus »Feuersnot« und das »Heldenleben« auf, Werke, die trotz mancher problematischen Momente (die hier klarzulegen wohl überflüssig ist!) einen phänomenalen Erfolg sich errangen. Wie schön und sinnig aber führte Strauß Mozart's G-moll-Symphonie auf! Man muß staunen, mit welcher Sicherheit ein Künstler des Überkomplizierten gleich ihm den Ton des Einfachen und Keuschen traf! Von neueren Werken, die uns beschert wurden, nenne ich des sehr begabten Russen S. Taneiew Ouverture »Oresteia«: ein malerisch wirksames, aber dem Stoff gegenüber zu modernes, zu ungriechisches Werk, und Bizet's kleine Orchestersuite »Jeux d'enfants«, Kinderstücke für Orchester. Welcher Widerspruch! Die Ouverture Taneiews, die wenigstens wert war, gehört zu werden, führte Max Fiedler, den kleinen Bizet Prof. R. Barth in den philharmonischen Konzerten auf. M. Fiedler danken wir auch den Genuss, Therese Behr wieder gehört zu haben. Die Kunst ihres Vortrags, das Seelische und Sensitive ihrer Art Lieder zu singen, brachte sich zu außerordentlicher Wirkung. F. Pf.

Karlsruhe. Hoforchester und Hoftheaterchor brachten unter Mottl's Leitung Ende Dezember das Weihnachtsoratorium. Sehr verständig hatte man die stattliche Reihe der ursprünglichen Einzelkantaten auf zwei Abende verteilt, der Dirigent setzte, wie immer bei Bach, sein bestes Können ein, und das Publikum war dankbar für das Gebotene. Freilich möchte man für Bach'sche Chöre einen volleren Klang wünschen als man ihn von dem vielbeschäftigten Theaterchor, der durch zugezogene Kräfte doch nicht genügend unterstützt war, billigerweise verlangen kann, und die Solisten waren teilweise für erkrankte Kollegen, respektive Kolleginnen im letzten Augenblick eingesprungen.

Im letzten Abonnementskonzert brachte Mottl Berlioz' poetisch empfundene, sehr ansprechende Haroldsymphonie vortrefflich zu Gehör, wie das ja bei einem Dirigenten, der Berlioz' Werke stets liebevoll gepflegt und zum Beispiel den ersten Teil der Trojaner

hier zur ersten Aufführung gebracht hat, ganz natürlich ist. Emil Sauer spielte sein
neues Klavierkonzert in E-moll, das den Virtuosen sehr zur Geltung kommen läßt,
mit aller erforderlichen Bravour; ob es freilich der höchste Triumph der Kunst
ist, wenn die Zuhörer aufstehen, um zu sehen, wie man das alles »machen« kann,
ist eine andere Frage. Daß das leicht ansprechende Adagio etwas an Chopin an-
klingt, wollen wir einem Künstler, der so zauberhaft Chopin zu spielen weiß, wie er
es in dem allbekannten Des-dur-Nocturne bewies, nicht verargen. Felix Kraus zog
durch seine stets aufs Höchste gerichtete, ernste Kunst sehr an.

Die Konzertdirektion Hans Schmidt hatte für einen Liederabend Dr. Ludwig
Wüllner berufen, der, diesmal auch vortrefflich disponiert, ein künstlerisch sehr ge-
wähltes Programm mit aller Meisterschaft des Vortrags durchführte.

Ein warmer, ja herzlicher Abschied wurde gestern der hier stets gerne gehörten
Meininger Kapelle unter Steinbach bei ihrem letzten Konzert zu teil. Altmeister
Joachim war als Solist gewonnen und zeigte, wie immer, seine vornehme, allem äußerlichen Effekt abholde Kunst. Wie Steinbach sein Orchester führt, wie er durch die
Exaktheit die Klangkraft steigert, wie vollendet die dynamischen Wirkungen heraus-
gebracht werden, und vor allem, wie klar und durchsichtig uns auch das komplizier-
teste Tongewebe vor Augen ausgebreitet wird, ist allbekannt, ebenso auch der besondere Reiz des Klanges durch die ganz vorzügliche Besetzung der Blasinstrumente.
Hochklassische Kompositionen und ebenso R. Strauß' Don Juan wurden gleich vorzüglich wieder gegeben; die Krone seiner Darbietungen war wohl die ohne Partitur
dirigierte D-dur-Symphonie von Brahms.   C. G.

Köln. Wir haben sogar während der sonst konzertlosen Zeit zwischen Weihnacht
und Neujahr diesmal nicht gerastet, Richter kam zum zweitenmal und dirigierte nach
der Schöpfung, die ein wenig kalt gelassen hatte, ein gemischtes Programm, deren
Hauptnummern das Meistersinger-Vorspiel, Berlioz' fantastische Symphonie und Elgar's
Orchester-Variationen bildeten. Es war zu verwundern, mit welcher Feinfühligkeit
sich Richter in die Spitzfindigkeiten des genialen Franzosen hineingefunden hatte.
Er verlieh diesem Werke, das im Hinblick auf seine frühe Entstehungszeit (bald nach
Beethoven's Tode) immer wieder gerechtes Staunen hervorrufen muß, soviel Herzblut,
alle Risse und kleinen Lücken, die bei Berlioz sonst zu Tage treten, schienen durch
Richter's urmusikalisches Empfinden so verkittet, daß die Symphonie einen wahrhaft
zündenden Eindruck hinterließ. Die Elgarschen Variationen, die bekanntlich einen
Kreis seiner Freunde porträtieren und aus diesem Grunde zum Teil an das Barocke
streifen, wie sie andrerseits einer gewissen Eigenwilligkeit und Sonderlaune nicht entbehren, wurden durch Richter dem Publikum so überzeugend verdolmetscht, daß auch
sie sich eines lebhaften Erfolges erfreuten. Über das Meistersinger-Vorspiel, mit dem
ja Richter vollends verwachsen ist, bedarf es keines Wortes. Eugen Ysaye erntete
mit dem vierten Konzert von Vieuxtemps Lorbeeren. Auf einer freundlichen Mittel-
linie bewegte sich das siebente Gürzenich-Konzert, das von Eugen d'Albert geleitet
wurde. Seine kapellmeisterliche Begabung ist nicht gerade hervorstechend, und wenn
er auch die Massen zusammenzuhalten weiß, so fehlt doch das persönliche Moment,
das dem Orchester seinen Willen aufprägt und es einigermaßen zu einer, sei es durch
warme Unmittelbarkeit oder durch feine Einzelzüge fesselnde Auffassung des Kunstwerks anleitet. Zudem enthielt das Programm, das er übrigens fertig vorfand, nur
bekannte Dinge, die längst Gemeingut der Symphonie- und Chor-Konzerte geworden
sind. Eine alleinige Ausnahme machten seine in Köln noch unbekannten Bruchstücke
aus seiner Oper »der Improvisator«, welche durch ihren melodiösen Reiz und ihre
hübsche Instrumentation gefielen, und von denen das Menuett mit dem Intermezzo
und die Ouverture (Carneval in Padua) das Wertvollste sind und sich in den Konzertsälen einbürgern dürften. Frl. Else Bengell, Konzertsängerin aus Hamburg, offen-
barte sich in einer Arie und in Liedern als fein geschulte Altistin, die noch besser im Ora-
torien-Gesang zur Geltung kommen dürfte. Der einheimische Konzertmeister Körner
spielte mit feinem Ton und nobler Auffassung Saint-Saëns' drittes Konzert. — Sein
Kollege Prof. Hess hat mit der namentlich als Beethovenspielerin geschätzten, ebenfalls einheimischen Pianistin Hedwig Meyer sämtliche Geigen-Sonaten Beethovens

unter großer Beteiligung des Publikums gespielt. Sonst sind die Zeiten für konzertierende Künstler hier ziemlich trübe. Auch die hiesige Philharmonie, welche zu sehr mäßigem Abonnementspreis fünf Künstler-Konzerte und einen Meininger-Abend veranstaltete, hat finanziell ziemlich schlecht abgeschnitten. Der Karneval und die Männergesangvereins-Meierei ertöten das Interesse an Konzerten, und an führenden Geistern, die bei seltenen Anlässen die Losung ausgäben, auf die alle kommen würden, ist entweder großer Mangel oder das Publikum ist zu indolent.

Die vereinigten städtischen Theater haben, nachdem zu Anfang die Leistungen und im Anschluß daran der Besuch zu wünschen ließen, wieder einen lebhaften Aufschwung genommen. Direktor Hofmann hat bekanntlich seine Entlassung gefordert, und im Augenblick wird im Schoße des Stadtrates lebhaft über die Person seines Nachfolgers debattiert. In der Stadt werden jedoch hohe Wetten abgeschlossen, ob Hofmann nicht doch wieder bleiben wird, um das Schifflein, das er schon seit 21 Jahren an den Klippen der wechselnden Stimmungen des Publikums und des wechselnden Personals vorbeigeführt hat, nun doch noch solange als es ihm beliebt in seiner Hand zu behalten. Von Neuheiten kamen nach Blech's einaktiger Dorfidylle »Das war ich« die sich noch fortwährend behauptet, Massenet's »Der Gaukler unsrer lieben Frau« zur Aufführung, welcher ebenfalls einen starken Erfolg davontrug. Beide dürfen als theatergemäß bezeichnet werden, und doch bietet Blech an Musik das zu viel, was Massenet daran zu wenig hat.   O. N.

Kopenhagen. Das nach den Weihnachts- und Neujahrsferien allmählig aufblühende Konzertleben hat bisher nichts von besonderem Interesse gebracht. In einem der Palaiskonzerte (Joachim Andersen), das ganz Richard Wagner gewidmet war, sangen Herr Fr. Brun »Wotans Abschied« und seine Frau Johanna Brun »Isoldens Liebestod«, darauf beide zusammen das Duett aus dem Fliegenden Holländer. Die Leistungen wurden von dem Publikum sehr freundlich aufgenommen. Eigentümlich genug war das Auftreten des Herrn Brun; derselbe wurde vor ein Paar Jahren — vielleicht etwas übereilig — von der Operndirektion nach langem Engagement als Tenorist verabschiedet, jetzt trat er, der schon gegen 50 Jahre alt sein mag, zum ersten Mal als Barytonist auf und scheint nun wirklich die rechte Lage seiner Stimme gefunden zu haben. Leider hat er aber seine etwas nasale Singweise nicht geändert.

Ein Orchesterkonzert, das vom Violoncellisten Henry Bramson und seiner Schwester, die keineswegs glänzend Violine spielt, gegeben wurde, brachte eine Symphonie von Victor Bendix unter Leitung des Komponisten. Dieselbe war in allen Zeitungsnotizen und Anzeigen als »neu« und »Zum ersten Mal aufgeführt« bezeichnet, zeigte sich aber als eine alte Bekannte, da das Werk vor ungefähr 14 Jahren in einem hiesigen großen Konzertverein, damals wie jetzt: »Sommerklänge aus Südrußland« betitelt, aufgeführt worden ist. Später ist die Symphonie außerdem gedruckt worden. Gegen ein solches Verfahren kann nicht energisch genug vorgegangen werden; glücklicherweise kann ich hinzufügen, daß dies in unserm Konzertleben ein ziemlich einzeln dastehender Fall ist. Die Symphonie hatte übrigens eine derartige Reklame gar nicht nötig, es ist ein zwar nicht bedeutendes, aber gesundes, klares und freundliches Werk, das allerdings bei seiner früheren Aufführung mehr interessierte, da wir damals das »russische« Kolorit aus den Werken von Tschaikowsky, Borodin u. s. w. noch nicht kannten. Herr Bramson spielte auch unkorrekt als »neu« annoncierte — Passacaglia von Halvorsen (über ein Händel'sches Motiv) und zum »wirklich« ersten Mal das Cellokonzert von Klughardt, das insofern interessierte, als der Komponist bei uns noch sehr wenig bekannt ist.

Die Oper brachte keine Neuheit, dagegen ein wertvolles Gastpiel des herrlichen Sängers und eleganten Darstellers: Herrn Forsell aus Stockholm. Er trat als Don Juan und in der lyrisch schönen aber dramatisch mißlungenen dänischen Oper: Vikingeblod (Vikingerblut) von Caupe-Müller auf.   W. B.

Leipzig. Nachdem die laufende Saison den bestehenden zwei großen Konzertunternehmungen eine dritte hinzugefügt, zeigt das Musikleben unserer Stadt ein merkwürdig scharfes Profil. Der musikalische Bürger Leipzigs fühlt sich nicht wohl, wenn er nicht jede Woche ein bestimmtes Quantum Musik in sich aufnimmt. Er sichert es sich durch Abonnement. Gehört er zu den oberen Zweitausend, dann besucht er die donnerstäglichen Gewandhaus-Soiréen, im andern Falle deren Generalproben, von denen ein Schalk meinte, sie seien für die wirklich Kunstbegeisterten da. Das Relief dieser Konzerte ist als ein vornehmes allerorten bekannt, der aristokratische Zug, den sie äußerlich tragen, schlägt sich zuweilen sogar in der Musik nieder; dazu ein Orchester, in dem lauter Virtuosen sitzen, ein Dirigent mit eminenten Fähigkeiten an der Spitze, erstklassige Solisten an der Rampe, und — über allen schwebend — der alte Leipziger Musikgeist, der nicht sterben kann, obwohl er sich manchmal scheintot stellt. Ihn sucht man auch in den »philharmonischen« Konzerten zu beschwören, die im Saale des Centraltheaters ihre Hörer unterhalten. Hier wird allerdings nicht mit Sensation gearbeitet, auch nicht mit Reflexion, sondern mit dem angeborenen common sense, und da kommt wirklich viel Tüchtiges heraus. Schade, daß die dabei beteiligte fähige Musikantenschar auf private Subvention gestellt ist und nicht, wie vor Zeiten die ehrenwerte Zunft der Stadtpfeifer, vom Rate der Stadt aus besoldet wird. Sicher ist, daß diese Konzerte dem musikalischen Laienpublikum manche Anregung zuführen, die es anderswo zu finden keine Gelegenheit hat. Ein Niveau wird durch drei Punkte bestimmt: die sogenannten »neuen« Abonnementskonzerte befriedigen alle die, welche ohne zu reisen sich orientieren wollen, wie man in Berlin, Chemnitz und Meiningen musiziert und — natürlich unter Zurücksetzung lokalpatriotischer Interessen — Freude daran finden, den Konkurrenzstreit nachbarstaatlicher Orchester unbeteiligt an sich vorüberziehen zu lassen. Wo Konkurrenz vorhanden, steht dem Fortschritt das Tor offen, und an Konkurrenz mangelt es hier gewiß nicht. Voilà tout! Welches Interesse Ausländer, Geschäftsmann, Student und (selbstverständlich!) Konservatorist sämtlichen drei Unternehmungen entgegenbringt, beweist der Umstand, daß die Säle stets reichlich, bei zugkräftigen Solisten überreich gefüllt sind. Neben dem Überfluß an großen Konzerten läßt sich die Armut an Kammermusikdarbietungen recht kläglich an. Das Interesse dafür scheint von jenen völlig absorbiert zu werden. Eine jüngst ins Leben getretene Vereinigung sucht zwar die Lücke auszufüllen, charakterisiert aber ihr Streben gleich von vornherein mit dem verfänglichen, zweideutigen Epitheton »populär«. Und so sind wir — wenn nicht Fremde vorsprechen — auf unser Gewandhausquartett und seine sechs Abende angewiesen. Eine »außerordentliche« Kammermusik haben übrigens die Herren Pugno-Ysaye für den März versprochen. Die drei Chorvereine: Singakademie, Riedel- und Bach-Verein traten bisher mit einzelnen respektablen Leistungen hervor; augenblicklich arbeiten sie im Verborgenen, um für die anstrengenden Aufführungen vor und in der Fastenzeit gesattelt zu sein.

Das letzte Gewandhauskonzert des vergangenen Jahres stand insofern unter dem Zeichen des Weihnachtsfestes, als die Thomaner vier Weihnachtschöre von Mendelssohn, H. v. Laufenberg (in Riedelscher Bearbeitung), J. Eccard und C. Löwe sangen; Fräulein Guilhermina Suggia's künstlerische Vorführung des Volkmannschen Cellokonzertes A-moll war die einzige Sololeistung zwischen den beiden Sinfonieen G-dur von Haydn und D-moll von Schumann. Das Neujahrskonzert entbehrte diesmal der eigentümlichen Weihe, die es seit Jahren durch Joachims Mitwirkung erfahren. Es verlief nicht feierlicher und nicht profaner wie jedes andere trotz Herrn Homeyer's gut gemeinter Orgeleinleitung (Fantasie über ein Händelsches Thema von Guilmant). Fräulein Charlotte Huhn vermochte den Staub nicht abzuschütteln, der sich ihrer Stimme ansetzt, sobald sie den Konzertsaal betritt; sie ist nun einmal ein Bühnengenie. Tschaikowsky's D-moll-Suite op. 43 mit dem »Spieldosenmarsch« und Beethoven's C-moll-Sinfonie vertrugen sich in so unmittelbarer Nähe wenig miteinander, erfuhren aber durch Nikisch eine glänzende Wiedergabe. Ysaye feierte im nächsten Konzerte mit Bachschen und eigenen Kompositionen derartige Triumphe, daß Humperdinck's »Dornröschensuite« arg ins Hintertreffen kam, ein Schicksal, um dessentwillen ich sie nicht bedaure. Mit der Vorführung von Dräseke's »Sinfonia tragica« trug das Gewandhaus ein Scherflein der Schuld ab, die es sich durch permanente Ignorierung dieses Meisterwerks im Laufe der Zeit zugezogen. Im Riedelverein konnte man sehr schöne, auf das Fest bezügliche Chöre meist alter Meister (Cornelius Freund, F. Hermann, Popelins u. a.) hören. Die »philharmonischen« Abende wurden nacheinander von den Pianisten Harold Bauer und Willy Rehberg besucht; sie boten Konzerte von Beethoven und Brahms. Anton Förster und Douglas Boxall, zwei tüchtige Könner auf dem Klavier, haben bereits ein gut Teil des klippenreichen Bergs erstiegen auf dessen Höhe ein fertiger Meister wie Reisenauer steht. Reisenauer's Klavier-abende bedeuten immer ein Ereignis; es sind Akademien, aus denen man eine Fülle von Wahrheiten mit nach Haus nimmt. A. Sch.

Mainz. In dem am 7. Januar unter Emil Steinbach's Leitung stattgehabten Symphoniekonzert der städtischen Kapelle wurde unter Leitung des Komponisten eine Lustspiel-Ouverture von Edgar Istel (unserem Münchner Mitarbeiter) zur Uraufführung gebracht. Wie uns Herr Prof. Dr. Fritz Volbach aus Mainz mitteilt, hat das Werk »sehr gut gefallen. Es ist ansprechend und natürlich in der Melodik, gut gearbeitet, maßvoll und wirkungsvoll in den Farben, besonders wohllautend in dem breiten Mittel-satz. Der Komponist wurde durch mehrfachen Hervorruf ausgezeichnet«.

Mannheim. Aus dem hiesigen Konzertleben ist ein Liederabend unserer früheren hochgeschätzten Primadonna Frau Rocke-Heindl rühmend zu erwähnen. Die Sän-gerin, die sich infolge Erkrankung eine Zeitlang von der Bühne zurückziehen mußte, zeigte sich im Vollbesitz ihrer schönen Stimm-Mittel und entzückte ihre Hörer durch den überaus vornehm und stilgerecht ausgearbeiteten Vortrag ihrer Lieder. Im letzten Akademiekonzert enttäuschte die Koloratursängerin Frl. Mary Garnier von der Pari-ser komischen Oper; von den Orchesterstücken wurde Thuille's Romantische Ouverture und Rich. Strauß' Eulenspiegel dankbar aufgenommen. Unsere Oper erleidet durch das Engagement des Tenorbuffo Herrn Rüdiger an das Dresdener Hoftheater einen schweren und schmerzlichen Verlust; ein Ersatz konnte noch nicht gefunden werden. Sehr freundlichen Erfolg hatte am 21. Januar im Hoftheater das einaktige Ballett »Liebestränen«, das bei dieser Gelegenheit zum ersten Mal das Licht der Bühne erblickte und — wenn es vielleicht noch etwas zusammengezogen wird — als ein bühnenfähiges und bühnenwirksames Tanzpoem bezeichnet werden kann. — Unsere aus-gezeichnete Ballettmeisterin Frl. Fernande Robertine hat die zu Grunde liegende Handlung verfaßt und ein junger Landsmann von ihr, Herr Robert Meßlenyi, ein Zögling des Budapester Konservatoriums, die Musik dazu geschrieben. Die in Ungarn spielende Handlung gibt Gelegenheit zu effektvollen Bühnenbildern, farbenprächtigen Gruppierungen und charakteristischen Tänzen. Die Musik (Meßlenyi's erste größere Orchesterkomposition) darf als eine sehr erfreuliche Talentprobe gelten. Die Wieder-gabe war vorzüglich und fand lebhaften Beifall. Das Opern-Repertoire unseres Theaters war in letzter Zeit durch zahlreiche Erkrankungen stark beeinträchtigt.

Zu unserem vorigen Musikberichte (S. 201) sei noch ergänzend bemerkt, daß die Hochschule für Musik auch eine Anzahl Kompositionen Rob. Kahn's (eines gebürtigen Mannheimers), nämlich Kammermusik, Klavierstücke, Lieder und Chöre, sowie bei dem Hänlein'schen Orgelkonzerte außer den Chorälen, die jeweils auf die Choralvor-spiele von Brahms folgten, unter Leitung ihres Direktors W. Bopp auch den Begräb-nisgesang von Brahms vorführte, eine Komposition, die schon deshalb merkwürdig ist, weil sie zeigt, wie den Meister bereits in früher Zeit der Gedanke an Tod und Ster-ben künstlerisch beschäftigt hat. F. W.

München. Die sonst so stille Weihnachtszeit bescherte uns diesmal eine Reihe von Konzerten, von denen wir einige entschieden mit zu den besten der Saison rechnen dürfen. In erster Linie ist Zumpe's Weihnachtskonzert am 25. Dezember zu erwähnen, das die so ersehnte Bereicherung seines Programms durch Werke zeitgenössischer Ton-dichter endlich brachte: Schillings' hier schon öfter gehörtes Zwischenspiel aus dem »Pfeifertag« wurde so hinreißend gespielt, daß es sogar wiederholt werden mußte — eine Mahnung, endlich das schon längst erworbene Werk als Ganzes auf der Bühne vorzuführen; Pfitzner's grausig-geniale Ballade »Herr Olaf« erfuhr im gleichen Kon-zert durch Feinhals eine grandiose Interpretation. Dann kamen nach den Feier-tagen eine Reihe von Liederabenden, die durch feinsinnige Programmwahl und künst-lerisch-vornehme Ausführung gleich hervorragten: Josef Loritz widmete sein Konzert ausschließlich vier Münchner Komponisten. Zuerst kam Franz Mickorey, jetzt Dessauer

19*

Hofkapellmeister, mit nicht gerade sehr eigenartigen Gesängen, darauf Guido Peters, von dem bereits Hausegger im vorigen Frühjahr zwei Sinfoniesätze aufgeführt, mit einigen feinempfundenen Liedern und schließlich als ausgeprägteste Charakterköpfe Max Reger und Max Schillings, von denen der letztere dem Publikum mit Recht am meisten zusagte. Weiter sind sehr bemerkenswert ein Liszt-Cornelius-Ritter-Abend, den Ludwig Heß, ein junger mit phänomenalen Stimmmitteln ausgerüsteter Tenor gab, ein Liszt-Abend von Johann Dietz, der, obgleich er vielleicht das größte künstlerische Erlebnis der verflossenen Saison bot, bezeichnenderweise vor halbleerem Saale stattfand, sowie ein äußerst vornehmer Schubert-Brahms-Abend des Baritonisten Dreßler. Die Kammermusik war durch einen zweiten sehr genußreichen Duettenabend der Damen Stavenhagen und Walter-Choinanus, sowie durch ein weiteres Konzert des Quartetts Stavenhagen, Frau v. Kaulbach-Scotta, Vollnhals und Bennat vertreten, wozu noch in den nächsten Tagen eine Veranstaltung des Waldemar Meyer-Quartetts kommt. Reisenauer's zweiter Klavierabend steht ebenfalls bevor und wird, schon dem Programme nach zu urteilen, hochbedeutend sein. Als Virtuosenkonzert sei ein Abend, den Rose Ettinger, Sandra Droucker und A. Petschnikoff veranstalteten, registriert. Stavenhagen feierte als Dirigent der Kaim'schen Volkskonzerte Beethoven's Geburtstag durch einen dem Meister gewidmeten Abend und schloß mit einem Wagner-Brahms-Konzert einstweilen ab. Karl Ehrenberg, der Dirigent des Orchestervereins, gab außerdem mit dem Kaim-Orchester einen Komponistenabend, der ihn als gediegenen ernsten Musiker zeigte. Er brachte ein »Nachtlied« für Violine und Orchester, sinfonische Bagatellen »Aus deutschen Märchen« sowie zwei große sinfonische Dichtungen »Memento vivere« und »Wald« zu Gehör, von denen die ersten beiden Werke entschieden die gelungeneren waren. Merkwürdig geschmacklos war die Einführung einer Singstimme im »Walde«, die den im Wald erklingenden Gesang eines Mädchens darstellen sollte.,

Die Oper brachte zu Beethoven's Geburtstag eine Aufführung des »Fidelio«, die bis auf den Florestan des Herrn Mickorey zu den bestmöglichen zählte. Frl. Morena in der Titelrolle war gesanglich und darstellerisch hinreißend, und das Orchester unter Zumpe spielte bestrickend schön. Über »Messidor« von Bruneau, die erste Novität dieser Saison, berichte ich im gleichen Hefte in einem besonderen Aufsatz.   E. I.

Paris. Théâtres. Suivant de près la Carmélite de MM. Catulle Mendès et Reynaldo Hahn, Titania, le «drame musical» en trois actes de MM. Louis Gallet, A. Corneau et Georges Huë, vient d'être représenté pour la première fois à l'Opéra-Comique. M. Georges Huë, dont le nom est bien connu des abonnés de la Société nationale, est l'auteur du Roi de Paris, qui n'eut qu'une courte carrière à l'Opéra. Son œuvre nouvelle semble appelée à fournir à l'Opéra-Comique, un plus grand nombre de représentations. Les autres théâtres continuent à se consacrer exclusivement à la comédie, au vaudeville, à l'opérette; aucun ne tente de faire connaître au public des œuvres nouvelles, françaises ou étrangères. On parle cependant, mais vaguement, de la création depuis si longtemps demandée, d'un théâtre lyrique populaire vraiment digne de ce nom.

Concerts. Les grands Concerts symphoniques donnent toujours peu de nouveautés, la Société du conservatoire a cependant exécuté pour la première fois, en janvier, la Passion selon Saint-Jean de J.-S. Bach (traduction de Maurice Bouchor); aux Concerts-Lamoureux, M. Chevillard a dirigé, pour la première fois également la Hunnenschlacht, de Liszt; citons en outre la Thamar, de Balakireff, et un festival Beethoven-Wagner. Au Châtelet, outre deux nouvelles exécutions de la Damnation de Faust, M. Colonne a fait applaudir: la Belle au Bois-Dormant, de M. Alfred Bruneau; la Fantaisie hongroise, de Liszt, avec Mme Roger-Miclos; la Demoiselle élue (1re audition) de M. Debussy, l'auteur de Pelléas et Mèlisande, dont l'originalité triomphe au concert comme au théâtre; les deux versions du Boiles Aulues, de Berlioz et de Liszt; les Marches de Rakoczy des mêmes compositeurs. Une Symphonie en la de M. Ch.-M. Widor a été accueillie très froidement. Par contre, M. Alfred Cortot, qui dirigea le festival wagnérien du printemps dernier, est monté pour la première fois au pupitre du Châtelet; il a conduit avec bonheur le prélude de Tristan et la Mort d'Yseult, chantée par Mme Litvine.

L'habitude semble en effet s'établir de donner à différents chefs la conduite d'un concert.

M. Victor Charpentier auquel en revient l'initiative fait chaque dimanche les honneurs dans les Grands Concerts à un compositeur; c'est ainsi que, à la Salle Humbert de Romans, on a vu successivement MM. Bourgault-Ducoudray, Théodore Dubois, G. Piernè, G. Fauré interpréter eux-mêmes leurs compositions. Les programmes des Grands Concerts font, grace à ce procédé, une assez large place à la musique contemporaine.

A la Schola Cantorum, sorte de Conservatoire de musique, dérivé de l'œuvre des Chanteurs de Saint-Gervais, de nombreuses séances de musique ont lieu presque journellement. D'importants fragments du Judas Macchabée de Haeudel y ont été entendus, le 23 décembre. Au théâtre de l'Odéon, à l'occasion de l'anniversaire de Jean Racine (21 décembre), la Schola a pris part à l'exécution de la partition du vieux maitre J.-B. Moreau (1655—1733) écrite pour accompagner à l'origine, la tragédie d'Esther.

Comme chaque année a eu lieu, au Conservatoire l'audition des «envois de Rome» d'un lauréat des années précédentes. M. Mouquet, grand prix de Rome de 1896, a adressé différentes œuvres qui ne prouvent de grande originalité ni dans le choix des sujets, ni dans leur facture; on en jugera par ces deux titres: Andromaque, poème symphonique; le Jugement dernier, sur un poème de Jean-Baptiste Rousseau; M. Mouquet a fait entendre des fragments d'un Guatuer; des mélodies, un chœur de femmes, les Captives (paroles de Jean Racine).

Les Concerts de musique de chambre continuent régulièrement: la Nouvelle Société philharmonique en attendant le Quatuor Joachim, a invité le Trio Schumann. A la salle de la Société de Géographie, au théâtre des Nouveautés, M. Daubé et M. Le Rey donnent des séances plus populaires. Un peu partout les concerts se multiplient: la Société nationale donnant de nombreuses premières auditions de l'Ecole contemporaine: E. Lacroix (un Quintette); S. Rousseau (Sonate pour piano et violoncelle); J. Huré (Danses bretonnes); Déodat de Sèvèrac (Le Chant de la Terre, poème géorgique pour piano), etc. Mme Roger-Miclos; le violoniste Eugène Barrel; Thalberg; Mme Hirzel-Langenhahn se font entendre dans les différentes salles de concert. Les trois concerts de Mme Hirzel, qui se présentait pour la première fois au public parisien, ont valu un gros succès à cette excellente pianiste; l'orchestre Chevillard l'a accompagnée dans un Concerto de Moszkowski (1re audition à Paris) et dans celui en mi bémol, de Beethoven; M. Jacques Thibaut lui a prêté le concours de son talent dans la C-Sonate de Beethoven et une Suite de Schütt. A son troisième concert, le quatuor tchèque a exécuté avec elle le Quintette en la majeur de Dvorak; Mme Hirzel a joué seule la Sonate de Grieg.

Il est juste de souligner ce succès d'une pianiste hier encore inconnue du public parisien.

Province. En province, plus encore qu'à Paris le goût de la musique dramatique prédomine; les grandes villes ont pendant toute ou partie de l'année, des troupes régulières; les autres se contentent des «tournées» d'opéra, d'opéra-comique ou, — trop souvent! — de simple opérette. Avec le vieil opéra meyerberien, ce sont les œuvres de M. Jules Massenet qui obtiennent toujours le plus de succès. Il y a eu cependant plusieurs premières depuis un mois: le 30 décembre, à Bordeaux, le Vieux de la Montagne, poème de MM. de Duhor et Ch. Fuster, musique de M. Canoby, a paru dans sa primeur sur la scène du Grand-théâtre qui avait reçu, pour monter cette œuvre, une somme de 5000 francs du ministère de l'Instruction publique et des Beaux-Arts. A Rouen, avant Paris, a été donné une autre nouveauté, étrangère celle-là, la Fiancée de la Mer du compositeur belge Jan Blockx, dont la Princesse d'Auberge séjoue couramment en province.

La musique symphonique a donné lieu à quelques manifestations intéressantes:

M. Ratez, au Conservatoire de Lille a fait entendre, le 2 novembre, des compositions nouvelles dont il est l'anteur; M. Maquet dirige, dans la même ville, les séances de la Société de Musique. A Nancy, les Concerts dirigés par M. J.-G. Ropartz, sont toujours très suivis. A Toulouse, le jeune directeur du Conservatoire M. Crocè-Spinelli a fondé une Société des Concerts, dont le premier concert, à la salle du capitole a eu lieu en décembre, outre le nom du fondateur, les noms de Beethoven, d'Indy, Saint-Saëns figuraient au programme. Dans la même ville, le 15 décembre, le récent «grand-prix de Rome», M. Aymè Kunc, originaire de Toulouse, donnait un concert composé de ses propres œuvres.

A Rennes, M. Boussagol, le nouveau directeur du Conservatoire fait faire des exercices publics d'élèves et fonde des concerts où il dirige les œuvres anciennes et modernes.

A Tunis, M. Sammarcelli, directeur du thèàtre, ne se borne pas à faire représenter des opéras nouveaux comme Louise et Grisélidis; il consacre un festival à M. Massenet.

Enfin a Romorantin, avec le concours de l'organiste bordelais Daene, et à Mende, tout seul, M. Gigout, le successeur de M. Guilmant à la Trinité, de Paris, a inauguré solennellement de nouvelles orgues.   J.-G. P.

Prag. Die Zeit um Weihnachten brachte im Neuen Deutschen Theater ein mehrmaliges Gastspiel Theodor Bertram's. Während seine prächtigen Leistungen als Hans Sachs und Wolfram von Eschenbach noch aus den Maifestspielen bekannt waren und schon damals durch die plastische Gestaltung, ganz abgesehen von der herrlichen Fülle der Stimme, helle Begeisterung erweckten, zeigte er sich diesmal auch von einer andern Seite: er stieg zum Alfio und Tonio herab. Notwendig war's gerade nicht, aber lehrreich war's zu sehen wie Bertram sich schauspielerisch und gesanglich Zwang antat, um die Psychologie dieser Figuren auszudeuten. Beim Alfio gelang's. Weniger aber im Bajazzo, wo er als Taddeo in der Komödie der Kolombine nicht recht überzeugend zu wirken vermochte. Interessant und von Erfolg begleitet war ein zweimaliges Auftreten von Thea Dorée als Carmen und als Acuzena in Verdi's »Troubadour«. Gegen die Verkörperung der Carmen bedeutet die Wiedergabe der alten Zigeunerin einen unverkennbaren Aufschwung. Durch ihr packendes Spiel vertieft sie den dichterisch nicht fest umrissenen Charakter der Alten um ein Beträchtliches. Ein Übel liegt aber darin, daß die Gastin ihre Rollen in italienischer Sprache singt, bei einer deutschen Gesamtaufführung wirkt diese Gemischtsprachigkeit befremdend. An Novitäten lernten wir seit Neujahr Saint-Saëns' »Samson und Dalila« kennen (die erste österreichische Aufführung dieser Oper). Sie errang einen durchschlagenden Erfolg, teils infolge der glücklichen Besetzung, teils infolge der reichen Ausstattung. Schon am 16. Januar kam die zweite Neuheit heraus: Bogumil Zepler's komische Oper »Der Vicomte von Letorières«. Nett ist sie, aber komisch nicht. Die Handlung ist ohne Textbuch nicht verständlich und der Hörer wird das unangenehme Gefühl nicht los, daß er hier einer Begebenheit gegenübersteht, für die es ihm, um sie wenigstens in ihren Umrissen sofort zu begreifen, an Verständnis fehlt. Zepler's Musik ist magnam partem für den Stoff zu dickflüssig geraten; die besten Treffer gelingen ihm in der jetzt beliebten holden Überbrettlweis. Das Regenlied »Klick-Klack« zieht sich wie ein roter Faden durch die Partitur, um, vielleicht als gut genährtes Erinnerungsmotiv die Aktion musikalisch zusammen zu halten. — Am 7. Januar spielte das Kaim-Orchester unter Weingartner's Leitung zu Gunsten des hier zu errichtenden Mozart-Denkmals in einem selbständigen Konzert, das, da es ausverkauft war, durch seinen materiellen Erfolg den Denkmalsfond jedenfalls gestärkt hat. (Mozart C-dur-, Beethoven Es-dur-Symphonie; Vorspiel zu den Meistersingern, Smetana »Ultava«). — Konservatoriums-Direktor Safanov aus Moskau dirigierte in einem eigenen Konzert, dessen Programm lediglich aus Nummern russischer Tonsetzer bestand. Rachmaninoff trat als Solist auf. Die künstlerische Ernte war nur gering.   E. Ry.

Stettin. Nur über zwei, dafür aber auch ganz erstklassige musikalische Veranstaltungen ist aus dem Anfange der zweiten Hälfte der Konzertsaison zu berichten. Am 7. Januar versetzte Richard Srauß mit seinem ausgezeichneten Berliner Tonkünstler-Orchester eine fast 2000 Menschen zählende Zuhörerschaft durch die absolut stilgerechte, alle Schönheiten hebende Ausführung von Haydn's »Militär-Sinfonie«, Beethovens »Eroïka«, Wagners »Tristan«-Vorspiel und seiner eigenen Schöpfung »Tod und Verklärung« in das hellste Entzücken. Eines großen Erfolges hatte sich das am 15. Januar ebenfalls vor ausverkauftem Saale konzertierende »Holländische Trio« zu erfreuen. Ihre sämtlich den Klassikern entnommenen Sologaben rahmten die Herren van Boos-Veen-Lier durch Tschaikowsky's A-moll Trio, op. 50 und Hugo Kaun's Trio in B-dur ein. C. P.

Stuttgart. Die bisherige Konzertsaison ließ quantitativ nichts zu wünschen übrig. Unsere in jeder Beziehung vornehmsten Orchesterkonzerte sind nach wie vor die Abonnementskonzerte der kgl. Hofkapelle, abwechselnd dirigiert von Pohlig und Reichenberger. Konservativ sind diese Konzerte nicht, im Gegenteil es überwiegt diesmal Liszt und die Moderne. Sie brachten außer Bruckner's romantischer Symphonie und dem Heldenleben von R. Strauß u. a. folgende Novitäten: eine liebenswürdige Serenade für kleines Orchester von S. de Lange und den Prolog zu König Ödipus von Schillings. Dieses bedeutende Werk errang einen vollen künstlerischen Erfolg. An äußerem Beifall fehlte es nicht der Phantasieouverture »Lebensfreude« von A. Obrist, dem früheren hiesigen Hofkapellmeister. Neu war auch die von Talent und glänzender Beherrschung des Technischen zeugende, aber viel zu lange symphonische Dichtung »Heldentod und -Apotheose« von Karl Pohlig. Das letzte Abonnementskonzert war Ignaz Brüll gewidmet, der als Klavierspieler und Komponist zu Wort kam. Er spielte eine Neuheit von sich: Andante und Allegro für Klavier und Orchester. Die Komposition zeigt einen ausgeprägten Sinn für Melodie, der glücklicher im Andante als im Allegro zu Tage tritt.

Weingartner führt diesen Winter alle Symphonien von Beethoven auf. Interessant war ein Spohr-Abend des Orchestervereins. Von Choraufführungen waren von Interesse Molique's »Abraham« (Musikdirektor Rückbeil), Prof. Seyffarth brachte Faust's Verdammung heraus.

Für die Kammermusik sorgt das Singerquartett mit Prof. Pauer; historische Lieder- und Sonatenabende gaben Seyffarth, Rückbeil und Frau Rückbeil-Hiller.

Solistenkonzerte: Sarasate-Marx, Ondricek, Reisenauer, Lamond-Kilian, mehrere Liederabende.

Unsere Hofoper brachte als bemerkenswerteste Neuheiten »Louise« von Charpentier und Weingartner's »Orestie«. Das letztere Werk war ja bekanntlich durch unsere Oper anläßlich ihres Berliner Gastspiels im verflossenen Sommer dort zur Uraufführung gekommen. A. N.

Wien, 19. Januar. Der Hauptabschnitt der musikalischen Saison liegt nun wieder einmal hinter uns. In den Monaten Oktober und November sind bekanntlich die durch Sommerfrische mühsam geflickten Nerven der den internationalen Konzertsaal bevölkernden Stadtmenschen noch am ehesten genußfähig. Aber schon die Adventwochen erzeugen jene seltsame melancholische vorweihnachtliche Stimmung, die für das Anhören von schwierigen Konzerten nicht frei genug ist. Und in den Monaten Januar und Februar pflegt, zumal in Süddeutschland und Österreich, das Schellengeläut des närrischen Prinzen Karneval die keuschen Laute der heiligen Cäcilia nicht selten zu übertönen, erst März, April regt es sich wieder intensiver, um dann in den schönen Monaten einer gar zu pünktlich befolgten alten Sitte gemäß einer Musiklosigkeit zu weichen, aus der einen nur zweifelhafte Genüsse, wie Musikfeste, Sommeropern und ähnliches aufschrecken.... Besonders der Musikwinter im heiteren genußfrohen Wien regt zu solchen nachdenksamen Gedankengängen an. Die Leere des Wiener Musiklebens, die Herr Dr. Hirschfeld jüngst an dieser Stelle charakterisiert hat, entspringt meines Erachtens aus einer einzigen süßen Giftquelle, aus dem sektartigen Sprudel der Wiener Operette! Wien ist seit Brahms' und Bruckner's Tode im großen und ganzen in musikalischer Beziehung fast ausschließlich von der Operette beherrscht! Besonders in dieser Saison feiern die Manen Strauß-Millöcker-Suppé's

wahre Orgien. Etwa 10 Operettennovitäten stehen in diesem Winter bisher nicht einer einzigen modernen Opernnovität gegenüber!! Ist das
nicht typisch für das ureigentliche Musikinteresse des Wieners? Nicht etwa als ob
das Wiener Konzertsaalpublikum seine Klassiker von Haydn bis Bruckner lang-
weilten.... Aber so hochgerötet sind die Wangen der Besucher im eleganten Musikvereinssaal bei den Orchesterkonzerten nicht, so aufgeregt ist das Surren und Summen
im Publikum nicht, wie im Theater an der Wien oder im Carltheater, wenn es gilt, neue
Wiener Walzer auf ihre Echtheit zu prüfen. Eine Hauptschuld an dieser traurigen
Tatsache trägt der Umstand, daß es dem Wiener Musikleben an einer führenden Persönlichkeit, an einer Dirigentenindividualität mangelt, wie sie München in Weingartner
und Zumpe, Berlin in R. Strauß und Nikisch besitzen. Gustav Mahler ist
wohl ein trefflicher Inscenator, Opernleiter und Dirigent, aber es gebricht ihm an
Weitblick für ein modernes Opernrepertoire, er bevorzugt einseitig seine engeren
slavischen Landsleute und Wagner. Vor allem in den Wiener Konzertsaal gehörte eine Persönlichkeit von der rücksichtslos-pädagogischen Kunstdurchdrungenheit
eines Hans von Bülow, die den anererbten hohen Musiksinn des Wiener Publikums
zu disciplinieren unternehmen müßte. Dirigenten wie Ferdinand Löwe und
Joseph Hellmesberger, die nichts als solide Musikernaturen, nichts als energische
Orchesterleiter sind, verstehen es nicht, die Einheit zwischen dem auszuführenden
Werk, den ausführenden Musikern und dem zuhörenden Publikum herzustellen, sie
verstehen es nicht, jene heilige Kunstandacht auszulösen, die der echte Musikfreund
im Konzertsaal verlangt. Wie Frühlingssturm mitten im Eiseswinter erbrauste es im
Musikvereinssaale an jenem unvergeßlichen 5. Januar, da Felix Weingartner die
Sinfonie »Episode aus dem Leben eines Künstlers« seines von ihm abgöttisch verehrten Berlioz und Liszt's namentlich im Infernosatz gewaltig durchschütternde Dante-
sinfonie dirigierte. Sprühenden Blitzen gleich fuhr sein Dirigentenstab in das herrliche Münchner Kaimorchester, das sich immer zielbewußter zum ersten deutschen
Orchester entwickelt. Auf diese Weise hörten die Wiener doch wenigstens wieder
einmal Liszt und Berlioz.... Und was machte Herr W. J. Safanoff aus dem sonst
so solid fürbaß musizierenden Konzertvereinsorchester! Wie wußte er die immens
schwierige »Pathétique« Tschaikowsky's mit wahrhaft Michelangelesker Wucht in ihren
genialen Einzelheiten herauszumeißeln, daß das Orchester schier wie unter einem
hypnotischen Banne an Kräften wuchs! Dieses Konzert bot übrigens einen wohltuenden Ruhepunkt in dem nervösen Solistengetriebe der letzten Wochen, es gewährte einen summarischen Überblick über die russische Musik seit Tschaikowsky.
Leider hatte indessen der Dirigent bei der Auswahl der Kompositionen zuviel Con-
cessionen an das große Publikum gemacht und zu wenig Rücksicht auf jene genommen,
die die einzelnen Komponisten in ihren charakteristischen, wenn auch vielleicht schwerer
verständlichen Werken kennen lernen wollten. Bezeichnend für das Wiener Publikum
war in diesem Konzerte die »Hetz'«, die ihm der recht billige, wenn auch geschickt
gemachte musikalische Scherz Liadoff's »La tabatière de musique« bereitete. Vergnügt
schmunzelnd begehrte man das Stück da capo und abermals amüsierte man sich köstlich. Eine interessante echt russische Persönlichkeit ist Herr Rachmaninoff, der
ein Klavierkonzert eigener Komposition vortrug, ein Werk, das namentlich durch seltsame Rhythmik und nationale Melodik, dann auch durch seine starke, aber klanglich
niemals rohe Instrumentierung fesselte. Von den Konzerten des Concert-Vereines
interessierte uns jenes, in dem César Franck's sinfonische Dichtung »Les Eôlides«
seine Erstaufführung in Wien erlebte. Die poetische Stimmung tritt da seltsam in
Kontrast zur musikalischen, die stark ins Motivische zerflattert. Übrigens dirigierte
Ferd. Löwe das Werk recht eindringlich. Im fünften Konzert der Philharmoniker
unter J. Hellmesberger's Leitung, das mit R. Volkmann's merkwürdig modern an-
mutender »Ouverture zu König Richard III.« eingeleitet wurde, spielte Ignaz Brüll
seine neueste Komposition, ein Konzertstück (Andante und Allegro) für Klavier und
Orchesterbegleitung. Einfach in der Form, schlicht und klar in der Durchführung,
ein echter Brüll! Von den drei ständigen hiesigen Quartettvereinigungen, dem Rosé-,
Prill- und Fitzner-Quartett, ist die erstgenannte die beliebteste, ob sie künstlerisch

die feinste, ist, sei noch dahin gestellt. Sehr interessant war das dritte Gesellschaftskonzert der Gesellschaft der Musikfreunde unter Leitung des Konservatoriumdirektors R. von Perger, der im letzten Augenblick für den erkrankten Ferd. Löwe einsprang und sich als ein sehr energischer, umsichtiger Chordirigent erwies. Das reichhaltige Programm enthielt u. a. als Novität einen Chor »Elfen und Zwerge« von Rob. Fuchs, ein sehr charakteristisches Werk, das lebhaften Beifall fand. Unter den zahlreichen Solistenkonzerten erscheinen mir vor allem der genußreiche Schubert-Abend Messchaert's und d'Albert's Klavierabend erwähnenswert. Beinahe hätte ich mir die Todsünde aufgeladen, zu vergessen, daß Herr Des. Zador mit geteiltem Erfolge an der Oper als Rigoletto gastiert hat. A. N.

Zürich. Hier stecken wir mitten in der Konzertflut. Wohl die bedeutendste Aufführung war das sogenannte Hülfskassenkonzert am 13. Januar, in welchem das Richard Wagner-Programm des Jahres 1853 wiederholt wurde. Hier die genaue Wiedergabe der alten Anzeige:

Musikaufführung im Theater
am 18., 20. u. 22. Mai 1853
Composition und Direktion
von
Richard Wagner.

Zur Eröffnung: Friedensmarsch aus Rienzi;
  I. Der fliegende Holländer:
    1. Ballade der Senta
    2. Lied norwegischer Matrosen
    3. Des Holländers Seefahrt (Ouverture)
  II. Tannhäuser:
    1. Festlicher Einzug der Gäste auf der Wartburg
    2. Tannhäusers Bußfahrt und Gesang der heimkehrenden
       Pilger
    3. Der Venusberg (Ouverture)
  III. Lohengrin:
    1. Der heilige Gral (Orchester-Vorspiel)
    2. Männerscene und Brautzug
    3. Hochzeitsmusik und Brautlied.

Bei obiger Aufführung wirkte ein Orchester von 70 Künstlern, aus nah und fern herbeigeeilt auf den Ruf des Meisters, und ein gemischter Chor von 100 Stimmen. Die Solo-Partien hatten übernommen: Madame Heim und die Herren Castelli und Pichon. In dieser dramatisch-musikalischen Produktion hat Zürich den Höhepunkt seiner Kunstgenüsse gefunden, und was die Gegenwart mit hoher Begeisterung erfüllt, wird auch in der Nachwelt Bewunderung erregen! Der Name Richard Wagner aber glänzt als Stern erster Größe am musikalischen Himmel, und wird nie untergehen!

Dr. Friedrich Hegar dirigierte das Jubiläumskonzert ganz vorzüglich, ebenso auch das letzte Abonnementskonzert, in welchem u. a. Berlioz' Harold en Italie und die große Leonorenouverture zur Aufführung kamen. Als Solistin trat Frau Nina Faliero auf. Am 21. Dezember fand das 2. Konzert des »Gemischten Chores Zürich« statt, welches das Weihnachtsmysterium von Philipp Wolfrum brachte. Zwischen diesen größeren Aufführungen kamen sehr viele Solistenkonzerte erster bis letzter Güte.

Das Theater ist in diesem Winter recht gut. Es gab sogar ausgezeichnete Abende unter der tüchtigen Leitung unseres 1. Kapellmeisters Lothar Kempter, dessen Stück: »Fest der Jugend« gut aufgenommen wurde. In den Programmen standen u. a. ein Donizetti-Cyklus, Rienzi, Holländer, Lohengrin, Tannhäuser, Walküre, Don Juan, Carmen, Verkaufte Braut, Freischütz, Afrikanerin etc. und die mit großem Beifalle aufgeführte Novität: »Das war ich« von Leo Blech. V. A.

Vorlesungen über Musik.

Schöneberg bei Berlin, 11. Jan. 1903. Im 8. Volks-Unterhaltungsabend sprach Herr Professor Dr. Richard Sternfeld über *Richard Wagner*. An den Vortrag schloß sich eine Reihe Gesangs-Darbietungen, die die populärsten Gesangs-Nummern aus den Werken des Meisters zum Inhalt hatten.

Kopenhagen. Herr Dozent Dr. A. Hammerich hält im Frühlings-Semester 1903 folgende Vorlesungen ab: 1) Geschichte der Notenschrift; 2) Übungen in der musikalischen Paläographie.

Paris. A la Sorbonne, M. Houdard continue son cours libre sur les Antécédents de rhythmique médiévale.

Wien. Im »Wissenschaftlichen Klub« hielt Herr Dr. Theodor von Frimmel am 15. Dezember einen Vortrag über *Die Handschrift Beethoven's*. — Im Vereine der Musiklehrerinnen sprach Herr Professor Dr. Franz Marschner über *Zeitgemäße Anregungen auf dem Gebiete der speziellen Methodik des Klavierspiels, des Gesangs und der Musiktheorie.*

Nachrichten von Lehranstalten und Vereinen.

Berlin. Der Bericht des *Berliner Tonkünstlervereins* über seine Tätigkeit während des 58. Vereinsjahres (1. Oktober 1901 bis 1. Oktober 1902), erstattet von dem Vorsitzenden, Kapellmeister A. Göttmann, entwirft ein anschauliches Bild von der Wirksamkeit des Vereins in diesem Zeitraum. . Durch die im Juni 1901 erfolgte Fusion mit dem Verein Berliner Musik-Lehrer und -Lehrerinnen ergaben sich eine Fülle von Schwierigkeiten für die beiden das laufende Jahr noch nebeneinander amtierenden Vorstände, die jedoch glücklich überwunden werden konnten. Veranstaltet wurden: 10 Vortragsabende, 6 musikwissenschaftliche Abende, 1 Vortrag über die Honorarfrage, 1 General- und 2 außerordentliche General-Versammlungen, neben einer Reihe von Sitzungen des Vorstandes, des Kuratoriums, der Krankenkasse und des Komitees für die Honorarfrage. In den Vortragsabenden, welche die Tendenz verfolgen, Werke zeitgenössischer Tonsetzer zu Gehör zu bringen, wurden 23 Manuskripte, 74 Erst-Aufführungen ungedruckter Werke von 62 Künstlern und Künstlerinnen aufgeführt. An den wissenschaftlichen Vorträgen beteiligten sich die Herren Professor H. Schröder, Professor Dr. O. Fleischer, Dr. H. Goldschmidt, Richard J. Eichberg, Professor Dr. Sternfeld und Dr. M. Seiffert. Über die »Honorarfrage« sprach Fräulein O. Stieglitz. —

Breslau. Das hiesige *Konservatorium* beabsichtigt eine bemerkenswerte Neueinrichtung zu treffen. Bekanntlich ist mit der Anstalt ein Seminar zur Ausbildung von Musiklehrern und -Lehrerinnen verbunden. Um nun vorgeschrittenen Schülern eine praktische Ausbildung im Unterrichten zu geben, beabsichtigt die Direktion, Kinder unbemittelter, rechtschaffener Eltern als Schüler aufzunehmen, die gegen einen geringen Beitrag von Seminaristen unterrichtet werden. Der Unterricht untersteht der besonderen Aufsicht eines erfahrenen Lehrers, wahrscheinlich des Direktors.

Dresden. Die beiden letztverflossenen Schuljahre der hiesigen *Musikschule*, das 11. und 12. Jahr des Bestehens der Anstalt, standen vornehmlich unter dem Zeichen der inneren und äußeren Festigung; nennenswerte Wandlungen oder Neugestaltungen waren nicht zu verzeichnen, so daß der letzterschienene Bericht zwei Schuljahre umfassen konnte, ohne den früheren Umfang der Publikation allzusehr zu überschreiten. Auch in den beiden letzten Jahren wurden der Anstalt verschiedene Stiftungen überwiesen, bestehend in Barmitteln und Instrumenten, so daß an begabte und unbemittelte Schüler Freistellen und Honorarermäßigungen gewährt werden konnten. Die Ergebnisse der Schülerfrequenz sind im Vergleiche mit den Schlußziffern des voraufgegangenen Berichts folgende: die Kopfzahl belief sich im 10. Schuljabre auf 345. im 12. auf 365, die Frequenz-Zahl der Lehrfächer im 10. Schuljahre auf 891, im 12. auf 944.

Paris. Mme Rose Caron vient d'être nommé professeur au Conservatoire.

Notizen.

Berlin. In der Aula der Universität veranstaltet am 6. Februar die Internationale Musikgesellschaft in Verbindung mit der Psychologischen Gesellschaft eine außerordentliche Sitzung, welche die Lösung des Problems der *Photographie der Musik und der Stimme und Sprache* zum Gegenstande hat, und worin Prof. Fleischer und Dr. Flatau die musik- und sprachwissenschaftliche Seite der Erfindung des *Photophonographen* von Cervenka behandeln, der Erfinder seinen Apparat selbst vorführen werden.

Dresden. Dem *Tagebuch der Königl. Hoftheater* für das Jahr 1902 ist zu entnehmen, daß im Opernhaus (Altstadt) 66 Opern, 4 Schauspiele und 4 Balletts, im Schauspielhaus (Neustadt) 102 Stücke aller Gattungen gegeben wurden. Im ersteren fanden überdies 14 Konzerte statt und zwar 6 Sinfoniekonzerte der Königl. Kapelle, 6 Sinfoniekonzerte für die Königl. Generaldirektion und die Konzerte zum Besten des Unterstützungsfonds für die Witwen und Waisen der Königl. Kapelle. — An Musikwerken wurden zum ersten Male gegeben: »Hoffmanns Erzählungen« von Offenbach, »Rübezahl« von Alfred Stelzner, »Das war ich« von Leo Blech, »Tosca« von Puccini, »Die Maienkönigin« von Gluck und »Der Mikado« von Sullivan.

Dublin. — The 18th yearly Conference of the Incorp. Soc. of Musicians (III, 241) took place here 29 Dec. 1902 to 2 Jan. 1903. Previous Conferences: — London 1886, Birmingham 1887, London 1888, Cambridge 1889, Bristol 1890, Liverpool 1891, Newcastle-on-Tyne 1892, London 1893, Scarborough 1894, Dublin 1895, Edinburgh 1896, Cardiff 1897, London 1898, Plymouth 1899, Scarborough 1900, Llandudno 1901, London 1902. Regarding Prof. Mahaffy's paper, Christ Church Cathedral Dublin was founded by Sitric, King of the Danes, in 1038, for Secular Canons. About 1163 Archbishop Laurence O' Toole changed it from a Cathedral into a Priory for regular "Arrosian" Canons, so called from an abbey in the diocese of Arras, in Flanders, an order long since extinct.

Tuesday. — Lord Mayor of Dublin (Mr. T. C. Harrington, M. P.) opened proceedings. Prof. Prout succeeded him in Chair. Gen. Secretary (Mr. E. Chadfield) read Report. Since last Dublin Conference (1895) members increased from 1477 to 2144, examinees from 4372 to over 9000. Seven Sections habe been subdivided. After providing liberally for Benevolent Funds and an Orphanage, £ 4,000 has been since then invested. — Prof. Prout read paper on "Chromatic Harmony". The assemblage of notes linked to a tonic was in Palestrina's time 7, and all else held foreign; thereafter 12; since then 17 (enharmonic). Lecturer preferred 12. "Chromatic chords" taken for convenience as those which suggest a modulation, that modulation being averted, and not confirmed, by what follows. Chords from flat side of tonality "balanced" those from sharp side. On the whole chromatic chords are those "borrowed" from another tonality. As between major and minor scales of same tonic note, major borrows from minor more than vice-versā. The other borrowings taken as from dominant and sub-dominant tonalities only; if more, then the 12-note scale would be exceeded. The English system of diatonic discords was by 3rds piled on dominant up to 13th; while chromatic discords were similarly made on dominant, super tonic, and tonic. But these last 2 were dominant respectively to original dominant and sub-dominant; hence the before-mentioned borrowing idea was convenient, because then all would be diatonic. The chord of augmented 6th was outside this classification, because not lying diatonically in any key; lecturer took this as a case of "balance" within the chord itself. Passing notes and auxiliary notes also he admitted must be reckoned with for modern work. Then followed historical sketch (with illustrations) of introduction of certain discords, which early composers evidently regarded as temporary "borrowings" or chromatic "alterations". Neapolitan 6th so called probably because used by Scarlatti. Purcell a mine for chromatic innovation. Haydn's daring "Chaos" discords almost his only excursion of that sort. Mozart much more chromatic, Beethoven yet more. Spohr style greatly hung on diminished 7ths. Aug. Reissmann called Schumann "the apostle of dissonance". Wagner's own rule was, "never go away from your key so long as you can say what you have to say in the key"; but he exceeded all previous in chromaticism. Gounod's "Chaos" progressious in the "Redemption" were ugly, and as compared with Haydn showed talent against genius. This was a most efficient discourse. — Of places proposed for next year's Conference, — Birmingham, Bristol, Brighton, Glasgow, Lowestoft and Oxford, — Glasgow was chosen. Oxford has never encouraged an influx population and has therefore no large hotels. — In afternoon Prof. Mahaffy (Professor of Ancient History and Registrar of School of Music in University of Dublin) read a paper on the "Dublin School" of Protestant Cathedral Music. First important local composer after Reformation was Thos. Bateson (end of 16th century), mostly glees. At the Rebellion, Dublin was strongly Puritan and non-musical. For the Centenary celebration of Trin. Coll. Dublin in 1692, Purcell wrote an Ode. A local school of music began with Rosingraves, father (d. 1727) and son (d. 1750); the Dean and Chapter sent Rosingrave jun. to Italy. Then Walsh (d. 1765) and Woodward (d. 1777). The Earl of Mornington (1735—1781), a musical peer who took the position of first Music Professor in Dublin University, had some influence on music. Sir John Stevenson (1761 —1833) was an Irishman who fixed the local style; but his treatment of the national airs (with Thos. Moore's words) was unsatisfactory and not in the Irish spirit. The elaborate Protestant hymn-book "Melodia Sacra" of D. Weyman (d. 1822) had much vogue. John Smith (d. 1861) came from England, but married Stevenson's daughter. For Joseph Robinson (1816—1896), a singer and local celebrity, Mendelssohn made orchestral score of "Hear my Prayer". Sir Rob. Stewart (1825—1894) the last typical local composer. The Dublin school was simple, but deserved to be called a school. — In the evening a Reception by Lord and Lady Mayoress; an Irish Jig and Reel were danced.

Wednesday. — Dr. J. C. Culwick (Dublin) read a well-written paper on Sir Rob. Stewart, predecessor of Prof. Prout in Dublin Chair, giving complete list of his compositions and literary works. — At a vocal and orchestral concert were performed inter alia — Organ Concerto, Prout; Concert Overture, Culwick; Irish Symphony, Esposito; English Dances, Cowen; Irish songs and part-songs. The 4-movement symphony introduced 4 Irish airs in each movement: — (a) Open the Door O, Luimneach, The Yellow Garron, Aileen Aroon. b) Seaghan Buidhe, Irish Reel, Leather the Wig, The Humours of Passage. (c) Lament, Arranmore Tune, Song of the Ghost, Song of the Woods. (d) Leather away with the Wattle O! I can if I choose, A Cork Reel, The Monks of the Screw.

Thursday. — Dr. Madeley Richardson (Southwark) read paper on "The Profession and Position of the Modern Organist". The Roy. Coll. of Organists was eulogised. Organists should be their own choir-trainers. The present universality of boy-choirs (demand for voices in great excess of supply) emphasised situation. And the choir-trainer should himself use his voice. Lecturer considered would-be organists had better go to the University, and that musical degrees ought to involve University residence. Organist ought to have better legal status. Dr. Cummings said that Sir John Stainer was not however choir-master at St. Paul's; he doubted about the University points. Dr. C. T. Reynolds (Birkenhead) said there was a movement for returning to west-end position of organ and choir in churches, and so to join women's voices with boys'. Dr. F. G. Shinn (London) said the Roy. Coll. of Organists were instituting tests in choir-training. Musicians would go to the Universities, if their profession was better paid. As to the status of an organist, it was what the org. made it, and he thought the clergy were rightly masters in church. — Mr. Duncan Hume (Bournemouth) read paper on "The Physiology of Pianoforte Playing". It dealt with the nature of brain-operations in controlling finger-work, and was in favour of separating mechanical and artistic sides of music. — In the evening Banquet, Prof. Prout in chair. Sir Thos. Pile said municipalities should do more for music. Sir Francis Brady said the Irish Parliament of 1784 established a Musicians' Benefit Association (still existing) something analogous to the I. S. M.

Friday. — At Annual General Meeting of members, Dr. F. G. Shinn (London) made motion pressing Council to more advanced measures in re-examining p. forte teachers in theory of teaching. — Carried. — In evening Conversazione, 1200 visitors.

M. S. D.

Edinburgh. — The Third Reid Historical Concert of season (Prof. Niecks) took place 21 Jan. 1903. Fillunger vocal quartett, and Donald Tovey pianist. Following is abstract of lecturer's remarks.

The programme illustrated the use of four and fewer voices, with and without piano-forte accompaniment, in various styles and by various composers. As a contrast to the eighteenth and nineteenth century homophony (melody with chordal harmony), a specimen of sixteent hcentury polyphony (genuine contrapuntal harmony — perfect melodic equality of the parts) was included. The placing of Palestrina excerpts beside Mendelssohn part-songs brought out the contrast forcibly. The programme however particularly intended to illu-strate an interesting, little-cultivated speciality of song composition, — namely, cycles of songs for more than one voice. With cycles of songs for one voice Beethoven and Schubert have made us familiar. It was Schumann who introduced cycles of songs for more than one voice. His contributions to this class of composition are the S p a n i s c h e s L i e d e r-spiel (spanish Song-Play), Op. 74, the M i n n e s p i e l (Love-Play), Op. 101, and the S p a n i-sche L i e b e s l i e d e r (Spanish Love-Songs), Op. 138 — all composed in 1849, although the latter two were not published in that year, but respectively in 1852 and 1857. Schumann was not mistaken when he wrote, on April 22, 1849 to Fr. Kistner, the Leipzig publisher, that he believed the form of the S p a n i s c h e s L i e d e r s p i e l to be something original, and the whole of the most exhilarating effect. Moreover, the originality is not merely in the form, it is also in the peculiar romantic tone and the Spanish local colouring — in the warmth and glow of the emotional life and its pictorial presentation. "Schumann's imagin-ation," as Heinrich Reimann so well expresses it, "transports us here still more vividly than Geibel's poems to the gardens of Andalusia, with their southern splendour of colour, with their jasmine hedges exhaling intoxicating perfumes, and with the proud men who are ready for every adventure, be it a clandestine rendez-vous or a daring ride on the secret paths of the border mountains". We learn from the composer that he was very happy when working at this composition; and every note of it confirms the statement. To cha-racterise the genre, it my be said that it presents a series of lyrics in a more or less drama-tic frame-work, adumbrated however rather than embodied, suggested rather than fully set forth. The word S p i e l in the title indicates the author's intention and an important cha-racteristic of the composition. The dramatic frame-work, slight as it is, adds a rest, and at the same time serves as a bond of union to the variety of characters and moods. Originally this cycle contained the songs "Flutenreicher Ebro" and "Hoch, hoch sind die Berge", now incorporated in the S p a n i s c h e L i e b e s l i e d e r; but Schumann rejected these slow songs in order to concentrate the effect of the whole. Afterwards he added the Contrabandist, which he informs the publisher might be inserted between or appended to the remaining nine numbers, although the Contrabandist does not strictly belong to the action. Brahms, like Schumann, wrote three works of this kind, — the L i e b e s l i e d e r - W a l z e r, op. 52 (1867), and the N e u e L i e b e s l i e d e r - W a l z e r, op. 65 (1875) both for pianoforte à quatre mains and four voices ad libitum, and Z i g e u n e r l i e d e r, op. 103 (1888), for four voices and pianoforte accompaniment. The last is the one that keeps closest to the Schu-mann lines. Hanslick said of it that it was a little novel, the events of which are not told, the persons of which are not named, and which we nevertheless perfectly understand and never forget. It is otherwise with the Love-Songs. They differ by the waltz measure main-tained throughout, by the way in which the voices alternate, and by the lesser emotional intensity and dramatic and novellistic interest. The first set contains as many as eighteen waltzes; the second set fourteen and a finale (Z u m S c h l u s s). To avoid in the circum-stances monotony, was not an easy task, which however the composer brilliantly accom-plishes by variety in form (length and structure of the waltzes), tempo, rhythm, harmony, etc. The "and voices ad libitum" should be taken with a large grain of salt. No doubt the melody and harmony of the voices are contained in the pianoforte parts, but the master conceived the waltzes for both voices and pianoforte. That Brahms wrote love-songs surprised nobody; that he wrote waltzes surprised many. Those however, who knew him well were not, at least need not have been, astonished. They could have noticed with what rapt at-tention he listened to Viennese dance music. Indeed both the man and the composer showed as time went on that the natural and social atmosphere of Austria, and especially of her capital, had not left him uninfluenced. To this not a few of his later works bear witness. Brahms appreciated the waltzes of Strauss, father and son, and his own waltzes remind us of Schubert's waltzes and ländler. However they are as little like Schubert's as they are like Strauss's. They are less simple than those of the former, and more aristo-cratic than those of the latter. But this does not carry us far in characterising them. At any rate, there was here the grave and pondering Brahms in a serene and free and easy mood.

M. K.-F.

Leipzig. Der *Verein der deutschen Musikalienhändler* hat unter Zustimmung
der Verleger neue *Rabattbestimmungen für den Verkauf an das Publikum* festgesetzt.
Sein Vorgehen motiviert er in einer Bekanntmachung, die folgenden Wortlaut hat:
»An das Noten kaufende Publikum! Die allgemeinen Preissteigerungen, insbesondere
die in letzter Zeit wesentlich verteuerte Herstellung der Musikalien und die fast durch-
gängige Erhöhung der Geschäftsspesen machen es unmöglich, die bisher vielfach gewährten hohen Rabatte beim Verkauf von Musikalien ferner zu bewilligen. Zum Schutze
des Musikalienhandels hat deshalb der Verein der deutschen Musikalienhändler beschlossen, daß fernerhin die Rabattsätze einzuschränken sind und hat jede Unterbietung
der äußersten Verkaufspreise für straffällig erklärt. Auf Wunsch kann jede Firma
die gedruckten Rabattbestimmungen des Vereins zur Kenntnisnahme vorlegen. Denjenigen Handlungen, die mit höherem Rabatt verkaufen sollten, würde auf Grund der
Vereinsbestimmungen die Lieferung der Musikalien seitens der Verleger entzogen,
so daß ihnen die Fortführung ihrer Geschäfte unmöglich gemacht wäre. Die neuen
Rabattbestimmungen sind vom 1. Januar 1903 ab giltig und zwar für alle Musikalien-
und Buchhandlungen Deutschlands, Österreich-Ungarns und der Schweiz.«

Sangerhausen. Der hiesige Magistrat hatte ursprünglich beabsichtigt, die im
städtischen Archiv aufgefundenen vier *Originalbriefe von J. S. Bach* (erstmals veröffentlicht in der Zeitschrift der IMG, III, 9) zum Preise von 3000 Mark an einen Berliner
Antiquar zu verkaufen. Der Kultusminister hat jedoch hiergegen Einspruch erhoben,
da er es für angemessener hält, wenn diese Autographe der Sangerhäuser Ephoral-
bibliothek oder einer Bach-Sammlung einverleibt werden.

Stuttgart. Am 16., 17. und 18. Mai findet in der Liederhalle das *siebente
Musikfest* statt. Fritz Steinbach wird die Leitung übernehmen.

Wien. Seit Anfang Dezember erscheint hier eine neue Zeitschrift unter dem
Titel »*Wochenschrift für Kunst und Musik*«; Redakteur ist Herr Albert Dub.

Kritische Bücherschau[1])
der neu-erschienenen Bücher und Schriften über Musik.
Referenten: O. Fleischer, J. Wolf.

Kirsten, Paul. Anleitung zur Erlernung des Lagenspiels auf der
Violine. Leipzig, Dürr'sche Buchhandlung, 1902. 26 S. 8⁰. ℳ —,40.
Ein höchst praktischer Leitfaden.
                                         J. W.

Norlind, Tobias. Om språket och
musiken några blad ur recitativets
äldsta historia sillika med en mu-
sikbilaga omfattande 17 Noten-
exempel. 1. Bändchen von Studier
i jämförande musikforskning. Lund,
Gleerupska Universitetsbokhandeln.
— VI und 46 S. 8⁰ und 2 Blatt
Noten. 1 Kr. 50 öre.

Der Verfasser, der sich hierin als mein

— wie ich hinzufügen darf, sehr fleißiger
und geschickter — Schüler öffentlich bekennt, leitet mit diesem Werke eine Reihe
von »Musikvergleichenden Studien« ein,
als deren Ausgangspunkt er das Rezitativ
und dessen hohe Bedeutung für die Bildung
und Entwickelung der Volksmelodien bei
allen Nationen auf das eingehendste bespricht. An der Hand reichen literarischen
Materiales stellt er eine Geschichte des
Rezitatives von den Zeiten der alten Griechen bis jetzt zusammen und kommt dabei
die auffällige Gleichmäßigkeit, wonach fast
bei allen Völkern die ursprüngliche Grundlage der wichtigsten Melodien das Trichord
a h c resp. das Tetrachord *g a h c* mit gelegentlich hinzugekommenem höheren Tone
bildet, zu dem Schluß, daß wir es in diesem Rezitativ mit der ältesten, primitivsten
Musikform zu tun haben, gewissermaßen

---

1) Die vielen Einsendungen werden im nächsten Hefte möglichst Erledigung finden.

als mit einer von der Natur gegebenen Grundmelodie. O. F.

Riemann, Hugo. Große Kompositionslehre, II. Band: Der polyphone Satz. Berlin und Stuttgart, W. Spemann, 1903. VIII und 46 S. 8⁰. ℳ 14,—, gebunden ℳ 16,—.

Ein Werk, welches alle Anerkennung und Bewunderung verdient. Die Absicht des Verfassers, »an Beispielen der Meister durch analytische Betrachtung das Verständnis für deren Faktur zu entwickeln und die Empfänglichkeit für ästhetische Wirkungen zu erhöhen, und somit dem eigenen Schaffen immer neue Anregung und Befruchtung zu vermitteln«, wird das Buch voll und ganz erfüllen. Nur verlangt das Verständnis und die Nutzbarmachung einen trefflich gebildeten Musiker. Der Schüler wird erst an der Hand eines tüchtigen Lehrers das Werk gebrauchen können, dann aber mit dem weitgehendsten Nutzen. Als Lehrbuch des angewandten Kontrapunkts wüßte ich demselben keins von nur annähernd gleicher Bedeutung an die Seite zu stellen. Die musikalische Belesenheit des Verfassers ist erstaunlich, das 15. und 19. Jahrhundert gehorchen ihm mit der gleichen Leichtigkeit. Berühmte Meister aller Zeiten bieten ihm für die entwickelten Lehren Beispiele dar. J. W.

Eingesandte Musikalien.

Referenten: **A. Feith, A. Göttmann, H. Schröder, J. Wolf.**

Verlag Bosworth & Co., Leipzig, London, Paris.

Weeber, J. W. und **Kraufs**, Fr. Sammlung leichter kirchlicher Gesänge zum Gebrauch in Schule und Kirche. Erstes Heft. Partitur. ℳ —,75.

Für den Schulgebrauch empfehlenswert. J. W.

Verlag Breitkopf & Härtel, Leipzig.

Berlioz. Kleopatra, Klavierauszug mit Text von Philipp Scharwenka. ℳ 3,—.

Klavierauszüge sind immer nur Notbehelfe. Vermögen sie auch das Stimmengewebe vor Augen zu führen, das orchestrale Kolorit wiederzugeben geht über ihre Kraft. Und gerade dies, die Orchester-Farbe, ist bei Berlioz einer der wesentlichsten Faktoren. Sehen wir also hiervon ab, so hat Scharwenka das Mögliche geleistet, sein Auszug ist vor allem klaviergerecht. Die Scene selbst ist wirkungsvoll aufgebaut, die Melodik entbehrt aber häufig der Originalität, ist nicht frei von allgemeinen Phrasen. Zu bemerken ist, daß der Text dieser lyrischen Scene von Vieillard auch in einer deutschen und englischen Übersetzung beigegeben ist. J. W.

Enna, August. Die Erbsenprinzessin, komische Oper in 1 Akt. Text nach H. C. Andersen von P. A. Rosenberg, Deutsche Übersetzung von Dr. W. Hensen. Vollst. Klav.-Auszug ℳ 6,—.

Daß das schlichte einfache Märchen, dessen Inhalt ich wohl als bekannt voraussetzen darf, in seinem neuesten Gewand als komische Oper sehr gewonnen hätte, kann ich weder vom Standpunkte des Musikers noch des Dramaturgen ernstlich behaupten. Wer Andersen kennt und den Meistererzähler aus einer mehr dem kindlichen Gemüte zugekehrten Sphäre genauer zu würdigen gelernt hat, wird mir in meiner Auffassung, der Begriff »Oper« sei zu breitspurig, fast erdrückend, sicherlich um so mehr beipflichten, als die innerhalb dieser Oper für ihre Entwickelung in Betracht kommenden Episoden einer flott fortschreitenden Handlung, wie sie doch das Wesen der Oper bedingt, feind sind. Allen Respekt vor des Textdichters Arbeit, doch hätte ich gewünscht, er hätte damit »keine Eulen nach Athen« getragen. Gebt doch dem Schlichten, was des Schlichten, Einfachen ist; muß denn absolut eine Oper gemacht werden, wo die Poesie des filigranhaften, anspruchslos-naiven allein schon gegen alles Aufbauschen protestiert? Nun zu August Enna! Ich kenne des Komponisten wertvolle Partitur der Oper: »Die Hexe«. Konnte man hierin immerhin viele individuelle Züge und dramatische Kraft im Ausdruck, sowie eine eminente Orchester-Technik konstatieren, — Grieg scheint dem Komponisten übrigens nicht ungeläufig — so dünkt mich seine Musik zur ›Erbsenprinzessin‹ in den ausgetretensten Bahnen wandelnd, unpersönlich und reizlos. Vielleicht empfindet ein andrer den flüssigen Stil als Vorzug und gibt ihm das Prädikat ›leicht verständlich‹. Erwachsene werden das Gewand der Oper als dem sujet nicht entsprechend finden, für Kinder ist das Märchenhaft-Schlichte wieder durch den Aufputz zur Oper eine illusionistische Halbheit. August Enna, der vor Jahren mit der ›Hexe‹ mit Recht allgemeine Aufmerksamkeit erregt hat, jedoch mit seiner einaktigen Oper nicht allzuviel Lorbeeren ernten dürfte, wird hoffentlich in Zukunft wieder den Pfad seiner Schaffenskraft finden, den ihm seine Muse gewiesen und den er mit seiner Oper ›Hexe‹ so glücklich betreten hat.   A. F.

Henschel, Georg. Op. 59, Requiem (Missa pro defunctis) für Chor, Solostimmen und Orchester. Partitur (157 S. fol.) ℳ 15,—; 20 Orchesterstimmen je ℳ —,90, 4 Chorstimmen je ℳ —,60, Klavier-Auszug mit Text ℳ 6,—.

Ein groß angelegtes Werk, das, wenn auch nicht genial in der Faktur, doch von einem tüchtigen Können Zeugnis ablegt. Mit feinem Verständnis geht Verfasser auf die Stimmungen des liturgischen (katholischen) Textes ein und bringt sie zu wirkungsvollem Ausdruck. Der Charakter seiner Musik ist stets kirchlich. Seine Satzweise ist mehr homophon gehalten, doch kommen auch kunstvoll fugierte Sätze wie das *Libera animas* und das entsprechende *Fac eas Domine* im Offertorium vor. Scheinen zartere Empfindungen dem Naturell des Verfassers mehr zu entsprechen, so stehen ihm doch auch wuchtige Accente zu Gebote wie im *Dies irae*. Interessante Verwendung findet der ⁵/₄-Takt im Offertorium, in dem Satze *Hostias et preces*. Das Werk wird in Kirche wie Konzert seine Wirkung nicht verfehlen. Die Dauer der Aufführung berechnet der Verfasser auf eine Stunde.
                                         J. W.

Klengel, Julius. Technische Studien durch alle Tonarten für Violoncell.

Der Cello-Meister Klengel hat, wie er in seinem Vorwort selbst sagt, in diesen technischen Studien seine dreißigjährigen Erfahrungen in Bezug auf Finger- und Bogentechnik niedergelegt. Ich habe mehr erwartet. Neue Gesichtspunkte in der Cello-Pädagogik hat er nicht aufgestellt. A. G.

Tinel, Edgar. Op. 45. Cantique nuptial pour Ténor ou Soprano solo, Orgue sans pédalier et Harpe ou Piano. Poésie de Mme Edgar Tinel. Partitur ℳ 2,—.

Ein in der Melodik etwas sentimentales. aber immerhin doch vornehm empfundenes und dabei wirkungsvoll konzipiertes Werk. Hat auch dasselbe in der Kirche seine Uraufführung erlebt, so möchte ich es doch lieber der Konzert- und Haus-Musik vorbehalten wissen. Der französische Text. für welchen auch eine holländische und eine deutsche Übersetzung vorliegen, ist nicht ohne poetischen Reiz. J. W.

Tofft, Alfred. Op. 35. Kätchens Erlebnisse. Kleine Klavierstücke.
                                   ℳ 2,—.

Nach Art der Stücke in Schumann's ›Album für die Jugend‹ sich im kleinsten Rahmen bewegende. fein empfundene und tüchtig gearbeitete Klavier-Kompositionen, die unserer Jugend nicht allein viel Freude bereiten, sondern sie auch ein gutes Stück fördern werden.   J. W.

Verlag A. Durand et Fils, Paris, Place de la Madelaine 4.

Bach, J. S. Passacaglia des pièces d'orgue. Transcriptions de Concert pour 2 pianos à 4 mains.

Verlag Otto Forberg, Leipzig.

Ruthardt, Adolf. Triller-Studien für Pianoforte Op. 40. 2 Hefte à ℳ 2.—.

Der bekannte Leipziger Klavierpädagoge hat mit diesen auch nach der melodischen Seite hin sich mitunter sehr reizvoll gebenden Studien ein sehr praktisches Etüdenwerk geliefert, welches empfohlen zu werden verdient.   A. C.

Sitt, Hans. Op. 80. Vierundzwanzig Etüden für Violine, in 24 verschiedenen Tonarten (als Vorstudien zu Rode's Capricen zu benutzen).

Gutes und Nützliches bringen diese Etüden zwar immerhin, Neues und für die moderne Technik geeignetes aber ist wenig oder gar nicht darin zu finden. Vierundzwanzig Etüden in 24 verschiedenen Tonarten zu schreiben, war anfangs vorigen Jahrhunderts eine beliebte pädagogische Spezialität. Die besten solcher Etüden sind die von Alex. Rolla, welche zwar, wie alle andern gleichen Schlages, längst veraltet sind, aber vor diesen neuen, Sitt'schen dennoch den Vorteil haben, daß sie kürzer sind. Nach damaliger alter Theorie hieß es: Es gibt 12 Dur- und 12 Molltonarten, zusammen 24 verschiedene Tonarten. — Das trifft dem Klange nach nur auf den Instrumenten temperierter Stimmung zu, in der Notenschrift aber hat man auch hier mit mehr als mit 24 zu rechnen. Heute sollte man lehren: Es gibt nur eine Dur und eine Molltonart (C-dur und a-moll), welche je 7mal quintenweis aufwärts in erhöhte Töne (bis zu Cis-dur und ais-moll) und je 7mal quintenweis abwärts in erniedrigte Töne (bis Ces-dur und as-moll) versetzt werden können. — Übrigens ist auch dies nichts Neues, denn J. S. Bach hatte diese Folge und Anzahl der Tonarten schon in seinem »Wohltemperierten Klavier«; aber Bedürfnis ist es für die moderne Musik geworden, dies ganze Tonartengebiet, 2 normal und 28 versetzte Tonarten, also zusammen 30 verschiedene Tonfärbungen von Dur und Moll, wieder allgemein kennen und anwenden zu lernen. Ganz besonders aber würde diese Ausbeutung Violinisten zu Gute kommen, welche in den sogenannten enharmonischen Gebilden, wie Fis- und Ges-dur, dis- und es-moll etc., nicht allein verschiedenen Fingersatz gebrauchen, sondern auch verschiedene Klangfärbung durch die bewegliche Tonstimmung anzuwenden haben.

H. Sitt hat zu seinen 24 Etüden, was Form und Technik anbelangt, die berühmten 24 Capricen von P. Rode als Muster gewählt. Eine jede seiner Etüden ist genau wie diese 2 Seiten lang; — zu lang für das einseitig technische Ziel einer jeden und für die vielseitigen Ansprüche, welche heute an einen Geiger gestellt werden. Einzelne haben, wie auch bei Rode, eine Introduktion im Andante oder Lento. Die Bogentechnik beschränkt sich auch, wie bei Rode, nur auf Legato, Staccato in liegenden oder festen Bogenstrichen und auf das in allen älteren Etüdenwerken unvermeidliche martelé (Martellato) an der Spitze des Bogens. Modernere Stricharten, wie der leichte (halbhüpfende oder französische) Bogenstrich in der Mitte, der, obgleich ihn noch Spohr verbannte, jetzt doch unentbehrlich für jeden Geiger geworden ist, findet man nicht darin. Dagegen findet man bei Sitt, wie auch bei Rode, eine Etüde in der zweiten Lage und zwei in Doppelgriffen.

Im Ganzen sind die Sitt'schen Etüden technisch leichter, und was geistigen Inhalt betrifft, schwächer als die Rode'schen, daher wohl Vorstudien zu diesen? Bisher galten die berühmten Kreutzer'schen Etüden als Vorstufe (oder quasi Vorstudien) zu Rode's Capricen; daß man die Sitt'schen als solche den Kreutzer'schen vorziehen wird, ist ausgeschlossen. H. Sch.

Verlag A. Hoffmann, Striegau.

Mittmann, Paul. Hinaus, hinaus in Wald und Feld. Sängermarsch für Männerchor. Op. 134.

Verlag Alphonse Leduc, Paris. Rue de Grammont 3.

Philipp, J. Le trille. Exercises, Études et Exemples, tirées des Maîtres. 6 frs. netto.

Der Pariser Pädagoge des Klavierspiels hat zwar mit diesem Werke nichts originales auf dem Gebiete des Trillerstudiums geschaffen, immerhin aber sich durch die geschickte Art der Zusammenstellung der verschiedensten Trillerstellen aus den Werken einer großen Anzahl vortrefflicher Meister den Dank der gesamten klavierspielenden Welt erworben. Das Werk enthält die prägnantesten Trillerstellen aus Czerny's, Clementi's, Cramer's, Beethoven's, Hummel's, Weber's, Mendelssohn's, Chopin's, und Anderer Klavierkompositionen. Es bietet für diese technische Spezialität das denkbar erschöpfendste Material.
A. G.

Dubois, Théodore. Deuxième Suite. Transcrite du Grand-Orgue pour deux Pianos par J. Philipp. 7 frs. netto.

Verlag F. E. C. Leuckart, Leipzig.

Brosig, Moritz. Melodien zu dem katholischen Gesangbuche. Vierte erweiterte Auflage von Carl Thiel. Preis ℳ 3,—.

Der Herausgeber weicht, wie er in dem Vorwort selbst bemerkt, nur an wenigen Stellen von dem Text der dritten Auflage ab. Zu Änderungen des harmonischen Satzes hat er nur dort gegriffen, wo ihm die Kirchentonart nicht klar genug hervorzutreten schien. Bereichert ist die Neu-Ausgabe um die »Orgelbegleitung zu den offiziellen Gesangsweisen des *Asperges me* und *Vidi aquam*, der Responsorien beim Hochamt, des *Tantum ergo (Pange lingua)*«. Dieselbe bewegt sich in schlichten Harmoniefolgen und unterstützt wirksam die Melodien. J. W.

Verlag D. Rather, Hamburg und Leipzig.

Tofft, Alfred. Einsame Stunden, drei Klavierstücke. Op. 29. Complet ℳ 2,—.

Nr. 1. Erinnerung. ℳ 1,—.

Nr. 2. Träumerei. ℳ 1,—.
Nr. 3. Nachhall aus Norwegen.
    ℳ 1,—.
Leichte Salonmusik ohne nennenswerte
Charakteristik.   A. G.

Nicholl, Horace Wadham. Drei
Stücke für Pianoforte. Op. 22. Com-
plet ℳ 1,50.
    Nr. 1. Melodie. ℳ —,60.
    Nr. 2. Nocturne. ℳ —,60.
    Nr. 3. Ballabile. ℳ —,60.
Verlag J. Rieter-Biedermann,
        Leipzig.

Slunicko, Johann. Fantasiestück für
Violine mit Begleitung des Pianoforte. Op. 33. ℳ 2,50.
Harmonisch und technisch gibt das
Fantasiestück keine Rätsel auf, seine Klangwirkung und die Behandlung der Violin-
kantilene sind recht gut geraten. A. G.

Thieriot, Ferdinand. La régine Avril-
louse. Altfranzösischer Frühlings-
Tanzreigen aus Scheffel's »Frau
Aventiure« für Chor, Sopran- und
Baß-Solo mit Begleitung des Orchesters. Op. 74. Klavierauszug
ℳ 4,—. Partitur und Orchesterstimmen in Abschrift. Chorstimmen
je ℳ —,60.
In Erfindung und technischer Durcharbeitung gleich dürftig, gehört das Stück
auch hinsichtlich der deklamatorischen Behandlung der Scheffel'schen Dichtung zu
den dilettantischen Produkten, deren Druck-
legung als Geschmacksverirrung zu bedauern ist.   A. G.

Verlag B. Schott's Söhne, Mainz.

Blech, Leo. Waldwanderung, Stimmungsbild für Orchester. Op. 8.
Partitur ℳ 4,50.
Die Partitur verrät starkes Kompositions-
talent; unter das nachwagnersche Epigonentum kann Blech seinem Können nach an-
standslos eingereiht werden. Den Eindruck,
insbesondere von Humperdinck beeinflußt
zu sein — die reizvolle Instrumentation
legt davon Zeugnis ab — erhöhen noch
andre wesentliche, für den Werdegang des
Komponisten interessante Momente: Ausgesprochener Sinn für melodischen Schwung,
große Feinheit in der Anlage der Instru-
mentations-Farben, prachtvolle thematische
und kontrapunktische Arbeit, dabei über
dem ganzen Poesie und Einheitlichkeit.

Als vornehme Orchesterkonzert-Nummer
ist das Werk sicherlich für Musiker wie
Laien gleich interessant und gefällig, doch
wäre vielleicht die Überschrift »symphonisches Orchesterstück« oder »Phantasie
für Orchester« angebrachter gewesen. Ich
wünschte diesem warmempfundenen Musik-
gedicht des öftern im Konzertsaal zu begegnen.   A. F.

Süddeutscher Musikverlag,
    G. m. b. H., Straßburg im Elsaß.

Jaques-Dalcroze, E. Op. 44. Trois
morceaux pour Piano (1. Arabesque;
2. Romanze; 3. Impromptu capriccioso).
— Op. 45. Trois morceaux pour Piano
(1. Eglogue; 2. Humoresque; 3. Nocturne).
— Op. 46. Trois morceaux pour Piano
(1. Ballade; 2. Capriccio appassio-
nato; 3. Aria).
— Op. 47. Polka enharmonique pour
Piano.
— Op. 48. Trois morceaux pour Violoncelle avec accompagnement du
Piano (1. Lied romantique; 2. Serenade; 3. Bagatelle).
— Op. 49. Nocturne pour Violon
avec accompagnement d'Orchestre.
Reduction avec accomp. du Piano.
— Op. 50. Concerto pour Violon
avec accompagnement d'Orchestre
(ou du Piano).
— Op. 53. Fantasia appassionata pour
Violon avec accompagnement du
Piano.
Dalcroze ist Salon-Komponist im besten
Sinne des Wortes. Ihm kommt es weniger
auf Charakteristik der Melodien und feinsinnige Arbeit als auf Entfaltung klanglichen Reizes an. Seine Melodik entbehrt
nicht des Interessanten, hat aber meist
einen Stich ins Weichliche, Sentimentale.
Von den mir vorliegenden Klaviersachen
scheint das Nocturne op. 45 Nr. 3 eine der
gelungensten zu sein. Prachtvollen Klang
entwickelt Dalcroze in den Violoncell-
Kompositionen, die alle Vorzüge besitzen,
nur nicht die bedeutender Arbeit. Aus-
drucksvolle Themen treten uns in der Fantasia appassionata und ganz besonders in
dem Violin-Konzert entgegen. Letzteres
überrascht uns häufig geradezu durch geistvolle Arbeit, durch seinen Reichtum an
rhythmischen Formen. Aber auch hier
tritt sein Streben nach sinnlichem Reiz,

nach sentimentaler Melodie hervor. Wollte man den Beifall des Publikums als Maßstab für die Bedeutung eines Kunstwerks annehmen, so würden die Werke von Dalcroze zu den bedeutendsten gehören, denn ihr klanglicher Reiz muß bestrickend auf die Masse wirken. J. W.

Knecht, Franz. 12 Etuden für Violoncello, herausgegeben von Norbert Salter. Heft I.

Die Herausgabe dieser Etüden unterscheidet sich von anderen Herausgaben des Herrn Norbert Salter, bei dem es stets nur auf die Quantität, nicht aber auf die Qualität anzukommen scheint, in keiner Weise. Wer ist Franz Knecht? Herr Salter schweigt sich darüber ebenso wie bei seinen anderen Herausgaben aus. Keine historische Einführung, keine Notiz über stilistische Eigenart, nichts! Derartige Handwerksarbeit niedrigster Sorte kann nicht schroff genug zurückgewiesen werden. A. G.

Koefsler, Hans. Altdeutsche Minnelieder in Madrigalenform für Männerchor komponiert nebst Gaudeamus igitur als Kanon für vier Männerchöre gesetzt.

Trefflich gesetzte, wirkungsvolle Chöre. Besondere Erwähnung verdient das Gaudeamus, welches dem technischen Können K.'s das beste Zeugnis ausstellt. J. W.

Spielter, Hermann. Op. 62. Drei Kinderlieder nach Worten von Gertrud Niemeyer. 1. Schlaflied; 2. Puppenwiegenlied; 3. Gänseliese.

Drei einfache melodisch höchst reizvolle Lieder. J. W.

Verlag Fr. A. Urbánek, Prag.

Káan, Henri de. Frühling-Eklogen für Orchester. Op. 31. Vierhändig vom Komponisten. 3 Kronen.

Soweit der vierhändige Klavierauszug ein Urteil über diese beiden Orchesterstücke zuläßt, hat der mir bisher unbekannte böhmische Komponist seine sich gesetzte Aufgabe im Hinblick auf feine Stimmungsmalerei gut gelöst. A. G.

Ondricek, Fr. Nocturno pour le violon avec accompagnement de Piano, op. 17.

— Scherzo capriccioso pour le violon avec accompagnement de Piano, op. 18.

Procházka, Josef. Op. 12. Nálady (Stimmungsbilder), 3 Kompositionen für Violine und Pianoforte.

Nr. 1. Touha — Sehnsucht.

Nr. 2. Alla Serenata.

Nr. 3. Z Hor — Aus den Bergen.

Verlag Chr. Fr. Vieweg, Quedlinburg.

Kriegeskotten, Fr. Schulfestchöre für gemischten Chor mit Klavierbegleitung zum praktischen Gebrauche an den höheren Lehranstalten. Heft 1. Preis ℳ 5,—.

Eine ganz dankenswerte, für die Bedürfnisse der Schule zugeschnittene Sammlung. Ihr Inhalt ist folgender: Choral: Allein Gott in der Höh' sei Ehr' — aus ›Paulus‹ von Mendelssohn. Recitativ und Chor: Ehre sei Gott — aus ›Messias‹ von Händel (Weihnachtsfeier). Chor: Alles was Odem hat — nach der ›Symphoniekantate‹ von Mendelssohn (Jubiläumsfeier). Chor: Zur Weihe des Hauses — von Fr. Kriegeskotten, op. 46 (Einweihungsfeier). Kaiserkantate — nach dem ›Festgesang an die Buchdruckereikunst‹ von Mendelssohn (Kaisergeburtstagsfeier). Chor: Selig sind die Toten — von Fr. Kriegeskotten, op. 47 (Gedächtnisfeier). J. W.

Teschner, W. Op. 4. Vier Präludien für Orgel zum unterrichtlichen Gebrauche beim Gottesdienste.

ℳ —,80.

Schlicht und recht gesetzte Kompositionen, die zu Lehrzwecken wohl verwendbar sind. J. W.

Zeitschriftenschau

zusammengestellt von

Ernst Euting.

Verzeichnis der Abkürzungen siehe Zeitschrift IV, Heft 4, S. 233.

Adler, Felix. »Pique Dame« von P. J. Tschaikowsky — Die Freistatt (München, Enhuberstraße 8) 5, Nr. 2.

—— Scenen aus »Götz von Berlichingen« von Carl Goldmark — ibid. Nr. 3.

—— »Messidor«. Musikdrama in 4 Aufzügen mit einem symphonischen Zwischenspiel »Die Legende vom Gold«, Text von Émile Zola, Musik von Alfred Bruneau, zum ersten Male in Deutschland aufgeführt am Hoftheater zu München am 15. Januar 1903 — ibid. Nr. 4.

Altmann, Wilhelm. Eduard Lalo (geb. 27. Januar 1823) — Mk 2, Nr. 8.

Amiel, André. »Parysatis« de Camille Saint-Saëns aux arènes de Béziers — RE 5, Nr. 39/40.

Anonym. Richard Strauß — MT, Nr. 719 [illustriert].

Anonym. St. James's Hall. Some historical notes — MT, Nr. 719.

Anonym. The new choir in Dublin Pro-Cathedral — 1MM 1, Nr. 11.

Anonym. School music teaching. A few practical suggestions — ibid.

Anonym. Akustische Versuche vermittels Preßluftbetriebs — DIZ, 27. Dezember 1902.

Anonym. Ein Clavicembalo moderner Konstruktion von Johannes Rehbock in Duisburg — ZfI 23, Nr. 11.

Anonym. Deutschlands Musikinstrumenten-Außenhandel in den ersten elf Monaten des Jahres 1902 — ibid.

Anonym. Ein musikgeschichtlicher Grabstein (Grabstein des Conrad Paumann aus dem Jahre 1473 an der Frauenkirche in München) — ZfI 23, Nr. 9.

Anonym. Le baromètre du goût musical — RHC 2, Nr. 11 [Zusammenstellung der Kassen-Ergebnisse von Opern-Vorstellungen in Paris].

Anonym. Der Neubau der akademischen Hochschulen für die bildenden Künste und für Musik in Berlin — Centralblatt der Bauverwaltung [Berlin, Wilhelm Ernst & Sohn] 22, Nr. 87ff [mit zahlreichen Illustrationen].

Anonym. Das Ruhmer'sche Photographophon — Dingler's Polytechnisches Journal (Stuttgart, Arnold Bergsträßer 83, Nr. 7 [illustriert].

Anonym. Deutsche Anstalt zur Verwertung musikalischer Aufführungsrechte — DMMZ 25, Nr. 4.

Arend, Max. Henri Herz (geb. 6. Januar 1803). Ein Lebensbild — NZfM, 70, Nr. 3.

Asten-Kinkel, Adelheid von. Johanna Kinkel über Mendelssohn — Deutsche Revue, Januar 1902.

B., E. »L'Etranger.« Action musicale en deux actes. Poème et musique de M. Vincent d'Indy. Représenté pour la première fois le 7 janvier, à Bruxelles au Théâtre Royal de la Monnaie — GM 49, Nr. 2.

B., R. Das deutsche Kunstlied seit Bach — KW 16, Nr. 2ff.

Barth, A. Über Täuschungen des Gehörs in Bezug auf Tonhöhe und Klangfarbe — Archiv für Ohrenheilkunde (Leipzig, F. C. W. Vogel) Dezember 1902 [nach einem Vortrag].

Baughan, Edward A. »A Hero's Life« — MMR, Nr. 385 [Strauß' »Heldenleben«].

Bellaigue, Camille. Dante et la musique — Revue des Deux Mondes (Paris, 15 rue de l'Université) 1. Januar 1903.

—— Silhouettes de musiciens: Saint Augustin — Le Temps (Paris) 20. November 1902.

Beringer, Jos. A. Hugo Wolf's Lied — Die Gesellschaft (Dresden und Leipzig, E. Pierson's Verlag) 18, Nr. 22.

Bernardin, N.-M. Les poésies de Camille Saint-Saëns — Revue des Cours et Conférences (Paris) 13. November 1902.

Bispham, D. Music as a factor in national life — North American Review, December 1902.

Bohn, P. Paléographie Musicale. Die Haupt-Manuskripte des gregorianischen, ambrosianischen, mozarabischen und gallicanischen Gesanges in Faksimiles veröffentlicht durch die Benediktiner von Solesmes — GR 2, Nr. 1 [Besprechung].

Boissard, A. Pelléas et Mélisande — Le Monde Illustré (Paris) 22. November 1902.

Bouyer, Raymond. Baudelaire musicien — M, Nr. 3747.

Buck, Rudolf. »Anno 1757«. Heitere Oper in 3 Aufzügen. Text von Richard Scholz. Musik von Bernh. Scholz.

Uraufführung im Königl. Opernhause zu Berlin am 18. Januar 1903 — AMZ 30, Nr. 4.

Burgess, Henry Thacker. The natural theory of harmony — Musical Opinion (London, 35 Shoe Lane) Januar 1903 ff.

Buss, Ernst. Der Alpsegen im Entlebuch · — Schweizerisches Archiv für Volkskunde (Zürich, Juchli & Beck) 6, Nr. 4 [mit Notenbeispiel].

Capellen, Georg. Die symmetrische Umkehrung. Kritik der gleichnamigen Broschüre von Prof. Hermann Schröder — NZfM 70, Nr. 4.

Case, W. S. The music of the year — MN, Nr. 618 ff. [Rückblick auf das Jahr 1902].

Charbonnel, J. Roger. De la grâce musicale à propos d'une étude sur les symphonies de Beethoven — Annales de Philosophie Chrétienne (Paris, 33, Boulevard Saint-Marcel) November 1902.

Closson, Ernest. »Feuersnot« de Richard Strauß — Revue de l'Université de Bruxelles (Bruxelles, 4 rue du Frontispice) Dezember 1902.

— — »Der Fremdling« (L'Etranger). Musikdrama in zwei Akten. Dichtung und Musik von Vincent d'Indy. Erste Aufführung im Théâtre Royal de la Monnaie zu Brüssel am 7. Januar 1903 — S 61, Nr. 6/7.

Cohn, Hermann. Blendung und Finsternis im Theater — BW 5, Nr. 6.

Conrat, H. J. Gertrud Elisabeth Mara († 20. Januar 1833) — AMZ 30, Nr. 3 [mit Porträt].

Conrat, Hugo. Edward Elgar — NMZ 24, Nr. 3 f [mit Porträt].

Cummings, William H. The »Messiah« — MT, Nr. 719.

Dandelot, A. M. Reynaldo Hahn — MM 14, Nr. 24 [mit Porträt].

Daubresse, M. Richard Wagner — Études pour Jeunes Filles (Paris), November 1902.

Diósy, Béla. Goldmark's »Götz von Berlichingen« — Mk 2, Nr. 3.

Dry, Wakeling. A master's methods. Some interesting specimens of Wagner's handwriting — MC, Nr. 1186 [mit faksimilierten Autographen].

Duquesnel, F. Meilhac et Halévy — Le Gaulois (Paris) 9. November 1902.

Duyse, Florimond van. Liederboek van Groot-Nederland verzameld door F. R. Coers Frzn. — WvM 10, Nr. 2.

Eckhoud, Georges. Un musicien national flamand: Peter Bénoit — RE 5, Nr. 39/40.

Enschedé, J. W. Cornelis de Leeuw — TV 7, Nr. 2 f.

Erler, Hermann. Zwei ungedruckte Briefe von Robert Schumann — Mk 2, Nr. 7.

Essen, J. F. von. Czaar en Timmerman. Von Albert Lortzing — SA 4, Nr. 4.

Ficker, Johannes. Druck und Schmuck der neuen Ausgabe des evangelischen Gesangbuches für Elsaß-Lothringen — MSfG 8, Nr. 1 f.

Fiege, Rud. »Jugendkonzerte« [in Berlin]. — BfHK 7, Nr. 1.

Finck, H. V. The best living composers — Et, December 1902.

Fitger, Arthur. Dramaturgisches über Mozart's »Don Juan« — BW 5, Nr. 5.

Flat, Paul. Parsifal au concert — Revue Bleue (Paris) 10. Januar 1903 [betrifft die Konzert-Aufführung des Parsifal in Amsterdam].

Forgách, J. »Pique-Dame«, Oper in 3 Akten von P. Tschaikowsky — Wochenschrift für Kunst und Musik (Wien, Salesianergasse 10) 1, Nr. 2.

Fourcaud. Pour le bon chant français — Le Gaulois (Paris) 7. Nov. 1902.

Fritsch, Willibald. Über Berichterstattung in musikalischen Fachzeitungen — MWB 34, Nr. 1.

G., E. Isadora Duncan — NMZ 24, Nr. 4 [mit Porträt].

Gallwitz, S. D. Lokalpatriotismus und die Kritik — Mk 2, Nr. 7.

Garnier, Charles. La salle de l'Opéra — RHC 2, Nr. 11.

Garms, J. H. jr. Oude melodien van 1668 en 1669 medegedeeld door J. H. G. — WvM 10, Nr. 1 ff.

Germer, Heinrich. Ein fast vergessener Etüdenmeister, von dem die Gegenwart lernen kann [J. C. Kessler] — KL 26, Nr. 1 [mit Bildnis].

Gefsner, Otto. Kurzgefaßte Erklärungen über R. Wagner'sche Musik — DMMZ 25, Nr. 4 f.

Gloeckner, Willi. »Die Zwillinge«. Komische Oper in 3 Akten. Text nach Will. Shakespeare's »Was ihr wollt«. Musik von K. Weiß. Uraufführung am Opernhaus in Frankfurt a./M. am 16. Dezember 1902 — AMZ 30, Nr. 1.

Gotthard, J. P. W. J. Safonoff und das russische Symphonie-Konzert am 9. Jänner 1903 in Wien — Wochenschrift für Kunst und Musik (Wien, Salesianergasse 10) 1, Nr. 6.

Gottschalg, A. W. Dr. Franz Liszt und seine Beziehungen zu Tieffurth — NZfM 70, Nr. 1 f.

Götzinger, F. César Franck — SMZ 43, Nr. 1 [mit Porträt].

Gowers, William R. The designation of musical notes — MN, Nr. 618.

Graf, Max. »Pique-Dame« von Tschaikowsky — Die Wage (Wien) 5, Nr. 51.

Grunsky, K. Bach's Orgelwerke in Klavierbearbeitungen — NMZ 24, Nr. 4 ff.

Gurlitt, L. Klinger's Beethoven — Deutsche Monatsschrift für das gesamte Leben der Gegenwart (Berlin) 2, Nr. 3.

H. Die liturgische Morgenandacht vom 6. bayerischen Kirchengesangfeste 1902 in Schwabach — Si 28, Nr. 1.

Hallays, A. La »Schola cantorum« — Journal des Débats (Paris) 13. November 1902.

Harder, R. Bedarf die evangelische Kirche eines Chorraums? — MSfG 8, Nr. 1.

Hegeler, A. Betrachtungen eines Deutschen über die Tristan-Aufführungen im Wagner-Verein zu Amsterdam — Cae 60, Nr. 3.

Hehemann, Max. Edward Elgar — Mk 2, Nr. 7.

Helbing, D. Die Hebung des Orgelspiels und der Organistenbildung — Si 28, Nr. 1.

Hellmer, E. Hugo Wolf-Briefe — Die Zeit, 33, Nr. 427.

Hering, Richard. Magister Carl Gottlieb Hering. († 4. Januar 1853) — Mk 2, Nr. 7.

Hirschberg, Leopold. Franz Kugler als Liederkomponist — Mk 2, Nr. 8.

Indy, Vincet d'. L'artiste moderne — MM 15, Nr. 1.

J., W. Interferenz von Tönen — Zeitschrift für Instrumentenkunde (Berlin, Julius Springer) 22, Nr. 11 [Betrachtung eines Aufsatzes von Lord Raleigh].

Joss, Virgile. Watteau et la musique — Mercure de France (Paris, 15, rue de l'Echaudé St. Germain) Dezember 1902.

Jürgens, Erwin. Über die Sensibilitäts-Verhältnisse des Trommelfelles — Monatsschrift für Ohrenheilkunde u. s. w. (Berlin, Oscar Coblentz) 36, Nr. 12.

K., W. »Mimi Pinson« — Die Woche (Berlin, August Scherl) 4, Nr. 52 [berichtet über das von Gustav Charpentier gegründete und geleitete Konservatorium für Pariser Arbeiterinnen].

Kabes, W. Beiträge zur Schlichtung des Konkurrenzstreites zwischen den Zivil- und Militärkapellen — DMMZ 25, Nr. 1.

Kalbeck, Max. Klinger und Brahms — RMZ 4, Nr. 2.

Karpath, Ludwig. Scenen aus Götz von Berlichingen. Oper in 5 Akten frei nach Goethe von A. M. Willner. Musik von Carl Goldmark. Uraufführung im königlichen Opernhause zu Budapest am 16. Dezember 1902 — S 61, Nr. 1/2.

Klauwell, Otto. Franz Wüllner († 7. September 1902) — KL 26, Nr. 1 [mit Porträt].

Kling, H. Die Posaune — Die Instru-

mentalmusik (Beilage zur SMZ) 4. Nr. 1 [Geschichtliches].

Kloss, Erich. Natur und Tierwelt bei Richard Wagner — BW 5, Nr. 7 f.

—— Berliner Bühnenkünstler (Wilhelm Grüning) — ibid. Nr. 8 [illustriert].

Komorzynski, Egon von. Grillparzer's Klavierlehrer — Die Zeit (Wien) Nr. 433.

Kordy, S. K. The girl from Kay's. A new musical play in three acts by Owen Hall, music by Ivan Caryll — Wochenschrift für Kunst und Musik (Wien, Salesianergasse 10, 1, Nr. 6.

Krause, Emil. Julius v. Bernuth — KL 26, Nr. 2 [mit Porträt].

Kromayer, A. Zur Lehre der Tonbildung auf dem Klavier nach Jaëll — MWB 34, Nr. 2 f.

Krtsmáry, Anton. Die Kantoren der Thomasschule zu Leipzig — NMP 11, Nr. 52 [Besprechung des unter gleichem Titel erschienenen Werkes von Friedrich Lampadius].

Laicus. Die Wahl von Liedertexten — SMZ 42, Nr. 35.

Laloy, Louis. Musique moderne (V. d'Indy, Cl. Debussy, E. Chausson) — RHC 2, Nr. 11.

—— La harpe moderne — ibid.

Leichtentritt, Hugo. Vorläufer und Anfänge der Programm-Musik — AMZ 30, Nr. 1 ff.

Loghem, M. G. L. von. Roemeensche liederen — Cae, 60, Nr. 2.

Longepierre, A. de. À propos de la grève des musiciens — RHC 2, Nr. 11.

Loth, A. Mgr. Foucault et le chant grégorien — La Vérité Française (Paris) 30. November 1902.

Lucae, August. Über das Verhalten der Schallleitung durch die Luft zur Leitung durch feste Körper — Archiv für Ohrenheilkunde (Leipzig, F. C. W. Vogel) Dezember 1902.

Lynen, William. Une soirée Vincent d'Indy, au Théâtre Royal de la Monnaie, à Bruxelles — MSu 2, Nr. 30.

Mangeot, A. »Paillasse«, drame lyrique en 2 actes, poème et musique de Léoncavallo, première représentation à l'Opéra le 17 décembre 1902 — MM 14, Nr. 24.

—— »La Carmélite«, comédie musicale en quatre actes et cinq tableaux, poème de Catulle Mendès, musique de Reynaldo Hahn. Première représentation le 16 décembre 1902 — ibid. [illustriert].

—— »L'Etranger«, action musicale en deux actes, poème et musique de Vincent d'Indy. Première représentation le 7 janvier 1903 au Théâtre de la Monnaie de Bruxelles — ibid. 15. Nr. 1.

Markees, Ernst. Generalmusikdirektor

Fritz Steinbach und das Meininger Orchester — SMZ 43, Nr. 2.

Mathias, F. X. Vortrag und Begleitung des deutschen Kirchenliedes — C 20, Nr. 1.

Mauke, W. Koncertreform — Die Kultur (Cöln) 1, Nr. 11.

Meier, L. F. Das Naturprinzip der Stimmbildung — NZfM 70, Nr. 1.

Milligen, S. van. De vertegenwoordigers der jong fransche school: I. César Franck — Cae 60, Nr. 4.

Montarlot, L. de. La grève des musiciens — Le Monde Illustré (Paris) 8. November 1902.

Nagel, Willibald. Beethoven's Sonate Op. 2, Nr. 1. — BfHK 7, Nr. 1.

Nef, K. Die Stiftungsurkunde der Cäcilia - Musikgesellschaft der Stadt Rapperswil aus dem Jahre 1737 — SMZ 42, Nr. 36.

Neitzel, Otto. Die Oper in Köln. Ein Rückblick — BW 5, Nr. 8 [illustriert].

Neruda, Edwin. Tschaikowsky als Kritiker — DMZ 34, Nr. 3.

—— Harmonium und Kabaret — NZfM 70, Nr. 3.

Newman, Ernest. Richard Strauß and the music of the future — Fortnightly Review (London, Chapman and Hall). Januar 1903.

—— »Ein Heldenleben« and its English critics — MC, Nr. 1188.

Newmarch, Rosa. Tschaikowsky and Tolstoi — Contemporary Review (London, Columbus Co.) Januar 1903.

Nicholl, J. Wesion. Ideal concert organ of the Future — Musical Opinion (London, 45 Shoe Lane) Januar 1903.

Niemann, Walter. Einführung in die neurussische Klaviermusik — Mk 2, Nr. 8.

Nolthenius, Hugo. De Parsifal-Muziek in de concertzaal, of buiten de scène uitgevoerd — WvM 9, Nr. 52.

—— Het protest tegen de concertuitvoering van Parsifal te Amsterdam — ibid. 10, Nr. 3.

Osszetsky. Carl Goldmark's »Götz von Berlichingen«. Erstaufführung am 19. Dezember in Budapest — NZfM 70, Nr. 1.

P., A. Le chien du régiment. Opéra comique en quatre actes, paroles de M. Pierre Decourcelle, musique de M. Louis Varney — M, Nr. 3744.

—— Le bilan musical de 1902 — ibid., Nr. 3745.

Parisot, J. Notes sur des récitatifs israélites orientaux — TSG, November 1902.

Pfeiffer, Georges. La Commission de technique musicale — RHC 2, Nr. 11.

Pottgiefser, Karl. Auber und Richard Wagner — SA 4, Nr. 4.

Prawiro, Sastro. De gamelan — Cae 60, Nr. 2.

Procháska, Rud. Freih. Das »Böhmische Streichquartett«. (Zu dessen zehnjährigem Jubiläum) — NMZ 24, Nr. 5 [mit Porträt].

Prüfer, Arthur. Sebastian Bach und die Tonkunst des 19. Jahrhunderts — Westermann's Illustrierte Deutsche Monatshefte, 47, Nr. 3.

Pudor, Heinrich. Übt die Musik moralische Wirkungen aus? — SH 43, Nr. 1.

—— Konzertprogramme — TK 7, Nr. 1.

Puttmann, Max. Luiza Rosa Todí. Zu ihrem 150. Geburtstage — AMZ 30, Nr. 2.

—— Der Kritiker und die Kritik — DMMZ 25, Nr. 3.

Quittard, Henri. Louis Couperin (1630 bis 1665) — RHC 2, Nr. 11 ff.

r., m. Die neue Orgel in der Kirche Maria de Victoria zu Prag — NMP 12, Nr. 1 [mit Abbildung].

Rabich, Ernst. Zum Vortrag des Bachschen Chorals — BfHK 7, Nr. 1.

Raupp, O. Kirchenmusikalische Schwierigkeiten — MSfG 8, Nr. 1.

Reuchsel, Amédée. Du chant dans les sociétés chorales — AM, Nr. 119.

Revel, H. A. Meister des Taktstockes (Hans Richter, Levi, Mottl, Mahler, Muck, Fischer, Zumpe, Stavenhagen, Schuch, Arth. Nickisch, Weingartner, Rich. Strauß, Fritz Steinbach, Siegfried Ochs etc.) — BW 5, Nr. 7 [mit Porträts].

Riemann, Hugo. Die Musik und der Staat — Mk 2, Nr. 7.

Rijken, Jan. De études van Stephen Heller — Cae 60, Nr. 3.

Risler, Ed. Une lettre de Ed. Risler au sujet de «La Carmélite» — MM 15 Nr. 1.

Rochlisch, Edmund. M. Carl Gottlieb Hering. Ein Gedenkblatt zu seinem 50. Todestage — NZfM 70, Nr. 2 [mit Porträt].

Rogge, H. C. De toonkunst te Nijmegen — TV 7, Nr. 2.

Rudder, May de. Anton Bruckner — GM 49. Nr. 1 ff.

Rudolf, John. »Der Münzenfranz«. Volksoper in 3 Akten. Frei bearbeitet nach dem Volksstück »Bauernlieb« von Anny Schaefer. Musik von Hans Koeßler — NZfM 70, Nr. 2 (Besprechung anläßlich der Erstaufführung in Straßburg am 19. Dezember 1902).

Runciman, John F. The modern orchestra — MC, Nr. 1189.

Schäfer, Theo. Die Programm-Musik und ihre Ziele — Südwestdeutsche Rundschau 1902, Nr. 15 f.

Scheurleer, D. F. Een navolgenswaardig

voorbeeld — TV 7. Nr. 2 [Beschreibung des Instrumenten-Museums in Kopenhagen].
—— Bijdragen tot een repertorium der nederlandsche muziekliteratuur — ibid.

Schjelderup, Gerhard. »Das war ich«. Dorf-Idylle von Richard Batka. Musik von Leo Blech. Uraufführung am 6. Oktober im Hoftheater zu Dresden — AMZ 30, Nr. 1.

Schl., H. »Die Zwillinge«. Komische Oper von Karl Weis — NMZ 24, Nr. 5.

Schmid, Otto. »Tosca«, Musikdrama von Giacomo Puccini — BfHK 7, Nr. 1 [Besprechung anläßlich der ersten Aufführung in deutscher Sprache in Dresden am 21. Oktober 1902].

Schmitt, Gustav. »Götz von Berlichingen«. Oper in 5 Akten von Karl Goldmark. Erstaufführung in Budapest am 16. Dezember 1902 — NMZ 24, Nr. 1.

Schmitz, Eugen. Realismus und Tonkunst — Die Freistatt (München, Enhuberstraße 8) 5, Nr. 1.

Schultze, Ad. Hans Pfitzner — NMZ 24, Nr. 5 [mit Porträt].

Schuppli, H. Kinderlieder — Schweizerisches Archiv für Volkskunde (Zürich, Juchly & Beck) 6, Nr. 4.

Segnitz, Eugen. Liszt's »Legende von der h. Elisabeth«. [Scenische Aufführung in Leipzig am 23. November 1902.] — NMZ 24, Nr. 3.

Seidl, Arthur. Von Schweizer Tonkunst — Die Gesellschaft (Dresden, E. Pierson's Verlag) 18, Nr. 24.

Smend, Julius. Zehn Gebote für Organisten — CEK 17, Nr. 1.

Solvay, Lucien. «L'Etranger». Action musicale en deux actes, paroles et musique de M. Vincent d'Indy — M, Nr. 3746 [Besprechung anläßlich der Erst-Aufführung im Théâtre Royal de la Monnaie zu Brüssel].

Spigl, Friedrich. Wagner et Debussy — Revue Blanche (Paris, 23 Boulevard des Italiens) 1. Dezember 1902.

Starke, Reinhold. Ambrosius Profe — MfM 34, Nr. 11 f.

Stern, L. William. Der Tonvariator — Zeitschrift für Psychologie und Physiologie der Sinnesorgane (Leipzig, J. A. Barth) 30. Band, Nr. 5/6.

Steuer, M. Rückblick auf das Musikjahr 1902 — S 61, Nr. 1/2 f.
—— Rubinstein's »Christus«. Erste scenische Berliner Aufführung in der kgl. Hochschule für Musik — ibid. Nr. 4/5.

Stewart, G. W. Eine empfindliche Flamme — Physikalische Zeitschrift (Leipzig, S. Hirzel) 4, Nr. 8 [akustische Versuche].

Storck, Karl. Eine musikalische Hausbibliothek — Der Türmer (Stuttgart. Greiner & Pfeiffer) 5, Nr. 3.
—— Weihnachtslieder — ibid.
—— Richard Strauß' »Feuersnot«. Ein Opfer der Überbrettelei — ibid. Nr. 4.

Teibler, Hermann. Moderner Wagnerkultus — BfHK 7, Nr. 1.

Thiessen, Karl. Requiem für Chor, Solostimmen und Orchester von Georg Henschel op. 59 — S 61, Nr. 1/2 [Besprechung].

Tiersot, Julien. La passion selon saint Jean de J. S. Bach — M, Nr. 3747 ff.

Tümpel, W. Philipp Dietz: Die Restauration des evangelischen Kirchenliedes — Si 28, Nr. 1 [Besprechung].

Ubell, H. Noch einmal Klinger's Beethoven — Wiener Abendpost 1902, Nr. 284.

Unger, Th. Der akustische Musiksaal — Mk 2, Nr. 8.

Venkataswami, M. N. Folklore in the Central Provinces [of India] — The Indian Antiquary (Bombay, Education Society's Press), November 1902.

Viotta, H. Mathilde Wesendonck, de dichteres van Wagner's liederen — Cae 60, Nr. 2.
—— De »Parsifal«-kwestie — ibid., Nr. 4 [betrifft die Aufführung des ganzen Parsifal in einem Amsterdamer Konzert].

Wendel, C. Aus der Wiegenzeit des Notendrucks — Centralblatt für Bibliothekswesen (Leipzig, Harrassowitz) 1. Dezemberheft 1902.

Wolf, Johannes. Nachtrag zu der Studie: der niederländische Einfluß in der mehrstimmigen gemessenen Musik bis zum Jahre 1480 — TV 7, Nr. 2.

Zschorlich, Paul. Gedanken über die »Feuersnot« [von Strauß] — Die Zeit (Berlin, 1902) Nr. 6.

Zuylen van Nyevelt, Baron van. Stradivarius — Cae 60, Nr. 3.

Mitteilungen der „Internationalen Musikgesellschaft".

Ortsgruppen.

Berlin.

Die Januarsitzung der Ortsgruppe brachte uns einen Vortrag des Fräulein Tony Bandmann aus Hamburg über »*Tonbildung und Technik auf dem Klavier*«. Der Vortrag deckte sich im wesentlichen mit dem Artikel in Heft 8 des vorigen Jahrgangs der Zeitschrift, wenn er auch durch das persönliche Moment des Wortes und die Demonstrationen am Instrument jenen an Klarheit und Überzeugungsfähigkeit naturgemäß übertraf. In der sich anschließenden Diskussion ergriffen die Herren Professor Dr. Fleischer, Dr. Th. S. Flatau und Professor Richard Schmidt das Wort zu längeren, im Ganzen zustimmenden Ausführungen. Jedenfalls verdient das persönliche Erscheinen des Fräulein Bandmann und ihr in hohem Grade anregender und musik-pädagogisch wichtiger Vortrag die besondere Anerkennung der Ortsgruppe.

Im weiteren Verlaufe der Sitzung machte Herr Professor Fleischer Mitteilung über den anläßlich der Einweihung des Richard Wagner-Denkmals in Berlin geplanten *Internationalen Musikkongreß*, worüber man an anderer Stelle dieser Zeitschrift Ausführliches findet.

Den Schluß der etwas reichlich bemessenen Tagesordnung bildete die Vorführung eines Divertimento von Mozart in B-dur für 2 Oboen, 2 Hörner und 2 Fagotte durch die »Vereinigung zur Förderung der Blas-Kammermusik«. Wie stets begegneten auch diesmal die Darbietungen dieser Vereinigung — als Anerkennung für ihr uneigennütziges Wirken — allseitigem aufrichtigem Beifall. **Ernst Euting.**

Kopenhagen.

Die hiesige Ortsgruppe versammelte am 15. Dezember 1902 ihre Mitglieder zur ersten Sitzung in dieser Saison. Herr cand. theol. Hjalmar Thuren hielt einen anregenden Vortrag über seine musikalische Expedition nach den Färöern im Sommer 1902.

Der Zweck seiner Reise war, Melodien zu den färöerschen und alt-dänischen Volksliedern zu sammeln. Diese werden auf den Inseln noch heutzutage [als Begleitung zu dem mittelalterlichen Tanz abgesungen. Der Erfolg der Reise war über Erwartung befriedigend, indem der Redner mehr als 200 Melodien (außer Varianten) mitgebracht hat. Die meisten davon, durch recht alte Leute mitgeteilt, wurden phonographisch aufgenommen.

Das gesammelte Material hat für das Studium des Volksliedes keine geringe Bedeutung. Durch die stete Verbindung mit dem Tanze haben die färöerschen Volkslieder den ursprünglichen Tanz-Rhythmus bewahrt, und mehrere von ihnen weisen außerdem in tonaler Hinsicht auf die Zeit des Mittelalters zurück. (Vergleiche übrigens die Abhandlung von Thuren im Sammelband der IMG. III, Heft 2. S. 222 ff.)

Der Vortrag, reges Interesse erweckend, schloß mit phonographischen Demonstrationen verschiedener Lieder, von denen ein während des Tanzes von mehreren Männern und Weibern abgesungenes Volkslied einen besonders lebhaften Eindruck machte. **William Behrend.**

Leipzig.

Der zweite Versammlungsabend der Ortsgruppe in dieser Saison, der Montag, den 17. November, im Saale der Frauenberufsschule stattfand, war bestimmt, eine Einführung in Liszt's Legende von der heiligen Elisabeth zu geben. Herr Professor Dr. Arthur Prüfer, der den Vortrag über das Werk übernommen hatte, bezeichnete es als eine Aufgabe musikwissenschaftlicher Vereinigungen, die Vereinigungen von ausübenden Tonkünstlern, wie Theater- und Konzert-Institute, dadurch zu unterstützen, daß letzteren die Resultate der wissenschaftlichen Forschung zur Verfügung gestellt würden; nur auf diese Weise könnten mustergiltige Aufführungen zu stande kommen. Wie sehr ein solches Handinhandgehen der musikwissenschaftlichen Forschung mit der praktischen Kunstpflege vom Publikum gewürdigt wird, bewies der sehr zahlreiche Besuch des Abends. Die genauen Erläuterungen zu dem Werke. die der Vortragende gab, wurden in dankenswerter Weise durch musikalische Vorführungen belebt, indem Fräulein Alice Bürklin aus Leipzig, von Herrn Dr. Friedrich Stade am Klavier begleitet, Elisabeths Gebet. Heimatstraum und -Gedenken vortrug, und die Herren Dr. H. W. Egel und Dr. Stade einige Instrumental-Sätze auf dem Klavier zu Gehör brachten, sowie die einzelnen Motive vorführten.

Die Dezember-Versammlung der Ortsgruppe fand Montag, den 15. Dezember, abends an dem gleichen Orte statt. Wie schon der erste Vortrags-Abend des November, so war auch dieser Abend besonders der Tätigkeit der Neuen Bach-Gesellschaft gewidmet, und außerdem wollte man das Andenken Franz Wüllner's (gestorben am 8. September 1902, ehren, als eines Tonkünstlers, der sich um die Verbindung der Musikwissenschaft mit der musikalischen Praxis große Verdienste erworben hat, auch als Mitglied und Mitarbeiter der alten, sowie der neuen Bach-Gesellschaft. Nach Begrüßung der anwesenden Mitglieder und Gäste sprach der Vorsitzende, Herr Professor Dr. Arthur Prüfer, über die geistlichen Lieder Johann Sebastian Bach's, die, in einstimmiger und vierstimmiger Bearbeitung durch die Neue Bach-Gesellschaft herausgegeben, wie man hoffen darf, immer größere Verbreitung und häufigere Verwendung finden werden. Nach Erläuterung ihrer geschichtlichen Herkunft — sie stammen aus dem Schemelli'schen Gesangbuch von 1736 und zu einem kleineren Teile aus dem Notenbuch der Anna Magdalena Bach von 1725 — und nach Darlegung der Vorzüge der neuen Ausgabe, bei der der bezifferte Baß der Originale zu einer angemessenen Begleitung ausgesetzt ist, trug Fräulein Elsa Richter aus Leipzig, begleitet von Fräulein Helene Richter, zwei der Lieder vor: »Der lieben Sonne Licht und Pracht« und »So wünsch' ich mir zu guter Letzt ein selig Stündlein wohl zu sterben«. Es wurden darauf dieselben Stücke in der vierstimmigen Bearbeitung, die von Franz Wüllner herrührt, gesungen und zwar vom Peterskirchenchor unter Leitung des Herrn Kantor Gustav Borchers. — Hierauf gab der Vorsitzende einen kurzen Lebenslauf von Franz Wüllner und entwarf ein Bild von seiner Bedeutung für das deutsche Musikleben. Nachdem weiterhin noch das Bach'sche Weihnachtslied »Ich steh' an deiner Krippe hier« einstimmig und vierstimmig vorgetragen worden war, wurde der Abend mit zwei von Fräulein Richter gesungenen weltlichen Liedern Wüllner's, »Wenn du dein Haupt zur Brust mir neigst« und »Dornröschen«, beschlossen.   **Martin Seydel.**

London.

At the Musical Association: — (a) On Tuesday 11 November 1902, at the opening of the 29th Session, Mlle Ilona de Györy lectured on "A thousand years of Hungarian Music". After the lecture there was a very large gathering at the Annual Dinner (Sir Hubert Parry in the chair), when was performed: — Violin sonata, Purcell (Coblett); harpsichord sonata, Arne (Norman Cummings); divisions for viola da gamba, Christ. Simpson (Helène Dolmetsch); and some other old-music items. (b) On Tuesday 9 December 1902, Mr. Herbert Westerby lectured on "The Dual Theory in Harmony".

a) Hungarian music is like the wellsprings of Hungary, with their depth and sparkle; and rugged like the soil. To analyse music is like dissecting a flower; nevertheless by national music we divine national character. Eastern music is less cosmopolitan than Western. Nations which have undergone political subjugation have melancholy music, or a dark background. The Hungarian scale has 2 augmented seconds, both rising and falling; showing an analogy with the Persians, also with the Finns. Contrast is the essence of the music; correlative to physiognomy of the people, and style of poetry, painting, and the decorative arts. The chief poetic metrical foot of Hungary is, as with the Arabians, the choriambus – ᴗ ᴗ –. A common metre is the choriambus and 2 anapaests – ᴗ ᴗ – | ᴗ ᴗ – | ᴗ ᴗ –. The heroic metre is the choriambus mixed with spondees; – ᴗ ᴗ – | – – | – ᴗ ᴗ – | – –. The stanzas are generally 4-lined. In ancient times, when the head-priest sacrificed the milk-white horse, maidens sang religious hymns round the altar; these were effaced by the monks. Later the successful arms of the Hungarian predatory tribes produced triumphal marches, the relics of which remain. Then later the isolation of Hungary produced the mournful songs we know. Hungarian music in its turn influenced Christian hymns; as those to the Virgin, St. Stephen, and St. Ladislas. The chief war-like musical brass instruments was the tárogató; but the wandering minstrels or lantas had also a stringed lyre called kobor. When the Anjou dynasty succeeded to Hungarian throne in early 14th century, there was a connection with Italy; whence introduction of violins and a softening influence on music, e. g. in the marches. In the time of King Matthias Corvinus, the choir and silver-piped organ in Visegrád cathedral were well-known abroad. At Strasburg 1572 —1575 was published a collection of slow and quick Hungarian dances, "Passamero Ongaro" and "Saltarello Ongaro". In 1621 Giov. Picchi. org. of the Casa Grande in Venice, published Hungarian dance music, under title "Ballo Ongaro" and "Padoana ditta la Ongara". Up to this time the gipsy floriture did not appear. For the gypsies in Hungary reference should be made to Fr. Liszt's book. Their musical influence was prominent in the time of King Rakocsy II. The Hungarian strain in the Viennese school of modern composers is well known. — Discussion by Dr. Ch. Maclean (chairman), and Messrs. T. L. Southgate and W. H. Shrubsole.

b) In a paper on "Chromaticism in Music" on 11 June 1902 (II, 422), this lecturer dealt incidentally with duality of mode, connected with tonic major and minor triads. Present paper was a commentary on Moritz Hauptmann's "Natur der Harmonik und der Metrik", 1853 and 1873, translated by Heathcote (Swann Sonnenschein & Co.) in 1888; A. J. von Oettingen's "Harmoniesystem in dualer Entwickelung" (phonic system) 1866; H. L. F. Helmholtz's "Lehre von den Tonempfindungen als physiologische Grundlage der Musik 1863—1877; Ad. Thürling's "Die beiden Tongeschlechter und die neuere musikalische Theorie" 1877; O. Hostinsky's "Die Lehre von den musikalischen Klängen" 1879; Hugo Riemann's "Die Natur der Harmonik" 1882, and other works; in so far as they developed a system of harmony based on the opposition of the major and minor triads. Harmony was first associated with the question of ratios and proportions. When acoustic overtones and undertones were discovered, it then became associated with these. Hauptmann developed the dual idea above indicated. He rightly did so from within; on the other hand, he looked at the triad rather than the tonality, his Hegelian explanations laid themselves open to criticism, his theory did not seem compatible with equal temperament, and other objections were to be found. From Helmholtz to Riemann the writers dwelt too much on the external acoustic phenomena. Remarks in the writings of John Curwen and Hubert Parry were considered to suggest correct standpoints. Lecturer's commentary on the German theorists mentioned was mostly adverse. His own views appeared to be that harmonic material was derived not from overtones or undertones but from aesthetic considerations, and that the tonality-sense and duality of mode were the ruling factors in its classification. — Discussion by Dr. W. G. Mc Naught (chairman) and Mr. G. Oakey.

J. Percy Baker, Secretary.

Neue Mitglieder.

Andreae, V. Musikdirektor, Zürich, Seegartenstr. 12.

Flatau, Dr. Th. S., prakt. Arzt. Berlin. Potsdamerstr. 113, Villa III.

Gloefs, Joseph, Musikalienhändler. Mühlhausen im Elsaß.

Goos, Professor Karl. Karlsruhe, Karlstr. 88.

Götzinger, Dr. F., Musikschriftsteller. Basel.

Hansmann, Professor. Berlin-Friedenau, Menzelstr. 2.

Hansmann, Victor. Berlin-Friedenau, Menzelstr. 2.

Hennig, C. R., Kgl. Musikdirektor, Professor. Posen.

Hellmers, Dr. Gerhard. Bremen, Geeren 3.

Heufs, Dr. Alfred, Musikschriftsteller. Leipzig. Johannisplatz 5, Gh.

Kimpel, Frau Charlotte. Berlin, Großgörschenst. 30.

Neustadt, Arthur, Justizreferendar. Stuttgart, Tübingerstr. 95.

Schnackenburg, Paul, Pianist und Komponist. Berlin, Lützowstr. 63.

Scholes, Percy A. Kent Kollege, Canterbury.

Steckenbüller, Michael, Fabrikant. Essenbach, Niederbayern.

Straus, Dr. phil. Fritz. Straßburg im Elsaß, Nikolausring 17.

Werner, Paul, Lehrer. Breslau, Kronprinzenstr. 27.

Änderungen der Mitglieder-Liste.

Bauermeister, Fräulein Adelheid, Leipzig jetzt Kohlgartenstr. 71 III.

Kirst, Ernst, Bibliothekar der Königlichen Hochschule für Musik, jetzt Charlottenburg, Goethestr. 6.

Müller, Wilh., stud. phi., Köln jetzt Bern bei Professor Dr. Thürlings, Gerechtigkeitsgasse 81 III.

Münnich, Dr. Richard, Berlin, W. 57 jetzt Goebenstr. 10 IV.

Tischer, Dr. G., Burg Zieverich jetzt Köln am Rhein, Domgasse.

Warmünde, Fräulein Meta, Hamburg, jetzt Schmilinskistr. 74 I.

Prost, C. Stettin-Grünhof, Gartenstr. 21. Gesanglehrer an der Kaiserin Augusta-Viktora-Schule und Kantor der Schloßkirche.

Inhalt des gleichzeitig erscheinenden
Sammelbandes.

Alfred Heuß (Leipzig). Die Instrumental-Stücke des »Orfeo«.

W. Barclay Squire (London). Purcell's Music for the Funeral of Mary II.

Arnold Schering (Leipzig). Zur Bach-Forschung.

Wilhelm Altmann (Friedenau-Berlin). Spontini an der Berliner Oper.

Otto Heilig (Ettlingen). Slovakische, griechische, walachische und türkische Tänze, Lieder u. s. w.

Otto Abraham und Erich M. von Hornbostel (Berlin). Studien über das Tonsystem und die Musik der Japaner.

Hermann Müller (Paderborn). Zum Texte der Musiklehre des Joannes de Grocheo.

Horace Wadham Nicholl (London). Entgegnung.

Zu unserer Bild-Beilage.

Diesem Hefte liegt ein Bild »Das Joachim-Quartett in der Singakademie zu Berlin« von Felix Possart bei, welches uns die Kunsthandlung von Fritz Gurlitt in Berlin freundlichst zur Verfügung gestellt hat. Das Bild ist die stark verkleinerte Wiedergabe eines vortrefflichen Ölgemäldes des geschätzten Malers und wird bei allen, welche jemals den hohen Genuß gehabt haben, das unübertreffliche Joachim-Quartett (Joachim, Halir, Wirth, Hausmann) zu hören, ungeteilte Freude erwecken. Die Zuhörerschaft, die auf dem Bilde dessen Klängen lauscht, setzt sich aus den bekanntesten Freunden des Quartettes zusammen. Das Bild muß wegen seiner Treue als ein musikgeschichtliches Dokument von seltenem Werte gelten.

Ausgegeben Anfang Februar 1903.

Für die Redaktion verantwortlich: Professor Dr. Oskar Fleischer, Berlin W., Motzstr. 17.
Mitverantwortlich: Dr. Ernst Eutting und Dr. Albert Mayer-Reinach in Berlin.
Druck und Verlag von Breitkopf & Härtel in Leipzig.

ZEITSCHRIFT

DER

INTERNATIONALEN MUSIKGESELLSCHAFT.

Heft 6.   **Vierter Jahrgang.**   **1903.**

Erscheint monatlich. Für Mitglieder der Internationalen Musikgesellschaft kostenfrei, für Nichtmitglieder 10 ℳ. Anzeigen 25 ₰ für die 2 gespaltene Petitzeile. Beilagen 15 ℳ.

Photophonographie.

Am 6. Februar hielt die »Internationale Musikgesellschaft« im Verein mit der »Psychologischen Gesellschaft von Berlin« eine gemeinschaftliche Sitzung in der Universitätsaula ab, die — schon nach ihren bisherigen Folgen zu urteilen — eine hervorragende Bedeutung für weite Kreise der Öffentlichkeit gewonnen zu haben scheint. Ihr Thema lautete auf die Lösung des Problemes der Photographie der Musik, der Stimme und der Sprache unter Vorführung des Cervenka'schen Photophonographen. Ein Kreis erlauchter Gäste, voran der Kronprinz des Deutschen Reiches, der Kultusminister und der Rektor der Universität, wohnten der Sitzung bei, hervorragende Musiker und Autoritäten aller Wissenschaften waren zugegen.

Der Unterzeichnete hielt einen einleitenden Vortrag über die musikwissenschaftliche Bedeutung der neuen Erfindung, Töne photographisch zu fixieren, dessen Wortlaut hier folgt.

Hochverehrte Damen und Herren!

Von allen Erfindungen unserer so erfindungsreichen Zeit hat mich keine so tiefinnerlich bewegt und beruflich so intensiv beschäftigt, als die Edison'sche Erfindung des Phonographen.

Nehmen wir an, daß uns die Möglichkeit geboten wäre, bei ausgereiftem Verstande zum ersten Male uns im Spiegel zu beschauen, wir würden erstaunt, verblüfft, manche wohl auch erfreut sein von dem Bilde, das uns über unser körperliches Aussehen belehrt. Nichts anderes als ein solcher Spiegel ist der Phonograph; nur gibt er nicht das Bild unseres Äußeren wieder, sondern dessen, was aus dem tiefsten, geheimnisvollen Inneren unseres Wesens dringt und unser Wollen und Wünschen, unser Denken und Fühlen meist deutlicher offenbart, als es jemals das Sichtbare zu tun vermag.

Was das bedeutet, ist — wie mir scheint — heutzutage nicht Jedermann ohne weiteres klar. Mich dünkt, unser papierenes Zeitalter legt viel zu viel Gewicht auf das Sehen, zu wenig auf das Hören. Der Jurist, der Beamte, der Kaufmann — wir alle schenken einem beschriebenen Zettel weit mehr Glauben, als dem gesprochnen, schnell verhallenden Worte; denn wie ein altes Sprichwort sagt: was das Auge sieht, das glaubt das Herz. In der Schule, auf den Universitäten treiben wir nie gehörte Sprachen und Dialekte und glauben ihrer Herr zu sein. Wir beurteilen Menschen nach ihren äußeren, fixierten Spiegelbildern, den sogenannten Photographien, nach ihren Handschriften und dergleichen — und doch, wie leicht ändert sich unser Urteil, wenn wir dieselben Menschen sprechen, ihre Seele erklingen hören! Wendet sich der Gesichtssinn mehr an unseren Verstand, so spricht der Tonsinn mehr zu unserem Herzen. Hinweisen muß ich also auf die im jetzigen Reiche der Wissenschaften nicht voll genug gewürdigte Tatsache, daß des Menschen Seelenleben seinen Inhalt nicht bloß durch die Pforte des Gesichts, sondern wesentlich auch und fast noch mehr durch die des Gehöres empfängt. Denn etwa $1/3$ aller unserer Sinneseindrücke ist dem Gehörsleben entnommen, sei es in Form von musikalischen Klängen, oder in Form von Sprachlauten, oder auch nur in Form von Geräuschen aller Art, die uns rings allerwärts und unablässig umgeben.

Allerdings ist das Tonleben gegenüber dem des Gesichtes in einem gewissen Nachteil: was man sieht, ist meistenteils auch greifbar, substantiell; was man aber hört, verrauscht, verhallt nur gar zu schnell und verflüchtigt sich, seine Spuren scheinbar nur in der Seele hinterlassend, wie alle Bewegung, auf welcher ja das Tönen beruht.

Aus diesem Grunde hat man schon vor Jahrtausenden begonnen, die hörbaren Äußerungen der edelsten Erscheinungen des Tonlebens, nämlich der Musik und der Sprache, in sichtbare Zeichen zu übertragen.

Aber betrachten wir ernstlich das, was diese Ton- und Sprachschriften bisher geleistet haben, so müssen wir erstaunen über ihre Schwächlichkeit und Unzuverlässigkeit, ihre Naturuntreue und Subjektivität. Nicht wirkliche Spiegelbilder sind ja diese Schriftzeichen, sondern bloße konventionelle Symbole, die dadurch nichts an ihrer Willkür verlieren, daß sie durch jahrhunderte lange Anerkennung Verbindlichkeit erlangen.

Die Buchstaben bedeuteten z. B. den alten Griechen zugleich Sprachlaute, Zahlen, Töne und vieles andere, ohne daß die damit bezeichneten Dinge auch nur das mindeste mit ihrem Schriftzuge selbst zu tun hätten. Man gebraucht dieselben Symbole auch in der Mathematik, Astronomie und so fort — das heißt, sie sind unendlich vieldeutig und zu allem fähig.

Ähnlich unsere modernen Musiknoten. Derselbe Punkt, der im Liniensystem des Violinschlüssels z. B. h anzeigt, bedeutet im Baßsystem d, im Tenorsystem a, im Altsystem c; nirgends ein absoluter Zwang, eine Note gerade als diesen oder jenen Ton auszudeuten, die Naturnotwendigkeit hat mit unserer Notenschrift nur noch herzlich wenig zu tun.

Darum ist es auch so unendlich schwer, alte außer Gebrauch gekommene Tonschriften in lebendige Töne zu übertragen; das setzt Kenntnisse voraus, von denen ein Laie sich nur sehr schwer eine annähernde Vorstellung machen kann.

Die großen Schwierigkeiten sind wohl auch der Grund, warum man allgemein der Musikwissenschaft so wenig Verständnis entgegenbringt. Die

Subjektivität der Musik macht man ihrer Wissenschaft zum Vorwurf, obgleich diese doch gar nicht daran schuld ist, sondern ihr gerade im Gegenteil beizukommen sucht.

Noch schlimmer aber ist diese Subjektivität bei unseren Bezeichnungen der Tondauer, der Klangstärke und des Vortrags. Schon die Musik eines Beethoven weiß davon ein Liedlein zu singen; denn jeder Dirigent einer Beethoven'schen Symphonie hat seine eigene Interpretation, und greift man in die früheren Zeiten eines Händel und Bach oder gar in das 16. Jahrhundert zurück, so ist der Schwierigkeiten und der Willkür der Auslegung kein Ende.

Somit scheint es, als ob die Musik der lebendigen Überlieferung von Mensch zu Mensch bedürfe und keine bleibenden Kunstwerke erzeugen könne, wie etwa die Bildhauerkunst, deren Werke Jahrtausende unverändert zu überdauern vermögen.

Als 1877 der Edison'sche Phonograph erschien, tauchte die Hoffnung auf, die musikalischen Kunstwerke von der subjektiven Überlieferung loslösen zu können, daß heißt sie genau so, wie sie erklangen, in totem Material verewigt der Nachwelt zu überliefern. Aber wohl niemand unter den hochverehrten Anwesenden ist, der sich nicht mit Bedauern davon überzeugt hätte, daß diese Hoffnung verfrüht war. Die bekannten schrillen Schnarr-, Schluchz- und Schnarchlaute, die sich unberufen und protzig in die Melodien und Harmonien der reproduzierten Tonstücke einmischen, verderben den besten Musikern und den schönsten Rednern das Konzept.

Das Grammophon hat ja manche Unannehmlichkeit beseitigt, aber eine künstlerische Reproduktion der Musik hat es nicht erreicht. Solange eben, wie bei Phonograph und Grammophon, der an die aufnehmende Membrane befestigte Stift seine Kurven in eine Materie eingräbt oder einritzt, werden die alles verderbenden Reibegeräusche wohl auch unvermeidlich sein.

Als ich vor etwa sechs Jahren angeregt wurde, auf die Begründung eines phonographischen Archivs hinzuarbeiten (ein Gedanke, der seither in Wien verwirklicht worden ist), versprachen mir hervorragende Musiker Produktionen ihrer Meisterschaft. Aber ich mußte davon Abstand nehmen, weil ich keinem echten Künstler zumuten durfte, in dieser Unfertigkeit einer Nachwelt zu Gehör zu kommen.

Nunmehr stehen wir wohl vor der Lösung des Problems: die Musik objektiv und rein, wie sie erklingt, der Nachwelt zu vermitteln und wir könnten, — ist sie wirklich gelungen — daran gehen, die Leistungen unsrer großen Virtuosen, unsrer Sängerchöre und Orchester in photographischen Ätzungen auf Papier, Glas, Erz oder Stein den fernsten Zeiten ebenso sicher zu überliefern, als wären es marmorne Kunstwerke.

Die großen Kunstleistungen der ausübenden Tonkünstler würden dann nicht mehr mit ihnen selbst fast spurlos dahinschwinden, sondern sie würden immer wieder der Nachwelt im Unterricht oder im Vergleiche zur Nachahmung und Korrektur vorgehalten werden können. Die Sänger, Redner und Spieler hätten dann ein Mittel an der Hand, sich selbst zu kritisieren und zu verbessern, indem sie ihre eignen Produktionen in diesem Tonspiegel kritisch betrachteten. Denn bekanntlich vernimmt der Sänger sich selbst ganz anders, als sein Zuhörer.

Auch der großen Unsicherheit der ästhetischen Kritik der Musik würde mit der Zeit ein Damm gesetzt werden können, indem jedes Urteil durch

21*

völlig getreue Wiederholung der kritisierten Leistungen auf seine Richtigkeit
hin nachgeprüft werden könnte.

Man würde zudem die Möglichkeit haben, örtlich getrennte Musikaufführungen zu vergleichen und sich die besten musikalischen Genüsse der Welt
für das billigste Geld und so oft man nur will zu verschaffen.

Kurz in geschichtlicher wie ästhetischer, pädagogischer und propagierend
volksbildender Hinsicht würde die Tonkunst in Zukunft auf einem ebenso
objektiven, sicheren Boden stehen, als nur irgend eine der bildenden Künste.

Diese hoffnungsfrohe Erkenntnis hat mich veranlaßt, Ihnen heute Abend
die Möglichkeit zu verschaffen, die Erfindung des Photophonographen kennen
zu lernen. Ich glaube nicht fehl zu gehen, wenn ich im Hinblick auf Ihr
zahlreiches Erscheinen annehme, daß Sie das Gebotene interessieren wird.

Wenn Sie nun nachher den Photophonographen selbst hören werden, so
bitte ich Sie gütigst im Auge behalten zu wollen, daß diese Erfindung sich
aus zwei disparaten Teilen zusammensetzt. Der eine Teil, die Photographie
der Musik steht meiner Meinung nach vollendet vor uns. Alle bisherigen
Versuche dieser Art waren physikalische Experimente und schon wegen ihrer
Kostspieligkeit und Kompliziertheit selten praktisch durchführbar. Hier aber
ist alles geleistet, was man vernünftigerweise von einer Photographie nur irgend erwarten kann. Der andere, davon getrennte Teil der Erfindung aber,
die tönende Reproduktion der Photographie, steht noch im Beginne seiner
Entwicklung und ist daher auch von diesem Gesichtspunkte aus zu beurteilen.
Wie weit die Erfindung in diesem Teile gekommen ist, das zu entscheiden
möchte ich, um nicht zu präjudizieren, Ihrem eigenen Urteile anheimstellen.

Darauf erörterte Herr Dr. Theodor Flatau, Lehrer der Stimmphy-
siologie an der Königlichen Hochschule für Musik, die Bedeutung des
Photophonographen für die Stimme und Sprache, indem er in geistvoller
Weise dartat, daß durch eine ideal verbesserte Phonographie die Möglichkeit gegeben werde, nicht nur die Stimmen von berühmten oder sonst
hervorragenden Persönlichkeiten festzuhalten, sondern auch eine Sammlung von Musterbeispielen für Sprech- und Stimmtechnik, von Mundarten
lebender Sprachen in ihrer authentischen Klangwirkung, von Sprach-
störungen und krankhaften Produktionen der Stimme u. s. w. zur Belehrung für Ärzte, Sänger, Redner und Sprachforscher zu veranstalten[1]).

Es folgte sodann eine technische Erklärung des Photophonographen
und seiner Konstruktion durch Herrn Emanuel Cervenka aus Prag selbst
an der Hand von Lichtbildern der einzelnen Teile seines Apparates.
Nachdem er den bisherigen Systemen in ihren Vorzügen und Mängeln
in geschichtlicher Darstellung gerecht geworden war, entwickelte er die
Reihenfolge seiner konstruktiven Erfindungen.

Der Photophonograph ist keine Verbesserung irgend eines der bereits
bestehenden Phonographen, wie etwa das Grammophon sich an den Edison-Phonographen angeschlossen hat. Bei beiden ist bekanntlich an der

---

1) Wir hoffen den Wortlaut demnächst *in extenso* hier wiedergeben zu können.
                                                              Die Redaktion.

durch die Schallwellen in Schwingung versetzten Membran ein Stiftchen
befestigt, das auf eine rotierende konsistente Masse (eine Walze beim
Edison-Phonographen, eine Platte beim Grammophon) seine Schwingungs-
kurven einritzt; der Photophonograph hingegen stellt ein eigenes, neues
System dar. Bei ihm ist genanntes Stiftchen durch ein Spiegelchen
ersetzt, das die von einer Nernst-Lampe empfangenen Lichtstrahlen auf
eine lichtempfindliche rotierende Platte wirft und, durch die Schallwellen
in Vibration versetzt, auf die Platte Lichtkurven fallen läßt. Diese werden dann vermittelst Cliché-Verfahrens photoplastisch kopiert und dienen
nun, als Chromleimplatten oder durch Vermittelung von Metall-Matrizen
als Ebonit- oder Celluloidplatten, zur Reproduktion.

Die Wahl einer organischen Membran, die Verbindung des Spiegel-
chens mit ihr, die teilweise Einbettung der Membran in eine fleischartige
Masse, kurz alle Einzelheiten des Aufnahme-Apparates stellen ebenso
viele glückliche Einzelerfindungen dar und ihre Kombination zu einem
Ganzen ist bewunderungswürdig [1]).

Es ist von vornherein klar, daß eine Hervorbringung der phonischen
Kurven auf einer Platte vermittelst des gänzlich lautlos arbeitenden Licht-
strahles für die praktische Phonographie einen ganz beträchtlichen Fortschritt
bedeutet und daß der Photophonograph den bisherigen Systemen in der
Reinheit der fixierten Schallwellen ganz erheblich überlegen sein muß.
Kommen doch hier die bekannten Reibe- und Schnarrgeräusche, die der
einkritzende Stift den aufzunehmenden Klängen und Lauten sonst bei-
mischte, gänzlich in Wegfall. Wenn der Cervenka'sche Photophonograph
gar nichts weiter leistete, als nur dieses, so würde er sich schon dadurch
als eine Erfindung von größter Bedeutung darstellen, der eine Vorführung in der Internationalen Musikgesellschaft wohl mehr als dankenswert erscheinen ließ, ganz gleichgültig, ob sich eine vollkommene tönende
Wiedergabe dieser Musik-Photographien schon jetzt ermöglichen ließ oder
nicht. Wenn beim Photophonographen die Wiedergabe nicht mehr leistete, als die bisher bekannten Methoden, so wäre doch seine Wichtigkeit
für die Forschung ausreichend gesichert. Nun aber hat der Photophonograph wirklich gezeigt, daß sich Musik und Sprache nicht nur photo-
graphieren, sondern derart in Metall und anderen dauerhaften und unvergänglichen Stoffen festlegen lassen, daß sie reproduzierbar sind, und
das verleiht dieser Erfindung eine für die Musikwelt und die Wissenschaft
des Tönenden epochemachende Wichtigkeit.

Damit war das Thema der Sitzung: ›Lösung des Problemes der Photographie der Musik und der Stimme und Sprache‹ im Grunde genommen

---

1) Auch eine ausführliche technische Beschreibung des Apparates hoffen wir seiner
Zeit veröffentlichen zu können.   Die Redaktion.

erschöpft und was für diesen Abend verheißen war, voll erfüllt. Was nun folgte, nämlich die tönende Wiedergabe der auf so geniale und einfache Weise gewonnenen Photographien, war eine Zugabe, die allerdings die praktische Verwertbarkeit der Erfindung auf das schlagendste nachwies. Nach dem bescheidenen Urteile des Erfinders ist sie freilich noch mangelhaft, weil dabei der die reproduzierende Membran zum Erzittern bringende Stift seine unangenehmen Reibegeräusche den reproduzierten Klängen wieder beimischt, wenn auch nicht in so stark bemerklichem Maße als bei dem Aufnahmeverfahren der alten Systeme.

Obgleich daher die tönende Reproduktion der Photographien noch im Anfangsstadium ihrer Entwicklung steht, — wie alle drei Vortragenden ausdrücklich betonten — war doch die gesamte Zuhörerschaft mit verschwindenden Ausnahmen der Meinung, daß auch sie einen deutlich bemerkbaren Fortschritt vor den bisherigen Systemen darstellt.

Cervenka hat nämlich — wiederum ebenso genial als einfach — seinem Phonographen die Natur zum Muster und Vorbild gesetzt. Wie der Aufnahmeapparat mit seiner Membrane und dem daransitzenden Spiegelchen den menschlichen Gehörapparat nachbildet (wobei die Membrane das Trommelfell, das an einem Hebelstiel sitzende Spiegelchen das Hammerknöchelchen und der Lichtstrahl sozusagen den Gehörnerv vertritt), so ist auch der Wiedergabeapparat seines Phonographen ein Abbild der Sprachwerkzeuge des Menschen. Die geschlitzte Membrane stellt die Stimmbänder dar, der aufgesetzte Schalltrichter ist innen wie die Mundhöhle gebildet und mit einer fleischartigen Masse zur Abdämpfung der Eigentöne des Tubus ausgekleidet, und selbst eine Nase mit zwei Löchern (nach Angabe von Dr. Flatau angefügt) fehlt nicht, welch letztere übrigens wirklich viel zu der guten Resonanz bei der Wiedergabe beiträgt. Alles ist darauf berechnet, daß die Klänge möglichst rein und ohne Beimischung von Eigentönen, die den festen Körperteilen von Maschinen nun einmal anhaften, zu Gehör kommen. Schon daß die Membranen nicht, wie bei den bisher bekannten Phonographen, von Glas oder Metall sind, sondern aus einer elastischen organischen Masse bestehen, und deshalb auch nicht selbst mitklingen können, ist ein wesentlich neuer und wichtiger Faktor.

Mit diesem eigenartigen Reproduktor wurde uns nun eine kleine Anzahl von Musikstücken vorgeführt: Gesänge von Männer- und Frauenstimmen und etwas Instrumentalmusik. Höchst interessant waren dabei die Kontrolversuche, bei denen dieselben Stücke von einem vorzüglichen Edison-Phonographen, von einem Grammophon — Herr Cervenka hatte dazu den von der Grammophon-Gesellschaft jetzt als ihren besten Apparat bezeichneten »Monarch« gewählt — und von dem Photo-Phonographen vorgetragen wurden. Der Unterschied war ein beträchtlicher. Der gequetschte, schreiende Klang der älteren Systeme fiel ebenso unangenehm, als die wirklich menschenähnlichen, individualistischen Töne des Photophonographen angenehm auf. An besonders gut gewählten Standpunkten, etwa 30—50 Meter vom Apparat entfernt, namentlich in dem neben der großen Aula gelegenen Senatssaal, wo der Kronprinz, der Minister und mehrere hochgestellte Damen Platz genommen hatten, ließ die künstlerische Wirkung kaum noch etwas zu wünschen übrig. Man hatte die Empfindung, in einem Opernhause auf einem von der Bühne weiter entfernten Platze Musik zu hören und es fehlte zur vollendeten Illusion nichts, als die Personen der Sänger und Sängerinnen.

Diese Kontrollversuche begegneten übrigens sehr erheblichen Schwierigkeiten bei ihrer Durchführung. Sollten sie irgend einen wissenschaftlichen Wert haben, so war es selbstverständlich erforderlich, nicht nur genau die nämlichen Musikstücke von allen Apparaten spielen zu lassen, sondern dieselben auch von den nämlichen Personen und unter genau den nämlichen zeitlichen und räumlichen Verhältnissen aufzunehmen. Aber wie das ermöglichen? Die Edison-Walzen und Grammophon-Platten waren ja schon vorhanden, ehe an diese Kontrollversuche auch nur entfernt gedacht wurde. Eine gemeinsame Kooperation aller phonographischen Gesellschaften und mithin neue gemeinschaftliche Aufnahmen der einmal vorhandenen Musikstücke, die den wissenschaftlichen Forderungen entsprechen konnten, schienen von vornherein rundweg ausgeschlossen, umsomehr, als ja ein Musiksrück sowieso nicht von allen Apparaten zu gleicher Zeit aufgenommen zu werden vermag. Hätten aber z. B. Herr Szlezak oder Fräulein Kurz nochmals und eigens für den Photophonographen ihre Lieder gesungen, so hätte man mit Recht den Einwand geltend gemacht, daß — wenn ihre Gesänge hier besser klangen als in anderen Apparaten — diese Virtuosen ja unter ganz anderen Bedingungen, etwa unter besserer Disposition, zu andrer Zeit und an anderem Orte gesungen hätten, als für den Edison-Phonographen und das Grammophon. Das mußte unter allen Umständen vermieden werden und deshalb erfüllte Cervenka eine wissenschaftliche Pflicht, indem er die betreffenden Stücke durch den Edison-Phonographen und das Grammophon seinem Photophonographen vortragen ließ, diese Musik photographisch fixierte und damit nun die unbedingte Objektivität eines wissenschaftlich zulässigen Vergleiches erzielte.

Noch eine andere zwar juristische, aber nicht weniger beachtenswerte Nötigung lag für dies Verfahren vor. Die Erfindung war nämlich in die Hände eines Syndikates übergegangen und die sämtlichen vorhandenen und verfügbaren Platten des Erfinders Eigentum desselben geworden, welche nicht eher an die Öffentlichkeit treten sollen, als bis auch photophonographische Apparate in genügender Anzahl für den Handel fertig gestellt sind. Daher mußten wir für diesmal noch sozusagen mit sekundären Aufnahmen fürlieb nehmen, — gewiß besser als nichts. Für den Zweck unserer Sitzung, die ausschließlich das Problem der Musikphotographie zum Thema hatte, war es natürlich gänzlich belanglos, ob die Photographien von Menschen, von Tieren, von Instrumenten oder von phonischen Maschinen genommen worden waren.

Aber — und das war an dem denkwürdigen Abende eine der Überraschungen, die uns der Erfinder bereitete — es zeigte sich eine wohl von Wenigen erwartete Tatsache, daß nämlich der Photophonograph selbst unter den erschwerenden Umständen einer indirekten Aufnahme die ursprüngliche Musik viel reiner, individueller und charakteristischer erklingen ließ, als die primären Maschinen. Diese Tatsache hat einigen Zuhörern — nach ihren journalistischen Äußerungen zu urteilen — besonderes Kopfzerbrechen verursacht. Grund dessen ist erstens natürlich Cervenka's erheblich verbesserter Reproduktor und eine Versuchsanordnung bei der Aufnahme, die die älteren Reproduktoren mit ihren Mängeln ausschaltet. Daher die relativ große Reinheit und Freiheit von Klirrgeräuschen beim Photophonographen.

Ein zweiter Grund dieser höchst erfreulichen Tatsache liegt darin, daß die Photographie schon bei der Aufnahme die Schallwellen bedeutend vergrößern kann. Dadurch werden natürlich auch stärkere Schallwirkungen erzielt. Wie in einem Vergrößerungsglase erscheinen die Schallwellen und mithin die Klänge selbst verstärkt. Ich kann aus eigner Beobachtung bezeugen, daß bei direkten Aufnahmen die Reinheit der Wiedergabe noch viel größer und die künstlerische Wirkung viel eindrucksvoller ist, als sie am 6. Februar in Verwunderung setzte.

Daß eine epochemachende Erfindung Neid und Mißgunst weckt, ist eine leider fast ständige Erscheinung; daß sich das auch in diesem Falle gezeigt hat, wird daher Niemanden Wunder nehmen. Darüber dürfen wir also wohl mit Stillschweigen hinweggehen und wollen ruhig abwarten, was uns der Photophonograph und sein Erfinder noch Gutes bescheren wird. Wir werden ja binnen kurzem Gelegenheit haben, die erste für wissenschaftliche photophonographische Untersuchungen gebaute Maschine in Berlin ausgiebig zu studieren. Von den dann ermöglichten wissenschaftlichen Ausnützungen können wir wohl manch fruchtbringendes Ergebnis erwarten und damit dem Erfinder den ihm gebührenden Dank besser abstatten, als durch voreilige Kritik und Besserwisserei.

Berlin.   **Oskar Fleischer.**

Eugène de Solenière's „Notules et impressions musicales"[1]).

Der durch seine »Kritische Studie mit Dokumenten über Massenet« bekannte Autor liefert hier eine Reihe von Gelegenheitsaufsätzen sehr verschiedener Art. Das Licht seines Geistes strahlt wie aus den Facetten eines Diamanten in vielfarbigen Strahlen. Es ist ein wirklich geistreiches, neues Buch. Einer holden Tänzerin, Lea Piron von der französischen Oper, ist das Werk gewidmet, und zwar durch Uhlands Dichtung »auf eine Tänzerin« ... »nicht ein irdisch Wesen, Äther, Seele ganz« und das schöne Bildnis der Tänzerin schmückt die erste Seite.

Die einzelnen Kapitel behandeln: 1) Paradoxa über Musik, 2) Musikalischer Idealismus und Realismus, 3) Der Komponist, 4) Die Musik zu »Ich liebe dich«, 5) Chopin, 6) Über deutsche Musik, 7) Benjamin Godard, 8) Louis Lacombe, 9) Das Wort, die Geste und der Ton, 10) Über Musikkritik.

Sind diese Überschriften nicht schon an und für sich ein Poem? Möchte nicht jeder denkende Musiker über solche Stoffe gleich Vorträge halten?

Wenn man de Solenière's Buch ruhig genießt — es ist voll köstlicher Einfälle, voller Geistesblitze, welche die Lektüre zum Genuß stempeln — so malt man sich wohl außer dem Konterfei der Tänzerin, die ja nur als quasi diva-Lockvogel da ist, man malt sich das Bild des Verfassers selbst aus, mit dem man nun 162 Seiten lang gelebt hat; und, siehe da, auf Seite 162, ganz bescheiden zum Schluß, erscheint auf einmal — deus ex machina — der geistreiche Franzose in effigie. Eine Skizze nur, schnell hingeworfen mit der Feder, aber lebhaft im Blick durch den Kneifer und unter dem Cylinderhut — er hat eine schräge Kopfhaltung, wie sie Denkern oft eigen ist.

Wenn wir auf Einzelheiten eingehen sollten, so würde uns die Lust anwandeln, den ganzen Band zu übersetzen. Das Buch gibt gar viel Stoff zu Meditationen und ist ungemein anregend. Die Sprache ist elegant und bilderreich. Man hat es mit einem feinen Beobachter und Psychologen zu tun.

Eine Citation sei uns vergönnt (aus »Philosophie und Musik« von Louis Lacombe wiedergegeben): Die absolute Kunst entzieht sich unserm Blick in die Tiefen des Unerschaffenen; wir werden nie ihr herrliches Ganze erschauen. Was aber die relative Kunst betrifft, so erstrebt sie Erreichung vollkommener Schönheit, wie diese im höchsten Wesen allein zu voller Blüte kommt. Ihr Hauptverdienst ist, zu dem Höchsten hinzustreben, neue Blicke und Wege zu Gott zu leiten, die Seele zu stärken durch Mitvibriren in Berührung der Schönheit, der Wahrheit und des Guten. Ihr Ziel ist, die Völker einzuweihen in das Mysterium einer höheren Existenz, sie dazu vorzubereiten und würdig zu machen. Es hieße die Kunst mißkennen, sie seltsam entwürdigen und verleumden, wollte man sie als ein Mittel betrachten, der Eigenliebe der Künstler zu schmeicheln und dem Publikum ein oberflächliches und vorübergehendes Vergnügen zu gewähren. Nein, Architektur, Malerei, Skulptur, Musik und Dichtkunst, die ihre gemeinsame unermeßliche Basis im Busen Gottes haben und ihre relative Macht im Busen der Menschheit, sie sind nicht da zum einfachen Zeitvertreib, der nur tauglich wäre zur

---

1) Mit Vorwort von Willy. Paris, Librairie Léon & Rey. 1902, Boulevard des Italiens 8.

Zerstreuung der Massen und um ihrer Eitelkeit zu huldigen, nein, die Kunst ist ein großer Missionar, ein Seelsorger!

Beethoven, Berlioz, Chopin, Schubert! Warum sind diese göttlichen Werkzeuge der Kunst nicht auch die Straße der Masse gewandelt, die durch das Vulgäre und Niedrige breit getreten ist? Sie dachten die Kunst dürfe sich nicht damit begnügen, die müßige Zeit fader Geister auszufüllen, Unwissende und Dummköpfe zu zerstreuen. Warum, wenn sie nicht in dem Bewußtsein ihrer heiligen Mission lebten, hätten sie willig tausendfaches Leid ertragen, Ungerechtigkeit, freche und alberne Kritik? Ah, glaubt es, wenn solch reiche, herrliche Individualitäten es wissen, daß aus ihnen das Licht leuchtet, welches alle Finsternis verjagt, wenn sie fühlen, daß sie dem Volke das Brod des Lebens zu bieten haben, so wissen sie auch, daß der wahre Pfad für sie Leiden bedeutet, daß Kreuz und Elend auf ihrem Wege unvermeidbar sind, daß sie den Kalvarienberg ersteigen müssen, weil sie der Wahrheit dienen wollen.

Auf dieser Höhe angelangt, aber nur auf dieser Höhe wird der Künstler ein Mitarbeiter Gottes. Er hilft der Inkarnation des Absoluten in das Reelle, er gibt dem Gedanken eine faßbare Form, und seine Gebilde werden von Tag zu Tag durchsichtiger; immer weniger verschleiert erscheint das höchste Ideal, vor dem die Eingeweihten hochbegeistert staunen und dessen unvergängliche, segensreiche Schönheit sie dem Blicke der Menge darbieten wollen.

So ist denn, um es in einem Wort auszudrücken, die Kunst das Erblühen des Unsichtbaren im Sichtbaren.

An solch wundervollen Gedanken sind die »Notules et impressions musicales« reich. Man gebe dem deutschen Volke eine Übersetzung dieses Werkes. Es dürfte ein allerdings ganz modernes Gegenstück zu Ant. Friedr. Justus Thibaut's (1772—1840) »Reinheit der Tonkunst« werden — und damit ist genug gesagt.   **C. H. Richter.**

The "Temple" and Music.

A new book by Hugh H. L. Bellot, which appears scheduled under the "Bücherschau" section, suggests some reflections on the connection between the institutions therein dealt with and music. The Inner and Middle Temple are two of the four Inns of Court, organisations now described by themselves as "set apart for the study and practice of the law". But this description, though true, is not even now the whole truth, and would have been a few centuries ago a very small modicum of the truth, for we read in the Chapter devoted to the early history of The Temple, that in the year 1463 the Inns of Court, with their appurtenant Inns of Chancery, supplied a general training for men of position, where according to Sir John Fortescue, "they learn to sing, to exercise themselves in all kinds of harmonye, and also practise daunciug and other noblemen's pastimes".

At Christmas-tide it was customary to hold revels in the dining-halls of the Inns of Court, for the arranging and leading of which there was annually appointed a Master of the Revels or Lord of Misrule, under whose superintendence — and frequently at his expense — various processions and mummeries took place, accompanied of course by much good cheer in the way of eating and drinking. The earliest reference to the revels in the Records of the Inner Temple occurs in the year 1505, and the entertainments retained their popularity through the greater part of the sixteenth century, towards the close of which period the taste for such rude and boisterous festivities began to wane, and the Masque readily supplanted them. This, with few exceptions, was a spectacular rather than a dramatic exhibition; but some of the most renowned poets of the later sixteenth and earlier seventeenth centuries did not disdain to produce such pieces; e. g. Ben Jonson, Thomas Campion, Francis Beaumont, and even the great John Milton, whose "Comus" stands almost alone for literary excellence and inspiration. Gorgeous costumes, graceful dancing, songs, and instrumental music, were the principal characteristics of Masques, and so it was only princes and rich societies who could indulge in the extravagance of such performances. One of the most interesting took place at Whitehall Palace upon the marriage of Princess Elizabeth, daughter of James the First, to the Count Palatine of the Rhine on February 14th, 1612; when two Masques were performed by members of the Inns of Court, one of which was written by Francis Beaumont. The scenery and dresses of the masques of this period were in most cases designed by the eminent architect Inigo Jones; and among the composers of the music are included Thomas Campion (also dramatist), Alfonso Ferrabosco, John Coperario, William and Henry Lawes, Simon Ives (or Ivy), and Matthew Locke. Much of their music has been totally lost, but some of the songs are preserved in the Library of the British Museum, London, and the Bodleian Library at Oxford; and, for the period, exhibit a high standard of tunefulness and grace.

With the advent of the Commonwealth all such "lewd debauches" (as the Puritans were wont to call them) came to a stop, and were never again systematically revived, being supplanted at the Restoration of the Royal Family by vulgar stage-plays, some of which however were from time to time performed in the halls of the Inns of Court down to the early part of the 18th century; since which time the Inns of Court have gradually receded from their position of instructors in general learning and artistic cultivation, and have become, as already mentioned, institutions set apart for the study and practice of the law; and consequently the remainder of Mr. Bellot's interesting book is occupied with subjects (architectural, historical and legal) which do not come within the scope of this periodical, and in which he is obviously more at his ease than when treating of matters musical. He however records briefly, but as a dramatic and not a musical incident, the revival of "The Masque of Flowers" at Gray's Inn in 1886 (the year of Queen Victoria's Jubilee), and its repetition four years later in the dining-hall of the Inner Temple. That Masque, originally performed at Whitehall on Twelfth-night 1613/14 in honour of the marriage of the Earl of Somerset and Lady Frances Howard, was printed anonymously, and the writer is not known; but the Songs, Choruses, Dances, and other music were composed by a musician of that period known as John Coperario, who was music-master to the children of King James the First, and who began life as John Cooper, but italianised his name during a visit to the Continent. Most of this music of Coperario's has been lost, but a chain of antiphonal male-voice choruses is inserted by way of Appendix in the original edition of the Libretto, and was of course used in its proper place on the revival of the Masque in 1887, while it also served as a model for the additional music which had to be supplied in place

of the lost numbers. For their date these choruses are very modern in style;
so much so, indeed, that as the old and new numbers were not distinguished
in the Play-bill, an unlucky critic jumped to the conclusion that these choruses must be from the Conductor's pen, and proceeded to enlarge upon their
modernity, and to lament that no attempt had been made by him to reproduce
the style of the music of the period, i. e. the seventeenth century!

It is observable in this connection that Mr. Bellot's book contains no
notice of the "Bar" Musical Society, which was formed in 1885, and
without whose co-operation (with Choir, Orchestra, and Conductor) the revival
of the Masque of Flowers would hardly have been feasible. From that time
till the summer of last year (1902) the "Bar" Musical Society gave annually,
four Concerts, two being Smoking Concerts for men, and the other two being
Concerts to which ladies were also invited, held alternately in the dining-
halls of the Inner Temple and Lincoln's Inn; and it may be mentioned to
their credit that a grant of money to the "Bar" Musical Society was voted
annually by the Benchers (the governing body) of each of those two Inns of
Court. From various causes however (chiefly perhaps the custom of living
at a great distance from the centre of London) the members of the Inns of
Court have lost to a very great extent the old corporate or collegiate feeling
by which they were formerly bound together, and have come to regard the
Inns as simply convenient places to which they resort daily to earn their
living, and from which they are glad to escape at the earliest possible hour.
The "Bar" Musical Society had therefore to confront an ever-increasing difficulty in recruiting the ranks of the Choir and Orchestra with performing
members, while its very existence was persistently ignored by the bulk of
the Profession, and even such senior members as became subscribers seemed
to consider (with a few very honourable exceptions) that when they had paid
their guinea they had done all that could be expected of them; and never
reflected that attendance at the Concerts on the part of themselves and their
families, would have set a good example to their juniors, and would have
been a far more efficient support than their guineas, useful as those were.

Under these circumstances it was found necessary at the end of last season
to dissolve the "Bar" Musical Society; and the only remaining link between
the Societies of the Inner and Middle Temple and any sort of artistic musical
establishment of a permanent character would now seem to consist in their
maintenance of the excellent and attractive choral services in the Temple
Church, which have been held there on Sundays ever since its re-opening
after extensive restoration in 1845; but of which services no mention is
made by Mr. Bellot, although they are clearly part and parcel of the history
of the Church, and at the time of their institution marked an epoch in the
revival of Choral Services in England; and although the Organist then appointed (Edward John Hopkins) attained a position of great eminence in his
profession and continued in the active discharge of his duties at the Church
for nearly fifty-five years. These omissions may be taken to illustrate, as
well as to be a result of, the already mentioned extinction of corporate
feeling and interest amongst the present members of the Inns of Court; but
they nevertheless detract from the historic completeness of a book which
evinces much painstaking research and supplies a vast amount of well-digested
information in a thoroughly readable form.

London.   **Arthur Prendergast.**

Anton Bruckner's Neunte Symphonie.
(Uraufführung in Wien.)

Die Zeit Bruckner's scheint endlich gekommen zu sein. Unsäglich langsam und ruckweise, wie die musikalische Reifeentwickelung des seltsamen Tondichters, ging auch seine Anerkennung von statten. Man weiß, mit welcher übertrieben schulmeisterlichen Pedanterie der Künstler seine technische Ausbildung noch im Schwabenalter immer wieder und wieder ergänzte, mit éiner wie harten Selbstkritik er seine Symphonien oft mehrere Male umfeilte, bis sie endlich die gewünschte Gestalt erhielten. Etwas unendlich Rührendes liegt in dieser Kindessorgfalt, nur ja keinen Verstoß gegen die Beethoven geheiligte Symphonieform machen zu wollen. Freilich hängt mit diesem allzu strengen Nur-Musikertum Bruckner's auch die Schwäche seiner Werke und die Langsamkeit seiner Anerkennung zusammen. Bruckner war nicht nur als Mensch sondern auch, als Musiker der Ur-Österreicher, das vollkommen naive Landkind, ein »absoluter Instinktmensch«, wie ihn kürzlich ein Musikschriftsteller treffend genannt hat. Hätte er den Heimatsboden nie zu verlassen brauchen, seiner Musik würde jenes Dilemma zwischen frischer, ungebundener Schaffensfreudigkeit und gekünstelter Kombination vielleicht fremd geblieben sein. Aber beim Anhören seiner Symphonien beschleicht einen, besonders in den Durchführungssätzen, nicht selten das Gefühl, als hätte er sich in seiner Eigenschaft als Lektor an der altberühmten Wiener Universität für verpflichtet gehalten, seinen lieben Studenten, seinen »Gaudeamus« an praktischen Beispielen zu erklären, wie man eine Symphonie zu schreiben habe, damit sie sich dem Regelkanon aufs innigste anschmiege. Es fehlt seiner Persönlichkeit an künstlerischem Selbstvertrauen. Daß er dabei aber doch ein ganz Eigener war, beweisen nicht nur seine direkt auf Beethovenhöhe stehenden Scherzi, sondern auch seine hehren Adagiocantilenen und die gewaltigen wie Jüngstgerichtklänge erbrausenden Finalmotive. Schade nur, daß dann im Verlauf der Sätze die ängstliche Fortentwickelung den begeisterten Hörer zum staunend aufhorchenden Theorieschüler wandelt. So ist es denn erklärlich, daß bisher den Meister nur diejenigen wahrhaft lieben konnten, die ihn persönlich kannten. Mit kaum einem anderen modernen Tondichter ist es so durchaus notwendig, in ein persönliches, die Schwächen wohlwollend verschweigendes, die Vorzüge liebevoll hervorhebendes Verhältnis zu treten, wie es bei Bruckner der Fall ist. Bedauerlich, ja tief schmerzlich muß es nur berühren, daß die große Zahl seiner Wiener Anhänger sich nicht schon bei Lebzeiten ihres mit billigen Straßenjungenwitzen bei Seite gestoßenen bescheidenen Meisters annahm .... Erst seit den 90er Jahren beginnen auch die angeblich musikverständigsten sogenannten »weiteren Kreise« die Bedeutung Bruckner's zu ahnen. Die sensationell einschlagende Uraufführung der neunten Symphonie aber, die jetzt hier in Wien sieben Jahre nach dem Tode des Meisters stattfand, bezeichnet entschieden den Wendepunkt in der Anerkennung des Symphonikers. Selbst wenn man davon absieht, daß man durch die wochenlangen Vorbereitungen und Vorveranstaltungen seitens des Akademischen Wagner-Vereines, des Akademischen Gesangvereines und des Wiener Konzert-Vereines in eine förmliche Brucknerhypnose geraten war, sodaß man wie im Bann seiner Muse stand, selbst davon abgesehen, war die Aufnahme der »Neunten« so demonstrativ günstig, jedoch nicht im Sinne von Parteitum, sondern im Sinne herzlichen inneren Miterlebens, wie wir sie noch bei keiner

Bruckneraufführung erlebt haben. Es war, als trete die musikalische Welt an
das Sterbelager Bruckner's und bezeuge wenigstens seinem letzten Werke die
Anerkennung, die es den übrigen Schöpfungen im großen Ganzen bisher versagte.
    Zu einem abschließenden, unbefangenen Urteil über die Bedeutung der
IX. Symphonie, besonders in entwicklungsgeschichtlicher Beziehung, kann
man, solange man noch unter der Nachwirkung des Uraufführungstaumels
steht, nur schwer gelangen. Schon heute aber darf es wohl ausgesprochen
werden, daß die »Neunte« weder den entschiedenen Höhepunkt in der Produktion Bruckner's bezeichnet, noch auch ein seniles Erschlaffen seiner Kraft
verrät. Im Gegenteil! Keine andere Symphonie schlägt den sonst bei dem
Meister wohl teilweise berechtigten Vorwurf der Sprunghaftigkeit in der
musikalischen Logik so überzeugend nieder, wie diese seine letzte. Das
Scherzo der »Neunten« indessen stehe ich nicht an, besonders was Kühnheit der Harmonik betrifft, für sein bedeutendstes zu halten. Die Lebens-
reife und Gedankenfülle der »Neunten« ist umso bewunderungswürdiger, als
der Meister sie in den letzten Jahren schuf, während schleichende Krankheit ihm den Daseinskampf noch mehr als vorher erschwerte. Wie stark
mußte seine Schöpferkraft sein, um im Greisensiechtum noch ein solches
Werk schaffen zu können! »Dem lieben Gott« soll der Meister diese seine
letzte Symphonie gewidmet haben, »das heißt, wann er's annimmt!« Geht man
von dieser, von der ganzen Bruckner'schen Glaubenseinfalt zeugenden Dedikation
aus, so kommt man wie von selbst auf etwa folgenden Grundgedanken des
Werkes: Im ersten Satz lehnt sich noch ein prometheischer Trotz gegen
Gottesgewalten auf, im zweiten, dem Scherzo, triumphiert ein titanenhaft über
die Götter erhabener Humor, im letzten tieferschütternden Finale aber erliegt
das Menschlein in schmerzlicher Resignation dem göttlichen Willen ...
    Begonnen[1]) wurde der erste Satz der Symphonie nach den Einzeichnungen
des in der k. k. Wiener Hofbibliothek befindlichen Manuskriptes Ende April
1891, beendet am 14. Oktober 1892. Das Trio des Scherzos wurde am
27. Februar 1893, der ganze Satz am 15. Februar und das Adagio am
31. Oktober 1894 abgeschlossen. Das Orchester zeigt die bei Bruckner übliche Besetzung: Streichorchester, drei Flöten, drei Oboen, drei Klarinetten,
zwei Fagotte, Kontrafagott, acht Hörner, drei Trompeten, drei Posaunen,
Kontrabaß-Tuba, Pauken. Im Adagio treten noch zwei Tenor- und zwei
Baßtuben hinzu. Feierlich dumpf hebt der erste Satz an. Die Hörner
bringen zunächst ein wie in verhaltener Glut vibrierendes Halbenotenthema,
das von einem gesteigerten zweiten Thema beantwortet wird und sich in
kräftiger Entwickelung zum wahrhaft gigantischen Hauptthema

1) Im Folgenden benutze ich die erschöpfende Analyse des Werkes aus der Feder
Dr. Robert Hirschfeld's.

auswächst. Doch bald erscheint, echt Brucknerisch, sanft kontrastierend, den Seitensatz einleitend, ein tief aufseufzendes Gesangsthema:

Diese beiden gegensätzlichen Motive bestimmen nun die Durchführung. Einem bis zu grellen Dissonanzen im Fortissimo gesteigerten Aufstürmen folgt mehrmals ein bis zum Pianissimo niedersinkendes Abschwellen, doch haben wir hier im Gegensatz zu manchen anderen Bruckner'schen Allegrosätzen nie das Gefühl des bloßen die Form Ausfüllenden, des Gequälten, sondern der meisterliche Kontrapunktiker weiß immer neue figurative Umbildungen und Neubildungen seiner Motive zu ersinnen, bis eine glanzvolle Coda den Satz beschliesst. Das Scherzo beginnt, in der Stimmung an Berlioz's »Fee Mab» gemahnend, mit folgenden, wie Dr. Hirschfeld richtig sagt, wie im Übermut erzeugten witzig alterierten Akkorden:

Dieser einleitende Elfenspuk wird aber bald verscheucht durch realistisches Bauerngestampf:

In ungemein geistreichen rhythmischen Verschiebungen wird der Tanz durchgeführt, wobei eine Wendung wie eine letzte Jugenderinnerung des Meisters an sein Heimatsdorf anmutet:

Ein höchst eigenartiges Trio bringt einen schönen Gegensatz und abermals setzt der »Rüpeltanz« mit voller Kraft ein. Ein ganz köstlicher echter

Bauernhumor, aber wunderbar durchgeistigt, lebt in diesem Satze! Doch einmal muß der Abschied sein! Tief erschütternd beginnt das »Adagio«:

Der Einfluß Rich. Wagner's ist hier unverkennbar, ohne daß man indessen etwa von Anlehnung oder gar von sklavischer Kopie sprechen könnte! Den wundersamen Klangzauber dieses Satzes in Worten zu schildern, ist unmöglich. Das Resignierte findet immer gesteigerten Ausdruck in Tönen von wahrhaft überirdischer Schönheit, grelle Dissonanzenaufschreie tönen dämonisch herein, immer wieder will sich der Trotz aufbäumen, bis zuletzt Todessehnsucht die Fittige ermattet sinken heißt und zauberische langausgehaltene Akkorde dem Meister aus dem Paradiese entgegenzutönen scheinen .... Ob nicht dieser Abschluß so innerlich und äußerlich befriedigend ist, daß die einem persönlichen Wunsche des Meisters entsproßene Hinzufügung seines Tedeums die Andachtsstimmung grausam zerstören mußte, das möchte ich zum mindesten als Frage aufwerfen. Ja, wenn Bruckner die skizzierte Überleitung zum Tedeum durchgeführt hätte! So aber erschien mir die Aufführung des Tedeums (die übrigens chorisch und solistisch ausgezeichnet war, das Soloquartett der Damen Bricht-Pyllemann und Körner sowie der Herren Winkelmann und Mayr sang mit inniger Beseelung) nicht viel anders als eine ziemlich äußerliche, wenn auch gut gemeinte Pietät gegen den Meister, eine Pietät, die mit jener echten, inneren, die Ferdinand Loewe bei der schlechthin meisterhaften Leitung des schwierigen Werkes erfüllte, nicht harmonieren will.

Wien. Arthur Neißer.

Griselidis.

Lyrische Oper in 3 Akten mit einem Vorspiel von Armand Sylvestre und
Eugen Morand; Musik von M. Massenet. Deutsch von Alex. Ehrenfeld.
Erste deutsche Aufführung in Zürich am 6. Februar 1903.

Die erste Aufführung am »théâtre national de l'opéra-comique« am 20.
November 1901 in Paris hat viel von sich reden gemacht, und so war man
begreiflicherweise in Zürich auf die deutsche Première äußerst gespannt,
trotzdem Erstaufführungen in diesem Winter hier gar nicht selten sind.

Wir befinden uns im Mittelalter — 14. Jahrhundert. Das Vorspiel führt
uns in einen Wald der Provence, ein klarer Abend, im Hintergrunde der
Szenerie ein Teich, in dem sich der Himmel spiegelt. Hier wartet ein Hirte,
Alain, auf die anmutigste und schönste aller Jungfrauen — Griselidis:

>»Öffne weit mir zu Häupten die Tore, o Paradies!
>Heute noch schau ich Griselidis«.

Eine Jagd führt auch den Marquis von Saluces in diesen Wald, in dem
Griselidis weilt. Wie er ihr begegnet, werden seine Sinne von ihrer Anmut berauscht:

>»Mir sagts mein Herz, du hast mir zugewandt
>Dieses Kind, großer Gott, mit deiner Vaterhand! —
>Traue, o sag', willst du sein mein Gemahl?«

Griselidis antwortet schlicht, es sei von Gott vorgesehen, kein andrer
Wille solle ihr Leben lenken, als der des Marquis und sie zieht in das
Schloß von Saluces. Verzweifelt bricht der Hirte Alain in Schluchzen aus,
»denn er verlor Griselidis!«

Im 1. Akt befinden wir uns im Schloß Saluces. Nach mehrjähriger,
glücklicher Ehe sehen wir den Marquis gezwungen, Weib und Kind zu verlassen, um gegen die Sarazenen ins Feld zu ziehen. Der Schloßkaplan soll
die Herrin auf den Abschied vorbereiten. Er verspricht dem Marquis, daß
sie sich nie vom Schloße entfernen solle, worauf der Marquis erwiedert:

>»Was sagst du? Man hielte sie gefangen?
>Griselidis, die Blume — nach Licht nur trägt sie Verlangen; —
>Die Pforten sind ihr aufgetan!
>Und ihre Freiheit ohne Schranken! — —
>Niemals zweifle ich, nie, in Freud nicht, noch im Leide,
>Sie bleibt gehorsam mir und bricht mir nie die Treue.«

Der Kaplan warnt seinen Herrn vor den Leiden des Teufels. Wie der
Marquis darauf antwortet:

>»Wär der Teufel doch nur da, ich schwür es noch einmal.«

wird plötzlich in der Bogenöffnung des Fensters die Gestalt des Teufels
sichtbar. Nach längerem Dialog gehen der Marquis und der Teufel eine
Wette ein, in welcher der Teufel behauptet, er werde Griselidis untreu
machen, während der Marquis auf die Treue seiner Gattin schwört; als Einsatz übergibt er dem Teufel seinen Ehering.

Nachdem der Teufel lachend abgezogen, erscheint Griselidis. Schon mahnen

Fanfaren vor den Toren zum Aufbruch, und der Marquis verabschiedet sich von seinem Kinde »Loys« und seinem Weibe, das ihm noch einmal Treue bis zum Tode schwört.

Der 2. Aufzug ist den Versuchungen des Teufels gewidmet. Dieser und seine häßliche Frau Fiamina beraten ihre unholden Pläne. Zuerst tritt er als Kaufmann aus der Levante, Fiamina als maurische Sklavin verkleidet vor Griselidis. Sie kommen angeblich im Auftrage des Marquis, als Beweis zeigt der Teufel den Ehering. Fiamina gibt sich als bevorzugte Sklavin des Marquis aus, die dieser auf der Reise gekauft und in die Herrschaft über sein ganzes Besitztum eingesetzt hat. Nach seiner Rückkehr aus dem Orient werde er sie heiraten, und in seinem Auftrage erfrecht sie sich, von Griselidis den Trauring zu fordern. Da diese ihrem Gatten geschworen, ihm stets gehorsam zu sein, überreicht sie Fiamina den Ring und gedenkt, mit Loys, ihrem Sohne, der Welt und ihrem Hohne zu entfliehen. Ärgerlich, daß sein Plan nicht gelungen, ersinnt der Teufel neue Versuche. Er ruft die Geister der Tiefe an, welche den Hirten Alain und dessen Jugendgeliebte Griselidis verkuppeln sollen. Doch auch dieses Mittel versagt. Das kleine Kind, Loys, hindert die List des Satans, der wutentbrannt den Kleinen seiner Mutter raubt und verschwinden läßt. Schmerzerfüllt suchen Griselidis und die ganze Dienerschaft vergebens nach Loys.

Im 3. Akte tritt der Teufel wiederum als Versucher auf. Er teilt Griselidis mit, ihr Sohn befinde sich in den Händen eines Korsaren, der am Strande hause, über Leben und Tod des Kindes bestimmen könne und ihm nur die Freiheit schenke, wenn Griselidis ihm, dem Piraten, einen Kuß gebe. Griselidis ist bereit, auf diese Weise ihr Kind zu retten. Sie eilt zum Meeresufer — da kehrt der Marquis ins Schloß zurück. Frohlockend teilt der Teufel dem Marquis den Erfolg seiner Wette mit. Dieser ist aber noch von der Treue seines Weibes überzeugt, und siehe — sie kehrt zurück — sie hat ihren Schwur gehalten und der Himmel belohnt sie, indem er ihr den kleinen Loys wieder zurückgibt.

Dies in kurzen Worten die Handlung des mysteriösen Stückes, das zum Teil spannend wirkt, zum Teil aber auch ziemlich fade bleibt. Wenn ja auch der Schluß auf viele Zuhörer großen Eindruck macht (unter Blitz und Donnerschlag öffnen sich im Betzimmer die Flügeltüren des Triptychons — die heilige Agnes erscheint, hält aber an Stelle des weißen Lämmchens das Kind in den Armen), so gehören doch eigentlich solche mysteriöse Zaubereien nicht mehr in das Gebiet des guten Geschmacks. Während des ganzen Stückes kommt es viel auf äußerliche Dekoration an, ohne die die meisten Effekte verloren gehen; und wenn man dann die Schönheiten der Dichtung allein noch heraussucht, so wird man verstimmt. Ich will damit nicht sagen, daß nicht auch einiges recht erfreulich ausgefallen sei, so z. B. ist die erste Szene zwischen dem Teufel und seiner scheußlichen Gattin Fiamina ganz originell und witzig; aber im großen und ganzen kann man doch dem dichterischen Vorwurf nichts Bedeutendes nachsagen.

Und nun die Musik. —

Was Ferdinand Pfohl in seiner Besprechung von Massenet's Mirakel: »Der Gaukler unserer lieben Frau« über die Musik dieses französischen Komponisten gesagt, gilt ebensogut auch für die Oper »Griselidis«. Auch hier planvolle, saubere Kunst, aber kein Überfluß an Ideen; auch hier nirgends Roheiten, stets fein ästhetisches Empfinden; auch hier wirkungsvolle,

schlichte, volkstümliche Wendungen und die altertümliche Färbung mit den
Klängen des Mittelalters — aber auch hier der Mangel einer größeren melodischen Linie. Trotz vieler Schwächen der Kunst Massenet's aber kann doch
der moderne Komponist gerade beim Anhören dieses Werkes viel lernen.
Vor allem, meine ich, malt Massenet kräftig, ohne jemals dick aufzutragen.
Seine Orchestrierung ist stets sehr zutreffend. Er vermeidet überflüssige
Füllstimmen, die die Singstimme unnötiger Weise erdrücken, und weiß mit
wenigen Instrumenten oft mehr auszurichten, als moderne Komponisten, die
sofort das ganze Pulver mit ihrer durchwegs überladenen Orchestration
verschießen und nachher, wenn's darauf ankommen sollte, eine Steigerung
herauszubringen, nichts mehr übrig haben. Ferner behandelt Massenet den
Gesangspart nicht als Instrument, sondern wirklich als Singstimme. Deswegen
ist alles sangbar bei ihm, auch ein Vorteil, der dem Komponisten stets zugute kommt; schade nur, daß die Melodik nicht interessánter ist.

Hier in Zürich sind wir so glücklich, einige künstlerisch denkende Mae-
cene zu besitzen. Der hervorragendste dieser edlen Kunstbeschützer, Herr
Schwarzenbach-Zeuner hatte die Aufführung der Griselidis ermöglicht, indem
er den Löwenanteil der Dekorationen (die prächtig waren) stiftete. Unter
Kapellmeister Lothar Kempter's ausgezeichneter Leitung gelang die Erstaufführung aufs beste.

An dieser Stelle möchte ich auch die Première der »Quatembernacht«
von René Morax erwähnen. In diesem Drama bringt der noch junge Dichter,
der nebenbei auch Komponist ist, eine Geisterszene, welche melodramatisch von
Musik hinter der Szene begleitet wird. Die »Quatembernacht« gehört zum
besten, was ich in letzter Zeit sah, doch muß ich gestehen, daß diese (einen
ganzen Akt durchdauernde) Musik hinter der Szene den gewaltigen Eindruck
des Dramas stark beeinträchtigte. Kurze melodramatische Stellen bei den
Höhepunkten der Handlung können von guter Wirkung sein, aber ein ganzer
Akt Melodram zerstört ein Werk, sei auch die Musik noch so interessant und
das Ganze noch so gut wiedergegeben.

Zürich.   **V. Andreae.**

Musik in Holland.

Daß die Musik in Holland mit grossem Fleiß und warmer Liebe gepflegt
wird, kann auch die Geschichte dieser Saison uns zeigen. Mehrere größere
Vereine, mehrere Orchester, eine Anzahl vorzüglicher einheimischer Künstler
und Künstlerinnen, einige achtungswerte Komponisten arbeiten mit Talent
und Ausdauer an der Förderung und Hebung des musikalischen Lebens, und
dem Publikum wird in allen größeren Städten Gelegenheit geboten, die nam-
haftesten europäischen Virtuosen und die interessantesten Kompositionen des
In- und Auslandes kennen zu lernen.

Übersichtlich mögen erstens die ländlichen Vereine genannt, dann die
vornehmsten musikalischen Ereignisse mitgeteilt werden:

Der älteste Verein ist die 1829 hier in Rotterdam gegründete Maatschappy tot bevordering der Toonkunst, die in Amsterdam ihren Haupt-

sitz und fünfundzwanzig Sektionen hat; diese haben alle ihre Gesangvereine und Musikschulen, und werden, obwohl selbständig wirkend, durch den allgemeinen Vorstand gestützt. Die Mitglieder der Maatschappy haben zu den Konzerten aller Sektionen freien Eintritt.

Der Niederländische Tonkünstler-Verein hat sich im Jahre 1875 gebildet, zur Förderung der künstlerischen und persönlichen Interessen der Niederländischen Musiker durch Aufführungen ihrer Werke u. s. w.[1]). Der Hauptsitz ist Haag.

Der St. Gregorius-Verein, zur Förderung der kirchlichen Musik, gibt eine Zeitschrift »St. Gregoriusblad« heraus, wird sein 25jähriges Bestehen im August d. J. in Utrecht festlich feiern.

Der Verein vor Noord-Nederlands Muziekgeschiedenis ist ohne Zweifel den Mitgliedern der I. M. G. schon bei Namen bekannt; er wurde im Jahre 1868 gegründet, machte sich in hohem Grade verdient durch die Herausgabe einer Zeitschrift und vieler alten niederländischen Kompositionen (Obrecht, Boskoop, Tollius, Sweelinck); seit Kurzem hat er auch durch Konzertaufführungen älterer Werke in Amsterdam und Haag die Sympathie für seine Sache angefacht.

Eine Opera-Vereeniging konnte in den drei Jahren ihres Bestehens noch nichts zu stande bringen; sie hat sich das Ziel gesetzt, die nationalmusik-dramatische Kunst zu erheben. Glücklicher und mit viel Ernst arbeitet die Amsterdamsche Vereeniging ter beoefening van vocale en dramatische Kunst (Dir. Cateau Esser), die ein eigenes Gebäude besitzt und ein Organ (Monatsschrift »Sempre Avanti«) publiziert.

Die Nederlandsche Mozart-Vereeniging, im Januar 1902 gegründet, will Aufführungen von Mozartschen Werken im Theater und Konzertsaal geben und stützen, auch mit Hilfe von Schriften die Liebe für den Meister anfeuern. Sie hatte ihre erste öffentliche Zusammenkunft im Januar d. J. in Utrecht, unter dem Präsidium des Herrn D. F. Scheurleer, der einen Teil seiner reichen Mozart-Sammlung zur Verfügung gestellt hatte. Ein sehr interessanter und anregender Abend war es! Aufgeführt wurden: Divertimento in B für zwei Violinen, Viola, Cello und zwei Hörner (1777), Quintett in Es für Klavier, Oboe, Klarinette, Horn und Fagott (1784), Trio in Es für Violine, Viola und Cello (1788) und Galimathias Musicum, nach dem Manuskript im Besitz des Herrn Scheurleer, eine Anzahl kleiner Orchesterstückchen für neun Instrumente von Mozart im Haag komponiert, als er, zehn Jahre alt, mit Vater und Schwester dort war; es ist bei Gelegenheit der Mündigsprechung des Prinzen Wilhelm V. komponiert, hat dann auch zum Schluss eine Fuge über das Wilhelmus-Lied. Auch einige Mozartsche Lieder wurden gesungen, auch das berühmte Wiegenlied, das jedoch nicht von Wolfgang Amadeus ist, sondern (wie Dr. Max Friedländer nachgewiesen hat) von einem Dr. Fliess.

Das Musikzentrum Hollands ist Amsterdam. Das Orchester des Konzert-Gebouws hat unserer Hauptstadt einen guten Ruf, auch im Ausland, verschafft: als eine künstlerische Macht von hoher Bedeutung wird es geehrt und gepriesen. Im Jahre 1888 gegründet, hat es unter der streng disziplinierten Direktion von Willem Kes und seit 1895 unter der vorzüglichen Leitung von Willem Mengelberg zu einem der angesehensten Instituten der Jetztzeit

---

1) Man sehe meinen Artikel im ersten Jahrgang dieser Zeitschrift, Seite 337.

sich entwickelt. Mit ·Kes gab das Amsterdamsche Orchester Konzerte in Brüssel, mit Mengelberg in Norwegen, und im Juni d. J. wird es in London unter abwechselnder Leitung von Strauß und Mengelberg Strauß-Konzerte veranstalten. Ihm widmete Strauß sein »Heldenleben«. Hans Richter ließ ihm sein Bild mit der Bitte, »dem Original wieder Gelegenheit zu geben, mit einer Körperschaft zu wirken, von deren Leistung und von deren vornehmen echt künstlerischen Gesinnung ich wahrhaft entzückt war«. — Außer Amsterdam finden im Winter Konzerte dieser Körperschaft statt: in Rotterdam, Haag, Arnheim, Haarlem, Utrecht, und Willem Mengelberg findet außerdem Zeit und Kraft als Direktor der Amsterdamschen Tonkunstabteilung seine großen Gaben auch nach dieser Seite hin (Chorgesang) in Wirkung zu setzen. Wie gut geschult der Tonkunstchor ist, wurde durch die zweimalige Parsifal-Aufführung im Dezember klar, eine Aufführung die einen kleinen Sturm der Entrüstung erregt hat, und doch nichts minder als eine künstlerische Tat gewesen ist .Mengelberg, sein Chor und Orchester, waren sehr zu loben, die Solisten von gutem Rufe: Messchaert ein ausgezeichneter Amfortas, Wachter Gurnemanz, Urlus Parsifal, Buchsath Klingsor, Van Duinen Titurel, Betty Frank Kundry. Aus der Leitung von Orchesterstimmen und Chorgesang sprach in Wahrheit die »vornehme echt künstlerische Gesinnung«, wovon Hans Richter geschrieben hat als er vorher in Amsterdam war; jetzt hat er mit einigen Freunden von Wahnfried post festum seinem Unwillen über die Konzertaufführung des ganzen Parsifals Ausdruck gegeben. Frau Cosima Wagner war — im letzten Augenblick vor der Aufführung — darin voran gegangen. Warum? Es leuchtet nicht ein, weshalb die Aufführung von Fragmenten (die gestattet sein soll) keine künstlerische Missetat ist, und eine große Missetat die wohldurchdachte und wohleingeübte Aufführung des ganzen Werkes! Der Streit ist aus, aber der tiefe Eindruck ist bei Vielen geblieben und wirkt nach; viele waren glücklich auch auf diese Weise das geweihte Drama gehört zu haben, und die nicht sehr vornehme Haltung, die nicht milde Auffassung und nicht edele Gesinnung von Bayreuth, das nicht vom freien künstlerischen Geiste diktierte Verbot, will man in Holland so bald wie möglich vergessen . . .

Straußsche Orchester-Kompositionen sind gespielt in drei Konzerten, die der Meister selbst am 29. und 30. Januar und 1. Februar dirigiert hat, u. a. die Symphonie F moll, Aus Italien, Don Quixote, Tod und Verklärung, Heldenleben; auch Strauß'sche Lieder wurden vorgetragen von Hans Gießen aus Dresden. Als Novitäten des Orchesters in diesem Winter sind zu nennen: Huber's Böcklin-Symphonie und die Antar-Symphonie von Rimsky-Korsakoff.

An den Kammermusik-Konzerten beteiligen sich hauptsächlich das Konservatorium-Quartett (Lehrer des Tonkunst-Konservatoriums Eldering, Spoor, Hofmeester, Mossel), und das Niederländische Quartett (Timmner, Herbschleb, Klimmerboom und Gaillard). Ein neues Werk des im Haag lebenden talentvollen jungen Musikers Dirk Schäfer, vom Konservatorium-Quartett in Vereinigung mit dem Komponisten aufgeführt, hat Aufsehen erregt: ein Quintett in Des-dur (Manuskript), das als eine sehr interessante, von feurigem Leben sprudelnde Arbeit gerühmt wird. Es wird bald hier gespielt werden, und dann werde ich auf das Werk näher zurückkommen.

Im Jahre 1877 kam Julius Röntgen, 22 Jahre alt, nach Amsterdam, Sohn des bekannten Engelbert Röntgen, ehem. Konzertmeisters im Gewandhaus-Orchester zu Leipzig. Als Klavierspieler, Lehrer und Komponist hat

er sich in Amsterdam, ja im ganzen Lande so beliebt gemacht, daß sein
25 jähriges Jubiläum eine allgemeine Aufmerksamkeit und festliche Teilnahme
gefunden hat; ihm zur Ehre wurde ein Konzert, das einen sehr guten Verlauf hatte, veranstaltet mit dem Programm: »Een liedje van de Zee«, brillant
für Orchester bearbeitet, Konzert für Violine (Bram Eldering), Serenade für
Orchester und acht Lieder nach Valerius für Tenor (Rogmans), Männerchor,
Orchester und Orgel.

Amsterdam hat schon seit Jahren einen geschätzten A-Cappella Chor, Averkamp's Chor. Im Dezember hat er in der Kirche folgendes Programm gesungen:
Palestrina, Missa Papae Marcelli, Sweelinck, Psalm L und Carmen Saeculare,
ein Chor für vier Stimmen, im Jahre 1901 komponiert von dem in Amsterdam ansässigen, genial veranlagten Doktor Alphonsus Diepenbrock.

Der Wagner-Verein (Dir. Dr. Henri Viotta) gab eine sowohl musikalisch
als szenisch (Kostümierungsentwürfe von Anton Molkenboer) prachtvolle Aufführung von Tristan und Isolde, mit dem Mengelberg-Orchester und Josephine
Reinl (Isolde), Forchhammer (Tristan), Leonie Viotta (Brangäne), Schütz (Marke),
Geo Weber (Kurwenal).

Die Einwohner von Haag, die in der Sommerszeit der Konzerte des Berliner
Philharmonischen Orchesters sich erfreuen (Scheveningen), hören im Winter das
Amsterdamsche oder das Utrechtsche Orchester; jetzt aber hat Dr. Henri
Viotta, Direktor des Königl. Haagschen Konservatoriums, sich bemüht, ein
»Residentie-Orkest« zusammenzustellen, das vielleicht eine Zukunft hat,
und mit dem es ihm wenigstens geglückt ist, ein denkwürdiges Beethoven-
Konzert zustande zu bringen: Missa in C, die Chor-Phantasie, und die Neunte
Symphonie mit Minni Nast, Leonie Viotta, Noë und Sistermans. — Die
Haagsche Tonkunst-Abteilung hat den Rotterdamschen Musikdirektor Anton
Verhey an ihrer Spitze und besitzt auch eine Tonkunst-Quartettgesellschaft.
Weiter sind die Diligentia-Konzerte — Orchester-Konzerte mit berühmten
Solisten — dort sehr viel besucht.

Was man im Haag Diligentia nennt, heißt in Haarlem: Bach-Konzerte, in
Rotterdam: Eruditio Musica, in Utrecht: Collegium Musicum, in Arnheim:
St. Caecilia-Konzerte. Ungefähr in allen diesen Städten, auch Amsterdam,
treten dieselben Klavier-Violine-Gesang-Cello-Virtuosen auf; in dieser Saison
bis jetzt: Busoni, Jacques Thibaud, Emma Koch, Bronsgeest, Rose Ettinger,
Louis Diémer, Muriel Foster, Ysaye, Pablo Casals, Hollmann, Nina Faliero-
Dalcroze, Zimmermann (Amsterdam), I. Mossel (Amsterdam).

Die genannte Eruditio-Gesellschaft in Rotterdam versichert sich der
Mitwirkung des Utrechtschen Orchesters, ebenso wie die Tonkunst-Sektion,
welche Hans Sommer's dramatische Legende »Der Meermann« mit schönem
Erfolg aufgeführt hat, wonach der anwesende Komponist sehr gefeiert wurde.
Ryken's Gemengd Koor wird hier hoch geschätzt. Kammermusik-Abende werden
von Verhey und Louis Wolff (Violinspieler) veranstaltet. Kirchliche Konzerte
gibt der Organist Besselaar, in diesem Winter u. a. mit den Sängerinnen
Pauline de Haan-Manifarges und Anna Kappel und dem Baryton Zalsman.

In Utrecht leitet der Nestor unserer Musikdirektoren und Komponisten
Richard Hol, noch immer den Tonkunst-Gesangverein und die Konzerte des
Kollegiums. Hutschenruyter's Orchester strebt nach korrekten Ausführungen
älterer und sehr moderner Orchestersachen, und lässt sich auch die Holländischen Kompositionen angelegen sein. Hervorragend durch ursprüngliches Talent ist dort besonders Johan Wagenaar, Komponist, Organist und Leiter

eines A-Cappella-Chores, der jüngst im Dome besonders Joh. Seb. Bach ehrte. Der Palestrina-Chor (Dir. P. J. Jos. Vranhen) hat, nach Verdiensten, einen ausgezeichneten künsterischen Namen im Lande.

Bemerkenswert war die erste Aufführung der Légende lyrique ›les Willis‹ des Lyonschen Komponisten V. Neuville in Tiel (Dir. Brandts Buys); dieses dramatische Werk wird im Mai der obengenannte Rotterdamsche Gemengd Koor (Ryken) zu Gehör bringen. Auch das Tonkunst-Konzert in Leiden (Dir. Daniel de Lange), wo Strauß' herrliches Wanderers Sturmlied gesungen und, ein Versuch für Nietzsche's ›Hymnus an das Leben‹ Interesse wach zu rufen, entschieden abgelehnt wurde.

In mehreren Städten konzertierten Messchaert-Röntgen, Röntgen-Eldering, Harold Bauer allein und mit Pablo Casals, das Schörg-Quartett, die Böhmen, Emma Nevada, Mary Olson und Tivadar Nachèz, und die kleinen Steindel mit ihrem Vater.

Was die Opern-Gesellschaften betrifft, haben wir zurzeit deren vier: die Niederländische Oper (Dir. Van der Linden und Desider Markus), wovon sich eine Neue Nied.-Oper getrennt hat (Orelio c. s.); das Lyrische Theater (Dir. Peter Raabe), und die Französische Oper im Haag (Dir. Barwolf und Lecocq). Dieselben haben alle einen schweren Stand und können künstlerisch nur bescheidenen Anforderungen entsprechen. Ich erinnere mich nicht ohne Vergnügen vom Lyrischen Theater der Aufführung von Smetana's Verkauften Braut und von Zar und Zimmermann; von der Niederl. Oper der Aufführung des Don Juan. Die Übersetzung der Textbücher lassen viel zu wünschen übrig. Der Mozart-Verein, der für eine gute Übersetzung des Don Juan einen Preis ausgesetzt hat, gab damit ein Beispiel, das nachzuahmen ist.

Der Besuch der Oper- und Konzert-Aufführungen ist ungleich, manchmal schlecht. Im allgemeinen kann man feststellen, daß das Angebot größer ist als die Nachfrage, daß die Qualität durch die Quantität öfters Schaden ererleidet.

Rotterdam.   **Sibmacher-Zijnen.**

Musikberichte.

Referenten: **V. Andreae, W. Behrend, O. Fleischer, C. Goos, F. Götzinger, Gerh. Hellmers, V. v. Herzfeld, E. Istel, A. Mayer-Reinach, Arth. Neifser, O. Neitzel, W. Ortmann, F. Pfohl, H. Pohl, J.-G. Prod'homme, C. Prost, E. Reufs, C. H. Richter, E. Rychnowsky, A. Schering, Fritz Stein, Fr. Straus, Ad. Thürlings, Fr. Volbach, F. Walter, P. Werner.**

Basel. Der Musiksegen der letzten vier Wochen war ergiebig nicht durch die Menge des Gebotenen, wohl aber durch die Qualität. In den beiden Abonnements-Konzerten ließen sich d'Albert (Liszt-Konzert in Es und Wanderer-Phantasie von Schubert-Liszt; und der Münchener Baritonist Feinhals hören, letzterer mit mäßigerem Gewinn in dem gesanglich armen, vom Orchester überwucherten ›Prometheus‹ von Hugo Wolf, mit glänzendem Erfolge aber in dem herrlichen Schluß der ›Walküre‹. Neben der Es-dur-Sinfonie von Mozart erschien zum ersten Male die sinfonische Dichtung ›Barbarossa‹ von Hausegger; sie hat durch ihre großzügige Erfindung, ihre

Dramatik und koloristische Schöpferkraft trotz manchen Übermaßes der Ausführung im einzelnen einen wahrhaften Erfolg davongetragen. Neu waren außerdem noch d'Albert's lebensprühende Ouverture zum »Improvisator«, von ihm selbst geleitet, und die Othello-Ouverture von Dvořak. Dazu trat die zweite Leonoren-Ouverture, eine Seltenheit in den Programmen, und ein Streicher-Konzert von Händel. Das Orchester, das sich unter Hermann Suter's straffer Zucht sichtlich verfeinert, hat die zahlreichen neuen Aufgaben ehrenvoll bewältigt. — In der Kammermusik hörten wir neben klassischen Stücken ein Streichquartett von d'Albert, das bei freilich matter Themenbildung doch durch die vornehme, echt quartettmäßige Schreibweise lebhaft überrascht hat. — In ihrem ersten Konzert brachte auch die Baseler Liedertafel mehrere Novitäten, eine Komposition eines Widmann'schen Gedichtes »Caenis« (die Verwandlung der umworbenen Jungfrau Caenis durch den Okeanos in den Mann Caeneus) von Hans Huber, für Männerchor, Altsolo und Orchester, sowie zwei scharf ausgeprägte Chöre von Hausegger, ebenfalls unter Suter's Leitung. — Im Theater bildete den Höhepunkt das Gastspiel Bertram's; sein Holländer voran, dann sein Tonio im Bajazzo haben allgemeinen Enthusiasmus erregt. F. G.

Berlin. 20. Februar. In der Hofoper brachte das Gastspiel Coquelin's, das Schauspiel l'Arlésienne mit der von Bizet dazu komponierten Musik, die, in Verbindung mit dem Schauspiel selten gehört, in dieser Form außerordentlich günstig wirkte. Kapellmeister Edmund von Strauß machte sich um die Aufführung sehr verdient. Ferner brachte die Hofoper eine ausgezeichnete Neuaufführung des »Barbier von Bagdad« von Cornelius mit Knüpfer in der Titelrolle und Dr. Muck am Dirigentenpult, sowie am Todestage Richard Wagner's eine Neueinstudierung des »Tristan«, bei der jedoch leider das Malheur passierte, daß Ernst Kraus, der die Titelrolle erstmalig sang, vom zweiten Akt an heiser wurde, sodaß die Weiterführung der Aufführung nur mit großen Strichen im dritten Akt möglich war. Die übrige Darstellung sowie das Orchester unter Dr. Muck waren mustergiltig. Hoffen wir, daß unser Heldentenor bald wieder auf dem Posten ist!

In den Konzertsälen herrschte Ende Januar noch sehr reges Leben. Erst in den Februartagen hat dasselbe, obwohl man hier wenig vom Fasching merkt, etwas nachgelassen. Die zwei bedeutendsten Ereignisse fallen denn auch in die letzten Tage des Januar: die beiden Abschiedskonzerte der Meininger Hofkapelle. Es ist in den Blättern unserer Zeitschrift in diesem Winter schon so viel über die Meininger geschrieben worden, daß hier kaum etwas neues über ihre Leistungen zu sagen ist. Für unser Berliner Konzertleben bedeutet ihr Scheiden ohne Zweifel einen unersetzlichen Verlust: die gesunde, ursprüngliche, ungesuchte Art des Dirigenten Steinbach, die vorzügliche Besetzung der Bläser, die Exaktheit des Musizierens haben der Kapelle hier einen festen Platz geschaffen. Daß die beiden Abschiedskonzerte sich zu unerhörten Huldigungen für den Dirigenten wie das Orchester gestalteten, war klar vorauszusehen. Steinbach brachte noch zuguterletzt eine hochinteressante Novität, eine Sinfonie in A-dur op. 23 des hier lebenden russischen Komponisten Paul Juon, die sich als gediegene Arbeit eines ausgezeichneten Musikers erwies, wenn sie auch den demonstrativen Beifall, der ihr zu teil wurde, nicht ganz verdiente. Immerhin gehört das Werk zu den bedeutendsten sinfonischen Erzeugnissen der letzten Zeit. Auf dem Programm befanden sich weiter, wie man das im Meiningern gewohnt war, Werke von Bach, Brahms und Mozart; zu diesen bekannten Glanzleistungen der Kapelle gesellten sich noch die Zwischenakts- und Balletmusik aus Schubert's »Rosamunde« und das Meistersingervorspiel. Es waren zwei Konzerte, die noch lange im Gedächtnis der Hörer haften werden. Ob die Kapelle sich auch unter ihrem neuen Leiter Wilhelm Berger auf dieser Höhe halten wird? Diese Frage hatte ein zahlreiches Publikum zu den beiden Aufführungen des Brahms'schen Requiems geführt, das die musikalische Gesellschaft unter Leitung des bis jetzt nur als Komponisten hervorgetretenen Musikers veranstaltete. Die Aufführung klappte, soweit sie sich mit den verhältnismäßig geringen Mitteln bewerkstelligen ließ, sehr gut, doch ist natürlich nicht möglich, darnach ein sicheres Prognosticum auf das weitere Werden des Dirigenten zu stellen. Wünschen wir dem hochbegabten Musiker das beste für seine Zukunft!

Von großen Orchesterkonzerten sind ferner zu erwähnen zwei Nikisch-Konzerte, die die Sinfonie C-dur von Schumann und F-dur von Brahms, den »Till Eulenspiegel« von Strauß, die Goldmark'sche Sakuntala-Ouverture und das Siegfried-Idyll brachten. Von den beiden Solisten, Erika Wedekind und Isaye brachte es nur der letztere zu dem gewohnten Erfolg, während Frau Wedekind nicht mehr so gefallen wollte wie in früheren Jahren. Ein Konzert der Wagnervereine brachte unter Dr. Muck's Leitung eine ausgezeichnete Wiedergabe der »Neunten«, die wir nun zum drittenmal im Winter hörten, der Chor der Akademischen Liedertafel gab unter seinem Dirigenten Adolf Schulze hervorragende Proben seines Könnens, und Richard Strauß führte mit seinem fünften modernen Konzert den Cyklus seiner dieswinterlichen Konzerte zu Ende. Aber es muß, bei aller Anerkennung des guten Willens, doch bemerkt werden, daß diese Konzerte nur eine sehr problematische Bedeutung für das Berliner Konzertleben haben. Überblicken wir rückwärtsschauend das Resultat dieser modernen Aufführungen, so müssen wir sagen, daß der größte Teil der neu gebrachten Kompositionen die Aufführung kaum lohnte. Das beste waren weitaus die Schöpfungen des Dirigenten selbst, die aber alle schon von früheren Aufführungen her bekannt waren. Im letzten Konzert kamen der Basler Komponist Hans Huber mit seiner dritten (heroischen) Sinfonie, sowie Tschaikowsky mit seinem von Sophie Menter gespielten G-dur Konzert op. 44 zu Worte, ohne daß eines der Werke einen Erfolg erzielt hätte. Auch »Tabor«, sinfonische Tondichtung von Smetana wollte nicht besonders gefallen, und zur Liszt'schen Hunnenschlacht (jedes der Konzerte bringt ein Werk von Liszt) war das Publikum schon zu ermüdet. Das Tonkünstler-Orchester, das in diesen Konzerten spielt, hat sich unter Richard Strauß' Leitung sehr herausgemacht, wenn es auch den Philharmonikern nicht gleichkommt. Die Konzerte sind übrigens für die nächste Saison bereits gesichert, hoffen wir nur, daß der Dirigent mit seinen Neuheiten etwas mehr Glück hat als in diesem Winter!

Unsere kleineren Konzertsäle bescheerten uns recht viel Kammermusik und eine Unmenge von Klavierspielern. Unter den Kammermusik-Veranstaltungen gebührt der Preis diesmal dem Genfer Quartett der Herren Marteau, Reymond, Pahnke und Rehberg. Sie spielen einfach ideal und der Zulauf, den sie schon jetzt haben, ist ganz gerechtfertigt. Einen Wehrmutstropfen in diesem Freudenkelch verursachten allerdings zwei neugebrachte Quartette, eines von dem Primgeiger und eines von Pahnke, deren Aufführung sich wohl jeder gern geschenkt hätte, während die dritte Novität, ein Quartett von Klingler, schon viel besser gefiel. Aber in den anderen Werken entschädigte ihr Spiel reichlich. Neue Kammermusikwerke brachten ferner das Gustav Holländer-Quartett (Streichquartett von Arthur Willner, das wenig gefiel), das Hekking-Trio (Cellosonate von Robert Kahn) und die Vereinigung Gülzow-Vianna da Motta (Klaviersextett op. 22 von Juon). Die beiden letztgenannten Werke gefielen sehr gut. Äußerst genußreich verliefen Abende des Holländischen Trios, des Waldemar-Meyer und Halir-Quartetts-, und ganz besonders ein Sonatenabend von Eduard Risler und Jaques Thibaud, die Sonaten von César Franck A-dur und Saint-Saëns D-moll zur Aufführung brachten. Eifrig nahm sich der Kammermusik auch der Cellist Schrattenholz an, der einmal mit Otto v. Grünwaldt (Klavier) einen Sonatenabend, ein zweitesmal mit Marie Bruno und Gabriele Wietrowetz zusammen einen Trioabend veranstaltete.

Unter den Klavierspielern resp. -spielerinnen, die im Laufe des verflossenen Monats sich hören ließen, waren viele klangvolle Namen, wie selten in so kurzer Zeit zusammen. Außer Sophie Menter, deren Interpretation eines Tschaikowsky'schen Konzerts ich bereits erwähnte, waren von Damen Teresa Carreño, Klotilde Kleeberg und Sandra Droucker gekommen, von Herren, um nur die bedeutendsten zu nennen, Risler, Godowsky, Busoni, Lamond, Reisenauer, Förster, Xaver Scharwenka, Lütschg, Ansorge, Pachmann, Friedberg und Vianna da Motta. Risler und Godowsky gaben je das Schlußkonzert ihrer Serien, Busoni absolvierte drei Konzerte in kurzer Zeit, in der er unter anderem die sämtlichen zwölf Liszt'schen Etüden d'exécution transcendante spielte, Reisenauer, Lamond und Ansorge begannen, alle drei mit großem Erfolg, ihre Cyklen von je vier Abenden, die sich noch auf die kommenden Wochen erstrecken werden, die anderen gaben, alle mit gutem Erfolg, je einen Konzertabend. Geiger sind in diesem Monat außer den schon genannten nur noch Boris Sibor und Arthur Argiewicz, von Cellisten Gerardy, der glänzende Erfolge erzielte, von Sängern resp. Sängerinnen das Ehepaar Hildach, Therese Behr, Lula Misz-Gmeiner, Franz Naval, Dr. Wüllner (Lieder von Hans von Bülow), Joseph Loritz, (Lieder von Pfohl und Mikorey) und Ferdinand Jäger, (dessen ausgezeichneten Begleiter Dr. Potpeschnigg ich nicht unerwähnt lassen möchte) zu nennen.   A. M.-R.

Ein beachtenswertes Kirchenkonzert veranstaltete Herr Franz Grunicke in der Lutherkirche am 1. März, das selbst einer anspruchsvollen Kritik standhalten konnte. Frau Elsa Schmidt sang die Arie *Verdi prati* von Händel, ein sehr hübsches geistliches Abendlied von H. Reimann und anderes mit vollendeter Stimmtechnik; ein Schüler Grunickes, Herr Lindquist, spielte die Orgel (Toccata von J. S. Bach, Orgel-Sonate Nr. 5 von Guilmant u. a.) mit Meisterschaft, und der Joachim-Schüler Herr Ruthström trug vortrefflich J. S. Bach's Air für Violine und das Andante aus dem H-moll-Konzert von Saint-Saëns vor. Diese Konzerte Grunicke's sind unentgeltlich. Die Kirchengemeinde kann stolz auf sie sein.   O. F.

Bern. Frau Nina Faliero gibt an Vielseitigkeit Fräulein Landi nichts nach; ihr heller, schöner Sopran, oben fast etwas scharf, ist für italienische, deutsche und französische Weise geschult; Cornelius und Brahms, wie Saint-Saëns sang sie an ihrem Abend (13. Januar) ebenso schön, wie die Italiener, unter die neben Caccini (Amarilli) und Paradies (Arietta) sehr zu Danke auch Mozart mit zwei Figaro-Arien gereiht war. Ein Geiger aus Zürich, William Ackroyd, spielte dazwischen mit einer Tongebung von seltener Schönheit, vielleicht etwas zu ruhig, Brahms, Spohr und Sarasate; dem anstrengenden Klavierpart unterzog sich Frau Gilgien-Horrer. Das war nun wieder eins jener Sonderkonzerte, gegen deren Häufung sich in ihrem letzten Trienniumsbericht jetzt auch unsere Musikgesellschaft wendet. Aber könnte diese nicht, dem wachsenden Bedürfnisse entgegenkommend, einige davon ihrem Programm angliedern? Das einzige »Extrakonzert«, das sie selbst gibt, hatte allerdings diesmal (16. Januar) finanziell schlechten Erfolg, weil der Solist Ettore Gandolfi (Baß) hier noch ganz unbekannt war. Künstlerisch war das Konzert aber um so besser. Der Sänger führte sich mit Mozart's vornehmer Konzertarie Mentre ti lascio (Köch. 513), deren Text im Programm leider fehlte, vorteilhaft ein und sang eben so schön eine Arie aus Faust von Spohr und einige alt- und neu-italienische Sachen. Das Orchester brachte, für Bern neu, die kleine Symphonie D-dur von Ph. E. Bach, Dvořak's Waldtaube und Wagner's Trauermarsch aus der Götterdämmerung, zum Schluß die temperamentvolle Korsaren-Ouverture von Berlioz. Ganz ungemeinen Zuspruch hatte das III. Abonnements-Konzert (27. Januar) mit Eugen d'Albert, den wir viele Jahre nicht gehört hatten. Er spielte Beethoven's G-dur-Konzert und einiges von Chopin, nicht so stürmisch, wie früher wohl, aber ausgereift und klar. Auch machte er uns mit einer Ballettmusik und der Ouverture seines »Improvisator« bekannt, beide leichter geschürzt, als die das Konzert eröffnende pathetische sechste Symphonie von Glazounoff.   A. Th.

Bremen. Das musikalische Leben unserer Stadt, das lange genug im alleinseligmachenden Klassicismus und in der überall vertretenen Musikheuchelei stagniert hatte, ist seit etwa zehn Jahren in einer allmählichen Umwandlung begriffen, es erwacht zum Leben der farbenfrohen, kraftvollen Gegenwart und hat dabei obendrein noch einen großen Teil der programm-musikalischen Vergangenheit zu absolvieren. Der Verein der Musikfreunde — bei uns ist die Kunst überall der privaten Pflege überantwortet —, deren Spitze und Seele der Großkaufmann Gustav Rassow und sein temperamentvoller Kapellmeister Professor Karl Panzner sind, sammelt die musikalischen Intelligenzen, welche in den Programmen der Philharmonischen Konzerte (dem Hauptorgan des Vereins) einen gesunden, also nicht überstürzten, sondern planvollen und konsequenten Fortschritt zur Geltung bringen. Diese Philharmonischen Konzerte (zwölf in der Saison) und die Kammermusikabende in der Union und im Künstler-Verein sind die wichtigsten Veranstaltungen, durch welche der genannte Verein die höhere Musikpflege in unserer Stadt ausübt. An den Kammermusikabenden tragen unsere tüchtigen

Konzertmeister Schleicher und Scheinpflug (Geige), Pfitzner (Bratsche) und Ettelt (Cello),
von dem Pianisten Bromberger nach Bedarf unterstützt, klassische Sachen mit gutem
Geschmack und Präzision, moderne (unter andern Schrattenholz' Hmoll-Quartett,
Arensky's Klavierquintett und mehrere Stücke von Dvořak) mit Verve und Hingabe
vor. Das Publikum ist hier, wie überall, nicht besonders zahlreich, dafür aber dankbar
und ungewöhnlich musikverständig. In den großen Philharmonischen Konzerten versammelt sich alle vierzehn Tage die wirklich musikalische und die nur der Mode und
der Toiletten halber musikalische gute Gesellschaft der alten Hansastadt vollzählig im
großen Saal des Künstler-Vereins. Einzelne Eintrittskarten dazu sind kaum zu haben,
da fast alle Plätze im Saal und auf der Tribüne seit Jahren in festen Abonnenten-
Händen sind und als wertvoller Besitz wie Kirchenstühle und Grabstellen von Vater
auf Sohn oder besser von der Mutter auf die Tochter vererben. In diesen Konzerten
hat Professor Panzner eine Riesenarbeit zu leisten. Wollte die Gesellschaft nur den
Saal während der Vorträge ganz verdunkeln, ich glaube, der musikalisch unfruchtbare
Teil der Zuhörer, für die das Konzert nur eine Toiletten- und Flirt-Parade mit
manchmal sehr genauer und aufdringlicher Orchesterbegleitung ist, würde das Feld
räumen und die Arbeit bedeutend erleichtert werden. Und diese Arbeit ist wirklich
groß: was frühere Generationen mit Spott und Hohn ausschlossen, Berlioz, Liszt,
Brahms und Bruckner, um nur die nunmehr kanonisierten Rufer im Streit von gestern
zu nennen, muß man heute noch nachexerzieren, um die moderne Entwicklung der
Sinfonie wenigstens retrospektiv begreiflich und natürlich zu machen. Die letzten
Jahre brachten so als absolute Neuheiten für Bremen: Berlioz' Damnation de Faust,
Liszt's Dante- und Orpheus-Symphonien, Werke, deren geistvoll blendende Außenseite
und technische Verve jeder modern Fühlende anerkannt haben muß, ohne deshalb
gerade für den Mangel an Vertiefung und Entwicklungsbeständigkeit ihres Ideen-
gehaltes unempfindlich zu sein. Die Brahms'schen Symphonien waren etwas besser
bekannt, aber Bruckner ist hier noch immer beinahe eine Terra incognita; daran
änderte auch sein kürzlich aufgeführtes De Teum nicht viel, dessen naive Glaubens-
kraft unserem Protestanten-Vereinlerischem Publikum nicht nahe liegt. Die vornehmste
Aufgabe Panzner's und zugleich die, welche er am glänzendsten löst, ist die Einführung
und Durchsetzung der an bajuvarisch-kraftgenialischen Ueberstiegenheiten, aber auch
an edelstem Höhenflug der Gedanken reichen epischen Muse Richard Strauß'. Von
ihm haben die letzten Jahre in rascher Reihenfolge den Don Juan, das Heldenleben,
Tod und Verklärung und den Zarathustra gebracht, denen der Till Eulenspiegel in
diesen Tagen folgen soll. Für diese Werke, deren Wirkung auf unser noch immer
von exklusiv klassisch-konservativen Elementen stark durchwachsenes Publikum zunächst
noch nicht zu übersehen ist, obgleich eine Ahnung ihrer großen Bedeutung und ihres
endlichen Sieges überall dämmert, hat Professor Panzner seine ganze Begeisterung
und sein sehr solides Können mit äußerlich unbestrittenem Erfolg eingesetzt. Sein
großes Können und tief eindringendes Verständnis offenbaren auch die klassischen
Werke, unter denen natürlich Beethoven seinem modernen Empfinden am nächsten
steht. Panzner ist aber glücklicherweise kein Nuancenjäger, er durchleuchtet die
Klassiker lediglich mit ihrem eigenen unvergänglichen Geist. Zu seinen Großtaten
gehören die Bach'sche Matthäuspassion und die »Neunte« Beethoven's, welche die
Höhenpunkte der vorjährigen Saison bildeten, und in diesem Winter der Byron-
Schumann-Wüllner'sche Manfred, der unser Konzert-Publikum geradezu faszinierte.
Der Konzert-Manfred im Frack und die mit dem obligaten Bouquet wedelnde Astarte
sind freilich mehr Damenkost. Ich glaube, der Manfred gehört auf die Bühne, nur
dort werden die starken Schauer der Astarte-Beschwörung in der bläulich schimmern-
den Gletscherwelt musikdramatisch geweckt werden; im Konzertsaal bleiben sie
Melodram.

    Die Zahl der Virtuosenkonzerte ist natürlich auch bei uns groß, übergroß. Wenn
ich zwei oder drei Namen herausgreife, so sind es die, in deren Träger der ehrliche
große Künstler den eitlen Virtuosen ganz im wesenlosen Scheine hinter sich gelassen
hat. Alexander Petschnikoff spielte Mozart's Adur-Violin-Konzert mit entzückender
Grazie und Verve, Henri Marteau, den das Genfer Quartett leider nicht begleitete,

Beethoven's Ddur-Konzert für Violine und d'Albert, dem in Bremen sein bester Textdichter, Heinrich Bulthaupt und viele Verehrer wohnen, veranstaltete einen Beethoven-Abend. Die übrigen waren eben Virtuosen.

Unter den konzertierenden einheimischen Künstlern steht Fritz Friedrichs, der bekannte Bayreuther Beckmesser und Alberich, als Balladensänger in erster Reihe; auch Fräulein Marie Bußjäger stellt die warme Beseelung und die vortreffliche Schulung ihres schönen Soprans in den Dienst echter Kunst und dasselbe darf man von der mehr temperamentvollen Helene Bérard sagen, während der noch junge Hans Heinemann als Klavierspieler zunächst noch mehr Virtuose als Künstler ist. Einen durch tadellose, einheitliche Deklamation und glückliche Stimmverteilung ausgezeichneten Männerchor von mehr als lokaler Bedeutung besitzt Bremen in dem Lehrer-Gesangverein, den Herr Martin Holbing mit noch höherem künstlerischen Erfolg leiten würde, wenn der Vereinsvorstand ihn in musikalischen Dingen freier schalten ließe.

Soviel zur erstmaligen Orientierung über die Hauptzüge der Bremischen Musikpflege; über hervorragende Ereignisse möge von Fall zu Fall ein kurzes Wort gestattet sein.
G. H.

Breslau. Anfang Februar ist »Der polnische Jude« von Karl Weis auch über unsere Stadtbühne gegangen. Das mit unerbittlicher Logik aufgebaute, schauerliche Sujet übte eine mächtige Wirkung auf das Publikum aus, zumal der Baritonist Dörwald die Titelrolle mit ergreifender Realistik gestaltete. Karl Weis ist nicht der Mann, einen solchen Stoff in adäquate Töne umzusetzen. Dazu fehlt es seiner Erfindung an Tiefe und seiner Dramatik an Wucht und Größe. Genug, daß er vermöge seiner ausgesprochenen Begabung für volksmäßige Lyrik und für dramatische Charakteristik zu einem geschickten Illustrator des Textbuches geworden ist. Herr Balling hatte die Novität vorzüglich einstudiert. An Wagner's Todestage gab es unter Prüwer's Leitung eine prächtige Aufführung der »Götterdämmerung«. Frl. Andor aus Leipzig gastierte als Brünnhilde, ohne indessen zu begeistern, da ihrem Auftreten der Zug ins Große abging.

Im IX. Orchestervereinskonzerte schwang sich Dr. Dohrn mit der hiesigen Erstaufführung der »Damnation de Faust« von Berlioz zu einer Kunsttat ersten Ranges auf. Der durch Mitglieder des Spitzer'schen Männergesangvereins verstärkte Singakademie-Chor glänzte durch Schlagfertigkeit und Klangfülle, das Orchester war in ausgezeichneter Verfassung und die Solisten Nina Faliero, Dr. Wüllner, Heinemann und Rupprecht gaben ihr Bestes. Es ist zweifellos, daß dies Werk nunmehr dauernd auf dem Repertoir halten wird. Im VI. Kammermusikabende vermittelte uns der geniale Klarinettist Mühlfeld im Verein mit Dr. Dohrn, der ein ausgezeichneter Pianist und Kammermusikspieler ist, die erste Bekanntschaft mit der wunderbar fein stilisierten, hochpoetischen F-moll-Sonate, op. 120, Nr. 1 von Brahms. Großem Interesse begegnete auch die erstmalige Vorführung eines nachgelassenen Schubert'schen Quartettsatzes in C-moll. In den Konzertsälen geht es immer noch sehr lebhaft zu. Wüllner sang zum zweiten Male vor überfülltem Saale, Godowsky verblüffte abermals durch seine pyramidale Technik und Reisenauer wußte das Publikum an zwei Abenden durch sein abgeklärtes Spiel zu fesseln. Hubermann hat sogar schon ein drittes Konzert absolviert. Ein Ende ist noch garnicht abzusehen. Ich muß mir deshalb einen Bericht über die Tätigkeit verschiedener anderer Chorvereine und Kammermusik-Genossenschaften für gelegenere Zeit aufsparen.
P. W.

Badapest. Die bedeutendste Novität der philharmonischen Konzerte war eine Symphonie von Edmund von Mihalovich, dem hochverdienten Direktor der königlichen Landesmusikakademie. Durch edlen Schwung der Ideen, Kraft und Tiefe der Empfindung, sowie durch meisterhafte, glänzende Instrumentation den früheren Werken dieses, den höchsten Idealen zustrebenden tiefernsten Tondichters ebenbürtig, überragt sie dieselben an Frische der Erfindung, an übersichtlicher Klarheit der Form. Hat man der hohen Begabung und dem imposanten Können des Symphonikers Mihalovich von jeher die gebührende Hochachtung und Bewunderung entgegengebracht, so mußte die ungewöhnliche Wärme und Freudigkeit, mit der man seine neueste

Schöpfung aufnahm, ihn überzeugen, daß er diesmal auch den Herzen der Musikfreunde noch näher gekommen ist, als je zuvor. — Von sonstigen Neuheiten hörten wir von unserem Philharmonie-Orchester noch Choral-Variationen für Harfe mit Orchester von dem bekannten Pariser Organisten Vidor, ein in süßlichen Melismen sich ergebendes, wohlfeile Klangeffekte aneinander reihendes Machwerk, welches nur dem trefflichen Harfenkünstler, Herrn Mooshammer, bewunderndem Beifall eintrug.

Der Konzertgesang war durch Frau Emilie Herzog, Fräulein Tilly Koenen und Frau Marcella Lind vertreten. Die Berliner Meistersängerin erfreute die Kenner durch die unfehlbare Sicherheit und Leichtigkeit in der Zeichnung der melodischen Linie, eine Frucht hoher künstlerischer Intelligenz und vollendeter technischer Durchbildung. Wenn dem gegenüber die emotionelle Wirkung ihres Liedervortrages einigermaßen zurücktritt, so liegt dies vielleicht ebensosehr an einer gewissen wohltemperierten Kühle des Empfindens, wie an der Begrenztheit, um nicht zu sagen Mangelhaftigkeit ihres Organs, welches die für leidenschaftlich bewegte Gesänge erforderliche Fülle und Wärme des Tones nicht mehr hergeben will. Fräulein Tilly Koenen, deren inniger, durch ausgesprochene Eigenart fesselnder Liedervortrag im vergangenen Jahre so rasch die Gunst unseres Publikums errungen hatte, war diesmal durch die intimer Kunst feindlichen Dimensionen unseres großen Konzertsaales, nicht minder jedoch durch wenig ·glückliche Zusammenstellung ihres Programmes an der vollen Entfaltung ihrer Gaben behindert. Die beliebte einheimische Konzertsängerin, Frau Marcella Lind, fand wiederholt reichen Beifall für ihre Kunst, die auf dem Gebiete anmutigen Ziergesanges ihr Bestes gibt.

Eine neue Erscheinung in unserem Konzertsaal war der Pianist Herr Godowski aus Berlin. Er erregte gerechtes Staunen durch seine technischen Hexenmeistereien, erwarb sich aber auch Anerkennung für seinen Vortrag ernster Musik (Beethoven, Brahms), in dem er, ohne gerade den Gefühlsinhalt eines Stückes bis auf den Grund zu erschöpfen, doch viel künstlerische Gewissenhaftigkeit und Feinfühligkeit an den Tag legte. In dem jungen Russen Issay Barmas lernten wir einen Geiger von schönem runden Ton und beachtenswerter Technik schätzen, dem man nur etwas mehr Wärme und Schwung wünschen möchte.

Die Oper brachte recht gelungene Reprisen von »Freischütz« und »Meistersinger« mit Frau Krammer in den weiblichen Hauptrollen. Die Vollblut-Italienerin Fräulein Cucini, ausgezeichnet durch die Fähigkeit echt dramatischer Gestaltung, durch leidenschaftliche Glut der Empfindung wie durch meisterliche Gesangstechnik, gastierte mit großem Erfolg als Amneris, Fides und Azucena. Die nächsten Novitäten der Oper sind »Moosröschen« von Jenö Hubay und »Tosca« von Puccini.

V. v. H.

Dresden. Fünfundzwanzig Jahre sind seit der Eröffnung des Königlichen Opernhauses in seiner jetzigen Gestalt verflossen. Das frühere Haus war 1841 eingeweiht worden und brannte am 21. September 1869 ab. An seine Stelle trat zunächst ein, aus Holz erbautes Interimstheater, in dem acht Jahre lang gespielt wurde, und das sowohl wegen seiner vollendeten Akustik wie auch wegen seiner Gemütlichkeit bewundert, beliebt und besucht wurde. Am 1. Februar 1878 wurde es mit einer Vorstellung des »Freischütz« und einem von Julius Pabst gedichteten und von dem Schauspieler Jaffé gesprochenen Epilog geschlossen. Am folgenden Tage wurde der neue, von Manfred Semper nach den Entwürfen seines Vaters, Gottfried Semper, erbaute Kunsttempel im Beisein des ganzen Hofes feierlichst mit einer Aufführung der Goethe'schen »Iphigenie auf Tauris« eingeweiht. Das Stück wurde am 3. Februar wiederholt, und am 4. wurde der »Fidelio« gegeben. Zur Erinnerung an diesen Vorgang gelangten jetzt am 1. Februar »die Meistersinger«, am 2. Byron's »Manfred« und am 3. der »Fidelio« zur Aufführung.

Für den Todestag Wagner's, den 13. Februar, war »Tristan und Isolde« angesetzt worden. Zugleich feierte an diesem Abend Fräulein Therese Malten in der Rolle der »Isolde« ihren Abschied von der Bühne. Dreißig Jahre lang hat sie ununterbrochen hier gewirkt und hat das Glück gehabt, gerade zu einer Zeit die großen dramatischen Rollen lernen und zuerst singen zu können, als Werke wie der »Ring«

und der »Tristan« am hiesigen Opernhause ihre erste Einstudierung erlebten. Das ist für die Laufbahn eines Sängers oder einer Sängerin von beachtenswerter Bedeutung, und der Ruhm der bekannten Wagner-Künstler der jüngsten Vergangenheit knüpft sich meistens an die Geschichte der Theater, an denen sie gleichsam mit dem ganzen Ensemble, Dirigenten und Regisseure eingeschlossen, aufwachsen konnten. Kommen nun neue Kräfte, so haben diese es viel schwerer, da ihnen, selbst wenn ihnen die nötige Zeit zur Erlernung der Rollen gelassen wird — was jedoch bei der hastigen Arbeit nicht immer der Fall ist —, doch der innige Zusammenhang mit dem Einzelheiten des Ganzen nie in dem gleichen Grade zu teil werden wird.

Nun kam bei Fräulein Malten auch noch dazu, daß sie unter Wagner's persönlicher Anleitung die »Kundry« in Bayreuth singen und so den wirklichen Styl für die Durchführung seiner Rollen kennen lernen konnte. Sie ist denn auch die stylvollste, wenn auch nicht die großzügigste »Kundry« geworden — der letzteren Eigenschaft ist bisher noch jede »Kundry« viel schuldig geblieben. Das Publikum bereitete der scheidenden Künstlerin eine große und herzliche Huldigung.

Im Königlichen Opernhause fallen die erwähnenswerten Ereignisse dieses Mal mehr dem Schauspiel zu; denn einmal trat Coquelin mit dem Ensemble des Théâtre de la Porte Saint-Martin im »Tartuffe« und den »Précieuses ridicules« auf, und das andre Mal kam Mme. Leblanc-Maeterlinck mir ihrer Gesellschaft, um die »Monna Vanna« ihres Gatten in dem französischen Originale bekannt zu machen.

Aus der Konzertwelt ist wenig zu melden. Therese Behr und Lula Mysz-Gmeiner gaben gut besuchte Liederabende, an denen es ihnen an Beifall nicht fehlte. Im letzten Philharmonischen Konzert blieb Ernst Kraus aus; dafür trat Mary Münchhoff auf und erzielte einen großen Erfolg. Die jugendliche Klavierspielerin aus Budapest, Jolanda Mérö, die am gleichen Abend auftrat, verspricht einmal eine tüchtige Vertreterin ihres Faches zu werden — Die Dreyssig'sche Singakademie unter ihrem Dirigenten, Herrn Hösel, führte die Missa solemnis von Beethoven auf. Doch konnte ein künstlerischer Gesamteindruck nicht ermöglicht werden, da das Eilers'sche Orchester für solche Schwierigkeiten noch einer besonderen Schulung bedarf und das Solo-Quartett viel zu wünschen übrig ließ.   E. R.

Frankfurt am Main. Oper. Die mit großem Interesse erwartete erste deutsche Aufführung von Karl Goldmark's »Szenen aus Götz von Berlichingen« bildete auch hier das musikalische Ereignis der letzten Wochen. Wie in Budapest, wo das Werk seit seiner glänzenden Première am 16. Dezember des vorigen Jahres die größten Erfolge errungen, so haben wir auch an unserer Oper mit dem fast jugendfrischen Entwurf des Goldmark'schen »Götz« einen Sieg auf allen Linien zu verzeichnen. Ueber den Inhalt und die musikalische Bedeutung dieser Schöpfung, dem Besten, das Goldmark nach der »Königin von Saba« für die Oper geschrieben, wurde in dem letzten Hefte von Budapest aus so eingehend berichtet, daß hier nur kurze Bemerkungen anzufügen sind. Mit der Benutzung der Dingelstedt'schen Götz-Bearbeitung verstand es der Librettist Willner ein geschicktes Textbuch herzustellen, das der Dichtung, an der selbst Goethe so viele Umarbeitungen vorgenommen, nicht allzuviel Abbruch tat und dem Komponisten für seine Tätigkeit eine Menge Spielraum ließ. Wenn man auch gelegentlich davon las und hörte, daß ängstliche oder vielleicht etwas bequeme Gemüter in dem ganzen »Götz« von Goldmark eine Art Profanation der in Sturm und Drang entstandenen Dichtung des jungen Goethe erblickten, so ist das nun — betrachtet man die Dinge mit etwas mehr Ruhe und vergleichender Sach-Kenntnis — wirklich keineswegs so tragisch zu nehmen. Was mir Goldmark in einem kurzen Zusammentreffen sagte, dürfte vielleicht so manchen Beurteilungen gegenüber den Nagel auf den Kopf treffen. Den Franzosen und Italienern war von jeher alles erlaubt, während man einem deutschen Komponisten jede Benutzung eines klassischen Stoffes gleich als erschreckliche Verballhornung übel nimmt. Goldmark hat wirklich nicht unrecht. Wollte man vom strengsten litterarisch-kritischen Standpunkt ausgehen, so würden Schumann's »Faust-Szenen« oder »Fausts-Verdammnis« von Berlioz ebenso anfechtbar ausfallen, wie Gounod's »Margarethe«, »Mignon« von Thomas und Massenet's »Werther« mit aller Entrüstung abzulehnen wären. Was

dazu wohl unsere Konzertdirigenten und Theaterleiter sagen würden? Wenn Goldmark, ein so gründlicher und praktischer Theaterkenner, die bei Goethe allerdings
nicht vorkommende Pagenszene in seine Schöpfung aufnahm, so entschädigte er hier
für jedes vermeintliche Sakrileg durch die graziöse Musik, die in die Peripetie der
ganzen Anlage die richtige Abwechslung bringt, wie auch den Hauptpersonen der
Bühnenschöpfung — Götz und Adelheid — der Charakter in bester Weise gewahrt
blieb. So hat denn in allen Stücken das »opernartige Element« der Goethe'schen
Götz-Bearbeitung vom Jahre 1804 die trefflichste Verwendung gefunden. Die mit
Wahrung aller historischen Treue prächtig ausgestattete Aufführung leiteten musi-
lisch und szenisch die Herren Kapellmeister Dr. Kunwald und Oberregisseur Krähmer
mit sorgfältigstem Eingehen auf alle Intentionen des Komponisten, dessen Werk —
von geringfügigen Veränderungen und kleinen Strichen abgesehen — genau so wie in
Budapest gegeben wurde. Eine darstellerisch und gesanglich ganz ausgezeichnete
Leistung bot Frau Greef-Andriessen als Adelheid, deren einzelne Szenen überhaupt
die Höhepunkte der ganzen Götz-Musik bezeichnen. Bezüglich der großen Steigerungen,
wie in dem Liebesduett mit Franz oder dem Ausdruck der Schlußszene, wird Goldmark nicht so bald eine bessere Interpretin dieser Rolle finden können. Mit schönem
Empfinden verstand Dr. Pröll die ritterliche Kraft und die biedere Gutherzigkeit des
Titelhelden zu zeichnen, wie auch die übrigen Mitwirkenden mit Lust und Liebe zu
dem Gelingen ihrer Aufgaben beitrugen. Den auch hier bei den letzten Proben anwesenden Komponisten rief während und nach der Aufführung stürmischer Beifall
immer wieder vor die Rampe. Ein Erfolg, wie wir ihn hier seit Jahren nicht zu verzeichnen hatten.

In den Konzerten der Museums-Gesellschaft bot Kogel in einem Tschaikowsky-
Abend die vierte Symphonie in F-moll, op. 36, aus deren einzelnen Teilen der origi-
nelle Entwurf des geistvoll geschriebenen Scherzos (mit der hübschen Musette der
Holzbläser im Trio) wiederum den meisten Anklang fand. Wohl in keiner anderen
Stadt haben die Kompositionen dieses bedeutenden Tondichters eine so sorgliche
Pflege gefunden, wie gerade in Frankfurt, wo fast alle Schöpfungen Tschaikowsky's
hinlänglich bekannt und gewertet sind. Besonders Kogel gebührt neben Nikisch und
Wüllner das Verdienst, für Tschaikowsky mit aller Überzeugungstreue eingetreten zu
sein; ja eine der schönsten Schöpfungen, die großangelegte pathetische Symphonie,
hat von uns aus den Weg in alle großen Konzertsäle angetreten. Große Wirkung
erzielte auch die orchestral fein ausgefeilte Wiedergabe der in den Variationen besonders interessanten dritten Suite in G-dur, op. 55. Während die Darbietungen eines
Schumann-Abends mit Frau Mysz-Gmeiner (Cyklus »Frauenliebe und Leben«) sehr gut
ansprachen, konnte sich eine grau in grau gemalte Novität »Tragisches Tongedicht«
von Walter Lampe nur wenige Freunde erwerben, wie auch Consolo hinsichtlich der
ziemlich nüchternen Ausführung des Schumann'schen A-moll Klavierkonzerts diesmal
einigermaßen enttäuschte. Interessant, wie immer, gestaltete Hugo Becker seine Mitwirkung in diesen Konzerten durch den Vortrag des D-dur-Violoncellkonzerts von
Svendsen, op. 7, und zweier Sätze aus einer Sonate von Haydn, die Piatti nach dem
nur aus einer Violinstimme und dem bezifferten Bass bestehenden dreisätzigen Original
in dieser Form bearbeitet hatte. Das vierte Opernhauskonzert, in dem zwei jugendliche Solistinnen, die Koloratursängerin Elsa Berny und die Pianistin Teresita Carreño, ihre Kräfte noch übersteigende Leistungen boten, leitete unser temperamentvoller
Theaterkapellmeister Dr. Kunwald; das fünfte darauf Richard Strauß, dessen
»Heldenleben«, hier durch wiederholte Aufführungen dem Verständnis näher gerückt,
den größten Erfolg des Abends bezeichnete. Zwei von der trefflichen Diemut
(»Feuersnot«) unserer Bühne, Frau Hensel-Schweitzer, vorgetragene Gesänge mit Orchester, op. 33: »Gesang der Apollopriesterin« und die berauschende lyrische Episode
»Verführung« zeigten die ganze Orchesterpracht echt Strauß'scher Schreibweise. Als
Dirigent bot der kühne Neuerer mit dem zündend gesteigerten Tristan-Vorspiel und
dem mehr wegen seiner Instrumentation anregenden »Mephisto-Walzer« von Liszt
hohen künstlerischen Genuß. — Im Rühl'schen Gesangverein hatte in Vertretung von
Professor B. Scholz Siegfried Ochs die Proben und die Leitung des Oratoriums

»Franziskus« von Tinel übernommen, eines Werkes, das der genannte Verein im Jahre 1890 zum ersten Male in Deutschland zur Aufführung brachte. Neben dem Dirigenten, der in Chor und Orchester dieser Schöpfung den prägnanten Ausdruck ihrer Charakteristik verlieh, seien die Solisten, Herr Forchhammer und Frau Adler-Nathan ehrend erwähnt. Eine wohl abgerundete Wiedergabe erfuhren unter Grüter's Leitung Schumann's Faust-Szenen, bei denen diesmal die zweite Fassung des Schlußchores gewählt wurde. In der Reihe der Solisten (Frau Helene Günter, Pinks und das Ehepaar Helmrich-Bratanitsch) mußte die vorzügliche Ausgestaltung der Baritonpartie durch A. van Eweyk-Berlin besonders auffallen. — In den Kammermusik-Abenden des Museums vertrat den in Amerika weilenden Professor Heermann der tüchtige Davidschüler Hofkapellmeister Sahla aus Bückeburg als Primarius in dem hübschen G-moll Quartett, op. 27 von Grieg und dem zweiten Sextett von Brahms. So viel Mühe sich auch das gute Streichquartett der Herren Marteau, Reymond, Pahnke und Rehberg aus Genf mit einem E-dur Quartett von Jacques-Dalcroze gab, so wenig Eindruck konnten doch die Herren mit der recht gedankenarmen Schöpfung erzielen, die ebenso wenig gefallen konnte, wie ein von den Herren Friedberg, Rebner und Hegar. (»Frankfurter Trio«) gespieltes Fis-dur-Trio, op. 7 von Wolf-Ferrari, das nur in der Freilicht-Studie des ersten Satzes einige anregende Momente bietet. — Unter den Solisten-Konzerten sei ein Abend der Herren Siloti und Anatole Brandukoff, eines vorzüglichen Moskauer Cellisten, hinsichtlich der interessanten Kenntnisnahme der Klavier-Cellosonate von Rachmaninoff, op. 19, und der musikalisch anregenden Klavier-Variationen, op. 72 von Glazounow zuerst genannt. Beide Solisten wirkten auch in dem Tschaikowsky-Abend des Museums erfolgreich mit. In einem eigenen Konzert spielte d'Albert Beethoven und Chopin. Ein vielversprechendes Talent wies die seiner Zeit von d'Albert »entdeckte«, jetzige Leschetizky-Schülerin Paula Szalit auf, die besonders Chopin'sche Stücke sehr hübsch zu Gehör brachte. Zum Schlusse sei noch das Festkonzert des »Frankfurter Liederkranz« anläßlich seines 75jährigen Bestehens erwähnt. Dem Verein ist die Gründung der Mozartstiftung zu danken, deren große Stipendien so vielen, später wohlbekannten Künstlern die Wege geebnet hatten. Das Vermögen der Stiftung ist auf 210000 M. angewachsen, an Stipendien wurden im Laufe die vielen Jahre bereits über 250000 M. ausgegeben. Das Programm des von A. Glück geleiteten Konzerts brachte in gelungenem Verlauf nur Kompositionen von früheren Mozart-Stipendiaten, so von Bruch, A. Krug, Fritz Steinbach, Thuille, Humperdinck, Brambach u. A. H. P.

Genf. Es handelt sich heute darum, einen Überblick über die wichtigsten Konzerte zu geben, welche uns die Saison außer den bereits besprochenen neun ersten Abonnementskonzerten gab. In chronologischer Ordnung sind da zunächst die interessanten Orgelkonzerte zu erwähnen, welche unser Domorganist, Herr Otto Barblan, im August und September 1902 veranstaltete. 25 Konzerte! Die Programme geben eine reiche Auswahl aus der besten Literatur alter und neuer Meister: Werke von Bach, Händel, Mendelssohn, Rheinberger, C. Franck, Widor, Gigout, Boëllmann, Hugo von Senger u. s. w. und von O. Barblan selbst. Im Oktober fing ein Cyklus von zehn anderen Orgelkonzerten an, die Herr Otto Wend im Temple de la Madeleine gab. Außerdem fanden in der Victoria-Halle eine große Zahl von Orgelkonzerten statt (Organist Herr Darnault). Am 2. November gab Herr Barblan ein Reformationskonzert unter Mitwirkung des Geigers Jean Ten Have (Sonate van Tartini, Chaconne von Bach und Präludium aus der »Sintflut« von Saint-Saëns, Chöre aus »Samson«, »Adoramus te« von Brahms, »Gloire soit au Dieu Créateur« von Mendelssohn).

Am 15. Oktober gab Frau Zibelin-Wilmerding einen Liederabend und sang unter anderem Lieder hiesiger Komponisten: Eckert, Beard, Astorga, Maurice und C. H. Richter.

Am 9. November feierte die hiesige deutsche Liedertafel ihr 25jähriges Jubiläum durch ein gelungenes Konzert unter Mitwirkung der Münchener Sängerin Fräulein Else Widen und des leider im Januar verstorbenen Cellisten Adolph Holzmann. Chöre: Festgesang von Attenhofer, Deutsche Tänze von Schubert, »Freiheitsruf« von C. H. Richter. Der hochverdiente Direktor des Vereins, Herr

Köckert, wurde in rührender Weise gefeiert. Die Deutsche Liedertafel hat den hohen Zweck, den deutschen Männergesang zu pflegen, und ihre Gründung ging besonders aus dem Wunsche hervor, unseren deutschen Landsleuten und Sangesbrüdern, die hier in der Fremde sterben, ein Lebewohl am Grabe zu singen, was sonst nicht Landesbrauch ist.

Frau Clara Schulz-Lilie, eine aus Berlin gebürtige, hier wohnhafte Konzertsängerin, gab am 5. November einen Liederabend und befestigte ihren Ruf als eine der ersten deutschen Liedersängerinnen.

Interessant sind auch die Konzerte der Herren Humbert und Nicati, die sich auf einem Doppelflügel von Erard hören lassen. Ein solcher Doppelflügel nimmt in einem Saale allerdings weniger Platz weg als zwei einfache, soll aber im Portemonnaie eine größere Leere verursachen.

Am 25. November Konzert zweier Schweizer-Künstler, Herren Gastoné (Sänger) und Fritz Niggli. Letzterer, ein sehr tüchtiger Klavierspieler, ist ein Sohn des bekannten Musikographen Niggli aus Aarau.

Ein neuer Komponist ist erstanden in Gustav Ferrari, ein Genfer, der jetzt in London lebt. Ein Konzert eigener Werke im »Cercle des Arts« brachte Klavierstücke, Kammermusik und Lieder höchst eigenartiger Denkart. Ferrari schreibt für Feinschmecker und gehört als Harmoniker zur »äußersten Linken«; aber es geht durch seine Schöpfungen ein Zug aristokratischer Feinheit und echter Begeisterung, die Links und Rechts versöhnen, weil sie aus dem Zentrum eines jugendfrohen Künstlerherzens kommen.

Am 5. Dezember Konzert des großen französischen Sängers Victor Maurel und am 9. Dezember Liszt-Abend der Pianistin Fräulein Amélie Klose: H-moll-Sonate, La gondola funebre, Sonetto 123 del Petrarca, Funérailles, Lo Sposalizio (nach Raffael's Bild: »Die Verlobung Josephs mit Maria« in der Mailänder Brera), Lasso, Lamento e trionfo.

16. Dezember. Aufführung von Massenet's »Maria Magdalena« durch den von Frau Zibelin-Wilmerding geleiteten Chor »l'heure musicale«.

Das erste Konzert im mois de Janvier gab Mr. Février unter den Auspizien und der persönlichen Mitwirkung von Herrn H. Marteau. Herr Février erblickte das Licht der Welt am 2. Oktober 1875 und wurde unter Pugno's, Xavier Leroux', Massenet's und Faure's Leitung zu einem höchst musikalischen Menschenkind und gar zu einem bemerkenswerten Komponisten ausgebildet. Als solcher ließ er uns am 7. Januar eine Violinsonate, ein Trio, Klavier- und Gesangswerke genießen. Sein Stil nähert sich der Schreibart seines Meisters Gabriel Fauré, den man den Chopin Frankreichs nennt.

21. Januar. Konzert der Sängerin Fräulein Anna Auvergne, »Air gracieux« aus der Oper »Ottone« von Händel, »Ritornerai fra poco« von Hasse und einen Liederstrauß von Schubert, Fauré, R. Strauß und Brahms. Die talentvolle Sängerin hatte den Geiger Herrn Runnquist und den Pianisten Ed. Bonny (D-moll-Sonate von Brahms), sowie einen unter Otto Barblan's Leitung stehenden Chor (verschiedenes aus »Paradies und Peri« von Schumann und Walzer von Brahms) als Mitwirkende gewonnen.

25. Januar. Kammermusik-Matinée der Pianistin Frau Le Coultre mit Herrn Runnquist und dem Cellisten O. A. Lang. Trio op. 18 von Saint-Saëns, Beethoven op. 70, 1.

31. Januar. Konzert des Geigers Herrn Gustav Koeckert und des Pianisten Karl Friedberg. Es ist unmöglich, auf Einzelheiten des sehr gelungenen Konzertes einzugehen. Man hat es hier mit zwei vorzüglichen Künstlern und hochgebildeten Menschen zu tun. Herr Koeckert hat als Musiker und Pädagoge eine Spezialität daraus gemacht, bei der Erforschung der Grundprinzipien der Violintechnik die Bewegungen wissenschaftlich zu untersuchen und gelangt, von solchen theoretischen Betrachtungen ausgehend, zu einer eigenen Methode, welche genau mit den empirischen Anschauungen der alt-italienischen Meister übereinstimmt. Auf dem Gebiete der Geige hat also Herr Köckert Untersuchungen angestellt, wie sie auf dem des

Klavieres von Ludwig Deppe und, in Paris, von Frau Marie Jaëll so eingehend gemacht wurden. C. H. R.

Hamburg. Unsere Oper brachte rasch nach einander zwei Werke neueren Datums: Lakmè von Leo Delibes als stark verspätete Première und dann neu einstudiert die kleine reizvolle »Djamileh« von G. Bizet. Lakmé hatte bisher in Deutschland keine Eroberungen gemacht und auch die Hamburger Aufführung dürfte dem Werk kaum die Pfade ebnen. Die Oper leidet an einem seichten, uninteressanten Textbuch ohne seelische Entwicklung und Vertiefung der Charaktere. Diese innere Flachheit empfindet man umsomehr, je üppiger die Reizmittel eines exotischen Colorits und tropischer Staffagen aufgeboten werden, um den Mangel an dramatischer Substanz zu verhüllen. Die Musik Delibes' besticht mit einigen hübschen Nummern, von denen das feine und flüssige Duett im 1. Akt als bei weitem das gelungenste Zierwerk des »Juweliers« unter den Musikern, wie Bülow in einem Anfall von Liebenswürdigkeit den Komponisten genannt hat, besonders zu erwähnen sein dürfte. Im übrigen wird Delibes ein Opfer seines Textbuches. Zumeist Naschwerk und Ohrenkitzel, erhebt sich die Lakmé-Musik kaum über das Niveau eines exotischen Salonalbums. Bei weitem höher als Lakmé steht »Djamileh«, eine von den vielen orientalischen Opern, die bei den Franzosen als einem Kolonialvolk häufig genug wiederkehren. Es ist nicht der Bizet der Carmenmusik, der hier spricht; aber doch ein geistvoller, feiner Künstler von besonderer Note. Übrigens wird Djamileh auf der deutschen Bühne so viel gegeben, daß es sich erübrigt, weiteres über das liebenswürdige und stimmungsvolle Werk zu sagen. Die Aufführung beider Opern befriedigte alle billigen Wünsche: Frau Fleischer-Edel (Djamileh) und Frau Hindermann (Lakmé) gaben ihr Bestes. Der Konzertsaal bot den Hamburger Musikfreunden in den letzten Wochen mancherlei Überraschungen, jedenfalls eine solche Fülle von Musik, daß ihre Wohltat fast Plage ward. Von den Gästen, die aus der Fremde zu uns kamen, sei zunächst Felix Weingartner genannt, der mit dem Kaim-Orchester ein glänzendes Konzert gab und als Dirigent wiederum stark interessierte. Hauptnummer seines Konzertes war die »Eroica«, Glanzstücke unter seinen Leistungen Smetana's »Vltava« und die Oberon-Ouverture. Auch Karl Gleitz, der durch wechselvolle Schicksale bekannte Komponist, veranstaltete ein Orchester-Konzert, selbstverständlich mit eigenen Kompositionen; die symphonischen Dichtungen »Venus und Bellona«, »Joß Fritz« und »Fata Morgana« lassen die Ideale erkennen, die ihm vorschweben, zeigen aber auch, daß seine Persönlichkeit unter einem starken Druck von außen steht und daß Erfindung und Können, von Wagner beeinflußt, seinem Wollen nicht die Wage halten. Da indessen diese Werke ihrer Entstehungszeit nach weit zurückliegen, so darf man hoffen, daß Karl Gleitz inzwischen die »eigene Weise« gefunden hat, die den Meistersinger auszeichnet. In den Konzerten des Berliner Philharmonischen Orchesters stellte Arthur Nikisch den Hamburgern einen jungen Pianisten, Arthur Schnabel vor, der mit dem B-dur-Konzert von Brahms, das er wundervoll und mit erstaunlicher Reife interpretierte, einen durchschlagenden Erfolg sich erspielte. Schnabel ist offenbar ein ebenso großes musikalisches Talent, wie bedeutend als spezifisches Klavier-Talent. Dem Todestag Wagner's widmete Nikisch ein besonderes Programm: die A-dur-Symphonie Beethoven's und eine Anzahl Wagner'scher Ouverturen, die eine wahre Feuersbrunst von Enthusiasmus entflammten: leicht begreiflich bei dem leidenschaftlichen Schwung und dem impulsiven Temperament Nikisch' und seiner hinreißenden Art, die auf das Pathos Wagner's in seltenem Maß gestimmt ist. Die Philharmonischen Konzerte brachten unter der Leitung von Professor R. Barth eine stimmungsvolle Aufführung des »deutschen Requiems« von Brahms. In demselben Konzert sang Joh. Messchaert eine grandiose Solo-Baß-Kantate von Bach »Ich will den Kreuzstab gerne tragen« mit vollendeter Stilreinheit und tiefster Wirkung. Sonst wäre etwa von den Ereignissen in den Philharmonischen Konzerten noch eine gute Aufführung der »Eroica« zu erwähnen; vielleicht auch noch der talentvollen Pianistin Fräulein Teresita Carreño-Tagliapietra sympathisch zu gedenken, obwohl diese junge Spielerin vorläufig mehr mit dem Glanz ihres mütterlichen Namens als ihrer Kunst leuchtet. Max Fiedler, mit Lorbeeren aus St. Petersburg zurückgekehrt, wo er mehrere Konzerte dirigiert hatte, führte in seinem letzten

23*

Konzert die E-moll-Symphonie Tschaikowsky's mit fulminanter Wirkung auf und der
excellente Geiger Marteau spielte (bei Fiedler) das feine und originell geformte Concert symphonique von E. Jaques-Dalcroze. Von Solisten-Konzerten sei der Klavier-
Abende gedacht, die Fr. Lamond und das Ehepaar James Kwast gaben, vor allem
aber auf den Sänger Josef Loritz hingewiesen, der in Balladen und Liedern —
darunter Novitäten von Ferd. Pfohl (Turmballaden) und Fr. Mikorey — als
Gesangstalent ersten Ranges sich entpuppte, sowie schöne Mittel von erstaunlichem
Umfang (E bis a'), vorzügliche Technik und reife Intelligenz in's Treffen führte.
                                                                          F. Pf.

Heidelberg. 19. Februar. Ein reiches Konzertleben hat sich auch in diesem
Winter wieder hier entfaltet. Zu den Weingartner-Konzerten, den populären Symphoniekonzerten (Musikdirektor Radig) und den von Otto Seelig mit dem Heermann-
quartett u. a. veranstalteten verdienstvollen Kammermusikabenden kamen noch eine
Reihe Solistenkonzerte, von denen nur die leider wenig befriedigenden Liederabende
von Frau Schumann-Heink und Ernst Kraus erwähnt seien. — Im Mittelpunkt
des musikalischen Interesses standen wie seit Jahren die von Professor Wolfrum
geleiteten Aufführungen des Bachvereins mit dem städtischen Orchester, im Kartell
mit dem Karlsruher Hoforchester. Dank der Mitwirkung des Bachvereins gestaltete
sich der am 16. November vorigen Jahres gelegentlich der Einweihung zweier Hans
Thoma'scher Wandgemälde (Erscheinung des Auferstandenen und »Sinkender Petrus«)
in der hiesigen Peterskirche abgehaltene akademische Festgottesdienst, an dem unsere
Großherzoglichen Herrschaften, Hans Thoma, Frau Cosima Wagner, Humperdinck,
Mottl und andere teilnahmen, zu einer erhebenden liturgischen Feier durch die Aufführung des selten oder nie gehörten Bach'schen »Oster-Oratoriums« und des
Chorals »Gieb dich zufrieden« (beide in Wolfrum's Bearbeitung). — Das 1. Abonne-
ments-Konzert des Bachvereins mit der ganz ausgezeichneten Koloratursängerin
M. Garnier von der Pariser Opéra comique war fast ausschließlich den Klassikern
gewidmet. In einem Beethovenabend lernten wir Conrad Ansorge als feinsinnigen
Beethovenspieler kennen und lieben. Das 3. Konzert brachte außer Beethoven's Violin-
konzert (Solist: Cesar Thomson) drei Sätze aus Berlioz' »Romeo und Julie« und Don
Juan von R. Strauß. — In den folgenden Konzerten begab sich Professor Wolfrum
in musikalisches Neuland. getreu seinem rühmlich bekannten, im Bachverein seit seinem
Bestehen durchgeführten Grundsatz. neben liebevoller Pflege bekannter und unbekannter
älterer Meisterwerke vor allem ernstes fortschrittliches Streben zu fördern,
beständig »den Gesichtskreis der Darstellenden wie Hörenden zu erweitern.« Im
4. Konzert erlebte die C-dur Symphonie Mili Balakirew's (geb. 1836) des eigentlichen Begründers der jungrussisch-nationalen, auf Berlioz-Liszt fußenden Schule, ihre
erste Aufführung. Das hochinteressante Werk (1898 geschr.) entzückt durch seine Ur-
wüchsigkeit. sein ausgesprochen nationales Empfinden, am deutlichsten im Scherzo und
im bedeutendsten letzten Satze ausgeprägt. Als zweite Neuheit brachte Professor
Wolfrum drei Sätze aus den »Impressions d'Italie« von Charpentier, in Deutschland
meines Wissens bis jetzt nur vom Colonne-Orchester gespielt. Der Komponist der
»Louise« hat hier ganz wunderbar feine Stimmungsbilder geschaffen, Programmmusik
im besten Sinn, prachtvoll instrumentiert, mit neuen, eigenartigen Wirkungen. — Das
5. Konzert war — den Huldigungsmarsch und drei Gesänge von Wagner ausgenommen
— ausschließlich Siegmund von Hausegger gewidmet, der mit seiner glänzenden,
aus Kraft und Feuer herausgeborenen symphonischen Dichtung »Barbarossa« auch
hier jubelnden Beifall fand. Außerdem dirigierte Hausegger nach dem Manuskript
die Uraufführung seines neusten Werkes: »Totenmarsch« für Männerchor, Bass-
Solo und großes Orchester, nach einer Dichtung von Martin Boelitz, ein gewaltig ergreifendes, grausiges Schicksalslied, ausklingend in wunderbaren Klängen des Friedens
und der Erlösung. Mit kleiner Stimme, aber seelenvollem Ausdruck, sang Hertha
Ritter, Hausegger's Braut, außer den Wagner'schen Gesängen noch drei zart empfundene Gesänge (mit Orchester) ihres Verlobten. Mit zwei monumentalen Werken
älterer und neuerer Kunst beschloß der Bachverein am 16. dieses Monats das Semester,
mit Mozart's Requiem und Bruckner's Te Deum, die eine in jeder Beziehung

glänzende Wiedergabe fanden. Chor, Orchester und Soloquartett (Frau Rückbeil-Hiller, Frau Craemer-Schleger, Opernsänger Thysen aus Amsterdam und Anton Sistermans) leisteten gleich Vorzügliches. **F. St.**

Karlsruhe. Eine sehr verdienstliche, rührige Tätigkeit enfaltete in letzter Zeit die Leitung der Großherzoglichen Hofoper. Zu Kaisers Geburtstag kam als »Novität« das in dieser Zeitschrift besprochene Jugendwerk Mozart's »Zaide« in der Neugestaltung von Hirschfeld (zusammen mit »Bastien und Bastienne«) zur Aufführung. Die Musik ist ganz echter Mozart, liebenswürdig und tonselig, manchmal, namentlich in den aus »König Thamos« entnommenen Partien zu dramatischer Größe sich erhebend. Ganz besonderen Reiz bekommt das Werk durch die überraschend reiche Verwendung der melodramatischen Form; die Instrumentalbegleitung birgt gerade dabei eine ungemeine Fülle charakteristischer Züge. Von köstlichstem Humor belebt ist das Lachcouplet des Aufsehers Dodok, und tiefste Empfindung zeigen außer mancher Einzelpartie, zum Beispiel der Philomelenarie, insbesondere die mehrstimmigen Sätze, das Terzett und, die Krone des Ganzen, das Quartett. Aber trotz alledem und trotz vorzüglicher Darbietung, bei der Frau Mottl als berufene Mozartsängerin wieder die ganze Süße ihres Gesanges entfaltete und Herr Bussard den Aufseher sehr humoristisch zur Geltung brachte, scheint uns trotz aller Verdienste der Hirschfeld'schen Neubearbeitung das Sujet allzu harmlos, als daß sich das Werk auf die Dauer erhalten könnte. — Ferner griff man auf lange nicht gegebene Werke zurück; man brachte nach langer Pause den »Rigoletto« und desselben Komponisten »Maskenball«, der doch schon manche Züge des reifsten Verdi aufweist — kein anderer Komponist hat ja solche Wandlungen durchgemacht — und besonderen Dank empfand das Publikum für die Wiederaufnahme der besten französischen Spielopern. Erfreute schon die lieblich einschmeichelnde, wenn auch nicht ganz von Trivialitäten freie Musik der »Weißen Dame«, so entzückte vollends der lange nicht gehörte »Schwarze Domino« durch die Fülle herrlicher Melodien und prickelnder Rhythmen. Ruhmestaten endlich waren die großen Wagneraufführungen. Nachdem vor Wochen Siegfried und Götterdämmerung in teilweiser neuer Besetzung begeisterten Wiederhall in allen Herzen geweckt, zeigte in einer kürzlich gebotenen Tristanaufführung Mottl wieder, wie er alles, nicht nur das ihm lange vertraute Orchester, zu vollkommenem Instrument in seiner Hand, sondern ebenso die Solisten — großenteils sangen sie, wie namentlich Fritz Rémond und Zdenka Faßbender in den Titelrollen, ihre Partien zum erstenmal — mit seinem Geiste zu erfüllen weiß.

Im 3. Künstlerkonzert von Hans Schmidt befriedigte Therese Behr, von Professor Neitzel begleitet, durch ihre vornehme Kunst, die vollendete Plastik des Vortrags auch den feinsten Geschmack. Berühmt ist die Künstlerin durch ihre Wiedergabe von Brahmsliedern; außerdem wußte sie am meisten zu erwärmen durch die kongeniale Darbietung von Tschaikowsky's wunderbarem Stimmungsbilde »Inmitten des Balles«.

Einen Sturm der Begeisterung erweckte der hier noch ganz unbekannte Klaviervirtuose Godowsky. Phänomenale Technik, unfehlbare Sicherheit des Gedächtnisses, unermüdliche Ausdauer, heroische Kraft und wunderbarstes Piano und Pianissimo bilden nur die Vorbedingung für die klarste Ausgestaltung und das tiefste musikalische Erfassen, das besonders Schumann, Chopin und Liszt zugute kam. **C. G.**

Kassel. Im Hoftheater kam ein lyrisches Drama »Michelangelo und Rolla«, Musik von Crescenzo Buongiorno, Text von Ferdinand Stiatti, zur Uraufführung und errang großen Beifall.

Kiel. Der Kieler St. Nikolaichor brachte unter Leitung seines Dirigenten Först eine recht gelungene Aufführung von Herzogenberg's Weihnachtsoratorium »Die Geburt Christi« und beteiligte sich kürzlich vorteilhaft an einem Konzert des Dresdener Damenquartetts. Einen genußreichen Abend gewährte das 3. Abonnements-Konzert des Kieler Gesangvereins unter Leitung von Professor H. Stange, das uns unter anderem eine prächtige Reproduktion der A-dur-Sinfonie Beethoven's bescherte und unser Kieler Konzert-Publikum mit den ausgezeichneten Darbietungen des Ehepaares Petschnikoff-Berlin bekannt machte. Das Hamburger Streichquartett (Zajic, Schloming, Löwenberg, Gowa) veranstaltete in der Aula der Universität einen weiteren

interessanten Kammermusikabend; die Herren Kopecky-Hamburg (Violine) und Keller-. Kiel (Klavier) erfreuten ihre Kunstgemeinde durch Duos älterer und neuerer Meister. Unser einheimischer Konzertsänger, Herr Theodor Heß, erwirbt sich in und außerhalb Kiels einen immer größeren Anhängerkreis. In seinem unlängst stattgehabten Liederabend erwies er sich von neuem als trefflicher Interpret Schubert'scher, Schumann'scher, Brahms'scher und Hugo Wolf'scher Kompositionen. Im Stadttheater erlebten wir eine tüchtige Aufführung der Afrikanerin mit Fräulein Bertgen als Selica, sowie des Don Juan mit Hans Mohwinkel als Gast in der Titelpartie und Frau Gille-Gebhardt-Hamburg als Donna Anna. Beide Opern wurden von unserem ausgezeichneten ersten Kapellmeister, Herrn Dechant, dirigiert. Derselbe machte sich besonders hochverdient um die Aufführung der »Walküre«, der die rührige Direktion Häusler besondere Sorgfalt hatte angedeihen lassen. Mohwinkel-Berlin sang den Wotan, Fräulein Agloda-Rostock die Brunnhilde, während unter unseren einheimischen Künstlern Listemann als Hunding und Kallensee als Siegmund Bemerkenswertes leisteten.
                                                                                                W. O.

Köln.. Felix Weingartner war der Dirigent der beiden letzten Gürzenichkonzerte. Er übte auch bei uns den Zauber seiner bezwingenden Persönlichkeit auf Musiker und Hörer aus, und die Beifallswogen erreichten eine ungewohnte Höhe. Unter den Werken, die für uns neu oder selten waren, befanden sich namentlich die Berlioz'sche Cellini-Ouvertüre und Listz's Faustsymphonie, die in einer so intim verstandenen Wiedergabe für den in Köln wenig eingedrungenen Meister eine bedeutungsvolle Propaganda machte. Daneben gefiel ungemein die Serenade von Mozart für vier kleine Orchester mit allerliebsten Echowirkungen. Als ganz neu wurde bei uns aus der Taufe gehoben der 90. Psalm vom Fürsten Heinrich XXIV. von Reuss. Der Komponist hat sich gegen seine früheren Werke vertieft, sein Psalm ist von Brahmsscher Herbheit, aber nicht ohne Kühnheiten in der Harmonisierung und der Verwendung der Klangmittel, dabei durchaus auf den Grundton der Dichtung gestimmt. Bossi's Orgelkonzert packte namentlich im letzten Satz, bot aber auch im ersten und zweiten des Bedeutungsvollen genug, um lebhaft bedauern zu lassen, daß desselben Canticum Canticorum in Köln immer noch eine unbekannte Größe bildet. Ysaye entzückte in Vieuxtemps durch die Schönheit seines Tons und die von Temperament durchglühte Größe seiner Auffassung, Prof. Heß zeigte sich in Mendelssohn's Konzert als ein vornehmer Geiger, und der junge Alfred Sittard spielte das erwähnte Orgelkonzert sauber und mit reicher Schattierung. — Im Theater ist zwar die Direktoratskrise durch die Ernennung des bisherigen Grazer Direktors Purschian zum Nachfolger Hofmann's beigelegt, aber eine andre hat sich aufgerollt, die einmal wieder ein grelles Schlaglicht auf die Vertrauensseligkeit der Bühnenkünstler und die mittelalterliche Härte ihrer Kontrakte wirft. In den alten Kontrakten war nämlich ein Kündigungsparagraph vom 1. März auf den Juni vorgesehen worden. Der alte Direktor konnte also seine ganze Truppe zum Juni entlassen, wenn er am 1. März kündigte. Nun weiß jeder, der mit Theaterverhältnissen einmal zu tun gehabt hat, was es heißt, am 1. März gekündigt zu werden, wo längst die Personale der nächsten Spielzeit unter Dach und Fach gebracht sind. Nun konnte weiter die Stadt Herrn Purschian nicht zwingen, das ganze Hofmann'sche Personal, so wie es geht und steht, zu übernehmen, und Herr Purschian hat sich das nicht zweimal sagen lassen, daß er die Macht besitzt, ihm ungenehme oder untaugliche Mitglieder zu entlassen und dafür tauglichere an die Stelle zu setzen. Außerdem hat er als kluger Rechenmeister die Gagen zu drücken versucht, auf acht Monate statt auf neun Monate engagieren wollen und dergl. mehr. Sein Vorgehen, vor allem aber auch der genannte Hoffmann'sche Paragraph und die Lässigkeit der städtischen Theaterkommission haben äußerst böses Blut gemacht, das denn auch in einer sehr energischen Resolution der Theatermitglieder zum Ausdruck gekommen ist. Es ist zu hoffen, daß Purschian soviel wie möglich die alten Mitglieder beibehalten wird, und es wäre einer Stadt wie Köln nur würdig, wenn sie sich dazu verstände, im Verein mit Herrn Hofmann den gekündigten Mitgliedern, soweit sie nicht eine andre Stelle finden, Abfindungen zu gewähren. Das Repertoire wickelt sich in üblicher Weise ab. Der Ring des Nibelungen hat einen weitern Ausbau durch Einfügung des Siegfried auf der neuen Bühne erhalten, in welchem die Titelrolle zum erstenmal von Herrn Birrenkoven, bekanntlich einem Kölner Kinde und längere Jahre hindurch lyrischem Tenor des Stadttheaters, zum zweitenmal vom jetzigen Heldentenor des Theaters Herr Gröbke gesungen wurde. An Konzerten sind wir jetzt ziemlich arm, dagegen hat sich ein Tonkünstlerverein aufgetan, eigentlich: er ist wieder aufgelebt, da er schon zu Hillers Zeiten blühte, um dann unter Wüllner sofort einzugehen. Drei Versammlungen fanden bis jetzt statt, in denen mehrere Merkwürdigkeiten zu Gehör gebracht wurden, so durch den Unterzeichneten eine Klaviersonate in E-dur von Carl Löwe, eine sehr interessante Klavierfantasie Mazeppa von demselben (aus dem Löwealbum von Breitkopf und Härtel), Gegenstück zu Liszts Etüde, sowie ein andermal Charakterstücke von Feodor Berger, einem Klavierlehrer des Konservatoriums (Breslau, Hainauer). Der Verein verspricht eine für das musikalische Leben der Stadt ersprießliche Entwicklung.　　　O. N.

Kopenhagen. Von der hiesigen Oper ist leider nichts zu berichten. Eine Wiederaufnahme von »Carmen« brachte eigentlich nur Interesse für die neue Carmen, Fräulein Krarup-Hausen, die mit ihrer gelungenen, obwohl keineswegs eigentümlichen Ausführung einen schönen Erfolg hatte. »Carmen« ist hier noch immer eine Zugoper — teils wegen der Dürftigkeit des Repertoires, teils durch die vortreffliche Leistung unseres ersten Tenors, Herrn Herolds (José), der nicht nur eine schöne Stimme besitzt, sondern auch darstellerisch begabt ist.

Von größeren Konzertvereinen gab der »Dänische« sein zweites Kammermusik-Konzert. Besonderes Wertvolles wurde nicht geboten. Ein hübsches und tüchtiges, doch etwas akademisches Streichquartett des jungen Komponisten Holger Hamann (vor einigen Jahren in Berlin mit einem Rubinstein-Preis ausgezeichnet), einige Lieder zu allzu leeren und dilettantischen Texten von Alfr. Tofft und Fr. Rung und ein Quartett (mit Klavier) von dem in Amerika lebenden dänischen Komponisten Otterström, ein Werk, das zwar formelle Gewandtheit und viel Klangsinn zeigte, mit seinen banalen, ja gemeinen Motiven aber eigentlich nur der »besseren« Unterhaltungsmusik angehört und in ein »feineres« Konzert nicht paßt. Bezeichnend genug gefiel dies Opus gerade am meisten. Bei der Aufführung behaupteten sich Frau Agnes Adler und das tüchtige Hoeberg-Quartett sehr gut. — Die Königlichen Kapellkonzerte brachten ein »modernes« Programm. Die 5. Sinfonie (Op. 55) von Glazunoff leitete ein — gewiß hätte eine bessere Wahl getroffen werden können —; diese Sinfonie von dem wohl zu viel schreibenden Russen ist weder sehr persönlich noch von bedeutendem Inhalt, sie spricht auch eher eine Schumann-Mendelssohn'sche Sprache als eine nationale. Erst im Finale erscheint, namentlich in Rhythmik und Instrumentation, des Meisters ausgeprägte Physiognomie. Die Sinfonie hatte keinen großen Erfolg, obgleich sie recht glanzvoll gespielt wurde. Noch weniger gefiel die andere Novität: »Gwendolin«-Ouverture von Chabrier, kraftvoll und original im Anfang, banal und unfein lärmend im Ausgang. Der Solist des Konzertes war Jacques Thibaud, der namentlich nach einem Mozart'schen Konzert sehr gefeiert wurde. Noch mehr Glück soll der junge Violinmeister mit einem eigenen Konzert gehabt haben (wovon ich aber nicht berichten kann, da mir kein Billett zuging).

Gegen Thibaud, und noch mehr gegen den hier neuerdings so beliebt gewordenen Burmester fiel Tivar da Nachez bedeutend ab; daß er alles, sogar Beethoven, in alter Virtuosenmanier behandelte, schuf ihm hier wenige Bewunderer, obwohl man seine große Virtuosität — nur die Intonation läßt bisweilen zu wünschen übrig — gern anerkannte. Mit ihm trat eine ziemlich mittelmäßige schwedisch-englische Pianistin, Mary Olsson, auf. — Mit seinen ganz eigenartigen Liedervorträgen konnte Sven Scholander noch einmal das saalfüllende Publikum aufs Beste unterhalten und mit einem Kammermusikabend — wo unter anderem das freundliche Jugendquartett, Op. 1, von Joh. Svendsen zum ersten Male öffentlich gespielt wurde — hatte der talentvolle Musiker (Violinist und Komponist) Fini Henriques viel Glück.　　　W. B.

Leipzig. Am Stadttheater herrschte in den letzten Wochen reges Leben. Gäste kamen, Gäste gingen. Paula Dönges, unsere frühere Primadonna, frischte in Rienzi.

Cavalleria rusticana und Bajazzo alte Sympathieen der Leipziger auf, während Lilli
Lehmann sich als Fidelio und Isolde noch immer als unübertroffene dramatische Ge-
sangskünstlerin auswies. Die Tristan-Aufführung gehörte zum Vollkommensten, was
der Winter an Opernaufführungen gebracht. Kein Wunder, stand doch Nikisch selbst
am Dirigentenpult! Theod. Bertram sang gelegentlich den Hans Sachs, während der
einheimische Sänger Moers mit einer reifen, durchdachten Leistung als Loge im
»Rheingold« überraschte. Einige von fremden Stadttheatern herübergewehte Singvögel
entledigten sich ihrer Aufgaben, ohne tiefer zu interessieren.

Allgemeinstes Interesse brachte man den beiden Novitäten des Monats entgegen:
»Die Beichte«, Opernmysterium von Ferdinand Hummel und »Das war ich« von Leo
Blech. Seit Sonzogno's erfolgreichem Preisausschreiben vom Jahre 1890 hat sich die
internationale Opernlitteratur um ein Heer von Einaktern vermehrt. Es waren sehr
wenig glückliche Geburten darunter; die meisten der jungen Sprößlinge starben an
Entkräftung oder hielten sich durch die Kunst der Ärzte nur mühsam am Leben. Zu
diesen gehört Ferd. Hummel's nicht mehr ganz neue »Beichte«. Der Komponist
hat sich vor einigen Jahren mit dem Schauerstück »Mara« vorteilhaft eingeführt.
Beide Male wurde ihm das Libretto zum Verhängnis. Was in »Mara« das ästhetische
Feingefühl verletzte: die allzu schreiend aufgetragenen Farben pseudoitalienischer Rach-
gier und anderer »pagliaccistischer« Instinkte, das hätte man in kleineren Dosen gern
dem Textbuch der »Beichte« gewünscht. Axel Delmar's Dichtung ist zwar poetisch
und fein ausgedacht, aber weit entfernt, dramatische Spannung zu erzeugen. Der
Eremit Jacinto, seit Jahren in einer Höhle des portugiesischen Felsengebirges hausend
und ein am Weibe seines Freundes begangenes Liebesverbrechen abbüßend, beichtet
dem letzteren und seiner Tochter Beata das Vergehen. Von Handlung ist also keine
Rede. Es geschieht weder Wirkliches noch Mystisches. Dazu kommt das gewagte
Beginnen Delmar's, das »Geschehnis vor zwanzig Jahren« — gleichsam als Vision —
inmitten der wirklichen Begebenheit dem Zuschauer als Tat vor Augen zu führen und
lediglich durch kurze Verwandlungsmusik von dieser zu trennen. Der Schluß: Jacinto's
Tod in den Armen der jungen Beata hat nichts Ergreifendes, denn. der Beichte folgt
keine genugsam motivierte Absolution; Beata schweigt, wie sie sich überhaupt als ein
recht einsilbiges Geschöpf giebt. Der Cardinalfehler des Ganzen besteht in der ver-
blümten Einkleidung der Tatsachen, deren wichtigste, die Vaterschaft Jacinto's in
drei kurzen Exclamationen enthüllt wird. Unvorbereitete stehen also dem Ereignis
völlig hilflos gegenüber und werden erst am Schlusse über die Pointe der alten Roman-
fabel klar. Der Librettist hat sich um den wertvollsten Faktor jedes Bühnenerfolges
gebracht: der vorauskombinierenden Tätigkeit des Zuhörers.

Hummel's Musik schließt sich den Vorschriften des Dichters zu eng an, um dessen
Schwächen zu verdecken. Sie arbeitet mit altbekanntem, ohrenfälligem Melodiematerial,
ohne nur einmal die Stimmung einer Szene mit kräftigen Strichen festzuhalten. So
flüssige, vieldeutige Musik paßt für einen Einakter, noch dazu »Mysterium« genannt,
durchaus nicht. Hummel hätte besser getan, prägnante Leitmotive aufzustellen und
durch deren Verwebung das skizzenhafte Bild des Dichters zu korrigieren, etwa nach
dem Muster des d'Albert'schen »Kain«. Ein Lob bedeutet es daher nicht, wenn ich dem
als Bühnenstück in die Welt gesandten Werke einen bessern Erfolg als Oratorium,
d. h. im Konzertsaal prophezeihe. Einzelne charakteristische Episoden, die das lyrische
Talent des Komponisten außer Frage stellen, kämen auf diese Weise gebührend zu
Ehren. — Um die Darstellung machten sich die Herren Urlus, Schütz und Frl. Sengern
verdient.

Über Leos Blech's anmutiges Lustspiel »Das war ich« wurde in diesen Blättern
schon bei Gelegenheit seiner Dresdener Erstaufführung berichtet (S. Heft IV, S. 63).
Es erzielte auch hier freundlichen Erfolg. Übermut und Sinnigkeit, Satzkunst und
Bühnentechnik feiern da Triumphe. Gegen den Vorwurf, die Schlichtheit ländlichen
Lebens durch Anwendung eines machtvollen orchestralen und kontrapunktischen Apparats nahezu ausgelöscht zu haben, nehme ich den Komponisten in Schutz. Ob das Stück
auf dem Lande oder in der Stadt, in der Hütte oder im Königspalast vor sich geht,
ist für den Bühnenkomponisten einerlei: es gibt nur eine Realistik, wollen wir nicht

in die Manier der alten Singspielkomponisten zurückfallen, die den Bauer Gassenhauer, den König Arien singen ließen. Blech behandelt den Dialog mit so viel Feingefühl, mit so viel Freiheit und liebenswürdiger Grazie, daß der in der Tat bestehende Widerspruch zwischen dem Was und dem Wie des Gesungenen aufgehoben wird. Das Ganze spielt sich mit überzeugender Natürlichkeit und Frische ab. Zur Klärung der Frage: wie soll eine künftige komische Oper der Deutschen beschaffen sein, bedeutet dies köstliche Stück einen Beitrag, obwohl die Aufgabe, ein von »philophischer« Komik durchwürztes Sujet zu finden, auch hier nicht gelöst wurde. Noch scheint der Apparat der alten Verwechselungs- und Verkleidungsoper hindurch. Komik, die keiner künstlichen Einfädelung bedarf, durch Zeit, Ort und Naturanlage hervorgerufen wird, brauchen wir. Beckmesser's Erbe bleibe nicht länger unbenutzt! — Die hiesige Première verlief glänzend, dank der gesanglich und schauspielerisch vortrefflichen Leistungen der Damen Gardini, Seebe, Köhler und der Herren Groß und Traun. Kapellmeister Porst, der beide Novitäten einstudiert, leitete das Ganze mit Umsicht.

Im Konzertleben gabs mehrere Ereignisse. Alexander Sebald, ein Mitglied des Gewandhausorchesters und bekannt als Bratschist des Gewandhausquartetts, beschloß seine dreiabendlichen, sämtliche Solosonaten von Bach und sechs Capricen von Paganini umfassenden Violinvorträge und sicherte sich damit den Ruf eines technisch wie geistig auf der Höhe der Zeit stehenden Virtuosen. Frl. E. Schellenberg und die Herren M. Oberdörffer und O. Werth unterstützten ihn jedesmal mit Gesangsdarbietungen. Weiterhin entzückte Wladimir Pachmann sein Publikum mit Klavier- verbunden mit Redevorträgen, Kubelik feierte Triumphe, Wüllner sang neue Lieder von Ansorge und überraschte in seiner neuen Eigenschaft als Balladensänger. Russisch gewürzte, vornehme Kammermusik setzten die Herren Siloti und Brandukoff (Violincell) vor und verstanden nachhaltig zu interessieren, was sich von den Leistungen des Dresdener Künstlerpaares Lewinger (Violine) und Sherwood (Klavier) nicht behaupten läßt.

In den neuen Abonnementskonzerten (E. Eulenburg), die fortgesetzt Interessantes und Gediegenes bieten, hörten wir Ysaye Mendelssohn und Vieuxtemps geigen, Tilly Koenen Strauß'sche Lieder ausgezeichnet, Beethovens »Ah perfido« befriedigend singen. Das siebente, unter Steinbach mit den Meiningern, brachte Brahms' C-moll-Sinfonie und Strauß' »Don Juan« als Hauptnummern. Strauß selbst und das Berliner Tonkünstlerorchester erschienen im achten mit Wagner- und Liszt-Vorträgen und einem beifällig aufgenommenen Intermezzo aus Bruneau's »Messidor«. Das Gewandhaus hatte als Solisten die Damen Destinn, Hedw. Meyer, die Herren Bertram und Jacques Thibaud engagiert. Von den beiden Novitäten: W. Lampe's »Tragisches Tongedicht« und Sig. Stojowski's »Andante und Scherzo« aus der Symphonie op. 21, zündete namentlich das letztere. Marteau und Lamond spielten, über alles Lob erhaben, in zwei von Winderstein's philharmonischen Konzerten, in denen u. a. eine wenig selbständig anmutende Symphonie Fr. Mayerhoff's zur Aufführung gelangte. Bei Gelegenheit eines »außerordentlichen« philharmonischen Konzertes gewann sich Mary Münchhoff sowohl durch ihre vortreffliche Stimmschulung wie das Ungekünstelte ihres Vortrags viele Herzen. Mit den Namen Thea von Boudemont-Redwitz, Else Brachvogel, Else Widen, Emil Pinks, Heinrich Meyn (Gesang), Richard Buhlig, Karl Friedberg, Dorothy Lethbridge (Klavier) dürfte schließlich die Liste der jüngst aufgetretenen Künstler erschöpft sein. Wertvolles boten namentlich Pinks und Friedberg.

A. Sch.

Mainz. 16. Februar. Während das Theater uns in dieser Saison für das Ausbleiben neuer interessanter Werke durch das Ausgraben älterer, fast vergessener, wie Johann von Paris, Norma, Josef u. s. w. zu entschädigen suchte, wehte in den Sinfoniekonzerten eine frische Luft. Neben einer Fülle altberühmter Musikwerke erschienen auch eine Reihe Novitäten, von denen ich besonders drei hervorheben will. Zuerst eine 5sätzige Sinfonie des jungen Münchener Komponisten Dolmany. Vor Allem zeichnet dieses Werk ein frischer, gesunder Wagemut aus, der, unbekümmert, ob er auch einmal daneben haut, seine Themen frei und kühn in alle Welt singt. Wenn das, was er sagt, noch lange nicht die Sprache des gereiften selbständigen Künstlers ist, wenn seine Weisen auch nicht die zwingende Macht jener in heiliger Not geborenen Kunst aufweisen, vielmehr einem freudigen Spieltriebe entspringen, so ist die Art, wie er seine Gedanken ausspricht in jeder Weise sehr bemerkenswert. Stimmführung und Harmonik sind stets vortrefflich, die Behandlung des Orchesters eine meisterhafte. Entwickelt sich der junge Komponist in dieser Weise weiter, lernt er vor Allem Beschränkung, Maßhalten, so dürfen wir Hervorragendes von ihm erwarten. — Großen Beifall errang sich eine zweite Novität, eine Lustspielouvertüre von Edgar Istel, einem geborenen Mainzer. Das flottgeschriebene Werk, (vgl. Bericht im letzten Heft), in dem die Beschränkung der Mittel auf das Notwendige sofort angenehm auffiel, ist von liebenswürdiger melodischer Erfindung, hübsch und geschickt in der Arbeit und klangvoll in der Instrumentierung; es ist das, was es sein will. Das letzte Konzert brachte dann Hausegger's Barbarossa. War auch die Aufnahme seitens des Publikums eine kühle, so beweist das nichts gegen die Bedeutung des Werkes. Ich hörte das Werk zum ersten Male, und es wäre lächerlich, wollte ich mir darnach ein maßgebendes Urteil gestatten, eines aber ist mir klar geworden, daß Hausegger ein großes Talent ist, und vor allem seine Kunst versteht. Kapellmeister Steinbach hat das Werk vortrefflich einstudiert und geleitet. Die Mainzer »Liedertafel und Damengesangverein« brachte an größeren Werken Beethoven's Missa solemnis und die Jahreszeiten, letztere wurden dann zweimal als Volkskonzert wiederholt. Der Andrang zu diesen Konzerten steigert sich von Jahr zu Jahr mehr. Von den durch das Heermann'sche und Mainzer Streichquartett abwechselnd von der Liedertafel veranstalteten Kammermusikabenden, nenne ich nur den letzten, der durch die Mitwirkung des Damenchores, der eine Reihe altklassischer Werke vortrefflich unter der Leitung des Domkapellmeisters Weber vortrug, eine besondere Anziehungskraft bekam. 					F. V.

München. Gott Jocus schwingt das Scepter in diesen Wochen und seinen leichtgeschürzten Rhythmen muß die ernstere Muse weichen. Trotz alledem wagten es jedoch eine Anzahl Künstler auch in dieser ungünstigen Zeit das Podium zu betreten. Unter den Pianisten gebührt Frederic Lamond mit seinem Beethovenabend, an dem er unter anderem die Diabelli-Variationen Op. 120 spielte, unstreitig der Vortritt, umsomehr, als er in selbstloser, alle Eitelkeit des Virtuosen verschmähender Weise dabei den Anfang mit einer wahrhaft wohltuenden Abdämpfung des Lichtes machte. Der Münchener Guido Peters und der Frankfurter Karl Friedberg sind ebenfalls namentlich als Beethoven-Interpreten am Klavier zu rühmen. Im Zeichen dieses Gewaltigen stehen auch die Konzerte, die Frau Anna Langenhan-Hirzel gemeinsam mit dem Brüsseler Geiger Eugen Ysaye veranstaltet und in denen sie sämtliche Sonaten des Meisters für Klavier und Violine vorzuführen gedenkt. Liederabende, die sich durch interessante Gesänge Ludwig Thuille's und Max Reger's auszeichneten, gaben Frau Susanne Dessoir und Fräulein Auguste Vollmar, eine stimmungsvolle ganz neue Komposition Thuille's für Frauenchor und Harfe »Traumsommernacht« führte der Lehrerinnen-Singchor auf. Drei Abende des Berliner Waldemar Meyer-Quartetts brachten als freilich nicht gerade bedeutsame Novitäten d'Albert's C-dur-Quartett Op. 11 und Grieg's G-moll-Quartett. Während die großen Konzerte sistiert sind, veranstalten Stavenhagen wieder mit dem Kaimorchester, Zumpe neuerdings auch mit dem Hoforchester bei mäßigen Eintrittspreisen volkstümliche Konzerte, die sich eines regen Besuches erfreuen. Bei Zumpe wirkte als bemerkenswerter Solist Feinhals, bei Stavenhagen Dr. Neitzel aus Köln mit, der bereits aus früheren Jahren hier als ausgezeichneter Pianist hochgeschätzt ist.

Die Hofoper überraschte uns angenehm mit der Neueinstudierung von Schillings' Ingwelde, die 1897 von Richard Strauß hier eingeführt, von Zumpe im vorigen Frühjahr wieder aufgenommen wurde. Ein neuer Tenor, Anton Bürger, hatte diesmal die Rolle des Bran mit gutem Gelingen übernommen, während Frau Senger-Bettaque wie im Vorjahre die Heldin des Werkes hinreißend verkörperte. Eine recht unangenehme Überraschung bereitete uns jedoch die zweite Novität der Saison »Der Dusle und das Babeli« von Karl von Kaskel, deren Uraufführung hier, am Wohnort des aus Dresden stammenden Komponisten stattfand. Kaskel, der sich vor kurzem mit

seiner ersten Oper »Die Bettlerin von Pont des Arts« an Provinztheatern einen guten
Erfolg errang, ist durchaus Dilettant, da ihm die wesentlichen Erfordernisse einer
wirklich musikalischen Diktion noch ermangeln. Dürftige Harmonik, schlechte Stimmführung, rührselige Melodik im Liedstil findet man auf jeder Seite der nicht gerade
ungeschickt, aber oft äußerst vulgär instrumentierten Partitur. Daß das Werk dem
Publikum trotzdem gefiel, ist angesichts des Umstandes, daß eine Schundoper, wie
Neßler's »Trompeter« noch heute an Aufführungszahl jährlich an erster Stelle figu-
riert, kaum verwunderlich. Allerdings trug auch das von Schriefer und Kolloden sehr
geschickt aus Volksliedern aus »Des Knaben Wunderhorn«, dem auch die Umrisse
der Handlung entnommen sind, zusammengestellte Textbuch mit seinen wirksamen
Bühnenbildern aus der Landsknechtzeit und seiner Tränenseligkeit viel zum Erfolge
bei. Daß das Werk seinen Weg über eine Reihe von Bühnen nehmen wird, bezweifle
ich angesichts dieser Qualitäten nicht: mal rühren wird es an manchem Sonntag der
Menschen Ohr und füllen der Bühnenleiter Kasse. Daß unsere Hofoper aber die
Schuld, hier Taufpatin gewesen zu sein, durch eine weihevolle Tristan-Aufführung an
des Unsterblichen 20. Todestag zu sühnen suchte, sei ihr hoch angerechnet.   E. I.

Paris. Théâtres. Aucune nouveauté à l'Opéra et l'Opéra-Comique; ce dernier
théâtre a repris la Traviata de Verdi, et pour cette reprise, M. Carré a eu l'in-
génieuse idée d'habiller les acteurs en costumes du temps où fut écrit le roman
d'Alexandre Dumas fils, la Dame aux Camélias, origine du livret mis en musique
par Verdi. Mme Sarah Bernhardt, en son théâtre de la place du Châtelet, a repris
l'Andromaque de Racine augmentée d'une partition de M. Saint-Saëns. L'avant-
dernière saison, elle avait joué Phèdre avec plusieurs morceaux de M. Massenet.
De semblables tentatives, faites dans le but louable de rendre moins froides nos tra-
gédies classiques, ne semblent pas devoir être bien glorieuses pour les compositeurs
qui se chargent de »réparer des ans l'irréparable outrage« qu'a pu subir l'art de
Racine. M. Saint-Saëns, pour Andromaque, a écrit une ouverture assez importante;
puis par ci, par là, au cours des cinq actes, quelques mesures soulignant ou coupant
les récits des personnages. Le tout est, en résumé, peu important et le public n'écoute
que distraitement l'orchestre, dirigé cependant par M. Colonne. D'autre part, M.
Colonne, qui fêtera le 2 mars le 30e anniversaire de son premier concert (à l'Odéon,
2 mars 1873) a dirigé, le 16 février, salle Humbert de Romans, une audition de
l'Arlésienne, de Bizet.

Concerts. Au Châtelet, M. Colonne a repris une belle œuvre d'un jeune compositeur, la Seconde Symphonie de M. Henri Rabaud, prix de Rome de 1894.
Cette œuvre, écrite lors du séjour de M. Rabaud en Italie, est devisée en quatre parties:
dans la première, allegro moderato, trois thèmes principaux sont exposés, puis
développés selon les règles classiques du genre, mais sans cesser un instant d'intéresser
l'oreille par leurs combinaisons originales; l'orchestre y vibre d'une belle sonorité et,
malgré que le début paraisse un peu froid, il prend peu à peu de la chaleur et donne
au finale un caractère enthousiaste qui persiste dès lors dans l'œuvre entière. Le
deuxième morceau, andante, d'un caractère quasi religieux, est construit sur un
choral auquel vient s'opposer un motif plus expressif. Le scherzo, allegro vivace,
offre un curieux travail rhythmique dans les différentes modifications que le compositeur
fait subir au motif qu'il a choisi; en opposition, reparaît, varié et transformé le choral
du morceau précédent. Enfin, la dernière partie, allegro, ramène les thèmes du
début, non sans de nombreuses modifications, soit dans le rhythme, soit dans le timbre.
Et l'œuvre se termine, après un moment d'agitation, dans le calme de l'orchestre
apaisé, qui laisse entendre une dernière fois le motif solennel du choral.

Il me faut revenir sur une autre symphonie, celle en ut mineur de M. Gernsheim,
et dirigée par lui-même au Châtelet. Ne l'ayant pas entendue, je n'en puis en parler
que par ouïdire. Elle a été écoutée avec grand intérêt par le public, qui a bissé le
molto vivace. Cet accueil ne pourra qu'encourager M. Gernsheim a faire entendre
d'autres œuvres à Paris. Sa Symphonie avait été exécutée déjà, il y a un an, chez
Mme la comtesse de Béarn qui est une dilettante des plus distinguées de Paris.

Presque rien autre à remarquer au Châtelet: sinon la Marche hongroise de

Liszt, joué immédiatement avant celle de Berlioz, pour permettre la comparaison. Elle n'est guère connue à Paris et l'auditoire, habitué à la version du compositeur français a été par moments dérouté, mais il n'a pas ménagé ses applaudissements. Les trois derniers dimanches ont été consacrés à des auditions intégrales du Faust de Schumann. L'exécution, de la part de tous, solistes, choristes et orchestre, a été des plus satisfaisantes. Aux séances du jeudi, Mme Ida Ekman, accompagné par M. Lucien Wurmser a dit de sa jolie voix des mélodies françaises, les Amours du Poète de Schumann, l'air de Serse (Händel) etc. Deux Danses dans le style ancien de Saint-Saëns, pour orchestre, ont été accueillies avec applaudissements.

Aux Concerts Lamoureux, M. Weingartner est venu diriger le 8 février; au programme: Beethoven (VI. Symphonie), Wagner (ouverture des Meistersinger), Chevillard (Fantaisie symphonique), le kapellmeister lui-même (trois mélodies) et Liszt (Mazeppa). Liszt, dont M. Chevillard fait la louable tentative de diriger les œuvres cette année: voilà déjà, Dante, la Bataille des Huns, Faust, Mazeppa au programme du Nouveau-Théâtre. Quelque puisse être l'opinion sur ces œuvres, il était temps de réparer une véritable injustice et de tenir plus longtemps le public dans l'ignorance d'un des plus grands musiciens modernes, de celui qui eut une si immense influence sur tout le dernier demi-siècle.

Au conservatoire, rien de nouveau également, depuis la Passion, de Bach, sauf un Concerto pour piano, de M. Massenet (exécuté par M. Diémer). La partie chorale a toujours une assez large place aux concerts de la rue Bergère; parmi les dernières œuvres qui y furent chantées, on remarque le motet de Rameau, Quam dilleta, le chœur des Fileuses, du Fliegender Holländer, le Chant des Oiseaux, de Clément Jannequin.

Une société musicale qui jusqu'à présent ne donnait que peu de séances, l'Euterpe, est devenue cette saison tout à fait régulière; elle ne craint pas d'aborder, avec applaudissement des œuvres importantes, telles que l'Enfance du Christ, de Berlioz (22 février).

A la Philharmonique, après le Quatuor Schumann et le Trio Chaigneau, le grand événement a été le Quatuor Joachim (10 et 12 février). Joachim n'était pas venu à Paris, depuis quinze ans, suivant les uns, depuis 1870, affirment les autres: peu importe. Sa venue a, par deux fois rempli le local, trop petit, de la Philharmonique. Le génial violoniste avait choisi les œuvres suivantes:

Quatuors de: Haydn (si ♭ majeur), Mozart (ut majeur), Beethoven (op. 74 et 131), Schumann (la mineur) et Brahms (la mineur).

Parmi les innombrables autres concerts de musique de chambre, je citerai ceux de la Nouvelle Société des Instruments anciens, qui exécute à merveille les œuvres légères du XVIIIe siècle; — les récitals de M. Harold Bauer; — de M. L. Wurmser (avec Mmes Rannay, Greef-Andriesen et M. de La Cruz-Fröhlich); — de M. L. Capet, ancien premier violon des Concerts-Lamoureux (Quatuors de Schumann et de Beethoven); — de Mlle et M. Boucherit (sonate de violon et piano); — de la célèbre pianiste anglaise Fanny Davies; — les deux séances de sonates pour piano et flûte données par Mlle Richez et M. G. Barrère, des Concerts-Colonne (œuvres de Bach, de Marcello, de Reinecke); — enfin les intéressantes conférences-concerts de M. Paul Landormy sur l'Histoire de la Musique jusqu'à Beethoven, fort documentées, mais qui malheureusement ne sont fréquentées que par un public bien frivole.

En Province, comme à Paris, les sociétés de concerts des différentes villes continuent l'interprétation des œuvres classiques et modernes, comme par le passé; rarement on y entend pour la première fois une œuvre originale.

A Angers, Mme Ida Ekman s'est fait applaudir dans un concert où l'on exécuta la Symphonie fantastique de Berlioz. Le théâtre de cette ville a repris Cendrillon, de Massenet. A Bayonne, on joue Hérodiade; à Nice, après Messaline de M. Isidore de hara, voici, mise au programme l'oratorio de Marie Magdeleine, toujours de M. Massenet. A Bordeaux, c'est Grisélidis. A la célèbre Société St. Cécile de cette ville, Mlle Kleeberg s'est fait applaudir dernièrement. A Dijon, patrie de Rameau, la Scola cantorum a donné un concert dont le programme était composé de fragments du grand musicien. A Lille, M. Maquet dirige des fragments du Roméo de Berlioz, et la VIII. Symphonie de Beethoven. A Lyon, le Grand-Théâtre donne une première représentation d'une œuvre ignorée encore d'un compositeur français: la Belle au Bois-dormant, paroles de Michel Carré et Collin, musique de Ch. Silver (17 janvier); Nancy reprend immédiatement cette féerie; tandis qu'aux Concerts du Conservatoire, M. J.-G. Ropartz fait exécuter la IX⁰ Symphonie, Thomas, de Balakireff, des fragments de Psyché, de C. Franck; la Cloche des Morts et le Paysan breton, de Ropartz; la St. Elisabeth, de Liszt; l'entr'acte de l'Etranger, l'œuvre nouvelle de M. V. d'Indy. Dans la même ville, le professeur Lichtenberger fait des conférences sur la musique.

Le Théâtre des Arts, de Rouen, a admis à son répertoire la Fiancée de la Mer, de Blockx et le Juif polonais d'Erlanger; à Toulouse, a eu lieu la première de Louise en cette ville.

A Perpignan, la Société de musique classique donne en janvier, à son 117⁰ concert: la XII⁰ Symphonie, de Haydn; l'ouverture des Francs-Juges, de Berlioz; celle de Ruy-Blas, de Mendelssohn, etc.

Le compositeur Silvio Lazzari, aux Concerts classiques de Marseille, a dirigé plusieurs de ses œuvres: Suite d'orchestre en fa; Concertstück; Effet de nuit. A la même société, on a exécuté le Paradis et la Péri, de Schumann. Le Théâtre d'opéra a donné la première de Haensel et Gretel.

Pour terminer cette revue rapide et forcément incomplète, je rappellerai la première de l'Ouragan à Nantes, où M. Bruneau est fort apprécié tant au concert qu'au théâtre; — et à Monte-Carlo la première du Tasse, opéra de M. Eugène d'Harcourt dont on n'a pas oublié les trop éphémères Concerts éclectiques. Les critiques ont été assez généralement favorables à l'auteur du Tasse, dont c'est le début au théâtre. Je rappellerai à cette occasion que M. d'Harcourt est un ancien élève du conservatoire de Berlin.

On sait la perte que vient de faire la musique française en la personne de Mᵐᵉ Augusta Holmes qui était une noble artiste dont le génie d'exécution n'était peut-être pas à la hauteur de ses conceptions.

Coïncidence singulière: presque le jour de la mort d'une des meilleures «compositrices» françaises, le Ministre de l'Instruction publique signait un arrêté permettant à l'avenir aux femmes de se présenter au concours pour le grand-prix de Rome. La première concurrente sera Mˡˡᵉ Toutain, qui paraît avoir toutes chances de réussite, étant donné ses succès antérieurs au Conservatoire.   J. G. P.

Prag. 20. Februar. Als bedeutsameres Ereignis im Spielplan des abgelaufenen Monats kann ich für das Neue deutsche Theater die Wiederaufnahme der »Euryanthe« anführen. Wenn nur der Text nicht so widerhaarig wäre. Auf die Dauer ist er nicht zu vertragen, und die sieben dramatischen Todsünden, die Helmine von Chézy begangen hat, müssen ihr am Tage des jüngsten Gerichtes doppelt angerechnet werden, weil nur sie daran schuld ist, daß Euryanthe trotz aller Wiederbelebungsversuche immer wieder auf längere Zeit verschwindet. Zufällig traf sichs, daß, obwohl schon früher einstudiert, »Die Glocken von Corneville« erst gegeben wurden, als deren Vater das Zeitliche gesegnet. Wenn man genötigt ist, die wertlose Fabrikswaare auf dem Gebiete der Operette einzuschätzen, so freut es doppelt, wenn man sieht, daß die gute alte Zeit in diesem Falle wirklich die bessere ist. Der Schatz an Melodien in den »Glocken« allein ist wertvoller als alles, was im »Süßen Mädel«, im »Fremdenführer«, in den »Landstreichern« und wie sie alle heißen mögen, die mißratenen Kinder der leichtgeschürzten Muse, zu hören ist. — Richard Wagner's Todestag wurde mit einer Tannhäuser-Aufführung begangen, in der für den Einzug der Gäste alle verfügbaren Säulen und Stützen des Opern- und Schauspielensembles herangezogen wurden. — Über die Vorkommnisse im tschechischen Theater weiß ich aus eigener Anschauung nichts zu berichten, da mir die Direktion bedeuten ließ, zu »Erstaufführungen und Neueinstudierungen« stünden für Referenten keine Eintritts-

karten zur Verfügung, da »auch so immer ausverkauft« sei. Der Standpunkt, wonach
der Berichterstatter nur zum.Füllen leerer Sitzreihen dienen soll, ist jedenfalls etwas
ungewöhnlich, immerhin aber charakteristisch und unter Umständen auch auswärtigen
Theaterleitungen zu empfehlen. — Am 22. Januar fand im Neuen deutschen Theater
das 3. philharmonische Konzert statt. Henri Marteau war Solist. An symphonischen
Werken hörten wir in demselben Borodin's H-moll-Symphonie und zwei Sätze aus
einer Symphonie von Willner, einem jungen deutsch-böhmischen Komponisten. Der
Pianist Godowsky trat in zwei Konzerten auf, zwei Konzerte absolvierte auch Bronislaw Hubermann. Die Quartettvereinigung Rosé aus Wien produzierte sich im
Konzert des deutschen Kammermusikvereines mit einem Quartett von Haydn (Op. 64,
Nr. 6), Beethoven (Op. 95) und Brahms (Op. 67).   E. Ry.
    Stettin. Das 3. Abonnementskonzert im »Verein junger Kaufleute« brachte uns,
wie alljährlich, die Künstlerschar des Berliner **Philharmonischen Orchesters**,
die unter Leitung von Meister **Rebicek** Beethoven's »Pastorale«, Saint-Saëns' Vorspiel zur »Sintflut«, die »Tannhäuser«-Ouverture und drei pikant instrumentierte Sätze
aus Berlioz' »Damnation de Faust« prachtvoll interpretierte. In dem 2. Kammermusikabend von **Paul Wild** hier (ständig Mitwirkende: Katharina Wild, sowie die
Königlichen Kammermusiker August Gentz und Eugen Sandow aus Berlin) führte
sich der jugendliche Pianist **Ernesto Drangosch** besonders als Kammermusikspieler sehr vorteilhaft ein. Liszt's »Heilige Elisabeth« kam in dem 2. Abonnements-
konzerte des **Stettiner Musikvereins** unter Leitung von Professor Dr. **Lorenz**
und solistischer Mitwirkung von **Meta Geyer** und **Arthur van Eweyk** erstmalig
zu überaus gelungener und wirkungsvoller Aufführung. In der Oper absolvierten
Franzeschina Prevosti und **Francesco d'Andrade** sehr erfolgreiche Gastspiele. Als zweite Novität ging Karl Weiß' Volksoper »Der polnische Jude« mit sehr
mäßigem Erfolg in Szene; eine Wiederholung dürfte dem in Handlung wie Musik
gleich wenig interessierenden Werke kaum beschieden sein.   C. P.
    Strafsburg i. E. Unserem ohnedies nicht sehr lebhaften Konzertleben fehlt die
einheitliche, zielbewußte Leitung, trotzdem Otto Lohse hier wirkt. Er stellt seine
Kräfte leider nur selten in den Dienst reiner Instrumentalmusik. So hörten wir im
Dezember die IX. Symphonie von Beethoven und für den März hat er die IV. Bruckner'sche versprochen. Eingeweihte wollen wissen, dieses Zurücktreten Lohse's sei kein
freiwilliges, eine Clique walte da ihres Amtes, sicher sehr zum Schaden unseres Musiklebens. Man braucht nur die Frequenz der Lohsekonzerte gegenüber den Abonnementskonzerten des Orchesters unter Dir. Stockhausen's Leitung zu betrachten. Diese
stehen auch weder mit der Auswahl der Programme, noch mit ihrer Durchführung
auf der mit dem trefflichen Instrumentalkörper leicht erreichbaren Höhe. Man hörte
seit Weihnachten zwei Chorwerke — Haydn's »Jahreszeiten« und »Paradies und Peri«
von Schumann — und das nachfolgende Konzert mit einer Mozart'schen Symphonie und
2 Sätzen aus Glazounow's fünfter als orchestralen Teil konnte dieses Abschweifen von
der eigentlichen Aufgabe sicher nicht kompensieren. Dagegen feierte bei der Gelegenheit Jaques Thibaud selbst bei unserem schwer zu begeisternden Publikum
Triumphe, und mit vollem Recht. Er spielte wundervoll (3. Konzert von Saint Saëns,
Konzert von Mendelssohn). Neben Marteau hatte er in dieser Saison hier den größten
Erfolg.
    Unter den erwähnten Umständen wurde der Besuch des Meininger Orchesters
hier begreiflicherweise doppelt freudig begrüßt. Brahms' 4. Symphonie, seine so selten
gut zu hörende akademische Festouverture und das Meistersingervorspiel bildeten den
orchestralen Teil des Programmes. Daneben zeigten sich die Bläser des Orchesters in
einer entzückenden Wiedergabe zweier Sätze aus der 10. Serenade von Mozart und
einer die Einheitlichkeit des Programmes etwas störenden Saint-Saëns'schen Tarantelle.
Joachim, der im Konzert mitwirkte, wurde natürlich stürmisch gefeiert. Er spielte das
A-moll-Konzert von Viotti und mit Konzertmeister Wendling das Doppelkonzert von
Bach.
    Rühmend hervorheben möchte ich noch eine ganz prächtige Aufführung dreier
Bach'schen Kantaten. Der rührige Kirchenchor von St. Wilhelm unter Direktor

Münch's Leitung veranstaltete sie nur der guten Sache willen, gegen freien Eintritt.
— Das Theater feierte Wagner's Todestag mit einer Tristanaufführung.
Als Novität für Straßburg erschien Massenet's »Mädchen von Navarra«. Er.
wähnen möchte ich auch noch eine Aufführung von Saint-Saëns' »Samson und Dalila«,
vor allem wegen der stimmprächtigen Wiedergabe der Dalila durch Agnes Hermann.

F. Str.

Wien. Das große Bruckner-Ereignis, über welches ich in diesem Hefte in einem
eigenen Aufsatz berichte, hatte seine Schatten schon lange voraus geworfen. Herr
Dr. Theodor Helm, wohl der älteste unter den hiesigen Bruckner-Kennern, ver.
anstaltete seit Beginn des Wintersemesters in der kleinen Aula der Universität
Bruckner-Abende, an denen die einzelnen Symphonien des Meisters in vierhändigem
Arrangement auf dem Klaviere vorgeführt wurden. Professor Hans Wagner und
Fräulein Helm entledigten sich dieser schwierigen Aufgabe ganz vorzüglich. Dem
Klaviervortrage schickte Herr Dr. Helm eingehende Erläuterungen historischer und
analytischer Art voraus, die einen guten Einblick in die komplizierte Themenverarbeitung
der einzelnen Sätze verschafften. An einem dieser Abende hatte man auch Gelegenheit, drei bisher nur als Beilagen zu Musikzeitschriften veröffentlichte Lieder Bruckner's
zu hören, unter denen mir das herbe, aber ungemein echt empfundene »Ave Maria«
schon deswegen am interessantesten erschien, weil sich darin recht deutlich zeigte,
daß die Wurzeln der Brucknerischen Kraft im Kirchlichen liegen. Vom stillandächtigen
Gebet bis zum gewaltigen Orgelbrausen durchläuft die Empfindungsskala des Meisters
alle Stufen der Religiosität.... Nicht genug anzuerkennen war es, daß Ferdinand
Loewe die IX. Symphonie zunächst einem geladenen Publikum auf dem Klaviere
vorspielte. Auf diese Weise gewann man einen guten Überblick über den Gesamt.
aufbau des Werkes. Von den sonstigen Veranstaltungen, die neben der Bruckner.
Sensation in meiner Erinnerung nicht zu verblassen vermochten, erwähne ich mit
Freuden zunächst eine überraschend gut gelungene Aufführung von Beethoven's
»Neunter« unter Leitung Jos. Hellmesberger's. Orchester (die Philharmoniker),
Soloquartett (Frau Seyff-Katzmayr, Frau Rado-Hilgermann, Herr Pácal und
Herr Frauscher) wie Chor (Singverein und Männergesangverein) verschmolzen zu
einer künstlerischen Gesamtheit von seltener Harmonie. Bei dieser Gelegenheit möchte
ich auf ein Element im Wiener Musikleben hinweisen, das von der hiesigen Tages-
kritik nicht mit gebührendem Nachdruck gefördert wird: es ist der Chor-, speziell der
Männergesang. Der »Wiener Männergesang-Verein« ist unter der Leitung
Meister Eduard Kremser's zu einer künstlerischen Vollendung ausgereift, die
schlechthin »Meisterschaft« genannt werden kann. Die tief erschütternde Chor-Ballade
»Totenvolk« Friedr. Hegar's riß am Lichtmeß-Nachmittag das Feiertags-Publikum
zu rauschendem Beifall hin. Das hat mit seinem Singen der Männergesang unter
Kremser getan! Neben diesem Ehren-Chormeister wirkt Richard Heuberger als
Chormeister an der Spitze des Vereines. Weniger erfreulich sind die Leistungen der
Wiener Singakademie. Zum Chordirigenten muß man prädestiniert sein, wie zum
Orchesterleiter! Herr Karl Lafite aber ist wohl ein gewissenhafter Musiker, doch
gesellt sich zu seiner großen Umsicht nicht das gleiche Maß persönlichen Schwunges.
So verlief die Aufführung von Haydn's »Jahreszeiten« nicht besser als eben recht
und schlecht. Den Chören fehlte es an Saft und Kraft, geschweige denn an Nuancierung.
Da ist es denn sehr freudig zu begrüßen, daß sich eine Reihe der hervorragendsten
hiesigen Musiker zur Gründung eines »Vereines zur Hebung des Chorgesanges«
entschlossen haben, der bereits sein Debut unter den allergünstigsten Auspizien bestanden hat. Er brachte in einem Konzert des Hugo Wolf-Vereines etliche bisher
unbekannte Chöre des unglücklichen Meisters zu Gehör. Der Dirigent, Herr Eugen
Thomas, erwies sich als Muster eines Chorleiters. Wie wundervoll präzis diese Ein-
sätze, wie tadellos rein diese Intonation war! Unter den Chören sind insbesondere
der Frühlingschor aus der unvollendeten Oper »Manuel Venegas« sowie ein »Morgen-
hymnus« reinste Gaben des Wolf'schen Genius. Wahrhafte Titanenkraft aber durch-
lodert das Streichquartett in D-moll »Entbehren sollst du, sollst entbehren« (komponiert
1879), das uns wie eine düstere Vorahnung kommender Leiden in der Brust des

19jährigen Jünglings mit tiefster Wehmut erfüllt. In der Form sich der Fantasie
nähernd, geht das Quartett in der Ausnützung der Klangeffekte hie und da bis an die
äußerste Grenze der Kammermusik, es bietet Quartettspielern gar viele, besonders
harmonische Klippen, aber in der Meister-Ausführung seitens des Prill-Quartetts
ging kein Hauch der seltsamen Schönheit, die über den gährenden Jugendwerke
lagert, verloren. Von Professor Ferdinand Foll begleitet, sang Frau A. Bricht-
Pyllemann einige Wolflieder, zugleich musikalisch sicher und mit tiefstem inneren
Anteil. Das gleiche Lob spenden wir der wundervollen Persönlichkeit Lula Gmeiner's.
An dem Schubert-Goethe-Abend Raimund v. Zur-Mühlen's war das Programm
stilgerechter als die Ausführung. Der Sänger sollte sich auf jene kapriziösen höheren
Salonlieder beschränken, die mehr Geschmack als Stimme verlangen. Mit noch so
raffinierter Kunst und mit liebenswürdigem Vortrag allein kommt man einem Schubert'-
schen »Prometheus« nicht nahe. Sehr genußreich verlief der Liederabend, den Dr.
Wilh. Kienzl mit nur eigenen Kompositionon veranstaltete. Dem Gesange Fräulein
Destinn's von der Berliner Hofoper verdankte der glückliche Komponist einen
ungeheuren Erfolg, den einzelne der im guten Sinne populären Lieder auch als Kompositionen in Anspruch nehmen dürfen. Im großen Musikvereinssaal erschien Felix
Mottl an der Spitze des Konzertvereins-Orchesters. Gebürtiger Wiener, hatte er
einst im hiesigen Konservatorium seine erste musikalische Ausbildung empfangen.
Besonders als Wagner-Dirigent (Scene und Bacchanale aus »Tannhäuser«) wurde er
gefeiert. An der gleichen Stelle führten die Philharmoniker unter Leitung des Hof-
opern-Kapellmeisters Schalk (an Stelle des erkrankten Hellmesbergei) eine neue
Symphonie Herm. Graedener's auf, ein schulgerechtes, aber flaches Werk. Dagegen
erweckte eine Symphonie des jungen Ernst von Dohnanyi, die das Konzertvereins-
Orchester aus der Taufe hob, die allergünstigsten Hoffnungen für die Zukunft des
hochbegabten Musikers, der auch in einer Sonate für Klavier und Violoncell (das Cello
spielte der treffliche Hugo Becker) eine kräftige Individualität bekundete.   Arth. N.

Zürich. Mit dem gestrigen Tage haben die 10 Abonnementskonzerte ihren Abschluß gefunden. Das 8. Konzert brachte uns nach längerer Pause Liszt' sinfonische
Dichtung »Tasso« in mustergiltiger Ausführung. Auch die Hebridenouverture von
Mendelssohn verfehlte ihre Wirkung nicht. Als Solist trat an dem Abend der in Zürich
lebende Pianist Robert Freund auf. Das Klavierkonzert in B-dur von Brahms
verlangt einen ausgezeichneten Techniker — aber noch größern Musiker. Da diese
Eigenschaften nicht gar zu oft zusammentreffen, ist gerade dieses Konzert ziemlich
selten auf den Programmen zu finden, um so mehr als es als undankbar für den Spieler
verschrieen ist. Robert Freund ist nun einer von den Pianisten, denen technische
Schwierigkeiten fremd sind und ein außergewöhnliches musikalisches Verständnis inne
wohnt; daß dem so ist, bewies er in der trefflichen Wiedergabe des Brahms-Konzertes
und einiger Solostücke von Chopin und Schumann. Auf das 9. Konzert war das
ganze Publikum gespannt: die Liebesszene aus »Feuersnot« von R. Strauß stand auf
dem Programm. Das Stück wird ja fast überall im Konzertsaal aufgeführt, deswegen
übergehe ich eine Besprechung. Auch hier wirkte das geniale Werk, und sowohl im
Konzert wie in der Hauptprobe mußte es wiederholt werden. Außer Cherubini's
Wasserträgerouverture und Beethoven's Pastoralsinfonie hörten wir an diesem Abend
noch die Altistin Frl. Olive Fremstad aus München. In kleineren Partien war sie
früher schon in Zürich aufgetreten, in denen sie ihr Können noch nicht vollendet
zeigen konnte. An diesem Tage hat sie im Sturm die Herzen des ganzen Publikums
erobert. Schon nach einer Titus-Arie wollte der Beifallsjubel nicht enden, der nach
2 Liedern von Berlioz und einer Zugabe von Delibes seinen Höhepunkt erreichte.
Auf dem Programm des 10. Konzertes standen die bekannteste Es-dur-Sinfonie von
Mozart, eine Lustspielouverture von Joachim und der Solist: Franz Ondricek
(Violine) mit dem Beethovenkonzert und einer selber verfaßten Phantasie über
Smetana's Oper: »Die verkaufte Braut«. Wie die meisten dieser großen Konzerte
verlief auch dieses sehr gut, und bildete einen würdigen Abschluß der Konzert-
serie. Im März beginnen (ebenfalls unter Dr. Hegar's Leitung) die populären Abende.
Zwischen diesen großen Abonnementskonzerten stehen die 6 Kammermusikaufführungen

unseres Züricher-Quartetts: W. Ackroyd, H. Treichler, J. Ebner, W. Treichler. Sie
spielten in den beiden letzten Abenden u. a. Quartett es-dur op. 127 von Beethoven
und das Streichquintett op. 111 von Brahms. In beiden Konzerten wirkte der Pianist
Robert Freund mit. Im ö. spielte er mit W. Treichler die Cello-Sonate von Thuille,
im 6. und letzten mit W. Ackroyd die César Frank-Violinsonate. Ende Januar kam
in einer 'Abendunterhaltung des »Gemischten Chores« Pergolese's Oper: »la Serva
padrona« wieder einmal zur Aufführung. Das alte Werk wirkte so neu und frisch, daß
man bedauern muß, daß es so selten wieder hervorgeholt wird. Von andern Konzerten
sind noch nennenswert: ein d'Albert-Abend, ein Konzert des Männerchors: Harmonie
Zürich, ein Auftreten des jungen Geigers Florizel Reuter und ein Lieder-Cyklus einer
äußerst begabten Sängerin: Minna Weidele.

Auf den Theaterprogrammen standen u. a. Lohengrin, Meistersinger (Bertram als
Gast) und die Erstaufführung in deutscher Sprache von Massenet's Oper Griselidis
(siehe Spezialartikel). V. A.

Vorlesungen über Musik.

Altona a. E. Im Verein für Kunsterziehung hielt Herr Prof. Emil Krause über
W. A. Mozart einen Vortrag, der durch einige Gesangs- und Instrumentalstücke erläutert wurde.

Bern. In den öffentlichen akademischen Vortragabenden (vgl. Januarheft S. 207)
sprach am 29. Januar Privatdozent Dr. A. Schönemann über »Neuere Forschungs-
ergebnisse über das Zustandekommen des Höraktes«. Der Weg, den vom äußeren
Ohre an die Schallwellen zu nehmen haben bis zu dem innersten Organ, der Schnecke
in der der Hörakt zustandekommt, ward vom Redner unter Zuhilfenahme von Projek-'
tionen meist eigens gefertigter anatomischer Präparate höchst anschaulich vorgeführt.
Die Helmholtz'sche Erklärung des Höraktes aus dem Prinzip der Resonanz wird
dadurch gestützt, daß die Grundmembran in der Schnecke am meisten geeignet ist,
selbständig zu schwingen, daß sie in die Breite, wo sie am meisten angespannt ist,
bis zum Zwölffachen wächst und bei 4500 kleine Erhöhungen, Rippen aufweist, die
von Helmholtz als verschieden abgestimmte Stäbchen, »Saiten«, angesehen werden.
Die lang unbeanstandet gebliebene Theorie hat aber anatomische wie physiologische
Schwierigkeiten: 1. die Saiten existieren anatomisch nicht, sie sind nur Rippen einer
zusammenhängenden Haut, zwischen denen eine Übertragung der Schallwellen unvermeidlich scheint; 2. auch die kürzest dauernden Töne können in ihrer Höhe erkannt
werden; bei zwei Schwingungen ist dies schon möglich; 3. Gehörslücken, besonders
in detaillierter Beschränkung, sind seltene Erscheinungen. (Über einen interessanten
Fall dieser Art berichtete ich vor 30 Jahren in der Allg. Musikalischen Ztg., 1873,
S. 747. Ref.) Professor Ewald in Straßburg wurde durch diese Schwierigkeiten zu
einer neuen Theorie geleitet, die die Grundmembran der Schnecke in Analogie mit einer
Telephonmembran stellt, die neben der allgemeinen Vorwärts- und Rückwärtsbewegung
stete Niveauveränderungen aufweist, sodaß die Konfiguration der Platte in jedem
kleinsten Zeitmoment, als Ganzes genommen, eine verschiedene ist. Die Grundmembran
mit ihren zahllosen feinen Härchenzellen wäre sonach zur Aufnahme oder Darstellung
des einfachsten, wie des kompliziertesten Schallbildes geeignet. Ewald leitet den
einheitlichen Eindruck der Oktave gegenüber allen andern Konsonanzen, ferner die
Wirkung der Konsonanzen gegenüber den Dissonanzen, und dieser gegenüber den Geräuschen, unmittelbar aus der größeren Einfachheit oder Kompliziertheit des Schallbildes her. Wie es nach Helmholtz, wo das Psychische sekundär ist, leicht werden
müßte, die Einzeltöne in einem Orchester zu unterscheiden — gerade das Gegenteil

ist der Fall —, so muss die unmittelbar psychische Aufnahme des ganzen Tonbildes nach Ewald die unbestreitbaren Tatsachen erklären, daß jeder Ton gleich das Ganze beeinflußt, jeder falsche Ton gleich das Ganze stört. Ewald's Theorie eröffnet die Aussicht auf fruchtbringende experimentelle Arbeiten. Bereits ist aber auch gegen sie Widerspruch erhoben worden.

Ein anziehendes Bild gab in seinem Vortrag vom 12. Februar Privatdozent Carl Hess-Rüetschi von Hector Berlioz, dessen hundertster Geburtstag in diesem Jahre bevorsteht.

Für das Sommer-Semester kündigt derselbe Vorlesungen über Geschichte der Musik und über Harmonielehre und Kontrapunkt, sowie kirchenmusikalische Übungen an. Professor Thürlings wird in seinem musikwissenschaftlich-liturgischen Seminar »die altkirchlichen Gesangsformen« und »das Deutsche Lied im 18. Jahrhundert« an der Hand der Bücher von Peter Wagner und Max Friedländer behandeln.

A. Th.

Frederikshamn (Finnland). Am 2. und 3. Januar hielt Herr Dr. Ilmari Krohn aus Helsingfors vier Vorträge über *Robert Schumann's Entwicklung als Klavierkomponist* und den darin erkennbaren Einfluß Clara Wieck's.

Rothenburg o. T. Herr Prof. Herman Ritter aus Würzburg hielt hier am 8. Februar einen Vortrag über »*Die Geige in ihrer Entwicklung von alters her bis auf unsere Zeit*« und führte bei dieser Gelegenheit auch die von ihm erfundene *Viola alta* vor.

Nachrichten von Lehranstalten und Vereinen.

Dresden. Dem 4. Bericht des *Mozart-Vereins* über die Zeit vom 1. Mai 1900 bis 30. April 1902 ist zu entnehmen, daß die Mitgliederzahl im wesentlichen die gleiche geblieben ist. Zahlreiche Gesuche um Aufnahme mußten abgelehnt werden, da die räumlichen Verhältnisse des Vereinshaus-Saales eine erhebliche Überschreitung der Mitgliederzahl von 1600 verboten. Es wurden im Ganzen 8 Musikaufführungen veranstaltet, unter denen besonders die Erst-Aufführung und eine Wiederholung der C-moll-messe Mozart's in der Bearbeitung durch Hofkapellmeister a. D. Alois Schmidt hervorzuheben sind. Der vorliegende Bericht enthält die Programme der übrigen 6 Musikaufführungen, sowie ein Verzeichnis der Neu-Erwerbungen der Bibliothek, die nunmehr 419 Nummern zählt. Als eine Hauptaufgabe betrachtet der Verein die Interessierung weiterer Kreise für die Frage der Errichtung eines Mozarts-Denkmals in Dresden.

Tammerfors. Vom 7—13. Januar hielt Herr Dr. Ilmari Krohn einen *musikalischen Ferienkursus für die Volksschullehrer* der Stadt ab, der im Ganzen 22 Stunden umfaßte und folgende Themata behandelte: 1) die Lehrmethode der Frau Dr. Luise Krause, 2) die vom Vortragenden angestrebte Weiterentwicklung der Solmisations-Bezeichnungen von Carl Eitz, 3) eine neue von Krohn erdachte Solmisationsformel behufs Erlangung einer absoluten Reinheit der Töne anlehnend an die dualistische Theorie Riemann's, 4) einige Grundprinzipien der Komposition und der Harmonisierung einfacher Melodien. — Die Zuhörerschaft setzte sich aus ca. 50 Lehrern und Lehrerinnen zusammen.

Notizen.

Berlin. Eugen d'Albert wurde zum Mitglied der Kgl. Akademie der Künste gewählt.

Breslau. Der jugendliche Kapellmeister Leopold Reichwein hat soeben seine Erstlingsoper »Vasantasena« vollendet. Sie ist vom Stadttheater zur Uraufführung angenommen worden. Als nächste Novität steht Strauß' »Feuersnot« in Aussicht.

Dublin. — Our member Rev. H. Bewerunge has delivered a lecture before Central Branch of the Gaelic League urging necessity of preserving the still-living tradition of *singing Irish music*. Two projects: — to establish schools of traditional music in Irish-speaking districts, to offer prizes at F e i s e a n n a to children of Irish-speaking parents for songs learnt at home. Analysis of characteristic effect produced by traditional singing. Animated discussion after lecture. — Cecil Forsyth announces that he is preparing a series of indexes of Place-sources, Name-sources, and Subjects, besides the ordinary English and Gaelic indexes, for the entire *Petrie collection* of Irish Airs now being published at the expense of the Irish Literary Society, ed. by Stanford (see "Bücherschau"); so to make that large mass of music very amenable to study. M. S. D.

Glasgow. — Richard Strauss conducted the 5th classical concert of the *Scottish Orchestra*, with Wind Instrument Serenade, "Don Juan", and "Tod und Verklärung". At 6th concert that powerful and sure violinist Fritz Kreisler. At 7th concert the pianist Ed. Risler, and Maurice Sons as viola in "Harold in Italy". At 13th concert Glazounoff's "Seasons" ballet. The regular conductor Cowen. The Lesley Alexander prize for pianoforte oboe and horn Trio mentioned at II, 212, was won by David Stephens of this city; perf. 31 Jan. 1903; last movement founded on 2 Scottish tunes. E. G. R.

Gloucester. — *Joseph Bennett*, senior mus. critic in London, and Pres. of Gloucester Choral Society, has given a lecture here on "Musicians I have met"; e. g. S. S. Wesley, John Goss, Sterndale Bennett, George Macfarren, Henry Smart, J. L. Hatton. E. G. R.

London. — On 26 Jan. 1903 Messrs. A. and J. Black and the "Clarke Company", as copyright-holding publishers and licensed printing-vendors respectively of *Encyclopaedia Britannica* (IV, 219). won with costs a protecting suit in Toronto Court against "Imperial Book Co." of Canada, who have been selling there pirated copies of Edition IX printed in U. States. Copyright of Edition IX began 30 Jan. 1875, lasting 42 years. Copyright-holding publishers gave license to Clarke Co. on 21 Feb. 1899 till 31 Dec. 1912, for consideration £ 40,000. Minimum sale-price to be £ 15. Canadians have also given much trouble in respect of spurious music-degrees, which successfully fought by British „Union of Musical Graduates" (II, 278).

In "Musical Times" for February F. G. Edwards gives monograph on *Maurice Greene* (1695—1755), with portrait from hitherto unpublished painting by Francis Hayman (1718—1776), now in possession of J. F. Street, Hon. Sec. London Madrigal Society (III, 409). New mention of 6 seven-part overtures for violins, flutes. and hautboys. Valuable and new bibliography of Greene's MSS. still unpublished. G. was the greatest pluralist known in English art, his music was sweet (see III, 405, 409,, and Mattheson in Vollkommene Kapellmeister (1739) classed him with great European organists. The March "Musical Times" gives an account of British Museum "Geo. III. MSS. 317", viz. autograph of Handel's Organ Concertos 2. 3 and 4 (prob. gone astray from main Buckingham Palace Handel MS. Library', with an unpublished c h o r u s ending 4th concerto.

This day, 1st March, *Broadwoods* make a new departure by opening rooms at their estabt. for lessons, practice and rehearsal. For their enterprising new concerts see IV, 214.

"Punch" sent to the Delhi Durbar, as reporter its Assistant Editor Owen Seaman distinguished member of Clare College Cambridge, barrister, joined "Punch" in 1897), and as artist E. T. Reid. Former wrote from Delhi lyric poem *"Reverie of the East"*, which set as song by Mackenzie, and "Punch" appears as music-publisher. Most happy exhibition of M.'s pure style, and very subtle absorption of orientalism. Sung at Broadwood concert, and is being scored.

At Royal Institution on 17, 24, 31 January, 1903, Sir F. Bridge lectured on musical gossip of *Sam. Pepys* (1632—1703), as a death-bicentenary observation. P. was son of a tailor, but somehow connected with the Sandwich branch of the Montagues, and after Cambridge became Civil Servant and mixed a little with public affairs. He left to Magd. Coll. Cambridge important collection of MSS. etc., comprising 2000 black-letter ancient English ballads in 5 folio vols. Black-letter (Gothic) for ballads was abandoned in 1700. His short-hand Diary deciphered by Rev. J. Smith, and pub. 1825. Court of Charles II. Following instruments used or mentioned by P. were exhibited by Rev. F. W. Galpin: — Treble Viol, by Jaye of Southwarke, 1632; Lyra Viol, by Addison of London, 1665; Bass Viol, by Pierray of Paris, c. 1700; Lute, 17th cent.; Theorboe, by Hoffman of Antwerp, 1619; Cittern, by Wisser, c. 1700; Guitar or Cittern, 17th cent.; Bandore, 17th cent.; Recorder (bass), early 17th cent.; Recorder, by Stanes of London, early 18th cent.; Flageolet, French, c. 1700; Double Flageolet, 17th cent.; Dulcimer, English; Trumpet Marine, French, c. 1680; Virginal by Andreas Ruckers of Antwerp, 1610. The Rev. G. played on the viol class, and on the Trumpet Marine (single string in harmonics).

A correspondence begun by Sir W. Gowers (physician and nerve-specialist) in "Musical News" has assailed the generally recognized *staveless note-designation*. Leaving alone the principle of having the once-marked c (i. e. c') at Tenor C (the note lying between the ordinary treble and bass staves), with the consequent series of upward markings (twice-marked, thrice-marked, &c. &c.), he has urged that the distinction between large C and small c octaves below that, otherwise the use of capitals and lower-case signs, induces chance of confusion; so he would shift the whole large C octave of letters one octave higher, and consequently shift similarly the under-stroked letters lying below that again. This would abolish the distinction between large and small letters, and it would be immaterial then whether a writer or printer used large or small letters for the whole series of staveless octave-designation. The idea is prima facie a good one, but it would involve a change in 2 or 3 octaves of familiar designations of lower notes, and would upset a practice founded on organ-building traditions of 10 centuries. Sir W. G. has unfortunately proceeded later to propose a transposition upwards by one octave of even the once-marked c (c'), with all that would follow from that. Into this later plea it is not necessary to enter seriously. English responsible musico-scientific writers have followed the German system for a quarter or half century at least, and no transformation of the whole familiar system would be tolerated even in this country. But the discussion in question would either not have occurred, or been reduced to small limits, if the current music-dictionaries had exhibited this important system clearly. Grove mainly ignores it. Riemann of course uses it, but nowhere explains it and its interesting (organ-derived) history tot verbis.

Portuguese pianists are rare. José Vianna *da Motta*, pupil of Scharwenka, Liszt, and von Bülow, is giving historical recitals at Bechstein Hall. On 2 Feb. Gladys *Naylor-Carne*, Cornish young lady aged 19, gave St. James's Hall orch. concert (cond. Landon Ronald; playing Violin Concerto of Bruch and Pianoforte Concerto of Tschaikoffsky; certainly remarkable display. Mme Pauline *Joran* (Baroness de Busch) and her sister Elise (pianist) gave orch. concert (cond. Landon Ronald) on 4 February, reviving the highly brilliant Moszkowsky Concerto in E, op. 59. These orch. concerts are costly affairs. E. G. R.

Marie Hall, English violinist aged 18, gave an orchestral concert (cond. Henry Wood) on 16 February at St. James's Hall. Born at Newcastle-on-Tyne in April 1884, she was as a child pupil of our member Miss Hildegard Werner. The father, Edward Felix Hall, a harpist in small Newcastle orchestra. Then removal to Bristol, where played in streets with father. Max Mossel (Birmingham saw her and gave some lessons. Bristol amateurs found a sum and sent her to London, where a few lessons from Wilhelmj, and 2¹/₂ years with Joh. Kruse. Meanwhile in September 1899 she gained first "Wessely" exhibition at R.A.M., but maintenance-guarantee not forthcoming and did not enter. In June 1901 she played to Kubelik in London, who has displayed throughout magnanimous sympathy. As his instance a patron sent her to Prague Conservatoire, where taught by Sevcik, and also as his private pupil. In July 1902, a at Prüfung, recalled 20 times after Ernst's F minor concerto. At her début later in year, 30 recalls and 5 consecutive encores. Since then Vienna. Now London. Her fingers are marvellous. Nothing by which one might have guessed a hurried training. Her attire is primitively unbecoming, and her manner on applause is that of a bird startled in its nest. The audience took this simple girl to their heart at once. She played Paganini in D, Tschaikoffsky in D, Wieniawski "Faust" Fantasia. There are a great many violinists, but Marie Hall is not a pebble on the beach. Her master Johann Kruse, though German "Professor", is English colonial.

At Roy. Coll. of Music Students' concert 17 Feb. 1903, Stanford did himself the credit and honour to introduce to England Alex. *Glazounoff's* just published 7th *Symphony*, with a nerve-exciting commendable performance. A Richter proposed Manchester production of previous week fell through. G., born 10 August 1865, a scion of wealthy stock, and composing instrumental music profusely and in free leisure since boyhood, has only been known in England 5 years, and through certainly less than a tenth of his works. His symphonies (these not specified even in Riemann, German, 1900) are: — 1st. op. 5 in E; 2nd. op. 16 in F♯ minor; 3rd. op. 33 in D; 4th op. 48 in E♭; 5th op. 55 in B♭; 6th op. 58 in C minor; 7th op. in F. Every Slav must trifle before or while he is serious. And perhaps it is as well that there remain these beautiful child-like minds in the world. But precisely for that reason Tschaikoffsky's acceptance has been impeded in England, and still more now with Glazounoff. An unequal idiom jars before it passes current. Symphonies 1—3 not heard in England no. 1 by Liszt at Weimar 1884, no. 2 by composer at Paris 1889,. The 4th Symphony was cond. by composer, 1 July 1897. at Philharmonic, and badly received by public and Press; unconventional sequence of movements disapproved; held insignificant. The 5th Symphony already produced by Henry Wood at Newman's opening Symphony Concert on 30 January 1897; chief comment was that the "Sword" motive had got into it. The 6th Symphony, pub. 1897, was produced by Henry Wood at Queen's Hall Sunday Afternoon Concert on 1 January 1899; again the air-variations and the waltz-intermezzo were held as frippery, and the splendid complex-rhythmed finale as forbidding. The present 7th Symphony in F begins thinly indeed, but goes on to astonishing strengths. The 1st movement is an eclogue, while containing the germ of the rest. The 2nd (slow) movement works ceaselessly round and round like the coils of the serpent Adishéshan on which Vishnu rests during the universal dissolution. The scherzo is downright fine music, but it ends with a snap which just seems to label it "this is a scherzo". For the finale there is nothing but admiration. In spite of the inequalities, with music such as this the world is growing very rich. C. M.

Lyon. Zur Feier des hundertjährigen Geburtstags Hektor Berlioz', wird im Dezember diesen Jahres in Grenoble ein großes *internationales Musikfest* stattfinden und ein *Denkmal Berlioz'* enthüllt werden. Das Denkmal ist ein Werk des Bildhauers Urbain Basset; ein Entwurf in Gips von 2,40 Meter Höhe war bereits im Salon von 1895 ausgestellt und fand allgemeine Anerkennung. Berlioz ist stehend dargestellt. Er führt die Hand zum Ohre, gleichsam um sich zu sammeln und auf die Harmonien zu lauschen, die in seinem Geiste ertönen, und die er sich anschickt, mit der Feder in der Rechten auf ein Notenblatt zu werfen, das auf einer Lyra liegt. Der Sockel wird rechteckig sein. Auf jeder Seite stellt ein Flachrelief in Bronze eine der Hauptszenen aus dem Werke des Musikers dar. Auf der Rückseite befinden sich die Medaillons der beiden Genies, für die Berlioz eine Vorliebe hatte: Gluck und Shakespeare, die durch die Palme der Unsterblichkeit vereint sind.

Newcastle on Tyne. — For this town see III, 493. Following is the record of *Concerts* for recent months: —

Chamber Music Society. At 102nd Concert, Cologne string quartett (leader Willy Hess); Schubert, quart. op. 161; Haydn, op. 33, no. 3. At 103rd Concert, Kruse string quartett (leader Joh. Kruse); Mozart, quart. in E♭; Beethoven, Andante from quart. op. 18 in A; D'Albert, quart. op. 11, no. 2 in E♭ (first perf. in N. of England. — Newcastle Musical Society. At 11th Concert (leader A. Wall); Mozart, string quintett G minor; Rheinberger, quartett for P. F. and strings. At 12th Concert Dvořák quart. op. 51 in E♭; Fibich quart. for P. F. and strings, op. 11. — Oppenheim Concert. Smetana, Trio for P. F., Vn., and Cello, op. 15 in G minor. — Northern Benevolent Society. Mackenzie programme. Cond. by composer. Coronation March. Suite "Coriolanus". Overtures to "Little Minister", and "Cricket on Hearth". Ballad "La Belle Dame sans merci". V.cello Romanza. — Newcastle and Gateshead Choral Union with Manchester "Hallé" orchestra. Elgar's cantata "Caractacus". — Also a Kubelik concert, Paderewski concert, and Clarence Eddy organ recital.   H. W.

Stuttgart. Das *siebente Musikfest* ist, wie bereits gemeldet, auf den 16., 17. und 18. Mai angesetzt worden. Am ersten Tage kommt Bach's Matthäus-Passion unter Leitung des Generalmusikdirektors Steinbach-Köln zur Aufführung. Für den zweiten Tag sind bestimmt: Chor aus den »Meistersingern«: »Wachet auf!«. die Leonoren-Ouvertüre Nr. 3, ein Violinvortrag von Kubelik und die Dante-Sinfonie von Liszt unter Hofkapellmeister Pohlig's Leitung; ferner eine moderne Ouvertüre und eine Berlioz'sche Sinfonie, dirigiert von Hofkapellmeister Reichenberger. Der dritte Tag bringt die E-moll-Sinfonie von Brahms (Steinbach), die G-moll-Sinfonie von Mozart (Reichenberger), die Verwandlungsmusik und den Schluß aus dem ersten Akt des »Parsifal« (Pohlig). Außerdem spielt Frau Carreño das Beethoven'sche Es-dur-Concert. In der Festwoche wird das Königliche Hoftheater die Nibelungen-Tetralogie zur Aufführung bringen.

Wien. Die *Gesellschaft der Musikfreunde* hat für das Jahr 1903 einen *Kompositionspreis* [im Betrage von 2000 K ausgeschrieben für die beste Komposition einer Oper, eines Oratoriums, einer Kantate, Symphonie, Sonate oder eines Konzertes, welche bis zum 15. September laufenden Jahres an die Direktion eingesandt wird. Bewerbungsberechtigt sind alle Tonsetzer, die — gleichviel in welchem Fache — dem Konservatorium der Gesellschaft der Musikfreunde in Wien angehören, oder innerhalb der dem Tage der Ausschreibung vorangegangenen 10 Jahre angehört haben. Jeder Konkurrent kann sich nur mit einem Werke in Bewerbung setzen.

Hugo Wolf †. Nach Redaktionsschluß geht uns die Kunde vom Ableben Hugo Wolf's zu. Eine eingehende Würdigung seines Schaffens müssen wir uns für das nächste Heft vorbehalten.

Kritische Bücherschau

der neu-erschienenen Bücher und Schriften über Musik.

Referenten: H. Bewerunge, E. Euting, A. Mayer-Reinach, J.-G. Prod'homme, Schmidt, W. Barclay Squire, J. Wolf.

Bellot, Hugh H. L. The Inner and Middle Temple, Legal Literary, and Historical Associations. London, Methuen & Co. Crown 8vo. 6/.

Author is a barrister, and an M. A. of Trinity College, Oxford. Book noticed in another Column.

Blochmann, Richard Hermann. Mechanik und Akustik, gemeinfaßlich dargestellt. Mit 87 Abbildungen. Leipzig, C. E. Poeschel, 1902. — XXIII und 249 S.

Populäre Darstellungen so schwieriger Gebiete, wie Mechanik und Akustik es sind, deren volles Verständnis umfassende experimentelle und mathematische Studien erfordert, bilden immer ein mißliches Unternehmen. Indessen hat der Verfasser sich seiner Aufgabe mit viel Geschick erledigt. Er beschränkt sich auf das Einfachste und Fundamentalste. Die Schreibweise ist verständlich und anregend und die Ausführungen werden überall, wo es darauf ankommt, durch wirklich vortreffliche Abbildungen unterstützt. Leser, denen es nicht von vornherein um gründliche Vertiefung in den Gegenstand zu tun ist, werden daher von dem Buche manchen Nutzen haben. Die anatomisch-physiologischen Bemerkungen über das innere Ohr enthalten allerdings mehrere Unklarheiten und Irrtümer.   Sch.

Capellen, Georg. Die »musikalische« Akustik als Grundlage der Harmonik und Melodik. Leipzig, C. F. Kahnt Nachfolger, 1903.

Der Verfasser bezweckt mit seinem Buche eine gründliche Reform der Musiktheorie. Sie soll auf eine wissenschaftliche, induktiv-deduktive Basis gestellt werden und in Übereinstimmung mit der Entwickelung von Philosophie und Naturwissenschaft dem Monismus als Ziel zustreben, welchem der von Riemann, v. Oettingen und anderen vertretene Dualismus weichen muß. Das objektiv wahre Grundprinzip einer wirklich wissenschaftlichen Musiktheorie gibt uns die »musikalische« Akustik. Der Verfasser versteht darunter im wesentlichen die natürlichen, durch die Beziehungen zwischen Grundton und Obertönen gegebenen Verhältnisse der Töne. Er hat hierüber Studien am Klavier angestellt, als dem typischen Vertreter der unter J. S. Bach zur unbedingten Voraussetzung der Musik gewordenen temperierten Stimmung. Versuche an natürlich rein gestimmten Instrumenten sind nur physikalisch, nicht musikalisch brauchbar. Der erste Abschnitt des Werkes erörtert die »Naturklänge«, das heißt »die von der Natur als Zusammenklänge akustischer Obertöne direkt gegebenen Akkorde, nämlich Durdreiklang, Durseptimen- und Durnonenakkord«. Im Anschluß hieran werden das einfache Dursystem, das Dur-Doppelklangsystem, die Durtonleiter, Intervallenlehre, Tonität und Tonalität, Dur und Moll besprochen. Verfasser geht dann zum Kapitel von der Verwandtschaft über. Er unterscheidet drei Arten derselben, diatonische, chromatische und enharmonische, sowie drei Grade, nämlich Nah-, Leit- und Fernverwandtschaft. Hieran knüpfen sich eingehende Erörterungen über Tonalität und Ver-

wandtschaft, meditonales Klangsystem, Mehrdeutigkeit der Klänge ohne enharmonischen Ganzton und Mehrdeutigkeit der enharmonischen Ganztonklänge. Verschiedene im Laufe der Untersuchung hervortretende Hinweise auf die Anfechtbarkeit des leitereigenen Dur- und Mollsystems sind im 13. Abschnitt nochmals zusammengestellt. Den Schluß des Ganzen bildet ein Anhang »Zukunftsmusik?«, der das vom Verfasser deduktiv abgeleitete »chromatische Nonenmoll«, welches in der Praxis bisher noch nicht verwendet worden ist, zum Gegenstande hat.   Sch.

Heinze-Krenn. Theoretisch-praktische Musik- und Harmonielehre nach pädagogischen Grundsätzen von Leopold Heinze. Für österreichische Lehrer-Bildungsanstalten, Musikschulen etc. eingerichtet von Franz Krenn. I. Teil: Musik- und Harmonielehre. Achte Auflage bearbeitet von Hans Wagner. Breslau, Heinrich Handel, 1903. VIII u. 184 S. 8⁰. Preis broch. ℳ 1,80, geb. ℳ 2,20.

Ein praktischer und auch für den Selbstunterricht empfehlenswerter Leitfaden. Die musikalischen Grundbegriffe werden aufs trefflichste erklärt, die Gesetze der Harmonielehre klar entwickelt und mit guten Beispielen belegt.   J. W.

Huré, Jean. Chansons et Danses bretonnes. Angers, Metzner-Leblanc, un vol. 8⁰, 44 p.

Précédés d'une Etude sur la Monodie populaire, les vingt-huit airs bretons, réunis par le compositeur Jean Huré, nous transportent dans un monde musical bien différent de celui où évoluent d'ordinaire nos compositeurs. On y retrouve, comme dans beaucoup d'autres mélodies populaires, les tonalités du plain-chant, jointes à une très grande variété de rythmes auxquels nos oreilles sont peu accoutumées, après trois siècles de musique savante. »Ces monodies«, écrit avec raison M. Huré, »par leur simplicité et leur calme grave, montrent bien l'âme primitive; elles font deviner toute la grandeur fière de ces matelots bretons dont l'âme et le corps restent impassibles et drapés dans une noblesse tranquille«.   J.-G. P.

Kirchenmusikalisches Jahrbuch 1902. Siebzehnter Jahrgang (Siebenundzwanzigster Jahrgang des früheren Cäcilienkalenders). Herausgegeben von Franz Xaver Haberl. Regensburg, Friedrich Pustet, 1903. — 240 S. gr. 8⁰ und 96 S. Notenbeilagen.

Die einzelnen Aufsätze findet man in der ›Zeitschriftenschau‹ dieser Nummer unter folgenden Autor-Namen eingereiht: Bogaerts, Giethmann, Haberl, Kornmüller, Langer, Müller, Niemann, Walter, Weidinger.

Laaser, C. A. Gedrängte theoretisch-praktische Instrumentations-Tabellen a) für Streich-Orchester, b) für Militär-Infanterie-Musik, c) für Horn-Musik (Jäger und Pioniere), d) für Kavallerie-Musik. Leipzig, Carl Merseburger. — a) und b) je 45 *₰*, c) und d) je 60 *₰*.

Diese Tabellen geben für jedes einzelne Instrument gedrängtesten Aufschluß über Umfang, Charakter, Eigentümlichkeiten der Spielart, Notation, sodann kurze Übersichten über die Anordnung der Instrumente bei Partituren. Leider enthalten die Angaben im Einzelnen mancherlei Irrtümer, so daß die Tabellen auf unbedingte Zuverläßigkeit, die doch hier Haupterfordernis wäre, keinen Anspruch erheben können.
E. E.

Lapaire, Hugues. Vielles et Cornemuses. Moulins, Crépin-Leblond, un vol. 8⁰. IV. — 156 p., avec gravures.

Ce volume est dû à un érudit poète du Berry, où les instruments dont il retrace l'histoire jouissent encore de la faveur populaire. Les deux premiers chapitres, environ la moitié du volume, sont consacrés à l'historique de la Vielle et de la Cornemuse, depuis leur origine jusqu'à notre temps. Puis, dans une série d'esquisses aussi attrayantes que pittoresques, l'auteur raconte la biographie d'une douzaine de Maitres-sonneurs du Centre de la France. Illustré de nombreuses gravures documentaires, ce volume sera très utile à tous ceux qui s'occupent de la musique populaire dans ses différentes manifestations.
J.-G. P.

Maitland, J. A. Fuller. The Oxford History of Music vol. IV. The age of Bach and Handel. XIV und 362 S. *ℳ* 15,— netto.

Ich stehe nicht an, der Publikation Fuller Maitland's unter den bisher erschienenen Bänden der Oxford History of Music die erste Stelle zuzuerkennen. Weicht er zwar darin von den bisher erschienenen Bänden ab, daß er in größerem Umfange historische und biographische Details in die Darstellung einflechtet, so halte ich dies gerade für einen besonderen Vorzug. Man kann nicht von jedem Berufswissenschaftler, geschweige denn von jedem Musiker, der sich für die Geschichte seiner Kunst interessiert, verlangen, daß er die Daten jeder Kunstepoche an der Hand hat oder ständig eine Musikgeschichte bei der Lektüre zu Rate zieht. Ohne Kenntnis der Daten verlieren aber die besten entwicklungsgeschichtlichen Deduktionen an praktischem Wert. Maitland's Band ist durch sich selbst verständlich. Wir lernen Verfasser als einen trefflichen Kenner der Kunstströmungen zur Zeit Bach's und Händel's schätzen. Als Bachforscher ist er ja unsern Mitgliedern aus seiner Studie in den Sammelbänden aufs beste bekannt. Der Stoff ist übersichtlich gegliedert, die Darstellung klar und objektiv. Eine Fülle trefflich gewählter Beispiele erhöhen den Wert der Publikation.
J. W.

Mitterer, Ignaz. Eccleciastical Precepts. London, Catholic Truth Society. 1902. 71 pp. 6″×3¹⁄₂″.

Fuller title is: — "Ecclesiastical Precepts in reference to Catholic Church Music, for the guidance of Choirmasters and Organists. By Ignaz Mitterer, Provost of Ehrenburg, and Choirmaster of the Cathedral of Brixen, Tyrol. With Episcopal approbation." Mitterer's little book on Church music, the first part of which is now presented in English, is not a mere compilation of Decrees of the Church, but also gives some leading principles which must be kept in mind in any investigation of what true Catholic music is. Combining thus the exposition of the positive law and sound reasoning, it is a valuable treatise. The English translation by W. Jacobskötter is on the whole very satisfactory. It is to be regretted that the translator did not distinguish in some way the decrees of the Congregation of Rites which are not embodied in the recent Collection of the "Decreta Authentica" and which are therefore not in force any longer. These decrees may be valuable as historical evidence. But they might create a false impression if presented as still binding. Thus in the first chapter all the decrees enumerated in the second paragraph are now abrogated, and the last direction in the paragraph, according to which the clergy and the choir of singers ought to refrain from singing in the vernacular during the Corpus Christi procession, can scarcely be upheld any longer. Similarly the direction about words for an Offertory motett at page 16 is too narrow, as may be seen from Art. VII of the first decree given in the Appendix, page 62. A slight inaccuracy occurs on page 19 with reference to the Decree of 1643. This Decree does not refer to Introit, Offertory and Communion, but to "concentus musicales qui ad rem non pertinent". It is surprising to find in several places reference to "the commission appointed by Pope Pius IV for the reform of Church Music". For has not Haberl proved conclusively that no such commission was ever appointed by Pius IV? Apart from a few such slight shortcomings the booklet deserves the highest recommendation.   H. B.

Müller-Reuter, Theodor. Fünfzig Jahre Musikleben in Krefeld. Ein Beitrag zur Musikgeschichte des Niederrheins. Festschrift zur Feier des fünfzigjährigen Bestehens der Abonnements-Konzerte in Krefeld. Mit den Bildnissen der Dirigenten der Abonnements-Konzerte, einem Faksimile von Brahms' »Gesang der Parzen« und der Zusammenstellung aller Programme der Abonnements-Konzerte von 1883—1902. Krefeld, Kramer & Baum, 1902. — 88 S. 4⁰. ℳ 1,—.

Petrie, George. Irish Music. London, Boosey and Co., 1902. 2 pp. facsimile and 126 pp. 8vo.

Fuller title is: — "The Complete Collection of Irish Music as noted by George Petrie. LLD.. R. H. A. (1789—1868". Edited, from the original manuscripts, by Charles Villiers Stanford. Published by the Irish Literary Society of London." From his seventeenth to his seventieth year George Petrie devoted himself to collecting Irish folk-songs. A portion of his collection appeared in 1855, and 48 pages of a second volume were subsequently printed; but this represents little more than a tenth part of the vast store of tunes that he had accumulated. In the present volume the Irish Literary Society has issued an instalment of the complete collection as left by Petrie. About 1800 tunes were noted down, in purely melodic form, and with little more comment beyond a note as to where they were procured, and even this is in many cases wanting. In Petrie's own published volume the tunes were accompanied by words and by elaborate notes, but Sir Charles Stanford has not found it advisable to adopt this plan, and his edition merely gives the tunes as left by Petrie, with an occasional comment when different versions of the same air occur or when the notation seems obviously incorrect. The 500 tunes contained in the present book form a wonderful addition to our knowledge of Irish folk-music, and when the whole are printed the work will present such a storehouse of melody as could hardly be equalled by any other nation. It is to be hoped that the final volume will contain some attempt at classification, both under the localities of origin and (what is more important) the various kinds of tunes. It is much to be regretted that Petrie should have omitted to transcribe the words in his MSS., but possibly this may be done by some future editor, as it is difficult to believe that the words of so many songs can have disappeared entirely since the date of Petrie's labours. In the 1855 volume (which by the way is wrongly said by "A. P. G." in his short preface to the present volume to have appeared in 1857), the Irish names of the tunes are given. These should be supplied in the remaining volumes of the present edition, and it would be also well to be rather more liberal in the matter of cross-references to different versions of the same air.
                                W. B. S.

Rolland, Romain. Vie des Hommes illustres, I. Beethoven, Edition des Cahiers de la Quinzaine, Paris, un vol. in 16, 91 p.

M. R. R.. dont la thèse, sur les Origines de l'Opéra avant Lulli et Scarlatti est bien connue, vient de publier une biographie de Beethoven destinée à faire connaître dans ses grandes lignes la carrière artistique et la vie douloureuse de l'immortel Tondichter. Sous un tout petit volume, avec autant de science et d'érudition vraie qu'il eût apporté à l'élaboration d'un ouvrage considérable, M. R. a réuni tout l'essentiel sur son «héros». Il ajoute un certain nombre de lettres, et une bibliographie absolument complète qui rendent ce volume attrayant pour les profanes comme pour les initiés à la science musicale.   J.-G. P.

Schmidt, Nikolaus. Die empfindliche Flamme als Hilfsmittel zur Bestimmung der Schwingungszahl hoher Töne. Dissertation. München 1902. Druck von W. Kromer. — 42 S. gr. 8⁰.

Thauer, Hans, Kammervirtuos. Katechismus des modernen Zitherspiels (Max Hesse's illustrierte Katechismen Nr. 32). Leipzig, Max Hesse's Verlag, 1902. — 180 S. 8⁰. Geheftet ℳ 2,40, gebunden ℳ 2,80.

Der Umstand, daß auf dem Gebiete des Zitherspiels drei große Parteien mit je einer besonderen Besait-, Schreib- und Spielweise einander selbstbewußt gegenüber stehen, und vorerst wenig Hoffnung auf dauernde Einigung vorhanden ist, macht ein Informationsbuch, wie das vorliegende, doppelt willkommen. Der Name des Verfassers, der in den Kreisen der Zitherspieler sich höchsten Ansehens erfreut, bürgt für parteilose Darlegung der Licht- und Schattenseiten der verschiedenen Methoden. Ein ausführliches alphabetisches Sachregister ermöglicht rascheste Orientierung über den umfassenden Inhalt.
E. E.

Thomas, Eugène. Die Instrumentation der Meistersinger von Nürnberg von Richard Wagner. Ein Beitrag zur Instrumentationslehre. 2 Bände. K. Ferd. Heckel, Mannheim. — VIII, 142 und 42 Seiten.

Ein sehr nützliches Werk, das jüngern Komponisten, die über die Anfangsgründe der Instrumentierungskunst im unklaren sind, wesentliche Dienste leisten kann. Der Verfasser geht sehr richtig von der Tatsache aus, daß gerade aus der Partitur der Meistersinger, wo Wagner mit verhältnismäßig kleinem Orchester, das heißt mit einfacheren Mitteln arbeitet als zum Beispiel im Ring und Parsifal, seine Instrumentationskunst am klarsten zu ersehen ist. Er erläutert an Hand einer großen Anzahl von Partiturbeispielen, deren Abdruck den zweiten Band des Werkes füllt, die interessantesten Stellen der Partitur und zeigt vor allem, warum diese Stellen so und nicht anders klingen. Das Werk bietet eine Fülle des Lehrstoffes und wird sicher jedem, der sich damit beschäftigt, Nutzen bringen. Allerdings setzt sein Verstehen schon eine gründliche Kenntnis der Instrumentationslehre voraus.
A. M.-R.

Eingesandte Musikalien.

Referenten: **W. Altmann, A. Feith, A. Göttmann, R. Schmidt, J. Wolf.**

Verlag C. Becher, Breslau.

Caro, Paul. Vier Lieder für eine hohe Singstimme mit Begleitung des Pianoforte. Op. 27. ℳ 1,50.

Verlag **Bosworth & Co.,** Leipzig, London, Paris.

Reinecke, Carl. Op. 256. Introduzione ed Allegro appassionato pour Piano et Clarinette. ℳ 3,— n.

Dieses prächtige, im Stil einer Gesangsscene gehaltene, dramatisch belebte Stück, das dem bekannten Mühlfeld gewidmet ist, verdiente größere Verbreitung; die Verlagshandlung hätte die Klarinettenstimme für Violine oder Bratsche übertragen lassen sollen. Auch der Klavierpart ist recht dankbar.
W. A.

Verlag Breitkopf & Härtel, Leipzig.

Gritzner, Rudolf. Lieder für eine Singstimme mit Klavierbegleitung. 6 Bände je ℳ 3,—.

Die 23 Lieder des ersten mir vorliegenden Bandes verraten die leicht und sicher gestaltende Hand eines Komponisten, der, ohne wirklich eigenartig zu sein, dennoch wohl imstande ist, die von ihm ausgewählten Gedichte in vornehmer und modern-geschmackvoller Weise zu vertonen. Das dem Komponisten vorschwebende Vorbild ist offenbar Richard Wagner gewesen. Davon zeugen namentlich die Lieder Nr. 10 »Das Meer der Hoffnung« und Nr. 22 »Frühlingszauber«, welche mehrfach an Tristan sowie an das Waldesweben aus Siegfried erinnern. Zu den gelungensten Liedern des ersten Bandes rechne ich Nr. 3 »Zwischen Nacht und Tag«, Nr. 6 »Das verlassene Mädchen«, Nr. 9 »Schließe mir die Augen beide« sowie Nr. 14 »Im Walde«.

Die Lieder sind nicht leicht zu singen, da der Verfasser sehr häufig Neigung zeigt, ungewöhnliche Übergänge nach entlegenen

Tonarten zu machen. Hierdurch entstehen oft seltsame Intervalle, die zwar dem heutigen Instrumentalisten keinerlei Schwierigkeit bereiten dürften, umsomehr aber dem Sänger, dessen Treffsicherheit anderen Bedingungen unterworfen ist.

Dennoch glaube ich annehmen zu dürfen, daß sich eine Anzahl dieser Lieder in intelligenten musikgebildeten Kreisen diejenige Anerkennung erringen werden, welche sie wohl verdienen. **R. Sch.**

Scharwenka, Philipp. Op. 112. Trio in G-dur für Pianoforte, Violine und Violoncell. ℳ 7,80.

Dieses dreisätzige Trio verrät überall den gewiegten Tonsetzer, der auch klangschön zu schreiben versteht, in erster Linie aber an ein jeder schwereren Kost abholdes Publikum denkt. Namentlich die beiden ersten Sätze sind trotz ihrer einschmeichelnden Melodien recht leicht gewogen. Manches Eigenartige und Interessante enthält aber das Finale, wofür man freilich auch manche leere Phrase in den Kauf nehmen muß. Das für alle 3 Instrumente dankbar geschriebene Werk dürfte in Dilettantenkreisen Anklang und Eingang finden. **W. A.**

Sinigaglia, Leone. Op. 20. Konzert für Violine und Orchester. Volksausgabe für Violine und Pianoforte. ℳ 6,—.

Die beiden Ecksätze dieses durchaus violingemäß geschriebenen, nicht übermäßig schweren Konzerts sind in breiter Sonatenform ausgeführt und tragen symphonischen Charakter. Der Komponist schreibt unter dem Einfluß von Brahms und in Bezug auf Harmonik auch von Grieg. Er ist ein fein gebildeter Musiker, der allerdings die Neigung hat, in Tifteleien zu verfallen, wohl um die seltene Schwächlichkeit seiner Melodienbildung zu verschleiern. Ziemlich dürftig in der Erfindung ist gleich das erste Thema; warm wird man erst beim zweiten. Eine prächtige Kantilene enthält das Adagio, sehr fein ist auch das Passagenwerk behandelt; leider fällt der Zwischensatz (Piu mosso) ziemlich ab; dagegen macht sich die kleine Koda ganz prächtig. Auch im Finale steht das zweite Thema in Bezug auf Erfindung weit über dem ersten. Das kleine Seitenthema bei Buchstabe C, beziehungsweise N, erinnert stark an den Glockenchor in der »Cavalleria rusticana«. Daß dieses Konzert populär werden dürfte, möchte ich bezweifeln, doch dürfte es überall mit Interesse aufgenommen werden. **W. A.**

Verlag C. A. Challier & Co., Berlin.

Hofmann, Heinrich. Op. 129. Atalante, Ballet-Suite für Klavier zu 4 Händen. Heft 1: Atalante's Tanzspiele (Laufspiel, Ballspiel, Jagdspiele), Marsch, Wettlauf, Jagdmusik. Heft 2: Nächtlicher Zug der Oreaden, Löwenjagd, Im Tempel der Artemis, Reigen der Tempeljungfrauen, Atalante's Abschied. Jedes Heft ℳ 4,50.

Eine Reihe anmutiger, fein rhythmisierter, klangschöner Sätze. Die vierhändige Bearbeitung ist trefflich, beide Spieler werden vor dankbare Aufgaben gestellt. **J. W.**

Verlag Drei Lilien, Berlin.

Buck, Rudolph. Fünf Gedichte Conr. Ferd. Meyer's für eine Singstimme mit Klavierbegleitung, op. 15.

Recht individuell empfundene Liedergaben: vornehm, wenn auch zuweilen gesucht in der Form, und der melodischen Linienführung absichtlich aus dem Wege gehend. Wir haben in Buck ein starkes Liederkompositionstalent zu begrüßen, mit dem sich unsre Sänger nachdrücklichst befreunden sollten, schon der gedankenschweren Gedichte wegen. Hinsichtlich seiner interessanten musikalischen Konzeption halte ich »Schwüle« für das wertvollste; »Abendwolke« und der »Ritt in den Tod« sind jedoch ebenfalls geeignet, sich Freunde zu erwerben. Als ein anmutiges, gefälliges, wenn auch anspruchsloses Lied möchte ich: »Laß das Fragen« anführen. **A. F.**

— Op. 16. Zwei Gesänge für drei Frauenstimmen (Solo oder Chor) und Klavier.

1. Jugend (Franz Evers). Formell und inhaltlich wohlabgerundete Kompositionen mit wohlklingender Cantilene und verständnisvoller technischer Arbeit, sehr dankbar.

2) Die Sperlinge (Jos. v. Eichendorff). Eine dem reizvoll schelmischen Gedichte entsprechende allerliebste Vertonung mit charakteristischer Stimmführung und Begleitung. Die beiden Gesänge op. 16 hintereinander gesungen dürften ihrer interessanten Gegensätze willen von sicherer Wirkung sein. **A. F.**

Verlag Julius Hainauer, Breslau.

Flügel, Ernst. Drei Klavierstücke. Op. 60.

Nr. 1. Erinnerung. ℳ 1,25.
Nr. 2. Neues Hoffen. ℳ 1,75.
Nr. 3. Entsagung. ℳ 1,25.

Flügel, Ernst. Walzer in Edur.
Op. 61. ℳ 1,50.

Der motivische Gehalt dieser Klavierstücke ist, insofern er nicht von Chopin
oder Rubinstein bereits vorempfunden, recht
trocken. Irgendwelche Eigenart, welche
diese Stücke nach irgend einer Seite hin
wertvoll erscheinen ließen, dokumentiert
der Komponist in keiner Weise. A. G.

Heuser, Ernst. Drei Klavierstücke.
Op. 40.

Nr. 1. Intermezzo. ℳ 1,50.
Nr. 2. Impromptu. ℳ 1,50.
Nr. 3. Canzonetta. ℳ 1,25.

Die programmatische Unterlage, welche
der Komponist durch den Vordruck der
Arno Holz'schen Dichtung seinem Intermezzo gegeben hat, ist nichts weniger wie
erschöpft. Der Stimmungsgehalt dieser
Bilder-Rhapsodie, wie sie Arno Holz in
seiner bekannten Eigenart wie folgt entwirft:

Eine Düne	Nichts.
Auf ihr,	Alles vorbei!
Einsam,	Grau der Himmel
Ein Haus;	Grau die See
Draußen Regen,	Und grau
Ich am Fenster.	Das Herz.

ist vom Komponisten so aufgebaut, daß
man sich alles eher eher denken
kann, als eine regengraue Dünenlandschaft.
Das Intermezzo, wie auch die beiden anderen
Klavierstücke sind abgerundete glatte Kompositionen, nichts weiter. Zur musikalischen
Ausdeutung von Stimmungspoesien bedarf
es doch etwas mehr Phantasie, als sie anscheinend Herrn Heuser zu Gebote steht.
A. G.

Verlag K. Ferd. Heckel, Mannheim.

Mayer-Reinach, Albert. Op. 2. Zwei
Lieder von Frieda Schanz für
eine Singstimme mit Klavierbegleitung. Nr. 1. Durch die flocken-
streuende Winternacht. Nr. 2. Über
schwankenden Grund. Je ℳ —,80.

Sehr dankbare, für den Konzertvortrag
geeignete, stimmungsvolle Lieder, die sich
durch treffliche Deklamation der Textworte
auszeichnen und auch harmonisch manches
Eigenartige bieten. W. A.

Wolf, Hugo. Dem Vaterland (Rob.
Reinick). Ein Hymnus für Männerchor und Orchester. Klavierauszug ℳ 2,— n.

Dieser aus des unglücklichen Hugo
Wolf's Papieren jetzt veröffentlichte Chor
wird sicherlich Allgemeingut aller besseren
Männerchöre werden, da er nicht nur ein
prächtiges kraftvolles Hauptthema, sondern
auch lyrische Stellen von seltener Schönheit enthält. Für patriotische Zwecke ist
er sehr gut geeignet. W. A.

Verlag A. Hoffmann, Striegau.

Mittmann, Paul. Album schlesischer
Lieder für mittlere Singstimme mit
Klavierbegleitung. Band IV, Hol-
tei-Lieder. ℳ 3,—.

Die Sammlung verdient schon weit-
gehenderes Interesse, weil sie mehrere Melodien von Karl Holtei aufweist. J. W.

Verlag Gebrüder Hug & Co.,
Leipzig und Zürich.

Bonvin, Ludwig. Op. 45. »Abend
wird es wieder«. Für eine mittlere
Stimme. ℳ 1,20.

Huber, Hans. Op. 101. Caenis (die
Verwandlung), nach einer antiken
Sage von J. V. Widmann gedichtet
und für Männerchor, Alt-Solo und
Orchester (oder Klavier) komponiert.
Klavier-Auszug (23 S. Fol.) ℳ 5,—.

Der balladenhafte Text ist von Huber
zu wirkungsvollem Ausdruck gebracht. Die
Themen sind charakteristisch geprägt, der
Satz kontrapunktisch wie harmonisch interessant ausgestaltet. J. W.

Klughardt, August. Op. 91. Andante
und Toccata für Orgel. ℳ 2,—.

Auch auf dem Gebiete der Orgelkom-
position zeigt sich der jüngst Verstorbene
als ein tüchtiger Könner. Wohlklang im
Satz und Klarheit der thematischen Ausgestaltung zeichnen das vorliegende Werk
wie so viele andere seiner Kompositionen
aus. A. G.

Sitt, Hans. Drei Männerchöre. Op. 82.

Nr. 1. »Es ist ein Brünnlein geflossen«. Part. ℳ 1,—, Stimmen
à ℳ 0,20.

Nr. 2. »Sonnenuntergang«. Part.
ℳ 1,20, Stimmen à ℳ 0,20.

Nr. 3. »Die Lore am Rhein«.
Part. ℳ 1,20, Stimmen ℳ 0,20.

Im herkömmlichen Männerchorstyl geschrieben, bieten diese Chorlieder außer
einem wohlklingenden Satz nichts nennens-
wertes. A. G.

Verlag C. A. Klemm, Leipzig, Dresden, Chemnitz.

Wolfermann, Albert. Sechs kleine leichte Stücke für Violine (in erster Lage) mit Begleitung des Pianoforte. Op. 17.

Nr. 1, 2, 3, 6 à ℳ 0,80, Nr. 4, 5 à ℳ 1,20.

Melodiöse kleine Stücke, welche den Geigenschülern während der technischen Studien eine angenehme Abwechslung bieten werden. A. G.

Verlag Paul Koeppen, Berlin.

Beethoven, L. van. Adagio cantabile aus dem Septett Op. 20. Bearbeitet für Harmonium und Klavier von Karl Kämpf. ℳ 2,60.

Gerlach, Theodor. Op. 24. Vier Märchenstücklein für Harmonium. à ℳ 1,—.

Daß durch die fortschreitenden Vervollkommnungen, denen das Harmonium in den letzten Jahren unterworfen ist, sich die Beliebtheit dieses Instrumentes immer mehr gesteigert hat, demgemäß die diesbezügliche Literatur sich schnell entwickelte, beweist Paul Koeppen's »Normal-Harmonium-Literatur« mit eingedruckten Registerzeichen. Die verschiedensten Kompositionsarten sind da teils in Arrangements, teils in einer großen Reihe vortrefflicher Originalkompositionen vertreten. Solis, Duos, Ensemblestücke in den mannichfachsten Instrumentalmischungen sind vorhanden. Auch mit den vorliegenden Neuerwerbungen hat der Verlag Glück. Das Arrangement des Adagio aus Beethoven's Septett ist äußerst wohlklingend gesetzt. Ebenso sind die Originalkompositionen des bekannten Dresdener Komponisten Gerlach von graziöser Erfindung, die sich bei ihrer leichten Spielart wohl bald viele Freunde erwerben werden. A. G.

Verlag F. E. C. Leuckart, Leipzig.

Seifert, Uso. Op. 39. Melodie sentimentale für Pianoforte. ℳ 1,20.

Ein ausdrucksvolles, mittelschweres Tonstück. J. W.

Kullack, Franz. Op. 15. Im Karneval. Tanzhumoreske für Pianoforte. ℳ 1,80.

— Op. 16. Lust und Leid. Eine Tanzcaprice für Pianoforte. ℳ 1,80.

Ganz ansprechende, auf äußere Wirkung zielende Salonmusik ohne tieferen Gehalt. J. W.

Verlag A. A. Noske, Middelbourg.

Coenen, Louis. Sonate pour Piano à quatre mains. ℳ 4,50 n.

Den Namen dieses Komponisten wird man sich merken müssen. Diese 4 knappe Sätze enthaltende Sonate darf recht empfohlen werden. Sehr wohlklingend ist der erste Satz, dessen zweites Thema etwas an die »Meistersinger« gemahnt; prickelnd ist das Intermezzo mit dem melodiösen Zwischensatz, sehr gehaltvoll, etwas brahmsisch das Andante, recht schwungvoll das Finale. W. A.

Verlag C. F. Peters, Leipzig.

Leclair, J. M. Concerto. Op. 10, Nr. 5. Pour Violon faisant partie des 12 concertos redig. et publ. avec accompagnement de Piano par Marcel Herwegh. ℳ 1,50.

Von Leclair (1697—1764) kannte man lange Zeit nichts mehr weiter als die beiden Sonaten, die Sarabande und den Tambourin für Violine, sowie die prächtige Sonate für Violine und Bratsche mit Klavier, die David herausgegeben hatte. In den letzten Jahren hat nun Herwegh aus Leclair's Concerti grossi für Streichinstrumente einige für Violine und Klavier bearbeitet. Das vorliegende in E-moll mutet in seinen beiden ersten Sätzen recht zopfig an; dagegen ist das Finale ein hübsches dankbares Sätzchen, das man wohl einmal zur Abwechslung statt des »Tambourin« öffentlich spielen könnte. Technisch ist aus diesem Konzert manches zu lernen. W. A.

Sinding, Christian. Op. 64. Trio für Piano, Violine und Violoncell. ℳ 4,—.

Ein ganz prächtiges, durch Frische und herrliche Melodien ausgezeichnetes Werk, das die mit nordischer Schwermut gepaarte fröhliche Musikantennatur Sinding's so recht kennzeichnet. Auch die Arbeit ist sehr interessant, indem ein Thema (vergleiche hierzu Zeitschrift der IMG. IV, Heft 5, S. 257 f.) in allen drei Sätzen verarbeitet ist. Violine und Violoncell gehen vielfach unisono, was für schwächere Cellisten sehr angenehm sein dürfte. Der Klavierpart ist stellenweis sehr schwierig. Dieses Trio sollte sich jeder Kammermusikfreund zu eigen machen; zur öffentlichen Aufführung ist es sehr zu empfehlen. W. A.

Verlag Friedrich Pustet,
Regensburg.

Fröhlich, J. G. Orgelschule für
katholische.Lehrerbildungsanstalten,
herausgegeben mit Approbation des
Hochwürdigsten Herrn Bischofs Dr.
Paulus Wilh. v. Keppler zu Rotten-
burg. XVI und 144 S. qu. fol.
ℳ 4,—.

Ein tüchtig gearbeitetes Schulwerk.
Nach wenigen historischen Bemerkungen
und knappen Erklärungen der wichtigsten
Teile des Orgelmechanismus legt Verfasser
den Lehrstoff vor, der in den Präparanden-
und ersten Seminar-Jahren bewältigt werden
soll. Der erste Teil führt in das Manual-
spiel ein, der zweite in das Pedalspiel. Der
dritte Teil rüstet den jungen Orgelspieler
mit einer Reihe kurzer Stücke aus, die er
später im Dienste der Kirche verwerten
kann. 153 Sätze liegen hier vor von Meistern
wie: G. Muffat, J. K. Fischer, J. S. Bach,
Eberlin, Krebs, Albrechtsberger, G. J.
Vogler, Rembt, Vierling, Rinck etc. Anschließen sich eine Reihe von Stücken in
den Kirchentonarten, worauf dann als
vierter Teil Vor- und Zwischenspiele zu
kirchlichen Gesängen und eine Anleitung
zur Begleitung der einfachen Rezitation
folgen. Kurze Anweisungen zur Modulation
beschließen das Werk, das Empfehlung verdient.   J. W.

Verlag D. Rahter, Hamburg und
Leipzig.

Heinrich XXIV. j. L. Prinz Reuß.
Quintett, Edur, für Pianoforte, zwei
Violinen, Viola und Violoncello.
Op. 15. ℳ 15,—.

Das technisch sauber ausgefeilte Werk
gibt sich in seiner thematischen Entwicklung
durchaus einfach und klar. Die einzelnen
Motive, auf dem Boden der klassischen und
romantischen Schule gewachsen, lassen zwar
mitunter eine plastische Gleichwertigkeit
vermissen, werden aber dem Streben nach
Gegensätzlichkeit vollauf gerecht. Neben
dem spuckhaft dahinhuschenden Presto, in
welchem einige rhythmische Feinheiten angenehm auffallen, ist das Adagio, seines
edlen Empfindungsgehaltes wegen, besonders
zu erwähnen.   A. G.

Woyrsch, Felix. Op. 44. Improvisationen für Pianoforte. Heft 1:
In ein Album, Erinnerung, Nächtlicher Ritt, Frühlingsgesang. Heft 2:
Notturno, Canzonette, Traumgesicht,

Epilog. Jedes Heft ℳ 2,—, jede
Nummer ℳ 0,60 bis 1,20.

Schnell hingeworfene, klangvolle, schön
empfundene kleine Stimmungsbilder, denen
ein etwas gewandterer Spieler leicht gerecht wird.   J. W.

Verlag Gebrüder Reinecke, Leipzig.

Wintzer, Elisabet. Moderne Kinderlieder für eine Singstimme mit Begleitung des Pianoforte. Zwei Hefte
à ℳ 1,80.

— »Der schwarze Segler« für eine
Singstimme ·mit Begleitung des
Pianoforte. ℳ 1,50.

Der Komponistin fehlt es für Kinder-
liederkompositionen an der dazu nötigen
Natürlichkeit und Grazie der Melodik. Das
starke dramatische Accente vertragende
»Der schwarze Segler« ist in Bezug auf
Erfindung, Harmonik und Satz, ganz besonders aber im Punkte der Deklamation
sehr schwach geraten. Ein paar gute
Momente des Ausdrucks bleiben vollkommen
in den Ansätzen stecken. .   A. G.

Verlag Adolf Robitschek, Wien,
Leipzig.

Caro, Paul. Op. 28. Drei Lieder
für hohe Stimme mit Begleitung des
Pianoforte. ℳ 2,50.

— Op. 29. Zwei Lieder für hohe
Stimme mit Begleitung des Pianoforte. ℳ 1,50.

— Op. 30. Zwei Lieder für hohe
Stimme mit Begleitung des Pianoforte. ℳ 1,50.

In Erfindung, Satz und Deklamation
stehen die sämtlichen Lieder Caro's auf
einem Standpunkt, der — Gott sei gedankt
— schon seit vielen Jahren zu dem »Ueber-
wundenen« gehört.   A. G.

Verlag Schlesinger'sche Buch- und
Musikalienhandlung (Rob. Lienau),
Berlin.

Egidi, Arthur. Psalm 84, 1 2 »Wie
lieblich sind deine Wohnungen.«
Für sechsstimmigen Chor a capella.
Op. 6. Part. ℳ 2,—, Stimmen ℳ 1,80.

Egidi's Psalm, welcher gelegentlich eines
Kirchenkonzertes des Berliner Tonkünstler-
vereins im Frühjahr 1901 als Manuskript
seine Erstaufführung erlebte, ist ein Chorwerk von musikalisch großer Bedeutung.
Chorsatz, Ausnützung der Individualität

des Stimmenklanges, sowie die reichhaltige polyphone Ausgestaltung der Themen, sind durchaus wohlgelungen und bei aller kontrapunktischen Kompliziertheit klar und bestimmt disponiert. Jedem gutgeschulten Chor sei dieser harmonisch und rhythmisch ziemlich schwierige Psalm als eine wirklich vortreffliche Neuheit der Kirchenchorliteratur angelegentlichst empfohlen.　A. G.

Verlag C. F. Schmidt, Heilbronn a. N.

Ritter, Hermann. Op. 66. Gesangsstück für Viola beziehungsweise Violoncell und Pianoforte. Je *M* 1,—.

Ein dankbares Salonstück. Die Violastimme ist im Baß- und Violinschlüssel notiert, da der Komponist den Gebrauch des Altschlüssels für unnötig und zopfig hält.　W. A.

Verlag B. Schott's Söhne, Mainz, London, Paris, Brüssel.

Pittrich, G. Deux Nocturnes pour Piano. *M* 1,50.

Wohlklingende Stücke ohne tiefere Bedeutung.　A. G.

Jacobi, Martin. Drei Lieder für vierstimmigen gemischten Chor a capella. Op. 27. Part. n. *M* 0,45. Jede Stimme η. *M* 0,15:

Im glatten Chorsatz geschrieben, würden die melodisch reizvollen Chöre klanglich noch weitaus besser wirken, wenn der erste anstatt in Ddur in Edur, der zweite anstatt in Cdur in Ddur und der dritte anstatt in Edur in Fdur stünde.　A. G.

Verlag Hermann Seemann Nachf., Leipzig.

Bloch, Josef. Op. 20. Ungarische Ouverture für großes Orchester. Partitur (65 S. fol.) *M* 8,—, Orchesterstimmen .*M* 12,—, Duplierstimmen à *M* 0,75.

Ein klar angelegtes, wirkungsvoll instrumentiertes Werk mit ausdrucksvollen Themen.　J. W.

Süddeutscher Musikverlag, G. m. b. H., Straßburg i. E.

Koefsler, Hans. Sextett (in F-moll) für zwei Violinen, zwei Violen und und zwei Celli. Partitur *M* 6,—.

Ausgezeichnete musikalische Arbeit, vielfach originelle Gedanken und geschickte Behandlung der Instrumente lassen sich diesem Werke nachrühmen; es gehört entschieden zu den bedeutenderen Kammermusikwerken der letzten Jahre und verdient im Konzertrepertoire einen Platz neben den Brahms'schen Sextetten, mit denen es sich freilich kaum messen will.
W. A.

Marteau, Henri. Berceuse pour Violon avec accompagnement du Piano. Œuvre 1,—.

Ein harmloses Stückchen, welches der prächtige Geigenkünstler uns da beschert hat. Von seinen Händen gespielt wird der Kupfergehalt seines kompositorischen Gedankens zweifellos in herrlichem Goldklang erstrahlen.　A. G.

Schlegel, Leander. Zwei Frauenchöre mit Klavierbegleitung. Op. 23.

»Sonntagsfrühe« und »Nachtgesang« nach Dichtungen von Reinick sind Kompositionen, welche schon durch ihren harmonischen und rhythmischen Reichtum interessieren. Da sie auch inhaltlich viel schönes zu sagen wissen, werden sie stimmbegabten Damenchören eine willkommene Neuheit sein.　A. G.

Schlegel, Leander. Op. 13. Zwei phantastische Studien für Pianoforte. 1. Also hört zu! 2. Beim Wein. *M* 3,—.

— Op. 15. Sechs Phantasien für Pianoforte. Heft I: 1. Vivos voco — Mortuos plango. 3. Mondscheingänge. 3. Nach hohem Ziel. Heft II: 4. Vom gestrigen Tag. 5. Ballerlebnisse. 6. Verlassene Stätte. Heft je *M* 3,—.

— Op. 23. Zwei Frauenchöre mit Klavierbegleitung. 1. Sonntagsfrühe. 2. Nachtgesang. Partitur *M* 2,50, Stimmen *M* 0,60 netto.

Verfasser ist nicht ohne Talent. Seine steten harmonischen Grübeleien und die daraus resultierenden Klanghärten lassen aber eine rechte Freude an seinen Werken nur selten aufkommen. Von guter Klangwirkung ist die erste der phantastischen Studien. Ziemlich ungetrübten Genuß bereitet auch die fünfte der Phantasien, deren Thema in offenbarer Anlehnung an Schumann's Humoreske geschaffen ist. Die beiden Frauenchöre sind geschickt gearbeitet und nicht ohne klanglichen Reiz. Über großzügige, bedeutende Melodik verfügt Schlegel nicht.　J. W.

Verlag Chr. Friedrich Vieweg,
Berlin-Gr. Lichterfelde.

Krauss, K. A. Op. 22. Schlummerlied für eine Singstimme und Klavier. ℳ 1,20.

Krug, Arnold. Op. 89. Jesus Christus,
Hymne von Theodor Souchay für
gemischten Chor mit Begleitung des
Orchesters oder des Pianoforte. Klavier-Auszug ℳ 4,—, jede Chorstimme ℳ 0,50.

Ein gut gearbeitetes Chorwerk leichteren Styles. Bedeutende Züge vermag ich
in ihm nicht zu entdecken.   **J. W.**

Müller, A. Op. 38. Vierstimmige
Gesänge für höhere Lehranstalten.
Unter besonderer Berücksichtigung
des Umfanges und der Leistungsfähigkeit jugendlicher Stimmen bearbeitet. (VIII und 140 S. 8°.)
ℳ 1,20.

Eine anerkennenswerte Arbeit. Die Rücksichtnahme auf die Leistungsfähigkeit der
jugendlichen Stimme ist mit Freuden zu
begrüßen. Die Auswahl der Gesänge verrät
große Sorgfalt. Besonderes Lob verdient
die Aufnahme einiger charakteristischer
fremdsprachlicher Lieder wie z. B. Integer
vitae, The last rose of summer, Malbrough
sen va-t-en guerre. Der Satz ist im allgemeinen einwandsfrei und klangvoll, die
Stimmführung meist eine gute. Das Werk
ist für den Schulgebrauch zu empfehlen.
    J. W.

Scholz, Bernhard. Abendlied (Mathias
Claudius) für eine Singstimme mit
Klavierbegleitung. ℳ 1,20.

Verlag Josef Weinberger, Wien,
Leipzig, Paris.

Liszt, Rhapsodies hongroises Nr. 18
et 19. Piano Solo. Edition universelle Nr. 612.

Verlag Jul. Heinr. Zimmermann,
Leipzig, St. Petersburg, Moskau,
London.

Balakirew, Mili. 3ème Nocturne pour
le piano. ℳ 2,—.

Lewinger, Max. Op. 6. Nr. 1. Dumka
für Violine mit Klavierbegleitung.
ℳ 2,—.
— Op. 6. Nr. 2. Cracovienne für
Violine mit Klavierbegleit. ℳ 2,—.
— Op. 7. Capriccio für Violine mit
Klavierbegleitung. ℳ 3,—.

Rein äußerlich betrachtet gehören die
kompositorischen Aeußerungen des bekannten Violinvirtuosen zu der Sorte der
brillanten Vortragsstücke. Eine besondere
Eigenart oder gar Tiefe der Erfindung besitzen sie nicht.   **A. G.**

Schlemüller, Hugo. Sechs leichte
Vortragsstücke (in der ersten Lage)
für Violoncello mit leichter Klavierbegleitung. Op. 12. Nr. 1, 2, 4, 5,
6 je ℳ 0,80, Nr. 3 ℳ 1,—.

Zeitschriftenschau

zusammengestellt von

Ernst Euting.

Verzeichnis der Abkürzungen siehe Zeitschrift IV, Heft 4, S. 233.

Adcock, John. Notes on Dr. Prout's
edition of ›The Messiah‹ — Musical
Opinion and Music Trades Review (London, 35 Shoe Lane, Nr. 305 ff.

Alexejew, P. S. Flöte und Flötenspiel.
Historische Skizzen und Notizen — NZfM
70. Nr. 6 ff [aus dem Russischen].

Amfaldern, L. von. Klaviergemäße Produktion und Reproduktion — RMZ 4,
Nr. 3.

Anonym. The University of London —
MN, Nr. 624 [über Musik an der neu-ge-
gründeten Londoner Universität].

Anonym. Das zwanzigjährige Jubiläum
des Philharmonischen Orchesters in Helsingfors — Deutsche Tonkünstler Zeitung
(Charlottenburg, C. Neubauer) 1903, Nr. 12.

Anonym. Interessante Typen aus der
Entwicklungsgeschichte des Pianofortes
— ZfI 23, Nr. 13 f [illustriert]

Anonym. Die Ausfuhr von Musikinstrumenten aus Deutschland im Jahre 1902 verglichen mit der Ausfuhr früherer Jahre — ibid. Nr. 14.

Anonym. Elektrische Innenbeleuchtung für Pianinos — DIZ 1903, Nr. 13.

Anonym. Nachtrag zu den biographischen Notizen über den Klavier- und Orgelbauer Joh. Andreas Stein in Augsburg — ZfI 23, Nr. 12.

Anonym. [Dotted Crotchet]. Salisbury Cathedral — MT, Nr. 720 [mit musikgeschichtlichen Notizen].

Anonym. Pepys (1632—1703) as a musician — MN, Nr. 621 f.

Anonym. Literary and musical plagiarism — Nation (London) 6. November 1902.

Anonym. Music in the Australian Bush — The Presto (Chicago, 324 Dearborn Street), Nr. 863.

Anonym. Begleitung des Volksgesanges — KVS 17, Nr. 4.

Anonym. Bericht über den Choralkurs und die XIII. Generalversammlung des Diözesan-Cäcilien-Vereines Seckau in Graz im Oktober 1902 — ibid.

Anonym. Schweizerische Tonkünstler im Ausland (Bertrand Roth, Friedrich Brüschweiler) — SMZ 43, Nr. 6.

Anonym. Ein neuer Wiener Konzertsaal [Schubert-Saal] — NMP 12, Nr. 2 [illustr.].

Arndt, G. Wünsche, den Gemeindegesang im Hauptgottesdienste betreffend — Monatsschrift für die kirchliche Praxis (Tübingen und Leipzig, J. C. B. Mohr) 3, Nr. 2.

Aubry, Pierre. Une grève de musiciens à Rome en l'an 312 avant Jésus-Christ — RHC 3, Nr. 1.

Baker, J. Percy. The ideal organist and the real — MN, Nr. 620.

Barini, Giorgio. Per il 25. anniversario della fondazione del liceo musicale di Roma — Chronache Musicali e Drammatiche (Rom) 1902, Nr. 31.

—— »Sigfrido« a Roma — ibid.

Baughan, E. A. The language of music — MMR, Nr. 386 [gegen die Beigabe gedruckter Erläuterungen zur Programm-Musik].

Bessel, Was. Projekt eines neuen Urheberrechtsgesetzes — RMG 1902, Nr. 34 ff.

—— Die drei großen Pianisten: Liszt, Henselt, Rubinstein — ibid. Nr. 45.

Bitsch-Loubensky, Konst. Die Banduristen und Leiermänner auf der XII. archeologischen Versammlung in Charkow — RMG 1902, Nr. 37 f.

Bogaerts, J. Der Brief »Nos quidem« Leo's XIII. und die offiziellen Choralbücher — Kirchenmusikalisches Jahrbuch 1902 (Regensburg, Fr. Pustet).

Boisard, A. »Paillasse« — Le Monde Illustré (Paris) 27. Dezember 1902.

Boissevain, Ch. E. H. De Parsifal-uitvoering van »Toonkunst« — Cae 60. Nr. 5.

Bösenburg, F. Über absoluten Tonartcharakter am Klavier, über das Verhältnis des Timbres zur Klangfarbe und des Vokaltimbres zum Tastecharakter und über die Wurzel der Gehörweltfarbe — NZfM 70, Nr. 6 ff.

Bouger, Raymond. Pour le centenaire d'un maître français [Berlioz] — M, Nr. 3750.

Boutarel, Amédée. Une lettre de Berlioz à Goethe — M, Nr. 3751.

Brauser, Ed. Ein Kapitel Formenlehre — MWB 34, Nr. 4.

Cambridge, M. A. Psalm-singing — The Calcutta Review (Calcutta, 12 Bentinck Street) Oktober 1902.

Campi, A. Jan Kubelik — NMP 12, Nr. 3.

Chevalier, Paul-Emile. »Il était une fois«, conte en vers, de M. Claude Roland, musique de Mlle. Jeanne Vieu — M, Nr. 3748.

—— »La Duchesse Putiphar«, fantaisie romantique en 2 actes, en vers, de M. Louis Artus, musique de M. H. Bemberg — ibid.

—— »Marie-Magdeleine«, drame lyrique en 4 actes, de Louis Gallet, musique de M. J. Massenet, à l'Opéra de Nice — M, Nr. 3751.

Cohen, Carl. Die neue Orgel in der St. Rochuskirche zu Düsseldorf — GBl 28, Nr. 1.

Cohn-Antenorid, W. Chinesische Musik-Ästhetik — MfM 35, Nr. 1 f.

Collin, S. Brizeux mis en musique — Revue de Bretagne (Paris) Dezembre 1902.

Cursch-Bühren, H. Th. Richard Wagner als Politiker 1849 — Leipziger Tageblatt, 22. November 1902.

Daubresse, M. L'artiste aujourd'hui-hier-demain — GM 49, Nr. 4 f.

—— Cours d'histoire de la musique de M. Bourgault-Ducoudray — Le Courrier Musical (Paris) 1902, Nr. 14.

Downes, R. P. Edvard Grieg; a charming composer — Great Thoughts (London. 4. St. Bride Street) Februar 1903.

E., F. G. Dr. Maurice Green (1696—1755) — MT. Nr. 720.

Eckhoud, Georges. Première de l'»Étranger« de M. Vincent d'Indy au Théâtre de la Monnaie de Bruxelles — L'Européen (Paris, 24 rue Dauphine) 3, Nr. 60.

Eisoldt, H. Die Virgil-Methode des Klavier-Unterrichtes und das Virgil-Technik-Klavier — KL 26, Nr. 3.

Ende, A. von. Die Musik der nordamerikanischen Indianer — Mk 2, Nr. 10.

Ende, H. vom. Sänger-Untugenden — TK 7. Nr. 2.

Ertel, P. Ist der Theatermusiker verpflichtet, bei Lustspielen etc. hinter der Bühne mitzuwirken? — DMZ 34, Nr. 5.

Farwell, Arthur. Indian music a wealth of legendary lore — The Presto (Chicago, 324 Dearborn Street). Nr. 863.

Findeisen, Nic. P. J. Tschaikowsky in den Jahren 1877—84. Skizze — RMG 1902. Nr. 26 ff.

—— Beiträge zur Musikgeschichte Rußlands während der Regierung Paul I. (1797—1801) — ibid., Nr. 40.

—— Das Hundertjährige Jubiläum der St. Petersburger Philharmonischen Gesellschaft — ibid. Nr. 44.

—— P. J. Tschaikowsky in den Jahren 1885—1893 — ibid. Nr. 46.

—— Zum Andenken Ant. Rubinstein's — ibid. Nr. 47 [anläßlich der Enthüllung seiner Büste].

—— Dem Andenken Th. J. Strawinsky's † — ibid. Nr. 48.

—— M. A. Deuscha - Sionitzkaja. Biographische Skizze — ibid. Nr. 49.

—— Notizen über die russische Musik-Kritik — ibid. Nr. 50 ff.

—— Die Musikzeitschriften in Rußland. Historische Skizze (1774—1903) — ibid. 1903, Nr. 1 ff.

Fischer, Hans. Der Musiker — MW 2, Nr. 47 [behandelt den äußerlich sichtbaren Einfluß des Instrumentenspiels auf die betätigten Körperteile vom medizinisch-gerichtlichen Standpunkte aus'.

Flemming, Oswald. Die staatliche Prüfung der Musiklehrer — MWB 34, Nr. 5.

Fliedel, J. Dr. Franz Xaver Witt, Gründer und erster Generalpräses des Cäcilienvereins — C 20, Nr. 2 ff [nach einem Vortrag].

Forgach, I. Das Lied im Volke und Volksmusik — Wochenschrift für Kunst und Musik (Wien, Salesianergasse 10) 1, Nr. 9 f.

Forthuny, P. De Byron à Schumann — Le Gaulois (Paris) 6. Dezember 1902.

Fourcaud. ›La Carmélite‹ — Le Gaulois (Paris) 17. Dezember 1902.

Fritz, A. Theater und Musik in Aachen seit dem Beginn der preussischen Herrschaft. I. — Zeitschrift des Aachener Geschichtsvereins — 24. Band.

Gerhard, C. Der Humor in der Musik — Die Gegenwart (Berlin) 15. November 1902.

Ghignoni, P. ›L'alleluia‹ del sabbato santo — Il Palestrina (Florenz) April 1902.

—— L'applauso e l'arte sacra — ibid. Mai 1902.

Gianelli, Ruggero. Un conclave in ope-

retta — Rivista d'Italia (Rom, Via del Tritone 201) 6, Nr. 1.

Giethmann, Gerh. ›Les vraies mélodies grégoriennes‹ par A. Dechevrens — Kirchenmusikalisches Jahrbuch 1902 [Regensburg, Fr. Pustet) [ausführliche Besprechung].

Gilman, Lawrence. Pietro Mascagni: an inquiry — North American Review (New York, Franklin Square) 88, Nr. 1.

Gloeckner, W. Die Pantomime und das Problem der Programmmusik — Wochenschrift für Kunst und Musik (Wien, Salesianergasse 10) 1, Nr. 7.

Gouirand, André. L'art musical à Marseille — MSu 2, Nr. 32.

Grofsmann, Max. Cremoneser Lack oder wissenschaftliche Theorie, eine Streitfrage im Geigenbau — ZfI, 23, Nr. 14 ff.

Grunsky, Karl. Anton Bruckner und seine Es-dur-Symphonie — Karlsruher Zeitung, 17. November 1902.

—— Bruckner's 9. Sinfonie in D-moll. (1. Aufführung in Wien am 11. Februar 1903) — AMZ 30, Nr. 8.

Guilbert, L.-F. Les assises de musique réligieuse de Bruges — Enseignement Chrétien (Paris), Dezember 1902.

Guillemin. Les premiers éléments de l'acoustique musicale — La Voix Parlée et Chantée (Paris), September 1902.

H., D. Die musikalische Erziehung in ihrem Einfluß auf die Verhältnisse des Musikalienmarktes — MWB 34, Nr. 6.

H., S. A. Musical progress and Richard Strauß — Mc 8, Nr. 4.

Haberl, F. X. Geschichte und Wert der offiziellen Choralbücher — Kirchenmusikalisches Jahrbuch 1902 (Regensburg, Fr. Pustet).

Hagemann, Carl. Opernregie — Mk 2, Nr. 9 ff.

Hahn, Arthur. ›Messidor‹. Musikdrama in vier Aufzügen. Text von Emile Zola; Musik von Alfred Bruneau — NMZ 24, Nr. 6.

Halm, A. Katalog über die Musik-Codices des 16. und 17. Jahrhunderts auf der Königlichen Landes-Bibliothek in Stuttgart — Beilage zu den MfM 1902.

Heerdegen, E. Ein Gedenkblatt an Josef v. Rheinberger — KL 26, Nr. 3.

Hellouin, F. Gossec et la musique française à la fin du 18 me siècle — Le Courrier Musical (Paris) 1902, Nr. 13 f.

Henderson, W. J. The future of orchestral music — Atlantic Monthly (London, Gay & Bird) Januar 1903.

Hiller, Paul. ›Michelangelo und Rolla‹. Lyrisches Drama in einem Akt. Nach C. Lafont's Drama bearbeitet von Ferdinando Stiatti. Deutsch von Ludwig Hartmann. Musik von Crescenzo Buongiorno. (Uraufführung im Königl. Theater zu Cassel am 29. Januar 1903) — NZfM 70, Nr. 8.

Holly, C. Die heiligen Patrone der Tonkunst — KVS 17, Nr. 4.

Hüttig. Anleitung zur militärärztlichen Untersuchung und Begutachtung des Gehörorgans — Deutscher Militärärztlicher Kalender (Hamburg) 1901, S. 231 bis 245.

Imbert, H. »Titania«. Drame musical en trois actes, paroles de Louis Gallet et de M. André Corneau, musique de M. Georges Hüe — GM 49, Nr. 4.

Italico, L. »Siegfried«, Wagner — Rivista Moderna (Rom, Via Milano 37), 1. Januar 1903.

Johannes, E. »Messidor«. Lyrisches Drama in vier Aufzügen von Alfred Bruneau und Emile Zola (Erstaufführung für Deutschland in München am 15. Januar 1903) — NZfM 70, Nr. 5.

Joncières, V. »Paillasse« à l'Opéra. Avant la première — Le Gaulois (Paris) 14. Dezember 1902.

Jones, Helen L. The music of nature — Cosmopolitan (International News Co.) Januar 1903.

Jofs, Victor. »Die Czarenbraut«. Oper in 3 Aufzügen von J. F. Tumenéw. Musik von N. Rimsky-Korsakow. (Erstaufführung im tschechischen Nationaltheater zu Prag am 4. Dezember 1902. — NZfM 70, Nr. 6.

Joss, V. Watteau musicien — Mercure de France (Paris) Dezember 1902.

Jullien, A. »Paillasse«; la Carmélite — Journal des Débats (Paris) 21. Dezember 1902.

Karlowicz, M. Préface aux souvenirs inédits de Chopin — RHC 3, Nr. 1.

Kenyon, C. Fred. How Dr. Richter conducts a rehearsal — Mc 8, Nr. 3.

Kling, H. Le centenaire d'un compositeur suisse célèbre: Louis Niedermeyer — RMI 9, Nr. 4.

—— Einiges über die Trommel — Die Instrumentalmusik (Beilage zur SMZ) 4, Nr. 2.

Kohut, Ad. Der Verfall der Gesangskunst — Die Gegenwart (Berlin) 63, Nr. 5.

—— Die ungarische Musik — MTW 6, Nr. 3.

Komorzynski, Egon von. Otto Ludwig, der Musiker und Dichter — Mk 2, Nr. 9.

Kompaneisky, N. Die Bedeutung der handschriftlichen Noten für die Kirchenchöre — RMG 1902, Nr. 37 f.

—— Die Trauermesse am Todestage P. J. Tschaikowsky's — ibid. Nr. 44.

—— Erwiderung an W. M. Metalloff [siehe unten] — RMG 1903, Nr. 4 ff.

Kornmüller, A. »Studien zur Geschichte der italienischen Oper im 17. Jahrhundert«

von Hugo Goldschmidt — Kirchenmusikalisches Jahrbuch 1902 (Regensburg, Fr. Pustet) [ausführliche Besprechung].

Kroyer, Theodor. »Messidor« von Emile Zola und Alfred Bruncau (Erstaufführung in München) — S 61, Nr. 8/9.

Kufferath, M. »Parsifal« au concert — GM 49, Nr. 4.

Kurdjumoff, Jur. Thematischer Leitfaden zu Rimsky-Korsakoff's Oper »Das Märchen vom Zar Saltan« — RMG 1902, Nr. 48.

L. F. J. Schaljapin. Biographische Skizze — RMG 1903, Nr. 4.

—— 35jähriges Jubiläum von Prof. A. N. Essipowa — ibid.

L. J. K. Altani. Biographische Skizze — RMG 1902, Nr. 41.

Lacuria, P. La vie de Beethoven écrite par lui même dans ses œuvres — Occident (Paris) Januar 1903.

Lalo, P. »Bachus« — Le Temps (Paris) 1. Dezember 1902.

—— »Paillasse« — ibid. 30. Dezember 1902.

Laloy, Louis. La Damoiselle Élue (M. Cl. Debussy) — RHC 3, Nr. 1.

Langer, Edm. Ein musikalisches Manuskript des 11. Jahrhunderts — Kirchenmusikalisches Jahrbuch 1902 (Regensburg 1902, Fr. Pustet).

Levin, Julius. Zur Erinnerung an Augusta Holmès, Numa Auguez und Robert Planquette — S 61, Nr. 10/11.

Lindig, Franz. Über den Einfluß der Phasen auf die Klangfarbe — Annalen der Physik (Leipzig, J. A. Barth) 1903, Nr. 2.

Lipaeff, Iwan. Bayreuth. Reisebriefe — RMG 1902, Nr. 28 ff.

—— Orchester-Musiker. Geschichtliche Notizen über deren Lage in Rußland — RMG 1903, Nr. 1 ff.

Locard, P. L'orgue — Le Courrier Musical (Paris) 1902, Nr. 13 f.

Loth, A. Origines de la musique grégorienne — La Vérité Française (Paris) 5. Dezember 1902.

Loti, Pierre. Unique music heard at Delhi — The Presto (Chicago, 324 Dearborn Street) Nr. 863.

Löw, Rudolf. Die Orgel und ihr größter Meister — SMZ 43, Nr. 7 ff.

Lucae, August, Über den diagnostischen Wert der Tonuntersuchungen mit besonderer Berücksichtigung der Bezold'schen »kontinuierlichen Tonreihe« und der von mir geübten Untersuchungsmethode — Archiv für Ohrenheilkunde (Leipzig. F. C. W. Vogel) 57, Nr. 3/4.

Lyra, J. W. Kyrie, Epistel und deutsches Lied in der deutschen Messe — Si 28, Nr. 2 ff.

M. Jan Kubelik — RMG 1902, Nr. 51.

Mangeot, A. »Titania«, drame musical en trois actes de MM. Louis Gallet et Andre Corneau, musique de Georges Hüe — MM 15, Nr. 2.

—— Le privilège de »Parsifal« — ibid. Nr. 3.

Mankiewicz, Otto Hans. Bühnentechnik der Wagnerfestspiele — Hamburger Fremdenblatt, 11. Oktober 1902.

Marchesi. S. Operatic events in Paris — MMR, Nr. 386.

Martens, C. A propos de la musique réligieuse — Revue Générale (Brüssel) Dezember 1902.

Masloff, A. K. Daniloff und seine Gesangsweisen — RMG 1902, Nr. 43.

Mayne, H. Eduard Möricke im Verkehr mit berühmten Zeitgenossen. Mit ungedruckten Briefen u. a. von Robert Franz — Westermann's Illustrierte Deutsche Monatshefte, 47, Nr. 4.

Mayrhofer, P. Isid. Über Orgeldispositionen — GR 2, Nr. 2.

Mc. Naught, W. G. The board of education and musical instruction in training colleges — MT. Nr. 720.

Merry, Frank. The choice of libretti — Mc 8, Nr. 4 ff.

Metalloff, W. Einiges über A. A. Aljabjeff — RMG 1902. Nr. 39.

Milligen, S. van. Vincent d'Indy — Cae 60, Nr. 5.

Mirot, L. La messe de »Requiem« de Du Guesclin en 1389 — Revue des Questions Historiques (Paris), Januar 1903.

Mitchell, R. La dernière sonate de Beethoven — Le Gaulois (Paris) 1. Dezember 1902.

Molard, William. »Les Paillasses« à l'Opéra de Paris — L'Européen (Paris, 24, rue Dauphine) 3, Nr. 59.

Molkenboer, Antoon. Over »decoratief begrip« — Cae 60, Nr. 5.

Mool, A. S. Über die Militärmusik in Rußland. Einführung einer normalen Instrumentierung — RMG 1902, Nr. 24 f.

Moore, Isabel. Portuguese Folk-Songs — The Journal of American Folk-Lore (Boston and New-York) Juli — September 1902.

Moser, Johannes. Zu Klinger's Beethoven — Der Türmer (Stuttgart, Greiner & Pfeiffer) 5, Nr. 5.

Müller, Herm. Urkundliches zum Eichsfelder Kirchengesange im 19. Jahrhundert — Kirchenmusikalisches Jahrbuch 1902 (Regensburg, Fr. Pustet).

N., H. Julius Röntgen — WvM 10, Nr. 6 [mit Porträt].

Neal, Heinrich. Populäre Melodien — Münchener Zeitung, 26. November 1902.

Netter, Marie. Die musikalische Erzieh-

ung — Frankfurter Zeitung (Frankfurt a. M.) 1902, Nr. 348.

Niecks, Fr. The second volume of professor Hugo Riemann's Treatise on Composition — MMR, Nr. 386.

—— The development of musical styles, from Mozart to the end of the nineteenth century. A lecture delivered [by professor Niecks] at the beginning of the winter session in the University of Edinburgh — MT, Nr. 720.·

Niemann, Walter. Moderne Klavierabende und ihre Programme — NZfM 70, Nr. 5.

—— Neu-skandinavische Musik. Eine orientierende Übersicht — S 61, Nr. 8/9 ff.

—— Studien zur deutschen Musikgeschichte des XV. Jahrhunderts — Kirchenmusikalisches Jahrbuch 1902 (Regensburg, Fr. Pustet).

P., E. Weingartner's »Orestes« — RMG 1902, Nr. 47 und 49.

Pfeilschmidt, Hans. Vor zwanzig Jahren. Ein Gedächtnisblatt an die Bestattung Richard Wagner's, 18. Februar 1883 — Mk 2, Nr. 10 [illustriert].

Pommer, Josef. Das Bewußt-Kunstmäßige in der Volksmusik — DVL 5, Nr. 1 ff.

Pottgiefser, Karl. Zwanzig Jahre Wagnertum — SA 4. Nr. 5.

Pougin, Arthur. »Titania«, drame musical en trois actes, paroles de Louis Gallet et M. André Corneau. Musique de M. Georges Hüe. Première représentation à l'Opéra-Comique le 20 janvier 1903 — M, Nr. 3748.

—— Réprésentations »d'Andromaque« avec musique de M. Saint-Saëns au Théâtre Sarah-Bernhardt — M, Nr. 3751.

—— La légende de la chute de »Carmen« et la mort de Bizet — ibid.

Preising. R. Wagner's Kunstideal und dessen Verwirklichung — TK 7, Nr. 3.

Preobrajensky, Ant. P. M. Woratnikoff und seine Arbeiten über den Kirchengesang — RMG 1902, Nr. 41 ff.

Procida, S. La »Nemea« di E. Copo al »Bellini« di Napoli — Rivista Teatrale Italiana (Neapel) 1. August 1902.

Prod'homme, J. G. Über die antike Lyra und Zither — DIZ 1903, Nr. 13 und 15 [nach einem Vortrag des Herrn Camille Saint-Saëns im Institut de France].

Prout, Ebenezer. Chromatic harmony. A paper read at the conference of the Incorporated Society of Musicians, Dublin, December 30, 1902 — MMR. Nr. 386 ff.

Pudor, H. Finnische Musik — TK 7, Nr. 3.

—— Die rechte Art, Musik zu hören — BB 26, Nr. 1/3.

R., J. H. Vreemden invloed op het drama in Nederland — SA 4, Nr. 5.

Raxaul, M. Las obras musicales de San

Francisco de Borja — Razon Y Fe
[Madrid?], November 1902.

Remi, Don. Jubileul Teatrului National
din Bucureşti (31 Decembre 1852—31 Decembre 1902) — RM 14, Nr. 2.

—— Societatea Lirică Română — ibid. Nr. 3.

Richter, Bernh. Friedr. Verzeichnis von
Kirchenmusiken Johann Kuhnau's aus
den Jahren 1707/1721 — MfM 34, Nr. 10.

Ritter, Herm. Zu Richard Wagner's
zwanzigstem Todestage — NMZ 24, Nr. 6.

Rolland, Romain. Une œuvre inédite de
Gluck — RHC 3, Nr. 1.

Rowbotham, J. F. Eccentric musicians
— Strand Magazine (London, Newness)
Februar 1903 [illustriert].

Runciman, John F. Modern organs and
organ music — MC, Nr. 1192.

S., E. Aus dem Berliner Gesangvereins-
leben in den Jahren 1853—1886 — TK
7, Nr. 2.

S., P. Résumé de la conférence de M.
Jean d'Udine sur les rapports de la
science et de l'art, à l'Aula de l'Université de Genève — MSu 2, Nr. 32.

Saint-Saëns. Der Kampf gegen die Musik — Berliner Zeitung, 26. November
1902.

Sand, Robert. L'influence de la musique
allemande en France — GM 49, Nr. 5f.

Savard, A. La musique symphonique à
Lyon — MSu 2, Nr. 31.

Schäffer, Karl. »Messidor«. Lyrisches
Drama von Emile Zola, Musik von
Alfred Bruneau. Erste deutsche Auf-
führung am Hof- und Nationaltheater
zu München am 15. Januar 1903 —
MTW 6, Nr. 3.

Schmidkunz, Hans. Zur Geschichte der
Musikschulen — Mk 2, Nr. 9.

—— Hören wir eine Sphärenharmonie? —
BfHK 7, Nr. 2.

Schmidt, Christian. Zur Anatomie und
Entwicklung der Gelenkverbindungen der
Gehörknöchelchen beim Menschen —
Zeitschrift für Ohrenheilkunde (Wies-
baden, J. F. Bergmann) 43. Band [mit
6 Tafeln].

Schneider, Louis. »Titania« de M. Georges Hüe à l'Opéra-Comique — RHC
3, Nr. 1.

Schönfeld, Hermann. Harmoniestudien
an dem ersten Abschnitt (»Der Held«)
der Richard Strauß'schen symphonischen Dichtung »Ein Heldenleben« —
DMZ 34, Nr. 5.

Schubring, Wilh. Die Brathe'sche Theorie von der Notwendigkeit eines Chorraums in der evangelischen Kirche. Eine
Entgegnung — MSfG 8, Nr. 2.

Sell, Karl. Ludwig Hallwachs † —
MSfG 8, Nr. 2 [mit Porträt].

Seydler, Anton. Eine Kompositionslehre

von Hugo Riemann — NMP 12, Nr. 3
[Besprechung].

Sittard, Josef. Die Musik im Lichte der
Illusions-Asthetik — Mk 2, Nr. 10.

Smolensky, S. W. Dem Andenken S. H.
Ratschinsky's — RMG 1902, Nr. 30.

Solerti, Angelo. Laura Guidiccioni Luc-
chesini ed Emilio de Cavalieri (I
primi tentativi del melodramma) — RMI
9, Nr. 4.

Soubies, Albert. La musique scandinave
au XIX° siècle — RMI 9, Nr. 4.

Southgate, T. L. The Oxford History of
Music (Vol. III) — MN, Nr. 622f [Aus-
führliche Besprechung].

Spitta, Friedrich. Liturgik [im Jahre 1901]
— Theologischer Jahresbericht (Berlin,
C. A. Schwetschke und Sohn) 21. Band
[das Kapitel über Musik enthält eine
Zusammenstellung der i. J. 1901 erschie-
nenen Schriften und Zeitungs-Aufsätze].

—— Eine liturgische Burleske — MSfG
8, Nr. 2.

Stahlberg, W. Zur Ausbreitung des
Schalles in der Luft. (Erfahrungen bei
Nebelsignalen.) — Zeitschrift für den
Physikalischen und Chemischen Unter-
richt (Berlin, Julius Springer) 16, Nr. 1.

Stein, Br. Kirchenmusikalische Streit-
fragen — Cc 11, Nr. 2.

Steiner-Schweizer, A. Richard Wagner
in Zürich — 91. Neujahrsblatt der Allgemeinen Musikgesellschaft Zürich (Zürich, Gebr. Hug & Co.).

Stempel, Fritz. Die Organisation der
Musiklehrer — DMZ 34, Nr. 8.

Stieber, H. Mozart-Aufführungen an
der Wiener Hofoper — Wochenschrift
für Kunst und Musik (Wien, Salesianergasse 10) 1, Nr. 8.

Storck, Karl. Musikpflege und Musik-
industrie, Konzertagentenwesen und De-
zentralisation — Der Türmer (Stuttgart,
Greiner & Pfeiffer) 5, Nr. 5.

—— Künstlerischer Tanz — ibid. [behandelt
die »Tanz-Idyllen« der Miss Isadora
Duncan].

—— Das Weimarer Liszt-Denkmal —
Deutsche Heimat (Berlin, Meyer & Wunder)
5, Nr. 5.

Symons, Arth. The Meiningen orchestra
— Academy (London) 29. November 1902.

Tabanelli, Nicola. La questione Mascagni. Liceo di Pesaro dal punto di
vista giuridico — RMI 9, Nr. 4.

Teibler, Hermann. »Messidor«. Musikdrama in vier Aufzügen und fünf Bildern.
Text von Emile Zola. Musik von Alfr.
Bruneau. Erste deutsche Aufführung
am k. Hof- und National-Theater zu
München am 15. Januar 1903 — AMZ
30, Nr. 6.

Thiessen, Karl. Max Reger in seinen neuen Liedern — S 61, Nr. 10/11.

Tiersot, Julien. La musique au Dahomey — M, Nr. 3748 ff.

—— La musique dans le continent africain — ibid. Nr. 3751 ff.

—— Les chœurs d'Esther de Moreau — RHC 3, Nr. 1.

Torchi, L. L'educazione del musicista italiano — RMI 9, Nr. 4.

Trümpelmann, Max. Die Melopoiae des Peter Tritonius (1507) — MSfG 8, Nr. 7.

Tschernoff, K. Über die Stiftung einer populären Musik-Bibliothek in St. Petersburg — RMG 1902, Nr. 46.

Tschirch, Otto. Zur Erinnerung an J. Friedr. Reichardt — Nationalzeitung (Berlin) 23. November 1902.

U. Die Honorarfrage im musikalischen Unterricht — Musikalische Rundschau (Friedenau, Rühle & Hunger) 8, Nr. 3.

Ubell, H. Noch einmal Klinger's Beethoven — Wiener Abendpost 1902, Nr. 284 [Besprechung des Buches von Elsa Asenijeff].

Ulbrich, A. Soll die Musik ein obligatorischer Lehrgegenstand der bayrischen Mittelschulen sein? — Fränkischer Courier (Nürnberg) 16/18. November 1902.

Villanis, Luigi Alberto. Le tendenze dei musicisti italiani — Rivista d'Italia (Rom, Via del Tritone 201) 6, Nr. 1.

—— »Consuelo« di A. Rendano — Rivista Teatrale Italiana (Neapel) 1. Juli 1902.

Viotta, Henri. Muziek en romantiek — De Gids (Amsterdam, P. N. van Kampen & Zoon).

—— Johann Friedrich Reichardt — ibid.

W-wa, O. Rubinstein's »Nero« — RMG 1902, Nr. 45.

Walter, Karl. Beiträge zur Glockenkunde — Kirchenmusikalisches Jahrbuch 1902 (Regensburg, Fr. Pustet).

Walther, W. Die stumme Geige — RMG 1902, Nr. 36.

Weber, Wilh. M. Enrico Bossi — NMZ 24, Nr. 6 [mit Porträt].

Weidinger, Jos. »Die nachtridentinische Choralreform zu Rom« von Raphael Molitor — Kirchenmusikalisches Jahrbuch 1902 (Regensburg, Fr. Pustet) [Ausführliche Besprechung].

Weiss. Herbert Spencer über die heutige Kunst — Frankfurter Zeitung, 21. November 1902.

Welti, Heinrich. Beethoveniana — Die Nation (Berlin, W. 35) 24. Januar 1903.

Werner, Hildegard. M. Kubelik and his English protégée, Miss Marie Hall — MN, Nr. 622.

Wirth, Moritz. Ein Gedicht aus der Frühzeit des Wagnertums und ein Brief Wagner's — MWB 34, Nr. 7.

Wolzogen, H. von. Etwas vom finnischen Volksliede — DVL 5. Nr. 2.

—— Unsere neue Aufgabe. Ein Vorwort an unsere Vereine — BB 26, Nr. 1/3 [betrifft den »Schutz des Parsifal«].

Worresch, Ant. Überreste deutschen Volksgesanges in Ober-Fröschau (Südmähren) — DVL 5, Nr. 1.

Zevort, A. Leonoel. Méthode de musique chiffrée de Rousseau — La Voix Parlée et Chantée (Paris) August 1902.

Zijnen, Sibmacher. Mozart-vereering — FA 4, Nr. 5.

Buchhändler-Kataloge.

Breitkopf & Härtel. Leipzig. — 1) Mitteilungen der Musikalienhandlung Nr. 72. — 2) Musikalischer Monatsbericht 1903 Nr. 1. — 3) Musikverlags-Bericht 1902. Nach Gruppen geordnet.

Lesser, Heinrich (Phil. Brand). Breslau I, Schmiedebrücke 30—32. — Katalog Nr. 289. Auswahl aus verschiedenen Wissenschaften. Darunter: Kunst, Theater, Musik.

Loosfelt, A. Nice. — Catalogue No. 41 de livres d'occasion anciens et moderns en tous genre.

Meyer, Friedrich. Leipzig, Teubnerstr. 16. — Bibliothek Zangemeister, Abteilung II: Schrift- und Bibliothekswesen.

Müller, J. Eccard. Halle a. S. — Katalog Nr. 98. Kulturgeschichte, Curiosa, Varia.

Schiedmayer & Soehne, Hofpianofortefabrikanten, gaben einen reich und geschmackvoll illustrierten Katalog über die Erzeugnisse ihrer Fabrik mit geschichtlichen Nachrichten über die Entwickelung derselben heraus.

Mitteilungen der „Internationalen Musikgesellschaft".

Ortsgruppen.

Berlin.

Die neunte Sitzung des Vereinsjahres am 18. Februar begann mit dem *Vortrage von 2 Kanzonen des 16. und 17. Jahrhunderts* durch Mitglieder der »Vereinigung zur Förderung der Blaskammermusik«, wobei Herr Kammermusikus Ludwig Plaß verbindende Posaunen-Kadenzen blies. Nach Schluß der musikalischen Darbietungen gab Herr Plaß in einem kurzen Vortrag Rechenschaft über die von ihm vorgenommene Überarbeitung der zu Gehör gebrachten Stücke.

Die beiden vorgeführten Tonsätze stammen von Maschera und Biagio Marini; die Kanzone des erstgenannten wurde ganz notengetreu wiedergegeben und nur deren erster Teil wiederholt zur Erlangung eines passenden Anschlusses an den Vordersatz der Kanzone Marini's. Vor und nach dieser Wiederholung waren Posaunen-Kadenzen eingeschaltet, wodurch gleichsam ein geschlossenes Konzertstück entstand. Da die beiden Tonsätze im Original keinerlei Angaben über Besetzung enthalten, sah sich Herr Plaß genötigt, diese nach eigenem Ermessen vorzunehmen. Er wählte: 2 Oboen, 2 Violen, 1 Tenorposaune und 2 Fagotte, und teilte auch die Gründe mit, die ihm eine solche Besetzung gerechtfertigt erscheinen ließen. Speziell die Anwendung der Posaune gab ihm Gelegenheit, sich eingehender über den damaligen Zustand des Posaunen-Blasens und des Instruments auszulassen. Einen Beweis für den hohen Stand des damaligen Posaunenspiels, insbesondere auch nach der Seite einer zarten Tongebung, erblickte Herr Plaß darin, daß man in jener Blütezeit des Kontrapunktes, wo doch an und für sich jeder Stimme dieselbe Bedeutung zukam, kein Bedenken trug, kunstvolle Instrumentalsätze einer Besetzung von 1—2 Violen, ebensoviel Holzblasinstrumenten und mehreren Posaunen anzuvertrauen, und daß diese Art der Verwendung der Posaune mehr als ein Jahrhundert lang als zweckentsprechend beibehalten wurde.

Die Vorführung der beiden Tonsätze bereitete hohen Genuß. Nicht nur Herr Kammermusikus Plaß erfreute durch sein meisterhaftes Spiel, auch die eingangs erwähnte Vereinigung zeichnete sich durch exaktestes Zusammenspiel und angemessenen Vortrag aus.

Hierauf erhielt Fräulein Amalie Arnheim das Wort zu ihrem angekündigten Vortrag »*Le devin du village*«, *Intermezzo von Jean Jacques Rousseau, und die Parodie* »*Les amours de Bastien et de Bastienne*« *von Harny und Madame Favart*.

Nach einem kurzen Überblick über die Stellung Jean Jacques Rousseau's zur italienischen opera buffa, schilderte die Vortragende, wie Dichtung und Musik zu dem »Devin du village«, angeregt durch den Kampf der Bouffons (Verehrer der italienischen Musik) mit den Antibouffons (den Verehrern Lully's und Rameau's, der Vertreter der nationalen französischen Musik) entstanden. Die Aufführungen am Hofe Ludwigs XV. i. J. 1752 und an der Académie Royale zu Paris 1753 erregten den größten Beifall; nicht nur Rousseau selbst, alle Zeitgenossen berichten darüber. Der Ausdruck einer natürlichen Empfindung, der die kleine Dichtung beherrscht, spricht sich auch in der Musik aus, die dem Text meist gut angepaßt ist. Der Dialog wurde durch ein Rezitativ wiedergegeben, welches der französischen Sprache frei folgen, aber auch eine naturgemäße, künstlerisch ausgebildete Deklamation darstellen sollte. Die Bruchstücke, die aus der kleinen Oper zur Vervollständigung der Ausführungen von der Vortragenden mit Begleitung eines Orchesters in der Besetzung der damaligen Zeit vorgeführt wurden, zeigten, daß der pastorale Charakter der Dichtung meist sehr gut vom Komponisten getroffen ist. Rousseau bemüht sich, die drei Hauptpersonen, Colette, ein Landmädchen, Colin, ihren Liebhaber, und den Dorfwahrsager musikalisch individuell zu gestalten. Als Ergänzung zu der Musik Rousseau's wurde noch eine Arie des Colin von Philidor vorgeführt, die derselbe für eine Aufführung bei Hofe, 1763, hinzukomponiert hatte. Der Vergleich zwischen Rousseau's und Philidor's Musik zeigt, daß Philidor wohl kaum Rousseau, wie manche behaupten, bei der Instrumentation des Devin unterstützt hat, da er sonst die Fehler, die sich in Rousseau's Partitur finden, zum Teil verbessert hätte. Über die einzelnen kleinen Lieder und Romanzen aus dem Devin du village, die nicht nur vom historischen Standpunkt aus interessant waren, wird an anderer Stelle noch ausführlicher berichtet werden, ebenso von der Aufnahme des Werkes in Frank-

reich selbst und im Auslande. Für die allgemeine Beliebtheit des Werkes spricht die Auf-
führung einer Parodie des »Devin« im Théâtre aux Italiens: les Amours de Bastien et de
Bastienne, schon 1753, in der die Hauptverfasserin, Madame Favart, eine der beliebtesten
Schauspielerinnen jener Zeit, die Bastienne spielte. Der Inhalt der Parodie war keine
Verspottung des Originals; der Hauptunterschied bestand darin, daß nicht idealistisch
sondern realistisch geschilderte Landleute auftraten, die in ihrem Dialekte sangen und sprachen.
Die Musik war aus beliebten und bekannten Melodien zusammengesetzt. Auch die Parodie
fand viel Beifall; der Inhalt der Dialoge und kleinen Lieder ist heiter und für die Personen
charakteristisch gewählt. Den Schluß des Vortrages bildeten der Gesang des Vaudevilles
aus »Bastien et Bastienne« und ein Hinweis auf den historischen Wert des »Devin du village«
und der Parodie nicht nur als Vorbilder der Jugendoper Mozart's, sondern auch für die
Entwicklung des französischen und deutschen Singspiels.

Die interessanten Ausführungen des Fräulein Arnheim begegneten allseitigem,
wärmstem Beifalle, der nicht zuletzt auch den erläuternden, mit schöner Stimme ge-
spendeten Gesangs-Vorträgen der Rednerin galt. Die Begleitung der Gesänge hatte
die »Vereinigung zur Förderung der Blaskammermusik«, verstärkt durch einige
Streicher, übernommen.

Der letzte Punkt der Tagesordnung galt der Erledigung geschäftlicher Angelegenheiten. Hier gab der Vorsitzende einen kurzen Überblick über das abgelaufene Ge-
schäftsjahr und die in dessen Verlauf gehaltenen Vorträge, worauf dem Vorstand
seitens der Versammlung Entlastung erteilt wurde. Bei der Vorstandswahl erhielt
Herr Dr. Münzer das Amt des Kassenwarts (bis jetzt vom stellvertretenden Vorsitzenden Herrn Professor Schmidt interimistisch verwaltet), während die übrigen Herren
durch Acclamation wiedergewählt wurden.   Ernst Euting.

Frankfurt am Main.

In der letzten Monatsversammlung der hiesigen Ortsgruppe, am 9. Februar, sprach
Herr Dr. W. Nagel aus Darmstadt über *Goethe und Mozart*. Er ging von Goethe's
Ankunft in Weimar aus und zeigte, wie er rasch der Mittelpunkt aller geistigen und
namentlich auch der aufs Theater bezüglichen Bestrebungen wurde. Während er zunächst nur die vom Hofe veranstalteten Liebhaberaufführungen leitet, trat er 1791 an
die Spitze der Weimarer Bühne. Bald darauf wurde Mozart's »Entführung« gegeben.
Goethe erkannte sofort, daß durch dieses Werk alle seine Bemühungen um die Ver-
edlung des älteren Singspieles, das er namentlich seit der italienischen Reise der Opera
buffa anzunähern suchte, vernichtet seien. Insbesondere vermißte er jetzt an seinen
Singspielen größere Ensemblesätze. Das norddeutsche Singspiel hatte wesentlich zur
Entwickelung der Lyrik beigetragen; in Süddeutschland dagegen, wo noch die italienische Oper herrschte, standen die Musiker noch kaum in Zusammenhang mit der
aufstrebenden Literatur des Nordens. Haydn und Mozart setzten fast nur minder-
wertige Gedichte in Musik. Das Einzige, was Mozart von Goethe komponierte, ist
»Das Veilchen«. Der Redner zeigte, wie er ein kleines Drama daraus gestaltet, aber
am Schluß wieder in die lyrische Stimmung des Anfanges zurückkehrt. Aber es war
nicht Mozart, der Liederkomponist, sondern Mozart, der Dramatiker, welchen Goethe
kennen und bewundern lernte. Persönlich sind sich die beiden Männer niemals nahe-
getreten; doch erinnerte sich Goethe noch als Greis lebhaft des siebenjährigen Mozart,
den er 1763 in Frankfurt hatte spielen hören. Seit der Bekanntschaft mit der »Entführung« bildeten die Opern Mozart's einen Teil seines künstlerischen Programmes.
In rascher Folge erschienen »Don Giovanni«, »Figaros Hochzeit«, »Cosi fan tutte«,
»Titus« und »Die Zauberflöte« auf der Weimarer Bühne und auf den Filialbühnen
und wurden häufig gegeben, mit Ausnahme des »Figaro«, den man wohl aus gewissen
Rücksichten auf den Hof etwas in den Hintergrund drängte. Goethe schrieb 1797 an
Schiller, die dem Drama gegenüber höhere Idealität, welche sich dieser von der Oper
verspreche, sei im »Don Giovanni« vollkommen erreicht; aber mit dem Tode Mozart's
sei jede Hoffnung auf Fortsetzung dieser Gattung abgeschnitten. Bekannt ist, daß
sich Goethe lange mit dem Plane trug, einen zweiten Teil zur »Zauberflöte« zu schreiben,
welchen Zelter komponieren sollte. Aus seinem Alter sind uns mehrere Aussprüche

erhalten, in welchen er Mozart mit Rafael und Shakespeare in eine Reihe stellt und sie alle als dämonische Naturen bezeichnet. Dämonisch ist ihm dasjenige im Menschen, was sich niemand selbst geben kann, was dem Genius gleichsam von oben zufällt, was uns zur Ehrfurcht zwingt.

Der Vortrag, welcher nicht nur Belehrung bot, sondern uns auch wieder einmal die Größe sowohl Goethe's als auch Mozart's gefühlsmäßig ermessen ließ, fand warmen Beifall. Wir sind Herrn Dr. Nagel dafür, daß er in diesem Winter nun schon zum zweiten Mal von Darmstadt zu uns herüberkam, um uns Belehrung und Anregung zu bringen, zu ganz besonderem Danke verpflichtet.

R. Hohenemser.

Neue Mitglieder.

Ashton, Algernon. 44 Hamilton Gardens, St. John's Wood, London, S. W.

Ettler, Karl, stud. phil. Leipzig, Harkortstraße 15, S.-G. III r.

Gaisser, P. Ugo. O. S. B., Professore. Collegio greco, Via Babuino 149, Rom.

Gunthorp, W. 19 Blandford Road, Bedford Park, London, S. W.

Hersfeld, Victor von, Komponist und Musikschriftsteller. Budapest. Obere Waldzeile 11.

Hochberg, Graf Bolko von, Excellenz. Rohnstock, Schlesien.

Hoffmann, Alfred in Firma C. F. Kahnt Nachfolger, Musikalien-Verlag in Leipzig, Nürnberger Straße 27 I.

Karlyle, C. E. 32 Fairfax Road, South Hampstead, London, N. W.

Liebling, Court Pianist George, 25 Earl's Court Square, London, S. W.

Müngersdorf, Th., Königlicher Musikdirektor. Kassel, Kaiser Straße 11½.

Roth, Ansgarius, Cand. phil. Upsala, Schweden, Storgatan 14.

Schütze, Arno, Musikdirektor. Recklinghausen i. W.

Stein, Fritz, stud. phil., Heidelberg, Schloßberg 17.

Thompson, Herbert. 11 Burton Crescent, Headingley, Leeds.

Ulrich, Bernhard, stud. phil. Leipzig, Königsplatz 6 III l.

Volbach, Professor Dr. Fr. Mainz, Drususstraße 8.

Änderungen der Mitglieder-Liste.

Bravo, Francisco Suarez. Avocat et Bibliothécaire à l'Université, Critique musical du journal le »Diario de Barcelona«, Barcelona jetzt Bruch 84, 2º.

Cady, Calvin, B. Chicago, jetzt Boston, Mass. 511 Huntington Chambers, Huntington Ave.

Lussy, Professor Mathis, Paris jetzt Montreux-Planches, Villa Speranza.

Schering, Arnold, stud. phil. Leipzig, Humboldstraße 25, jetzt Dr. phil.

Das Generalregister

des 3. Jahrganges wurde leider durch Mißgeschick in seinem Erscheinen verzögert; es wird nunmehr aber am 1. April ausgegeben werden. Die Centralgeschäftsstelle.

Ausgegeben Anfang März 1903.

Für die Redaktion verantwortlich: Professor Dr. Oskar Fleischer, Berlin W., Motzstr. 17. Mitverantwortlich: Dr. Ernst Euting und Dr. Albert Mayer-Reinach in Berlin. Druck und Verlag von Breitkopf & Härtel in Leipzig, Nürnberger Straße 36.

Publikationen der Internationalen Musikgesellschaft.
Beihefte.

Zu unseren beiden offiziellen Publikationsorganen ist seit Jahresfrist ein drittes, sozusagen nicht-offizielles getreten, zu dessen Bezug die Mitglieder nicht verpflichtet sind und welches in zwanglosen Heften erscheint. Diese **Beihefte der Internationalen Musikgesellschaft** haben den Zweck, die »Sammelbände« zu entlasten. Wie in der »Zeitschrift« nur Aufsätze von höchstens einem Druckbogen Länge aufgenommen werden können, so hat sich für die »Sammelbände« das Prinzip als zweckmäßig herausgestellt, nur Abhandlungen von höchstens fünf Druckbogen Umfang aufzunehmen. Um aber den diesen Umfang übersteigenden Arbeiten von Wert ebenfalls Platz zu schaffen, sollen die »Beihefte« dienen. Das schon vor Auftreten der Internationalen Musikgesellschaft unter dem Titel »**Sammlung musikwissenschaftlicher Abhandlungen von deutschen Hochschulen**« begründete Unternehmen ist in den »Beiheften« aufgegangen. Den Mitgliedern der Internationalen Musikgesellschaft steht es frei, ob sie die Beihefte, die selbständige neue Forschungen enthalten, beziehen wollen. Diese Beihefte, die durch sämtliche angesehene Buchhandlungen des In- und Auslandes oder unmittelbar von der Verlagshandlung Breitkopf & Härtel bezogen werden können, werden je nach Umfang zu mäßigen Preisen portofrei an die subskribierenden Mitglieder geliefert. Die bisher erschienenen Hefte der ersten Reihe der Sammlung musikwissenschaftlicher Arbeiten werden unter denselben Bedingungen den Mitgliedern abgegeben.

Die Centralgeschäftsstelle der Internationalen Musikgesellschaft.

Beihefte der Internationalen Musikgesellschaft.

I. Edgar Istel, Jean Jacques Rousseau als Komponist seiner lyrischen Szene Pygmalion. Preis ℳ 1.50.

II. Johannes Wolf, Musica Practica Bartolomei Rami de Pareia. Preis ℳ 4.—.

III. Oswald Körte, Laute und Lautenmusik bis zur Mitte des 16. Jahrhunderts. Unter besonderer Berücksichtigung der deutschen Lautentabulatur. Preis ℳ 5.—.

IV. Theodor Kroyer, Die Anfänge der Chromatik im italienischen Madrigal des XVI. Jahrhunderts. Ein Beitrag zur Geschichte des Madrigals. Preis ℳ 6.—.

V. Karl Nef, Zur Geschichte der deutschen Instrumentalmusik in der zweiten Hälfte des 17. Jahrhunderts. Mit einem Anhange: Notenbeispiele in Auswahl. Preis ℳ 3.—.

VI. Walter Niemann, Über die abweichende Bedeutung der Ligaturen in der Mensuraltheorie der Zeit vor Johannes de Garlandia. Ein Beitrag zur Geschichte der altfranzösischen Tonschule des 12. Jahrhunderts. Preis ℳ 6.—.

VII. Max Kuhn, Die Verzierungs-Kunst in der Gesangs-Musik des 16. und 17. Jahrhunderts (1535/1650). Preis ℳ 4.—.

VIII. Hermann Schröder, Die symmetrische Umkehrung in der Musik. Ein Beitrag zur Harmonie- und Kompositionslehre mit Hinweis auf die hier technisch notwendige Wiedereinführung antiker Tonarten im Style moderner Harmonik. Preis ℳ 5.—.

IX. Arno Werner, Geschichte der Kantorei-Gesellschaften im Gebiete des ehemaligen Kurfürstentums Sachsen. Preis 3.—.

Früher sind als Hefte der

»Sammlung musikwissenschaftlicher Arbeiten von deutschen Hochschulen« erschienen:

I. Eduard Bernoulli, Die Choralnotenschrift bei Hymnen und Sequenzen. Preis ℳ 9.—.

II. Hermann Abert, Die Lehre vom Ethos in der griechischen Musik. Preis ℳ 4.—.

III. Heinrich Rietsch, Die Tonkunst in der zweiten Hälfte des neunzehnten Jahrhunderts. Preis ℳ 4.—.

IV. Richard Hohenemser, Welche Einflüsse hatte die Wiederbelebung der älteren Musik im 19. Jahrhundert auf die deutschen Komponisten? Preis ℳ 4.—.

ZEITSCHRIFT

DER

INTERNATIONALEN MUSIKGESELLSCHAFT.

Heft 7. **Vierter Jahrgang.** **1903.**

Erscheint monatlich. Für Mitglieder der Internationalen Musikgesellschaft kostenfrei,
für Nichtmitglieder 10 ℳ. Anzeigen 25 ₰ für die 2 gespaltene Petitzeile. Beilagen 15 ℳ.

Die Kunst zu hören[1]).

Es sind nur einige wenige Bemerkungen, die ich vorbringen möchte,
eine Skizze, keine breite Ausführung. Diese läßt sich im Rahmen eines
kurzen Vortrages nicht geben.

Ist die Fähigkeit zu hören eine Kunst? Wenn man darunter die
Gabe versteht, einem Gedicht, einer Tonschöpfung u. a. so zu folgen, sie
so in sich aufzunehmen, wie ihr Erzeuger sie gemeint hat, ganz gewiß;
eine Kunst, die geübt sein will und die, wie jede Kunstäußerung, eine
bestimmte Summe von Kenntnissen voraussetzt. Das wird häufig
verkannt. Wer ein Ohr besitzt, glaubt sich oft auch schon deshalb im
Besitze der Fähigkeit zu hören. Aber das Ohr ist allein nicht immer
ein zuverlässiger Richter. Allerdings sind, unter normalen Verhältnissen,
die physiologischen Vorgänge beim Hören immer dieselben gewesen, aber
das menschliche Ohr steht den künstlerischen Produkten der einzelnen
Abschnitte unseres Kulturlebens nicht gleich gegenüber, es ist ihnen
gegenüber in der verschiedensten Weise eingestimmt. Wir Heutigen besitzen kein rechtes Organ mehr zum Genusse der ersten Versuche mehrstimmiger Musik; wir hören ohne inneren Anteil die ersten tastenden
Versuche des frühen italienischen Kunstgesanges; wir begreifen nicht
mehr, wie das 18. Jahrhundert aus einer Sarabande, einer Pavane den
Tanzrhythmus heraushören konnte; wir verstehen die häufig wechselnden
Charakteristiken der einzelnen Tonarten, wie sie zu allen Zeiten beliebt
waren, nicht mehr; wir sind soeben, wie es scheint, dabei, die langsame
und gefühlvolle Musik, sagen wir einmal: das klassische deutsche Adagio
des Höhepunktes der deutschen Instrumentalmusik, auf Kosten rauschen-

---

1) Vortrag, gehalten im »Verein für Volksbildung« zu Darmstadt am 15. November 1902.

der Allegro-Sätze an eine zweite Stelle unserer Neigung zu rücken. Wir
können den Gründen für diese kulturgeschichtlich überaus interessante
und bedeutsame Erscheinung hier nicht nachgehen. Man sieht: unser
Ohr hat sich im Laufe der Zeiten wesentlich geändert, d. h. unser künstlerisches Ideal ist ein anderes geworden. Es ist dem Ohre gegangen, wie
dem Auge; auch die Fähigkeit zu sehen, ist nicht zu allen Zeiten die
gleiche gewesen: die alten ägyptischen Maler haben einzelne Teile ihrer
Modelle von der Seite, andere von vorn gesehen und beide zu einem uns
höchst schrullig dünkenden Bilde vereinigt. Die Gesetze der Perspektive
waren ihnen so wenig bekannt, wie den Malern mittelalterlicher Miniaturen, die ihre Geschöpfe mit unglaublich unproportionirten und ver-
renkten Gliedern vergnügt in der Luft umherstehen lassen.

Mit dem Organe des Ohres allein ist nur die Möglichkeit zu hören
gegeben, die Fähigkeit verleihen andere Voraussetzungen. Ich hätte
zwei Fragen als Überschrift wählen können: wie hören wir? und: wie
sollten wir hören? Die zweite Frage enthält eine Kritik der ersten: wir
hören nicht so, wie wir hören sollten und müßten, um zu rechtem Genuß und Verständnis der Musik zu kommen. Es wird sich darum
handeln, dies nachzuweisen und den Weg anzudeuten, auf dem eine
Besserung der bestehenden Verhältnisse zu erreichen ist.

An die brauchen wir bei unseren Auseinandersetzungen nicht zu
denken, die ein Konzert, eine Oper nur zur Befriedigung modischer
Laune oder um die Zeit tot zu schlagen besuchen; wir denken nur an
den Teil des Publikums, dem die Kunst die Spenderin hoher Freuden
ist, sein sollte, oder doch sein könnte. Wie sich die einzelnen Schichten
unseres Volkes der Tonkunst gegenüber verhalten, ist schwer festzustellen. Man könnte da nur nach subjektiven Wahrnehmungen urteilen, die
sich selbstverständlich nicht verallgemeinern ließen. Ferdinand Hiller
hat dies einmal in einer kleinen, geistreichen Schrift versucht, aber objektive Giltigkeit hat derartiges eben nicht. Auch die Stellung der verschiedenen Berufe zur Tonkunst läßt sich nicht sicher angeben. Lassen
wir alle diese und ähnliche Fragen außer Acht.

Wenn wir uns darüber klar werden wollen, wie wir — d. h. also alle
in Bezug auf das Gehör normal gebauten und mit Interesse für die
Musik begabten Menschen — diese hören, so müssen wir die andere
Frage nach unserer durchschnittlichen Vorbildung in der Musik
stellen. Und da kann für jeden, der sich ernstlich mit der Kunst beschäftigt, die Antwort nur so lauten: im allgemeinen steht es um die
wirkliche musikalische Bildung nicht eben gut. Aber wieso das? Verlassen nicht Hunderte und Tausende alljährlich den Unterricht an Hochschulen und bei Privatlehrern mit dem Zeugnis der Reife in der Tasche?
Gewiß, und alle die Hunderte und Tausende spielen Klavier oder geigen,

blasen und singen um die Wette, und gar mancher ist darunter, der seine Sache gut macht. Und ist nicht auch der Unterricht der Dilettanten in vielen Fällen ein überaus erfolgreicher? Ganz sicherlich! Und doch, darüber sind sich die Einsichtigen längst klar, das alles macht nur einen Teil des Wesens der ganzen Sache aus, es berührt nicht den Kernpunkt selbst. Es wird eben vielfach nicht die Musik gepflegt, sondern nur die einseitige Übung des Instrumentes, des Gesanges.

Wollte man behaupten, heute ständen nur und ausschließlich virtuose Interessen im Vordergrunde, so wäre das falsch: hier hat längst eine kräftige Reaktion eingesetzt. Aber man frage einmal einen oder den anderen der vielen Spieler oder Sänger: verstehst du auch, was du spielst oder singst? und man horche auf die Antwort: in den meisten Fällen ist sie so, daß aus ihr hervorgeht, der Betreffende habe sich mit dem, was das eigentliche Wesen der Kunst ausmacht, der er an seinem Teil dienen will, nicht oder nicht genügend beschäftigt. Oder aber der Betreffende wirft verschiedene Kunstanschauungen durcheinander und beurteilt z. B. klassische Musik nach Gesichtspunkten, die erst in der modernen Kunst geltend gemacht worden sind.

Zu jeder Kunstübung gehört ein gewisses Maß von handwerklicher Arbeit, das überwunden werden muß, ehe die im eigentlichen Sinne künstlerische Arbeit beginnen kann. Und diese letztere setzt neben dem Spiel und der Spielfähigkeit noch andere Faktoren voraus; ich meine nicht etwa nur die incommensurable Größe, die man mit »Gefühl« bezeichnet, sondern sehr reale Faktoren, Dinge, die sich nur ernster und allgemeinerer Arbeit erschließen, als sie die einseitige Pflege des Gesanges oder des Instrumentalspiels gewährt. Wer sie beherrscht, wird mit Bewußtsein »hören« können.

Es fehlt der großen Mehrzahl unserer Musiktreibenden an theoretischer Schulung; ihre Kenntnis der Geschichte der Kunst liegt sehr im argen; man ist sich überhaupt dessen, was »Kunst« ist, nicht bewußt, beurteilt und genießt sie als Zeitvertreib und weiß nichts von ihrer ethischen Macht. Viele überaus beklagenswerte Erscheinungen unseres Kulturlebens lassen sich darauf zurückführen, so das Verschwinden des echten herrlichen deutschen Volksliedes und das Überwuchern des unsagbar gemeinen und dummen modernen Gassenhauers. Aber das ist selbstredend keine Erscheinung, die allein und für sich gewürdigt werden, und für die man die Schuld ausschließlich dem heutigen Musikunterricht in die Schuhe schieben kann; sie kann nur aus der Gesamtheit der sozialen Verhältnisse heraus beurteilt und verstanden werden.

Da wären wir bei einem Kernpunkte unserer Frage angelangt: es gibt keine Kunst oder Kunstübung, die nicht in irgend welchem Zusammenhange mit der ganzen geistigen Kultur ihrer Zeit stände. Aber davon möchte ich nachher einiges sagen; vorerst ist anderes zu erledigen. Wenn wir Musik hören, so wird der Eindruck derselben bei den einzelnen Individuen ein verschiedener sein, je nach Geschlecht, Alter, körperlicher und geistiger Prädisposition, je nach Bekanntschaft mit den ausgeführten Werken, mag auch die Ausbildung der Hörer in der Musik die gleiche sein. Wer jenseits von gut und böse der Regeln der Musik-Grammatik steht, wird, wenn er, wie Shakespeare sagt, Musik in sich selbst hat, einen dauernderen Eindruck empfangen als der, welcher eine gewisse, technische Schulung und sonst nichts von musikalischen Kenntnissen besitzt. Der Fachmusiker ist den genannten Dingen selbstredend ebenso unterworfen wie der musikliebende Laie, aber er besitzt ein größeres Maß positiver Kenntnisse, er kennt vor allem die Form und weiß, wie sie sich nach und nach auf- und ausbaut. Hinsichtlich der Ausführung operirt er mit zwei Begriffen wie der Dilettant: dem der technischen Vollendung und dem der Auffassung. Jene läßt sich im großen und ganzen leicht prüfen, diese ist immer an die Individualität des ausübenden Künstlers gebunden. Eine streng objektive Wiedergabe eines Tonsatzes, d. h. eine solche, die genau das in Tönen bietet, was der schöpferische Geist des Komponisten als Ideal sah, also die bis ins Kleinste durchgeführte Entwickelung und Aufrollung der Idee eines Werkes, sie ist theoretisch, aber nicht praktisch denkbar, da bei jeder Art reproduzierender Tätigkeit eine Menge von unberechenbaren Zufälligkeiten mitspielen können. Aber die objektive Wiedergabe bleibt das Ziel, nach dem zu streben ist. Der Ausführende soll hinter dem Werke möglichst verschwinden, das er vorführt; er soll nicht sich selbst in den Vordergrund schieben. Das ist ein Ziel, das heute in weitere Fernen als je gerückt erscheint. Daran ist, zum Teil wenigstens, die Sucht, auswendig zu spielen oder gar zu dirigiren, Schuld: sie hat subjektiver Willkür Türe und Tore weit geöffnet. Man denke an Rubinstein's Art zu spielen, die so oft Beethoven'sche Werke namentlich hinsichtlich der so überaus wichtigen dynamischen Vortragszeichen geradezu auf den Kopf stellte.

Es wäre mit Rücksicht auf den soeben genannten großen Meister verfehlt, hier von Äußerlichkeiten im Spiele reden zu wollen. Aber meist stehen diese im Vordergrund des Interesses. Daran ändert keine Widerrede etwas.

Wie ich schon sagte, treten durchaus reale Faktoren in die Erscheinung, die beim wirklichen, echten Erfassen der Musik, bei der Kunst zu hören berücksichtigt werden wollen.

Musik ist zunächst als zeitliche Folge von einzelnen Tönen oder von Tonverbindungen aufzufassen. Im ersteren Falle wird sich das Verhältnis eines Tones zu seinem nächsten Nachbarn, im letzteren das der gleichzeitig erklingenden Töne zu einander unter dem allgemeinen Gesichtspunkte der Kon- oder Dissonanz betrachten lassen, betrachtet werden müssen. Damit ist allerdings das Wesen der theoretischen Musikbetrachtung weder erschöpft, noch überhaupt genügend angedeutet. Musikalische Verhältnisse also sind konsonierend oder dissonierend. Über diese Begriffe wird sich also zunächst klar werden müssen, wer ins Innere der Sache vordringen will. Das ist nun freilich leichter gesagt als getan, denn wenn wir auch das Wesen der Konsonanz leicht wissenschaftlich feststellen können, eine erschöpfende Beantwortung der Frage nach dem, was Dissonanz sei, läßt sich zur Zeit noch nicht geben. Wenigstens wissenschaftlich nicht. Die rein empirische Methode des Harmonieunterrichtes, wie sie durch die platten und darum weit verbreiteten Lehrbücher der Richter, Jadassohn u. a. in erster Linie repräsentiert wird, löst freilich alle derartige Fragen sehr einfach, indem sie in naiver Unschuld an ihnen schlankweg vorübergeht. Ich verkenne nicht, daß derartige Bücher einen Sonderzweck haben, den sie auch erfüllen; das Schlimme ist nur, daß die Tausende, die jährlich das Leipziger Einerlei dieser Herren zu genießen haben, eben vom Wesen der Sache nichts erfahren und sich einbilden müssen, theoretische Studien gemacht zu haben.

Eine Frage, wie die hervorgehobene, erfordert zur Beantwortung ein gewisses Maß von musik- wie naturwissenschaftlicher Kenntnis. Ich führe die beiden Disciplinen hier getrennt an; bis zu einem bestimmten Grade ist jedoch die Musik ein Teil der Naturwissenschaft und nur so zu verstehen. Und so sind denn auch die Bahnbrecher der modernen, wissenschaftlich fundierten Musiktheorie zum Teil hervorragende Naturwissenschaftler: Helmholtz, v. Öttingen und andere. Ich kann selbstredend nicht ins einzelne gehen; nur dies sei herausgehoben: wie soll ich ohne Zuhilfenahme der Akustik klar machen, was ein Ton sei, oder vielmehr das, was wir schlechtweg Ton zu nennen gewohnt sind, und was in Wahrheit eine Summe von Tönen ist? Wie ohne Kenntnis von den Obertönen den Durdreiklang erklären? wie eine über das Abzählen hinausgehende Tonbestimmung, wenn ich nichts von den akustischen Werten der Töne weiß, usw.?

Lassen wir die physiologischen Vorgänge, die zu Klangvorstellungen führen, bei Seite. Aber ein anderes ist im Anschlusse an das Gesagte hier anzuführen. Wenn ich eine aufwärts steigende Skala spiele, so weiß ich, daß jeder höhere Ton durch eine größere Anzahl von Schwingungen z. B. einer Saite, als sie der vorhergehende aufwies, hervorgerufen wird. Ich weiß das; aber empfinde ich nun etwa die aufsteigende Skala als Zahlenreihe? Durchaus nicht, ich empfinde sie als konstant gesteigerte Tonhöhe. Darf ich nun daraus schließen, daß die

Kenntnis der physikalischen Vorgänge zum Verständnis dieser Tonreihe
nichts beitrage? In keiner Weise: sie gibt mir bei einigen Nachdenken
die innere Begründung der Erscheinung.

Wir sind durch unsere kurze Darstellung folgerichtig auf die ästhetische Seite der Musikbetrachtung geführt worden. Ich kann auch dies
Gebiet nicht einmal flüchtig streifen, insbesondere die grundsätzlichen
Meinungsverschiedenheiten der einzelnen philosophischen Schulen über
den Gegenstand nicht beleuchten. Es kann sich hier nur darum handeln,
festzustellen, um welche Punkte es sich überhaupt in der Musik-Ästhetik
handelt. Wir definieren sie als spekulative Theorie im Gegensatze zu der
praktischen Theorie-Übung und der wissenschaftlichen Untersuchung der
Klangerscheinungen und Gehörsempfindungen (Riemann). Die Musik-
Ästhetik ist also ein Teil der Philosophie und untersucht das Geheimnis
der inneren Wirkungen der Musik, d. h. ihre Einflüsse auf das Seelenleben, die Grenzen dieser Wirkung, die Grenzen der Ausdrucksfähigkeit
der Musik überhaupt, sie definiert den Begriff des Musikalisch-Schönen.

Über diese Dinge muß sich der, welcher ein Urteil über musikalische
Kunstwerke abgeben, sie richtig hören will, selbstverständlich genau
unterrichtet haben.

Ein weiterer Punkt, der am besten hier angeschlossen wird, betrifft
das, was wir musikalische Logik nennen; sie behandelt den vorwiegend
aus der Natur der Harmonik folgernden Zusammenhang der einzelnen
Teile eines Musikstückes. Eine Musikschöpfung kann durchaus folgerichtig aufgebaut sein, ohne einen höheren künstlerischen Wert zu besitzen. Durch derartige Fragen werden wir auf das Gebiet der Musik-
Grammatik überhaupt geführt. Doch gehen wir weiter.

Nehmen wir einmal den Fall an, es habe jemand seine Musiktheorie
durchaus und mit heißem Bemühen studiert: wird er darum auch ein
berufener Richter über die Kunstwerke jeder Zeit und jeder Nation sein,
sie unter allen Umständen richtig erfassen und hören? Wenn die Musik
nichts weiter als ein Formenspiel ist, ja; ist sie mehr als das, nein.
Wer sich ernstlich, wissenschaftlich mit der inneren Geschichte der
Tonkunst abgegeben hat, wird das letztere annehmen müssen. Das Studium der Geschichte der Musik zwingt zu genauerem Erforschen der
Form, es zeigt aber auch den sich in den einzelnenen Abschnitten unserer
kulturellen Entwickelung stetig ändernden Gehalt der Tonkunst, es verrät bei tieferem Eindringen in den Gegenstand den zwischen allen Äußerungen der geistigen Kultur eines Abschnittes im Leben der Völker
waltenden inneren Zusammenhang. Und darin sehe ich die vornehmste
und lohnendste Aufgabe des Musikhistorikers, diesen gleichsam persönlichen Ton — ich borge das Wort von Riehl — eines Zeitraumes zu

bestimmen. Ihn zu erkennen ist schwer; schwerer, ihn anderen, dem Kern der Sache fernstehenden, mitzuteilen.

Um nur einige wenige Punkte hervorzuheben: wer die Entwickelung der mehrstimmigen Musik zu ihrer beginnenden Blütezeit verfolgt und die Gesetze ihres Baues kennt, dem drängen sich, vorausgesetzt, daß er mit der Geschichte des Volkstums bekannt ist, unabweisbare Analogien zwischen der Art, wie sich (seit dem 12. Jahrhundert etwa) die einzelnen Gewerbe zu Korporationen und Zünften zusammenschlossen, und der Art, in der die Musiker ihre Musikstücke schufen, auf. Der einzelne Bürger und Handwerker konnte sich gegen äußere Gewalt nicht schützen; das tat für ihn die Zunft. Als Individuum bedeutete er nichts. Das Wesen des Einzelgesanges im Sinne kunstgemäßen Musizierens war noch ein Geheimnis: so schlossen die melodischen Linien der vier durch die Natur gegebenen Stimmen gewissermaßen einen Bund, in dem eine jede die gleichen Rechte und Pflichten besaß. Das lag eben in der Zeit, in ihrem persönlichen Ton. Und weiter, als der Zunftzwang immer drückender empfunden wurde, sich das mit dem Menschen geborene Recht gegen ihn zu empören, das Individuum sich im sozialen und künstlerischen Leben freizumachen begann, da trat dieselbe Erscheinung, wenn auch einige Zeit später im Leben der Tonkunst ein: das war die Emanzipation der Melodie von der Beengung kontrapunktischer Verkettung der Stimmen, wie sie die Zeit um das Jahr 1600 sah.

Wie wollen wir Heutigen das rechte Verhältnis zu den Tonsetzern jener Tage gewinnen, wenn in uns der Geist, der ihre Kunst ins Leben rief, nicht gegenwärtig ist, wie wollen wir, um noch ein anderes Beispiel anzuführen, die Weisen fremder Völker recht verstehen, ohne daß wir deren Eigenart und ihre Vorbedingungen kennen? Wie z. B. die stolze Art der Melodie in mancher Schöpfung H. Purcell's, die uns die tonale Verkörperung des englischen Selbstbewußtseins scheint, ohne zu wissen, daß sie eine naturnotwendige Reflexerscheinung der glanzvollen sozialen und politischen Geschichte des Inselreiches ist? Rein technisch, rein grammatikalisch läßt sich solche Kunst ebenso wenig begreifen, wie die innerste Weise z. B. des deutschen Chorals. Musik im höchsten Sinne ist eben kein Spiel in Tönen und Formen, sie ist wie jede andere Äußerung der Kultur Emanation des Volksgeistes. »Ich höre sie — die Musik — mit Vergnügen, Antheil und Nachdenken, liebe mir das Geschichtliche; denn wer versteht irgend eine Erscheinung, wenn er sich nicht von dem Gang des Herkommens penetrirt?« Diese Äußerung Goethes, die sich in einem Briefe an Zelter (vom 3. Juni 1830) findet, ist höchst beachtenswert; wissen wir doch, was wir des Dichters historischem Sinn auch in Bezug auf sein Musikurteil zu danken haben. Daß er vor Beethoven Halt machte, lag an besonderen Umständen, insbesondere an der Art seiner Musikbildung und an den ersten bestimmenden Eindrücken seiner Jugend, über die er ebenso wenig hinweg konnte wie jede andere tief angelegte Natur.

Nun möchte vielleicht der eine oder andere sagen: wenn all das nötig ist, die Musik richtig zu hören und zu beurteilen, wo soll da Einer, dessen Beruf fern ab von der Kunst liegt, die nötige Zeit hernehmen? Darauf ist mancherlei zu erwidern. Zunächst ist zu sagen: der Musikunterricht, wie er heute vielfach geübt wird, bedarf allerdings einer gründlichsten Reform. Wir sollten weniger spielen und mehr Musik treiben; weniger blendendem Schein nachjagen als zum Kern der Dinge zu gelangen suchen; weniger unsere Zeit Nichtigkeiten als dem Schönen und Wahren widmen. Der Musikunterricht sollte trachten, die einseitige instrumentale oder gesangliche Ausbildung durch ein stärkeres Betonen der Notwendigkeit theoretischen, ästhetischen und geschichtlichen Unterrichtes auszugleichen.

Die meisten Menschen haben eine unüberwindliche Abneigung gegen jede Art theoretischer Kunstlehre; aus Gründen, über die sie sich selbst nicht klar sind. Daß es leichter ist, ein albernes Salonstück zu klimpern als sich mit dem Kontrapunkt abzufinden, ist klar. Aber mancher nennt jenes unterhaltender. Das ist's ja eben: Musik ist Vielen nur Spiel und müßiger Zeitvertreib, und so fehlt uns, sie in ihrem Wesen zu erfassen, der Ernst. Stundenlanges Üben von Passagen und Etuden ist etwas, dem die Meisten willig nachkommen, aber darüber hinaus wollen sie der Musik keine Stunde schenken.

Noch einem Einwand gilt es zu begegnen. Er ist im vorhergehenden schon angedeutet worden, bedarf aber an dieser Stelle der Wichtigkeit der Sache wegen einer schärferen Präzisirung und eingehenderer Beleuchtung. »Was haben wir alle, die wir uns an der Musik erfreuen und sie genießen wollen, mit all den theoretischen Dingen zu tun? Musik ist nun und nimmer Verstandessache, sie will ihrem ganzen Wesen nach gefühlt sein!« Schön. Aber darauf ist zunächst zu erwidern, daß das Gefühl ein höchst eigentümliches, geheimnisvolles Etwas ist, das gar sehr strenger Schulung und Leitung bedarf, um nicht in höchst unerfreuliche Bahnen gelenkt zu werden. Und dann hat schon Goethe gesagt: »Die Kunst bleibt Kunst! wer sie nicht durchgedacht, der darf sich keinen Künstler nennen«.

Und dies Wort gilt durchaus nicht nur von der produktiven künstlerischen Tätigkeit, wie man vielleicht sagen könnte. Hätte Goethe nur sie im Auge gehabt, er hätte Mozart, den von ihm so gerne in einem Atemzuge mit Rafael und Shakespeare genannten, keinen Künstler heißen dürfen, denn für Mozart ist gerade der eine Umstand so überaus bezeichnend, daß er jeder eingehenden Spekulation über die Musik aus dem Wege ging.

Was der schaffende Geist als Ideal in sich getragen, dem er in seinem Werke Ausdruck gegeben, das hat der nachschaffende Tonkünstler als Idee zu erkennen, will er dem Werke gerecht werden. Und der bloß Genießende sollte nicht auch jener Idee nahe zu kommen trachten müssen, um den leitenden Faden zum Verständnisse zu finden? Er wird ihn, ist er nicht ein kongenialer Geist, nimmermehr auf andere Weise finden, als durch technische, ästhetische und geschichtliche Studien.

Das musikalische Kunstwerk ist kein Produkt grammatischer Regeln, das ist ganz gewiß. Und auch deren Kenntnis allein erschließt sein Verständnis nicht. Aber die besondere geistige Sphäre jedes echten Werkes der Kunst, die seelischen Schwingungen, die ihm den Stempel des Eigenen geben, lassen sich durchaus nicht nur erlauschen.

Zwei Anschauungen stehen sich also schroff gegenüber. Man wirft unseren Universitäten und Hochschulen, soweit an ihnen Musikwissenschaft getrieben wird, vor, daß sie zu viel abstrakte Theorie pflegen und das Kunstwerk selbst zu wenig berücksichtigen. Man will neben der abstrakt-theoretischen Kunstlehre und Kunstwerk-Erläuterung den lebendigen Ton hören, die Illustration zur didaktischen Auseinandersetzung. In Leipzig sind Versuche in dieser Richtung mit Erfolg gemacht worden. An und für sich wird kein Mensch gegen ein derartig kombiniertes Lehrverfahren etwas einzuwenden haben, nur muß das tönende Beispiel nicht mit der Forderung auftreten, die theoretische Erörterung als ein sekundäres, unwichtiges Moment zu betrachten. Ist dies letztere der Fall, so wird der Sinn für sie beim Lernenden wesentlich abgestumpft werden, und es wird dem, was durch systematische, wissenschaftliche Beleuchtung der Kunsttheorie eben vermieden werden soll, Tür und Tor geöffnet: dem flachen Kunstgeschwätz, das den Tod für die volle Wertung der Kunstwerke bedeutet.

Wem die Kunst ein Ernstes, Hohes und Heiliges ist, der hat die Übelstände, die unser gedankenloses in den Tag hinein Musizieren mit sich bringt, schon längst empfunden. So ist vor zwei Jahren mit Unterstützung bedeutender Musiker in Berlin die Hochschule für angewandte Musikwissenschaft begründet worden, kein Konservatorium neben anderen, eine wirkliche Musikschule; eine Schule, in der kein Instrumentalspiel gelehrt wird, sondern in der unabhängig von dieser Disziplin der Wissensstoff, den der gebildete Musiker schlechthin besitzen muß, und den auch der gebildete Laie nicht entbehren kann, wenn er über die elementare Erkenntnis der Musik sich erheben will, dargeboten wird. Den Weg, auf dem dies Ziel erreicht werden soll, können wir hier nicht verfolgen; es genügt für unsere Zwecke, die Tatsache selbst gelernt zu haben.

Wohl zielt das Gesagte in erster Linie selbstverständlich auf das heranwachsende Geschlecht, aber auch der Erwachsene wird das eine oder

andere, je nach Neigung und Muße für sich nutzbar machen können. Man
wende nicht ein, keine Zeit für Nebendinge zu haben: die Kunst ist im
Leben der Völker nichts nebensächliches, und das leider heute mehr als
je gehörte Wort: ›ich habe keine Zeit‹ ist meistens gar nicht wahr. Wir
werfen ja alle mehr oder weniger Zeit geradezu fort ...

Nicht jeder freilich kann das gestreifte Gebiet völlig beherrschen,
aber jeder kann ·dahin streben. Immer nach Maßgabe seiner Kräfte.
Wer nichts anderes tun kann oder will, der mag sich z. B. durch die
heute vielbegehrten kleinen ›Führer‹ auf die meisten größeren Werke für
den Konzertsaal vorbereiten. Aber das geschehe ebenso wie das Lesen von
Opern-Texten zu Hause. Will jemand während der Aufführung zugleich
lesen und hören, der kommt unfehlbar um jeden Genuß. Ich will
mich nicht für die kleinen Konzertführer verwenden, ihnen aber auch
nicht allen Wert absprechen. Manche vortreffliche Arbeiten Prof.
Kretzschmar's z. B. sind darunter. Wer sie benutzt, wird immerhin bei
aufmerksamer Lektüre und sorgsamem Hören Nutzen von ihnen haben.

Aufmerksames Hören! Die Kunst zu hören verlangt auch die
Fähigkeit, sich nicht durch das, was sich einem an interessanten An-
blicken, einem Paar schöner Augen, einer eleganten Toilette, einem noch
ungesehenen neuen Hute, bietet, ablenken zu lassen. Sie setzt ferner
voraus, daß Jedermann das Schicklichkeitsgefühl habe, seine Nachbarn
nicht durch unnötiges Geschwätz zu stören. Man hat mit Rücksicht auf
diese Dinge neuerdings auch die Konzertsäle verdunkeln wollen. Inwieweit die Versuche als gelungen zu bezeichnen sind, ist nicht zu sagen.
Eines ist sicher: werden sie durchgeführt, so wird in vielen Fällen das
Objekt, das Veranlassung zu störenden Bemerkungen, unangebrachten
Kritiken usw. gibt, verschwinden. Nicht in allen. Damit dies der Fall
sein könnte, müßte eine größere Verinnerlichung der Menschen eintreten,
müßten sie sich auch des Verhältnisses, in das sie zu den ausübenden
Künstlern durch den Erwerb von Eintrittskarten zu deren Veranstaltungen
treten, bewußt werden: diese bieten ihre künstlerische Leistung und
sollten verlangen dürfen, durch nichts an der Möglichkeit, ihre Kräfte
ganz zu entfalten, verhindert zu werden, das Publikum erwirbt das Recht
zu hören, und damit die Pflicht, so lange die Kunst spricht, zu schweigen.
Was später in dieser Richtung geschieht und geschehen darf, ist eine
zweite Frage. Aber muß denn unter allen Umständen kritisiert werden?
Wenn jemand sein besonders scharfes Gehör durch allerhand unverlangte
kritische Randglossen an den Tag bringen zu müssen glaubt, der dient
kaum jemandem, und es werden besonders die ›glücklichen‹ Hörer eines
Konzertes oder einer Oper oft empfindlich durch sie verletzt, jene, die
ein warmes Herz für die Musik besitzen, ein lebendiges Gefühl für das
Schöne und Wahre, die nicht danach fragen, ob in einer Passage einmal

ein Ton verunglückt ist. Nur das herauszuhören aus einer Aufführung ist wahrlich keine Kunst; es ist nur ein Zeichen dafür, daß das vorgeführte Werk an den Betreffenden ohne innere Spuren zurückzulassen vorübergegangen ist.

Und noch eines: wem die Natur diesen lebendigen Kunstsinn ins Herz gelegt hat, der strebe darnach, der schlechten, lässigen Musik, wie sie sich nicht bloß auf den Gassen, leider auch in der Familie breit macht, den Garaus zu machen. Die Musik besitzt eine kaum hoch genug zu wertende Macht über das Gemütsleben der Menschen; wäre die echte, heilige Kunst Joh. Seb. Bach's, Händel's, Mozart's, Beethoven's, um nur diese zu nennen, in Wahrheit ein Mittel der Erziehung, es könnte um manchen besser stehen: er hätte an ihnen und ihren unvergänglichen Werken Freunde gefunden, die nie ihre Hilfe versagen.

Darmstadt. Willibald Nagel.

Eine Basler Musikbibliothek aus der zweiten Hälfte des 18. Jahrhunderts.

Es war eine freundliche Fügung, daß, als die schweizerische Landessektion der IMG. an die Gründung einer Musikbibliothek in Basel ging, daselbst eine ansehnliche alte Musikalien-Sammlung an's Tageslicht kam und von dem derzeitigen Besitzer in sehr dankenswerter Weise der neuen Bibliothek zum Geschenk gemacht wurde. Diese alte Musikalien-Sammlung ist in mancher Hinsicht interessant und ein paar Bemerkungen darüber dürften hier am Platze sein; ausführliche Verwertung des durch sie neugewonnenen Materiales muß natürlich einer späteren Zeit vorbehalten bleiben.

Die alte Musikbibliothek stammt aus dem Besitze des Seidenband-Fabrikanten Lucas Sarasin, der vom 9. Dezember 1730 bis 27. Januar 1802 in Basel gelebt hat[1]). Er hatte, gleich seinem durch seine Beziehungen zu Lavater, Pfeffel, Cagliostro und anderen hervorragenden Persönlichkeiten bekannt gewordenen Bruder Jakob, mancherlei geistige Interessen; aus seinem musikalischen Nachlaß ergibt sich mit sprechender Deutlichkeit, daß er vor allem ein begeisterter Musikfreund war. In den Konzerten des Basler Musik-Kollegiums spielte er den großen Baß. Die beiden reichbegüterten Brüder haben sich am Rheinsprung nebeneinanderliegend

---

1) Einige Notizen über Lucas Sarasin verdanke ich der Gefälligkeit des Herrn J. Sarasin-Schlumberger.

große, palastartige Wohnhäuser gebaut, die heute in Basel kurzweg das
»Blaue« und das »Weiße Haus« genannt werden. Das Blaue Haus,
oder wie der offizielle Name lautet, »der Reichensteiner Hof«, gehörte
Lucas. Er enthielt zu ebener Erde einen großen Konzertsaal, über den
eine Zeitgenossin[1]) folgendes berichtet:

«*On me montra une grande et belle maison meublée simplement, d'une
propreté ravissante; j'y vis une salle consacrée à faire de la musique; tous les
instrumens nécessaires à un grand orchestre y sont déposés et appartiennent au
propriétaire. La collection de musique, qui est fort considérable, d'après un
léger apperçu, ne nous parut point agréable. Nous ne trouvâmes que des
auteurs allemands, inconnus aux amateurs du genre en vogue sur les deux
premiers théâtres de notre capitale.*»

Also ein wohleingerichteter Musiksaal, dem, wie noch beigefügt sei,
auch eine Orgel nicht fehlte und eine ansehnliche Musikalien-Sammlung.
Was diese enthielt, können wir, glücklicher als die reisende Französin,
die nur einen flüchtigen Blick hineinwerfen durfte, genau feststellen. Sie
ist zwar nicht mehr vollständig erhalten, wohl aber ein umfassendes Verzeichnis davon. Unter den noch erhaltenen Musikalien — sie machen
etwa einen Drittel des ursprünglichen Bestandes aus — befindet sich
auch ein handschriftlich sorgfältig hergestellter thematischer Katalog
der ehemals in L. Sarasin's Besitz gewesenen Musikalien. In Querfolio-
Format in Schweinsleder gebunden präsentiert er sich mit seinen 236 Blättern stärksten Papiéres als ein stattlicher Band. Leider trägt er kein
Datum, überhaupt keine Aufschrift, dagegen sind die in ihm verzeichneten
Musikalien selbst sämtlich mit L. S. oder dem vollen Namen gezeichnet.
Er umfaßt im Ganzen 1241 Nummern, davon sind heute noch vorhanden
473. Da er von allen Kompositionen den thematischen Anfang gibt, ist
er natürlich von besonderem Wert.

Er zerfällt in 21 Abteilungen. Die reichhaltigsten sind die folgenden: »Ouverture« mit 276 Nummern (davon noch vorhanden 101), »Quat-
tro« 238 (103), »Trio a Violino primo, secondo & Basso 204 (87), »Solo
a Violino« 95 (nichts erhalten), »Arie« 157 (76). Die kleinste Abteilung
ist die »Cembalo solo« überschriebene, die ein einziges Werk, von dem
nicht einmal der Titel angegeben ist, verzeichnet. Es zeigt das recht
deutlich die bescheidene Stellung, die das Klavier damals noch als Solo-
Instrument einnahm. Die Bibliothek enthielt dann allerdings noch ein
Duetto und 4 Concerti à Cembalo (darunter eines von Holzbauer), aber
diesen stehen 31 Violin- und 5 Flöten-Konzerte, 3 (2) für Traversiera
und 2 für Flauto à Bec, gegenüber. Die weiteren Abteilungen des Ka-
taloges verzeichnen Violin-Duette, Streich-Quintette, Soli und Duette für

---

1) *Voyage d'une Française* (Londres 1790) I, 76. Die Stelle ist von P. Meyer
mitgeteilt im Basler Jahrbuch 1884, Seite 222.

Flöte, Gesangs-Ensembles für zwei und mehr Stimmen. Zu den Gesangs-
sachen ist stets Orchester-Begleitung vorhanden und zwar in Stimmen,
wie überhaupt mit ganz wenig Ausnahmen nur Stimmen, keine Partituren, vorliegen. Die Stimmen sind meist geschrieben, nur von den
eigentlichen Kammermusik-Werken liegt ein größerer Teil in Druck-Aus-
gaben vor.

Unter den an erster Stelle genannten Ouverturen ist nichts anderes
gemeint als Sinfonien, ein neuer Beweis dafür, wie frei man noch im
18. Jahrhundert die Namen anwandte. In dieser Rubrik treten neben
deutschen fast eben so zahlreich italienische Namen auf, auch drei französische kommen vor: Gossec mit 11 Sinfonien (4), St. George und
d'Avesne mit je einer. Unter den deutschen behauptet die Mannheimer
Schule einen ersten Platz mit zahlreichen Werken von Johann und
Karl Stamitz, Richter, Fils, Holzbauer, Toeschi, Cannabich,
Beck. Es sind darunter auch einige Sinfonien, die in dem verdienstlichen, kürzlich von H. Riemann in den Bayrischen Denkmälern veröffentlichten thematischen Verzeichnis der Mannheimer Orchester-Werke
nicht aufgeführt sind und dieses also ergänzen werden. Neben den
Mannheimern ist zahlreich vertreten die Wiener Schule mit Wagenseil,
F. L. Gaßmann, J. Haydn, Pleyel, Wanhal. Ebenfalls mit meh-
reren Werken die weiteren Deutschen: J. Chr. Bach, Schwindl,
F. Schlecht, Daube. Von den Italienern stehen durch die Anzahl
ihrer Werke oben an G. Pugnani, N. Piccini, Guis. Michell, P.
Crispi, P. Guglielmi, P. Riso. Es kommen ferner vor Jomelli,
A. Sacchini, P. Nardini, Barbella, Galimberty, Chiesa, Ber-
nasconi, F. Bianchi, Rinaldo da Capua, Ventura, Fiamenghini,
Luchese, G. Questorino u. a.

Bei den Quartetten herrschen im Gegensatz zu den Sinfonien die
Wiener vor: Haydn, Gaßmann, Pleyel, Wranitzki, auch einige
wenige Werke von W. A. Mozart haben Eingang gefunden. Ferner sind
einige Italiener vertreten, mit mehreren Werken Pugnani; endlich die
Franzosen Alday l'aîné und Davaux.

Unter den Trio-Komponisten nimmt Martino (Sammartini) den
breitesten Raum ein, neben ihm seine Landsleute Gasparini, Fiorillo,
Besozzi, Conti u. a. Ferner rücken hier die Mannheimer wieder in die
vordere Linie, während die Österreicher fast ganz zurücktreten.

Besonderes Interesse dürfte noch der Bestand an Arien beanspruchen.
Hier finden wir nach Nationalitäten geordnet folgende Komponisten:
Campugnani, Sacchini, Pergolese, Piccini, Galuppi, Traetta,
Jomelli, Guglielmo, Cafora, Sarti, Perez, Gluck, Graun, Hasse,
J. Chr. Bach, Schwanenberger, Naumann, Schmittbaur, Wagen-
seil, Grétry, Philidor, Monsigny. — Dieser Bestand an Gesangs-

musik (mit Orchester) war ergänzt durch verschiedene Oden-Sammlungen der Berliner Schule (mit Klavier), die in Drucken noch vorhanden, im Katalog jedoch nicht verzeichnet sind.

Noch nicht erwähnt habe ich den Komponisten Jakob Christoph Kachel, der in fast jeder Rubrik mit einer oder mehreren Kompositionen vertreten ist. Dieser Basler Musiker (1728—1793), der vor allem ein tüchtiger Violinist war, scheint der Hauskomponist L. Sarasin's gewesen zu sein und dürfte die Aufführungen im Blauen Hause geleitet haben. Als Komponist war er nicht bedeutend, dagegen zeigt eine literarische Arbeit von ihm, wie ernsthaft in jeder Richtung die Musik im Blauen Haus betrieben wurde. Es ist ein offenbar für Herrn Sarasin geschriebener »Kurzer, historisch kritischer Versuch über die alte, mittlere und neue Music« erhalten, den Kachel 1792 »aus Herrn d'Aciers und andern gelehrten Werken« gezogen hat und der seinen theoretischen Kenntnissen alle Ehre macht. Ebenfalls für theoretisches Interesse spricht, daß im Blauen Haus ein Trumscheit erhalten ist, das mit einer Nummer versehen war, woraus man wohl auf eine Instrumenten-Sammlung schließen darf.

Fassen wir das Gesagte zusammen, so ergibt sich ein Bild, das ganz an die bekannten, vielgerühmten österreichischen Zustände der Zeit erinnert. Wie die österreichischen Adligen hat hier der vornehme Basler Handelsmann der Musik ein splendides Heim geschaffen und zu ihrer würdigen Pflege alles aufgeboten, was in seinen Kräften stand. Und ist es nun nicht ein merkwürdiges Zusammentreffen, daß sein Haus zur höchsten Spitze des österreichischen Adels, zum österreichischen Kaiserhaus, das ja in der Musikpflege vorbildlich voranging, in mehrfache Beziehungen treten sollte? Man möchte fast glauben, es sei der Genius der Musik gewesen, der die österreichischen Herrscher in das Blaue Haus nach Basel führte. Im Juli 1777 war Joseph II. der Gast Lucas Sarasin's. Darüber, ob da auch die Musik zu Worte kam, ist nichts bekannt; aber bei einem späteren Kaiserbesuch tritt sie in Aktion. Als die Alliierten 1814 nach Basel kamen, wurde Kaiser Franz bei Peter Vischer, dem Schwiegersohn L. Sarasin's, der das Blaue Haus als Erbe übernommen hatte, einquartiert. Der Kaiser war (am 12. Januar) kaum angekommen, so machte er auch schon Musik. P. Vischer berichtet darüber in seinem Tagebuch[1]): »Um abends 7 Uhr fand ein Konzert statt mit dem Oberst Hofkämmerer und noch ein anderer hoher Herr (!), wozu ich meine drei eigenen und des Peters Violin, zwo alt Viole und das beste Basset lehnte. Der Kaiser spielte die erste Violin, selb zweit und Graf Wrbna das Basset.« Da der Kaiser bis zum 22. Januar in Basel blieb, auch zweimal wieder-

---

1) E. Schlumberger-Vischer, Der Reichensteiner Hof zur Zeit der Alliierten 1813—1815, Basel 1901, Seite 6. Das Buch ist nicht im Handel.

kehrte und in dem Vischer'schen Hause sich sehr behaglich fühlte, so dürften solche Konzerte öfter wiederholt worden sein. Unter den Vischerschen Papieren findet sich folgendes Programm[1]) eines solchen:

Violino Primo
    S. Majestät der Kaiser
Violino Secondo
    Obriststallmeister Graf Trautmannsdorf
    Staatsrath Stift
Viola Prima
    Feldmarschall-Lieutenant Kutschera
Viola Seconda
    Baron Wigroni
Basso
    Obrist-Kämmerer Graf Wrbna.
Opern in Quintetten arrangiert
    Camilla von Paer — Wasserträger von Cherubini
    Prisonnier von Della Maria.
    Schöpfung von Haydn — Jahreszeiten von dito
        Quintetten von Mozart
        detti   »   **Pleyel**
           »   »   **Wranizky.**

Es sollen auch, auf des Kaisers Wunsch, Musikalien aus Basel nach Wien geschickt worden sein.

Diese kleinen, mit dem von L. Sarasin erbauten »Blauen Haus« im Zusammenhang stehenden musikgeschichtlichen Details gehörten streng genommen nicht zur Sache, da sie aber an sich gewiß nicht uninteressant sind, konnte ich es mir nicht versagen, sie hier anzuhängen.

Basel.   **Karl Nef.**

Music in London.

The last four weeks have been exceptionally full of music of all sorts; even the arrival of Lent did not have the usual effect of diminishing the number of concerts.

In many ways the most important occurrence of the New Year has been the advent of the violinist Marie Hall, who made her first appearance at an orchestral concert at St. James's Hall on 16th February. A certain amount of controversy has been raging in the Press as to the precise facts of her childhood, and the precise amount of her obligation to her various teachers. But one thing is certain, that her career has been very romantic, that she

---

1) Ebenda Seite 165.

has been taught at various times by Miss Hildegard Werner at Newcastle-on-Tyne, by Max Mossel of Birmingham, by Joh. Kruse, and lastly by Sevçik at what has been called his "Paganini factory" in Prague. It is also beyond doubt that she has quite extraordinary talent, and that the British Public, for once appreciating native talent, has with inconceivable rapidity established her as a Lion of the first class. Even Kubelik did not rise to his present greatness so meteorically. In many ways the public is not at fault in its estimate of the new artist; she has marvellous facility of technique, and a tone which is at once sympathetic and "individual", and as regards interpretation she has at any rate no defects. The worst thing the severest critic could say of her in this respect is that her merits are negative. If her performances of the Kreutzer Sonata and Bach's Chaconne which she played at her recital on March 5 were not ideal, at any rate they were not unclassical; and those that have been condemning them somewhat severely may be invited to consider whether Joachim or Ysaye could have played them as they play them now when they were barely 18 years of age. It is not every artist who has the wisdom to pass "self-denying ordinances" against himself, or the good fortune to be able to carry them into effect and to wait like Ysaye for his 30th birthday before playing the Chaconne or the Beethoven Concerto in public.

We have also heard a great deal of violin playing of the highest rank during the last four weeks. Of Ysaye and Fritz Kreisler it is hardly necessary to speak again; while among the younger artists who have appeared and have won various amounts of success may be mentioned Edith Robinson, a pupil of Brodsky, who gave a very interesting series of historical recitals, Margaret Holloway who made a very good impression at her recent début, and Max Wolfsthal, who played brilliantly at the concert of The Royal Amateur Orchestra on the occasion of the King's visit, and the subsequent concert on March 12.

Another artist whose return to London had almost the character of a début is Jean Gerardy, who gave an orchestral concert on the 26th February at St. James's Hall. It is five years since he has been heard in England, and when he left us he was barely out of the prodigy stage. Now he is a matured artist, of whom it is enough to say that in beauty of tone, brilliancy of technique and power of sympathy of interpretation, he need fear few, if any, rivals among living violoncellists. On the occasion of his concert the orchestra was conducted by Ysaye, who once again proved himself an extraordinarily fine conductor, more particularly of French music. Though the orchestra was not a very large one it is difficult to imagine a more finely balanced and stimulating performance of Saint-Saëns' "Jeunesse d'Hercule". Gerardy's ordeal was in some ways more than usually severe because we heard him but a very few days after the appearance of Hugo Becker, who had given us an absolutely masterly performance of Eugène d'Albert's Violoncello Concerto at the Queen's Hall Symphony Concert on 16th.

Three Symphony Concerts at Queen's Hall and two Philharmonic Concerts are practically all the official orchestral music of which it its necessary to speak; but at its last concert on March 12th the Royal Amateur Orchestra introduced to England E. N. von Reznicek's Overture to "Donna Diana", and on the following day the orchestra of the students of the Royal Academy of Music gave the first English performance of Richard Strauss's "Burleske" for piano and orchestra. The overture which has for some time been a favourite in Germany ought soon to become popular here too. It is not a great work; but it does not pretend to be. It is in effect an exceptionally attractive and refined specimen of the class to which such works as Smetana's Overture "The Bartered Bride" and Dvořák's "Carnival" belong, except of course that it is not Slavonic. The "Burleske" belongs to the early period of Strauss's development, when he was still very much under the influence of Schumann and the other masters. The pianoforte part is especially Schumannesque, while the orchestra shews frequent tendencies in the direction of emancipation; and there are many passages in which the instruments are striving for that independent life which they enjoy in Strauss's latest scores. It is difficult on one hearing to analyse so subtle a thing as musical humour; but the only humourous thing in the "Burleske" appeared to be a very prominent figure on the big drum, which might also be called one of the leading themes, and occasional unexpected and spasmodic ejaculations from the Piccolo and Bassoon, while the Violins frequently behaved with a completely irresponsible levity. The Students seemed rather to take the whole thing too seriously; in fact it may be said that they "joked with difficulty", and a sprightlier performance may possibly modify the impression received. Another orchestral novelty of some importance was also introduced to London by a Students' Orchestra. Glazounoff's Seventh Symphony which the orchestra of the Students of the Royal College of Music played on February 17 will not increase his reputation for depth or originality of thought, though it is a very agreeable work and shews great mastery in workmanship. Its amiability is more than Mendelssohnian, and the whole suffers to the full from the defects of that quality. The mixture of the Mendelssohnian spirit with 20th century workmanship is a somewhat strange one. Perhaps it will appeal to us more strongly when we get more accustomed to it.

The first Philharmonic Concert on the 26th of February contained a novelty by a young native composer, Garnet Wolseley Cox. His Concert-Overture "Pelleas and Melisande" is his most ambitious and in many ways most successful work. He has not yet quite gained his full artistic independence; but the Overture shews that he is approaching the goal and has many qualities of invention and imagination. The other most noteworthy feature of that Concert was Raoul Pugno's exquisitely classical and yet apparently spontaneous performance of one of Mozart's Piano Concertos in E flat, which was a priceless object lesson in "The Grand Manner". The performances of Schumann's Fourth Symphony at this Concert, and of Mozart's G Minor Symphony at the concert on March 12th under Cowen, also merit honorable record. At the latter concert the most important novelty was the Violin Concerto in D Minor of Baron F. d'Erlanger, which was superbly played by Kreisler. It is a work full of the elegance and distinction which characterise all the composer's music, and also has a greater constructive power and force of expression. The opening of the first movement is particularly original and the melodies of the slow movement are very charming; but the Finale, though full of spirit, shows a slight falling off in comparison. The composer, though he has studied in Germany, obviously has a good many French sympathies; and there is much piquancy and originality in his method of combining the two elements.

At the same concert Stanford conducted his First Irish Rhapsody in

D minor and Mackenzie conducted his suite "London Day by Day". Both
works were produced at the Norwich Festival, and the former was almost
and the latter quite new to London audiences. The former has already
made several very successful appearances in German concert-rooms, and will
no doubt rank among its composer's best works by reason of its imaginative
power and its fine sense of proportion. The humour ingenuity and strength
of Mackenzie's Suite will, no doubt, also largely add to his fame. It is
singularly unfortunate that both at Norwich and here it should have come
at the end of a long programe, when audience and band alike were already
not a little fatigued.

The Queen's Hall Symphony Concerts have been sparing of new works
lately. The only work absolutely new which has been heard there has been
Strauss's "Gesang der Apollo-Priesterin", sung by Marie Brema at the Ash
Wednesday Concert. It forms one of the set of four songs with orchestral
accompaniment (Op. 33), and is noteworthy for a characteristic command of
subtle and beautiful orchestral coloring, which is more important to the
general effect than the voice part. The Violoncello Concerto by D'Albert
mentioned above was almost new to London, and the outwardly effective
but overrated incidental music of Grieg to Bergliot is also not very familiar.
The verses were recited at the concert of the 14th February by Miss Tita
Brand, daughter of Mme. Marie Brema, who has splendid dramatic power
and sincerity and great skill in the management of the speaking voice. At
the same concert Mozart's very short but impressive "Maurerische Trauermusik" was beautifully played under Henry Wood and the Symphonies heard
at the two concerts respectively were Schubert's "Unfinished" and Beethoven's "Pastoral".

The last orchestral concert which is to be chronicled is the Symphony
Concert of March 14, at which Henry Wood conducted a very notable
performance of Tschaikoffsky's Fifth Symphony; which many now consider
to be of more enduring musical value than the more immediately striking
Pathetic. Whatever may be the ultimate decision as to the relative value
of the two, there is no doubt that the Fifth is harder to interpret. Glowing
emotion and semi-barbaric ferocity alone are not enough; as Nikisch showed
us not long ago. Henry Wood, without losing any of the elemental vigour
which marks his Tschaikoffsky playing at its best, showed that he realised
his characteristic of the symphony more fully than ever before, and thus the
performance deserves a very high rank among his exploits. The concert was
notable for the first appearance in London with orchestra of Jacques Thibaud,
who had previously played here in Chamber-music only. He won a well
merited success in Saint-Saëns' B minor Concerto. He has a technique of
extreme finish and a remarkably sweet tone, and the chief characteristic of
his style is a truly French elegance in the best sense of the words. If it
has limitations in the direction of masculine strength, the concerto did not
reveal them; but the Bach solo which he played as an encore suggested that
they might exist. Marcella Pregi too sang with such success and with so
much refinement of style and sympathy in interpretation as to show that her
continental reputation was well deserved. She too was practically a stranger,
having sung here only at a Colonne concert about five years ago.

The month has been rich in pianoforte recitals also. The most notable
in many ways was that given by Busoni, which however unfortunately clashed

with the rentrée of Gérardy. His performance of César Franck's noble
Prelude, Chorale, and Fugue, was worthy of the work, and should direct
renewed attention to a composition which for dignity and elevation of thought
and true beauty has few rivals in modern pianoforte literature. Its merits
do not reveal themselves at once; but it well repays patient study. At a
recent recital in Berlin, Busoni had won a sensational success by his performance of the whole set of Liszt's Etudes d'Exécution Transcendante. It
would have been too bold to attempt a repetition of the experiment here,
where contempt of Liszt as a composer is still an article of faith with
many of the most influential musicians. His performance of six of the Etudes
may, it is to be hoped, have succeeded in converting some of them. At
any rate his performance aroused extraordinary enthusiasm. Busoni's Liszt
playing is quite sui generis. He throws off the professional attitude, the
aloofness, the intellectual preciosity, which sometimes alienate his hearers,
and becomes as an inspired poet at the pianoforte. He makes the instrument
glow with orchestral colour, and the most frenzied bravura passages are
shown to have an inner meaning. The performance left one not only with
a higher opinion of Busoni, but with increased admiration for Liszt as a
composer. On the following day too we heard some very fine Liszt playing
by José Vianna da Motta. His performance of the B minor Sonata was in
all respects admirable except that it lacked depth and passion just a little.
The same lack of elemental power detracted from an otherwise admirable
performance of Beethoven's Sonata op. 111 at one of his other recitals, at
which he played the great Hammer-Klavier Sonata, op. 106, with great purity
of style and fine intellectual mastery. Altogether Vianna da Motta's four
historical recitals have been among the most successful given by a newcomer
in London for some time; and he earned particularly cordial praise for his
supremely artistic playing of music of the pre-Bachian period at his first
recital. The orchestral concert given on February 23 by Wilhelm Backhaus
also deserves special mention. He played Beethoven's C minor Concerto,
Grieg's Concerto, and Liszt's Hungarian Fantasia, and again showed that
in fluency of technique he has few rivals. His interpretations may lack grip
and fire; but at any rate they never sin by want of understanding. They are
always right in style. The rest will no doubt come in time, for he is obviously developing in the right way. His performance of Brahms's Paganini
Variations at the Popular Concert on March 7 was on a higher plane than
anything he has done yet. Among other pianists who have appeared may
be mentioned Woldemar Lütschg, who played some Chopin solos at a Popular
Concert and did not make a very deep impression. Mathilde Verne's pianoforte recital, at which several native compositions were performed, should
also be mentioned.

Of chamber-music concerts too there has been no lack. The excellent
concerts of the Wessely Quartett, the Broadwood Concerts, and the Saturday
Popular Concerts, have gone on regularly. The Broadwood Concerts most
laudibly encourage native art, which is an admirable thing, even if masterpieces are not unearthed every fortnight. But it is a splendid thing for our
young composers to hear their works, — even better than reading what the
critics have to say on them. The horn trio of Donald Francis Tovey, and
the wood-wind quintett of T. F. Dunhill, produced at two of the Broadwood
Concerts, have earned some praise, but need not be discussed at greater

length. More important was the D minor string-quartett, op. 24, of Felix Weingartner, played on March 7 at the Popular Concert by the Kruse Quartett. Of modern composers of chamber-music Weingartner seems the best able to reconcile the conflicting claims of originality and the necessity of not over-stepping the limits imposed by the nature of the medium. His chamber-music, while doing homage to the Zeitgeist in respect of freedom of emotional expression, never, or very seldom, sounds like a faulty arrangement of an orchestral composition. The quartett in question is in four movements, and some of the themes are used throughout the work. It is notable for its numerous changes of mood and tempo, and for its consistently melodious themes. True, the melodies are not always very original, but they are melodies. The very ingenious set of variations which form the finale has been called by some critics the strongest, by others the weakest, section of the whole.

It is a sad sign of the decay of choral music in London that only one choral performance has to be recorded, a revival at the Albert Hall of Arthur Sullivan's oratorio "The Light of the World". It is now interesting only as throwing a light on the Kulturgeschichte of England in the seventies. A reference to the criticisms written when it was first produced at the Birmingham Festival of 1873 reveals the surprising fact that many judges praised it for its bold revolt against the Mendelssohnian domination, whereas the critics of to-day all say that it is Mendelssohn and nothing else. There is a great deal in this point of view.

With regard to light opera there are two things to chronicle; a revival of Hervé's Chilpéric at the Coronet Theatre on March 9, and the first production in London, on March 14, of a comedy-opera "My Lady Molly" by Sidney Jones the composer of "The Geisha" and "San Toy". Hervé's musiquette sounded a little old-fashioned, — the sparkle had gone out of the champagne, — but that was partly the fault of the players, who seemed to have but an imperfect appreciation of the gaiety of the Second Empire. "My Lady Molly" is welcome as a reaction against the invertebrate musical comedy of the day, and is full of healthy and eminently British sentiment; the music is gay and sprightly, and, though never rising very high, never falls below respectability.

Many singers have given vocal recitals, and among the best given during the month were those of Denis O' Sullivan and Francis Harford; and both did their share nobly in the good work of letting native composers be heard. Again it is not possible to announce the birth of any masterpiece, but it is possible to say honestly that there are great hopes of our British song-writers. If only they will cease to be consciously archaic, and realise that the only sure foundation for a living school of national song is to strive to bring it into closer touch with the best literature of the day.

London. **Alfred Kalisch.**

La Musique à Paris.

La mode des symphonies ayant persisté, les chefs d'orchestre français n'ont rien voulu épargner pour réjouir leurs dilettantes. Ainsi avons-nous eu, quelque peu, l'occasion d'écouter du nouveau, et il faut avouer que le besoin s'en faisait sentir, car il est agréable de renouveler ses sensations et l'on se fatigue des ressassements, lors même qu'il s'agit de splendeurs incontestables comme celles de *la Neuvième* (éternelle victime de l'injustesse des chœurs).

Reprenant décidément la tête du mouvement artistique, M. Colonne avait d'abord fait entendre les quatre symphonies de Brahms, toutes fort intéressantes et d'une réelle valeur musicale, encore qu'elles soient loin de justifier la réputation surfaite dont jouit dans une partie de l'Allemagne le prétendu successeur de Schumann. — Après plusieurs auditions de *la Damnation de Faust*, dans laquelle l'orchestre et les chœurs du Châtelet sont inégalables, la série symphonique fut reprise par la *Symphonie* de M. Frédéric Gernsheim, compositeur apprécié à Berlin, mais totalement inconnu en France. Nous sommes obligés de constater que cette exécution, que dirigeait l'auteur lui-même, ne suscita dans le public aucun enthousiasme. Cette symphonie n'est point dénuée de motifs élégants, adroitement exposés et travaillés avec une certaine habileté; pourtant elle manque de personnalité; et son architecture est sans grandeur. La jeune école française nous a habitués à une orchestration plus colorée, plus puissante, et à de tels effets d'ampleur et de majesté, que nous sommes devenus exigeants, au point de juger faible, menue, étriquée, l'œuvre de l'estimable professeur. Plutôt qu'une symphonie, elle semble une suite d'orchestre extraite d'un opéra-comique aimable, ou d'un hallet très soigné. L'imagination poétique et le savoir du musicien sont particulièrement en valeur dans la seconde partie, rêveuse et d'un charme presque religieux, avec des développements exquis, une conclusion excellente; le scherzo (que l'auteur eût mieux fait de ne point bisser) habile, voltige et sautille de façon spirituelle et gaîment pittoresque; malgré tout l'impression n'est pas profonde, l'émotion étant peu soutenue, l'ensemble n'ayant pas d'unité. — La *Symphonie* de M. Ch. M. Widor donnée le dimanche suivant est évidemment inférieure au point de vue purement musical; néanmoins elle est d'une facture plus subtile, d'une instrumentation plus heureuse. L'auteur ne vise peut-être pas très haut, mais il atteint son but avec sûreté; professeur également, du moins il n'est pas trop pontife et réussit parfois à ne pas ennuyer. On doit regretter que ce compositeur, qui possède un heau bagage de symphonies d'orgue, se résigne de plus en plus à un genre sucré qui lui attire les suffrages des gens du monde en détournant de lui les musiciens. — Un jeune homme, M. Henri Rabaud, eut beaucoup plus de succès avec sa *Symphonie en mi mineur*, conduite par lui-même à un autre Concert Colonne. Quoique la sonorité de mi mineur ne soit pas de tous points avantageuse à l'orchestre, la structure de son œuvre est forte, l'allure en est classique sans sécheresse. Un thème conducteur, de caractère assez «Beethovenien», y est très heureusement employé et contribue à la cohésion de l'ensemble; le final a du souffle et de la jeunesse, la sonorité en est chaude et brillante. En somme, l'auteur de *la Procession Nocturne* continue à tenir une bonne place à la suite de son confrère M. Paul Dukas parmi les symphonistes d'avenir. Souhaitons que la tentation d'écrire pour le théâtre ne compromette pas trop une carrière commencée sous d'heureux auspices.

Les symphonies dont il vient d'être question faisaient partie de concerts aux programmes merveilleux, éclectiques à souhait. Il sied d'approuver pleinement en M. Colonne le directeur intelligent qui ne se laisse point affoler par les caprices de la minorité prétentieuse, et qui ose, le même jour que la séduisante *Damoiselle Elue* de M. C. Debussy, l'auteur à la mode. donner certaines musiques légèrement fanées qui passèrent pour œuvres d'avant-garde, il y a quelque vingt ans. La comparaison est instructive: sans porter grand préjudice à M. Debussy, elle démontre ce que vaut l'enthousiasme des snobs, juges intransigeants et ridicules, qui croient diriger l'évolution, influencer les artistes, et ne jouent, en somme, que le rôle de la fastidieuse mouche du coche.

Aux Concerts Lamoureux, la mode des symphonies n'a rien fait éclore de nouveau: on ne saurait prendre au sérieux le pot-pourri de thèmes wagnériens mal démarqués produit sous le nom de M. R. Caëtani avec le titre de *Prélude Symphonique*; l'émouvant *Enterrement d'Ophélie* de M. Bourgault-Ducoudray n'est qu'une reprise; l'insuccès de la suite sur *Shylock* du maître Gabriel Fauré ne fut qu'un accident causé par un ténor grotesque. Comme symphonie moderne, M. Chevillard voulut, à défaut d'inédit, monter la *Symphonie sur un choral breton* de M. J. Guy-Ropartz; celle-ci a déjà été entendue plus d'une fois, et n'a jamais donné que l'impression d'un travail sérieux, d'un bon agencement de notes, constituant une faible quantité de vraie musique: l'audition excellente qui fut obtenue dans la salle du Nouveau-Théâtre dut probablement causer une vive joie à M. Guy-Ropartz, mais rien qu'à lui, car l'auditoire s'ennuya de façon inoubliable. On ne fut, du reste, pas bien indulgent non plus pour un poème symphonique de Liszt, *la Bataille des Huns* (drôle de titre, fort mal traduit de l'allemand: pour être correct et exact, il eût fallu dire «la Défaite de Huns»); le caractère dramatique si agité, si vivant, du début, fait cependant grand honneur au maître allemand, et son instrumentation est magnifique; par malheur la fin est très inférieure et l'harmonium ajouté à l'orchestre est d'un effet pauvre et réfrigérant. Combien plus attachante est la *Faust-Symphonie* de Liszt, toujours si bien mise en valeur par l'orchestre Lamoureux! A signaler, en outre, un prélude instrumental de *l'Etranger*, drame musical de M. V. d'Indy: de la musique bien faite, plutôt froide, ce qui ne l'empêche pas d'être chaleureusement fêtée par les admirateurs exclusifs du maître à qui l'on doit *Fervaal*.

Comme la série des symphonies de Schumann, le cycle des neuf chefs d'œuvre de Beethoven fut supérieurement réalisé sous la direction de M. Camille Chevillard. On ne saurait rêver plus de précision, plus de recherche dans les moindres détails; ce n'est plus de l'exécution, c'est l'évocation complète de l'écriture musicale, scrupuleusement conservée, et pour ainsi dire, photogravée. Perfection excessive, parfois, jusqu'à présenter la sécheresse de la photogravure: une par une, les notes prennent tant d'importance, que les thèmes perdent leur charme flottant et souple, que la couleur et le phrasé musical en sont comme amortis. On écoute en toute sécurité, mais on est moins profondément touché: alors on croit trouver des longueurs en des passages pourtant sublimes. Citons comme exemple la

Scène au ruisseau de la *Pastorale*, dont M. Chevillard fit entendre les moindres trilles: on fut ravi par des gazouillements d'oiseaux, par des murmures de sources et des bruissements de feuillages, puis, la poésie intense et la grâce sentimentale du chant Beethovenien se confondant parmi ces excès de détails, on se laissa distraire et le morceau, jugé interminable, ne récolta que de vagues applaudissements. Cette même scène a un tout autre charme lorsque M. Weingartner la dirige. En revanche, pour *l'Orage* de la même symphonie, la palme de la victoire revient à M. Chevillard. Il y aurait peut-être lieu, aussi, de discuter certains mouvements trop rapides, que Beethoven n'avait pu concevoir ainsi: le dernier mouvement de la *Symphonie en si bémol* est prescrit «Allegro ma non troppo» et la vitesse adoptée au Nouveau-Théâtre dépasse certainement de beaucoup ce qu'aurait été, en 1806, un «Presto»...

Puisque nous sommes en train de chercher querelle au scrupuleux kapellmeister de la rue Blanche, constatons en passant que ses programmes sont souvent d'une composition étrange. Bien regrettable est son habitude de commencer par la symphonie: pour laisser entrer les retardataires on fait une longue pause après le premier morceau et il en résulte une véritable désarticulation de l'ensemble. Après cela, on rencontre une ouverture au milieu du concert, de sorte que les auditeurs n'ont plus qu'une notion bizarre de la destination primitive des œuvres.

Espérons que la saison prochaine nous apportera du changement dans le répertoire. Persister à reprendre chaque année l'*audition chronologique* des neuf symphonies, c'est rester en arrière: l'éminent fondateur Charles Lamoureux avait plus d'audace.

M. Chevillard n'a d'ailleurs pas de chance: il a failli avoir la grève du public. Son instrument favori, le piano, a été pris en grippe par un bon nombre d'habitués, exaspérés par le genre suranné du Concerto, qu'on leur impose chaque dimanche. On ne demande qu'à applaudir les vrais musiciens, pianistes tels que Pugno et Risler, violonistes comme Jacques Thibaud et Ysaye, mais on se passerait volontiers des acrobates et de leurs cruels morceaux de virtuosité. Quelques-uns même des plus célèbres concertos, comme celui de Schumann, en *la mineur*, et l'unique *concerto de violon* de Beethoven, se déploient en variations, arabesques et traits d'agilité pendant près d'une heure. Ces œuvres seraient à leur place dans des récitals donnés par les exécutants: au concert symphonique, elles sont trop encombrantes et surtout trop fréquentes. De là ces émeutes et ces coups de sifflets qui troublèrent de très belles auditions, lorsqu'il fallut subir des personnalités artistiques aussi banales que Mesdames Bloomfield-Zeisler et Marthe Girod ou de la littérature pianistique de MM. Moreau et R. Lenormand.

Glissons sur les Concerts du Conservatoire (où fut exécutée la *Passion selon Saint-Jean*, de Bach, dans un très bon style, au moins en ce qui concerne les rôles prépondérants de l'orchestre et des chœurs); cette société est confinée dans un répertoire spécial, presque exclusivement classique: il y a donc généralement peu de chose à y mentionner, au point de vue du mouvement artistique.

A l'Opéra-Comique ont eu lieu deux premières, dont il faut tenir compte. Ce fut d'abord la *Carmélite*, un drame lyrique ayant ce rare privilège: un livret écrit par un artiste. S'écartant des actions légendaires

préconisées par Richard Wagner, le poète Catulle Mendès a eu l'idée de
prendre un sujet moins lointain et plus vivant, en développant de façon
poétique, avec la plus grande liberté d'imagination, un des épisodes roma-
nesques de l'histoire. Il a donc présenté, en la dépouillant de détails précis
et réalistes, en l'enveloppant d'un charme sentimental au fond tout à fait
vraisemblable, sincèrement humain, l'aventure amoureuse du jeune Louis XIV
et de la sympathique Mlle de La Vallière. Le poème est en vers libres,
de façon à laisser au musicien le choix de la forme définitive au lieu de le
gêner par des rimes et des rhythmes étrangers. La couleur était plutôt
grise: le compositeur, M. Reynaldo Hahn, a eu le tort de l'exagérer encore par une orchestration morne et froide. Ce n'est point, du reste, un
homme de théâtre, mais un délicat élève de Massenet, habile à composer
des lieds pimpants, aimables, pour les salons mondains. Sa partition, néanmoins, n'est pas sans valeur et le dernier tableau, justifiant le titre par la
prise de voile de Mlle de La Valière, est assez émouvant. La créatrice du
principal rôle fut Mlle Emma Calvé, cantatrice réputée, que l'on eut le
regret de voir partir dès la troisième représentation, pour raisons de santé;
la pièce continua pourtant à tenir l'affiche, interprétée par Mlle S. Ces-
bron, dont le physique convient beaucoup mieux au personnage; on vou-
drait pouvoir en dire autant du ténor chargé d'incarner Louis XIV...

Ce n'est certes pas à un artiste comme M. Catulle Mendès que nous
devons le poème de *Titania*, et c'est la seule chose à déplorer en cette partition dont la musique fut écrite par un maître: M. Georges Hüe, auteur
de nombreuses œuvres merveilleusement orchestrées, toujours essentielle-
ment mélodieuses et harmonieuses, purement musicales. L'affabulation n'est
pas dépourvue d'un certain attrait féerique: on y voit un pauvre rimeur,
égaré par sa chimère et victime des démêlés conjugaux d'Obéron et de la
capricieuse Titania, périr de froid et de désespoir, entraînant dans sa perte
la douce compagne dont il a méconnu l'amour. Séduit par ce thème,
M. Georges Hüe l'a traité en toute sincérité, non pas seulement avec
science, mais avec la joie de faire de la musique, mais avec l'amour de son
art. Jamais l'orchestre de l'Opéra-Comique n'a sonné plus délicieusement,
tour à tour charmeur, fantaisiste ou mélancolique, que dans cette œuvre qui
est sans conteste la plus parfaite des féeries musicales. Sur les trois actes
il n'y a pas une tare, et sans cesse l'oreille est charmée de suaves évo-
cations ou de sanglots amoureux. Peut-être l'instrumentation s'élève-t-elle
fréquemment jusqu'à engloutir les paroles, mais en tout cas c'est avec beaucoup d'à-propos. Dans *Titania* il n'y a pas à songer aux paroles, à l'action, il n'est question ni de modernisme affecté, ni de concessions à telle
ou telle école: il ne s'agit que de musique, de la musique comme sait en
écrire M. Georges Hüe. Citons particulièrement, entre tant de belles
pages où les chanteurs furent, hélas! médiocres (à l'exception du ténor Maréchal et de Mme Carré, chargée du petit rôle d'Hermine), la scène populaire du début, la description symphonique de la chasse de Titania, et
surtout, au troisième acte, la mort du poète et le chant du berger parmi
le bruissement mélodieux des sonnailles de ses brebis. Magistrale exécution
par les instrumentistes sous la direction de M. Alexandre Luigini.

Paris. **Maurice Chassang.**

Musikberichte.

Referenten: **V. Andreae, W. Behrend, C. Goos, F. Götzinger, V. v. Herz-feld, E. Istel, A. Mayer-Reinach, Arth. Neifser, O. Neitzel, W. Ortmann, F. Pfohl, H. Pohl, J.-G. Prod'homme, C. Prost, E. Reufs, C. H. Richter, E. Rychnowsky, A. Schering, Ad. Thürlings, Fr. Volbach, F. Walter, P. Werner.**

Basel. Eine Herz und Sinne erfreuende Aufführung brachte der Gesangverein mit dem Requiem von Verdi, diesem vornehmen Denkmal modern-italienischer Musica Sacra. Das Werk, das vollständig aus dem Gesange heraus geboren ist, hat in unserer instrumentalen Zeit doppelt herrlich gewirkt, dank auch einer vorzüglichen Wiedergabe unter Hermann Suter, dem jetzt auch der Gesangverein unterstellt ist. — In den Abonnementskonzerten hat Petschnikoff durch den wunderbar süßen Ton, den er im A-dur-Konzert von Mozart entwickelte, allgemein bezaubert; als musikalische Gesamtleistung noch höher stand die Chaconne von Bach. Busoni hatte leider wenig Vollwertiges in seinem Programm; das Beste war das sehr ungleich gearbeitete 5. Konzert von Saint-Saëns und die auf Klavier übertragenen Orgelvorspiele von Bach. Vom Orchester wurden vorgetragen die 3. Sinfonie von Brahms und die 8. von Beethoven und als letzte Neuheiten dieser mit Novitäten angefüllten Saison der mißglückte Prolog zu Ödipus von Schillings und das unterhaltende Tongemälde »Phaëton« von Saint-Saëns. — Den letzten Kammermusikabend füllte das Cismoll-Quartett von Beethoven und das Klavierquartett in E von Hans Huber, das einige reizvoll gesetzte Partien besitzt, im ganzen aber zu unruhig und zu wenig innerlich ausgereift ist, um ganz befriedigen zu können. — Das Theater hat zwei wichtige Ereignisse aus den letzten Wochen zu verzeichnen, nämlich das Gastspiel der Frau Wedekind (als »Lucia von Lammermoor« und »Schwarzer Domino«) und dann eine für unsere Verhältnisse in hohem Maß respektable Aufführung der »Götterdämmerung«, womit nach jahrelangem Mühen endlich die Einstudierung des ganzen Nibelungenrings ihren Abschluß gefunden hat. F. G.

Berlin, 23. März. Unsere Oper hat endlich eine längst versprochene Novität gebracht: die vielumstrittene, vielgepriesene und vielgeschmähte »Louise« Charpentier's ging am 4. März in Szene. War die Spannung durch übertriebene Berichte zu hoch geschraubt, mag das Fremdartige des Milieus oder die durchaus nicht einwandfreie Aufführung die Schuld getragen haben: genug, in der ersten Aufführung wollte es zu keinem rechten Erfolge kommen. Das hat sich indes im Verlauf der bis jetzt stattgehabten fünf Aufführungen etwas zu Gunsten des Werkes verschoben, sodaß doch wohl anzunehmen ist, daß die interessante Neuheit sich längere Zeit auf dem Spielplan halten wird. Es ist bedauerlich, daß die hiesige Aufführung — nach der von mir gehörten Darstellung zu urteilen — die Schönheiten und die Eigenart des Werkes nicht ganz zu erschöpfen vermochte, einzelne Episoden des Werkes kamen dadurch nicht so recht zur Geltung und der Gesamteindruck wurde etwas geschwächt. Der Vertreter des Julien brachte seine Partie recht farblos heraus, die Mutter der sonst so trefflichen Frau Götze wollte gar nicht ansprechen und selbst unsere sonst immer glänzende Destinn verausgabte sich etwas zu früh und konnte ihren Schlußgesang, das Preislied auf Paris, nicht mehr so sieghaft herausbringen, wie es im Interesse der dramatischen Wirkung der Schlußszene verlangt werden muß. Sehr gut war Baptist Hoffmann als Vater, auch das ganze übrige Ensemble, ebenso der Orchesterpart waren absolut einwandfrei; Dr. Muck, der am Dirigentenpult seines Amtes waltete, zeigte sich wieder als glänzender Beherrscher auch der kompliziertesten Partituren. Aber es ist natürlich, daß das durch einzelne Hauptpartien erzeugte Manko nicht verdeckt werden konnte. Dazu mißglückte szenisch die Illuminierungsszene im dritten Akt, und ein gut Teil des Zaubers, der über den Schluß eben dieses Aktes ausgebreitet ist, ging verloren. Gewiß ist das Werk eines der schwierigsten, wenn nicht das schwierigste der ganzen neueren musikdramatischen Literatur, aber warum soll man in Berlin nicht fertig bekommen können, was in anderen Städten — ich denke an eine weit höher stehende Aufführung des Werkes in Hamburg, die ich im Vorjahr hörte — schon erreicht worden ist?

Nun will ich aber hiermit durchaus nicht gesagt haben, daß die »Louise« bei wirklich glänzender Aufführung mit Sicherheit einen großen Erfolg hätte haben müssen. Dieser Musikroman — der in unserer Zeitschrift übrigens Jahrgang II, S. 129—132. bereits eine ausführliche Würdigung nach der Pariser Aufführung erfuhr, weswegen ich mich hier auch kurz fassen kann — ist keinesfalls ein ausgereiftes Meisterwerk. Der von französischen Federn oft aufgestellten Behauptung, wir hätten es hier mit dem bedeutendsten nachwagner'schen Werk zu tun, muß ich unbedingt widersprechen, muß aber gleichzeitig auch erklären, daß ich mich mit der Verurteilung, die der größte Teil der Berliner Presse über das Werk aussprach, ebensowenig einverstanden erklären kann. Der goldene Mittelweg ist hier, wie so manches Mal, entschieden der beste. Gewiß kann in textlicher wie in musikalischer Hinsicht, in musikalischer sogar an nicht wenigen Stellen, tadelnswertes, unvollkommenes gefunden werden. Aber dem stehen doch wieder Stellen von so hoher poetischer und musikalischer Schönheit gegenüber, daß man gern über einige weniger gelungene Episoden hinwegsieht. Und wenn das Werk textlich auch kein nach allen Regeln der Kunst aufgebautes Drama darstellt, so hat der Dichter doch den eigentlichen Kernpunkt des Ganzen schön zur Darstellung gebracht: ich meine die Schilderung der »Stadt der Wollust, die uns unsere Kinder raubt«, wie der Lumpensammler, eine der gelungensten Figuren des Stückes, sich ausdrückt. Wenn der Vater Louisens am Schluß im Zorn die Hand ballt gegen dies »Paris«, das ihn um sein Lebensglück gebracht hat, so empfinden wir doch eines regelrechten Abschluß eines menschlich ergreifenden Dramas, und die Tatsache, daß sich Mängel in der Charakterisierung einzelner Personen. so des Julien finden, daß ferner das Drama Louisens mit einer offenen Frage abschließt, können an diesem Gesamteindruck wenig ändern. Musikalisch stehen allerdings neben vielen Stellen von höchster Schönheit auch solche, die das Interesse kaum nachhaltig zu fesseln imstande sein dürften; das Werk wirkt dadurch ungleichmäßig und kann schon aus diesem Grunde nicht als ein Meisterwerk bezeichnet werden. Aber ich meine, wer solche Musik schreiben kann, wie, um nur eine einzige Stelle anzuführen, die melodramatische Episode im ersten Akt vom Eintreten des Vaters an bis zu dessen Worten »Ja, welch ein Tag«, der dokumentiert sich doch bereits in diesem seinem dramatischen Erstlingswerke als ein nahezu fertiger Meister, zum mindesten als einer. der auf dem besten Wege ist, es zu werden. Für mich ist die »Louise« kein Meisterwerk, aber doch eines der achtunggebietendsten Werke unserer zeitgenössischen musikdramatischen Produktion. Ob das Werk sich halten wird, ist natürlich eine schwer zu beantwortende Frage. Hat sich doch kaum etwas aus der nachwagner'schen Produktion gehalten. Aber ich finde, es sollte doch keine leistungsfähige Bühne das Werk außer Acht lassen.

Von sonstigen Ereignissen im Opernhaus ist eine Wiederholung des »Tristan« mit Pennarini-Hamburg in der Titelrolle zu nennen; im Theater des Westens ging die Planquette'sche »Sparmamsell« mit geteiltem Beifall in Szene und in den letzten Tagen gastierte Lilli Lehmann mit großem Erfolg als Fidelio, Traviata und Gräfin im Figaro. Im Zentraltheater. dessen ausgezeichnetes Operetten-Ensemble zur Zeit in Amerika weilt, erspielte sich die Wiener Gesellschaft »Venedig in Wien« (Leitung Gabor Steiner) einen vollen künstlerischen wie pekuniären Erfolg mit der Johann Strauß'schen Operette »Gräfin Pepi«, in deren Titelrolle Fräulein Zwerenz Triumphe feierte.

In den Konzertsälen standen in den verflossenen vier Wochen die großen Orchester- und Chor-Konzerte an Zahl weit hinter den Kammermusik- und Solistenveranstaltungen zurück. Das IX. Philharmonische Konzert brachte neben der Eroica und der Steppenskizze von Borodin Schumann's a-moll Konzert, von Raoul Pugno prachtvoll interpretiert. Auf dem Programm des zehnten und letzten Konzerts standen nur zwei, aber dafür desto wichtigere Werke: Liszt's Dante-Symphonie und Schumann's Manfred mit Wüllner als Interpret der Titelrolle. Man kennt ja des letzteren Leistung — er ward stürmisch gefeiert. Auch Nikisch durfte verdiente Ovationen in Empfang nehmen. Das letzte Konzert des Philharmonischen Chors brachte Händel's »Israel in Ägypten« in der von dieser Vereinigung gewohnten Trefflichkeit; von den Solisten sind vor allem Paul Knüpfer, Alex. Heinemann und Frau Geller-Wolter zu nennen. Eine Aufführung der Missa solemnis durch die Singakademie glückte dagegen nicht durchweg: nach mir gemachten Berichten — gleichzeitiger anderer Veranstaltungen halber konnte ich das Konzert nicht persönlich anhören — soll die Grundstimmung des Werkes nicht recht zum Ausdruck gekommen sein; als Solisten fungierten Meta Geyer, Geller-Wolter, Dierich und van Eweyk. Der Verein für klassische Kirchenmusik brachte unter seinem Dirigenten C. Thiel die Missa papae Marcelli zu schöner Aufführung, ein Festkonzert zur Förderung der Jugendkonzerte zeigte die »Neue Orchestervereinigung« (Dir.: Prof. Gustav Holländer) mit Erfolg in schwereren Aufgaben, ein Konzert des Domchors unter Rüfer verlief sehr stimmungsvoll. In den allerletzten Tagen fanden noch zwei bedeutende musikalische Ereignisse statt: Prof. Heinrich Reimann veranstaltete am 21. des Monats eine Aufführung der selten gehörten Bach'schen Passionsmusik nach dem Evangelisten Johannes (unter den Solisten ragte A. van Eweyk als Jesus ganz besonders hervor) und Felix Weingartner brachte im 9. Sinfonie-Abend der kgl. Kapelle die Pastoralsinfonie und die Liszt'sche Faustsinfonie in ganz glänzender Weise zu Gehör.

Unter den Kammermusik-Aufführungen stehen diesmal an erster Stelle die Darbietungen des Joachim-Quartetts und der »Böhmen«. Man weiß ja, was beide bedeuten; wie Joachim und Genossen seit langen Zeiten im Singakademie-Saal keinen Platz um sich herum leer sehen, so kommen die Böhmen jetzt im Beethovensaal fast zum gleichen pekuniären Resultat. Man stellt die Leistungen beider Genossenschaften schon längst nicht mehr zur Diskussion: man geht eben hin um schlechtweg vollendetes zu hören. Beethoven's Quartette in Es-dur op. 127 und B-dur op. 130 wurden als Hauptnummern der beiden letzten Joachim-Abende gebracht, während die Böhmen, unterstützt von den Herren Suchy und Fingerland, als Neuheit das Tschaikowsky'sche Sextett Souvenir de France brachten. Doch gefiel die Novität nur wenig, während die anderen Darbietungen gewohnten Jubel hervorriefen. Von weiteren besonders hervorstechenden Leistungen auf Kammermusikgebiet sind zu nennen: der erste Duo-Abend von Friedrich Gernsheim und Wilma Normann-Neruda, der Kammermusikabend der Herren Zajic-Grünfeld, in dem Alfred Grünfeld als gern gehörter Gast sehr gefeiert wurde, die Darbietungen des Dessau-Quartetts mit Robert Kahn am Flügel (Forellenquintett von Schubert!), Waldemar Meyer's und Genossen (Septett Beethoven, wobei ich den Hornisten Rüdel besonders hervorhebe) und des Hekking-Trios, der Duo-Abend Irma Saenger-Sethe's und Waldemar Lütschg's. Interessant wegen der gebrachten Neuheiten waren die Abende des Halir-Quartetts, in dem ein Klaviersextett von Weingartner, op. 33 e-moll, mit gutem äußeren Erfolg zum ersten Mal zur Aufführung kam und ein Kompositionsabend, den Konrad Ansorge, unterstützt vom holländischen Streichquartett veranstaltete. Ein Streichquartett und ein Sextett des als Pianist so geschätzten Künstlers begegnete jedoch starkem Kopfschütteln. Eine in unserem Konzertleben bisher fast ganz fehlende Kammermusikgattung, das Vokalquartett, verspricht durch eine neu gebildete, treffliche Vereinigung sehr in die Gunst des Publikums zu kommen. Es sind die Damen Grumbacher de Jong, Therese Behr, die Herren Ludwig Heß, van Eweyk und am Klavier Arthur Schnabel, die sich bereits in zwei Konzerten hören ließen. Der erste Abend brachte nur Kompositionen von Brahms, darunter Quartette op. 64 und die Ziegeunerlieder, der zweite zeigte ein gemischtes Programm; beide Konzerte waren ausverkauft und standen auf hohem musikalischen Niveau.

Von Klavierspielern erwähne ich: Lamond, Reisenauer, Berthe Marx-Goldschmidt, Lucien Wurmser, Teresa Careño, Anton Förster, Raoul Pugno und Sapellnikoff. Namentlich die beiden letzteren errangen große Triumphe. Die Geige war vertreten durch Sarasate, der im Verein mit seiner schon genannten Gefährtin Berthe Marx zwei Konzerte gab, Irene von Brennerberg, Alex. Birnbaum, den noch sehr jugendlichen, aber zu größten Hoffnungen berechtigenden Hans Lange, Ondricek, Barcewicz und

Flesch. Außerordentlich gefiel der Harfenist Leo Zelenka-Lerando. Die Gesangskunst
vertraten wirksam: von zur Mühlen, der neue Gesänge von Reynaldo Hahn, Wulfius
und Kaskel brachte, das Ehepaar Hildach, Marta Sandal, Emilie Herzog und Ludwig
Heß, die beiden letzteren als Interpreten Hugo Wolf'scher Gesänge bei der Feier des
Wolf-Vereins. Ludwig Heß hatte sich auch eines hier noch wenig Gekannten angenommen, aber mit weniger Erfolg: Max Reger, der in letzter Zeit viel genannte
Münchner Komponist hatte ihn zum Interpreten einer Reihe seiner Liedern erwählt.
Aber die Reger'sche Muse zeigte sich nicht in günstigem Lichte: wenigstens konnte
der größte Teil der Zuhörer, auch ich rechne mich dazu, in kein näheres Verhältnis
zu diesen Gesängen kommen.
    Erwähnen möchte ich noch einige Komponisten-Konzerte: Walter Meyrowitz, der
mit den Philharmonikern, Emmy Destinn und Karl Jörn (vom Opernhaus) zusammen
ein Konzert veranstaltete, das ihn in Stücken aus Hauptmann's »Versunkener Glocke«
als begabten Musiker, dessen Talent sich günstig weiter entwickeln dürfte, zeigte;
Alphonse Maurice, der einen Liederabend mit eigenen Kompositionen gab, und Mie-
czyslav Karlovicz, der zur Ausführung seiner Kompositionen ebenfalls die Philharmoniker und den schon genannten Geiger, Prof. Stanislaus Barcewicz, herangezogen hatte.
                                                                            A. M.-R.
    Bern. Das Konzert der Liedertafel (8. Februar) erzielte mit akkuraten Vorträgen
einen schönen Erfolg und bot besonderes Interesse durch eine Reihe für uns neuer
Sachen (Ernst Seuffert, Durch Kampf zum Frieden, op. 28), durch Einschaltung
eines Frauenchors mit einer Novität »Weihnachten« des Vereins-Dirigenten Herrn
Dr. C. Munzinger und durch die Mitwirkung von Fräulein Emmy Schenk, einer
Bernerin in Basel (Sopran, Koloratur), die uns zeigte, was auch mit einem zarten Organe ein tüchtiges Talent und ausdauerndes Studium erreichen kann. Die junge Dame
darf sich wohl an höhere Aufgaben wagen, als in der Arie der Amina in der Nacht-
wandlerin gegeben waren. Erwähnen wollen wir aus den Chorleistungen noch die
mächtige Wirkung von Rheinberger's »Tal des Espingo«. — Fast ganz im Zeichen
Mozart's stand das IV. Abonnements-Konzert mit der Zauberflöten-Ouverture und
der Es-dur-Symphonie, sowie mit der ersten Arie aus dem Schauspieldirektor und
der zweiten der Königin der Nacht, die Fräulein Mary Garnier aus Paris mit französischem Text und Gemüt vortrug. Aus

Bester Jüngling! mit Entzücken
Nehm ich deine Liebe an,

wurde:

Sa figure, sa tournure,
Son maintient noble et galant.

Aber auch so war es entzückend; Mozart's Musik ist noch vieldeutig. Zwischen-
durch mußte sich Brahms mit dem Violin-Konzert D-dur (Konzertmeister Jahn)
Geltung verschaffen; es fesselten besonders der zweite und dritte Satz. — Völlig ein-
deutig will Liszt's Faust-Symphonie genommen werden, die das Hauptstück des
V. Abonnements-Konzertes (3. März) bildete. Die Bewältigung dieses schwierigen
Werkes war für unsere Orchesterverhältnisse eine große Aufgabe, deren glückliche Lösung
nur den leider vergeblichen Wunsch übrig ließ, daß man das Riesenwerk noch einige
Male in kurzen Zwischenräumen hören möchte, um die Intentionen des Komponisten
und den Aufbau völlig in sich aufnehmen zu können. Ähnliches gilt auch von Hans
Huber's Ouverture zu Simplicius, die zwar Liszt gegenüber etwas abfiel, aber doch
auch ein Stück Programmmusik ist, in das man sich schon des äußeren Verständ-
nisses wegen mehr müßte vertiefen können. Ganz wunderbar behaupteten sich gegenüber dem Orchesterschwall die Klaviervorträge von F. Busoni; Leistungen, wie den
Vortrag der vom Künstler bearbeiteten Bach'schen Choralvorspiele wird man selten
hören. — Nach d'Albert und Busoni war der strebsamen einheimischen Pianistin
Fräulein Selma Stämpfli im letzten Kammermusik-Abend (10. März) ein zu schwerer
Stand gegeben. Auch für die intimen Reize des Schubert'schen Streichquintetts
C-dur op. 136 erwiesen sich die Kräfte der Ausführenden nicht ganz ausreichend und
der Raum zu groß.   A. Th.

Breslau. Dr. Dohrn schreitet auf der einmal betretenen Bahn, dem anspruchsvoll und kritisch veranlagten Publikum der Orchestervereinskonzerte neben den Meisterwerken der Klassiker die meist umstrittenen Modernitäten darzubieten, rüstig vorwärts. Mit der im X. Abonnements-Konzert vorgeführten vierten Symphonie von Mahler aber hat er seinen Hörern doch die härteste Nuß zum Knacken gegeben. Es ist dem Werke weder vom Standpunkte der absoluten Musik beizukommen, obwohl es sich an die überlieferten Formen bindet, noch kann man seiner völlig Herr werden, wenn man es unter dem Gesichtswinkel der Programmusik betrachtet. Im Publikum machte sich auch eine starke Zwiespältigkeit bemerkbar, und so mischten sich in den von der Hochachtung für das auch in dieser Symphonie zu tage tretende gewaltige Können des Meisters diktierten lebhaften Beifall nach jedem Satze Kundgebungen eines nicht zu unterdrückenden Mißbehagens. Über die Aufführung selbst konnte nur eine Meinung herrschen: die der unbedingten Anerkennung. Im zweiten Konzerte der Singakademie sorgte Herr Dohrn durch wundervoll abgetönte Vorträge der Kantate »Erwachet, ruft uns die Stimme« von Bach, des Elegischen Gesanges von Beethoven und der »Nänie« mit dem Schicksalsliede von Brahms dafür, daß die Anhänger eines reinen, durch keine Differenzen getrübten Genusses auf ihre Rechnung kamen. Das als Probe aus Mozarts C-moll-Messe gebrachte und von Frau Schmitt-Czanyi hervorragend gesungene »Et incarnatus est« erweckte ein lebhaftes Verlangen nach der Bekanntschaft mit dem ganzen Werke. Im Benefizkonzerte für die Unterstützungskasse der Orchestermitglieder vereinigten sich Orchesterverein und Singakademie zu einer schwungvollen Belebung von Beethoven's Neunter. Die Damen Seyff-Katzmayr und Thomas, sowie die Herren Fischer und von Milde stellten dazu ein vorzügliches Soloquartett. Der Mitwirkung Professor Hausmann's im letzten Kammermusikabende war es zu danken, daß wir den mit Schubert's herrlichem Streichquintett, op. 163 und Brahms' G-dur-Sextett längt geschlossenen Freundschaftsbund erneuern durften. Um R. von Zur Mühlen, der in Breslau sehr beliebt ist und sich zu einem Liederabende einfand, scharte sich in der Hauptsache das aristokratische Publikum, während das für stärkere Eindrücke empfängliche Gros der Konzertbesucher sich auch zum dritten Wüllner-Abende in erdrückender Fülle versammelte. Die beiden letzten historischen Konzerte des Bohn'schen Vereins beschäftigten sich mit zwei Lokalgrößen, von denen der eine, Ignaz Schnabel, am Anfange des 19. Jahrhunderts und der andere, Julius Schäffer, in der zweiten Hälfte desselben im Mittelpunkte des Breslauer Musiklebens stand. Mit der Erinnerung an das wahrhaft labende zweite Konzert des Böhmischen Streichquartettes schließe ich den diesmaligen Rundgang durch die Konzertsäle. Es mußte dabei noch so manche immerhin beachtenswerte Erscheinung übersehen werden.

Die Uraufführung der vieraktigen Oper »Vasantasena« von Leopold Reichwein zeitigte im Stadttheater einen glänzenden Erfolg, und ich bedauere, daß es mir Raummangels wegen unmöglich ist, einen eingehenden Bericht über die Novität zu liefern. Es kommt nicht oft vor, daß gleich das Erstlingswerk eines kaum 25jährigen Komponisten solche unverkennbare Spuren eines starken und man darf getrost sagen ursprünglichen Bühnentalentes aufweist, wie hier. Reichwein hat selbstverständlich alles, was nach Wagner und den Jungitalienern gewissermaßen in der Luft liegt, in sich aufgenommen, bringt es aber durchaus eigenartig an den Mann. Die Leitmotive hat er in die Acht erklärt; ebenso verschmäht er es, durch kontrapunktische Tüfteleien Dinge in die Partitur zu geheimnissen, die doch erst der Zehnte und auch nur unvollkommen herausfindet. Er verfolgt die Vorgänge auf der Bühne Schritt für Schritt und findet für jeden dramatischen Effekt, für jede Stimmung, ja sogar für besonders markante Worte adäquate Töne. Am glänzendsten äußert sich diese hervorragende Befähigung für die musikalische Charakteristik in der Zeichnung der komischen Personen und in der Schilderung humoristisch gefärbter Episoden. Die edlen Charaktere, Vasantasena etwa ausgenommen, werden jedoch noch mit etwas zu viel Pathos behandelt. Erstaunlich in anbetracht der Jugend des Komponisten ist die Virtuosität, mit der er schon jetzt das moderne Orchester beherrscht. Er hat alle Farbennuancen

auf seiner Palette und wirft mit derselben Leichtigkeit die zarten Farbentöne der auf-
keimenden Liebe aufs Papier, wie er mit ·sicherer Hand und verblüffender Naturtreue
etwa das buntbewegte Treiben des Volkes, einen tropischen Regenguß, den Tanz der
Bajaderen usw. illustriert. Über den Melodiker Reichwein ist zwar nicht gleich Günstiges zu berichten; immerhin sind ihm einige warme, großzügige Cantilenen geglückt,
so besonders in den beiden für den Erfolg direkt ausschlaggebenden Schlußduetten
des ersten und dritten Aktes. Das Libretto ist von dem Charakterdarsteller der hiesigen »Vereinigten Theater«, Guido Lehrmann, geschickt und sehr bühnenwirksam
zusammengestellt. Als Quellen benutzte er die bei Reclam erschienene Übersetzung
des indischen Originals und die mustergiltige Modernisierung desselben durch Emil
Pohl. Interessenten seien zur genaueren Information namentlich auf Pohl's »Vasantasena« verwiesen.

Die Aufführung, für die in Frl. Rose eine durch Erscheinung und stimmliche
Veranlagung gleich ausgezeichnete Vertreterin der Titelrolle zur Verfügung stand,
nahm unter Prüwer's Leitung einen glänzenden Verlauf.　　　　　　　　　P. W.

Budapest. Die Oper brachte als Novität Jenö Hubay's »Moosröschen«
(Libretto nach Ouida's Novelle »Die Holzpantöffelchen« bearbeitet von Ruttykay-
Rothauser). Die Première gestaltete sich zu einer Reihe von herzlichen Huldigungen
für den genialen Geiger Hubay, für den verdienst- und erfolgreichen Komponisten,
dem unsere Oper schon so manche wertvolle Bereicherung ihres vaterländischen Repertoires verdankt, der den Ruhm ungarischer Tonkunst auch in entfernte Lande getragen hat. Den Text hat der geistvolle Feuilletonist des »Pester Lloyd« recht
wirkungsvoll gestaltet; es ist die Tragödie eines unschuldigen Mädchens aus dem
Volke, das an seiner Liebe zu einem gefeierten Künstler zu Grunde geht. Hubay's
Musik ist der Stempel jener eigenartigen und vornehmen künstlerischen Persönlichkeit
aufgeprägt. die aus seinem Geigenspiel so eindringlich und fesselnd zu uns spricht.
Innige Wärme des Empfindens, auserlesener Geschmack, subtilster Klangsinn, alle diese
Vorzüge finden wir in der Musik zum »Moosröschen« wieder. In allem Technischen,
zumal in der Beherrschung des Orchestralen, bekundet die neue Oper einen bedeuten-
den Fortschritt, der den künftigen Werken des hochbegabten Künstlers das erfreulichste
Prognostikon stellt. Um den großen und warmen Erfolg des Werkes machten sich
die Darsteller der Hauptpartien, Fräulein Szoyer und die Herren Bochniček und
Beck in hohem Grade verdient. Die Oper wurde bisher etwa ein halb Dutzend Male
wiederholt, und immer vor einem zahlreichen und beifallslustigen Publikum.

Das letzte philharmonische Konzert wurde in Abwesenheit seines ständigen Dirigenten, Herrn Stefan Kerner, der einer ehrenden Einladung nach Madrid gefolgt
war, von Operndirektor Mader geleitet, den wir bei dieser Gelegenheit als klassisch
geschulten feinsinnigen Beethoven-Interpreten kennen lernten. Herr Raoul Pugno,
der rühmlichst bekannte Pariser Pianist, fand stürmischen Beifall für den klangschönen
und schwungvollen Vortrag des Grieg'schen Klavierkonzertes. Auch eine heimische
Novität, drei stark national gefärbte Stimmungsbilder für Orchester aus der Feder
des klausenburger Musikdirektors Edmund Farkas, wurde freundlich aufgenommen.
— Das nationale Element war alleinherrschend in einem Orchesterkonzert des Konservatoriums [1]).

Aus dem Programm, das ausschließlich Orchesterwerke jüngerer ungarischer
Komponisten enthielt, verdienen in erster Linie erwähnt zu werden: ein gehaltvolles
Klavierkonzert von Árpád Szendy und eine geistvoll koncipierte »Rhapsodie« von
Albert Siklós. Beide sind aus der unter Leitung des hervorragenden Theoretikers
Hans Koeßler stehenden Kompositionsschule der Landesmusikakademie hervor-
gegangen. Von Herrn Merkler hörten wir eine anmutige und charakteristische »Aubade
mauresque«, deren Reize durch die ungewöhnlich feine Instrumentation Ferdinand

------

1) Dieses »Nationalkonservatorium« ist ein älteres, auf einer Privat-Stiftung be-
ruhendes Institut. das sich auch nach der Gründung der staatlichen »Musikakademie«
eines großen Zuspruches erfreut.

Riedel's in hellstes Licht gesetzt waren. Ein »Märchenbild« von Ernst Lányi wirkte sehr angenehm durch volkstümliche Melodik in knapper Form.

Am 16. März fand in dem zum Konzertsaal umgestalteten Opernhause unter Leitung Siegfried Wagner's eine Musikaufführung statt, deren Reinerträgnis zu Stipendien für junge Bayreuth-Pilger verwendet werden soll. Außer Liszt'schen Tondichtungen und Fragmenten aus Richard Wagner's dramatischen Schöpfungen, in deren Wiedergabe der Enkel und Sohn nicht nur Pietät, sondern auch eigenen Geist und und technisches Können bekundete, wurden uns auch Ouvertüre und Walzer aus »Herzog Wildfang« vorgeführt. Ohne gerade einen starken Eindruck zu hinterlassen, wirken die Stücke doch entschieden sympathisch durch das gesunde natürliche Empfinden, durch die naive Spielfreudigkeit, die sich in ihnen ausdrückt. In der strafferen Konstruktion, im Verzicht auf kontrapunktische Verwickelungen, aus denen der Komponist des »Bärenhäuter« nicht immer siegreich hervorging, dürfen wir wohl einen künstlerischen Fortschritt begrüßen. An glücklichen Einfällen scheint mir allerdings das »Bärenhäuter«-Vorspiel reicher zu sein als das zum »Wildfang«. Der Walzer leidet an Reihungen gleicher rhythmischer Motive, gewinnt uns aber durch die fröhliche Liebenswürdigkeit, die er ausstrahlt. Mit den Farben des Orchesters schaltet Siegfried als fertiger, erfindungsreicher Meister.

Eine neue Erscheinung im Konzertsaal war die Primadonna der petersburger Oper Frau Dolina-Gorlenko. Man brauchte nur ihr Programm anzusehen, um sofort inne zu werden, daß man es hier mit etwas Ungewöhnlichem, hoch über die Konzertschablone Hinausreichendem zu tun habe. Es war ein streng russisch-nationales Programm, auf dem neben Glinka, Tschaikowsky und andern uns längst vertrauten Namen auch gänzlich unbekannte figurierten. Jedem Lied war der russische Text mit ungarischer Phonetik, sowie eine ungarische Übersetzung beigedruckt, kurze aber prägnante und instruktive Notizen gaben willkommene Belehrung über Leben und Wirken jedes einzelnen Tondichters. Da war keine Rücksicht auf wohlfeilen Effekt genommen, nur wertvolle und interessante Kunstwerke wurden zu Gehör gebracht. Was den Darbietungen aber jeden leisesten Beigeschmack von aufdringlicher Propaganda oder trockener Didaktik benahm, war die hohe Vortragskunst der Konzertgeberin, die uns an diesem Abend eine Kette reinster Genüsse bot. Der gesättigte Klang ihres weichen Mezzosoprans, die ideale Tonverbindung und meisterhafte Atemtechnik im Verein mit plastischer Phrasierung und tiefer Beseelung würden Frau Gorlenko des Namens einer russischen Barbi nicht unwert erscheinen lassen. Ihr Konzert war leider nur schwach besucht, aber alle, die sie gehört, haben einen tiefen Eindruck von ihrer Kunst mitgenommen. An demselben Abend hat der bekannte Geiger Arrigo Serato die Erinnerung an seinen süßen Ton und seine virtuose Fertigkeit in angenehmster Weise aufgefrischt.

Eine geschätzte heimische Kraft, die Opernsängerin Frau Irene Pewny erfreute uns mit einem Liederabend, der uns Gelegenheit gab, sie auch auf diesem Gebiete als Meisterin zu bewundern. Namentlich in der Wiedergabe zarter intimer Stimmungen hat sie keinen Vergleich zu scheuen. — Erwähnen wir noch den erfolgreichen Klavierabend Raoul Pugno's und das Debut einer jungen Kunstnovize, der begabten, wiewohl von der Vollkommenheit noch recht weit entfernten böhmischen Geigerin Fräulein Herites, so hätten wir die Chronik der letzten Musikwochen erschöpft.

V. v. H.

Dresden. Vor ungefähr 12 Jahren wurde in einem kleinen Pariser Theater eine Pantomime von Michael Carré fils »L'enfant prodigue« gegeben, zu der André Wormser eine passende Musik geschrieben hatte. In Deutschland wurde sie unter dem Titel »Der verlorene Sohn« zuerst in Baden-Baden aufgeführt, wo das Theater auch nicht groß ist. Daher ließ man sich die Zuhilfenahme des Klaviers als eines integrirenden Teiles des Orchesters gefallen. Anders sieht die Sache in einem Institute von der Größe und der Bedeutung des hiesigen Königlichen Opernhauses aus. Der musikalische Teil dieser Pantomime ist nicht inhaltsvoll genug, um von dem glänzenden Königlichen Orchester zur Geltung gebracht zu werden. Im Gegenteil, gerade durch die vorzügliche musikalische Wiedergabe unter der Leitung des Herrn Geheimrats von Schuch trat die nicht allzugroße Bedeutung der Motive und ihrer Verarbeitung erst recht zu Tage. Es drängte sich fortwährend die Frage auf: warum werden denn diese Klavierpassagen nicht von den verschiedenen Instrumenten des Orchesters ausgeführt?

»Odysseus' Tod« von Bungert, der vierte Abend seiner homerischen Welt, ist noch immer in Vorbereitung und scheint große Schwierigkeiten zu verursachen; denn die erste Aufführung, die bereits in diesen Tagen stattfinden sollte, ist vorläufig auf Mitte April hinausgeschoben worden. Inzwischen greift man auf die schon aufgeführten Teile zurück und hat mit der Hervorholung von »Odysseus' Heimkehr« den Anfang gemacht. »Nausikaa« und »Kirke« werden folgen. — Die 600. Aufführung des »Freischütz« wurde mit einer besonders gut vorbereiteten Wiedergabe gefeiert.

Von der Missa solemnis von Beethoven hat in diesem Winter noch eine zweite Aufführung — eine dritte soll bevorstehen — stattgefunden. Der Riedel'sche Verein war eingeladen worden, am Aschermittwoch im Königlichen Opernhause das Werk unter seinem Dirigenten Georg Göhler aufzuführen. Das ist mit gutem Gelingen geschehen und hat dem bewährten Verein ein neues Ruhmesblatt erworben.

Die Stille im Konzertleben, die bereits Mitte Februar eingetreten ist, hat angehalten. Als »Sensation« erschien Jan Kubelik wieder und hatte selbst den großen Gewerbehaus-Saal gefüllt. Ich habe von Anfang an nicht in die Überschätzung seiner künstlerischen Bedeutung eingestimmt, und es wird nicht lange dauern, bis die jetzt Berauschten wieder nüchtern werden. Einzelne sind es schon geworden, als sie neulich das Beethoven'sche Konzert von ihm gehört haben. Da zeigte es sich denn doch deutlich genug, daß mit einem außergewöhnlichen technischen Talent den geistigen und seelischen Tiefen unserer hohen Kunst nicht beizukommen ist. Wenn bei den Beifallsbezeugungen, die Kubelik's technische Künste fanden, die Dresdener allein beteiligt gewesen wären, so wären sie zur Hälfte weniger übertrieben ausgefallen; denn das muß ihnen zur Ehre nachgesagt werden, daß sie etwas musikalischer und feinfühliger sind als ein Haufen beifallswütiger — Ausländerinnen.

Als letztes Solisten-Konzert dieses Winters veranstaltete der Unterzeichnete einen Klavierabend, an dem zwei seiner Schüler, Anna Dienger aus Karlsruhe und August Göllner, das Concerto pathétique von Liszt auf zwei Klavieren spielten.

Der Tonkünstlerverein hat einen schweren Verlust erlitten: Friedrich Grützmacher ist plötzlich in Folge eines Herzleidens gestorben. Seine Bedeutung als Violoncellist ist allgemein bekannt. Er gehörte noch zu der strengen klassischen Schule. Wenn auch zuweilen seine Darbietungen etwas unter einer ängstlichen Pedanterie litten, so sprachen aus ihnen doch immer ein großer künstlerischer Ernst und eine tiefe Empfindung. In welchem Sinne er den Tonkünstlerverein geleitet hat. ist schon in einer der letzten Nummern an dieser Stelle erörtert worden.   E. R.

Frankfurt am Main. Oper. Nach Goldmark's »Götz von Berlichingen«, der hier fortdauernd bester Aufnahme begegnet, brachte unsere Bühne als bemerkenswertes Ereignis eine in allen Stücken äußerst gelungene Aufführung der Wagner'schen Tetralogie »Der Ring des Nibelungen« unter Leitung der beiden Kapellmeister Rottenberg und Kunwald. Durchwegs mit eigenen Kräften besetzt, waren diese vier Abende eine würdige Gedenkfeier zu des Meisters zwanzigjährigem Todestag. Pröll als Wotan. die imposante und stimmgewaltige Brünnhilde der Frau Greeff-Andrießen, unser vorzüglicher Tristandarsteller Forchhammer als Siegfried, Frau Hensel-Schweitzer als wirklich poetische Sieglinde, Breitenfeld-Alberich und Schramm-Mime boten wirklich schöne Leistungen. Für den 19. April ist die Aufführung von Weingartners »Orestie« (unter Leitung des Komponisten) in Aussicht genommen.

»Wenn Winter und Sturm wichen der Starken Wehr« der milden Lenzlüfte, dann tritt auch in unserem Konzertleben jedesmal eine wahrhaft wohltuende Ruhe ein. Für den berufsmäßigen Beurteiler, der zwar vieles Schöne, aber auch manches »eitel Ohrgeschinder« zu hören Gelegenheit findet, eine wahre Erlösung! In den Museumskonzerten vermittelte uns Kogel die Bekanntschaft zweier lebhaft aufgenommener Novitäten. Die symphonische Dichtung »Korsholm« von Armas Järnefelt (Wiborg) bietet, dem musikalischen Entwurf nach an Tschaikowsky's »Franzesca da Rimini« in bestem Sinne erinnernd, in der wirkungsvollen Instrumentation und der Durchführung der programmatischen Idee viel Interessantes. Ebenso das in schön geschwungenen melodischen Linien geführte »Salve Regina« für Frauenchor, Orchester, Solovioline und Orgel von Fritz Volbach-Mainz. Die Anregung zu der sehr ansprechenden Komposition empfing der verdienstvolle Dirigent der Mainzer Händel-Feste durch die drei Raffael'schen Gemälde: die Madonna di Foligno (Vatikan), die Madonna del Granduca (Palazzo Pitti in Florenz) — ihrer einfachen Schönheitswirkung ist das zweite »Salve Regina« der drei musikalischen Stimmungsbilder zu verdanken — und die Madonna di San Sisto (Dresden). Liszt's ganze Prometheus-Musik, die der Meister vor 53 Jahren zu der Herder-Denkmalsenthüllung in Weimar geschrieben, sprach in den bekannten Chören natürlich weit mehr an, denn als Ganzes, das nur zu deutlich den Charakter einer liebenswürdigen Gelegenheitsarbeit verrät. Nach einem vorhergehenden Brahms-Abend verabschiedete sich Kogel von dem Auditorium der Sonntagskonzerte mit einem Richard Strauß-Abend, dessen Programm neben der großzügigen Tondichtung »Tod und Verklärung« und dem genialen Orchesterhumor in »Till Eulenspiegels lustigen Streichen« noch die seltener gehörte F-moll-Symphonie, op. 12, brachte, aus deren einzelnen Teilen besonders das reizvolle »Scherzo-Presto« hervorgehoben sei. Als Schlußstein der ersten Schaffensperiode des kühnen Neuerers enthält die F-moll-Symphonie, die Thomas im Dezember 1884 in New-York zum erstenmale zu Gehör brachte, noch eine Menge von Anlehnungen an die Meister, bei denen der Jüngling damals offenen Auges und in lobenswerter Nacheiferung ihrer Vorzüge in die Schule gegangen. Kapellmeister Kogel wurden an diesem Abend lebhafte Ehrungen zu teil. Eine ausführlichere Würdigung seiner hiesigen Tätigkeit behalten wir uns nach seinem endgültig letzten Konzert (am 27. März) an dieser Stelle vor. Unter den Solisten der Museumskonzerte sei noch der junge Pianist Ernst v. Dohnányi genannt, der uns in der 13. Rhapsodie von Liszt entschieden besser gefallen wollte, als in Beethoven's Es-dur-Klavierkonzert, dessen Ausgestaltung ziemlich virtuosenhaft-frei ausfiel.

Von den im zweiten Konzert des Sängerchors des Lehrervereins unter der trefflichen Leitung M. Fleisch's gehörten Novitäten fanden ein wirkungsvoll geschriebener Chor »Ein Stündlein wohl vor Tag« von Thuille-München und der wirklich hübsche »Erntetag« von Arthur Wulffius (geboren 1867 zu Dorpat, Schüler Rheinberger's und Giehrl's in München, jetzt Dirigent der deutschen Liedertafel in Petersburg) verdienten Anklang. Professor Xaver Scharwenka-Berlin und eine vielversprechende englische, in Paris ausgebildete Geigerin, Elsie Playfair, waren die Solisten dieses Konzerts.

In dem letzten Kammermusik-Abend des Museums waren R. Mühlfeld und Konzertmeister Wendling, zwei längst vorteilhaft bekannte Mitglieder des Meininger Orchesters, stets gerne begrüßte Gäste. Von Solisten-Konzerten sei ein Beethoven-Abend Lamond's erwähnt. H. P.

Genf. In den Abonnementskonzerten (6.—9.) kamen unter anderem folgende Orchesternummern zur Aufführung: Als Première für Genf die fünfte Symphonie »Aus der neuen Welt« von Dvořák, ein mit Yankee Doodles und amerikanischen, vielleicht Neger-Motiven reich verbrämtes, hochromantisches Werk in der klassischen Form einer Symphonie. Erstaunlich, aber für unsere Ohren nicht immer schön. Wundervoll sind Charpentier's »Impressions d'Italie«: »Sérénade«, »à la fontaine«, »à mules« — ein gelungener musikalischer Ritt zu Maulesel —, »sur les cimes«, und der rauschende Schlußsatz »Napoli« voll Witz und Lebhaftigkeit. — Von Paul Dukas, einem prix de Rome von 1888, ertönte das phantastische Scherzo »Der Zauberlehrling« nach Goethe's Dichtung, großartige Arbeit, und ein Virtuosenstück für Orchester. Als Novität erschien eine interessante Ouverture zu »Balthasar« von J. Marty. Im 8. und 9. Konzert keine Symphonie und als Ersatz »1812«, vielsagende, politische Begeisterung aushauchende Ouverture von Tschaikowsky. In der Peroraison gibt es da ein Fortissimo des gesamten Orchesters, mit Hinzunahme aller nur möglichen Schlaginstrumente, insbesondere großer Glocken, das für normale Ohren in geschlossenem Raume fast unerträglich ist. — Vincent d'Indy's D-dur-Suite im alten

Stil für Streicher, zwei Flöten und Trompete erzielte neue, gut wirkende Effekte.
Alles, was d'Indy schreibt, hat Hand und Fuß, aber das Tonartgefühl wird manchmal
durch arge Chromatik unberücksichtigt gelassen. Wir kennen ein 46-taktiges Klavier-
stück seiner Komposition mit dem fraglichen und fragenden Titel »?«, welches außer
den sieben unbekreuzten Noten noch B, Es, As, Des, Ces, — Fis, Cis, Gis, Dis, Eis
und dazu noch die Herzzereißer Fisis, Cisis und Gisis enthält. Das Ding steht aber
in C-dur. Wenn man nun ein solches Stück zum Beispiel nach Cis-dur transponieren
wollte, — was würde da aus den Doppelkreuzern Fisis, Cisis und Gisis werden? Unsere
Musikschrift hat eben noch keine Tripelkreuze! Ein Glück! Doch, zur Sache!

Im 9. Konzert, o Wonne, kam Bach's Suite in D, mit der berühmten Arie, die
eine Blume aus himmlichen Regionen ist; Herr Sistermans und ein guter Chor sangen
Bach's Kantate »Ich will den Kreuzstab gerne tragen«. Von G. Schumann, in
dem wir einen der ersten Vertreter neudeutscher Schule begrüßen, kamen die Variationen über den Choral »Wer nur den lieben Gott läßt walten«, die einen tiefen Eindruck machten, von Richard Strauß eine Reihe warm empfundener Lieder und
Wagner's Rienzi-Ouverture zur Aufführung. Wie man sieht ein ganz deutsches
Programm.

Als Solisten produzierten sich die echt französische Sängerin, Fräulein Jane
Ediat, die eine Spezialität daraus macht, feinere alt-französische Couplets à refrain
raffiniert vorzutragen. Fräulein Marie Panthès aus Odessa ist eine hervorragende
Pianistin französischer Schulung (Konzert in D-moll von Brahms, ein virtuos herge-
richtetes Pastorale von Mozart und eine immer noch unumgehbare Rhapsodie von
Liszt). Über den französischen Geiger Jacques Thibaud herrscht nur ein Urteil:
ein hinreißendes Talent, reine Begeisterung singt aus jedem Strich.

Von den übrigen, auch hier unzähligen Konzerten seit dem letzten Bericht, seien
erwähnt diejenigen der in Dresden ausgebildeten hiesigen Sängerin Fräulein Anna
Auvergne, die uns ein »air gracieux« aus Händel's »Ottone«, Hasse's »Ritornerai
fra poco« und einen bei Schubert, Fauré, R. Strauß und Brahms gepflückten Liederstrauß zum Entzücken vorsang. Frau Le Coultre, Pianistin, gab mit dem schwe-
dischen Geiger Herrn Runquist und dem Cellisten Herrn Lang einen Kammermusikabend (Trio op. 70, 1 von Beethoven, »Variations symphoniques« für Cello von
Boëllmann, Violin-Sonate Op. 19, G-moll von Sjörgen). — Sehr distinguiert war auch
ein Konzert des Pianisten Karl Friedberg mit dem Geiger Gustav Koeckert
(Violin-Sonate op. 105 von Schumann, »La Folia« von Corelli, »Improvisata« von
G. Koeckert; für Klavier op. 81, Abschieds-Sonate von Beethoven, Etude op. 103 und
Polonaise op. 53 von Chopin). — Unser Kapellmeister, Herr W. Rehberg, ist gleich-
zeitig ein berühmter Lehrer und Pianist. In letzterer Eigenschaft gab er — zum ersten
Male in Genf — einen Klavierabend mit Toccata und Fuge von Bach-Tausig, op. 53
von Beethoven, Davidsbündlertänze von Schumann, op. 58 von Chopin, Intermezzo I
op. 117 von Brahms und — der auch hier wieder unvermeidlichen Rhapsodie von
Liszt. — Das zweite populäre Konzert unter des Unterzeichneten Leitung fand am
15. Februar in der Victoriahalle statt. Ein kleiner, liebenswürdiger Junge von zehn
Jahren, Jean Renaud (aus Battavia), trat mit dem größten Beifall als Cellist auf
(Konzert von Goltermann und kleinere Sachen). Herr Bonny, Pianist, Lehrer an
der Académie de Musique, spielte unter anderem das nach Theodor Kullak's Ausspruch schwierigste Stück. Schumann's Toccata op. 7. Außerdem schenkten ihre Mitwirkung die hiesige beliebte Sängerin Frau Lang-Malignon und als Deklamator
Herr Fournier, Lehrer der Diktions-Klasse an der Académie de Musique. Die Einführung künstlerisch vollkommener Deklamation wird als angenehme Abwechselung
in unseren Konzerten empfunden.

Das gute Werk der »Mimi Pinson« zählt in Genf jetzt über 300 Schülerinnen.
Die Stadt hat uns das Palais Eynard als Lokal bereitwillig zur Verfügung gestellt.
Unter den Beteiligten herrscht Jubel und Freude, es scheint aber, daß manch fromme
Seele die Nase rümpft und klagt, daß nun die einfachsten Leute vom Kochtopf und
Strickstrumpf abgehalten und ins Reich des Idealen gezogen werden. Ehre sei der
intelligenten und energischen Direktorin der Anstalt, Frau Torrigi-Heiroth, die

das Gute im Bereich des Schönen nicht nur will, sondern auch wirklich ausführt.

C. H. R.

Hamburg. Max Fiedler, dieser tapfere und wagemutige Pionier der modernen Musik und jener Musiker, die das Recht aufgeführt zu werden noch nicht mit dem Leben bezahlt haben, vollendete den Cyklus seiner Orchester-Konzerte mit einem Beethoven-Abend: das Violinkonzert (sehr fein von dem Konzertmeister des Orchesters, dem talentvollen Heinrich Bandler gespielt) und die 9. Symphonie waren die großen Würfe dieses Konzertes. Die Neunte wirkte wiederum mit der vollen Wucht der hier tätigen Schöpferkraft und eine Entgleisung im Soloquartett des letzten Satzes vermochte den imposanten Eindruck der Aufführung nicht abzuschwächen. In seinem vorletzten Konzert führte Fiedler den »Don Juan« von R. Strauß auf: eine Leistung von bewunderungswürdiger Echtheit und impulsiver Energie: vielleicht das Beste, was wir bisher von Fiedler gehört haben; auch das Orchester, fortgerissen von dem Schwung seines Führers, spielte ausgezeichnet. Bei weitem weniger hoch ging es in den letzten Wochen in der »Philharmonischen Gesellschaft« her. Prof. R. Barth hatte ja allerdings einem Anton Bruckner das Wort erteilt: aber die D-moll-Symphonie dieses Meisters (die dritte, Richard Wagner gewidmete) wirkte doch nicht recht überzeugend, und die Meinungen konnten sich darüber nicht einigen, ob die Schuld an Bruckner oder aber an dem Dirigenten lag. Tatsache ist, daß Bruckner hier in Hamburg, wie wohl überhaupt in ganz Norddeutschland, weit hinter dem Fortschritt zurückgeblieben ist, den seine Musik im Süden, zumal in Wien gemacht hat. Man gibt sich bei uns nicht die ernste Mühe, seine Kunst genauer kennen zu lernen; unsere Dirigenten wagen es zwar gelegentlich mit einer seiner Symphonien, aber, selbst nicht überzeugt, vermögen sie auch andere nicht zu überzeugen. Und so geht man auch in den Kreisen der aufgeklärten und wissenden Musikfreunde mit einem — fast möchte ich sagen, nur naturgeschichtlichem — Interesse an ihm vorbei, etwa wie an einem besonderen Gewächs oder an einem merkwürdigen Geschöpf, das man zum Hausgenossen zu machen nicht im entferntesten beabsichtigt. Während bei Max Fiedler die geniale Paula Szalit mit ihrem entzückenden Klavierspiel einen Triumph feiern durfte, bereitete uns der Solist des letzten Philharmonischen Konzertes, Dr. Raoul Walter, eine arge Enttäuschung: er ist ein Verkünstler schlimmster Art und die Maniertheit seines Vortrags berührt fast komisch. Mit dem »Berliner philharmonischen Orchester« bot Arthur Nikisch seiner großen und glänzenden Gemeinde eine wundervolle Aufführung der F-dur-Symphonie von Brahms und der Sakuntala-Ouvertüre Goldmark's. Die Bekanntschaft mit einer jungen Geigerin, die uns der gefeierte Dirigent vermittelte, mit Frl. E. Playfair, war erfreulich, so lange sich diese temperamentvolle Künstlerin auf der Bahn des Virtuosen bewegte, wie in dem flachen Konzert von Godard. Aber auf die Höhe Beethoven's trug sie ihre Musikpsyche nicht; sie übersetzte die eine Romanze des Meisters ins Französische. Von den weiteren Konzerten der letzten Wochen wäre neben dem Klavierabend des Pianisten Karl Friedberg etwa noch ein Konzert des »Hamburger Lehrergesangvereins« zu erwähnen. Dirigent dieses durch Fülle der Stimmen und Intelligenz des Vortrags hervorragenden Männerchors ist Prof. R. Barth, ein trefflicher Chormeister, der um die Disziplinierung des Vereins sich größere Verdienste erworben hat, als um die Verzinsung des hier aufgespeicherten Kapitals, als um die Nutzarbeit der hier vorhandenen reichen Kräfte: ein Programm mit Franz Wüllner's unerquicklicher und geistig armer Kantate »Heinrich der Finkler« als Hauptwerk, einem dürren Braten, gespickt mit den ältesten patriotischen und lyrischen Phrasen, das sagt alles!

F. Pf.

Karlsruhe. 19. März. Das Hoftheater brachte als Neuheit für Karlsruhe Gounod's 1860 komponierte Oper »Philemon und Baucis«. Das Libretto von Barbier und Carré entspricht freilich nur da, wo der — trotz Ovid — schlichte Reiz der antiken Erzählung gewahrt ist, der Eigenart Gounod's. Hier entfaltet er auf dem ihm eigentümlichen Gebiet die ganze Liebenswürdigkeit seiner Kunst, von der dabei nichts verlangt wird, was seinem Talente fern liegt. Anders steht es mit den von den Librettisten frei hinzugefügten Szenen, wo Jupiter als leicht entzündbarer Verführer, Vulkan als

vielgeneckter und verbitterter, betrogener Gatte erscheint; hier bleibt der Versuch der
Charakteristik sehr auf der Oberfläche. Jedenfalls verdient das Ganze wegen der
meist ungesucht strömenden Erfindung und manchen geistreichen Zuges wohl eine
Wiedererweckung. — Das Werk war zusammengestellt mit dem »Tanzmärchen« »Ador«
des hiesigen Komponisten Cornelius Rübner. Mit großem Geschick hat der Künstler.
dessen Schaffen sich sonst auf ganz anderem Gebiet bewegt, eine Fülle überraschend
interessanter Tanzweisen mit vielen originellen Zügen in Melodik, Harmonik und
Rhythmik geschaffen. Bedenklich ist nur, daß das Libretto in dem Bestreben, Tanzformen aller möglichen Zeiten und Zonen uns vorzuführen, die »Handlung« auf drei
ziemlich gedehnte Akte ausspinnt, so daß notwendig eine gewisse Ermüdung eintritt.
Wie wir hören, sollen übrigens jetzt Kürzungen stattfinden.

Ferner wiederholte die Bühne nach längerer Pause ein Werk, in dem der dankenswerte Versuch gemacht wurde, dramatische Musik von Schubert, die wegen der Un-
möglichkeit der ursprünglichen »Dichtung« vergraben lag, für die Welt wieder zu gewinnen. Mottl hat nämlich die Musik zu einem vergessenen »Zauberspiel« von Hoffmann, »Die Zauberharfe«, für Ferd. Raimunds »Gefesselte Phantasie« mit Benutzung
der bekannten deutschen Tänze, eines Liedes etc. recht glücklich eingerichtet.

Im Konzerte interessierte sehr das Auftreten Siegfried Wagner's, der von eigenen
Kompositionen die Ouverture und einen Walzer aus »Herzog Wildfang«, von seinem
Vater das Siegfriedidyll, von seinem Großvater den »Mazeppa« zur Aufführung brachte.
Freilich die Musik der neuen Oper vermochte nicht mehr zu fesseln als s. Z. der
Bärenhäuter; die Ouverture sucht nach einem wenig erfreulichen Ringen mit unbedeutenden Themen durch eine breite Melodie am Schlusse den Hörer befriedigt zu
entlassen, und der Walzer sagt nicht mehr als viele leichtflüssige Tanzmelodien anderer wenig hervorragender Werke. Auch als Dirigent sprach der Träger des großen
Namens nicht sehr an; am besten gelang der Mazeppa; das Siegfried-Idyll wurde
unter seiner Hand etwas eintönig, und auf offenbar wenig vertrautes Gebiet hatte
er sich mit der Begleitung des Es-dur-Konzertes begeben; allgemein fragte man sich,
warum nicht der anwesende Mottl dabei die Führung mit bekannter, sicherer Hand
übernommen habe. E. von Dohnányi entwickelte in dem Klavierpart soviel Kraft
und Feuer, daß er, größere Abklärung vorausgesetzt, zu den schönsten Hoffnungen
berechtigt.

In einem Kammermusikkonzert hörten wir ein freundlich aufgenommenes Streichquintett eines jungen einheimischen Komponisten, A. von Dusch; besonders das Scherzo
erfreute durch ungesuchte Frische. Das ganze Werk zeugt von sehr solider Schulung,
und sehr anerkennenswert ist es, daß in einem Erstlingswerk nicht der Versuch gemacht wird, alles bisher Dagewesene gleich zu überbieten. — Ein glänzendes Werk
ist Smetana's G-moll-Trio; namentlich der letzte Satz mit der machtvollen Durchführung eines ursprünglich sehr einfachen nationalböhmischen Themas, dem eine wundervolle Gesangsmelodie gegenübersteht, wirkt hinreißend.

Von den Künstlerkonzerten von Hans Schmidt brachte das vorletzte die hier ungemein beliebte Rose Ettinger, die wieder durch ihre entzückende Gesangeskunst
Triumphe feierte, und das 5. Eugène Ysaye, der, von seinem Bruder Theophile begleitet, sich wieder als einen der ersten Meister seines Instrumentes bewährte.

C. G.

Kiel. Das 4. Abonnementskonzert des Kieler Gesangvereins machte uns unter
Professor Stange's feinsinniger Leitung bekannt mit einem tiefempfundenen, klangschönen Werk, dem Passions-Oratorium von Felix Woyrsch-Altona. Dasselbe zerfällt
in 4 Teile und schildert in deren erstem in edler, überzeugender Tonsprache das
Abendmahl, im zweiten die Gefangennahme und im dritten und vierten Jesus vor
Kaiphas und Pilatus und des Heilandes Kreuzigung. Die Aufführung des Oratoriums
in der St. Nikolaikirche war vorzüglich. Unter den Solisten zeichnete sich insonderheit Herr Anton Sistermans-Wiesbaden aus. Recht Tüchtiges boten auch Herr Albert Jungblut-Berlin, sowie die Damen Johanna Dietz-Frankfurt a. M. und Else
Bengell-Hamburg. Eine recht gelungene Aufführung der Mendelssohn'schen Antigone veranstaltete der Lehrergesangverein unter der Direktion des Herrn Kloster-

organisten Johannsen-Preetz. Chor und Orchester (Rudolph) hielten sich trefflich. Solistisch zeichneten sich aus Herr Em. Stockhausen vom Deutschen Schauspielhaus in Hamburg, Fräulein Elbrig-Hamburg als Antigone, Fräulein Möller-Hamburg als Ismene, sowie in den kleineren Partien Herr Henze-Hamburg. — Der 3. Kammermusikabend des Hamburger Streichquartetts bot zwei hoch interessante Kammermusikwerke, Streichsextett A-dur op. 48 von Dvorak und Streichsextett G-dur op. 36 von Brahms. Die Wiedergabe beider Sextette durch die Herren des Hamburger Streichquartetts, Jajic (1. Violine), Schloming (2. Violine), Loewenberg (Viola) und Gowa (Violoncell) — die sich durch die Herren Krüß (Viola) und Eisenberg (Cello) kooptiert hatten — war eine in jeder Hinsicht glänzende. **W. O.**

Köln. In unserm Konzertleben herrschte des allesbeherrschenden Karnevals wegen ziemliche Windstille, um so bunter ging es im Theater her, weniger auf der Bühne selbst als in den Bureaus und Garderoberäumen. Von den Gürzenichkonzerten stand das letzte unter Felix Mottl's Direktion, der mit der bekannten warmblütigen Umsicht ein ziemlich konservatives Programm abwickelte. Mendelssohn's italienische Symphonie zündete wie eine siegessichere Neuheit, die auf allen Seiten des Hauses ein lebhaftes Echo erweckt. Die Ouvertüre zum Fliegenden Holländer zeichnete sich durch echte Seestimmung aus. Nebenbei gesagt: in formaler Hinsicht läßt sich gegen dies koloristisch herrliche Stück doch so mancherlei einwenden, und ich wundere mich, daß das nicht schon oft genug von andrer Seite geschehen ist (ich meine natürlich die letzte Bearbeitung). Diese vielen Ansätze von Wogensturm und Erlösungshoffnung, die sich hilflos wiederholen ohne sich zu entwickeln, dann das Absetzen und das plötzliche Hinaufeilen der Geigen — den Wagner, der so formvollendete Stücke geschrieben wie das Lohengrin- und das Tristanvorspiel und solche gotischen Tonbauten wie das Meistersingervorspiel, den Wagner suchen wir an dieser Stelle vergebens. Dann führte Mottl mit vielem Erfolge bei uns den Zauberlehrling von Paul Dukas ein, dessen charakteristische Schärfe und dessen immer noch durchschimmernder Humor selbst auf diejenigen Eindruck machte, welche, schrecklich zu sagen, in unsrer klassikerfremden Zeit die Goethe'sche Ballade nicht mehr im Gedächtnis hatten. Die einheimische Pianistin Toni Tholfus spielte mit vieler Anmut Mozarts A-dur-Konzert und Rose Ettinger vollführte zunächst die waghalsigsten Kehlkopfkunststücke, um hinterher in mehreren Liedern zu zeigen, daß sie auch ihr lyrisches Herz entdeckt hat. In den Kammermusikabenden des Gürzenich-Quartetts machte ein Streichtrio von dem Berliner Fr. E. Koch wegen seines hübschen Klanges, seiner vornehmen Form, die namentlich in überraschenden Abschlüssen gipfelt, und wegen der hübschen Erfindung ziemliches Aufsehen. Auch ein Quartett des einheimischen Bölsche fand vielen Anklang. Leider wird uns der Primgeiger des Quartetts Prof. Willy Heß aller Voraussicht nach verlassen, da er die ihm angebotene Stelle Sauret's in London (der bekanntlich nach Chicago geht) anzunehmen gedenkt. Der soeben eingetroffene Fritz Steinbach sieht sich so gleich im Anfang eines seiner wichtigsten und tüchtigsten Gehilfen beraubt. Aber mit englischen Pfunden können die deutschen Mark nicht in Wettbewerb treten, zudem ist Heß schon früher in England so akklimatisiert gewesen, daß ihm selber der Wechsel nicht schwer fällt. Es ist also Platz für einen tüchtigen Geiger. Während im Theater soeben das glänzend ausgestattete Rheingold den Nibelungenring immer mehr schließt — es fehlt nur noch die Götterdämmerung — und der Fliegende Holländer nach Bayreuther Vorbild ungemein eingeschlagen hat, ist der Vorhang von den innern Zuständen an unsern städtischen Musentempeln gesunken und hat recht unerfreuliche Dinge zu Tage gefördert. Die Theatermitglieder sind trotz aller Bestrebungen der Bühnengenossenschaft und trotz aller sogenannten Philanthropie unsrer Gesetzgebung immer noch nahezu schutzlos.

Direktor Hofmann, der dem Geschäftsgange der beiden Theater nicht recht traute, gab, wie ich bereits früher mitteilte, seine Demission und bestand auf ihr, auch als man ihm bedeutete, man würde sie ernst nehmen. Ein neuer Direktor wurde in der Person des Grazer Purschian gewählt. Es wurde erwartet, daß die Mitglieder wenigstens ihre Kontrakte ausdienen würden. Statt dessen lieferte die Stadt den Mitgliederbestand einfach den Direktoren aus. Und nun zeigte sich, daß in den Kon-

trakten des Herrn Hofmann eine Kündigung zu dem späten Termin des 1. März vorgesehen war, für den Fall, daß ein Direktionswechsel stattfände. Man weiß ja, wie
unerfahren und vertrauensselig das Künstlervolk ist. Kaum hatte irgend einer den
übeln Paragraphen gelesen. Da sich nun Purschian weigert, eine ganze Anzahl von
Mitgliedern zu übernehmen, so befinden sich diese einfach dem Nichts gegenüber.
Andre aber, denen Herrn Purschian's Zaudern die Lust benahm, wie Frl. Offenberg,
wie Herr Wildbrunn haben sich nach andern Engagements umgesehen. Herr Hofmann schilt auf die Stadt, diese schilt auf Herrn Hofmann, Herr Purschian auf beide,
die Bühnengenossenschaft auf alle drei, aber damit ist den um ihre Existenz gebrachten Mitgliedern nicht geholfen. ..

Wie doch denen, die da oben auf den Brettern allabendlich soviel gute Laune
aufwenden, innerlich oft zu Mute sein mag!   O. N.

Kopenhagen. Die einzige »Tat« der Königlichen Oper in den letzten Monaten
war die Wiederaufnahme von Aida, was im Moment, wo so viele und bedeutende
Aufgaben ihrer Lösung warten, von geringem künstlerischem Belang war. Als Rada-
mes wurde unser Primotenor, Herr Herold, gefeiert, obschon die Partie ihm eigentlich
nicht ganz liegt.

Im Gegensatz zur Oper hat sich im Konzertsaal ein reges Leben entfaltet. Tag
für Tag gabs Konzerte, an vielen Tagen mehrere davon. Erwähnt seien hier ein von
der Pianistin Frau Christensen Gelmuyden arrangiertes Sinding-Konzert.
das u. a. sein treffliches Trio und Lieder brachte, und zwei Navàl-Konzerte, bei
denen sich der stimmlich so begabte und technisch so bewunderungswürdige Sänger
die Sympathie vieler tiefer Interessierten und Verstehenden für sich gewann, während
das größere Publikum und teilweise die Kritik sich leider kühl verhielten. Besonderen
Dank verdient Herr Navàl wegen seines Vortrags hier unbekannter Lieder von Rich.
Strauß und Hugo Wolf. — Das Björvig-Quartett — junge, ganz talentvolle
und fleißige Musiker, bis jetzt jedoch ohne genügende musikalische Kultur — versuchte sich u. a. mit dem D-dur-Quartett von Borodin, ohne aber das feine
Werk zu bewältigen.

Von den »Vereinen« bot der Musikverein eine Vorführung der Geister-
braut (richtiger wohl Gespensterbraut) von A. Dvorak; das Publikum vermochte aber — und zwar mit Recht — sich nicht für dieses routiniert gemachte und
wohlklingende, aber wenig persönliche Werk zu erwärmen. Man bedauerte die ver-
lorenen Kräfte des trefflichen großen Chors. — Der »Cäcilieverein« brachte eine interessante Aufführung von Heinrich Schütz' »Sieben Worte«, ein Werk, das durch
seine trauliche Naivität einen tiefen Eindruck hinterließ, und einen Auszug aus einer
Bach'schen Suite; sodann, mit einem gewaltigen zeitlichen Sprung, a-capella-
Chöre von lebenden dänischen Komponisten (A. Tofft, O. Malling, J. D. Bondesen und Fr. Rung) und zum Schluß das wunderschöne, tiefempfundene Werk:
Drei Psalmen von P. E. Lange-Müller, dessen zweiter Abschnitt auf alle
Fälle weite Verbreitung verdient. Die Palaiskonzerte von Joachim Andersen
führten u. a. ein Klavierkonzert in Cis-moll von Rimsky-Korsakow vor, welches
sich leider zu viel in Klangwirkungen verliert. Gespielt wurde es von einer norwegischen Pianistin Frl. Storm.

Noch sei erwähnt, daß Hans Winderstein mit seinen Leipziger Philharmonikern
uns noch einmal besucht hat. Herr Winderstein hat hier ein festes und begeistertes,
leider aber zu kleines Publikum, und wir müssen ihm dankbar sein, daß er — obschon
er gewiß hier nicht viel Geld verdient — doch immer seine Besuche wiederholt. Sein
Orchester mag wohl seine Schwächen haben, aber in bezug auf Energie und Schwung
des Ausdrucks, auf Dynamik und Rhythmik könnten die unserigen recht vieles von
den Leipzigern lernen, — wenn sie's wollten! — Das erste Konzert brachte zudem
den Genuß des Gesangvortrags von Frl Charlotte Huhn, die hier zum erstenmale
sang. Ihre mächtig quellende Stimme, durch hohe Kunst gebildet und ihr innig be-
wegter Vortrag gewannen sich viele Bewunderung, so daß sie gezwungen wurde,
Isoldens Liebestod zweimal zu singen — ohne daß eine Spur von Anstrengung
merkbar wurde. Beim zweiten Konzert spielte auch zum erstenmale hier und zwar

mit entschiedenem Erfolg der griechische Pianist Lambrino (Schüler Teresa Carreño's) die Burleske von R. Strauß und Liszt's Es-dur-Konzert. W. B.

Leipzig. Das siebzehnte Gewandhauskonzert gestaltete sich zu einer rauschenden Jubiläumsfeier für Prof. Nikisch, der vor 25 Jahren zum erstenmale in Leipzig den Taktstock geschwungen. Als orchestrales Hauptstück kam Tschaikowsky's pathetische Sinfonie in geradezu vollendeter Wiedergabe zu Gehör, weiterhin Schubert's Rosamunden-Ouverture und das Lohengrin-Vorspiel. Brahms' »Liebes«- und »Zigeunerlieder« sang das Berliner Quartett Grumbacher-de-Jong, Therese Behr, Ludw. Heß, A. von Eweyk mit Nikisch und A. Schnabel am Klavier ganz ausgezeichnet. Im achtzehnten Konzert entzückte Risler außer in Liszt's A-dur-Konzert durch eine stilvolle Interpretation von Mozart's C-moll-Konzert, während das neunzehnte die Bekanntschaft mit Fräulein Olive Fremstad, einer stimmlich und dramatisch wohlbeanlagten Sängerin vermittelte. Bach's drittes brandenburgisches Konzert konnte man dabei wieder einmal in der landesüblichen »modernen« Auffassung hören. Liszt's sinfonische Dichtung »Prometheus« mit den Chören aus Herder's gleichnamiger Dichtung verlieh im Verein mit dem »Parzenlied« und drei Frauengesängen von Brahms' dem zwanzigsten Konzert ein besonders anziehendes musikalisches Profil. Außer einem neuen Violinkonzert von Jenö Hubay, das der Komponist selbst im folgenden vortrug, gab es an Novitäten auch nicht eine einzige. Die »neuen Abonnementskonzerte« schlossen mit Rubinstein's »dramatischer« Sinfonie unter H. Sitt's Leitung und wohlaufgenommenen Solovorträgen der Herren Jacques Thibaud und Lucien Wurmser für diesen Winter ebenso glücklich ab, wie Winderstein's philharmonische Konzerte mit Berlioz' fantastischer Sinfonie und Fräulein Charlotte Huhn und Georg Wille als Solisten. — Nicht weniger als 42 große Abonnements-Orchesterkonzerte hat uns dieser Winter gebracht! Mit Bangen sieht der Musikreferent der kommenden Saison entgegen, die schon jetzt in der Bildung eines neuen (vierten) Konzertorchesters ihre unübersehbaren Schatten vorauswirft.

Unter den Solistenkonzerten der letzten Zeit verdienen namentlich die drei Orgelabende des neuen Thomas-Organisten Karl Straube Erwähnung. In drei monumentalen Programmen — die Meister Bach, Buxtehude, Liszt, Reger umfassend — legte der Künstler Zeugnisse seiner phänomenalen Technik und feinsinnigen Registrierungskunst ab, verstand insbesondere für Max Reger als Orgelkomponisten dauernde Sympathien zu erwerben. Weniger Glück hatte Reger mit seinen Liedern, obwohl die Herren Ludwig Heß und Franz Berger all ihre Intelligenz aufboten, ihnen Erfolg zu verschaffen. Eigene reizvolle Orchesterwerke führte gelegentlich Henry Schoenefeld aus Chicago vor, während die Herren Pugho und Ysaye in einer Soirée bewiesen, wie trefflich man in Frankreich Beethoven zu spielen versteht. Auch Kubelik trat als Beethovenspieler auf und interessierte nachhaltig; Witek, der treffliche Berliner Konzertmeister, und ein junges Geigentalent Carl Flesch hatten ihm gegenüber in eigenen Konzerten natürlich schweren Stand. — Die Stimmung der Passionswoche antizipierend, führte der Bachverein (H. Sitt) Spohr's Oratorium »Des Heilands letzte Stunden« auf, nachdem kurz zuvor die Singakademie (G. Wohlgemuth) in Schumann's »Der Rose Pilgerfahrt«, Beethoven's »Chorfantasie« und Jos. Frischen's »Athenischer Frühlingsreigen« erfolgreich der weltlichen Muse geopfert hatte. Mit einer schier unübertrefflichen Wiedergabe der Beethoven'schen Missa solemnis trat schließlich noch der Riedelverein (G. Göhler) vor die Öffentlichkeit. Von erstklassigen Solisten und dem Gewandhausorchester unterstützt, leistete der Chor Außerordentliches und stellte der Energie und künstlerischen Einsicht seines Dirigenten ein neues Ruhmeszeugnis aus. A. Sch.

Mainz. 18. März. Eine reiche Fülle Musik bietet der verflossene Monat; meist berühmte alte gute Musik. Als Novität brachte Steinbach im letzten Sinfoniekonzert Bruckner's C-moll Sinfonie ein Werk voll quellender melodischer Schönheit und tiefster oft etwas mystischer Empfindung. Einen großen äußeren Erfolg wird die Sinfonie sich kaum erringen können, denn sie geht allen äußerlichen, sinnfälligen Effekten mit peinlichster Sorgfalt aus dem Wege; das tut ihrer hohen Bedeutung aber keinen Abbruch.

Von solistischen Darbietungen nenne ich nur den vortrefflichen Vortrag des Bach'schen Konzerts für 2 Geigen und Orchester, von Herrn Ysaye und unserm tüchtigen Komponisten Stauffer ausgeführt. Letzterer brachte auch mit seinen Genossen im letzten Kammermusikabend der M. Liedertafel Tschaikowsky's Streichquartett und Brahms' A-dur-Quartett für Fl. V. und Vcl. (dieses unter Mitwirkung der talentvollen Pianistin Fräulein Tolfuß aus Köln) zu guter Wirkung. In der Oper ist den vielen alten und veralteten Werken, welche bisher das Repertoire beherrschten, jetzt Wagner mit Rheingold und Walküre gefolgt, denen nächste Woche Siegfried und Götterdämmerung sich zugesellen werden.   Fr. V.

Mannheim. Aus der Fülle musikalischer Veranstaltungen in den letzten Wochen kann ich nur die wichtigsten herausgreifen und möchte an die Spitze dieses summarischen Berichtes die von der Intendanz des hiesigen Hoftheaters am 1. März veranstaltete Hugo-Wolf-Gedenkfeier setzen. Es war eine pietätvolle Huldigung für den Frühverstorbenen, dessen Oper »Der Corregidor« hier ihre erste Aufführung erlebte und dessen Lieder hier schon seit vielen Jahren eifrige Pflege und eindringendes Verständnis gefunden haben. Das mit sehr viel Geschmack zusammengestellte Programm bestand mit Ausnahme der Schlußnummer, des weihevoll erhebenden Adagios der VII. Bruckner'schen Symphonie, lediglich aus Gesängen des großen Lyrikers und wurde stimmungsvoll eingeleitet durch die Lieder »Anacreons Grab« und »Ganymed«, die mit der sehr geschickten Orchesterbegleitung eines ungenannten Instrumentators vorgetragen wurden. Großes Interesse fand die unvollendet abbrechende Schlußszene (Tenorsolo) des Wolf'schen Opernfragments »Manuel Venegas« (Klavierauszug kürzlich bei K. Ferd. Heckel hier, dem Verleger der Wolf'schen Kompositionen, erschienen). — Auch der seiner Wirksamkeit allzufrüh entrissene Komponist Hermann Götz hatte nahe Beziehungen zu Mannheim, und so ruft man hier mit Recht durch Aufführungen seiner Oper »Der Widerspenstigen Zähmung« und seiner F-dur-Symphonie, zwei vornehm feinsinnigen Werken, von Zeit zu Zeit seine Tätigkeit in die Erinnerung zurück. Seine liebenswürdige Symphonie hörten wir wieder im VI. Akademiekonzert in trefflicher Wiedergabe unter Kapellmeister Kähler's Leitung; dieses Konzert verschaffte uns gleichzeitig den hohen Genuß des Violinspiels Eugen Ysaye's. Die VII. Akademie, die Frau Sophie Menter wieder einmal Gelegenheit gab, ihre glänzende Virtuosität bewundern zu lassen, brachte u. a. Tschaikowsky's 5. Symphonie in E-moll und Smetana's »Tabor« (Nr. 5 aus dem Cyklus »Mein Vaterland«). Als Dirigent sprang in letzter Stunde für seinen erkrankten Kollegen Kapellmeister Langer ein, der in dieser schwierigen Position sein hervorragendes Dirigentengeschick bewährte. — Auf eine sehr hohe Stufe hat der philharmonische Verein seine Konzerte gehoben, namentlich durch die Beiziehung erstklassiger Solisten. Für sein letztes Konzert hatte er den ungarischen Klaviervirtuosen Ernst v. Dohnányi gewonnen, der durch sein temperament- und poesievolles Spiel alle Hörer entzückte, und Fräulein Julia Culp, eine holländische Konzertsängerin, die mit einer gutgeschulten, sympathischen Mezzosopran-Stimme tiefempfundenen Vortrag vereinigt. Auf dem Gebiet der Kammermusik ist zuvörderst ein Konzert des Musikvereins zu nennen, in dem Meininger Künstler, Wendling und Mühlfeld an ihrer Spitze, Beethoven's Sextett und Schubert's Oktett aufführten. Einen genußreichen Abend verschaffte dem hiesigen Publikum das Frankfurter Trio (Friedberg, Rebner, Hegar) und mit einer sehr erfolgreichen Matinée beschloß unser guteingespieltes Mannheimer Streichquartett (Schuster, Post, Fritsch, Müller) seine dieswinterlichen Aufführungen. Außer dem interessant gearbeiteten G-moll Quartett des Prof. Konrad Heubner in Koblenz wurde in diesem Konzert (unter Beiziehung der Herren Hasse und Jacobs), das herrliche B-dur-Sextett von Brahms aufgeführt. — Frau Stavenhagen und Frau Walther-Choinanus kamen auf ihrer Tournee auch hierher und fanden bei ihrem Lieder- und Duettenabend ein zahlreiches und dankbares Publikum, auch der von unserem ausgezeichneten Bassisten Herrn W. Fenten, der auswärts besonders als Oratoriensänger bekannt und geschätzt ist, und von seiner Gattin veranstaltete Lieder- und Duettenabend fand starken Anklang. — Von unserer Oper ist die gute Aufführung und günstige Aufnahme des Leo Blech-schen Einakters »Das war ich« und die Premiere der 25jährigen »Novität« Samson und Dalila zu melden. Trotz sehr guter Einstudierung (Kapellmeister Kähler, Regisseur Fiedler, Frl. Kotler als Dalila) wird sich die letztgenannte Oper auch hier nicht dauernd halten können. Den Samson studierte als seine letzte größere Rolle unser geschätzter Heldentenor Hermann **Krug**, aber er konnte sie nicht mehr auf der Bühne singen. Eine tückische Influenza warf ihn aufs Krankenlager, und als er nach schwerem Rückfall fast wieder hergestellt war, machte ein Herzschlag dem Leben des erst 34 jährigen Künstlers ein jähes Ende. Allgemein wurde der fleißige und sympathische Sänger, der den Weg vom Orchestermusiker zum Tenoristen gemacht hatte und besonders ein erfolgreicher Vertreter der Wagner'schen Helden war, von seinem Publikum und seinen Kollegen betrauert. — Die schwebenden Neubesetzungsfragen brachten und bringen zahlreiche Gastspiele auf Engagement, die bezüglich des Tenorbuffo-Fachs zur Verpflichtung des Herrn Alfred Sieder (anstelle des nach Dresden gehenden Herrn Rüdiger) führten.

F. W.

München. Mit dem Aschermittwoch hat das hiesige Musikleben wieder kräftig eingesetzt. Zwar ruht die Hofoper vorerst noch auf ihren mit »Dusle und Babeli« äußerlich errungenen Lorbeeren, dafür aber zeigte sich in den Konzertsälen verdoppelte erfreuliche Regsamkeit. Gleich das erste dem Karneval unmittelbar nachfolgende Konzert Zumpe's machte uns mit einer hochbedeutsamen Novität bekannt: »Aus Odysseus' Fahrten. 1. Teil. Des Helden Ausfahrt und Schiffbruch«, eine »symphonische Episode« für großes Orchester von Ernst Boehe, einem in weiteren Kreisen bisher noch unbekannten sehr jugendlichen und hochbegabten Komponisten. Das Werk, das trotz Aufwandes aller Mittel des modernsten Orchesters doch nie lärmend und unklar wird, sondern in edler Erfindung großzügig dahinströmt, fand wohlverdienten begeisterten Beifall. Im nachfolgenden Konzert brachte Zumpe, der nun endlich aus der bisher beobachteten Zurückhaltung herauszutreten scheint, zum ersten Male die allerdings früher vom Kaimorchester unter Ferd. Loewe bereits aufgeführte 5. Symphonie Bruckner's in einer bezüglich der Tempi leider nicht ganz einwandfreien Auffassung, die indessen dem rauschenden Beifall des Publikums keinen Eintrag zu tun vermochte. Wohl das eigenartigste Konzert der letzten Wochen war der von Stavenhagen mit dem Kaimorchester veranstaltete »Moderne Abend«, der an die Traditionen des unvergeßlichen Siegmund von Hausegger in lebensvoller Weise anknüpfte. Eröffnet wurde der Abend mit der unlängst in Mainz (vgl. S. 275 und 342 dieser Zeitschrift) zur Uraufführung gebrachten »Singspielouvertüre« von Edgar Istel unter Leitung des Komponisten. Da Referent mit dem Autor identisch ist, vermag er an dieser Stelle nur die dem Werke zuteil gewordene warme Aufnahme zu konstatieren. Ein feinempfundenes »Zwiegespräch« für Violine, Violoncello und kleines Orchester von Max Schillings, ebenfalls zum ersten Male in München gehört, folgte. Das auch weiteren Kreisen durch die Crefelder Tonkünstlerversammlung bekannt gewordene vornehme Klavierkonzert des gleichfalls in München lebenden Felix von Rath entfesselte, von Frau Langenhan-Hirzel hinreißend interpretiert, lebhaften Beifall. Den Höhepunkt des Abends aber bildete die erste Wiedergabe des dritten Aktes des neuen in Bremen bereits aufgeführten Bühnenwerkes »Gugeline« von Ludwig Thuille mit seinem märchenhaften Zauber in Erfindung und Klangwirkung. Den Beschluß machte eine von Herrn Dreßler vorzüglich gesungene Szene aus Hugo Wolf's »Corregidor« zum Andenken an den gerade verschiedenen Meister. Stavenhagen, der im Verlaufe und am Ende des Abends stürmisch gefeiert wurde, kann auf dies Konzert, das zu veranstalten immerhin ein Wagnis war, mit Stolz zurückblicken. Im übrigen leitet der rührige Dirigent die Volkssymphoniekonzerte des Vereins für volkstümliche Kunstpflege, in denen er nach Kräften neben den altbewährten klassischen Meistern Liszt und Berlioz zu Worte kommen läßt. Nach dreimonatlicher Pause hat auch Weingartner seine Konzerte bei Kaim wieder aufgenommen und brachte als bemerkenswerte Orchesterwerke Raff's liebenswürdige aber nicht allzutiefe Symphonie »Im Walde« Dvořák's dramatische Ouvertüre »Husitska«, ein hohles Spektakelstück, sowie als Novität eine symphonische Dichtung von César Franck »Les Eolides«, die zwar feinsinnig instrumentiert, aber recht ideenarm ist.

Aus der Fülle der übrigen Konzerte seien nur Reisenauer's und Lamond's Klavier-

abende, die hauptsächlich Liszt und Beethoven gewidmet waren, sowie zwei Kammermusikabende hervorgehoben. Das stets für seltener gehörte Werke eintretende Hösl-
Quartett brachte neben Brahms' Klarinettenquintett Op. 115 und Raff's Klavierquintett
Op. 107 Adolf Sandberger's feinsinniges und klangschönes Streichquartett Op. 15 in
E-moll, das, wie berichtet wird, der Person des hochverdienten Musikforschers und
vornehmen Komponisten eine überaus herzliche Ovation von Seiten der Zuhörer einbrachte. Einen erlesenen Genuß boten die Böhmen in ihrem letzten Konzert namentlich mit Mozart's C-dur-Streichquintett und Beethoven's Quartett Op. 127.

Einen historisch äußerst interessanten Abend, dem Referent leider beizuwohnen
verhindert war, bot der Chorschulverein mit Motetten zu 4, 6 und 8 Stimmen von
Orlando di Lasso, vier kleinen geistlichen Konzerten für Solostimmen von Heinrich
Schütz, mehrstimmigen deutschen Liedern für Chor von J. H. Schein, zwei Kammer-
duetten von A. Steffani und einer doppelchörigen Motette von J. S. Bach. Weniger
glücklich war der Orchesterverein mit seiner diesmaligen Programmwahl: weder
Schumann's Overtüre zu »Julius Cäsar« noch Dräseke's »Ritter Olaf« von Ehrenberg
instrumentiert oder Arnold Mendelssohn's »Neckreigen«, der Hagestolz« interessierten.
Pikant war dagegen eine »Marche funèbre d'une marionette« von Gounod, interessant
auch die für Dilettanten zu schwere zweite Serenade von Brahms.　　　　E. I.

Paris. Théâtres. Les programmes de nos deux uniques théâtres lyriques continuent à être d'une indigence qui ferait honte à une petite scène allemande. M. Gail-
hard, à l'Opéra, a cru honorer M. Reyer en lui consacrant une semaine entière. Une
reprise de la Statue, vieille partition du maître qu'il eût été préférable de ne pas
remonter, devait fournir le programme de cette Reyer-Woche, avec Salammbô
et Sigurd. Malheureusement, une ou plusieurs indispositions d'artistes ont empêché
la réalisation de ce plan. Le bilan de l'Opéra se solde donc depuis l'an dernier par:
un ballet insignifiant, Bacchus, une opérette, les Paillasses, et la reprise de la
Statue; quel effort viendra racheter cette lamentable inertie? A l'Opéra-Comique,
après de brillantes représentations, avec Mme R. Caron, de l'Iphigénie en Tauride,
voici un opéra-comique dans le vieux style, sans prétention, — on l'affirme du moins,
— du petit maître Edmond Missa: Muguette. On ne peut blâmer M. Carré, qui
fait tant d'efforts pour conserver à son théâtre la place éminente à laquelle il l'a élevé,
de consacrer quelques soirées à l'opéra-comique tel qu'on le faisait autrefois; d'autant
plus que les dernières années ne nous en ont pas apporté beaucoup de réussis.

Concerts. Au Conservatoire, peu de variété dans les programmes, que nulle
œuvre inédite ne vient renouveler. Après la Passion de Bach, on a donné la Symphonie de C. Franck; Tenebrae factae sunt, de Michael Haydn; l'ouverture
d'Arteveld, de Guiraud; la IXe Symphonie, de Beethoven; l'Allegro pensie-
roso, de Händel etc. Aux Concerts-Lamoureux-Chevillard, on a entendu pour la
première fois le prélude de l'Etranger (V. d'Indy); M. Siegfried Wagner a attiré
la foule le dimanche où il a dirigé; à côté des noms de Beethoven, de Liszt, et de
Richard Wagner, il avait placé le sien (ouverture du Duc Wildfang); son succès
personnel a été très grand. A l'avant-dernier concert, figura Mme Teresa Carreño.

M. Colonne a fêté, le 1er mars, le trentième anniversaire de son premier concert,
donné à l'Odéon, en 1873. Pour célébrer ce jubilé artistique, il avait eu l'heureuse
idée de reprendre les Béatitudes de César Franck. L'œuvre du maître jadis méconnu comme tant d'autres, a remporté, malgré son allure sévère, un succès d'enthousiasme. Elle fut d'ailleurs exécutée par les solistes, les chœurs et l'orchestre, avec
une réelle perfection. Depuis lors, M. Colonne a fait entendre la musique de scène
et les chœurs écrits pour Parysatis, le drame perse antique de Mme Dieulafoy;
cette œuvre de M. Saint-Saëns, qui fut exécutée aux arènes de Béziers, en 1902, n'offre
rien de saillant. Le musicien, l'œuvre devant être jouée en plein air, n'y a employé
que des rhythmes simples. Mais à la longue, au concert, cette simplicité, trop cherchée,
fatigue, et la couleur soi-disant orientale ou antique, dont on a tant abusé jusque dans
les music-halls, ne produit plus aucune illusion. Une autre œuvre délicate d'un
jeune compositeur, l'Amour des Ondines de M. Alfred Bachelet, écrite sur un
pauvre poème de M. Jean Rameau, n'a pas été goûtée comme elle le mérite. Le

22 mars, M. Van Dyck, dans des fragments de Berlioz et de Wagner, a triomphé, à son ordinaire.

Deux jeunes compositeurs se sont fait remarquer au 309e concert (avec orchestre) de la Société nationale; M. Huré, avec un Prélude symphonique destiné à prendre place dans un drame lyrique; et M. Rhené-Baton, qui de ses Variations, pour piano et orchestre, sur un thème en mode éolien, a fait une œuvre magistrale que le titre ne faisait pas prévoir, un morceau symphonique d'une grande puissance. Dans la même séance, on entendit une Symphonie de M. Paul de Wailly. Des autres morceaux du programme, même de celui signé Fauré,.... mieux vaut ne pas parler.

Une des rares sociétés d'amateurs de Paris, l'Euterpe, sous la direction de M. Duteil d'Ozanne, donne cette année des séances publiques. Elle a exécuté le mois dernier l'Enfance du Christ (Berlioz) et l'oratorio de Massenet, Eve.

Quant aux séances de musique de chambre, elles pullulent de tous côtés. Salles Pleyel, Erard, Æolian, ce ne sont que récitals, auditions etc. etc., entre lesquels il est bien difficile de faire une choix.

M. Landormy a terminé sa série de six conférence-concerts sur la Musique jusqu'à Beethoven. Le Quatuor, nouvelle société musicale, a exécuté les dix premiers Quatuors de Beethoven ainsi qu'un grand nombre d'autres œuvres de musique de chambre anciennes et modernes. MM. de Greef et Capet donnent une audition des dix sonates pour piano et violon de Beethoven. MM. Oliveira (violon) et de Lausnay, avec l'orchestre Colonne, ont exécuté le programme suivant: Concerto (Mendelssohn), Romance en fa (Beethoven), Havanaise (Saint-Saëns); Fantaisie (Périlhou); Concerto (Grieg). Parmi les autres virtuoses du piano et du violon: Mme T. Carreño, salle Æolian; M. Lemba, de Saint-Pétersbourg, salle Mustel; Mlle M. Debrie, avec M. L. Capet; MM. Jean Canivet et Oberdœrffer; M. Alfred Casella, à la salle Pleyel; M. Jaques Pintel, avec Mlle Abramowitch, cantatrice; M. Harold Bauer; M. Santiago Riera; Mlle Chaperon à la salle Erard etc. etc.

Hors Paris, les théâtres de province donnent toujours et partout les œuvres de M. Massenet, alternant avec l'ancien répertoire et quelques représentations de la Louise de M. G. Charpentier. A Lyon une première a eu lieu: celle de la Vendéenne, de M. Garnier; le théâtre de Toulouse, outre la première de Louise en cette ville, a donné deux œuvres inédites: Deux Coqs, comédie lyrique MM. R. Valette et Ausseil; Zila, ballet en un acte de MM. Alessandri et Hugounnec. A Nantes, l'Ouragan, de Zola et Bruneau a été suivi de la Walkyrie. Enfin, à Marseille, et à Monte-Carlo, où fut célébré, — déjà! — le centenaire de Berlioz, la Damnation de Faust a été de nouveau défigurée en des représentations scéniques telles qu'on nous en promet prochainement à Paris même. Après la mort de Berlioz, comme de son vivant, les scènes françaises continuent de proscrire des œuvres comme les Troyens et Benvenuto Cellini, au mépris des intentions du maître dont les ayants-droit autorisent la profanation d'une œuvre qui, pas plus que son Roméo et Juliette, ne fut écrite pour le théâtre. Attendons-nous donc à voir mettre en scène la Fantastique ou Harold en Italie!   J.-G. P.

Prag. Im abgelaufenen Monat erreichte die Saison ihren Höhepunkt. Reges Leben herrschte im Konzertsaal und Theater, Gastspiele, Neueinstudierungen und Erstaufführungen wechselten in bunter Folge ab. In der Berichtzeit liegt am weitesten zurück das vierte (letzte) Philharmonische Konzert, das als instrumentale Hauptnummer Richard Strauß' »Heldenleben« brachte. In demselben Konzert rief sich Lilli Lehmann dem hiesigen Publikum wieder in die Erinnerung zurück und feierte mit ihrer noch immer erstaunlichen Gesangskunst förmliche Triumphe. Mit weniger künstlerischem Erfolge spielte und sang sie die Isolde, mit mehr die Titelrolle in Norma. Ihrer Isolde fehlten die lapidaren, dramatischen Accente, dagegen hob sie durch lebendiges Spiel, ganz abgesehen von ihrem hier ganz besonders hell zu Tage tretenden Schöngesang, die Partie der Norma auf eine Höhe, auf der sie in der Regel nicht steht, ja nicht stehen kann, denn der Künstlerinnen, die über eine so edle und durchaus vornehme Art zu singen verfügen, gibt es nur wenige. Marcella Pregi aus Wien gastierte in einem Kammermusikkonzerte. Eine gute Sängerin mit

gutem Programm. Altes und neues steht einträchtig nebeneinander. Von älteren
Sachen, die sie sang, erwähne ich Neithart von Reuenthal's »Mailied« (der Titel stammt
von Riemann, in der Handschrift heißt es »Das Saill«) und ein Volkslied aus dem
16. Jahrhundert. »Verlorene Lieb«, beide gesetzt von Leo Blech, ein Lied von Padre
Martini »Plaisir d'amour« und eine Ariette aus der Oper »Les deux Avares« von
Grétry. Im Juristen-Konzert, einer der gesellschaftlich vornehmsten musikalischen
Veranstaltungen, führte sich Helene Stägemann aus Leipzig als Sängerin vorteilhaft
ein, ebenda spielte Ernst von Dohnanyi neben einigen Solosachen Brahms' vier-
sätziges Klavierkonzert in B-dur. Als würdige Totenfeier für Hugo Wolf veranstaltete
Frau Agnes Bricht-Pyllemann aus Wien unter Mitwirkung des Professors Foll
einen Lieder-Abend, dessen Programm lediglich Lieder des verstorbenen Meisters umfaßte. Vielleicht nur mit Rücksicht auf die Veranlassung war es etwas einförmig geraten, die düstere und ernste Stimmung überwog, während der köstliche Wolf'sche
Humor für diesmal ganz ausgeschaltet war. Jedenfalls gehört ein großer künstlerischer
Mut dazu, sich auf einmal mit so vielen hier öffentlich noch nicht gehörten und durchaus nicht schon fürs erstemal einprägsamen Liedern hervorzuwagen, allein glücklicherweise hat die Muse Hugo Wolf's in Prag schon recht festen Fuß gefaßt, trotzdem zu
Anfang war der Antagonismus nicht gering war, und jetzt ist zumindest eine Wolf-Nummer
in jedem Liedprogramm — guter Ton geworden. Richard Strauß absolvierte mit
seinem Tonkünstler-Orchester ein Konzert, das, was die vermittelten Anregungen
anlangt, das hervorragendste in der Saison war. Bruckner's dritte, Richard Wagner
gewidmete Symphonie in d-moll, Straußens Liebesszene aus »Feuersnot«, sein »Don
Juan«, waren für Prag teilweise oder ganz Novitäten.

Neueinstudierungen brachte das Neue deutsche Theater drei, Planquettes »Rip
Rip« und zwei Meyerbeer-Opern, Prophet und Robert der Teufel, letztere von Kapellmeister Stransky textlich retouchiert und von den größten Unsinnigkeiten befreit;
aber noch immer bleibt viel, sehr viel übrig. Am Aschermittwoch wurde ebenso wie
im Vorjahre nach der von Dr. Batka im Kunstwart propagierten Idee »Bunte Bühne«
gespielt. Der Gedanke, lyrische Kunstwerke dem Hörer durch Kostüm und Szene
näher zu bringen, findet allgemach Verbreitung, und Prag ist nicht mehr die einzige,
wohl aber die erste Bühne, die unter der tatkräftigen Initiative Angelo Neumann's
die Theorie in die Praxis umgesetzt hat. Das Programm bestand aus einigen dreißig
Nummern, darunter mehrere ältere Gesangs- und Instrumentalstücke, die sich in diesem
schmiegsamen Rahmen aufs beste bewährten und dadurch sicherlich weitere Verbreitung
finden, so J. A. P. Schulz' »Blumenmädchen« (aus Friedländers Werk »Das deutsche
Lied im 18. Jahrhundert«, für den Konzertgebrauch von Camillo Horn trefflich bearbeitet), aus dem »Augsburger Tafelkonfekt« das Tafellied »Modicum ein wenig« von
einem Anonymus, die Bauernkantate von Bach, Orchesterstücke von Händel, Bach
und J. J. Fux. — Eine interessante Novität ging am 7. März in Szene, Geza Grafen
Zichy's, des einarmigen Klaviervirtuosen Tanzpoëm »Genoma«. Ein Versuch, das Ballet
zu reformieren und in Verbindung mit dem gesprochenen Wort auf eine höhere Stufe
zu heben. Der Autor erklärt sein Vorgehen bislang für einen Versuch, und tatsächlich
haftet der ganzen Sache noch sehr viel des Experimentellen an, aber der zugrunde
liegende Gedanke ist gewiß brauchbar. Der Tanz nimmt naturgemäß einen breiten
Raum ein, wenn man auch im vorliegenden Falle nicht sagen kann, daß er integrieren-
der Bestandteil ist, vielmehr erscheint dessen Verwendung auf den ersten Blick als
bloße Zutat. Die Schauspielerin muß tanzen, die Primaballerina sprechen. Alle Mittel
der Oper werden verwendet, nur das wichtigste ist leider ausgeschlossen, der Gesang.
Die Musik ist anspruchslos, melodiös und leichtflüssig, der Komponist bleibt mit
Vorsicht in den Grenzen seines bescheidenen Talents und schreibt eine Musik, aus der
man einige verwendbare, im Motiv freilich manchmal bekannt klingende Potpourris
wird zusammenstellen können.   E. Ry.

Stettin. Das letzte Abonnementskonzert im »Verein junger Kaufleute« vermittelte uns die Bekanntschaft Raoul Pugno's, der sich mit einem Mozart'schen
Es-dur-Klavierkonzert und Solostücken von Chopin und Liszt einen großen Erfolg
erspielte. Der schon rühmend erwähnte jugendliche Pianist Ernesto Drangosch

erwies sich in dem letzten Konzerte der **Paul Wild**'schen Kammermusik-Vereinigung durch den prächtigen Vortrag der großen As-dur-Sonate op. 110 als ein beachtenswerter Beethovenspieler. Als Novität enthielt das Programm dieses Konzertes ein sehr interessant gearbeitetes und gedankenreiches Streichquartett in D-moll von **E. E. Taubert.** Auch das 2. Konzert des »**Berliner Tonkünstler-Orchesters**« unter Leitung von **Richard Strauß** fand vor ausverkauftem Hause statt; die Ausführung des Programmes (»Euryanthen«-Ouverture, Beethoven's »Siebente«, »Meistersinger«-Vorspiel und Richard Strauß' »Aus Italien«) war eine excellente. Von den zahlreichen, in letzter Zeit aufgetretenen Gesangssolisten nennen wir als in jeder Hinsicht bedeutendste künstlerische Erscheinung Frau **Lula Mysz-Gmeiner**, die einen zweiten gleichfalls ausverkauften Liederabend gab. Der »**Sängerbund des Stettiner Lehrervereins**« veranstaltete unter Leitung von Prof. Dr. **Lorenz** ein dem a cappella-Gesange gewidmetes, sehr günstig verlaufenes Konzert, dessen Programm in der Hauptsache das »Liebeslied« in seiner Gestaltung zu verschiedenen Zeiten und bei verschiedenen Völkern berücksichtigte. Die Altistin **Maria Walther** und die Violinistin **Helene Ferchland**, beide aus Berlin, spendeten Sologaben. C. P.

Stuttgart. Noch ehe man ahnte, wie bald Hugo Wolf's körperliches Dasein zu Ende gehen sollte, hat der hiesige Hugo Wolf-Verein seine Auflösung beschlossen, da sein Zweck, Verbreitung der Werke Wolf's, heute erreicht ist. In einem schönen Schlußkonzert, in dem Lula Gmeiner und Kammersänger Lang sangen, Friedberg am Klavier saß, hat der Verein uns noch einmal vor Augen geführt, was er, als einer der ersten deutschen Wolfvereine, für unser Musikleben bedeutet hat.

Im 8. Abonnementskonzert dirigierte Weingartner seine Es-dur-Sinfonie, Fräulein Reinisch sang neue Lieder mit Orchesterbegleitung von ihm. Weniger gefielen die Lieder, welche den tiefen poetischen Gehalt der Texte nicht voll erschöpfen; dagegen erweckte die Sinfonie ihrer Frische und ihres Humors wegen viel Beifall, der freilich nicht darüber hinwegtäuschen konnte, daß Weingartner's originale Schöpferkraft nicht allzuweit reicht. Auch das 9. Abonnementskonzert brachte eine »Novität« und einen Gastdirigenten: Friedrich Gernsheim dirigierte seine schon 1887 komponierte Mirjam-Sinfonie. Das Werk fand recht günstige Aufnahme. Herr Kiefer aus München glänzte mit dem interessanten a-moll Konzert von Volkmann und einigen Solostücken.

In der Kammermusik ist im letzten Monat die Vereinigung der Herren Hollenberg, Preßhuhn und Zwißler hervorgetreten, welche speziell der neueren Literatur ihr Augenmerk schenkt (Trios von Götz und Saint-Saëns, Sonate c-moll von Grieg).

Von Chorwerken hörten wir Beethoven's D-dur Messe vom Verein für klassische Kirchenmusik (Dirigent S. de Lange).

Der neue Singverein unter Prof. Seyffardt brachte als Novität: »Gerlind« von Hugo Rückbeil, ein Werk, das trotz recht gut geglückter Einzelheiten den seichten Text nicht zu tieferer Wirkung bringt. Bedeutung und mehr als Lokalinteresse hat Seyffardt's »Trauerfeier für eine Frühentschlafene«. Glänzend schloß das Konzert mit der hiesigen ersten Aufführung von Bruckner's Tedeum. Die Oper scheint mit neuen Taten bis zum Bau des neuen Theaters zu warten. Zu erwähnen sind nur Aufführungen von Gluck's Iphigenie in der Bearbeitung von Richard Wagner, sowie von Wagner's Siegfried und Walküre. A. N.

Wien. »**Tristan und Isolde**« im Wiener Secessionsstil zu sehen gab die Neueinstudierung des Werkes an der Hofoper Gelegenheit. Gewiß bedingt jenes schon in den Kinderjahren der Oper gebräuchlich gewesene, aber erst von dem Bayreuther Meister zur höchsten Entfaltung gebrachte Prinzip der Vereinigung der drei Schwesterkünste eine hervorragende Berücksichtigung der Dekorationen neben dem Textlichen und Musikalischen. Niemals aber dachte der Meister an eine einseitige Hervorkehrung des Szenischen, niemals hätte er eines seiner Werke zum Tummelplatz irgend eines, wenn auch an und für sich noch so individuell gearteten ultramodernen Malers hergegeben. Vor allem aber lag ihm daran, daß die allgemeine Stimmung des Zuhörers durch die Dekorationen nicht in irgend einem Sinne durchkreuzt werde. Was hätte er wohl zu dem tapetenhaften, luftlosen Sternenhimmel gesagt, der an Aktschluß-Apotheosen in Kinderfeeerien gemahnte und hier an der Wiener Hofoper die »süße ew'ge, hehr

erhab'ne Liebesnacht« umglitzerte!! Einzig die Burg Kareol, die Dekoration des
dritten Aktes befriedigte, sie gab das zerklüftete Meeresufer im Wagner'schen Bühnen-
sinn realistisch wieder. Aber auch hier vermißten wir schmerzlich den Ausblick auf
das unendliche Meer, der die verzehrende Sehnsuchtsstimmung im Herzen des siechen
Tristan so unsäglich steigern müßte. Die Darstellung des Werkes aber war des
Vorwurfs nicht würdig genug. Wenigstens erhob sich Herr Schmedes (Tristan)
noch im Schlußakt auch stimmlich auf die Höhe seiner gewaltigen Aufgabe. Im ersten,
mehr noch im wichtigsten zweiten Aufzuge aber versagte die unruhig flackernde Stimme
des kürzlich noch in »Pique-Dame« so ausgezeichneten Sängers völlig. Die Einzige,
die ein echtes Wagnerheldentum zum Ausdruck brachte, war Frl. v. Mildenburg
als Isolde. Bewunderungswürdig dagegen war, wie stets, die Leistung des Orchesters
und die musikalische Leitung in den Händen Mahler's. Die Musikerschar des
Hofopernorchesters, die Wiener »Philharmoniker«, wie sie im musikalischen Volks-
munde heißt, bot uns auch in ihren beiden letzten Konzerten Stunden herrlichsten
Genusses. Tschaikowsky's E-moll-Symphonie im siebenten (unter Hellmesberger),
besonders aber Berlioz' temperamentsprühende Cellini-Ouverture und Brahms' Meister-
symphonie Nr. 4, E-moll, (unter Leitung Franz Schalk's) im achten Konzert, — das
waren Leistungen, die einem als mustergiltig stets im Gedächtnis haften bleiben werden!
Im siebenten Konzert spielte Herr Professor L. Auer aus Petersburg Brahms' Violin-
konzert ein wenig dünn im Tone, aber mit tadelloser Präzision. — Viel Staub wirbelte
die Richard Strauß-Affäre auf. In der ungezügelten Art, mit der der größte
lebende Komponist seine Individualität in Kunst und Leben sich ausbreiten läßt, hatte
er an die Konzertdirektion Alb. Gutmann ein Schreiben, eine Änderung des Programmes
betreffend, gerichtet. Statt der »Eroica« wolle er eine moderne Komposition aufführen, denn er »reise nicht auf altsicheren Strompferden«, wie Herr Weingartner,
er, der durch und durch moderne Richard Strauß müsse den Wienern seine Tendenz
deutlich vor Augen führen, selbst auf die Gefahr hin, einige »Zöpfe« weniger im Saale
zu sehen! Dieser für die kraftvolle Persönlichkeit Strauß' gewiß sehr charakteristische,
den Wienern gegenüber aber wenig taktvolle Brief hatte zur Folge, daß nicht nur
einige, sondern fast alle »Zöpfe« fehlten und daß der Beifall der wenigen Unbezopften
gegen die Majorität der Mißgestimmten nur sehr schwer aufzukommen vermochte.
Aufs tiefste beklagen aber muß man es, daß sich auch fast die gesamte hiesige
Musikkritik von der allgemeinen Verstimmung zur Blindheit gegenüber der Genialität
des Dirigenten und Komponisten Strauß fortreißen ließ! Das Berliner Tonkünstler-Orchester steht allerdings in der Tat bei weitem nicht auf einer eines
solchen Dirigenten würdigen Höhe. Aber gerade Strauß' Kompositionen (»Aus
Italien« und »Tod und Verklärung«) spielte es durchaus befriedigend und die Zusammenstellung des Programmes (Liszt's »Tasso«, Tschaikowsky's Ballade »Der Woywode«
und Alfr. Bruneau's Entreakte aus »Messidor«) war sehr interessant. Höchster Anerkennung wert war der Mut Ferdin. Loewe's, gerade in diesen antistraußischen
Wochen mit seinem Konzertvereinsorchester die bisher hier unbekannte symphonische
Dichtung »Macbeth« Richard's II., wie Strauß in Wien ironisch genannt wird, vorzuführen. Diese Dienstag- und Mittwoch-Cycluskonzerte Loewe's gehören überhaupt
zu den wohltuendsten Erfrischungen im Wiener Musikleben. Aufmunterndes Lob
verdient die Gründung des Wiener Volks-Symphonie-Orchester-Vereins,
der dem »Volke um wenig das Beste« vorführen will. In einem Schüler-
Nachmittags-Konzert (anderen Städten zur Nachahmung warm zu empfehlen!)
erwies sich der Dirigent, Herr Wilhelm Argauer, als ein gewissenhafter Musiker und
Dirigent, der wohl der geeignete Mann ist, ein junges Orchester zu exaktem Zusammenspiel zu erziehen. Unter den chorischen Veranstaltungen kommt mir zunächst die
Totenfeier in Erinnerung, die der hiesige akademische Wagner-Verein für den von
seinem furchtbaren Erdenleid erlösten Hugo Wolf veranstaltete. Von dem Trauerchor
aus Gluck's »Orpheus« wurden die Hörer in die weihevolle Pietätsstimmung getaucht,
die das Anhören eines Wolf-Programmes in erster Linie erheischt. Frau Bricht-
Pyllemann und Herr Ferd. Jäger sangen Lieder, außerdem Bruchstücke aus
dem »Corregidor«, und das Prillquartett spielte das Streichquartett »Entbehren sollst

du, sollst entbehren.« H. Wolf's Hymne »Dem Vaterland« bildete die machtvolle
Eröffnung eines sehr schön verlaufenen Konzertes des Akadem. Gesangvereines,
das mit Liszt's »XIII. Psalm« beschlossen wurde. Die guten Leistungen des Chores
unter der Leitung des umsichtigen Hans Wagner wurden herrlich von dem jugend-
frisch erklingenden Tenor Herm. Winkelmann's überstrahlt, der das Solo in
Liszt's Werk sang. Eine Aufführung von Bruckner's F-moll-Messe durch die
Gesellschaft der Musikfreunde unter Loewe stand unter keinem günstigen
Stern. Hochinteressant dagegen war das Konzert von Marie de Gorlenko-Dolina,
Altistin der kais. Oper in Petersburg, lernte man doch an diesem Abend eine Reihe
slavischer Komponisten schätzen und zugleich in Frau de Gorlenko eine ausgezeichnete
Sängerin kennen. Auch die männliche Primadonna Italiens, Alessandro Bonci,
erschien wieder im Musikvereinssaale und rief schmerzliche Sehnsucht nach den sonst
heute mehr und mehr entschwindenden Zeiten des »Schönen Singens« wach. Am
Tage, da er sein sechzigstes Lebensjahr antrat, sang Sarasate auf seiner Zauber-
geige voll süßen Wohllautes, während seine Partnerin Frau B. Marx-Goldschmidt
ihre kraftvolle perlende Klaviertechnik entfaltete. Ähnliche Gegensätze bildeten das
impetuös-herbe, edele Klavierspiel Raoul Pugno's und der weiblich-zarte, im Gefühl
schwelgende Violinvortrag Jacques Thibaud's, jener beiden Pariser Künstler, die
im Boesendorfer-Saal sehr erfolgreich konzertiert haben. Arth. N.

Zürich. Im Monat März finden hier in der Tonhalle alljährlich populäre Konzerte
statt. In diesem Jahre stehen 5 historische Abende auf dem Programm, die uns die
Entwickelung der Orchestermusik von der zweiten Hälfte des 16. Jahrhunderts an bis
in die neueste Zeit vorführen sollen. Im 1. Konzerte brachte uns Kapellmeister Dr.
Fr. Hegar eine Folge von acht sorgfältig ausgewählten alten Tänzen zu Gehör, die
an Schönheit einer den andern übertrafen. Sehr oft bildet man sich bei alten, neu
ausgegrabenen Werken ein, man müsse aus kunsthistorischer Pietät vieles schön und
prachtvoll finden. So gibt es Musikschriftsteller, die es dazu gebracht haben, alles
aus der alten Zeit, was nur ein wenig Hand und Fuß hat, als Wunder zu preisen und
keinen Unterschied zu machen zwischen wirklich bedeutenden und sehr mäßigen Produkten.

Äußerst sorgfältig hatte nun Dr. Hegar sein Programm zusammengestellt. Er
brachte uns lauter ganz vorzügliche, alte Werke zu Ohren und ich glaube, daß eine
Wiederholung dieses Konzertes in andern Städten sehr zu begrüßen wäre. Hier die
Aufzählung der Werke: Giovanni Gabrieli (1597) Sonata, pian e forte, Melchior Franck
(1604) Deutscher Tanz, Valerino Otto (1611) Gagliarde, Bartholomäus Prätorius (1616)
Pavane, Georg Engelmann (1617) Courante, Joh. Herm. Schein (1617) Allemande,
Carlo Farina (1627) Gagliarde, Jean Bapt. Lully (1633—1687) Gagliarde. Nach diesen
Tänzen kamen noch folgende große Werke: Joh. Rosenmüller (1670) Sonata da Camera,
Georg Muffat (1635—1704) Suite, Rameau Menuet und Passepied, Händel Concerto
grosso in g-moll, Bach's Orchestersuite in D-dur und Gluck's Ouverture zu Alceste.
Dieses ganze Programm dauerte 7/4 Stunden und ermüdete nicht im geringsten die
Zuhörer. Durch feine Dynamik hatte Hegar die meisten dieser ewig jungen Stücke
zu wahren Perlen gestaltet. Ich möchte besonders die Tänze von Praetorius und
Lully und die Suite von Muffat nennen. Das 2. Konzert brachte uns die Entwicklung
der Sinfonie bis zu Beethoven: Ph. E. Bach Sinfonie D-dur, Dittersdorf Sinfonie »Die
4 Weltalter«, Haydn Sinfonie D-dur, Mozart Don Juan Ouverture, Cherubini Anakreon-
ouverture und C-moll-Sinfonie von Beethoven; ebenfalls eine vorzügliche Zusammenstellung von allerbesten Werken. Ganz besonders gut war die Ausführung der Ana-
kreon-Ouverture und des 3. und 4. Satzes der C-moll-Sinfonie. Im 3. populären
Konzerte hörten wir Werke aus der Zeit der großen, deutschen Talente: Freischütz-
Ouverture von Weber, 1. Satz aus der unvollendeten Sinfonie von Schubert, Larghetto
aus der c-moll-Sinfonie von Spohr, Carneval-Ouverture von Berlioz, Sommernachts-
traum-Ouverture von Mendelssohn, Manfred-Ouverture von Schumann, Sinfonie in B-dur
von Gade und Préludes von Liszt. Letzteres Werk war aus dem Programm des
5. Konzertes genommen worden, da dieses wegfallen wird und dafür das Richard
Wagner-Konzert vom Jahre 1853 wiederholt werden wird. Alle Konzerte waren

äußerst gut besucht und es hat das Publikum diesen historischen Abenden sehr viel Interesse entgegengebracht.

Zwischen diesen größeren Aufführungen traten in eigenen Konzerten noch verschiedene Solisten auf. Zu nennen sind Busoni, Friedberg u. a. Am 19. Februar gab auch der Unterzeichnete mit Henri Marteau eine Kammermusiksoirée, in der er mit dem vorzüglichen Genfer Violinisten eine eigene Violinsonate und die Kreutzersonate von Beethoven zur Aufführung brachte. Der Lehrergesangverein Zürich führte u. a. auch »Das Meer« von Nicodé, und der Häusermann-Chor das Te Deum von Bruckner auf.

Im Theater war reges Leben im letzten Monat. Direktor, sowohl für Oper als auch für Schauspiel, ist der noch nicht weithin bekannte aber ausgezeichnete Künstler Alfred Reuker. Es ist eigenartig, wie Herr Reuker in kurzer Zeit sich bei Publikum und Künstlern beliebt machte. Man darf wohl sagen, daß man hier in Zürich keine bessere Wahl hätte treffen können. Wenn Herr Reuker noch längere Zeit am Ruder bleibt, was wir alle in Zürich von ganzem Herzen hoffen, so können wir einer Blütezeit unseres Theaterwesens entgegenblicken. Als Gäste waren u. a. hier: Bertram und Knote aus München. Gegenwärtig wird die Première zur Oper »Hadlaub« von Häser vorbereitet, über die der Unterzeichnete in der nächsten Nummer berichten wird.

V. A.

Vorlesungen über Musik.

Berlin. *Die Erziehung des Tonsinnes* (Übungen für Ohr, Auge und Gedächtnis) lautet das Thema eines Wandervortrages, welchen Max Battke, Direktor des Seminars für Musik in Berlin, auf Veranlassung des Vorsitzenden der Internationalen Musikgesellschaft im April in einer Reihe der größten Städte Deutschlands halten wird. Der Vortragende will zeigen, wie man durch methodisch geordnete Gehörsübungen und durch eine systematische Erziehung des Tonsinnes jede musikalische Beanlagung, auch die geringste, auf die erreichbar höchste Stufe heben kann, so daß der Schüler imstande ist, den größtmöglichen Genuß vom Anhören der Musik und von der Betätigung in dieser Kunst zu haben. Ein Stückchen praktischer Anwendung der Theorie sind die Jugend-Konzerte. Der Eintritt wird überall unentgeltlich sein, da die Unkosten von maßgebender Stelle in Berlin aus getragen werden. Dieser Vortrag wird in folgenden Städten der Reihe nach gehalten werden:

30. März.	Leipzig, Internationale Musik-Gesellschaft.
31. »	Halle, Richard Wagner-Verein.
1. April.	Magdeburg, Verein der Musiklehrerinnen.
2. »	Dresden, Musik-pädagogischer Verein.
3. »	Breslau, Verein Professor Dr. Bohn.
5. »	Posen, Deutsche Gesellschaft für Kunst u. Wissenschaft.
6. »	Königsberg, Kaufmännischer Verein.
7. »	Danzig, Internationale Musik-Gesellschaft.
8. »	Stettin, Verein der Musiklehrerinnen.
14. »	Lübeck, Deutscher Lehrerverein.
15. »	Hamburg, Hamburger Tonkünstler-Verein.
16. »	Bremen, Verein Bremenscher Musikfreunde.
17. »	Hannover, Sing-Akademie.
18. »	Düsseldorf, Städtisches Konservatorium.
20. »	Köln a. Rh., Tonkünstler-Verein.
21. »	Frankfurt a. M., Internationale Musik-Gesellschaft.
22. »	Karlsruhe, Großherzogl. Konservatorium.

23. April. Stuttgart, Tonkünstler-Verein.
24. » München, Münchener Musiklehrer- u. -Lehrerinnen-Verein.
25. » Nürnberg, Internationale Musik-Gesellschaft.

Helsingfors. Privatdozent Dr. Ilmari K r o h n wird im Sommersemester die folgenden Vorlesungen an der hiesigen Universität halten: die Entwicklung der Kirchenmusik im Mittelalter, 1 Stunde, Robert Schumann als Komponist und Ästhetiker, 1 St. — Universitätsmusikdirektor Kapellmeister Robert K a j a n u s: Harmonielehre 1 St., Übungen des akademischen Orchesters.

Notizen.

Berlin. In einer der letzten Sitzungen der Budget-Kommission des preußischen Abgeordnetenhauses wurden verschiedene Mißstände in der *Musikalien-Abteilung der Berliner königlichen Bibliothek* zur Sprache gebracht. Einer der Herren Abgeordneten wies mit Recht auf die gar zu geringe Summe hin, die für Neu-Erwerbungen ausgeworfen sei, es sind — 2000 Mark pro Jahr, einschließlich der Kosten für die Einbände. Für die Buchbinder-Arbeiten allein würde diese Summe berechtigten Ansprüchen zur Not genügen. Nur so ist es erklärlich, daß wertvolle Publikationen, wie z. B. die »Denkmäler deutscher Tonkunst«, in ungebundenem Zustand aufbewahrt werden müssen. Noch schlimmer ist es natürlich mit den Neu-Anschaffungen bestellt. Denn wenn man ein Drittel der ausgeworfenen Summe für Buchbinder-Arbeiten in Abzug bringt, so bleiben für Neu-Anschaffungen rund 100 Mark im Monat übrig, gerade genug um einige moderne Klavierauszüge und Partituren zu beschaffen. In der Kommission wurde ferner mit Recht hervorgehoben, daß e i n Beamter unmöglich die täglichen Geschäfte erledigen und außerdem für eine gute Instandhaltung der Sammlung sorgen könne. Als ein dritter Übelstand wurde endlich die mangelhafte Fürsorge für die Aufbewahrung der zahlreichen, unersetzlichen Manuskripte und Autographen getadelt. In der Tat muß es seltsam berühren, wenn man sieht, wie die kostbare Artaria-Sammlung Beethoven'scher Handschriften, die die Regierung vor wenigen Jahren für eine Viertel-Million Mark erwarb, in einem einfachen Holzspind in unmittelbarer Nähe der Heizungsrohre ohne irgendwelche Sicherung gegen Feuersgefahr und Diebstahl aufbewahrt wird. Erklärlich wird diese ungünstige Stellung einer der bedeutendsten Musikbibliotheken nur dadurch, daß sie, als Teil der großen Königlichen Bibliothek, ebensowenig voll gerechnet wird, wie die Musikwissenschaft unter den übrigen Wissenschaften. Es ist aber wohl anzunehmen, daß die zugesagte Prüfung der Beschwerden, deren Berechtigung von niemandem in Abrede gestellt werden kann, zu deren Beseitigung führen wird. — Nach der auch in diesem Jahre von Hans von Wolzogen in den »Bayreuther Blättern« veröffentlichten *Statistischen Übersicht über die Wagnervereine, die Wagnerliteratur und die Aufführungen Richard Wagner'scher Werke* in der Zeit vom 1. Juli 1901 bis 30. Juni 1902 in 80 Städten 1339 Wagner-Vorstellungen stattgefunden, und zwar in 68 deutschen (1118 Aufführungen), 9 österreichischen (77), 2 schweizerischen (28) und 1 in den russischen Ostseeprovinzen (16). Nach der erreichten Aufführungsziffer nehmen die einzelnen Werke folgende Reihenfolge ein: »Lohengrin« (280 Aufführungen), »Tannhäuser« (257), »Der fliegende Holländer« (184), »Die Walküre« (155), »Die Meistersinger von Nürnberg« (129), »Siegfried« (88), »Das Rheingold« (83), »Götterdämmerung« (76), »Tristan und Isolde« (57) und »Rienzi« (30). Der Gesamtzahl der Aufführungen nach stehen von den deutschen Städten an erster Stelle Wien mit 64, Berlin mit 63, Hamburg mit 62, München mit 56 und Dresden mit 52 Vorstellungen. Es folgen dann zunächst Breslau, Leipzig, Frankfurt a. M., Bremen, Prag, Elberfeld, Essen, Hannover, Lübeck, Wiesbaden, Straßburg, Graz, Rostock, Düsseldorf, Köln, Magdeburg, Barmen, Linz und Mannheim. In fremden Sprachen, und zwar in ägyptischer, amerikanischer, belgischer, dänischer, englischer, französischer, holländischer, italienischer, norwegischer, portugiesischer, russischer, schwedischer, spanischer und ungarischer, fanden im ganzen 311 Aufführungen statt, darunter in London 23, in Paris 44 und in Stockholm 45. — Als bemerkenswerte Novität geht hier im Laufe des April die bisher nur in Karlsruhe aufgeführte Oper »Till Eulenspiegel« von F. N. von Reznicek in Szene.

Edinburgh. — The 4th Historical Concert (Prof. Niecks) took place 25th February 1903, with wind-instrument chamber-music. Schubert Octett (1824) in F, op. 166; Mozart Clarinet and Viola Trio (1786) in E flat; Beethoven Septett (1800) in E flat, op. 20; Saint-Saëns Septett (1881) in E flat, op. 65, for trumpet and strings. Following is abstract of lecturer's remarks.

Chamber Music for wind-instruments alone and mixed with other instruments, previously much in favour with composers and the public, fell into neglect in the post-Beethoven period. Better days however seem now again to be in store for it. At any rate, attempts at rehabilitation have, in the last decades of the nineteenth century, been made with success. Those made by Brahms and Saint-Saëns are the most widely-known — from the former we have two Sonatas for piano and clarinet, Op. 129 and 130, a Trio for piano, clarinet, and violoncello, Op. 114, and a Trio for piano, violin, and horn, Op. 40; from the latter a Septet for trumpet, piano, and bow-instruments, Op. 65, and a Quartet for piano and wind-instruments, Op. 79. But younger men too have done good work in this genre of composition, among others Thuille, of Munich, who has written a Sextet for piano and wind-instruments. Signs of the re-awakened interest may be seen in the rise of combinations of wind-instrument players, in London, Paris. and elsewhere, for the performance of chamber music, and in the offers of prizes, by individuals and societies, for the composition of such music.

Before continuing the observations on the production of chamber music with wind-instruments, it might not be inappropriate to consider the aesthetical value of the genre. Wind-instruments are, in larger works, the better for being mixed with other instruments. If they are employed alone, a certain monotony easily arises. One need not go far in search of an explanation. The tone of wind-instruments is not so flexible, and has not the same modulatory capacity as that of the bow-instruments, and in technical resourcefulness the piano and the bow-instruments surpass greatly even the most distinguished of the wind-instruments. Their supreme effectiveness in the orchestra results from their varied employment, now in conjunction with the strings, now in small or large groups of their own kind, now as solo parts. With what beautiful effectiveness wind-instruments combined with other instruments can be used in chamber music, the works of the programme proved triumphantly.

To return to the first subject. During the intermediate period, before the rehabilitation of the wind-instruments in chamber music, compositions in the larger forms in which they were employed occurred very rarely, and these rare exceptions did not come from the pens of the chief masters. Mendelssohn never availed himself of wind-instruments in his chamber music; and Schumann did so only in compositions in the lesser forms, in pieces such as the Phantasiestücke for piano and clarinet, Op. 73, the Märchenerzählungen for piano, clarinet, and viola, Op. 132, the Romanze for piano and oboe, Op. 94, and the Adagio and Allegro for piano and horn, Op. 70. A different state of matters obtained in Haydn-Mozart-Beethoven period. Haydn composed Trios and Quartets for flute and bow-instruments, a Trio for baryton, flute, and horn, a Trio for piano and two horns, and divertimenti for piano, two horns, and bass, of which however the musical world of to-day knows nothing. On the other hand Mozart's Trio for piano, clarinet, and viola, his Quintet for piano, oboe, clarinet, horn, and bassoon, and his Quintet for clarinet and bow-instruments, have not yet been forgotten; although they are not as often played as they deserve. Besides these works he has left us a Quintet for harmonica, flute, oboe, viola, and violoncello, two Quartets for flute and strings, and for oboe and strings, etc. From Beethoven we have a Trio for piano, clarinet, and cello, Op. 11; a Quintet for piano, oboe, clarinet, horn, and bassoon, Op. 16; a Sonata for piano, cello and double bass, Op. 20; a Serenade for flute, violin, and viola, Op. 25; a Sextet for two clarinets, two horns and two bassoons, Op. 71 (an early work); a Sextet for two violins, viola, cello, and two horns, Op. 81 b; a Trio for two oboes and a cor anglais, Op. 87; an Octet for two oboes, two clarinets, two horns, and two bassoons, Op. 103 (the original of the string Quintet, Op. 4); a Rondino for two bassoons; and Duos for clarinet and bassoon (the last two also early works).

Lecturer could not enumerate all the works, or even the most important works, of the kind under consideration. But he would add to the above-mentioned ones a Septet in D minor, for piano, flute, oboe, horn, viola, violoncello, and double bass, Op. 74, and a Military Septet for piano, flute, violin, clarinet, trumpet, violoncello, and double bass, Op. 114, by

Hummel (1778-1837); a Quintet for clarinet and strings by Weber (1986-1826); a Quintet for piano, flute, clarinet, horn, and bassoon, and an Octet for clarinet, two horns, and five bow-instruments, by Spohr (1784-1859); a Sextet, Op. 30, a Septet, Op. 79, and a Nonet, Op. 77, the former two for piano, double bass, and wind-instruments, the last for string quintet and wind-instruments, by Onslow (1784-1852); and twenty-four Quintets for flute, oboe, clarinet, horn and bassoon, six Quartets for flute and bow-instruments, a Quartet for piano, flute, cello, and bassoon, a Quintet for clarinet and bow-instruments, an Octet for four wind- and bow-instruments, and a Diecetto for five wind- and five bow-instruments, by Anton Reicha (1770-1836), the most prolific composer in this department.

The works chosen for performance were truly representative, and strickingly varied in form and in the combination of instruments. What could be more different than Mozart's Trio of the three-movement sonata-type, and the suite de pièces of Saint-Saëns' Septet? What more different than these works and Beethoven's Septet and Schubert's Octet, compositions reminiscent of the many-movement serenade? And, again, what differences of character between these last two works, notwithstanding the younger master's unmistakable rivalry with the older master, and his adherence to the general disposition of the earlier work! The peculiar instrumental combination of Mozart's Trio was imitated by Schumann in the Märchenerzählungen, Op. 132; and Saint-Saëns' employment of the trumpet in chamber music was forestalled by Hummel in his Military Septet, Op. 114. M.-K. F.

London. — A *Richard Strauss Festival* is to take place 3, 4, 5, 9 June 1903, at St. James's Hall. Concertgebouw Orchestra of Amsterdam; conductors, Strauss and Mengelberg. 8 Symphonic Poems, scenes from "Guntram", &c. &c. Songs by Frau Pauline Strauss-de Ahna. Also at extra matinée, Stanford's 2nd Irish Rhapsody, F minor, op. 84, first performance; and Richard Platt, pianist from America.

Mdme Rose Koenig has been giving at *Leighton House* (late painter Lord Leighton's studio) some well carried-out pianoforte recitals from Wagner's "Ring". Dittersdorf's Quartet in E flat on 22 January; Parry's String Quintet on 19 March. This forms the Kensington hall for chamber-music; kept up as left by the painter. String quartet; Bent, Hopkinson, Hobday, Ludwig. Chairman of Musical Arrangements, Otto Goldschmidt.

Regarding *musical knighthood* (see "Bücherschau", Culwick on Stewart), it has run from 1795 to date. There are 8 principal Orders the chief grade in which is knighthood: — Garter (1348), Thistle (1787), St. Patrick (1783), Bath (1399) Star of India (1861), St. Michael and St. George (1818), Indian Empire (1878), Royal Victorian (1896). These here placed according to official dignity-precedence, but dates are those of founding. Outside of such Orders are Knights Bachelor (bas chevaliers), among whom musical knights. — The Lord Lieutenant of Ireland has power of knighting. One Wm. Parsons (with strange career of Master of King's Music and London Police Magistrate) was first musical knight, so made as above on visiting Dublin 1795; this originated the pun which has gone the rounds, "knighted on the score of his merits, not on the merits of his score". Thereafter similarly the resident Stevenson, 1803; and George Smart, visiting Dublin 1811. Lastly the resident Stewart, 1872. — First musical knight made by the Sovereign was Bishop, 1842. Thereafter: — Costa, 1869; Benedict, Bennett, and Elvey, 1871; Goss, 1872; Oakeley, 1876; Macfarren and Sullivan, 1883; Hallé and Stainer, 1888; Barnby, Cusins, and Parratt, 1892; Mackenzie, 1895; Bridge and Martin, 1897; Parry, 1898 (since Baronet, 1902); Stanford, 1902.

As to *staveless note-designation*, there was a slip of the pen at page 252 of last number, where the English term "Tenor C" at line 24 should have read "Middle C"; that being the English common-parlance-term for the note lying between the ordinary treble and bass staves. — The (a) old English system of staveless notation was to a G standard, tallying both with the compass of the ordinary bass and treble staves, and with the normal compass of human voices, and it ran thus: — GGG AAA BBB CCC DDD EEE FFF | GG AA BB CC DD EE FF | G* A B C D E F | g a b c† d e f | gg aa bb cc dd ee ff†† | in alt one octave | in altissimo all above that; where * is the note at bottom of the ordinary bass (F clef) stave, † is the note between 2 staves, and †† is the note at top of the ordinary treble (G clef) stave. Again (b) in common parlance the medium notes were spoken of, in connection with the above tablature, (if with some uncertainty in detail), as Gamut G*, Gamut A, Gamut B,

Tenor C, Tenor D, Tenor E, Tenor F, Fiddle G, Fiddle A, Fiddle B, Middle C†,
Middle D, Middle E, &c. &c.; Treble C, Treble D, Treble E, Treble F††, G in alt,
A in alt, &c. &c.; where *, †, and †† represent the same notes as before. The reasons for these practical names are sufficiently clear. But (c) the G tablature was
swept away, in spite of its great contcinnity, when the C standard of organ-building
was taken over from the Germans about the middle of last century; and some confusion has arisen, in the organ-building trade at any rate, where certain builders have
clung to "CC" (instead of "C") as the name of the note below the bass stave, i. e. the
8 ft. open note. However (d) men of science have recognized the impossibility of
having 2 standards simultaneously, and these have adopted the German tablature pure
and simple. It is set out, though not discussed, on the first page of Riemann's
"Musik-Lexikon" (1900), and need not here be repeated. — What the correspondent
named in last number first proposed amounted (though not exactly so said) to a compromise between the English and German tablatures for the sounds below Tenor C.
That is to say, while retaining the C standard, the note below bass stave would be
CC, and the note in the bass stave would be C (with the consequences thereof); and
the distinction between capital and lower-case letters would be abolished. There is
a good deal to be said for this idea, and it would leave the existing system untouched
from Tenor C upwards. — It only remains to remark that the common-parlance English terms are not really incompatible with either tablature.   E. G. R.

Mailand. Im Staats-Archiv zu Mailand findet sich unter der Signatur Missive ducali
N. 94 cart. 134 ein *Brief des Herzogs Galeazzo Maria Sforza an den Markgrafen von
Mantua*, in dem er ihn um die Übersendung eines blinden Musikers bittet, der in
Mantua durch sein wunderbares Spiel der mannigfaltigsten Instrumente Berühmtheit
erlangt hatte. Der Brief lautet:
›Ill. Marchioni Mantoe.
Havimo intenso essere presso la Signoria Vostra uno orbo che sa sonare maravi-
gliosamente dogni instrumento: haveresimo caro et preghiamo la Signoria Vostra che
quando ne havera preso quello piacere le parirà gli piaza mandarlo fin qui aciochè
ancora nui possiamo godere per qualche dì del piacere del sonare de dicto orbo, quale
piaza alla Signoria Vostra mandare con tutti linstrumenti de quali sa suonare, et
questo intendimo quando non se toglia li piaceri de la Signoria Vostra. —
Datum Papie die 5 martij 1470‹.

Monte-Carlo. In Gegenwart des Fürsten von Monaco fand am 7. März die Enthüllung des *Hector Berlioz-Denkmals* statt, wobei Massenet die Festrede hielt. Das
Denkmal besteht aus einer von Leopold Bernstamm modellierten Bronzebüste, die auf
einem von Paul Russel mit Basreliefs geschmückten Sockel steht.

Warschau. Die ›Philharmonische Gesellschaft‹ hat einen *Preis von 5000 Rubel
für eine drei- oder vieraktige abendfüllende Oper* ausgeschrieben. Nach Möglichkeit
sollen bei der Komposition nationale Volksmotive Verwendung finden. Der Schluß-
termin für die Einreichung ist der 1. Juli 1904.

Wien. Ein Brief Rousseau's an M. Lenieps in Lyon vom 22. Okt. 1752, der
in der nächsten Auktion von Gilhofer und Ranschburg in Wien zur Auktion steht,
enthält folgende auf den ›Devin du village‹ bezügliche Stelle: *On représente actuelle-
ment à la cour le petit opéra que j'achevois à votre depart. Le succès en est prodigieux
et m'étonne moi-même. J'ai été à Fontainebleau pour la première représentation. Le
lendemain on vouloit me présenter au Roy et je m'en revins copier etc.*

Kritische Bücherschau

der neu-erschienenen Bücher und Schriften über Musik.

Referenten: E. Euting, Ch. Maclean, A. Mayer-Reinach, A. H. D. Prendergast, W. Barclay Squire, Cec. Stainer, J. Wolf.

Crowest, Frederick J. The story of Music. London, Georg Newnes, 1902. VI und 203 S. 12⁰. (Mit vielen Abbildungen und Notenbeispielen.) ℳ 1,—.

Verfasser steht mit seinem Buche nicht auf der Höhe der Forschung; er ignoriert ziemlich alles, was in den letzten Jahrzehnten auf musikwissenschaftlichem Gebiete geleistet worden ist. Die auf Altertum und Mittelalter bezüglichen Daten sind zum größten Teil ungenau. Ein großer Zug fehlt dem Werke; die Entwickelung der Kunst ist nicht klar herausgearbeitet, die Bedeutung der einzelnen Meister nicht genügend erfaßt. Das Werk vermag ich nicht zu empfehlen. J. W.

Culwick, J. C. The works of Sir Robert Stewart. Dublin, University Press. 1902. pp. 24. 12ᵐᵒ.

S. was undoubtedly possessed of Irish innate musical gift, and much intellectual power. A fluent extemporiser on the organ. His memoirs by Rev. O. J. Vignoles (1898). Present is the only catalogue of his complete works (1836—94), musical and literary, printed and manuscript. For author see III, 408; IV, 284. Regarding musical knighthood, see Notizen in present number. C. M.

Dickinson, Edward. Music in the History of the Western Church. London, Smith, Elder & Co., 1902. pp. 426. Demy 8vo.

The author divides his subject into 12 sections, dealt with in a like number of chapters, of which following are the titles: — (1) Primitive and ancient Religious Music; (2) Ritual and Song in the early Christian Church; (3) The Liturgy of the Catholic Church; (4) The Ritual Chant of the Catholic Church; (5) Development of Mediaeval Chorus Music; (6) The modern Musical Mass; (7) Rise of the Lutheran Hymnody; (8) Rise of the German Cantata and Passion; (9) Culmination of German Protestant Music and Johann Seb. Bach; (10) The musical system of the Church of England; (11) Congregational Song in England and America. As a whole this is a valuable addition to musical literature, showing for the most part considerable historical research and critical power. These qualities are conspicuous in Chapters 1 to 5 (inclusive), in which the statements and criticisms are based upon good authority and are reinforced by well-chosen musical illustrations. In Chapter 6 there are indications of diminished interest on the part of the author. In Chapters 7, 8, and 9, the author is again almost, if not quite, at his best. Chapter 10 is weak and inaccurate; very little critical faculty is here shown, the Church composers of the 18th and earlier 19th centuries being dismissed wholesale with the remark that their works are "solid and respectable, but as a rule dry and perfunctory", although this period covers Croft. Greene. Boyce, Hayes. Attwood etc. The English so-called Kyrie i. e. the Response after each of the Ten Commandments) is more than once confused with the Kyrie of the Latin Mass; and twice the surprising statement is made that the Sanctus has in recent years been dropped out of the Choral Communion Service, and superseded by a Hymn, — a misstatement easily refuted by a cursory reference to any of the musical settings of that Service during the last 20 years. The subjects of the next 2 Chapters (11 and 12) seem to appeal with fair strength to the sympathies of the author, and are of correspondingly increased value and interest; for though the 12th Chapter is, as its title implies, mainly speculative, it contains some valuable suggestions for the future guidance of Church musicians, and forms a worthy conclusion to a work of great though unequal merit. Author is Professor of Music in the Conservatory of Music. Oberlin College, Lorain County. Ohio. United States. A. H. D. P.

Dietz, Philipp. Die Restauration des evangelischen Kirchenliedes. Marburg, N. G. Ellwert, 1903. XII u. 806 S. gr. 8⁰. ℳ 10,—.

Verfasser behandelt die Gesangbuch-Bewegung seit dem Anfange des 19. Jahrhunderts. Er macht uns im ersten Teile mit den bedeutendsten die Gesangbuchsnot betreffenden Schriften eines E. M. Arndt. Wilhelmi, Raumer, Bunsen, Stier, Kraz.

Grüneisen, Stip, Vilmar, Kraußold bekannt, legt ihre Verbesserungs-Vorschläge dar und beleuchtet sie kritisch. Die wichtigsten Stellen ihrer Schriften veröffentlicht er im Originalwortlaut. Die aus diesen Bestrebungen herauswachsende Gesangbuch-Literatur behandelt Verfasser im 2. Teile seines Werkes. Unberücksichtigt läßt er die Neubearbeitungen älterer Gesangbücher sowie fast ausnahmslos die nur für kleine Kirchengebiete bestimmten Sammlungen. Er unterscheidet zwischen Privatversuchen und kirchlich-offiziellen Gesangbuch-Reformen. Vier Punkte sind es, die bei der Kritik ins Auge gefaßt werden: die Auswahl, die Anordnung, die Text-Behandlung und die Melodie der Kirchenlieder. Breitesten Raum nimmt die Kritik der Text-Behandlung ein; an dem melodischen Material, wie weit die ursprüngliche melodische und rhythmische Form der Weisen bewahrt ist, wird selten Kritik geübt. Dies ist ein offenbarer Mangel. Abgesehen hiervon verdient das mit großem Fleiß abgefaßte Werk alle Anerkennung.   J. W.

Galloway, W. Johnson, M. P. The Operatic Problem. London. John Long, 1902. pp. 79. 1/. n.

In this little work the author ably states the case in favour of a subsidized opera. He shows in concise form how opera is supported in Italy, Germany and France, and how it ought to be similarly dealt with in England. He rightly gives prominence to the educational and civilizing value of the higher forms of lyrical drama, and very pertinently points out that, putting artistic considerations aside, the establishment of national opera houses, subsidized by the state or the municipalities, would not only present many material and commercial advantages, but would also afford occupation to the hundreds of musical students now being turned out yearly with a good education and very small prospect of making even a bare livelihood. Arguments like these are the proper weapons with which to meet the musical Philistine. To all who are interested in the subject the book will well repay perusal.   W. B. S.

Gandolfi, Riccardo. Accademia di musica dedicata alla »ouverture« nell' arte Italiana data per esercizio e cultura degli alunni del R. Istituto musicale di Firenze. Marzo 1903. 20 S. 8⁰.

Es ist ein nachahmenswerter Brauch des Florentiner Königlichen Musik-Instituts, in jedem Jahre für die Zöglinge ein großes historisches Konzert zu veranstalten, in dessen Verständnis ein nach historischen Gesichtspunkten abgefaßtes Programmbuch einführt. Das Programmbuch des zehnten historischen Konzertes, welches sich die Ouverture in Italien in der zweiten Hälfte des 18. Jahrhunderts zur Aufgabe gestellt hatte, liegt hier vor. Nach einem kurzen Abriß der Entwickelung der Ouverture geht Verfasser mit einigen treffenden historisch-kritischen und formal-ästhetischen Bemerkungen auf die einzelnen Nummern des Programm, Werke von Piccinni, Sacchini, Cimarosa, Cherubini, Rossini, Morlacchi und Verdi ein. Das Heftchen ist anregend zu lesen.
                                      J. W.

Gerlach, L. August Klughardt, sein Leben und seine Werke. Leipzig, Gebrüder Hug & Co., 1902. VIII u. 176 Seiten.

Wer sich über den Lebensgang und die Werke des im Vorjahre verstorbenen Dessauer Hofkapellmeisters informieren will, dem sei dies mit großer Liebe zur Sache geschriebene Buch bestens empfohlen. Ein genaues Verzeichnis der Kompositionen mit Angabe der Verleger ist geeignet, den Wert des Buches noch zu erhöhen.
                                      A. M.-R.

Hadden, J. Cuthbert. Haydn. With Illustrations and Portrait. London, J. M. Dent & Co. 1902. pp. 232. 3/6.

The best volume that has so far appeared in the "Master Musicians" series. The main events in Haydn's career are given simply and without any attempt at fine writing, and the appreciations and criticisms of his music, though necessarily brief, are characterized by good taste and discrimination. The book compresses into a small space a great deal of information; and the Appendices, containing inter alia a catalogue of Haydn's works and a bibliography of the literature relating to him, are likely to be particularly useful. The author does not seem to have known Vogel's excellent article "Joseph Haydn-Portraits" in the "Jahrbuch der Musikbibliothek Peters" for 1898; on p. 84 the name of a once popular Musical Society is given as "Anacreonatic" instead of "Anacreontic"; and more than once he prints "any rate" as if it was one word. But these are almost the only cases in which the book can be improved in a second edition.
                                      W. B. S.

Hellmer, Edmund. Briefe Hugo Wolf's an Emil Kauffmann. Herausgegeben im Auftrage des Hugo Wolf-Vereines in Wien. Verlag von S. Fischer, Berlin. 192 S. gr. 8⁰. Geh. *M* 3,50, geb. *M* 4,50.

Der Hugo Wolf-Verein in Wien, der den gesamten künstlerischen Nachlaß Wolf's seit dessen definitiver Unterbringung in der Landes-Irrenanstalt (1898) verwaltet, hat sich vor kurzem entschlossen, die Briefe Hugo Wolf's zu publizieren. Der vorliegende Band macht den Anfang; er enthält die Briefe Wolf's an den Tübinger Universitäts-Musikdirekter Dr. Emil Kauffmann aus den Jahren 1890—1898. »Die Briefe an Kauffmann«, so bemerkt der Herausgeber, »setzen zu ihrem Verständnis keine besondere Kenntnis des Lebens Hugo Wolf's voraus. Ihr Leser wird — wie seiner Zeit der Briefempfänger — aus ihnen selbst den Künstler und Menschen Hugo Wolf am besten kennen und lieben lernen. Denn Wolf hat in diesen Briefen in Wahrheit seine Selbstbiographie »Zwischen dreißig und vierzig« geschrieben und um so besser geschrieben, je weniger er darum gewußt haben mochte.« Wolf besaß eine starke Dosis Selbstbewußtsein, die sich auch in diesen Briefen bisweilen in verletzendsten Ausdrücken gegen Andersgläubige Luft macht. Zur vollen Charakteristik des Mannes war der Abdruck dieser leidenschaftlichen Ergüsse jedoch unerläßlich. E. E.

Jahrbuch der Musikbibliothek Peters für 1902. (Neunter Jahrgang.) Herausgegeben von Rudolph Schwartz. 135 S. 4⁰. *M* 3,—.

Die einzelnen Aufsätze findet man in der »Zeitschriftenschau« dieser Nummer unter folgenden Autoren-Namen eingereiht: Friedlaender, Kretzschmar, Seiffert, Schwartz.

Kaldy, Julius. A History of Hungarian Music. London, Wm. Reeves. 1902. pp. 55, Crown 8vo. 2/6.

The English know something of France due to contiguity, know very little about Germany, and are profoundly ignorant about mid-central-Europe countries, especially those whose stock-nationality has been over-run, such as Poland, Bohemia, and Hungary. Yet in music, if these 3 are not art-factories for the worked-up article, they are at any rate places where more pre-eminently the ore lies. The "Realm of the Crown of St. Stephen" is a Tower of Babel for differences of race, with the main Magyar stock still 3 times the German, and nearly half of the whole; and it is precisely modern civilization acting on these ancient races under complicated circumstances which brings out the disease that we call genius in music. The land of St. Stephen, Hunyady János, and King Mathias, is a never-ending kaleidoscope of interest, in music above all. The patron-families Apponyi, Batthyany, Erdödy, Esterházy, Károlyi, Szapáry, have got into history. It is less known that all the following have been Hungarian; — Armbruster, Auer, Erkel, Goldmark, Huber, Hummel, Joachim, Liszt, Richter (Hans), Seidl, Sucher. These names are quite unknown in England: — Abrányi, Bartalus, Bartay, Bátor, Beliczay, Bognár, Cousser, Dömeny, Egressy, Elbert, Francisci, Füredy, Fuss, Gaál, Gati, Heinisch, Jámbor, Josephi, Káldy, Kerner, Késmárky, Langer, Lanyi, Major, Mátray, Mihalovitch, Mosonyi, Nikolits, Rusicska, Sipos, Stojanovites, Szabó, Székely, Szerdahelyi, Tamásy, Tarnay, Thern, Tóth, Zimay. Present book appears to be an authorized translation of a monograph by Káldy, Director of Roy. Hung. Opera, forming part of a Hungarian official statistical survey of the country, 1000 years after Arpád. Same information not to be had anywhere else, and the brochure should be on every musical shelf. C. M.

Lavignac, Albert. L'éducation musicale. Paris, Ch. Delagrave, Rue Soufflot. 450 S. kl. 8⁰. Broschiert fr. 3,50, gebunden fr. 4,—.

Ein für jeden, der sich für musikalische Erziehung interessiert, lesenswertes Buch. Verfasser zeigt nicht nur, wie sich schon beim Kinde im frühesten Alter das musikalische Talent zu erkennen gibt und auf welche Weise diese Anlage von Jugend auf unterstützt und gefördert werden kann, sondern bespricht auch, welche Vorbedingungen körperlicher Veranlagung für das Spiel der einzelnen Instrumente erfüllt sein müssen. Eine Fülle beherzigenswerter Vorschläge und Winke suchen den Lernenden vor den Klippen zu bewahren, an denen selbst bedeutende Talente scheitern können. Lehrer wie Lernende dürften in gleicher Weise aus der Lektüre dieses Buches Gewinn ziehen. J. W.

Mathias-Vogeleis. Photographische Wiedergabe des Königshofenschen Tonarius in C. XI. E. 9 der Prager Universitätsbibliothek, hergestellt im Auftrag des Finders M. Vogeleis (ehem. Musiklehrer am Bischöflichen Progymnasium in Zillisheim), herausgegeben von Dr. F. X. Mathias (Organist am Münster zu Straßburg).

Titel und 27 faksimilierte Seiten in fol. K. 6,40.

Mathias-Vogeleis. Der Straßburger Chronist Königshofen als Choralist. Sein Tonarius, wiedergefunden von Martin Vogeleis, herausgegeben von Dr. F. X. Mathias. Graz, in Kommission der Verlagsbuchhandlung »Styria«. 1903. XII u. 191 S. 8⁰ mit zwei Ansichten und einem Faksimile.

Meine Besprechung des Prager Kodex XI E. 9 im Hinblick auf den Traktat H. de Zeelandia's im Kirchenmusikalischen Jahrbuch 1899 wurde Veranlassung zur Entdeckung des namentlich für elsässische Choralgeschichte höchst wichtigen Tonars Jacob Twinger's von Königshofen durch den auf dem Gebiete elsässischer Musikforschung rührig tätigen Martin Vogeleis. Ihm verdanken wir nicht nur die trefflich gelungene phototypische Wiedergabe des Tonars, sondern auch die Text-Ausgabe, zu welcher er Herrn Dr. F. X. Mathias anregte. Daß er sich in der Wahl des Bearbeiters nicht vergriffen hat, zeigt die Publikation.

Nachdem Verfasser auf die kulturgeschichtliche Mission des Twinger'schen Geschlechtes in Straßburg hingewiesen hat, zeichnet er die besondere Bedeutung Jacob Twinger's von Königshofen als Rechtsgelehrten, Historikers, Pädagogen, Liturgen und Kirchenmusikers. Als tüchtiger Rechtsgelehrter bewies er sich in einem Streite der Geistlichkeit mit dem Bischofe, als Gelehrter und Pädagoge in seiner Chronik und seinem lateinisch-deutschen Glossar. Seine liturgische Bedeutung lehrt der Auftrag der Revision eines Missale, welcher ihm 1413 zuteil wurde. Seine nicht geringen liturgisch-musikalischen Kenntnisse offenbart er in dem Tonar, welchen der Prager Kodex uns überliefert. Mathias folgert den Straßburgischen Ursprung dieser Handschrift aus dem Vorhandensein eines Straßburger Klarissen-Kloster angehörigen Kalendars und des Twinger'schen Tonars. Der Vergleich mit Königshofen-Handschriften ließ den Tonar in der Prager Niederschrift zwar nicht als Autograph gelten, die angehängte 1415 datierte Chorordnung von St. Thomä in Straßburg weist ihn aber als eine Kopie aus, die bis zum Jahre 1419 an St. Thomä in Gebrauch war. Aus der Prüfung genannter Chorordnung gewinnt übrigens Verfasser so manches wertvolle Ergebnis für die Erkenntnis der Institutionen des Thomas-Stiftes in Straßburg. Doch kommen wir zu seinem Tonar.

Nachdem Verfasser in klarer Weise den Zweck der Tonarien auseinandergesetzt und einen entwickelungsgeschichtlichen Abriß derselben gegeben hat, legt er einen diplomatisch genauen Abdruck des Tonars vor. Daß trotz peinlichster Sorgfalt infolge der Schwierigkeit der Lesung eine Reihe Ungenauigkeiten mit unterschlüpfen, ist verständlich. Einige Male finden sich Abweichungen vom Original in der Schreibung, in einem Falle (auf Seite 108, Schluß) stoßen wir auf eine Lücke — es fehlen die Worte *explicit primus tonus*. Ab und zu ist ein Kopistenfehler beseitigt, ohne daß in einer Anmerkung darauf hingewiesen wird. So lese ich z. B. Seite 96,18 *tam* statt *toni*, 98,14 *duabus* statt *duobus*, 98,22 *dictis* statt *duabus*. Mehrere Male fanden sich irrige Lesungen. Die Abkürzung *ois* dürfte besser in *omnis* statt in *omnibus* aufzulösen sein: Seite 100,3 lese ich *itaque* statt *namque*. Bis auf vereinzelte Fälle, wo das Häkchen am b fehlt oder verblaßt ist, ist deutlich die übliche Abkürzung für *sillaba* geschrieben, also nicht *silba* zu lesen. Diese Ausstellungen setzen aber keineswegs den Wert der Publikation herab. Ein jeder, der sich mit Herausgabe mittelalterlicher Handschriften abgegeben hat, weiß, wie hinter zäh gewissenhaftester Arbeit die Fehler ungerufen kommen. Die Ausgabe des Verfassers ist vielmehr Lobes wert, die beigegebene Übersetzung trifft den Inhalt und ist stilistisch gewandt. Anerkennung verdient weiter die historische Würdigung des Tonars. Mathias zeigt die Abhängigkeit Königshofen's von den Tonarien Cotto's und Hugo's von Reutlingen. Überzeugend ist die Feststellung der Entstehungszeit des Tonars aus dem Vergleich mit den musikalischen Äußerungen Königshofen's in seiner Chronik und den Ausgaben des Glossars. Es sind die Jahre 1410—1415, in denen sich Königshofen tiefer gehende liturgisch-musikalische Kenntnisse angeeignet zu haben scheint. So bietet die Schrift neben der Neuausgabe eine Fülle wertvoller Beobachtungen und interessanter Bemerkungen. Einem jeden, der sich für mittelalterliche Musikgeschichte interessiert, sei das Werk warm empfohlen.

J. W.

Max Müller, Friedrich. Life and Letters. Edited by his Wife. New-York, London and Bombay, Longmans Green & Co. 1902. 2 vols. pp. 987. Demy 8vo.

A distinguished, if self-complacent, mind. A laborious massive scholar. Born Dessau, 1823; died Oxford 1890. The printing-press (Clarendon) drew him to Oxford 1848, and there he stayed. From 1850 was Taylorian

teacher of modern languages: 1851, Hon.
M. A. of Christ Church; 1858, Fellow of
All Souls; 1868—75, Oxford Professor of
Modern Languages. In 1860 (Horace
Hayman Wilson dying) the literary Continent was astounded that M. was not
elected to the "Boden" Oxford Professor-
ship of Sanscrit. His one head had done
for early Sanscrit texts something what a
a College of Alexandrian scholars B. C. had
done for Homer; his rival a meritorious
ex-teacher of East India Company cadets.
The "Times" supported him. But 4000
electors all over England, mostly clergy,
with the "ignorance of foolish men", sent
a swarm to Oxford to vote for respectable
mediocrity against the friend of Bunsen.
The foolish men had some wisdom, for M.
never became popular in England. Causes
for his unpopularity: — he was a foreigner;
his teaching was aggressively rationalistic;
he was taken up by the Court, then itself
unpopular; he was not the genuine devotee
of one science, rather a many-faceted
diamond; his politics were certainly oppor-
tunist, without the excuse that that was his
trade; in 1863 he embarked on very dan-
gerous promulgations about current Indian
administration, a matter with which he had
no real concern whatever; his very professional theories (as with solar myth and
Aryan "migrations") became tiresome with
iteration, if not one-sidedness; his rejection
of English Knighthood as insufficient for
his merits was considered arrogant. —
M.'s least challenged contribution to world-
knowledge was the details of philology. To
take an item at random. His view on Greek
accents, then new to England. They meant
stress, by-song, cantilana, even change of
pitch, without sacrificing quantity; thus,
ἄνθρωπος, though προπαροξύτονον, was not
called ἄνθροπος; but in poetry r h y t h m
in turn overlaid accentual stress; therefore
3 concurrent factors, accent, quantity,
rhythm. Even this was hard doctrine for
English schoolboys. The rhythm would
only be otherwise-placed accent .But accent
irrespective of quantity is alien to English
perceptions, almost unattainable by English
tongues. — M. was the grandson of Karl
Maria von Weber, and called Max from
"Freischütz". In England he took Max as
prefix-surname. He made his way first in
Oxford society, then profoundly ignorant
of music, by amateur pianoforte playing,
even chorus-training. He wrote the preface
to Friedländer's edition of Schubert's songs.
In 1882 he made a rather dubious translation of "God Save the Queen" in r h y m e d
Sanscrit, a barbarism much surpassing that
of Leoninus. In 1871 Stainer dedicated his
"Harmony" to M., "who though unable to

devote himself to the art of music owing
to the claims made on his time by other
fields of labour forgets not to encourage
by his sympathy and kindness those who
are pressing forward in its paths". — In
brief M.'s talents, industries, strong ways, let
him impress himself firmly on Oxford; but
the nation did not go the length of Oxford's
prepossession. His library at death was
bought by the University of Tókyó (Japan).
C. M.

Nippold, Friedrich. Das Deutsche
Christuslied des neunzehnten Jahrhunderts. Leipzig, Ernst Wunderlich, 1903. VIII und 389 S. 8⁰.
ℳ 3,—, geb. ℳ 4,—.

Man ist erstaunt über den Reichtum
von Christusliedern, den das 19. Jahrhundert
uns darbietet, und überrascht, Meister unter
den Kirchenlieddichtern zu finden, von deren
Tätigkeit auf dem Gebiete des religiösen
Liedes man gemeinhin nichts weiß. Verfasser legt sich für seinen Arbeitsplan
keinerlei konfessionelle Schranken auf.
Seine Charakteristiken sind kurz und treffend,
sein Stil anregend. Das Werk dürfte, wenn
es auch nicht den Charakter eines Volks-
buches trägt, weiteste Verbreitung finden.
J. W.

Schneider, A. Die Lehre der Akustik
und Harmonie übertragen auf das
praktische Gebiet. Ein Hand- und
Studienbuch für Kunstfreunde, Musiker, Saiten- und Instrumenten-
Fabrikanten. Mit 23 Textabbil-
dungen. Im Selbstverlag des Verfassers, Dresden, Moltkeplatz 9. —
116 S. 8⁰. ℳ 5,—.

Woodward, G. R. The Cowley Carol
Book. London and Oxford, A. R.
Mowbray & Co. 1903. pp. 85,
Crown 8vo. cloth 1/6.

These are 65 Carols for Christmas, Easter,
and Ascension Tide presented in 4-part
harmony, compiled by the Rev. G. R. W.:
the publication forming a praiseworthy
effort to bring some fine old melodies into
popular use. "Cowley" is a Brotherhood
near Oxford. The melodies are drawn
from various sources, as: — Analecta Hym-
nica medii aevi, G. M. Dreves; Cantiones
Bohemicae, the same; Lute book, William
Ballet, circ. 1600, Library of Trin. Coll.
Dublin; Musae Syoniae, Mich. Praetorius,
1610; Palencia Antiphoner; Piae Cantiones,
by Peter of Nayland, Greifswald, 1582;
Psalmodia, Lossius, Wittenberg, 1561:

Psalterium Harmonicum, 1642. There are also included some of Bach's beautiful Chorales. In some cases harmonies have been added by the Editor himself, B. Luard Selby, G. H. Palmer, and others, which are not always (see no. 17 for instance) to the advantage of the tune. The harmonies of no. 10 are curiously similar to those already so well known in connection with "Good King Wenceslas", the first 4 bars being identical. With the exception of no. 27 "Make we joy", taken from a 16th century MS. in the Bodleian, the music appears to be most accurately transcribed. The carols are all selected with great care and judgment.

C. S.

Eingesandte Musikalien.

Referenten: **E. Euting, A. Feith, A. Göttmann, A. Mayer-Reinach, J. Wolf.**

Verlag Anton J. Benjamin, Hamburg.

Wolff, C. A. Herm. Op. 80. Theoretisch-Praktische Elementar-Schule der Fingertechnik für das Pianofortespiel. Vier Hefte je ℳ 1,50.

Hervorgegangen aus den Erfahrungen einer langen praktischen Lehrtätigkeit bildet das Werk den Leitfaden für die Entwicklung einer ausgeglichenen Fingertechnik und eines modulationsfähigen Anschlags, ohne in die Fehler so vieler anderer Schulwerke — die Weitschweifigkeit und Langweiligkeit — zu verfallen. Leider finden sich in den Notenbeispielen einige augenfällige Druckfehler, deren Vorkommen bei einem Studienwerke unter allen Umständen hätte vermieden werden müssen. E. E.

Verlag Breitkopf & Härtel, Leipzig.

Flörsheim, Otto. Dritte Novellette für Pianoforte zu zwei Händen. ℳ 1,—.

Ein melodisch nicht gerade besonders originelles, jedoch recht wirkungsvolles Stück von tiefer Empfindung. A. G.

Grimm, J. O. Gustav Adolf-Lied ›Verzage nicht, du Häuflein klein‹ für Männerchor. Chorbibliothek Nr. 1543. Partitur ℳ 0,45.

Ein kraftvoller Gesang voller Glaubenstiefe, der zum Vergleiche mit dem altniederländischen Gebet herausfordert. Der Grimm'sche Satz ist geradezu ausgezeichnet, eine jede Stimme zeigt eine charakteristische Melodie. J. W.

Mottl, Felix. Ausgewählte Lieder für eine Singstimme mit Orchesterbegleitung: Franz Schubert, Dem Unendlichen. Partitur ℳ 3,— n. 27 Stimmen je ℳ 0,30 n.

Wie schon in einer großen Reihe von älteren Gesängen bewährt sich Mottl auch bei dem vorliegenden gedankentiefen Liede Schubert's als ein überaus feinfühliger Instrumentator. A. G.

Schmidt, Dr. Heinrich. Das Streichorchester der Mittelschulen. Klassische Stücke in Partitur und Stimmen für die Unterrichts- und Aufführungszwecke der Mittelschulen, sowie zum Gebrauche in Orchestervereinen. Heft III. Partitur ℳ 3,—, Klavierstimme ℳ 1,50, Orgelstimme ℳ 1,50. Jede Orchesterstimme ℳ 0,60.

Herr Seminarlehrer Dr. Schmidt in Bayreuth hat mit der Verwirklichung dieser glücklichen Idee ein gutes Werk getan. Mit feiner Auswahl sind da eine Reihe älterer Werke für Streichorchester, Klavier zu vier Händen und Orgel oder Harmonium in geschicktem Arrangement zusammengestellt und durch kurze historische sowie dynamische Notizen in wirkungsvoller Weise besseren Dilletantenkreisen nahegelegt. Kleinere provinziale Musikvereine und Seminare werden sich sicher über diese mit großer Gewissenhaftigkeit durchgeführte Ausgabe freuen. A. G.

F. X. Bucher'sche Verlag, Würzburg.

Höller, Georg. Orgelbegleitung zu den bei den heiligen Ämtern vorkommenden Wechselgesängen zwischen Priester und Volk.

Das Erscheinen dieser vierten unveränderten Auflage beweist aufs deutlichste den praktischen Wert des Werkes. Mir erscheint manchmal auf leichten Silben der Harmonien-Wechsel etwas zu weit getrieben.
J. W.

Verlag Drei Lilien, Berlin.

Eyken, Heinrich van. Op. 16. Zwei Gesänge.

Wertvolle Gaben einer ausgesprochenen Individualität, mit Klarheit und Kraft im erfinderischen Ausdruck; für unsere Sänger der außerordentlich charakteristischen Schreibweise halber wahre Blütenlesen. Das orchestral gedachte »Lied der Walküre«, das vom Komponisten absichtlich Wagnerische Färbung mitbekommen, sei besonders empfohlen. A. F.

— Op. 17.

Sehr sangbar gehaltene Komposition, die mir weniger bedeutend erscheint als das vorangegangene Opus, dabei harmlos und schlicht in der Wahl des Textes A. F.

— Op. 18. Verlorenes Leben, Liedercyklus.

Frisch und lebendig in der Anlage sind die sechs Lieder als einheitlicher Zusammenschluß gedacht und ihrer Wirkung im Konzertsaal sicher. A. F.

— Op. 19. Vater unser. Für eine Singstimme und Orgel oder Klavier.

Ein innig empfundenes Lied, das in der Kirche, zur Trauung u. s. w. gesungen, nachhaltigen Eindruck hervorrufen dürfte.
A. F.

— Op. 20. Judith's Siegeslied.

Eine fesselnde und sehr dankbare Komposition von dramatischer Kraft und bedeutendem Schwung im Aufbau. A. F.

— Op. 21. Drei Lieder.

Das Idyllisch-einfache wie das Schwermütig-melancholische findet in den drei Liedern gleich markanten Ausdruck. Das vielseitige Talent des Komponisten sticht wohltuend von jeder Mittelmäßigkeit ab.
A. F.

Verlag Ernst Eulenburg, Leipzig.

Liszt, Franz. Klavier-Konzert Es-dur. Partitur. 112 S. kl. 8⁰. ℳ 3,—.

An Klarheit des Druckes und Übersichtlichkeit der Anordnung steht diese Neu-Ausgabe trotz des handlichen Formates kaum der bei Haslinger in Wien erschienenen großen Original-Ausgabe nach. Der wohlfeile Preis von ℳ 3,— (gegen ℳ 9,— der früheren Ausgabe ermöglicht

nunmehr weiteren Kreisen die Anschaffung des Werkes. E. E.

Verlag Janin Frères, Lyon.

Bernard, Emile. Deux Feuillets d'Album pour Piano. 2 Fr. n.

— Preludio e Fugato pour le Piano. 2 Fr. n.

Gediegene, teilweise graziöse Klaviermusik ohne nennenswerte Originalität.
A. G.

Philipp, J. Gammes majeures et mineures. 3 Fr. n.

Der Pariser Klavierpädadoge hat mit diesen Tonleiterstudien wieder einen wertvollen Beitrag zur Entwickelung der Tonleitertechnik geschaffen. A. G.

Verlag Gries & Schornagel, Hannover.

Weysenburg, Hermann Freiherr von. Vier Gesänge für eine Stimme mit Begleitung des Pianoforte. Op. 9. Komplett ℳ 2,50.

Verlag Wilhelm Hansen, Kopenhagen und Leipzig.

Ågren, Gunnar. Intermezzo og Caprice for Pianoforte. Op. 1.

Birkedal-Barford, L. Melodische Studien für die linke Hand für Klavier. Op. 19.

Sinding, Christian. Op. 54. Quatre morceaux de salon pour Piano. Nr. 1, Etude; Nr. 2, Rondoletto; Nr. 3, Sérénade; Nr. 4, Tempo di Valse.

Empfehlenswerte gefällige Klaviermusik mittlerer Schwierigkeit. J. W.

Verlag Gebrüder Hug & Co., Leipzig und Zürich.

Scholz, Bernhard. Deutsches Flottenlied für Männerchor. Op. 86. Partitur ℳ 1,20, Stimmen je ℳ 0,30.

Ein wohlklingender, gut gearbeiteter Chor, der an die Stimmkraft und Ausdauer der Sänger keine geringen Anforderungen stellt. A. G.

Sitt, Hans. Op. 82. Drei Männerchöre. Nr. 1, Es ist ein Brünnlein geflossen; Nr. 2, Sonnenuntergang; Nr. 3, Die Lore am Rhein. Par-

titur je ℳ 1,— bis ℳ 1,20, jede
Stimme 20 ₰.

— Op. 83. Vergebliche Flucht. Dichtung von Julius Sturm für Männerchor. Partitur ℳ 2,40, Stimmen je ℳ 0,40.

Bewegen sich die Lieder Op. 82 mehr oder minder im althergebrachten Rahmen des Männergesangs, so zeigt Op. 83 einen größeren Zug. Der Satz ist bei weitem kunstvoller, die Rhythmen mannigfaltiger, die Nuancierung eine feinere. Die an dramatischen Accenten reiche Sturm'sche Dichtung gelangt zu charakteristischem Ausdruck. Das viele Schönheiten aufweisende Werk verdient allgemeinere Beachtung.
J. W.

Verlag Lauterbach & Kuhn,
Leipzig.

Bischoff, Hermann. 25 neue Weisen zu alten Liedern. Op. 15. Buchausstattung von Fritz Erler, München. Gebunden ℳ 3,50 n.

Hermann Bischoff, soviel ich weiß ein Schüler von Richard Strauß, hat sich durch verschiedene Tonschöpfungen, insbesondere durch seine Orchesterphantasie ›Pan‹ als einer der begabtesten musikalischen Fortschrittler bekannt gemacht. Daß er bei allem Wühlen und Kombinieren in den verwegensten Harmonieverbindungen den Sinn für das Einfache nicht verloren hat, beweist er in seinen 25 Weisen, die teils fröhlich, teils ernsten Charakters sind. Mit möglichster Beschränkung der Mittel trifft er den volkstümlichen Grundton dieser alten Lieder in so köstlicher poetischer Weise, daß man sich über diese Hausmusik von Herzen freuen kann.
A. G.

Verlag H. Oppenheimer, Hameln.

Haine, Carl. Reformations - Kantate für Knaben- und gemischten Chor mit Orgelbegleitung. Op. 83. Partitur ℳ 1,50 netto. Chorstimmen je ℳ 0,20 n. Knabenstimmen je ℳ 0,15 n.

— Charfreitags-Kantate. Op. 84. Für Knaben- und gemischten Chor mit Orgelbegleitung. Partitur ℳ 1,50 netto. Chorstimmen je ℳ 0,20 n. Knabenstimmen je ℳ 0,15 n.

Herrmann, W, Motetten für gemischten Chor. Op. 41.

Nr. 1. Advent. ›Mache dich auf

Zion.‹ Partitur ℳ 0,60 n. Stimmen je ℳ 0,15 n.

Nr. 2. Totenfest. ›Herr, lehre doch mich.‹ Partitur ℳ 0,60 n. Stimmen je ℳ 0,15 n.

Der auf dem Gebiete der Orgel- und Kirchenmusik unermüdlich tätige Verlag Oppenheimer in Hameln hat mit der Herausgabe dieser Motetten eine glückliche Hand gehabt. Beide Chöre, welche in vierstimmigem Satze geschrieben, sind hinsichtlich ihres melodischen und klanglichen Gehaltes von reizvoller Einfachheit. Schwierigkeiten bieten sie nicht im Geringsten.
A. G.

Schreck, Gustav. Die Festzeiten für gemischten Chor. Op. 37.

Nr. 1. Weihnachtsgesang (mit Baß-Solo). Partitur ℳ 0,60 n. Stimmen je ℳ 0,15 n.

Nr. 2. Zum Totenfest. Partitur ℳ 0,60 n. Stimmen je ℳ 0,15 n.

Nr. 3. Pfingstgesang. Partitur ℳ 1,50 n. Stimmen je ℳ 0,25 n.

Nr. 4. Passionslied. Partitur ℳ 0,60 n. Stimmen je ℳ 0,15 n.

Daß der bewährte Thomaskantor edle von echt kirchlichem Geiste durchdrungene chorale Stimmungsbilder schaffen kann, dürfte in weitesten Kreisen als selbstverständlich angenommen werden. Auch in diesen Chorwerken bewährt sich seine Meisterschaft, wenn mir auch manchmal die Stimmlage allzu tiefliegend erscheint.
A. G.

Verlag Ries & Erler, Berlin.

Sachs, Curt. Op. 2. 4 Lieder für Singstimme und Klavier. ℳ 2,50.
Op. 3. 3 Lieder. ℳ 2,50.
Op. 4. 2 Lieder. ℳ 1,50.
Op. 5. 4 Lieder. ℳ 2,50.

Ich lernte vor einem Jahre das erste Opus des jungen vielversprechenden Komponisten kennen, 6 Lieder, die zum Teil noch recht den Anfänger verrieten, und bin nun erstaunt über den kolossalen Fortschritt, der sich in diesen neuen, zu gleicher Zeit erschienenen Liederheften kundgibt. Sachs ist ein ungewöhnlich starkes Talent, von dem wir offenbar noch großes zu erwarten haben. Damit soll nicht gesagt sein, daß alle diese neuen 13 Lieder gleich gut seien, es sind einige darunter, die von persönlichem Zug noch nichts merken lassen und deren Druck bei besserer Auswahl vielleicht unterblieben wär', aber andererseits beschert uns der Komponist doch einige Lieder, die Anspruch auf allgemeinste Beachtung haben. Ich nenne in erster Linie Op. 3 Nr. 1, Gevatter Tod, Op. 3 Nr. 2, Trost der Nacht, Op. 2 Nr. 1, Auf ein Bild, Op. 4 Nr. 1. Das aber ist das Ende alles Sehnens. Namentlich das erstgenannte »Gevatter Tod« auf einen Text von Ludwig Jacobowsky ist glänzend gelungen. Den weiteren Gaben des Komponisten darf man mit Interesse entgegensehen. A. M.-R.

Cefes Edition. Verlag C. F. Schmidt, Heilbronn a. N.

Eichborn, Hermann. Op. 50. Letzter Gruß. Solo für Horn mit Orchester. Partitur.

— Op. 51. Mamsell Kathi's Hochzeitsmarsch für Orchester. Partitur.

— Op. 52. Frühling. Charakterstück für Orchester. Partitur.

— Op. 53. Nachtlied für Orchester. Partitur.

Verlag Carl Warmuth, Christiania.

Heyerdahl, Anders. Nissespel for Violon med accompagnement af Piano.

— Sonate for Pianoforte og Violin.

Ein klar aufgebautes, ansprechendes Werk mit interessanten Themen. J. W.

— — —

Zeitschriftenschau

zusammengestellt von

Ernst Euting.

— —

Abkürzungen für die Musikzeitschriften.

AdlM	Les Annales de la Musique (organe officiel de la Fédération Musicale de France), Paris, 5 Place Saint-François-Xavier.	KL	Klavierlehrer, Berlin, M. Wolff.
AM	L'Avenir Musical, Genève, 20, Rue Général-Dufour.	KVS	Kirchenmusikalische Vierteljahrsschrift, Salzburg, Anton Pustet.
AMZ	Allgemeine Musik-Zeitung, Charlottenburg, P. Lehsten.	KW	Kunstwart, München, G. D. W. Callwey.
		L	Lyra, Wien, Anton August Naaff.
BB	Bayreuther Blätter, Bayreuth, H. v. Wolzogen.	M	Ménestrel, Paris, Heugel & Co.
BfHK	Blätter für Haus- und Kirchenmusik, Langensalza, H. Beyer & Söhne.	Mc	Music, London, 186 Wardour Street.
		Mu	Music, Chicago, W. S. B. Mathews.
BW	Bühne und Welt, Berlin, Otto Elsner.	MB	Muziekbode, Tilburg, M. J. H. Kessels.
C	Caecilia, Straßburg i. E., F. X. Le Roux & Co.	MC	Musical Courier, New York, 19, Union Square.
Cs	Caecilia, Maandblad voor Muziek, 's-Gravenhage, Martinus Nijhoff.	MH	Musikhandel und Musikpflege, Leipzig, Verein der Deutschen Musikalienhändler.
Cc	Caecilia, Breslau, Franz Goerlich.	MfM	Monatshefte für Musikgeschichte, Leipzig, Breitkopf & Härtel.
CEK	Correspondenzblatt d. ev. Kirchengesangvereins, Leipzig, Breitkopf & Härtel.	Mk	Die Musik, Berlin, Schuster & Löffler.
CM	Le Cronache Musicali, Roma, tip. E. Voghera.	MM	Monde Musical, Paris, A. Mangeot.
CMu	Courrier Musical, Mentone, 1, rue Ardoino.	MMG	Mitteilungen der Berliner Mozart-Gemeinde, Berlin, Raabe & Plothow.
CO	Cäcilienvereinsorgan, Regensburg, F. Pustet.	MMR	Monthly Musical Record, London, Augener & Co.
DBG	Deutsche Bühnen-Genossenschaft, Berlin, F. A. Günther & Sohn.	MN	Musical News, London, 130 Fleet Street.
DIZ	Deutsche Instrumentenbau-Zeitung, Berlin, Mansteinstrasse 8.	MO	Musical Opinion and Music Trades Review, London, 35 Shoe Lane.
DMMZ	Deutsche Militärmusiker-Zeitung, Berlin, A. Parrhysius.	MR	Musical Record, Boston, Lorin F. Deland.
		MS	Musica Sacra, Regensburg, F. Pustet.
DMZ	Deutsche Musikerzeitung, Berlin, P. Simmgen.	MSfG	Monatsschrift für Gottesdienst und kirchliche Kunst, Göttingen, Vandenhoeck & Ruprecht.
DTK	Deutsche Tonkünstler-Zeitung, Charlottenburg, C. Neubauer.	MSu	La Nusique en Suisse, Neuchâtel, Delachaux & Niestlé.
DVL	Das deutsche Volkslied, Wien, Dr. J. Pommer.	MT	Musical Times, London, Novello & Co.
Et	Étude, Philadelphia, Theo. Presser.	MTW	Musik- und Theaterwelt, Berlin, Dr. Alfieri.
GBl	Gregorius-Blatt, Düsseldorf, L. Schwann.	MuM	Musica e Musicisti (Gazzetta Musicale di Milano), Milano, Ricordi & Co.
GBo	Gregorius-Bote, ibid.	MW	Die Musik-Woche, Leipzig, Johannisgasse 8.
GM	Le Guide Musical, Bruxelles, 7, rue Montagne des Aveugles.	MWB	Musikalisches Wochenblatt, Leipzig, E. W. Fritzsch.
GR	Gregorianische Rundschau, Graz, Buchhandlung »Styria«.	NM	Nuova Musica, Firenze, E. Del Valle de Paz.
		NMP	Neue musikalische Presse, Wien, Arthur E. Bosworth.
H	Das Harmonium, Leipzig, Breitkopf und Härtel.	NMZ	Neue Musik-Zeitung, Stuttgart, C. Grüninger.
K	Kirchenchor, Frastanz, F. J. Battlogg.	NZfM	Neue Zeitschrift für Musik, Leipzig, C. F. Kahnt Nachf.
KCh	Kirchenchor, Rötha, J. Meißner.		

Abate, Nino. Musica »a intenzioni« — NM 8, Nr. 85 f.

Adaïewsky, E. Guglielmina de Guarnieri. Musikalische Skizzen aus Venedig — NZfM 70, Nr. 11.

Aderer, A. Souvenirs inédits de Chopin — Le Temps (Paris) 28. Januar 1903.

Adler, Felix. Hugo Wolf † — Die Freistatt (München, Ohmstraße 7) 5. Nr. 9.

—— E. T. A. Hoffmann und Beethoven's C-moll-Symphonie — ibid. Nr. 10.

Altenburg, Wilh. Das chemische Schnelltrocknungsverfahren für Hölzer [zum Musikinstrumentenbau] — ZfI 23, Nr. 17.

Altmann, Wilhelm. Der Komponist Paul Juon — Die Zeit (Wiener Wochenschrift) Nr. 441.

—— Richard Wagner und die Berliner General-Intendantur. Verhandlungen über den »Fliegenden Holländer« und »Tannhäuser« — Mk 2, Nr. 11.

Anonym. Zur Gründung der Anstalt für musikalisches Aufführungsrecht — AMZ 30, Nr. 10.

Anonym. Schallerscheinungen bei Feuerwaffen mit großer Geschoßgeschwindigkeit — Militär-Wochenblatt (Berlin, E. S. Mittler & Sohn) 1903, Nr. 13.

Anonym. Philipp Wolfrum's Weihnachtsmysterium — Die Christliche Welt 17, Nr. 8.

Anonym. Eduard Brunner, Komponist, Regenschori und Pfarr-Cäcilienvereins-Präses († 15. Februar 1903 zu Bruck a. d. Mur) — GR 2, Nr. 3.

Anonym. Zur Tantième-Frage. Von einem Zivilmusiker — DMMZ 25, Nr. 10.

Anonym. W. G. McNaught — MT, Nr. 721.

Anonym. The Fitzwilliam Museum, Cambridge — MT, Nr. 721 ff.

Anonym. A Choral Concerto — MT,

Nr. 721 [betrifft ein Händel'sches Manuskript im Britischen Museum].

Anonym. Die neuen Stelzner'schen Streichinstrumente — Rigaer Tageblatt, 7. Februar 1903.

Anonym. L'enseignement de l'histoire de la musique à Paris en 1903 — TSG 9, Nr. 1.

Anonym. Museo Spontiniano — MuM 58, Nr. 1 (illustriert).

Anonym. Le feste del 24° congresso per la proprietà artistica e letteraria a Napoli — ibid.

Anonym. Die neue Morley-Harfe — DIZ, 27. Februar 1903.

Anonym. Ein neues Verfahren zur Herstellung von Orgelzinnpfeifen — ZfI 23, Nr. 15.

Anonym. Centenarul luì Edgard Quinet în România — RoM 14, Nr. 5.

Anonym. La musique des chansons de Pierre Dupont — Intermédiaire des Chercheurs et Curieux, 20. Januar 1903.

Anonym. Trompettes de terre cuite pour la chasse — ibid.

Anonym. Saint Augustin et la musique — Revue Augustinienne, 15. Januar 1903.

Anonym. Leo XIII und die Kirchenmusik — C 20, Nr. 3.

Anonym. Inauguration du monument Berlioz à Monte-Carlo — M, Nr. 3755.

Anonym. Ein neuer amerikanischer Kirchenorgel-Typus — ZfI 23, Nr. 17.

Avril, René d'. La musique symphonique à Nancy — MSu 2, Nr. 34.

Aubry, Pierre. Les abus de la musique d'église au XII et au XIII siècles d'après un sermon de Guibert de Tournay — TSG 9, Nr. 2.

B. Lex Parsifal? — KW 16, Nr. 10.

B., v. Uitvoering van liederen uit het

>Liederboek van Groot-Nederland< te
Amsterdam — SA 4, Nr. 6.

Br., F. Hugo Wolf † — WKM 1, Nr. 12.

Br., J. Première représentation de >Jean
Michel<, comédie lyrique en quatre actes,
poème de MM. George Garnir et Henry-
Charles Vallier, musique de M. Albert
Dupuis, au Théâtre Royal de la Monnaie
— GM 49, Nr. 10.

Bake, E. Etwas über die Musik in England — RMZ 4, Nr. 10.

Baraduc, H. La suggestion phonogra-
phique — Annales des Sciences Psychiques,
November/Dezember 1902.

Bauer, M. Musikalische Zeitfragen (zehn
Vorträge) von Hermann Kretzschmar
— MWB 34, Nr. 8 [ausführliche Be-
sprechung].

Behrendt, C. Das musikalische Ohr —
Die Woche (Berlin, August Scherl) 5,
Nr. 8 [mit Photographien der Ohren be-
rühmter Musiker].

[**Berlioz**]. Faksimilierter Brief Hector
Berlioz' an Ricordi vom Jahre 1853,
die Ausgabe seines Requiem betreffend
— MuM 58, Nr. 2.

Bewerunge, H. Irish traditional singing
— New Irish Review (Dublin, 29 Lower
Sackville Street), März 1903.

Blackburn, Vernon. Onamatopœia in music — MT, Nr. 721.

Bonaventura, Arnaldo. La nuova fisio-
logia della emozione musicale — NM 7,
Nr. 83 [bespricht die Theorie des Prof.
Patrizi].

Borland, John E. Does practise make
perfect? A chapter on old methods of
learning to play the pianoforte and one
new one — Mc 8, Nr. 5.

Boughton, Rutland. Richard Strauß,
his whence and whither — ibid.

Brenet, Michel. Rameau, Gossec et
les clarinettes — GM 49, Nr. 9 ff.

Buck, Rudolf. >Louise< von G. Charpentier — AMZ 30. Nr. 11 [anläßlich
der ersten Berliner Aufführung am 4. März
1903].

Carmen Sylva, siehe Sylva.

Case, W. S. Municipal music — MN,
Nr. 628.

Cecil, George. Orchestral music in India
— MO, Nr. 306.

Charbonnel, J.-R. De la grâce musicale
— Annales de Philosophie Chrétienne,
August/September 1902.

Charles, E. Robert Planquette — Le
Salut Public (Lyon), 31. Januar 1903.

Chiafarelli, Luigi. A proposito delle ese-
cuzioni Wagneriane a Bayreuth ed a Monaco di Baviera — NM 7, Nr. 81/82.

Closson, Ernest. >L'Etranger<. Action
musicale en deux actes, texte et musique
de Vincent d'Indy. Première représen-

tation à Bruxelles, au Théâtre de la Monnaie, le 7 janvier 1903 — WvM 10, Nr. 8 ff.

—— >Hans-Michel<. Lyrische Komödie in
vier Akten von Vallier und Garnir.
Musik von Albert Dupuis. Erste Aufführung am Königlichen Monnaie-Theater
zu Brüssel am 4. März 1903 — S 61,
Nr. 21/22.

Cobbett, W. W. Music and Education —
MN, Nr. 626.

Conrat, Hugo. Friedrich der Große
und die Mara — NMZ 24, Nr. 7 ff.

Cursch-Bühren, Franz Theodor. Friedrich der Große als Musikfreund und
Musiker — Leipziger Tageblatt, 24. Dezember 1902.

Curzon, H. de. La semaine d'Ernest
Reyer. Les interprètes de ses œuvres
— GM 49, Nr. 10.

Decsey, Ernst. Aus Hugo Wolf's jungen
Tagen — Mk 2, Nr. 12.

Demnitz. Zum 100sten Geburtstage Christian Gottlieb Schlag's, Begründers der
Firma Schlag & Söhne, Königliche Hof-
Orgelbauer in Schweidnitz — DIZ, 7. März
1903.

Dent, Edward J. The Oxford History of
Music. Vol. IV: The age of Bach and
Handel (J. A. Fuller-Maitland) — MMR,
Nr. 387 [ausführliche Besprechung].

Dillmann, Alexander. >Der Dusle und
das Babeli<. Volksoper in drei Aufzügen
von Schriefer und Kolloden. Musik
von Karl v. Kaskel — WvM 10, Nr. 10.

Droste, C. Hugo Wolf † — Illustrierte
Zeitung (Leipzig, J. J. Weber), Nr. 3114.

Dupoux, J. L'accompagnamento del Canto
Gregoriano — SC 4, Nr. 9.

Dusquesnel, F. Robert Planquette et
les >Cloches de Corneville< — Le Gaulois
(Paris) 31. Januar 1903.

O'Dwyer, Robert. The Incorporated Mu-
sicians in Conference — New Ireland
Review (Dublin, 29 Lower Sackville Street)
Februar 1903.

E., F. G. A famous choir school (St.
George's Chapel, Windsor) — MT, Nr. 721.

Eberhardt, A. Quelques mots sur l'histoire
de la musique en Suisse — MSu 2, Nr. 34.

Eccarius-Sieber. Cyrill Kistler —
NMZ 24, Nr. 9 [mit Porträt].

Ehrenhofer, Walter Edmund. Vorschlag
zu einer neuen Bezeichnung der Orgel-
register — ZfI 23, Nr. 15.

Ertel, Paul. >Louise<. Musik-Roman in
4 Akten und 5 Bildern. Dichtung und
Musik von Gustave Charpentier. Erstaufführung in der Königlichen Oper zu
Berlin am 4. März 1903 — DMZ 34, Nr. 11.

Flatau, Th. Über phonographische Schrift
— Zeitschrift für Pädagogische Psycho-
logie, Pathologie und Hygiene (Berlin,
Hermann Walther), 4. Jahrgang, Heft 5/6)

[nach einem Vortrag in der Psychologischen Gesellschaft zu Berlin].

Fliedel, J. Dr. Franz-Xaver Witt, Gründer und erster Generalpräses des Cäcilienvereins — C 20, Nr. 3 [Festvortrag bei der III. Generalversammlung des Pfarr-Cäcilienvereins von Lauterburg am 23. November 1902].

Flodin, Karl. Die Entwickelung der Musik in Finnland — Mk 2, Nr. 11.

Foucault, S. G. La rhythmique grégorienne d'après Gui d'Arezzo — TSG 8, Nr. 12.

Friedlaender, Max. Brahms' Volkslieder — Jahrbuch der Musikbibliothek Peters für 1902 [Leipzig, C. F. Peters].

—— Weberiana — ibid. [enthält zwei bisher ungedruckte Jugendkompositionen W.'s: die Lieder »Die Kerze« und »Ein Gärtchen und ein Häuschen drin«].

Gaborit, C. Le nouveau manuel grégorien — TSG 9, Nr. 1.

Genée, Rudolph. Mozart's thematisches Verzeichnis seiner Werke von 1784 bis 1791. Nach der Originalhandschrift mit einem Lichtdruckblatt der letzten Seiten — MMG, März 1903.

Göhler, Georg. Felix Draeseke als Liederkomponist — KW 16, Nr. 10.

Gotthard, J. P. Drei philharmonische Konzerte in Wien (Dirigent Richard Strauß) — WKM 1, Nr. 13.

Grigorescu-Elvir, V. Reorganizarea teatrelor nationale — RoM 14, Nr. 5.

Grofsmann, Max. Beitrag zur Kenntnis der Bedeutung einiger Faktoren im Geigenbau — DIZ, 7. März 1903.

Grunsky, Karl. Bruckner's Symphonien — KW 16, Nr. 10.

—— Bruckner's IX. Symphonie — Mk 2, Nr. 11.

—— Anton Bruckner's 9. Sinfonie — Kl 26, Nr. 6.

Hahn, Arthur. Der Dusle und das Babeli. Volksoper in drei Aufzügen. Text von W. Schriefer und A. W. Kolloden. Musik von Karl v. Kaskel — NMZ 24, Nr. 8.

Hélot, R. Le professeur Bouillard et le phonographe — Bulletin de la Société »Le Vieux Papier«, 1. Januar 1903.

Hetsch, Gustav. Das Königliche Theater in Kopenhagen — BW 5, Nr. 12 [illustriert].

Heufs, A. Martin Plüddemann's Balladen und Gesänge — S 61, Nr. 20 [Besprechung].

Hiller, Paul. Der Dusle und das Babeli. Volksoper in drei Aufzügen von Karl v. Kaskel — WKM 1, Nr. 14.

Hinton, W. The »Componium«: a curious automatic musical instrument producing variations upon a given theme — MO, Nr. 306.

Hirschfeld, R. Das deutsche Lied im 18. Jahrhundert — Wiener Abendpost 1903, Nr. 25.

Hollander. Brief uit Venetië — Cae 60, Nr. 6.

Horch. »Meine Erinnerungen an Richard Wagner« von Ludwig Schemann — Die Nation (Berlin, Georg Reimer) 20, Nr. 17 [Besprechung].

Imbert, Hugues. Ernest Reyer — GM 49, Nr. 8.

—— »La Statue« d'Ernest Reyer à l'Académie Nationale de Musique (6 mars 1903) — ibid. Nr. 10.

—— La statue d'Hector Berlioz à Monte-Carlo — ibid. Nr. 11.

Ive, Oliver. The young idea in music — MN, Nr. 625.

Janssens, Dom Laurent. La transcription des mélodies grégoriennes en notation moderne — TSG 9, Nr. 2 [nach einem Vortrag].

Jeanjaquet, J. Prince français amateur de cor des Alpes au XVIe siècle — Schweizerisches Archiv für Völkerkunde (Zürich, Juchli & Beck) 7, Nr. 1.

Johannes, Eugen. »Der Dusle und das Babeli«. Volksoper in drei Aufzügen. Musik von Karl v. Kaskel — NZfM 70, Nr. 9.

Kalbeck, M. Schumann und Brahms — Deutsche Rundschau (Berlin, Gebr. Paetel) 29, Nr. 5 [aus einem im Entstehen begriffenen größeren biographischen Werke über Brahms].

Kleefeld, Wilh. Aus dem Reiche des Taktstocks — Westermann's Illustrierte Deutsche Monatshefte 47, Nr. 6.

Kling, H. Die Pauke — Die Instrumentalmusik (Beiblatt zur SMZ) 4, Nr. 3.

Koch, Carl. Bernhard Klein (1793—1832). Ein Gedenkblatt — Mk 2, Nr. 11.

Körte, Oswald. Gedanken und Erfahrungen über musikalische Erziehung — Zeitschr. für Pädagogische Psychologie, Pathologie und Hygiene (Berlin, Hermann Walther), 4. Jahrgang, Seite 157 [nach einem Vortrag im Verein für Kinderpsychologie in Berlin].

Köstlin, A. H. Evangelische Kirchenmusik und unsere nächsten Ziele und Aufgaben — CEK 17, Nr. 3 [nach einem Vortrag Philipp Wolfrum's bei der Jahresversammlung des »Wissenschaftlichen Predigervereins der evangelischen Geistlichkeit Badens« am 24. und 25. Juni 1902].

Kranich, Alvin. The orchestral situation in Leipzig — MC, Nr. 1198.

Kretzschmar, Hermann. Friedrich Chrysander — Jahrbuch der Musikbibliothek Peters für 1902 (Leipzig, C. F. Peters).

Kretzschmar, Hermann. Anregungen zur Förderung musikalischer Hermeneutik — ibid.

Krtsmáry, A. Karl Söhle's »Sebastian Bach in Arnstadt« — NMP 12, Nr. 6 [Besprechung].

Kühn, Alfred. Welche Bedeutung hat die Musik als Bildungselement — Straßburger Post 1903. Nr. 31.

L., O. Hugo Wolf † — AMZ 30, Nr. 9.

Lankow, Anna. The future of Grand Opera in America — MC, Nr. 1198.

Lederer, S. Der Photophonograph — Die Woche (Berlin, August Scherl) 7. März 1903 [illustriert].

Leichtentritt, Hugo. »Vasantasena«. Musikalisches Schauspiel in vier Akten, nach einer Dichtung des Königs Cudraka, bearbeitet von Guido Lehrmann. Musik von Leopold Reichwein. Uraufführung im Breslauer Stadttheater am 10. März 1903 — AMZ 30, Nr. 12.

Lewicki, Ernst. Mozart's Verhältnis zu Seb. Bach — MMG, März 1903.

Lewinsky, Josef. Tannhäuser-Erinnerungen — Berliner Zeitung, 28. Dezember 1902.

Liliencron, Detlev v. An Hugo Wolf [Gedicht] — Mk 2, Nr. 12.

Lützel, J. H. Über Trauermusik — CEK 17, Nr. 3.

M., A. Le Quatuor Sechiari — MM 15, Nr. 4.

M., M. Hugo Wolf † — Vossische Zeitung (Berlin) 25. Februar 1903, Morgenblatt.

Mangeot, A. Première représentation de »La Statue«, opéra-féerie en 5 actes et 7 tableaux, poème de J. Barbier et Michel Carré, musique de E. Reyer, le 4 mars 1903 — MM 15, Nr. 5.

Marchesi, S. Opera and concerts in Paris — MMR, Nr. 387.

Maréchal, H. Les compositeurs chefs d'orchestre — Le Salut Public (Lyon) 11. Januar 1903.

Marnold, Jean. »Titania«, drame musical de MM. L. Gallet et A. Corneau, musique de M. Georges Hüe, à l'Opéra-Comique — Mercure de France (Paris, 15 rue de l'Échaudé-Saint-Germain) März 1903.

Mauke, Wilhelm. Hugo Wolf †. Ein Gedenkblatt — Mk 2, Nr. 12.

Mayr, Zwei faksimilierte Briefe Simon Mayr's über Gaetano Donizetti an Giovanni Ricordi aus den Jahren 1815 und 1833 — MuM 58, Nr. 1.

Melos. Hugo Wolf † — Cae 60, Nr. 6.

Minkowsky, G. Opera makers of to-day — Munsey's Magazine (London, Horace Marshall) März 1902.

Molitor, Rafael. Josef v. Rheinberger

und seine Kompositionen für die Orgel — GR 2, Nr. 3 ff.

Morsch, Anna. Zur Verbandsfrage der deutschen Musiklehrer — KL 26, Nr. 6.

Müller, Paul. Erinnerungen an Hugo Wolf — Mk 2, Nr. 12.

n.n. Hugo Wolf. Gestorben am 22. Februar 1903 — NMZ 24, Nr. 8 [mit Porträt].

Nagel, Wilibald. Robert Eitner — BfHK 7, Nr. 3 [zu dessen siebzigstem Geburtstag].

Nef, Karl. Die Orchesterbesetzung zur Zeit Händel's und Bach's — AMZ 30, Nr. 9.

Nelle, Wilhelm. Klopstock und das Kirchenlied. Ein Gedenkblatt zum 14. März 1903 — MSfG 8, Nr. 3.

Neruda, Edwin. Tschaikowsky als Kritiker — NZfM 70, Nr. 10.

Nf. Vom appenzellischen Volksliede — SMZ 43, Nr. 8.

Niemann, Walter. Johann Jacob Froberger, Orgel- und Klavierwerke, III, herausgegeben von G. Adler (Denkmäler der Tonkunst in Österreich X, 2) — S 61, Nr. 21/22 [Besprechung].

Ochs, Siegfried. Hugo Wolf in Berlin (Januar 1894). Persönliche Erinnerungen — Deutsche Tonkünstler-Zeitung (Charlottenburg, C. Neubauer) 1903, Nr. 17.

Offoel, J. d'. La déclamation lyrique chez Reyer — MM 15, Nr. 5.

Ollendorff, Paul. Dr. Max Abraham [Biographie] — Offizielles Adreßbuch des deutschen Buchhandels (Leipzig) 1903 [A. ist Begründer der »Edition Peters«].

Ossetzky. »Moosröschen«. Musikalische Novelle in vier Bildern und einem Vorspiel. Text mit Benutzung von Ouida's »Two little wooden shoes« von Max Rothauser. Musik von Eugen Hubay. Uraufführung im kgl. Opernhause zu Budapest am 21. Februar 1903 — NZfM 70, Nr. 12.

Paladini, Carlo. Giacomo Puccini — MuM 58, Nr. 2 [mit zahlreichen Illustrationen].

Pinnau, Carl August v. d. Die Musik kommt! [Mit 18 photographischen Aufnahmen] — Die Woche [Berlin, August Scherl] 5, Nr. 12 [behandelt die Militärmusik verschiedener Nationen].

Pochhammer, A. Über die Entwicklung der Notenschrift — Mk 2, Nr. 11.

Procháska, Rud. Freih. Historische Schülerabende im Prager Konservatorium — NMZ 24, Nr. 8.

Puttmann, Max. Das Urheberrechtsgesetz — DMMZ 25, Nr. 7 f.

-r. Nochmals der 100. Geburtstag Michael Toepler's — GBo 20, Nr. 2.

R., J. »Der Barbier von Bagdad« in

Deventer mannen- en gemengd koor — WvM 10, Nr. 9.

R., R. »Titania«, drame musical en 3 actes, musique de M. Georges Hüe. Première représentation à, l'Opera - Comique — RAD 18, Nr. 2.

Rathcol. Teaching musical history in the infant class — IMM 1, Nr. 12.

Reichel, E. Hochberg und Hülsen — Welt und Haus 2, Nr. 3.

Riemann, Hugo. Die Anfänge der Violoncell-Literatur — BfHK 7, Nr. 3.

Riesenfeld, Paul. »Till Eulenspiegel«. Volksoper in zwei Teilen und einem Nachspiel frei nach Johann Fischart's »Eulenspiegel Reimensweiß« von E. N. von Reznicek — AMZ 30, Nr. 10 f.

Ritter, Hermann. Goethe's Entwurf einer allgemeinen Tonlehre — KL 26, Nr. 6 f.
—— Die Anfänge der Musikentwicklung in Nord-Amerika — BfHK 7, Nr. 3.

Rolland, R. Vincent d'Indy — Revue de Paris, 15. Januar 1903.

Ruata, G. Quirino. L'arte machinale — NM 7, Nr. 80/81 [wendet sich gegen das geistlose Sängertum].

Saint-Saëns, C. Le mouvement musical — Revue Canadienne, 1. Januar 1903.

Samazeuilh, Gustave. »L'Etranger«, action musicale en deux actes de M. Vincent d'Indy. Première représentation le 7 janvier 1903 au Théâtre Royal de la Monnaie — RAD 18, Nr. 2.

Sch., W. L. v. Beethoven. [Eine kleine Studie] — GBl 28, Nr. 9.
—— Die Gesänge des Hochamts am 4. Fastensonntag [Laetare]. [»Dominica IV. in Quadragesima«] — GBo 20, Nr. 2.
—— Die Marianische Antiphon »Ave Regina Coelorum« — ibid.

Schaffer, Karl. »Der Dusle und das Babeli«. Volksoper in 3 Akten. Text von W. Schriefer und A. M. Kolloden. Musik von Karl von Kaskel — MTW 6, Nr. 7.

Scheurleer, D. F. Mozart-portretten — Cae 60, Nr. 6 [mit 9 Porträts].

Schlemüller, Hugo. Von Meiningen nach London. Reisebriefe eines fahrenden Musikanten — NMZ 24, Nr. 7 ff.

Schmitt, Gustav. »Moosröschen«. Musikalische Novelle in vier Bildern und einem Vorspiel von Eugen Hubay — NMZ 24, Nr. 9.

Schubring, Paul. Die Natur bei Richard Wagner — KW 16, Nr. 10 f.

Schultze, Ad. Geraldine Farrar — NMZ 24, Nr. 8.

Schüz, A. Die Bedeutung des mimischen Elements in der Musik — NMZ 24. Nr. 7 ff. [spricht sich u. a. gegen die Forderung der Verdunklung der Konzertsäle aus].

Schwarz, Rudolf. Jahresbericht der Musikbibliothek Peters — Jahrbuch der Musikbibliothek Peters für 1902 [Leipzig, C. F. Peters) [enthält einen Bericht über die Neu-Erwerbungen sowie eine Statistik über die am häufigsten verlangten Werke].
—— Verzeichnis der in allen Kulturländern im Jahre 1902 erschienenen Bücher und Schriften über Musik. Mit Einschluß der Neuauflagen und Übersetzungen — ibid.

Seiffert, Max. Buxtehude — Händel — Bach — Jahrbuch der Musikbibliothek Peters für 1902 [Leipzig, C. F. Peters).

Servaes, Franz. Robert Weigel und sein Beethoven — Leipziger Illustrierte Zeitung [J. J. Weber) Nr. 3114 [mit Abbildung].

Sincero, Dino. Il canto dei Vesperi — SC 4, Nr. 9.

Sittard, Josef. Illusions-Ästhetik — BfHK 7, Nr. 3 f. [ausführliche Besprechung des Konrad Lange'schen Werkes »Das Wesen der Kunst, Grundzüge einer realistischen Kunstlehre«].

Smolian, Arthur. Vom Schwinden der Gesangskunst — NMP 12, Nr. 4 ff.

Solenière, Eug. de. Ernest Reyer — MM 15, Nr. 5.

Solvey, Lucien. »Jean Michel«. Comédie musicale en quatre actes, poème de MM. Vallier et Garnir, musique de M. Albert Dupuis — M, Nr. 3754 [anläßlich der Erstaufführung in Brüssel].

Spitta, Friedrich. Die Verwendung der Musik während der Austeilung des heiligen Abendmahles — MSfG 8, Nr. 3.

Straufs, J. Anton Bruckner's Neunte Symphonie — WKM 1, Nr. 11.

Sylva, Carmen. Das wohltemperierte Klavier — NZfM 70, Nr. 12.

Taylor, Baynton. Swell organs — MO, Nr. 306.

Teibler, Hermann. »Der Dusle und das Babeli«. Volksoper in 3 Aufzügen von Karl v. Kaskel — AMZ 30, Nr. 9.

Tinel, Edgar. Die polyphone Kirchenmusik — C 20, Nr. 3 ff. [Vortrag gehalten auf dem Internationalen Kongress für Kirchenmusik in Brügge am 9. August 1902. Deutsche Übersetzung von J. Bour).

Todhunter, John. Chopin's nocturnes — The Fortnightly Review [London, Chapman & Hall) März 1903 [Gedicht].

Urgiss, Julius. Die Musik als Volkserziehung — MTW 6, Nr. 5.

Vancsa, Max. Hugo Wolf's letzte Lebensjahre, Tod und Begräbnis — Mk 2, Nr. 12.
—— Hugo Wolf † — NMP 12, Nr. 5.

Viotta, Henri. De moderne dirigent — De Gids [Amsterdam, P. N. van Kampen & Zoon) Februar 1903.
—— Iets over den metronoom — ibid.

Viotta, Henri. Beethoveniana. (De Opera Leonore. De Koorfantasie. De Negende Symphonie) — Cae 60, Nr. 6.

Volbach, Fritz. Händel im Lichte der modernen Zeit — Die Kultur 1902, Nr. 13.

W. Die Entwicklung und Pflege der Musik in Amerika — NMZ 24, Nr. 7 f.

Wagner, P. »Gregorius Praesul« — GR 2, Nr. 3 f.

—— Bericht über das dritte Semester der Gregorianischen Akademie zu Freiburg i. d. Schweiz — ibid.

Welti, Heinrich. Hugo Wolf — Die Nation (Berlin, Georg Reimer) 20, Nr. 22.

—— Gustav Charpentier's Musikroman [»Louise«] — ibid., Nr. 24.

Winterfeld, A. von. Chopin's Verhältnis zu den Tonkünstlern seiner Zeit — NMZ 24, Nr. 7 f.

Wolfrum. Badisches über evangelische Kirchenmusik — Si 28, Nr. 3.

X. »Prinzessin Ilse«. Oper in einem Aufzuge von Paul Geisler — NZfM 70, Nr. 12 [anläßlich der Erstaufführung in Posen].

Ziehn, Bernhard. Über die symmetrische Umkehrung. Im Anschluß an das 8. Beiheft der Publikationen der Internationalen Musik-Gesellschaft: Hermann Schröder's »Die symmetrische Umkehrung in der Musik — ein Beitrag zur Harmonie- und Kompositionslehre mit Hinweis auf die hier technisch notwendige Wiedereinführung antiker Tonarten im Stile moderner Harmonik« — AMZ 30, Nr. 10 ff.

Zschorlich, Paul. Viertel-Töne — Die Zeit (Wien) 2, Nr. 19.

—— Hugo Wolf † — ibid., Nr. 23.

Buchhändler-Kataloge.

Breitkopf & Härtel. Leipzig. — 1) Verzeichnis des Musikalien-Verlags. Vollständig bis Ende 1902. (S. Bücherschau im nächsten Heft.) 2) Mitteilungen der Musikalienhandlung Nr. 73. S. 2810—2856. 8°. Hier wird zunächst auf die Vollendung der Gesamtausgaben von Joh. Peter Sweelinck's und Joh. Jakob Froberger's Werken hingewiesen. Die Werke des holländischen Meisters bestätigen, daß Sweelinck für seine Zeit ein bahnbrechender Führer war, und daß die Lobsprüche seiner Zeitgenossen voll gerechtfertigt sind. Neben der kritischen Gesamtausgabe erscheint nunmehr eine Auswahl der besten Chorwerke Sweelinck's in einer für den praktischen Gebrauch bequemen Ausgabe, von der 5 Nummern bereits vorliegen. — Froberger ist der erste eigentliche Klavierkomponist Deutschlands, der nicht nur das von Frescobaldi übernommene künstlerische Erbe auf dem Gebiete der Fugenkomposition fortgeführt, sondern auch im Anschluß an die französischen Klavieristen und Lautenisten die Klaviersuite an das erste Ziel ihrer Vollendung gebracht hat. Seine Orgel- und Klavierwerke werden als eine Frucht der Arbeiten für die Denkmäler der Tonkunst in Österreich in 2 Bänden dargeboten. — Immer wieder werden ältere, wertvolle Musikschätze ans Tageslicht befördert. So bieten die Denkmäler deutscher Tonkunst, 2. Folge als Jahrgang 3, II, den 1. Band der gesammelten Werke von Ludwig Senfl [ca. 1486 bis ca. 1555], der nach neuen Forschungen als der größte deutsche Tonsetzer seiner Zeit anzusehen ist und namentlich als Kirchenkomponist besondere Beachtung verdient. Von ihm wird gesagt, daß er, als Motettenkomponist verehrt, von kunstfreundlichen Fürsten gesucht und als Liederkomponist vom ganzen singenden Deutschland seiner Zeit ins Herz geschlossen war. — In den Mitteilungen wird ferner auf die Denkmäler der Tonkunst in Österreich hingewiesen, die in ihrem 10. Jahrgang außer einer Anzahl Froberger'scher Werke eine Riesenmesse von Orazio Benevoli darbieten, die für die Einweihung des Domes zu Salzburg 1628 bestimmt war. Von ihr heißt es im Revisionsbericht, daß sie bezüglich der kontrapunktischen Satztechnik und Vokalbehandlung ähnlich geartete Kirchenwerke der Neuzeit weit überrage. — Mit besonderem Nachdruck wird auf den 100. Geburtstag von Hector Berlioz und auf die Ehrenpflicht, seine Hauptwerke aufzuführen, hingewiesen. Nachdem die von Felix Weingartner und Charl. Malherbe, Archivar der Großen Oper in Paris, kritisch revidierte erste Gesamtausgabe zum größten Teil fertig vorliegt, sind die Hauptschwierigkeiten zur Veranstaltung von Aufführungen beseitigt, umsomehr, als der größte Teil der Berliozschen Kompositionen auch von Orchestern bescheidenen Umfangs zu Gehör gebracht werden kann. — In den Mitteilungen, die von der Verlagshandlung an jeden Musikfreund auf Verlangen unentgeltlich geliefert werden, wird weiterhin über das künstlerische Wirken von Ingeborg von Bronsart, die am 12. April 1903 ihr 50jähriges Künstler-Jubiläum feiern wird, sowie über den 1898 verstorbenen angesehenen Komponisten Theodor Gouvy, berichtet. — Für Dirigenten dürfte der Überblick über die 1902 von der Verlagshandlung veröffentlichten Orchester-, Kammermusik- und größeren Gesangswerke erwünscht sein. Gilhofer u. Ranschburg. Wien I, Bognergasse 2. — Autographen. Historische Urkunden u. Handschriften. Auktion XIV am 30. März 1903. 85 S. gr. 8⁰. Autographen von Ambros, Baillot, Beethoven (ein sehr interessanter Brief an Bettina v. Arnim), Brahms, Chladni, Delibes, Fesca, Hummel, Lipinski, Liszt, Leop. u. Konstanze Mozart, A. Patti, Rossini, Rousseau (vgl. »Notizen« dieses Heftes), Schumann, Seyfried, J. Strauß, Thalberg, Vieuxtemps, R. Wagner.

Mitteilungen der „Internationalen Musikgesellschaft".

Ortsgruppen.

Wien.

Am 9. Dezember 1902 hielt Herr Dr. Alfred Schnerich, Skriptor an der k. k. Universitätsbibliothek in Wien, einen Vortrag über »Die Inscenierung des Mozartschen Don Juan«.

Der Vortragende gab eine Rekonstruktion der Inscenierung bei den Erstaufführungen der Oper in Prag und Wien nebst kritischer Beleuchtung der Fehler, welche sich in die Ausgaben eingeschlichen haben, und der unrichtigen Auffassungen bei den Aufführungen.

In der am 18. Februar 1903 unter Vorsitz des Vorstandes Professor Dr. G. Adler abgehaltenen Versammlung sprach Herr Professor Oswald Koller über »Die instrumentale Begleitung des Minnegesanges«.

Anknüpfend an eine Stelle des Johannes de Grocheo wurde nachgewiesen, daß die beim Mönch von Salzburg besonders häufig vorkommenden Melismen zu Anfang und Ende der Verszeilen nur als instrumentale Zwischenspiele gedeutet werden können, eine Erscheinung, die in der Jenaer und Colmarer Handschrift nur ganz vereinzelt auftritt, während beim Mönch von Salzburg (Ende des XIV. Jahrhunderts) beinahe jedes Lied damit reichlich ausgestattet ist; im XV. Jahrhundert (Oswald von Wolkenstein) erscheinen jedoch diese Zwischenspiele schon viel seltener und verschwinden im Meistergesang des XVI. Jahrhunderts ganz. An der Hand der Geschichte der Bogeninstrumente des Mittelalters, erläutert durch Belegstellen aus den Musikschriftstellern und durch Abbildungen von Miniaturen aus Handschriften, wurde festgestellt, daß die instrumentale Begleitung des Minnegesanges weder in einem bloßen Mitspielen im Unison, noch in einem kunstvollen contrapunctus ex mente bestanden habe, sondern daß am wahrscheinlichsten der Gesang lediglich durch den orgelpunktartig festgehaltenen Grundton begleitet worden sei, was auch bei der praktischen Ausführung zu relativ befriedigenden Resultaten führt.

In der am selben Abend abgehaltenen Generalversammlung fand die Neuwahl der Ortsgruppenleitung statt. Es wurden in den Ausschuß gewählt die Herren Professor Dr. G. Adler, Professor Grädener, Professor Koller, Dr. Luntz, Dr. Nawratil, Dr. Waas und Frau Hofrat von Escherich.

In der am 27. Februar abgehaltenen Ausschußsitzung konstituierte sich die Ortsgruppenleitung derart, daß Professor Dr. Adler zum Vorsitzenden, Dr. Nawratil zu dessen Stellvertreter, Dr. Waas zum Kassierer und Professor Koller zum Schriftführer gewählt wurden.   O. Koller.

Purcell's Music for the Funeral of Mary II.

I have read with great interest Mr. Barclay Squire's communication on the above, and write to explain that "Flat Trumpets" simply meant trumpets in a Minor Key. Sixty years ago it was common for Cathedral musicians to use the word Flat as synonymous with Minor; for example, Dr. Blow's Te Deum in E minor was called Blow's "flat" service in E. Purcell himself (see Playford's Introduction to the skill of Musick, 1694) wrote, "There are but two Keys in Musick, viz, a Flat, and a Sharp; not in relation to the Place where the first or last Note in a Piece of Musick stands, but the Thirds above that Note". This is more explicitly stated in Peter Prelleur's "Introduction to Singing", published about 1731: — "There are properly but two keys in Musick, one flat and the other sharp. A Key is known to be flat or sharp not by what Flats or Sharps are set at the Beginning of a Tune, but by the third above the final or last Note of the Tune, for if the third consists of a whole Tone and a Semitone then it is flat, but if the third consists of two whole Tones then it is a sharp Key." Examples follow, in notation, of eight flat keys and eight sharp keys, which are, of course eight minor and eight major.

William H. Cummings.

Neue Mitglieder.

Grunicke, Franz. Organist und Lehrer für Orgel, Klavier und Harmonielehre. Steinmetzstraße 49, Berlin, W.
Horwitz, Karl. Wien I, Weihburggasse 32.
Janko, Paul von. Konstantinopel, Galata Régie. Türkei.
Noe, Oskar, Konzertsänger und Lehrer am Königl. Konservatorium der Musik, Leipzig, Grassistraße 23 II.
The Oxford University Musical Club, Oxford, 115 High Str. England.
Warschauer Musikgesellschaft (Warszawskie Towarzystwo Muzyczne). Warschau, Plac Teatralny. Rußland.

Änderungen der Mitglieder-Liste.

Baeumker, Professor Dr. Clemens, Bonn jetzt Straßburg i. E., Wenckerstraße 8.
Dechevrens, P. A., Paris, jetzt Estavayer le Lac. Cant. de Tribourg. Schweiz.
Korganov, B. von, jetzt Charlottenburg, Uhlandstraße 14.
Lang, Hermann, Lehrer am Königl. Konservatorium der Musik, Dresden, jetzt Lindenaustraße 38 III.
Meßner, Georg, Oberleutnant, Berlin, jetzt Breslau, Moritzstraße 14.
Neustadt, Arthur, Justizreferendar, Stuttgart, jetzt Mohlstraße 4.
Pfohl, Ferdinand, Musikschriftsteller, Hamburg, jetzt Bergedorf, Brauerstraße 30.
Schwartz, Dr. Rudolf, Musikhistoriker, Leipzig, jetzt Dresdener Straße 28 III.
Wolf, Dr. Johannes, Privatdozent, Berlin W, jetzt NO 55, Prenzlauer Allee 30.

Berichtigungen.

Auf Seite 308 des Märzheftes muß es Zeile 19 von unten ›Schalllinien‹ statt ›Schallwellen‹ heißen.

Auf Seite 354 ebenda ist unter den Referenten der Büscherschau fälschlich der Name Schmidt aufgeführt. An dessen Stelle ist als Referent K. L. Schäfer zu setzen.

Das Generalregister

des vorigen, dritten Jahrganges unserer Zeitschrift und Sammelbände im Umfange von 4 Bogen liegt diesem Hefte bei.

Ausgegeben Anfang April 1903.

Für die Redaktion verantwortlich: Professor Dr. Oskar Fleischer, Berlin W., Motzstr. 17.
Mitverantwortlich: Dr. Ernst Euting und Dr. Albert Mayer-Reinach in Berlin.
Druck und Verlag von Breitkopf & Härtel in Leipzig, Nürnberger Straße 36.

Publikationen der Internationalen Musikgesellschaft.
Beihefte.

Zu unseren beiden offiziellen Publikationsorganen ist seit Jahresfrist ein drittes, sozusagen nicht-offizielles getreten, zu dessen Bezug die Mitglieder nicht verpflichtet sind und welches in zwanglosen Heften erscheint. Diese **Beihefte der Internationalen Musikgesellschaft** haben den Zweck, die »Sammelbände« zu entlasten. Wie in der »Zeitschrift« nur Aufsätze von höchstens einem Druckbogen Länge aufgenommen werden können, so hat sich für die »Sammelbände« das Prinzip als zweckmäßig herausgestellt, nur Abhandlungen von höchstens fünf Druckbogen Umfang aufzunehmen. Um aber den diesen Umfang übersteigenden Arbeiten von Wert ebenfalls Platz zu schaffen, sollen die »Beihefte« dienen. Das schon vor Auftreten der Internationalen Musikgesellschaft unter dem Titel **»Sammlung musikwissenschaftlicher Abhandlungen von deutschen Hochschulen«** begründete Unternehmen ist in den »Beiheften« aufgegangen. Den Mitgliedern der Internationalen Musikgesellschaft steht es frei, ob sie die Beihefte, die selbständige neue Forschungen enthalten, beziehen wollen. Diese Beihefte, die durch sämtliche angesehene Buchhandlungen des In- und Auslandes oder unmittelbar von der Verlagshandlung Breitkopf & Härtel bezogen werden können, werden je nach Umfang zu mäßigen Preisen portofrei an die subskribierenden Mitglieder geliefert. Die bisher erschienenen Hefte der ersten Reihe der Sammlung musikwissenschaftlicher Arbeiten werden unter denselben Bedingungen den Mitgliedern abgegeben.

Die Centralgeschäftsstelle der Internationalen Musikgesellschaft.

Beihefte der Internationalen Musikgesellschaft.

I. Edgar Istel, Jean Jacques Rousseau als Komponist seiner lyrischen Szene Pygmalion. Preis ℳ 1.50.

II. Johannes Wolf, Musica Practica Bartolomei Rami de Pareia. Preis ℳ 4.—.

III. Oswald Körte, Laute und Lautenmusik bis zur Mitte des 16. Jahrhunderts. Unter besonderer Berücksichtigung der deutschen Lautentabulatur. Preis ℳ 5.—.

IV. Theodor Kroyer, Die Anfänge der Chromatik im italienischen Madrigal des XVI. Jahrhunderts. Ein Beitrag zur Geschichte des Madrigals. Preis ℳ 6.—.

V. Karl Nef, Zur Geschichte der deutschen Instrumentalmusik in der zweiten Hälfte des 17. Jahrhunderts. Mit einem Anhange: Notenbeispiele in Auswahl. Preis ℳ 3.—.

VI. Walter Niemann, Über die abweichende Bedeutung der Ligaturen in der Mensuraltheorie der Zeit vor Johannes de Garlandia. Ein Beitrag zur Geschichte der altfranzösischen Tonschule des 12. Jahrhunderts. Preis ℳ 6.—.

VII. Max Kuhn, Die Verzierungs-Kunst in der Gesangs-Musik des 16. und 17. Jahrhunderts (1535/1650). Preis ℳ 4.—.

VIII. Hermann Schröder, Die symmetrische Umkehrung in der Musik. Ein Beitrag zur Harmonie- und Kompositionslehre mit Hinweis auf die hier technisch notwendige Wiedereinführung antiker Tonarten im Style moderner Harmonik. Preis ℳ 5.—.

IX. Arno Werner, Geschichte der Kantorei-Gesellschaften im Gebiete des ehemaligen Kurfürstentums Sachsen. Preis 3.—.

Früher sind als Hefte der »Sammlung musikwissenschaftlicher Arbeiten von deutschen Hochschulen« erschienen:

I. Eduard Bernoulli, Die Choralnotenschrift bei Hymnen und Sequenzen. Preis ℳ 9.—.

II. Hermann Abert, Die Lehre vom Ethos in der griechischen Musik. Preis ℳ 4.—.

III. Heinrich Rietsch, Die Tonkunst in der zweiten Hälfte des neunzehnten Jahrhunderts. Preis ℳ 4.—.

IV. Richard Hohenemser, Welche Einflüsse hatte die Wiederbelebung der älteren Musik im 19. Jahrhundert auf die deutschen Komponisten? Preis ℳ 4.—.

ZEITSCHRIFT

DER

INTERNATIONALEN MUSIKGESELLSCHAFT.

Heft 8.   **Vierter Jahrgang.**   **1903.**

Erscheint monatlich. Für Mitglieder der Internationalen Musikgesellschaft kostenfrei, für Nichtmitglieder 10 ℳ. Anzeigen 25 ₰ für die 2 gespaltene Petitzeile. Beilagen 15 ℳ.

Die Wiederbelebung der Kirchentonarten.

Wir sind in der Entwickelung der Tonkunst auf einem Standpunkt angekommen, der es möglich macht, einen völlig unbefangenen Blick auf eine hinter uns liegende Stufe der Entwickelung zu werfen, und manche hergebrachten Ansichten, die sich im Lauf der Entwickelung gebildet haben, auf ihre Richtigkeit zu prüfen. Diese Prüfung wird zu dem Ergebnis führen, daß eine Sache, die im allgemeinen als eine veraltete, nicht mehr lebenskräftige angesehen wird, in einer ihrem Wesen entsprechenden Auffassung und Darstellung auch in der jetzigen Zeit noch sehr wirkungsvolle Verwendung finden kann.

Die Kirchentonarten sind im ersten Jahrtausend n. Chr., in der Zeit des Siebentonsystems, hauptsächlich als einstimmige Gesänge gebraucht worden, obwohl sie auch in der damals wenig entwickelten Instrumentalmusik Anwendung fanden. Im Anfang des zweiten Jahrtausends kam der mehrstimmige Tonsatz in Gebrauch, der im Kontrapunkt seine Blüte hatte. Als nach jahrhundertelangen Versuchen endlich der große Schritt von dem Siebentonsystem zum Zwölftonsystem gelang, der nur durch die Einführung der temperierten Stimmung möglich war, da entwickelte sich der harmonische Tonsatz, der eine so hohe Entwickelung der Tonkunst möglich machte, wie sie die letzten Jahrhunderte zeigen. Es war ganz natürlich, daß die von der christlichen Kirche in Gebrauch genommenen Gesänge, die nach päpstlichen Befehlen in ursprünglicher Form erhalten blieben, auch mehrstimmig in kontrapunktischer Art, und später im harmonischen Tonsatz bearbeitet wurden.

Als eine merkwürdige Erscheinung verdient erwähnt zu werden, daß nach der vollen Entwickelung des harmonischen Tonsatzes im Zwölftonsystem der Gebrauch der Kirchentonarten bei den Komponisten immer seltener wurde, obwohl im neuen Tonsystem jede Kirchentonart auf jedem

beliebigen Ton darstellbar geworden war, während im Siebentonsystem
jede Kirchentonart nur auf einem einzigen Ton dargestellt werden konnte.
Wären nicht beim Gottesdienst die alten Melodien im Gebrauch geblieben,
so wären die Kirchentonarten den heutigen Geschlechtern wohl ganz
fremd geworden.

Es ist nun die Frage, ob dies starke Zurücktreten der Kirchentonarten in der neueren Zeit seinen Grund darin hat, daß dieselben
überhaupt als ein überwundener Standpunkt zu gelten haben, oder ob
sie auch jetzt noch lebenskräftig genug sind, um neben unseren Dur-
und Molltonarten ihren Platz zu behaupten?

Wenn wir die Melodien allein ins Auge fassen, so wird niemand in
Abrede stellen können, daß viele derselben, gegenüber den Dur- und
Mollmelodien unserer Zeit, ein so eigentümliches Gepräge haben, daß sie
sich sehr deutlich von diesen unterscheiden. Es liegt in manchen alten
Kirchenmelodien eine Kraft und eine Charakteristik, die in Dur- und
Mollmelodien nicht zu finden ist. Das Herbe und Harte mancher Tonarten läßt sich in Dur und in Moll nicht ausdrücken. Wenn also zugestanden werden muß, daß die Kirchenmelodien durch ihren eigentümlichen Charakter auch in der heutigen Musik ihren Platz behaupten
können, so muß ein anderer Grund vorhanden sein, der ihren Gebrauch
so selten macht.

Dieser Grund liegt in der Harmonisierung der Kirchenmelodien.
Wenn sich auch die Melodien im Charakter deutlich von den Dur- und
Mollmelodien unterscheiden, so ist dies mit der Harmonisierung nur zum
kleinen Teil der Fall. Mit einer Ausnahme zeigt sich in der Harmonisierung der Kirchentonarten so viel Ähnlichkeit mit der Harmonisierung
der Dur- und Molltonarten, daß in vielen Fällen kaum ein Unterschied
zu finden ist. Der Grund dafür ist wohl mit Recht in dem Umstand
zu suchen, daß der harmonische Tonsatz die alten Meister der Tonkunst
unaufhaltsam dazu trieb und drängte, die natürlichen Tongeschlechter
Dur und Moll zu finden und auszubilden. Für diese Tonarten dient als
harmonische Grundlage die Dominantbeziehung, welche bei allen Schluß-
bildungen als Erfordernis gilt. Ohne einen Quinten- oder Quartenschritt
im Baß gibt es keinen genügenden Schluß; nur der Schritt von einer
Dominante zur Tonika, V-I oder IV-I kann einen Tonsatz befriedigend
abschließen. Ferner ist notwendig, daß die Tonika den untern Halbton
als Leitton hat. Der obere Leitton zur Quinte ist in Moll notwendig,
in Dur möglich. Diese Bedürfnisse der neuen Tongeschlechter wurden
von den Tonsetzern auch auf die Kirchentonarten übertragen, wodurch
der Charakter derselben sehr verwischt wurde. Nur eine einzige Kirchentonart fügte sich den neuen Anforderungen der Harmonisierung nicht
und zwang zu einer anderen Schlußbildung, weil der Melodienschluß die

Anwendung des Oberdominantdreiklanges unmöglich machte; dies ist die phrygische Tonart.

Der phrygische Schluß unterscheidet sich von den Schlüssen der Dur- und Molltonart so auffällig, daß eine Verwechslung nicht möglich ist und Zweifel gar nicht aufkommen können. Im Sinn unserer heutigen Tonarten aufgefaßt, ist der phrygische Schluß kein Ganzschluß, sondern ein Halbschluß, nämlich der Schritt IV-V in der Molltonart. Das ist nach unserm jetzigen tonartlichen Empfinden kein Abschluß für ein Tonstück, sondern nur für einen Abschnitt im Verlauf eines Tonstückes. Für die phrygische Tonart dagegen ist es der Ganzschluß, nach dem keine weitere Folge erwartet wird. Der phrygische Schluß enthält eine Abweichung von den Tönen der Tonart im Schlußakkord, welcher ein Dur-Dreiklang ist, obwohl die Tonart den Molldreiklang hat. Diese Eigentümlichkeit findet sich auch bei den andern Kirchentonarten, welche auf dem Finalton einen Molldreiklang haben, bei der dorischen und äolischen Tonart. Der Grund für diese Abweichung liegt darin, daß man früher den Molldreiklang nicht für genügend konsonierend hielt, um ein Tonstück damit abzuschließen. Man ließ daher im Schlußakkord entweder die Mollterz aus und schloß nur mit Grundton und Quinte, oder man gebrauchte statt des Molldreiklanges den Durdreiklang.

Der Akkord vor dem Schlußakkord, der schlußbildende oder kadenzierende Akkord in der phrygischen Tonart ist kein im Quintenverhältnis zum tonischen Dreiklang stehender Dominant-Dreiklang, sondern der Dreiklang auf der Untersekunde, dem häufig noch der Dreiklang auf der nächsten Untersekunde vorhergeht. Nach den Stufen der phrygischen Tonleiter bezeichnet, ist die gewöhnliche Schlußbildung VI-VII-I, manchmal auch III-VII-I, selten I-VII-I. Dies gilt für die authentische Tonart, bei welcher die Schlußtöne der Melodie gewöhnlich g-f-e sind. Bei der plagalischen Tonart sind die Schlußtöne meistens c-d-e und die Harmonisierung ist IV-VII⁶-I, oder II-VII⁶-I oder auch VI-VII⁶-I.

Es darf wohl als berechtigt gelten, wenn man die Eigentümlichkeiten in der Harmonisierung der phrygischen Tonart, die den Gesetzen der modernen Tongeschlechter so entschieden widerstreben, als für die Kirchentonarten überhaupt giltig betrachtet. Dadurch erhalten die Kirchentonarten alle eine Selbständigkeit, die eine Verwechslung mit den neuen Tongeschlechtern nicht wohl möglich macht.

Bei Annahme dieses Grundsatzes ist die Anwendung aller leiterfremden Töne mit Ausnahme der großen Terz im Schlußakkord statt der kleinen, zu vermeiden; insbesondere sind die den modernen Tonarten unentbehrlichen Leittöne zur Tonika, die kleinen Sekunden unter der Tonika vom Gebrauch auszuschließen, weil sie Unklarheit in die Tonart bringen. Mit Ausnahme der ionischen und lydischen Tonart hat keine Kirchentonart den untern Leitton zur Tonika; die phrygische Tonart hat den obern Leitton, der in keiner andern vorkommt, da die lokrische Tonart auf h nicht zu praktischer Bedeutung kam.

In den andern Tonarten ist die Tonika von großen Sekunden umgeben, wodurch die moderne Schlußbildung mit dem Durdreiklang der Oberdominante unmöglich wird. Wird der Schluß in den Kirchentonarten mit Anwendung des Sekundenschrittes VII-I oder VII⁶-I gebildet, so ist damit eine so bestimmte Abweichung von den Dominantschlüssen der Dur- und Moll-Tonarten gegeben, daß die Kirchentonarten sofort als solche erkannt werden. Die gewöhnlichen Schlußtöne der authentischen Tonarten sind Oberterz-Obersekunde-Tonika mit der Harmonisierung VI-VII-I, III-VII-I, I(VI⁶)-VII-I; die gewöhnlichen Schlußtöne der plagalischen Tonart sind Unterterz-Untersekunde-Tonika mit der Harmonisierung IV-VII⁶-I, II-VII⁶-I, VI-VII⁶-I. Bei dem Schlußakkord ist eine melodische Ausschmückung mit Vorhalten und mit Umschreibungen der Terz und Quint sehr beliebt und kennzeichnet diesen Akkord als Schlußakkord. Der ionische, dorische, mixolydische und äolische Schluß klingen so ganz gut; der lydische Schluß ist der am wenigsten befriedigende. Durch Anwendung der erniedrigten 4. Stufe der Leiter, die bei der seitherigen Harmonisierung oft gebraucht wurde, verschwindet zwar die uns befremdende Härte; aber die lydische Tonart wird dadurch gleich mit der ionischen Tonart, wenn sie auf dem Ton f dargestellt wird. Beethoven hat in dem Streichquartett op. 132 den Schluß V-I gebraucht, ohne den Ton b statt h anzuwenden. Für die authentische Tonart ergeben sich bei dem oben angenommenen Melodieschluß die Akkordverbindungen III-V-I, I-V-I, VI⁶-V-I; für die plagalische Tonart aber VI-V-I, IV⁶-V-I, II-V-I. Diese Schlüsse unterscheiden sich durch Vermeidung der Unterdominante noch hinlänglich von der F-dur Tonart, obwohl der Dominantschritt V-I den Charakter der Kirchentonart verwischt. Die lydische Tonart zeigt ein ähnliches Widerstreben gegen die Harmonisierung der Kirchentonarten, wie es die phrygische Tonart gegen die Schlußbildung der neuen Tongeschlechter zeigt. Beide Tonarten machen sich auch hierdurch als die am meisten gegensätzlichen geltend, wie sie es schon dadurch sind, daß ihre Grundtöne die schärfste Dissonanz bilden, die wir im Tonsystem haben.

Die vom katholischen Cäcilienverein ins Werk gesetzte Bewegung zur Reinigung der Kirchentonarten von fremden Elementen ist durch die richtige Erkenntnis veranlaßt worden, daß die Vermengung der modernen Harmonisierung mit der den Kirchentonarten eigentümlichen Art den Charakter derselben wesentlich verändert und abschwächt. Auch in der protestantischen Kirche ist in Verbindung mit der Einführung des streng rhythmisierten Chorals eine angemessene Harmonisierung der alten Kirchenmelodien versucht worden. Diese Absicht konnte aber nur zum Teil erreicht werden, weil man sich von der modernen Schlußbildung nicht frei machte.

Um den Kirchentonarten ihre Selbständigkeit voll zu wahren, muß die Schlußbildung eine andere werden, eine dem Typus der phrygischen Tonart nachgebildete, die auf dem Sekundenschritt VII-I beruht. Daß auch für die sonstige Harmonisierung der Kirchentonarten der Sekundenschritt der wichtigste ist und dem Charakter der alten Tongeschlechter am meisten entspricht, bedarf kaum der Erwähnung. Daß bei der Harmonisierung der Kirchenmelodien fast ausschließlich Dreiklänge und deren erste Umkehrungen zur Anwendung kommen, ist eine wohlberechtigte und notwendige Beschränkung, die dem Geist des Siebentonsystems entspricht. Die Anwendung der Vierklänge und ihrer Umkehrungen ist so stilwidrig, wie die Anwendung von schwierigen Satzformen für den Ausdruck von einfachen Tatsachen und Verhältnissen. Septimen kommen nur im Sinn von Vorhalten oder von Durchgängen vor, je nachdem sie auf guten oder auf schlechten Zeitteilen auftreten. Im Sinn von Harmonien, wie der Dominantseptimenakkord und auch andere Vierklänge jetzt gebraucht werden, finden die Septimenakkorde keine Anwendung bei der Harmonisierung der Kirchenmelodien und bei Kompositionen in den Kirchentonarten. Die Vierklänge sind eine höhere Stufe der harmonischen Entwickelung, die erst dem Zwölftonsystem zukommt, weil dies eine freie Verbindung gleichartiger und verschiedenartiger Vierklänge möglich macht. Die Fünfklänge bilden eine weitere Stufe der harmonischen Entwickelung im Zwölftonsystem, an deren Schwelle wir stehen. Die Anwendung dieser Entwickelungsergebnisse auf das Siebentonsystem ist zum größten Teil unmöglich; wo sie in einzelnen Fällen möglich ist, wirkt sie befremdlich und ist daher stilwidrig.

Als Ergebnis unserer Betrachtung dürfen wir annehmen, daß die Kirchentonarten noch lebensfähig sind und auch jetzt von den Komponisten mit guter Wirkung angewendet werden können, wenn sie in harmonischer Beziehung selbständiger gehalten werden, als es seither der Fall war.

Wenn die alten Meister im Banne der Zeitströmung die Elemente der von ihnen erstrebten neuen Tongeschlechter auch in den Kirchentonarten gebrauchten, so ist das wohl begreiflich. Es setzt ihr Verdienst nicht herab, wenn wir jetzt, nachdem das von ihnen erstrebte Ziel schon lange erreicht ist, erkennen können, daß sie von einem Irrtum befangen waren, der sie nicht zusammen Gehöriges vermengen ließ. Das was sie geschaffen haben, ist darum nicht weniger wertvoll, und es wäre ganz falsch, die in den Kirchentonarten geschriebenen Werke der alten Meister nicht zu würdigen, weil sie sich nicht streng in deren Grenzen hielten.

Wenn wir aber jetzt einsehen, daß die Kirchentonarten neben den modernen Tongeschlechtern ihren Platz einnehmen können, wenn sie von den fremden Elementen frei gehalten werden, so dürfen wir uns nicht scheuen, die herkömmliche Vermischung des Alten mit dem Neuen zu vermeiden und das Alte auch in der Harmonisierung als solches kenntlich zu machen.

Ein Vergleich wird die Sache klarer machen. Nehmen wir für die Kirchentonart das Zink, für die moderne Tonart das Kupfer an, so ist die Art der Harmonisierung der alten Meister dem Messing zu vergleichen, das aus einer Mischung von Zink und Kupfer besteht. Ein Kunstwerk aus Messing ist nicht weniger wertvoll, als ein gleiches aus Zink oder aus Kupfer; aber es ist weder ein zinkernes, noch ein kupfernes Werk. Es ist aber möglich, das gleiche Werk aus Zink oder aus Kupfer herzustellen, wenn man die Mischung der Metalle verschmäht. Wie nun das Kunstwerk aus Zink auf das Auge eine andere Wirkung ausübt, als das aus Kupfer oder aus Messing, so wird auch eine alte Melodie, die streng in der Kirchentonart harmonisiert ist, auf das Ohr einen anderen Eindruck machen, als die gleiche Melodie, in eine moderne Tonart übertragen und harmonisirt, oder als eine moderne Harmonisirung der alten Kirchenmelodie.

Es ist kein Zweifel, daß neben der vollen Ausnützung des Zwölftonsystems in jeder Tonart, oder wie man zu sagen pflegt, neben der vollen Chromatik, die in allen Werken neuerer Meister zu finden ist, ein Gegengewicht wohltuend wirken würde, wie es in den Kirchentonarten vorhanden ist. Neben der schrankenlosen Ausnützung unseres ganzen Tonsystems in jeder Tonart, ist eine absichtliche Beschränkung auf die siebentönigen Kirchentonarten von einer so starken und scharfen Gegensätzlichkeit, daß es nicht nur möglich ist, davon Gebrauch zu machen, sondern man muß sagen, es wäre eine große Torheit, wenn man keinen Gebrauch davon machen wollte. Franz Liszt hat in dieser Beziehung ein sehr nachahmenswertes Beispiel gegeben.

Als natürliche Grundlage unserer jetzigen Musik ist jedenfalls die siebentönige Durtonart und die siebentönige Molltonart anzusehen, wenn letztere auch eine Mischtonart ist, und die wirkliche Molltonart im Sinne der Untertonbildung wohl erst in ferner Zeit in allgemeinen Gebrauch kommen wird. Wenn nun die Chromatik als eine Erweiterung dieser Grundlage anzusehen ist, so ist die Anwendung der Kirchentonarten mit der ihnen angemessenen Harmonisierung als eine Beschränkung anzusehen. Denn obwohl sie auch sieben Töne haben, so ist es doch eine auffallende Beschränkung, daß bei der Harmonisierung von Schlüssen der Dominantschritt vermieden wird, der auf harmonischer Verwandtschaft beruht, nämlich auf der Umdeutung des Grundtones von V zur Quinte von I, oder der Quinte von IV zum Grundton von I. An dessen Stelle tritt ein Schritt ohne harmonische Verwandtschaft, nämlich der Sekundenschritt von VII—I.

Der Gebrauch der Kirchentonarten ist nach Einführung des temperierten Zwölftonsystems nicht mehr auf je einen einzigen Ton beschränkt, sondern jede Kirchentonart kann auf jedem der zwölf Töne gebracht werden. Es ist also in jeder Kirchentonart ebensogut eine Modulation durch alle 12 Tonarten möglich, als eine Modulation durch alle 12 Dur- oder Molltonarten: Hierdurch steht den Komponisten der jetzigen Zeit eine viel größere Freiheit in der Bewegung zu Gebot, als den Komponisten der alten Zeit, die noch im Bann des Siebentonsystems standen und jede Tonart nur auf einen Ton gebrauchen konnten. Bei ihnen war der Übergang in eine andere Tonart zugleich der Übergang in eine andere Kirchentonart oder in ein anderes Tongeschlecht, wenn wir diese Bezeichnung auf Kirchentöne anwenden wollen. Da die Übergänge von einem Kirchenton zum andern natürlich ebensogut möglich sind, als Übergänge von Dur- nach Molltonarten, und da jeder Kirchenton wieder in zwölf verschiedenen Tonhöhen anwendbar ist, so wird durch Einbeziehung der Kirchentöne in Kompositionen ein großer Reichtum an Ausdrucksmitteln gewonnen, die dem Dur- und Mollgeschlecht mangeln. Allerdings ist zur vollen Wirksamkeit unerläßlich, daß die Kirchentöne in der Harmonisierung sich von den neuen Tongeschlechtern deutlich unterscheiden, und daß sie, sowohl in der Melodiebildung, als auch im mehrstimmigen Satz in voller Reinheit zum Ausdruck kommen.

Sollten manche Komponisten durch diese Betrachtungen veranlaßt werden, sich wieder mit den Kirchentonarten zu befassen und sie in ihren Werken anzuwenden, so mögen sie die obigen Darlegungen eingehend prüfen und sich dann entscheiden, ob sie die seither übliche Vermengung mit Dur- und Molltonarten weiter gebrauchen wollen, oder ob sie es vorziehen, in der angegebenen Weise die Kirchentonarten in wirkungsvollerem Gegensatz zu den neuen Tongeschlechtern zu gestalten.

München.   **M. E. Sachs.**

Musikleben in Rufsland.
Saison 1902—1903.

Mit dem Beginn der Fastenzeit findet in Rußland auch auf musikalischem Gebiete die lange Wintersaison ihren Abschluß. Während der ganzen ersten Fastenwoche sind weder Theater-Vorstellungen einschließlich der Kaiserlichen Theater (die erst zu Ostern wiedereröffnet werden) noch Konzerte anzutreffen. Die Zeit der Großen Fasten in Rußland ist gleichzeitig das Signal einer großen Wanderung der von ihrem Dienste befreiten Sänger der Kaiserlichen Theater. Diese Zeit benutzen auch mit Vorliebe die Künstler zweiten Ranges zu ihren Konzerten. Da wir nun am Ende der beiden Herbst- und Winter-Saisons stehen, ist es auch möglich, eine zusammenfassende Darstellung ihrer bemerkenswertesten Erscheinungen zu geben.

Zu Beginn der Herbst-Saison wurde in den beiden Hauptstädten ein neues Unternehmen ins Leben gerufen: »ein Verein der Orchestermusiker«, der sich anfänglich der reichen Kaiserlich Russischen Theater-Gesellschaft anschloß, auch einige Konzerte gab, seine Statuten ausarbeitete, um aber dann in tiefen Schlaf zu verfallen. Ob dieser »Verein«, so sympathisch er auch seiner Grundidee nach ist, sich lebensfähig erweisen wird, ist schwer vorauszusagen. Merkwürdig ist, daß der Gedanke, einen allgemeinen »Verein der Orchestermusiker« in Rußland zu gründen, in eine Zeit fällt, wo gerade vor 100 Jahren eine ähnliche, der Anzahl ihrer Mitglieder nach aber kleinere Gesellschaft, die sogenannte St. Petersburger Philharmonische Gesellschaft gegründet wurde (1802), die den Zweck hatte, die Witwen und Waisen der Musiker zu unterstützen. Am 9./22. November, am 100jährigen Jubiläums-tage, veranstaltete die ebengenannte Gesellschaft ein feierliches Konzert unter der Leitung Arthur Nickisch's. Das Programm schmückten die Namen der-jenigen Komponisten, die mit der Geschichte dieser Gesellschaft eng ver-knüpft waren. Als erste Nummer figurierte die G-dur-Symphonie von Haydn, der die Ouverture Glinka's »Eine Nacht in Madrid« und als letzte Nummer die »Missa Solemnis« von Beethoven folgte. Die St. Petersburger Phil-harmonische Gesellschaft ist nach dem Vorbilde der »Wiener Philharmonie« gegründet, zu deren Besten seinerzeit ebenfalls die beiden Oratorien von Haydn gegeben wurden. Die Ouverture Glinka's ist vom Komponisten der Gesellschaft gewidmet, deren Ehrenmitglied er war. Was die geniale Messe des Größten aller Meister anlangt, so vermute ich, daß die Ehre der ersten Aufführung derselben Rußland zufiel. Im Sommer 1823 schlug Beethoven der Gesellschaft vor, die »Feierliche Messe« einzustudieren, indem er die Kopie der Partitur nach St. Petersburg sandte, für alles nur 50 Dukaten verlangend. Den 26. März 1824 gelangte hier die Messe zur Aufführung, während sie in Wien erst ein paar Monate später — im Mai 1824 — ge-geben wurde. Der Name des berühmten Dirigenten des Jubiläumskonzertes genügt, um eine Vorstellung von der herrlichen Ausführung des ganzen Konzerts zu geben. Das Konzert trug Festcharakter, obwohl man hier nur historische Verdienste ehrte, denn gegenwärtig, wie ich schon in meinen früheren Berichten ausgeführt habe, verfolgt die Gesellschaft nur philanthropische Ziele, und das letzte Konzert sollte nur eine Erinnerung an ihren früheren künstlerischen Ruhm sein.

Der Monat Februar verzeichnete zwei weitere Jubiläen und zwar zweier berühmter russischer Musiker. Am 1. Februar fand im Adelssaale das Jubiläums-Konzert des bekannten Chordirigenten A. A. Archangelsky[1]) statt. In meinen Berichten habe ich schon öfters Gelegenheit gehabt, von den großen Verdiensten dieses Mannes auf dem Gebiete russischen Kirchengesangs und seiner Tätigkeit als Dirigent ·zu berichten. Das Programm des feierlichen Jubiläums-Konzertes schmückte eine Reihe älterer Meister (Josquin de Prez, Lasso, Palestrina, Schütz, Bach, Mendelssohn und andere), welche die erste geistliche Abteilung des Konzerts bildeten, die zweite Abteilung, die mit dem komischen Madrigal von Wekky (XVI. Jahrhundert) begann, dem sich ein humoristischer Chor von Schumann (Zahnweh) anschloß, endete mit einer Anzahl weltlicher Chöre russischer Meister; das ganze Programm führte Archangelsky meisterhaft durch. — Nicht weniger warm wurde vom Publikum Frau M. A. Slawina gefeiert, eine der begabtesten Sängerinnen des Marien-Theaters, deren Benefiz am 13. Februar, dem Tage ihrer 25jährigen künstlerischen Tätigkeit, begangen wurde. Als Opern-Sängerin zeichnet sich Frau A. Slawina dadurch aus, daß sie aus jeder ihrer Rollen eine künstlerisch vollendete Persönlichkeit schafft. Ihr Repertoire umfaßt die verschieden-artigsten Rollen, die sämtlich von warm pulsierendem Leben durchdrungen sind: Carmen, Dalila, Amneris, Ortrud, Frikka, Waltraute, Ratmyr (»Rußlan«), Die Fürstin (aus Russalka Dargomischky), Konschakowska (»Igor«), Leel (Snegourotschka), die Pique-Dame und andere.

Von weiteren Festlichkeiten wären noch zu erwähnen: die feierliche Enthüllung des Anton Rubinstein-Denkmals ,einer Arbeit des Bildhauers S. Bernstamm), die im Gebäude des Konservatoriums am 27. November stattfand. Ein sich anschließendes Konzert begann mit einer schönen, wohlklingenden, speziell aus diesem Anlaß von Herrn Ljadow komponierten Polonaise und endete mit Rubinstein's bekannter Fest-Ouvertüre. Zwei Tage später wurde von der St. Petersburger Russischen Musik-Gesellschaft ein Symphonie-Konzert im Großen Saale des Konservatoriums unter Leitung des Herrn Professor Ssafonow aus Moskau veranstaltet. Dem Programm nach, welches die folgenden Nummern aufwies: »Hymne« von Ljadow, Trauermarsch aus Beethoven's »Eroika«, Oratorium »Der Turm zu Babel«, zwei Ouverturen »Antonius und Cleopatra« und »Don Quichot« von Rubinstein, bot das Konzert ein großes Interesse; die Ausführung aber durch vereinigte Kräfte der Schüler der St. Petersburger und Moskauer Konservatorien (die Solisten im Oratorium ausgeschlossen) ließ in Bezug auf Zusammenspiel und Ausarbeitung der Details zu wünschen übrig.

Nun zur Oper. Das Interesse für diese konzentriert sich ausschließlich

---

1) Alexander Andreewitch Archangelsky wurde im Jahre 1846 im Pensa-schen Gouvernement geboren und in einem Seminar erzogen. Seine musikalische Bildung verdankt er in der Hauptsache sich selbst, obwohl er in der Jugend unter der Leitung von Potulow, dem großen Kenner des orthodoxen Kirchengesanges, Theorie studierte. Mit dem 16. Jahre widmete er sich der Dirigenten-Tätigkeit, anfangs in Pensa, dann in St. Petersburg, wo er nun seit 20 Jahren einen eigenen, ausgezeichnet organisierten Chor hat, der auch den beiden Provinz-Residenzen wohlbekannt ist. Als Komponist hat Archangelsky über 50 talentvolle Werke für Kirchengesang geschrieben. Im vorigen Jahre gründete er hier und in Pensa »Wohltätigkeits-Vereine« für die Kirchensänger. Als Anerkennung für seine gemeinnützige Tätigkeit wurde ihm unlängst vom Kaiser eine jährliche Pension von 1000 Rubeln (2000 Mark) ausgeworfen.

in den Theatern der beiden Residenzen. Das Opern-Wesen der Provinz hat
in diesem Jahre eine sichtliche Krisis durchgemacht, die sich durch den
Mangel an leitenden Kräften und einem ständigen Opern-Repertoire erklären
läßt. Von allen Seiten hört man von den traurigen Resultaten dieser und
jener Unternehmungen und von dem Entschluß, in den größeren Städten der
Provinz die Oper durch das Drama zu ersetzen. Es ist kaum vorauszusehen,
wo die große Anzahl der dadurch frei werdenden Künstler, Chorsänger und
Musiker ein Unterkommen finden wird.

Von den beiden Residenzen dagegen kann man wohl behaupten, daß sie
auf dem Gebiete der Oper große Fortschritte gemacht haben. Besonders
hervorzuheben sind die Leistungen des Marien-Theaters in St. Petersburg
und die der Russischen Privat-Oper in Moskau.

Im Marien-Theater begann die Opern-Saison mit der traditionellen Oper
Glinka's »Das Leben für den Zar«, worauf »Walküre« und »Siegfried« von
Wagner folgten, was natürlich der Tradition gar nicht entsprach. Ueber-
haupt haben die Anhänger Wagner's (und ihre Zahl wird, wie es scheint,
hier von Tag zu Tag größer) in diesem Winter keinen Grund zur Klage.
Der Januar war der Glanzpunkt der Saison, dank der Gastrollen der ausgezeichneten Wagner-Sänger Frau Felia Litwin und Herrn Van-Dyk. Zur
Aufführung gelangten »Tristan und Isolde« (voriges Jahr nicht gegeben),
mehrere mal »Lohengrin« und endlich (ohne Mitwirkung des Herrn Van-Dyk)
die »Götterdämmerung«, die ihre erste Aufführung in russischer Sprache
erlebte. Zu bedauern ist nur, daß die Direktion in dieser Richtung nicht
weiter ging und gleichzeitig die Walküre und Siegfried herausbrachte. Über
solche Anordnungen darf man sich jedoch nicht wundern, wenn man hört,
daß »Rheingold« überhaupt nicht gegeben werden soll. Dafür können wir
die Hoffnung hegen, im nächsten Jahre die 3 Musikdramen des Nibelungen-
Ringes der Reihe nach zu hören.

Die Ausbeute an Novitäten in dieser Saison war eine beträchtliche. Am
wenigsten Erfolg hatte die erste — eine neue Oper von Rimsky-Korsakow
»Servilia«, welche zum erstenmal den 13. Oktober 1902 aufgeführt wurde.
Ihr Libretto ist dem gleichnamigen Drama des Dichters May entnommen,
dessen Andenken die Oper auch gewidmet ist. Das Drama an und für sich
ist eins der schwächsten und langweiligsten Werke May's, doch finden wir
in ihm nicht solche Widersprüche, wie sie der Autor der Oper zuläßt, indem
er als Schlußeffekt die Römerin Servilia, die Christin geworden, samt den
überzeugten Heiden, den Römern, dem Senator Trasea und anderen in ein
christliches Ensemble, gänzlich dem Charakter eines Chorals entsprechend, einstimmen läßt. Die Musik, die strengen Opern-Formen vermeidend, besteht aus
kleinenEpisoden, die in der Manier Korsakow's lose an einander gereiht werden,
ohne inneren Zusammenhang und logische Entwickelung, wie wir es seit
Wagner gewöhnt sind. Ferner tauchen häufig kleinere und größere Recitative,
unterbrochen durch ariose Gesänge, auf, dabei ist das Recitativ das schwächste
Ausdrucksmittel des sonst hochbegabten russischen Meisters. Im allgemeinen
ist die Musik von »Servilia« nicht banal zu nennen, eher möchte ich sie
trocken, teils auch langweilig nennen, obwohl in den Partien der Heldin,
des Tribun Valerius, des Senators Trasea und des Verräters Ignatius mehrere
bedeutende Momente sich finden. Die Oper ist nur ein paarmal gegeben
worden. — Viel größeren Erfolg hatte die zweite neue Oper der Saison,
»Franceska da Rimini« von E. F. Naprawnik, dem talentvollen Dirigenten

des Marien-Theaters, die am 9. November zum erstenmal zum Benefiz des Orchesters zur Aufführung gelangte. Als Sujet diente das Drama: »Franceska und Paolo« von Philipp, dem bekannten englischen Schriftsteller. Mir scheint, daß auf die Wahl des Sujets, wie auch auf die Musik, welche die zarte Liebe Franceska's zu Paolo schildert, hauptsächlich Wagner's Tristan und Isolde von Einfluß gewesen ist, ein Werk, welches zur Zeit seiner Aufführung im Marien-Theater so viel Gerede, Kämpfe und Interesse erweckte. Jedenfalls erscheint Naprawnik in seiner »Franceska« von dem früher bemerkbar gewesenen Einfluß Glinka's und Tschaikowsky's befreit, obgleich wir bei Tschaikowsky eine geniale symphonische Dichtung »Franceska da Rimini« finden, deren Musik dasselbe Liebes-Sujet und auch die Szene des fatalen Vorlesens illustriert. Trotz der anstrengenden Arbeit, welche die Stellung eines Opern-Dirigenten mit sich bringt, hat Naprawnik in sich genug Kraft und Energie gefunden, eine Oper zu schreiben, welche, wenn auch nicht hervorragend, so doch in Instrumentation, technischer Vollendung und Wohlklang, wie auch in Poesie viel Genußreiches bietet. In den beiden Hauptrollen zeichnete sich das Ehepaar Figner aus. — Die dritte Neuheit der Saison war Wagner's »Götterdämmerung«, von der ich früher schon zu sprechen Gelegenheit hatte; sie ging das erstemal am 2. Februar unter Naprawnik's Leitung in Szene. Obwohl eine der schwersten Opern aus dem Nibelungen-Cyklus, erntete sie — allen Prophezeihungen und Erwartungen zum Trotz — entschiedenen Erfolg, der den vorjährigen des Siegfried stark überragte, obwohl die Aufführung keineswegs einwandfrei war. Die Mängel lassen sich leicht erklären, wenn man bedenkt, daß unseren Kräften die Wagner'schen Opern-Partien ganz ungewöhnt sind. Doch zeigten sowohl die ausführenden Künstler (Litwin-Brünhilde, Fr. Slawina-Waltraute, Jerschow-Siegfried, Kastorsky-Hagen, Orlow-Alberich, schwächer waren Fräulein Ermolenko-Gutrun und Scharonow-Gunter), wie auch die Aufführung, welch starken Einfluß Wagner auf die russische Oper des Marien-Theaters ausgeübt. (Bis zum Jahre 1890 kannte St. Petersburg mehr oder weniger gründlich nur »Lohengrin« und »Tannhäuser«.) Die Sänger haben jetzt eine ganz andere Meinung über ihn, und auch das Publikum hört den Musikdramen Wagner's aufmerksamer und ernster zu, wenn es auch mitunter durch das Gezeter irgend eines ungläubigen und rückständigen russischen Kritikers stutzig gemacht wird.

Schon zu Beginn der Saison hatte dem Marien-Theater gegenüber, im Großen Saale des St. Petersburger Konservatoriums, eine Russische Privat-Oper unter Direktion eines Italieners namens Gwidi, der in der letzten Zeit auch die Italienische Oper leitet, ihr Heim aufgeschlagen. Es ist sehr erfreulich, daß die Oper sich eine ganze Saison hindurch gehalten hat, daß das Repertoire ausschließlich aus russischen Opern bestand und daß die Sänger — lauter Russen waren — es auch, welche trotz unleugbarer Mängel in den Leistungen die Sympathie des Publikums immer wieder weckten. Außer den üblichen Repertoire-Opern, über die ein solches Unternehmen verfügen muß, hat die Privat-Oper es ermöglicht, noch drei neue Opern herauszubringen: »Nero« von Rubinstein (Erstaufführung in russischer Sprache), »Das Potëmkin-Fest«, ein mißglückter Dilettanten-Versuch des Herrn Iwanow (der in Wagner seinen persönlichen Feind sieht) und »Das Märchen vom Zar-Saltan« von Rimsky-Korsakow. Etwas künstlerisch Schönes und Neues konnte nur die letztgenannte Oper bieten, obwohl auch »Nero« großen Beifall hatte.

Um mit den Privatunternehmungen in St. Petersburg zu schließen, muß
ich noch vom frühen traurigen Ende der Italienischen Oper im »Aquarium«
berichten, die unter Leitung des Herrn Glass stand, einer Persönlichkeit,
die weit mehr auf verschiedenen Gebieten des gesellschaftlichen Lebens
als in der musikalischen Welt bekannt war. Das Unternehmen basierte
auf einer Spekulation, indem das Publikum durch die berühmte Lina Cavalieri und drei wirklich hervorragende Sänger (Fr. Baronnat, Herrn
Battistini und Markoni) herangezogen werden sollte. Die Spekulation schlug
jedoch fehl, da Madame Cavalieri erkrankte und ihr Engagement nicht antreten konnte. Der Zusammenbruch des Unternehmens trieb den einen der
Unternehmer, Herrn Morrew, nach einem Verlust von circa 70000 Mark in
den Tod, während Herr Glass aus der ganzen Affaire scheinbar unverletzt
hervorgegangen ist.

In Moskau trug die Opern-Saison im Vergleich zu St. Petersburg einen
ganz anderen Charakter. Das Große Theater konnte, trotz aller Erwartungen,
seine Versprechungen nicht ganz erfüllen. Von den zur Aufführung bestimmten Opern gelangten nur »Der fliegende Holländer« von Wagner am
2. Dezember zur Aufführung, ohne einen größeren Erfolg zu erzielen. Die
oben genannte Oper »Servilia« von R.-Korsakow, »Der Stein-Gast« von
Dargomischsky und »Dobrinja Nikitich« von Grechaninow sind auf ein ganzes
Jahr verschoben worden. Das ganze Interesse des Großen Theaters konzentriert sich auf die Wiederherstellung älterer Opern: »Wrajia Sila« (Feindes-
Macht) von Sserow und von Wagner'schen Opern (»Walküre«, »Siegfried«);
die Leitung der letzteren war Herrn Baydler aus Bayreuth anvertraut. Am
Ende der Saison sang auch hier in den Wagner-Vorstellungen Herr Van-
Dyk. Was die sehr geringe Opern-Tätigkeit des »Neuen Theaters« betrifft,
so ist es kaum der Mühe wert, hier darauf hinzuweisen, daß nach einer
Pause von 12 Jahren (am 11. Januar) Flotow's »Martha« neu einstudiert
wurde, die schwerfällige Wiedergabe jedoch ihr baldiges Verschwinden vom
Repertoire zur Folge hatte.

Weit mehr Aufmerksamkeit verdient die Russische Privat-Oper unter
Leitung des talentvollen Dirigenten Herrn M. Ippolitow-Iwanoff. Den ganzen
Winter hindurch wurden mehrere Opern gegeben, die in den gewöhnlichen
Repertoiren unserer Bühnen nicht anzutreffen sind, ferner die sorgfältigen
Einstudierungen von Glinka's »Russlan und Ludmilla« und drei anderen Opern.
Zu den ersteren kann man »Snegurotschka« von Rimsky-Korsakow, »Sarazin«
von Cui, ».Jolante« von Tschaikowsky, zu den letzten »Unhold Ohneseele«
von Rimsky-Korsakow (25. Dezember) und »Die grausame Rache« von
Kotschetow zählen. Die neue einaktige Oper von Rimski-Korsakow ·fand
allgemeinen Beifall. Der poetische Inhalt derselben ist russischen Volks-
märchen entnommen. Das Leben des alten Unholds Ohneseele, der die
Prinzessin Tausendschön bewacht, ist an die Tränen seiner Tochter gebannt,
welche verhext ist und alle Helden töten muß, die sich in sie verlieben;
unter diesen befindet sich auch der Iwan-Zarewitsch, der Bräutigam der
Prinzessin. Ihm gelingt es, der Macht ihrer Liebe wieder zu entgehen
und die Prinzessin zu entführen. Die Tochter holt die Flüchtlinge ein,
doch deren Liebe rührt ihr kaltes Herz. Sie weint und stirbt und mit
ihr stirbt auch der alte Unhold. Die Musik, ganz im Wagnerischen Styl
gehalten, hat einen großen Reiz und ist reich an künstlerischen Ideen. Hier
sehen wir Rimsky-Korsakow — im Gegensatz zu seiner gewöhnlichen Vor-

liebe für Diatonik und harmonische Dreiklänge — die ganze Zeit in Chromatik operieren. — Eine andere Oper: »Die grausame Rache« von Herrn Kotschetow hatte nur einen Achtungserfolg Das Libretto ist sehr ungünstig aus einer phantastischen Erzählung Gagol's umgearbeitet, die Musik, des National-Kolorits entbehrend, erweckt durch ihre Charakterlosigkeit und Plumpheit wenig Sympathie.

Ende Februar noch vor Schluß der Opern-Saison wurde in Moskau auf der Bühne des Theaters »Hermitage« eine neue Oper »Kamorra« von Kapellmeister Esposito gegeben, worin ein neuer Verein der Opernsänger unter Leitung des Herrn Litwinow auftrat. Die Oper fand nur wenig Beifall.

Die Konzert-Tätigkeit des vergangenen Winters zeichnete sich durch das Auftreten einer großen Anzahl Virtuosen aus, die vom Auslande herbeigeströmt waren. Die Klavierspieler: d'Albert, Max Pauer (welcher hier sechs Beethoven gewidmete Sonaten-Abende gab), J. Hoffmann, Sliwinsky, Reisenauer und andere; die Violinspieler: Kubelik, Sarasate, Ondtischek, Barzewitsch etc. Von russischen Künstlern sind Auer, Siloti, Brandukow, Arensky und das Mecklenburger-Quartett zu nennen. In den beiden Residenzen, wie auch in den Hauptstädten der Provinz fanden die üblichen feststehenden Konzerte statt. Im ganzen ist wenig hervorragend Neues, was besonderes Interesse bieten könnte, zu erwähnen. Die Symphonischen Konzerte in St. Petersburg waren in Händen verschiedener Dirigenten (Hessin und Vinogradsky, Max Fiedler und Arthur Nikisch). Zum erstenmal aufgeführt wurden: eine neue Symphonie von W. Solotaröw, eine Ballade für zwei Soli, Chor und Orchester und ein Violin-Konzert von Arensky, »Reverie« für Violine mit Orchester von A. Taneew sowie die Ouverture zur »Versunkenen Glocke« von A. Davidow, eine Dilettanten-Arbeit; von ausländischen Autoren war eine Jugend-Fantasie von Richard Strauß (»Aus Italien«) neu. In den russischen Symphonie-Konzerten, die von M. Belaiew arrangiert werden, bot das zweite Konzert am meisten Interesse; es war den Werken Glazunow's gewidmet; das Programm brachte die VII. Symphonie in F-dur, welche zum erstenmal aufgeführt wurde. Sie ist ihrer Konstruktion nach viel einfacher und klarer als die übrigen; geschrieben ist sie ohne Zweifel unter dem Einfluß von Wagner's Meistersingern. Außerdem konnte man die Ballade (für Orchester) und drei Nummern aus dem Ballet »Raymonde« und eine sehr schöne Suite »Aus dem Mittelalter« hören Aus den Programmen der viel besuchten Konzerte des Grafen Scheremetiew ist hauptsächlich die »Ouverture« und der ganze 3. Akt der neuen Oper »Dobrinja Nikitich« von Gretschaninow zu nennen. Die Musik ist stimmungsvoll, interessant gearbeitet, aber nicht besonders originell (Borodine-Korsakow'scher Styl). Weiter ist noch zu nennen das Oratorium »Johan Damascénus« von Herrn Professor S. Taneow, und die Ouverture »Don Karlos« des jungen Organisten Capp, und endlich eine besonders in Bezug auf Technik wenig gelungene dritte Symphonie von Herrn Schenk.

Die Moskauer Symphonie-Konzerte standen unter der Leitung von Herrn Ssafonow und die der Philharmoniker unter der Leitung von Siloti. Da aber die Symphonie-Saison wie in Moskau so auch in der Provinz und St. Petersburg noch fortdauert, so muß ich mir eine erschöpfende Übersicht über das russische Konzertleben für einen späteren Bericht vorbehalten.

St. Petersburg.   Nic. Findeisen.

Hugo Wolf's Lyrik.

Josef Schalk, dem wir die bei aller Begeisterung sachlichste und tiefstgehende Beurteilung Wolf'scher Lyrik danken, hat das Grundverhältnis von Ton und Wort in den Wolf-Liedern scharfsinnig untersucht und in seinem Aufsatz über Hugo Wolf's »Italienisches Liederbuch« schön und wahr gesagt: »Die in ihrem innersten Wesen auf gegenseitiger Anziehung und Abstoßung beruhenden Elemente der Dichtkunst und Tonkunst sind noch lange nicht genug erforscht, um über das Prinzip ihres Ausgleichs, ihrer Vereinigung im lyrischen wie im dramatischen Kunstwerke nur annähernd Aufschluß zu geben. Wohl denen, welche sich im beseligenden Bewußtsein der bislang erreichten Wirkungen ihrer höheren Einheit darüber kein Kopfzerbrechen zu machen brauchen.« So einfach, wie Formel des »Musikalisch Schönen« sie darstellen möchte, verhält sich die Sache nicht. »Es kann nun nicht nachdrücklich genug versichert werden,« sagt Schalk, »daß der Reiz der melodischen Linie solcher durch Poesie erzeugter Tongestalten, wie die Hugo Wolf's es sind, sich nur dem durch den Geist der Dichtung hindurch gegangenen Gefühle offenbart. Ein apartes, rein musikalisches Verstehenwollen wird immer zum Mißverständnis führen. Auch die berüchtigt schwierigen, ,nicht zu treffen' Intervalle geben sich durch das Erfassen der poetischen Intention viel einfacher und erscheinen dann so selbstverständlich und ,gefällig' wie nur immer die des alten bel canto«. Josef Schalk spricht sinnvoll von dem bildenden Einfluß der Klavier-Begleitung auf Tonempfindung und Gesangsausdruck. Kommt einer, der »die Begleitung mit einer Art künstlerischer Genugtuung und Freude, wie eine Bestätigung seines persönlichen Gefühls empfindet«, so ist er der richtige Mann für den Vortrag eines Liedes von Hugo Wolf, selbst wenn die Klavierbegleitung dem Sänger »Unbequemlichkeiten« bereitet. »Kommt doch alles hier auf die lückenlos wechselseitige Durchdringung von Gesangs- und Klavierpart an.«

Diese Forderung nach Durchdringung der Elemente des Gesanges und der Begleitung im Liede hat wohl schon Schubert, er zum ersten Male, gestellt. Schubert hat das Vergangene in sich aufgenommen und als rechtes Genie der Zukunft vorgebaut. Im modernen Liede seit Schubert und während der Gewaltherrschaft der dramatischen Musik ist keine Form lebendig geworden, die im Liede Schubert's nicht schon Gestaltung gewonnen hätte. Aber im innersten, reinsten Wesen ist das Lied Schubert's melodisch, in dem Sinne, daß seine Melodien, auch ohne jede Begleitung, wie Volkslieder, gesungen werden können, weil sie im Gefüge des Verses und der Strophe ihre wichtigste, oft einzige Stütze haben.... Schubert's Vorgänger notierten die Gesangsmelodie des Liedes zugleich mit der Begleitung auf einem nur zweizeiligen System, so daß der Gesang mit den Noten für die rechte Hand des Spielers zusammenfiel. In dem Maße, als die Melodie — bei Schubert — lebendigeren Ausdruck erstrebte, erfuhr die Begleitung, die nicht mehr bloß harmonische Stütze sein sollte, eine mehr charakteristische, ja schon individuelle Durchbildung.... Die sinnfällig nackte, absolute Melodie ist mehrdeutig. Die schönsten und ergreifendsten Choralmelodien sind aus frivolen Volksweisen entstanden. Bestimmtheit erhält die Melodie zumeist erst durch die Harmonisierung, im Liede durch die Klavierbegleitung. Wohl liegt der Reiz der Volksweisen und auch der Melodien Schubert's gerade in ihrer Mehrdeutigkeit, die dem Strophenliede zu statten kommt und die Empfindung nicht auf enge Wege drängt. Die Gefühle wahren sich Freiheit und schlüpfen leicht in die Melodie wie in ein altgewohntes weites Kleid. Gilt es aber das Wort zu packen und in tiefere Dichtungen einzudringen — ich meine die Gesänge, die sich um »die Gruppe aus dem Tartarus« scharen — so löst auch Schubert die Gesangsmelodie schon auf und legt Nachdruck auf den Sprachaccent, während die Begleitung mit Kernmotiven, die sich organisch fortbilden, die Grundstimmung erfaßt und in selbständigem Fortgange festzuhalten strebt.... Schumann emancipiert die Begleitung, nicht um tiefer zu dringen, sondern um die poetischen Stimmungen leichter zu zerlegen, in Duft aufgehen zu lassen oder auf einen ganz individuellen Ton zu bringen, wie ihn Heine oder Chamisso erfordert. Er verengt die Wege, gibt ihnen aber keine wesentlich neue Richtung.... Erst Brahms ändert das Verhältnis. Durch rhythmische Bildungen, Rückungen, Bindungen, durch reichste Polyphonie, durch die wunderbare Kraft der Harmonik, die ihn bis zu den Quellen Bach's zurückführt, gibt er der Begleitung, welche ihren Klang oft über das ganze Tonreich des Klaviers weitet, Machtfülle und selbständige Bedeutung. Der Gesamteindruck, sagt Spitta in seiner herrlichen Brahms-Studie, wird dadurch gehoben, aber auch die Aufmerksamkeit mehr, als erwünscht ist, von der Melodie abgelenkt. So aber bewältigt Brahms Dichtungen, welche die tiefsten Gedanken aussprechen und kaum leise an die Empfindung rühren. Brahms' Begleitungen können sehr gut wie stimmungsvolle Klavierstücke — als Motto dient das Gedicht — für sich gespielt werden. Die Gesangsmelodie klingt dann, ohne auf der Oberfläche zu schaukeln, doch vernehmbar mit. Das ist Brahms' unvergleichliche Meistertechnik. Die Melodienoten sind oft im Baß verborgen, oft in einer Mittelstimme, oder bloß angedeutet oder ziehen sich in wechselnder Lage durch Akkordfolgen, erscheinen synkopiert, verschoben, verhüllt, durch zerlegte Akkorde verteilt — es waltet hier die gestaltende, formbildende Kunst wie in Brahms'schen Variationen und man könnte den Gesang wie ein variiertes Thema aus der Begleitung herausschälen....

Die Brahms'sche Methode erscheint bei Hugo Wolf bis ins Extrem verfolgt: die Begleitung, sinfonisch durchgeführt, hat vollkommenes Eigenleben, ist längst nicht mehr bloß Stütze, sondern Tongemälde, Stimmungsbild; der Gesang aber, ein strenger Hüter des Wortes, und gälte es dabei auch das Melos preiszugeben, geht seine eigenen Wege, nur auf den prägnantesten Ausdruck im Ernst und Scherz bedacht. Hierin beruht die Schwierigkeit für die Ausführenden, die sich, nach Schalk's ironischem, aber treffendem Worte, aus musikalischen »Unbequemlichkeiten« zusammensetzt und nur von starken Intelligenzen überwunden werden kann. Vom Himmel ist auch diese Art nicht gefallen. Viele Analogien wären bei Schubert nachzuweisen; ich erinnere an »Letzte Hoffnung« (»Hie und da ist an den Bäumen«), wo die Methode Hugo Wolf's deutlich vorgebildet erscheint.

Aus der völligen Emanzipierung der Begleitung vom Gesange, aus der Lösung der beiden Grundelemente des Liedes ergeben sich für Hugo Wolf alle die Möglichkeiten und Notwendigkeiten seines Stiles, die man nur der Kürze wegen »dramatisch« nennen mag. Sein Lied ist nicht eigentlich dramatisch, die Freiheit des Verhältnisses von Gesang zur Begleitung gestattet ihm bloß, alle Mittel anzuwenden, die sonst für den dramatischen Ausdruck zu Gebote stehen, also Tonfärbungen aller Art, Harmoniewechsel, plötzlich,

ohne Rücksicht auf den Fortgang der Melodie, feinste Zuspitzung, eine geistreiche Zerstäubung und schließlich wieder energische Zusammenfassung der
Stimmungen. Ich möchte nur gegen die vielverbreitete Meinung protestieren,
daß Hugo Wolf seine Stärke verschwendet, um kleinlich zu malen. Er tut
es zumeist nur im Scherz, so im Italienischen Liederbuche Nr. 15 »Mein
Liebster ist so klein« mit dem witzigen, spitzigen hohen b und der köstlichen Unterscheidung von Fliegen, Schnacken und Bremsen; oder wenn er
in Keller's »Du milchjunger Knab'« das leere Schneckenhäusl »brümmeln«
läßt. Dagegen geht er in den geistlichen Liedern des Spanischen Liederbuches dreimal regungslos und enthaltsam an dem »krähenden Hahn« vorbei;
im »Heimweh« bleibt er bei den Worten »Die Nachtigall hör' ich so gerne«
nicht minder zurückhaltend — das ist selbst Schubert schwer geworden; nur
Brahms läßt sich auch von Nachtigallen nicht zur Tonmalerei reizen. Nein,
Tonmalerei ist selten bei Hugo Wolf. Aber im Charakterisieren ist er reich,
stark. Ohne das motivische Gefüge — wie Richard Strauß gern tut — zu
verlassen, zeichnet er in unvergleichlicher Sensibilität schon mit einem aus-
weichenden Ton, mit der leisesten harmonischen Ausbiegung. »Kein Schlaf
kühlt das Auge mir« (Moerike) — da liegt die Charakteristik, so regelmäßig
bei Hugo Wolf, schon im ersten Motiv. Mit dem leisen C-dur-Dreiklang
glaubt man die dampfenden Nebel zu spüren, aus denen der »Tag herfür-
geht«; aber Nachtgespenster, Morgenglocken — nirgend Malerei, nur organische Fortbildung des Eingangsmotivs. Oder »Ihr jungen Leute« (Italienisches Liederbuch) — da tritt zum Worte »Krieg« wieder in streng moti-
vischem Fortschreiten bezeichnender Harmoniewechsel (H-moll) ein. Da ist
nicht Malerei, sondern ästhetisch reine Charakteristik, ganz wie in dem Liede
»Ein Ständchen euch zu bringen« (Italienisches Liederbuch), wo zu den
Worten »Wenn es dem Herrn von Hause nicht ungelegen« die Harmonie,
wieder streng motivisch, von C-dur nach Cis-dur umgelegt wird.

Hugo Wolf's Sensibilität mutet oft wie ein seelisches Wunder an. Die
Tonpsychologie wird seine feinsten Regungen kaum analysieren können, und
doch ist seine Kraft, wenn sie (»Der Freund« von Moerike) über Wogen
gebietet oder das trunkene Köhlerweib (Keller) in die Vorstellung bringt,
wieder urwüchsig, vollgesund. Aber wir stehen vor einem Rätsel der psychologischen Tonwirkung, wenn es Hugo Wolf gelingt, »das Haus durchsichtig
wie ein Glas« mit zarten Figuren und einem Schleifer in die Oktav völlig
transparent schimmern zu lassen. Das Spanische Liederbuch steckt voll solcher psychologischer Beziehungen. Auch in den Gottfried Keller-Liedern
fesselt uns ein ähnliches psychologisches Tonwunder: »Wie glänzt der Mond
so kalt und fern« und dann: »Ohn' Rad und Deichsel gibts ein Wägelein;
drin fahr ich bald zum Paradies hinein. Dort sitzt die Mutter Gottes auf
dem Thron . . . .« Aus dem leeren Fis quillt ein weicher, warmer D-dur-
Dreiklang, im Baß heben sich stufenweise zerlegte Dreiklänge, die Akkorde
der rechten Hand schieben sich wie leichte Wolken fort; wie wohlig wird
die Modulation, wie beseeligend, das Herz ganz erfüllend. Imitation des
Basses im dritten Takte bringt aus der Empfindung geistlicher Musik die
Merkmale inniger Gläubigkeit herzu. Und nun das naive Himmelsbild:
»Sankt Petrus aber gönnt sich keine Ruh', hockt vor der Tür und flickt
die alten Schuh . . .« Ein Baß-Motiv, das den Himmelspförtner auch streng
zeichnen könnte, zeigt, im Pianissimo, seine Milde und eine gemütvolle
Zartheit — man hört, man sieht in den Baßfiguren, die immer das B treffen,

die Nadelstiche, und das ganze Bild wird uns gegenwärtig durch den unschuldig einfältigen Humor, da das Wörtlein »hockt« erst beim zweiten Viertel einsetzt, von zwei Viertelpausen umgeben wird. Ein einziger Ton zaubert ein Bild vor die Seele, zu welchem ein Maler eine ganze Leinwand benötigte! Die mißgünstige Frage: Wird Hugo Wolf nicht überschätzt? findet in wenigen Takten ihre Abfertigung. Das kann nur ein Meister, ein Meister der Stimmung, der Empfindung, der Töne! Halten wir dazu die tiefernsten geistlichen Gesänge des Spanischen Liederbuches! Wie rührend sind in demselben Bande die Marien-Gesänge: »Führ' mich, Kind, nach Bethlehem!« und »Nun wandre, Maria«, wie innig und zum Gefühle sprechend die Grundmotive der ruhigen Terzengänge! .... Man denke! Neben den geistlichen Gesängen enthält das Spanische Liederbuch die glühendsten, alle Sinne stachelnden Liebeslieder, eine Galerie dunkeläugiger, feuriger Schönen, die ihr Sehnen, ihren Schmerz, ihre Lust, ihre Leidenschaften, ihre Keckheit, ihren Spott und ihre Heimlichkeiten tausendfältig zum Ausdrucke bringen. Welches bunte Feuerspiel mit Empfindungen von dem volkstümlichen, herzlich einfachen »Alle gingen, Herz, zur Ruh« bis zur Raserei des Liedes: »Wehe der, die mir verstrickte den Geliebten«! Trotz der chromatischen Färbung gibt Hugo Wolf dem Gesange: »Wer sein holdes Lieb verloren« mit der eigen anmutenden Begleitung, die immer die Phrase der Gesangsmelodie zu Ende führt, eine starke, volkstümliche Kraft. »Sagt ihm, daß er zu mir komme!« — da sprüht schon aus den stets wiederkehrenden vier Noten der Mandolinenfigur die glühendste Sinnlichkeit. Dann wieder das neckisch quälende »Kopfwehsprüchlein« der Preciosa nach Cervantes, so geistreich und so fern von platter Tonmalerei. Und wer möchte, wenn er das graziöse, liebliche: »Und schläfst du, mein Mädchen« kennt, Hugo Wolf die Gabe volksmäßiger Erfindung absprechen?

Nicht minder volkstümlich ist das »Lied des transferierten Zettel« aus dem »Sommernachtstraum«. Noch einfacher freilich geben sich die Lieder aus den ersten Heften, der »lieben Mutter« und dem »Andenken des teuren Vaters« gewidmet. Hier kann man den Werdegang Hugo Wolfs verfolgen, wie er noch Vorbildern nachging und wie doch sein Wesen stark ausgeprägt gleich einen ganz individuellen Charakter offenbart.

In dem »Mutter«-Hefte zeigt das Lied »Morgentau« noch die alte Technik. In dem »Wiegenlied« (»Im Winter«) ist das Vorspiel noch zum Einstimmen da und nicht, wie später bei Hugo Wolf, schon ein Mikrokosmos der ganzen Stimmung. »Die Spinnerin« ist von Schumann beeinflußt, aber das reizende »Mausfallensprüchlein« (Moerike) ist schon echter Hugo Wolf. Die Liebe zu Moerike ist erwacht, und so zählt gleich das Moerike-Lied »Der König bei der Krönung« in dem »Vater«-Hefte zu den allerbesten Schöpfungen Hugo Wolfs.

Mit Moerike und Eichendorff beginnen im Jahre 1888 die großen Dichterzyklen. Hugo Wolf, der ruhelos durchs Leben irrte, suchte künstlerischen Halt und Konzentration seiner Kräfte im Vertonen ganzer Liederreihen eines Dichters. »Die Erwartung« im Eichendorff-Hefte klingt noch wie eine Brahms-Studie, und »Verschwiegene Liebe« weist nach den Worten »Niemand mehr wacht als die Wolken, die fliegen« einen argen Deklamations-Fehler auf, der noch durch hartnäckiges Festhalten an der rein melodischen Phrase verursacht wurde. Später läßt Hugo Wolf sich durch die Melodie nie mehr verführen. Mit dem kräftigen Liede »Der Freund« hat Hugo

Wolf sich aber schon den Stil geschaffen, und »Der Soldat« leitet bereits
zu der ihm eigentümlichen Durchführung eines charakterischen Kernmotivs,
das gleich die Stimmung des Liedes feststellt. Im »Ständchen« das leise
Klimpern auf einer Saite, im »Glücksritter« der kecke Abmarsch des seltsamen Kavaliers, dann die Gemächlichkeit und steifzöpfige Gelassenheit im
»Scholar« sind lebendige Tonzeichen feinster Charakteristik. Für die Ge-
mütsmischungen, welche den Humor erzeugen, findet Hugo Wolf die derbsten
und mildesten Töne, und am schönsten geraten ihm die Gesänge, welche
humoristischer Züge, auch nur der leisesten Schatten der Wehmut nicht
entbehren oder den Humor zur Bitterkeit verschärfen, zu wildem Ausdruck
steigern. Wie weit reicht doch bei Wolf diese Stufenleiter der Gefühle!
Von dem prächtigen Schwaben Moerike zum westöstlichen Divan Goethes,
zum südwestlichen Spanischen und zum südlichen Italienischen Liederbuch!
Durch humoristische Gesänge ist Hugo Wolf auch zuerst und zumeist bekannt geworden. Vielleicht sind wir in Hugo Wolf's Wesen noch immer
nicht genügend eingedrungen, vielleicht sagt uns aber ein noch unsicheres
Gefühl, welches in dem Goethe-Buche Hugo Wolf's sich den humoristischen
und heiteren Liedern zuneigt, doch das Rechte. Liegt doch über dem
schönsten und verbreitetsten aller Wolf-Lieder über »Anakreons Grab« auch
ein milder Schein klassischer Heiterkeit. Ich erinnere an die geniale Komposition des »Rattenfänger«, an »Genialisch Treiben« mit der gleich dem
Diogenes-Fasse fortrollenden Tonfigur; ich möchte am Liede »Der neue
Amadis« zeigen, wie Hugo Wolf sein Grundmotiv köstlich je nach der
wechselnden Stimmung zu verwandeln und in Variation zu bringen weiß,
wie im »Schäfer« das Motiv des Siebenschläfers geistvoll bis zum Schlusse
belebt wird und welche Kraft Hugo Wolf in der Gestaltung und Führung
eines einzigen kleinen Motivs in dem Liede »Die Bekehrte« oder in »Frühling
übers Jahr« offenbart. Im »Blumengruß« sind die Worte »Der Strauß, den
ich gepflücket« und »Ich habe mich oft gebücket« durch die beständige Um-
bildung eines einzigen Akkord-Paares, welches mit dem absteigenden Intervalle und mit dem Abreißen des zweiten Akkordes das »Bücken« und
»Pflücken« zart der Empfindung zuträgt, aufs reizendste begleitet. Ganz
eigen in Form und Stimmung sind die Lieder aus Goethes »Schenkenbuch«
und »Buch Suleika«. Die Musik nähert sich da kaum empfänglichen Texten,
so den Worten: »Ob der Koran von Ewigkeit sei?«

Auch aus dem Italienischen Liederbuch, das zwei Hefte zwischen den
Jahren 1890 und 1896 verteilt, ist ein übermütiges Lied: »Ich hab' in Penna
einen Liebsten wohnen« das bekannteste, und doch sind zwischen diesem
frech aufstürmenden Liede und dem ruhig innigen Gegenstück »Was für ein
Lied soll dir gesungen werden?« die lieblichsten lyrischen Perlen gestreut,
die ganze Konzertprogramme schmücken können. Man greift noch immer
nicht herzhaft zu. Der Zukunft ist da viel vorbehalten. Am schwersten
wird man wohl zu Hugo Wolf's Michelangelo-Gesängen dringen, die ergreifende,
aus der verwandten Stimmung des Dichters quellende Selbstbekenntnisse
Hugo Wolf's am Ende seines Schaffens sind. Sie sind zur Warnung, daß
keine Frauenseele diesen Mysterien nahe, für eine Baßstimme geschrieben
und ausdrücklich so bezeichnet.

Nun hätte ich viel noch vom Moerike-Band zu sagen, von der klassischen Periode des Tonsetzers, die den Zentralpunkt seines Schaffens bildet
(1888 bis 1889), in der Zeit, da sein Stil zur Reife kam, aus den An-

fängen sich löste und auch von Auswüchsen noch frei war; also von dem heute schon populären »Feuerreiter«, von dem sarkastischen Kritiker-Abschied mit dem köstlichen »Treppen«-Witz des Walzers, vom »Gärtner« mit den leisen Staccato-Rittmotiven, von der leicht schlendernden, volkstümlichen »Fußreise«, von der entzückenden Stadt- und Naturschilderung »Auf einer Wanderung«, von der »Verborgenheit« mit der sinnig in dem liegenden Quintenbaß charakterisierten Verschlossenheit, von der lustigen »Storchen-botschaft«, wieder mit unerschöpflich geistreichen Variationen eines Motivs, vom »Knaben und dem Immlein« und vom »Citronenfalter im April« mit dem für das jämmerliche Vergehen bezeichnenden Hinschwinden des Staccato-Motivs — hier berühren wir schon bekannte Gebiete, denn Moerike-Lieder von Hugo Wolf fehlen kaum mehr in der Hausmusik der Gebildeten und die Konzertsängerinnen gehen ihm mit Liebé nach.

Hugo Wolf als Gesamterscheinung ist bedeutend. Wenn wir von Ver-zerrungen, Übertreibungen, fanatischer Harmonik, Exaltationen und Stil-überschreitungen wegsehen, bleibt immer noch Gewaltiges, Rührendes, Er-habenes, Einfaches, Hinreißendes, Ergreifendes genug, und, was am schwersten wiegt, aus jeder Note wie aus der Gesamtempfindung spricht eine künstlerische Persönlichkeit.

Wien.   **Robert Hirschfeld.**

Prince Igor.

I propose to give here an account of Borodin's posthumous opera "Prince Igor", of which so little is known outside of Russia, or even in that country.

It is not easy to convey to those who have not studied the early Sla-vonic literature any just and clear idea of the national significance of "The Epic of the Army of Igor". The original manuscript of this rhapsody or Sága was bought from a monk by Count Moussin-Poushkin as late as 1795, and published by him in 1800. Unfortunately the original document was among the many treasures which perished in the burning of Moscow in 1812. Its authenticity has since been the cause of innumerable disputes. Many scholars, including Mr. W. R. Morfill, Professor of Slavonic languages at Oxford, are disposed to regard it as one of those many ingenous frauds — like the Poems of Ossian — which were almost a feature in the literature of the 18th century. Others affirm that all the Russian poets of the 18th cent-ury put together have not sufficient imagination to have produced a single line of the "Epic of Igor". In many case it is so much more interesting than most of the medieval Slavonic chronicles, and has taken so strong a hold on the popular imagination, that the majority prefer to believe in its genuine origin in spite of these differences of opinion among the learned. In order to give some idea of its significance and interest, perhaps I may compare it in these respects with the Arturian Legends. The period is of course much later — the close of the 12th century. Briefly stated the book of "Prince Igor", planned by Stassov and written by Borodin, is as follows.

The Prologue takes place in the market-place of Poultivle, the residence of Igor Prince of Seversk. The Prince and his army are about to start in

pursuit of the Polovtses, an Oriental tribe of Tatar origin. Igor wishes to
meet his enemies in the plains of the Don, whither they have been driven
by a rival Russian prince, Sviatoslav of Kiev. An eclipse of the sun darkens
the heavens, and at this fatal presage the people implore Igor to postpone
his expedition. But the Prince is resolute. He departs with his |youthful
son Vladimir Igoricvich, commending his wife Yaroslavna to the care of his
brother-in-law Prince Galitsky, who remains to govern Poultivle in the
absence of its lord. The first scene depicts the treachery and misrule of
this dissolute nobleman, who tries to win over the populace with the assistance of two deserters from Igor's army. Eroshka and Skoula are players on
the gondok or rebeck, types of the gleemen or minnesingers of that period.
They are the comic villains of the opera. In the second scene of Act I
some young girls complain to the Princess Yaroslavna of the abduction of
one of their companions and implore her protection from Prince Galitsky.
Yaroslavna discovers the perfidy of her brother, and after a violent scene
drives him from her presence at the very moment when a messenger arrives
with the news that Igor's army has been defeated on the banks of the Kayala.
"At the third dawn", says the rhapsody, "the Russian standards fell before
the foe, for no blood was left to shed." Igor and Vladimir are taken
prisoners and the Polovtses are marching on Poultivle. The news of this
heroic disaster causes a reaction of loyal sentiment and, as the curtain falls,
the Boyards draw their swords and swear to defend Yaroslavna to the death.
The second and third acts take place in the enemy's camp, and are full of
Oriental colour. Khan Kontshak, as depicted in the opera, is a noble type
of Eastern warrior. He has one beautiful daughter Kontshakovna, with
whom the young Prince Vladimir falls passionately in love. The serenade
which he sings before her tent is perhaps the most exquisite number in the
whole work. There is also a fine bass solo for Prince Igor in which he
gives vent to the grief and shame he suffers in captivity. Ovlour, one of
the Polovetz soldiers, who is a Christian convert, offers to facilitate Igor's
escape. But the Prince feels bound by the chivalrous conduct of Khan
Kontshak to refuse his offer. In the second act, the Khan gives a banquet
in honour of his noble captive, which serves as a pretext for the introduction of Oriental Dances and Choruses, and gorgeous scenic effects. In the
third act the conquering army of Polovtses return to camp bringing the
prisoners and spoils taken from Poultivle. At this sight, Igor, filled with
pity for the sorrows of his wife and people, consents to flee. While the
soldiers are dividing the spoil from Poultivle, Ovlour plies them liberally
with koumiss and, after a wild orgy, the whole camp falls into a drunken
sleep. Borodin has been severely censured by some critics for the robust
realism with which he has treated this scene. When the Khan's daughter
discovers their secret preparations for flight, she entreats Vladimir not to
forsake her. He is on the point of yielding, when his father sternly recalls
him to a sense of duty. But Kontshakovna's glowing Oriental passion is
not to be baulked. At the last moment, when Ovlour gives the signal for
escape, she flings herself upon her lover and so holds him back until Igor
has mounted and galloped out of the camp, unconscious that his son is left
behind. Detained against his will, Vladimir finds no great difficulty in ac-
commodating himself to circumstances. The soldiers would like to kill him
in revenge for his father's escape. But the Khan philosophically remarks: —

"Since the old falcon has taken flight, we must chain the young falcon by giving him a mate. He must be my daughter's husband." In the fourth act Yaroslavna sings her touching lament, as she stands on the terrace of her ruined palace and gazes over the fertile plains, now ravaged by the hostile army. Even while she bemoans the cruelty of fate, two horsemen come in sight. They prove to be Igor and the faithful Ovlour, returned in safety from their perilous ride. The joy of reunion between husband and wife may be perhaps a trifle over-emphasized. It is the man who speaks here, rather than the artist; for Borodin, who lived in perfect domestic happiness with his wife, knew however many long enforced separations from her. The picture of conjugal felicity which he gives us in "Igor" is undoubtedly reflected from his own life. The opera closes with a touch of humour. Igor and Yaroslavna enter the Kremlin at Poultivle at the same moment as the two deserters Eroshka and Skoula. The pair are shaking in their shoes, for if Igor catches sight of them they are lost. To get out of their difficulty, they set the bells ringing and pretend to be the first bearers of the glad tidings of Igor's escape. Probably because they are merry ruffians and skilful with their gondoks, no one reveals their treachery and they get off scot-free.

When we consider that "Igor" was written piecemeal, in intervals snatched between medical commissions, boards of examination, lectures, and laboratory work, we marvel to find it so astonishingly cohesive, so delightfully fresh. Borodin describes the difficulties he had to contend with, in a letter to an intimate friend. "In winter," he says, "I can only compose when I am too unwell to give my lectures. So my friends, reversing the usual custom, never say to me, I hope you are well, but I do hope you are ill. At Christmas I had influenza, so I stayed at home and wrote the Thanksgiving Chorus in the last act of Igor."

Borodin took his work very seriously, as we might expect from a scientist. He had access to every document bearing on the period of his opera, and he received from Hunfalvi, the celebrated traveller, a number of melodies from Central Asian tribes which he employed in the music alloted to the Polovtses. But there is nothing of meticulous pedantry apparent in Borodin's work. He has drawn a vivid picture of the past, a worthy pendant to the historical paintings of his contemporary Vasmetsov who has reconstructed mediæval Russia with such astonishing force and realism. Borodin modelled his opera upon Glinka's "Russlan and Lioudmilla" rather than on Dargomijsky's "Stone Guest", and this was considered a retrograde step by the advanced members of the New School. He had his own personal creed as regards operatic form. "Recitative does not conform to my temperament", he says. "Although according to some critics I do not handle it badly, I am far more attracted to melody and cantilena. I am more and more drawn to definite and concrete forms. In opera, as in decorative art minutiae are out of place. Bold outlines only are necessary. All should be clear and fit for practical performance from the vocal and instrumental standpoint. The voices should take first place; the orchestra the second."

"Prince Igor", in its finished form, is actually a compromise between the new and the old methods; for the declamation, although not of such primary importance as with Dargomijsky, is more developed than with Glinka. Borodin keeps to the accepted divisions of Italian opera, and gives to Igor a long aria quite in the traditional style. The music of "Prince Igor" has some features in common with Glinka's "Russlan", in which the Oriental element is also made to contrast with the national Russian colouring. But the Eastern music in Borodin's opera is more daring and characteristic. Borodin too had far more humour than Glinka, who could never have created two such broadly and robustly comic types as Skoula and Eroshka. There is a distinctly Shakespearian flavour in the quality of Borodin's humour. In this one respect he approaches Moussorgsky. In the atmosphere of healthy, popular optimism which pervades it throughout; in the prevalence of major over minor keys; in the straight forwardness of its emotional appeal — "Prince Igor" stands almost alone among Russian operas. The spirit of pessimism which darkens Russian literature, inevitably crept into the national opera; because music and literature are more closely associated in Russia than in any other country. Glinka's "A life for the Tsar" is a tragedy of loyal self-sacrifice; Tschaikoffsky took his brooding melancholy into his operatic works, which are nearly all built on some sad or tragic libretto; Cui deals in romantic melodrama; Moussorgsky depicts the darkest phases in Russian history. Only "Prince Igor" comes as a serene and restful interlude to the shattered digestion that has "supped full o' horrors" on the usual Russian national operas.

Borodin did not live to see the performance of his work. He died with tragic suddenness at an evening party in 1887, leaving unfinished most of the orchestration and the Introduction of his opera. The former was completed by his friend Rimsky-Korsakov in strict accordance with the composer's intentions. No manuscript of the Introduction was forthcoming, but fortunately the music was safely stored in the brain of a gifted young composer — Glazounov — who had frequently heard it played by Borodin and who volunteered to write it from memory; a task which he fulfilled to the satisfaction of all the composer's friends.

London.   **Rosa Newmarch.**

Ermanno Wolf-Ferrari's La vita nuova (Das neue Leben).

Uraufführung durch den Porges'schen Chorverein in München am 21. März.

Eine Première ganz eigener Art war es, die der von seinem Begründer der Propaganda des Neuen geweihte Verein uns mit Wolf-Ferrari's jüngster Schöpfung bot. Einem deutschen Vater und einer italienischen Mutter entstammend, in Italien geboren und erzogen, doch in Deutschland musikalisch ausgebildet, stellt der jugendliche Komponist, der sein Werk auf italienische Worte in Musik gesetzt, doch zum ersten Male in deutscher Sprache aufführte, eine merkwürdige Mischung romanischen und germanischen Geistes dar. Bisher nur mit Kammermusik-Werken hervorgetreten, die durch Frische und Natürlichkeit bei guter Arbeit sich auszeichneten, überraschte er nunmehr mit einem Werke großen Stils, das schon seines Gegenstandes halber das allgemeine Interesse erregen muß. Ein kleines, in Deutschland leider viel zu wenig gelesenes Werk des gewaltigen Florentiners, dem die Welt die »Divina commedia« verdankt, bildet den dichterischen Untergrund.

25 Sonette, eine Ballata und drei Kanzonen, sämtlich dem Andenken der frühverstorbenen, doch unsterblich gewordenen Beatrice gewidmet, sind es, die Dante, durch Prosa-Abschnitte verbunden und erläutert, zu einem Hohenlied seiner Liebe, die für ihn ein »neues Leben« bedeutete, vereinigt hat. Ein unsagbarer Zauber entströmt jenem Buche, das erfüllt von zartester edler Leidenschaft, die kaum den Besitz des geliebten Wesens wünscht, doch von einer Gewalt der Empfindung, die alle Schranken irdischen Daseins übersteigt, getragen ist. »Jene hohe, heilige Liebe, die, obwohl sie sich zu den schwindelnden Höhen einer gänzlich entkörperten Mystik versteigt, doch niemals den Eindruck des Unnatürlichen und Unwirklichen machen kann, weil es eben ein tatsächliches, wahrhaft erlebtes Gefühl ist, was ihr zu Grunde liegt, sie hat in Dante's Vita nuova ihren klassischen Ausdruck gefunden.«

Eine geschickte Auswahl aus den Gedichten dieses Werkes und einigen anderen Stücken des Dante'schen Canzoniere hat Wolf-Ferrari nun als dichterische Grundlage benutzt und in zwei Teile gegliedert, deren erstem ein Prolog vorausgeht und zwischen denen ein Intermezzo eingeschoben ist. Der musikalische Apparat besteht aus zwei Solostimmen (Bariton und Sopran). gemischtem Doppelchor und Knabenstimmen, großem Orchester, Orgel und Pianoforte. Neben dem Chor tritt namentlich der die Gestalt des Dichters verkörpernde Solo-Bariton in den Vordergrund, während das Sopran-Solo der Beatrice, abgesehen vom Prolog, stark zurücktritt, um dann ganz zu verschwinden.

Im großen Ganzen hat Wolf-Ferrari sein künstlerisches Ziel mit bestem Gelingen erreicht. Sein Tonsatz, seine melodischen Bildungen mit ihren mannigfach sich schlingenden und auch der Verzierung nicht entbehrenden Linien, die mächtigen klanglichen Wirkungen nach instrumentaler Seite wie auch teilweise in den Chorsätzen beweisen, daß er die alten Meister seiner Heimat so gut kennt und in sich aufgenommen hat, wie Wesen und Stil Bach's und Händel's und Partituren der modernen Chorwerke, besonders Liszt's. Und dennoch spricht Wolf-Ferrari weder die heute schon landläufige und beinahe zur Schablone gewordene musikalische Durchschnittssprache der Gegenwart, noch gibt sich seine Musik als ein unpersönlicher, physiognomieloser Eklekticismus. Sympathisch berührt vor allem auch ein gewisses frisches Zugreifen, eine Naivität des künstlerischen Produzierens, die ihm über manche Klippe keck hinweghilft, während der grübelnde deutsche Kunstverstand kopfschüttelnd am Ufer zuschaut. Wirklich geht hie und da sein südliches Temperament mit ihm durch und verleitet ihn zu Ausdrücken, die das deutsche Musikempfinden als zu äußerlich von sich weisen muß. Daß aber auch diese äußeren Effekte nicht gesucht sind, sondern dem eigensten Wesen des Komponisten entsprungen sind, dafür bürgt der tiefinnerliche Charakter wahrhaft ergreifender Episoden.

Der Eindruck, den das Werk bei der Erstaufführung machte, war ein gewaltiger, die Aufnahme eine überaus glänzende. Man wurde nicht müde, den Komponisten der mit viel Temperament aber nicht ganz genügender Technik dirigierte, immer wieder hervorzujubeln, und wenn man selbst das, was an freundschaftlichem Enthusiasmus dabei mitsprach, in Abzug bringt, bleibt immer ein großer berechtigter Erfolg übrig. Daß ein so eigenartiges und wirksames Werk die Konzertsäle des In- und Auslands sich rasch erobern wird, darüber bin ich kaum im Zweifel. Ob die Wirkung indeß eine nachhaltige sein wird, muß die Zukunft entscheiden.

München.　　　　　　　　　　　　　　　　　　　　Edgar Istel.

Musikberiohte.

Referenten: V. Andreae, W. Behrend, C. Goos, F. Götzinger, Gerh. Hellmers, V. v. Herzfeld, E. Istel, Alfred Kalisch, F. Lewandowsky, L. Meinecke, Arth. Neißer, O. Neitzel, A. Neustadt, H. Pohl, C. Prost, E. Reuß, C. H. Richter, E. Rychnowsky, A. Schering, Herbert Thompson, Ad. Thürlings, F. Walter, P. Werner.

Basel. Die letzten vier Wochen haben die musikalische Saison glänzend abgeschlossen, vorläufig wenigstens, denn in diesen Tagen haben die Proben zur Tonkünstlerversammlung des allgemeinen deutschen Musikvereins begonnen, welche im Juni in unseren Mauern tagen wird. Das bedeutsamste Ereignis bildete das Konzert, welches die Musikgesellschaft, mit Richard Strauß an der Spitze, veranstaltete. Es galt, den genialen Komponisten, von dem schon die meisten Schöpfungen naturalistischer Richtung mit wechselndem Erfolge vorgeführt worden waren, in Person und in seiner größten Orchester-Dichtung, dem »Heldenleben« kennen zu lernen. Die Begeisterung, mit der die Straußischen Werke in der »nüchternsten Stadt Europas« (Muther) aufgenommen wurden, überstieg alle Erwartungen. Es war ein durchschlagender Sieg des ganzen Strauß-Programms, das außer dem »Heldenleben« den »Don Juan« und zwei Liedergruppen enthielt. Das einheimische Konzertorchester war durch Zuzüge auf die partiturgemäße Höhe gebracht und von Kapellmeister Suter so vorbereitet worden, daß Strauß nur noch wenige Retouchen vorzunehmen hatte und die Exekution an Klangschönheit und innerer Kraft kaum zu wünschen übrig ließ. Hans Gießen aus Dresden, der in die warmblütige Poesie der Straußischen Lyrik vollständig hineingewachsen ist, stand in den Liedern auf der Höhe prachtvoller Stimmentfaltung und lebensvollster Interpretation. Auch dem, der Strauß nicht in alle Konsequenzen folgt, mußte die denkwürdige Aufführung die Überzeugung beibringen, daß er hier einer außerordentlichen Erscheinung gegenübersteht, deren ungeheure Formphantasie, Erfindungskraft und Orchestertechnik auf einsamer Höhe steht. — Ermutigt durch diesen Erfolg, hat es die »Gesellschaft des Guten und Gemeinnützigen« gewagt, in ihr 7. Volkskonzert den »Don Juan« von R. Strauß unter Suter's Leitung aufzunehmen, und der Wurf ist gelungen. Die Volkskonzerte, deren seit 2 Jahren je 3 im Winter stattfinden, wollen gegen ein minimales Eintrittsgeld (20 cts.) die beste Musik in bester Wiedergabe in die unbemittelten Kreise tragen. Es wird darin mit den gleichen Kräften musiziert wie in den Abonnements-Konzerten. Sinfonien wechseln mit Ouverturen und anderen Orchesterstücken der ersten Meister, selbstverständlich in vorsichtiger Auswahl des Fasslichen; auch Solisten wurden fast regelmäßig beigezogen. — Im 3. Konzert des Gesangvereins, das im Münster stattfand, dirigierte Hermann Suter drei Kantaten von J. S. Bach, die »Trauerode«, die Kantate »Ich hatte viel Bekümmernis« und die ergreifende Solokantate für Alt »Schlage doch, gewünschte Stunde«, in der Maria Philippi eine meisterhafte Leistung bot. Bald darauf wurde in demselben, akustisch unvergleichlichen Konzertlokal das Requiem von Verdi zu wohltätigen Zwecken wiederholt. — An Solisten-Konzerten sind zu nennen eine vortrefflich gelungene Matinee der Damen Ida Herber und Maria Philippi, die uns u. A. mit den köstlichen Liedchen von Ernst Frank bekannt machten, und ein Kammermusikabend der Geschwister Otto und Anna Hegner, welcher künstlerisch sehr erfolgreich verlief.　　　　　　　　　　　　　　F. G.

Berlin. Der verflossene Monat brachte jeden Abend 3—4 Konzerte, von denen manche besser nicht stattgefunden hätten. Besonders in den Solistenkonzerten wurde vieles geboten, was besser in die Prüfungsabende der Konservatorien gehört hätte. Zu den Künstlern, die wirklich etwas Bedeutendes leisten, gehört Konrad Ansorge, der mit der genialen Interpretation von Liszt's Fantasie quasi Sonata (après une lecture de Dante) einen großen Erfolg errang. In seiner dreisätzigen Sonate in f-moll zeigte Ansorge, daß er wirklich etwas zu sagen hat. Die Sonate erhält dadurch etwas Einheitliches, daß das Tema des ersten Satzes im letzten wiederkehrt und auch das Ganze abschließt. Der 11jährige Pianist Walther Joseph konzertierte mit dem philharmonischen Orchester und zeigte eine weit entwickelte Technik und musikalisches Spiel; wenn er sich so weiter entwickelt, dürfte er später von sich reden machen. Ottilie Metzger errang im Konzertsaal dieselben rauschenden Erfolge wie auf der Bühne, Therese Behr sang, von Arthur Schnabel begleitet, eine Anzahl Lieder von Brahms und Schumann's »Dichterliebe«, Rosa Sucher gab einen Liederabend, der aber zeigte, daß ihre Stimme, besonders in der Höhe, der Zeit ihren Tribut hat zahlen müssen: außerdem konzertierten noch Julie Müller-Hartung, Lula Mysz-Gmeiner, Aurelie Révy u. a. Der Barytonist Gustav Friedrich sang in seinem Konzert u. a. drei wirkungsvolle Lieder mit Cello- und Klavierbegleitung von Walter Rabl, 3 Lieder von Max Marschalk und 4 Lieder von Arthur Schnabel, von denen das letzte »Sperlinge« wiederholt werden mußte. Eine interessante Abwechslung bot das Konzert des Kontrabass-Virtuosen Sergei Kussewitzky. Der Künstler, den mancher Cellist um seinen schönen Ton beneiden dürfte, spielte außer dem a-moll-Konzert von Händel Stücke von Bruch, Laska, Bottesini und eigner Komposition uud errang einen sehr großen Erfolg. Der ausgezeichnete Organist Walther Fischer spielte Max Reger's Fantasie über den Choral: »Halleluja, Gott zu loben, bleibe meine Seelenfreud«, deren grandiose Schlußfuge Zeugnis für das enorme kontrapuktische Können Reger's ablegt. Auch eine Sonate über den 94. Psalm des frühverstorbenen Lisztschülers Julius Reubke hinterließ einen tiefen Eindruck.

Die Herren Schumann, Halir und Dechert spielten in ihrem letzten Trio-Abend Brahms' C-moll-Trio op. 101 und Schubert's B-dur-Trio op. 99, zwischen beiden Werken spielte Herr Schumann (mit Herrn Bruno Hinze-Reinhold am zweiten Klavier) eine neue Arbeit eigner Komposition »Variationen und Fuge über ein Thema von Beethoven« für 2 Klaviere, ein recht solide gearbeitetes Werk. Der 13. populäre Musikabend der Herren Arthur Schnabel, Wittenberg und Hekking unter Mitwirkung von Rosa Sucher brachte Schubert's B-dur-Trio und das H-dur-Trio von Brahms in vollendeter Ausführung. Wilma Normann-Neruda und Friedrich Gernsheim spielten in ihrem zweiten Kammermusik-Abend 3 Sonaten von Beethoven (D-dur op. 12 Nr. 1, G-dur op. 96 und A-dur op. 47) und hatten, besonders mit der Kreutzersonate großen Erfolg. Raoul Pugno gab einen Sonatenabend mit Anton Hekking zusammen, (der in letzter Minute für den erkrankten Jean Gerardy einspringen mußte); wenn auch das Zusammenspiel in der Beethovenschen Cellosonate op. 69 A-dur vollendeter hätte sein können, so ließ die folgende Sonate op. 36 von Grieg keinen Wunsch unbefriedigt.

Das philharmonische Orchester gab unter Nikisch ein Extrakonzert (für den Pensionsfond der Orchestermitglieder); das ganz Beethoven gewidmete Programm brachte die dritte Leonoren-Ouverture und die fünfte Sinfonie in schwungvoller Ausführung. Zwischen beiden Werken spielte Herr Konzertmeister Witek das Violinkonzert. Der letzte Sinfonie-Abend der kgl. Kapelle unter Felix Weingartner brachte außer der Medea-Ouverture von Cherubini und Mozart's »Nachtmusik« für vier Orchester, die neunte Sinfonie Beethoven's. Das Soloquartett wurde von den Damen Alten und Götze und den Herren Sommer und Hoffmann gesungen. Zum Schluß des Konzerts wurde Weingartner und sein Orchester mit enthusiastischem Beifall überhäuft. Die »Modernen Konzerte« unter Richard Strauß' Leitung fanden ihren Abschluß durch ein Konzert in der Singakademie, das mit einem feierlichen Marsch von Hans Schilling-Ziemssen eingeleitet wurde. Leider steht der musikalische Gehalt des vom Komponisten selbst dirigierten Marsches in keiner Beziehung zu den angewandten Mitteln (besonderer Bläserchor und Orgel). Dann spielte Alfred Wittenberg ein Violinkonzert in d-moll von Rüfer (der selbst dirigierte), das wohl manche für den Spieler dankbare Stellen enthält, aber doch keine Bereicherung der Violinliteratur bedeuten dürfte. »Waldwanderung«, Stimmungsbild für Orchester von Leo Blech, ein wirkungsvoll instrumentiertes Musikstück, fand vielen Beifall. Auch Richard Strauß' Gesang mit Orchester »Das Tal« (Uhland) brachte dem Komponisten wie auch Herrn Paul Knüpfer, der wunderbar bei Stimme war, einen großen Erfolg. Herr Knüpfer sang außerdem noch das von Friedrich von Schirach wirkungsvoll vertonte Gedicht Konrad F. Meyer's

»Lethe«, das sich durch vornehme Erfindung und gute Instrumentation auszeichnet. Den Schluß des Konzerts bildete Liszt's sinfonische Dichtung »die Ideale«. Wenn auch diese Konzerte unter Richard Strauß manche Werke bescherten, die es zu keinem Erfolg bringen konnten, so muß man Strauß doch dankbar sein, daß er sich der modernen Literatur annimmt, und daß er für das Verständnis von Liszt's sinfonischen Dichtungen, von denen er in jedem Konzert eine brachte, so außerordentlich viel getan hat. Zum Schluß der Saison gab auch noch Herr Robert Wiemann einen Kompositionsabend mit dem philharmonischen Orchester. Eine schon 1892 entstandene Tondichtung »Enoch Arden« konnte ebensowenig fesseln wie drei Lieder mit Klavier und das Nachtlied Zarathustra's von Nietzsche, das Wiemann für Bariton und Orchester vertont hat. Dagegen zeigte der Komponist in seiner 1900 entstandenen Tondichtung »Erdenwallen« wirkliche Erfindung und glanzvolle Instrumentation. Es ist eins der besten sinfonischen Werke, die ich in den letzten Jahren kennen gelernt habe. Die Singakademie führte in der Karwoche Bach's Matthäuspassion zweimal auf, der Mengewein'sche Oratorienverein brachte Mendelssohn's »Paulus« zur Aufführung und der Stern'sche Gesangverein beschloß seine diesjährigen Konzerte mit der »Missa solemnis« von Beethoven. Die schwierigen Chöre der Beethoven'schen Messe kamen unter Prof. Gernsheim's Leitung recht schwungvoll zu Gehör, dagegen konnte das Soloquartett nur bescheidenen Ansprüchen genügen.

Im Theater des Westens hatte Auber's Fra Diavolo bei recht guter Neueinstudierung den gewohnten Erfolg. Das kgl. Opernhaus führte Leo Blech's Dorfidylle »Das war ich« auf. Ich brauche nur über die Aufführung zu berichten, da das Werk schon in Nr. 2 eingehend besprochen wurde. Herr Kapellmeister von Strauß, der die Oper dirigierte, hätte das Orchester feiner ausarbeiten können, doch leitete er die Aufführung mit sichrer Hand. Von den Mitwirkenden genügten die Damen Herzog (Pächterin) und Dietrich (Röschen), die Herren Neebe (Pächter) und Jörn (Knecht) gesanglich allen Anforderungen, wenn ihre Darstellung auch auf einen leichteren Ton hätte abgestimmt sein können. Frl. Kopka (Nachbarin), die darstellerisch am meisten befriedigte, versagte stimmlich vollständig. Das Werk, das eine recht freundliche Aufnahme fand, dürfte aber kaum eine Bereicherung des Repertoires bedeuten.   L. M.

Bern. Würdig gelangten am 24. März die Abonnementskonzerte zum Abschluß mit einer anerkennenswerten Wiedergabe Beethoven'scher Werke, insbesondere der Pastoralsymphonie und der Koriolan-Ouverture und mit dem Vortrag eines Händelschen Concerto durch unsern Violoncellisten Karl Monhaupt, der es in feiner Weise selbst für sein Instrument bearbeitet hatte. Besondere Belebung erfuhr das Konzert durch die reichen Darbietungen des Ehepaares Dulong aus Berlin, die in edelgehaltenen Einzelvorträgen und Zwiegesängen die Zuhörer fesselten. — An dieses Finale hängte sich zunächst eine erhebliche Coda von Sonderkonzerten. Eine junge, talentvolle Altistin aus Zürich, Frl. Minna Weidele, gab am 26. März einen Liederabend mit ausgewähltem Programm (Haydn, Mozart, Beethoven, Schubert, Schumann, Brahms, Wolf, Hausegger, Strauß), begleitet am Klavier von Musikdir. Volkmar Andreae aus Zürich. Gleich am 28. März folgte ein Instrumentalabend des im Temperament sehr verschiedenen Geschwisterpaares Anna und Otto Hegner aus Basel bezw. Berlin (Violine und Klavier). Mit Ruhe und schönem Ausdruck spielte Frl. Hegner Tartini, und in fließendem Zusammenspiel wurden Hans Huber's Suite op. 82 und die Kreutzersonate geboten. Der Besuch dieser beiden Abende war stark beeinträchtigt durch einen »Lieder- und Opernabend« des Herrn Alfred Rittershaus, der mit erstklassiger Reklame das Publikum vorweggenommen hatte, während Programm und Leistungen sich als sehr zweitklassig erwiesen. Erfreulich war hingegen das Konzert des Pianisten Harold Bauer und des Violoncellisten Pablo Casals aus Paris (31. März); leider fanden auch deren hochkünstlerische Leistungen nur ein spärliches Publikum. Volle Teilnahme erzielte erst wieder das Konzert des Cäcilienvereins (5. April), der uns das deutsche Requiem von Brahms mit Frau Clara Schulz-Lilie aus Genf und Herrn Theodor Vreven aus Frankfurt darbot. Eingeleitet wurde das Werk durch die Introduktion und Fuge: In memoriam, op. 128 von Karl Reinecke, und als Einlage vor dem zweiten Chor sang Frau Schulz Nr. 2

von Brahms' Ernsten Gesängen, instrumentiert von dem Konzertleiter, Herrn Dr. Karl Munzinger.   A. Th.

Bremen. Je weniger die große Opernbühne der Reichshauptstadt den Werken lebender Komponisten zugänglich ist, und je mehr sie es ablehnt, der musikdramatischen Kunst neue Bahnen brechen zu helfen, desto mehr haben die größeren Provinzbühnen die Pflicht, dem stets anregungsbedürftigen Repertoir neue und gehaltvolle Nahrung zuzuführen. Diese Kunstpflicht an sich würde die Theaterunternehmer natürlich völlig kalt lassen. Da aber moralische Verpflichtung und geschäftlicher Vorteil sich bisweilen decken, hat es auch immer noch von Zeit zu Zeit ganz kluge Leute gegeben, die gerade mit diesem Deckungsteil ihr bestes Geschäft machten. Hamburg, München und Schwerin haben es mit besonderem Eifer versucht. München und Schwerin (unter Fossart und Ledebur) mehr im deutschen Geist und im Geist der Kunst, und Hamburg mehr à la Pollini im Zeichen des Geschäfts und der Reklame. Vor einigen Jahren nahm auch Bremen, freilich als echte alte Handelsstadt auch nur im Pollini'schen Sinne. Teil an dieser Neukulturarbeit. Thuille's Gugeline und Wolf-Ferrari's Aschenbrödel erlebten hier ihre Erstaufführungen und mit Schillings' Ingwelde und dem Pfeiffertag. D'Albert's Kain und Abreise und Charpentier's Louise kam man den auswärtigen Erstaufführungen wenigstens rasch nach. Münchener und Bayreuther Vorbilder brachten uns vortrefflich gelungene Neuinszenierungen der Zauberflöte, des Tristan und des Fliegenden Holländers. Das alles hat aber längst aufgehört. Der Polnische Jude von Karl Weisz ist bislang die einzige Neuheit dieses Winters geblieben und sie ist im Eis ihrer harten Theatralik untergegangen, deren krassen Effekten die tiefergreifende Wurzel vom zureichenden dramatischen und ethischen Grunde fehlt, wie der Musik die charakteristische Note des eigenen Ingeniums. Ein Ereignis, welches bei guter Ausnutzung. für die deutsche Oper fruchtbringender hätte werden können, war die dramaturgische Neueinrichtung von Mozart's Don Juan durch den bekannten Dichter-Maler Arthur Fitger. Er läßt in dem unsterblichen Werk die tragischen und deutschen Züge schärfer hervortreten und stellt es bewußt in Gegensatz zu dem drama giocoso Don Giovanni der Münchner Einrichtung Levi's, dem ja kürzlich leider auch Berlin gefolgt ist. Diese Einrichtung brachte es in der uns Deutschen am Mark fressenden kosmopolitischen Verblendung fertig, das größte Werk des größten deutschen Opernkomponisten, im Sinne D'Andrade's etwa, zu verwelschen. Fitger hebt die Elvira als die eigentliche Trägerin der Gegenhandlung dadurch bedeutend hervor, daß er die nach ihrer ersten großen Szene ganz passiven Anna und Octavio im zweiten Akt ganz in den Hintergrund treten läßt und ihnen die Briefarie und die Tränenarie streicht und dafür Elviren im unmittelbarem Anschluß an das Sextett ihre große Arie (Mich verlassen will der Undankbare!) singen läßt, worauf sie ihren Entschluß ins Kloster zu gehen andeutet. Außerdem verlegt Fitger im Interesse seines Helden, der sich nicht von Bauern aus seinem eigenen Schloß treiben lassen darf, das erste Finale in die mit der Locanda Elvirens als Nebenhaus verbundene Bauernschänke, und das zweite Finale verwandelt er in ein üppiges Ballfest, an dem die vornehmste Gesellschaft Sevillas teilnimmt. Damit werden die käuflichen Courtisanen vermieden, die dem unwiderstehlichen Ritter unmöglich ein würdiges Objekt seiner Verführungskunst sein können. Leider wurde durch die Erkrankung Frl. Grub's, welche die Verführte und Verlassene mit edelster Beseelung der tragischen Züge sang, die Ausnutzung der von der lebhaftesten Teilnahme des Publikums begleiteten Neuinszenierung unterbrochen. Andere Erkrankungen bedingten wieder ein starkes Überhandnehmen der Gastspiele. Gäste stören aber immer die ruhige Entwickelung des Repertoirs und des Ensembles. Abgesehen davon bewegte sich das Repertoir in der bekannten internationalen Allerweltsmischung, die im Publikum jeden gesunden Geschmack und bei den Sängern jedes Stilgefühl vernichtet und nur der bequemen Tradition, d. h. dem Schlendrian dient. Carmen, Mignon, Margarethe, die weiße Dame von Longjumeau im schwarzen Domino (von Boieldieu — Adam — Auber), dazu einen starken Schuß vom blutroten Asti spumante Verdi's, Mascagni's und Leoncavallo's, Rossini's und Donizetti's: lauter welscher Zauber, die das deutsche Wesen beeinträchtigen und verfälschen. Nur Wagner und Lortzing, die beiden Antipoden des deutschen Wesens, werden gebührend beachtet. Ein Trost zwar, der aber wieder beeinträchtigt wird durch das ungenügend besetzte Ensemble, das keinen echten lyrischen Tenor, keine echte Altistin und keinen brauchbaren zweiten Bassisten besitzt und überall zu viel mit billigen Anfängern und Anfängerinnen — Elevinnen, die ein hohes Lehrgeld bezahlen, wären ja das Ideal unserer Theaterdirektoren — wirtschaftet. Nur eine stimmgewaltige und imposante, aber mehr durch die Kehle als durch die Seele inspirierte Brünnhilde und Fidelio besitzen wir in Frl. Seiffert und einen ähnlich beanlagten Tannhäuser und Tristan, und vortrefflichen Tamino und Belmonte in Herrn Carlén, der aber jetzt Bremen verläßt, in Frl. Grub eine poetische, stimmlich und geistig hervorragend begabte Sieglinde, Senta und Elisabeth, in der vielbeschäftigten Mezzosopranistin Frau von Scheele-Müller eine klassische Fricka, Azucena und Carmen; nützliche Mitglieder des Ensembles sind ferner die gewandte Koloratursängerin Susanne Lavalle und die durch den jugendlichen Schmelz ihrer Stimme wertvolle Hedwig Weingarten als jugendlich dramatische Sängerin, der für tragische Rollen prädestinierte Baritonist Max Stury (Holländer, Kain etc.), der salongewandte Nachtlager-Jäger und Luna, Herr Moser, der Bassist Gerboth und die Komiker Froneck und Radow. Die leider noch ganz in der Entwickelung begriffene Tenorstimme des Herrn Aichele wird sehr zu Unrecht für lyrische Partien gemißbraucht, während sie nur für heroische paßt. Als Kapellmeister amtieren der zuverlässige und erprobte Herr Jäger. eine erprobte Arbeitskraft, und der jugendlich feurige und begabte Oskar Malata. Leider entspricht diesem vorwiegend auf das moderne Musikdrama zugeschnittenen Ensemble das kleine aus 42 Musikern bestehende Orchester durchaus nicht; ihm fehlen die dritten Holzbläser, und der Streicherchor ist so dünn, daß er dem ersten, leichten Blechhauch zum Opfer fällt. Einer von der Theaterverwaltung anheimgegebenen Vergrößerung des Orchesters setzt der jetzige Theaterpächter kurzsichtigen aber desto hartnäckigeren Widerstand entgegen. Mit dem bevorstehenden Ende der Saison wird außerdem das gerade eingespielte Ensemble sich abermals bis auf einige besonders widerstandsfähige Kräfte auflösen; damit tritt die Sorge um die längst nötige Ergänzung des Ensembles in eine ideale Konkurrenz mit der Sorge um die Neubesetzung der ersten Fächer, woraus natürlich nur ein abermaliges Sinken des ganzen Niveaus resultieren kann. Wohin das führen soll, mögen die Götter wissen. Aber ihre von der klaren Luft der Sachkenntnis unbeirrte Nase folgt, wie das sanktionierter Gebrauch ist bei den Göttern, dem Duft des Weihrauchs. Und die Theaterunternehmer sind kundige Priester im Tempel der Kunst, die zwischen dem Himmel der hohen Behörde und dem Volk beflissen vermitteln und das beste Opferfleisch für ihre Mühewaltung der eigenen Küche zuführen.   G. H.

Breslau. Als wichtigstes der musikalischen Ereignisse in den letzten vier Wochen bezeichne ich die »Feuersnot«, die vom Stadttheater in der Karwoche über Breslau heraufbeschworen wurde. Daß sich eine Provinzbühne, die nach Lage der Verhältnisse über keinen Musterchor verfügen kann, wie die Hoftheater, überhaupt an das enorm schwere Werk Richard Strauß' wagt, ist an sich schon eine Tat, die größte Anerkennung verdient; glückt die Aufführung, wie das bei uns in hervorragender Weise der Fall war, so darf der Tag der Première dem Theater schon als ganz besonderer Ehrentag angekreidet werden. Herr Kapellmeister Prüwer, der die Partitur nahezu auswendig beherrschte, dirigierte mit Feuer und Schwung. Der Chor hielt sich sehr wacker, die Kinder sangen tapfer drauf los und das Orchester spielte glänzend. Unter den Solisten ragten, als an pronozierter Stelle stehend, Frl. Pewny (Diemut) und Herr Beeg (Kunrad) besonders hervor. Herr Kirchner hatte für Belebung der Szene und einen stimmungsvollen Rahmen derselben bestens gesorgt. Das Publikum ließ sich von dem Geiste des eigenartigen Werkes völlig gefangen nehmen. Aber für viele und für manche wären die Kinderchöre Steine des Anstoßes. Derartige Dinge sollte man Kinder nicht singen lassen, weder in musikalischer, noch textlicher Hinsicht. Der »Feuersnot« ging Blech's Idyll »Das war ich«, ebenfalls als Novität, voraus. Das harmlose, liebenswürdige Werk fand eine freundliche Aufnahme. Ein Gastspiel des Tenoristen Hans Siewert aus Köln in der Rolle des Postillon von Lonjumeau führte zum Engagement des stimmbegabten Sängers.

In den Konzertsälen wird es jetzt allgemach stiller. Der Orchesterverein hat seine Darbietungen mit einer prächtigen Wiedergabe der F-dur-Sinfonie von Brahms abgeschlossen. Professor Leopold A u e r war der Solist des letzten Konzertes. Sein fein-geschliffener Vortrag des S c h o t t i s c h e n K o n z e r t e s von Bruch wurde allgemein bewundert. Erwärmt hat er mit dem ziemlich verblühten Werke nicht sonderlich. In der alljährlich am Gründonnerstage wiederkehrenden Aufführung der »Schöpfung« seitens der S i n g a k a d e m i e wirkten diesmal Frl. R o s t aus Berlin, sowie die Herren Dr. W ü l l n e r und G u r a, letzterer aus Schwerin, als Solisten mit. Die Dame fand mit ihrer geschulten, sympathischen Stimme und ihrem manierenfreien Vortrage allgemeine Anerkennung. Der Tenorist war wenig bei Stimme, und Herr Gura sollte, da ihm die Tiefe mangelt, den Raphael überhaupt nicht singen. Die Aufführung verlief unter Hermann B e h r's Leitung im übrigen sehr beifallswürdig. Herr Behr, der ein tüchtiger Geiger ist, gab im Verein mit Herrn Dr. D o h r n, dessen Vorzüge als Kammermusikspieler ich schon wiederholt hervorgehoben habe, im Laufe des Winters zwei in künstlerischer Hinsicht glänzend verlaufene S o n a t e n a b e n d e. Der erste brachte Werke von Mozart, Beethoven und Brahms, der zweite aber drei interessante Novitäten von Paderewski, Saint-Saëns und César Frank. Für eine zyklische Vor-führung sämtlicher Violinsonaten von Beethoven dagegen sorgten der Direktor der B r e s l a u e r K o n s e r v a t o r i u m s, Herr P i e p e r, und der an der Anstalt tätige Pianist Herr Dr. R o s e n t h a l. Die beiden Künstler haben sich mit dem gutbesuchten, vorzüglich verlaufenen Zyklus ein unbestreitbares Verdienst erworben. Schließlich kann ich auch die neue Kammermusikvereinigung nicht unerwähnt lassen, die der rührige Direktor des genannten Konservatoriums ins Leben gerufen hat, und der wir die Bekanntschaft mit einer Anzahl höchst beachtenswerter Novitäten verdanken. Ich nenne nur das feingearbeitete G-moll-Quartett von Robert Fuchs, ferner Op. 30 von Kahn und die stimmungsvollen Schilflieder von A. Klughardt.   P. W.

Budapest. Die Musiksaison geht mit raschen Schritten ihrem Ende entgegen, welches in diesem Jahre nur dadurch etwas weiter hinausgeschoben ist, daß die phil-harmonische Gesellschaft anfangs Mai das fünfzigjährige Jubiläum ihres Bestehens mit einer Reihe von Festkonzerten feiert. Das letzte Abonnements-Konzert dieser Gesell-schaft brachte zwei Erstaufführungen. S m e t a n a's symphonische Dichtung »Aus Böhmens Hain und Flur« erfreute durch die strotzende, vom kräftigen Pulsschlag nationalen Empfindens durchwärmte Gesundheit ihrer Motive, durch übersichtlichen soliden Aufbau und nicht zuletzt durch Fülle und Glanz der Instrumentation. V i n-c e n t d'I n d y war ein neuer Name auf dem Konzertprogramm. Viel weniger neu klingt sein Orchesterwerk »La forêt enchantée«, in welchem das prunkende Gewand einer mit allen Klangmitteln des modernen Orchesters arbeitenden Instrumentation kaum über die Dürftigkeit des thematischen Gehaltes hinwegzutäuschen vermag. Auf-richtige Freude bereitete uns R u d o l f K e m é n y (Professor an der kgl. Landesmusik-akademie) mit seinem Vortrag von B r a h m s' Violinkonzert. Gediegenes, bis zu virtuoser Sicherheit ausgebildetes technisches Können, voller warmer Ton, sowie vollkommene Beherrschung des Musikalischen sind die Vorzüge, die ihm einen vornehmen Platz in der Reihe der ernst zu nehmenden Geiger anweisen. Eine gelungene Aufführung der »Eroica« beschloß das Konzert. Erwähnenswert ist noch ein Konzert der Musik-akademie, dessen Programm vom Schülerorchester unter J e n ö H u b a y's befeuernder Leitung korrekt und schwungvoll ausgeführt wurde. Einer unserer begabtesten jüngern Tonkünstler, A t t i l a H o r v á t h machte uns in einem eigenen Konzert mit seinen neuesten Kompositionen bekannt. Ein Trio, eine Suite für Streichorchester, sowie eine Reihe kleinerer Klavierstücke, tragen alle den Stempel einer künstlerischen Indivi-dualität, deren Grundzug wir in einer durch milden Humor nur selten erhellten herben Melancholie zu erkennen glauben. Der sympathische Tondichter, der sich auch als feinsinniger Pianist betätigte, erntete wärmsten Beifall.

Die Oper brachte in der Charwoche zwei Aufführungen von V e r d i's Requiem. Nur engherzige Nörgler können an gewissen südlich heftigen Accenten einer Ton-sprache Anstoß nehmen, welche in so glücklicher Weise Wahrheit und Kraft des Ausdruckes mit reifster sinnlicher Schönheit vereinigt. Die sorgfältig vorbereitete Aufführung unter Leitung Direktor M a d e r's, unter Mitwirkung der Damen Vasquez und Bartolucci und der Herren Broulik und Ney war eine glänzende zu nennen und erregte den jubelnden Beifall des beide Male ausverkauften Hauses. Noch einen andern Triumph hat die italienische Kunst in unserer Oper zu verzeichnen. Der berühmte Meistersänger Alessandro Bonci hat sein auf drei Abende berechnetes Gastspiel als Herzog von Mantua im »Rigoletto« eröffnet. Wir bewundern an ihm nicht nur die heute vielleicht einzig dastehende technische Virtuosität, mit der er seine Stimme, einen hellen weichen, aber auch kräftigen Tenor seinen Intentionen dienstbar macht, sondern in noch höherem Grade eben die Richtung dieser Intention, welche auf Charakteristik, auf die subtilste Nuancierung des Ausdrucks abzielt. Auch die feurigsten Verehrer von Verdi's Muse werden keine Ahnung davon gehabt haben, welche Fülle von Ausdrucksmöglichkeiten in der bis zur Trivialität populären Melodie des »La donna e mobile« verborgen liegt. Die Art, wie Bonci's Vortrag dies Alles ans Licht bringt, muß genial genannt werden. Wir belauschen das Selbstgespräch eines Weltmannes, der über die Frauen philosophiert, mit leichter Ironie, aber ohne Bitterkeit, mit jener halb-mitleidigen Zärtlichkeit, die man schwächern Geschöpfen entgegenbringt. Bonci singt das ganze Lied in ungezwungener Haltung auf einem Stuhl sitzend, größtenteils mezza-voce —, nur hie und da mit kräftigern Accenten durchsetzt, Äußerungen der Daseinsfreude eines vom Glück Verwöhnten, der die Welt schön und das Leben lebenswert findet. Dieser Herzog ist kein Tenorist, sondern ein lebendiger, fühlender und denkender Mensch, wie ihn Verdi geschaut hat, der eben auch nicht nur ein Komponist effektvoller Gesangsnummern gewesen ist, sondern ein schöpferisch begabter wirklicher Tondichter. — Es wäre ungerecht, wollten wir neben Bonci nicht auch der übrigen Mitwirkenden gedenken, der Damen Szilágyi und Várady, der Herren Takács, Ney und Szendröi, nicht minder aber des trefflichen Männerchores, deren Leistungen die ganze Vorstellung auf ein vornehmes künstlerisches Niveau erhoben. Bonci wird noch den Faust und den Almaviva singen. — Eine interessante Neubesetzung hat den letzten »Carmen«-Aufführungen erhöhten Reiz verliehen. Frau Diósy, unsere imposante Brunhilde und Ortrud, stellte zum ersten Male die Carmen dar, fesselnd in Erscheinung und Spiel, tadellos in ihrer bis ins kleinste sorgfältig ausgearbeiteten Gesangsleistung. Neben ihr erwarben sich Bochniček als José und Dalnoky als Toreador verdienten Beifall.   V. v. H.

Dresden. Den Reigen der großen Chorkonzerte vor Ostern eröffnete die Robert Schumann'sche Singakademie, die jetzt von Albert Fuchs geleitet wird, mit ihrem letzten Konzert in diesem Winter. Es gelangten das Schicksalslied von Brahms und die letzte Hälfte des ersten Aktes des »Parsifal« zur Aufführung. Den »Amfortas« und »Titurel« sangen die Herren Berger aus Berlin und Rabot aus Halle, von denen der erstere außerdem noch die »Heiling«-Arie, leider mit Klavierbegleitung, sang. Das Doppelkonzert für Violine und Cello von Brahms wurde von den Herren Neumann und Smith gespielt. — Am Palmsonntag bildete einem nun schon längst eingebürgerten Gebrauch zufolge die Aufführung der IX. Sinfonie von Beethoven die Hauptanziehungskraft des im Hoftheater zum Besten des Unterstützungsfonds für die Witwen und Waisen der Kgl. Kapelle veranstalteten Konzertes, das von Herrn Hofkapellmeister Hagen geleitet wurde. Die Soli sangen die Damen Abendroth und Huhn und die Herren Jäger und Rains. — Am folgenden Tage gaben die Herren Petri, Bauer, Spitzner und Wille ihren 6. und damit letzten diesjährigen Beethoven-Abend, in welchem sie die beiden Quartette A-moll Op. 132 und Cis-moll Op. 131 in wunderbar edler Vollendung spielten.

Eine besondere Berücksichtigung verdient eine Veranstaltung der Volks-Sing-Akademie, deren »Konzerte ausschließlich für das Publikum bestimmt sind, dem der Besuch anderer Konzerte des höheren Eintrittspreises wegen nicht ermöglicht ist.« Gegen einen wöchentlichen Beitrag von zehn Pfg. erhalten die Mitglieder freien Eintritt zu den größeren und kleineren Konzerten und den Vorträgen, die größtenteils zur Erläuterung der aufzuführenden Werke dienen. Dieses Mal handelte es sich um ein großes Konzert, das am 3000 Personen fassenden und vollständig gefüllten Zirkus an der Münchener Straße stattfand. Der Chor zählte 312 Mitglieder, das verstärkte Eilers'sche Orchester bestand aus 70 Künstlern. Die Leitung ruhte in den

Händen des Herrn Johannes Reichert, der ganz Außerordentliches geleistet hat. Die beiden Hauptwerke des Programms waren das Schicksalslied von Brahms und die Stücke aus der »Loreley« von Mendelssohn, deren Ausführung an Deutlichkeit der Aussprache, großer rhythmischer Sicherheit, Reinheit der Intonation und feurigem Schwunge nichts zu wünschen übrig ließ. Man wird in Zukunft viel Gutes für das hiesige musikalische Leben von Herrn Johannes Reichert zu erwarten haben.

Am Karfreitage fanden noch zwei große Aufführungen statt. In der Kreuzkirche leitete der tätige und verdienstvolle Professor Oskar Wermann die H-moll-Messe von Bach, an deren Wiedergabe sich der Kreuzkirchenchor, die Mitglieder des Allgemeinen Musikervereins, von Solisten die Damen Meta Geyer und Mathilde Haas und die Herren Jäger und Severin und eine Reihe Mitglieder der Königl. Kapelle beteiligten. Zu gleicher Zeit wurde die Missa solemnis von Beethoven zum dritten Male in diesem Winter aufgeführt — dieses Mal in der Martin Luther-Kirche unter Leitung des Kantors Römhild. Als Solisten wirkten die Damen Abendroth und Schäfer und die Herren Vernon und Franck mit. Diese dritte Aufführung des großen Werkes trug den Stempel großer künstlerischer Einheitlichkeit und Stylvollkommenheit.   E. R.

Düsseldorf. Der »Gesangverein Düsseldorf« veranstaltete unter Leitung des Musikdirektors Dr. Frank L. Limbert am Palmsonntag ein Konzert mit G. Schumann's Symphonischen Variationen über »Wer nur den lieben Gott«, J. S. Bach's Kantate »Selig ist der Mann« und der Großen F-moll-Messe von A. Bruckner, mit seinem tief religiösen Empfinden einem der bedeutendsten Werke des Meisters.

Frankfurt am Main. Oper. Nach Goldmark's nunmehr auch in Köln und Darmstadt angenommenem »Götz«, der sich hier fortdauernd auf dem Repertoire behauptet, hat unsere rührige Intendanz (Jensen) wiederum mit einem anderen großangelegten Werk das »Recht der Lebenden« gewahrt, und zwar mit einer in allen Teilen äußerst gelungenen Aufführung der Trilogie »Orestes« von Felix Weingartner. Zu den vielen Versuchen, die allenthalben geschehen sind, die antiken Stoffe — speziell der alten Tragödie — den modernen Bühnenverhältnissen anzupassen und ihre reiche Gedankenwelt unserem künstlerischen Empfinden näherzurücken, hat der universell so hochgebildete Weingartner einen in vielen Stücken interessanten Beitrag geliefert. Es zeugt schon von dem hohen Ernst der künstlerischen Gesinnung des genialen Dirigenten, daß er hier zu einem der Theater-Alltäglichkeit gewiß recht fremden Stoff gegriffen hat und an eine Frage herangetreten ist, deren Lösung zu den künstlerisch schwierigsten Aufgaben gehört. Inwieweit dies Weingartner gelungen, darüber ist gelegentlich der wiederholten Aufführungen der »Orestie« schon so oft die Rede gewesen, daß ich mich nur auf die Schilderung des Eindrucks beschränken darf, den das Werk bei seiner hiesigen, von dem Komponisten selbst geleiteten Première hervorgerufen. Der stimmungsvolle Anfang und Schluß des ersten Teiles, der eine Reihe malerischer Bilder bot, sowie die schönen und poetisch empfundenen Frauenchöre im »Todtenopfer« sprachen natürlich auch hier am lebhaftesten an, ebenso der Ruf Orests im dritten Teil und vorher die Traumerzählung Klytämnestras. Nach allen Abschlüssen der Trilogie wurde der hier ungemein beliebte Komponist so und so oft stürmisch gerufen. Von Oberregisseur Krühmer stimmungsvoll und stilgetreu inszeniert und von Kapellmeister Dr. Kunwald sorgfältig vorbereitet, wurde die Trilogie auch eine vorzügliche Besetzung in den drei Hauptpartien zu Teil. Frau Greef-Andriessen, die als Klytämnestra schon in der Leipziger Uraufführung gesungen, verlieh dieser Rolle eine ebenso hochdramatische Belebung, wie Forchhammer der Partie des Orest alle künstlerische Intelligenz und wohldurchdachte Vertiefung der gegebenen Aufgabe. Eine von starkem Empfinden gehobene gesanglich schöne Leistung bot die Kassandra der Frau Hensel-Schweitzer. Ganz trefflich hielten sich auch die übrigen Mitwirkenden und der Chor, der seiner schwierigen Aufgabe in den Hadesszenen vollauf gerecht wurde. Alles in allem eine sehr gelungene Aufführung, mit deren Verlauf Weingartner wohl zufrieden sein mochte. — Daß über dem Neuen auch das Alte nicht vergessen wurde, bewies eine recht gute Neueinstudierung von Auber's »Der schwarze Domino«.

Sehr interessant gestaltete sich diesmal der Abschluß der Konzertsaison. Für

die Leitung des letzten Opernhauskonzerts war Professor Arthur Nikisch, der
geniale Dirigent der Leipziger Gewandhauskonzerte und des Berliner philharmonischen
Orchesters, gewonnen worden. Was eine prominent erste Kraft in relativ doch nur
kurzer Zeit der Vorbereitung mit einem so trefflichen Orchester, wie es das hiesige
ist, zu leisten vermag, das bewiesen die fein ausgearbeitete Art der Ausführung des
hierorts leider etwas »abgespielten« Meistersingervorspiels, die charakteristische und
tief empfundene Wiedergabe der pathetischen Symphonie von Tschaikowsky, und die
wenn auch gelegentlich eigenartige, so doch künstlerisch wohlbegründete Auffassung
der Beethoven'schen C-moll-Symphonie. Obwohl sich manches gegen das Gastdiri-
gieren sagen läßt, so halte ich doch das gelegentliche Eingreifen eines geborenen
Kapell-Meisters — nicht eines bloßen Pultvirtuosen — hinsichtlich des sich in Bestehendes leicht eingewöhnenden Auditoriums und auch des Orchesterensembles für
gleich belebend als erziehlich. — Mit dem letzten Freitagskonzert der Museumsgesellschaft nahm Gustav Kogel Abschied von der Stätte einer fast 13jährigen verdienstvollen Tätigkeit und einem Auditorium, das dem Dirigenten mit ausgesprochen
stürmischen Ovationen deutlich die Anerkennung aussprach, die sein Wirken hier gefunden. Unter der Leitung Kogel's, der hier anfangs mit unverkennbaren Schwierigkeiten hinsichtlich der Durchführung der neuzeitlichen Forderungen entsprechenden
Orchesterprogramme zu kämpfen hatte, erwarben sich die Museumskonzerte einen auch
nach Außen hin hoch geachteten Namen. So hat Kogel hier seit dem Jahre 1891
seine Kräfte für Brahms, Tschaikowsky und Richard Strauß ebenso eifrig eingesetzt,
wie für die bedeutenderen deutschen Komponisten, die jungrussische Schule und
eine stattliche Reihe von Komponisten, für deren weiteres Bekanntwerden die Aufführungen in unseren Museumskonzerten oft von der größten Tragweite waren. Daß
hier manches von Richard Strauß, oder die pathetische Symphonie von Tschaikowsky
(gleich nach Petersburg) zum erstenmale zu Gehör gebracht wurde, habe ich schon in
einem früheren Bericht zu erwähnen Gelegenheit gefunden. Ob Siegmund von Hausegger, der neugewählte Dirigent, all das erfüllen wird, was sich die maßgebenden
Kreise von ihm erwarten, bleibt natürlich eine Frage der Zeit. Hoffentlich gelingt es
Kogel, dem wir hinsichtlich der Kenntnisnahme vieler interessanter Neuerscheinungen
so manchen künstlerischen Genuß verdanken, bald eine seiner Begabung und großen
Dirigenten-Routine entsprechende Stellung wiederzufinden. Das wäre ihm offen gestanden mehr zu wünschen, als die in diesen Tagen schwebende Lösung der Frage,
die sich mit der »Ehrengabe für den scheidenden Dirigenten« beschäftigt [1]. — In einem
Konzert zu Gunsten der Pensionskasse des Palmengarten-Orchesters, das unter Leitung
M. Kaempfert's ganz Tüchtiges leistet, wurde eine Gedächtnisfeier für Hugo Wolf
veranstaltet, in der Rechtsanwalt Faißt-Stuttgart, der treue Freund und eifrige Vorkämpfer des unglücklichen Liederkomponisten, unter anderem die drei Lieder: »Denk
es o Seele«, »Anakreons Grab« und den gewaltigen »Prometheus« mit der dazu geschriebenen Orchesterbegleitung zu gelungenem Vortrag brachte. Der zweite Teil des
Programms brachte die in allen Teilen vornehm gehaltene ganze Musik zu Shakespeare's »König Richard III.« von Volkmann. Den verbindenden Text sprach der
hiesige Schauspieler Bayrhammer. Mit dem Ausdruck des »Geistes der erhabensten
Heiterkeit«, wie sie sich nach Wagner in der achten Symphonie wiederspiegelt, und
mit der großen »Neunten« beschloß Weingartner in dem letzten Konzert des Kaim-
orchesters gerade an des Meisters Todestag den Cyklus der Beethoven-Symphonien.
Konnte die Leistung des übrigens etwas besser gewordenen Orchesters auch nicht
allenthalben gerade imponieren, so zog doch Weingartner's geniale Kunst in dem Chorsatz (Mitglieder des Caecilienvereins) durch den mitfortreißenden Schwung der Wiedergabe Mitwirkende und Zuhörer in den Bann des auszuführenden Kunstwerks und ¦in
die Stimmung des gegebenen Augenblicks. Auch das Soloquartett: Johanna Dietz,

---

1) Nach einer der Redaktion während des Druckes noch zugehenden Nachricht
hat die Museumsgesellschaft in einer am 27. April stattgehabten Versammlung beschlossen, ihrem scheidenden Dirigenten als Ehrensold eine Jahresrente von 3500 Mark
auf Lebenszeit zu verleihen.

Mathilde Haas-Mainz, Ludwig Heß-Berlin und Josef Loritz-München entledigte sich mit allen Ehren seiner schwierigen Aufgabe. — Im Rühl'schen Verein führte Dr. B. Scholz Haydn's »Jahreszeiten«, im Caecilienverein Professor Grüters Bach's »Johannes-Passion« mit schönem Gelingen auf. In der Reihe der in beiden Konzerten mitwirkenden Solisten gebührte jedesmal Professor Messchaërt-Wiesbaden für die treffliche Wiedergabe seiner Partien ungeteilte Anerkennung. — In dem letzten Abend des »Frankfurter Kammermusik-Ensembles« (Frau Florence Bassermann — Klavier — und Bläser des hiesigen Theaterorchesters) lernte man die neue Kammersymphonie, Op. 8, für Klavier, Streichquartett, Kontrabaß, Flöte, Oboë, Klarinette, Fagott und Horn von E. Wolf-Ferrari kennen. Gefällige Melodik, manche Frische und auch gewandte Technik, allein in allen den vier langen Sätzen ohne Kraft der Erfindung und die Gabe, einen vielleicht ganz hübschen Moment auch wirkungsvoll weiter auszubauen. Von Solistenkonzerten wäre noch ein Klavierabend zu erwähnen, in dem Max Schwarz Brahms (darunter einige Balladen, Fantasien und das leider so selten gehörte Es-moll-Scherzo, op. 4) und Beethoven auf das Programm geschrieben hatte. — Viele hundert rüstige Hände und Kehlen rüsten sich jetzt schon hinsichtlich der Vorbereitung zu dem großen Sängerwettstreit in den ersten Tagen des Juni. Zu dem von Direktor Max Fleisch am ersten Abend zu leitenden Begrüßungskonzert des Kaisers sind die Proben mit den hiesigen Männergesangvereinen im vollen Gange. Den Chor werden etwa 1700 Sänger, das Orchester 130 Musiker bilden. Für das Programm sind neben Bruch's »Frithjof« und Volksliedern von Böhme und Silcher u. a. ein einleitender Festchor von B. Scholz und Goldmark's »Frühlingsnetz« (für das der greise Komponist nunmehr die schon lange erwünschte Instrumentalbegleitung geschrieben) in Aussicht genommen. Die große, 12000 Personen fassende Sängerhalle ist nun nahezu auch vollendet. Also auf zu dem Kampf der Wagen und Gesänge! H. P.

Genf. Das zehnte und letzte Abonnements-Konzert brachte als Novität Gabriel Pierné's »Weihnacht 1870«, eine lyrische Episode für Orchester mit Glockenspiel, einer Singstimme, einem Deklamator und zwei Chören. Ein großartiges Durcheinander. Viele Effekte und doch kein großer Zug. Man kommt weder zu einer frommen Weihnachts-, noch zu einer kräftigen Kriegsstimmung. — Der Violoncellist René Schidenhelm erntete reichen Beifall mit dem A-moll-Konzert von Saint-Saëns und einem raffinierten Lied von Vincent d'Indy.

Diesem Schlußkonzert folgte, zum Besten der fleißigen Orchestermitglieder, ein Wagner- und R. Strauß-Abend.

Herr Ed. Bonny, Professor an der Musikakademie und am Konservatorium, gab ein interessantes Klavierkonzert mit op. 110 von Beethoven, Sonate von Schumann, Menuet von Schubert, zweite Rhapsodie von Brahms, Chopin's H-moll-Scherzo, Impromptu in Fis, Ballade in As- und F-moll, Impromptu von Fauré.

Herr Jaques-Dalcroze veranstaltete mit eigenen, noch nicht veröffentlichten »Chansons romandes« einen »romanischen Abend«, an welchem einige dreißig dieser teils fein humoristischen, teils patriotischen oder sentimentalen und auch satyrischen Lieder, deren Dichter und Komponist er ist, zu Gehör kamen. Das Konzert fand so viel Beifall, daß es wiederholt werden mußte. Der in seiner Vaterstadt sehr beliebte Komponist lebt als aufmerksamer Beobachter mit der Zeit und versteht es, all seine Bemerkungen musikalisch zu fixieren. Aus diesen kleinen Formen, auch den Kinderliedern, leuchtet uns der liebenswürdige Geist des Komponisten am hellsten entgegen.

Die hiesige ausgezeichnete Sängerin, Frau L. Kündig-Bécherat, gab am 1. April ein vielbesuchtes und gutes Konzert (Elsas Traum und Lieder von Massenet, Ketten, de Seigneux und Hollmann). An diesem Konzert wirkten mit Frl. Bueß, eine junge talentvolle Geigerin, der bekannte Cellist Avierino und — sonderbarerweise — ein übrigens sehr tüchtiger Pistonist, Herr Renard. Dieses Instrument — Cornet à pistons — sollte doch aus den Konzerten in geschlossenen Sälen verbannt und in die freie Natur oder auf seinen eigentlichen Platz, die sogenannte Harmoniemusik, verwiesen werden, denn ein jeder andere Solist hat neben dessen rohen Klängen einen gar schweren Stand.

In dem dritten der populären Konzerte, welche unter des Unterzeichneten

künstlerischer Leitung in der Victoria-Halle abgehalten werden, sang Frau Lily
Fournier-Bartens in sehr distinguierter Weise die Arie der Mimi aus Puccini's
»Bohême«, Lieder von Lalo, Ketten und Chaminade. Fräul. Harriet von Müthel,
Pianistin, die mit Hans von Bülow, Klindworth, Risler studiert hat und die als ihren
geehrten Meister heute noch Mathis Lussy anerkennt, — beide, Schülerin und Meister,
sind zu beglückwünschen —, Frl. von Müthel spielte nach genauen Angaben Lussy's
die »Giga con Variazioni« von Raff, Nocturne Op. 37, 2 von Chopin, C-dur-Etude
von Rubinstein und zweite Polonaise von Liszt. Es war ein wahrer Genuß,. diesen
wohlüberlegten Schattierungen der Klänge, den Leben einhauchenden Accenten, den
geistreichen Phrasierungen zu lauschen. Frl. von Müthel wird als Pianistin sicherlich einer brillanten Laufbahn entgegengehen. — Außerdem wirkten zwei Chöre mit:
Die »Concordia« (Männerchor von 75 Stimmen) sang Attenhofer's »Im Walde«,
Weber's »Lützow's wilde Jagd« und F. Köllner's »Waldmorgen«. Die »Harmonie«
(gemischter Chor) sang Kreutzer's »Départ pour la Montagne« und C. H. Richter's
»Morgenpsalm« Nr. 1 aus den 10 Salisliedern. Den beiden tüchtigen Dirigenten,
Herrn Wißmann (Concordia) und Herrn Bourquin (Harmonie) hiermit unsern Dank
für die schönen Leistungen.

Ganz besonders möchten wir die Aufmerksamkeit unserer Leser auf ein neues
Werk von Alfonso Dami lenken, einem Toscaner, geb. in Empoli 15. April 1842,
der hier als Gesangslehrer am Conservatorium tätig ist. Es handelt sich um seine
Missa solemnis für Männerchor, Soli und Orgel, die am 30. März zur ersten Aufführung kam. Die Schreibart dieser Messe ist ganz diatonisch, so rein im Style, daß
man an Palestrina, Allegri, Lotti und andere Meister des 16. und 17. Jahrhunderts
erinnert wird. Welche Entsagung, welche Frömmigkeit spricht sich darin aus für
einen Zeitgenossen! Nichts von weltlicher Eitelkeit, chromatischem Jammern, nervösen
Zuständen, — alles klar und einfach im Satze, infolgedessen sehr sangbar, und wahrhaft kirchlich. Das häufige Auftreten der Dreiklänge ohne Terz, der Abbruch manchen
Satzes auf dem Quartsextakkorde, sogar, in der Art des sogenannten Organon, Gänge
in Quinten und Oktaven, geben dem Werke einen ganz archaistischen, stellenweise
herben Charakter. Jedenfalls gibt diese Missa solemnis eine interessante und sehr
brauchbare Bereicherung der Musica sacra.   C. H. R.

Karlsruhe. Im letzten Abonnementskonzert hörten wir eine viersätzige Orchestersuite von Tanéiew, einem jungen russischen Komponisten, mit dem uns schon die
»Böhmen« durch Vorführung eines interessanten Quartettsatzes bekannt gemacht hatten.
Das Werk beginnt mit Variationen, deren schlicht ansprechendes Thema reich und schön
durchgeführt ist, nur schadet der Komponist, so interessant jede einzelne Veränderung
ist, seinem Werke durch die Länge des Satzes; es folgt noch ein anmutiges Menuett,
ein schlicht einsetzendes Andante, das sich nur plötzlich gar zu heroisch geberdet, und
ein rasch vorübereilendes Finale; alles in allem halten wir die Komposition für eine
Bereicherung der Konzertliteratur. Eine interessante Erscheinung sind auch Walther
Rabl's Sturmlieder mit Orchesterbegleitung. Der Komponist verwendet geschickt alle
Mittel modernster musikalischer Kunst, so, daß z. B. für den etwas leichter gehaltenen
Text des zweiten Liedes der Aufwand allzugroß erscheint. Kunst und Leidenschaft
lassen sich dem Tonsetzer nicht absprechen; namentlich weiß er effektvolle Schlüsse
aufzubauen. Freilich wurde den Gesängen eine denkbar glänzende Ausführung zu Teil
durch Frl. Destinn, deren wunderbar große Stimme und prachtvolle Gestaltungskraft
hier, wie bei den Arien von Smetana und Saint-Saëns, einen Sturm der Begeisterung
hervorriefen. Berlioz' Ouverture »Carneval romain« und Beethoven's Fünfte vervollständigten das schöne Konzert.

Im vorletzten Abonnements- und besonders im Karfreitagskonzert überwand
Mottl sieghaft die Schwierigkeiten, die sich bei dem Fehlen eines großen gemischten
Chores hier der Aufführung größerer Oratorien entgegenstellten. Freilich im Requiem
von Brahms zeigte der Chorklang noch nicht die wünschenswerte Fülle und Weichheit,
auch konnte man über manches in der Auffassung verschiedener Ansicht sein. Man
kennt ja Mottl's Vorliebe für breite Temponahme, und sicher hat er schon manchem
Werk mehr zu seinem Recht verholfen; aber hier verloren meines Erachtens die beiden

ersten Sätze dadurch an Eindrucksfähigkeit. Wie groß war freilich wieder das Crescendo im zweiten Satze, wie klar und plastisch die schwere Fuge des 3. Satzes, bei der die maßvolle Verwendung der Pauken noch besondere Anerkennung verdient, wie großartig die Durchführung des gewaltigen 6. Satzes. — In jeder Beziehung bedeutend war aber dann die Aufführung der Matthäuspassion. 9 Jahre hatte Karlsruhe das wunderbar tiefsinnige Werk, dessen überwältigendem Eindruck sich niemand entziehen kann, entbehren müssen; als nun Mottl, der seinen Theaterchor mitbrachte, zur wirksamen Unterstützung aufrief, da »kamen alle«; eine Fülle guter, wohlgeschulter Stimmen ließen sich durch die große Aufgabe begeistern; auch das Orchester war durch freiwilligen Zuzug so verstärkt, daß die Trennung in zwei Chöre konsequent durchgeführt werden konnte. Mottl, der pietätvoll das Werk ohne jeden Strich brachte, fühlt sich offenbar in dieser Musik ganz anders in seinem Element; was er an Kraftfülle aus dem Chor herauszulocken und wiederum an inniger Zartheit hervorzuzaubern wußte, welchen Reichtum an geistvollen, oft ganz überraschenden Zügen er zu geben hatte, mußte auch der anerkennen, dem da und dort die dramatische Ausgestaltung vielleicht etwas zu weit ging. Wie ergreifend wirkte z. B. nach den verhaltenen bangen Fragen: »Herr, bin ich's?« der volle Choreinsatz des Bekenntnisses der Gemeinde »Ich bin's, ich sollte büßen«, wie majestätisch erklang der erhabene Eingangschor, wie klar und sicher wurde der wunderbar ergreifende figurierte Choral »O Mensch bewein' dein' Sünde groß« durchgeführt. — Von den Solisten machten sich besonders Frau Mottl mit ihrem warmen innigen Vortrag der Sopranarie, Frl. Ethofer für die stimmungsvolle Altpartie. Herr Pauli mit seiner leichtansprechenden Höhe für die schwierige Rolle des Evangelisten und Herr Büttner durch die hoheitsvolle Wiedergabe der Worte Christi verdient. — Alles in allem eine höchst würdige Aufführung. hocherfreulich auch dadurch, daß nach einer Aufforderung Mottl's Aussicht auf dauernden Bestand eines Oratorienchors vorhanden ist.   C. G.

Köln. Der abgelaufene Monat nahm einen ziemlich ruhigen Verlauf. Die Gürzenich-Konzerte wickelten sich mit lebhaft gesteigerter Wirkung ab, indem Richard Strauß Beethoven's Neunte und Mozart's Requiem, und Steinbach die Matthäuspassion aufführte. Beide Dirigenten trafen in der weiten Absteckung der Grenze ihrer persönlichen Auffassung, die sie den Kunstwerken angedeihen ließen, zusammen, und von der, man kann heute sagen, mit Recht so unbeliebten Objectivität war wenig zu spüren. Aber man konnte bei beiden doch nirgends feststellen, daß die Grenzen, die dem subjektiven Ermessen des reproduktiven Künstlers durch das Kunstwerk gesetzt sind, überschritten worden seien. Vermutlich würde Beethoven zu dieser Stetigkeit der Steigerung und dieser durch keine der üblichen langen Atempausen unterbrochenen Verlaufsglätte des letzten Satzes der Chorsymphonie selber seine Einwilligung gegeben haben. Ein alter Herzenswunsch des Unterzeichneten kam allerdings im Scherzo auch diesmal nicht zur Verwirklichung: er besteht darin, daß die Streicher den Rhythmus des Hauptmotivs, der ja aus einem punktierten Viertel, einem Achtel und einem Viertel besteht, nicht immer so verwischen, daß sie das Achtel und das darauffolgende Viertel fast ohne jedes merkliche Absetzen zusammenschleifen, sondern sich die Schärfe des Absatzes in der Pauke und den Bläsern zum Muster nehmen möchten. Es wäre eine zu große Gnade Apolls, wenn ich vor meinem Ende diesen Rhythmus auch einmal von den Herren Streichern in haarscharfer Zeichnung respektiert finden würde. Was mich aber andrerseits in hohem Grade fesselte, das war die Temponahme des Adagios, das fast immer — selbst beim alten Wüllner, dessen Wiedergabe dieser Symphonie mustergültig war — im Hauptteil namentlich zu Anfang zu schnell, in den beiden Seitenteilen zu langsam genommen wird. Die milde Trostbrise, die da in die Ergebung hineinfächelt, muß doch auch im Tempo erfrischend wirken. Und das Ergebungstema kann gerade im Anfang nicht langsam genug genommen werden, wozu freilich ein besonders tragfähiges Spiel der Instrumente gehört, da die einfach ausgehaltenen Töne hier unzureichend wären. Eine sinn- und geistreiche Modifikation des Tempos brachte Strauß dann nach dem Wiedereintritt des Hauptthemas in B (nach dem ersten Auftreten des Seitenthemas) an, wo die Streicher, gleichsam noch unter der Nachwirkung des bewegten $^3/_4$-Takts ein wenig »nachwogend«, etwas zu lebhaft blieben, während die kurzen Bläserphrasen merklich verlangsamten und zur Ergebung mahnten, womit sie dann den Sieg errangen. In der Matthäuspassion hatte Steinbach den Reformhebel vor allem an den Chor angelegt: er sang wieder so gut, wie in Wüllner's besten Zeiten, sehr ausdrucksvoll im einzelnen, in den Schattierungen so wie wirs kaum in Köln gehört haben. Zur Erhöhung der Wirkung der Choräle hatte Steinbach einen Elite-Chor auf die Gallerie neben die Orgel geschickt, was sich recht feierlich und etwas geheimnisvoll ausnahm. Neu war die Verwendung des Cembalo, einer geschickten Nachahmung der alten Instrumente, die Rehbock in Duisburg verfertigt hat und die am Rhein die Rundreise zu allen Passionen gemacht hat, so in Duisburg, Düsseldorf und in Krefeld. Auch in der Musikalischen Gesellschaft, die jeden Samstag tagt und durch die Einführung neuer, wie die Plazierung bewährter Künstler für unser Musikleben ziemlich wichtig ist, hat sich Steinbach mit vielem Erfolg und unter Bewährung einiger Tatkraft in der Hinwegräumung einiger überkommener Mängel eingeführt, sodaß ihm jetzt von allen Seiten mit großem Vertrauen begegnet wird. Als Solist zierte den Einführungsabend Leopold Auer aus Petersburg, der mit ganzer Vertiefung und großer Tonsüßigkeit das Brahms'sche Konzert spielte. — Im Theater wurde als Neuheit Karl von Kaskel's Volksoper der Dusle und das Babeli gegeben, die eine sehr freundliche Aufnahme fand. Im Tonkünstlerverein hielt Max Battke seinen Vortrag über die Erziehung des Tonsinnes und streute darin Anregungen vielfach überraschender Art unter die sehr dankbaren Zuhörer. — Im Gürzenich-Quartett nahm Prof. Willy Hess mit Beethoven's Opus 130 und dem Nonett von Spohr Abschied vom Kölner Publikum, bevor er nach London geht, um Sauret's Nachfolger am Royal-College zu werden. Er erntete begeisterte Huldigungen. Zu seinem Nachfolger ist der Amsterdamer Bram Eldering ernannt, ein alter Arbeits-genosse von Steinbach aus der Meininger Zeit. O. N.

Kopenhagen. Von der Oper ist auch diesmal nichts bedeutendes zu berichten; doch steht jetzt eben die längst ersehnte Aufführung von Siegfried vor der Tür, die also hoffentlich im nächsten Heft besprochen werden kann.

Die Zahl der Konzerte geht langsam zurück, doch haben im letzten Monate mehrere größere stattgefunden. Der Musikverein — Ehre dem ältesten! — brachte bei seinem dritten (letzten) Konzert nichts besonders Interessantes: eine Haydn'sche Sinfonie und das Soli-Chor-Werk Tornerose (Dornröschen) von Peter Heise, das aber nicht zu den wertvollsten Schöpfungen des verstorbenen begabten Liederkompo-nisten gehört. — Die kgl. Kapell-Konzerte schlossen ihre Saison mit einem recht gemischten Programm ab: Genoveva-Ouverture, Rimsky-Korsakow Sadlo, Beethoven VIII. Sinfonie. Als Solist hatte der dänisch-geborne Sänger Louis Cruz-Fröhlich großen Erfolg, namentlich mit Liedern von Fauré, Duporc und Massenet. Bei vollem Hause konzertierten zusammen Lady Hallé und L. Borwick. Zwei Beethoven-Konzerte (Violin- und G-dur-Klavier-Konzert) nach einander waren ein bischen zu viel, namentlich da die Ausführung beider Künstler bei aller Schönheit und Sauberkeit ein wenig englisch-abgeglättet war. Herr Borwick spielte nachher wundervoll Schumann's Karneval. — Im Festsaal des neuen Rathauses — ein Prachtwerk moderner Architektur und an sich ein selten stimmungsvolles Lokal für Monstreaufführungen — konnten die Leistungen der Süd-schwedischen Filharmonie (Dirigent A. Hallén) weder numerisch noch künst-lerisch genügen. Das Konzert wurde für die Kopenhagener Armen gegeben und die Vorführung von Gounod's Gallia, Saint-Saëns' (langweiligem!) La lyre et la harpe, und Scene aus Parsifal hätten unter günstigeren Umständen zu wahrem Dank verpflichtet. — Der Dänische Konzertverein hat sich sein Publikum noch nicht recht erobert; doch bringt er fast immer etwas von Interesse. So kamen im letzten Konzert sogar drei Neuheiten: Napoleon Bonaparte, symphonische Dich-tung in vier Abteilungen von einem debutierenden Komponisten Axel Schiöler, die — im Inhalt ein bischen naiv — sich durch die sichere und bisweilen glänzende Beherrschung des Orchesters und den fließenden, erfindungsreichen Stil auszeichnet, Der Volksfeind, Ouverture zu Ibsen's Drama von Louis Glass, die sich als Schöpfung eines reifen, männnlichen Künstlers erwies, wenn sie auch mehr den Namen

»symphonische Fantasie« als »Ouverture« verdiente, deren gewöhnliches Zeitmaß auch bedeutend überschritten wurde. Die letzte Nummer war Attila, Chorfantasie von Wilh. Rosenberg, einem hier ganz bekannten Männervereins-Dirigenten. In Attila interessierten auch die Chöre am meisten, doch war das Werk zu weit gesponnen und ohne ausgeprägte Persönlichkeit.

Das gewöhnliche Oster-Konzert des Opernchors in der Frauenkirche brachte u. a. wirkungsvolle neue Orgelstücke von Otto Malling-Paulus. — Solo-Konzerte gaben u. a. die Liedersängerinnen Gräfin Mannesheim (aus Finnland), Frau Boye-Jensen, Marta Sandal (mit Henry Bramson zusammen). Herrn Wolfgang Hansen's Kammermusikkonzert führte in Kopenhagen Ludwig Thuille ein, dessen Klavierquintett sehr freundlich aufgenommen wurde, ohne jedoch einen starken Eindruck von der Persönlichkeit des Komponisten zu hinterlassen.   W. B.

Leeds. — On reviewing the music which has been heard in this part of the world during the past season, one is driven to confess that, in spite of its quantity, there is very little of more than local interest. Our choral societies are numerous, and many of them are excellent, but for the most part they are content to reiterate the same familiar works with a wearisome monotony. For orchestral music we have a few local orchestras struggling with very limited means, and more limited resources, to hold their own, and unable to do anything like justice to the more important symphonic works, for which indeed their supporters exhibit no marked desire. For really adequate performances of modern symphonies and the like we are practically dependent on the incursions of the Hallé Orchestra from the neighbouring county, whilst for opera we are of course entirely dependent on the occasional visits of strolling companies. When it is remembered that the West Riding has a population of $2^3/_4$ millions, it must be acknowledged that this is a state of affairs which does not proclaim so high a state of musical development as the musical patriots of the district would have us believe. The only actual novelty apparently, so far as extended works are concerned, has been a cantata based on Tennyson's "Idylls of the King," and entitled "Arthur the King," which was heard for the first time last November at Harrogate. It is by E. W. Naylor, organist of Emmanuel College, Cambridge, and when it is added that the composer is brother of the Harrogate conductor, the motive for this unwonted and quite exceptional enterprise is afforded. That the cantata deserved attention on its own merits however is quite beyond question; for it is much above the average, not merely in musicianship, though this is assured, but in capacity to appreciate and give force to the beauty and significance of the poem. There is, in the highest flights of the work, real feeling and expressive power, and this is particularly the case with King Arthur's speeches, which are most sympathetically treated. The choruses are not quite so happy in effect, for, though well written, they do not seem in perfect keeping, but disturb the unity of style. The high aim of the work, and its thorough musicianship, however, make it worthy of serious consideration.

The most notable revivals of old works have all been devoted to Handel. He is much beloved in Yorkshire, but in practice this devotion is rather narrow in its scope, rarely extending beyond four or five of his best known oratorios. The production of "Jephthah" at Keighley last November was therefore an event of some interest, and revealed such beauties as should encourage further explorations among Handel's less known works. The other two Handelian revivals were due to the enterprise of a Leeds organist, H. P. Richardson, who has during the season given performances of the "Ode on St. Cecilia's Day" (1739), and the later of the two Passions (1716). The freshness and charm of the Ode, and the variety and quaintness of the orchestration (Mozart's version was employed), made it very welcome. The Passion Music was given, in abbreviated form, at a special church service in Holy Week, and, though of course it is never likely to supplant Bach's more intimate and deeply felt version of the same great theme, the revival was of artistic, as well as historic, interest.

One of the most interesting events of the season has been the revival at Leeds of Stanford's oratorio "Eden", a fine work, which since its production at the Birmingham Festival of 1891, has been unfairly, if not unaccountably, neglected. The libretto is one of the finest in existence. It owes its form to an early draft of Milton's "Paradise Lost," in the form of a mystery play, from which Robert Bridges, a poet of distinction, has evolved a fine dramatic poem, not to be mentioned in the same breath with the productions of the ordinary librettist. Stanford's treatment of the poem is most thoughtful, scholarly, and individual. In the angels' choruses he has utilised the old ecclesiastical modes, with the object of giving a far-off, spiritual character to their utterances, and the skill with which the ancient scales are employed is remarkable, though one may feel some slight incongruity in their appearance in a modern work. Otherwise there is no touch of pedantry in the music, which is exceedingly dramatic and free in treatment, the scene of the Temptation in the Garden being treated with remarkable power and genuine charm, and the vivid force of the "masque," in which Adam is shown a vision of the future of his race, deserving high praise. Certainly the oratorio passed the trying test of revival, and seemed even better on further acquaintance. It had the advantage of an admirable all-round performance by the Leeds Philharmonic Society, under the composer's direction.

A feature of the season has been the vogue or Handel's "Israel", which has been given by several important societies. Hubert Parry's cantata, "A song of Darkness and Light", has also been in request. being given three times during March, in one case (at Halifax) under the composer's conductorship. That an interest in the music of Richard Strauss has penetrated to Yorkshire is shown by the fact that his "Wandrer's Sturmlied", "Don Juan", and "Tod und Verklärung", have been given a hearing, as well as the "Enoch Arden" music and the early violin sonata. Another piece of chamber music of exceptional interest, César Franck's remarkable String Quartett, has also been given at some Leeds concerts. And. as an indication how slowly operatic affairs move in this quarter of the world, rich and prosperous as it is, it may be noted that "Tristan und Isolde" was heard for the first time in the West Riding only last February, 38 years after its first production in Munich!   H. T.

Leipzig. Wie wechselnd und unberechenbar Opernerfolge sind, ließ sich wieder einmal am Schlusse der Wintersaison in unserm Theaterleben konstatieren. Nachdem Blech's hübsches Lustspiel »Das wahr ich« am Stadttheater ein halbes Dutzend Aufführungen erlebt — Hummels »Beichte« hatte man bereits früher abgesetzt — war schon wieder Appetit nach Neuem da. Die rührige Direktion sorgte rasch für Abwechselung. Henry Casper's komischen Einakter »Ma tante dort« aus dem Staub fremder Bibliotheken hervorgezogen zu haben. lohnte sich, da das Stück wirklich lebenskräftige Momente und in der Musik manchen hübschen Zug aufweist. Allerdings wird es wohl nach dieser Auferweckung seinen Schlaf im Theaterarchiv fortsetzen. Von den beiden Novitäten, Massenet's Miracle »Le jongleur de Notre Dame« und desselben »Das Mädchen von Navarra« ist die erstere die bedeutendere. Wenn sich selbst der »Jongleur« nicht auf dem Repertoire zu halten verspricht, so liegt das schwerlich an der Musik, die reizvoll und plastisch instrumentiert eine Fülle feiner Züge birgt, sondern an dem Charakter des Sujets, dessen rührend tiefer Sinn in Ländern, wo man die Romantik des Marienkultus nicht kennt, nicht voll empfunden zu werden scheint. Das zweite Werk — ein Augenblicksbild aus dem Karlistenkrieg von 1874 — ist mit ungemein sicheren Strichen hingeworfen, gibt aber den auf wenige Seiten zusammengedrängten, etwas krassen Inhalt in zu aufdringlicher Art wieder, als daß man Lust verspürt, es ein zweites Mal zu hören. Frl. Samek bot in der Titelrolle manchen guten Zug. Der stimmlich wohl disponierte Herr Moers verstand den jongleur ebenso fein und wahr zu spielen wie die Herren Schütz, Gross und Traun ihre Rollen als fratres. Mit Herrn Kappelmeister Hagel's Auffassung konnte man einverstanden sein, während der Regie der Vorwurf nicht zu ersparen ist, ihre Sache — namentlich im Miracle — zu leicht genommen zu haben. — Unter den sonstigen Theaterereignissen verdient Frl. Seebe's ansprechende Leistung als Elsa im Lohengrin und Frl. Olive Fremstad's erfolgreiches Gastspiel als Carmen unter dem Taktstocke Nikisch's Erwähnung. — Die Gewandhauskonzerte schlossen am 27. März, dem Todestage Beethoven's, mit einer Beethovenfeier ab: Ouverture zu »Egmont«, Musik zu »Ruinen von Athen« und IX. Symphonie. Am Charfreitage

gab es — wie üblich — die Bach'sche Matthäuspassion unter Mitwirkung der Gewand-
hauskräfte und wohlgewählter Solisten.   A. Sch.

London. — There has been more activity in the matter of music in London
during the last month than is usual in Lent, but it cannot be said that anything of
special importance occurred. The most interesting concert was that given by the
Hallé orchestra under Richter. With the exception of the Bournemouth orchestra,
and the possible exception of the Queen's Hall orchestra, it is the only permanent
band we have. It answers the definition more accurately than the Queen's Hall
orchestra, in that its members do not, at least during the season, play elsewhere.
About 10 years ago the Manchester band gave several concerts in London under its
founder's direction, but in those days the orchestral taste of London had not yet been
as fully developed as it is now. This first visit of the Hallé band has proved so
successful that a series of concerts is announced for next season, which will fill the
gap left by the abrupt termination of the old régime of the Richter concerts. In
personnel the Manchester band may challenge comparison with the best we have
in the capital. Any band might be proud of players like Carl Fuchs the leading
violoncellist, and Simon Spielmann the leading viola player, of whose individual powers
we had a better chance of judging at the concert given shortly afterwards by the
Brodsky Quartett. It must be admitted that the London Press did not receive the
Manchester band with unqualified enthusiasm; for which there are several reasons.
The first was probably local patriotism, which is creditable. The second, which is
not so praiseworthy, was that certain characteristics unfamiliar to English ears somewhat
upset the critical balance. The tone of the orchestra is practically that of an orchestra
of German players. More solid, but less brilliant or sweet, than that which we like
in this country. But it is undoubtedly that which Richter has tried to get, because
he likes it best. It is specially in the wood-wind that the difference is noticeable,
for most Germans consider the wood-wind tone which we chiefly admire effeminate.
Yet, taking it all in all, the tone of the band was not nearly so German (to use the
most convenient epithet) as that of the Meiningen orchestra's; and thus it was somewhat
puzzling to find lukewarm praise of the Richter band from many who have gone into
raptures over the Meiningers. The best achievement of the Manchester players was
a very Olympian performance of the Meistersinger Prelude, in which the well-known
burlesque wood-wind passage came out with magnificent crispness and point, and the
final climax was splendidly massive. It was noticeable too that Richter's tempi were
throughout very brisk. The performance of Beethoven's 8th Symphony was also
remarkably fine, and displayed the precision and unanimity of phrasing of the band
to the greatest advantage. The rest of the programme consisted of two movements
from Berlioz's "Romeo and Juliet", Liszt's "Mephisto Waltz", and Tschaikoffsky's
"Francesca da Rimini". The last named is considered in Manchester to be the band's
favourite battle-horse, and it was finely played; but it must be confessed that some
of the younger conductors are more in sympathy with the feverish romanticism of
Tschaikoffsky. The concert of the Philharmonic on the 26th March began with the
overture "Youth" by Arthur Hervey, the well known London critic, which had been
produced very successfully at the Norwich Festival last autumn. Hervey has set out
to illustrate the hopeful and energetic feelings of youth, rather than the despondent
Weltschmerz which is so fashionable among composers. His hero is no Uebermensch
who deplores the necessity of living in a paltry world, but a healthy optimist with a
good digestion. After all there is no reason why εὐπεψία should not be capable of
musical illustration by a composer of serious aim, as well as the megrims. And
Hervey's music, though it is lively, is of serious aim. In its terseness and lucidity,
as well as in the character of its melodic outlines, it recalls the best characteristics
of French art. It was admirably conducted by the composer, who showed a power
of influencing the band, and a grip of rhythm, quite remarkable in one who has had
so little practice with the bâton. At the same concert Sauer played his second concerto; a work more valuable than his first, but still of no great depth or originality.
But, as a composer, Sauer knows his business extremely well, and the whole hangs

together very satisfactorily, and it is all very amiable and genial and mercurial. It is perhaps a wicked thing to say, but it may be doubted whether that kind of music is not quite as good as Brahms-and-water. Sauer played it quite superbly, in respect of technique no less than of impulse. At an extra concert of the Queen's Hall orchestra on the 26th March "Ein Heldenleben" was played for the third time in London "by desire". These advertised desires are often confined to the breasts of a chosen few, but in this instance the wish to hear the work was obviously widespread, for the hall was crowded in every part. The performance under Henry Wood was in many ways superb. In the matter of detail it was the most complete of the three we have heard here; but in a few places the emotional power was hardly so great as on former occasions. The more conservative writers were more determined in their denunciations than on former occasions, when they suspended judgement. The orchestral concert given by the students of the Royal College of Music under Stanford deserves mention because of the extremely creditable performance of Beethoven's Choral Symphony, which appears never to have been attempted by students before.

The first performance in England of Giordano's opera "André Chenier" took place in Manchester on the 2nd April 1903, and the Carl Rosa Company repeated it in London during Easter week. It is a work which has been discussed at Covent Garden more than once, but there the matter always ended. The libretto by Illica (translated by Percy Pinkerton) is not over well constructed. The first two acts are very inconclusive, and we cannot take any interest in the love affairs of André Chenier and Madeleine de Coigny. But in the two last acts there is a stirring trial before a Revolutionary Tribunal, and a noble act of self-sacrifice on the very steps of the guillotine. It is not equally noble of the hero to persuade the lady to die with him, but he is a poet! The author makes ample and judicious use of the picturesque background which the reign of Terror affords; though it must be admitted that the formula is becoming common. Giordano is a Neo-Italian, and his music has all the faults and all the virtues of that school. It is better adapted perhaps to the illustration of passions more sordid and brutal than those supposed to animate the actors in this drama; but if we admire Mascagni, Leoncavallo, and Puccini, we cannot in justice refuse eulogy to Giordano. He orchestrates rather more ably than his fellows, though his score is far from being bien nourri as far as inner parts are concerned, and he frequently indulges in reminiscences. The work was well performed, and the public received it with great cordiality on the occasion of its first production.

It is necessary once again to mention Manchester. On the 26th March at the Broadwood Concert the Brodsky quartett made its first appearance in London, and received quite unanimous praise for the excellence of its ensemble and the beauty of its interpretations of Beethoven's Quartett op. 135 and Tschaikoffsky's first Quartett. There can be little doubt that it is the best quartett-party now in this country. It consists of Adolf Brodsky, Rawdon Briggs, Simon Spielmann, and Carl Fuchs; the first of whom was principal-first-violin of the Hallé band, and now is Principal of the Manchester College of Music, while the three others are in the Hallé band, besides being Professors at the College. The concerts of this quartett-party in Manchester are famous and noteworthy, because the proceeds are devoted to the Pension Fund of the Hallé orchestra. At the subsequent Broadwood Concert on the 2nd April 1903 the Halir quartett played for the first time in London, and made a very favourable impression.

Of the numberless concerts given by soloists none have been of special importance except the vocal recital given on the 20th March by Ludwig Wüllner. The success he achieved was almost unexpectedly great. Unexpectedly, because those who knew him could not help wondering whether his obvious defects from the point of view of vocalisation would prevent his wonderful interpretative gifts from impressing the British public, which places vocalisation higher than do any other audiences. But his strange power of holding his hearers, and of impressing their imagination, asserted itself here as everywhere else, and his recital was a triumph. His singing of Schubert's "Doppelgänger", of Schumann's "Die beiden Grenadiere"; of Richard Strauss's extraordinarily grim and powerful "Der Arbeitsmann", and of Hugo Wolf's scarcely less extraordinary "Der Rattenfänger", was particularly remarkable for expressive and poetic power. The most interesting piano recitals were those of Sauer, Godowsky, and Frank Merrick. The two first are so well known that it is hardly necessary to do more than mention them; but the third is a young English pianist, a native of Clifton, and a pupil of Leschetitzky. He has an individual poetical temperament, such as is rare in this country; restrained and saved from youthful over-exuberance by a refined intelligence and a singulary well equipped technique. Seeing that he is barely 17, he should go far indeed, and his début may be looked on as among the most promising made by a native artist for some time, not excluding even that of Marie Hall. A. K.

Mannheim. Denkwürdige Ostertage liegen hinter uns. Mannheim hat seine von Bruno Schmitz mit einem Aufwand von mehreren Millionen Mark erbaute städtische Festhalle, den Rosengarten, wie sie getauft wurde, mit einem glänzenden dreitägigen Musikfest eingeweiht. Der Riesenbau am Friedrichsplatz, der Repräsentant des großstädtischen Aufschwungs der südwestdeutschen Handels- und Industriemetropole und der Sammelpunkt ihrer hochentwickelten künstlerischen Interessen, hat in architektonischer Beziehung bei allen Sachverständigen höchste Bewunderung hervorgerufen, die ebensosehr der großzügigen, einheitlichen Konzeption des Ganzen wie der genialen Einzelausführung, ebensosehr dem riesigen Festsaal, wie dem vornehmen Konzertsaal und allen übrigen Räumen gilt. Es ist nicht zuviel gesagt, wenn man diesen Bau sowohl hinsichtlich seiner Größe — das bebaute Grundstück mißt 4800 Quadratmeter — wie hinsichtlich seiner Ausgestaltung als einzig dastehend in Deutschland bezeichnet. Seine Säle haben die akustische Feuerprobe glänzend bestanden. Der Nibelungensaal — diesen Namen führt der große, etwa 6000 Personen fassende Festsaal wegen des Nibelungenfrieses an der Orgel über seinem mächtigen Podium, das für ca. 1000 Mitwirkende Platz bietet — eignet sich für Musikfeste und Massenaufführungen größten Stils. Werke wie Liszt's 13. Psalm und Bruckner's Tedeum kamen darin zu imposantester Wirkung. Bach's Reformations-Cantate »Ein' feste Burg«, mit der das Ostermontagskonzert eröffnet wurde, eignet sich wegen seines komplizierten Satzgefüges jedoch weniger für Massenbesetzung und einen solchenRiesenraum, während trotz seiner gewaltigen Dimensionen das Piano der Solisten und das Solo der Orchesterinstrumente zu feinster Geltung kamen. Der kleinere Konzertsaal oder »Musensaal«, der noch die respektable Zahl von gegen 1600 Personen aufnehmen kann, und dessen hervorragend schöne und dabei doch ruhig vornehme Ornamentik allseitige Bewunderung weckte, kann zugleich zu Konzert- und Theaterzwecken verwendet werden. Gegenüber von dem durch eine große Konzertorgel gekrönten Podium, auf der andern Schmalseite des länglichen Raumes, ist eine Bühne angebracht, auf der unser Hoftheater einen regelmäßigen Nebenbetrieb eröffnen wird. Eine Schallwand, die bei Konzerten die Bühne abschließt, verhütet jede ungünstige Beeinflussung der Akustik durch den Bühnenraum. Auch dieser Saal bestand seine akustische Probe glänzend, nicht nur in volltönenden Orchesterwerken, wie Wagner's Meistersingervorspiel, mit dem das Eröffnungskonzert eingeleitet wurde, und Beethoven's neunter Symphonie, deren Schlußsatz unter Mitwirkung hervorragender Solisten und eines vorzüglichen Chors die eindrucksvolle Wiedergabe der vorausgehenden Sätze zu mächtiger Wirkung steigerte, sondern auch in den Liedern und Kammermusikwerken, die dort vorgetragen wurden.

Der Erbauer des »Rosengartens«, Professor Bruno Schmitz, und die Stadt Mannheim selbst, deren Behörden jahrelange mühevolle Arbeit auf die Ausführung des Festhallenbaues aufgewendet haben, konnten herzliche Glückwünsche zum schönen Gelingen des Baues entgegennehmen, und es war ein erhebender Moment, als zu Beginn des Weihefestes die feierlichen Akkorde von Wotans Walhall-Begrüßung vom Altan des Rosengartens aus dem Werkes Vollendung verkündigten.

Leider ist an dieser Stelle eine detaillierte Beschreibung des Baues, der in Kunstkreisen weitgehendes Interesse fand, ebensowenig möglich wie ein ausführlicher Bericht über die vier Konzerte des Weihefestes, dessen zweiten Tag das großherzogliche und erbgroßherzogliche Paar durch seine Anwesenheit verschönte. Es genüge hier die Versicherung, daß das Fest einen unvergeßlichen, harmonischen Verlauf genommen hat. Das große Chorkonzert am Ostermontag leitete Felix Mottl aus Karlsruhe mit genialem Schwung und hinreißender Energie. Um die ausgezeichnete Vorbereitung dieses Konzertes hat sich unser langbewährter Hofkapellmeister Ferdinand Langer ein hervorragendes Verdienst erworben, und sein Kollege, Hofkapellmeister Willibald Kähler, der im Eröffnungskonzert am Dirigentenpult stand, durfte für die vortreffliche Wiedergabe des Meistersingervorspiels und der Neunten Symphonie uneingeschränktes Lob entgegennehmen. Welch glänzender Stab auserlesener Solisten aufgeboten wurde, ist aus folgender Aufzählung ersichtlich, an die sich ein Kollektivlob für alle anschließt. Es wirkten als Gesangssolisten mit: Frau Herzog, Frau Grumbacher-de Jong, Frau Ottilie Metzger und die Herren Burrian, Feinhals und Messchaert; am Klavier Busoni und Karl Friedberg, als Organist Musikdirektor Hänlein von hier, im Quartettspiel in zwei Konzerten: Joachim und Genossen. Diese Namen lassen erkennen, welch seltene musikalische Genüsse den Mannheimern und ihren auswärtigen Gästen in der Festwoche beschieden waren. Die Programme waren mit großem Feinsinn und Kunstgeschmack zusammengestellt; allerdings stellten sie auch an die Aufnahmefähigkeit der Zuhörer hohe Anforderungen.

Zweifellos wird der große Nibelungensaal binnen kurzem eine beliebte Stätte großer Musikfeste und musikalischer Wettstreite werden. Im Musensaal erhalten die musikalischen Akademien unseres Hoftheaterorchesters, die Elitekonzerte Mannheims, die einige Jahre hindurch, nachdem der Hoftheater-Konzertsaal zu eng geworden war, im Theater selbst stattfanden, ein neues, würdiges Heim, wo sie sicherlich bald in qualitativer und quantitativer Beziehung einen weiteren Aufschwung nehmen werden. Möge der Rosengarten, der auch mancherlei anderen Zwecken zu dienen hat, in erster Reihe eine Stätte erster und wahrer Kunst bleiben! — Zunächst wird ein Beethovenfest des philharmonischen Vereins, wobei das Kaim-Orchester sämtliche Beethovensymphonien aufführt, die würdige Fortsetzung der Weihetage bilden.

Von sonstigen musikalischen Ereignissen sei erwähnt, daß am 31. März die musikalischen Akademien mit einem wohlgelungenen 8. Konzert für diese Saison ihr Ende fanden. Außer Mozart's Jupiter-Symphonie und Liszt's Tasso wurde dabei das Vorspiel zum I. Akt und der Karfreitagszauber aus Parsifal aufgeführt. Durch sorgfältige Einstudierung und würdige Ausführung der Orchesterwerke hat Kapellmeister Kähler diese Konzerte auf eine hohe Stufe gehoben.

Im Theater fand mit großem Erfolg ein Gastspiel der Berliner Sängerin Fräul. Destinn als Senta und Carmen und eine Neueinstudierung von Cherubini's »Wasserträger« statt, die deshalb besonders bemerkenswert ist, weil dabei zum ersten mal eine von unserem Kapellmeister Langer und Ernst Pasqué besorgte Neueinrichtung dieser Oper auf ihre Bühnenwirkung erprobt wurde. Die Bearbeiter haben die Handlung aus dem 17. Jahrhundert ins Zeitalter der französischen Revolution, aus der Zeit Mazarin's in die Robespierre's verlegt, wohin sie ihrer Entstehung und Entwicklung nach gehört. Da die Oper ohne Musik beginnt, hat Langer nach der Ouverture einen von Cherubini komponierten, kurzen Revolutionsgesang eingeschoben, der den Zuhörer sofort in die richtige Stimmung versetzt, und hat den Schluß der Oper durch Anfügen eines aus der einaktigen Oper Cherubini's »Elisa oder die Reise über den St. Bernhard« entlehnten Jubel- und Dankhymnus wirksamer gestaltet. Um die bisher nur kurz erzählte Rettung Antonios, des Sohnes des Wasserträgers, durch den Grafen Armand, dem Zuschauer in eindrucksvoller Weise szenisch vorzuführen, hat Pasqué den Text des ebengenannten Einakters in sehr geschickter Weise umgearbeitet, so daß aus ihm ohne große Änderungen ein Vorspiel zum Wasserträger entstand. Diese Neueinrichtung, die als wohlgelungen bezeichnet werden kann, fand unter Langer's Leitung eine sehr günstige Aufnahme. F. W.

München. Die Konzertsaison, durch die Osterfeiertage angenehm unterbrochen, hat nun mit den Schlußkonzerten der beiden Hauptinstitute offiziell ihr Ende erreicht; nur wenige Nachzügler trotten noch hinterdrein. Stavenhagen schloß seine Volkssymphoniekonzerte mit einem Lisztabend, in dem er die Faustsymphonie und die Totentanz-Paraphrase, letztere von ihm am Klavier trefflich interpretiert, bot. Weingartner hatte, wie in jeder Saison, sich die 9. Symphonie zum Abschluß erkoren und Zumpe brachte zuguterletzt die Schubert'sche H-moll-Symphonie sowie Beethoven's siebente, nachdem er am Palmsonntag eine großzügige Aufführung der Matthäuspassion geleitet. Mit einer Orchesterouvertüre des bekannten Pianisten Lamond »Aus dem schottischen Hochland« als Novität hatte er weniger Erfolg, ebenso wie eine zu Lachner's Gedächtnis ausgegrabene Suite nicht mehr sonderlich zu erwärmen vermochte. Auch Weingartner hatte mit der neuen Märchensuite von Suk, dem Mitglied des böhmischen Quartetts, wenig Glück. Zweifellos das bedeutendste Konzert der letzten Wochen war der Hans Pfitzner-Abend, den eine Anzahl von Kunstfreunden durch Subskription finanziell gesichert hatten und dessen äußerer Erfolg hinter dem künstlerischen nicht zurückstand. Zur Aufführung kamen Fragmente aus der Schauspielmusik zu Ibsen's »Fest auf Solhaug« aus den Opern »Der arme Heinrich« und »Die Rose vom Liebesgarten«, sowie außerdem noch die hier schon gehörte Ballade »Herr Olaf« und einige Lieder. Pfitzner ist einer der wenigen lebenden Komponisten, die durchweg Eigenes, innerlich erlebtes bieten. Als schönsten Erfolg des Abends darf man die Annahme der »Rose vom Liebesgarten« durch unsere Hofoper betrachten. Ein seltsames Schauspiel bot die Aufführung des Oratoriums »Petrus« von Pater Hartmann, der sein Werk selbst im Mönchsgewande dirigierte. Daß der nicht mehr ganz jugendliche, aber noch recht naive Komponist jede Note seines Oratoriums ehrlich meint, ist gewiß, daß aber sein Können — nicht gerade seine Begabung — in bösem Mißverhältnis zu seinem Wollen steht, auch nicht minder. Da einflußreiche Hofkreise für den frommen Komponisten eifrig agitiert hatten, war der äußere Erfolg groß; möge jedoch die Unterstützung der Mächtigen auch einmal wirklichen Künstlern zu Gute kommen. Von kleineren Konzerten sind noch Kammermusikabende der Leipziger Kammermusikvereinigung und Stavenhagen's zu erwähnen: ersterer brachte ein Klavier-Trio in Fis, letzterer ein neues, schön gearbeitetes Klavierquintett in Des von dem Deutschitaliener Wolf-Ferrari, über den ich an anderer Stelle gelegentlich der Aufführung seines Chorwerkes spreche. Das Brüsseler Streichquartett brachte in zwei Konzerten als Neuheiten die Cello-Sonate Op. 32 von Saint-Saëns, ein etwas äußerliches Werk, sowie die Violinsonate Op. 10 von Adolf Sandberger, die mit ihrem edlen Pathos sich großen Beifall errang. Aus dem Programm der Herren Reichenbächer und Genossen ist Thuille's liebliches Bläsersextett Op. 5, mit dem der gefeierte Komponist seiner Zeit den ersten großen Erfolg errang, aus dem Abend des Closner-Quartetts ein ganz prächtiges Klavierquintett in F-Moll von César Franck sowie Rheinberger's etwas altväterliches Nonett für Bläser und Streichquartett erwähnenswert.

In der Oper gab es wieder einen schönen erfolgreichen Abend, als man Thuille's »Lobetanz« der allerwärts mit Erfolg die deutschen Bühnen beschritten, endlich auch hier, am Wohnort des Komponisten, aufführte, nachdem ihn uns die Stuttgarter im letzten Sommer schon vorgespielt. Zumpe dirigierte, und Walter als Spielmann sowie Fräulein Tordek als Prinzessin boten vorzügliches. Auch die Regie war, von einigen Possartiaden abgesehen, geschmackvoll. Das Publikum wurde nicht müde, den Komponisten immer und immer wieder hervorzujubeln und ihn so für die unverdiente Zurücksetzung, die er bisher erfahren, aufs neue zu entschädigen.   E. I.

Prag. Das Neue deutsche Theater brachte neu einstudiert »Dinorah« von Meyerbeer, eine Oper, der man im Spielplan auch anderer deutscher Bühnen doch öfter begegnen sollte als es gemeinhin geschieht. Wenn man den musikalischen Bombast aus andern Opern Meyerbeer's der Musik gegenüberhält, die er für die verrückte Ziegenhirtin geschrieben hat, so muß man sich wundern, daß von Seite der Meyerbeer-Apostel nicht mehr geschieht, um gerade Dinorah als Entkräftung der gegen Meyerbeer erhobenen Vorwürfe ins Treffen zu führen. Zwar gibt es auch hier genug, was durch das Libretto schon von vornherein verfehlt ist und eine Remedur nicht mehr erlaubt, aber der reiche melodische Fluß, der hier frei von Zwang und Sucht nach Effekt, nach »Wirkung ohne Ursache« auffällt, lohnt das Anhören. »Dinorah« ist heute, wo die Ansichten über ein Kunstwerk geläuterter sind, geeigneter, Meyerbeer ins rechte Licht zu setzen als seine großen, richtiger langen Opern. Auch

„Carmen« ging neueinstudiert und mit neuen Dekorationen ausgestattet in Szene. Wenn sich in diesem Falle die aufgewerdete Mühe ganz besonders gelohnt hat, so ist dies nicht zum geringen Teile Verdienst des jetzigen Regisseurs Wilhelm von Wymetal, eines Schauspielers unseres Theaterverbandes, der zur Opernregie übergegangen ist. Wie erzieherisch sein Wirken auf unsere Opernkräfte sich äußert, besonders auf die unbeholfenen, ist erstaunlich, jetzt singen sie nicht nur, jetzt spielen sie auch. An Aufführungen sei noch erwähnt eine zyklische Aufführung von Richard Wagner's »Ring des Nibelungen«. Allessandro Bonci, der meteorartig aufgeflammte Stern am italienischen Opernhimmel, absolvierte ein zwei Abende umfassendes Gastspiel. Schon lange, bevor er kam, hatte die geschäftige Fama verkündet, er sei der Mann, der seit Rubini und den andern — »ini« die Kunst des welschen Ziergesangs zu neuem Leben erweckt habe. Tatsächlich hat der an Körper nicht große und an Umfang der Stimme eben nicht bedeutende Bonci viel Sympathisches an sich, namentlich hält er sich während des Spiels von der bei Tenoristen historisch gewordenen Suffleurkastenpose zurück. Manchmal freilich schlägt auch ihm die Tradizione schalkhaft ein Schnippchen und er steht dort, wo der unsichtbare »Kastengeist« sein stilles Werk verrichtet. Als Herzog in Rigoletto und in einem Konzert, das aus verschiedenen Opernarien und einigen Liedern altitalienischer Meister zusammengesetzt war, entfesselte er die Schleusen der Begeisterung für seinen Gesang und doch gilt auch von ihm der treffliche Ausspruch des Gefangenen vom Hohenasperg, der einmal in einem poetischen Brief seiner Tochter schrieb: »Der Welsche girrt, der Franzmann eilt durchs Labyrinth der Tön' und heult. Der Deutsche aber fühlt und singt, daß sein Gesang das Herz durchdringt.« Nie konnten sich vielleicht diese Worte des Musiker-Dichters Schubart besser bewahrheiten als in dem kurz darauf folgenden Liederabend der Frau Agnes Bricht-Pyllemann. Beethoven, Schubert, Schumann, Brahms, Wolf, Rückauf, unser engerer Landsmann, erfreuten sich einer Wiedergabe, die durchwegs den Absichten eines jeden Komponisten gerecht wurde. Hugo Wolf trug auch diesmal den Sieg davon, die erklatschten Zugaben waren, sehr zur Freude der Wolf-Verehrer, Perlen aus dem Mörickeband. — Mäßig waren die Darbietungen des Singvereins, unzulängliche Wiedergaben dreier größerer Chorwerke, darunter Bruckner's »Te Deum«. — Das Konservatorium führte eine Symphonie von Ph. E. Bach auf. Artistischer Leiter ist Prof. Karl Knittl, dem Namen nach steht Anton Dvořák an der Spitze. —

Eduard Grieg dirigierte ein Konzert eigener Kompositionen, das zu einer bedeutsamen Kundgebung für den nordischen Meister hätte werden müssen, wenn nicht verschiedene aus Geschäftsrücksichten gemachte Kunststückchen seines hiesigen Impressario verstimmt hätten.   E. Ry.

Stettin. Das am 16. April stattgefundene Sinfoniekonzert des Berliner Philharmonischen Orchesters unter Rebizek's Leitung, das letzte der drei von der hiesigen Konzertagentur A. Döring (E. Simon'sche Musikalienhandlung) hier erstmalig arrangierten und sehr beifällig aufgenommenen Sinfonie-Konzerte mit auswärtigen Orchestern, dürfte wohl als Beschluß unserer Konzertsaison anzusehen sein. Mozart's »Jupiter-« und Tschaikowsky's »Pathetische« Sinfonie, sowie das »Parsifal«-Vorspiel und die 3. »Leonoren«-Ouvertüre wurde in vollendeter Ausführung dargeboten. Der von Prof. Dr. Lorenz am 2. April mit dem »Stettiner Musikverein« veranstalteten ausgezeichneten Aufführung von Haydn's »Schöpfung« war in Generalprobe und Konzert ein fast überfüllter Saal beschieden. Marie Rost (Sopran), Emil Liepe (Baß), beide aus Berlin, sowie Emil Pinks (Tenor) aus Leipzig waren vortreffliche Interpreten der Solopartien. Einer großen Beachtung hatte sich auch Dr. Ludwig Wüllner bei seinem ersten hiesigen Auftreten zu erfreuen; das in Gemeinschaft mit ihm konzertierende »Holländische Trio« vermittelte uns bei dieser Gelegenheit die Bekanntschaft von Dvořák's vielgenanntem »Dumki-Trio«. Max Battke's auf Veranlassung der »Internationalen Musik-Gesellschaft« auch hier gehaltenen Wandervortrag »Die Erziehung des Tonsinnes« war namentlich wohl infolge des nicht sehr glücklichen Termins (8. April) leider nur mäßig besucht.

In der Oper mißglückte der an sich lobenswerte Versuch, uns »Figaros Hochzeit«

durch ein Ensemble-Gastspiel von Mitgliedern der Berliner königlichen Oper in muster-
gültiger Weise vorzuführen, dadurch, daß die Berliner Gäste es anscheinend an jeder
Probe hatten fehlen lassen. Einen vollen Erfolg erzielte die Direktion aber mit der
für unsere Verhältnisse sehr gelungenen Einreihung der »Götterdämmerung« in
den Spielplan, wodurch dieser nun alle Teile des »Ringes« aufweist. Zuerst zum
Benefiz unseres sehr tüchtigen ersten Kapellmeisters Moritz Grimm aufgeführt, übt
das Werk fortgesetzt die größte Anziehungskraft auf das Publikum aus; besondere
Anerkennung verdient noch die vortreffliche Leistung unserer ersten dramatischen
Sängerin Marie Wille als Brünhilde. Für den Schluß der Spielzeit (Anfang Mai)
plant die Direktion die Aufführung der Teile des »Ringes« im Zusammenhange mit
teilweiser Besetzung der Hauptpartien durch Gäste.
                                                                    C. P.

    Straßburg. Die Konzertsaison ist zu Ende. Man kann ihr nicht viel Gutes nach-
sagen. Ein Blick auf das rege musikalische Leben der badischen Nachbarstädte Karlsruhe, Mannheim und Heidelberg läßt uns die Trübseligkeit des hiesigen Musikwinters
nur noch schmerzlicher empfinden. Die Hauptschuld trifft unser erstes Konzertinstitut,
die Abonnements-Konzerte unter Prof. F. Stockhausen. Sie ließen auch dieses
Jahr wieder die meisten Wünsche unbefriedigt. Das ist um so mehr zu bedauern,
als unser tüchtiges städtisches Orchester unter einer fähigeren Leitung sicher Hervorragendes leisten würde. Das letzte Konzert brachte als Novität die Liebesszene
aus Richard Strauß' »Feuersnot«; die Aufnahme war ziemlich kühl. Stürmischen
Beifall errang sich an demselben Abend Ansorge durch den glänzenden Vortrag des
Liszt'schen A-dur-Konzertes. — Von Solisten-Konzerten ist in den letzten beiden
Monaten nur eins zu verzeichnen, das von Henry Marteau; dies aber bedeutet einen
Höhepunkt der Saison. Marteau spielt das Violinkonzert von Beethoven mit absoluter Vollendung. Es gibt wohl unter den jüngeren Geigern kaum einen einzigen, der
so technische Meisterschaft mit tiefster Empfindung und größter künstlerischer Intelli-
genz vereinigt. In demselben Konzert verblüffte Fräulein Elsa Berny aus München
durch ihre außerordentlich natürliche Beanlagung für den Koloraturgesang; ihr Lieder-
vortrag hingegen vermochte nicht zu erwärmen; ihre Kunst ist noch unreif. — Eine
Auswahl der schönsten Werke der klassischen Quartett-Literatur wurde uns in den
Kammermusikabenden der Herrn Schuster, Nast, Moeckel und Salter vorgeführt.
Zu diesen Abenden wurden auch Solisten hinzugezogen, zum Vortrag von Liedern und
Sonaten. Von diesen seien nur genannt die wunderbare Altistin Agnes Hermann,
der Stern unserer Oper, und der vortreffliche Klarinettist Hublart, der mit Fräulein
Haas zusammen uns durch eine mustergültige Wiedergabe der zweiten Klarinetten-
sonate von Brahms erfreute. — Eine neue Triovereinigung wurde diesen Winter ge-
gründet und hat bereits in drei Konzerten die erste Probe glänzend bestanden; sie
wird gebildet von den Herren Stenebruggen, einem höchst feinsinnigen Pianisten,
Benno Walther, einem temperamentvollen Geiger, und dem Cellisten Herrn Schmidt.

    Besser als um die Orchesterkonzerte ist es dieses Jahr um die Oper bestellt. Man
muß Herrn Direktor Engel das Verdienst lassen, daß er sich alle Mühe gibt, das
Repertoire nach künstlerischen Gesichtspunkten zu gestalten, so wenig Unterstützung
er auch dabei findet. Denn das hiesige Publikum verhält sich allen künstlerischen
Bestrebungen gegenüber durchaus indolent, und so manche Äußerung unserer Fach-
kritik könnte ohne Weiteres als Parodie in einem Witzblatt figurieren. — Mehrere
größere Werke haben hier dieses Jahr ihre erste deutsche Bühnenaufführung erlebt.
So folgte auf den »Sancho« von Dalcroze und den »Münzenfranz« von Kößler
nunmehr »Liane« von Walther Rabl. Der Dichtung von Eberhard Ernst liegt
eine Variation des alten Undine-Themas zu Grunde. Dramatisch etwas ungeschickt gearbeitet, enthielt das Textbuch sonst einige hübsche lyrische Momente und recht klangvolle Verse. In der Diktion macht sich hie und da der Einfluß von Richard Wagner
und von Gerhard Hauptmann bemerkbar. Jedenfalls aber wäre es einer besseren
Musik würdig gewesen als der, die Walther Rabl dazu geschrieben hat. Nicht als ob
Rabl überhaupt ein schlechter Musiker wäre! Aber wer sein hübsches Es-dur-Quartett
kennt, wird bedauern, ihn als Opernkomponisten unter den sklavischen Nachahmern
Wagner's zu finden. Wir wollen hier nicht wegen einzelner, allerdings oft wörtlicher

»Anklänge« rechten. Davon ist ja heute kaum ein junger Komponist frei. Schlimmer ist, daß Walther Rabl versucht hat, seine Gedanken in eine Form zu gießen, die sie nicht auszufüllen vermögen. Weder das auf die Spitze getriebene Leitmotivunwesen, noch durch ihre häufige Wiederkehr ermüdende Instrumentationseffekte, noch alle jene Äußerlichkeiten, die in dem modernen Musikdrama nachgerade konventionell geworden sind, vermögen darüber hinwegzutäuschen, daß diese Musik blutleer und physiognomielos ist. Jener Stil, der bei Wagner der eigentümliche Ausdruck einer bedeutenden künstlerischen Persönlichkeit war, sinkt hier zur inhaltlosen Manier herab. In einzelnen Wendungen, leider nur zu selten, zeigt sich immerhin das melodische Talent Rabl's. Die Aufführung des Werkes unter Lohse mit Frau Lohse-Kratz in der Titelrolle war gut. — Nach diesem wirkte die neueinstudierte Offenbach'sche Oper »Hoffmanns Erzählungen« mit ihrer anspruchslosen, graziösen Musik doppelt erfrischend. F. L.

Stuttgart. Das Ereignis der letzten Wochen war die szenische Aufführung der »Heiligen Elisabeth« von Liszt, welche die königliche Hofbühne unter Pohlig's musikalischer Leitung am Palmsonntag zu Wege brachte. Der auch sonst schon gemachte Versuch, dieses Oratorium als »geistliche Oper« szenisch zur Darstellung zu bringen, ist in Stuttgart wohlgelungen: die Aufführung machte auf das ausverkaufte Haus sichtlich Eindruck und das Publikum ließ es an Beifall nicht fehlen.

Die Inszenierung war aber auch jeden Lobes würdig. Trotzdem alle Mittel der modernen Bühne aufgewendet waren, hatte man doch fatale Anklänge an den üblichen Operngang glücklich zu vermeiden gewußt. Wie diskret und doch stimmungsvoll war die heikle Einführung des Einzelchores beim Tode Elisabeth's, wie prächtig und lebendig das Bühnenbild der abziehenden Kreuzfahrer! Einzig die letzte Szene des Werkes hätte vielleicht etwas mehr Aufwand vertragen; übrigens wird diese bei jeder szenischen Aufführung der Legende den Eindruck störender Überflüssigkeit machen.

Die Elisabeth sang Fräulein Wiborg in durchaus zufriedenstellender Weise, voll dramatischen Lebens gestaltete Frl. Schönberger die Landgräfin Sofie, die Herren Neudörffer, Holm, Fricke und Wiedemann standen auf der Höhe ihrer Aufgabe, tüchtig war die Leistung des Chores, und die des Orchesters war, wie immer, über jedes Lob erhaben.

Auch über die Uraufführung einer Oper habe ich zu berichten. Unsere Hofbühne hat die Oper »Consuelo« des Italieners Rendano, welche im vorigen Jahre in Turin mit Enthusiasmus aufgenommen wurde, zur ersten Aufführung in Deutschland gebracht. Die Musik geht dem Alltäglichen aus dem Wege, und man darf nicht erwarten, ein Ereignis des italienischen Realismus à la Mascagni zu hören; ein 50jähriger hat das Werk geschrieben, das merkt man der Musik wohl an. Allein von so fortreißender Überzeugungskraft ist sie doch nicht, daß sie die Schwächen des Textes vergessen machen könnte. Dieser Text, von Cimmino nach dem grandiosen Roman »Consuelo« von Georges Sand bearbeitet, ist ein unklares und verworrenes Gebilde, dem natürliches, dramatisches Leben so gut wie ganz fehlt. Befremdend wirkt auch die Übersetzung von Oberregisseur Harlacher, der nicht nur auf den Reim, sondern auch auf den Vers des Originals fast ganz verzichtet hat. Mit der Aufführung konnte der anwesende Komponist, der wiederholt gerufen wurde, zufrieden sein. Sowohl die Damen Zink und Schönberger, wie die Herren Neudörffer und Gießwein leisteten durchweg Gutes.

Die Konzertsaison liegt in den letzten Zügen. Weingartner schloß seine Konzerte mit der achten und einer hinreißenden Wiedergabe der 9. Sinfonie von Beethoven, Pohlig die Abonnementskonzerte mit hervorragenden Aufführungen des 3. brandenburgischen Konzerts von Bach, sowie der 8. Sinfonie von Bruckner. Solistin war in diesem Konzert Frl. Erler aus Berlin.

Am Charfreitag spendete der Verein für klassische Kirchenmusik seine alljährliche Gabe mit Bach's Mathäuspassion; der Lehrergesangverein unter S. de Lange gab ein schönes Kirchenkonzert. Zu erwähnen ist noch ein dem Gedächtnis Hugo Wolf's gewidmeter Abend des Hollenberg-Trios, in dem Dr. Hollenberg in trefflicher Weise Lieder von Wolf zu Gehör brachte, während das Trio mit dem interessanten »Trio sinfonico« von Enrico Bossi erfreute.   A. Neu.

Wien. Der April, der Monat der verebbenden Konzertsaison, brachte uns noch
eine Fülle interessanter Veranstaltungen, insbesondere eine Reihe von wohlgelungenen
Choraufführungen. Da ist zunächst des **Schubert-Bundes** zu gedenken, der unter
der Leitung **Adolf Kirchl's** die Kantate »Columbus« von Heinr. Zöllner und etliche
Männerchöre mit einer Hingebung, einer Ausgeglichenheit des stimmlichen Zusammen-
klanges sondergleichen zu Gehör gebracht hat. Nicht minder genußreich verlief das
letzte Konzert der »**Gesellschaft der Musikfreunde**«. Die »**Matthäus-
passion**« hat man hier lange nicht so stilrein vernommen. An diesem Erfolg haben
die Solisten Herren Wilh. **Cronberger** (Braunschweig), W. **Fenten** (Mannheim),
die Damen **Bricht-Pyllemann** und **Walker** großen Anteil. Wünschenswert wäre
in der nächsten Saison einmal die Aufführung der Johannes-Passion, die namentlich
in Süddeutschland und Österreich ungebührlich vernachlässigt wird. Im Konzert der
»**Singakademie**« errang sich ein junger Wiener Komponist, **Franz Schrecker**
(Schüler des hiesigen Konservatoriums) mit einem achtstimmigen Chor »Schwanengesang« allgemeine Anerkennung, die man ihm bisher (so noch kürzlich seiner von den
Philharmonikern gespielten Ekkehard-Ouvertüre) nur hinsichtlich seines technischen
Könnens zollen konnte. In dem »Schwanengesang« offenbart der Komponist eine Fähigkeit poetischer Klangmalerei, die wirklich überraschend reich entwickelt ist. Außerdem
enthielt das Programm Brahms' »Deutsches Requiem«, das von dem Dirigenten Herrn
Lafite recht energisch herausgearbeitet wurde. Die **Hofoper** veranstaltete eine gut
gelungene Aufführung von Verdi's »Requiem«. Verdi genießt ja von jeher im melodie-
frohen Wien eine besondere Verehrung. Herrlich spielte das Orchester unter **Schalk**,
auch Chöre und Soli (Frl. **Walker** und **Weidt**, Herren **Hesch** und **Winkelmann**)
trugen zum günstigen Gesamtbilde des Ganzen nach Kräften bei. **Charpentier's**
»**Louise**«, meines Erachtens ein ausgeklügeltes, gewollt eigenartiges Werk, das seinen
Erfolg nicht dem Musik, nicht dem Buch, sondern dem gewaltigen Zauber der Seine-
stadt verdankt, wurde in doppelter Besetzung der Hauptrollen ganz mustergiltig aufgeführt. **Mahler** bewährte sich wieder als genialer Orchesterdirigent. Auch die
szenische und dekorative Ausstattung ließ diesmal keinen Wunsch unbefriedigt. Möge
uns die nächste Saison endlich jene Novitäten bringen, die »draußen« bereits als
Marksteine des nachwagnerischen musikalischen Dramas gelten, besonders Schillings'
und Pfitzner's Werke und Hugo Wolf's, des Österreichers, »Corregidor!« Diesem
Meister widmete nun auch der **Hugo Wolf-Verein** eine Gedenkfeier, die von jener
atemverhaltenen, echt künstlerischen Andacht erfüllt war, die leider nur selten im
Konzertsaal angetroffen wird. Da sprach zunächst Ferdinand **Gregori** vom Burg-
theater mit der ihm eigenen wundervollen seelischen Anteilnahme Edgar Steiger's tief
empfundenen Nachruf, dann sangen Lula **Gmeiner**, die göttliche Hugo Wolf-
Priesterin, Herr Ferd. **Jäger**, der intelligente Baritonist, und der schnell zur Vollendung ausgereifte **Wiener a capella-Chor** unter der Leitung seines ausgezeichneten Dirigenten Eugen **Thomas** eine Reihe von Gesängen des unsterblichen
Lyrikers. Man schied von dem Konzerte, als habe man am Sarge des Verblichenen
gebetet. ... Auch Ludwig **Wüllner's** Wolf-Abend bot reinsten Genuß. Als
Interpret nicht oder falsch Verstandener wird ja Wüllner heute von keinem Sänger
übertroffen. Wüllner entfasert direkt das feine innere Gewebe moderner Lieder und
besonders Hugo Wolf als ganze, nicht bloß als musikalische Persönlichkeit beherrscht
er wie keiner neben ihm. Schließlich ist noch das Konzert des Züricher Männergesangvereins »Harmonie« zu erwähnen, dessen interessantes Programm von der
speziellen Begabung der Schweizer für den Männergesang (Friedrich Hegar ist der
bedeutendste Repräsentant dieser Musikgattung) beredtes Zeugnis ablegte.   A. N.

Zürich. In der letzten Nummer besprach ich die drei ersten populären Konzerte.
Ebenso interessant und schön waren die beiden letzten Abende. Am 24. März brachte
uns Hegar Werke aus der neueren Zeit: 1. Sinfonie in cmoll von Brahms, »Danse
macabre« von St. Saëns, »l'Arlésienne« von Bizet, den 3. Satz aus der Sinfonie pathétique von Tschaikowsky und die Karneval-Ouvertüre von Dvorák. Am mächtigsten
wirkte die Sinfonie von Brahms, wie es wohl nicht anders zu erwarten war, besitzen
wir doch hier in Zürich den vornehmsten und echtesten Brahms-Interpreten: Fr. Hegar.

Das letzte populäre Konzert sollte uns Werke der neuesten Zeit bringen (Wagner, Liszt und Strauß). Da nun R. Strauß in derselben Woche zwei größere Konzerte mit seinem Berliner Orchester gab, wurde auf vielseitigen Wunsch das R. Wagner-Programm des Jahres 1853, das im Januar hier schon zur Jubiläumsaufführung kam, wiederholt. Ebenso ausgezeichnet wie das erstemal gelang auch da alles, wohl am besten der Matrosenchor, den der Lehrergesangverein mit seltenem Glanze vortrug.

Ich erwähnte schon die beiden Straußkonzerte. Richard Strauß gehört hier zu den bekanntesten und beliebtesten Komponisten. Die meisten seiner Werke sind hier schon mehrere Male zur Aufführung gekommen und begeistert aufgenommen worden. Es war auch nicht anders zu erwarten, als daß Strauß großen Erfolg haben würde. Ich meine, er wird mit den Zürichern zufrieden gewesen sein, wollte doch der Beifall nach dem zweiten Konzerte nicht enden. Einzig die Sinfonie von Bruckner, die Strauß großartig ausführte (es war die dritte), fand wenig begeisterte Anhänger. Bruckner hat wunderbare Einfälle, so z. B. im Te Deum, aber mitten im Schönen kommt wieder das langweilige, zerrissene, unlogische, das den schönsten Eindruck vernichtet. Bruckner schreibt an einem Sinfoniesatze heute weiter, ohne oft sich zu erinnern, was er gestern geschrieben hat. Man glaubt, an einzelnen Stellen dieser Sinfonie eine große, einheitliche Linie erwarten zu können, da — plötzlich — kommt ein jäher Abbruch — wir sind unsanft in eine Stimmung versetzt, die mit der vorhergehenden auch gar nichts logisch gemeinsames hat.

Der Gemischte Chor Zürich brachte Charfreitags die Matthäus-Passion zur Aufführung. Da der Unterzeichnete das Werk leitete, übergehe ich eine Besprechung. Als Solisten wirkten mit: Frau Rückbeil-Hiller, Frau de Haan-Manifarges, Herr R. Kaufmann, Herr O. Porth und Herr Böpple aus Basel. Dieses Konzert schloß die diesjährige Konzertsaison ab.

Am Theater wird noch fleißig gearbeitet. Gegenwärtig wird der ganze Ring einstudiert. Mitte März fand die Erstaufführung von Häser's Oper »Hadlaub« statt. Nach den vielen Riesenvorbesprechungen war man auf das Werk stark gespannt und erwartete das höchste. Das ist wohl der Hauptgrund, warum das Werk wenig gefiel. Haeser hat viel Talent, sowohl als Dichter wie als Komponist, besonders die Dichtung ist zum Teil sehr glücklich. Als Komponist ist er ehrlich und echt, ohne jedoch etwas neues zu sagen. Die R. Wagner'sche Leitmotividee hat er dagegen vollständig mißverstanden. Sobald eine Person der Handlung den Mund aufmacht, erklingt im Orchester das Motiv Nr. X, wie eine Visitenkarte, die die betreffende Person anmelden soll. Im übrigen ist das Werk ausgezeichnet instrumentiert, enthält auch im 2. Akt eine interessante Steigerung.   V. A.

Vorlesungen über Musik.

Vorlesungen über Musik und musikalische Übungen an den Hochschulen Deutschlands, Österreichs und der Schweiz im Sommersemester 1903[1]).

Basel. Dr. Nef: Erklärung der Melodien des Gesangbuches für die evangelisch-reformierte Kirche der deutschen Schweiz, 1 Stunde. Harmonielehre 2. Teil, 1 St.

Berlin. Professor Dr. Fleischer: Musikinstrumentenkunde mit Demonstrationen im Königlichen Musikinstrumentenmuseum, 4 St. Grundlagen der Ästhetik der Tonkunst, 1 St. Musikwissenschaftliche Übungen 1½ St. — Dr. Friedländer: Allgemeine Geschichte der neueren Musik, 1 St. Romantiker, 1 St. Musikwissenschaftliche Übungen, 2 St. — Dr. Wolf: Kontrapunkt im Mittelalter, 2 St. Musikwissenschaftliche Übungen, 2 St.

---

1) Weitere Mitteilungen zu dieser Rubrik erbeten.   Die Redaktion.

Bern. Heß-Rüetschi: Geschichte der Musik, 3 St. Harmonielehre, 2 St. Kontrapunkt, 2 St. — Professor Dr. Thürlings: Liturgik und christliche Archäologie, 4 St. Liturgisch-musikwissenschaftliches Praktikum: Die altkirchlichen Gesangsformen.

Bonn. Musikdirektor Professor Wolff: Einführung in die Werke Seb. Bach's. 1 St. Geschichte der Oper und des Oratoriums von den ersten Anfängen bis zu Mozart, 2 St. Unterricht im Orgelspiel.

Breslau. Musikdirektor Professor Dr. Bohn: Harmonielehre, 1. Teil, 2 St. Orgelunterricht, 2 St. Über J. S. Bach's wohltemperiertes Klavier, 1 St. — Musikdirektor Filke: Gesangsübungen des St. Cäcilien-Chores (Männerchor) und Übungen im mehrstimmigen Gesang.

Darmstadt (Technische Hochschule). Dr. W. Nagel: Harmonielehre. Mozart als Dramatiker. Gesangsübungen.

Freiburg i. Br. Musiklehrer Hoppe: Harmonielehre für Anfänger und Vorgerückte. Elementar-Instrumentationslehre, 1 St. Kursus im Klavier-, Orgelpedal- und Harmoniumspiel. Spezialkurse für Technik: Virgiltechnikklavier. Akademische Unterrichtskurse für Orchesterinstrumente jeder Art. Ensemble-Übungen (Kammermusik) für Streichinstrumentalisten und Holzbläser, mit und ohne Klavier, eventuell Konzertaufführungen: Künstlersolisten.

Gießen. Musiklehrer Trautmann: Chopin, Liszt und Brahms und ihre Werke mit Beispielen am Klavier, 1 St. Elementartheorie und Harmonielehre, 1 St. Übungen im Partiturspiel, Klavier, Violine und Gesang.

Göttingen. Musiklehrer Professor Freiberg: Ensemblespiel, 1 St. Harmonielehre, 2 St.

Halle-Wittenberg. Dr. Abert: Geschichte der Oper von Gluck an, 2 St. L. van Beethoven's Leben und Werke, 1 St. — Musikdirektor Professor Reubke: Harmonielehre und Kontrapunkt.

Heidelberg. Musikdirektor Professor Dr. Wolfrum: Grundlagen und Quellen des evangelischen Kirchenliedes in musikalischer Beziehung, 1 St. Elementarmusiklehre, 1 St. Harmonielehre (in 2 Abteilungen), 2 St. Kontrapunkt, 2 St. Orgelspiel (in zu vereinbarender Zeit).

Jena. Dr. Dinger: Allgemeine Ästhetik, 3 St. R. Wagner's Leben und Werke, 1 St. Ästhetische Übungen, experimentelle Ästhetik.

Kiel. Musikdirektor Professor Stange: Harmonielehre, 1 St. Liturgische Übungen, 1 St. Akademischer Gesangverein.

Königsberg. Musikdirektor Brode: Harmonielehre, 1 St. Allgemeine Musikgeschichte, 1 St. — Berneker: Orgel-Seminar (Orgelspiel, Orgelstruktur), 2 St. Übungen im liturgischen und Choralgesang, 1 St.

Leipzig. Professor Dr. Kretzschmar: Geschichte des deutschen Liedes seit Heinrich Albert, 2 St. Einführung in die Musikgeschichte, 1 St. Musikwissenschaftliche Übungen; 2½ St. — Professor Dr. Riemann: Geschichte der Musik im Mittelalter, 2 St. Theorie der Harmonik, 1 St. Anleitung zum Generalbaßspiel, 2 St. Historische Kammermusik-Übungen, 2 St. — Professor Dr. Prüfer: Die hervorragendsten Gestaltungen des Fauststoffes, 1 St. Geschichte der romantischen Oper in Deutschland, 2 St. Lektüre des Romanes »Der musikalische Quacksalber« von Johann Kuhnau, 2 St.

Marburg. Musikdirektor Jenner: Geschichte der deutschen Instrumentalmusik nach 1750, 1 St. Harmonielehre (mit praktischen Übungen), 1 St.

Münster. Musikdirektor Dr. Nießen: Harmonielehre, 2. Teil, 1 St. Chorgesangübungen. — Cortner: Choralkunde. Stimmbildungslehre, 1 St. Elemente des Chorales, praktische Übungen, 1 St.

Prag. Musiklehrer Schneider: Einführung in das Studium der Theorie der Musik, 2 St. Musiktheorie für Vorgeschrittene, 1 St. Stimmbildungs- und Singübungen, 2 St.

Rostock. Musikdirektor Professor Dr. Thierfelder: Kontrapunkt, 2 St. Geschichte der Notenschrift, 1 St. Geschichte der Klaviersonate, mit besonderer Be-

rücksichtigung Beethoven's, 1 St. Liturgische Übungen. Leitung der Übungen des
akademischen Gesangvereines.

Straßburg. Professor Dr. Jacobsthal: Die Musik des Mittelalters bis zum
11. Jahrhundert, 2 St. Übungen in der musikalischen Komposition. Leitung des akademischen Gesangvereines.

Tübingen. Musikdirektor Kauffmann: Geschichte der Kirchenmusik mit besonderer Berücksichtigung des protestantischen Chorales, 1 St. Leitung der Vokal-
und Instrumentalmusik.

Wien. Professor Dr. Adler: Musikalische Stilperioden II, 1 St. Erklären und
Bestimmen von Kunstwerken, 2 St. Übungen im musikhistorischen Institut, 2 St.
— Professor Dr. Dietz: Die Romantik in der Musik (mit vielen Musikbeispielen),
2 St. — Dr. Wallaschek: Das ästhetische Urteil (Theorie und Geschichte), 1 St.

Berlin. Im Zweigverein des evangelischen Bundes hielt Herr Hans v. Wolzogen
einen Vortrag »Bayreuth und sein Parsival«

Mailand. Der Musikkritiker Advakat A. A. Villanis sprach im Liceo Beccaria
über die »Prinzipien der Musik-Psychologie« und im Conservatorium Verdi über die
»Klavier-Sonate, ihre Anfänge und ihre Entwickelung«.

Poltawa Rußland. Am 23./5. April hielt Herr Redakteur Nic. Findeisen aus
Petersburg im hiesigen Stadttheater eine Vorlesung über die Entwicklung des russischen Liedes. Dieselbe ward von Frau Aut. Glaser durch die Ausführung von 28 Liedern aus dem 18.—20. Jahrhundert in chronologischer Reihenfolge illustriert (Dietz,
Titoff, Aljabjew, Warlammoff, Glinka, Dargomijsky, Rubinstein, neue russische Musikschule, Tschaikowsky, Davidoff, Arensky, Gretschaninoff und Kalinnikoff).

Prag. Im Verein »Urania, Verein für Projektions-Vorträge« hielt Dr, Richard
Batka zwei Vorträge über »Richard Wagner«; der erste befaßte sich mit des Meisters
Leben, der zweite war Bayreuth gewidmet. Was diesen Vorträgen, die für ein größeres
Publikum berechnet waren, ganz besondern Reiz verlieh, war der Umstand, daß die
Ausführungen des Vortragenden unterstützt wurden durch zahlreiche vorgeführte
Bilder, Porträts Richard Wagner's, seiner Familie, der Getreuen, die mit der Wagnersache in Verbindung stehen. und vieler speziell Bayreuther Einrichtungen und Dekorationen, die im Festspielhaus verwendet werden, ungefähr achtzig Stück Bilder
erschienen projiziert auf der weißen Leinwand. Mag sein, daß vorläufig für den Hörer
das Interesse an den Bildern in den Vordergrund tritt, jedenfalls hat sich diese Vortragsart hier bewährt und es sollten die Versuche, musikalische Vorträge durch Bilder
zu beleben, auch in anderen Städten angestellt werden, um zu erfahren, ob sich nicht
auf diesem Wege eine zweckentsprechende Reform der Vortragstechnik durchführen
ließe.   E. Ry.

Wien. Am 7. April hielt Herr Major Joachim Steiner, Lehrer an der Theresianischen Militärakademie, einen interessanten Vortrag über »Tonkunst und Musikwissenschaft«. Diesem von der physikalischen Sektion des deutsch-österreichischen
Mittelschultages veranstalteten Vortrag wohnten unter anderen auch der Unterrichtsminister Dr. v. Hartel bei.

Nachrichten von Lehranstalten und Vereinen.

Darmstadt. Der älteste und angesehenste Männergesangverein unserer Stadt,
der Mozartverein, feierte am 30. März d. J. unter lebhaftester Anteilnahme seiner
Mitglieder und Freunde das Jubiläum seines sechzigjährigen Bestehens durch ein Festkonzert, das einen glanzvollen Verlauf nahm. Den Anfang machte Johannes
Brahms' »Rinaldo«, Kantate für Tenor-Solo, Männerchor und Orchester, die von
dem Verein zuletzt Ende der 70er Jahre unter Herrn Hofkapellmeister de Haan's
Leitung zur Wiedergabe gebracht worden war. In vorzüglicher Ausführung erzielte

das prächtige Werk wieder den machtvollsten Eindruck. Die zweite Chornummer des Konzertes war Richard Wagner's Biblische Szene für Männerchor und Orchester »Das Liebesmahl der Apostel«, dessen Wahl eine um so passendere zu nennen war, als diese Tondichtung dem Gründungsjahre des Mozartvereines (1843) seine Entstehung verdankt. Die Partitur des Werkes war dem Mozartverein anläßlich seines 50jährigen Jubiläums von dem hiesigen Musikverein zum Geschenk gemacht worden und gelangte heute bereits zum drittenmale zur Aufführung. Der jetzt auf 104 aktive Mitglieder angewachsene Vereinschor leistete unter Herrn Richard Senff's zielbewußter Leitung Hervorragendes. Die Besetzung der »Zwölf Apostel« mit zuverlässigen Gesangskräften, die sichere Haltung der »Stimmen aus der Höhe« und die treffliche Leistung unseres Hoforchesters kamen hinzu, um dem Werke zu einer nahezu idealen Wiedergabe zu verhelfen. An das Konzert schloß sich eine sehr zahlreich besuchte festliche Gesellige Vereinigung im großen Saale an.

Florenz. Das *Regio Istituto musicale di Firenze* widmete im März dieses Jahres der Darstellung der italienischen Ouverture ein bemerkenswertes Konzert, zu welchem der Bibliothekar R. Gandolfi ein hübsches Textbuch mit historischen Notizen verfaßt hat (siehe Zeitschrift IV, 7, S. 428). Das Konzert umfaßte die Ouvertüren zu: »Atys« von N. Piccinni, »Edipo in Colone« von A. Sacchini, »Il Matrimonio segreto« von D. Cimarosa, »Faniska« von L. Cherubini, »Guglielmo Tell« von G. Rossini, »Francesca da Rimini« von F. Morlacchi und »La Forza del Destino« von G. Verdi. Das Orchester setzte sich aus jetzigen und früheren Schülern und Lehrern der Anstalt zusammen.

Notizen.

Aachen. Am 31. Mai, 1. und 2. Juni findet hier das *80. Niederrheinische Musikfest* statt. Der erste Tag wird Beethoven's Missa solemnis sowie dessen A-dur-Sinfonie bringen, der zweite Tag u. a. Berlioz' »Faust«. Für den dritten Tag ist ein gemischtes Programm in Aussicht genommen.

Berlin. In der »Gregorianischen Rundschau« teilt der P. Michael Horn in Seckau mit, daß er, von der Voraussetzung ausgehend, daß eine kritische Neu-Ausgabe der *Gerbert'schen Scriptores Ecclesiastici* vorderhand kaum zu erhoffen sei, die Verlagsbuchhandlung von H. Meyerhoff (Ulrich Moser) in Graz veranlaßt habe, einen *wortgetreuen Neudruck* des Werkes, dessen Antiquariatspreis zur Zeit ungefähr 500 Mark beträgt, in die Hand zu nehmen. Der Preis für die neue Ausgabe des dreibändigen über 1200 zweispaltige Seiten in klein 4° umfassenden Werkes ist in Halbfranz gebunden auf 50 Mark (= 60 Kronen oder 60 francs) festgesetzt und soll keinesfalls überschritten werden. Die Herstellung soll nach Einlauf von mindestens 150 Subskribenten unbedingt durchgeführt werden. Baldige Anmeldung an genannten Verlag ist erwünscht. — Unter dem Namen *»Barth'sche Madrigalvereinigung«* (Leitung A. Barth) ist ein aus den Damen E. von Linsingen und Betsy Schot (Sopran), Felser und Bakke (Alt) und den Herren A. Michel und Stromfeld (Tenor), A. N. Harzen-Mütler und Fabian (Baß) bestehendes Vokaldoppelquartett gebildet worden, welches sich ganz speziell der Pflege und der konzertmäßigen Vorführung der Madrigale des 16. und 17. Jahrh. widmen wird.

Birmingham. — The 9th year-series of the admirable *"Halford concerts"* (10 bimonthly concerts, cond. George Halford) ended 7th April 1903. H. (1858—) is a Midlands organist who has moved with the times. Noticeable works this season were: — (1) Granville Bantock, symphonic poem "Dante". (2) His orch. poem "Lalla Rookh". (3) Beethoven, P. F. concerto, in E♭, op. 73, "Emperor" (Dohnanyi). (4) Beethoven, Viol. concerto, in D, op. 61 (Fritz Kreisler). (5) Beethoven, 4th P. F. concerto, in G, op. 58 (Leonard Borwick). (6) Rutland Boughton, symph. poem op. 5, "A Summer Night". (7) Max Bruch, 1st Violin concerto, in G minor, op. 26 (Lady Hallé). (8) Dvořák's 5th Symphony, in E minor, op. 95. "From the New World". (9) Elgar, Prelude and Finale from "Gerontius". (10) His Variations on an Original Theme, op. 36. (11) George Halford's Symphonic Poem, "Sintram". (12) Mackenzic.

overt. to "Cricket on the Hearth", op. 62. (13) Mozart, Symphony in C, no 41,
"Jupiter". (14) Norman O' Neil, overture „In Autumn". (15) Rachmaninoff, 2nd
P. F. concerto, in Cminor, op. 18 (Siloti). Spohr, 4th Symphony, in F, op. 86, "Die
Weihe der Töne". (17) Stanford, 5th Symphony, in D, op. 56. "L' Allegro ed il
Penseroso". (18) His 1st Irish Symphony, in Dminor, op. 78. (19) Rich. Strauss's
symph. poem, op. 20, "Don Juan". (20) His tone-poem, op. 40, "Heldenleben".
(21) Tschaikoffsky. Cossack Dance or Hopak, in G, from "Mazeppa". (23) His
3rd Suite, in G, op. 55. (24) Wagner, "Huldigungsmarsch". See following Notes
thereon.

(1) Bantock's "Dante" is descriptive continuous symph. poem in 6 sections: —
Dante, Strife of Guelphs and Ghibellines, Beatrice, Dante's Vision of Hell Purgatory and
Heaven, His Exile, His Death. This composer has now made his reputation, and know-
all the resources of the modern orchestra. (2) Bantock's "Lalla Rookh", after personal tour
through India, in part on Carnatic scales, is series of scenes from T. Moore's poem. Lalla
Rookh („Tulip Cheek"), daughter of Aurungzebe of Delhi, while journeying to meet a royal
fiancé, Alaris of Bucharia, is wooed by himself in disguise of poet "Feramors". (3) The
"Emperor" concerto was not first performed in England by Mendelssohn (24 June 1829
as Grove's Dictionary, but by Charles Neate (1784—1877) at Philharmonic, 8 May 1820.
Here at B'ham Festivals of 1861 and 1870 (Arabella Goddard). (4) The first Phil. performance of the Violin Concerto, op. 61, was 9 April 1832. The unspeakable criticism
of those days ("Harmonicon", May 1832) said, "it is a fiddling affair, and might have
been written by any third or fourth rate composer". "Fiddling" is a pun, meaning
trumpery. (5) Cipriani Potter played the 4th Concerto first time in England at Philharmonic 7 March 1825. (6) Rutland Boughton is an ex-Royal-College-student, aged 25.
and has already written much skilful and poetically considered music, mostly of tone-poem
class. (7) Max Bruch's 1st Violin Concerto is the most popular in England, after Beethoven's and Mendelssohn's. Ludwig Straus played it first time in England at Philharmonic.
6 July 1868. First time in B'ham, 19. Sept. 1878 (T. M. Abbott). Bruch was in Liverpool 1880—1883 (see "Bücherschau", s. v. "Bret Harte"). His "Lay of the Bell" at B'ham
Festival 1879. (8) The "New World" symphony played first time in England at Philharmonic, 21 June 1894. Immensely popular. Was the foundation of Coleridge Taylor's
"Hiawatha" style. (9) "Gerontius" first performed at B'ham Festival 3 Oct. 1900; full
authorized analytical programme by A. J. Jaeger of Novello's. An inspired work from first
to last. (10) The Elgar Variations first performed at Richter Concert 19 July 1889. Show
immense orchestral command, but are not founded on beauty. (11) The Conductor's
own work "Sintram" is a Fantasy, i. e. series of scenes, after De La Motte Fouqué
(1777—1843). Elaborate and admirably scored, and composer received an ovation. (12) Goldmark produced "Heimchen am Herd" (A. M. Willner after Dickens's "Cricket on the Hearth")
at Vienna, March 1896. Same, with Engl. version of text by Percy Pinkerton, by Carl
Rosa Company at Brixton Theatre, 23 November 1900. Mackenzie has written to a
quite different text by Julian Sturgis, and opera awaits performance. Overture perf. at
Lincoln 4 June 1902, and at Philharmonic 2 July 1902. A charming piece of fresh British
individuality. (13) Not known when the "Jupiter" was first performed, but done in
B'ham as early as 1817. (14) Norman O' Neil, b. 1875, studied at Frankfort. Wrote
overture and incidental music to "After all", play founded on "Eugene Aram", (Avenue
Theatre, London, Jan. 1902). Present overture first played at Queen's Hall Promenades
26 October 1901. (15) The Rachmaninoff Concerto first time in England at Philharmonic,
29 May 1902 (Sapellnikoff). This composer not yet recognized by Riemann (1900), but
included in Baker's Dictionary; see IV, 215. (16) A translation of the Karl Pfeiffer
original poem was made by Edward Taylor for Philharmonic, 23 Feb. 1835; first performance in England.! (17) Stanford's 5th Symphony was produced at Philharmonic,
20 March 1895. Performed at Amsterdam, 30 Dec. 1897. Founded on Milton's poem.
Organ in Coda ("Dissolve me into ecstacies, And bring all heav'n before mine eyes"). In
composer's present and most developed style. (19) Strauss first appeared in England at
Queen's Hall. 7 Dec. 1897, to conduct "Tod und Verklärung" and „Till Eulenspiegel".
The "Don Juan" is that of Lenau (1802—1850), not that of Byron or Mozart; first perf.
at Richter Concert, London, 24 May 1897; composer conducted the same at Queen's Hall
7 Dec. 1897. (20) The "Heldenleben" was first perf. at Frankfort 3 March 1899.
First time in England 6 Dec. 1902, at Queen's Hall, composer conducting. Repeated there
1 January 1903 (Henry J. Wood), and since. This in B'ham the first time in English
provinces. The English public have found no difficulty in quickly assimilating it, thanks
no doubt to Wood's previous education of them. (21) Tschaikoffsky's opera "Mazeppa"

was produced St. Petersburg and Moscow, Feb. 1884. The "Russian Opera Company" introduced it to Liverpool, August 1888; and to B'ham on 10 Sept. 1888. This dance belongs to opening scene. (22) The "Pathetic" Symphony first perf. in England by Philharmonic, 28 Feb. 1894. First time in B'ham, 30 Oct. 1895, at Richter Concert. (23) The Third Suite first time in England by Philharmonic, 28 Feb. 1894. (24) The military-band score of "Huldigungsmarsch" is not yet published; orch. version mostly by Raff. At rehearsal of work at Albert Hall in May 1877, Wagner asked harpist to improvise a cadenza on the A♭ chord 20 bars from end, where now only diminuendo passage in strings.

E. G. R.

Breslau. Für das VII. deutsche Sängerbundesfest, das bekanntlich im Jahre 1906 in Breslau stattfinden soll, sind die Vorarbeiten bereits im Gange. Den Vorsitz des Zentral-Festausschusses übernahm der Oberbürgermeister Dr. Bender. Zur Bildung eines Bau-, Finanz- und Preßausschusses soll demnächst geschritten werden.

Dublin. — On 26th March our member Rev. H. Bewerunge, Prof. at Maynooth College (IV, 209), read paper on "*The Modes of Irish Music*" at Univ. Coll., Dublin.

From examination of some 1500 Irish folk-tunes, lecturer found that as a rule Irish melodies have a distinct tonality, and show several clearly marked Modes. The nomenclature here following is of course that of the Christian Church modes, not that of Greek ditto (cf. "Bücherschau", s. v. "Aristoxenus"). More than one half of the tunes are in the Doh, the modern major, mode. But besides there is a Soh (Mixolydian) mode (97 tunes), a Lah (Aeolian) mode (252 tunes), and a Ray (Dorian) mode (81 tunes). In addition to these principal modes, there are 2 mixed modes, a mixed Doh and Soh mode, having major third and both major and minor seventh (193 tunes), and a mixed Lah and Ray mode, having minor third and both major and minor sixth (33). A peculiarity of a considerable number of tunes is that they do not end on the fundamental note of their scale. Thus 8 Doh melodies end on the third, 73 on the fifth. Similarly 6 melodies of the mixed Doh-Soh mode end on the fifth, 20 Lah melodies end on the third, and 8 Lah melodies end on the fifth. There are further 8 Doh melodies ending on the second, and a few specimens of the same mode are found ending on the fourth, sixth, or seventh of the scale. Another singular feature is found in some dance and march tunes, which come to no conclusion at all, but in the end, instead of making a cadence, lead back to the beginning, to be repeated over and over again. They are wound up eventually in various ways, sometimes ending on the tonic, sometimes not. Of these lecturers counted 19. Illustrations were given on the violin and the small Irish Harp by Miss Fl. Kerin.

Same author has in "New Ireland Review" of March, 1903, issued paper on characteristics of *Irish Traditional singing* (cf. IV, 351). Already in "Irish Ecclesiastical Record" of Aug. 1900 he has combated the theory of Henebry (Chicago) that the Irish sing acc. to intervals of Pythagorean scale. O'Brien Butler however says that they use quartertones (cf. "London" infra regarding Development of ancient Greek Music). Author directed attention to letter of T. Hayes in "Leader" of 22 March 1902, saying that ornamental characteristics of Irish singing were (a) beginning with a sustained note, (b) use of grace-notes in ascending scale, (c) lingering on top note with grace-notes, (d) a tremulous sobbing effect on notes. Also directed attention to (e) the portamento, and (f) liquescence, or singing on a liquid consonant in lieu of a vowel.

Chief composition-prizes in this year's *Feis Ceoil* have been awarded by Sir Walter Parratt, to W. Harvey Pélissier for cantata "Connla of the Golden Hair", and Rev. W. Houston Collisson for orch. suite "Rosaleen".

£ 10,000 has been given by Mr. Edward Martyn; another £ 10,000 by Most Rev. W. J. Walsh (1841 —), Roman Catholic Archbishop of Dublin and Primate of Ireland, author of "Grammar" of Gregorian Music" (1885); for endowing *choir* for a capella music only at Marlborough Street *Pro-Cathedral* in this City.

In above-named number of "New Ireland Review", Stephen Mc Kenna treats of a *Universal World Language*. No existing tongue, dead or living, could answer. For the latter at least, Est leo (jealousy) in viâ. But a permanent International Academy formed for this could frame and maintain a new universal inter-communication makeshift. Author thinks all national speech and literature could exist alongside, and quotes Max Müller. Direction should be that of the Russian Zomenhof's "Esperanto", artificial dialect of Latin. Tolstoi said he read this perfectly after 2 hours of grammar and word-book. Author compares for "Sleep is the image of death", Volapük "Slip vinom magdelia", with Esperanto "La dorm' estas la imago de la morto"; and for "The moon receives its light from the sun", Volapük "Mungetom liti omick dub sol". with Esperanto "Le luno ricevas si a'n lumon de la suriyo". Author calls English-speaking men "Anglophones". M. S. D.

Edinburgh. — On 21 March 1903 Mrs. Kennedy-Fraser gave Lecture-Recital on *Richard Strauss's Songs*. With copious illustrations, viz. op. 10, nos 2 and 3; op. 17. no 2; op. 19, no 2; op. 21, no 3; op. 27, no 4; op. 31, no 3; op. 37, no 3; op. 46. no 1; op. 49, no 7. — The St. George's Choir have given a capella Palestrina's Missa Papae Marcelli, and anthems by Byrd, Gibbons, Croft, &c. — The number of concerts has lately been unprecedented. Henry J. Wood appeared as conductor. E. G. R.

Leipzig. Das kürzlich von dem Lortzing-Biographen G. R. Kruse *aufgefundene Finale aus Lortzing's »Hans Sachs«* ist von der Firma Bartholf Senff in Leipzig erworben und wird in einer Neuausgabe des Klavierauszugs verwendet werden.

London. — Abstract is given in "Bücherschau", title "Aristoxenus", of an important synopsis, otherwise hypothesis-history, of the *development of ancient Greek Music*. Some parts thereof are familiar, many new, the whole noteworthy. The remarks may be contrasted with those in ch. XIV of Helmholtz's "Lehre von den Tonempfindungen". — The incidental question of χρόαι or shades or colourings has modern bearings. Dividing the tetrachord into 30 equal parts or sixths-of-a-semitone (cf. IV, 27, 37), the χρόαι specially mentioned in Aristoxenus are thus, after prefixing the Enharmonic: — Enharmonic Genus, παρυπάτη 3, λιχανός 3, remainder 24; Chromatic Genus μαλακόν, similarly 4, 4, 22; Chromatic Genus ἡμιόλιον, 4, 5, 21; Chromatic Genus τονιαῖον, 6, 6, 18; Diatonic Genus μαλακόν 6, 9, 15; Diatonic Genus σύντονον 6, 12, 12. But the Greeks in the κινούμενοι, had (like modern orientals) besides the above-named third-tones, five-twelfth tones, &c., several other shades also, e. g. septimal. Macran (p. 247) quotes Plutarch De Mus. cap. 38, 1145 B, that quarter-tone intervals had been given up partly because they were not directly deducible from 4ths and 5ths. Modern orientals do not trouble themselves about such arguments. Still less does modern European polyphonic music. We erect standards, only to depart from them. The simplest-ratio intervals are never observed, because the 5th is incommensurable with the 8ve. The overtone-derived intervals of acousticians are never observed, because they lead no-whither. We have devised an equal temperament as rough cadre of our polyphony, but it is never really followed. Everything is χρόα; though unrecognized, and perhaps never to be recognized, in stave-notation. The multiform fractional intervals named by the Greeks are what we employ by instinct at every moment, even in our polyphony. In a Brahms quartett or Strauss symphonic-poem, the difference between mellifluousness or cacophony is when the players do by long training feel the χρόαι unanimously, or go each their own way in the same. — The chief MSS. of the "Harmonic Elements" are: — Codex Venetus, libr. of St. Mark, written by Zosimus of Constantinople, 12th century; corrected by many hands. Codex Vaticanus, 13th and 14th century, copied from above. Codex Seldenianus, in Bodleian library, beg. of 16th century. Codex Riccardianus, in Florence, 16th century. Codex Barberinus, in Rome, first half of 16th century. An independent Strassburg Codex, lost by fire in 1870, collated by Ruelle, c. 15th century. — First printed publication of "Harmonic Elements", in 1542, through indifferent Latin translation of Antonius Gogavinus. First Greek publication 1616, Elzevir, Leyden, with commentary of Johannes Meursius. Meibom's edit. of Greek text, with Latin translation and valuable commentary, publ. 1652, Elzevir, Leyden. Paul Marquard's edit. with German translation, 1868. Berlin: author having collated Codex Venetus. Westphal's work on Aristoxenus 1883 and 1893. Leipzig. Ruelle's French translation, 1870, Paris.

The original publication of Helmholtz's *"Lehre von den Tonempfindungen"* was in 1862. Third edition 1870. This translated into English at instance of Max Müller by

Alexander J. Ellis (of Trin. Coll. Cambridge) in 1875. Fourth edition 1877. This similarly translated as **Second English Edition** in 1885 (pp. 576 large Royal 8vo, Longmans, Green and Co.). Helmholtz gave 19 Appendices. Ellis added of his own an **Appendix XX** of 126 pages; this besides profuse annotation all through work. That a new edition of English volume will appear for review is unlikely, and a rough account here of the Appendix XX will show the way to an immense, in some regards useful, labour. There are 14 Sections, lettered A—N. — (A) Shows all the temperaments, lineal and cyclic, from ancient Pythagorean down to Bosanquet's 53 and the like; including specially the cycle of 1200, or hundredths of a semitone (cents). (B) · Shows the various ways of registering absolute pitch; · string-measurement, siren, optical method, clock method, reed-beats, tuning-forks. (C) Mathematical, the conversion of ratios to cents on the 1200 cycle. (D) A mass of statistics about innumerable possible intervals lying within the octave; with their record in cents and ratios, and logarithmic guide to the latter. (E) An exposition of "Musical Duodenes", or the mathematical elements for constructing instruments on so-called "just intonation". (F) An account of instruments actually so made or at least designed: — Ellis's "Harmonical"; the "Just Harmonium"; the "Just English Concertina"; Colin Brown's "Voice Harmonium"; Rev. H. Liston's organ; Gen. Perronet Thompson's organ: H. W. Poole's Enharmonic organ (American); J. Paul White's "Harmon" (American). The first-named was an ordinary harmonium, but with notes tuned as a scientific apparatus to exhibit a few "just" intervals. Some of the others merely existed on paper, or as key-boards without sounds attached. (G) Mathematical basis of practical tuning and intonation. (H) History of absolute pitch throughout Europe. The standard-note taken is a' at 59° F.; the registration that by double-vibration; the zero point a' = 370 vibrations per second, the highest point a' = 567.3 (Praetorius's chamber). The lowest pitches have centred in France and Spain, the highest in N. Germany. (K) Exposition in cents of an immense number of ancient and oriental nonharmonic scales. (L) Recent papers on Beats and Combinational Tones. (M) Analysis of vowel-sounds of human voice. (N) Misc. dissertations, containing among others: — Compass of human voice, History of Mean-tone temperament, History of Equal temperament, Question whether keys have character, &c. — The fascinations of the numberfuggle and the sound-mystery combined produced a wave of musical mathematics in England a generation or so ago. Lectures on this were listened to with awe, it with the minimum of understanding. Instead people now stand for 2 hours at Queen's Hall listening to orchestral music. A great part of Ellis's work, e. g. on "duodenes" and the wholly impossible "just" keyboards, is a useless mathematical sporting with the endless properties of numbers. On the other hand some of the pages, as those on absolute pitch, are of high value for historical reference. E. died 1890. A leading member of the Musical Association. C. M.

In "Musical Times" of 1st March and 1st April, F. G. Edwards has article on music etc. in *Fitzwilliam Museum*, Cambsidge (founsed by bequest of Viscount Fitzwilliam, 1816). The MS. book "Queen Elizabeth's Virginal Book" is fully described by W. Barclay Squire in Grove's Dictionary (Virginals), and further paper on same was read by J. A. Fuller Maitland before Mus. Association on 9. April 1895. Vincent Novello printed a volume of excerpts from music in Librarx, called "Fitzwilliam Musik". E. G. R.

In "Musical Times" of today (1 May) Sir Alex. *Mackenzie* gives initial report of his *tour* through very numerous towns of Canada with choral and orchestral concerts of works of British Composers. Impresario of this extraordinary undertaking, involving preparation of choirs &c. over great areas, is Charles E. Harriss. R. A. M.

Mainz. Fünf Mitglieder des hiesigen städtischen Orchesters, denen sich als Pianist Herr Fred. Voß angeschlossen hat, haben eine *Bläser-Kammermusikvereinigung* gebildet, die sich die Aufgabe gestellt hat, nicht nur klassische und bekannte Kompositionen für Blasmusik aufzuführen, sondern auch Werke der einschlägigen Literatur von modernen Komponisten. Die Vereinigung hofft durch ihr Vorgehen Tondichter von Bedeutung zur Schaffung neuer Werke für die genannten Instrumente anzuregen und etwa bereits

fertigen, aber nicht zur Aufführung oder zur Veröffentlichung durch den Druck gelangten Werken dieser Art den Weg in den Konzertsaal und zu einem Verleger bereiten zu können.

Middlesborough. — A *Festival* was held 22nd and 23rd April 1903, to commemorate
21st year of Middlesborough Musical Union (Yorkshire), conducted from first by our
member N. Kilburn. At present festival, Sullivan's "Golden Legend", Elgar's „Gerontius", Fritz Volbach's "Page et King's Daughter" after Geibel (first time in England).
                                                                    E. G. B.

München. Das Prinzregenten-Theater wird in seinen Wagner-Festspielen vom
8. August bis 14. September dieses Jahres 24 Aufführungen in 5 Cyklen (den Ring
des Nibelungen, Tannhäuser, Lohengrin, Tristan und Isolde und die Meistersinger;
zur Darstellung bringen. Das darstellende Personal besteht aus 24 Damen und
19 Herren, darunter außer den Münchener Kräften die Damen: M. Alken (Schwerin,
J. v. Artner (Hamburg), S. David und O. Metzger (Köln), H. Hieser, J. Schönberger
und E. Wiborg (Stuttgart), C. Huhn (Dresden), L. Nordica (London), T. Plaichinger
(Berlin), A. Robinson (Wiesbaden), die Herren: Th. Bertram, E. Kraus und J. Lieban
(Berlin), Dr. O. Briesemeister (Stockholm), F. Brodersen (Nürnberg), L. Demuth und
L. Slezak (Wien), F. Friedrichs (Bremen). Die Aufführungen leiten außer dem Inten-
danten E. von Possart der Ober-Regisseur A. Fuchs und Regisseur Rob. Müller, die
Musik General-Musikdirektor H. Zumpe und die Hofkapellmeister Franz Fischer und
Hugo Röhr. Der Ingenieur Jos. Klein sorgt für das Maschinenwesen, Professor
J. Flüggen für die Dekorationen, Hofballettmeisterin Flora Jungmann für den choreo-
graphischen Teil. Der Eintritt kostet für die vier Abende des »Ring« 80 *M.*, für
jede andere Vorstellung 20 *M.* Für einzelne Abende werden keine Billette abgegeben. Anmeldungen sind beim Reisebüreau Schenker & Co. in München, Promenadenplatz 10, zu machen.

Paris. La fête du centenaire d'Edgar Quinet, qui a été célébrée récemment à Paris,
dans le grand amphithéâtre de la Sorbonne, sous la présidence de M. le Président de
la République, a été accompagnée d'une importante partie musicale à laquelle ont pris
part 400 exécutants, chœur et orchestre, sous la direction de M. Julien Tiersot. On
y a exécuté un Hymne à la mémoire d'un penseur, de la dernier; l'Hymne
des temps futurs, transcrit sur le chant final de la Neuvième Symphonie de Beethoven
(paroles françaises imitées de l'Ode de Schiller par M. Maurice Bouchor), des chants
de Méhul et des chants populaires français. — On a redonné dans une Séance
postérieure quelques-uns de ces mêmes chants, ainsi qu'un chant inédit: Aux bien-
faiteurs de l'humanité, musique de M. Julien Tiersot, lequel, par les compositions
nouvelles, s'efforce de continuer les traditions des grands musiciens de la première
République, et de créer en France un véritable répertoire de chants populaires conforme aux aspirations de l'esprit moderne.

Pyrmont (Bad). Wie in den vergangenen Jahren hier Lortzing- und Tschai-
kowsky-Feiern stattfanden, soll in diesem Jahre eine Schubert-Liszt-Feier am
27. und 28. Juni veranstaltet werden. Die Leitung der Feier liegt wieder in den
Händen des fürstlichen Kapellmeisters Ferdinand Meister.

Heinrich Bellermann, der bekannte Musikforscher, ist am 10. April nach langer
Krankheit in Potsdam gestorben. Geboren am 10. März 1832 in Berlin als Sohn des
bekannten Pädagogen und Musikforschers Friedrich Bellermann, wuchs er von Jugend
an sozusagen mit der Musikwissenschaft auf, wurde Gesanglehrer am Grauen Kloster,
dessen Direktor sein Vater war und 1866 auch Professor der Musikgeschichte an der
Universität Berlin unter gleichzeitiger Ernennung zum Ehrendoktor. Bellermann's
Kompositionen halten sich ganz an den Vokal-Stil des 16. Jahrhunderts, ebenso wie
sein vortreffliches Lehrbuch über den Kontrapunkt. Von seinen musikwissenschaftlichen Werken ist das über die Mensuralnoten und Taktzeichen des 15. und 16. Jahrhunderts allbekannt und hat dadurch ein großes Verdienst, daß es zuerst eine feste
Grundlage für das Studium der Mensuralmusik gelegt hat.

Kritische Bücherschau

Referenten: O. Fleischer, A. Göttmann, Ch. Maclean, W. Barclay Squire, J. Wolf.

Aristoxenus, The Harmonics of. Edited by Henry S. Macran. Oxford, Clarendon Press, 1902. Crown 8vo. pp. 303. 10/6.

Pythagoras maintained that nothing was concord but what was defined by simple ratios, either superparticular (of the form $\frac{n+1}{n}$) or multiple (of the form $\frac{n}{1}$); a necessary ultimate abstraction no doubt, but leaving practical musicians where they were. Aristoxenus (taken at least at his own valuation) was the first, 3 centuries later, to join science to actual music in Ἁρμονικὰ στοιχεῖα, 3 books, not very coherent, — indeed so fragmentary that Westphal constructed a whole statue thereon as from a torso. Certainly there is no previous record, and A. has much blunt illuminating common sense. Present work is a finely annotated edition of the Harmonics. — The 85 pages of Introduction on the Development of Greek Music, from the primitive ancient vista down to Ptolemy of Alexandria (2nd century A. D.) are scrupulously claimed as hypothesis, and plainly are so; further the exposition is not over-clear at critical points; still on the whole this is the most logically-conducting brief quasi-historical monograph on the subject as yet in the English language, and editor the most convincing writer on subject since W. F. Donkin. Possibly because this was in preparation, the Oxford History scheme omitted to treat Greek music (III, 113). Following is approximate summary of editor's hypothesis-history. — Imprimis the ancient Greeks had, like us, the fundamental conception of the tonal energy (δύναμις) between dominant and tonic (this last being ἀρχή). Taking ἀρχή above (as we should call it), this gave a 4th-interval of 2 bounding-notes (ἑστῶτες); they chose the 4th (συλλαβή) rather than the 5th (διὰ πέντε), as being on the monochord or by the ear the more constricted exhibition of the dominant-tonic (also small-ratio) principle. In between the φθόγγοι ἑστῶτες, they placed 2 passing notes (κινούμενοι, φερόμενοι) less or more determinable by making calculations with the 4th and 5th; e. g. 5th minus 4th = one tone, and a 4th contains (roughly) two

and a half tones; hence could be got the conceptions of a tone and a semitone. The reason for having 2 passing-notes only was probably the virtue of the figure 2. But theorists began (feeling their way on strings) by splitting the semitone into 2 quarter-tones; and hence the old enharmonic tetrachord rising (as we should call it) by intervals quarter-tone + quarter-tone + double-tone, — which (γένος ἐναρμόνιον) slightly akin to the primitive pentatonic scale, still largely influencing modern music. Next stage, chromatic tetrachord of intervals semitone + semitone + one-and-half-tone, — which (γένος χρωματικόν) unlike anything in modern music. Next stage, diatonic tetrachord of intervals semitone + tone + tone, — which (γένος διάτονον) very much the modern basic melodial system. The quarter-tone was the smallest interval recognized for direct execution, but there were variants (χρόαι) of the last 2 stages or γένη, made by collocating quite other segments of tones, e. g. $\frac{1}{3}$ tone, $\frac{3}{8}$, $\frac{5}{12}$, $\frac{3}{4}$, $\frac{6}{7}$, $\frac{7}{8}$, &c.; of which the more prevalent were χρῶμα μαλακόν with $\frac{1}{3}$ tone, χρῶμα ἡμιόλιον with $\frac{5}{12}$ tone, διάτονον μαλακόν with $\frac{3}{4}$ tone; the consideration of these χρόαι is important (see "Notizen". — Concurrent with the above dispositions, the early Greeks made it an absolute, if arbitrary, rule that in all such dynamic tetrachords the lowest interval must be less than or equal to the middle interval, and less than the highest. And when the sum of the two lower intervals together was less than the third or highest (i. e. in enharmonic and chromatic) that sum was called πυκνόν. The πύκνωσις or close order of the lower extremity was a quite essential attribute of the tetrachord. — Now editor insists that a ἁρμονία was, historically and fundamentally and indeed from first to last, nothing but the collocation of two or more of the above-described tetrachords, regarding tetrachords as units. To join them by continual conjunction (συνάφεια) or coalescence of extremities was ancient Ionic ἁρμονία; 2 tetrachords here gave tuning of 7-string lyre. To join them by continual disjunction διάζευξις or separation of extremities, was ancient Doric ἁρμονία; 2 tetrachords here gave tuning of 8-string lyre. To join them by alternate conjunction and disjunction was ancient Aeolic ἁρμονία. And whereas Ionic collocations, upwardly extending, tended more and more into what we should call flat keys, and vice-versâ Doric collocations into sharp keys, this Aeolic (as can be seen by testing) always stayed in same key; hence singers especially found Aeolic truest to their instincts, and it finally prevailed over its 2 rivals. — But there were practical scales not coinciding, top and bottom, with the beginning and ending of tetrachords. For instance, above and below a pair of tetrachords, notes could be added. In other words the extended ἁρμονίαι, especially the extended homogeneous Aeolic ἁρμονία, could be segmented variously; and in such process the μέση or ἀρχή, especially in the diatonic genus, might be obscured. Editor at least calls some of the "readings" of such segments "perverse". In reality these were perhaps the introduction of foreign non-Hellenic ideas. The Phrygian and Hypophrygian readings were disregardant even of the above-described old Hellenic absolute first principle of πύκνωσις in the lower part of the tetrachord, — a first principle connected with pentatonism. These more novel ideas settled down to the 6 scales, — still ancient, still called ἁρμονίαι, still mainly guided by the dominant-tonic δύναμις. — of Dorian, Hypodorian, Lydian, Mixolydian, Phrygian, Hypophrygian. — At next stage, the Greeks went on to class these scales as of high or low pitch, according as the melodially oft-recurring much-dwelt-upon μέση or ἀρχή or tonie, lying at this or that part of the available small-compass and few-stringed instruments, gave a high or low general tessitura to the executed melody. To place various different kinds of scale all at the same pitch would have required very many strings, which of course there were not. So that at last there were thus laid down 7 τρόποι (no longer called ἁρμονίαι) in such order of tessitura, or ἀρχή-pitch, Hypodorian, Hypophrygian. Hypolydian, Dorian, Phrygian, Lydian, Mixolydian, — where the oft-recurring μέση or ἀρχή or tonic, on any one-octave instrument for example, came down from highest-but-one-note to bottom-note. So Hypodorian was considered the lowest τρόπος (lowest according to our modern nomenclature), and the Myxolydian the highest τρόπος (ditto). — Next development (later than Aristoxenus), the enlarged conception of a 2-octave complete σύστημα τέλειον μεῖζον: due to wider theory, and larger instruments such as κιθάρα. Here the 7 one-octave τρόποι were kept as before in their respective places, but their series of notes was extended each way so as to reach top and bottom of the 2-octave σύστημα; and they now got a new name τόνοι (generally translated "keys", as ἁρμονίαι and τρόποι have been translated "modes"). Also at semitone distance above and below certain τόνοι, 8 new τόνοι were added; giving the 15 τόνοι of the Alypius fragment. All this time the 3 γένη (ἐναρμόνιον, χρωματικόν, διάτονον) were in some degree at least kept up in each τόνος. — Last of all Ptolemy. as reformatory restorer. brought back the τόνοι to a one-octave-compass, so as to more clearly exhibit their "tropic" character; but with a boon of the Danai in the form of putting all the old scale-terms, including μέση, in their wrong places — κατὰ θέσιν as he called it, as opposed to the old κατὰ δύναμιν. His μέση, κατὰ θέσιν, always the note happening to be the fourth in the τόνος. One would be inclined to transfer the word "perverse" to this page. — If now an attempt is to be made to exhibit editor's underlying views or theory constructively, it will be this: — (a) that the dynamic dominant-tonic tetrachord principle never vanished. even at the stage of long 2-octave scales or τόνοι; (b) that the principle of πύκνωσις at lower extremity of every tetrachord persisted equally; (c) that in the different octave-scales derived from the finally prevailing Aeolic ἁρμονία, with alternate conjunct and disjunct tetrachords, the tonic or ἀρχή was the lower of the 2 notes at disjunction; (d) that ἁρμονίαι and τρόποι were never considered to have any pitch except as regards their ἀρχή or tonic. It must be admitted that this is on the whole a lucid hypothesis, having for a prime conception at bottom one of the quite ultimate facts of music. It may be that, wandering about as we are, confused with the σχήματα and εἴδη of the expanded "systems". editor is right in recalling us to correct and really inherent principles of the tetrachord and πύκνωσις. — By consequence of the above, editor ends with attacking 2 main counter-theories: — (A) that Ptolemy's μέσαι κατὰ θέσιν made so many new tonics, in the manner of the Christian Church Modes. — this apparently the theory of Böckh and Westphal; heads "a" and "b" above would negative it; (B) that the differences of the ἁρμονίαι and τρόποι were nothing but differences of pitch, — this the theory of D. B. Monro, see below: heads "c" and "d" above would negative or very much qualify it. — Editor is Fellow of Trin. Coll. Dublin. and Prof. of Moral Philosophy in Dublin University. The translation of difficult text is excellent. Critical apparatus exhaustive. 72 pages of elucidatory Notes.

C. M.

Bache, Constance. Brother Musicians. Reminscences of Edward and Walter Bache. With 16 illustrations. London, Methuen & Co. 1902. pp. x and 330, Crown 8vo.

A book on the lives of the two Baches was well worth writing, and their sister is to be congratulated on having accomplished the task thoroughly well. The name of the elder brother (born 1833, died 1858) is less familiar to the present generation than that of Walter Bache (1842—1888). Educated at Leipzig when the Conservatorium was strongly under the influence of Mendelssohn, his ideals were not those of the present day, and his genuine admiration for Rossini, Donizetti, and the Italian Opera of the first half of the 19th century contrasts strangely with his younger brother's unswerving championship for Liszt and Wagner. If F. E. Bache had lived longer, he might have lifted English opera a little higher than the banalities of the Balfe and Wallace school; as it is, what music he has left possesses the element of vitality. But the work that Walter Bache accomplished with such single-minded devotion is still bearing fruit. Every year the position of Liszt is becoming more understood and his music is better appreciated in England; and it is to Walter Bache's exertions that this is largely due. Both brothers were singularly loveable characters', and their sister's tribute to their memory is well worth reading.   W. B. S.

Baker, Frederick Charles. How we hear. London, Vincent Music Co. 1902. pp. 86, small 12mo. 1/6.

Stated here that the various coils of helix, concha, &c. are to baffle the intrusive i n s e c t. Curiously the one insect (forficula auricularia, Ohrwurm, earwig) universally credited with the desire to penetrate (Fr. perce-oreille) has never been known to do so; it has only itself a hind-wing resembling the human ear; the mandibles and forceps, imaginary terrors of our childhood. This very passing remark can introduce a sensibly-written brief treatise on everything from simple audition to voice-analysis. Author says, the ear to highest note vibrates some 4000 per second, but eye-retina seeing violet some 678 billions per second. The remarks on bells are not perhaps very accurate, on reeds not very full. Printer has made Bartolomeo Eustachi (c. 1500—1574) an I n d i a n anatomist! Author is organist in Colchester, Essex.
          C. M.

Breitkopf & Härtel. Verzeichnis des Musikalien-Verlages von Breitkopf & Härtel in Leipzig. Vollständig bis Ende 1902. 1200 S. gr. 8° nebst 36 S. Alphabetisches Verzeichnis des Lagers der Weltliteratur in neuzeitlichen Einbänden. ℳ 10,—.

Einer knappen Geschichte des Hauses B. & H. und einem kleinen polyglotten Lexikon der im Verzeichnis verwendeten technischen Ausdrücke in 6 Sprachen folgt das große alphabetische Generalregister aller im Verlage des Welthauses erschienenen Musikalien und Bücher über die Musik, ein Werk von imposanter Reichhaltigkeit, das einen Begriff von der Bedeutung dieses Verlages gibt und zugleich der Musikwissenschaft einen großen Dienst erweist. Denn in ihm fehlt kaum ein Name, der in der Musikgeschichte zur Bedeutung gelangt ist. Nicht weniger als 23000 Erstdrucke umfaßt das Register, wozu noch das im Anhang alphabetisch geordnete Lager der Weltlitteratur mit etwa 7500 verschiedener Bände kommt. Was das besagen will, wird man leicht verstehen, wenn man daran denkt, welche Mühen und Arbeiten und Kosten zumeist allein in einem einzigen Buche, einer einzigen Komposition stecken, ehe solch ein Werk im Geiste, im Manuskripte, im Satz und im Drucke hergestellt ist. Kein Land hat einen solchen Schatz von Geistesarbeit und Verlegerkraft aufzuweisen, wie er sich uns hier darstellt. Dem Musikforscher ist mit diesem Katalog ein brauchbares Nachschlagewerk geschaffen.   O. F.

Bret Harte, Francis. His life. By T. Edgar Pemberton. London, C. Arthur Pearson. 1903. pp. 358. Demy 8vo.

Where the common eye saw only in London a city of drab skies and shuffling feet, Dickens saw in it a microcosm of pathos and hitherto quite unconceived humour. Where the common eye saw only in California red-shirted men digging self-absorbed in dusty heat, Bret Harte (he too with subtlest humour) exposed a theatre of every picturesque and engaging human passion. But the art of these two men was not a bringing to light: it was creation, and so akin to the work of great musical composers. The California of Bret Harte scarcely ever existed, and now does not even present a resemblance. Much more than Edgar Poe he was a creator, for he created in fact a whole country and the population thereof. Primaeval nature inspired him. It is perfectly true that the blushes of a silly hysterical virginal proof-reader nearly wrecked the scheme at outset, and for 3 days it hung in the balance whether the world should have a new literature, Roaring Camp, Poker Flat, Spanish Bar, Calaveras, Tuolumne, Yuba, with Oakhurst, Gabriel Conroy, and the rest. Harte's self-made money-goaded exile from America to Krefeld and Glasgow was pitiable. England does not see clearly when art is too near the eye, — for which reason Max Bruch should never have gone to Liverpool. So when Harte came even into Surrey itself, this man of great genius was confounded with the horde of London talent. The elimination, recognition of the power of original creation comes slowest, because to do so hurts the self-esteem of the remainder of humanity. Present book (by Birmigham journalist) contains the maximum of "quotes", and the minimum of biographical matter ever put into a biography; still it is of absorbing interest to anyone interested in the details of journalism, literature, and art. Harte was once at no great distance from becoming librettist to Arthur Sullivan.   C. M.

Bulle, Prof. Dr. Heinrich. Klinger's Beethoven und die farbige Plastik der Griechen. Mit 14 Abbildungen. München, F. Bruckmann A.-G., 1903. — 48 S. gr. 8⁰. ℳ 1,50

Versucht die unzweifelhaft starke Wirkung des Klinger'schen Beethoven auf die Zeitgenossen, dessen Ausstellung in Wien und Düsseldorf er als das ohne Zweifel bedeutendste künstlerische Ereignis des Jahres 1902 bezeichnet, kritisch zu zerlegen und untersucht, ob diese Wirkung eine rein künstlerische oder rein bildnerische, ob eine vorübergehende und subjektive, oder objektive und bleibende sei. Der Verfasser, ein bekannter Kunsthistoriker (Professor der Archäologie an der Universität Erlangen), faßt jene Wirkung auf das heutige Publikum als kunsthistorisches Problem. Er zeigt an mehreren Beispielen aus der Kunstgeschichte, daß die Buntfarbigkeit die antike Skulptur fast ganz beherrschte, aber wahrscheinlich seit den Zeiten ihres Verfalles von der Mitte des zweiten Jahrhunderts n. Chr. an der einfarbigen Plastik Platz gemacht hat. Die großen Bildhauer der Renaissance — allen voran Michel Angelo — schufen ihre großen und packenden Werke in reinem weißen Marmor, wie sich auch ein Winkelmann für das Weiß der Antike begeisterte, das meist nur dem Verschwinden der ehemaligen Farben sein Dasein verdankt. Erst die Kunstgelehrten

des späteren 19. Jahrhunderts haben dem Gedanken an die Mehrfarbigkeit wieder breitere Geltung verschafft, und die Bildner versuchten in ihren Werken dem Gedanken Wirklichkeit zu verleihen. Aber die Versuche eines Volkmann, Maison, Böcklin u. a. waren tastend. »Und nun mache man sich klar, was es besagen will, wenn ein Künstler, ohne die Vorstufen einer organischen Entwicklung, aus diesem Chaos der Unsicherheit heraus gleich den höchsten, den monumentalsten Wurf wagt.« Daß er nicht voll gelingen konnte, liegt eben am Mangel an jeglicher Tradition in dieser Beziehung. Trotzdem packt das Kunstwerk (abgesehen von seiner Polychromie) durch die glückliche Darstellung der Gedankenarbeit, die sich hier, obgleich an sich unsichtbar, doch im Marmor verkörpert. Auch diesen Punkt unterzieht der Verfasser einer historischen Vergleichung mit früheren Vorbildern und kommt zu einem für Klinger günstigen Schlusse. Nach seiner Überzeugung ist die bildnerische Lösung des plastisch-malerischen Problems nur ein interessanter Versuch, ein Impuls für kommende Männer. Aber bleibend ist die starke geistige Wirkung dieses Bildwerkes, »und sollte dereinst eine Generation von Beethoven nichts mehr wissen, immer würde sie empfinden müssen, daß hier der schöpferischen geistigen Arbeit des Menschengeistes ein Denkmal gesetzt worden ist«.   O. F.

Fuchs, Hanns. Richard Wagner und die Homosexualität mit besonderer Berücksichtigung der sexuellen Anomalien seiner Gestalten. Berlin, H. Barsdorf, 1903 — VIII und 278 S. 8⁰.

Es ist ein sehr heikles Thema, das hier angeschlagen wird und über das irgend eine Überzeugung zu gewinnen wohl auf immer der individuellen Lebensanschauung des Einzelnen überlassen bleiben wird. Auch die Beurteilung genialer Menschen unterliegt gewissen Moden. Darin liegt ja das Geniale im Menschen, daß es eben nicht alltäglich und gewöhnlich ist; es ist immer abnormal oder zum wenigsten übernormal, und weil es nicht in Formeln und Gesetze gefaßt werden kann, deutet es jede Zeit nach ihrer eignen Weise: als eine Art von magnetischer Kraft, oder als Überschwang des Empfindens, oder als Überschuß von Kraft, oder als Zwillingsbruder des Wahnsinnes. Von allem dem steckt ja wohl wirklich etwas im Genie; nur darf man nicht behaupten, daß man es durch Aufdeckung einer einzelnen all dieser Beziehungen erklären könne. Heutzutage stehen viele medizinisch angehauchte Philosophen und philosophisch angehauchte Mediziner, wie leider auch Tausende von Gebildeten, unter dem starken Einflusse Lombroso's, Kraft-Ebing's, Moll's und anderer, welche besonders das Sexuelle im Menschen unter ihr kritisches Mikroskop gelegt haben. Grelle Lichter sind dabei auf eine Nachtseite des menschlichen Seelenlebens gefallen, die man unter dem Namen Homosexualität bezeichnet und deren Grenzen oft viel zu weit gezogen werden. Da ist es kein Wunder, daß man auch die Abnormitäten und Unerklärlichkeiten des Seelenlebens eines Genies mit diesen abnormen sexuellen Erscheinungen in Beziehung zu setzen versucht, um somehr, als ja wirklich geistige und physische Produktivität Parallelen zu einander bilden und mancherlei analoge Phänomene erzeugen müssen. Wenn aber Verfasser direkt von einer »geistigen« Homosexualität redet, so verwischt er die Grenzen, die die Natur zwischen Geist und Körper, geistiger und körperlicher Zeugungskraft resp. Zeugungsunkraft gezogen hat. Wenn er nun gar aus der Schaffensweise und aus den Produkten genialer Phantasie eines Künstlers Schlüsse zieht für das Bestehen von physischer Homosexualität, so ist das direkt ein Unfug, gegen den sich ein gesunder Sinn empört. Weil Shakespeare verbrecherische Menschen so wunderbar lebensvoll zu gestalten weiß, — muß er deshalb selbst ein Verbrecher gewesen sein? Weil Wagner mehrere Gestalten mit einem abnorm schwärmerischen Liebesleben schuf — muß deshalb sein eignes Liebesleben abnorm gewesen sein? Wer so urteilt, vergißt, daß eine große Phantasie und eine scharfe künstlerische Intuition sich vermöge einer Art Hellsehens in Szenen hineinzuversetzen vermag, die ein gemeiner Geist erst selbst erleben muß, um sie zu begreifen. Sind wir erst dahin gekommen, daß alles, was dem alltäglichen Menschenverstand am Genie geheimnisvoll erscheint, als moralisch verdächtig erklärt werden darf, dann wird man wieder, wie ehemals zu den Zeiten der religiösen Inquisition, das Genie in Acht und Bann und schmachvolle Fesseln schlagen. Im Namen der Kunst und Wissenschaft wie zugleich der Moral protestiere ich gegen jeden Versuch, Genies wie Shakespeare, Friedrich den Großen, Wagner u. anderen wegen ihrer genialen Gestaltungskraft mit einem bürgerlichen Makel zu behaften, besonders wenn dies wie hier auf Grund von wissenschaftlichen Taschenspielereien geschieht, welche die logischen Grenzen zwischen Phantasie und Handeln absichtlich verwischen.

O. F.

Hellouin, Frédéric. Gossec et la musique française à la fin du XVIII⁰ siècle. Paris, Librairie A. Charles, 1903, 196 S. 12⁰, 3 fr. 50 cent.

Eine sehr fleißige und gediegene Arbeit. Verfasser zeichnet uns mit sicheren Strichen das Bild eines Mannes, dessen Leben und Wirken mit den musikalischen Ereignissen von Paris in der zweiten Hälfte des 18. Jahrhunderts aufs engste verknüpft ist. Ein interessantes Stück französischer Musikgeschichte wird vor uns aufgerollt. Wir lernen Gossec's nicht besonders erfolgreiche Tätigkeit für die Oper kennen, gewinnen Einblick in sein Schaffen für die Concerts spirituels, denen er lange Jahre vorstand, und erfahren, welche führende Rolle in musikalischen Angelegenheiten er unter dem Revolutions-Regiment gespielt hat, und welcher Anteil ihm an der Gründung des Pariser Konservatoriums zukommt. Verfasser wird sowohl dem Menschen wie dem Künstler Gossec gerecht: er lobt, wo er zu loben, tadelt, wo er zu tadeln findet. Besonders hervorzuheben sind die Untersuchungen, welche Verfasser anstellt, um zu ergründen, mit welchem Recht man Gossec den Vater der Symphonie nannte.

J. W.

Holzer, Ernst. Schubartstudien. Mit einem Bild Schubart's und Musikbeilagen. Ulm, Gebr. Nübling, 1902. — II und 52 S. nebst 16 S. Musik, Lex.-Format.

Der unglückliche Dichterkomponist hat trotz einer umfänglichen Schubart-Literatur bisher doch noch keine rechte Würdigung als Musiker erhalten, ohne welche die Bedeutung dieses Rhapsoden niemals richtig abzustecken sein wird. Aus seinen allbekannten »Ideen zur Ästhetik der Tonkunst« gewinnt man von ihm das Bild eines zerfahrenen, phantastischen Kopfes, und sein Flatterleben, das schließlich in Unglück und Haltlosigkeit versiechte, scheint das Bild eines genialen Charlatans nur zu vervollständigen. Und doch ist Schubart derselbe, über den ein Burney das gewichtige Urteil fällte: »Er war der erste wahre große Flügelspieler, den ich bisher in Deutschland getroffen habe. Er ist von der Bach'schen Schule: aber ein Enthusiast und ein Original von Genie … Auf dem Klavier spielt er mit großer Freiheit und vielem Ausdruck« u. s. w. Ähnlich urteilten Vogler, Bahrdt, Christmann, Gerber, lauter berufene Kritiker. Im übrigen war Schubart mehr Improvisator als Komponist. In allen diesen Dingen gehört sein Wirken der Vergangenheit an und ist mit ihm dahingeflossen; nur in einem Punkte nicht. Von seinen Volksliedern, die er als echter Rhapsode auch selbst dichtete, ist so manches bis heute lebendig geblieben, teils unter seinem Namen, wie das Kaplied (das jetzt übrigens in den Kindergärten mit dem Texte »Herr Heinrich saß am Vogelherd« gesungen wird), teils als Allgemeingut in den Volksliederschatz übergegangen oder durch Kompositionen anderer Meister wieder zurückgestrahlt. Ich pflichte dem Verfasser bei, wenn er einer Neuausgabe der Schubartschen Volkslieder das Wort redet. Echte volkstümliche Naivität leuchtet aus diesen Bauern-, Schneider-, Schuster- und Soldaten-Liedern, nachlässig hingeworfen in Wort und Sang und gerade dadurch dem Volksgeiste am nächsten stehend. Gedruckte Kompositionen Schubart's sind heutzutage selten noch zu finden. Holzer gibt ein Verzeichnis derjenigen, die seinem eifrigen Suchen geglückt ist zu finden. Schubart verwandte selbst wenig Sorgfalt darauf, sie auf die Nachwelt zu bringen — er fühlte sich mit ihnen nicht sicher genug. Aber auch in allen anderen Dingen, wie in seiner Musikschriftstellerei, hat er immer mehr gewollt und angefangen, als vollbracht. »Sein einziges Unglück war, daß zwei halbe Genies, der Mathematik und Logik zum Trotz, kein ganzes machen«, sagt der Verfasser in seinem philologischen Sarkasmus. Schubart war mehr ein Anreger, als ein Vollender, und mehr ein württembergisches, als ein deutsches Ereignis. Sein Geist war willig, sein Fleisch schwach und vor allem — es fehlten ihm zwei Dinge, deren mindestens eines zu einem tüchtigen Menschen gehören: gediegene Schulung oder Selbstzucht. Holzer's Studien verraten eine gründliche philologische Bildung und ein warmes Gefühl für den unglücklichen Sänger vom Hohenasperg bei vollbewußter Kritik.   O. F.

Königsberger, Leo. Hermann von Helmholtz. 2 Bände mit 3 und 2 Bildnissen. Braunschweig, F. Vieweg & Sohn, 1902 und 1903. — XII und 375, resp. XIV und 383 S. gr. 8⁰ je *M* 10,— geb. 12,—.

Eine großangelegte Biographie, die nicht bloß dem Menschen, sondern auch dem Geisteshelden und seinem Lebenswerke gerecht werden will, ist bei einem so vielseitigen Gelehrten, wie es Helmholtz war, gewiß kein kleines Unterfangen. Es setzt zunächst ein vollständiges Aufgeben des Biographen in dem Ideenkreise seines Helden, ein Aufnehmen aller seiner Arbeiten in sich und sozusagen ein Durchlaufen aller Geistesphasen desselben voraus, dann aber auch ein Sich-Erheben über die von ihm geleistete Lebensarbeit, um sie kritisch geordnet zu bequemem Überblick vor uns aufbauen zu können. Dieser schweren Aufgabe hat sich der Verfasser — soweit ich urteilen darf — mit Glück unterzogen. Die Stellung des großen Physiologen zur Musik ist im allgemeinen bekannt, seine Lehre von den Tonempfindungen kennt jeder Musiker wenigstens dem Namen nach, und Jedermann weiß etwas von der Theorie der Obertöne und ihrer Beziehungen zu der Klangfarbe. Es ist aber nicht Jedermanns Sache und Aufgabe, alle seine früheren einzelnen akustischen Arbeiten, wie seinen Bericht über die Theorie der Akustik von 1848, über die Kombinationstöne, über die Vokale, über die physikalische Ursache der Harmonie und Disharmonie, über Luftschwingungen in Röhren mit offenen Enden, über die arabisch-persische Tonleiter, über die musikalische Temperatur, die Theorie der Zungenpfeifen, sowie die späteren über die Mechanik der Gehörknöchelchen und des Trommelfells, über die Schallschwingungen in der Schnecke des Ohres, über Telephon und Klangfarbe usw., die für sich oder in Zeitschriften verstreut erschienen sind, selbsttätig durchzuarbeiten. Hier dient uns das vorliegende Werk als ein zuverlässiger Führer, der uns schnell und ausreichend unterrichtet. Bei der engen Nachbarschaft der Akustik zu den übrigen Disziplinen der Physik und derjenigen des Hörens zu den Disziplinen der Physiologie wird der Leser wohl auch manches von diesen Seiten der imposanten Forscherarbeit Helmholtz' mit davon nehmen und es — jeder nach seiner Façon — nutzbringend verwerten, um damit dem großen Gelehrten und musikkundigen Menschen am besten das Scherflein seines Dankes abzustatten: die Anerkennung, daß sich diesem gewaltigen Forscher auf seinem weiten Gebiete wohl so leicht kein zweiter wird an die Seite stellen lassen. Bis jetzt sind von den drei Bänden, die die ganze Biographie umfassen wird, zwei erschienen, welche das Leben und Wirken des Forschers bis zum Jahre 1888 begleitet.   O. F.

Lange, C. Joh. Friedr. Reichardt. Denkschrift zu seinem 150. Geburtstage. Herausgegeben zum Besten der Wiederaufrichtung und Erhaltung des Denksteins und Grabes Reichardt's zu Halle-Giebichenstein. Halle a. S., Verlag der Literarisch-Musikalischen Vereinigung (1903). Mit 4 Bildern. — 66 S. 8⁰.

Es ist jetzt die Zeit gekommen, wo man sich Reichardt's wieder erinnert, dem die bei Lebzeiten genossenen Ehren durch eine etwas verächtliche Nichtbeachtung nach seinem Tode quittiert wurden. Beiderlei Übermaß, sein allzugroßes Ansehen als Komponist und besonders als Musikschriftsteller, wie die allzuscharfe Anfeindung seiner Person und Verdienste, waren ein Unrecht, das man gegen Reichardt begangen hat. Jetzt, wo das Musikleben endlich auf die Bahn der Objektivität einlenken zu wollen scheint, wird man wohl auch allgemeiner seinem Namen die Ehre geben, die ihm als Vorgänger Schubert's im Liede (als den ihn Walter Pauli nachgewiesen hat), als bedeutenden Dirigenten und unerschrockenem Vorkämpfer deutscher Musik in Norddeutschland gebührt. Vorliegendes Schriftchen entstand aus Anlaß der 150. Wiederkehr von Reichardt's Geburtstage im Auftrage eines in Giebichenstein, dem langjährigen Wohnort des Komponisten, gebildeten Reichardt-Ausschusses. Es enthält den Stammbaum der Reichardtschen Familie, die mehrere berühmte Namen zählt (seine Tochter war die Komponistin Louise R., seine Schwiegersöhne der Naturforscher, Dichter und Philosoph Heinrich Steffens und der Geologe, Geograph und Pädagoge Karl Georg von Raumer, sein Enkel der Germanist Rudolf von Raumer, und der Enkel seiner zweiten Frau ist der Klavierpädagog Ernst Rudorff). Es folgt eine kurze Biographie und Würdigung R.'s, die zum Teil aus sehr guten Quellen, nämlich den Akten des Amtsgerichtes, der Salinenverwaltung und des Oberbergamtes in Halle und aus den Memoiren seiner Schwiegersöhne schöpft, daher auch viele Lücken in Reichardt's Biographie mit authentischen Angaben füllt. Den Beschluß der brauchbaren Studie macht eine Sammlung von Zeitungsaufsätzen über R. anläßlich der R.-Feier im vorigen Jahre.

O. F.

Marsop, Paul. Studienblätter eines Musikanten. Berlin, Schuster & Löffler, 1903. — 475 S. 8".

Das Werk ist eine Sammlung tieffühliger Aufsätze über die antike Tragödie, das Geistreich ein der Musik, Don Giovanni, das Recht der Lebenden, gegen Theater und Musikausstellungen, Wagner und schließlich über den Musiksaal der Zukunft. Der Verfasser ist ein Charakter, als Mensch — ich kenne ihn als solchen zur Genüge — wie als Schriftsteller. Er macht keine schönen Worte, und doch liest er sich gut; er schreibt keine gedrechselten Phrasen, und doch fühlt der Kundige, wie fleißig er an

seinem Stil gefeilt hat; er spricht geradeaus, was er denkt, und wird nicht brutal; er ist begeisterter Wagnerianer, aber läßt anderen ihre Meriten und ihre Meinung. Kurz, Marsop gehört zu den, ach nur zu wenigen edlen Geistern, die kritisieren, ohne vernichten zu wollen, und ihrem Ideale nachleben, ohne anderen das Recht zu gleichem Tun abzusprechen. Ihm eignet das Gerechtigkeitsgefühl des Musikhistorikers. Eine seltene Erscheinung heutzutage! Wo man ihr begegnet, soll man sie achten und — lesen. Inhaltlich stimme ich übrigens nicht in allem mit dem Verfasser überein. So muß ich beispielsweise für meine Person die »Livrée« dankend ablehnen, die ich in der Wiener Musikausstellung, wenn auch unsichtbar, getragen haben soll. So wenig man mir auch damals hüben wie drüben gedankt hat, so sehr man versuchte, die Vertreter der Wissenschaft zu Zitronen zu degradieren, so sind doch alle diese Versuche auf die Häupter ihrer Anstifter zurückgeglitten, um sich dort als Aureolen modernen Kunstmäzenatentums festzulegen. Doch darum keine Feindschaft; auch darum nicht, daß der Verfasser kein Freund der Deutschen nördlich des Maines ist. Peccatur intra et extra!

O. F.

Mees, Arthur. Choirs and Choral Music. With Portraits. London, John Murray. 1902. pp. VIII and 251, Crown 8vo. 5/. net.

An interesting summary of the history of choral music from the earliest times, condensing into a small space a large amount of useful information. The author, who writes from an American point of view, does not profess to have made much original research into his subject; but in spite of this his last chapter on "Amateur Choral Culture in America" contains a good deal that will be both new and interesting to European readers. The account of the gradual break-down of the Puritan opposition to church music in the United States, and of the efforts of William Billings (1746 —1800), a self-taught musician who may be considered the first American composer, are particularly well worth reading. In 1774 — five years before the origin of the Berlin Singakademie — Billings started the still-existing Stoughton Musical Society, which originally consisted of 48 members, comprising 20 tenors (13 of whom were women!), 18 trebles, 2 male altos, and 10 basses. At an earlier period it seems to have been the custom for congregations "to sing parts of two or three different tunes at the same time". It is not sur prising that the author characterizes the consequences of singing in this way, as practised even so late as in the 18th century, as appalling. **W. B. S.**

Molitor, P. Raphael. Die Nach-Tridentinische Choral-Reform zu Rom. Zweiter Band. Die Choral-Reform unter Klemens VIII. und Paul V. Leipzig, Leuckart, 1902. VIII und 283 S.

Hatte Molitor im ersten Bande die Anfänge der Choralreform unter Gregor XIII. dargelegt, so lernen wir im zweiten den Portgang der Reformen unter Klemens VIII. und Paul V. kennen, der mit der Verwertung des von Parasoli und Don Fulgentius erfundenen Verfahrens, Choralbücher ähnlich den alten handschriftlichen Chorbüchern mit großen Noten und Buchstaben drucken zu können, Hand in Hand geht. Parasoli und Fulgentius hatten nämlich von der Reformarbeit Palestrina's am Gradual erfahren und suchten diese käuflich an sich zu bringen, um sie, mit päpstlichem Privileg ausgestattet, als offizielles Choralbuch nach ihrem Verfahren drucken zu können. Palestrina, der ihren Wünschen willfährig war, starb aber vor Fertigstellung der Arbeit. Diesen Umstand verheimlichte sein Sohn und Erbe Iginio und verkaufte das Manuskript, welches er von anderer Hand hatte fertig stellen lassen, als Arbeit seines Vaters an Parasoli und Genossen, unter denen besonders der Orientalist und Leiter der Stamperia Orientale Raimondi hervortritt, der schließlich alleiniger Besitzer und auch Verbesserer der Parasoli'schen Erfindung wurde. Bei Nachsuchung der Approbation durch die Riten-Kommission wurde der Betrug Iginio's offenbar. Auf Dringen Raimondi's, der den Gedanken einer Reform des Chorals bei Paul V. immer wieder in Fluß zu bringen wußte, beauftragte die Riten-Kommission 1611 die Musiker Soriano und Anerio damit, Gradual und Antiphonar zu reformieren. Binnen Jahresfrist war ihre Arbeit beendigt und bis zum Jahre 1614 lag sie nach dem Parasoli'schen Verfahren gedruckt vor. Für diese Editio Medicaea erhielt Raimondi zwar ein päpstliches Breve, nicht aber das erstrebte für alle Länder gültige Privileg. Dies sind die wesentlichsten Tatsachen. Eine Kritik der Medicaea schließt den Hauptteil des Werkes ab. Im Anhang werden die Dokumente vorgelegt. Das Verdienst des Verfassers, in sachlicher Weise den Tatbestand festgestellt zu haben, ist nicht hoch genug anzuschlagen. Sein Werk wird hoffentlich dazu dienen, den Streit um die Medicaea beizulegen. Der Wert der Publikation liegt aber nicht allein in der Klärung der brennenden Frage um die Editio Medicaea, sondern ebenso sehr in der Fülle neuen Materials für die Erkenntnis des musikalischen Druckwesens und der Musikgeschichte im 16. und 17. Jahrhundert. **J. W.**

Monro, David Binning. The Modes of Ancient Greek Music. Oxford, Clarendon Press. pp. 145, Demy 8vo.

Unfortunate disuse of Greek characters led to Latin (imperfect) transliterations, these to Latinizations, these to English translations, which last are more often misleading than explanatory. Considering the enormous inherent difficulty of now understanding technical music-distinctions of over 2000 years ago, when such were barely at all notated, it might be taken as matter of course that technical terms at least would always be quoted in the original tongue. But it is not so. And for instance "modes" in the above title mean usually in English the precise thing which author wishes to deny having existed in Greek art. — Macran (v. "Aristoxenus") has made a connected exposition by indulging a definite hypothesis. Here there is not much system, except that of discussing book-authorities in their chronological order. Still the reader having already a grasp of the subject will find here informatory and readable matter of a detailed class. As far as author acts on a policy, it is to oppose the Westphal modes based on a migratory μέσῃ (in which he has Macran with him), and to say that ἀρμονίαι, τρόποι, and τόνοι were all matters of pitch (in which he has Macran extremely against him). Author (1836—) is since 1882 Provost of Oriel College, Oxford; he has published a Grammar of the Homeric dialect. **C. M.**

Moos, Paul. Moderne Musikästhetik in Deutschland. Historische Übersicht. Leipzig, H. Seemann Nachfolger, 1902. VI und 455 S. gr. 8°. *M* 10,—.

Das Werk füllt eine der Lücken, welche für die Musikwissenschaft recht fühlbar waren, in höchst dankenswerter Weise aus. Die Ästhetik der Tonkunst ist von jeher ein Stiefkind der Wissenschaft gewesen; man überließ sie meist entweder Philosophen, die Dilettanten in der Musik, oder Musikern, die Dilettanten in der Philosophie waren. Daß dabei die Ästhetik der Tonkunst gewöhnlich schlecht wegkam, ist leicht zu verstehen und leuchtet auch ziemlich klar aus der vortrefflichen Zusammenfassung des einschlägigen Materiales, das uns der Verfasser bietet. Er beginnt mit Kant. Aus dessen Schriften trägt Moos so ziemlich alles übersichtlich zusammen, was auf Musik Bezug hat (wobei ich allerdings die wichtige Erklärung aus der Anthropologie vermisse) und verhehlt dabei nicht die Schwächen dieser oder jener Definition oder Deduktion Kant's. So führt uns der Verfasser durch die Werke der modernen Philosophen, Schelling, Hegel, Schopenhauer, Herbart, und geht dann auf die eigentlichen Musikästhetiker, nämlich die Formalisten Hanslick, Hostinsky, Zimmermann, Siebeck, Fechner und auf diejenigen, welche die inhaltliche Musikästhetik vertreten, wie Vischer, Zeising, Carrière, Lotze, Kirchmann, Köstlin, Schasler näher ein. Auch die Gegner Hanslick's, die Eklektiker, Naturalisten und Pessimisten erhalten ihre Beleuchtung, die Physiologen Helmholtz und Wundt werden besprochen und schließlich Eduard von Hartmann eine nicht weniger als 60 Seiten umfassende Abhandlung gewidmet. Vergleicht man die umfängliche und tief eingehende Darlegung der modernen musikästhetischen Entwickelung mit einem Versuche, wie dem von H. Ehrlich, so wird die Bedeutung dieses Werkes Jedermann klar. Jedenfalls darf man angesichts dieses und andrer ähnlicher in Angriff genommener Werke die Hoffnung hegen, die Geschichte der Musikästhetik, die für die Musikforschung unbedingt notwendig geworden ist, sich bald ausbauen zu sehen.

O. F.

Musikhistoriska Museets i Stockholm. Instrumentsamling. (Stockholm, Stellan Ståls Boktryckeri) 1902. — 34 S. 8⁰.

Das musikhistorische Museum wurde in Stockholm 1899 gegründet und im Gebäude des neuen Opernhauses untergebracht. Dem bekannten nordischen Sammler alter Musikinstrumente Claudius in Malmö verdankt es einen guten Teil seines Besitzstandes, andre Private und verschiedene Institute, wie die Königlichen Theater, die Kgl. Akademie, die Universität von Lund, steuerten dazu bei, und so zählt der vorliegende Katalog 223 Instrumente aller Art auf: einige Schlaginstrumente, 12 Klaviere, 12 ethnographische Tonwerkzeuge, alles übrige Blas-, Zupf- und Streichinstrumente. Natürlich findet man darunter besonders die nordischen Instrumente wie Hardangergeige, Psalmodikon, Nyckelharpa vertreten, nächstdem allermeist solche deutschen Ursprungs, wie z. B. Nürnberger Trompeten und Posaunen aus dem 17. Jahr-

hundert (Mich. Hainlein, J. W. Haas, P. Schmidt), ein chromatisches Baßhorn von Streitwolf, eine Oboe da caccia von Eichentopf in Leipzig 1724, Diskantviolen von Christoph Meyer in Danzig 1865 und Joach. Tielke in Hamburg 1692, Violine von J. Adam Ficker (nicht Ficber). Recht gut vertreten sind die Zupfinstrumente, als Pariser Harfen (von Cousineau, Renault, Challiot, Erard) und Lauten. Besonders zu nennen sind: eine Laute von Hans Frey (16. Jahrh.), die Zither des bekannten C. Mich. Bellman (von Peter Kraft 1781) und die Guitarre des Herzogs Gustav von Upland (von Gennaro 1823. ein Geschenk von 1849). Zwei Violinen sind Gasparo da Salò (1657 [sic!] und 1562) zugeschrieben. Außerdem besitzt das Museum Porträts, Autographen und Musikalien, die aber nicht im Kataloge verzeichnet sind. Wir wünschen dem neuen Museum glückliche Weiterentwicklung.

O. F.

Pfordten, Dr. Hermann Freiherr von der. Handlung und Dichtung der Bühnenwerke Richard Wagner's nach ihren Grundlagen in Sage und Geschichte dargestellt. Der Buchausgabe 3. Auflage. Berlin, Trowitsch und Sohn, 1903. — 394 S. 8⁰ ℳ 6—.

Das hübsche und handliche Büchlein hat sich bereits gut eingeführt. Für denjenigen, der die Bühnentexte Wagner's in ihren literargeschichtlichen Grundlagen recht kennen lernen will, ist es ein guter und freundlicher Führer, der zugleich die hauptsächlichsten und hervorstechendsten musikalischen Motive der Bühnenwerke Wagner's in Musiknoten angiebt. Unter den vielen Führern durch Wagner's Opern kenne ich keinen, der so schnell und übersichtlich, mit so klarer Erkenntnis und Kennzeichnung des Wesentlichsten, in dieses Reich einführt, als von der Pfordten's Buch. Es sei also auch in dieser neuen unveränderten Auflage den Theaterbesuchern zur raschen Orientierung oder Rückerinnerung, den Anfängern zur ersten Anleitung in der Wagner-Erkenntnis warm empfohlen.

O. F.

Tiersot, Julien. Ronsard et la musique de son temps. Oeuvres musicales de Certon, Goudimel, Janequin, Muret, Mauduit etc. Breitkopf & Härtel, Leipzig. — 78 S. 8⁰. ℳ 2,40.

Sonderabdruck aus Sammelband IV der Internat. Musikgesellschaft.

Tomicich, Hugo. Von welchem Werk Richard Wagner's fühlen Sie sich am meisten angezogen? Ansichten bekannter Persönlichkeiten über die dramatisch-musikalischen Schöpfungen des Bayreuther Meisters, gesammelt und herausgegeben. Bayreuth, Grau'sche Buchhandlung, 1903. — 184 S. 8⁰. ℳ 3,50.

Eine Zusammenstellung subjektiver Urteile von mäßiger Bedeutung, entstanden aus einer Umfrage auf einem Fragebogen, auf welchem 119 Persönlichkeiten von verschiedener Wichtigkeit ihr mehr oder weniger begründetes Kunstvotum über die Tondramen Wagner's abgegeben haben. Obenan in der Gunst der Befragten stehen die Meistersinger mit 45 Stimmen, es folgt Tristan mit 26, dann Lohengrin mit 15, Parsifal mit 12 Stimmen, danach die übrigen.   O. F.

Unschuld von Melasfeld, Marie. La main du pianiste. Instructions méthodiques d'après les principes de M. le professeur Leschetizky pour acquérir un mécanisme brillant et sur. Avec 44 figures et 55 exemples de musique. Leipzig et Bruxelles, Breitkopf & Härtel, 1902. — VIII und 89 S. 8⁰ geh. ℳ 5,—, geb. ℳ 6,—.

Ähnlich wie Malwine Brée in ihrer »Grundlage der Methode Leschetizky« (siehe Zeitschrift der IMG. IV, Seite 215) stellt die Verfasserin die einzelnen Stadien des Anschlages, die Finger- und Handhaltung u. s. w. durch Photographien der Hand in ihren verschiedenen Stellungen dar; denn die bloß geschriebene Musik ist nicht im Stande zu zeigen, wie man Hand und Finger halten muß, um den richtigen Anschlag, ein singendes Legato u. s. w. zu erzeugen oder die richtige Teilung eines Tonleiterganges anzugeben, damit man ihn schnell und dabei doch ausgeglichen und brillant herausbringt. Jede Hand, die kleine, die große und die gewöhnliche, verlangt dabei ihr eignes Recht, und dieses Studium der Hand und ihrer 5 Finger ist die Grundlage alles guten Spieles, daher das wichtigste und ausschlaggebende, aber auch das schwierigste zu lernen wie zu lehren. Ohne diese Grundlage kommt kein Spieler zu etwas ordentlichem. Und doch geht man gerade über diese Elementarstudien im Unterricht meist viel zu flüchtig hinweg. »Viele Pianisten, die mit ihrem Studium fertig sind, merken über kurz oder lang, daß ihr Fingermechanismus zu wünschen übrig läßt, und daß dieser Mißstand von der Unzulänglichkeit ihrer ersten Studien herrührt. Sie spüren in ihren Fingern verborgene aber nicht verwendbare Kräfte und müssen, um zur wahren Meisterschaft zu kommen, nochmals von vorn, mit den Elementarstudien anfangen.« Für solche ist das vorliegende Werk gedacht. Es verfolgt die Methode des Anschauungsunterrichtes als die für die Unterweisung *des Praktikers durch den Praktiker* geeignetste. Denn einfache Beschreibung aller Regeln und Worte würden nur ermüden, statt aufzuklären und zu fördern. So wird denn, immer an der Hand von Photographien, die Haltung der Hand beim Legato und nicht legierten Spiel, bei Passagen ohne und mit Untersetzen, beim Staccato, bei chromatischen Skalen, bei Akkorden aller Art, beim Oktavenspiel, bei Terzengängen, beim Triller, Glissando u. s. w. durchgesprochen. Es folgen Regeln über den Gebrauch des Pedales und eine Anzahl anderer feiner Beobachtungen, von denen die Ratschläge für das Auswendigspielen besonders hervorgehoben sein mögen. Die Verfasserin rät, nicht Takt für Takt am Klavier mechanisch auswendig zu lernen, sondern die einzelnen Phrasen des Stückes von den Noten aus sich im Gedächtnis einzuprägen und erst dann am Klavier sie zu wiederholen, und dieses abwechselnde Memorieren und praktische Prüfen fortzusetzen, bis das ganze Stück im Gehirn und nicht bloß in den Fingern festsitzt. Ne pas trop jouer, penser beaucoup, c'est, en somme, la même règle. Mehr denken, weniger spielen! Der Schlachtruf erklingt jetzt immer häufiger. Möge er anschwellen, wie das Brausen des Meeres, daß er allen Klavierspielern ins Ohr töne hörbar, zwingend, fortreißend!   O. F.

Villanis, Luigi Alberto. L' arte del Clavicembalo. Torino, Fratelli Bocca, 1901. VIII und 608 S. 8⁰.

Verfasser ist tief in seine Aufgabe eingedrungen und beherrscht den Stoff (Klaviermusik in England, Italien, Frankreich, Deutschland und den Niederlanden), den er in gefälliger Form behandelt. Indem er wissenschaftliche Untersuchungen und den wissenschaftlichen Apparat nach Möglichkeit zurückdrängt, macht er die Lektüre seines Buches für jedermann verständlich. Eine Fülle geschickt gewählter Beispiele unterstützen seine Darlegungen. Ein kurzer mit einigen hübschen Abbildungen geschmückter Abschnitt führt in das Verständnis alter Klavier-Instrumente ein. Das Werk verdient Anerkennung.   J. W.

Vincent, Charles. Scoring for an Orchestra. London, Vincent Music Co. 1902. pp. 54, small 12mo. 1/6.

Breaks useful ground, where orchestration-treatises of the future must be explicit, viz. on construction and technique of woodwind. Regarding horns, probably not a first-class horn-player in England carries more than F and E crooks, and English composers follow. But author would compromise by writing for 5 crooks, G, F, E, E♭, and D. He says, "the horn-players who transpose prefer to read from parts written in the ordinary manner". A horn-player plebiscite on that question would be scientifically valuable. But if it should be really so, then why not write for all the crooks? The compromise sounds fanciful. The valve-trumpet, thanks to the initiative of Walter Morrow, is now universal in all best English orchestras; and the crooks do not go below E♭; but author still prescribes trumpet-crooks down to the low B♭. The slide-trumpet, here spoken of, no longer exists. "Tympani" is an inveterate English solecism for "Timpani". It is to be feared that the double-stopping remarks fall between two stools; either there should be the old method of just tabulating favourite double-stops, or a correct diagnosis of the interesting and necessary science of "across the strings". If on the violoncello "double-stopping and chords must be very sparingly employed", (so author), it is not because they are difficult, for they are very easy, but because they produce little tone. These remarks are critical, for the subject is large and interesting; but the brochure is by a clever musician (III, 325) who thinks for himself. The section on Trombones is specially full and explicit as to note-formation. C. M.

Volkmann, Hans. Robert Volkmann, sein Leben und seine Werke. Leipzig, Hermann Seemann Nachfolger. 1903.

Der Neffe Robert Volkmann's hat endlich die Lücke ausgefüllt, welche bis jetzt in der Musikgeschichte des vorigen Jahrhunderts durch das Fehlen einer eingehenden und umfassenden Beleuchtung dieses reichen Künstlerlebens unliebsam auffallen mußte. In vollster Objectivität würdigt der Verfasser, aus den besten Quellen schöpfend, die Bedeutung dieses, trotz aller ungarischen Einflüsse, doch stets im Denken und Fühlen deutsch gebliebenen Meisters. In knapper, fünf Kapitel umfassender Form wird er ohne jeden Überschwang mit einfacher Sachlichkeit dem Stoffe gerecht. Bilderschmuck, 2 Faksimiles, vier

Briefe an Dr. Wilhelm Rust in Dessau, an seinen Neffen Oscar Volkmann, an Johannes Batka in Preßburg, an Professor Hermann Scholtz in Dresden, sowie ein systematisches Verzeichnis der im Druck erschienenen Werke Robert Volkmann's nebst ihren Bearbeitungen vervollständigen das nach jeder Richtung hin vorzügliche Buch, dessen Herausgabe einem wirklichen Bedürfnis entsprach. A. G.

Wolzogen, Hans von. Führer durch die Musik zu Richard Wagner's Festspiel »Der Ring der Nibelungen«. Ein thematischer Leitfaden. Neue wohlfeile Ausgabe. Leipzig, Feodor Reinboth (1902) — 94 S. kl. 8⁰ ℳ 1,—, geb. ℳ 1,50,—.

Nach kurzer Gesamt-Darstellung des dichterischen Gedankenganges des Ringes werden die sämtlichen Leitmotive desselben (90 an der Zahl) der Reihe nach in Musiknoten gegeben und ihrer musikalischen und szenischen Bedeutung nach ausführlich besprochen. Für musikalische Pedanten und pedantische Enthusiasten ist jedes Motiv mit einem Titel versehen. Wie würden sich wohl die guten alten Meistersinger über die prächtigen Titel wie »Schlangenwurm-Motiv, Motiv einer Knechtung, Motiv des aufsteigenden Hortes, des Rachewahns und der Welterbschaft, selige Friedensmelodie, Nixenjauchzen« u. s. f. freuen, die sich so schön der »Jungfrauenweis, dem abgespitzten Ton, der Hagenblütweis« und ähnlichen anreihen! Indessen, sie mögen durch ihre Kürze praktisch sein; das Wolzogen'sche thematische Verzeichnis ist es jedenfalls und hat sich ja schon längst als solches bewährt. O. F.

Zacharias, E. Die Posaunenchöre, ihre Entstehung und Ausbreitung. Ein Vortrag. Dresden, Verbandsbuchhandlung (Kaulbachstr. 7), 1902. — 16 S. 8⁰. ℳ 0,25.

Verfasser führt die jetzt stark angewachsene Sitte, Posaunenchöre aus dem Volke für kirchliche Zwecke zu verwenden, auf eine Anregung des Pastors Volkening in Jöttenbeck bei Bielefeld, der auch das Harmonium nach Norddeutschland verpflanzt haben soll, um 1840 zurück. In Jöttenbeck fand denn auch 1862 das erste Posaunenfest mit 72 Bläsern statt. Die Umgegend von Bielefeld blieb bis in die 80er Jahre der Herd dieser Bewegung, besonders unter den Pastoren Kuhlo Vater und Sohn; die größte Veranstaltung dieser Art mit 2000 Bläsern, 4400 Sängern, 6200

Sängerinnen und 20000 Zuhörern fand 1897 vor dem Kaiser an der Porta West- phalica statt. Westfalen und Hannover haben dann auch in anderen Landesteilen Nachfolger gefunden, sodaß es jetzt inner- halb der nationalen Vereinigung der Jüng- lingsbündnisse Deutschlands nicht weniger als 8670 Bläser gibt.   O. F.

Eingesandte Musikalien.

Referenten: **W. Altmann, O. Fleischer, A. Göttmann, J. Wolf.**

Verlag Artaria & Co., Wien.

Denkmäler der Tonkunst in Öster- reich. X. Jahrgang. Erster Teil. O. Benovoli, Festmesse und Hymnus. Mit einem Faksimile. Herausgegeben mit Unterstützung des K. K. Minis- teriums für Kultus und Unterricht unter Leitung von Guido Adler. 1903.

Eine Riesen-Partitur ist es, welche uns in diesem Bande vorgelegt wird. Man weiß nicht, soll man mehr staunen über den ge- waltigen Apparat, welchen der geniale rö- mische Meister Benevoli zur Einweihung des Salzburger Domes (1628) aufgeboten hat (2 achtstimmige Vokalchöre, 2 sechs- stimmige Streicherchöre, einen achtstimmi- gen Holzbläserchor, und 3 vier- bis fünf- stimmige Blechbläserchöre mit Timpani insgesamt 53 Stimmen, dazu 2 Orgeln und wahrscheinlich eine Fülle bassierender In- strumente) oder über den gewissenhaften Fleiß, mit dem dieses gigantische Werk zum Druck gebracht worden ist. Um die Partitur in das den Denkmälern eigene Format zu zwängen, mußte leider ein so kleiner Stich gewählt werden, daß die Par- titur die Übersichtlichkeit verliert, ihr Stu- dium die Augen schädigt. Nahm man da- von Abstand, jeder Stimme ein eigenes System zuzuweisen und faßte vielmehr die einzelnen Instrumentengruppen zu je einem Verband von 2 Systemen zusammen, so hätte größere Übersichtlichkeit und Klar- heit gewonnen werden können, da nunmehr nichts an der Wahl größeren Stiches hin- derte. Allerdings verkenne ich nicht, daß durch dieses Verfahren ab und zu der Ver- lauf einzelner sich kreuzender Stimmen undeutlich geworden wäre.   J. W.

— X. Jahrgang. Zweiter Teil. Jo- hann Jakob Froberger, Orgel- und Klavierwerke III. Herausgegeben von Guido Adler. 1903.

Musikwissenschaft wie Praxis müssen es dem Herausgeber danken, ihnen die Werke eines Meisters erschlossen zu haben, der, in- dem er die Errungenschaften anderer an der Spitze der Musik-Entwicklung stehenden Nationen in sich aufnahm und weiter ent- wickelte, für Klavier- wie Orgelmusik in Deutschland im 17. Jahrhdrt. bahnbrechend wirkte. Bis auf wenige verschollene Stücke liegen nunmehr seine Werke in mustergül- tiger Neuausgabe vor. Hiermit ist der Grund geschaffen, den Meister in seiner vollen Bedeutung für die Kunst-Entwicklung zu erfassen. Eine dahin zielende Arbeit stellt Herausgeber in Aussicht.   J. W.

Verlag M. P. Belaieff, Leipzig.

Akimenko, Th. Op. 14. Idylle pour Flûte avec Accomp. de Piano. Op. 15. Berceuse pour Violon avec Accomp. de Piano. Je ℳ 1,20.

Dieser Komponist, der in einem im gleichen Verlag erschienenen Streichtrio bereits den Beweis größerer Leistungsfähig- keit gegeben hat, bietet in den beiden vor- liegenden kleineren Werken bessere, zum Vortrag geeignete Salonmusik. Den Vor- zug möchte ich der Idylle geben, in der auf die Eigentümlichkeit der Flöte trefflich Rücksicht genommen ist. In der Flöten- stimme fehlt Seite 2 dritte Zeile von unten nach dem ersten Takt ein Takt Pause. An die Berceuse können sich wegen der schwie- rigen Doppelgriffe, besonders der Terzen- gänge am Schluß, nur sehr tüchtige Geiger wagen.   W. A.

Glière, R. Op. 3. Romance pour Violon avec Accomp. de Piano. ℳ 1,20.

Ein prächtiges, inhaltreiches und dank- bares Vortragsstück eines jungen Kompo- nisten, der freilich in seinem Sextett Op. 1 und noch mehr in seinem Quartett Op. 2 bedeutendere Proben seines sehr beachtens- werten Talentes gegeben hat.   W. A.

Maliohevsky, W. Op. 1. Sonate pour Violon et Piano. ℳ 5,50.

Für ein Opus 1 eine recht anständige Leistung. Am wenigsten dürfte der viel zu lange, gesucht einfach gehaltene erste Satz befriedigen. Weit inhaltreicher und auch formal viel gelungener ist das Adagio. Am gelungensten ist aber der dritte Satz: Tema con Variazioni; das Thema ist freilich auch gesucht, viel Geschick und Abwechslung verraten aber die Variationen, die zum Teil kleine Stücke, die letzte (Carneval) sogar ein ganzer Satz sind; viel Eigenart steckt namentlich in der 4. Variation, die übrigens einige unbequeme Stellen für den Geiger enthält; die slavische Herkunft des Komponisten verrät sich vornehmlich in der letzten Variation. W. A.

Tschérépnine, N. Op. 13. Rêverie pour Violon avec Accomp. de Piano. ℳ 1,20.

Ein Salonstück besserer Art. W. A.

Winkler, Alexandre. Op. 10. Sonate pour Piano et Alto. ℳ 4,50.

Ein famoses Werk, eine wesentliche Bereicherung der Bratschenlitteratur, mit genauer Kenntnis der Eigentümlichkeit der Bratsche geschrieben, für diese recht dankbar und dabei nicht schwer, während die Klavierstimme einen recht gewiegten Spieler verlangt. Der erste Satz (Moderato 9/8) zeichnet sich durch edle und ernste Melodik aus. Es folgt ein geistvolles, leidenschaftliches Scherzo. Den Schluß bilden feinsinnige, kunstvolle und abwechslungsreiche Variationen über ein bretonisches Volkslied. W. A.

Zolotareff, B. Op. 6. Second Quatuor pour deux Violons, Alto et Violoncelle. Parties séparées. ℳ 5,—.

Ein ganz prächtiges Quartett, das seinen slavischen Ursprung nicht verleugnet. Volkstümliche Themen bringt gleich der erste Satz, der durch eine gehaltvolle Einleitung eröffnet wird. Das Intermezzo erhält durch häufigen Tempowechsel viel Abwechslung. Warmes Empfinden, wenn auch nicht gerade besondere Tiefe spricht aus dem Andante. Im Finale, das tüchtige Ensemblespieler verlangt, fesselt besonders das sehr glücklich erfundene zweite gesangsreiche Thema. Auch zur öffentlichen Vorführung geeignet. W. A.

Verlag **Bosworth & Co.,** Leipzig.

Reinecke, Carl. Op. 256 a. Introduzione ed Allegro appassionato pour Piano et Violon. ℳ 3,— n.

Von diesem früher (S. 358) warm empfohlenen Vortragsstück ist nunmehr diese Ausgabe (Übertragung der ursprünglichen Klarinettenstimme für Violine) erschienen und wird sicherlich dem schönen, in Schumannschem Geiste geschriebenen Werke neue Freunde erwerben. W. A.

Verlag **Breitkopf & Härtel,** Leipzig.

Bach, J. S. Werke. Weltliche Kantaten Nr. 1. Der Streit zwischen Phoebus und Pan (Felix Mottl). Partitur ℳ 12,—.

Dieses *Dramma per musica* des alten Bach ist zwar kein Beweis, daß der große Kirchenmusikmeister auch im Drama respektive der Oper etwas Großes geleistet hätte, wenn das Schicksal ihn auf die Theaterbühne gestellt haben würde, wohl aber ein Beweis dafür, daß ihm der Humor in der Tonkunst nicht fremd war. Denn dieses kleine Drama weist viele Vorzüge einer köstlichen Lustigkeit und eines treffenden musikalischen Witzes auf. Die Aufführung ist ja natürlich nicht ganz leicht, lohnt aber noch heute sicher. S. auch Spitta, Bach II, S. 473 ff. O. F.

— Sechs Brandenburgische Konzerte. Konzert III in G-dur, für Klavier zu vier Händen bearbeitet von Ernst Naumann. Breitkopf & Härtel's Klavier-Bibliothek. ℳ 3,—.

Kögel, Fritz. Zwölf Kinderlieder für eine Singstimme mit Klavier-Begleitung. ℳ 3,—.

Hübsche Liedchen, in Text wie Musik feinsinnig, in der musikalischen Rhythmik sich vortrefflich an die Sprache anschmiegend. Es sind mehr Lieder über die Kinder als für sie. O. F.

Verlag **Georg D. W. Callwey,** München.

Batka, Richard. Bunte Bühne. Fröhliche Tonkunst, gesammelt von R. Batka, herausgegeben vom Kunstwart. Fünfte Folge 1902. 64 S. Gr. 8⁰. ℳ 1,—.

Inhalt: 1) Mozart, Die betrogene Welt. 2) Theod. Streicher. Mein Vater hat g'sagt. 3) Rich. Fricke, Elfenklage. 4) Camillo Horn, Es fing ein Knab ein Vögelein. 5) Aug. Ludwig, Natur und Kunst. 6) Leo Blech, Großmütterchen erzählt den Kindern. 7) Mart. Plüddemann, Der Kaiser und der Abt. Im übrigen vergleiche Zeitschrift der IMG. III.

Verlag Drei Lilien, Berlin.

Eyken, Heinrich van. Chorordnung für die Sonn- und Festtage des evangelischen Kirchenjahres, entworfen und erläutert von R. Freiherr von Liliencron. Erster Band: I. Advent — VI. Sonntag nach Epiphanias, IX und 189 S. gr. 8⁰. *ℳ* 12,—. Zweiter Band: Septuagesimae—Pfingstsonntag, VII und 244 S. gr. 8⁰. *ℳ* 15,—.

Über die Liliencron'sche Chorordnung haben wir des öfteren berichtet; ihre eigentliche Absicht ist die auch künstlerisch ungemein fruchtbare und geschichtlich berechtigte, im Texte wie in der Musik der Sonn- und Festtagsgesänge das individuelle Gepräge der liturgischen Bedeutung jedes Tages zum Ausdruck zu bringen. Für jeden Sonntag sind daher im allgemeinen zwei Chorkompositionen nebst einem Choral für den Haupt- und 3—4 Chorkompositionen für den Neben-Gottesdienst hier aufgestellt, teils von H. von Eyken selbst komponiert, teils aus dem großen Schatze des evangelischen (vereinzelt selbst des katholischen) Kirchengesanges ausgewählt. Wo nur irgend angängig, wurden altüberlieferte biblische Texte und die altgregorianischen Melodien beibehalten, selbst bei den Neukompositionen die Hauptmotive aus dem gregorianischen Chorale entnommen, sodaß das Ganze von einer würdigen Einheitlichkeit getragen ist. Weitaus herrscht der einfache vierstimmige Satz vor. Große Schwierigkeiten sind vermieden, oder wenigstens durch ein Ossia ersetzt, um auch kleinen und weniger leistungsfähigen Kirchenchören die Möglichkeit des praktischen Ausführung zu bieten. Freilich setzt dennoch die Durchführung des ganzen Gedankens eine Neugestaltung des kirchlich-musikalischen Lebens voraus, nach welcher eine jede Gemeinde ihren eigenen musikalisch wohlgebildeten Kirchengesangschor besitzen müßte, was bekanntlich leider nur an wenigen Orten der Fall ist. Die Zeiten des 16. und 17. Jahrhunderts waren in dieser Beziehung besser bestellt und werden vor der Hand wohl noch das ideale Vorbild bleiben, dem nachzustreben sich daher auch die »Chorordnung« zur Aufgabe gemacht hat. Jedenfalls haben wir es in der vorliegenden Sammlung mit einem bedeutsamen Vor- und Anstoße zur Besserung auf dem Gebiete der liturgischen Kirchenmusik zu tun. Musikalisch hat Eyken damit zugleich eine Sammlung von Vorbildern gegeben. wie die alte Technik der Vokalpolyphonie sich mit den modernen Anforderungen an Deklamation und Modulation auf eine ungezwungene künstlerische Weise verschmelzen läßt. Im übrigen haben die Herausgeber nicht die Anmaßung, ihre Sammlung als den allein seligmachenden Kanon der zu erhoffenden Neugestaltung hinzustellen; nur Muster sollen sie bieten und durch die Tat zeigen, wie sich der schöne und wohlberechtigte Plan verwirklichen lasse.   O. F.

Verlag Otto Forberg, Leipzig.

Ruthardt. Passacaglia für Pianoforte. *ℳ* 1,50.

Erweiterte Einzelausgabe von Nr. 10 der Oktaven-Studien für Pianoforte, Op. 41.

Verlag Fritz Gleichauf, Regensburg.

Rudnick, W. Neue Lieder und Gesänge für eine Singstimme mit Klavierbegleitung.

Op. 111. Drei Lieder (hoch). *ℳ* 1,— n.

Op. 112. Drei Lieder (hoch). *ℳ* 0,80 n.

Op. 113. Sang der Lurley (mittel). *ℳ* 0,80 n.

Op. 114. Zwei Lieder (hoch). *ℳ* 1,— n.

Op. 115. Die Heimatsblume (hoch). *ℳ* 1,— n.

Op. 116. Drei Mädchenlieder (tief). *ℳ* 0,80 n.

Op. 117. Du rote Rose (hoch). *ℳ* 0,80 n.

— Zwölf Jahreszeiten-Lieder im Volkston. Ein Liederspiel für zweistimmige Schul- (Frauen-) Chöre und Deklamation mit Klavierbegleitung. Op. 38. Klavierauszug *ℳ* 3,— n. Singheft *ℳ* 0,30 n. Textbuch mit Deklamation *ℳ* 0,30 n. Partitur (kleines Orchester) und Orchesterstimmen abschriftlich, eventuell leihweise.

Verlag Wilhelm Hansen, Kopenhagen & Leipzig.

Halvorsen, Johann. Sarabande con Variazioni (Thème de Händel) pour Violon et Alto. *ℳ* 2,50.

Ein sehr wertvolles Werk, das weiteste Verbreitung verdient und auch im Konzertsaal heimisch werden sollte. Es fußt auf den Ciaconna-Variationen Bach's; es ist erstaunlich, was Halvorsen aus dem einfachen Thema macht und welche Klangwirkungen er mit den beiden Instrumenten erzielt.   W. A.

Sinding, Christian. Op. 9. Romance
ℳ 2,50; op. 43. Quatre Morceaux.
Nr. 1 Prélude ℳ 2,—; Nr. 2 Bal-
lade ℳ 3,—; Nr. 3 Berceuse ℳ 2,50;
Nr. 4 Féte ℳ 3,—; op. 45 Kon-
zert A-dur ℳ 7,—, sämtlich für
Violine mit Begleitung des Piano-
forte.

Sindings Violinkonzert in A-dur, dem
freilich in Sinding's zweitem Konzert in
D-dur ein schwerwiegender Konkurrent entstanden ist, liegt bereits in neuer Ausgabe
vor, ein Beweis, wie groß die Nachfrage
nach diesem in jeder Hinsicht bedeutenden
und sehr dankbaren Konzert gewesen ist;
je öfter ich dasselbe höre oder spiele, um
so mehr erregt es wegen seiner Großzügig-
keit, der Glut und Farbenpracht seiner
Melodien und deren Frische und Ursprünglichkeit meine Bewunderung. Auch die
sehr dankbare und warm empfundene Romanze fängt allmählich an, sich auf den
Konzertprogrammen einzubürgern. Wunder-
barerweise scheinen aber die 4 Stücke Op.
43 unsern Geigern ganz unbekannt geblieben zu sein, und dabei verdienten gerade
diese Stücke die größte Beachtung. Die
Ballade namentlich ist ein Vortragsstück
ersten Ranges, ebenso inhaltsreich wie dankbar; das Fest von zündender Farbenpracht,
ein sehr effektvolles Virtuosenstück; der
warmen und ergreifenden Melodie des Präludiums werden sich nur wenige entziehen
können; recht ansprechend ist auch die
Berceuse, wenn auch nicht so bedeutend
wie die Ballade.   **W. A.**

Kommissions-Verlag P. Pabst,
Leipzig.

Koczalski, Raoul. Rymond. Oper
in 3 Akten (6 Bildern). Dichtung
von Alexander Graf Fredro. Vollständiger Klavierauszug mit Text
bearbeitet von Prof. E. le Houitel.
ℳ 10,— n.

Der oft genannte und wohlbekannte
ehemalige Wunderknabe hat sich mittlerweile zum circa 20jährigen Jüngling aus-
gewachsen. Die Befürchtung, daß auch er,
wie viele frühreife Kinder, infolge geschäftlicher Ausnutzung nicht mehr die Kraft
haben würde, die höheren Staffeln der
musikalischen Kunstleiter emporzuklimmen,
hat sich nicht bestätigt. Schon die Absicht, ein abendfüllendes Operndrama
schreiben zu wollen, zeugt von energischem
Vorwärtsstreben. Wenn nun auch in diesem dramatischen Erstlingswerk sein kompositorisches Wollen noch sehr in den An-

sätzen stecken bleibt und ihm für die Bewältigung des Stoffes das dramatische
Gefühl abgeht, so darf man dieses Werk
doch als eine gute Talentprobe betrachten.
Koczalski ist absoluter Melodiker, der ohne
lang zu grübeln, das, was ihm gerade ein-
fällt, in wohlklingendem Satze niederzu-
schreiben weiß. Daß da viel mit unter-
läuft, was bei ruhigerer Überlegung sicher
nicht niedergeschrieben würde, liegt auf
der Hand. Immerhin ist der bei Koczalski
noch vorherrschende Mangel an Selbstkritik mit seiner Jugend zu entschuldigen.
Kompositorisches Talent, ja sogar vom
musikalisch-dramatischen Standpunkt aus
betrachtet, ist trotz aller Verirrungen und
Plattheiten, deren er sich in seinem »Rymond« schuldig macht, in reichem Maße
vorhanden. Das hat auch die Aufführung
in Elberfeld zur Genüge gezeigt. Wenn
auch diese Erstlingsoper mangels ausrei-
chender dramatischer und musikalischer
Charakteristik nicht interessieren konnte
und darum möglichst bald wieder vom Repertoire verschwand, so konnte sie doch
berechtigte Hoffnungen auf den weiteren
musikdramatischen Werdegang des jugendlichen Komponisten erwecken. Der vorliegende Klavierauszug ist von E. le Houitel nicht allzu praktisch bearbeitet. Die
Übersetzung ins Deutsche ist höchst ungeschickt.   **A. G.**

Verlag E. Schellenberg, Wiesbaden.

Böhm, Adolf P. 5 Lieder für Singstimme und Klavier. je ℳ —,80
—1,20.

1) Was geht das fremde Lied (A. Rit-
ter); 2) Wandern (Henkel); 3) Wenn die
Sterne scheinen (A. Ritter); 4) Abendwolke
(C. F. Meyer); 5) Du bist mein Land (Chr.
Morgenstern).

— 3 Lieder für Singstimme und Klavier je ℳ 1,— und 1,50.

1) Auferstehung (J. C. Löwenberg); 2)
Ahnung (H. B. Trinius); 3) Unbegehrt (A.
Ritter).

Verlag C. F. Schmidt, Heilbronn a. N.

Wagner-Loeberschütz, Th. Op. 15.
Quartett in B-dur für 2 Violinen,
Viola und Violoncell. Partitur und
Stimmen ℳ 2,— bezw. ℳ 4,—.

Wenn sich auch der Komponist nicht
über besondere Tiefe der Gedanken ausweist, so spricht doch eine solche Frische,
Anmut und Gefälligkeit aus diesem Werk,
daß es sich im Fluge die Gunst aller Quar-
tettfreunde erobern wird. Dazu kommt,
daß der Komponist wirklich gelernt hat,

quartettmäßig zu schreiben; man merkt es ihm an, daß er, ohne ein sklavischer Nachahmer zu sein, mit den Quartetten unserer klassischen Meister aufs innigste vertraut ist. Um so mehr Verwunderung erregt es, daß er am Schlusse der Ecksätze den Geist Lohengrin's heraufbeschwört. Warmes Empfinden spricht übrigens aus dem langsamen Satz, rhythmisch pikant ist das Scherzo.

W. A.

Verlag Herm. Seemann Nachf., Leipzig.

Meyer, Fritz. Aus der schönen Kinderzeit. 5 Vortragsstücke für Violine allein, Op. 8. ℳ —,80.

1) Waldlied (mit Echo); 2) Kuckuck (G-Saite allein); 3) Elfentanz; 4) Vineta; 5. Aus alter Zeit.

Verlag der Universal-Edition in Wien (Hermann Seemann Nachfolger, Leipzig).

Erb, M. J. Op. 21, Sonate in E-moll für Pianoforte und Violine; ders. Op. 45, Suite für Violine und Piano (Menuet, Capriccietto, Ariette, Orientale) je ℳ 3, —.

Glatt niedergeschriebene, besonderer Eigenart entbehrende Werke. Daß der Komponist in der Sonate auf einen langsamen Satz verzichtet hat, beweist wohl, daß er sich über seinen Mangel an Erfindung klar ist. Am Schlusse des Finale greift er noch einmal auf das Hauptthema des ersten Satzes zurück. Technische Schwierigkeiten enthält diese Sonate nicht, ebensowenig wie die Suite; der wertvollste Satz der letzteren ist das pikante Capriccietto.

W. A.

Grädener, Hermann. Op. 33. Quartett für 2 Violinen, Viola und Violoncello (D-moll). ℳ 6, —.

Es war ein glücklicher Gedanke, dieses prächtige, weiter Verbreitung werte Streichquartett, das ursprünglich bei Jos. Weinberger in Wien und Leipzig erschienen ist, in die Universal-Edition aufzunehmen. Der erste Satz kann als Muster eines fein gearbeiteten Quartetts dienen. Ein kurzes energisches Hauptthema ist hübsch verarbeitet, das Gesangsthema, das sich durch Wärme der Empfindung auszeichnet, nicht minder. Recht wertvoll ist das Adagio im Balladenton; besonders gelungen und dem Balladencharakter entsprechend ist das ein-

gestreute Allegretto. Ein echtes Wiener Kind ist das Scherzo; von dessen Fröhlichkeit hebt sich das Trio (Un poco Andante 4/4) sehr gut ab; es erscheint in anderer Notierung noch einmal gegen den Schluß des Satzes. Ein recht melodiöses, feines Rondo bringt dieses Quartett, auf welches alle Freunde guter Kammermusik nachdrücklich hingewiesen seien, zum Abschluß.

W. A.

Haydn, Jos. Zwei Divertimenti für Violine, Viola und Violoncello. Herausgegeben von Rich. Heuberger. ℳ 1,—.

Aus den zahlreichen Divertimenti, welche Haydn für den Baryton spielenden Fürsten Eszterhazy geschrieben, hat der Herausgeber obige Divertimenti zusammengestellt, wobei die ursprüngliche Baryton-Partie ohne weiteres durch die Violine ersetzt werden konnte. Diese kleinen harmlosen Sätzchen, die nicht die geringste Schwierigkeit bieten, dürften besonders für die Ensembleübungen jugendlicher Spieler geeignet sein. Der musikalische Wert ist kein zu großer; am wertvollsten und schönsten ist das Adagio des 2. Divertiments.   W. A.

Mestrino, Nicolo. 6 Caprices pour Violon seul. Edition revue par Joseph Bloch. ℳ 1,—.

Die Capricen von Mestrino (1748—1790) lagen bisher nicht in einer sorgfältig revidierten neuen Ausgabe vor; sie werden nun wieder gut zum Unterricht benutzt werden können und verdienen dies, da sie in musikalischer Hinsicht gar nicht übel und für das Lagen- und Doppelgriffspiel von Vorteil sind.   W. A.

Perger, Richard von. Op. 11. Zweites Quartett (B-dur) für 2 Violinen, Viola und Violoncello. ℳ 3,—.

Auch die Aufnahme dieses seinerzeit vom Wiener Tonkünstlerverein preisgekrönten, ursprünglich bei Ad. Robitschek in Wien erschienenen Streichquartetts in die vortrefflich ausgestattete Universaledition ist mit Freuden zu begrüßen; bietet es doch namentlich in seinen beiden Mittelsätzen wertvolle Gedanken eines feinsinnigen, mit den Finessen des Kontrapunkts wohlvertrauten, erfindungsreichen Komponisten. In der Violoncellstimme ist im Scherzo das Wiederholungszeichen vor Buchstabe A verkehrt gesetzt.   W. A.

Zeitschriftenschau

zusammengestellt von

Ernst Euting.

Verzeichnis der Abkürzungen siehe Zeitschrift IV, Heft 7, S. 435.

Altmann, Wilh. Die Königliche Biblio-thek in Berlin in ihren Beziehungen zum Königlichen Opernhaus (1788—1843) — Beiträge zur Bücherkunde und Philo-logie, August Wilmanns gewidmet (Berlin 1903) S. 51 ff.

Anonym. Unsere Musikorganisation — SMZ 43, Nr. 12 ff. [im Anschluß an Kretzschmar's Buch »Musikalische Zeitfragen«].

Anonym. Die neue Orgel in der Kathe-drale von Sevilla — ZfI 23, Nr. 19 [mit Abbildung].

Anonym. Zum 75jährigen Jubiläum der Hof-Pianofortefabrik von C. Rich. Ritter in Halle a. S. — ZfI 23, Nr. 20.

Anonym. Angegossene gußeiserne Ver-hängestifte für Pianino- und Flügel-platten — ZfI 23, Nr. 20 [illustriert].

Anonym. Einfuhr von Musikinstrumenten in Deutschland im Jahre 1902 — ZfI 23, Nr. 20.

Anonym. Aus Uhland's Abhandlung über das deutsche Volkslied — DVL 5, Nr. 3.

Anonym. The staff notation — a move — MN, Nr. 617.

Anonym. Die städtische Festhalle in Mannheim — NMZ 24, Nr. 11 [mit Ab-bildung].

Anonym. Adelina Patti — MuM, März 1903.

Anonym. Der Musikinstrumentenhandel Argentiniens — DIZ, 27. März 1903.

Anonym. Die heilige Gertrud über den liturgischen Gesang — GBo 20, Nr. 5 ff.

Anonym. Elgar's »Dream of Gerontius« — MC, Nr. 1201.

Anonym [Dotted Crotched]. A music-making in the Potteries — MT, Nr. 722.

Anonym. The memorial to Arthur Sulli-van in St. Paul's Cathedral — MT, Nr. 722.

Anonym. William Rea † — MT, Nr. 722.

Anonym. Adolph Brodsky — MT, Nr. 722.

Anonym. Dr. Elgar's new oratorio »The Apostles« — MT, Nr. 722.

Anonym. Les femmes musiciennes à l'école de Rome — Intermédiaire des Chercheurs et Curieux, 28. Februar 1903.

Arend, Max. Theodor Ublig. Lebensbild. [Mit 1 Lied Uhlig's] — MW 1903, Nr. 3 und 4.

—— Eine neue Art, Tonleitern auf dem Klavier zu studieren. Als notwendiges Supplement zu jeder Klavierschule — KL 26, Nr. 8 f.

Arend, Max. Johann Wenzel Stich, der große Hornbläser († 16. Februar 1803] — BfHK 7, Nr. 7.

Armstrong, W. Ossip Gabrilowitsch — Et 1903, Nr. 11.

Bache, Constance. Guiseppe Buonamici — MMR, Nr. 388.

Batka, R. Heinrich Porges — Deutsche Arbeit 2, Nr. 5.

Batschinski, A. und V. **Gabritschewski.** Die sprechende Petroleumlampe. (Vor-läufige Mitteilung.) — Physikalische Zeit-schrift (Leipzig, S. Hirzel) 4, Nr. 14.

Baughan, Edward A. An orchestral en-semble — MMR, Nr. 388.

Becker, Georg. Frédéric Chopin — Nyt Tidsskrift (Kopenhagen) März 1903.

Bellaigue, Camille. Silhouettes de musi-ciens: Saint Augustin; Saint Thomas d'Aquin — TSG 1903.

Benedict, Marie. The teacher's self-deve-lopment — The Musical World (Boston, Arthur P. Schmidt) Februar 1903.

—— How to interest young pupils in technical work — ibid., April 1903.

Berdenis van Berlekom, Marie. »Sele-neia«. Muziekdrama in één bedtrijf van Emile van Brucken-Fock. Woorden van M. Constant. Bewerking voor Klavier met tekst van den componist — WoM 10, Nr. 14 f.

Blackburn, Vernon. Butterfly music — MT, Nr. 722.

Bleyer, J. Mount. Voice production from a laryngologist's point of view — MC, Nr. 1201.

Bohn, Emil. Zwei Trobadourlieder, für eine Singstimme mit Klavierbegleitung gesetzt — Archiv für das Studium der neueren Sprachen und Literaturen (Braun-schweig, George Westermann] Bd. CX, Heft 1/2.

Borland, John E. The standaryzation of organ-planning — MN, Nr. 617.

Bosse, Gustav. Hugo Wolf † — MTW 6, Nr. 12/13.

Brauser, Ed. Zum Theorie-Unterricht — MWB 33, Nr. 52.

Breithaupt, R. M. Jugendkonzerte — Deutsche Stimmen [Berlin] 4, Nr. 24.

Bridge, J. Frederik. Purcell and his editors — MN, Nr. 632.

Buck, Rudolf. »Das war ich!« Dorf-
Idylle in einem Aufzug nach Joh. Hutt
von Richard Batka. Musik von Leo
Blech. (Erstaufführung am Kgl. Opern-
hause zu Berlin am 28. März 1903.) —
AMZ 30, Nr. 15.

Case, W. S. The Covent Garden season
— MN, Nr. 631.

—— The Handel Festival, 1903, and
Mr. Manns — ibid., Nr. 632.

Castèra, R. de. L'Etranger de Vincent
d'Indy — Occident, Februar 1903.

Chantavoine, Jean. Beethoven compositeur pour boîte à musique — RM 3,
Nr. 2.

Combarieu, Jules. La »Damnation de
Faust« à Monte-Carlo — RM 3, Nr. 3.

Coquard, A. »La Carmélite«; »Paillasse«
— Quinzaine (Paris) 1. Februar 1903.

Currier, T. P. Some common faults in
piano practice — The Musical World
(Boston, Arthur P. Schmidt), Februar
1903.

Curtius, R. Zigeunermusik — Reclam's
Universum 19, Nr. 33.

Czapek, C. W. Der Photophonograph —
Photographische Rundschau (Halle a. S.)
16, S. 248.

Destranges, Etienne. La Walkyrie —
Ouest Artiste, 10. Januar 1903.

Downes, R. P. Johannes Brahms —
Great Thoughts (London, St. Bride Street 4)
April 1903 (illustriert).

Drews, Ernst. Ferrucio Busoni — MTW
6, Nr. 14/15.

Edelmann, M. Th. Vorlesungsapparat zur
Demonstration der Gleichzeitigkeit von
freiem Fall und Schwingungsdauer eines
Pendels — Physikalische Zeitschrift
(Leipzig S. Hirzel) 4, Nr. 14.

Elsäßer, W. Apparat zur Demonstration
der Übereinanderlagerung zweier gleich-
gerichteter Wellen — Zeitschrift für den
Physikalischen und Chemischen Unterricht (Berlin, Julius Springer) 16, Nr. 2
(mit Abbildungen).

Ertel, P. Das war ich! Dorf-Idylle in
einem Aufzuge nach Joh. Hutt von
Richard Batka. Musik von Leo Blech.
Erstaufführung im Berliner Königlichen
Opernhause am 28. März dieses Jahres.
— DMZ 34, Nr. 14.

Evans, E. P. Richard Wagner — Open
Court, November 1902.

Faelten, Carl. Method in teaching music
— The Musical World (Boston, Arthur
P. Schmidt) April 1903.

Fahro, C. L. Aanteekeningen bij de studie
von Richard Wagner's muziekdrama
— Cae 60, Nr. 7.

Fischer, Karl. Kultur und Musik — SH
43, Nr. 14.

Foote, Arthur. Concerning musical editors

—— The Musical World (Boston, Arthur
P. Schmidt) Februar 1903.

Fourcaud. Les Bayreuths français — Le
Gaulois (Paris) 4. Februar 1903.

Fraungruber, Hans. Das Elend unseres
Schulgesanges — DVL 5, Nr. 3.

Frey, A. Arnold Böcklin's Verhältnis
zu Poesie und Musik — Westermann's
Illustrierte Deutsche Monatshefte 47,
Nr. 7.

Frimmel, Theodor von. Von Beethoven's
Klavieren — Mk 2, Nr. 14 (illustriert).

—— Dem Andenken Beethoven's (B.'s
Handschrift, — Monatsblätter des wissenschaftlichen Klub in Wien, 24, Nr. 5.

Gabritschewski, V. siehe Fatchinski.

Glück, Aug. Der zweite Gesangswettstreit
um den Kaiserpreis in Frankfurt a. M.
— SMZ 43, Nr. 12.

Golther, W. Wagner-Erinnerungen —
Das Literarische Echo (Berlin, F. Fontane & Co.) 5, Nr. 12.

Greiffenhagen, O. Revaler Stadtmusi-
kanten in alter Zeit. Ein Kapitel aus
der baltischen Kulturgeschichte — Bal-
tische Monatsschrift (Riga, Nikolaistraße
27) Februar 1903.

Großmann, Max. Offener Brief an Herrn
Josef Sadtler — ZfI 23, Nr. 21 [vergl.
unter »Sadtler«].

Hahn, Arthur. »Das neue Leben.« Tondichtung nach Worten Dante's von
Ermanno Wolf-Ferrari. Erste Aufführung in München — NMZ 24, Nr. 11.

Hallenstein, Hugo. Das deutsche Lied
und dessen Pflege in Paris (Mademoiselle
Charlotte Lormont und Madame Camille Chevillard) — NZfM 70, Nr. 13.

Hartwig, Th. Zur Entwicklungsgeschichte
der Phonographie — Beilage zur Allgemeinen Zeitung (München) 1903, Nr. 66.

Haudeck, J. Zum Andenken an W. H.
Veit — Deutsche Arbeit 2, Nr. 3 f.

Hayward, G. Christmas carols and customs — MN, Nr. 617.

Herbert, S. A. A sidelight on Richard
Strauß — New Liberal Review, Dezember 1902.

Heuberger, Richard. »Louise.« Musik-
roman in 4 Akten und 5 Bildern. Dichtung und Musik von Gustave Charpentier. Deutsch von Otto Neitzel. Erste
Aufführung in Wien (Hofoper) am 24. März
1903 — NMP 12, Nr. 7.

Heuß, Alfred. Das deutsche Lied im
achtzehnten Jahrhundert. Quellen und
Studien von Max Friedländer — S. 61,
Nr. 25/26 (Besprechung).

Hill, Edward B. Some types of program
music — The Musical World (Boston,
Arthur P. Schmidt) Februar 1903.

Hood, Fred. Tag und Nacht auf der
Bühne — MTW 6, Nr. 14/15.

Hood, Fred. Theaterhygiene — ibid.

Horn, Michael. Neudruck der Scriptores Ecclesiastici von Fürstabt Gerbert — GM 4, Nr. 2 [vergl. Notizen »Berlin« in vorliegendem Heft].

Hunziker, Rudolf. »Hadlaub.« Lyrische Oper von Georg Haeser. Zur Uraufführung am Züricher Stadttheater am 19. März 1903 — SMZ 43, Nr. 13.

Hüttner, Georg. Die sozialen Verhältnisse der deutschen Orchestermusiker — RMZ 4, Nr. 14/15.

Imbert, G. »Muguette.« Opera-comique en quatre actes, poème de MM. Michel Carré et Georges Hartmann, d'après la nouvelle de Ouida, musique d'Edmond Missa. Première représentation à l'Opéra-Comique le 18 mars 1903 — GM 49, Nr. 12.

Ive, Oliver. Music in the dark — MN, Nr. 629 [behandelt die Frage der Verdunklung der Konzertsäle].

—— Weber in London — ibid.

Jüngst, J. Zur Frage des geistlichen Volksliedes in der Kirche — Monatsschrift für die kirchliche Praxis (Leipzig, J. C. B. Mohr) 3, Nr. 4.

K., A. Guglielmina de Guarmieri-Pavan — NZfM 70, Nr. 14.

Kalischer, Alfr. Chr. Ein unbekannter Kanon Beethoven's auf den Geiger Schuppanzigh — MK 2, Nr. 13.

Katzenstein, Dr. J. Über die elastischen Fasern im Kehlkopfe mit besonderer Berücksichtigung der funktionellen Struktur und der Funktion der wahren und falschen Stimmlippe — Archiv für Laryngologie 13, Nr. 3 [mit 2 Tafeln Zeichnungen].

Kießig, Paul. Mechanische Musikwerke-Industrie — Deutsche Export-Revue (Stuttgart, Deutsche Verlags-Anstalt) 1903/4, Nr. 2 [illustriert].

Klein, Hermann. Modern music celebrities — Century Magazine (London, Macmillan) April 1903.

Kloß, Erich. Aus Hans von Bülow's Glücks- und Leidenszeit — BW 5, Nr. 13.

Kohl, Franz Friedrich. Das Alpbacher Almlied und seine Abarten — DVL 5, Nr. 3 ff.

Kohut, Adolph. Klopstock und Gluck. Ein Gedenkblatt zum 100. Todestage des Dichters (14. März 1903) — NMZ 24, Nr. 10 f.

—— Franz Lachner. Ein Gedenkblatt zu seinem 100. Geburtstag (2. April 1903) — ibid., Nr. 11.

—— Der Erzieher Kaiser Friedrichs III. und die Musik — MTW 6, Nr. 8 f.

Kordy, S. K. Absurditäten in der ¡Londoner] Musik-Kritik — NZfM 70, Nr. 15.

—— Musikalische Spaziergänge durch London — WKM 1, Nr. 16.

Kossak, M. Theatermalerei — MTW 6, Nr. 14/15.

Koster, Edward B. Wagner — Onze Eeuw (Haarlem, Erven F. Bohn) März 1903.

Kühl, G. Hugo Wolf. Dem Liederkönige zum Gedenken — Welt und Haus 2, Nr. 12.

-l. »Prinzessin Ilse.« Oper in einem Aufzug von Paul Geisler — MTW 6, Nr. 10/11.

Lacuria, P. La vie de Beethoven écrite par lui-même dans ses œuvres — Occident, Februar 1903.

Lalo, P. La musique à la Schola Cantorum; Castor et Pollux — Le Temps (Paris) 3. Februar 1903.

—— La musique en France et la musique en Allmagne — ibid., 10. Februar 1903.

Laloy, Louis. Ephémérides grégoriennes — RM 3, Nr. 3.

Lankow, Anna. Kunst, Künstler und Kunstverhältnisse in Amerika — NZfM 70, Nr. 13.

Leichtentritt, Hugo. Das deutsche Lied im 18. Jahrhundert. Quellen und Studien von Max Friedlaender — AMZ 30, Nr. 15 [ausführliche Besprechung].

Lemoine, Amédée. La »Statue« de M. E. Reyer à l'Opéra — RM 3, Nr. 3.

Le Roy, A. George Sand, Liszt et Chopin — La Revue, 15. Januar 1903.

Liebscher, Arthur. Der Tanz als Kunstform — MTW 6, Nr. 10/11 f.

Liepe, Emil. Werke von Paul Juon — NMZ 30, Nr. 16.

Löwenstein, J. »Korrigane.« Oper in 3 Akten von Louis Lacombe. Erstaufführung in Koblenz — MTW 6, Nr. 8.

Ludovic, S. R. Monarchs and music — Strand Magazine (London, Newness) April 1903.

Lyon, Gustave. L'acoustique du Trocadéro — RM 3, Nr. 3 ff.

-m. Rochus v. Liliencron als musikalischer Erzieher — Vossische Zeitung (Berlin) 7. April 1903, Morgenblatt.

Manasse, Paul. Zur pathologischen Anatomie des inneren Ohres und des Hörnerven — Zeitschrift für Ohrenheilkunde (Wiesbaden, J. F. Bergmann) März 1903.

Mangeot, A. Le Quatuor Hayot — MM 15, Nr. 6.

—— »Muguette«, opéra-comique en 4 actes, d'après une nouvelle de Ouida, poème de MM. Michel Carré et Georges Hartmann, musique de Edmond Missa — ibid.

Marchesi, S. Musical events in Paris — MMR, Nr. 388.

Meyer, May. Zur Theorie der Geräuschempfindungen — Zeitschrift für Psycho-

logie und Physiologie der Sinnesorgane
(Leipzig, J. A. Barth) 31, Nr. 4.

Motta, J. Vianna da. Fer. Busoni's
Ausgabe der chromatischen Fantasie
J. S. Bach's — Kl 26, Nr. 7.

Müller, Paul. Erinnerungen an Hugo
Wolf — Mk 2, Nr. 13.

Muret, M. Le roman de Clara Schumann
— Journal des Débats (Paris) 10. Februar
1903.

Músiol, Rob. »Prinzessin Ilse.« Oper in
einem Aufzug von Paul Geisler. Uraufführung am 3. März 1903 im Stadttheater zu Posen — WKM 1, Nr. 16.

n. n. »Heldentod und Apotheose«, symphonische Dichtung von Carl Pohlig
— NMZ 24, Nr. 10.

Neitzel, B. Hugo Wolf—Die Kultur 1, Nr. 19.

Neruda, Edwin. Franz Lachner (Geb.
den 2. April 1803) — NZfM 70, Nr. 16.

Niemann, Walter. J. P. E. Hartmann's
»Walküre« (Publikation der Gesellschaft
zur Herausgabe dänischer Musik) — S 61,
Nr. 27.

Nirrnheim, Hans. Die Hamburgischen
Musikinstrumente — Das Hamburgische
Museum für Kunst und Gewerbe, dargestellt zur Feier des 25 jährigen Bestehens (Hamburg 1902, J. F. Richter)
behandelt die in genannten Museum befindlichen Musikinstrumente).

Northrop, W. B. How Edison makes
his phonographs — Leisure Hour (London,
Paternoster Row 56) April 1903.

Nüssle, Hermann. Die Aussprache beim
Gesang — MTW 6, Nr. 9.

O., P. Liturgische Schule. (Unterhaltungen
über Liturgie und Verwandtes.) — GBo
20, Nr. 3.

Offoel, J. d'. Deux auditions fragmen-
taires de »Parsifal« à Paris et à Bruxelles
— MM 15, Nr. 7.

Pfeiffer, Georges. La classe d'ensemble
au Conservatoire — RM 3, Nr. 2.

Pottgießer, Karl. Über den erzieherischen
Wert der Chorvereine und über den
Riedelverein in Leipzig insbesondere —
SA 4, Nr. 7.

Pougin, Arthur. »Muguette«, opéra-comique en quatre actes et cinq tableaux,
paroles de MM. Michel Carré et Georges
Hartmann, musique de M. Edmond
Missa. Première représentation le 18
mars 1903 à l'Opéra-Comique — M, Nr.
3756.

Prod'homme, J.-G. Le Budget du théâtre
et de la musique pour 1903 — RAD,
März 1903.

Puttmann, Max. Johann Christoph Bach.
Zu seinem 200 jährigen Todestage — Mk
2, Nr. 13.

—— Franz Lachner. Zu seinem 100. Geburtstage — DMMZ 25, Nr. 13.

R., A. Cherubini's »Wasserträger« in
der Pasqué-Langer'schen Neubearbeitung — NMZ 14, Nr. 11 (anläßlich
der Erst-Aufführung in Mannheim).

Rikoff, Max. Die Enthüllung des Berlioz-Denkmals in Monte-Carlo — NZfM
70, Nr. 13.

Rolland, Romain. Les origines de l'opéra
et les travaux de M. Angelo Solerti
— RM 3, Nr. 3.

Römer, A. Die königliche Sammlung alter
Musikinstrumente in Berlin-Charlottenburg — Über Land und Meer (Stuttgart!
1903, Nr. 27 (mit zahlreichen Abbildungen.

Rudolph, John. »Liane.« Dichtung in
einem Vorspiel und 3 Aufzügen von
W. E. Ernst. Musik von Walter Rabl.
Erstaufführung am Straßburger Stadt-
theater am 18. März 1903 — NZfM 70,
Nr. 14.

S. »Prinz Ador.« Tanzmärchen in 3 Akten.
Text von E. Sievert. Musik von Cor-
nelius Rübner. Erste Aufführung am
Hoftheater zu Karlsruhe — NMZ 24,
Nr. 11.

Sadtler, Josef. Über Geigenbaugeheim-
nisse — ZfI 23, Nr. 19.

Sand, Robert. Lettres d'Hector Berlioz
à la Princesse Sayn-Wittgenstein
— GM 49, Nr. 12 ff.

Sawyer, F. J. The practical use of harmony to the professional musician —
MN, Nr. 630 ff. (nach einem Vortrag).

Sch., W. Die Gesänge des Hochamtes
am ersten Sonntage nach Ostern — GBo
20, Nr. 3.

Schneider, Louis. »Le Tasse« de M.
Eugène d'Harcourt au théâtre de
Monte-Carlo — RM 3, Nr. 2.

Schoenaich, Gustav. Hans Richter (geb.
4. April 1843) — Mk 2, Nr. 14.

Schröder, Hermann. Erwiderung auf den
Artikel Bernhard Ziehn's »Über die
symetrische Umkehrung« — AMZ 30,
Nr. 16 (vergl. »Zeitschriftenschau« IV,
7 unter »Ziehn«).

Schuré, Ed. Wilhelmine Schröder-
Devrient — GM 49, Nr. 12 f.

Segnitz, Eugen. »Der Gaukler unserer
Lieben Frau.« Mirakel in 3 Akten. Musik
von J. Massenet. »Das Mädchen von
Navarra.« Lyrische Episode in 1 Akt.
Musik von J. Massenet. (Aufführung
im Neuen Stadttheater zu Leipzig am
25. März 1903.) — AMZ 30, Nr. 15.

—— Sebastian Röckl: »Ludwig II. und
Richard Wagner (1864—1865) — AMZ
30, Nr. 16 (ausführliche Besprechung).

—— Giovanni Sgambati — NMZ 24,
Nr. 10 f. (mit Porträt).

Soissons. S. C. de. Deutsche Chansons —
Contemporary Review (London, Horace
Marshall) April 1903.

Sousa, J. C. The experiences of a band-master — Pearson's Magazine, April 1903.
Southgate, T. L. On the organ — MN, Nr. 616.
—— **T. L.** Tablature — ibid., Nr. 630.
—— The memorial to Sir John Goss — ibid., Nr. 631.
Spannuth, August. New-Yorker Concerte — S 61, Nr. 27.
Spencer, Vernon. Einiges über das Orgelspiel in Deutschland: Die Leipziger Orgel-Konzerte des Herrn Karl Straube — NZfM 70, Nr. 15.
Spitta, Friedrich. »Ich bete an die Macht der Liebe.« [Geistliches Lied] — MSfG 8, Nr. 4.
Springer, Hermann. Zur Musiktypographie in der Inkunabelzeit — Beiträge zur Bücherkunde und Philologie, August Wilmanns gewidmet (Berlin 1903) S. 173 ff.
St-r, H. »Louise« von Gustave Charpentier — WKM 1, Nr. 15 f. [anläßlich der Erstaufführung an der Wiener Hofoper am 24. März 1903].
Stier, Ernst. Neue Sonaten für Klavier — NZfM 70, Nr. 16.
Stockhausen, Julius. Ein unbekannter Brief R. Wagner's — S 61, Nr. 23.
Storck, Karl. Vom Ursprung der Musik und ihrer ersten Entwicklung. Ein vernachläßigtes Kapitel der Musikgeschichte — Der Türmer (Stuttgart, Greiner und Pfeiffer) 5, Nr. 6.
Struthers, Christina. Curiosities of musical etymology — MMR, Nr. 388.
Symons, A. The music of Richard Strauß — Monthly Review, Dezember 1902.
Teibler, Hermann. »Das neue Leben« La vita nuova). Nach Worten von Dante-Alighieri für Bariton- und Sopran-Solo, Orchester, Orgel und Pianoforte von Ermano Wolf-Ferrari. Uraufführung durch den Porges'schen Chorverein am 21. März 1903 im Kaimsaal zu München. — AMZ 30, Nr. 15.
Tharaud, J. & J. La légende du premier violon — Lectures pour Tous, Februar 1903.
Thießen, Karl. »Das neue Leben«, Tondichtung nach Worten Dante's für Bariton- und Sopransolo, Chor, Orchester, Orgel und Pianoforte von Ermanno Wolf-Ferrari — S 61, Nr. 23 (Besprechung).
Thoma, R. Freiwillige Kirchenchöre — Si 28, Nr. 4.
Tiersot, Julien. Nouvelles lettres de Berlioz — RM 3, Nr. 2 ff.

Tümpel, W. Die Grundlage der Lieder in Johann Heermann's *Devoti Musica Cordis* — Si 28, Nr. 4.
Urgiß, J. Die Musik als Volkserziehung — Internationale Literatur- und Musikberichte 10, Nr. 7.
Verey, J. Wagner as a poet — MMR, Nr. 388.
Villars, Henry Gauthier. Qu'est-ce que la musique française? — RM 3, Nr. 3.
Viotta, Henri. Oratorium en drama — De Gids (Amsterdam, P. N. van Kampen & Zoon) März 1903.
—— De concerten van Colonne en iets over Franz'sche muziek — ibid.
W. Etwas vom »plagiatum literarium« auf dem Gebiete der Musikwissenschaft — GBl 28, Nr. 3.
W. Zu der Behandlung der ausländischen Musiker im Inlande und der inländischen Musiker im Auslande im Bereiche der reichsgesetzlichen Invalidenversicherung — DMZ 34, Nr. 15.
W. Das russische Volkslied — NMZ 24, Nr. 10.
W. »Vasantasena.« Musikalisches Schauspiel in 4 Akten, nach einer Dichtung des Königs Çudraka bearbeitet von Guido Lehrmann. Musik von Leopold Reichwein. Erstaufführung im Breslauer Stadttheater am 10. März 1903 — ibid.
Wadsack, A. Musikalische Erziehung. Ein Beitrag zum Kapitel »Kunst und Kind! « — SA 4, Nr. 7.
Wagner (Freiburg). Bericht über das 3. Semester der Gregorianischen Akademie zu Freiburg (Schweiz) — GBl 28, Nr. 3.
Wagner, R. Zur Geschichte der Kantorei in Buchholz — KCh 14, Nr. 4 ff.
Werner, Hans. Dr. Johann Georg Herzog — BfHK 7, Nr. 4.
Wirth, Moritz. Das Spiel der Darsteller im ersten Aufzuge der »Walküre« — MWB 34, Nr. 13 ff.
Wölkerling, Wilh. Ist das unreine Singen zu verhindern — TK 7, Nr. 7.
Zenger, Max. Franz Lachner (geb. 2. April 1803). Ein Gedenkblatt — MK 2, Nr. 13.
Zijnen, W. N. F. Sibmacher. Georg Henschel en zijn requiem. Eerste uitvoering in Europa: te Utrecht, 24 Maart 1903) — Cae 60, Nr. 7.
Zimmermann, G. Mechanik des Hörens — Münchener medizinische Wochenschrift, 49, S. 2080.

Buchhändler-Kataloge.

Breitkopf & Härtel, Leipzig. Musikalischer Monats-Bericht Nr. 2—4, Februar-April 1903. 16 S. 12°.

Hiersemann, Karl W. Leipzig. Königstr. 3. — Kunst des XIX. Jahrhunderts. Malerei, graphische Künste, illustrierte Werke, Buchornamentik.

Lissa, Georg. Berlin SW., Kochstr. 3 — Lager-Katalog Nr. 35. Auswahl von seltenen und interessanten Büchern (16. bis 20. Jahrhundert), darin Musik Nr. 227—287.

List & Franke. Leipzig, Thalstr. 2 — Verzeichnis mehrerer Bücher- und Musikalien-Sammlungen. Versteigerung am 13. Mai 1903. Musik (Literatur und Musikalien) Nr. 874—1284. — Katalog Nr. 53. Geschichte und Theorie der Musik. Ältere praktische Musik. Schriften über das Theater. 98 S. 8°.

Müller, J. Eckard. Halle a. S. — Katalog Nr. 96. Bibliographie, Bibliothekwesen, Buchhandel, Buchdruck, Schriftwesen, Incunabeln, alte Drucke. Biographien, Memoiren, Briefwechsel. Literatur- und Gelehrtengeschichte. 50 S. 8°.

Schmidt, C. F. Heilbronn a. N. — Musikalien-Verzeichnis Nr. 307. Musik für Blas-Instrumente jeder Art, ferner für Xylophon, Glocken, Trommel, Pauken usw. Werke für französische Besetzung. 110 S. kl. 8°. — Musikalien-Verzeichnis Nr. 308. Harmonie (Militär)-Musik mit Anhang: Neuere Werke für Streichorchester mit Erläuterungen. 50 S. kl. 8°.

Reeves, William. London, W. C. 83 Charing Cross Road. Catalogue Nr. 116 of old and new music and musical books. 24 S. 8°.

Wernthal, Otto. Berlin, Charlottenstraße 4. — Musik-Almanach. Verzeichnis der Edition Wernthal und anderer beliebter Musikalien. 50 S. kl. 8°.

Ziegert, Max. Kunstantiquariat, Frankfurt a. M. — Katalog Nr. 4. Aquarelle, Handzeichnungen. Farbstiche, Kupferstiche, Holzschnitte, Biographien. Exlibris. Historische Blätter, Karikaturen, Kostümblätter. Werke aus dem Gebiete der Kunst und Literatur. Holzschnittbücher, Kupferwerke usw.

Mitteilungen der „Internationalen Musikgesellschaft".

Ortsgruppen.

Frankfurt am Main.

In der Monatsversammlung am 9. März brachte der Unterzeichnete Briefe Lortzing's an Georg Meisinger, des Vortragenden Großvater, zur Kenntnis der Mitglieder. Meisinger, Schauspieler und Tenorbuffo, später Theater-Direktor, war mit Lortzing seit seiner Jugend befreundet. Ein Engagement am Theater an der Wien in Wien brachte Beide nach langer Trennung im Jahre 1846 wieder zusammen und führte zu einem intimen Verkehr, der nach Meisinger's Weggang von Wien im Herbst 1847 schriftlich fortgesetzt wurde. Die drei noch vorhandenen sehr ausführlichen Briefe, von welchen zwei vor nahezu zwanzig Jahren vom Bruder des Vortragenden in der Frankfurter Zeitung veröffentlicht wurden, der dritte noch ungedruckt ist, blieben R. Kruse unbekannt. Sie stammen aus dem Freiheitsjahr 1848 und sind durch die Schilderung der politischen Zustände nicht minder als die der sozialen Lage der Wiener Bühnenkünstler jener Zeit von Interesse; auch auf Lortzing's persönliche Verhältnisse fallen grelle Streiflichter. Es ist beabsichtigt, die Briefe durch Abdruck an geeigneter Stelle weiteren Kreisen zugänglich zu machen.

Albert Dessoff.

Kopenhagen.

Am 15. April 1903 versammelten sich die Mitglieder der hiesigen Ortsgruppe im Königlichen Musikkonservatorium (unter Vorsitz des Herrn Dr. A. Hammerich) zum zweiten Male in dieser Saison.

Als Gast legte der Personal-Historiker Herr Louis Bobé verschiedene Archiv-Funde über die berühmte »alte Orgel« im Königlichen Schloß Friedrichsburg vor. Dieselben werden vielleicht in einem der folgenden Hefte der Zeitschrift Aufnahme finden. — Dann hielt Herr Bobé einen längeren anregenden Vortrag über den deutsch-dänischen Komponisten J. P. A. Schulz, sich teilweise auf neue archivalische Studien stützend. An den Vortrag schloß sich ein Gesangsvortrag von Schulz'schen Liedern durch Herrn Konzertsänger V. Lincke an.

Will. Behrend.

Leipzig.

In der zweiten Hälfte der Saison fanden, wie in der ersten, die geplanten drei Vortragsabende bei zahlreichem Besuche von Mitgliedern und Gästen statt. Montag, den 19. Januar, sprach der Referent über »Probleme und Prinzipien der künstlerischen Ausbildung der Stimme« und legte die technischen Gesichtspunkte dar, die ihm bei seiner Tätigkeit als Gesanglehrer und Lehrer der Vortragskunst sich als die wichtigsten für die Ausbildung der Stimme herausgestellt haben. Als Grundprinzip einer künstlerischen Stimmverwendung ist das Prinzip vom geringsten Kraftmaß anzusehen, das auch pädagogisch außerordentlich verwendbar ist, da sich an ihm ein normaler Gebrauch des Organs sehr deutlich machen läßt. Nach diesem Prinzip wurde die Atmung, die zur Phonation dient, erklärt und das Wesen des Stimmansatzes erläutert. Die Eigenschaften des Stimmtones, die ihn künstlerisch verwendbar machen, als da sind: Tonhöhe, Tonstärke, Tonintensität, Tonvolumen, Klangfarbe oder Timbre und Metall oder Schmelz der Stimme, und von diesen besonders Tonvolumen und Klangfarbe, wurden ebenfalls nach diesem Prinzip behandelt. Hierauf wurde die Registerfrage besprochen: das Ziel der Ausbildung in dieser Hinsicht ist die Heranbildung einer einheitlich erscheinenden Tonreihe durch den ganzen Umfang der Stimme hindurch, wobei aber doch eine bewußte Verwendung der eigentümlichen Klangmöglichkeiten der Stimme, die man Register nennt, von dem Sänger verlangt werden muß. Referent findet bei Männer- und Frauenstimmen, natürlich in den verschiedensten Graden entwickelt, drei Hauptregister, die er bezeichnen möchte als Knorpelstimme (die bisherige tiefe Bruststimme), Bänderstimme (die bisherige höhere Bruststimme oder Mittelstimme) und Kopfstimme oder »dünne« Stimme. Mit letzterer ist die Fistelstimme, auch Falsett genannt, keineswegs identisch. — Alle Theorie und theoretische Kenntnis muß natürlich, um dem Künstler nicht schädlich zu sein, sich frei von speziellen Betrachtungen halten und bestrebt sein, in möglichst einfacher Anfassung der Probleme und durch eine natürliche Fundierung alles Wissenswerten, wie sie eben im Prinzip vom geringsten Kraftmaß gegeben ist, dem Künstler zu einem bewußten, aber freien Spiel seiner Kräfte zu verhelfen.

Der nächste Versammlungsabend fand Montag, den 2. März statt; er sollte eine Einführung in Franz Liszt's Prometheus-Kompositionen und damit eine Vorbereitung für das bevorstehende Gewandhauskonzert geben.

Herr Professor Dr. Arthur Prüfer hatte sich wiederum der Mühe unterzogen, in einem fesselnden Vortrage Entstehung und Bedeutung der Liszt'schen symphonischen Dichtungen darzulegen und dann die Prometheus-Kompositionen zu erklären. Unterstützt wurde er durch die Herren Konservatoristen Pfitzner und Springfeld, die die symphonische Dichtung »Prometheus« auf zwei Klavieren und den Schnitterchor auf einem Klavier vierhändig vortrugen und vorher die einzelnen Motive zur Illustration des Vortages angaben. — Eine besondere Bedeutung hatte der Abend für

die Ortsgruppe noch dadurch, daß über die neue Einrichtung der außerordentlichen
Mitgliedschaft, die vom Vorstand beschlossen worden war, öffentlich Mitteilung gemacht wurde. Um eine größere Teilnahme der musiktreibenden Kreise der Stadt an
der Tätigkeit der Ortsgruppe zu erwecken, ist festgesetzt worden, daß jeder Musiker
oder Musikfreund gegen einen jährlichen Beitrag von 3 ℳ außerordentliches Mitglied
der Ortsgruppe werden kann und dann zur Teilnahme an allen Veranstaltungen berechtigt ist. Die mannigfaltigen Anmeldungen, die auf die ergangenen Aufforderungen
hin einliefen, lassen uns hoffen, daß die Einrichtung dem Leben der Ortsgruppe förder-
lich sein wird.

Der letzte Abend der Saison, Montag den 30. März, brachte uns den Vortrag des
Herrn Max Battke aus Berlin über die Erziehung des Tonsinnes, dem einige
Bemerkungen des Herrn Professor Dr. Prüfer über die jüngst im Jahrbuch der
Musikbibliothek Peters erschienenen Aufsätze Hermann Kretzschmar's voraus-
gingen. Herr Battke ging in seinem Vortrage, dem ersten in der großen Reihe von
Wandervorträgen, mit der der Redner seine trefflichen pädagogischen Anregungen
jetzt in Deutschland zu allgemeinerer Wirkung bringen will, von der Betrachtung aus,
daß die Sinne eine Quelle des Glücks für den Menschen werden sollen und daß die
Erziehung des Tonsinnes, als ein Teil der Erziehung des Ohres, den Menschen befähigen soll, sich zu seinem Glücke mit Klangschönheit, die er vollständig würdigen
können muß, zu umgeben. Es ist zu diesem Zwecke notwendig, daß der Musiktreibende
nicht nur ein Instrument spielen, sondern vor allem jede Tonreihe und jedes Ton-
gebilde innerlich hören und richtig auffassen lernt. Herr Battke hat nun ein vollständiges System ausgebildet, um im Klassenunterricht seinen Schülern einen inneren
musikalischen Besitz zu sichern. Eine Fülle von praktischen Übungen hat er teils
erfunden, teils wieder aufgenommen, um die musikalischen Klänge und Formen von
den ersten Elementen an dem Lernenden fest einzuprägen, wobei das Traktieren eines
Instruments zunächst keine Rolle spielt. Vorerst wird das Ohr beschäftigt; die Aufmerksamkeit soll sich z. B. auf die einzelnen Töne eines Akkordes richten, der auf
dem Klavier angeschlagen wird, und wie ein Berg ragt Grundton, Terz und Quinte
für das Gehör hervor, je nachdem sich der Wille auf einen der Töne richtet. Durch
geschickt hergestellte Wandtafeln wird der Schüler mit der Klaviatur und den Tonstufen bekannt gemacht; die Silben do, re, mi u. s. w., nach Art der Tonic Solfa-
Methode als Bezeichnung der Tonstufen verwendet, geben dabei ein sprachliches Hilfsmittel an die Hand. Die Schüler müssen »Vokabeln« lernen; sie müssen erst do-sol,
dann si-do, re-do u. s. w. hören und singen lernen, wobei die harmonische Unterstützung am Klavier ausgenutzt und ein mechanisches Intervallstudium, das meist die
Tonleiterverhältnisse falsch darstellt, streng vermieden wird. Mannigfaltig ausgenutzt
wird das Musikdiktat. Auch das Gedächtnis wird besonders geschult, indem man Tonreihen nach einmaligem Anhören aufschreiben oder nachsingen läßt. Bei komplizier-
teren Gebilden, wie Dreiklängen u. a., wird dann die durch sie hervorgerufene Stimmung wesentlich benutzt, um die Musik bewußt zu machen: das freundliche Dur und
das verschleierte Moll werden leicht erkannt, wenn ihr Charakter bewußt geworden
ist; ebenso der übermäßige Dreiklang als Frühlings- oder Jünglingsakkord und der
verminderte Dreiklang als Herbstakkord. Auch werden Sinn und Gedächtnis für
die Klangfarben besonders geübt, kurz, in jeder Richtung die Grundlagen des Musizierens systematisch ausgebildet und zum bewußten Besitz erhoben. — Es ist unmöglich, die Fülle des Stoffes und die Menge der vorzüglichen praktischen Maßregeln, die
der Redner darlegte, hier wiederzugeben. Wir können uns seinen Bestrebungen nur
von Herzen anschließen, und der Dank des Vorsitzenden und der Anwesenden werden
den Redner davon überzeugt haben, daß ein so gut fundierter Musikunterricht auch
in Leipzig von vielen angestrebt wird, und daß alle, die es mit der Kunst ernst meinen,
darin im wesentlichen übereinstimmen.

Zum Schluß dieses letzten Abends sprach der Vorsitzende, Herr Professor Dr.
Arthur Prüfer, noch allen Teilnehmern an den Sitzungen dieses Winters seinen Dank
aus und kündigte an, daß für nächste Saison ein fertiges Programm der Vorträge im

Herbst veröffentlicht werden solle. Es wird sich dann hoffentlich die Wirksamkeit der Ortsgruppe immer noch mehr erweitern und die Vereinigung nach ihren Kräften immer schönere und reichere Anregungen zum Wohle der Kunst ausstreuen können.

Martin Seydel.

London.

At the Musical Association: — (A) On 20th January 1903, Mr. Gustav Ernest lectured on "Some Aspects of Beethoven's Instrumental Forms"; Mr. Clifford B. Edgar in the chair; discussion by Chairman and Messrs. Langley, Southgate, and Statham. (B) On 10th February 1903, Mrs. Henry Newmarch lectured on "The Development of National Opera in Russia" (3rd paper); Mrs. Henry J. Wood, accompanied by Mr. H. J. Wood, had the kindness to give vocal illustrations (see below); Dr. Charles Maclean, Vice-President, in the chair; discussion by Chairman and Mr. T. L. Southgate. (C) On 10th March 1903 the Rev. F. W. Galpin lectured on "The Whistles and Reed Instruments of the American Indians of North-West Coast"; Sir Hubert Parry, President in the chair; discussion by Chairman and Messrs. W. H. Cummings and T. L. Southgate.

(A) In Beethoven the 19th century with its worship of idea was wedded to the 18th century with its worship of form. The great ideas which culminated in his time centred themselves in his personal character, and this influenced the musical forms. Lecturer enlarged on the necessities for form, on its symmetrical nature, etc. Instinctive recognition of this made Beethoven take over the forms of preceding masters. But with increased sense of idealization and of dramatic movement he required to enlarge the vehicle, and this he did by such methods as expanded codas, fanciful scherzos in lieu of formal minuets, developed finales in lieu of rondos, and so on. Lecturer set out the connection between B.'s works and his character through the 3 periods, in the last of which the "emotionalized idea" was supreme. The use of fugue in latest works was defended on the ground of its essential lyricism.

Lecturer passed to another subject, analysis of the structural proportions in Beethoven's movements, especially those in sonata-form. — In 1854 there appeared a book by Adolf Zeising called, "A new law concerning the proportions of the human body". Zeising stated a general law in the following terms: — "If the division of an object into 2 unequal parts is to appear well proportioned, the smaller must stand in the same ratio to the larger, as the larger to the whole". In other words, of those 3 terms the middle one must be the geometrical mean (which has also been called "golden" mean) of the other two. Applied to the human body it would mean that the smaller, the upper, part down to the waist should stand in the same proportion to the larger, lower one, as the latter to the whole body. In arithmetic, among low numbers, 13 could be broken up with an approximate geometrical mean, by the figures 5, 8. 13. For five-eighths is 40/64, while eight-thirteenths is 40/65; and the difference of 1/104 can be neglected. In testing most subjects then to see whether they fell in with the formula of a geometrical mean, the figures 5, 8, 13 could be applied with sufficient accuracy; as smaller part, larger part, and whole respectiveley. It was to be noticed also however that in applying this proportion to matters of the senses, a certain margin of error of perception must be allowed. Zeising, in guaging by the law of geometrical mean the dimensions shown in Greek temples and Gothic cathedrals, discovered closely corresponding results, but he found it necessary to allow a margin of perceptional error of 1 in 29 of the whole. — Zeising applied the formula to matters connected with the vibrations of sound. Emil Naumann (1827—1888) first applied it to the art-works of musical composers, in his book (1869) "Die Tonkunst in der Kulturgeschichte". However he carried the enquiry but a small way. — Lecturer had made an extensive analysis of his own, taking the time-bar as unit, adopting the 5, 8, 13 progression of figures as a test-rule, and investigating in particular the movements of Beethoven's instrumental works. As to sonata-form movements, and the manner of dividing them into 2 unequal length-segments, one could look either at the "first part" or exposition as the smaller segment and the whole remainder as the larger segment, or else the "first part" plus the working-out as the larger segment, and the portion from that to the end as the smaller segment. His nett result was that out of 55 sonata-form movements from Beethoven's P. F. instrumental works, 42 in the adjustment of their parts as above defined (i. e. according to the number of bars each part contained) conformed precisely, or with never more than a marginal error of 1/40 of the whole, to the law of geometrical mean exemplified in the proportionate figures 5, 8, 13. — As example: — The first movement of the 3rd P. F. Trio has an exposition of 138 bars, a working-out of 76 bars, and a recapitulation with coda of 146 bars; total 360 bars. Divided into 13 parts this gave 13 groups of $27^9/_{13}$ bars each; five times that number was 138 (= exposition), eight times that number was 222, or 76 (= working-out) $+ 146$ (= recapitulation and coda). So here was the exact series 5, 8, 13. — Lecturer exhibited to the audience a quantity of other instances selected from his 42 cases, displaying the above conformity within the fractional margin of error mentioned; and stated that it was impossible for this to be coincidence. He sometimes allowed for the "repeat", sometimes not; but for this he gave a reason. — In the balance of 13 movements, lecturer exhibited other symmetries, though not precisely the same symmetry as the one above-mentioned.

Lecturer considered that neither Beethoven nor any other of the masters could have had a knowledge of the proportionate formula displayed in the 42 cases above cited; which formula nevertheless, as if under a mysterious compulsion, they applied.

(B) Lecturer has already treated Glinka (1803—1857), Dargomijsky (1813—1869), Serov (1820—1871), and Moussorgsky (1839—1881), in this connection. Here similarly Borodin (1834—1887) and Cui (1835—).

Borodin's opera was a reversion to the Glinka style, less dramatic and realistic than Dargomijsky or Moussorgsky, and not Wagnerian like Serov. B. was illegitimate son of a notable personage, the Prince of Imeretia, one of the fairest of the Georgian provinces. which the Russian General Todleben rescued from Turkish occupation in 1770; the reigning princes of Imeretia boasted direct descent from Psalmist David, and quartered harp and sling in their arms; from his father B. inherited oriental affinities. He was born at St. Petersburg, and his mother was charged with his education. His capacities were balanced between music and science, but having to earn his living he chose latter, became first army-doctor, afterwards distinguished professor of Chemistry at Petersburg College of Medecine. Till 28 he was in music a mere amateur; he played the pianoforte, violoncello and flute with some facility, wrote some songs, and enjoyed taking part in Mendelssohn's chamber-music. So far he knew very little of Beethoven, and had scarcely heard of Schumann or Liszt. He had a sane optimistic temperament, which disposed him to be satisfied with his chosen profession. Then in 1862 he met Balakirev, when (as happened to Moussorgsky and Cui) he caught, from him a musical enthusiasm, and developed a rapid technique. Counterpoint came to him with great facility. Folk-music, though not familiar to him. was studied (as noticeable already in his 1st symphony in E flat). Stassov saw in B. the making of a true national poet, and encouraged his secret ambition to compose an epic opera. After B. had first essayed an opera to Mey's "Tsar's Bride", S. put before him the scheme of "Prince Igor", which taken up. Lecturer then described plot and characteristics of the latter, left at B.'s death incomplete and almost fragmentary, and finished by Rimsky-Korsakov and Glazounov. The optimistic freshness of "Igor" was not un-Russian, for the Russ has 2 sides to his character. — Illustration; Recit. and Cavatina of Prince Vladimir. from "Prince Igor" (in Russian).

The music of César Cui is like Borodin's in inclining to the lyrical, unlike in lacking Russian national quality. And this, though he was Balakirew's first pupil, and an ardent apostle of the New Russian school. His style is Schumannesque French. As an advocate of form he influenced Russian art, vide Glazounov's early work, and Liadov etc. Cui's father had served in Napoleon's army, and was left behind during retreat from Moscow in 1812; he married a Lithuanian and became French teacher at Wilna High School. Here Cui was born. He picked up some small theoretical knowledge from Stanislaw Moniuszko (1820—1872), but practically self-taught in music all his life. For 7 years (1850—1857) student at School of Military Engineering, and passed out with honour. Then held various minor engineering appointments under Govt.; among his pupils being present Emperor Nicholas II. Now Lieut. General of Engineers, and has through career had to lead double life. Met Blakirew in 1856, and through him Dargomijsky. First opera Auberesque "Mandarin's Son". More ambitious "Captive of Caucasus" (1858); afterwards re-modelled. "William Radcliff" (1861) his first success. His brilliant and often mercilessly satirical work as critic brought opposition. And as composer he was certainly less advanced than his critical theories "Angelo" (Petersburg. 1876, founded on play of Victor Hugo) marked his maturity; considerable skill in melodic recitative, and orchestration much better than before. In spite of this broad effort, Cui remains by temperament a painter of miniatures and cabinet pictures; and his style thereafter developed some preciosity. Lecturer described "The Sararen" (Petersburg, 1889), "The Filibuster" (Paris, 1894), etc. In 1901 Cui played to lecturer a new one-act opera "A Feast in time of Plague", to Poushkin's poem; the quasi-Scottish air of Mary was pathetic and spontaneous. The last opera "Mam'selle Fifi", after Guy de Maupassant, not yet performed. Cui's talent is fragrant rather than robust; but he applies it to themes of the ultraromantic, i. e. melodramatic, type; as though a Herrick posed as a John Webster. — Illustration; Circassian Song and Arioso of Mariam, from "Captive of Caucasus" (in French).

(C) The race called "Indians of the North-West Coast" inhabit a Pacific mountain-enclosed and forest-enclosed territory, 1000 miles by 150, on coast of British Columbia with adjacent islands; are fair-complexioned, and in customs and arts are very superior to other American Indian tribes. Clever at weaving and carving. Their strikingly original wooden w h i s t l e s a n d r e e d i n s t r u m e n t s have not yet been noticed except in casual way. Lecturer had personally examined specimens in his own collection, in U. S. National Museum at Washington, Metropolitan Museum of Art New York, Natural History Museum ditto, British Museum, Pitt Rivers Museum Oxford, Ethnographical Museum Cambridge, etc. The Whistles are mostly stopped, and without finger-holes, but arranged to blow single, twin, triple, quadruple, quintuple, and sextuple; at a breath, and even separately. The wood rough-fashioned is split along the grain, then hollowed multiformly within, then joined together again. A quadruple whistle e. g. may be 2 major thirds, an 8ve apart. And so on. The "Röhr-flute" class also represented. In the Reeds oldest is the double; and made of wood, not cane. Some instruments, double-reed included, made by one splitting. Reeds either operable by lips, or enclosed within tube (cf. Krumhorn, and bagpipe chanter-reed). These also shown in multiple, within one air-chamber. Various ingenious devices with single reeds. Also with "Retreating reed"; or "Inverted double reed"; and with "Ribbon reed". Lecturer gave certain conclusions as to the historic and geographic origin of these peculiar instruments.

J. Percy Baker, Secretary.

Wien.

Am 26. März hielt Herr Dr. Hugo Botstiber einen Vortrag über: »Shakespeare und die Musik seiner Zeit«.

Der Vortragende führt aus den Werken Shakespeare's eine Reihe von Stellen an, die nicht nur beweisen, daß der Dichter ein warmer Bewunderer der Tonkunst und ihrer Wirkungen auf den Menschen, sondern daß er auch in technisch-musikalischer Beziehung wohl gebildet war. Der Vortragende kommt dann auf das Verhältnis Shakespeare's zu den Tonsetzern seiner Zeit, auf seinen persönlichen Verkehr mit einzelnen von ihnen, endlich auf die englische Musik jener Zeit zu sprechen. Die englische Tonkunst habe sich zwar damals stark unter dem Einfluß italienischer Vorbilder befunden, doch aber auch gewisse selbständige Züge aufzuweisen gehabt. — An den Vortrag schlossen sich Klaviervorträge des Herrn Karl Weigl, der einige Stücke aus dem Fitzwilliam-Virginalbook spielte, ferner sang der Evangelische Singverein unter Leitung des Herrn Cyrill Hynais Chöre von Dowland, Bennet, Tallis und Morley.

O. Koller.

Neue Mitglieder.

Änderungen der Mitglieder-Liste.

Callies, Ernst, Seminar-Musiklehrer in Pölitz in P. jetzt Ratzeburg in -L.

Ettler, Carl, stud. phil. in Leipzig jetzt Leipzig-Gohlis, Breitenfelderstr. 72 II r.

Gloeß, Joseph jun. in Mühlhausen im E. jetzt Stuttgart, Ulrichstraße 17.

Graff, Theodor in Sondershausen jetzt Berlin, W. 30, Gleditschstraße 26.

Hötzel, Karl, Lehrer in Friedrichshafen am Bodensee jetzt Laupheim (Württemberg).

Martienßen, C. A. in Leipzig jetzt Sophienplatz 7 II.

Paesler, Dr. Carl, jetzt Charlottenburg II. Grolmannstraße 35 Gh.

Seeliger, Prof. Dr. Oswald in Rostock jetzt Prinz Friedrich Karlstraße 4.

Werner, Paul, Lehrer in Breslau jetzt -II. Neudorfstraße 31 a.

Bitte.

Der Unterzeichnete ist seit Jahren damit beschäftigt, Material zu einer »Glockenkunde« und zu einem »Orgelbau-Lexikon« zu sammeln. Diese Arbeiten sollen nun zum Abschluß gebracht und der Öffentlichkeit übergeben werden. Ich wende mich daher an alle Fachgenossen und Freunde der guten Sache mit der höflichen Bitte um Zusendung von diesbezüglichem Material, bestehend in Glocken-Beschreibungen und Glocken-Inschriften (auch Schriftproben und Abbildungen sind willkommen) nebst Notizen über Glockengießer (aus älterer und neuerer Zeit), Dispositionen und Beschreibungen (auch Abbildungen) interessanter Orgelwerke (besonders aus alten Dom- und Klosterkirchen) und Mitteilungen über Orgelbauer (aus alter und neuer Zeit). Bei der Veröffentlichung wird der Name eines jeden Einsenders mit besonderem Danke für die geleistete Unterstützung die gebührende Erwähnung finden.

Montabaur (Nassau).   K. Walter, Seminarlehrer.

Inhalt des gleichzeitig erscheinenden
Sammelbandes.

An unsere Mitglieder.

Am 19. April d. J. erließen einige Mitglieder des Sektionsvorstandes in verschiedenen Zeitungen eine Erklärung, wonach ich nicht befugt gewesen sei, die Sitzung vom 6. Februar in der Universitätsaula in Berlin (s. Ztsch. IV, S. 301 ff) einzuberufen. Dieser Ansicht widerspricht die von dem Sektionsvorstande genehmigte, gedruckte »Geschäftsordnung der Internationalen Musikgesellschaft« vom Juli 1899, welche unter § 4 die Geschäfts-Centralstelle ermächtigt und verpflichtet, für alle geschäftlichen Angelegenheiten, insbesondere auch *»für Ausbreitung der Internationalen Musikgesellschaft, Vertretung ihrer Interessen u. s. w.«* Sorge zu tragen und es ihr überläßt, die dazu geeigneten Maßnahmen zu finden und zu treffen.

Ein zweiter, dabei ebenfalls erhobener Vorwurf, daß nämlich diese Einladung von dem Vorsitzenden der Ortsgruppe Berlin hätte ausgehen müssen, ist schon deshalb hinfällig, weil viele Mitglieder unsrer Gesellschaft in Berlin ansässig sind, welche der Ortsgruppe nicht angehören, also von ihr auch garnicht einberufen werden können. Gleichwol habe ich aber vor Anberaumung jener Sitzung den Vorstand der Ortsgruppe benachrichtigt.

Während ich somit völlig statutengemäß und korrekt gehandelt zu haben glaube, muß ich zur Wahrung meiner Interessen auf § 3 derselben Geschäftsordnung hinweisen, welcher besagt, daß die Sektionsvorstands-Mitglieder *»sich mit der Geschäftscentrale behufs Austausches der Meinungen und gemeinsamer Arbeit in Verbindung zu halten«* haben. Ich habe aber von irgend welchen abweichenden Meinungen und dem Proteste der Herren mit keiner Silbe weder vorher noch nachher Kenntnis erhalten und erst durch Zufall aus den Zeitungen davon erfahren, während es doch bei Innehaltung der übernommenen Verpflichtung den Herren ein Leichtes gewesen wäre, ihren Irrtum aufzuklären. Ich glaube auch, daß keinerlei Grund vorlag, zu dieser Aufklärung die Öffentlichkeit in Anspruch zu nehmen, da es noch Niemandem beigefallen war, die Herren Sektionsvorstände für die Sitzung der Internationalen Musikgesellschaft verantwortlich zu machen.

Was die sonst künstlich erzeugten Bedenken gegen die Vorführung des Cervenka'schen Photophonographen in jener Sitzung angeht, so sind sie nach vielfachen Wandlungen schließlich unter dem Drucke der Tatsachen auf wissenschaftlich-methodologische zusammengeschrumpft, über die man bekanntlich immer sehr mannigfaltiger Meinung sein kann, und die überhaupt nicht sowohl vor das Forum der Öffentlichkeit, als das der Fachleute gehören. Aber selbst dieser spärliche Rest verdankt nur einem Spiel mit dialektischen Künsten sein Dasein.

Der Vorsitzende der Geschäfts-Centralstelle
Oskar Fleischer.

Ausgegeben Anfang Mai 1903.

Für die Redaktion verantwortlich: Professor Dr. Oskar Fleischer, Berlin W., Motzstr. 17.
Mitverantwortlich: Dr. Ernst Euting und Dr. Albert Mayer-Reinach in Berlin.
Druck und Verlag von Breitkopf & Härtel in Leipzig, Nürnberger Straße 36.

Publikationen der Internationalen Musikgesellschaft.
Beihefte.

Zu unseren beiden offiziellen Publikationsorganen ist seit Jahresfrist ein drittes, sozusagen nicht-offizielles getreten, zu dessen Bezug die Mitglieder nicht verpflichtet sind und welches in zwanglosen Heften erscheint. Diese

Beihefte der Internationalen Musikgesellschaft

haben den Zweck, die »Sammelbände« zu entlasten. Wie in der »Zeitschrift« nur Aufsätze von höchstens einem Druckbogen Länge aufgenommen werden können, so hat sich für die »Sammelbände« das Prinzip als zweckmäßig herausgestellt, nur Abhandlungen von höchstens fünf Druckbogen Umfang aufzunehmen. Um aber den diesen Umfang übersteigenden Arbeiten von Wert ebenfalls Platz zu schaffen, sollen die »Beihefte« dienen. Das schon vor Auftreten der Internationalen Musikgesellschaft unter dem Titel »**Sammlung musikwissenschaftlicher Abhandlungen von deutschen Hochschulen**« begründete Unternehmen ist in den »Beiheften« aufgegangen. Den Mitgliedern der Internationalen Musikgesellschaft steht es frei, ob sie die Beihefte, die selbständige neue Forschungen enthalten, beziehen wollen. Diese Beihefte, die durch sämtliche angesehene Buchhandlungen des In- und Auslandes oder unmittelbar von der Verlagshandlung Breitkopf & Härtel bezogen werden können, werden je nach Umfang zu mäßigen Preisen portofrei an die subskribierenden Mitglieder geliefert. Die bisher erschienenen Hefte der ersten Reihe der Sammlung musikwissenschaftlicher Arbeiten werden unter denselben Bedingungen den Mitgliedern abgegeben.

Die Centralgeschäftsstelle der Internationalen Musikgesellschaft.

Beihefte der Internationalen Musikgesellschaft.

I. Edgar Istel, Jean Jacques Rousseau als Komponist seiner lyrischen Szene Pygmalion. Preis ℳ 1.50.

II. Johannes Wolf, Musica Practica Bartolomei Rami de Pareia. Preis ℳ 4.—.

III. Oswald Körte, Laute und Lautenmusik bis zur Mitte des 16. Jahrhunderts. Unter besonderer Berücksichtigung der deutschen Lautentabulatur. Preis ℳ 5.—.

IV. Theodor Kroyer, Die Anfänge der Chromatik im italienischen Madrigal des XVI. Jahrhunderts. Ein Beitrag zur Geschichte des Madrigals. Preis ℳ 6.—.

V. Karl Nef, Zur Geschichte der deutschen Instrumentalmusik in der zweiten Hälfte des 17. Jahrhunderts. Mit einem Anhange: Notenbeispiele in Auswahl. Preis ℳ 3.—.

VI. Walter Niemann, Über die abweichende Bedeutung der Ligaturen in der Mensuraltheorie der Zeit vor Johannes de Garlandia. Ein Beitrag zur Geschichte der altfranzösischen Tonschule des 12. Jahrhunderts. Preis ℳ 6.—.

VII. Max Kuhn, Die Verzierungs-Kunst in der Gesangs-Musik des 16. und 17. Jahrhunderts (1535/1650). Preis ℳ 4.—.

VIII. Hermann Schröder, Die symmetrische Umkehrung in der Musik. Ein Beitrag zur Harmonie- und Kompositionslehre mit Hinweis auf die hier technisch notwendige Wiedereinführung antiker Tonarten im Style moderner Harmonik. Preis ℳ 5.—.

IX. Arno Werner, Geschichte der Kantorei-Gesellschaften im Gebiete des ehemaligen Kurfürstentums Sachsen. Preis 3.—.

Früher sind als Hefte der »Sammlung musikwissenschaftlicher Arbeiten von deutschen Hochschulen« erschienen:

I. Eduard Bernoulli, Die Choralnotenschrift bei Hymnen und Sequenzen. Preis ℳ 9.—.

II. Hermann Abert, Die Lehre vom Ethos in der griechischen Musik. Preis ℳ 4.—.

III. Heinrich Rietsch, Die Tonkunst in der zweiten Hälfte des neunzehnten Jahrhunderts. Preis ℳ 4.—.

IV. Richard Hohenemser, Welche Einflüsse hatte die Wiederbelebung der älteren Musik im 19. Jahrhundert auf die deutschen Komponisten? Preis ℳ 4.—.

ZEITSCHRIFT

DER

INTERNATIONALEN MUSIKGESELLSCHAFT.

Heft 9.   Vierter Jahrgang.   **1903.**

Erscheint monatlich. Für Mitglieder der Internationalen Musikgesellschaft kostenfrei,
für Nichtmitglieder 10 ℳ. Anzeigen 25 ₰ für die 2 gespaltene Petitzeile. Beilagen 15 ℳ.

Ein Kopierbuch der Simrock'schen Musikhandlung in Bonn vom Jahre 1797.

Vor einiger Zeit wurde ich durch Herrn Rechtsanwalt Dr. Henry Silberstein auf einen hiesigen Weingroßhändler aufmerksam gemacht, der seit vielen Jahren allerhand merkwürdige Dinge von kulturhistorischem Interesse sammelt. Es ist dies der Inhaber der Espenschied-schen Weinhandlung, Herr Carl Goldschmidt, an der Potsdamer Brücke. Besonders ward mir nahe gelegt, daß ich' auch für meine Beethoven-Forschungen in einem Kopierbuche der Simrock'schen Musikhandlung in Bonn allerlei Nahrung finden würde. Ich machte meinen Besuch, ward in denkbar liebenswürdigster Weise aufgenommen und erhielt das Simrock'sche Kopierbuch zum Studium mit nach Hause.

Wenn nun auch in dieser Simrock'schen Korrespondenz — vom Juli 1797 bis zum Ende eben dieses Jahres und noch bis zum 2. Januar 1798 — an Beethoven selbst sich kein Brief vorfindet — sein Name begegnete mir jedoch zweimal darin —, so bietet dieses Original-Kopierbuch doch soviel Interesse dar, daß es geboten erscheint, die Musikhistoriker auf Manches darin aufmerksam zu machen. Man kann vielerlei daraus lernen, besonders aber gewisse Beweismittel für manche strittige Fragen daraus entnehmen.

Die Korrespondenz bringt uns nicht wenige hervorragende Zeitgenossen unseres klassischen Dreigestirns Haydn, Mozart und Beethoven in Erinnerung, so die Herren: Neefe, Beethoven's Lehrer, Anton Reicha, den Komponisten und Beethoven's Jugendfreund, Peter Salomon, den Förderer des Haydn'schen Tongenius, den Kasseler Kapellmeister Dr. Großheim, der ja in neuerer Zeit ein besonderes Beethoven'sches

Interesse gewonnen hat, an Rellstab in Berlin, den Vater Ludwig
Rellstab's, den Verleger Zulehner, an die Musikhandlungen Breitkopf
in Leipzig, Schott in Mainz, Traeg in Wien, André in Offenbach
und andere mehr.

Daß die Korrespondenz im Zeitalter der großen französischen Revolution geführt ist, lehrt schon ganz allein das Papier des Kopierbuches,
von welchem nicht wenige Blätter oben eine bildliche Vignette zeigen.
Eine fahnentragende Jungfrau steht vor Kanonen und anderen kriege-
rischen Symbolen; zu ihrer Rechten steht ein Pilaster, auf dem deutlich
die berühmten Worte: droits de l'homme zu lesen sind; über ihrem Haupte
zur Rechten und zur Linken stehen in großen Lettern die Stichworte
der Revolution: Égalité, Liberté, Fraternité.

Eine beträchtliche Anzahl dieser Briefe ist in französischer Sprache
abgefaßt.

Heben wir nunmehr einzelnes aus diesem Schatzkästlein heraus.

Gleich der erste Brief gewährt ein ganz besonderes klaviertechnisches
Interesse, er ist nicht wenig geeignet, die Frage des Klavierumfangs
zur Zeit der ersten Periode in Beethoven's Tonschaffen auflösen zu
helfen. Der Brief, vom 16. Juli 1797, ist an »Madame Rapp née lenders
à Lindberg bey Neuss« gerichtet und lautet also:

>Ich Komme von einer Kleinen Reise zurück und finde ihren Brief vom
9ᵗ july — der Einschlag ist besorgt worden — vorräthig habe ich dermal
Kein Clavier oder fortepiano, ist aber wieder eins bestellt. Ein solches Instr.
von Basse f biß $\overline{A}$ im discant auf englische Art gemacht, das aber alle
Englische übertrifft, Kostet 16 Carolin. Von Nußbaum Holz. Von Kirschbaum 17. Von Mahony Holz polirt und geschliffen 20 Carolin — die Füße
mitgerechnet.
Ein Clavier mit 5 Octaven auf englische art Kirschbaum Holz Kostet
13 Carolin.
War [Wär'] Ihnen eins von der art gefällig, so bitte mir gleich Antwort
darüber — ich werde's dann bestellen. Ich zahle bey jeder Bestellung die
hälfte des Preises voraus, und die übrige hälfte wenn das Instrument ganz
fertig und von Kennern gutbefunden worden ist.«

Die Erkenntnis ist besonders wertvoll, daß es bereits im Jahre 1797
neben den fünf-oktavigen Klavieren, von Contra-F (F) bis zum dreigestrichenen f (f''') auch Klaviere gab, die bis zum dreigestrichenen a (a''')
hinaufreichten. Dies beweist jedem Unbefangenen aufs evidenteste, daß
die Herausgeber klassischer Tonwerke unrecht tun, Klavierkompositionen
jener Epoche deshalb umzugestalten, weil ihrer vorgefaßten Meinung nach
der Umfang der Klaviere am Ausgang des 18. Jahrhunderts über das
dreigestrichene f''' nicht hinausgegangen wäre. Also sind diese Herren
— auch abgesehen vom historischen Recht — im Unrecht. Ich ver-
weise hierbei auf meinen Aufsatz: »Die Ausgabe Beethovenscher Klavier-

sonaten durch das Leipziger Konservatorium‹ (Die Musik, I. September-
heft 1902).

Mehrere Briefe jener Julitage verbreiten sich über die Herausgabe
eines ›posthumen‹ Klavierkonzerts von Mozart, so an einen Grafen
von Nesselrode in Düsseldorf unterm 17. Juli 1797: — — — ›Ich
habe das neue Klavierkonzert von Mozart — Oeuvre Posthume No. 1 —
dergestalt herausgegeben, damit es auch zu 5 Stimmen exekutiert werden
kann: es kostet Fr. 3.40.‹

Mit Breitkopf in Leipzig gab es Differenzen. In einem Briefe vom
20. Juli schreibt Simrock:

›Auf mein letzteres [Schreiben] vom 7. 7bris a. p. habe ich noch
keine Antwort von E. E. gesehen; ich konnte Ihnen damals nicht anderß
sagen. Es scheint, daß Sie meine Aufrichtigkeit beleidigt hat; ich bleibe
gern bei der Wahrheit — — — — Wollen Sie keine Geschäfte mit mir
machen, so ist es mir leid. Haben Sie wenigstens die Güte mir mit um-
gehendem zu sagen, wie unsre Sachen stehen, damit wir auseinander Kommen.‹

Die Beziehungen zur Leipziger Firma scheinen ein Ende genommen
zu haben, wenn dieser Anfang eines Briefes vom 18. September genau
zu nehmen ist:

›Dies ist der letzte Brief, welchen ich an EE. schreibe.‹ — —

Sehr rege ist die Korrespondenz mit dem Kasseler Kapellmeister
Dr. Georg Christoph Großheim, der im Juli 1764 zu Kassel geboren
ward und ebendaselbst im Jahre 1847 verstarb. Großheim, der Freund
des Dichters Seume, trat lange nach Seume's Tode um dessentwillen
auch mit Beethoven in Verbindung; er hatte lange, lange Jahre mit
bitterer Lebensnot zu kämpfen. So mußte er lange Zeit für Verlags-
handlungen tätig sein, unter anderem für Schott in Mainz und — wie
es dieses Kopierbuch ausweist, auch für Simrock in Bonn. Großheim
hat auch Opern komponiert. Von seinen Opern ›Titania‹ und ›Das
Kleeblatt‹ erschienen verschiedene Nummern im Simrock'schen Verlage.

Der erste in unserm Kopierbuche enthaltene Brief an ›Großheim in
Cassel‹ vom 20. Juli 1797 zeigt uns, daß der Kasseler Kapellmeister
und Musiklehrer — die Universität Marburg verlieh ihm späterhin den
Doktortitel — den Klavierauszug von Mozart's ›Idomeneo‹ anfertigte.
Auch hierin spielt das posthume Mozart-Konzert eine Rolle. Der Brief
schließt so:

›Sagen Sie mir doch Ihre Meynung über das Concert von Mozart, wenn
sie solches geprüft haben.

Ich bitte nochmal um schleunige Besorgung des 2ten Actes [Idomeneo]
und das um obige Anzeige machen zu können. Gruß und Freundschaft.‹

Das Arrangement des II. Idomeneo-Aktes verzögerte sich bei Großheim, so daß Simrock in einem Briefe vom 18. August klagt:

.   »Durch das aufhalten des 2ten Akts werde ich zur Messe zu spät kommen«. —
Dann gilt es »Cosi fan tutte« herauszubringen. Darüber lesen wir die
interessanten Worte:

»Da Cosi fan tutte gar zu viele Quintets, Terzette, 6te und Quartette,
nebst den Finale, welche beynahe ²/₃ des ganzen betragen, enthält — so glaube
ich war es Vortheilhafter, wenn ich bloß ouverture, Duo und Arien herausgäb,
allenfalls das No. 1 et 2 Terzette und das No. 21 quartette. Dies würde nicht
hoch, höchstens 5 Fr. 30 C. Kommen, folglich Käufer genug finden — auch
Kömmt ein beßrer Text in Frankfort heraus, den ich dazu abwarten will —
was halten Sie davon — hierüber baldest ihre Meynung. Dann veränderten
Sie diese Sachen nach Ihrer Art?«

Unterm 5. September 1797 ist ein weiterer langer Brief an Großheim
verzeichnet, aus dem Simrock's Musikverstand nicht wenig hervorleuchtet.
Das wichtigste daraus sei hiermit dargeboten:

»Beyde Paquet habe ich vorgestern zusammen erhalten! Schade daß
solches zu spät geschehen! Zur Messe komm ich zu spät. Ihre Verbeßerungen
in Rücksicht des Textes finde ich ganz gut. Freylich wäre die Partitur
nöthig gewesen! Nun Kann ich sie wieder haben, weil es zu spät ist! Wegen
des Titels mögte ich Sie bitten, mir solchen nach ihrem gutbefinden auf-
zusetzen und wenn es möglich ist in heyden Sprachen Ital. und Deutsch.
Den letztern Chor lege [füge?] ich in 4 Singstimmen, dies ist meine Meynung. Nie, sobald eine Stimme andere Worte hat, muß sie allein Ihre Zeile
haben, wenn es keine Confusion geben soll.«   Trotz der starken Anakoluthie
im letzten Satze dürfte sein wahrer Sinn deutlich sein.

Ferner schreibt Simrock in diesem Briefe:

»gar gerne hätte ich Mozarts Klavierkoncert angezeigt, ich glaube nicht,
daß ich mich dessen zu schämen habe; wenigstens hat es mir viele Mühe
gekostet, um es besser zu machen. Erzeigen Sie mir den Gefallen solches
irgendwo in eine Gelehrte Zeitung anzuzeigen oder zu recensiren.«

Viel ist in demselben Schriftstück von Großheim's Herausgabe einer
»Musikalischen Quartalschrift« die Rede. »Ich bin nicht abgeneigt« —
schreibt Simrock — »die Fortsetzung der Musikalischen Quartalschrift
zu übernehmen.« Vielleicht ist das die »Euterpe«, von welcher Zeitschrift Dr. Großheim vier Teile erscheinen ließ. — Hierauf und auf
dieses Tonkünstlers eigenes Schaffen beziehen sich die folgenden Stellen
des Briefes:

— — »Lodoiska von Cimarosa¹) ist heraus, worin einige vortrefliche
Sachen sind. Damit müßte also sogleich angefangen werden, die Ouverture
mit darbey. Ich will Ihnen die Arien besorgen mit deutsch und französischem
Text, hiermit dörfte aber nicht lange gesäumt werden, weil diese Oper eben

---

1) Das ist ein merkwürdiges Faktum. Cimarosa's Lodoisca erscheint hier 1797,
trotzdem einige Jahre vorher — 1791 — Cherubini's Lodoisca mit großem Erfolge
über die Bühne gegangen war. Ich möchte jedoch vermuten, daß Simrock hier die
Namen Cimarosa und Cherubini verwechselt hat: denn eine Oper »Lodoisca« von
Cimarosa finde ich nirgends aufgezeichnet.

in Frankfort gegeben wird — ich habe einen Weg wodurch ich alle Neue und güte Arien haben Kann, welche dort gegeben werden und Könnten Sie nicht auch Ihre eigene Oper Das Kleeblatt auf die Art herausgeben[1])? übrigens bin ich mit allen benannten Authoren zufrieden, verlange von Ihnen nur zeitliche Einsendung des Stoffes, dann Können Sie auch auf pünktlichkeit rechnen. Es müßte denn ein besonderer Zufall einige Tage die Versendung verzögern?«

Schließen wir die Anthologie aus diesem Briefe mit einer sarkastischen Floskel über einen Pianisten, mit dem der jugendliche Beethoven auf einem Ausfluge von Bonn nach Mergentheim zusammengetroffen war, nämlich über Sterkel[2]). Simrock schreibt da:

»Ich Komme von einer Kleinen Reise von Frankfort Maynz zurück — ich war bey Schott — Er hat viele Geschäfte mit andern Dingen als Musik, die ihm viel Geld einbringen. Sterkel hat mich zu sich gebeten — ich habe aber die Einladung vergessen, weil ich wußte, daß er mir etwas zu stechen geben wollte — und ich nichts von ihm stechen mag!«

Ein andrer Brief an ihn vom »18 7bris [Septembris] 1797« ist darum interessant, weil Joh. Peter Salomon darin vorteilhaft erwähnt wird; der Bonner Musiker, der späterhin in London seinen bleibenden Wohnsitz und Wirkungskreis fand, der dann auch in Haydn's Leben so einflußreich hervortritt. Simrock schreibt:

»Beykommendes Avertissement bitte gleich bekannt zu machen, eins davon im Modejournal und eins in die Jenaer Litteratur-Zeitung einrücken zu laßen, auf meine Rechnung, dies giebt der Vorläufer von der Quartalschrift — wollten Sie auch gleich auf den Anfang Künftigen Jahres die Quartalschrift ankündigen — oder beßer auf ein andermal abwarten biß wir darüber ganz in ordnung sind? auf alle fälle Verlaß ich mich auf die Promteste Einrückung dieser Avertissem. in die Zweckmäßigste Zeitungen und Journale — Salomon und ich wir sind alte Freunde und ich Konnte nicht umhin mit ihm in Gesellschaft dies Werk herauszugeben.«

Salomon war nicht nur reproduzierender, sondern auch mannigfach schaffender Tonkünstler, — besonders viel komponierte er für sein Instrument: die Violine, aber auch Opern und Oratorien. Salomon hatte um diese Zeit, wie aus einem Briefe Simrock's an André in Offenbach vom 6. Okt. 1797 hervorgeht, Haydn's 6 neue Sinfonien für Klavier arrangiert, die Simrock gerade jetzt edierte.

Haydn's Londoner Sinfonien, die jetzt herauskommen mußten, machen einen starken Strich durch die bisherigen Abmachungen. Idomeneo, die projektierte Musik-Zeitschrift »Euterpe« und Musik aus der Oper »Klee-

---

1) So geschah es denn auch mit Dr. Großheim's Opern.
2) Die Begegnung selbst fand in Aschaffenburg statt, wo Beethoven »durch Ries, Simrock und die beiden Romberg zu Sterkel gebracht wurde, welcher dem Gesuch aller willfahrend, sich zum Spielen hinsetzte« (Wegeler nnd Ries, Notizen, Seite 17).

blatt« müssen zurückstehen. Von all diesen Dingen spricht der Brief
an Großheim vom »6ᵗ 8 bris 1797«, der also beginnt:

»Durch die Haydn'sche Sinfonien bin ich nun freylich gewaltig in meinem
Plane gestört worden — allein es war ein altes Versprechen an einen alten
Freund und es haftete Verlust auf dem Verzug« — — —

Haydn selbst erhielt ein Exemplar der neuen Symphonien, oder
sonst etwas aus dem Verlage mit folgendem Billet vom 20. Oktober:
Herrn Kapellmeister Haydn in Wien:

»Nehmen Sie Schätzbarer Mann dies Exempl. gütig auf, es soll Sie nur
von der vollkommenen Ergebenheit überzeugen womit ich unveränderlich bin
N. S.«

Der folgende Brief an Dr. Großheim vom 30. Oktober 1797 ist
darum besonders interessant, weil er uns dartut, wie schwere Zeiten
damals über die Rheinprovinz im allgemeinen, und über Bonn und die
Simrock'sche Handlung im besonderen verhängt waren. Simrock schreibt:

»Wenn Sie sich meines Verlags wegen in Leipzig genauer erkundigen
Können wird es mir lieb seyn.
Haydns Sinf. sind fertig — mit Idomeneo wird fortgefahren — Säumen
Sie nicht mir recht bald den 3ᵗᵉⁿ Akt nebst Stof zur Euterpe —
Lodoiska habe ich die Partitur zur Unterlegung des Deutschen Textes
abgeschickt. Idomeneo wird gewiß f. 9 Kosten. Vom Kleeblatt [Großheim's
Oper] Kann ich noch nichts bestimmen, biß ich einmal gegen die Hälfte in
der Arbeit damit bin.
Der Preiß von der Euterpe [Zeitschrift] ist mir ganz recht nemlich der
Jahrgang Praenumerando f. 5.30. Der Ladenpreis des einzelnen Heftes f. 2.
Gottlob daß endlich die frohe friedens Nachricht[1] eingetroffen ist, allein
was aus uns werden wird ist wohl entschieden — noch aber nicht bekannt
— bleiben wir hier republikaner, so ist dies allerdings ein gar sehr harter
Schlag für mich und mein Verlust so groß, daß ich vermuthlich auf Kölln
werde ziehen müssen, welches mir ungemein hart fallen wird. Ein trauriger
Trost, daß es manchen meiner bekannten noch härter trifft. Danken Sie
meinem Herrn Gevattermann von Kauspruch [?] in meinem Namen, Er ist
von uns allen herzlich gegrüßt.«

Noch einen Brief an den Kasseler Kapellmeister Großheim enthält
unser Kopierbuch vom »28 9bris [November] 1797«, der nichts besonders
wichtiges darbietet; nur das verdient daraus hervorgehoben zu werden,
daß die »Euterpe« erst Ostern 1798 herauskommen soll, ferner die Erkenntnis, daß die Verleger wetteifern, das eine oder andere hervorragende
Werk zu edieren, wie das in diesem Briefe erwähnte Idomeneo-Werk
von Mozart, das bereits bei Breitkopf in Leipzig erschienen ist, ebenso
in Prag, — gleichwohl gibt Simrock den Idomeneo doch heraus, wie
uns folgender Schluß des Briefes belehrt:

---

1) Damit ist der Friede zu Campo Formio (bei Udine) gemeint.

»Ich schmeichle mir, daß die meinige [Ausgabe] deutlicher, dem ansehen nach nicht gedrängter seyn soll wie die Prager und doch weniger Platten haben wird.

Setzen Sie die Oper auf f. 9 fest.« —

Auch an Chr. Gottlieb Neefe, den Komponisten und Lehrer Beethoven's, erscheinen hier einige Briefe. Dieser für seine Zeit einflußreiche Bühnenkomponist lebte von 1748—98. Die letzte Zeit seines Daseins war wiederum äußerst sorgenvoll, so daß es nicht weiter Wunder nimmt, wenn wir Neefe noch in reifstem Mannesalter für Verleger tätig sehen. Mit Simrock muß ihn weit mehr als geschäftliches Interesse verbunden haben. In einem Briefe vom 13. Juli 1797 — also etwa ein halbes Jahr vor seinem Tode — schreibt ihm Simrock:

»Mein Schwager ist aus Amerika gekommen, um sein Vermögen in Maynz in Empfang zu nehmen gemäß einem Schreiben, welches ich im vorigen Jahr von seinem Anwald erhielt. Nun macht man ihm aufs Neue Schwierigkeiten — ich werde deshalb in einigen Tagen nach Maynz gehen. — Grüßen Sie mir alle liebe Ihrige 1000 mal.«

Simrock unternahm dann eine längere Geschäftsreise — zumeist wegen seines Schwagers Stumme — und fand bei seiner Rückkehr Neefe's neuesten Klagebrief vor. Neefe's Tochter, eine hervorragende Sängerin, war 1776 von Direktor Bossong nach Dessau engagiert worden, bald danach auch Neefe selbst als Direktor und seine Gattin als Sängerin. Die im Jahre 1797 erfolgende schwere Erkrankung der Gattin griff Neefe selbst aufs tödlichste an. Von diesen Sorgen und Gefahren spricht der zweite und letzte der in diesem Simrockbuche enthaltenen Briefe an den Konzertmeister. Der Brief ist vom 22. September 1797 datiert. Aus diesem langen Schreiben mögen folgende Stellen mitgeteilt werden:

— — »Ich machte eine Reise nach Amsterdam mit meinem Schwager! |Stumme] und bin seit dem 18ᵗ julius biß den 9 7bris in der Gegend von Maynz mit ihm gewesen, wegen seinen Vermögens Geschäften. bey meiner Rückkehr fand ich unter einer Menge von briefen auch den Ihrigen höchst traurigen vom 8. julius! Wie sehr tief uns Ihr Schicksal gerührt, Kann ich Ihnen nicht beschreiben« — — — — »Sie können nun selbst urtheilen, wie es mit meinen Geschäften ausgesehen haben mag, als ich nach einer so langen Reise zurück Kam? auch habe ich seitdem Tag und Nacht gearbeitet, um meine Correspondenz wieder zu ordnen. Ich war eben im begrif an Sie zu schreiben, weil ich Ihnen zugleich beikommendes avertissement senden wollte. urtheilen Sie von meinem Erstaunen, als ich vorgestern ihr letzteres vom 10. Sept. erhielt.«

Nun ist ein längeres von einem an Neefe beförderten Paquet die Rede, das verloren schien und doch wieder gefunden ward. Der traurige Kern ist, daß der schwer bekümmerte Neefe infolge dieser Simrock-Reise Paket und Honorar für Arrangements soviele Monate vergebens erwartete. Simrock bedauert denn auch:

›Herzlich leid ist es mir, daß ich Ihnen auch noch Ursache zum Mißvergnügen gegeben, dessen Sie so viel haben.‹

Vieles in diesem Briefe bezieht sich auf Differenzen mit der Firma Schmidt & Rau. — Etwa 4 Monate später — am 26. Januar 1798 — starb Christian Gottlieb Neefe. —

Auch der Komponist und Theoretiker Anton Reicha (1770—1836) erscheint unter den Korrespondenten Simrock's im Jahre 1797. Reicha, geborener Prager, kam in seinem 16. Jahre nach Bonn, wo er auch mit dem fast ganz gleichaltrigen jungen Beethoven eng befreundet wurde, mit dem er auch späterhin wieder in Wien zusammentraf. Zur Zeit dieses Korrespondenzbuches befand sich Reicha in Hamburg als Klavier- und Gesanglehrer (1794—99).

In einem Briefe vom 20. Juli 1797 schreibt Simrock dem Komponisten unter anderem über Reicha's Tante [1]) in Bonn:

›Ihre frau Tante ist aus furcht, der Krieg würde ihr die Rheinpassage verwehren, schon im April, nachdem Sie alle Ihre Möbels verkauft, von hier nach Wallerstein abgereiset. Ein grosentheil ihrer Instrumenten und Musique habe ich gekauft, das Kleine Clavier hat H. Römer gekauft. Ich habe aber seit ihrer Abreise von hier Keine Zeille von ihr gesehen obwohl ich ihr p. Wechsel noch den Rest ihres Geldes Von den versteigerten Möbels gesendet habe.‹ — — —

In einem zweiten in diesem Kopierbuche enthaltenen Briefe an den ›Werthen Freund‹ Reicha vom 6. Oktober 1797 bespricht Simrock einen Kreditwunsch der Hamburger Firma Günther & Böhm und dann heißt es:

›Ihre Werke bekanndt zu machen, muß Ihnen freylich am Herzen liegen. Ich gebe mit nächstem Neujahr eine Quartalschrift heraus, worin ich einige ihrer Sachen aufnehmen werde, und so nach und nach mehrere. Sie können wohl auch an einen gewissen Gombart in Augsburg einiges senden, der größtentheils originale herausgiebt, und der gewiß nicht ermangeln wird, ihre Werke bekannt zu machen.‹ —

Eine größere Anzahl von Briefen bietet das Kopierbuch an Joh. Peter Salomon dar, der 1745 zu Bonn geboren ward und 1815 in London starb. In diesen Briefen handelt es sich in erster Linie um die deutsche Ausgabe der neuen Haydn'schen Symphonien. Der erste Brief (vom 18. September) beginnt also:

›Vorgestern abend d. 16. folglich nach 21 Täge habe ich ihr werthes vom 25. August nebst den 6 Sinfon. fürs Clavier von Haydn erhalten. Obwohl ich die Oper Idomeneo von Mozart für Klavier arrangirt zur Leipziger Herbstmesse in voller Arbeit hatte, so habe ich doch gleich auf der Stelle diese Sinfon. angefangen — ich habe hier Keine Wahl von Stecher,

---

1) Anton Reicha ist ein Neffe des Bonner Konzertmeisters Joseph Reicha.

Nur in meinem Hauße wird Musik gestochen vielleicht in einem Umkreiß von 30 stunde« — — — »Ich nehme Ihren Vorschlag an, auf Gemeinschaftliche Rechnung«.

Dann heißt es darin wegen des Titels:

»Der Titel zu diesen Werke wär mir äuserst nöthig gewesen. Damit solcher gleichförmig wird; mit der Londner ausgabe. auch weiß ich nicht, welches opera es wird: Ich bitte mir mit der umgehenden Post eine gefällige Antwort aus, damit ich nicht willkürlich bey den Titel zu Werke gehen muß.« — — —

Aus dem zweiten Briefe (16. November 1797) gebe ich nur folgendes:

»Werther freund! Ihr Brief vom 12t 8bris ist gestern erst hier angekommen. Den Titel habe ich ohngefähr So bestimmt, daß solche doch Kennbar sind durch das Wort (Composées pour Londres) nur habe ich mit No. 1 angefangen. André in offenbach war so gefällig mir zu versprechen, für diesmal solche nicht nachzustechen. Nun sind sie alle abgesendet. 100 Exempl. sind schon einmal in die Welt und besonders an die Orte zu erst wo ich dachte, daß die französische [Ausgabe] oder Nachstiche zu fürchten seyen.«

Im weiteren ist in diesem Briefe davon die Rede, ob die für Klavier gestochenen Londoner Symphonien auch nach dem Original für ganzes Orchester zu stechen seien. Der Brief schließt mit den Werten aus der Tagespolitik:

»Gestern abend ist ein Dekret angekommen, welches die Länder zwischen Mosel — Maas und Rhein, ganz auf französischen Fuß organisirt, in Departement eintheilt etc. Ein offenbares Zeichen, daß wir französisch bleiben.«

Der dritte Brief an Salomon, den edlen Beförderer der Haydn'schen Tonmuse, ist der eine der beiden Briefe des ganzen Kopierbuches, in dem auch der Name Beethoven auftaucht. Der nicht allzulange Brief mag hier ganz folgen, weil er über das Wesen der Typographie allerhand Interessantes enthält:

Bonn 20t 9bris [November] 1797.

»Ich habe Ihnen am 16t über Hamburg geschrieben, worin ich alles bemerkt habe, was zu bemerken war.

Sie empfangen hierbey

1. ein Probe Exempl. von Haydns Sinf. — wie ich schon gesagt habe, die Eile sieht man ihnen an — besonders die Abdrücke.

2. Donjuan im Clavierauszug

3. Mozart, Concert, oe. Posthume No. 1

4. L. v. Beethoven 3 Sonate No. 1 [1]).

---

1) Das ist Sonate in f-moll, op. 2, Haydn gewidmet; die erste Ausgabe erschien März 1794 bei Artaria & Co. in Wien. — Das zweite Mal kommt der Name Beethoven in einem Briefe an die Hamburger Firma Günther & Böhme vom 13. November vor. Unter den noch zu verrechnenden Werken führt Simrock auch vier

Hieraus Können Sie ersehen was ich verlege und wie? Darf ich Sie noch einmal beschweren um beikommende Polzen, welche ich gern recht bald haben möchte. solche bestehen aus einem ganz Kleinen Alphabet mit Capital und Korent Buchstaben, so wie beykommendes Muster ausweiset. Dann von den etwas größeren die 2 Buchstaben j und y, wenn es möglich wär ein Alphabet zu bekommen, daß ein wenig größer wie das Kleinste und etwas Kleiner wie das größte, folglich das Mittel enthielt zwischen beiden. Mich wundert es, daß man noch Keine Polzen hat wie die englische Schrift a b c d e f, welche den Gravirten Buchstaben gleich Kommen; wenn solche Polzen zu haben wären, so erbitte ich mir ein alphabet von der größe aus wie beykommendes größte.»

Der freundliche Leser wird hoffentlich erkannt haben, daß dieses Kopierbuch dem Musikhistoriker manches Beachtenswerte darbietet. Der emsige Sucher könnte leicht noch allerlei andere Ausbeute darin finden. Wer sich für Berlins Musikalienmarkt in jenen Zeiten interessiert, sei auf Briefe an den Musikalienhändler Rellstab, den Vater des Schriftstellers, vom 18. August 1797, und an den Tonkünstler Fischer (6. Oktober) hingewiesen. Aus letzterem Briefe zumal leuchtet die große Gewissenhaftigkeit Simrock's dem Publikum gegenüber hervor, so beispielsweise aus folgender Stelle:

»Wenn man etwas dem Publikum übergiebt, so muß solches richtig sein. In diesen Liedern aber finde ich viele Unrichtigkeiten, die ich nicht heben kann. Wir sind zu weit entfernt, daß ich Ihnen zur Correctur einsenden könnte. Diese muß ich selbst nach meinen richtigen Exempl. machen Können« etc.

Aus verschiedenen anderen Briefen wird es offenbar, eine wie tiefe Musikeinsicht Simrock mit seiner Geschäftskenntnis verband. So heißt es in einem Briefchen an Madame Böhm in Aachen vom 25. August:

»Dermal Kann ich Ihnen nicht anders als mit der Partitur von Oberon[2] aufwarten, weill ich Niemand hier habe, der einen richtigen Singstimmen Auszug machen Kann, worauf ich mich verlaßen Konnte — übrigens ist bey Partituren der Vortheil, daß man sogleich jede Instrumentstimme ersezzen lassen Kann, wenn sie verlohren geht, welches öfter bey Theatern der Fall ist. bey Singstimmen Auszügen ist dies nicht möglich. Oberon Kostet für Sie f. 26.« —

An Carl Zulehner in Mainz, der ja auch in Beethoven's Leben auftaucht — freilich in keinem sehr beneidenswerten Lichte — schreibt Simrock unterm 16. Oktober:

»So wie ich höre hat Lodoiska kein Glück gemacht in Frankfort. Dies

---

Exemplare von »Beethoven trios« für fl 18 auf; das sind die im Jahre 1795 bei Artaria zuerst erschienenen 3 Trios op. 1.

2) Natürlich ist das nicht der Weber'sche Oberon; Carl Maria von Weber stand Anno 1797 erst im 11. Lebensjahre.

ist auch der Fall in Berlin.   Es werden vermuthlich noch Jahre verstreichen,
ehe diese Gattung Musik gefällt.   Dann Kann es seyn, daß ich einige Auszüge von Arien und Duo herausgebe.« —

In eben diesem Briefe muß Zulehner, der dem Simrock'schen Verlage
von seinen Kompositionen angeboten hat, zu hören bekommen:

»Man kann ein vortrefflicher Übersetzer seyn (dies haben Sie bewiesen),
aber eben so componieren, ist eine andere Sache« — —

Auch in dem zweiten in diesem Kopierbuche noch vorhandenen Briefe
Simrock's an Zulehner (vom 2. Dezember 1797) hat es der Verleger noch
nicht eilig mit dem Stechen Zulehner'scher Kompositionen.   Er schreibt
ihm da unter anderem:

»— — überhaupt denke ich noch ein wenig langsam zu gehen mit
original Werken zu stechen, weil durch unsere Politische Veränderung unser
Musikhandel wegen der Pariser HH. Verleger nun eine ganz andere Wendung
nehmen muß, wovon das Resultat des Vortheils wegen schwer zu errathen
ist, denn die Herren Pariser haben biß jetzt alles nachgestochen.   Daher
bitte ich Sie, Herrn Sterkel[1]) in meinem Namen höflichst zu danken für das
gütige Anerbieten.   Auch habe ich noch beinahe 6 Monath Arbeit vor mir,
die versprochen ist.   Über Haydns Sinf. ist Ihr Urtheil richtig.« — — —

Carl Zulehner, zu Mainz 1770 geboren, war sogar Mitglied der
Akademie der Künste und Wissenschaften in Mainz, wirkte dort als
Orchesterdirektor und Kompositionslehrer.   N. Simrock hat späterhin
doch nicht wenige Original-Kompositionen von ihm gestochen, so sein
Klavierkonzert (op. 5), sein zweites Klavierquartett (op. 13).   Aber der-
selbige Zulehner hat auch selbst verlegt und — wie es scheint — tapfer
nachgestochen.   Wenigstens sah sich Beethoven im Herbst 1803 veranlaßt, im Intelligenzblatt der Leipziger Allgem. Musikal. Zeitung, No. 3,
November, wie auch noch sonst folgendes zu veröffentlichen:

»Herr Carl Zulehner, ein Nachstecher in Mainz, hat eine Ausgabe
meiner sämtlichen Werke für das Pianoforte und Geigeninstrumente angekündigt.   Ich halte es für meine Pflicht, allen Musikfreunden hiermit
öffentlich bekannt zu machen, daß ich an dieser Ausgabe nicht den geringsten
Antheil habe.   Ich hätte nie zu einer Sammlung meiner Werke, welche
Unternehmung ich schon an sich voreilig finde, die Hand geboten, ohne zuvor
mit den Verlegern der einzelnen Werke Rücksprache genommen zu haben
und für die Correctheit, welche den Ausgaben verschiedener einzelner Werke mangelt, gesorgt zu haben.   Überdies muß ich bemerken,
daß jene widerrechtlich unternommene Ausgabe meiner Werke nie vollständig
werden kann, da in Kurzem verschiedene neue Werke in Paris erscheinen
werden, welche Hr. Zulehner als französischer Unterthan nicht nachstechen
darf.   Über eine unter meiner eigenen Aufsicht, und nach vorher-

---

1) Vergleiche oben (S. 535) aus dem langen Briefe Simrock's an Dr. Großheim in
Cassel (5. September, nebst Fußnote 2.

gegangener strenger Revision meiner Werke, zu unternehmende Sammlung derselben, werde ich mich bei einer andern Gelegenheit umständlich
erklären.   Ludwig van Beethoven.«

Diese energische Abfuhr und Abwehr ist zuerst von Anton Schindler
mitgeteilt worden (Beethovenbiographie, 3. Aufl. I, 84 f.).

Und damit nehme ich von dem so vieles Interessante enthaltenden
Simrock'schen Kopierbuche Abschied.

Berlin.   **Alfr. Chr. Kalischer.**

Joachim Raff.

Ein Gedenkblatt zur Enthüllung seines Denkmals in Frankfurt am Main.

> »Zu den höheren Aufgaben der Kunst gehört
> es, den Heldenmuth nicht nur darzustellen oder
> zu besingen, sondern einzuflößen. Dafür sollen
> die Künstler ihn empfinden, bewahren und als
> segnende Flamme verbreiten.
> Weymar, März 1859.   F. Liszt.«

In diesen Tagen wurde ein von trefflicher Künstlerhand ausgeführtes
Denkmal über der letzten Ruhestätte eines Mannes enthüllt, der in einer
denkwürdigen Epoche als begeisterter Kämpe für die großen Vorstreiter
unserer Tonkunst und ihre idealen Forderungen eingetreten. In einer großen
Zeit der Rufer im Streite, war Joachim Raff der Typus eines in jeder Beziehung hochgebildeten Musikers, dessen im besten Sinne des Wortes aristokratisch zu nennender Charakter im Banne der Kunst nur die uneigennützige
Verwirklichung großer Pläne verfolgte; ein Charakter, dem jede persönliche
oder parteiliche Kliquenwirtschaft, aus der zu allen Zeiten so viele bequeme
Erfolge resultieren, vollständig ferne lag. Unsere heutige Generation, die
sich mühelos der einst in hartem Kampfe erworbenen, jetzt allenthalben
herrschenden Kunstprinzipien erfreut, ist auch einem Raff den Zoll pietätvollen Dankes für die zahllose Arbeit und Mühe schuldig, mit der er als
furchtloser Pionier im Dienste des Schönen und Wahren das einst so trostlose Neuland beschritten; sie muß ihm die Anerkennung zollen für den Mut
der freimütigen Überzeugung, mit der er, oft seine eigene Existenz vergessend, die neuen künstlerisch-kulturellen Güter zu erwerben, wahren und
verbreiten suchte. Klein war die Zahl derer, die in jenen Tagen, da sich
neusprossendes Kunstleben und bequemste Tradition heiß bekämpften, ein
hohes Ziel im Auge hatten, und nur einem kleinen Kreise war es um die
kühne, aber auch zielbewußte Realisierung großer Ideen auch wirklich ernst
zu tun. Zu diesem Kreise gehörte Raff, dessen bestes Charakterbild sein
künstlerisches Glaubensbekenntnis in einer Briefstelle (an Liszt, 1850) zu
bieten im stande ist. »Ich habe einen so gründlichen Eckel an all dem
willkürlichen Kunsthanselieren, was mit der Schönheit, dem allgemeinen
Gefühle der besseren Menschheit zu dem einzig richtigen Wege zu verstän

digen Resultaten von Haus aus broullirt ist, daß ich mich nicht entschließen kann, Jemand zu unterrichten, der nicht mit vollem Vertrauen, energischem Fleiße und aufrichtiger Hingabe an die Sache verfährt. Entweder wir haben eine Kunst, oder wir haben sie nicht. Im ersten Falle muß an ihrer Vervollkommnung gearbeitet und zu diesem Ende der fertige Standpunkt kennen gelernt und zur Anbahnung des Fortschritts benutzt werden. Im anderen Falle halte ich mich an nichts, als die Naturmusik der Thiere und der übrigen Wesen und die Volkslieder .... und verabscheue jeden Auswuchs einer Kultur, die ohne Bestand wirklicher Kunst für mich blos illusorisch ist, will auch für mein Theil gar nichts damit zu schaffen haben.‹ Unsere Zeit ist über Raff als Komponisten, vielfach sehr mit Unrecht, zur Tagesordnung übergegangen. Betrachtet man dessen ganzen, anfangs so unsäglich harten Werdegang, so tritt dem objektiven Beurteiler freilich ein Moment entgegen, das man hier mit der Tragik einer persönlichen Anschauung und eines zwiespältigen künstlerischen Empfindens bezeichnen möchte. Dieser in vielen Werken oft markant hervortretende tragische Konflikt zwischen einer von Beethoven ausgehenden und speziell auf Mendelssohn fußenden Klassizität, und der damals eben bahnbrechenden modernen Romantik eines Liszt und Wagner wurde bei Raff zu einem Problem, unter dessen Druck unser Künstler besonders als Komponist, aber auch oft als Kritiker und Pädagoge, zeit seines langen, rastloser Arbeit gewidmeten Wirkens gestanden. Aber gerade aus diesem Problem lassen sich die bei Raff oft hervortretenden Zweifel an dem eigenen Schaffen erklären, die ja jeden ernst Strebenden bestürmen, und wir begreifen, daß Liszt und Bülow, die beiden großen Förderer, in ihren Briefen gelegentlich genug zu tun hatten, den Mut des aufstrebenden Musikers zu heben und von ›absurden Grillen‹ (Liszt) zu befreien. Wenn man den bösen Weg des Generalisierens betritt, so mag über die gewiß oft recht tadelnswerte Vielschreiberei Raff's freilich vieles Schöne, Lebenskräftige und heute noch mit Fug und Recht Aufführenswerte vergessen werden. Dagegen sollte man aber gerade hier bedenken, warum eigentlich so manches geschrieben werden mußte, und darum die Begriffe des Unterscheidens, hinsichtlich der ganzen Lebensführung und Produktivität, und des allgemeinen Verdammens des ganzen Lebenswerkes eines so bedeutenden Künstlers zu trennen suchen. Dem gewiß oft hastenden Produktionstrieb kamen aber bei Raff viele Momente, seine ganze Schaffenskraft wirkungsvoll unterstützend, entgegen. Zuerst seine, eben an Mendelssohn erinnernde Formgewandtheit auf allen Gebieten, eine stets flüssige Schreibweise, reiche, einem Liszt so und so oft zugute kommende Erfahrungen in der Instrumentations-Technik, und das bezüglich der größeren Aufgaben poetische Erfassen des gegebenen Stoffes. Die Gabe einer leichten Konzeption, das verführende Vorbild Liszt's, der als Komponist oft genug nur für den glänzenden Virtuosen schrieb, und gar manchmal die reine Existenzfrage mögen ja unseren Künstler in vielen Fällen zu einer — nach dem Wortspiel Bülow's — gewissen ›Raffinerie‹ verleitet haben. Man gewänne ein total falsches Bild von Liszt, wollte man dessen Künstlerschaft nur nach dessen äußerlichen, zu virtuosem Selbstzwecke geschriebenen Schöpfungen beurteilen. Ebenso falsch ist es aber auch, bei Raff zum Beispiel immer nur an die Polka de la reine zu erinnern, und darüber alles andere, was er erstrebt und erstritten, völlig zu vergessen.

Joachim Raff's Geburtsort ist Lachen am Züricher See, wohin die Eltern aus dem württembergischen Städtchen Wiesenstetten (Oberamt Horb im Schwarzwald) übergezogen waren, und wo er am 27. Mai 1822 das Licht der Welt erblickte. In württembergischen Schulen tüchtig vorgebildet, trat der geistig äußerst geweckte Knabe in das Jesuitenlyceum in Schwyz ein und gewann dort ein so gründliches allgemeines Wissen, daß er, kaum 18 Jahre alt, wegen der Kenntnis der alten Sprachen dem päpstlichen Nuntius auf einer Reise desselben nach St. Gallen als Dolmetsch mitgegeben wurde. Über welche Bildung Raff verfügte, erhellt zum Beispiel aus der Tatsache, daß er noch kurz vor seinem Tode einen Disput über einen phönizischen Dichter eingehen konnte, und daß er gelegentlich der Nachforschungen über Assyrien (zu seiner Oper »Samson«) in der Bibliothek zu Weimar selbst einem Philologen wie Ludwig Preller ganz gewaltig zu imponieren wußte. Trotz der glänzenden Zeugnisse mußte wegen unzureichender Mittel von dem Besuche einer Universität Abstand genommen werden, und so sehen wir den nun 20jährigen als kleinen Lehrer an der Mädchenschule zu Rapperswyl, wohin ihn der Erfolg seiner vorerwähnten Nuntiusfahrt verschlagen hatte. Als völliger Autodidakt erwirbt er sich hier die nötigen musikalischen und kontrapunktischen Kenntnisse, und sendet schon 1843 heimlich ein paar Kompositionen an Mendelssohn, mit der Bitte um ein offenes Urteil, und dem Zusatz, daß er Stellung und Familie aufgeben müsse, wenn er seinem Drange zur Kunst folge. Die Antwort Mendelssohn's, der die eingesandten Klavierstücke auch sofort an Breitkopf und Härtel empfahl (op. 2—14), war für Raff's ganzes Leben entscheidend. Der »irregeleitete, verblendete Sohn« hing den selbstverständlich glänzend dotierten Schulmeisterposten an den Nagel, und hatte nun das ganze Martyrium des protektionslosen Anfangs einer Künstlerlaufbahn durchzumachen. Da führt dem sogar oft Obdachlosen ein glücklicher Zufall den auf dem Zenith seines Ruhmes stehenden Liszt in den Weg. Außerordentlich interessant liest sich, was Helene Raff-München, die Tochter des Komponisten[1]), über die erste, so folgebedeutende Begegnung der beiden Männer erzählt. Nach dem Liszt'schen Konzert in Basel (Ende 1845) wohin Raff per pedes apostolorum und in strömendem Regen von Zürich gepilgert war, erfolgte eine ernste Unterredung, die der liebenswürdige Meister mit den Worten schloß: »Bleiben Sie bei mir, ich nehme Sie mit nach Deutschland!« Die Würfel waren gefallen. Liszt, der den jungen Musiker schon damals ganz bei sich behalten wollte, empfahl ihn aber doch zunächst an die Musikalien- und Pianofortehandlung von Eck und Lefebvre in Köln (ein Hauptteil der Arbeit bestand darin, den Käufern die neuen Klaviere vorzuspielen), welchen in jeder Beziehung scheinbar sehr unangenehmen Posten Raff schon nach einem Jahre wieder aufgeben mußte. In dieser Zeit lernte er in Köln Mendelssohn kennen, dem er sein Bedürfnis nach tiefergehenden musikalischen Studien mitteilte, worauf ihn dieser einlud, nach Leipzig zu kommen. Der schöne Plan wurde durch den im Herbst 1847 erfolgten Tod Mendelssohn's leider durchkreuzt. Mittlerweile wurde Raff Mitarbeiter verschiedener musikalischer Zeitschriften, so der von S. W. Dehn herausgegebenen »Caecilia« und der »Wiener allgemeinen Musik-Zeitung«. Die an letzteres Blatt

---

1) Neben kleineren Aufsätzen von G. Erlanger, Dr. A. Schmidt, H. v. Ende und L. Schlösser bietet der in der »Musik« veröffentlichte Briefwechsel zwischen Liszt und Raff — mitgeteilt von Helene Raff — das wertvollste Material über Raff's Wollen und Werden.

eingesandten Artikel aus Köln kosteten dem »aufrichtigen Bewunderer und
Verehrer großer Männer und großer Leistungen« die Stellung in Köln und
damit die kaum errungene, mäßige Existenz. Mit dem vollen Mannesmut
einer ehrlichen Überzeugung schreibt da Raff an Liszt die schönen Worte:
»Allein ich hungere lieber, als daß ich schweige oder inkonsequent werde.«
Wenige Worte, aber ein ganzer Charakter, dessen gelegentlich oft recht
derbe Offenheit freilich nicht immer ganz am Platze war. Auf Empfehlung
Liszt's bot der Wiener Verleger Mecchetti Raff eine Stellung an; doch auch
hier vereitelte der plötzliche Tod Mecchetti's — gerade als Raff die Reise
nach Wien schon antrat — alle weiteren Pläne. So blieb dem Heimat-
und Existenzlosen nichts anderes übrig, als, auf geringe Empfehlungen gestützt, Stuttgart aufzusuchen, wo er so lange verweilen wollte, bis sich
etwas Besseres und seinen Wünschen Entsprechenderes gefunden. Warum
Raff die zweimalige Aufforderung Liszt's, nach Weimar zu kommen, damals
abgelehnt hatte, ist nicht recht klar; die ernste Verstimmung erhellt aus
einem Briefe (Weymar, 8. Februar 1848), in dem Liszt sich den ihm gegenüber angeschlagenen Ton ganz energisch verbittet. Der Aufenthalt in Stuttgart, wo Raff in rastloser Arbeit alle Lücken in seinem musikalischen
Wissen ausfüllte, bildete wohl die bitterste Periode seiner Künstlerlaufbahn.
Der gut-konservative Hofkapellmeister Lindpaintner muß zunächst für seine
eigene Reputation sorgen, und erklärt, für die »viel zu originellen« Kompositionen unseres Künstlers absolut nichts tun zu können — also wieder
kümmerliches Stundengeben und Artikelschreiben. Aber trotz aller Kümmer-
nis wird hier die vieraktige Oper »König Alfred« vollendet, deren Aufführung Reissiger in Dresden fest verspricht. Leider macht in diesem Falle
die Dresdener Revolution einen dicken Strich durch die Rechnung. Als
Entgelt für so manche sorgenvolle Stunde machte aber Raff in Stuttgart die
ihm wertvolle Bekanntschaft Hans von Bülow's, der ihm von da ab stets
ein treuer Freund und ehrlicher Förderer geblieben. Doch auch hier, wo
er absolut nicht vorwärts kommen konnte, litt es unseren Künstler nicht
lange. In einem »grundgescheuten, vortrefflichen Abbitte-Brief« (Bülow-
Briefe) an Liszt, bietet er sich an, in bezug auf »Instrumentation und
Schreibereien« dem Meister behülflich sein zu wollen, und dieser antwortet,
großherzig wie immer, am 1. August 1849 aus Weimar: »So sei denn das
Vergangene gänzlich ausgelöscht — und fernerhin verlieren wir kein Wort
mehr darüber. Sie waren im Irrthum über sich selbst, lieber Raff, und
ebenso über mich. Leider haben Sie diesen Irrthum nur zu schwer gebüßt!
Wie könnte ich anders, als Ihnen von ganzem Herzen zu verzeihen?« Mitte
April 1849 reiste Raff nach Hamburg, wo er an dem Verleger Schuberth
eine gute Stütze fand, trifft hier mit Liszt zusammen, der ihn zur Mitwirkung an seinen zahlreichen Arbeiten gegen einen Gehalt von 600 Talern
(1050 Fl.) bei freier Station fest engagiert, und, kommt bereits Ende November »wohl gepflegt, gut equipiert, mit gutem Rufe und mit Gelde versehen« zu Liszt nach dem kleinen Badeorte Eilsen (bei Bückeburg). — Nun
war Raff's rein materielle Existenz gesichert. In Weimar (von Anfang
1850 an) ging es erst recht an die »endlose« Arbeit für Liszt. Die beiden
»Konzertouvertüren« »Ce qu'on entend sur la montagne«, die »Vier Elemente«, die »Héroïde funèbre«, die »Macht der Musik« und den »Goethe-
marsch« instrumentiert (wie so vieles später) Raff, und arbeitet in weiterer
Folge den »Tasso« vollständig um. Nach den Briefen Raff's an seine

mütterliche Freundin, Frau Heinrich in Stuttgart, muß es doch ein eigenartiges Verhältnis gewesen sein, das da zwischen Liszt und ihm bestanden.
Vor allen Dingen wahrt Raff, der hier absolut nicht die Rolle des dienen-
den Helfershelfers zu spielen geneigt war, seine eigene künstlerische Persönlichkeit. So schreibt er unter Anderem: »Ich bestehe entschieden darauf,
einen geringen Einfluß, aber diesen sicher auf Liszt's nächste Leistungen
zu haben, er hat bereits gemerkt, daß das am Platze ist . . . . . und nimmt
manche Bemerkung willig an, gegen die er sich sonst immer sträubte. Es
ist Zeit, daß Liszt aufhöre, auf dem Klavier das Orchester und im Orchester
Klavier zu spielen, . . . einen der nützlichsten Theile der Kunst ganz und
gar aus seiner Arbeit verbannt zu halten, und einen wahren Steinhaufen
aus dem Gebäude schöner Formen, die auf uns vererbt worden sind, zu
machen.« Und aus der folgenden, gewiß hochinteressanten Briefstelle ersehen
wir erst, warum Franziska von Bülow in den Tagen der ersten Weimarer
Lohengrin-Afführung mit dem Satze »Für Liszt ist er ein Schatz« über
Raff so lobend urteilt: »Nachdem von mehreren Seiten vergeblich Versuche
gemacht waren, mir irgend ein ungeschicktes Wort zu entlocken, faßte mein
Freund (Liszt) eines Tages ein Herz und ging mich um Instrumentation an,
er ging, nachdem ich darin sehr Befriedigendes geleistet, noch etwas weiter,
und wir sind jetzt dahin gekommen, daß ganze Stellen in den neuen Sachen
Liszt's ebensowenig mit der Feder ihres genannten Verfassers vertraut sind,
als gewisse Passagen in meinem 15. Werk (6 Poëmes für Pianof., 6 Hefte,
Liszt gewidmet) von Raff herrühren. Ich würde nicht einmal Ihnen eine
derartige Eröffnung machen, wenn sie nicht notwendig wäre, um manches,
was schon da ist und nachkommen kann, in's richtige Licht zu setzen. Ich
würde mich zum Beispiel nie dazu verstehen können, meinen Eltern derartiges mitzutheilen. Sie aber, die meine Bestrebungen, Wünsche, Leiden
und Hoffnungen kennen, . . . Sie müssen meine diesseitigen Beziehungen
kennen, um über gewisse Thatsachen, die früher oder später sich ereignen
können, klar urtheilen zu können.« — Es würde in dem gestellten Rahmen
dieser Betrachtungen zu weit führen, auf die Weimarer Zeit Raff's auch
nur einigermaßen näher einzugehen. Wie rastlos tätig — für sich und
andere — Raff gewesen, darüber gibt so mancher Stoßseufzer nur zu traurige Kunde. »Ich war in Stuttgart gewiß ziemlich fleißig, doch was ich
damals that, ist Kinderei gegen die Anstrengung, der ich jetzt beinahe er-
liege.« Doch vor den Erfolg setzten die Götter den Schweiß, und unser
Künstler kann nun endlich seiner Arbeit wenigstens froh werden. Die völlig
umgearbeitete Oper »König Alfred« wird mit großem Erfolg aufgeführt, es
erscheinen die ersten Stücke für Klavier und Violine, mehrere Hefte Lieder,
die reizvollen »Frühlingsboten« und die ersten »Tanz-Capricen« (op. 54 und
55), und die aufsehenerregende kritische Exegese »Die Wagnerfrage«; in
einem Hofkonzert wird die Fest-Ouvertüre in G, in der Stadtkirche zu den
Feierlichkeiten der Thronbesteigung des Großherzogs von Sachsen ein »Te
Deum« aufgeführt. In diese Zeit fällt auch die Verlobung Raff's mit der
hochbegabten Schauspielerin Doris Genast, deren Mutter, Christine Genast (gestorben 14. April 1860), einst ein Goethe besungen. In die große
Öffentlichkeit drang Raff's Name, als Bülow und Laub am 23. Januar 1856
in Berlin (in einem Konzert des Stern'schen Vereins) die erste große Sonate
für Klavier und Violine, in E-moll, op. 73, spielten. Publikum und die
»Zeit-Unken« — wie Bülow die Berliner Kritiker nennt (Brief vom 24. I.

56) — nahmen das später so vielgespielte Werk .mit lebhaftem Interesse auf, wie auch später die zweite Sonate in A-dur, op. 78, mit der im letzten Winter Sarasate in seinen Konzerten noch ziemlich viel »zu machen« im stande war. Ein fünfaktiges musikalisches Trauerspiel »Samson« — der Stoff war ursprünglich für eine geplante Doktor-Arbeit bestimmt — blieb unaufgeführt. In Raff's stolzer und auch etwas verschlossener Natur, der es nicht gegeben war, unter Liszt's Protektion »eine sekundäre und untergeordnete Rolle zu spielen«, reifte nun immer mehr der schon lang gehegte Entschluß, aus Liszt's nächstem Kreise auszuscheiden. »Ich habe den Karren der Zukunftsmusik geschleppt schon vor fünf Jahren, als von diesen jungen Strudelköpfen noch nicht die Rede war«, äußert er voll Bitterkeit in einem Briefe an seine Braut. »Bliebe mir schließlich nichts als ich selbst, so will ich mich doch ganz behalten. Trotz des bekannten Mozart-Artikels, der in den Kreisen des Neu-Weimar-Vereins eine allerdings höchst unnütze Aufregung hervorrief, wurde aber unter der Ägide Liszt's noch das große Chorwerk »Dornröschen« aufgeführt, das Liszt als das gelungenste und dankbarste Werk Raff's bezeichnete. Dazwischen gingen die Orchester-Suite in E-moll, die von den Geigern heute noch vielgespielte »Liebesfee«, die Musik zu dem Drama »Bernhard von Weimar« (dessen Ouvertüre die Reise durch alle großen Konzertsäle machte), die Ballade »Traumkönig« und der große 121. Psalm in die Welt. Ende Mai 1856 verließ Raff endgültig Weimar, um sich nach Wiesbaden zu begeben, wo seine Braut am Hoftheater engagiert war. Bald wurde er dort der gesuchteste Lehrer, so daß schon 1859 die Gründung des Hausstandes erfolgen konnte. Seine kompositorische Produktivität nahm nun immer größere Dimensionen an, in bunter Reihe wechseln sich große und kleinere Schöpfungen ab. Schon 1861 schreibt Bülow, der sich nun aller entstehenden Kompositionen wärmstens annimmt, daß Raff in den Berliner Konzerten Mode geworden, und dessen Name vollständig geläufig sei, da besonders die E-moll-Klaviersuite »riesig eingeschlagen« habe. Die freilich ein merkwürdiges Stilkompromiß darstellende Symphonie »An das Vaterland« wird von der Gesellschaft der Musikfreunde in Wien 1863 preisgekrönt, ebenso eine zum 50jährigen Jubiläum der Leipziger Völkerschlacht geschriebene Kantate »Deutschlands Auferstehung«, für Männerchor und Orchester, op. 100. Nach dem »Karlsruher Sieg« (Bülow-Brief, 1864) der Orchestersuite in C, macht dieses op. 101 die Reise um die Welt; die zweite Symphonie, op. 140, erklingt nach Wiesbaden bald auch in Berlin, Dresden, Leipzig und New York, drei Ouvertüren werden vielfach aufgeführt, wie auch die zuerst von der Mainzer Liedertafel gesungene Männerchor-Kantate »Wachet auf!« und eine Menge guter Kammermusik, die sehr mit Unrecht heute fast vollständig vom Repertoire verschwunden ist. Aber einen Weltruf erwarb sich Raff mit einem Schlage durch den außerordentlich glücklichen Wurf der Waldsymphonie, op. 153, der populären Schwesterschöpfung zu der später entstandenen fünften Symphonie »Leonore«, op. 177. Es gab damals in weiten Landen wohl kein Orchester, das diese beiden Symphonien nicht so und so oft zu Gehör gebracht hätte. Beide haben sich übrigens auch heute noch als ganz lebenskräftig erwiesen. »Mit dem Mode kommen auch die Ehren, vorher fällt das Niemandem ein« pflegte Bülow scherzweise zu sagen, wenn er von besonderen Auszeichnungen und klingenden Titulaturen hörte. Der Komponist, der für die Waldsymphonie ein Honorar

von ganzen 60 Talern bekam, dessen jeglicher Mangel an Sinn für ge-
schäftsmäßige Reklame ihn niemals Kapital aus seinen Arbeiten schlagen
ließ, wurde nun nach und nach Ehrenmitglied von allen möglichen Musik-
gesellschaften (Dresden, Königsberg, Mailand, Florenz, New York u. a.) und
erhielt zahlreiche Orden, Medaillen und ähnliche schöne Dinge. Im Herbst
1877 verließ Raff Wiesbaden, um die ihm übertragene Stelle eines Direktors des neugegründeten Dr. Hoch'schen Konservatoriums in Frankfurt
am Main anzutreten. Neben der Leitung der Kompositionsklasse übernahm
er noch das Ordnen der Bibliothek und die gesamten Sekretariatsgeschäfte;
jeden Parteigeist suchte er von der Anstalt fernzuhalten und ließ alle Gattungen guter Musik darin pflegen, mit prinzipieller Ausnahme seiner eigenen.
Es gehört mit zu den schönen Charakterzügen, daß er als Pädagoge nicht
einen Ton seiner Kompositionen an der von ihm geleiteten Anstalt erklingen ließ, wollte er doch durch diese Bestimmung selbst den Schein irgend
einer persönlichen Eitelkeit und damit auch jegliche Augendienerei der
Schüler vermieden sehen. Schöne Tage waren es für Raff, als Liszt zur
Aufführung seines »Christus« im Frühjahr 1880 nach Frankfurt kam. Mit
einem Gefühl der Rührung liest man die Zeilen, die Helene Raff über dieses
letzte mehrtägige Beisammensein der beiden Freunde geschrieben. Ein Jahr
später sahen sie sich in Weimar ganz kurz zum letztenmale. Im Jahre 1882,
in der Nacht vom 24. zum 25. Juni, verschied Raff an Herzlähmung. Für
den schon damals sehr leidenden Liszt mag die Trauerbotschaft ein harter
Schlag gewesen sein. An Frau Doris Raff, die ihren Witwensitz jetzt in
München aufgeschlagen, richtete er zwar nur wenige, dafür aber umso herz-
lichere Worte: »Hochverehrte Frau! Als Freund und Kunstgenosse stand
mir Joachim Raff so nahe, wie nur sehr Wenige. Öfters verdankte ich ihm
gute Aufklärungen. Seine Werke uud Verdienste dauern fort, mit dem
Segen, den Ihre Liebe, hochverehrte Frau, auf sein ganzes Walten und
Wirken verbreitete. In herzlicher Ergebenheit F. Liszt.«
    Was Raff's Schöpferkraft hinterlassen, bedeutet neben allem anderen
wahrhaft eine Unsumme von Arbeit. Die 1886 veröffentlichte Aufstellung
der sämtlichen Werke zählt auf: elf Symphonien, neun Ouvertüren, fünf
Orchestersuiten, vierundzwanzig Kammermusik-Schöpfungen, die große Zahl
der Klavier- und Vokal-Kompositionen, Konzerte und Bach-Bearbeitungen.
Im ganzen 235 Werke, zu denen das große Oratorium »Weltende, Gericht,
neue Welt« zu rechnen ist, ein Werk, das es wohl verdiente, der Vergessenheit entrissen zu werden. Aus dem Manuskript-Nachlaß sind neben vielen
Orchesterwerken noch die Partituren der Opern: »Dame Kobold« (nach Cal-
deron), »König Alfred«, »Die Eifersüchtigen«, »Benedetto Marcello«, »Die
Parole« und »Samson« zu erwähnen.
    Am 15. Februar 1886 wurde der Verein zur Errichtung eines Raff-
Denkmals gegründet. Den Aufruf erließen das kurz vorher entstandene
Raff-Konservatorium (mit Bülow als Ehrenpräsidenten und dem Direktorium
der Herren Max Fleisch, Max Schwarz und G. Kunkel), Eschmann-Dumur
in Lausanne, Geheimrat Genast in Weimar, Klindworth in Berlin, Lüstner
in Wiesbaden, Mottl in Karlsruhe, Rheinberger in München und Richard
Strauß in Meiningen. Der Verfasser des Aufrufs scheint Bülow gewesen zu
sein, denn alle darin vorkommenden Wendungen bewegen sich in der ihm
eigenen geistvoll-sarkastischen Ausdrucksweise. »Dieses Denkmal soll«, so
heißt es, »da es sich um keinen populären Liedertafel-Amphion handelt,

für den an die Masse des Volks appelliert werden dürfte, sondern um einen, obschon durchweg nationalen, doch bisher nur von einer aristokratischen Minorität nach seinem vielseitigen Werthe und seiner kunstgeschichtlichen Bedeutung anerkannten Komponisten, zwar so würdig als möglich hergestellt werden, jedoch in bescheideneren Grenzen, als die Monumentomanie gegenwärtigen Jahrzehnts zu stecken pflegt. So wenig geziemend dem Andenken des verstorbenen Meisters wir es nun erachten würden, in dieser Sache vaterländische Künstler und Kunstfreunde mit einem Aufrufe zu behelligen, der von dem üblichen überschwänglichen Panegyrikus auslaufend in eine mehr oder minder verschämte Bettelei mündet, so möchten wir — ebenfalls aus Pietät — unserer Absicht doch einen mehr als spezifisch lokalen Sonderstempel verliehen und unser Ziel, wenn irgend möglich, etwas früher erreicht sehen, als unseren vereinzelt bleibenden Bestrebungen nach und nach gelingen könnte.‹ Und ein richtiger Bülowsatz bildet den kaustischen Schluß: ›Andersdenkende mögen die Zusendung dieser Mittheilung als einen nicht unverzeihlichen Irrthum in der Adressierung gütigst entschuldigen.‹ Ohne Bettelei und Reklame erwuchs der Fonds zu der Summe von über 26000 Mark, zu denen Bülow allein den Ertrag seiner am Raff-Konservatorium gegebenen Kurse (in der Höhe von fast 10000 Mark) beigesteuert hatte. Bildhauer Ludwig Sand in München hat mit dem feinsinnigen Entwurf des Denkmals eine künstlerisch außerordentlich schätzenswerte Arbeit geliefert. Auf einem massiv profiliertem Unterbau ruht in sitzender Stellung die in antikem Stil gehaltene Gestalt eines Schülers (Bronzeguß), der in einer lose über das Knie gebreiteten Rolle lesend, eine neue Weise auf der Leyer anzuschlagen scheint. Darüber erhebt sich auf einem hohen Postament die überlebensgroße, in Marmor trefflich ausgeführte Porträtbüste Raff's.

Einundzwanzig Jahre sind dahingegangen, seit der so pflichttreue Künstler die Fahrt über den Cocytus angetreten. In dem jungen Grün singen nun die Vögel das ewig neue Lenzeslied über dem Denkmal eines Meisters, das ihm Pietät und Liebe gesetzt haben. Der älteren Generation zur Erinnerung, der jüngeren zum Vorbild.

Frankfurt am Main. **Hans Pohl.**

Chamber Music in London.

The popular Concerts, an institution to which London amateurs owe a deep debt of gratitude, has suffered in recent years from waning attendances. This has given rise to a feeling, which a glance at the doings of last season will do much to dispel, that the delicate art of Chamber Music is sounding in a fainter note, ousted from the esteem of amateurs by the thunder of Henry J. Wood's orchestra. Fortunately the historic house of Broadwood & Sons, always to the front in musical well doing, has come to the rescue with a series of Concerts conceived in so broad a spirit, and with so fine an instinct for the moods of modern audiences, that our musical life bids fair to be permanently the richer. Messrs. Broadwood set out with a well ordered scheme; with the intention of producing unhackneyed works side by

34*

side with classic masterpieces, and of giving the preference to works by con-
temporaneous composers; of asking from the public a reasonable price for
the best seats, and so tempting the music lover to occupy them in place of
the fashionable lounger and the unprofitable deadhead; and of restricting the
length of the concerts, having regard for the fact that Suburbia sends a large
contingent of supporters whose journey homewards at nights is a long and
weary one. This scheme has been faithfully carried out, slight exception
being taken to the excessive length of one or two of the concerts. We
Londoners have not yet learned the lesson that Gargantuan feasts of music
are a mistake, and would do well to take a hint from the Viennese, that
most epicurean of musical folk, who favour short programmes and elect to rise
from the board ere the spell is broken by fatigue and satiety.

In the main the results both artistic and financial have been more than
satisfactory. The audiences have been large enough to fill the hall in every
part, discriminating withal, and, as English audiences go, enthusiastic. Chamber
music is not in so bad a plight after all, thanks in part to the good work
done by our musical Colleges, which is telling, as Dr. Cummings of the
Guildhall School has pointed out, not only in the way of turning out artists
and composers of merit, but in the education of intelligent listeners, whose
important rôle in musical functions is apt to be overlooked, and who alone
can be relied upon to take interest in new developments of the art. They
have mustered in force at these concerts.

Youth will be served, and it is not too much to say that one of the
most meritorious of the new works presented has been a quartet for piano
and strings in E minor op. 16 by Cyril Scott, a young man in his 24th
year, who joined Fritz Kreisler (violin), Emil Kreuz (viola), and H. Lebell
(violoncello), in an excellent performance. The composer is one of a group
of British students from the class of Ivan Knorr at the Frankfort Conservatoire. Ivan Knorr is no Bahnbrecher, having a reputation rather as a
gifted and painstaking teacher of the academic type, and it is not a little
singular that these young men (amongst them Percy Grainger a pianist and
composer of Australian birth, Norman O'Neill, and others) exhibit a tendency of quite spontaneous growth to break away from established conventions.
Without forming a school of secession, well aware of the advantages of
academic training, they have yet dared to be themselves and to express
themselves. In music as in literature self-expression is not infrequently
another word for self-betrayal, and it is not given to every composer to
interest the public in the presentment of his inner Ego; but evolution this
way lies, and if it runs its course more quickly, if there is a tendency for
the stiffly formal and spuriously archaic to make way for a new order, Art
must be the gainer. Never in the history of music have fresh developments
been awaited with such eagerness. The repertory of Chamber music is after
all but a limited one, considered from the point of view of those who look
to it for daily pabulum, though it may more than suffice for those who only
rely upon it for occasional refreshment and can therefore afford to be exclusive. The veterans Dvořák and Saint-Säens are working in other fields
of art and so the encouragement extended by Messrs. Broadwood to young
composers is timely indeed. Cyril Scott's quartet was on the whole well
received by both audience and critics. The most noticeable feature of the
writing is the unusual length of the melodic phrases (the work as a whole

being however quite concise), and the absence of definite tonality. There is throughout a certain sameness of sentiment, but no little sensuous charm. The allegretto in which the violin, more Brahms, is muted, is quite a beautiful number, and some vigorous work is to be found in the Finale. Though new to London audiences Cyril Scott, who is a resident of Liverpool, is already well known in the North of England, which has a musical life apart. The Hallé orchestra, under Richter, has performed his second orchestral Suite at Liverpool and Manchester, and the list of his compositions is already a lengthy one. Such is his record of the past; his future seems fraught with great possibilities.

Another new work, a piano trio in G by Dr. Alan Gray of Cambridge, was voted a pleasing contribution to chamber music, if not a very original one. It consists of two strongly contrasted sections, one of dreamy the other of vigorous character, and it is commendably short. Possessed of a small capital of ideas, the composer has not thought fit to "water" it as our City friends say. Extreme length is an effectual bar to the success of nine chamber compositions out of ten, and it is really pitiable to read of the constant output by excellent composers, industrious and aspiring, of works of this character which represent an infinity of arduous toil absolutely thrown away. Performed once to an audience of friends they achieve a succès d'estime and then pass into the limbo of dusty shelves. One is tempted to suggest that some less rigid concept of the scope and boundaries of chamber music may be cultivated with advantage. Many a composer who is not strong enough on the wing for a long sustained flight, is well able to write short poignant works, full of life, bearing the same relation to works de longue haleine which the short story bears to the long novel. Orchestral composers are not restricted to the Symphony as an art form. The Overture, the Symphonic Poem, and a variety of short descriptive pieces, Marches, Dances etc., are open to them, but by a convention which dates from a time when life was lived under serener conditions, works of similar scope are shut out from the realm of chamber music.

Why not seek to popularize chamber music? The word popularization, with its far -from pleasant associations, jars upon the aesthetic sense, and especially upon the susceptibilites of those who pin their faith to the theory, Art for Art's sake. But readers of these lines who favour more democratic ideals, and who think that the greatest happiness of the greatest number is a desideratum, will find the suggestion worthy of consideration. General audiences, consisting of musically uncultured but not in every case unmusical people, are not necessarily Philistines because they are wanting in the capacity to appreciate chamber works which last over half an hour in the performance. Not being trained listeners, the attention tires and the thoughts wander after the first 15 minutes; whereas a shorter work, as an alternative to the inevitable instrumental solo which is sandwiched between the songs at most of our concerts, might prove a source of enjoyment, — to young listeners indeed an education of sorts, and a stepping stone to the appreciation of higher things. Thus the audience at a Ballad Concert of to-day might be the audience at the Broadwood Concert to-morrow. This also opens up a far-off vista of remunerative work for composers who are willing to express themselves in concise form, and of publishers willing to consider a type of music at which they have hitherto looked askance.

An example to the point is a sonata for the piano and violin by
A. Randegger, Junr., performed by him on the 30th January in conjunction
with Miss Ella Spravka. A. Randegger is a clever young violinist and
composer, a native of Trieste, who has won acceptance for more than one
important work in Italy and England. Though the Sonata contains some
interesting thematic material, it has the one fault of being too long and the
audience found it tedious. It is only fair to add that it suffered somewhat
from juxtaposition with quartets by Dvoràk and Smetana, played with rare
perfection by the Bohemians, whose interpretation of native music is, as
every one knows, unapproachable. This concert was in some respects the
most interesting of the series, containing as it did, besides the above mentioned works, a set of English Lyrics by Hubert Parry, one of which, "Night-
fall in Winter", proved to be a remarkable piece of musical impressionism.
To lines by Langdon Elwyn Mitchell, describing with consummate literary
skill the fall of night on the landscape, is wedded music of such perfect
fitness that the listener is moved with a sense of being brought very near
to nature indeed. Such music as this has nothing of the "Vampire" type
humorously described by the late Hugo Wolf as "fastening itself upon its
victim (the poetry) and sucking the last drop of life blood from it". It was
superbly delivered by Plunket Greene in his own unique parlando style.

Hubert Parry was also represented on the 20th November by a Duet in
E minor for two pianofortes, and on the 9th January by a Trio for piano
and strings composed as far back as 1884, which being a strong virile work
was welcomed by the audience. We certainly hear too little of the Chamber
music of our musical chiefs. Stanford's string quartet in D minor op. 64,
one of his most masterly works, already introduced to the English public by
Joachim, was however given by the Gompertz Quartet on the 5th December
1902 and highly appreciated.

Formerly the programmes of Chamber concerts in London contained much
more frequently than now music for blended Wind and Strings. Since Brahms
took to writing for the clarinet, there has been a renewal of interest in this
art form, of which Messrs. Broadwood have not been slow to take advantage.
On 21th November a Clarionet Quintet by Stephen Krehl, op. 19, was included
in the programme, the clarionet part being taken by R. Mühlfeld and a fine
performance thereby ensured, but the work rhythmically is of complex nature
and could not well be judged at a single hearing. A new trio by Donald
Tovey written for pianoforte, violin and Cor Anglais, was played on 26th February. The introduction of so expressive an instrument as the Cor Anglais
to Chamber music was an interesting and successful experiment, some beautiful effects of tone color being obtained by this novel means. Donald Tovey
is a man of many parts, with, in no narrow sense, scholastic leanings.
Young and very active he bids fair to become at no distant date a living
influence in our musical life. He was responsible for the piano part in his
own work, and was also heard in an extremely interesting sonata in G minor
selected from a group of ten written in four parts by Purcell, first published
in 1697 and played on this occasion from the Purcell Society's edition.
This composer's music, one of the finest products of the seventeenth century,
has won its way in the twentieth to something like universal recognition.
Joachim paid to Purcell a gratifying tribute at the Royal Academy Banquet
when he said that his "influence was traceable" in Handel's music.

Yet another work for blended Wind and Strings was given on 12th March, the composer F. F. Dunhill being attracted by the romantic tone of the Horn to write two Quintets in which that instrument plays a leading part; in the one case associated with strings only, in the other with pianoforte, violin, clarinet and violoncello. These works (the latter played at one of the Clinton Chamber concerts on 1th April) are not without promise. He is quite a young man, as recently as 1900 a student at the Royal College of Music.

On the 15th January Maude Powell, an American violinist, introduced a bright lively Suite for violin and pianoforte by Arthur Hinton, with mention of which the tale of novelties produced at the Broadwood concerts is complete. Von Dohnanyi's lately published Quintet for piano and strings does not come under that category, having been already heard in London when still in manuscript; but under the head of unhackneyed works comes César Franck's Quintet in E minor, heard on 1st February with Harold Bauer at the piano, and Fritz Kreisler at the violin desk. The latter player has quickly won recognition from our London public, the numerous section which admires beauty of tone in a violinist before all other qualities finding all that their hearts could wish, and the more intellectual section noting his musicianly qualities, which stood him in good stead on this occasion. It is given to few to interpret César Franck's noble but difficult music with success, and the popularity which that composer, essentially a musician's musician, never sought for in his lifetime, is hardly likely to be gained after his death outside esoteric circles. For all that the work made a great impression.

We have had visits from many Quartet parties during the season, among the leaders of which may be cited Willy Hess (who is to take Emile Sauret's place at the Royal Academy), Carl Halir of the glassy tone, smoothest and most polished of players, and Brodsky of Manchester, whom London amateurs were right glad to hear, and whose career is no doubt watched by sympathetic friends on the other side of the water. In addition we are able to rely upon regular performances by local teams led by Hans Wessely, and Jessie Grimson respectively; the former a strong but at times rather rough player, who excels in the interpretation of Beethoven, the latter representing, as becomes her sex, the more lyrical side of Quartet playing.

The statement that the Popular Concerts have suffered from waning attendances needs amendment. It does not apply to the session under review. Thanks to the measureless energy of Johann Kruse, who has taken the reins of management, it has, neue Kraft fühlend, taken a new lease of life. These are the factors which have conduced to this desirable result. He has abolished the "scratch" Quartet which leaves so much to be desired for want of the intimate relations of thought and feeling which come of intimacy between the players. He has given greater prominence to vocal music and favored the production of novelties, chiefly of Teutonic origin. The latter include, besides the Quartet by Felix Weingartner mentioned in the March number of the Zeitschrift, a Sextet in E minor by the same composer for piano and strings, another Sextet in A, Op. 5, by Rudorff scored for an unusual combination, three violins, viola, and two violoncellos, and a Sonata in C minor Op. 35 for piano and violin by Grädener. All these works were unfamiliar to the public, with the possible exception of a few enthusiasts possessing unique opportunities in the way of private practice. The more familiar works were perhaps the more appreciated, and included one prime favorite, Tschaikowsky's elegiac Trio, the pianoforte part of which was played by Madame Carreño with undue prominence, a fault condoned by the audience. The artist was obviously carried away by intense sympathy with a work which after all does not lend itself to emotional reticence.

There remains to be said that Herbert Walenn, the violoncellist of the permanent Kruse Quartet, who has done excellent work during the season, secedes for private reasons, his place to be taken in the future by Percy Such, a young British artist well known in German musical circles. Young executants as well as young composers have been unusually prominent in our musical life of late, John Bull having proved less refractory to new influences than might be expected of such a conservative being. Marie Hall, like Kubelik, has sprung at one bound into fame; and though so much may not be said of any other artist, exceptional qualities undoubtedly meet with more prompt recognition than of yore. This remark applies to two artists, both still in their teens, who made their début at the end of the season; Ess, a violoncellist and Frank Merrick, a pianist, pupil of Leschetizky. Both are full of talent, the latter adding to the gifts of a pianist those of an improvisatore. At his concert on 25th March he improvised cleverly on a theme given by a member of the audience, choosing the Variation form and ending with a fugue and well-developed Coda.

So much good work is done all round London by the People's Concert Society, and the South Place Ethical Society, in the way of providing good chamber music for the people, mainly on Sunday evenings, that an article might well be written upon their doings alone. It would probably startle many a continental reader with preconceived notions of English Sabbaths and English Philistinism in the matter of art, to know that on many evenings during the winter, half a dozen concerts in which first class artists are interpreting classic masterpieces are going on in as many obscure suburban halls to enthusiastic audiences. New works are sometimes produced; one, a so-called Sonata di Camera for pianoforte and violin, played for the first time last season by John Saunders (one of the best Quartet leaders we have), with the composer Richard Walthew at the piano, proving to be a work of exceptional beauty and refinement. The latter quality is indicated by the title. It purposes to be a work for the chamber and not the concert room, and is from the pen of one of the ablest of our young modern composers.

New musical clubs for the practice of chamber music are being formed all over London, and a few words on the subject may be of interest. Members of the two Universities led the way three years ago by the formation of the "Oxford & Cambridge Musical Club", and have held since then fortnightly meetings for the carefully rehearsed performance of chamber music. They occupy premises in Leicester Square formerly the residence of Sir Joshua Reynolds. The "Guild of Music Makers", founded last season, is an association of players who meet at the residences of members. This is a very practical notion. The expenses are nominal only, and the fee of membership correspondingly moderate; whilst the difficulty experienced by private individuals in the formation of Quartet parties at home is surmounted by co-operation. Alfred Gibson, an esteemed professor of the violin, has been largely concerned in the formation of the "Strings Club", for the practice and performance of concerted music written for stringed instruments. Its local habitation is at the former studio of the late Lord Leighton in Kensington; it numbers 70 playing members and during its first session has given 19 evening performances and 18 practice meetings. There is also a string orchestra in which all the members, mostly ladies, play. Several permanent Quartet parties having been formed among the professional members, the influence of the club is likely to be far reaching. The programmes have been on strictly conservative lines. Not so those of the "King Cole" club, which dates from 1901 and has made a modest beginning holding its meetings at a small hotel near the Strand, but which has not only been very enterprising in the production of little known works, but has taken a leaf from our Teutonic cousins, by daring, in opposition to all the traditions of English life, to ally the partaking of a frugal repast to the higher enjoyment of listening to music of a refined order. The members dine first, and, remaining in their places, become the audience of parties of accomplished artists, who are placed in the centre of the room like minstrels in the middle ages, and there discourse chamber music ancient and modern. In spite of the title, "King Cole", there is more of plain living and high thinking in the doings of this club than of conviviality, and as Sir Alma Tadema who presided at the last meeting said, it is a means of bringing music of the nobler sort in touch with every day life which deserves encouragement. There are other clubs in existence and in process of formation, amongst them the "Tonal Art Club" of which Emile Sauret is president, but enough has been said to show that new centres of artistic activity are beginning to hum with life in prosaic London.

The culminating point of the chamber music season has been for the last three years the visit of the Joachim Quartet. Critical comment upon their interpretations, so familiar to all readers of this Journal, is superfluous. The leader may have declined in vigour, but like all great artists he possesses some of the attributes of eternal youth. Beloved of the Gods, he will die young if he lives till a hundred, a prodigy to the end of the chapter, Wonder child and Wonder man. The engraving issued from Berlin with the Zeitschrift of February last represents the Quartet seated, not in St. James' Hall, but quite similarly upon a raised platform in the centre of the hall. Acoustically as well as topographically St. James' Hall is the most satisfactory building of the sort in London, with a history which is practically a history of the city's chamber music; unfortunately its days are numbered. It is to make way for (proh pudor) a fashionable restaurant! The sentimentalist is left to lament the disappearance of a casket of precious memories, and the philosopher to muse over the triumph of Gastronomy over Art.

It has not been possible within the limits of this article to include the names of all the new men and new works which have appeared on the scene during the past season, but enough has been said to show that a vigorous bourgeoning of young life in musical England is, by a happy coincidence, synchronous with the beginning of a new century.

London. **W. W. Cobbett.**

Musikberichte.

Referenten: **V. Andreae, W. Behrend, C. Goos, F. Götzinger, V. v. Herzfeld, E. Istel, Alfred Kalisch, A. Mayer-Reinach, Arth. Neißer, O. Neitzel, F. Pfohl, H. Pohl, J.-G. Prod'homme, E. Reuß, E. Rychnowsky, A. Schering, Sibmacher-Zijnen, Ad. Thürlings, Fr. Volbach, P. Werner.**

Amsterdam. Wohl ist die Konzertsaison, die Vieles und Vielerlei gebracht hat, zu Ende, aber von einigen Konzerten usw. ist noch zu berichten.

Ein Ereignis von Bedeutung war das zweimalige Auftreten von Felix Weingartner mit dem Konzertgebouw-Orchester, das wiederum sein außerordentliches Können und hohe Intelligenz zeigte mit dem Vortrag u. A. der zweiten Symphonie und der symphonischen Dichtung »Das Gefilde der Seligen« Weingartner's, des Meistersinger-Vorspiels, der Unvollendeten von Schubert, der dritten Leonoren-Ouvertüre und Berlioz' Phantastischer Symphonie.

Mit großem Interesse hörte ich Jaques Dalcroze's fantastisches und rhapsodisches Violin-Konzert in C-moll, vom genannten Orchester (Direktion: Willem Mengelberg) und Henry Marteau mit bewunderungswürdiger Technik und seltener Größe und Schmelz des Tones vorgetragen: eine Ausführung, welche im Ganzen die in Krefeld (bei der letzten Versammlung des Allgemeinen Deutschen Musik-Vereins) weit übertraf.

Der letzte der Kammermusik-Abende (Tonkunst) hat u. A. Weingartner's Sextett gebracht; ein Abschiedsabend war es für Bram Eldering, der Holland verläßt, um in Köln als Konzertmeister des Gürzenich-Orchesters und Lehrer am Konservatorium einzutreten (statt Willy Heß). Karl Flesch, aus Berlin, wird Eldering's Platz hier einnehmen. — Im Cäcilia-Konzert (Beethoven-Abend) spielte Eldering das Violin-Konzert mit großem Erfolg, ebenda Mengelberg's Orchester die siebente Symphonie.

Im »Konzertgebouw« sind, seit meinen letzten Mitteilungen, noch aufgetreten Willy Burmester und Godowsky, der Pianist Egon Petri (aus Dresden) und der junge Violinspieler Karel Snoek (aus Amsterdam).

Bach's Matthäus-Passion wurde ausgeführt vom Tonkunst-Chor (Direktion: Mengelberg), mit Frau Rückbeil-Hiller, Frau De Haan-Manifarges, Urlus (Leipzig) und Messchaert; die Johannis-Passion vom Klein-A-Cappella-Chor (Direktion: Anton Averkamp) mit Anna Kappel, Anna Blaaner, Rogmans und Zalsman.

Zum Besten der Pension-Kasse des Konzertgebouw-Orchesters arrangierte Mengelberg das Konzert vom 9. Mai, dem ein großartiges Gelingen nachgerühmt werden muß: die Neunte von Beethoven, und ein »Te Deum Laudamus« des Amsterdamschen Komponisten Alphonsus Diepenbrook, ein Dankhymnus angeblich des H. Ambrosius, antiphonisch für zwei alternierende Chöre geschrieben, die sich bei den Höhepunkten vereinigen, meistens in vier, auch in acht Partien. Diese machtvolle Komposition ist das edle Produkt eines tief-ernsten Geistes, der, ursprünglich und frei, in ganz vornehmen Formen sich ausspricht. Von der Te-Deum-Melodie, welche in der katholischen Kirche gesungen wird, hat Diepenbrook zwar Gebrauch gemacht, aber die Hauptmotive sind nicht gregorianischen Melodien entnommen. Sein Streben war, die Melodie aus dem Wortaccente entblühen zu lassen, und nicht eine Instrumental-Melodie, so gut und schlecht das geht, mit dem Text zu verbinden. Der tiefe Eindruck dieses edlen Werkes, in prachtvoller Wiedergabe vom Chor und Orchester mit Orgel und dem Solo-Quartett Anna Kappel, Pauline de Haan. Willy Schmidt und Gerard Zalsman, ist in der Nähe der Neunten Symphonie nicht im Mindesten geschwächt: ein Lob, wie es ein besseres nicht gibt! Am Ende wurde Diepenbrook, der die Leitung der Ausführung Mengelberg überlassen hatte, sehr warm gefeiert. **S.-Z.**

Arnhem. Das Weinachtmysterium, nach Worten der Bibel und Spielen des Volkes von Philipp Wolfrum (Klavierauszug: Rochow Heidelberg) hat hier seinen

Einzug in Holland gehalten, in der großen Kirche, die leider akustisch für musikalische Darbietungen nicht besonders geeignet ist. Die Resonanz hat die Polyphonie manchmal verwirrt und die Instrumental-Motive bisweilen undeutlich gemacht; auch waren die Gesangssolisten öfters in der Temponahme ein wenig zu frei, so daß der Exposition der Partitur ein Element der Unsicherheit ankleben mußte. Den weitgehenden Intentionen des Komponisten ist man auch hier nicht gefolgt: der Musikapparat war für die Zuhörer nicht unsichtbar, die lebenden Bilder und Pantomimen fehlten. Von der Wiedererwachung des alten Mysteriums versuchte man sich eine Vorstellung zu machen. Jedenfalls sind sehr viele, (die Kirche war ganz gefüllt), dem Vereine »Kerksang« und seinem Dirigenten Van Westcheene, dem Arnheimischen Orchester und den Solisten Anna Kappel (Sopran), Martha Ronstorf (Alt), Willy Schmidt (Tenor aus Frankfurt a. M.), und den Anderen, die kleinere Partieen übernommen hatten, für diese sorgfältig vorbereitete Aufführung dankbar gewesen. Man war erfreut, das merkwürdige, auf einer breiten Grundlage tonkünstlerischen Wissens und musikalischer Fantasie aufgebaute Werk mit seiner Vereinigung von Volkstümlichem und Liturgischem kennen zu lernen.

Im letzten Tonkunst-Konzert (Dir. Leon C. Boumann) wurden aufgeführt: von Rich. Strauß: sein imponierendes Opus für Chor und Orchester »Wanderers Sturmlied«, und »Notturno«, Op. 44 Nr. 1 (Solo-Gesang Jan Sol aus Amsterdam, Solo-Violine Konzertmeister Wagner); und von Richard Wagner: Parsifal-Fragmente. (Amfortas: Jan Sol, Titurel: Willy Schmidt). S.-Z.

Basel. Die letzten Wochen verliefen im musikalischen Leben ziemlich still, da alle Kräfte angespannt sind, um die Festtage der Tonkünstlerversammlung würdig zu gestalten. Die bedeutendste Leistung bildete das zweite Hauptkonzert der Liedertafel. Die Schweiz ist bekanntlich das Land der vielen Männerchöre, und die Basler Liedertafel steht seit langen Jahren durch ausgesuchtes Stimmenmaterial und tüchtige Schulung in erster Reihe. An ihrer Spitze steht seit Alfred Volkland's Rücktritt der Dirigent des Gesangvereins und des Konzertorchesters, Hermann Suter. Der Verein hat sich in den letzten Jahren vielleicht allzusehr in den virtuosen Stil Friedrich Hegar's verwickelt, dessen orchestermalende Kunstfertigkeit die Männerchorlitteratur wohl bereichert, aber auf den nicht unbedenklichen Pfad verwegener Effekte geführt hat. Zwei solcher Kompositionen, das »Märchen vom Mummelsee« und »Walpurga« standen auf dem Programm; daneben boten die auf dem Volkslied fußenden Kompositionen der Schweizer Gustav Weber und Otto Barblan neben Schubert's unvergleichlichen Chören und zwei ansprechenden Sachen von Thuille die nahrhaftere Kost. — Beachtung verdient noch, neben verschiedenen Chorkonzerten zweiten Ranges, das Prüfungsschlußkonzert der Allgemeinen Musikschule, in welcher der Direktor der Anstalt, Dr. Hans Huber, der Übung der letzten Jahre folgend wiederum ein unbekanntes Orchesterwerk früherer Zeit, diesmal eine achtstimmige Sinfonie des älteren Stamitz, in wohlgelungener Ausführung gebracht hat. F. Gr.

Berlin. Unsere Hofoper brachte als letzte Neuheit der Saison die schon im vorigen Jahre in Karlsruhe zur Ur-Aufführung gekommene Oper »Till Eulenspiegel« von E. N. von Reznicek. Der Erfolg entsprach nicht den Erwartungen, die man nach dem großen Erfolg der »Donna Diana« dem neuesten Werke des bekannten Komponisten entgegenbrachte, um so bedauerlicher, als die Aufführung unserer Hofbühne, unter Dr. Muck's musikalischer und Dröscher's szenischer Leitung, mit Grüning, der Destinn, Knüpfer und Nebe in den Hauptrollen, eine ganz hervorragende war. Reznicek hat sich seinen Text selbst, mit viel Geschick, zurechtgemacht; er nahm die anziehendsten Kapitel aus Fischart's »Eulenspiegel Reimensweiß«, um sich daraus ein für seine Zwecke verwendbares Ganzes zusammenzuschweißen. Natürlich mußte er sich bei der Zusammenstellung der vielen Einzelerzählungen des alten Buches für die 3 Akte seiner Oper ein gut Teil dichterischer Freiheit erlauben: die Szenerie der alten Erzählungen ist fast durchweg geändert, auch ist die Hauptbegebenheit des zweiten Aktes, d. h. die Beteiligung Eulenspiegels an dem Bauernaufstand, die im Fischart'schen Buche nicht erzählt wird, frei hinzugenommen, nicht zum Nachteil der dramatischen Wirkung, ebenso wie mit großem Geschick in den lyrischen Stellen des zweiten Aktes Gedichte Walter's von der Vogelweide miteingeflochten sind. Der Inhalt des Textes ist kurz der, daß Eulenspiegel, der nach Verübung mancherlei Streiche in sein Heimatdorf zurückgekehrt ist, und dort von den von ihm Geprellten gefaßt und vom kaiserlichen Vogt zu Tode verurteilt wird, sich durch seine Schlauheit — er erbittet sich als letzte, dem Verurteilten zustehende Gnade, daß der Richter ihn nach seinem Tode küsse — aus der Schlinge herauszieht, indes auf drei Jahre in die Verbannung wandern muß. Der zweite Akt bringt seine Rache: er führt die aufständischen Bauern auf Geheimwegen in die Burg des Raubritters, desselben, der ihn als kaiserlicher Vogt zum Tode verurteilte. Im dritten Akt, 30 Jahre später, sehen wir ihn als totkranken Mann. Sein Witz und seine Schlauheit haben ihn auch jetzt noch nicht verlassen; nachdem er die Kranken listig aus dem Spital vertrieben, bezahlt er mit einem Schatz, den er gar nicht besitzt, seinen Aufenthalt im Spital, wo er dann stirbt. Neben der Haupthandlung läuft noch durch die beiden ersten Akte eine Liebesgeschichte: Eulenspiegel, der im ersten Akt sich ein Mädchen gewonnen hatte, das er ja gleich wieder verlassen mußte, holt sich im zweiten Akt die Geliebte, die als Wirtschafterin auf dem Raubritterschloß lebt. So kommt der Text durch die Mannigfaltigkeit der Situationen der Vertonung sehr entgegen, läßt aber andererseits in der Zeichnung des Titelhelden eine konsequente Charakterzeichnung vermissen, was dieser Figur, und damit der Hauptfigur des Stückes, viel von ihrem Interesse nimmt. Der lose Schalk des ersten Aktes will gar nicht zu dem Freiheitshelden des zweiten Aktes passen, und wenn der kranke Mann im dritten Akt, nur um sich selbst im Spital unterzubringen, durch eine gemeine List die übrigen Kranken aus dem Spital hinaustreibt, so deckt sich das wieder gar nicht mit der Zeichnung des zweiten Aktes. Als Ganzes betrachtet, kann man der Dichtung allerdings das Prädikat »ganz geschickt gemacht« nicht versagen, und wäre nur die Arbeit des Komponisten besser ausgefallen, so würde man gern über manche Textschwächen hinwegsehen. Dem Komponisten Reznicek ist indes seine Arbeit nur zum Teil geglückt. Er ist ein großer Könner, das wird und muß ihm jeder Musiker unbedingt zugestehen, aber seine Erfindung steht leider nicht überall auf der Höhe dieses Könnens. Es finden sich in dem Werke Stellen von seltener melodischer Schönheit und großem dramatischen Empfinden, aber sie sind leider im Verhältnis zu den nur das technische Können zeigenden Partien in der Minderheit. Am besten gelingen Reznicek die lyrischen Szenen: im ersten Akt das »weine nicht, o kleines Mädchen« und »wie wohl ein armer Narr ich bin«, die Walter'schen Lieder und das »bleibe, o süßes Mädchen« im zweiten Akt, sodann der Sterbegesang Eulenspiegels im dritten Akt sind wundervoll empfunden. Auch darf Reznicek das Lob für sich in Anspruch nehmen, daß er nicht, wie so viele unserer zeitgenössischen Komponisten, im Fahrwasser des nachwagner'schen Epigonismus sich bewegt, sondern daß seine Musik viele eigene, persönliche Züge aufweist, Vorzüge, die seinerzeit schon in seiner »Donna Diana« allseitig anerkannt wurden. Aber trotz dieser Vorzüge und so mancher wirklich schön geratener Stellen, bleibt das Werk, als Ganzes betrachtet, nicht lebensfähig. Es ist äußerst interessant für den Musiker, der imstande ist, das große technische Können Reznicek's zu erfassen, auf das große Publikum wird es an vielen Stellen langweilig wirken. Schade um eine solch bedeutende Geistesarbeit: sie wird schnell vergessen werden.

Von der sonstigen Tätigkeit der Hofoper ist noch die Ur-Aufführung eines Balletts »Der Zauberknabe«, Text von Regel, Musik von Goldberger zu erwähnen, das indes nach zwei bis drei Aufführungen wieder verschwunden ist. Dagegen waren äußerst erfreulich eine Neueinstudierung der »Verkauften Braut« mit Emmy Destinn in der Titelrolle, sowie ein mehrmaliges Gastspiel Franz Naval's, der in der Weißen Dame, Traviata, Romeo und Julia und Carmen berechtigte Erfolge erzielte. Er ist ein lyrischer Tenor von solcher Güte, wie sie in der Jetztzeit zu den größten Seltenheiten gehört. Weiter gastierten noch Erik Schmedes mit gutem Erfolg als Lohengrin, während die Wiener Kammersängerin Frau v. Saville als Traviata und Julia nicht recht zu erwärmen vermochte.

Von Konzerten ist natürlich nur wenig zu melden, nur die allerletzten Ausläufer der Konzertsaison, die nun endgültig ihr Ende erreicht hat, kommen noch in Betracht.

Bemerkenswert waren die letzten Abende der Trio-Vereinigungen der Herren Hekking-Schnabel-Wittenberg und Schumann-Halir-Dechert. Im ersteren nahmen gleichzeitig mit den Konzertgebern Therese Behr und A. von Eweyk mit den Duetten Op. 28 von Brahms Abschied vom Konzertpodium dieser Saison, im letzteren kamen noch zwei bemerkenswerte neue Kammermusikwerke, (Hugo Kaun, Klavierquintett Op. 39 F-moll und Georg Schumann, Trio in F-dur) zur Aufführung. Als Liederkomponist führte sich noch in einem eigenen Konzert recht vorteilhaft Herr Paul Schwers ein. in einem am 8. Mai stattgehabten Kirchenkonzert (Lutherkirche) gab der Organist Hermann Lindquist, ein Schüler F. Grunicke's, Proben seiner weit entwickelten Kunst (Fantasie und Fuge über B-A-C-H von Reger), ebenso Herr Jul. Ruthström (Violine) mit Bach's Ciaconna. Als das wichtigste Konzert indes muß die Aufführung der Musikalischen Gesellschaft gelten, die drei Chorwerke, darunter zwei neue, ihres scheidenden Dirigenten Wilhelm Berger brachte, von denen namentlich Op. 85 »An die großen Toten« und Op. 86 »Der Totentanz« als äußerst hervorragend bezeichnet werden müssen, während das zweite »Die Tauben« nicht in gleichem Maße gefallen wollte. Berger, der jetzt in der Vollkraft seines Könnens steht, muß unbedingt zu den bedeutendsten Komponisten der Gegenwart gezählt werden. Auch als Dirigent leistete er in diesem Konzert sehr Anerkennenswertes. Das Konzert war jedenfalls ein würdiger Abschluß der Konzertsaison. A. M.-R.

Bern. Die hiesige Liedertafel konzertierte auf ihrer Osterreise in Marseille mit großem Beifall. Das sehr reichhaltige Programm wurde in unserer französischen Kirche, die mehr als überfüllt war, dem hiesigen Publikum vorher in einem Extrakonzert vorgeführt. Seither hat keine Aufführung mehr vermocht, größere Kreise anzulocken. Wir hörten zwei musikalische Kinder: am 22. April Jules Renaud (Vcello) mit Herrn Althaus-Bern (Baryton); am 25. April Florizel von Reuter (Violine) mit Frau Estermann-Bern (Alt), am Klavier Frau Gilgien-Horrer. Der kleine Renaud hat mehr Ton und Wärme, der andere mehr Technik. Die Recitation des Enoch Arden in französicher Übersetzung durch den bewährten Recitator Alphonse Scheler (4. Mai) hatte außer den hiesigen welschen Kreisen nur wenig Leute herangezogen, trotz Richard Strauß, dessen dem Charakter der Dichtung angemessene, diskrete Musik von Herrn Georges Humbert-Genf fein wiedergegeben wurde. Am 16. Mai konzertierte auf der Harfe Miss Edith Martin mit zwei jungen Künstlern, M. Trebini (Violine) und Max Behrens-Genf (Klavier); der letztere schien mir von den dreien der meistversprechende zu sein. Unsere Universität rüstet anläßlich der Feier ihres Umzugs in das neue Kollegienhaus (4. Juni) zu einem großen Münsterkonzert, an dem die ersten Vereine mitwirken werden. A. Th.

Bernburg. Hier fand Mitte Mai das XIV. Anhaltische Musikfest unter der Leitung des Dessauer Hofkapellmeisters Mikorey statt. Der erste Tag brachte Liszt's »Christus«, der von dem 500 Köpfe starken Chor, den Solisten Prof. Bartmuß, Johanna Dietz, Ludwig Heß und Rud. v. Milde zu großer Wirkung gebracht wurde. Am zweiten Tag nahmen hauptsächlich Stavenhagen mit der Wiedergabe des Liszt'schen »Totentanz« sowie Mikorey mit einer Reproduktion der Cmoll Symphonie von Klughardt das Interese der Hörer in Anspruch.

Bonn. Das sechste Kammermusikfest des Vereins Beethovenhaus hat trotz seines exklusiven und strengen Charakters einen über alles Erwarten glänzenden Verlauf genommen. Der von Zweiflern befürchtete Besuchsmangel wurde durch eine Massenbeteiligung des Auslands behoben, und Joachim und Genossen führten das aus sämtlichen Quartetten Beethoven's in fünf Konzerten abzuwickelnde Programm mit bewundernswerter technischer und geistiger Ausdauer durch. Kein Wunder, daß sich soviel Publikum einfand, wollte doch noch jeder, so lange dem alten Geigerkönig das Geschick hold ist, seine wundersame Kunst in der Auslegung des späten Beethoven genießen. Die Quartette aus den verschiedenen Epochen waren nicht etwa in historischer Aufeinanderfolge geordnet, sondern über die ganzen fünf Konzerte verteilt, sodaß jeder Hörer in jedem Konzert ein Quartett, an einem Tage sogar zwei Quartette aus Opus 18, dann eins aus der mittlern Periode und eins von den letzten fünf zu hören bekam. Man weiß ja, daß im Vortrage der Haydnisch und Mozartisch an-

gehauchten frühen Quartetten auch andre Quartettgenossenschaften vorzügliches leisten;
und manchem Geschmack wird sogar die nicht abzustreifende Herbigkeit und Strenge
der Joachim'schen Interpretation weniger zugesagt haben, als die Liebenswürdigkeit
und der Klangwohllaut, die bei unsern mittel- und süddeutschen Quartetten anzutreffen
sind. Je mehr aber die Quartette Beethoven's an poetischem Untergrund zunahmen,
umsomehr waren die Ausführenden in ihrem Element, und wem die späten Quartette
bisher verschlossen waren, vor dem erstanden sie nunmehr in lichtvollster Klarheit.
Unvergleichlich namentlich wurden das A moll- und das Cis moll-Quartett vorgetragen,
das letzte eine Lieblingsnummer der Bonner Feste schon von früher her. Dr. Joachim,
Halir, Wirth, Hausmann erregten namentlich nach diesen Nummern einen unbeschreib-
lichen Jubel und mußten immer wieder erscheinen, wurden denn auch schließlich
wacker mit Blumensträußen bombardiert, doch wie die dem Feste folgende fröhliche
Dampferfahrt auf dem Rhein bewies, ohne schädliche Folgen.　　　　　O. N.

Breslau. Nach der wahrhaft beängstigenden dieswinterlichen Musikhochflut wirkt
die im Theater und in den Konzertsälen endlich eingekehrte Ruhe doppelt wohltuend
und nervenstärkend. Eine gewaltige Sturzwelle mußten wir allerdings noch am letzten
Opernabend über uns ergehen lassen; fiel es der Theaterleitung doch just am letzten Tage
der Saison noch ein, daß Wagner neben so manchem schätzenswerten Werke auch einen
»Tristan« geschrieben hat, den aufzuführen zu den Ehrenpflichten jeder größeren Bühne
gehört. Man zog sich übrigens mit Anstand aus der Affaire. Die völlig strichfreie
und mit ausschließlich eigenen Kräften bewirkte Aufführung des grandiosen Werkes
war eine ebenso würdige wie packende und brachte namentlich unserem jugendlichen,
stimmbegabten und nach den höchsten Zielen strebenden Heldentenor Herrn Conrad,
welcher den Tristan das erste Mal sang, einen wohlverdienten Triumph. — Von Smetana's pathetischer Oper »Dalibor«, der man die Pforten unseres Theaters wohl hauptsächlich deshalb öffnete, weil sich »die verkaufte Braut« längst einen festen Platz im
Repertoire erobert hat, verspreche ich mir nicht viel für die Zukunft. Das konfuse
Textbuch muß jede, auch die herrlichste Musik um die Ecke bringen. Anfangs Mai
gab uns Richard II. alias Strauß die Ehre, seine »Feuersnot« persönlich zu dirigieren.
Hoffentlich war er mit den Leistungen unserer Opernkräfte zufrieden. Chor und
Orchester, namentlich aber das letztere, haben sich unter seinem Taktstock jedenfalls
mächtig zusammengenommen.

Jetzt, nachdem die Wandervirtuosen aus unseren Konzertsälen verschwunden sind,
ist es an der Zeit, auch einiges über unsere Bestrebungen für die Popularisirung
der musikalischen Kunst zu berichten. Ich erwähne da zunächst die vom Orchesterverein parallel mit den großen Abonnementskonzerten veranstalteten volkstümlichen Sinfoniekonzerte, zwölf an der Zahl, die unter Hermann Behr's Leitung
stehen, in ihren Programmen nur das Beste bieten und sich eines außerordentlich regen
Zuspruches erfreuen. Zwei Abende davon sind der Kammermusik gewidmet und
werden besonders lebhaft frequentiert. Das dankbarste Publikum aber haben unstreitig
vier alljährlich vom Magistrat veranlaßte und von der Kapelle des Orchestervereins
ausgeführte Schülerkonzerte, zu welchen die Billets ausschließlich an Volksschulen
abgegeben werden. Herr Behr hat es bis jetzt prächtig verstanden, die Vortragsord-
nungen dem Fassungsvermögen der Kinder anzupassen und doch auf einem hohen
künstlerischen Niveau zu halten. Das gleiche Lob ist dem Programm zu spenden, das
der Spitzer'sche Männergesangverein einem lediglich für Fabrikarbeiter und
kleine Beamte berechneten und deshalb unentgeltlich gegebenen Konzerte zu
Grunde gelegt hatte.　　　　　　　　　　　　　　　　P. W.

Budapest. Die erste Maiwoche war Veranstaltungen zur Feier des fünfzigjährigen
Jubiläums der philharmonischen Gesellschaft gewidmet. Deren Begründer war der
gefeierte ungarische National-Komponist Franz Erkel, den man den Schöpfer aber
auch langjährigen Alleinbeherrscher unseres musikalischen Lebens nennen kann. Vollblutmusiker, vertraut mit allen Finessen des Handwerkes, kam er schon in jungen
Jahren mit Leichtigkeit zur Rolle eines Führers in dem damaligen embryonalen Sta-
dium der musikalischen Entwickelung Ungarns. Wäre er, gleich anderen heimischen
Talenten, ins Ausland gegangen, um dort seine unleugbar hervorragende Begabung

auszubilden und zu verwerten, er würde es möglicherweise zu europäischem Ruhme gebracht haben. Vielleicht aber gehorchte er dem Einfluß eines guten Sternes, als er es vorzog, in seinem Vaterlande zu bleiben, wo er bald einen unbestrittenen Platz in der nationalen Ruhmeshalle sich eroberte. Von seinen zahlreichen Opern, die alle ihren Stoff aus der ungarischen Geschichte und Sage nehmen, gehören zwei, »Hunyadi László« und »Bánkbán« auch heute noch zum eisernen Bestande unseres Opernrepertoires. In der Technik unter Meyerbeer'schem, in der Melodik unter italienischem Einfluß stehend, wußte er seinen Werken einen starken magyarischen Einschlag zu geben, der ihre Lebenskraft bis auf den heutigen Tag unvermindert konserviert hat. Man mag an ihnen den Mangel eines einheitlichen Stiles beklagen, die Neigung zu äußerlichen, oft brutalen Effekten tadeln, wird aber anerkennen müssen, daß sie, bei tüchtiger Beherrschung des Technischen, an vielen Stellen das Walten einer nicht alltäglichen schöpferischen Kraft wahrnehmen lassen, an einzelnen sich zur vollen Höhe echter Poesie erheben. — Franz Erkel starb 1893 in hohem Alter, nachdem er die höchsten Stufen unserer musikalischen Hierarchie erreicht hatte. Er besaß den Titel eines Generalmusikdirektors, war Leiter der königlichen Landesmusikakademie, stand an der Spitze des Verbandes der ungarischen Männergesangvereine usw. Das war der Mann, der im Jahre 1853 die ersten philharmonischen Konzerte in der ungarischen Hauptstadt ins Leben rief. Sie haben sich, nachdem die Anfangsschwierigkeiten überwunden waren, immer mehr entwickelt und zu achtunggebietender Stellung erhoben. Franz Erkel's Nachfolger als Dirigent war kein Geringerer als Hans Richter, bekanntlich ebenfalls ein geborener Ungar; ihm folgte des Begründers ältester Sohn Alexander Erkel, gleich seinem Vater ein Vollblutmusiker und in allen Sätteln gerechter Praktiker; dann übernahm Arthur Nikisch, gleichzeitig Direktor der Oper, den Dirigentenstab. Nach seinem Weggang trat ein Interregnum ein, das durch Gastspiele ausländischer Dirigenten (Lewy, Mottl, Richard Strauß, Dr. Muck, Sucher, Hans Richter, Ferdinand Löwe) ausgefüllt wurde. Seit einigen Jahren stehen die Konzerte unter Leitung des begabten und strebsamen Stefan Kerner, einer einheimischen Kraft, die jetzt schon Anerkennenswertes leistet und zu den besten Hoffnungen berechtigt.

Die Jubiläumsfeierlichkeiten wurden eingeleitet durch eine Festsitzung im Nationaltheater, bei der Graf Albert Apponyi, der hervorragende Staatsmann, Präsident des Abgeordnetenhauses, ein passionierter und feingebildeter Musikfreund[1]), eine gehalt- und schwungvolle Rede hielt. Es folgten zwei Festkonzerte, deren erstes ausschließlich Werke ungarischer Tondichter brachte. Den Anfang machte eine Festouvertüre von Franz Erkel, ein von kundiger Hand aufgebautes, wirksames Stück. Darauf folgte unser Meister-Geiger Jenö Hubay mit zwei zart empfundenen Sätzen aus einer Suite eigener Komposition. Edmund von Mihalovich figurierte auf dem Programm mit dem Andante und Finale seiner gehaltvollen, großzügigen vierten Symphonie, die an dieser Stelle schon gelegentlich ihrer Erstaufführung gewürdigt worden ist, und Ernst von Dohnányi, der so reich begnadete junge Liebeling der Muse, lieh der »Ungarischen Phantasie« von Liszt den ganzen Zauber seiner unvergleichlichen Vortragskunst. Eine interessante Bereicherung des Programms bildete eine symphonische Dichtung »Zrinyi«, eigens für diese Gelegenheit von Carl Goldmark komponiert. Der Autor der »Königin von Saba«, der an den Ufern des Plattensees, des »ungarischen Meeres«, das Licht der Welt erblickt hat, wollte die feierliche Gelegenheit nicht vorübergehen lassen, ohne seinem Heimatlande den Tribut seiner Huldigung zu zollen. Seine Festgabe, eine Phantasie über stark ungarisch gefärbte Motive, ist ein echter Goldmark in ihrer interessanten und eigenartigen Harmonik, in der verschwenderischen Pracht des Instrumentalkolorits, in ihrer ungestümen Leidenschaftlichkeit, die, von einer überlegenen Intelligenz gelenkt, niemals ihre Wirkung verfehlt. Der Komponist, der sein Werk mit dem jugendlichen Feuer, das ihm treu geblieben ist, selbst dirigierte, war Gegenstand rauschender Ovationen. Das

---

1) Graf Albert Apponyi war es, der vor etwa 25 Jahren im Parlament den Antrag auf Errichtung einer Landes-Musikakademie unter dem Präsidium Franz Liszt's stellte.

zweite Festkonzert brachte Beethoven's Leonorenouvertüre in vollendeter, die neunte Symphonie in überwiegend befriedigender Ausführung. —

In der Oper gastierte der Baritonist Herr Zádor, ein ehemaliger Zögling unserer Akademie, der, seit einigen Jahren mit Anerkennung im Auslande wirkend, seinen Landsleuten eine Probe seines erfreulich fortgeschrittenen Könnens lieferte. Fräulein Scomparini, eine geborene Triestinerin, derzeit am Stadttheater in Graz engagiert, zeigte als Amneris und als Fides schätzenswerte stimmliche und schauspielerische Anlagen, die allerdings noch sehr der weiteren Ausbildung bedürfen. — Den Schluß der Opernsaison wird ein Wagner-Cyklus bilden.　　　　　　V. v. H.

Dresden. In der Königl. Oper kommen Gäste, und Gäste gehen wieder. Von denen, die in letzter Zeit auf Engagement gesungen haben, sind zwei auf mehrere Jahre verpflichtet worden: Frau Rocke-Heindl aus Mannheim, die als Fidelio, Valentine, Leonore im »Troubadour« und Donna Anna aufgetreten ist, und der Tenorist Herr Wilhelm Otto vom Theater des Westens in Berlin. In der letzten Tristan-Aufführung sang Frau Lilli Lehmann die »Isolde« und erntete für die tadellose Ausführung des gesanglichen Teiles der Rolle viel Beifall und Anerkennung. Zur Erinnerung an den 90jährigen Geburtstag Richard Wagner's fand am Vorabend eine Aufführung der »Meistersinger« statt.

Die schon seit einigen Monaten geplante Aufführung des vierten Abends der »Homerischen Welt« von August Bungert, Odysseus' Tod, hat noch immer verschiedener Hindernisse wegen hinausgeschoben werden müssen. Dafür soll jetzt ein großer Verdi-Cyklus stattfinden, wozu die beiden Opern »Othello« und »Falstaff« gänzlich neu einstudiert werden.

Für den 4. Juni ist die erste Aufführung der indischen Legende »Opferfeuer« von Gjellerup angesetzt worden, wozu Gerhard Schjelderup eine ziemlich ausgedehnte Musik geschrieben hat. Es ist erfreulich, daß damit dieser begabte und strebsame Komponist auch hier einmal zum Worte gelangt.　　　　　E. R.

Frankfurt am Main. Unter lebhafter Beteiligung der hiesigen tonangebenden musikalischen Kreise fand am 24. Mai Vormittags auf dem städtischen Friedhofe die feierliche Enthüllung des Raff-Denkmals statt. Nachdem der Sängerchor des Lehrervereins den ernsten Chor »Sei getreu bis an den Tod« von Martin Blumner gesungen, hielt Maximilian Fleisch, der erste Vorsitzende des Raff-Denkmal-Vereins, eine längere Ansprache, in der er die Verdienste Raff's als Künstler, Lehrer und charakterfester Mensch in pietätvoller Weise beleuchtete. Der Redner gedachte Bülow's, der als erster die Errichtung dieses Denkmals angeregt hatte, und dankte dann den andern Förderern des Vereins, dem Dr. Hoch'schen Konservatorium für den Ankauf der neuen umfangreichen Grabstätte, sowie der Stadt Frankfurt für die Überlassung des schönen, von einem kleinen Birkenwäldchen umsäumten Platzes, auf dem sich daß stimmungsvolle Denkmal nunmehr erhebt. Nach dem Vortrag des schönen »Pilger auf Erden« von Peter Cornelius erfolgte durch einen Vertreter der Stadt Frankfurt die Übernahme des Denkmals. Der Feier wohnten die heute 76jährige Wittwe des Komponisten, Frau Raff aus München und ihre Tochter Helene Raff, und Dr. Merian-Genast bei. Den ersten Kranz legte Frau Maria von Bülow aus Berlin, die Wittwe Hans von Bülow's, an den Stufen des Denkmals nieder. Weitere Kranzspenden folgten von Frau Daniela Thode geb. Bülow in Heidelberg ;»dem Freunde meines Vaters«; Professor Freudenberg-Berlin, dem Weimarer Liszt-Museum (Dr. Obrist), von Kapellmeister Lüstner im Namen der Wiesbadener Kurverwaltung, dem Dr. Hoch'schen Konservatorium (von Professor B. Scholz überreicht), dem Raff-Konservatorium und dem Rühl'schen Gesangverein, und nicht zuletzt der Familie Merian-Genast. Die würdige, von einem herrlichen Maiwetter begünstigte Feier schloß mit dem Orchestervortrag einer Elegie von Raff.

Unsere Oper brachte am 21. Mai als Novitäten die musikalische Tragödie »Kain« von E. d'Albert und J. Massenet's lyrische Episode »Das Mädchen von Navarra«, zwei an dieser Stelle bereits ausführlich besprochene Werke. Während der »Kain« nur einem schwachen Achtungserfolg begegnete, hatte sich die »Navarraise« einer lebhafteren Aufnahme zu erfreuen. Beide Bühnenschöpfungen waren vorzüglich einstudiert,

besetzt und inszeniert. In der Reihe der Mitwirkenden seien besonders der vorzügliche Abel des Herrn E. Forchhammer, und die temperamentvolle Titelheldin der
Massenet'schen Episode Frau Kernic hervorgehoben.   **H. P.**

Hamburg. Es wurde uns nicht gar zu schwer gemacht, von den Konzerten Abschied zu nehmen, nach dem symphonischen Kehraus eines Extra-Orchester-Konzertes,
das Max Fiedler zu Gunsten unseres Konzert-Orchesters veranstalten zu müssen
glaubte. Diesem tüchtigen und braven Orchester, dessen sich die Philharmonische Gesellschaft, der Caecilien Verein und Max Fiedler für ihre Konzerte bedienen, Julius
Laube nicht zu vergessen, der die populären Wochentagkonzerte (bei kleinen Preisen,
Bier und Zigarren), dirigiert, diesem vom Staat mit der Summe von 20000 Mark mehr
als bescheiden subventionierten »Orchester des Vereins für Musikfreunde« — wie sein
officieller Titel lautet, — wäre ein Extralohn wohl zu gönnen gewesen: Leider dürfte
Fiedler das gewollte Ziel kaum erreicht haben, woran zum Teil das wenig glückliche,
auf dem Wege der freien Wahl zustande gebrachte Programm und dann wohl auch
die allenthalben bemerkbare Konzertmüdigkeit Schuld sein mochte. Es ist jedenfalls
nicht künstlerisch, die Aufstellung eines Konzert-Programms dem Publikum zu überlassen; nicht künstlerisch und obendrein eine Illusion. Man kam in diesem Konzert
nicht einmal zu einer rechten Freude an der Musik selbst: Fiedler überhastete die
Tristan-Fragmente; — für Wagner fehlt diesem sicherlich sehr schätzenzwerten Dirigenten die Stimmung, das große Maß; — in den Werken von Strauß (»Tod und Verklärung« — Liebesszene aus der »Feuersnot«) erkältete die Phrase, die man durch allen
Farbenprunk hindurch spürt, und Beethoven's C-moll-Symphonie, sowie die große Leonoren-Ouverture bedürften wirklich einer längeren Schonzeit, um eine »restitutio in in-
tegrum« zu erfahren. Das Erhabene verträgt den Alltag nicht, und soll nicht Alltag
werden. Die alljährlich wiederkehrende Aufführung der »Matthäuspassion«, eines
Werkes, das der »Singakademie« längst in Fleisch und Blut übergegangen ist und
in Herrn Professor Barth wieder einen gewissenhaften Dirigenten fand, wirkte ein
wenig matt namentlich in den Partien der Solisten. Als eigentliche Stretta, als glänzendes Finale der Konzertsaison darf das letzte Nikisch-Konzert gelten: Der Dirigent
sowie das Berliner Philharmonische Orchester wetteiferten in Großtaten. Tschaikowsky's pathetische Symphonie ließ eine große tragische Empfindung zurück. Das Werk
gehört zu den Glanzstücken der außerordentlichen Dirigirkunst Nikisch's. Die Solistin
des Abends, Fräulein Muriel Foster imponierte mit ihrer kolosalen Altstimme, in der
leider das Elementare künstlerisch zu wenig gebändigt ist, als daß von einem reinen
Genuß an der Eigenart dieser Sängerin die Rede sein könnte. Nachdem sich die
Pforten des Konzertsaals geschlossen, wendet sich das Interesse unserer Musikfreunde
und aller jener, die es zu sein glauben, wiederum in stärkerem Maße der Oper zu.
Unser fleißiges Operntheater brachte als Novität Felix Weingartner's »Orestes«
in sehr guter Aufführung. Das ernste und idealistische Werk, das inzwischen seinen
Zug über die deutschen Opernbühnen fortsetzt, errang unter der ausgezeichneten Führung des Komponisten einen starken Erfolg, konnte sich aber trotzdem im Spielplan
keinen festen Platz erringen. Eine angejahrte komische Oper kleinsten Formats, Henry
Casper's »Die Tante schläft« gehört zu jener Kunst, die des »Amüsierens« wegen da
ist. Eine lustige aber unwahrscheinliche Handlung mit sehr komischen Scenen und
eine Musik, in deren graziöser Melodik ein französisch sprechender Flotow laut wird,
tragen die Kosten des freundlichen Werkes. Mit der Rückkehr Willi Birrenkoven's
von seinem Urlaub wurde »Faust's Verdammnis« dem Spielplan wieder eingefügt. Das
prachtvolle Werk, das an musikalischem Reichtum zu wachsen scheint, je genauer man
den reinsten und edelsten Berlioz dieser Musik kennen lernt, darf (mit Birrenkoven und
Frau Fleischer-Edel in den Hauptrollen) als eine der vorzüglichsten Aufführungen des
Hamburger Stadttheaters gelten. Im übrigen füllten Richard Wagner (mit einem Gesamt-
cyklus seiner Werke und dem lebhaften Kult der Hamburgischen Favoritopern »Lohen-
grin« »Tannhäuser«), Verdi, Bizet und mit schwachem Anteil Mozart, das Repertoire.
Auch die für die letzten Wochen der Saison unvermeidlichen Gäste waren in bunter
Reihe zur Stelle: berühmte und unberühmte Namen. Unter ihnen fesselte der Barytonist
Theodor Bertram zunächst das Interesse der Hamburger Opernfreunde, das aber

während seines Gastspiels im schnellen Decrescendo sich dem gefährlichen Punkt der
Teilnahmlosigkeit näherte. Schlimme Erfahrungen machte auch Fräulein Destinn aus
Berlin: ihre Carmen, eine virtuose, aber innerlich ganz kalte Spielleistung, übersät mit
blendenden Lichtern, erweckte ein so ironisches Echo der Kritik, daß die Künstlerin
ihr Gastspiel jäh abbrach. Unter den jüngeren Kräften, deren sich die Direktion versichert hat, befindet sich ein neuer Bassist, Herr Hincley, ein junger Amerikaner,
der zwar ein haarsträubendes Deutsch singt, aber eine außerordentlich schöne, gesunde
und große Baßstimme besitzt.	F. Pf.

Karlsruhe. Eine Uraufführung für Deutschland bedeutete die Darstellung des
»Waldemar« von Andréas Hallén (geb. 1846, gegenwärtig Kapellmeister der königl.
Oper in Stockholm) in unserem Hoftheater. Dem Werke kommt für Schweden offenbar schon der nationale Stoff zustatten, in dem Motive der nordischen Sage mit
historischen Ereignissen verschmolzen sind. Der Gang der Handlung ist in Kürze folgender: Der kraftvolle, gewalttätige König Waldemar Atterdag) ist auf einem Raub-
zuge an dem öden Felsenstrand von »Kleinkarlsö« mit seinem Schiffe gescheitert und
allein ans Land geworfen. Ihn reizen Aegirs Töchter, den großen Schatz, den einst
ein Fischer gewonnen und für sein Seelenheil dem Karinkloster zu Wisby übergeben
hat, für sie zu holen. Dafür versprechen sie ihm drei Nordlandskronen. Waldemar
schleicht sich nun als Pilger unerkannt in die Stadt, gewinnt beim St. Hansfest durch
sein kraftvolles Auftreten, seine Geschicklichkeit im Lautenspiel und seine verführe-
rischen Worte die Liebe der Tochter eines angesehenen Bürgers. Er bringt sie zu
dem Versprechen, bei seiner Rückkehr auf ein Feuerzeichen hin das Ausfalltor zu öffnen, dringt dann später mit Heeresmacht ein und überläßt das »kleine Krämerkind«,
das bei der Erstürmung durch eigene Schuld den Vater verloren hat, seinem Schicksal. ·Ava wird von den ergrimmten Bürgern als Verräterin zu der schrecklichen Strafe,
lebendig eingemauert zu werden, verurteilt, und sieht während ihres Todeskampfes in
einer Vision den immer noch geliebten König, der mit der übrigen Beute Wisbys auch
den dem Kloster abgepreßten Ägirsschatz mitführt, mit seinem Schiffe stranden; er
selbst rettet sein Leben, aber das »hellflammende« Gold rinnt in die Tiefe, wo es die
Meerjungfrauen jubelnd begrüßen.

Dieser Stoff ist an sich ganz dankbar, und es fehlt nicht an wirklich dramatischen
Zügen; nur wird man allzu oft auf gar Wohlbekanntes hingewiesen. Die Töchter
Aegirs, insbesondere ihr Erscheinen auf dem Meeresgrunde im letzten Akt, ihr Sehnen,
Aegirs Gold, »von dem am Meeresboden in zauberhaftem Glanze erstrahlt«, wiederzuge-
winnen, erinnert unabweisbar an ein großes Vorbild, und unwillkürlich findet man
dann auch sehr naheliegende musikalische Reminiszenzen; auch der unfreiwillige Verrat
des Heimatlandes und die Bestrafung dafür durch Einmauerung, sowie eine verklärende
Schlußvision ist »schon dagewesen«.

Dem Komponisten gelingen verschiedenfach liebliche, wohlklingende Partien ganz
gut, so manches in den Gesängen des »Rhein« — nein, »Aegirstöchter«, so die Tanzweisen
im zweiten Akt und besonders das von Violinen mit Harfenbegleitung vorgetragene
Zwischenspiel während der eigentlichen Liebesscene; freilich ist ab und zu vom Wohlklingenden zum Süßlichweichen und vom Anmutigen zum Trivialen kein großer Schritt
mehr. Überhaupt scheint uns im großen Ganzen die Musik zu wenig Farbe und Charakter zu haben. Wenn zu Anfang das Eintönige des Wellenschlages wiedergegeben
werden soll, so ist dies nur allzugut gelungen; aber auch sonst kann sich der Komponist nur sehr schwer von derselben Tonart und gleichartigen Harmonien losreißen;
auch auf rhythmische Mannigfaltigkeit dürfte noch mehr Gewicht gelegt sein: vor allem
aber fehlt es in den bedeutendsten Momenten der Handlung der Musik an dramatischer
Wucht und Schlagkraft; am besten ist noch der König in seiner rücksichtslosen, fast brutalen Art charakterisiert; hier findet auch der Komponist wirklich kraftvolle Töne; aber
wie wenig ist anderwärts die Situation ausgeschöpft, zum Beispiel da, wo Ava zuerst
verzweiflungsvoll den Betrug, der an ihr verübt wurde, erkennt, wo ihr ein Bürger
den Tod ihres Vaters mitteilt und sie verflucht, und besonders da, wo sie in dem Geliebten den schrecklichsten Feind ihres Volkes erkennt. Wie weich und mitleidsvoll

ist der musikalische Ausdruck für den harten Urteilsspruch, den der Bürgermeister der verurteilten Ava zu verkünden hat:

> »Verurteilt von dem hohen Rat
> Wegen Landesverrats und Vatermords,
> Verdammet wie im Himmel, so auf Erd,
> Empfange deine Strafe.
> Die Mauer dort, begraben soll sie dich
> In ihrem kalten Schoß.
> Sterben sollst du der Schande Tod!
> So haben wir zu Recht erkannt.« —

So schmachtet man trotz mancher wohlgelungenen Einzelheit und interessanten Partie nach wirklichen Höhepunkten; aber sie wollen sich nicht zeigen.

Dem Werke verhalf Mottls Leitung zu denkbar günstiger Wirkung; von den Mitwirkenden verdient Herr Büttner als König alle Anerkennung; die Ausstattung, die große Ansprüche stellt, war glänzend, namentlich das Schlußbild auf dem Meeresgrund geradezu bezaubernd schön.

Noch nach Schluß der eigentlichen Konzertzeit wurden uns zwei herzerfreuende Gaben geboten. Vom Musikfest in Mannheim her kam auf die Aufforderung der Konzertdirektion H. Schmidt das Joachimquartett, um Werke von Haydn, Brahms und Beethoven vorzutragen; die Krone der Leistungen war das Beethovenquartett in geradezu klassischer Vollendung. Den Schluß des Künstlerkonzertes bildete das Auftreten von Marcella Pregi; schon das vornehme Programm, das von Galuppi über Bach zu Schumann und Wolf führte, mußte für sie einnehmen; hier war trotz der vollendeten Schule nichts gewählt bloß um die Kehlfertigkeit zu zeigen. Die Arie aus dem »Streit zwischen Phöbus und Pan« wurde in einem Tempo gegeben, wie es Bach sicher nicht angenommen hat; aber es war ein Kabinetstück feinster Ciselierung. Wie sehr sich die Sängerin in deutsche Kunst vertieft hat, beweist schon die tadellose Aussprache des Deutschen, mehr noch, wie sehr sie einem Schumann und namentlich Wolf, dessen Art doch romanischem Empfinden sehr ferne liegt, gerecht wurde. Alles in allem eine der erfreulichsten Bekanntschaften der letzten Jahre.   C. G.

Kassel. Eine einaktige Oper, »die weiße Flagge«, Text und Musik von Pierre Maurice, fand bei ihrer Uraufführung im Hoftheater großen Beifall.

Köln. Die »Hauptschlager« der Konzertsaison sind bewerkstelligt worden, Steinbach revidiert sein Konservatorium, um zu sehen, wo die Reformhebel anzusetzen sind, und sucht seine Orchesterleute pekuniär zu verbessern. Ein wahrhaft bienenhaftes Leben entwickeln noch immer die beiden Stadttheater. Hätte Julius Hoffmann, der uns nun also definitiv am 1. Juni verläßt, um Herrn Purschian Platz zu machen, zu Anfang der Saison die Hälfte dieser Regsamkeit entwickelt, er hätte zu den Schäflein, die er bereits früher ins Trockne geführt hat, sicher noch ein ganz respektables goldnes Kälbchen hinzufügen können. Er schließt auch so nicht schlecht ab, und kundige Gedankenleser behaupten, daß, wenn er den günstigen Lauf der Theaterdinge vorausgeahnt hätte, er seine Demission überhaupt nicht gegeben haben würde. Als Neuheit brachte er Goldmark's Szenen aus dem Goetz, die unter großem Beifall in Szene gingen. Der rüstige alte Herr war selbst erschienen und entpuppte sich als eifriger, sogar wo es sein mußte, diktatorial auftretender Regisseur. So fand er bald, daß unsre dramatische Sängerin seinem Ideal einer Adelheid nicht entsprach. Dieses hatte er vielmehr in Frau Greef-Andrießen in Frankfurt entdeckt. Er stellte unserm Theater die Alternative: entweder Götz mit Frau Andrießen oder gar kein Götz! Natürlich fiel die Wahl nach seinem Wunsch aus. Er gab dadurch die Veranlassung zu einem monatlichen Gastspiel der famosen Künstlerin, die namentlich als Brünnhilde unserm Spielplan wesentliche Dienste leistete. Was ihre Adelheid anlangt, so darf allerdings behauptet werden, daß mit ihr der Theatererfolg des Götz gewährleistet ist, und daß sie in diesem ränkereichen, liebeglühenden, am Schluß von Todesangst gepeitschten Charakter über sich selbst hinausschritt, wenigstens über alles, was sie bisher geboten hatte. An dem Goetz selbst wurden die Reife der Arbeit, in der jede

39*

Note ihre musikalisch-dramatische Berechtigung hat, die Anmut der Erfindung, die
Glut und Feinheit der Instrumentierung, mit Recht bewundert. Das Werk verlangt
insofern etwas Entgegenkommen seitens des Publikums, als es ohne eine genaue Auffrischung des Goethe'schen Schauspiels vom Hörer nicht ganz verstanden werden kann:
es sind wirklich Szenen aus dem Goetz, ohne die Geschlossenheit und Folgerichtig-
keit des Dramas. Dem urteutonischen Empfinden wird bei Goldmark auch manches
zu weichgeraten vorkommen. Im übrigen findet das Werk in der ganzen neuen Literatur
wenig seines Gleichen, und es wäre schon bei der furchtbaren Eintönigkeit des Opern-
spielplans, die so entsetzlich absticht von dem wechselnden Reichtum auf dem Schau-
spielgebiet, zu wünschen, daß sich ein so vornehmes und reifes Werk auf dem Spielplan behauptete. Den eigentlichen glänzenden Abgang der Aera Hofmann bildete
ein Wagnerzyklus, der vollständig sein würde, wenn nicht noch die dekorative und
kostümliche Ausrüstung von Rienzi und Tristan auf sich hätte warten lassen. Es
wurden ganz herrliche Bühnenbilder namentlich im Fliegenden Holländer und im
Ring des Nibelungen geboten. Der Zweikampf in der Walküre, der sonst immer
durch schonende Schleier verdeckt wird, war so richtig angeordnet, daß er den prallen
Schein der Abendsonne nicht zu scheuen brauchte. Dagegen war der Schluß der
Götterdämmerung auf halbem Wege stehen geblieben, und die hochgespannte Empfänglichkeit der Zuschauer erlebte eine arge Enttäuschung. Der Scheiterhaufen schoß,
wohlverdeckt von dem gruppenbildenden Chor, aus der Versenkung hervor, statt zusammengetragen zu werden, von der Leiche Siegfrieds auf ihm war nichts zu sehen,
Brünnhilde stieg, was ihr noch zu verzeihen ist, hinter der Szene in den Sattel; als
aber ihr papiermaché-enes Ebenbild hoch zu Roß bis zum Scheiterhaufen gekommen
ist, scheut Grane und eilt mit seiner Reiterin spornstreichs hinter die Kulisse. Unter-
deß hat Hagen an der zweiten Kulisse in finsterm Brüten auf den Moment seines
Eingreifens gewartet, die Rheintöchter erscheinen mit dem funkelnden Ringe auf den
Wogen, aber anstatt daß er sich zu dessen Erlangung in die Fluten des Rheines be-
gäbe, läuft er mit einer durch nichts zu entschuldigenden Eile in die Kulissen, um
selbst im Rheine nicht wieder aufzutauchen. Soviel Enttäuschungen wie Bühnenvor-
gänge . . . Bald herrscht Ruhe in dem neuen Hause. Viele der hervorragendsten Mitglieder, die vorzügliche Altistin Frau Metzger, Tenorist Wildbrunn, Bassist Robert
vom Scheidt, die jugendlichdramatische Sängerin Frl. Offenberg, verlassen uns. Nach
einem Jahr schon ein so durchgreifender Wechsel, wer hätte das gedacht.   O. N.

Kopenhagen. Aus dem Kopenhagener Musikleben ist jetzt, nachdem die Konzerte
so ziemlich aufgehört haben, nur noch von der Aufführung des »Siegfried« in der kgl.
Oper etwas zu berichten. Mit dieser Aufführung, die viele Jahre später als die erste
Aufführung der Walküre stattfand, ist das hiesige Musikleben in künstlerischer und
kultureller Hinsicht einen bedeutungsvollen Schritt vorwärts gekommen. Im Ganzen
kann man wohl sagen, daß das Verhältnis zu Wagner's Werken in einem gewissen
Grade einen Maßstab für den künstlerischen Standpunkt einer Stadt oder eines Volkes
bildet. Kopenhagen darf hier immerhin mit Achtung bestehen, das Publikum verlangt nach Wagner, und im Konzertsaal haben sich seine Werke auch längst eingebürgert. Dagegen folgen die Oper und großen Vereine nur langsam nach.

Heute nur noch einige Worte über die erste Kopenhagener Siegfried-Vorstel-
lung. Sie war gewiß nicht in allen Punkten glänzend, aber immerhin annerkennens-
wert. Typisch war der Orchestervortrag. Weniges mißlang, manches wurde sogar
sehr fein und schön gespielt, — zum Beispiel die Waldweben-Szene, — aber es
fehlte doch der große Zug, der imposante Wagnerische Glanz und die packende
Macht im Vortrag. Im Ganzen: eine sorgsame, fein gearbeitete Radierung nach
einem farbenglühenden Gemälde — mehr Kammermusikstil als Dramatik.

So war es ungefähr auch auf der Bühne. Überraschend frisch und unermüdet
führte Herr Cornelius die Siegfried-Partie durch obschon er, der frühere Barytonist
sich bisher nicht als Heldentenor betätigt hat . Die volle Kraft, die Fülle und der
Glanz für diese anspruchsvolle Partie besitzt seine Stimme zwar nicht, aber er muß
doch, auch schauspielerisch, mit aller Ehre genannt werden. Nur für den Siegfried des
letzten Aufzuges wußte er den rechten Ton (musikalisch und darstellerisch) noch nicht

zu finden. — Eine schöne und im Ganzen befriedigende Leistung war auch die Brünhild der Frau Johanna Brun — einer Sängerin von entschiedener »Wagner-Anlage.« — Wotan wurde erst von dem hiesigen Barytonisten Helge Nissen, später von dem gastierenden Schweden Herrn John Forsell gesungen. Beiden gebührt unbedingte Anerkennung. — Die Erda sang Fräulein Doris, den Fafner Herr Max Müller, den Waldvogel Fräulein Ida Müller (leider unverständlich trotz des Schlangenblutes!) — Ein Mißgriff jedoch war es, daß Mime und Alberich von Debütanten vorgeführt wurden: Fleiß und guter Wille genügen hier nicht. — Die Dekorationen und szenischen Bilder waren fast alle schön und stimmungsvoll. Die Inszenierung im Ganzen korrekt, doch leider bisweilen ohne die rechte Fantasie und bei ausschlaggebenden Stellen ohne die volle Wirkung.

Unser Publikum hat Siegfried anfangs mit Begeisterung, später mit Ehrerbietung und Interesse empfangen. Auch die Kritik hat — teilweise begeistert, teilweise mehr besonnen — die Bedeutung der Vorstellung festgestellt. Nachher hat sich vielleicht ein bischen Reaktion eingefunden. Mehr als Kuriosum sei noch hinzugefügt, daß ein hiesiger Musikrezensent alle die alten Dummheiten von und gegen Wagner in spaltenlangen Berichten aufzuwärmen für gut fand.   W. B.

Leipzig. Zu einer Auffrischung des Verdi'schen »Maskenballes« auf unserer Bühne lag eigentlich kein Grund vor. Trägt das Werk auch, wie jede der Verdi'schen Schöpfungen, in mehr als einer »Nummer« den Stempel genialer Erfindungskraft und dramatischer Verve, so zieht es doch mit zu stark abgenutztem Material in den Kampf, um heute als Ganzes noch dauernd zu fesseln. Wenn wenigstens unsere Sänger Verdi singen könnten und sich nicht so beispiellos hülflos stellten in den breiten bel-canto-Arien des Italieners, — auch schauspielerisch! Das Stück scheint lediglich der prächtigen neuen Kostüme und Frl. Gardini's wegen hervorgeholt worden zu sein, die den Pagen mit reizender Anmut und viel Koloraturfertigkeit sang. Über den Rest sei Schweigen gebreitet! Smetana's »Verkaufte Braut« kam neuerdings gut einstudiert zur Aufführung, während Nikisch Sullivan's »Mikado« zu freundlichem Erfolge verhalf. Frl. E. Destinn gastierte als Carmen und traf die Hauptzüge dieser beliebtesten aller weiblichen Meisterrollen durchaus.

Mit den Konzerten hat's ein Ende; der Sommer pflegt meist nur musikalische Stiftungsfeiern und Sommerfeste zu bringen. Der Bachverein, dessen Tendenzen mehr und mehr anti-bachisch zu werden drohen, führte in seinem letzten Hauskonzert überwiegend Brahms auf, Kammermusik und mehrstimmige Chorlieder, darunter auch einige von Hasler und Rheinberger. Bei allem guten Willen bleibt das Niveau des Vereins immer das alte, statt von Konzert zu Konzert zum Höheren fortzuschreiten wie etwa der Riedelverein, der rastlos an seiner Vervollkommnung arbeitet. Was Leipzigs Bachverein dem Musikleben der Stadt sein könnte, steht in einem noch ungeschriebenen Buche. Mögen die Umstände liegen wie sie wollen, es ist eine höchst unrühmliche Tatsache, daß gerade dort, wo Bach's Musik den Mittelpunkt, zum wenigsten den leitenden Gesichtspunkt für die Aufführungen abgeben sollte, sie weder im Geist noch in der Wahrheit Pflege findet. Einmal im Jahr das Weihnachtsoratorium, eine Kantate, gelegentlich ein paar Klavierstücke — das ist der Stoff für 4—6 Konzerte! Ist die Tendenz des Vereins seit einiger Gründung eine andere geworden, so möge er seinen Namen ändern und frei und offen Parole bekennen statt Erwartungen auszustreuen, die er nicht zu erfüllen im Stande ist. Vielleicht findet sich ein anderes Institut, das den Faden aufgreift und die besserungsbedürftige deutsche Bachpflege innerhalb Leipzigs mit Freuden übernimmt. — Reinen, unverfälschten Bach hört man seit langem nur in der Thomaskirche, wo Chor und Orgel geradezu musterhaft besetzt sind. Bei Gelegenheit eines Kirchenkonzertes in der restaurierten Nicolaikirche lernten wir in Herrn Musikdirektor Heynsen einen ausgezeichneten Bachspieler auf der Orgel kennen, dessen hohe künstlerische Fähigkeiten so recht geeignet wären, auch außerhalb der Thomaskirche und des Gewandhauses eine würdige Bachpflege zu begründen. Hoffen wir!

Zur Zeit wird die Frage nach einem endlich zu errichtenden Leipziger Wagnerdenkmal lebhaft ventiliert. Aufrufe in den Tageszeitungen werben »diskret« um Spenden

und zählen ein Heer von Namen auf, die gleichsam Gewähr leisten sollen für die Bedeutung der Subskription, akkurat, als handle es sich um eine Almosensammlung für
arme Überschwemmte. Käme man nicht rascher oder doch viel würdiger zum Ziele,
wenn Nikisch ans Dirigentenpult träte und ein oder zwei Mal Tristan oder die Meistersinger vor ausverkauftem Hause dirigierte als Benefizvorstellung für den zukünftigen
bronzenen Meister, — oder der Riedelverein zu dessen »Besten« ein a-cappella-Konzert
veranstaltete?   A. Sch.

    London. — The number of concerts in London since Easter has been positively
bewildering. On many days Queen's Hall, St. James's Hall, Bechstein Hall, Steinway
Hall, and the Salle Erard have been occupied twice daily; and the Opera, with three
cycles of "The Ring", has been in full swing since April 27. The critic's life has
therefore been far from a happy one; especially if he has a conscience which reproaches him for the neglect of some concert that force majeure prevented him from
noticing, or has doubts whether those which he has selected were really the most
deserving.

    There have been a great number of débutants and débutantes, some of consider-
able merit, to which it may be possible to do fuller justice if the artists in question
re-appear at a less crowded time. Chief among them are Violet Sydney, a contralto,
and Alex. Disraeli, a baritone. Both have sympathetic and well-cultivated voices,
and sing with intelligence above the common. But Violet Sydney is at present afraid
to let herself go for fear of losing her beauty of tone, and sometimes gives an impression of coldness, which probably the future will show to be wrong. Alex. Disraeli on the other hand is inclined to force his expression. A young English pianist,
Madeleine Payne, a pupil of Michael Hambourg, has a charming touch and a good
technique, but is inclined to exaggerate contrasts of expression. We have heard four
new violinists too, all of whom would have been considered remarkable a few years
ago. All have good technique, and two of them have distinctly poetical temperaments.
The best of them is probably Hegedüs, (he prefers to keep his Christian name a secret), a young Hungarian who is said to be a fine conductor, who plays romantic
music with great impulse, and can also play a Mozart concerto with real classical
feeling. Max Wolfsthal is still younger and has a powerful tone, and though occasionally cold in his interpretations plays Bach with real power of expression. Edwin
Grasse, who has the misfortune of being blind, has an imaginative temperament and
sympathy with all styles; and Zacharewitsch needs only a little more smoothness in
phrasing to be accorded a good place among his contemporaries. Before quitting
the division of newcomers Alys Bateman should be mentioned, a soprano of promise
at whose orchestral concert Landon Ronald conducted a graceful new fairy suite by
Herbert Bedford. Landon Ronald's powers as a conductor are rapidly maturing; and
at the Hegedüs Concert he secured a performance of the Prelude to Tristan and the
Liebestod which points to his possessing the highest gifts. In any country but this
a musician of his ability would have a chance of developing his talents as leader of
a municipal orchestra or opera house; but here ...

    Two pianists who had not been heard for a long time in England have come
among us again, and earned wide-spread recognition of their undoubted talents. Frederick Lamond, who has been writing to the press to explain that he has not become a German, is probably the greatest living Beethoven player, now that D'Albert's
appearances are comparatively rare. Is it more than a coincidence that both are na-
tives of Glasgow, or is there something in Scots air which is peculiarly favourable
to a right understanding of Beethoven? At his first recital Lamond played no fewer
than five of Beethoven's Sonatas, op. 110, op. 111, op. 106, the Appassionata, and
the Waldstein. His performance of the Hammerklavier Sonata is undeniably a very
great achievement, and in the others he was only a very little below the level he
reached there. The nobility and the intellectual elevation of his conception is equalled by the ideal perfection of his technique. He has the rare power of presenting a
work to his hearers as a consistent whole — in the German phrase everything he
does is "Aus einem Guß" — and he allows no charm of an immediate effect to inter-

fere with his main ideas. But herein lies the only danger to which he is exposed. It may be urged with some show of reason that his logic is too relentless, and that one therefore misses the element of human charm in his playing. But in movements like the Arioso dolente of the Sonata op. 110, and the slow movement of op. 106, nothing could exceed the beauty of his expression; while on the other hand in the Air with Variations of the great C minor Sonata op. 111 there was a little rigidity. His present appearance comprised four Beethoven recitals, and whatever may be the artistic merits of such a scheme there is unfortunately little doubt that more varied programmes would have appealed to a larger public, especially as we are hearing so much Beethoven just now. The other pianist who has returned after a long absence is Josef Hofmann, who has come back with a beautiful touch and a wonderfully finished technique of extraordinary neatness. As an interpreter he is still not quite matured; and though there is great personal charm in all he does, there is a slight absence of balance and he tends towards something not unlike femininity. But oddly enough it was in Brahms that he was at his best at his first Recital.

Not only has Frederick Lamond been giving us four Beethoven recitals, and not only have we had six concerts of the Joachim Quartet at which all the posthumous Quartets of Beethoven have been played and several others, but there has been likewise a Beethoven Festival arranged by Johann Kruse at which Felix Weingartner has conducted all the nine Symphonies, while the scheme includes two chamber concerts. Notice is deferred, and it is only necessary to mention now the very fine performance of the Eroica, especially of the last movement, and the truly wonderful interpretation of the Fifth which Weingartner has secured. The latter almost deserves to be called the standard by which all others have to be judged.

Nothing more can be said as to the Joachim Quartet. It is absurd to deny that time is doing its inevitable work, and that the great leader has such influence over his three colleagues that they reflect the growing decrease of his energy to some extent. But it is as absurd to deny that the Joachim Quartet still gives the finest possible interpretation of Beethoven in respect of intellectual insight and breadth, and that the ensemble is of quite astonishing perfection.

The Queen's Hall orchestra has given only one concert since Easter, at which the programme was wholly made up of excerpts from "Parsifal", admirably played under Henry J. Wood, and where Lloyd Chandos and Francis Braun did good work in the solos. The only other orchestral concert of note was the Philharmonic Concert of the 14th April at which E. A. Mac Dowell played his own second pianoforte concerto, a well wrought work influenced by Grieg and Tschaikovsky to some extent, yet mainly German in workmanship, with a quasi-Brahmsian orchestral colour. It is remarkable for beginning with a slow movement, the Scherzo is the best section, and the concerto bears no trace of the composer's American birth. This is the only new work of any importance we have heard, except Hubert Parry's new "Peace and War", which is dealt with elsewhere in this number, and some extremely interesting new compositions for the Chamber produced at Josef Holbrooke's last concert. The latter are all very representative of the most advanced English school, and show that there is a great deal of latent talent in our younger composers. The works were by Josef Holbrooke himself, A. H. Barley, J. D. Davis and E. Evans, whose names should be remembered. Another concert, or rather concert lecture, out of the beaten track, was that given by the well known writer and teacher C. Karlyle, on the songs of Richard Strauß, which told us many things of interest about Strauß's new ideals of the adaptation of music to poetry and about his harmonic methods.

Bare record is also necessary of the violin recitals of Fritz Kreisler, who is playing more magnificently than ever; of Marie Hall's concerts, at one of which she led Hubert Parry's fine pianoforte trio in B minor and played Bach's Chaconne in a way auguring well for her artistic future; the pianoforte recitals of Rudolf Zwintscher, who still errs in allowing his temperament to run away with him; and the vocal recitals of Miss Grainger Kerr, Thomas Meux, and Whitney Tew, all able interpreters who are patriotically anxious to bring before the public new songs by native composers, — an endeavour none the less laudable because no new geniuses have been discovered so far by either of them. The vocal recitals of Edward Iles, each of which is dedicated to one British musician, also deserve honourable record. And above all there is Ludwig Wüllner whose remarkable and unique art is gradually being appreciated at its true value. His gift of sketching a whole tragedy or drama in one short song has impressed every audience before which he has appeared. The most remarkable things he has done at his various recitals have been his singing of such songs as "Der Arbeitsmann" and "Steinklopfer Lied" of Richard Strauß, of "Die Beiden Grenadiere" and "Der Soldat" by Schumann and Schubert's "Prometheus". It may be surmised that in songs expressive of despair and revolt against fate, such as "Prometheus" and various Strauß songs, he is at his best. He also did a great service by introducing to London some songs from the late Hugo Wolf's Italian and Spanish Liederbücher, which helped us to understand how and why Wolf comes to have such ardent worshippers. Finally Giulia Ravogli at her concert sang Gluck's "Orfeo", and brought the Leeds Choral Union under Alfred Benton to London to help her; and the promised performance of Wolfrum's "Weihnachts Mysterium" by the Handel Society has been postponed.

In the realm of comic opera Sydney Jones's "The Medal and the Maid", and Leslie Stuart's "The School Girl", have made great successes, but are of no more than ephemeral interest musically; while the Negro Musical Comedy "In Dahomey", composed by Marion Crook, a negro pupil of Dvořák, is interesting by reason of its unusual vivacity. On a far higher level of course is "Véronique" by André Messager, now running at the Coronet Theatre in Notting Hill, which is genuine Opéra Comique. It has an abundance of graceful melody daintily scored and occasional flashes of real musical art. It is admirably acted by a clever French Company, headed by Mariette Sully, from whom our native artists could learn many lessons in reticence and lightness of touch. The conductor is Herbert Bunning. Alf. K.

Magdeburg. In der ersten Hälfte des Mai fanden hier unter der Direktion Felix Mottl's und Hermann Zumpe's und unter Mitwirkung hervorragender auswärtiger Kräfte Musteraufführungen von Fidelio, Entführung, Meistersinger, Tannhäuser und Verdi's Maskenball statt. Die szenische Leitung lag in den Händen des Magdeburger Oberregisseurs Dr. Hans Loewenfeld. Das Magdeburger Stadttheater hat mit diesen Aufführungen einen glänzenden Abschluß seiner diesjährigen Winterspielzeit erzielt.

Mainz. 12. Mai. Ihrem Winterprogramm, das mit einer begeistert aufgenommenen Aufführung der Matthäus-Passion, in der Messchaert den Jesus unübertrefflich schön sang, schloß, hatte die »Mainzer Liedertafel und Damengesangverein« noch »4 Abende klassischer Musik« folgen lassen und dazu das Kaim-Orchester mit Felix Weingartner als Dirigent engagiert. Der erste Abend brachte Bach's Konzert für Flöte und Orchester, Händel's D-dur Concerto grosso in Vogel's vortrefflicher Bearbeitung, zwei Gluck'sche Ouverturen, eine Sinfonie von Ph. E. Bach, die nur historisch zu interessieren vermag, und Haydn's jugendfrische B-dur-Sinfonie. Der zweite Abend die Ouverture zur Zauberflöte und die drei Sinfonien in Es-, G-moll und C-dur von Mozart; der dritte drei Weber-Ouverturen, F-moll-Konzertstück und Schubert's C-dur-Sinfonie; der letzte Abend Beethoven's 3. Leonore, Es-dur-Konzert und IX. Sinfonie. Fast alle diese Werke gehören zum eisernen Bestand des Kaim-Orchesters, und Weingartner kann stets des Erfolges sicher sein; aber dieses Mal gelang ihm manches doch so außergewöhnlich schön, wie es einem Künstler nur dann gelingt, wenn ihn spontane Begeisterung mit sich fortreißt; und das sah man dem Dirigenten an, daß er mit seltener Lust und Freude, die notwendig sich auch auf Orchester und Publikum ausbreiten mußte, musizierte. Als Höhepunkt der Leistungen und auch des Erfolges wurde allgemein Schubert's C-dur-Sinfonie bezeichnet, die wahren Enthusiasmus erregte. Vortrefflich war Herr A. Reisenauer in den beiden Solowerken. Seine natürliche, schlichte Art, wie er spielt, ohne je dem Rhythmus Gewalt anzutun, wirkt geradezu wohltuend. Auch er wurde neben Weingartner sehr gefeiert und in jeder Weise ausgezeichnet. Fr. V.

Middelburg. Un Suisse de grand talent: Gustave Doret, qui habite à Paris, vient de diriger cinq représentations de sa pièce historique «Le peuple Vaudois» à Lausanne en fête, et se hâte vers la capitale de Zélande pour diriger son oratorio Les Sept Paroles du Christ (Partition d'orchestre: Paris, Ancienne Maison Baudoux). Il y vint et vainquit, comme dirigent et compositeur. Comme à Rotterdam (Verhey), comme à Nymègue et Arnhem (Léon C. Bouman) l'année précédente, ici cette œuvre de Doret a fait une impression de sincérité, d'inspiration personnelle; elle a révélé de dons remarquables, lyriques et dramatiques. C'est un drame vraiment qui se développe des Sept Paroles du Seigneur, un drame saisissant dont Lui-même et sa Mère, les éléments violents et le peuple provoquant et invectivant sont «dramatis personae». Doret a la tournure, la clarté éminemment françaises, et en outre une solidité de composition dont le manque est parfois justement reproché envers d'autres. Ses motifs ne sont pas des Leit-motifs dans le sens Wagnérien, néanmoins ils sont très expressifs et employés (p. e. dans la sixième partie Consummatum est) avec une maîtrise parfaite. L'exécution, preparée avec soin par le directeur Joh. Cleuver, a été louable de la part des chœurs et de l'orchestre (d'Arnhem), sous la direction animante du compositeur. Les solistes étaient Arthur van Eweyk (Berlin) et Madame Rüsche-Endorf, de l'Opéra de Cologne. S.-Z.

München. Die letzten Wochen brachten verhältnismäßig wenige, dafür aber äußerst interessante Konzerte. Zur Uraufführung brachte das Hösl-Quartett Reger's neuestes Klavier-Quintett in C-moll, das mit seiner ungeheuren Polyphonie zur höchsten Bewunderung zwingt, wenn man auch diese Art von musikalischem Barock persönlich als nicht immer herz- und ohrerfreuend finden mag. Reger's dritte Violin-Sonate Op. 41, die der akademische Orchester-Verband brachte, ist dagegengehalten recht zahm, immerhin aber gegenüber dem am gleichen Abend gehörten Adagio aus dem Streich-Quintett von Bruckner ultraradikal. Derselbe Verein trat rühmlichst für neue Lieder von Pfitzner und Reger sowie eines bisher total unbekannten aber talentvollen Komponisten Eduard Schilsky ein. Wüllner machte uns mit einigen Gesängen Ansorge's bekannt, die mit ihrem musikalisch impotenten Stimmungsbrei wenig anmuteten. Auch ein Kompositionsabend des hiesigen Herrn Th. Sachsenhauser, der neben Liedern (bis Op. 70!) ein Streich-Quartett und zwei Hornstücke brachte, vermochte nicht von der schöpferischen Begabung seines Veranstalters zu zeugen. Hocherfreulich war hingegen eine Hugo-Wolf-Gedächtnisfeier des Sängers Franz Bergen, der vier fast unbekannte Mörike-Lieder und fünf der geistlichen spanischen Gesänge sowie zwei Sätze aus dem bisher noch nie gehörten Streich-Quartett in D-moll brachte. Dieses Quartett, ein Seitenstück zu Wagner's in gleicher Tonart geschriebener Faust-Ouvertüre, trägt das schmerzliche Motto: »Entbehren sollst du, sollst entbehren«, das Wagner dem ersten Satze der 9. Symphonie (auch in D-moll!) unterlegte, und ist von Wolf 1879 mit 19 Jahren geschrieben, trägt aber schon die Züge des künftigen Genius. Noch wäre ein Abschiedsliederabend, den Hertha Ritter mit ihrem Bräutigam S. v. Hausegger gab, und der alle guten Hausgeister der Familie vereinte, sowie ein Abend, an dem H. Kiefer, der treffliche Cellist, eine neue Sonate von Walter Lampe in Gemeinschaft mit dem Komponisten spielte, zu erwähnen Lieder von Thuille und Weismann, einem feinsinnigen Schüler Thuille's, brachte ein Wohltätigkeitskonzert, das sich durch ein eigenartiges Programm von ähnlichen Veranstaltungen unterschied. Brachten doch zu Anfang Thuille und Schmid-Lindner J. S. Bach's »Aria mit Veränderungen«, die sogenannten »Goldberg'schen Variationen« in einer genialen Bearbeitung Rheinberger's auf zwei Klavieren, sowie Mozart's D-dur-Sonate für zwei Pianoforte zu Gehör.

Das letzte Konzert des stets auf neues und eigenartiges sinnenden Orchestervereins brachte eine scenische Aufführung der 1719 für den Herzog von Chandos geschriebenen, aber erst 1732 öffentlich aufgeführten »Serenata« (Pastoraloper) Acis und Galathea von Händel, die schon Mozart namentlich durch Bereicherung der Instrumentation neu zu beleben versucht (Partitur im Original in der Berliner Bibliothek) und neuerdings auch Mottl bearbeitet hat. Der Orchesterverein indessen gab das Werkchen genau so wieder, wie es Händel selbst am 10. Juni 1732 im Haymarket-Theater vorgeführt haben mochte, d. h. in der Originalbesetzung (Streicher, Oboen, Flöten, Cembalo, am Schluß Orgel). Für die Kostüme und Dekorationen war ein Gouachebild aus dem Jahre 1849 maßgebend, das eine Aufführung der Lully'schen Oper Acis et Galathea am Hofe Ludwigs XV. darstellte und die Figuren des Acis und der Galathea in der reifröckigen Hoftracht, den Polyphem in pompöser barocker Rüstung zeigt. Außerdem kamen noch Zeichnungen aus dem Werke »Costumes des ballets du roi« von Guillaumet in Betracht, soweit nicht alte echte Stücke, die hiesige Malerateliers zur Verfügung stellten, Verwendung fanden. Die Aufführung mit Ludwig Heß als Acis und Helene Staegemann als Galathea war von schönstem Gelingen gekrönt und fand auch bei ihrer Wiederholung lebhaften Beifall. Interessant war die Neuerung, den Chor unsichtbar hinter das Orchester, oder gewissermaßen als zweites (vokales) Orchester zu plazieren, was einen eigenartigen Eindruck hervorbrachte.

Die Hofoper brachte etwas sehr post festum Franz Lachner's Catharina Cornaro zum Gedächtnis des 100. Geburtstags des Komponisten. Oleum et operam perdidi kann Herr v. Possart sagen und auch wir wollen die Toten ruhen lassen. Fräulein Morena machte aus der Titelrolle, was eine hochtalentierte Sängerin eben rein musikalisch aus einer immerhin recht gesangsmäßig geschriebenen Partie machen kann, ohne jedoch über die Hohlheit der Charakterzeichnung und die Scheindramatik der Handlung hinwegtäuschen zu können.   E. I.

Paris. Théâtres. L'activité de l'Opéra est toujours des plus faibles; ce théâtre semble avoir réservé toutes ses splendeurs pour la représentation de gala donnée en l'honneur du roi d'Angleterre! Son seul effort récent a été la reprise d'Henry VIII, de Saint-Saëns (18 mai). L'Opéra-Comique s'est borné à une autre reprise, celle de Werther, de Massenet. C'est peu. Au Théâtre Sarah-Bernhardt, M. Günsbourg, le directeur de l'Opéra de Monte-Carlo, est venu donner une série de représentations de la Damnation de Faust, telle qu'il l'a «adaptée» pour la scène, c'est-à-dire massacrée. Les procédés de cet impresario, qui ont été jugés sévèrement par une partie de la presse, ne sauraient trop l'être, s'exerçant sur un chef-d'œuvre comme celui de Berlioz, destiné uniquement à la salle de concert. Cependant le public courut au théâtre Sarah-Bernhardt voir des machines et des trucs impuissants à rendre la fantaisie romantique du compositeur et applaudir cette élucubration où les diverses parties de la Damnation ont été dans leur ordre, dans le texte et dans la musique complètement bouleversées, augmentées, diminuées, etc., etc. M. Günsbourg se propose, après Paris, de porter sa Damnation à Berlin. Il faut espérer que Berlin saura venger Berlioz de l'injure que vient de lui faire Paris, et donner à cette entreprise la sanction qu'elle mérite.

M. Colonne a dirigé l'orchestre durant ces représentations. Les soli étaient confiés à Mmes Calvé, Edel, de Hambourg, et Auguez (Marguerite); à MM. Alvarez, Cazeneuve. Cossira (Faust); Renaud (Méphistophèles); et Chalmin (Brander).

Concerts. Avec les fêtes de Pâques, les grands concerts ont fermé leurs portes, jusqu'au mois d'octobre prochain. Les dernières séances, au Conservatoire, comprenaient: les Symphonies en ut majeur (Schumann) et en mi bémol (Haydn); le Camp de Wallenstein (V. d'Indy); la Symphonie en ut mineur (Saint-Saëns); la Symphonie espagnole (Lalo), avec M. Sarasate; des chœurs du Messie (Händel).

Au Châtelet, le 29 mars, M. Colonne avait cédé le pupitre au Kapellmeister varsovien Mlynarsky qui, avec le concours des Mlle Bolska, de MM. Barcewicz et Stojowski, dirigea des œuvres de compositeurs polonais (Stojowski: Symphonie en ré mineur op. 21; Wieniawski: adagio et finale du V. Concerto; Zelenski, Paderewski, Moniusko, Chopin: Mélodies; et Noskowski: la Steppe, poème symphonique). Le succès personnel de M. Mlynarski fut très grand: sous sa direction, l'orchestre Colonne interpréta notamment la Symphonie de Stojowski et la Steppe avec une grande perfection. Le dimanche suivant, Mme Bréma parut au Châtelet où elle chanta; la Fiancée du Timbalier (Saint-Saëns), Doppelgänger et la Première (Weber), ainsi que le finale du 3e acte de la Walküre, avec M. Francis Braun. Elle chanta également aux matinées du Nouveau-Théâtre, des airs et mélodies de Bach, Schubert, Brahms, Humperdinck et Bruneau, un Alleluia allemand (de 1620), un vieux chant du XVIe siècle et un Stabat allemand de Jac. de Benedictis (1306). Dans la même

salle, Pugno et Sarasate triomphèrent les 2 et 4 avril, le premier dans le Concerto
de Lalo, les Variations symphoniques de Franck et le Concerto no. 4 de Saint-
Saëns; le second, dans le Concerto op. 64, de Mendelssohn, plusieurs morceaux de
Bach, et de lui-même. Au Châtelet, la saison se termina, le vendredi-saint, par une
nouvelle audition des Béatitudes, de C. Franck.

Les derniers programmes des Concerts-Lamoureux comprenaient: la Reformation-
Symphonie, de Mendelssohn; la Penthésilée de M. Alfred Bruneau; Mme Litvinne
s'y fit applaudir. M. Richard Strauß vint y diriger sa Vie du Héros, la scène
d'amour de Feuersnoth et son Italie, qui n'eut qu'un médiocre succès; le public
des Concerts-Lamoureux préfère à cette dernière œuvre les Impressions d'Italie
de M. G. Charpentier qu'il applaudit huit jours plus tard (5 avril) en même temps que
l'ouverture de Gwendoline (Chabrier), Antar, de Rimsky-Korsakoff, et la
Symphonie en ut majeur de Mozart.

Le concert dirigé par le compositeur Edvard Grieg au Châtelet provoqua presque une émeute, le dimanche 19 avril. On sait que les opinions «dreyfusardes» du
génial compositeur lui avaient aliéné une partie d'un certain public pour lequel l'art
a une patrie, ou plusieurs... Le début du concert fut assez tumultueux, ce qui permit
difficilement d'entendre le premier numéro du programme: Au printemps; le reste
du concert fut écouté avec plus d'attention, et s'acheva en triomphe; il était composé
de Peer Gynt, du célèbre Concerto pour piano (avec M. Raoul Pugno qui l'a
interprété de façon parfaite), de mélodies et d'une œuvre de jeunesse peu intéressante:
A la porte du cloître (paroles de Björnson); Mlle Gulbranson fut acclamée à l'égal
du maître et, dans la scène finale de la Götterdämmerung, elle obtint un très grand
succès personnel.

La Société nationale de musique a, elle aussi, terminé la saison par son 313^e
concert, donné le 9 mai dans la salle du Nouveau Théâtre. Au cours des dernières
séances, furent applaudies œuvres de G. Fauré, Chabrier, Franck, D. Planchet, Woollett,
H. Duparc, P. Kunc, Ch. Tournemire, etc. M. Diémer prêta son concours au concert
du 4 avril où il interpréta la partie de piano d'un Quintette de Sima, et des œuvres
anciennes pour clavecin.

Le 7 avril, la Société des Grandes Auditions a fait exécuter d'importants
fragments de Parsifal, sons la direction de M. A. Cortot. Le jeune Kapellmeister
s'est montré excellent à son ordinaire et l'exécution qu'il a conduite a été satisfaisante;
mais son orchestre n'avait peut-être pas fait un nombre suffisant de répétitions, et les
chœurs, fort difficiles, il est vrai, manquèrent souvent de précision et d'entrain.

Avant d'énumérer quelques concerts particuliers, il me faut citer les quatre séances
données par M. Edouard Risler, au Nouveau Théâtre, dont il a réussi comme l'an
dernier à remplir la vaste enceinte, quatre dimanches consécutifs. Son premier programme, très sévère, comprenait les quatre dernières sonates de Beethoven; les deux
suivants étaient consacrés à Schubert, Schumann, Chopin, Liszt, Wagner, Bach, Couperin, Mozart, Chabrier, etc. Les deux numéros saillants de ces séances furent les
Variations, interlude et finale sur un thème de Rameau, de P. Dukas, œuvre
d'une difficulté inouïe, à laquelle peu de virtuoses oseront s'attaquer; et le Till
Eulenspiegel de R. Strauß, dont M. Risler a écrit lui-même une traduction colorée
et fidèle qu'il exécute avec le même maëstro que la Mort d'Iseult ou que l'ouverture
des Meistersinger. Le dernier concert eut lieu avec le concours du jeune violoniste
Thibaut et de Mme Mysz-Gmeiner; des lieder de Schubert, Schumann, Brahms
R. Strauß; la sonate op. 96 de Beethoven et celle en ré mineur de Saint-Saëns.

Il est difficile de parler des autres virtuoses après M. Risler, cependant, il ne faut
pas oublier l'admirable pianiste Teresa Carreño qui exécuta, à la salle Æolian, la Sonate
op. 57 de Beethoven, l'op. 23, de Chopin, des pièces de Schubert, Liszt, etc; ni Mlle
M. Panthes; Mlle Marthe Leman; M. et Mme David Roget qui donnèrent quatre
séances de sonates (Franck, Lalo, G. Lekeu, Sjögren, Sinding, H. Huber, Ed. Schütt,
S. Lazzari, G. Février et C. Chevillard); les récitals de Mme Marthe Chassang (Le chant-
classique; le Lied romantique; les chants populaires); le professeur Emil
Sauer, inconnu naguère encore à Paris, malgré sa grande réputation extra-européenne

et dont les deux concerts ont été pour beaucoup une révélation; le jeune Gabriel Grovlez, pianiste et claveciniste élève de M. Diémer comme M. Lazare Lévi qui prêtait son concours à la cantatrice Meina Simon; Mme Carmen Forte et M. Robert Lortat-Jacob (sonates); M. Ricardo Castro, professeur au Conservatoire de Mexico; Mlle Marguerite Long; les violonistes Johannes Wolff et Joseph Hollmann; la cantatrice Gerda Heyman; la pianiste Nina Ström; Mme G. Ferrari, pianiste et compositeur; M. René Schidenhelm (œuvres de Saint-Saëns), avec Mlle Duranton; Mme Roger-Miclos avec M. Louis-Ch. Battaille. Tout récemment, MM. Ysaye et Pugno ont terminé une série de récitals le piano et violon; et l'on annonce pour ces jours-ci deux concerts avec MM. Risler et Oliveira.

Au Trocadéro, M. Guilmant donne chaque semaine une audition d'orgue. Une classe de harpe chromatique a été récemment créée au Conservatoire. Le 7 mai, au Conservatoire a eu lieu l'exercice annuel des élèves sous la direction de M. Taffanel. Au programme figuraient: les ouvertures de Manfred et de Léonore, no. 3; des fragments d'Orphée (2e acte); de la musique de chambre de Mozart et de Schumann.

Le concours préparatoire au grand-prix de Rome a donné lieu à divers incidents à la suite desquels Mlle Juliette Toutain qui devait concourir, ne se présenta pas; l'autre candidate, Mlle Fleury, a échoué à cet examen; ce n'est donc pas encore cette année qu'une musicienne française ira à Rome.

Le syndicat des artistes musiciens, qui a donné récemment son deuxième grand concert annuel au Trocadéro (dirigé par MM. Bruneau, Charpentier, Chevillard, Colonne et Leroux) a tenu ces jours-ci une assemblée à la Bourse du travail. Il y a été rendu compte du congrès de Bordeaux où les musiciens ont jeté les bases d'une fédération internationale. Le syndicat de Paris compte seul plus de 2000 membres, et son action bienfaisante s'est déjà plus d'une fois exercée avec succès sur ses membres. Il est à souhaiter pour ce sort des instrumentistes, que cette institution se développe de plus en plus.

En province, l'orchestre symphonique de Tourcoing exécuta, le 19 avril, à Arras, la Damnation de Faust; dans la même ville, fut chantée la Passion, d'Alexandre Georges. A Angers, M. Ed. Braby dirigea la IIe Symphonie, de Borodine; l'Apprenti-Sorcier, de P. Dukas. A la Société Sainte-Cécile de Bordeaux, fut exécutée la Symphonie basque de J. G. Pennequin; la Société des Instruments à vent joua un Sextuor de Seitz et une Suite de Quef. Aux Concerts populaires du Hâvre, MM. Alexandre Georges et Wollett, compositeur hâvrais, dirigèrent des œuvres de leur composition. La Société Sainte-Cécile de cette ville continue ses concerts classiques.

Le théâtre de Lille, avant le récent incendie qui l'a détruit, avait donné la Fiancée de la Mer, de Blockx.

A Lyon, se firent applaudir Harold Bauer, Ferruçio Busoni, Boucherle, élève de Diémer, Mariotte (avec Bachmann et Schidenhelm), Edouard Risler, etc. L'Opéra a donné Hériodiade, Manon, Lohengrin (avec Mme Raunay, Deschamps-Jehin; MM. Cossira, Noté, Vallier, sous la direction de M. Rey) et la première du Rheingold. .

A Marseille, ont été exécutées au cours de la saison passée, les neuf Symphonies de Beethoven; à la salle Prat, M. Richard Strauß a dirigé un concert où, à côté d'œuvres de Beethoven et de Wagner, il avait fait figurer une de ses œuvres, Tod und Verklärung.

Les derniers concerts du Conservatoire de Nancy, dirigés par J.-G. Ropartz comprenaient des œuvres de Bach (la Passion), de Beethoven, de C. Franck, de Vincent d'Indy (prélude de l'Etranger), de Schumann (ouverture de la Fiancée de Messine), de Haendel (sonate en ré majeur exécutée par Hekking); Risler; Ysaye et son quatuor s'y firent applaudir.

Risler triompha également en de nombreuses villes de province, à Poitiers notamment (avec Mlle Gaëtane Vicq) où la Société chorale fit entendre la Marie Magdeleine de Massenet.

A Toulouse, la «Tolosa» donna du même maître une audition de l'Eve, ainsi que des fragments de Parsifal. Au théâtre, la Moïna de M. Isidore de Lara fut mise en scène sans succès. Sous la direction du jeune Crocé-Spinelli, les Concerts du Conservatoire exécutèrent la Symphonie italienne, de Mendelssohn, Rédemption, de Franck, les Impressions d'Italie, de G. Charpentier.

A Reims et à Toulon, nous retrouvons le nom de M. Massenet sur l'affiche des théâtres: ici on joue Grisélidis, là, Cendrillon. Grisélidis traverse la Méditerranée et paraît également au théâtre de Tunis. Partout, je l'ai déjà constaté plus d'une fois, les œuvres de M. Massenet sont reçues avec faveur et servent presque seules à renouveler un peu le vieux répertoire. C'est évidemment peu; mais le mouvement de la musique d'orchestre et de chambre est plus intéressant que celui de la musique de théâtre; tandisque celle-ci fait peu de progrès, l'autre gagne rapidement du terrain et aujourd'hui, presque dans chaque département, on constate des efforts très sérieux.　　　　　　　　　　　　　　　　　　　　　　　　　　　J.-G. P.

Prag. Uber den letzten Berichtsmonat weiß der Referent nur wenig zu sagen. Frau Gutheil-Schoder absolvierte ein zweiabendliches, Frau Sigrid Arnoldson ein vierabendliches Gastspiel, beide mit großen äußeren und wie man gern zugestehen kann, auch künstlerisch gerechtfertigten Erfolgen. Novitäten sind zwei zu verzeichnen: Heuberger's burleske Oper »Das Baby«, und »Nadeya« von Zesare Rossi, einem in Deutschland noch wenig oder eigentlich gar nicht bekannten Komponisten. Das Libretto aus der Feder des gesuchtesten italienischen Textdichters der Gegenwart Luigi Illica behandelt eine spannende Episode aus der Zeit Peters des Großen und ist mit sicherem Bühnenblick aufgebaut, auch das romantische Element hat Illica in die sonst realistisch geführte Handlung mit Effekt hineingetragen. Rossi's Musik huldigt mehr dem deklamatorischen als dem melodischen Prinzip, ist am originellsten in den idyllischen und leichteren Partien des Werkes. In Bezug auf Geschlossenheit der Formgebung und unaufhaltsame Steigerung verdient der letzte Akt unstreitig den Vorrang. Hier opfert der Komponist seine Individualität und kehrt den typischen Italiener hervor, um in leidenschaftlichen Kantilenen zu schwelgen, hier trifft er aber auch mit seiner Musik das Tempo und den Rhythmus der Szene. — Gegenwärtig bilden die Festspiele das musikalische Hauptereignis. Darüber soll nächstens im Zusammenhang berichtet werden.　　　　　　　　　　　　　　　　　　　　　　　　　　E. Ry.

Rotterdam. Der Komponist und Klavierspieler Dirk Schäfer aus Haag hat im hiesigen »Kunstring« mit dem Amsterdam'schen Konservatorium-Quartett (Bram Eldering, Spoor, Hofmeester und J. Mossel) sein Klavier-Quintett in Des-dur gespielt, das bis heute noch Manuscript ist. Ein achtungswürdiges Werk, frisch und glanzvoll, wie auf der Höhe reiner Luft und schöner Aussichten konzipiert, in einer Stimmung des Vorwärts-Drängens und -Jagens ins Weite. Die beiden Themen des ersten Satzes, Allegro molto maestoso ³/₄, entwickeln sich in der Durchführung kräftig und feurig, auch modern-harmonisch. Viel Klangschönheit und Wärme in der Melodieführung besitzt das Adagio Cantabile, und das lebendige, funkelnde Allegretto Scherzando ²/₄ wirkt überraschend, das etwas zu stark kontrastierende Trio ausgenommen. Der letzte Satz ist brillant und mächtig, fast zu ... pathetisch, die Grenzen der Ausdruckfähigkeit der fünf Instrumente, deren Klangvolumen nicht zureichend scheint, zu sehr forcierend. Da der Höhepunkt zu früh erreicht wird, wirkt dieser Satz ermüdend. Viel Jugend ist in Schäfer's Arbeit, viel brausende Jugend, viel schöne Musik auch, viel Temperament, und an guten musikalischen Gedanken ist sie nicht arm. — Dem schwer auszuführenden aber mit voller Hingabe gespielten Quintett ging Schäfer's im guten Sinne effektvolle Sonate für Violine und Klavier (Op. 4, Ausgabe von A. A. Noske, Middelburg) voraus, von Bram Eldering und dem Komponisten, der ein ausgezeichneter Klavierspieler ist, vorgetragen.

Im letzten Konzert der Eruditio Musica wurde eine Fantasie für Orchester, »Lebenssommer«, von Johan Wagenaar, eine mit großem Geschick bearbeitete, wahr und echt empfundene Komposition, sehr warm aufgenommen. Henri Marteau, der Mozart (G-dur), Berlioz (Rêverie und Caprice) und Bach spielte (einen unbekannten

Symphonie-Satz und ein Präludium) wurde enthusiastisch gefeiert. — Der Palästrina-Chor aus Utrecht (Direktor P. J. Jos. Vranken) sang vortrefflich in der Lutherischen Kirche; von Palästrina: die Responsorien »Omnes amici mei« und »Ecce quomodo moritur«, das Improprium »Popule meus«, »Tenebrae factae sunt« und »O crux ave spes unica«; von Vittoria »Jesu dulcis memoria«; von Morales das Responsorium »O vos omnes«, und — erschütternd! — das »Crucifixus« für acht Stimmen, von Lotti.

Das Utrecht'sche Orchester (Direktor Walter Hutschenruyter) brachte hier die imposante Dante-Symphonie von Liszt zu Gehör und leistete seine tüchtige Hilfe in der Aufführung der Lyrischen Legende in fünf Tableaux Les Willis des Lyon-schen Komponisten V. Neuville, eines halb dramatischen, halb lyrischen Werkes, das, dank Georg Ryken's Leitung und dem klangschönen und streng rhythmischen Chor-gesang (Gemengd Koor), dank auch den Künstlern Anna Kappel, Leonie Viotta-Wilson, Th. Denys, Jos. Tyssen und Van Duinen, einen sehr guten, nachhaltenden Eindruck gemacht hat. Neuville hat nicht überall praktisch für die Stimmen, in Ver-bindung mit den Instrumenten geschrieben; er war nicht immer vornehm in der Wahl seiner Motive, hätte sich hie und da auch kürzer fassen können. Aber die harmonische und rhythmische Kunst dieser Legende ist meistens originell und interes-sant. Ein starkes Gefühl für plastische Kunst und Sinn für die richtigen Klangfarben spricht daraus. Der Klavierauszug der Willis ist bei Breitkopf und Härtel erschienen. Der Tonkunst-Chor (Direktor Verhey) hat das Henschel'sche Requiem zu einer Aufführung gebracht, welche die erste Holländische (in Utrecht) überragte. Auch hier dirigierte Henschel, auch hier wirkten das Utrecht'sche Orchester und Helen Henschel, Pauline de Haan, Schmidt und Messchaert mit. (Siehe unter Utrecht).
                                                                          S.-Z.

Schwerin. In den Tagen des 23.—25. Mai fand hier das 13. Mecklenburgische Musikfest statt. Fest-Dirigent war der Schweriner Hofkapellmeister Prill. Es wur-den aufgeführt: am 1. Tage Händel's »Samson«, am 2. Tage ein Werk Wilhelm Berger's, »Euphorion« (nach der Euphorion-Szene aus Goethe's Faust II. Teil), ein Werk, das außerordentlich gefiel, sowie Beethoven's »Neunte«. Der 3. Tag brachte ein gemischtes Programm, begann mit d'Albert's Improvisator-Ouvertüre und endete mit dem Meistersinger-Vorspiel. Solisten waren: Frau Grumbacher de Jong, Iduna Walter-Choianus, Johanna Dietz, Dr. Kraus, Wachter-Dresden und Sommer-Berlin.

Stuttgart. Das dreitägige Stuttgarter Musikfest, das in den Tagen vom 16.—18. Mai abgehalten wurde, nahm einen glänzenden Verlauf. Die beiden ersten Kon-zerte dirigierte Steinbach, das erste an Stelle des kürzlich erst ausgeschiedenen Hof-Kapellmeisters Hugo Reichenberger, der ursprünglich als Festdirigent des ersten Tages in Aussicht genommen war. Der erste Tag brachte Händel's »Deborah«, der zweite Bach'sche Kantaten, Mozart's D-dur-Violin-Konzert (Frau von Kaul-bach-Scotta) und B-dur-Serenade, sowie die C-moll-Symphonie von Brahms. Der dritte Tag, unter Pohlig's Leitung brachte die Liszt'sche Faust-Symphonie, Tannhäuser-Ou-vertüre, Bruchstücke aus Parsival, Beethoven's Es-dur-Klavierkonzert (Carreño) und Gesangsvorträge von Charlotte Huhn; solistisch waren außerdem Emil Pinks und Pro-fessor Messchaert tätig.

Utrecht. Die erste Aufführung von Georg Henschel's Requiem (Op. 59) in Europa hat hier vor einem zahlreichen Publikum aus Utrecht, Amsterdam, Rotter-dam usw. stattgefunden. Henschel stand selbst am Pult, die Solisten waren: Helen Henschel (seine Tochter), Pauline de Haan-Manifarges, Willy Schmidt (aus Frankfurt a. M.) und Messchaert. Der Tonkunst-Chor und das Orchester von hier hatten tüchtig studiert. Die Messe (für den Konzertsaal) hat die Hoffnungen nicht getäuscht: von dem sympathischen Künstler, Sänger und Lieder-Komponisten, wie man Henschel hier seit Jahren kennt und liebt, hatte man eine so melodiöse, stimmungsvolle, reine Arbeit erwartet. Besonders der erste Teil, in seinem sanft lyrischen Charakter, und der zweite — ein Dies Irae von feurig steigendem drama-tischen Ausdruck — waren von großer Wirkung. Überall hat Henschel dem Sinne des Messe-Textes volles Recht getan. Das Agnus Dei, wo Messchaert und Pauline de Haan in Oktaven-unisono sehr inniglich beteten, und wo das Dur, nach dem vorhergehenden Moll, der Wahrheit des Licht-werdens so überzeugend entspricht, war rührend und erhebend. In diesem Schluß-Teil hat Henschel dem Orchester ein Motiv aus seinem Stabat Mater (1894) gegeben (Klavierauszug Seite 135, dolcissimo): aus dem Sopran-Solo »Paradisi, Paradisi Gloria!«, welches damals von seiner Frau Lillian Henschel, deren Andenken das Requiem gewidmet ist, hinreißend schön gesungen wurde. Allen, die dies hörten, war es jetzt, als ob die Verewigte die Hinterbliebenen tröstete... Ein männliches Ebenmaß von Gefühl und Intellekt, ein abgeklärter Geist, spricht aus dieser Komposition; eine künstlerische Reife, welche die verschiedenen Formen (fugalische, kanonische) beherrscht und alle Stimmungen von Reue, Angst, Hoffnung, Liebe fesselnd zu gestalten weiß. Die Ausführenden hatten eine anstrengende aber sehr dankbare Aufgabe, zumal der Komponist mit seiner Autorität Sänger und Orchester beseelte.

Die zweite Aufführung des Requiems gab die Rotterdam'sche Tonkunst (siehe daselbst).

Ein neues Oratorium »Christus« mit lateinischem Text aus der Bibel, hat Georg Henschel der Utrecht'schen Tonkunst-Sektion zur Erstaufführung versprochen.

S.-Z.

Wien. Die üblichen Nachzügler, insbesondere die Prüfungskonzerte der Musikschulen, haben die Konzertsaison abgeschlossen. Das Konservatorium veranstaltete drei Abschlußprüfungen, deren Resultate das Durchschnittmaß nicht überschritten. Das dem Konservatorium Reformen dringend Not tun, hat erst kürzlich wieder eine bekannte Wiener Musikautorität einem Interviewer gegenüber rückhaltlos zugegeben. — Im Opernhaus bescherte uns der überaus glückliche Zufall der Durchreise eines fremden Monarchen einen völlig neu inszenierten, mit einem Massenaufgebot von Statisterie ausgestatteten Aufzug aus »Aida!« Auch wird für den Winter das Ballett »Der faule Hans« von Nedbal vorbereitet. — Das Unternehmen der »Wiener Volksoper« wird nun bestimmt verwirklicht werden, ob in diesem oder erst im kommenden Herbst, das hängt noch vom Zustandekommen der Verträge u. s. w. ab. Artistischer Direktor wird Herr Rainer Simons, ein Gesangsschüler Stockhausen's und ehemaliger Leiter der Theater in Mainz und Düsseldorf. Die Volksoper ist als eine Ergänzung der Hofoper gedacht. Sie wird alle jenen älteren, neueren und neuesten Opern pflegen, die einen intimen Rahmen verlangen. Die Vorstellungen werden dreimal wöchentlich, außerdem jeden zweiten Sonntag im Kaiserjubiläums-Stadttheater stattfinden. Ein Neubau ist vorläufig nicht projektiert, wäre auch wohl vorläufig verfrüht, zumal das Jubiläumstheater vermöge seiner ganzen Anlage und guten Akustik zum Operntheater sehr geeignet ist. Als Dirigent ist Hans Pfitzner und als eine der ersten Novitäten Hugo Wolfs »Corregidor« in Aussicht genommen. Außerdem sollen auch Konzerte, Oratorien aufgeführt und Preise für national-österreichische Volksopern ausgeschrieben werden. Hoffen wir, daß das neue Unternehmen weder eine Pflegestätte der Museumskunst noch auch eine ultramoderne Anstalt zur musikalischen Verbreitung des Deutschtums, sondern ein echtes, im guten Sinne modernes Volksopernhaus werden wird, das alle jenen Repertoire-Reformen endlich einmal zur Durchführung bringt, nach denen wir uns seit langem sehnen. Arth. N.

Wiesbaden. Am Hoftheater hatte die Uraufführung der dreiaktigen Oper »Marienburg« von Vollborth, Dichtung von Axel Delmar, einen großen Erfolg.

Zürich. Seit dem Abschluß der Konzertsaison durch die Aufführung der Matthäuspassion durch den Gemischten Chor ist das hiesige Musikleben ermattet zur Ruhe gekommen. Nur im Theater wurde noch eine Zeit lang weitergespielt: Es kam der ganze Ring des Nibelungen zur Aufführung. Jetzt im Frühling ist der Züricher in kein Konzert mehr zu bringen. Er widmet sich dem Sport, der hier durch den See besonders begünstigt wird. Nur Regimentsmusiken und ähnliches locken das Publikum abends in die Sommergärten, vielleicht auch einmal Orgelkonzerte eine kleine Gemeinde in die Kirche, und doch habe ich etwas zu berichten: ich meine die Sänger-Reiserei der Männerchöre in der Schweiz. Wenn's nicht der eine ist, der reist, so ist's dann sicher der andere, manchmal auch alle. Gute Seiten haben diese Reisen sicherlich, doch auch schlechte. Solche Reisen arten oft (nicht immer) in eine Hetze aus, die den Mitgliedern

jeden Genuß verweigert. Dieses Jahr sind in der Schweiz schon gereist: Harmonie
Zürich nach Wien, Berner Liedertafel nach Marseille—Venedig. Luzerner Liedertafel
nach Stuttgart. Es werden noch folgen: Männerchor Zürich ins Engadin, Liederkranz-
Frohsinn Bern nach Frankfurt a. M. Als Züricher Korrespondent geht mich nur die
Reise der Harmonie nach Wien an. In Wien und Graz wurde konzertiert und zwar
kam dort u. a. zum 1. Mal ein neuer Chor von Fr. Hegar »Am Mumelsee« zur
Aufführung. Das Werk wurde begeistert aufgenommen, sodaß man sicher die Erwartung hegen kann, daß dieses Opus wie alle andern Männerchorwerke dieses Komponisten (»Totenvolk«, »Graf Werdenberg« usw.) in rascher Zeit überall aufgeführt
werden wird.   V. A.

Vorlesungen über Musik.

Berlin. Am 28. April hielt Herr Dr. Herman Springer im Tonkünstlerverein einen
anregenden Vortrag über »*Weltliche Musik des Mittelalters*«. Nach einem allgemeinen
Überblick über Wesen und Entwicklung der weltlichen einstimmigen wie mehrstimmigen
Musik des Mittelalters behandelte der Vortragende besonders die Monodie der Trou-
badours und Trouvères und erläuterte sie durch eine Reihe provenzalischer und französischer Stücke aus dem 12. und 13. Jahrhunderts, die er in einer sich von modernen
harmonischen Zutaten möglichst freihaltenden Gestalt von Herrn Harzen-Müller und
Fräulein Langbein singen ließ.
Mailand. Prof. Guidi Gasperini hielt einen Vortrag »*Storia del melodramma*«.
Prag. An der Universität hält Prof. Dr. Rietsch folgende Vorlesungen, die in
unserem vorigen Hefte übersehen worden sind: Beethoven als Instrumentkomponist,
2 St. Die Harmonik unserer Zeit, 1 St. Musikwissenschaftliche Übungen, 2 St.

Nachrichten von Lehranstalten und Vereinen.

Amsterdam. Frau Aaltje Noordewier-Reddingius wird an Stelle von Kornelia van
Zanten als Gesangslehrerin am hiesigen Konservatorium eintreten.   S.-Z.
Bologna. An der *R. Academia Filarmonica* wurde eine Vokal- und Instrumental-
Aufführung klassischer Musik des 17. und 18. Jahrhunderts veranstaltet. Das Pro-
gramm umfaßte Werke von Orazio dell' Arpa (1630), G. Antonio Rigatti (1641), Fran-
cesco Cavalli (1600—76), Giuseppe Tartini (1692—1770). Martino Pesenti (1645), Felice
Giardini (1716—1796, Luigi Rossi (1600), Cesti (1620—1681), Francesco Tenaglia (1660,
Alessandro Ghivizzani (1572—16..), G. B. Cirri (1770), Pietro Locatelli (1693—1764).
Giacomo Carissimi (1650), Bernardo Gaffi (1700), G. B. Mazzaferrata (1683), F. M. Veracini
(1721), Pietro Nardini (1722—1793), A. Scarlatti (1650—1725). Arcangelo Corelli (1653
—1713).

Notizen.

Berlin. Interessante Aufschlüsse über *Zelter's Geburtsort und Geburtshaus* gibt
eine Zuschrift an die Vossische Zeitung folgenden Wortlauts: Im Dorfe Petzow am
Schwielow-See, das kürzlich von der Pflegschaft des Märkischen Museums besucht
wurde, steht in der »Grelle«, einer Ziegelei an der Grellebucht, ein unscheinbares, von
Weinlaub umranktes Häuschen, das eine Porzellantafel mit folgender Inschrift trägt:

ZELTER
WARD
HIER GEBOREN
AM
XI DEC. MDCCLVIII.

Die Tafel ist nach Angabe von Berghaus (Landbuch I, 558) von Beuth seinem Freunde Zelter errichtet worden, um die Geburtsstätte des berühmten Komponisten der Nachwelt zu erhalten. Die Richtigkeit dieser Angabe ist indeß vielfach bezweifelt worden, da Zelter selbst in seiner Autobiographie (Hrsg. von Zelter's Enkel Dr. W. Rintel, Berlin 1861) sagt, daß er in Berlin in dem Hause Münzstrasse 1, in dem er seine Erinnerungen niederschreibe, geboren sei. Dieser Vermerk und die Aufzeichnung im Taufregister der Sophienkirche Berlin, daß »Carl Friedrich Zelter, Herrn Georg Zelters, Bürgers und Maurermeisters und dessen Ehefrau Anna Dorothee Hintzen ehelich erzeugten Sohn geboren den 11. Xbr., am 14. Dezember 1758 getauft sei«, haben dazu geführt, daß man neuerdings das Haus Münzstraße 1 als das Geburtshaus des Komponisten Zelter angesehen hat. Demzufolge hat auch die Stadt Berlin an dem genannten Hause eine bronzene Gedächtnistafel mit nachstehender Inschrift anbringen lassen:

Dem Andenken
Karl Friedrich Zelters
welcher im Jahre 1758
hier geboren wurde.
Die Stadt Berlin.

Trotz der eigenen Angabe Zelters scheint aber das Haus Münzgasse 1 doch nicht die Geburtsstätte des Komponisten zu sein. Wie nämlich anläßlich der Anwesenheit der Pflegschaft des Märkischen Museums in Petzow durch Herrn Hauptlehrer Andrich festgestellt wurde, hat der verstorbene Amtsrat Kähne, dessen Familie das Gut Petzow gehört, wiederholt geäußert, daß er eine alte Frau gekannt habe, die bei der Geburt Zelter's in dem kleinen Häuschen auf der »Grelle« zugegen gewesen sei. Zelter's Vater war Pächter der Grelle-Ziegelei und wohnte den größten Teil des Jahres in Petzow, sein Sohn wäre nun als ein auf dem Lande geborenes Kind kantonpflichtig gewesen, und um seinen Sprößling dem schweren Militärdienst zu entziehen, zog er es vor, den Neugeborenen nach Berlin bringen zu lassen und die Geburt dort, wo er in der Münzstraße ein Haus besaß, zu melden. Die Einwohner von Berlin genossen den Vorzug, von der Kantonpflicht befreit zu sein, und so wurde der kleine Zelter als »geborener Berliner« gleichfalls von der Militärpflicht befreit. Aus dem gleichen Grunde wurde er auch in der Sophienkirche getauft und in Berlin erzogen. Da eine Entdeckung dieser »Schiebung« für die Beteiligten ohne Zweifel unangenehme Folgen gehabt hätte, so wurde die Sache möglichst geheim gehalten und auch der Knabe, in dem Glauben gelassen, daß er in Berlin geboren sei. Daraus erklärt sich die Angabe Zelter's in seiner Selbstbiographie und die darauf gestützte Annahme, daß das Haus in der »Grelle« bei Petzow nicht das Geburtshaus Zelter's sei. Die Angaben des Amtsrats Kähne erscheinen sehr glaubwürdig, und vermutlich hat Beuth von der ganzen Angelegenheit Kenntnis gehabt und durch Anbringung der Tafel die falsche Überlieferung beseitigen wollen. Zelter scheint also tatsächlich auf der »Grelle« geboren zu sein, und die Tafel am Hause Münzstraße 1 müßte demnach beseitigt werden, da sie eine unrichtige Angabe enthält. G. A.

Bridlington. — The annual *Festival* (I, 356; IV, 129) was held 28 April 1903, in this Yorkshire town; organized, conducted from the first in 1893, by our member A. W. M. Bosville. — First novelty, Psalm CXXIX, "De Profundis", op. 49, by Neávera. Psalm IX and X of original Hebrew were compressed into one by the "Septuagint" Greek version made 2 or 3 centuries B. C. by Egyptian Jews of Alexandria, discredited at first by Palestinian Jews, afterwards accepted for some centuries by them, and to this day used by Greek Christian Church. Composer's text is from Latin Vulgate version made by St. Jerome in A. D. 383 from Septuagint version. But the Bible of present Western Church is founded on the original Hebrew. Hence

numbers differ, and above is generally known in Europe as Psalm CXXX. Josef
Nešvera is a Bohemian (IV, 429), b. 1843 at Proskoles near Hořowitz. First school-
master and amateur organist at Prague; thereafter professional choirmaster at Beram,
where 10 years. In 1878 music-director of Episcopal Church at Königgrätz. Then
succeeded the Augustinian monk Paul Krizkowsky (1820—1885) as Kapellmeister of
Cathedral, Olmütz, Moravia; where still. Has composed various music, including
2 operas, "Perdita" and "Waldesluft". The "De Profundis" written 1886; perf. at
Brünn, Olmütz, Pilsen, and Vienna; for last (1901) see Vienna "Deutsches Volksblatt".
Performed imperfectly at Rock Ferry, Cheshire, in 1898; the present, first regular
performance in England. — Second novelty, "Cinderella" suite by a local amateur,
G. T. Patman. The glass shoes of Cinderella (Aschenbrödel) were really the pantouffles en vair of the "Contes de Fées" of Perrault (1628—1703), and of Comtesse
d'Aulnoy (1650—1705), not pantouffles en verre; "vair" is variegated fur. The story
is as old as ancient Egypt (see Aelian. Var. Hist. XIII, 32, and Strabo, Geog. XVII,
and is in Rollenhagen's "Froschmäuseler" of 16th century; but nothing about glass,
which English corruption from French. — Also included Dvořák's "Spectre's Bride",
op. 69, Hervey's overture "Youth" (IV, 127, 142, 483), and other items. — Programme-
annotations by conductor continue of incorrigible but really unique and inimitable
quaint humour.   E. G. R.
   Dublin. — The small *Irish Harp* mentioned in last Zeitschrift is manufactured,
as part of the Celtic revival, by James Mc Fall, 22 York Lane, Belfast; in 2 sizes,
"Bardic" and "Tara". Also by our member J. Geo. Morley, 6 Sussex Place, S. Kensington (III, 32¹). Strung with gut. The smallest is 28 strings, 34 inches high,
weight 7 Ibs, and costs £ 3; can be placed on table (for standing), or stool (for
sitting). Mc Fall's "Bardic" is over 4 octaves, about 4 feet high, and costs undecorated
£ 6/10/0. His "Tara" is over 5 octaves, considerably larger, and costs £ 15/15/0.
His chromatic arrangement opens several keys. There is a "Tutor" and music issued
for the Irish Harp. Freeman's Journal, 1 November 1902, publishes letter from His
Eminence Cardinal Logue, dated Ara Coeli, Armagh, extolling revival of manufacture.
— King Brian Boiromhe (pronounced Boroo, and meaning the taxer) began to rule
S. W. Ireland in 988; later the whole of Ireland; seat of Government, Kincora near
Killaloe on the Shannon; killed fighting the Danes in 1014. His harp. or of that
locality 900 years old, is in Museum of Trin. Coll. Dublin, presented 1782. It is 32
inches high. As naturally standing, body hardly leans towards player, and is almost
perpendicular, there is a front "pillar" curving outwards crescent-wise from far-end
of neck down to front of body, and the neck itself bows down in a "harmonic curve"
at far-end to meet the "pillar". A thing of great beauty, and the typical Irish
harp. The strings were at an angle of about 40° from body; of brass, 2 to each
note, played by finger-nails of each hand. The body is oak, pillar and neck red wood.
At end of neck a chased silver plaque, with one large rock-crystal encrusted in the
silver. and another stone missing. On pillar, coat-of-arms of the O' Briens, engraved
in silver.   M. S. D.
   London. — With regard to Rev. F. W. Galpin's lecture (IV, 527) on native *instruments of N. W. coast of America*, too exclusive attention has been given to Columbus (1436—1506) and the Vikings &c. several centuries before him, on E. coast;
and even to the "discovery" of "British Columbia" by the Greek Apostolos Valerianos
(alias Mexican Juan de Fuca) in 1592. Without going into origin of races, which
reaches back to the aeons, the intercourse of early nations must have crept round
the Asian-American shoulder, because (a) the sub-arctic climate was then far warmer
than now. (b) apart from Behring's Straits, the interval was bridged for easy sailing
viâ the Aleutian islands, (c) there is a historical Chinese visit by that route of 5th
century, (d) as late as 1883 a Chinese junk was tempest-driven to coast of British
Columbia. In A. D. 499 the patient Chinese traveller Hoei-Sin reported having visited
and dwelt in Alaska, finding there already Buddhist settlers from Afghanistan. His
description of the American Caribou and painted Red Indians (among other things'
is obvious. So the theory of De Guigne in Académie d'Inscriptions et des Belles

Lettres, vol. XXVIII (1761); disputed certainly by Klaproth (1831), but supported by Neumann in "Zeitschrift für Allgemeine Erdkunde", vol. XVI, and Vining in his 1885 monograph; in every way reasonable. The Chinese in early Christian era had a compass made of rod of magnetized iron inserted in arm, or arm-held spear, of a pivoted figure. It is to be conjectured that the polyphonic-sounding instruments mentioned were not solely developed by these particular N. W. American tribes.

The total massed orchestra at *Delhi Durbar* (IV, 351) was 1845 players. At massed rehearsal conductor (Capt. G. B. Sanford) used a megaphone. Not massed they served in sections the different camps, the ceremonials, the state-ball, &c. In principal programme the National Anthems of all Nations were played. Stanford wrote chief fanfare. In accompanying State Church Service, the monster choir and orchestra were 300 yards away from officiating clergy; therefore 500 megaphones were used at choir-end for sound, and flag-signals at clergy-end for getting quick responses. These last arrangements read as more mechanical than religious-impressive.

Edward Withers, formerly of 31 Coventry Street, now with 3 sons at 22 Wardour Street, the oldest living English maker of violins, violas, and violoncellos, claims originality for his *hollow sound-post*, applied to all instruments from violin to double-bass. Besides being hollow, it has 2 ends scooped like cornet mouth-pieces and thinned and shaped for voicing; also, to permit vibratory communication with air, a transversal hole drilled through centre at inclination of 45°. No connection thus with Petizeau's hollow glass sound-post. Claims to greatly improve tone. E. W.'s varnish and colour are all oil. He hangs instruments varnished for years before colouring, and turns out about 12 a year. His labels not dated. He keeps as heirloom a well-known quartett made by his father 60 years back.

At Louis Hillier's recent Drawing-room Concert, the authoress "John Strange Winter" (recte Mrs. Arthur Stannard) lectured in illustration of the Gustave Lyon *chromatic harp* (firm Pleyel), invented just 100 years after Erard's double-action. The germ of Lyon pedal-less harp is the "triple" Welsh harp, with 3 rows of gut strings, the 2 outer being in unison or octave diatonic, the inner not very accessible giving chromatic semitones. But here chromatic strings cross single row of diatonics at an angle. Strings are fixed underneath and beyond the sound-board. New pins of Alibert principle. Aluminium frame. (Cf. "Dublin" above for Irish harp.)

Having been round England since January, *John Philip Sousa* (1856—) made return-performances at Easter in Queen's Hall; thence for 25 Concerts in Paris, thence for Belgium and Holland; America at end of July. Among other things he performed here R. Strauss's "Feuersnot" extract arranged for his military band. This only 53, but the utmost is done with them. Constituted as follows: — 4 Concert Flutes in C (1 or 2 piccolos in D♭); 2 Oboes (1st interchanging English Horn); 2 Bassoons; 8 first B♭ Clarinets (4 desks, solo and ripieno); 4 second ditto (2 desks); 2 third ditto (1 desk); 1 E♭ Clarinet; 1 Alto Clarinet; 1 Bass Clarinet; 2 Alto Saxophones in E♭ (1 desk ; 1 Tenor ditto in B♭; 1 Baritone ditto in E♭; 1 Sarrusophone in C; 4 Cornets in B♭ (2 desks); 2 Trumpets (E♭ or F); 4 Horns (E♭, F, &c.); 3 Trombones; 1 Flügelhorn in B♭; 2 Euphoniums; 4 Basses; 1 Timpani, 1 Small Drum, 1 Bass Drum. The lowest of the Basses is a monster Helicon 'called "Sousaphone") made in Vienna, weighing 2 stone 5 lbs. No string bass. The 4 concert-flutes very useful for modern high violin effects. All pieces have to be specially scored. Accompaniments to solo voice and solo violin ingeniously approximated to orchestral piano effects. Principal Oboe and Trumpet are excellent artists; A. Pryor, trombonist, is a virtuoso with wonderful wrist. The ever-grave "Times" cannot resist (13 April 1903) the following mirth at expense of conductor. First a new "back-handed-racquet beat" described. Then: — "With the lemon-cutting beat, the cab-driver-on-a-cold-day-warming-his-hands beat, the undercut, the thrust, even the lob-bowler beat, we were already familiar. They, however, lose none of their picturesque humour or apparent effectiveness by repetition. Another thing that was new was the really superb performance, on two half cocoa-nut shells, a tambourine, some instrument

for the feet which was invisible from the auditorium, a couple of pieces of very
ordinary-looking wood, the floor of the platform, and apparently the bowels of a
motor-car, which was given by one of the band whose name deserved to be shown,
as the names of the encores were, on 3ft. squares of card-board. The motor-car
effect is new, and deserves chronicling, as does that of the chauffeur. Yet he is
content to be nameless — a manifold injustice to one who made the success of The
Golden Car, which was played by way of an encore after the performance of an
overture by Litolff called Robespierre. For the back-hander and the motor-car one
is grateful, even more than for the performance of the Feuersnot song-poem by
Richard Strauss. This last, truth to tell, seemed a little out of place, and Mr. Sousa
is not quite at his best when he takes himself too seriously. The other soloists, that
is, other than Mr. Sousa and the chauffeur, were as on Mr. Sousa's last visit." The
wit condones the mirth; but in fact Sousa's actions are perfectly natural, and also
graceful, so much so that general conductors might take hints from them. The
discipline of execution, phrasing, &c., is admirable; but some points of stage-manage-
ment are too whimsical drill-like for English tastes. The nature of the music is ,
well known. The band was started 26 September 1892, succeeding that of the
Irishman P. S. Gilmore (1829-1892). S. is a man of prolific industry, literary and
musical.

Sir F. Bridge, zealous for the *restoration of pure Purcell texts*, has discovered
from Brit. Museum MS. 17819, Plut. 126 G, and MS. 9073, Plut. 125, (compared
with 2 other MS. copies at Buckingham Palace and Tenbury), that the fine anthem
"O sing unto the Lord" was textually altered before printing; he thinks clearly by
Vincent Novello (1781—1861). He renders general tribute to that pioneer; but the
fact is that in those days the cacoethes corrigendi became second nature with editors
dealing with so much MS. copy-work. Something aking to emendating glossists of
classics. Not nearly so bad as half-century before, where Thos. Pitt (org. of Worcester 1793—1806) published in 1789 anthem-collection adapted from Handel, and
boasted in Preface that adaptation was less than original by 1542 bars; as pointed
out by J. S. Bumpus in "Musical News" of 9 May 1903.   C. M.

Middlesborough. — *Festival* of 22, 23 April 1903, was noticed in brief in last
Zeitschrift. Principals: — Agnes Nicholls, Muriel Foster, Kirkby Lunn; Wm. Green,
Ffrangcon Davies, Andrew Black. Chorus 250. Orchestra 64. Conductor. N. Kil-
burn. Programme annotator, Herbert Thompson. The County of Durham, almost
extreme north of England, is a coal-county, and, containing 3 navigable rivers, Wear,
Tyne, and Tees, it exports rather than supplies home. The French Merovingian
Comites Palatini (Germ. Pfalzgrafen) were the deputies of the sovereign administer-
ing from palaces (palatia) jura regalia in unsubdued border-lands. Once numerous in
England and Scotland; e. g. Chester, Durham, Lancaster, Pembroke, Strathearn, York &c.
Durham was made a Palatinate by William the Conqueror, under Walcher, Bishop
and Duke of Durham; the modern Bishop of D. retained some authority and profit
under this till 1836, when (6 & 7 Will. IV. c. 19) same powers &c. vested personally
in sovereign. Auckland (alias Bishop-Auckland) is small town S. of capital of
county, where the ancient Abbey or Palace of the Bishop. Middlesborough (Yorkshire) is just the other side of Tees bordering Durham on south; was in 1831 an
obscure hamlet of 383, now immense town, centre of N. England iron-manufacture,
and port. Sunderland, similar port in N. Durham, on the Wear. is second only
to Newcastle-on-Tyne for coal-export. In these 3 towns our member Nicholas Kilburn
(Sammelbände III, 129), enthusiastic amateur (b. 1843), has conducted the large local
societies and fostered music, since respectively 1875, 1882, 1885. Durham city has
a University since 1833 (degrees since 1837), founded on monastic college dating
from 1290; has lately given musical degrees; Music Professor (instituted 1897) Dr.
P. Armes; the hymn-writer Rev. John Bacchus Dykes (1823—1876) was Precentor of
Cathedral. Following are chief items of present enterprising Middlesborough programme, with notes.

(a) The "Vom Prinzen und der Königstochter" Cantata of Fritz Volbach (1861—), on text of 4 ballads by Emanuel Geibel (1815—1884), was performed first time in England. (b) Andante and Scherzo from 4th ("Romantic") Symphony of Anton Bruckner (1824—1896), were performed first time in England. B. was first known outside Austria by 7th Symphony, Leipzig 1884, and still scarcely known at all here. But Hans Richter has introduced the 3rd Sym$_{ph}$. in D minor, and 7th in E. This 4th Symphony was first performed in Vienna, Feb. 1881' by Hans Richter, shortly after completion. (c) J. S. Bach Cantata "Wachet auf". The text of 3-verse hymn which is ground-work, was written by Philipp Nicolai, with ref. to Gospel for the day, parable of Ten Virgins; 10 English translations are in common use. The tune to same appeared in App. to Nicolai's "Freuden-Spiegel", 1599. The Cantata was composed acc. to Spitta for 27th Sunday after Trinity, 25 November 1731; but acc. to Bachgesellschaft edition, in 1742. (d) The "no. 1" Symphony in D of C. P. E. Bach (1714—1788) was performed. His 18 symphonies composed 1741—1776. Only one of earlier symphonies was published, Nuremberg 1759. The last 4 (of which this the No. 1) were written 1776, published 1780, again on revival by Reinecke in Leipzig 1860 republished by Peters. Hubert Parry says that these symphonies "seem in every respect an experiment on independent lines, in which the interest depends upon the vigour of the thoughts and the unexpected turns of the modulations; and the result is certainly rather fragmentary and disconnected". (e) Sullivan's "Golden Legend" was brought out at Leeds, 16 October 1886. Longfellow's poem was based on the "Arme Heinrich" of Hartmann von Aue. Jos. Bennett adapted Longfellow. For sketch of Sullivan's art-development and influence on the English national style, see III, 305. (f) For Elgar's "Gerontius". see passim. (g) The song "Absence" from Berlioz' "Nuits d'Eté", op. 7. Written 1834, orchestrated 1843. (h) To show development of style of R. Strauss, were performed 2 movements (Andante and Allegro Assai) from his early Symphony, op. 12 (1884), and Liebesscene from "Feuersnot", op. 50 (1901)   E. G. R.

Newcastle-on-Tyne. — Recent *principal concerts* in this Northumberland town (III, 493; IV, 354; and see also "Middlesborough" above for adjacent counties). Newcastle and Gateshead Choral Union; orch. concert with "Hallé" orchestra (Hans Richter), Tschaikoffsky's "Francesca da Rimini", R. Strauss's "Tod und Verklärung", and familiar items; also Handel's "Israel" and "The ways of Zion da mourn" (cond. J. M. Preston). Newcastle Vocal Society; new oratorio "The Annunciation", by the conductor J. E. Jeffries. Concert of Marie Hall (IV, 352), who 9 years ago made her début here. Newcastle Musical Society; at 14th concert of season, Rheinberger's P. F. and Violin sonata, and Brahms's quintett, op. 34.   H. W.

Oxford. — On 12 May 1903 *August Friedrich Manns* received the degree of Doctor of Music, honoris causâ, from the University. Born 12 March 1825 at Stolzenburg near Stettin, Pomerania; first theoretical teacher Stadtmusikus Christian Urban (b. 1778) at Elbing, West Prussia, to whom apprenticed; orchestral musician there, then 1st clarinet in military band of 5th Regiment stationed first Danzig next Posen; in 1848 by assistance of Friedrich Wilhelm Wieprecht (1802—1872), Dir. gen. of Prussian military bands and instrumental inventor, entered the Berlin orchestra of Joseph Gungl (1810—1889) among 1st violins; 1849—1851 conductor and solo-violin at "Kroll's Garden", till burnt down; made composition studies at this time under teacher-critic Flodoard Geyer (1811—1872); 1851 bandmaster of Herr von Roon's Regiment stationed first Königsberg next Cologne: 1854 Eb clarinet, sub-conductor, and copyist of wind-band at Crystal Palace, Sydenham, under one Schallehn conductor; the latter feed Mc. to arrange a set of National Quadrilles, then published the same with his own name, and for this M. resigned and went elsewhere; 14 October 1855 was appointed to succeed Schallehn as conductor; 1856 changed wood-band to orchestra, and "Saturday Concerts" begun, which continued till orchestra disbanded 1900. The Crystal Palace orchestra was for 44 years the only orchestra in England engaged for the whole year and playing orchestral music every day. Succeeded in monopoly of that situation by Municipal Orchestra of Bournemouth, which began 1893 (II, 88; III, 362). Manns, in 40 years and in proportion to what was done elsewhere in the early period at any rate, introduced many novelties. His orchestra was distinguished for refinement. Being small, there was great difficulty in performing modernest works, except at "Saturday Concerts", when augmented. His decorations: — Hohenzollern order 1852, Kronen order 1892, Saxe-Coburg-Gotha order of merit 1895, order of St. Sava 1899.

Sir Hubert Parry, as Oxford Professor of Music, made following stirring speech in introducing M. for degree.]

"Insignissime Vice-Cancellarie, Praesento tibi hunc praestantissimum virum, Augustum Manns, si quis alius optime meritum de Republica Musicorum. Is enim est qui per novem lustra pro virili parte ita studiis incubuerit ut ceteris fere omnibus in Arte Musica, laboribus, peritia, diligentia, antecel'at. — Quinquaginta abhinc annis cum ad has oras appulisset, Handelium imitatus, Teutonicum illum Nestora, et paene noster evasit et civis Anglicus. In Aula Vitrea choragus constitutus est, concentusque symphoniacos, adhuc inauditos, promovebat, ut ita dixerim, "baculino", magnae catervae hominum peritissimorum, ubi ex disparibus sonis inter se certantium organorum dulcissima exoritur harmonia. Hujus enim sollertia audiendus erat bellicus ille "strepitus litui clangorque tubarum", tibiae quoque cum fistula exilis et queribunda dulcedo; necnon illecebrosa vox fidium; ut vere laudaretur "Ἴνθεος ad rabiem corripuisse lyram". Et haec omnia adeo accurate distincta et temperata et ad cygnea μελῆ accommodata et ad unius arbitri nutum obtemperantia, ut paene omnium consensu optimus interpres et veterum et recentium Musicorum rite adjudicatus sit. Primus enim ad Britannos attulit (toto, ut aiunt, orbe divisos) Schubertum et Schumannum, quorum opera insignissima sine hujus auxilio jacerent ignota et sine honore; "carent quia vate sacro". Profuit etiam nostratium ingeniis et pluribus juvenum in causa erat cur magno animo Polyhymniae se dicarent. Neque alter magis melius indigenam segnitiam in arte Musica excussit, excitavit, arrexit, non passus molli·torpore veterno et tantummodo in deliciis habere χραμβὴν illam repetitam, sed et peregrina et nova semper indagare studuit, ne quid alicunde optimi immerito sileretur. — Et haec omnia per 45 annos adeo sedulus artis melioris nuntius, adeo fidelis in interpretando, adeo diligens et simplex et candidus amicus virorum, ut ita dicam, mercurialium, ut vix alius magis reverentia et amore inter cives suos floruerit. Quem igitur, vir insignissime, tibi praesento, ut in gradum Doctoris in Arte Musica adhibeatur, honoris causa".

Eduard Rappoldi, der bekannte Geiger, bis vor kurzem Konzertmeister der Dresdener Hofkapelle, der auch eine Zeit lang als Mitglied des Joachim-Quartetts tätig war, ist in Dresden im Alter von 64 Jahren gestorben.

Theodor Reichmann, der berühmte Wagnersänger, der erste Amfortas der Bayreuther Festspiele, welche Partie er noch im letzten Sommer in Bayreuth durchführte, starb am 22. Mai zu Marbach am Bodensee. Er war 1849 zu Rostock geboren.

Kritische Bücherschau

der neu-erschienenen Bücher und Schriften über Musik.

Referenten: O. Fleischer, A. Göttmann, J. Wolf.

Bußler, Ludwig. Praktische Harmonielehre. Fünfte verbesserte Auflage, revidiert und mit erläuternden Anmerkungen versehen, von Dr. Hugo Leichtentritt. Berlin, Carl Habel.

Professor Bußler's nicht nur dem Namen nach, sondern wirklich praktische Harmonielehre ist soeben in fünfter Auflage erschienen. Dieselbe ist von Dr. Leichtentritt in vorzüglicher Weise verbessert, revidiert und erweitert. Bußler, welcher das Kapitel über die Lehre der Intervalle als bekannt voraussetzte, begann seine Harmonielehre mit den konsonierenden und dissonierenden Akkorden. Dr. Leichtentritt hat nun in richtiger Erkenntnis und Notwendigkeit einer, wenn auch nur kurzen Belehrung über die Intervalle diesem Mangel abgeholfen und ein diesbezügliches Kapitel dem Werk vorangesetzt. Durch die Voransetzung dieses Kapitels, wie auch durch die vielfachen textlichen Erweiterungen und erklärenden Bemerkungen hat der Herausgeber dieser fünften Auflage dem

Bußler'schen Werkes zu einer bemerkenswerten Abrundung und Ausgestaltung verholfen. A. G.

Chop, Max. August Bungert, ein deutscher Dichterkomponist. Eine monographische Studie. (Moderne Musiker) Leipzig, Hermann Seemann Nachf., 1903. — 98 S. 8⁰. (Mit 4 Abbildungen.)

»Auf keinen unserer lebenden Tondichter dürfte so nachhaltig und wiederholt aufmerksam gemacht werden, als auf August Bungert. Er gehört zu jenen Erscheinungen, die souverän über die Form gebieten, sodaß diese ihnen völlig untertan ist, und die diese Form mit einem blühenden, gesunden Gedankenreichtum auszufüllen wissen.« Mit diesen Worten schließt vorliegende Broschüre, in welcher es (S. 35) ferner heißt: »Der unrichtige Standpunkt der Beurteiler, ihre allzu starke Voreingenommenheit für · oder gegen den Tondichter, die Ähnlichkeit seines Werkes mit Wagner's »Ring«, auch die törichte Art übereifriger Freunde, den Godesberger als Rivalen des Bayreuther Meisters hinzustellen, hat im Anfang fast alle Klarheit genommen und zu starker Einseitigkeit geführt. Von ihr befreit die Zeit mit ihrer natürlichen Entwickelung am besten. Etwas Neues in Form und Inhalt bietet Bungert's Musik an sich nicht; denn die Form für das Musikdrama hat uns Wagner gegeben, der Inhalt aber lehnt sich in seiner blühenden melodischen Fülle eng an das an, was uns der Tondichter bereits in Liedern und anderen Kompositionen, dort natürlich im engeren Rahmen bot.« Obgleich der Verfasser, ein intimer Freund Bungert's, diesen für »fraglos den meistgenannten Tondichter der Gegeuwart« hält (S. 8), hat er sich doch redlich bemüht, Objektivität zu wahren. Er geht mehr darauf aus, die künstlerische Persönlichkeit im Ganzen zu kennzeichnen, als eine Biographie im historischen Sinne zu schreiben, und sein Schriftchen ist insofern eine Tendenzschrift, als es mehr die edlen und großen Absichten des Künstlers einer größeren Allgemeinheit nahebringen, als uns den Künstler in seinem Werdegang darstellen will. O. F.

Grunsky, Dr. Karl. Musikgeschichte des 19. Jahrhunderts. Zwei Teile, 131 und 111 S. 12⁰. Sammlung Göschen (Leipzig) Nr. 164 und 165, je ℳ 0,80.

Stießen mich die etwas sorglose Sprache und die nach Zeitung schmeckenden Kapitel-Überschriften wie: Taubheit, Liebe u. s. w. anfangs zurück, so muß ich nach eingehender Prüfung die Tüchtigkeit der Arbeit anerkennen. In knappen Zügen erhalten wir ein anschauliches Bild von der Musikentwickelung des 19. Jahrhunderts. Wesentliche Züge fehlen kaum in demselben. Im einzelnen vermissen wir allerdings manchen Namen, dessen Träger im Musikleben des 19. Jahrhunderts eine nicht unbedeutende Rolle gespielt haben. J. W.

Haberlandt, M. Hugo Wolf. Erinnerungen und Gedanken. Mit 9 Abbildungen und zwei Faksimiles. Leipzig, Lauterbach und Kuhn, 1903. 68 S. 8⁰.

Wir lernen den Verfasser als einen jener Getreuen kennen, die zu dem Liedmeister Hugo Wolf in der letzten Zeit seines Sehaffens trotz mancher Schroffheit seines Außenlebens standen, ihm in jeder Weise die Wege zu ebnen suchten und mit ihm für die Anerkennung seiner Schöpfungen kämpften. Eine Fülle feiner Züge trägt Verfasser bei, welche uns das zarte Innenleben Wolf's so recht erkennen lassen und zeigen, wie hoch er seinen künstlerischen Beruf auffaßte. J. W.

Houdard, Georges. La richesse rhythmique musicale de l'antiquité. Paris, Alphonse Picard et Fils, 1903. 84 S. 8⁰.

Ein in geistvoller Weise die Metrik der Alten und ihre Beziehung zur Musik behandelnder Vortrag, mit dem Verfasser seine Vorlesungen an der Sorbonne in Paris 1902/1908 eröffnete. Aus den von ihm aufgestellten Sätzen hebe ich besonders den heraus, daß die Poesie vor allem dem musikalischen Rhythmus gehorcht habe. Gegenüber einem über alle Maßen großen prosodischen Reichtum konstatiert er eine unabstellbare Armut der musikalischen Rhythmik. J. W.

Imelmann, Rudolf. Zur Kenntnis der vor-shakespearischen Lyrik. I. Wynkyn de Wordes 'Song Booke' 1530; II. John Dayes Sammlung der Lieder Thomas Whythornes, 1571. (Sonderabdruck aus dem Jahrbuch der Deutschen Shakespeare-Gesellschaft.) Berlin, Langenscheidt, 1903. 58 S. 8⁰.

Ein wertvoller Beitrag zur englischen Literatur- und Musikgeschichte des 16. Jahrhunderts. Verfasser macht uns mit den beiden ältesten gedruckten englischen

Liederbüchern bekannt, dem Song Booke des Buchdruckers Wynkyn de Worde aus dem Jahre 1530 und John Daye's Sammlung von Gesängen Thomas Whythorne's aus dem Jahre 1571. Eine treffliche Beschreibung der beiden Originaldrucke leitet die mit kritischem Kommentar versehene Ausgabe der Liedertexte ein, die so manche Beziehung zur Musik aufweisen. Die allein erhaltene Baßstimme der vier- und dreistimmige kirchliche und weltliche Sätze von Cornysh, Pygot, Ashwell, Gwynneth, Fayrfax, Cowper, Jones und Tavernar enthaltenden Werkes aus dem Jahre 1530 liegt bereits in »Anglia« XII, 589 ff. durch Flügel veröffentlicht in Neudruck vor. Von der Sammlung 1571 teilt Verfasser die in der Oxforder Bibliothek erhaltene Tenorstimme in der Original-Notierung mit. Es ist zu bedauern, daß nicht auch die übrigen im British Museum aufbewahrten Stimmbücher zur Veröffentlichung gelangen konnten.   J. W.

John, Alois. Heinrich Wenzl Veit (1806 — 1862). Lebensbild eines deutsch-böhmischen Tondichters.

Ein interessanter Beitrag zur Musikgeschichte Böhmens im 19. Jahrhundert. Wir lernen Veit als einen trefflichen Juristen und hochbegabten Musiker, als Schöpfer einer ganzen Reihe hervorragender Werke kennen. Sein Leben begrenzen die Jahre 1806 und 1864 und nicht wie beide Titel angeben 1862.   J. W.

Krehl, Stephan. Musikalische Formenlehre (Kompositionslehre). I. Teil: Die reine Formenlehre (135 S. 12°); II. Teil: Die angewandte Formenlehre (134 S. 12°). Sammlung Göschen (Leipzig) Nr. 149 und 150, je $\mathscr{M}$ 0,80.

Eine Kompositionslehre in engerem Sinne ist die Krehl'sche Kompositionslehre keineswegs, dazu konnte Verfasser des engen Rahmens der Schrift wegen zu wenig auf die Faktur der einzelnen Formen eingehen. Wohl aber werden wir an Hand von guten Beispielen über die wesentlichsten Züge der Formen aufgeklärt und lernen ihre bedeutendsten Vertreter kennen. Ein jeder, der sich über die Formen orientieren will, kann Belehrung in reichem Maße aus diesem kleinen Werke schöpfen.   J. W.

Meerens, Charles. La science musicale à la portée de tous les artistes et amateurs. Bruxelles, J.-B. Katto, 1902. 117 S. 8°. fr. 3,—.

Eine beachtenswerte Abhandlung einiger akustischer Probleme vom Standpunkte des praktischen Musikers aus. Er spricht in allgemein verständlicher und anziehender Form über den musikalischen Ton, über die Grenzen der Ton-Wahrnehmung, über die zahlenmäßige Darstellung der Intervalle, über die akustischen Logarithmen von Delezenne, über Tonhöhen-Messer, Intonation, Tonleiter u. s. w.   J. W.

Riemann, Hugo. Katechismus des Generalbaßspiels (Harmonie-Übungen am Klavier). Zweite vermehrte und verbesserte Auflage. Leipzig, Max Hesse, 1903. XVI und 161 S. 8°. $\mathscr{M}$ 1,50, geb. $\mathscr{M}$ 1,80.

Die Notwendigkeit einer zweiten Auflage spricht wohl am besten für den praktischen Wert der Riemann'schen Schrift. Besonders sei darauf hingewiesen, daß nicht nur die Generalbaß-Bezifferung, sondern auch die Weber'sche Akkordschrift und vor allem die vom Verfasser selbst ersonnene Akkord-Bezifferung Behandlung findet, vermöge deren nicht nur bezifferte Bässe ohne Melodien, sondern auch bezifferte Melodien ohne Bässe besser als nach der Methode Weber's in bestimmte Harmonie-Folgen umgesetzt werden können. Eine reiche Zahl von Aufgaben machen das Werk für den Unterricht besonders empfehlenswert.   J. W.

Röckl, Sebastian. Ludwig II. und Richard Wagner 1864—1865. München, C. H. Beck (Oskar Beck), 1903. — 161 S. 8°. $\mathscr{M}$ 2,50.

Behandelt den dramatischsten Teil aus Richard Wagner's Leben: seine Berufung nach München, die ersten Aufführungen seines Holländer, Tannhäuser, Tristan und die aufreibenden Kämpfe Wagner's mit der öffentlichen Meinung in München auf Grund authentischen Brief-Materials. Menschlich interessiert natürlich am meisten sein Verhältnis zum jungen Könige, das uns denn auch fast erschöpfend mit Lebendigkeit und schöner Sprache geschildert wird. Das Wesentliche an diesem hübsch ausgestatteten Büchlein ist die kritische Zusammenfassung der einschlägigen Briefschaften und Zeitungsnachrichten und die interessante Darstellung der inneren Vorgänge in der Seele des Komponisten während jener beiden Jahre angeblichen Glückes.   O. F.

Sacher, Hans. Unsere Tonschrift. Kurzer Rückblick auf deren Werdegang sowie auf die Vorschläge zu deren Verbesserung, ferner ein neuer

Vorschlag für Tonbenennung und Notenschrift. Wien, A. Pichler's Witwe & Sohn, 1903. — 64. S. 8° mit 4 Doppelblättern und Notenbeispielen. Kr. 1,20.

Einer der vielen Verbesserungsvorschläge für die Tonschrift, der sich indessen von den meisten seiner Genossen durch das offensichtliche Streben seines Verfassers nach historischer Erkenntnis seines Versuchsgebietes und die daraus entspringende Toleranz auszeichnet. Demgemäß gibt er zunächst einen kurzen Entwurf der Geschichte der Tonnamen und der Tonbezeichnungen, ehe er mit seinen eignen Vorschlägen hervortritt. Freilich sind diese historischen Entwürfe sehr mangelhaft. Der geschichtliche Ausflug ins Gebiet der Tonnamen (Solmisation, Bebisation usw. bis zu Karl Eitz) ist durch Lange's vortreffliche Arbeit in unseren Sammelbänden schon längst überflüssig gemacht; nur fehlen hier natürlich die vom Verfasser selbst erfundenen 12 »Wiener Tonnamen« *Sa, scho, dü, rü, mi, fa, tu, go, nü, la, be, wa.* Dankenswerter ist der historische Versuch über 23 verschiedene Vorschläge zur Verbesserung der modernen Noten im 19. Jahrhundert, von A. Nichetti 1833 an bis auf G. Capellen in unsrer Zeitschrift 1901, welch letzteren er als den verhältnismäßig glücklichsten bezeichnet. Es fehlen in dieser Reihe zwar recht viele, die mir bekannt geworden sind, aber als erster und noch dazu nur beiläufiger Versuch eines geschichtlichen Überblickes über das dankbare Gebiet ist diese Darstellung immerhin anerkennenswert. Es folgen sodann Sacher's eigene Verbesserungsvorschläge, gegründet auf den Gebrauch von 4 verschiedenen Formen des Notenkopfes: der Raute, des Punktes, des Keiles und des Rechteckes, die der Reihe nach für *c, cis, d, dis* gelten, um dann in gleicher Folge auf *e, f, fis, g* und drittmalig auf *gis, a, b, h* wiederzukehren. So fällt also die Raute immer nur auf die Töne *c, e* oder *gis,* der Punkt auf *cis, f, a* usw., d. h. Töne im Intervalle einer großen Terz haben stets den gleichen Notenkopf. Damit werden die Versetzungszeichen überflüssig. Je zwei und zwei von diesen Tonzeichen fallen auf je eine Linie oder einen Zwischenraum; man erspart also den Raum für eine der beiden Halbtonstufen und erhält somit die Oktave schon auf der 4. Linie über dem Grundton, statt im 5. Zwischenraum. Der nicht zu unterschätzende Vorteil ist dabei die Gleichförmigkeit der Stellung des Oktavtones im Liniensystem neben größerer Ausnützung des Raumes desselben. Aber die mauigfaltigen Gestalten der Notenköpfe sind und bleiben verwirrend, und ich fürchte, daß auch des Verfassers Vorschlag denselben Weg gehen wird, als seine vielen Vorgänger.   O. F.

Springer, Hermann. Zur Musiktypographie in der Inkunabelzeit. (Sonderabdruck aus: Beiträge zur Bücherkunde und Philologie. August Wilmanns zum 25. März 1903 gewidmet). Leipzig, Harassowitz 1903.

Eine sehr fleißige Studie, die uns mit einigen Inkunabeln des deutschen Musikdruckes, wie Georg Reyser's *Agenda ecclesiastica episcopatus Herbipolensis* (1482) und dem *Graduale* der Basler Wenßler und Kilchen (1488) bekannt macht und Peter Schoeffer den Älteren als einen der ältesten deutschen Notendrucker an Hand des *Psalters* vom Jahre 1490 und des *Missale Moguntinense* vom Jahre 1493 nachweist. Auch das *Missale iurta ordinem et reram rubricam Halberstatensem,* das bestimmt in das 15. Jahrhundert gehört, rührt wenigstens den musikalischen Teilen nach von Schoeffer her. Mit Recht hält es Springer für überraschend, daß dieser Meister nach seinen schönen Notendruckleistungen in der nach Weale aus der Zeit um 1495 stammenden *Agenda ecclesiae Moguntinensis* auf den groben und dürftigen Holzschnitt zurückgreift. Die kleine Studie verdient als ein wertvoller Beitrag zum ältesten Notendruck allgemeine Beachtung.   J. W.

Eingesandte Musikalien.

Referenten: A. Feith, A. Göttmann, A. Mayer-Reinach, J. Wolf.

Verlag Breitkopf & Härtel, Leipzig.

Hirsch, Carl. Altdeutsche Volkslieder aus dem 14., 15., 16. und 17. Jahrhundert für Männerchor bearbeitet. Partitur ℳ 1,50, jede Stimme ℳ 0,60.

Eine hübsche Sammlung wirksam gesetzter Volkslieder, der man nur die weiteste Verbreitung wünschen kann. Möchten nur mehr solcher Sammlungen entstehen, um in der Menge den Sinn für das Volkslied wieder wach zu rufen. Hierzu scheint mir das Männerquartett besonders berufen, da es gerade in den Volkskreisen eifrigste Pflege genießt. J. W.

Weingartner, Felix. Op. 33. Sextett in E-moll für Klavier, 2 Violinen, Bratsche, Violoncell und Baß. Partitur (Klavier) ℳ 6,—, jede Stimme ℳ 1,20.

Weingartner's Sextett gehört zu dem Bedeutendsten, was in den letzten Jahren auf dem Gebiete der Kammermusik geschaffen worden ist. Sind seine Themen auch nicht gleichwertig, so sind sie doch fast ausnahmslos bedeutend, charakteristisch im Ausdruck und stets großzügig. Sein Satz ist wirkungsvoll und klangschön. Jeder Teil bietet eine Fülle von interessanten Zügen, der Ausdruck ist häufig bis zum Dramatischen gesteigert. Das Werk verdient allgemeine Anerkennung. J. W.

Verlag Drei Lilien, Berlin.

Walter, Bruno. Lieder für Singstimme mit Klavierbegleitung.

Op. 11. 6 Lieder. 1. Meine Mutter hat's gewollt. 2. Vorbei. 3. Waldtrauts Lied 1. 4. Waldtrauts Lied 2. 5. Weißt du, wie lieb ich dich hab? Je ℳ 1,20. 6. Liebeslust. ℳ 1,80.

Op. 12. Heft 1. a) Solvejg's Lied, b) Die Linde, c) Sehnsucht. Heft 2. a) Entflieh mit mir, b) Es fiel ein Reif, c) Auf ihrem Grab. Jedes Heft ℳ 2,—.

Diese Lieder des jungen Wiener Hofkapellmeisters gehören zu den erfreulich-sten Erscheinungen auf dem Gebiete des Liedes, die mir im Laufe der letzten Jahre zu Gesicht gekommen sind. Es genüge, wenn ich sie hier allen gebildeten Sängern aufs angelegentlichste empfehle. In der Ausführung sind sie nicht leicht, für den Sänger, wie den Begleiter; doch wird meines Erachtens niemand das Studium derselben bereuen. A. M.-R.

Verlag Ernst Eulenburg, Leipzig.

Hummel, Ferdinand. Op. 73. Halleluja (Felix Philippi) für mittlere Singstimme mit Pianoforte-Begleitung. ℳ 1,50.

— Op. 83. Hymnus (Felix Philippi) für mittlere Singstimme mit Pianoforte-Begleitung. ℳ 1,—.

Geschickt angelegte, in kraftvollen Akkorden hinströmende Gesänge. J. W.

Verlag Otto Forberg, Leipzig.

Lazarus, Gustav. Op. 81. Jugend-Album. Acht kleine Klavierstücke (Frohe Wanderung, Kinderball, Ernster Marsch, Spielerei, Spanischer Tanz, Schlummerliedchen, Gavotte, Norwegischer Springtanz), einzeln je ℳ 0,60 bis 1,—.

Reizende kleine Vortragsstücke, die der klavierspielenden Jugend viel Freude bereiten werden. J. W.

Wilm, Nicolai von. Op. 196. Sechs Klavierstücke (Neckereien, In Sorgen, Übermut, Stillvergnügt, Erinnerung, Frohe Botschaft), je ℳ 1,—.

— Op. 198. Aus des Lebens Mai. Zehn kleine Klavierstücke (Zufriedener Sinn, Herzeleid, Auf dem Spielplatz, Morgenwanderung, Nachklänge vom ersten Ball, Schmetterlingsjagd, Vorüberziehendes Militär, Beim Blumenpflücken, In der Kirche, Im Myrthenkranze) je ℳ 1,—.

Leicht hingeworfene, nicht besonders tiefe aber wohlklingende kleine Kompositionen. J. W.

Verlag C. W. Fritzsch, Leipzig.

Loser, Vict. Aug. Op. 8. Sechs Lieder für eine Singstimme mit Pianoforte. Heft I (Nachtreise, Winterlied, Der Musikant) *M* 2,—; Heft II (Er ist's, Vergißmeinnicht, An .die Lerche) *M* 2,50.

— Op. 12. Sechs Lieder und Balladen von J. W. von Goethe für eine Singstimme mit Pianoforte. Heft I (Die Spröde, Heiß mich nicht reden, So laßt mich scheinen) *M* 2,—; Heft II (Wer nie sein Brot mit Tränen aß, Der Fischer, Der Rattenfänger) *M* 3,—.

Die Lieder zeugen von Begabung, doch fehlt es ihnen noch an Vertiefung. Ihrem Autor steht äußere Wirkung offenbar noch höher als wertvoller innerer Gehalt.
J. W.

Selmer, Johann. Duette für 2 Singstimmen mit Pianofortebegleitung. Op. 45. Erstes Heft. *M* 1,—.

Trifft der Komponist im ersten der beiden Duette: »Nun wünsch' ich, daß die ganze Welt« aus Rückert's »Liebesfrühling« im großen ganzen den richtigen Ausdruck, so muß ich die Vertonung des zweiten — ein herrliches »Gesang« betiteltes Gedicht B. Björnson's — direkt als verfehlt bezeichnen, seiner, der Idee des Gedichtes zuwiderlaufenden musikalischen Geschraubtheit und der gesuchten, aber recht billigen Effekte wegen. Mit einer gewissen Geschicklichkeit in formeller Hinsicht ist es nun mal nicht getan, auch nicht mit interessant sein sollenden harmonischen Details, wie zum Beispiel im ersten Duett der fünfte

Takt: d: Das ist nichts weniger als »Liebesfrühling« in der Musik.
A. F.

— Zweites Heft. *M* 1,75.

Nr. 1, »Liebe zum Vaterland«, eine schwache, von Gemeinplätzen strotzende Komposition, während das zweite »Rote Schwäne« betitelte Duett in Anlage und durch bedeutenderen erfinderischen Ausdruck sich vorteilhaft vom ersten unterscheidet.
A. F.

— Op. 46. Erstes Heft. *M* 2,—

Nr. 1 »Frühlingsweihe«. Frisch empfundene, sehr sangbare Musik. Nr. 2 »Frühlingstoilette«. Eine Routine-Kom-

position ohne besondere Linienführung und Gestaltung. Nr. 3 »Sommernacht auf dem Gletscher«. Das beste der drei Duette, gelungene Stimmungsmalerei.
A. F.

— Zweites Heft. Wiesenklee, mit Violoncell und Klavier. *M* 1,—.

Die Hinzuziehung des Cello verleiht dem kantilenenhaft empfundenen Stück erhöhten Reiz; es ist ein einheitlich zusammengeschlossenes Werkchen, das ob seiner technischen Einfachheit auch dem Laien besonders zu empfehlen ist.
A. F.

— Op. 47. *M* 2,25.

Endlich einmal stärker hervortretende Individualität. Das ganze Heft macht einen vorwiegend günstigen Eindruck. Das dritte Lied: »Am Abend« gefiel mir ob seiner ungesuchten innigen Art in Erfindung und Empfindung besonders. A. F.

Verlag Wilhelm Hansen, Kopenhagen und Leipzig.

Sinigaglia, Leone. Op. 13. Drei romantische Stücke für Violine mit Klavier-Begleitung. 1. Cavatine, 2. Intermezzo, 3. Erinnerung.

Interessant gearbeitete, harmonisch kühne Werke nicht ohne Empfindung.
J. W.

Kommissionsverlag von Friedrich Hofmeister, Leipzig.

Hermann, Robert. Op. 1. Zwölf kleine Lieder aus dem lyrischen Intermezzo von H. Heine für mittlere Stimme mit Pianofortebegleitung. 2 Hefte je *M* 2,—. Hoch und tief.

— Op. 5. Sechs kleine Lieder von H. Heine für mittlere Singstimme mit Pianofortebegleitung. *M* 1,50 n.

— Op. 8. Fünf Lieder von H. Heine für mittlere Stimme mit Pianofortebegleitung. Komplett *M* 2,50 n.

Bis jetzt war mir der Leipziger Komponist Robert Hermann nur durch zwei Kammermusikwerke bekannt geworden. Seine 23 Lieder, welche er neu revidiert herausgegeben, stehen unter dieser Kammermusik. Sie sind fast ausschließlich Vertonungen solcher Heine'scher Dichtungen, die Mendelssohn, Schumann, Brahms und andere musikalisch vollständig erschöpft haben. Robert Hermann ist in diesen lyrischen Ergüssen nicht allein nichts besseres eingefallen, ja er steht sogar, abgesehen von dem schwächlichen Melos, in der sprachlichen Behandlung und rhythmischen Ausdeutung diesen Dichtungen ziemlich hülflos gegenüber. Über den rein technischen Standpunkt allein, den Hermann hier einnimmt, sind wir Gott sei Dank längst hinaus und ich kann dem Komponisten nur den guten Rat geben, vor weiterem Liederkompo_nier_e_n erst die moderne Literatur mit all ihren guten Errungenschaften zu studieren.   A. G.

Verlag Fr. Kistner, Leipzig.

Palaschko, Johannes. Op. 33. Tonbilder. Fünf Stücke für Violine mit Begleitung des Pianoforte (Rondo scherzoso, Souvenir, Tourbillon, Intermezzo, Rococo) je $\mathscr{M}$ 1,50.

Die Gedanken fließen dem Verfasser leicht zu, doch wünschte man, daß er auf Vertiefung größeren Wert legte. Mehr als gediegene Salonmusik sind seine Werke vorläufig nicht.   J. W.

Verlag F. E. C. Leuckart, Leipzig.

Rheinberger, Josef. Zwei Lieder (die Moos-Rose, Janua coeli) mit Klavier-Begleitung, aus dem Nachlaß herausgegeben von Louis Adolphe Coerne. $\mathscr{M}$ 1,—.

Zart empfundene stimmungsvolle Musik.   J. W.

Verlag C. F. Peters, Leipzig.

Reger, Max. Op. 64. Quintett für Pianoforte, 2 Violinen, Viola und Violoncell.

Das ebenso schwierige wie umfangreiche Kammermusikwerk gehört — ich will das gleich im Voraus sagen — nicht zu den erfreulichen Novitäten. Reger, von dem ich eine größere Anzahl Lieder, Chöre und Orgelkompositionen kenne und schätze, will in diesem Werke eine Originalität zur Schau tragen, die ihm im Grunde seines Komponistenherzens völlig fremd ist. Er kennt das Manko seiner Originalität anscheinend sehr genau und sucht nun für den mehr oberflächlich Hinhörenden und Schauenden durch alle möglichen harmonischen und rhythmischen Verzerrungen sein natürliches, mit Brahms recht lebhaft liebäugelndes, kompositorisches Denken zu verschleiern. Ja es herrscht in der zweiten Hälfte dieses hier vorliegenden Op. 64 eine geradezu krankhafte Sucht vor, einer natürlichen Harmonik aus dem Wege zu gehen, es »anders zu machen«, als die Logik des gesunden Menschenverstandes es erwartet.

Das unerquickliche Quintett zerfällt in vier Sätze, von denen das sehr knappe Scherzo mit dem Adagio verbunden ist. Dem ersten Satze gebe ich vor allen anderen den Vorzug. Seine Themen sind wohl etwas kurzatmig, doch gut erfunden, wenn auch stark von Brahms beinflußt, und heben sich verhältnismäßig klar und bestimmt ab. Hier, wie auch in dem an Erfindung bedeutend tiefer stehenden scherzosen zweiten Satze fehlt es nicht an einzelnen guten Klangwirkungen. Dieselben werden aber nur allzurasch durch schwülstige harmonische Extravaganzen erdrückt; immerhin kann man noch von ihnen behaupten, daß sie sich teilweise wenigstens innerhalb der Grenzen dessen, was man gemeinhin »Musik« nennt, bewegen. Aus diesem Rahmen tritt im dritten, lang ausgesponnenen Satze Reger gänzlich heraus und treibt ein kakophones Unwesen, das ganz dazu geschaffen ist, die Spieler und Hörer in die ärgerlichste Stimmung zu versetzen. Wenn auch der Schlußsatz ein paar vorüberhuschende Lichtpunkte bringt, so kann man nur bedauern, daß ein Talent wie Reger sich in solch hysterischen Phantasmen ergehen kann. Möge er beizeiten Einkehr bei sich selbst halten, denn eine derartige Musikmacherei ist schließlich nur noch pathologisch zu betrachten. A. G.

Verlag Ries & Erler, Berlin.

Samuel, Paul. Op. 5. Präludien für die Orgel. Zum Gebrauch für den Gottesdienst und Andachten in höheren Lehranstalten. $\mathscr{M}$ 2,—.

Besonderen Geschmack vermag ich den Präludien nicht abzugewinnen. Sie sind korrekt gesetzt, aber arm in der Erfindung.   J. W.

Verlag Bartholf Senff, Leipzig.

Niemann, Walter. Frobergeriana. Eine Auswahl von Klavierstücken aus J. J. Froberger's Suiten mit kurzer Einführung. Inhalt: Suite »Auf die Mayerin«, Gigue D-moll, Courante D-dur, Sarabande F-dur, Gigue E-moll. $\mathscr{M}$ 2,—.

Eine auf die in den Denkmälern der Tonkunst in Österreich erfolgte wissenschaftliche Publikation der Froberger'schen Werke sich stützende praktische Ausgabe, welche bezweckt, die klavierspielende Jugend mit einem der bedeutendsten Klaviermeister vor J. S. Bach bekannt zu machen. Die vom Herausgeber getroffene Auswahl ist in jeder Beziehung eine glückliche zu nennen. Nicht ein Stück findet sich darunter, welches nicht auch unsere Zeit zu fesseln vermag. Die hinzugefügten Vortrags- und dynamischen Zeichen lassen erkennen, mit welchem tiefen Verständnis der Herausgeber in den Geist der Kompositionen eingedrungen ist. Die Ausgabe verdient, empfohlen zu werden.

J. W.

Zeitschriftenschau

zusammengestellt von

Ernst Euting.

Verzeichnis der Abkürzungen siehe Zeitschrift IV, Heft 7, S. 435.

Alt, Ferdinand. Über Erkrankungen des Hörnerven nach übermäßigem Genuß von Alkohol und Nikotin — Monatsschrift für Ohrenheilkunde (Berlin, Oscar Coblentz) 37, Nr. 4.

Altberg, W. Über die Druckkräfte der Schallwellen und die absolute Messung der Schallintensität — Annalen der Physik (Leipzig, J. A. Barth) 1903, Nr. 6.

Angell, J. R. A preliminary study of the significance of partial tones in the localization of sound — The Physiological Review, 10, Nr. 1.

Anonym. Woman and music — Gentleman's Magazine (London, Chatto & Windus) Mai 1903.

Anonym. Les chants patriotiques d'Edgar Quinet — Le Salut Public (Lyon) 1. März 1903.

Anonym. Die französische Handelskammer in Sydney über die Einfuhr deutscher und französischer Musikinstrumente in Australien — ZfI 23, Nr. 21.

Anonym. Schimmel's neue Patent-Pianino-Mechanik — ibid. [mit Abbildg].

Anonym. Eine praktische Neuerung für Sprechmaschinen — ibid. [mit Abbildung].

Anonym. Das 10000. Klavier der Hof-Pianoforte-Fabrik von V. Berdux in München — ibid., Nr. 22 [mit Abbildung].

Anonym. Ein Tondämpfer für Klaviere [von Marie von Unschuld] — ibid. [illustriert].

Anonym. Musica acefala — MuM 58, Nr. 4 [interessantes Urteil eines Italieners über Richard Strauß'sche Musik].

Anonym [»Dotted Crotchet«]. York Minster — MT, Nr. 723 [mit musikgeschichtlichen Notizen].

Anonym. Pfarrer Alfons Hübner † — KVS 18, Nr. 1.

Anonym. Bericht des Oberösterreichischen Diözesan-Cäcilien-Vereines über das Vereinsjahr 1901/1902 — ibid.

Anonym. Die Choralfrage — KVS 18, Nr. 1 f.

Arpad, Marcel. Das rumänische Volkslied — Internationale Literatur- und Musikberichte 10, Nr. 9.

B., H. Au théâtre de Marseille: »Renaud d'Arles« — RM 4, Nr. 3.

B., M. Musikinstrumenten-Außenhandel Deutschlands im ersten Vierteljahre 1903 — ZfI 23, Nr. 22.

Beckmann, Gustav. Choralzwischenspiele — MSfG 8, Nr. 5.

Bellaigue, Camille. Musique héroïque — Revue des Deux Mondes (Paris, 15 rue de l'Université) 1. Mai 1903.

— Musikalische Gedanken eines italienischen Revolutionärs — AMZ 30, Nr. 19 ff.

Belle Squire. The art of listening to music — Muse (Chicago, Fine Art Buildings) April 1903.

Berdenis van Berlekom, Marie. Le lied en Hollande. Emile van Brucken-Fock — MSu 2, Nr. 36.

Berlioz, H. La carrière médicale de Berlioz — Chronique Médicale (Paris) 1. März 1903.

Blackburn, Vernon. The springtide of music — MT. Nr. 723.

Blind, Karl. Uralte Lieder unserer Kinderwelt — Sonntagsbeilage zur Vossischen Zeitung (Berlin) 3. Mai 1903.

[**Böhm, A.**] Künstlerischer Buchschmuck für Gesangbücher — Christliches Kunstblatt für Kirche, Schule und Haus (Stuttgart. J. F. Steinkopf) 45, Nr. 2.

Br., Rud. Über die Pflege des Chorals — GBl 28, Nr. 4.

Buck, Rudolf. »Till Eulenspiegel«. Volksoper in zwei Teilen und einem Nachspiel frei nach Joh. Fischart's »Eulenspiegel Reimensweiß« von E. N. von

Reznicek. Erstaufführung im König-lichen Opernhause zu Berlin am 5. Mai 1903 — AMZ 30, Nr. 20.

Bumpus, J. S. The state of church music in England — MN, Nr. 636.

Case, W. S. National Opera — NW, Nr. 633.

Castéra, R. de. Les variations de M. Saint-Saëns — Occident (Paris), März 1903.

Chambers, E. K. The glamours of melo-drama — Academy (London), 14. März 1903.

Chantavoine, Jean. Quelques lettres in-édites d'Auber — RM 3, Nr. 4.

Chaponnière, J.-F. Histoire du Théâtre de Genève — MSu 2, Nr. 36.

Chevalier, Paul-Emile. Le Sire de Vergy, opéra bouffe en 3 actes, de MM. G.-A. de Caillavet et Robert de Flers, musique de M. Claude Terrasse — M, Nr. 3760.

—— »Giroflé-Girofla«, opéra bouffe en 3 actes et 4 tableaux, de M. A. Vanloo et E. Leterrier, musique de M. Charles Lecocq — ibid., Nr. 3761.

Chop, Max. Die letzte Berliner Konzert-saison und ihre Lehren — DMMZ 25, Nr. 18.

Combarieu, Jules. La musique au point de vue sociologique — RM 3, Nr. 4.

Conrat, Hugo. Henry J. Wood, der Leiter des Londoner Queen's Hall-Or-chesters — NMZ 24, Nr. 12.

Cordara, Carlo. Sulla genesi e sul pro-gressivo sviluppo della sonata per piano-forte — La Rivista Teatrale Italiana (Neapel, Vico Corrieri A S Brigida, I), April 1903.

Cursch-Bühren, Franz Theodor. Zu Jo-hannes Brahms' 70. Geburtstag. Brahms als Lyriker — SH 43, Nr. 19.

Curzon, Henri de. La »Damnation de Faust« au théâtre [à Paris] — GM 49. Nr. 20/21.

Dacier, Emile. Les premières représen-tatious de »Dardanus« de Rameau (1739), d'après de nouveaux documents — RM 3, Nr. 4.

Door. Anton. Persönliche Erinnerungen an Brahms — Mk 2, Nr. 15.

Duncan, Edmondstoune. The songs of Henry Purcell — MMR, Nr. 389.

Ebeling. »Das deutsche evangelische Kirchenlied des siebzehnten Jahrhun-derts« von D. Albert Fischer †. Nach dessen Tode vollendet und herausgegeben von W. Tümpel — MSfG 8, Nr. 5 [aus-führliche Besprechung].

Eberhard. Die Einweihung der Mann-heimer Festhalle — NMP 12, Nr. 9.

Edwards, F. G. William Sterndale Ben-nett (1816—1875) — MT, Nr. 723 [mit Porträt].

Egaronne, Georges. Aux organistes — RM 3, Nr. 4.

Egidi, Arthur. Meister Johannes' Scheide-gruß — Mk 2, Nr. 15 [Besprechung der Brahms'schen Elf Choral-Vorspiele, op. 122].

Elson, L. C. Folk song and classical mu-sic — International Quarterly (London, Unwin), April 1903.

Ewald, Richard. Camera acustica — Archiv für die gesamte Physiologie des Menschen und der Tiere (Bonn, Strauß) 1903, Nr. 18.

Fink, E. Die Singstimme und ihre Stö-rungen — Reklam's Universum 19, Nr. 34.

Flat, Paul. Lettres inédites de Berlioz à Mme Estelle F... — GM 49, Nr. 18.

Gaetschenberger, R. Über die Möglich-keit einer Quantität der Tonempfindung — Archiv für die gesamte Psychologie (Leipzig, Wilhelm Engelmann) 1, Nr. 1.

Georg, Wilh. Das Geburtsjahr des »Fi-delio« — Beilage zur Norddeutschen Allgemeinen Zeitung (Berlin) 1903. Nr. 83.

Gerstenkorn, Franz. Richard Wagner in Prag — MWB 34, Nr. 15/16.

Glück, August. Das fünfundsiebzigjährige Jubiläum des Frankfurter Liederkranzes — SMZ 43, Nr. 16.

Göhler, Georg. Musikpflege und Tages-presse — KW 16, Nr. 15.

Golther, Wolfgang. Die französische und die deutsche Tannhäuser-Dichtung — Mk 2, Nr. 16.

Grunsky, K. Das Mannheimer Musikfest — NMZ 24, Nr. 12.

H., K. Urteil des Abbé Fr. Liszt über Rafael's St. Cäcilia — KVS 18, Nr. 1.

Hallays, André. Berlioz comme cri-tique — Revue de Paris, April 1903.

Heerdegen. Eugen. Zu Franz Lachner's Gedächtnis — KL 26, Nr. 9.

Helm, Theodor. Brahms' erstes und letztes künstlerisches Auftreten in Wien — MWB 34, Nr. 19.

Hertel, V. Klopstock's Verdienste um den Wechselgesang — MSfG 8. Nr. 5.

Heuß, A. Über den Vortrag der Mat-thäus-Passion. Im Anschluß an die diesjährige Charfreitags-Aufführung in der Leipziger Thomaskirche — S 61, Nr. 29 f.

Hiller, Paul. John Coates — NZfM 70. Nr. 18 [mit Porträt].

hl. Kirchenmusikalische Neujahrsgedanken — KVS 18, Nr. 1.

Hohenemser, M. Johannes Brahms und die Volksmusik — Mk 2, Nr. 15 f.

Hol, Rich. Het gebruik van een klavier (vleugel) bij de recitatieven in de wer-ken de oude meesters — WvM 10, Nr. 17.

—— De recitatieven-begeleiding bij Bach

en de latijnsche Text van Henschel's Christus-Oratorium — ibid., Nr. 19.

Horwitz, B. Aus dem Berliner Musikleben während der ersten Hälfte des Winters 1902/1903 — Monatsschrift für Stadt und Land (Berlin, Martin Warneck), März 1903.

Imbert, Hugues. Le violon d'Ingres — GM 49, Nr. 19 ff.

-i.- Orgelempore und Orgelgehäuse für die katholische Pfarrkirche in Trebnitz — Centralblatt der Bauverwaltung (Berlin, Wilhelm Ernst & Sohn), Mai 1903 (mit 2 Abbildungen).

Ive, Oliver. »André Chénier« by Umbalo Giordano; — MN, Nr. 634.

—— Music and the masses — ibid., Nr. 635.

- Dr. Joachim at the Academy — ibid., Nr. 636.

Jagow, Eugen von. Parsifal in Paris — NMZ 24, Nr. 12.

Jay, P. Berlioz — Le Salut Public (Lyon), 15. März 1903.

Jenner, G. Brahms als Mensch, Lehrer und Künstler — Mk 2, Nr. 15 ff.

Joß, Victor. Hugo Wolf († 22. Februar 1903) — NZfM 70, Nr. 17.

—— Prager Opernpremièren — ibid., Nr. 20.

Kalähne, Alfred. Schallgeschwindigkeit und Verhältnis der spezifischen Wärmen der Luft bei hoher Temperatur — Annalen der Physik (Leipzig, J. A. Barth), 1903, Nr. 6 [Habilitationsschrift].

Karpath, Wien. Vom kranken Brahms — Mk 2, Nr. 15.

Ketschau, Wilhelm. XIV. Anhaltisches Musikfest am 9. und 10. Mai 1903 im Kursaale zu Bernburg — NZfM 70, Nr. 20.

Klein, H. Adelina Patti — Century Magazine (London, Macmillan), Mai 1903.

Kling, H. Das cornet à pistons — Die Instrumentalmusik (Beilage zur SMZ) 4, Nr. 5.

Kohut, Adolf. Der Verfall der Gesangskunst — Die Gegenwart (Berlin), 31. Januar 1903.

Komorzynski, Egon von. Zusammenstellung von Hugo Wolf gewidmeten Nekrologen in Zeitungen und Zeitschriften — Mk 2, Nr. 15, S. 228 ff.

Krause, Emil. Zu Johannes Brahms' 70. Geburtstag (7. Mai 1903) — MWB 34, Nr. 19.

Krauß, Karl Aug. Mannheimer Festtage — NZfM 70, Nr. 19 [Musikfest anläßlich der Einweihung der neuen Festhalle].

Krtsmary, Anton. Zur Aufführung der Matthäus-Passion — NMP 12, Nr. 9.

Laidlaw, Ernest. A wail on church music — MN, Nr. 634.

Leßmann, Otto. Frl. Marie Wieck und Litzmann's Clara Schumann-Biographie — AMZ 30, Nr. 17.

—— Vier Abende deutscher klassischer Musikwerke (Musikfest in Mainz vom 26. bis 29. April 1903) — ibid., Nr. 19.

Lippold, G. Psalmentöne — KCh 14, Nr. 5.

Mangeot, A. M. Claude Debussy — MM 15. Nr. 9 (mit Porträt).

Marchesi, S. Musical events in Paris — MMR, Nr. 389.

Marnold, Jean. »Muguette« de MM. Hartmann et Carré, musique de M. Edmond Missa à l'Opéra-Comique — Mercure de France (Paris, 26 rue de Condé), Nr. 161.

Marschner, Franz. Hugo Wolf's Begräbnis. Anton Bruckner's »Wiederkunft« — NZfM 70, Nr. 17.

—— Erinnerungen an Anton Bruckner — Österreichisch-Ungarische Revue (Wien. L. Rosner) 30, Nr. 1.

Mayreder, Rosa. Hugo Wolf. Erinnerungen — Die Jugend (München, G. Hirth) 1903, Nr. 11.

Mayrhofer, Isidor. Die Jubiläums-Messe, op. 98. von J. Mitterer — GR 2, Nr. 5 (Besprechung).

Mey, Kurt. Adalbert Gyrowetz und seine neu-aufgefundene »Hans Sachs«-Oper — Mk 2, Nr. 16.

Milligen, S. van. Ons volksgesang — Cae 60, Nr. 8.

Möckel, Otto. Über das Wesen italienischer Geigen und deren Fälschungen. Vortrag, gehalten vor der Ortsgruppe Berlin der Internationalen Musikgesellschaft am 17. Dezember 1902 — DIZ 1903, Nr. 23 ff.

Moreno, H. Reprise de »Werther« à l'Opéra-Comique — M, Nr. 3761.

Morsch, Anna. Hugo Wolf — KL 26, Nr. 10 f.

Mossel, I. Een nieuwe (hermetisch gesloten) violoncel-kist — WvM 10, Nr. 16.

Ms. »Judith«. Oratorium von A. Klughardt. Erstaufführung in der Schweiz (St. Gallen) — SMZ 43, Nr. 16.

Müller, J. Über Schallgeschwindigkeit in Röhren — Annalen der Physik (Leipzig, J. A. Barth) 1903, Nr. 6.

Müller, P. Joh. Das Ohr und das Hören nach den Forschungsergebnissen der Gegenwart — Einladungsschrift des Gymnasiums zu Zittau (Zittau, Druck von R. Menzel) 1901.

Naidu, C. T. Hindu music — East and West (London, 21 Paternoster Square), April 1903.

Navrátil, Karl. Hugo Wolf † — NZfM 70, Nr. 17.

Newmann, Ernest. »Faust« in music — Contemporary Review (London, Horace Marshall & Son), Nr. 449.

—— Beaumarchais and the opera — MMR, Nr. 389.

Niggli, A. Die Sängerfahrt der »Harmonie Zürich« nach Wien und Graz (19.—26. April 1903) — SMZ 43, Nr. 17.

Offoel, J. d'. Parsifal — MM 15, Nr. 8.

Petsch, Robert. »Lohengrin« — Mk 2, Nr. 16.

Post, H. Der rhythmische Kirchengesang in der evangelischen Kirche Deutschlands. Ein Wort zur Verständigung an seine Freunde und Gegner — CEK 17, Nr. 5 ff.

Pougin, Arthur. La »Damnation de Faust«, légende dramatique en cinq actes et dix tableaux d'Hector Berlioz, adaption scéuique de M. Raoul Gunsbourg (au Théâtre Sarah-Bernhardt) — M, Nr. 3763.

Pudor, Heinrich. Die Kunst des Quartettspiels — NMP 12, Nr. 10/11.

Puttmann, Max. Das Musikfest zu Mannheim — DMMZ 25, Nr. 18.

—— Die Festhalle zu Mannheim — SH 43, Nr. 18 f.

R., H. »Si oiseau j'étais!« Ein Gedenkblatt an A. v. Henselt — NMZ 24, Nr. 12.

Raff, Helene. Hans von Bülow als Persönlichkeit — Die Jugend (München, G. Hirth) 1903, Nr. 11.

Reinach, Théodore. Musique grecque: les »Perses« de Timothée — RM 4, Nr. 3.

Reinhard, Lina. [Fehlerhafte] Textübertragungen — BfHK 7, Nr. 5.

Riesenfeld, Paul. Das Mannheimer Musikfest zur Einweihung der städtischen Festhalle — AMZ 30, Nr. 17 [mit Abbildung].

Riezler, W. Klinger's Beethoven — Beilage zur Allgemeinen Zeitung (München) 1903, Nr. 78 f.

Rijken, Jan. Het gebruik van een vleugel (piano) in de Mattheus-Passion — WvM 10, Nr. 18.

Rolland, Romain. Les Maitres de l'Opéra: II. Monteverdi — RM 3, Nr. 4.

Ruffini, Angelo. La cassa del timpano. il labirinto osseo ed il fondo del condotto auditivo interno nell' nomo adulto — Zeitschrift für wissenschaftliche Zoologie (Leipzig, Wilhelm Engelmann), 1902, S. 359.

S., J. S. Beethoven's Pianoforte Sonatas. edited by Giuseppe Buonamici (London, Augener & Co.) — MMR, Nr. 389.

Saavedra, Dario. Adolf Ruthardt — WvM 10, Nr. 18 [mit Porträt].

Sch., v. Johannes Masberg — NZfM 70, Nr. 19.

Schäfer, Otto. Die ersten Elemente musikalischer Schönheit — KW 16, Nr. 14.

Schering, Arnold. »Musikalische Zeitfragen« von Hermann Kretzschmar — NZfM 70, Nr. 19 [Besprechung].

Scheurleer, D. F. [12] Portretten van Mozart als kind en jongeling — Cae 60, Nr. 8.

Schöne, Heinrich. Zum 60 jährigen Jubiläum des Leipziger Konservatoriums — MWB 34, Nr. 14.

Schröder, Hermann. Erläuterungen und Beispiele zur symmetrischen Umkehrung in der Musik — AMZ 30, Nr. 18.

Schubart. Die Handglocken des Johannes a fine (1544—1556 [bezw. 1558]) — Christliches Kunstblatt (Stuttgart, J. F. Steinkopf) 45, Nr. 3 f. [mit Abbildungen].

Segnitz, Eugen. G. Morphy. »Les luthistes espagnols du XVIe siècle« — MWB 34, Nr. 15/16 [ausführliche Besprechung].

—— Frohe Jugendtage, Lebenserinnerungen. Kindern und Enkeln erzählt von Rochus Freiherrn von Liliencron — AMZ 30, Nr. 20 [ausführliche Besprechung].

Seibert, Willy. »Louise« — RMZ 4, Nr. 11 [Besprechung anläßlich der Berliner Erstaufführung].

—— Dirigenten — ibid., Nr. 16 [über die Gast-Dirigenten der Kölner Gürzenich-Konzerte].

Senne, Camille Le. La musique et le théâtre aux Salons du Grand-Palais — M, Nr. 3760 ff.

Servières, Georges. Lieder français: VI. Charles Bordes — GM 49, Nr. 17 f.

Spannuth, Aug. Die New-Yorker Opernsaison 1902/1903 — S 61, Nr. 31.

Spitta, Friedrich. Musikgottesdienst und Kirchenkonzert — MSfG 8, Nr. 5.

Starke, Reinhold. Die Orgelwerke der Kirche zu St. Elisabet in Breslau — MfM 35, Nr. 2 f.

—— Kantoren und Organisten der St. Elisabethkirche zu Breslau — ibid., Nr. 3.

Steiger, Edgar. Hugo Wolf † — Die Jugend (München, G. Hirth), 1903, Nr. 11 [Gedicht].

Steuer, M. Musik in Hannover. Von Dr. med. Georg Tischer — S 61. Nr. 28 [Besprechung des gleichnamigen Buches].

Stier, Ernst. Theodor Litolff. Ein Lebensbild — NZfM 70. Nr. 20.

—— »Frühlingszauber«. Ballett-Idyll von B. von Uechtritz. Musik von Prinz Joachim Albrecht von Preußen.

Erstaufführung im Hoftheater zu Braunschweig am 24. April 1903 — ibid.

Storck, Karl. Hugo Wolf — Der Türmer (Stuttgart, Greiner & Pfeiffer) 5, Nr. 8.

Thode, Henry. Wie ist Richard Wagner vom deutschen Volke zu feiern? Vortrag, gehalten am 13. Februar 1903 in der Philharmonie zu Berlin — Mk 2, Nr. 16.

Treitel. Neue Theorien über die Leitung des Schalles im Ohr — Prometheus (Berlin, Rudolf Mückenberger), 1903, Nr. 14.

Tuker, M. A. R. The lost art of singing — Nineteenth Century and After (London, Sampson Low, Marston & Co.), Mai 1903.

Viotta, Henri. Iets over de »Ouverture« — De Gids (Amsterdam, P. N. van Kampen & Zoon), April 1903.

W. Ideen zur Ausgestaltung und Würdigung unserer Liturgie nach dem Grundgedanken des Kirchenjahres — Si 28, Nr. 5.

Wagner, P. Das Salve Regina — GR 2, Nr. 5 ff.

Weber, Wilh. Brahms und Billroth — NMZ 24, Nr. 12.

Wedgwood, James I. The evolution and development of the organ — MN, Nr. 634.

Weinmann, C. Der Minnegesang und sein Vortrag — MfM 35, Nr. 4.

Welti, Heinrich. »Till Eulenspiegel« von Emil Nikolaus von Reznicek — Die Nation (Berlin, Georg Reimer) 20, Nr. 32.

Westrheene, P. A. van. Nog eens de cembalo-quaestie — WvM 10, Nr. 20 (vergleiche oben unter »Hol« und »Rijken«).

Wolzogen, Hans von. Bayreuth und sein Parsifal. Betrachtungen zu Richard Wagner's 90. Geburtstage (22. März 1903) — Der Türmer (Stuttgart, Greiner & Pfeiffer) 5, Nr. 8.

Zenger, M. Franz Lachner — BfHK 7, Nr. 5.

Zuijlen v. Nijevelt, van. De nieuwe viool-sonate (van Dirk Schaefer — WvM 10, Nr. 17.

Buchhändler-Kataloge.

Breitkopf & Härtel. Leipzig. — Volksausgabe. Bibliothek der Klassiker und modernen Meister der Musik. 1950 Bände, mit Supplementen: Klavierbibliothek (4960 und 2770 Bände), Deutscher Liederverlag (4600 Bände), Bibliothek für Kammermusik, Violine, Violoncell u. s. w. (6300 Bände), für Partitur, Orchester, Chor u. s. w. (29300 Nummern). Musikbücher und Lager der Weltliteratur. Nebst Anhang: Verzeichnis von Einmark-Bänden und Lager ausländischer Musik.

Eytelhuber, Victor. Wien VIII 1, Lerchenfelderstraße 40. — Bücher-Antiquariats-Anzeiger Nr. 4.

Gaudet, E. Paris, Rue de Faubourg-St. Denis 9. — Catalogue des ouvrages de musique récemment publiés par la Maison Lafleur. 64 S. gr. 8⁰.

Harold & Co. London, 210 Uxbridge Road. — Catalogue of music and musical literature 1903, Nr. 12 (S. 250—272).

Kampffmeyer, Th. Berlin, Friedrichstraße 20. — Nr. 414. Bücher-Verzeichnis über Werke aus dem Gebiete der Literaturgeschichte, des Theaters, der altgermanischen und altromanischen Literatur, Sprachwissenschaft u. s. w. (Musik S. 47—53).

Kerler, Heinrich. Ulm. — Antiquarischer Katalog Nr. 316. Deutsche Literatur.

Liepmannssohn, Leo. Berlin, Bernburger Straße 14. — XXXIII. Autographen-Versteigerung. Katalog einer schönen Autographen-Sammlung aus dem Besitze von Alfred Bovet (de Valentigney), 2. Abteilung. Auktion am 27. Mai 1903. Von Musikern sind besonders zu nennen Autographen von Berlioz, Gounod, Liszt (23 Briefe), Rossini, Wagneriana, Chartes sur la musique (28 Stücke), Catalani, J. Lind, Malibran, Pasta, Patti, Corona Schröder. 94 S. 8⁰.

Mai, Emanuel. Berlin, Wilhelmstraße 55. — Preisverzeichnis 98 von Büchern, Bildern etc. zur Geschichte. 16 S. 8⁰.

Mitteilungen der „Internationalen Musikgesellschaft".

Ortsgruppen.

Berlin.

Die Märzsitzung fand am 18. in Form eines geselligen Beisammenseins statt. Die folgende Sitzung, welche der Osterfeiertage wegen 14 Tage später, also auf den 29. April verlegt werden mußte, brachte einen Vortrag des Herrn Rektor Gusinde »Über *Hilfsmittel beim Schulgesangs-Unterricht, insbesondere über eine von ihm erfundene und in der Schule erprobte Gesangsmaschine*«. Den Beschluß des Abends bildete eine Aufführung des Beethoven'schen Rondino in Es-dur (nachgelassenes Werk) durch die Vereinigung zur Förderung der Blas-Kammermusik. — Nachstehend folgt die Inhaltsangabe des Gusinde'schen Vortrags:

Von der Erkenntnis ausgehend, daß durch das bloße Vorgeigen oder Vorsingen von Melodieen in der Schule lediglich ein mechanisches Nachsingen erzielt werden kann, die musikalischen Anlagen und vor allem das musikalische Verständnis des Schülers aber erwiesenermaßen so gut wie keine Förderung erfahren, hat man schon seit längerer Zeit die Anschauung beim Gesangunterricht zu Hilfe genommen; insbesondere erfreute sich die Ziffern-Notation großer Beliebtheit. Der Vortragende wies auf die bekannten Mängel dieser Methode hin und betonte, ihre große Verbreitung sei lediglich dadurch zu erklären, daß die früher fast ausschließlich mit Gesangsunterricht betrauten Kantoren aus Bequemlichkeit die Generalbaßbezifferung auf den Gesangsunterricht übertragen hätten. Das Endziel des letzteren sei doch, den Schüler zu befähigen, die reichen Schätze unserer Musik, die ausnahmslos in moderner Notation niedergelegt seien, zu singen und zu verstehen; wozu also erst noch einen armseligen Ersatz in Form einer Ziffern-Notation mit ihrer Ertötung des Tonhöhen-Bewußtseins einschalten? — Die Methode des Vortragenden bezweckt, den Schüler mit Hilfe der Anschauung sofort in das Wesen unserer modernen Notenschrift einzuführen. Die durch Gebrauchsmuster geschützte S i n g e m a s c h i n e besteht aus einer Art Wandtafel, deren eine Seite zur graphischen Fixierung einer gehörten oder auch bloß gedachten Melodie durch den Schüler dient; hier muß der Schüler auf den vorgezeichneten, feststehenden Notenlinien die Schlüssel, Vorzeichen, Notenköpfe nebst ihren Strichen und Fähnchen, sowie die Pausen und die Taktstriche (sämtlich mit kleinen Stiftchen versehen) anheften, wobei die Richtigkeit des so Notierten von der ganzen Klasse kontrolliert werden kann. Auf der anderen Seite der Tafel ist die eigentliche Singemaschine angebracht. Auch hier ist ein Liniensystem aufgezeichnet; ferner ist am Rande der Tafel ein in der Ebene der Tafel bewegliches Stäbchen befestigt, an dessen Ende sich ein schwarzer Notenkopf befindet. Die Befestigung des Notenstieles kann durch eine Schraube so reguliert werden, daß er durch den Reibungswiderstand in jeder beliebigen Lage festgehalten wird. Der Vorgang beim praktischen Gebrauch des Apparats ist folgender: Der Lehrer läßt durch den Schüler in der oben beschriebenen Weise Schlüssel und Vorzeichen anheften, dann stellt er das Stäbchen so ein, daß der Notenkopf genau auf eine Notenlinie resp. in einen Zwischenraum zu stehen kommt. Ein Schüler oder die ganze Klasse gibt nun den angezeigten Ton frei oder nach einem Instrument (Stimmgabel, Pfeife, Klavier oder dergl.) an. Der Lehrer bewegt dann den Notenkopf durch das Stäbchen höher oder tiefer je nach den Intervallschritten der zu reproduzierenden Melodie, wobei die Kinder die betreffenden Noten unmittelbar nach der eingetretenen Tonhöhen-Veränderung singen. Zur Demonstration des Apparates hatte der Vortragende 10 Kinder verschiedenen Alters aus einer hiesigen Volksschule mitgebracht und ließ dieselben erst eine Melodie einstimmig, dann durch Hinzufügen zweier weiterer Notenstiele einen dreistimmigen Satz »vom Blatt« singen. Erstaunlich war die Sicherheit im Treffen von schwierigen Intervallen und Akkorden, als einer der Zuhörer auf Aufforderung des Vortragenden einen dreistimmigen Satz mit den Notenstielen »komponierte« und die Kinder das Gesehene sofort fast fehlerlos nachsangen. Zum Schlusse notierte einer der Knaben auf der andern (oben zuerst beschriebenen) Seite der Tafel die Melodie »Heil dir im Siegerkranz« mit Schlüssel, Vorzeichen, Notenwerten und Taktzeichen frei aus dem Kopfe; kleine Fehler wurden durch die Mitschüler ohne Zutun des Lehrers sofort bemerkt und verbessert. — Der zur Verfügung stehende Raum erlaubt es nicht, die vom Redner zum Schlusse vorgetragenen ausführlichen psychologischen Erklärungs-Versuche für die überraschend günstigen Erfolge seiner Methode hier wiederzugeben. Es sei daher auf die Schrift des Verfassers »Theoretisch-praktische Anleitung zur Erteilung des Gesangunterrichts nach den Grundsätzen der Kunsterziehung« (Berlin, Oehmigke) verwiesen.

In der zweiten Sitzung des Vereinsjahres am 20. Mai hielt Fräulein Katharina Zitelmann einen Vortrag über *Carl Löwe*. Es handelte sich dabei nicht um eine Würdigung des Musikers, sondern um persönliche Erinnerungen, die der Vater der Vortragenden, der Geheime Regierungsrat Konrad Zitelmann in Stettin aufgezeichnet hat. Letzterer war ein Schüler Löwe's und stand lange Jahre mit ihm in freundschaftlichem Verkehr. Fräulein Z. fügte noch biographische Mitteilungen über Löwe hinzu, soweit diese zum Verständnis des Vorgetragenen beitragen konnten. Das Programm des Abends bot ferner mehrere interessante Lieder von Gabriel Voigtländer (1642) in einer feinsinnigen modern gehaltenen Bearbeitung von Professor Richard Schmidt, »Das Lösegeld« von Johann Friedrich Reichardt, sowie Lieder von R. Schmidt und O. Fleischer, künstlerisch vorgetragen von Frau Elsa Schmidt

Ernst Euting.

Frankfurt am Main.

In der Monatsversammlung vom 21. April, welche die Ortsgruppe gemeinsam mit dem Verband Frankfurter Musiklehrer und Musiklehrerinnen abhielt, sprach Herr M. Battke (Berlin) über »Die Erziehung des Tonsinnes«. Da der Inhalt des Vortrags den Lesern der »Zeitschrift« bekannt ist (siehe Zeitschrift IV, S. 524), sei nur mitgeteilt, daß der Redner mit seinen Ausführungen der Aufmerksamkeit und dem Beifall eines zahlreich erschienenen Hörerkreises begegnete.

Albert Dessoff.

Neue Mitglieder.

Schneebeli, E. Nazareth, Pa. Amerika.

Änderungen der Mitglieder-Liste.

Barendt, Miß Gertrude in Liverpool jetzt Bournemouth, Erica, Alumhurst Road.
Bernoulli, Dr. phil. E. in Bern jetzt Zürich, Freie Straße (Hottingen).
Hamacher-Stivarius, Frau M. in Berlin jetzt Halensee, Ringbahnstraße 127, Gartenhaus I l.

Hochberg, Hans Ferd. Graf von, à la Suite des I. Garderegimentes in Berlin jetzt Potsdam, Moltkestraße 15.
Steckenbiller, Mich., Fabrikant in Essenbach jetzt Landshut in B., Regensburgerstraße 5.
Valentin, Frau Professor in Frankfurt a. M. jetzt Friedrichstraße 48.

Ausgegeben Anfang Juni 1903.

Für die Redaktion verantwortlich: Professor Dr. Oskar Fleischer, Berlin W., Motzstr. 17.
Mitverantwortlich: Dr. Ernst Euting und Dr. Albert Mayer-Reinach in Berlin.
Druck und Verlag von Breitkopf & Härtel in Leipzig, Nürnberger Straße 36.

Publikationen der Internationalen Musikgesellschaft.
Beihefte.

Zu unseren beiden offiziellen Publikationsorganen ist seit Jahresfrist ein drittes, sozusagen nicht-offizielles getreten, zu dessen Bezug die Mitglieder nicht verpflichtet sind und welches in zwanglosen Heften erscheint. Diese

Beihefte der Internationalen Musikgesellschaft

haben den Zweck, die »Sammelbände« zu entlasten. Wie in der »Zeitschrift« nur Aufsätze von höchstens einem Druckbogen Länge aufgenommen werden können, so hat sich für die »Sammelbände« das Prinzip als zweckmäßig herausgestellt, nur Abhandlungen von höchstens fünf Druckbogen Umfang aufzunehmen. Um aber den diesen Umfang übersteigenden Arbeiten von Wert ebenfalls Platz zu schaffen, sollen die »Beihefte« dienen. Das schon vor Auftreten der Internationalen Musikgesellschaft unter dem Titel »Sammlung musikwissenschaftlicher Abhandlungen von deutschen Hochschulen« begründete Unternehmen ist in den »Beiheften« aufgegangen. Den Mitgliedern der Internationalen Musikgesellschaft steht es frei, ob sie die Beihefte, die selbständige neue Forschungen enthalten, beziehen wollen. Diese Beihefte, die durch sämtliche angesehene Buchhandlungen des In- und Auslandes oder unmittelbar von der Verlagshandlung Breitkopf & Härtel bezogen werden können, werden je nach Umfang zu mäßigen Preisen portofrei an die subskribierenden Mitglieder geliefert. Die bisher erschienenen Hefte der ersten Reihe der Sammlung musikwissenschaftlicher Arbeiten werden unter denselben Bedingungen den Mitgliedern abgegeben.

Die Centralgeschäftsstelle der Internationalen Musikgesellschaft.

Beihefte der Internationalen Musikgesellschaft.

ZEITSCHRIFT

DER

INTERNATIONALEN MUSIKGESELLSCHAFT.

Heft 10.   **Vierter Jahrgang.**   **1903.**

Erscheint monatlich. Für Mitglieder der Internationalen Musikgesellschaft kostenfrei, für Nichtmitglieder 10 ℳ. Anzeigen 25 ₰ für die 2 gespaltene Petitzeile. Beilagen 15 ℳ.

Zum Internationalen Musikkongreß.

Unseren Mitgliedern sind vor kurzem die Einladungen zu dem Internationalen Musikkongreß, dem ersten seiner Art, welcher bei Gelegenheit der Weihe des Richard Wagner-Denkmales in Berlin vom 1. bis 5. Oktober dieses Jahres stattfindet, zugegangen; es sind auch daraufhin noch während der Tage der Versendung bereits 600 Anmeldungen aus mehreren Ländern eingelaufen. Da die Einladungen, den schon früher gemeldeten Abmachungen zufolge, an sämtliche Mitglieder der Internationalen Musikgesellschaft ergangen und den Kongreß-Teilnehmern besondere Vergünstigungen bei den Festlichkeiten zugebilligt worden sind, so sei hiermit nochmals unseren Mitgliedern eine unbeirrte, möglichst zahlreiche Beteiligung nahegelegt.

Die Vorbereitungen zum Kongresse sind im besten Gange. Einzelne Sektionen desselben, wie in ganz besonderem Maße die für Musikpädagogik, haben bereits einen einmütigen Zusammenschluß der beteiligten Kreise in Deutschland zu gemeinsamen Beratungen erzielt; es steht zu hoffen, daß die übrigen Sektionen hinter diesem vortrefflichen Beispiele nicht zurückbleiben werden. Wir werden nicht verfehlen, unsere Mitglieder über die Ergebnisse der Arbeiten der Kommissionen auf dem Laufenden zu erhalten.

Die Centralgeschäftsstelle.

Oskar Fleischer.

Bülowiana.

Mehr als fünfzig Jahre sind vergangen, seit der Großmeister unserer neueren Dirigentenschule als zwanzigjähriger Jüngling sich die ersten Lorbeeren als Kapellmeister erwarb. Nicht leicht hat er sie errungen: nach dem glücklichen Anfange als Wagner's »Musikdirektor-Geselle« in Zürich fühlte er sich durch die Weigerung einer Sängerin, ferner unter seiner Leitung zu singen, gezwungen seine Entlassung zu nehmen und ging nach dem benachbarten St. Gallen, um sogleich als erster Kapellmeister die dortige Oper zu dirigieren. Mit Lortzing's »Waffenschmied« begann er am 15. Dezember 1850 seine Tätigkeit, und eine Reihe von tragikomischen Erlebnissen füllt die Zeit bis zum Schlusse der Spielzeit aus, die in Bülow's Briefen ergötzlich geschildert sind. Aber doch nicht alles erzählen uns die Briefe, was noch in der Erinnerung alter Einwohner von St. Gallen lebt. So schweigen sie von einer zarten Herzensneigung zu der jugendlichen Liebhaberin des Theaters, auf die wahrscheinlich die Inangriffnahme einer Ouvertüre zum »Kätchen von Heilbronn« zurückzuführen ist. Sie erzählen auch nicht, wie der von Eifersucht gestachelte junge Bülow mit einer alten Pistole seinem vermeintlichen Rivalen auflauerte, ihn zu fordern und zu erschießen — wozu es natürlich nicht kam. Als nach 35 Jahren der gefeierte Meister Dr. Hans von Bülow noch einmal nach der alten Ekkehard-Stadt kam und konzertierte, ward er in fröhlichem Kreise an die Abenteuer der Jugendzeit erinnert und verwünschte lachend das »fürchterliche Gedächtnis« der St. Galler.

Charakteristisch ist, wie der Zwanzigjährige in dem kleinen Städtchen in der kurzen Zeit von wenigen Monaten doch sogleich die ganze vielseitige und umfassende Tätigkeit entwickelt, die er sein ganzes Leben lang entfaltet hat. Schon da begnügt er sich keineswegs mit den gewiß nicht leichten Pflichten, die ihm die Ausübung seines Kapellmeister-Berufes auferlegt. Nach den ersten acht Tagen hat er schon eine große Vokal- und Instrumental-Produktion zum Besten armer Verwaister »ganz nach eigenem Ermessen« veranstaltet, und nicht nur in St. Gallen, auch in Zürich tritt er in Konzerten als Klaviervirtuose auf. Wieder acht Tage später sehen wir ihn als Kritiker im »Tagblatt« erscheinen, wo er dem jungen, nun ebenfalls verstorbenen Karl Greith einen Geleitbrief für seine neuen Kompositionen gibt. Diese Kritik ist in die »Briefe und Schriften« nicht aufgenommen, aber doch interessant genug, um an dieser Stelle für die Nachwelt erhalten zu werden. Sie lautet:

Das Konzert am Stephanstage.

Herr Karl Greith ist dem St. Galler Publikum durch bereits früher veranstaltete Aufführungen seines Oratoriums des «heiligen Gallus» als Komponist von hervorragendem Talente bekannt. Es überraschte uns daher nicht, am letzten Donnerstag im Theater eine außerordentlich zahlreiche Zuhörerschaft versammelt zu sehen. Die St. Galler haben dadurch bewiesen, daß sie sich selbst zu ehren verstehen, indem sie den musikalischen Verherrlicher seiner Vaterstadt durch diese rege Teilnahme für seine die Aufmerksamkeit aller Künstler und Musikfreunde in hohem Grade verdienenden Werke geehrt haben. Wir würden ihnen selbst noch mehr Eitelkeit oder besser Stolz auf ihren jungen Mitbürger gern verzeihen, da derselbe in unserer gegenwärtigen, an produktiven Talenten eher Mangel als Ueberfluß leidenden Kunstperiode dazu doppelt berechtigte Veranlassung gibt. Herr Karl Greith leistet nicht bloß, wie ein neulicher Referent sich übrigens ganz wohlmeinend ausdrückte — für sein Alter, sondern an und für sich Bedeutendes. Denn wie Corneille sagt:

. . . . . . aux âmes bien nées
la vertu n'attend pas le nombre des années.

Um nun zu einer Celebrität extra muros zu gelangen, bedarf es für den Komponisten des Gallus und des Frauenherzens nur eines persönlichen Hervortretens in größere musikalische Kreise in Deutschland oder nur einer einfachen Zusendung seiner Partituren, deren Aufführung an allen Orten, wo ein geübtes und quantitativ wie qualitativ einigermaßen genügendes Orchester und Sängerpersonal zu Gebote steht, auf keine Hindernisse und Schwierigkeiten stoßen kann, an die ersten deutschen Tonsetzer, als Spohr, Schumann, Hiller u. a., die durch den Schlamm unserer heutigen Kunstversunkenheit nicht in unkünstlerischem Egoismus oder stagnierender Trägheit moralisch untergegangen sind. Man darf Herrn Greith von Seiten dieser Männer die größte Bereitwilligkeit in jeder Hinsicht prophezeihen. Die Vorbereitungen zum öffentlichen Auftreten sind alle beendet. Herr Greith hat nicht nur die gründlichsten kontrapunktischen Studien gemacht, die ihn zu Arbeiten befähigen, in welchen z. B. Lindpaintner, ein seinen Ruf als »guter Musiker« auch im Oratorienstil rechtfertigender Mann, sich kaum mit ihm messen dürfte, sondern bewährt in seinen Kompositionen eine Frische und Ursprünglichkeit der Erfindung, kurz eine produktive Kraft, der wir nur glückliche poetische Vorwürfe wünschen, damit sie sich der wahren Bestimmung der Tonkunst gemäß, zu der wir immer mehr zurückkehren müssen und werden, und die einfach darin besteht, den poetischen Ausdruck in einem dem bloßen Worte nicht mehr erreichbaren Grade zu steigern, in ihrem ganzen Reichtum entfalten möge. Herr Karl Greith erfüllt alle die Anforderungen, welche man an einen Künstler zu stellen das Recht hat, und welche Mendelssohn einmal sehr einfach und doch sehr inhaltsvoll in den Spruch zusammenfaßte: »Habt Talent und lernt was«, auf das befriedigendste. Die Anerkennung mangelt ihm nicht in seiner Vaterstadt, sie wird ihm auswärts ebensowenig mangeln.

Der Raum dieses Blattes gestattet uns nicht, uns in eine spezifisch-musikalische Kritik der am Stephanstage dem Publikum von Herrn Greith unter lobenswerter Direktion vorgeführten Kompositionen einzulassen. Darum mögen nur wenige Bemerkungen an dieser Stelle genügen.

Der Chor aus Judith, welcher das Konzert eröffnete, ist ein imposantes Musikstück, voll Kraft und Feuer und von einer künstlerischen Abrundung der Form, welche uns denselben bereits als einen wesentlichen Fortschritt gegen die Chöre im Gallus erscheinen läßt. Möge dieser Ausdruck jedoch nicht den Leser zu dem Mißverständnisse führen, als setzten wir dieses Werk unter seinen Wert herab. Was in diesem Genre von Musik bei Begabung und Fleiß zu erreichen ist, das vermag Greith zu erreichen, er beweist es. Der sechsstimmige Chor in seiner altitalienischen Einfachheit und fleckenlosen Reinheit hat selbst auf uns, die wir zu den Profanen gehören, welche allein in dem musikalischen Drama das wahrhaft volkstümliche Kunstwerk und also das Kunstwerk der Zukunft erblicken können, eine, soweit dies auf dem Gebiet der Kirchenmusik möglich ist, erhebende Wirkung ausgeübt. Der Schlußchor ferner, der sich bei aller architektonisch-kunstvollen Arbeit durch Faßlichkeit und Lebendigkeit auszeichnet, ist ebenfalls ein wahres Meisterstück. Indem wir diesen beiden Stücken den Preis zuerkennen, haben wir jedoch auch in allen übrigen Nummern des Gallus einen großen Reichtum an melodischen, harmonischen und rhythmischen Schönheiten gefunden und rühmen hier nur noch die weise Mäßigung betreffs des Umfanges aller dieser Tonstücke, der bei jungen Komponisten eine sehr gefährliche Klippe zu sein pflegt, zu deren Umschiffung sich Greith nächst sich selbst bei Neptun und Apollo bedanken kann.

Der zweite Teil des Konzertes brachte uns ein Melodrama: »das Frauenherz« von Saphir. Diese Komposition ist es hauptsächlich, welche uns zu dem oben über den Autor desselben ausgesprochenen Urteile veranlaßt hat, das wir nach bloßem Hören seines »Gallus« bei aller Verdienstlichkeit dieser Arbeit noch nicht hätten fällen können. Der Komponist feiert in dem »Frauenherzen« seine Auferstehung aus dem Grab der Kirche in das Licht der Menschenwelt, seinen Uebergang von der himmlischen Prosa zur irdischen Poesie. Wünschen wir ihm Glück dazu! Hier wendet sich Greith nicht bloß an unsern Verstand, sondern an unser Herz und seine warme, glühende Empfindung weckt den freudigsten Widerhall in unserer Brust. Die Ouvertüre schon ist ein glänzendes Instrumentalstück und steht als solche in erster Reihe neben einer Mendelsohnschen oder Gadeschen Ouvertüre. Von einer guten Aufführung derselben darf sich der Komponist überall, wo es Sachverständige und gebildete Laien gibt, den günstigsten Erfolg versprechen.

Die einzelnen melodramatischen Stücke selbst zeugen von einem tiefen Ausdrucksvermögen, von einer Feinheit des musikalischen Gefühls, die bei seiner meisterlichen Beherrschung der Mittel der Instrumentierung, Wirkungen von schlagender Wahrheit hervorbringen. Die Eifersuchtscene heben wir namentlich hervor; sie bekundet das echt dramatische, tonmalerische Gebiet des Komponisten am glänzendsten. Von einer zauberhaften Lieblichkeit ist ferner das Schlummerlied, in welchem Herr Musiklehrer Jahn das Klarinettsolo mit einer seelenvollen, wahrhaft nachtigallenartigen Zartheit vortrug. Vortrefflich ist auch die Sopranarie, von Fräulein Erpf mit klangvoller Stimme und richtigstem Verständnisse der Intentionen des Komponisten vorgetragen. Weniger gelungen war die Ausführung des Duettes, das überhaupt die schwächste Nummer der ganzen ist. In dem Männerchor am Schlusse hatten wir leider die Unmanier eines Teiles des Publikums zu bedauern, welches durch seine geräuschvollen Vorbereitungen zum Ausgang den weniger ungeduldigen Kunstfreunden den ruhigen Genuß dieses schwungvollen und in hohem Grade interessanten Musikstückes nicht gestattete. Möge eine recht baldige zweite Aufführung, in welchem diesem Übelstande durch·Vorführung des Melodramas im ersten Teil mit frischen Kräften abgeholfen werde, das Publikum zu dem Verständnisse mancher meist noch unverstanden gebliebener Schönheiten dieses Werkes, das ein gründliches Studium in hohem Grade verdient, führen und den übrigens in ihren Leistungen lobes- und dankeswerten Mitwirkenden jene künstlerische und bei solchen Aufführungen eben unerläßliche Sicherheit verleihen, die neulich an vielen Stellen noch mangelte.

Doch bei dem günstigen Totaleindruck, welchen uns das sehr brave Ensemble, die Präcision und Lebendigkeit des Chores namentlich gewährten, gehen wir gerne über die »manches noch zu wünschen übrig lassenden« Details hinweg und erwähnen schließlich nur noch der einsichtsvollen Deklamation des Herrn Berlepsch, welcher sich seiner schwierigen und bei der genauen Abgemessenheit jedes Wortes auf die einzelnen Taktteile und dem Zusammentreffen desselben auf damit harmonierende Töne sehr anstrengenden Aufgabe auf eine Weise entledigte, die dem Saphirschen Gedichte, dessen Stoff ebenso poetisch ist als die Verse schwach sind, nur zu gute kam. 　　　　B.

Wir sehen ihn auch hier schon mit schöner Herzenswärme für das, was ihn selbst begeistert, eintreten und die Rolle des Propagators übernehmen, die er so erfolgreich für viele lebenslang durchgeführt hat. Der 1. Januar 1851 zeigte Hans von Bülow in einer neuen Eigenschaft, als Komponist, und zwar einer Posse von Friedrich Kaiser, betitelt »Männer-Schönheit«. Er wird damit der Rival Franz von Suppé's, der schon zwei Jahre früher zu dem gleichen Stück für Wien die Musik geschrieben hatte. Wahrscheinlich war der Bezug der Suppé'schen Partitur für den Direktor mit Geldkosten verknüpft, und so wird Bülow wohl den Auftrag erhalten haben, schnell selbst die zur Handlung nötige Musik zu komponieren, was er jedenfalls *honoris causa* tat. In einem zweiten Wohltätigkeits-Konzert steht auch ein Männerquartett Bülow's »Rheinweinlied« auf dem Programm. Das Frühjahr machte der Theatersaison ein Ende, und froh, »Schumacher- und andere Schulden bezahlen zu können«, verließ Bülow St. Gallen, um nach kurzer Zeit zu Liszt nach Weimar zu gehen. Nach mehrjährigen Konzertreisen wurde er bekanntlich 1855 Lehrer am Stern'schen Konservatorium in Berlin und in dieser Eigenschaft erhielt er wieder aus St. Gallen eine Anfrage, welche er in nachstehendem Briefe beantwortete. Adressat ist der Musikdirektor Heinrich Sczadrowsky, Dirigent der Abonnements-Konzerte, dem es bekanntlich gelungen, Wagner und Liszt zu gemeinschaftlicher Mitwirkung bei einem Konzert in St. Gallen (1856) zu gewinnen. Auf den Rat Liszt's, der in schriftlichem Verkehr mit Sczadrowsky blieb, wandte sich dieser im Interesse einer jungen Pianistin an Bülow, der erwiderte wie folgt:

Sehr geehrter Herr Musikdirektor!

Ihr wertes Schreiben vom 4. April ist mir erst heute zu Händen gekommen. Ich habe die Zeit von Ende März bis 15. Mai in Paris zugebracht und bin erst diesen Morgen wieder in Berlin eingetroffen. Dieser Ihnen vielleicht unterdessen bekannt gewordene Umstand wird die sonst unzurecht- fertigende Verzögerung meiner Antwort wohl bei Ihnen entschuldigen.

Leider habe ich nun bei meiner Rückkehr so viele Angelegenheiten vor- gefunden, die einer sofortigen Erledigung harren, daß es mir für heute un- möglich ist, Ihre verehrlichen Zeilen ausführlich zu beantworten. Ich muß mich auf das Nöthigste beschränken.

Beifolgend sende ich Ihnen zu gefälliger Kenntnißnahme die Statuten des Conservatoriums, welches mein Freund Musikdirektor Stern fast dauernd leitet. Wie Sie aus den ebenfalls beigefügten Zeilen des Herrn Stern ersehen, erklärt sich derselbe bereit, die Aufnahme der von Ihnen empfohlenen jungen Dame in eine Pension zu 250 Thaler das Jahr zu vermitteln. Rechnen wir den Unterricht 60 Thaler hinzu und die Ausgaben für Musikalien und Piano- forte-miethe, so würde sich der Gesammtbetrag auf 400 Thaler belaufen, also 1500 frs.

Die Schüler des Conservatoriums finden von meiner Seite Berücksichtigung in so hinreichendem Maaße, daß mir der Eintritt in dieses Institut unter allen Gesichtspunkten für den Lernenden vorteilhafter als der Privatunterricht erscheint. Zudem bin ich meiner Spezialarbeiten wegen genöthigt, letzteren außerordentlich zu beschränken und muß ich aus mehrfachen Rücksichten an meinem Preis von 2 Thaler für die Privatstunde (nothgedrungen) festhalten. Die betreffende Pension, über welche Musikdirektor Stern bereit ist, nähere Auskunft zu ertheilen (Adr. Friedrichstraße 225) wird außerordentlich ge- rühmt, und befinden sich in derselben zur Zeit mehrere Eleven des Conser- vatoriums und anderer hiesiger Musikinstitute.

Was meine Theilnahme an dem Conservatorium anlangt, so gehört eine Reise, wie die jüngst nach Paris vorgenommene zu seltenen Ausnahmen und lasse ich mich in solchen Fällen durch die besten Clavierlehrer Berlin's ver- treten.

Ihre sonstigen freundlichen Mitteilungen haben mich lebhaft interessiert. Ich habe bereits Auftrag gegeben, mir die Blätter aus Frankfurt zu ver- schreiben, in welchen Ihre Artikel über die symphonischen Dichtungen ent- halten sind. Hoffentlich wird mir Gelegenheit Ihre persönliche Bekanntschaft in Leipzig zu machen und Ihnen meine Hochachtung für Ihre echt künstle- rischen Bestrebungen mündlich auszusprechen.

Für heute mögen Sie freundliche Nachsicht mit meiner Eilfertigkeit und Flüchtigkeit haben — ich habe noch kaum den 36 stündigen Reisestaub von mir schütteln können.

Hochachtungsvoll
Ihr sehr ergebener
Hans v. Bülow.

Berlin, 17. Mai 1859.
Friedenau.   **Georg Richard Kruse.**

Heimatliche Musikausstellungen.

In Sachsen und Thüringen sind in den letzten Jahren vielfach Ausstellungen von lokalem Interesse, sozusagen Heimatsausstellungen, veranstaltet worden. Auch andere Gegenden folgen allmählich nach. Man bezweckt damit im wesentlichen die Erreichung liebevollen Verständnisses für die Kultur vergangener Jahrhunderte, Geschmacksbildung und Förderung des Heimatgefühls. Der Musik wurde dabei bisher freilich kein Plätzchen neben der bildenden Kunst und dem Kunstgewerbe eingeräumt. Und doch war die Tonkunst mit dem Geistes- und Gefühlsleben unserer Altvordern innig verbunden, weit inniger als heute, wo zwar mehr musiziert wird, die Musik aber vielfach als Dekoration oder angenehmer Zeitvertreib dient.

Der Wert solcher Ausstellungen für die Musikwissenschaft kann nicht bestritten werden, sie dienen der Einzelforschung und lokalen Musikgeschichte, die wiederum in ihrer Gesamtheit die Grundlage und Voraussetzung der Wissenschaft sind.

Es wäre eine neue lohnende Aufgabe unserer Gesellschaft, wenn sie den Ausschüssen lokaler Ausstellungen die Einrichtung musikgeschichtlicher Gruppen empfehlen wollte. Doch ist damit noch nicht genug getan. Durch aufklärende musikgeschichtliche Artikel für die Ortspresse, durch fachmännische Ratschläge und zuvorkommende Überlassung von Ausstellungsgegenständen erleichtere man den Veranstaltern die Bildung der Musikabteilung. Die Erfahrung spricht dafür, daß auch bei den bescheidensten Ergebnissen nach der einen oder der andern Seite ein Gewinn zu erhoffen ist.

Aus Anlaß des Städtetages der Provinz Sachsen hatte der Verein für Natur- und Altertumskunde zu Weißenfels für die Zeit vom 6.—14. Juni eine Ausstellung geschichtlicher und kunstgewerblicher Altertümer aus der Stadt und deren Umgebung veranstaltet. Einer Anregung von meiner Seite folgend hatte sich der Vorstand entschlossen, auf die Einrichtung einer musikalischen Gruppe Bedacht zu nehmen. War nun diese im Verhältnis zu anderen Abteilungen und zur ganzen Ausstellung naturgemäß nur klein, so bot sie doch dem Musiker wie dem Laien manches Anregende und Belehrende. Die Sammlung wäre allerdings weit reicher ausgefallen, wenn sich ein sachkundiger Musiker der Stadt mit Eifer der Sache angenommen hätte. Denn gerade Weißenfels hat, wie so manche kleine Residenz, eine reiche musikalische Vergangenheit.

Bis zur Errichtung des Herzogtums Weißenfels (1657) trat der Ort musikalisch nicht hervor; doch hatte er seine blühende »Cantorey«, und zwei der bedeutendsten Musiker, Heinrich Schütz und J. Hermann Schein, in ihrer Jugend vorübergehend in seinen Mauern gehabt. Auch nach dieser Zeit, bis zum Ableben des Herzogs August im Jahre 1680, trat ein wesentlicher Fortschritt nicht ein, denn dieser Fürst, der zugleich Administrator des Erzstifts Magdeburg war, lebte in der neuen Residenz in Halle. Außer bei der Grundsteinlegung des Schlosses (1663) wird die übrigens wohlbestellte Kapelle des Herzogs kaum jemals in Weißenfels tätig gewesen sein. Doch mit einem Schlage änderte sich das musikalische wie das gesamte geistige Leben, als der neue Herzog Johann Adolf die Hofhaltung nach dem soeben vollendeten Schlosse »Neu-Augustusburg« verlegte (1680). Zudem fiel bald darauf die Leitung der Hofmusik an den bisherigen Kammerorganisten, den hochbedeutenden Johann Philipp Krieger. In der Zeit von 1680—1725 hat er als Komponist wie als Leiter der Kapelle außerordentliches geleistet. Im Amt (Hauptgottesdienst) und bei der Vesper und Mette, in Wochengottesdiensten und in den Feiern der zahlreichen kirchlichen Feste trat die Kapelle durch mehrere Kunstgesänge hervor. Nach einer oberflächlichen Schätzung, der die Aufzeichnungen Krieger's aus der Zeit von 1684—1725 zugrunde liegen, beträgt die Zahl der von ihm geleiteten kirchlichen Kunstgesänge über 12000, mindestens zwei Drittel derselben hatte er selbst komponiert. Bei der Tafel und abends beim Theater hatte die Kapelle, zu deren Verstärkung die Gesellen des Stadtpfeifers öfter herangezogen wurden, wiederum in Tätigkeit zu treten. Ging der Hof nach den anderen Residenzen des Herzogtums (Querfurt, Freyburg, Sangerhausen), so zogen die Musikanten mit[1]).

In Krieger's Kapelle wirkte der streitbare Bähr (Beer), der gegen die musikfeindlichen Pietisten mit den schärfsten Waffen zu Felde zog und in seinen musicalischen Discoursen über das Musiktreiben am Ende des 17. Jahrhunderts willkommenen Aufschluß gibt. Er ward 1700 bei einem Vogelschießen aus Unvorsichtigkeit erschossen. Gleichzeitig mit ihm waltete der Kammermusikus Scheele seines Amtes als Tenorist und veranlaßte die Übersiedelung des verwaisten J. Friedrich Fasch nach Weißenfels, wo dieser 1699—1701 als Diskantist der Weißenfelser Hofkapelle ein Unterkommen fand. Als Fachmann auf seinem besonderen Gebiete galt der Hof- und Feldtrompeter Altenburg. Sein Sohn, Joh. Ernst, der ein Schüler von Lingken, Römhild in Merseburg und Altnikol, dem würdigen Schwiegersohn Seb. Bach's, war, landete nach langen Irrfahrten als Organist in Bitterfeld. Er ist der Verfasser der bekannten Schrift: »Anleitung zur heroisch-musikalischen Trompeter- und Pauken-Kunst, Halle 1795.« Auch Reinhard Keiser hielt sich während Krieger's Kapellmeistertätigkeit jahrelang (1606 bis 1609) in Weißenfels auf und J. David Heinichen amtierte hier mehrere Jahre als Advokat. An diesem Hofe spielte auch der junge Händel, und Herzog Johann Adolf war der erste, der den Vater auf die musikalische Laufbahn des Sohnes hinwies.

Noch inniger mit Weißenfels verknüpft ist Johann Seb. Bach's Name. Schon seit langem war der damalige Köthensche Hofkapellmeister mit der Herzoglichen Kapelle in Weißenfels bekannt und einen ihrer Kammermusiker, Emanuel Weltig, hatte er zum Paten seines Sohnes Philipp Emanuel erwählt. Von hier holte er sich 1721 auch seine zweite Gattin, die Tochter eines Hoftrompeters, Anna Magdalena Wülken. Zwei Jahre später ward der zum Thomaskantor in Leipzig ernannte Herzoglich Weißenfelsischer Kapellmeister »von Haus aus«. Damit war die Bedingung verknüpft, daß sich Bach hin und wieder persönlich am Hofe vorstellte und ab und zu etwas für Weißenfels komponierte. Aber leider fehlen gerade die Akten des Weißenfelser Hofes von 1712—1745 im Dresdener Staatsarchiv und mit ihnen auch diese Kompositionen Bach's für Weißenfels. Jedenfalls aber hat Bach in der Zeit von 1721—1736 öfter hier geweilt.

Wie sehr sich in jenen Jahrzehnten um 1700 Weißenfels überhaupt am

---

1) Durch diese Ausführungen werden zugleich einige irrtümliche Angaben in Kretzschmar's Abhandlung »Das erste Jahrhundert der deutschen Oper« (Sammelbände der IMG., III, S. 271 und 276) berichtigt.

Geistesleben beteiligt hat, ist auch sonst ersichtlich.   Hier wirkte zum Beispiel die Spiegelberg'sche Komödiantentruppe, in welcher 1718 die später
so berühmte Schauspielerin Friderike Caroline Weißenborn bei ihrer Flucht
aus dem elterlichen Hause nebst ihrem späteren Manne Joh. Neuber, damals noch Gymnasiast, Aufnahme fand, und die »Hochfürstlich. Sachsen-
Weißenfelsischen Hofcomödianten« erregten selbst in Dresden mit ihrem
Marionetten-Theater und ihren Balletten, Schäfereyen, Comödien und Tragödien berechtigtes Aufsehen.

Nach dem Tode Herzog Christian's (1736) und besonders mit dem Er-
löschen des Herzogstammes (1746) trat Weißenfels wieder ganz zurück, und
erst Ernst Hentschel, der verdienstvolle Förderer des Schulgesanges, brachte
den Ort der musikalischen Welt wieder in Erinnerung.

Für die in Frage stehende Ausstellungsgruppe waren an erwähnenswerten
Sachen zusammengebracht worden:

1) *Hackbrett.*   15(?)95.
2) *Drehleyer* (Bauernleyer).   18. Jahrh.
3) *Clavichord.*   Ende des 18. Jahrh.
4) Sechs *russische Hörner*, in früheren Zeiten bei Beerdigungen gebraucht,
   Eigentum der Stadt.
5) *Wanduhr mit Glockenspiel.*   Die Glasglocken wurden durch Holzhämmer
   auf dieselbe Weise zum Ertönen gebracht, wie die Glocken des Zimbel-
   sternes in der Orgel.
6) *Wanduhr mit Saiten-Spielwerk.*   Beides aus der Wende des 18. Jahrh.
7) Historia und Geschichte von dem Leiden und Sterben unsers Herrn Jesu
   Christi nach dem Heiligen Evangelio Johannis durch Antonium Scandellus, geschrieben 1596, nur handschriftlich.

   In demselben Bande:

8 Scandellus, Die Auferstehung unseres Herrn Jesu Christi nach den
   vier Evangelien, ebenfalls ein handschriftliches Werk des Dresdner Hofkapellmeisters.

   Für den Einband hat man Blätter eines *Hymnenbuches* des 16. Jahrhunderts verwendet.

9) In einem Album (im Besitz der Familie Manitius in Nöbeditz im Kreise
   Weißenfels) fand sich ein *Canon*, den Christoph Bernhard in Dresden
   seinem Freunde, dem stud. theol. Johannes Manitius widmete:

Canon in motu retrogradus à 12.

Darunter die Eintragungen:

   A scale à scale alto si sale. —
   Douce est la peine quand elle armeine. —
   Après tourment contentement. —

Quien ha las hechas,
dia las sospechas.

Dresde. Benevolentiam erga Dm. Poßeß. hisce versibus: Seren. Elector.
atque Principis Sax. Hierarchiphonasci Christoph. Bernardi.

Dresde Ao. 1656. 26. April.

10) Schein, Bildnis, Biographie, Originaldrucke (Madrigale).
11) Scheidt (Kapellmeister des Herzogs August), Bild.
12) Reinhard Keiser, Arien und Recitative aus der Oper Octavio und Almira, Hamburg 1706; Kayserliche Friedenspost, Hamburg 1715; Arien a. d. Carneval de Venise (handschriftlich).
13) Johann Philipp Krieger und Johann Krieger, eigenhändig geführtes Verzeichnis aller von ihnen aufgeführten kirchlichen Werke aus den Jahren 1684—1725 bez. 1725—1736; dickleibiger Folioband.
14) Karl Gläser, geb. in Weißenfels 1784, Schüler von Hiller in Leipzig, Musikdirektor und Musikalienhändler in Bremen: Werke für Schulgesang.
15) Ernst Hentschel: Andenken, Bilder, Manuscripte (über die Logier'sche Methode), Druckwerke.

Bitterfeld.   **Arno Werner.**

La Musique à Paris.

La Damnation de Faust «au théâtre».

«Quel sacrilège!» se disait-on, entre musiciens à la veille de cette «grande audition musicale» organisée à grand renfort d'argent et de réclame. Oui, en effet, quelle profanation! Un compositeur, grand ou petit (ceci n'importe guère) a écrit dans un genre; ce genre a ses lois, ou, tout au moins, ses habitudes plus ou moins fixées par la tradition. Or, un heau jour, on s'avise, sans prétendre vouloir rien changer à l'essence d'une œuvre, d'en changer le genre, comme si les caractères du genre ne s'y trouvaient que par acci-dent, comme si Berlioz, ce rénovateur du genre symphonique, ne l'avait renouvelé qu'à son corps défendant, contraint par le mauvais vouloir des directeurs de théâtre, à métamorphoser, malgré lui, en poème symphonique, un grand opéra en cinq actes et dix tableaux!

Vous entendez bien: un opéra en cinq actes et dix tableaux: voilà le travestissement que l'on a fait subir au chef-d'œuvre de Berlioz. Et tous les parisiens se font une fête d'assister au travestissement. M. Edouard Co-lonne dirige l'orchestre, «autorisant» ainsi cette métamorphose des plus singulières, en tout cas des plus singulièrement osées! Serait-ce donc que M. Edouard Colonne, lui aussi, s'était trompé sur le vrai caractère, sur le véritable «genre» dont est la Damnation! Se serait-il aperçu, après plus de cent exécutions de l'œuvre, que cette «symphonie» n'était en fin de compte, qu'un opéra mutilé par son auteur?

C'est à Monaco, semble-t-il, que l'on s'en est aperçu tout d'abord. Ce que l'on a tenté à Paris n'est qu'une récidive. C'est Monaco qui a com-mencé. Et les représentations de Monaco ont fait beaucoup d'argent. Elles ont excité beaucoup d'enthousiasme, et la gloire de Berlioz en a paru grandir.

On sait d'ailleurs les méfaits du soleil méditerranéen. Donc, ce soleil aidant, peu s'en est fallu que Berlioz ne devint, aux environs de son centenaire, le plus grand de tous les sujets des princes monégasques, tranchons le mot, le grand homme de la principauté. Des gens ont failli se figurer que Monaco avait vu naître Berlioz!

Ce n'était pourtant pas une raison de recommencer à Paris le sacrilège de Monaco.

Mais à quoi bon récriminer? Le crime s'est accompli. Il a recommencé plus de vingt fois. Et les gens de l'élite parisienne ont applaudi les coupables. Et l'on dit de ce crime ce que St. Augustin s'est risqué à dire du péché de notre premier père, qu'il appelait une faute heureuse: felix culpa.

Nous n'en dirons pas que du mal. Mais nous en dirons du mal, c'est inévitable. Nous protesterons de toutes nos forces contre l'idée d'un pareil travestissement. Et nous protesterons avec une énergie d'autant plus grande que les coupables ont profité de trois ou quatre lignes de l'écriture de Berlioz pour justifier leur délit. On lit en effet dans une lettre de Berlioz: «... Je viens d'écrire un opéra sur l'œuvre de l'immortel Gœthe. Je ne sais si je me suis approché du géant, mais je sais qu'aucun directeur de théâtre ne voudra le monter et que je serai hélas forcé de faire exécuter des parties en concert afin de pouvoir les entendre.»

Le texte est significatif[1]). Berlioz a écrit un «opéra» sur Faust. J'admets le fait puisque l'anteur de ce fait nous en informe. J'admets que la Damnation contienne plusieurs parties de cet «opéra». Je me refuse à penser que tout ce qui fait partie du poème symphonique y ait été transplanté. L'aveu du compositeur est précieux à recueillir. Cet aveu prouve que l'idée du «poème symphonique» ou de «l'opéra-légende»[2]) a dû se former lentement, qu'elle s'est dégagée assez tard dans l'esprit de Berlioz. Nous pouvons même en conclure, au besoin, que, sans la mauvaise humeur des gens de théâtre, le «poème symphonique», ce genre musical dont Berlioz est l'un des créateurs ne serait, peut-être jamais né. Aussi, bénissons, une fois par hasard, les directeurs qui n'ont point voulu de l'opéra de Faust. Toutefois la question n'est pas où il plairait à M. Raoul Gunsbourg, le premier auteur du «travestissement», de la maintenir. La question est ailleurs.

Il s'agit, avant tout, de savoir ce qu'est devenu le manuscrit de l'opéra. Mettons que les parties éliminées du «poème symphonique», aient été déchirées ou brulées, peu nous importe, si le «poème symphonique», pour être ce que nous le savons devenu, a exigé la mise en travail d'éléments nouveaux. Or, pour affirmer qu'il en est ainsi, le témoignage verbal de Berlioz n'est point nécessaire. Il résulte de la lecture attentive de la partition que, prise dans son ensemble, l'œuvre est faite pour être chantée, nullement pour être représentée. Nous disons cela malgré l'argument tiré de la correspondance de Berlioz. L'œuvre du maitre est ici le plus éloquent des

---

1) Le texte est-il authentique? On a pris la peine de photographier le «document» en question. Une photographie ne prouve rien. Quant à la bonne foi de ceux qui ont produit le document, elle peut n'être pas en cause, sans qu'il en résulte la moindre garantie d'authenticité. On peut être de bonne foi. Et quand même, on se trompe.

2) C'est sous le nom d'opéra-légende que la Damnation a été présentée aux auditeurs de 1846.

témoignages. Or, dans cette œuvre, les fragments impropres au théâtre sont de beaucoup les plus nombreux. Nous en attestons:

1° La pastorale d'introduction.
2° Le tableau de la taverne.
3° Le tableau du sommeil de Faust.
4° Le tableau des feux-follets.
5° La course aux abîmes . . . etc.

Bref tout porte à croire que «la symphonie» est tout autre chose que «l'opéra» primitif.

Donc il n'y a pas à dire: le travestissement de l'œuvre est indéniable. Le délit de M. Raoul Gunsbourg est tout ce qu'il y a de plus qualifié. Il ne peut être question d'un acquittement. Toutefois on peut refuser d'acquitter sans condamner le prévenu. Entre l'acquittement et la condamnation, l'absolution est un moyen terme. M. Raoul Gunsbourg mérite-t-il l'absolution?

S'il nous la demandait sans «considérants», nous la lui refuserions sans plus de phrases. Car son œuvre est une suite de profanations, depuis la première jusqu'à la dernière page de l'œuvre originale. Mais il y a des degrés dans le sacrilège. Et la justice nous oblige à dire que les derniers degrés du crime n'ont pas toujours été franchis. La même justice nous fait encore un devoir de reconnaître que ce crime (car il y a crime et sur ce point nous refusons de nous rétracter) est des plus intéressants et des plus instructifs. M. de Fourcand, d'ailleurs, l'a dit dans le Gaulois: «nous allons enfin savoir dans quelle mesure la Damnation de Faust est une œuvre de théâtre.» Nous citons M. de Fourcand de mémoire. S'il n'a point dit ce que nous venons d'écrire, il a dit quelque chose d'approchant.

— L'expérience était-elle opportune? Ne venons-nous pas de la condamner tout à l'heure, et cela en invoquant, pour ainsi dire, des raisons préalables, tirées de l'œuvre et de son caractère anti-théâtral prédominant? —

D'accord. Toutefois une distinction est ici nécessaire: et je ne sache point que la critique française y ait pris assez garde. Que les tableaux de la Damnation ne puissent, sans y perdre, être transformés en scènes, la chose va de soi, et l'expérience d'hier, sur ce point, nous semble décisive.

Mais des personnages figurent dans ces tableaux. Or, il se pourrait que la représentation fût nuisible aux tableaux et favorable aux personnages. L'hypothèse est permise. Elle s'est vérifiée en partie.

Le personnage de Méphistophélès, qui, d'ailleurs, est celui autour duquel tonte la symphonie gravite, n'est pas très loin d'être un personnage dramatique. Il gagne à être joué en même temps que chanté, à être mimé par un artiste en costume. Je sais bien que le baryton Renaud est un artiste de premier ordre et qu'il a beaucoup aidé au succès de la métamorphose. Mais c'est que la métamorphose pouvait être tentée. L'art de Renaud, s'il s'était appliqué à une matière rebelle, aurait fait saillir d'ingratitude de cette matière. Or, cet art nous a fait découvrir, dans le héros de Berlioz, un merveilleux personnage d'opéra, très profondément dramatique. Et quand je dis «profondément» c'est comme si je disais «intérieurement». Renaud s'en est fort intelligemment rendu compte. Il est vêtu de noir comme s'il voulait parodier le costume religieux. Il ne fait pas de grands gestes et s'applique à rester constamment immobile. Il ne remue que les doigts. Il joue surtout du regard. Aussi bien son rôle est plutôt de sur-

veiller que d'agir. Il n'agit que par sa présence. Et il a raison de rester
en scène, même dans les moments où il n'a point à chanter. Ainsi c'est à
Méphistophélès que revient, en très grande partie, l'honneur d'avoir sauvé
l'expérience de M. Raoul Gunsbourg et d'en avoir atténué les périls.

Mais Faust? mais Marguerite? Berlioz leur a réservé de fort beaux
endroits dans son poème. Il n'en a point voulu faire de vrais personnages. Le héros de sa Damnation n'est ni Marguerite, ni Faust; c'est
Méphistophélès. On le soupçonnait depuis les auditions du Concert-Colonne.
On en est désormais certain.

Les critiques ont généralement célébré l'acte de la «taverne». Ils ont eu
raison. Seulement ils se sont abstenus d'en tirer la conclusion que ce succès
comporte. Cet «acte» est un «tableau» où les buveurs, groupés et grimés
avec art, restent constamment en place, à chanter et à boire. Donc puisque
la «scène» la mieux réussie est celle qui, plus que les autres, pourait se passer
d'être mouvante sans cesser d'être vivante, la réussite de ce détail
montre à quel degré l'œuvre de Berlioz, étant du genre épique, s'écarte du
genre dramatique.

Est-ce à dire, pour cela, que l'assistance du décor, soit toujours nuisible?
Toujours? non. La preuve en a été faite. Mais là où le décor vient à
propos, servir d'illustration, c'est dans les moments où les personnages
se comportent à la manière de ceux d'un tableau et où ils affectent l'im-
mobilité des figures peintes. Le décor de la scène «des roses» est des
plus attachants à regarder. Il commente fort heureusement le texte du poète
et celui du musicien. Tant que je n'y aperçois que Faust endormi et
Méphistophélès à ses côtés, je n'ai rien à dire. Mais quand arrivent les
danseuses, et que, malgré tous mes efforts d'imagination, je ne puis me con-
traindre à me figurer des «sylphes» là où l'on me montre des femmes, je
ferme les yeux, car ce qu'ils me feraient voir m'empêcherait de goûter la
musique du célèbre Ballet.

Plus tard, quand Marguerite chante son «roi de Thulè» j'ai plaisir à
regarder sur la toile du fond l'image d'une cathédrale gothique éclairée par
la lune. Ces flèches innombrables dressées vers le ciel, cette profusion d'angles
aigus capricieusement juxtaposés ou étagés me parait en harmonie avec
le je ne sais quoi de médiéval et de presque ogival qui caractérise l'incomparable chanson.

Mais quand, pendant le «menuet», Marguerite vient faire des gestes de
somnambule et simuler, par une série de mouvements très lourds et très
ganches les progrès de l'invasion diabolique en son âme de vierge, alors
j'ai de nouveau envie de fermer les yeux. Et cette envie deviendra irré-
sistible pendant la course aux abimes, au moment de damnation du héros,
au moment d'apothéose de l'héroïne. Le «cinquième acte» de la «Damnation travestie» touche presque à la caricature. Dans la «course aux
abimes» on ne pouvait nous montrer Faust et Méphistphélès à cheval. On
a remplacé les deux chevaux par le tonnerre et leur galop par une course
vertigineuse de ... nuages. Cela peut suffire à effrayer les femmes rangées
en bon ordre auprès d'une croix et à justifier leurs pressants appels à «Sancta
Maria». Cela ne réussit guère à excuser les suppressions nécessitées par
le «travestissement». On sait l'effet profondément tragique de ces hop!
qui viennent, par intervalles, couvrir la désolante plainte du hautbois. On
ne les entend plus au théâtre Sarah-Bernhardt. On entend, et même on

voit la pluie tomber drue et droite. Le vacarme y est constant. Et la phrase douloureuse semble reculer jusqu'aux extrémités les plus imperceptibles de l'espace sonore.

J'allais omettre le «premier tableau» du premier acte, celui pendant lequel, le docteur Faust prend le frais dans une galerie des plus spacieuses, vitrée dans toute sa largeur et dans tonte sa hauteur. On se représente mal le docteur alchimiste, soucieux de se ménager un si vaste espace pour se donner le plaisir de regarder au loin dans la campagne prochaine. Mais ici encore il fallait compter avec les exigences qu'imposait le travestissement prémédité de l'œuvre symphonique. On ne pouvait supprimer la ronde des paysans. On ne pouvait supprimer la «marche hongroise». Pent-être, en massant les villageois devant la «galerie» aurait-on pu s'épargner le ridicule de faire «trotter» des fantassins[1]). Il n'est pas téméraire de penser que la «marche hongroise» est une marche de cavalerie, que le mouvement en est celui du «trot». Or, il est presque comique de voir ces fantassins essayant de lutter de vitesse avec des chevaux absents. Ce n'est pas tout encore. On a imaginé pendant le «final» de faire «hurler» les soldats. Peut-être la «couleur locale» exigeait-elle ce hurlement. Il y avait là de quoi faire hurler tonte la salle. La salle n'en a pas moins frénétiquement . . . applaudi.

Si donc les organisateurs de ces «représentations» veulent recommencer, s'ils ne sont encore qu'à leur début dans cette voie de travestissements sur laquelle on ne s'arrête guère une fois qu'on s'y est engagé, ils trouveront à Paris des parisiens pour célébrer leur audace. On peut constater que la presse parisienne, en majorité, s'est donné le mot pour ne point crier au scandale. Nous n'en sommes pas étonnés. Nous approuverions même cet excès de bienveillance préméditée, en raison des sommes considérables qu'il a fallu risquer pour mener à bonne fin l'entreprise, et de l'intérêt de curiosité qui ne pouvait manquer de s'y attacher. Nous regrettons seulement d'être de la minorité, de cette minorité qui ne craint pas d'écrire ce que la majorité s'est contentée de sous entendre. Car entre les éloges de la critique il s'est glissé pas mal de sous entendus. Pourquoi ces précautions excessives? Pourquoi ces hésitations devant la vérité? Car on peut ici parler de «vérité» au plein sens du terme.

— On donne bien, au concert, des fragments de la Tétralogie et de Parsifal! Pourquoi s'interdirait-on de métamorphoser une symphonic en opéra? —

Quand on donne le Rheingold au concert Lamoureux, chacun sait que le but de M. Chevillard est de faire entendre aux parisiens, une œuvre de théâtre, qu'aucun directeur de théâtre ne consentirait à monter. Les auditions de ce genre sont des pis-aller: chacun en est averti.

Or, rien ne ressemble moins à un pis-aller que les représentations du Faust de Berlioz sur une scène de théâtre. On a voulu en faire un plus-aller. On a voulu agrandir de parti pris. On s'est même figuré qu'on allait replacer la Damnation dans son vrai cadre. L'ayant cru, on s'est efforcé de le faire croire à tous les autres. En réalité qu'a-t-on fait? On a

---

1) Les soldats auraient défilé par hypothèse. Faust aurait été empêché de les voir par la foule amoncelée des villageois. On eût fait une économie de figuration. Mais c'était précisément ce qu'on ne voulait point faire.

denaturé, on a travesti. On y a mis beaucoup d'adresse et pas mal d'intelligence. Une fois le sacrilège résolu, on s'y est pris de manière à en rendre les effets le moins néfastes possible. On a voulu limiter les dégats au strict nécessaire. On a voulu sauver de l'incendie tout ce qui pouvait en être sauvé.

Le plus simple eût été pourtant de pas allumer l'incendie.

Le plus simple eût été, encore, de ne pas intercaler entre les morceaux de la légende symphonique des fragments de l'œuvre travestis en motifs conducteurs. Voilà un comble de profanation esthétique. Nous le constatons pour finir et pour conclure en disant qu'une œuvre qu'il faut déformer à ce point, en vue de la faire ressembler à une œuvre de théâtre était destinée par son auteur à n'être pas une œuvre théâtrale.

Ci-joint un nouveau témoignage extrait du feuilleton musical du Temps (1ᵣ juin 1903) après l'avoir été de l'Illustration du 21 novembre 1846. Ce qu'on va lire parait bien avoir été sinon écrit, du moins dicté ou inspiré par Berlioz qui comptait des amis au nombre des redacteurs de ce journal:

«M. Berlioz vient de terminer le grand ouvrage qu'il avait entrepris pendant sa brillante tournée en Allemagne et qui a pour titre La Damnation de Faust, opéra-légende en quatre parties.

«Ce titre insolite d'Opéra-légende indique une œuvre destinée à être lue plutôt que représentée, et l'impossibilité de jouer convenablement au théâtre les principales scènes des divers actes, notamment du dernier justifie l'auteur de l'avoir choisi.

«On conçoit en effet que cette partie du drame où surgit, autour de Faust endormi, la foule des esprits de la terre et de l'air appelés par Méphistophélès à horner son sommeil et où Faust et Méphistophélès courent au galop effréné de deux chevaux pendant que de monstrueuses apparitions le poursuivent s'adressent à l'imagination plutôt qu'aux yeux et que l'on a dû renoncer à rendre de semblables scènes dans tonte leur terrible vérité...»

Ces lignes dont la transcription est due à M. Lalo, nous ne les avons connues qu'après avoir écrit le présent article. Elles justifient notre attitude et notre conclusion, elles nous autorisent à penser que si le chef d'œuvre de Berlioz est, dans son ensemble symphonique ou épique, non dramatique, il cotoie par instants le drame. Il le frôle. Parfois même il en franchit le seuil. Rarement il y pénètre. Jamais il n'y enfonce. — Et l'on a voulu l'y enfoncer. Voilà le crime.

Paris.   Lionel Dauriac.

XXXIX. Tonkünstlerversammlung des Allgemeinen deutschen Musikvereins.

(12.—15. Juni.)

Zum zweiten Male seit seinem Bestehen hat der Allgemeine deutsche Musikverein seine Jahresversammlung in der Schweiz abgehalten. Zürich war 1882 die Feststadt; für 1903 war Basel dazu erwählt worden. Das

freundliche Entgegenkommen des Musikvereins ermöglichte es, daß der Verein
schweizerischer Tonkünstler, ein noch junger Sproß, sein Jahresfest gleichzeitig abhalten konnte, und daß in den Aufführungen den schweizerischen
Komponisten reichlicher Raum gewährt wurde. Der gemeinsame Auszug zum
musikalischen Wettstreit ist denn auch allseitig geglückt.

Das umfangreiche Programm nannte, den Zwecken des Musikvereins getreu,
fast ausschließlich neue Schöpfungen zeitgenössischer Künstler, und es darf
dem Direktorium das Zeugnis nicht versagt werden, daß die Auswahl mit
kundiger, vorsichtiger Hand getroffen worden war. Der gewaltige Arbeits-
stoff verteilte sich auf sechs Konzerte, von denen die eine Hälfte im Musiksaal, die andere in dem akustisch vorzüglich beschaffenen, geräumigen Münster
abgehalten wurde. Am Freitag (12. Juni) langten die Festgäste an, die
meisten von Karlsruhe herreisend, wo am Abend vorher im Hoftheater
»Das Märlein von dem Fischer und seiner Frau«, eine dramatische Sinfonie
von Friedrich Klose, aufgeführt worden war. Im ersten Konzert
kamen gleich zu Beginn einige schweizerische Komponisten zum Wort, als
erster der Genfer Jaques-Dalcroze, das Haupt der welschen Schule, mit
einem Vorspiel »Sancho, comédie lyrique«, einem in der Haltung an den
»Don Quixote« von Rich. Strauß sich anlehnenden Orchesterstück von kecker,
origineller Erfindung und französischer Beweglichkeit in der Verarbeitung.
Etwas stark auf den grellen Effekt hin gesetzt, zeigt die Musik den belesenen
Kenner moderner Instrumentierungskunst. Von Friedrich Hegar wurden
zwei Männerchöre a cappella von der Basler Liedertafel gesungen (»Walpurga«
und das »Märchen vom Mummelsee«). Sie folgen der bekannten Hegarschen
Manier peinlich genauer Ausmalung des Textes und instrumentaler Gestaltung
des Chorsatzes, ohne Neues zu bringen und bleiben besonders im motivischen
Gehalt ganz an der Oberfläche. Mit glänzendem Erfolg hob darauf Henri
Marteau zwei Sätze eines Cmoll-Violinkonzerts von W. Pahnke aus der
Taufe, und etwas von dem Glanz fiel auch auf den dirigierenden Autor. Das
Werk steht aber mit seinen Ansprüchen und seiner Länge in keinem Ver-
hältnis zu den musikalischen Gedanken, die außerordentlich dürftig und müh-
sam ersonnen sind. Statt bestimmter, charaktervoller Linien, wie sie die
Violinmusik unbedingt fordert, begegnet man meist kleinen, unplastischen
Themen, die dem Hörer aus der Hand gleiten. Den Tiefstand der Aufführung markierte jedoch Ernest Bloch mit zwei über alles Maß ausgedehnten Sätzen einer Cismoll-Sinfonie. Sie waren mit derselben Pose und
Selbstgefälligkeit dirigiert wie auch geschrieben. Daß solch süßliches Akkord-
geklingel und aufgedonnerte Nichtigkeit nichts mit wahrer Kunst gemein hat,
war wohl allgemeine Überzeugung. Dafür hinterließ die von Max Schillings
melodramatisch bearbeitete Dichtung, Wildenbruch's »Hexenlied«, in der packenden Wiedergabe durch Ernst von Possart, einen mächtigen Eindruck. Mit
wenigen individuellen Strichen und Farben hat Schillings einen stimmungsvollen Hintergrund entworfen, dessen diskretes Zurücktreten stellenweise auch
über die grundsätzlichen Bedenken gegen das Melodram hinwegtäuschte, ohne
sie freilich ganz zu bannen.

Im zweiten Teil des Konzertes erschien Hans Huber mit einem Stück
für Männerchor, Altsolo (Maria Philippi) und Orchester, »Caenis« benannt,
nach einem Widmannschen Text, der die antike Sage der Verwandlung einer
Jungfrau in einen Mann behandelt. Die klare Struktur und der fließende
Satz sind das Beste an der Musik, die in der Erfindung recht profillos klingt.

Zwei derbe Lieder von O. C. P o s a und eines von K. P r i n g s h e i m (»Venedig«) mit feinsinnigem Orchesterkolorit, leiteten über zur letzten und besten Orchesterkomposition des ganzen Abends, der ersten Episode aus »Odysseus Fahrten« von E r n s t B ö h e. Hier war wieder musikalische Architektur zu finden, ein klares, großzügiges Aufbauen in weitgespannten Perioden und dramatischen Entwicklungen. Dabei gerät Böbe nie in Verlegenheit mit neuen thematischen Gedanken, die sich namentlich durch ihren kräftigen Rhythmus in die Phantasie des Hörers eingruben. Leider traf die Novität Böhes bereits auf ermüdete Nerven, da das Konzert volle vier Stunden dauerte, — selbst für geübte Hörer ein schweres Stück Arbeit.

Der zweite Tag (13. Juni) brachte zunächst das e r s t e K ü n s t l e r k o n z e r t, eingerahmt durch ein Klavierquartett in E von P a u l S c h e i n p f l u g, dem Bremer Konzertmeister, und dem Fdur-Streichquintett (Manuskript) von F e l i x D r ä s e k e, zwei hochachtbaren Leistungen, denen das Dresdner Petri-Quartett im Verein mit Prof. Reuß eine hinreißende Wärme des Spiels entgegenbrachte. Scheinpflug dokumentiert sich in allen Sätzen als den feingebildeten, im polyphonen Stil sicher auftretenden Kammerkomponisten. Das Quartett entströmt stets einem ehrlichen, echten Empfinden und einem impulsiven Temperament, mit dem nur leider die Gabe neu schöpfender Erfindung nicht Schritt zu halten vermag. Dräseke ist der vornehme Klassizist, und aus seinen langsamen Sätzen klingt der letzte Beethoven mit sprechender Deutlichkeit heraus. Einheitlich in Stimmung und Stil, durchsichtig und nie unbedeutend in der Entwicklung, hinterließ das Werk, in ausgezeichneter Interpretation, einen nachhaltigen Eindruck. Eine neue Violinsonate Nr. 3 des Schweizers J o s. L a u b e r erfreute durch flüssigen, tüchtigen Stil und gesunden, lebendigen Ausdruck. Zwischen die Instrumentalwerke schoben sich einige Liedergruppen, unter denen die Lieder von H a n s P f i t z n e r, von Frau Knüpfer-Egli aus Berlin mit Natürlichkeit und Herzenswärme vorgetragen, am meisten eigenartig berührten und dem am Klavier begleitenden Komponisten große Ehren verschafften. Mit Ausnahme des »Friedens« habe ich aber doch bei aller schlichten Gradheit der Tonsprache, die eigene, persönliche Physiognomie im Melos vermißt. In den Liedern von J u l i u s W e i s m a n n lebt ein frischer Zug, während G u i d o P e t e r s bei aller Anstrengung nicht überzeugt.

Der S o n n t a g Vormittag war namentlich der Orgelkunst vorbehalten worden. Zum ersten Mal nahmen die herrlichen, romanisch-gotischen Gewölbe des ehrwürdigen Münsters Kaiser Heinrichs II. die Tonkünstlerversammlung auf. An der Spitze des Programms stand eine Passacaglia des hervorragenden und rührigen Genfer Organisten O t t o B a r b l a n, welche vollständig auf dem Boden der Bach'schen Formen gewachsen und speziell der großen C-moll-Passacaglia nachgebildet ist, nur mit harmonisch anderer Bildung. In eine ganz andere Formenwelt führten die Kompositionen von M a x R e g e r, von welchem der Thomasorganist Karl Straube mit einer, namentlich im Pedal, fast unbegreiflichen technischen Virtuosität eine für den neuen Orgelstil Reger's typische Phantasie und Fuge (op. 57) vorführte. Der Eindruck war wirr und unerfreulich. Reger türmt die Schwierigkeiten auf lediglich um ihrer selbst willen, ohne dadurch die Tonsprache zu vertiefen oder zu erweitern. Die chromatische Harmonisierung wird hier zur wahren Leidenschaft. Einfacher und viel eindrucksmächtiger erwies sich Reger's Phantasie über »Ein' feste Burg«, worin der eigentliche Orgelstil wieder gefunden ist. Einen erquicklichen Ruhepunkt boten die vom Basler Vokalquartett (Ida Huber, Maria Philippi, E. Sandreuter und P. Böpple) in sorgfältigster Abtönung gesungenen a-cappella-Gesänge aus dem 16. Jahrhundert und das Ave verum von Liszt, und eine freudige Überraschung bereitete Professor Messchaert durch die kostbare Gabe einiger geistlicher Lieder von Sinding sowie einer kleinen Bach-Arie. Das Hauptinteresse der ganzen Aufführung nahm freilich die sechzehn-stimmige Hymne a-cappella (op. 34) von Rich. Strauß in Anspruch. Die Hymne ist in der Weise gebaut, daß je drei Quartette alternierend auftreten, gleichsam als orchestrale Grundlage, während das vierte Quartett führend über ihnen schwebt. Am Schlusse tritt dann die volle Polyphonie aller sechzehn Stimmen zusammen. Die geniale kontrapunktische Behandlung und die har-monische Unerschöpflichkeit dieses Wunderbaues erregt die höchste Bewun-derung. Namentlich die letzte Strophe, wo das weit ausgebreitete Stimmen-gewebe und seine schließliche Verschmelzung auch die dichterischen Vor-stellungen des Textes ergreifend versinnlicht, war von überwältigender Größe. Das völlige Gelingen der Ausführung durch den Halbchor des Gesangvereins unter Hermann Suter's Direktion setzte die Zuhörerschaft in hohen Respekt. Als die letzten Akkorde verklungen waren, brauste trotz der Weihe des Ortes der laute Beifall durch die Kirche, sodaß sich Suter zur Wiederholung ge-beten sah.

Am Abend folgte, ebenfalls im Münster, das große Chorkonzert, in welchem, neben der Graner Festmesse, wiederum Rich. Strauß den Höhe-punkt bedeutete. »Das Thal«, nach einem Gedicht von Uhland für eine Baßstimme mit Orchester geschrieben, ist ein Tonstück ersten Ranges, das durch und durch aus dem Innersten hervorquillt und bei aller inneren Ruhe eine prachtvolle Ausgestaltung im Einzelnen zeigt. Professor Messchaert hat seine ganze Persönlichkeit in den Vortrag des Baßsolos gelegt. Über die Messe von Liszt bedarf es nicht vieler Worte. Ihr Gesamteindruck, der durch eine präzise und klangschöne Ausführung gehoben wurde, war bei allem Äußerlichen, das in der Themenbildung und in den Steigerungen dieser Musik anhaftet, doch gewaltig und begeisternd. Ist sie auch mehr in die Breite als in die Tiefe komponiert und vor Allem der Ausdruck der Macht und Pracht der Kirche, so imponiert doch die Kraft, mit der Liszt die Chor- und Orchestermassen in großartige, oft stürmische und feurige Bewegung zu setzen weiß. Die Mitwirkenden, Chor, Orchester und Soli (Frau Knüpfer, Hermine Kittel, Rich. Fischer und Messchaert) standen durchweg auf der Höhe ihrer Auf-gabe. Der Messe voran gingen zwei Werke modernsten Charakters. Das erste, die sinfonische Phantasie »Proteus« von Rud. Louis für großes Orchester und Orgel, ist ein weit ausgeführtes Tongemälde von teilweise bestrickender Schön-heit der Klänge. Als inhaltliche Anregung nennt Louis ein Hebbelsches Gedicht, und musikalisch bezeichnet er das Werk als eine Reihe »sehr freier« Variationen, denen aber kein Thema, sondern nur zwei im Durdreiklang liegende rhythmische Motive von je drei Noten als Grundlage dienen. Das eine soll die »auflösende Tendenz« aller festen Verbindungen, das andere das Streben nach »festen Formen der Erscheinungswelt« versinnbildlichen. In den Metamorphosen, welche die Musik in diesen Grundelementen durch-macht, mag die Bilder der Dichtung wieder herauserkennen wer's kann. Meines Erachtens geht diese philosophierende Neigung weit über das irgendwie er-laubte Maß musikalischer Ausdeutung hinaus. Rein als Klangerscheinung aufgefaßt, wird die Tondichtung durch die erstaunliche Virtuosität in der

Farbengebung äußerlich interessieren können. In ähnlicher Art verfügt Frédéric Delius über eine reiche koloristische Phantasie. Wer von seinem »Nachtlied Zarathustras« für Bariton, Männerchor und Orchester (Manuskript) nicht mehr erwartet, als ein in gesättigten Farben schwelgendes Stimmungs- und Nachtbild von erhabener Feierlichkeit, wird auf seine Rechnung kommen. In dieser Umgebung nahmen sich die »Raffaelbilder« von Fritz Volbach, die sich wieder auf festerem Boden bewegen, äußerst vorteilhaft aus. Sie nennen sich »Stimmungsbilder, angeregt durch Raffaelsche Gemälde«. In Wirklichkeit sind es Chorsätze mit Orchester auf alte lateinische Hymnen- texte, die weder mit der Madonna del Granduca, noch mit der Madonna di San Sixto in einem näheren musikalischen Verwandtschaftsverhältnis stehen. Volbach fußt auf der alten Form und arbeitet mit den uns bekannten Aus- drucksmitteln. Beide Chöre zeichnen sich aus durch übersichtlichen Ausbau, gute Stimmführung und effektvolle Verwendung der Instrumente, ohne daß uns der Komponist von innen heraus viel zu sagen hätte und sein Tonsatz auf eigenen Stil Anspruch erheben könnte; auch die Themenbildung kommt über eine gewisse durchschnittliche Glätte und Gefälligkeit nicht hinaus.

Den letzten Tag füllten das zweite Künstlerkonzert und das Sin- foniekonzert. Da das auf dem Programm des Künstlerkonzerts ange- kündigte Streichquartett von E. Strässer wegen Erkrankung des Primgeigers ausfallen mußte, blieb diese Gattung der Kammermusik leider unvertreten, und es eröffneten das Konzert zwei Sätze der Violinsonate in Amoll von Ermanno Wolf-Ferrari. Trotz der warmblütigen Wiedergabe durch Pro- fessor Petri und Otto Hegner vermochte der erste Satz, der in Stimmungen und Harmonien zuviel herumtastet, wenig anzusprechen. Bestimmter im Aus- druck klingt der anmutige zweite Satz, dessen Seele eine schlanke, freund- liche Kantilene in Liedform ist. Zu den Liedern von Hugo Wolf suchte ich vergeblich Fühlung zu gewinnen. Vielleicht war es das Zuviel an dra- matischer Zuspitzung in dem übrigens ausgezeichneten Vortrage des Kammer- sängers Heß, was störend im Wege stand. Aber das beständige, geflissent- liche Aufsuchen subtiler seelischer und dichterischer Finessen, das fortwährende, künstliche Anspannen des Ausdrucks, der doch nicht genügend von melodischer Erfindung genährt wird, übte oft eine bemühende Wirkung. Dabei sind die Modulationen von großer Härte und nervöser Unruhe, sodaß der Zusammen- hang zwischen Singstimme und Begleitung harmonisch und melodisch stark gelockert erscheint. Gegenüber dieser geschraubten Lyrik wirkten die darauf- folgenden, von Messchaert meisterlich gesungenen Lieder von Rich. Strauß wohlthuend durch ihre innere Natürlichkeit und Überzeugungskraft. Das neueste Kammermusikwerk Hans Huber's, ein Trio für Klavier, Violine und Violoncell in Bdur (op. 120) führt den Titel »Bergnovelle« und zählt zu den glücklichsten Eingebungen des fleißigen Komponisten. Den thema- tischen Stoff hat sich Huber größtenteils aus den heimatlichen Bergen geholt, und die ursprüngliche Lebenskraft dieser volkstümlichen Quelle hat sich sehr fruchtbar gezeigt. Die vier Sätze des Trios fließen ungezwungen und frisch dahin und halten stets die Grenzen des Kammerstils inne. In den lebhaften Erfolg teilten sich der Komponist und das ausführende Kollegium, Rob. Freund, W. Ackroyd und W. Treichler. Den Abschluß des Konzertes bildeten einige dem Halbchor der Liedertafel anvertraute altdeutsche Minnelieder in Madrigal- form, welche Hans Kößler mit feinem Sinn für Form und Stil bearbeitet hat.

Der Montag Abend versammelte zum letzten Male die Festteilnehmer zum

Sinfoniekonzert im Münster, dem sechsten und Schlußkonzert. Eine umfangreiche Komposition »Sonnenlied« von Friedrich E. Koch, Musikprofessor in Berlin, machte den Anfang, ein breit angelegtes Werk für Chor, fünf Solostimmen, Orchester und Orgel ;Hr. Straube, Soli: Frau Riggenbach-Hegar, Frieda Hegar, Anna Hindermann, Rich. Fischer und P. Böpple). Der Text ist von Max Bamberger nach altnordischem Original in der Art einer Ode gedichtet worden. Was der Musik Koch's fehlt, ist vorab das rhythmische Leben und der Reiz der Gegensätze. Bei aller nobeln Haltung vermißt man doch das durchschlagende Individuelle in den Hauptgedanken, die aus einer Neutralität nicht herauszutreten vermögen. In der Verwendung der Mittel und der einzelnen Ausgestaltung erkennt man überall den durchgebildeten Künstler, welcher für edlen Wohlklang besorgt ist und seine Partitur gewissenhaft ausfeilt. Aber es gelingt ihm nicht, durch lebendigen Wechsel des Ausdrucks und plastische Prägung des Thematischen seiner Musik das nötige Relief zu geben. Im Orchester lagert sich allzuviel gleichmäßig leuchtender Farbenglanz, und die ersehnte Steigerung bleibt bis zuletzt aus. So rauschte das Ganze schließlich mit zahlreichem, wertvollem Detail vorüber, ohne doch auf die Dauer zu fesseln und nachhaltig zu wirken. Frischer und namentlich rhythmisch belebter gibt sich das Tenorsolo (Rich. Fischer) »Ew'ges Licht« mit Orchesterbegleitung von Hans Schilling-Ziemssen (op.), nach einer mehr kunst- als geschmackvollen Reimsammlung von Rückert. Die Tenorstimme, welche sehr hoch geschrieben ist und selbst bei einem so stimmgewaltigen und feurigen Sänger wie Rich. Fischer Mühe hat, gegen das dick instrumentierte Orchester anzukämpfen, bewegt sich in freier, melodisch schwungvoller Deklamation und hält durchgehends den Ton hoher Emphase inne. Viel persönliche Eigenart konnte ich weder in der übermäßig ausgestatteten Orchesterbegleitung noch in der Prinzipalstimme entdecken. Den Schlußstein des ganzen Musikfestes bildete Gustav Mahler's zweite Sinfonie in Cmoll, eine Schöpfung aus dem Jahre 1895. Die in größten Dimensionen entworfene, in fünf Sätzen in Finale, mit Sopran-Altsolo und Chor bedachte Sinfonie fand eine enthusiastische Aufnahme bei Hörern verschiedener Richtungen, und es ist Mahler jedenfalls gelungen, nach den voraufgegangenen, reichlich ausgestatteten Konzerten die Aufnahmefähigkeit neu zu wecken und das Interesse bis zuletzt aufrecht zu erhalten. Letzteres vornehmlich durch die Rückkehr zur größeren Einfachheit und geschlosseneren, festeren Form, wie sie in großen Partien der Sinfonie vorherrscht. Der zweite und dritte Satz führen in eine Sphäre der Ruhe, welche schon als Kontrast zu der Mehrzahl der gehörten Musik Eindruck machte. Sie sind, obwohl kontrapunktisch von meisterhafter Kunst, doch harmonisch ungemein klar und im Bau übersichtlich. Und was eigentlich entzückte, war die gesunde Natürlichkeit der Erfindung und ihre sinnliche Frische, verbunden mit einer feinen Ökonomie in der Wahl ganz weniger Tonfarben. Es war ein wirkliches Singen der Musik, das sich über das Orchester ausbreitete. Auch der erste Satz entwickelt sich klar und verläuft inhaltreich und bedeutend. Dabei steckt ein gutes Stück Romantik in diesen und den letzten Sätzen, und auch hierin, wie in dem gesangvoll wiegenden Ton der ländlerartigen Melodien der Mittelsätze, macht sich die Wiener Schule bemerkbar. Darin scheint mir nun freilich auch die schwache Seite der Sinfonie zu liegen, der Mangel an einem psychologischen, innerlich notwendigen Fortgang der Sätze. Die Gegensätze werden schroff nebeneinandergestellt, jähe Stimmungswechsel und Überraschungen fallen herein, ohne daß sie organisch herauswachsen, und allerlei Geheimnisse hüllen sich in die Musik. Am bedenklichsten wird diese Dunkelheit in den zwei Schlußsätzen, wo die Brücke zum Verständnis des Ideenzusammenhangs mit den Vordersätzen schlechterdings fehlt. Eine Reihe von Rätseln bleiben hier unaufgeklärt. Neben dem Episodenhaften, das Mahler's Sinfonie anhaftet, fällt auch die häufige Unechtheit seiner üppig wachsenden Melodik auf. Man braucht kein Reminiszenzenjäger zu sein, um der zahlreichen Anklänge an Wagner's »Ring«, Bizet's »Carmen«, an Beethoven's letzte Sinfonien, dann auch an Schubert und die Elfenmusik Mendelssohn's gewahr zu werden. Das Chorfinale ist in erhabenstem Gewande und mit Aufbietung aller Kräfte aufgerichtet. Die Aufführung der Sinfonie, welche von Mahler selbst dirigiert wurde, darf als bewunderungswürdig gerühmt werden. Das Orchester leistete, angesichts der unglaublich schwierigen Aufgabe, Außerordentliches und auch der Chor stand durch die wunderbar feine Abtönung und die mächtige Größe der Tonentfaltung auf hoher Stufe.

Damit hatte die 39. Tonkünstlerversammlung ihr Ende erreicht. Soviel man die Urteile der kompetenten Besucher vernehmen konnte, herrschte nur eine Stimme über den vollen künstlerischen Erfolg der Konzerte. Den weitaus größten Anteil hieran hat Kapellmeister Hermann Suter zu beanspruchen. Obschon er kaum ein Jahr an der Spitze der musikalischen Institute Basels steht, hat er es fertig gebracht, als alleiniger Festdirigent das enorme Orchester- und Chorprogramm in wenig Wochen allerdings angestrengtester Arbeit so vorzubereiten, daß Hauptproben und Aufführungen prompt und ohne Störungen vor sich gehen konnten und die auswärtigen Dirigenten wenig mehr zu ändern vorfanden. Dann aber darf auch gesagt werden, daß, was geboten wurde, mit ganz wenigen Ausnahmen auf einer dem Feste würdigen Höhe stand und dem Kunstschaffen unserer Tage ein ehrendes Zeugnis ausstellt.

Basel. F. Götzinger.

Musikberichte.

Referenten: E. Istel, Alfred Kalisch, Ch. Maclean, A. Mayer-Reinach, O. Neitzel, H. Pohl, J.-G. Prod'homme, E. Reuß, E. Rychnowsky, Ad. Thiele, Ad. Thürlings, Donald F. Tovey, Fr. Volbach, F. Walter.

Aachen. Das 80. Niederrheinische Musikfest stand unter der Leitung von Eberhard Schwickerath als städtischem und Felix Weingartner als auswärtigem Festdirigenten. Mit einem Beethoventage wurde begonnen. Sein tiefgründigstes Werk, die große Messe, und eine seiner inhaltlich leichterwiegenden Symphonien, die in A-dur, fanden sich am ersten Tage nachbarlich zusammen. Der zweite Tag war im Hinblick auf das bevorstehende Berlioz-Jubiläum nur dem französischen Meister gewidmet, dessen Verdammung Faust's mit der phantastischen Symphonie zu einem Festprogramm verbunden war. Über beide Tage ist kaum anderes zu berichten, als daß sie ungemein genußreich verliefen. Der Aachener Musikfestchor sucht an noblem Stimmklang und an Chordisziplin seinesgleichen in der ganzen musikalischen Welt, eine vortreffliche Akustik kommt hinzu, um ihm die volle Einheitlichkeit des Chortons zu sichern. Schwickerath erblickt in der Pflege seines Chors seit Jahren seine Lieb-

lingsbeschäftigung, zu der er vermöge seiner Sonderanlage auch ganz besonders befähigt ist. Noch mehr als in den genannten Werken mit Chor, die er dirigierte während Weingartner die rein instrumentalen Sachen übernommen hatte, zeigte sich die
glänzende Virtuosität der Aachener am dritten Tage in den Fest- und Gedenksprüchen
(a cappella) von Brahms, die auch von den Berufskollegen, den kritischsten aller Kritiker, neidlos bewundert wurden. Im übrigen zeigte sich Schwickerath überall als
besonnener, wohl unterrichteter und geschmackvoller Dirigent, der auch Berlioz zu
einer musterhaften Wiedergabe verhalf und die Messe von Beethoven mit vielen Feinheiten der Schattierung und Klanggebung, namentlich an den mystisch wirkenden
Stellen, ausstattete. Unter Weingartner entfaltete das Orchester seine leuchtendsten
Farben und eine fascinierende rhythmische Präzision. Sein eigenes Gefilde der Seligen fand am dritten Tage großen Anklang, Liszt war gar mit zwei Nummern vertreten, mit dem Mazeppa und dem genialen Totentanz, den Busoni vorführte, der
aber den meisten zu wenig geläufig war, um eine nachhaltige Wirkung auszuüben.
Das Schicksal dieses Stückes, das zu den bedeutendsten des Meisters gehört, ist immer
noch nicht entschieden. Liszt hat ihm bekanntlich das alte Dies irae-Thema zu
Grunde gelegt und dieses in einer Anzahl packender Variationen mit außerordentlicher Gestaltungskunst und greller Charakteristik verarbeitet. Übrigens ist das Stück
durch den verstorbenen Nicolaus Rubinstein in Rußland zu einer gewissen Popularität
gelangt, während sich die übrigen Länder meist noch darüber ausschweigen. Es wäre
an der Zeit, daß dies Schweigen endlich gebrochen würde. Busoni spielte außerdem
noch mit gewohnter Meisterschaft und vieler Eleganz der Phrasierung Weber's Konzertstück. Der rumänische Geiger Georges Enesco hatte einige Mühe, mit einem
klassischen Repertoire sich geltend zu machen. Er besitzt einen sehr schönen vollen
Ton, spielt nur ein wenig weichlich, so daß ihm moderne und romantische Werke
besser liegen dürften als Bach und Beethoven. Als Solistenquartett wirkten die Damen
Katzmayr und Henke, sowie die Herren Forchhammer und Messchaert,
wobei die Herren besser abschnitten als die Damen, obschon Messchaert im Laufe
des Festes etwas müde wurde und der hochbegabte Forchhammer die letzte Voll-
endungsstaffel noch nicht erreicht hat. Forchhammer sang den Faust recht warm
und schwungvoll im Vortrag, Messchaert war ein köstlicher Mephistopheles, als Gretchen wirkte die in dieser Rolle vorzügliche Marcella Pregi, Herr Liebe leistete
Tüchtiges als Brander. Fräulein Pregi sang außerdem sehr zu gelegener Zeit eine
Liederreihe des neulich verstorbenen Hugo Wolf, Herr Forchhammer steuerte noch
den Monolog aus Alexander Ritter's faulem Hans bei, der musikalisch interessanter
ist als textlich. Das Fest war außerordentlich besucht, namentlich von Holländern
und Belgiern.   O. N.

Berlin. Es ist sommerliche Ruhe jetzt eingetreten im Berliner Musikleben. Von
Konzerten ist gar nichts zu erwähnen, auch die Hofoper hat jetzt den Abschluß ihrer
diesjährigen Spielzeit gemacht. Aus ihrem letzten Repertoire erwähne ich nur das
Wiederauftreten von Ernst Kraus, der seit seinem mißglückten Tristan-Versuch im
Februar als stimmgefährdet galt, der aber als Evangelimann wieder einen Stimmglanz
entfaltete, wie er ihn in seinen besten Tagen nicht schöner besessen hat.

Im Kroll'schen Etablissement (Neues Königliches Opern-Theater) ist die Ferenczy-
Truppe des Centraltheaters mit ihren bekannten Schlagern eingezogen. Der Erfolg blieb
ihr wie im Vorjahre treu, das Repertoir verspricht für die kommende Woche die erste
Neuheit. Den bekannten Mitgliedern der Truppe, Karl Schulz, Ander, Mia Werber,
haben sich einige Mitglieder des aufgelösten Ensembles von der Oper des Westens,
so z. B. Siegfried Adler zugesellt. Verhältnismäßig gut ist auch das Ensemble der
Morwitz-Oper, die dieses Jahr im Berliner Theater spielt. Eine verdienstvolle Tat
beging sie mit der Aufführung (für Berlin Neuheit) der schon 1868 komponierten Oper
Franz v. Holstein's »Der Haideschacht«, die jedenfalls eine größere Zahl von Auf-
führungen erleben dürfte, wenn auch das sehr ungeschickte Textbuch dieses aus der
Richtung Weber-Marschner entsprungene, offenbar auch von Verdi etwas beeinflußte
Werk nicht mehr so recht genußfähig gestaltet. Über die weiteren Ereignisse des
Sommers werde ich erst im Oktoberheft referieren.   A. M.-R.

Bern. Die Feier des Umzugs unserer Universität in ihr neues Heim gab nicht nur Anlaß zu musikalischen Vorträgen des Studentengesangvereins in der alten Aula (Abschiedschor von Carl Heß) und der Liedertafel in der neuen Aula (Veni creator von L. D. Besozzi, An mein Vaterland von Carl Munzinger), sondern auch zu einem großen Konzert im Münster, zu dem eine Reihe musikalischer Kräfte an der Hochschule Anregung und Beiträge lieferten. Man verfolgte dabei den doppelten Gesichtspunkt, Kompositionen alter schweizerischer Meister und neue Arbeiten von Mitgliedern der Universität zu Gehör zu bringen. An den Anfang trat ein Festpräludium für Orgel, Blasinstrumente und Pauken von Privatdozent Carl Heß, an den Schluß ein Salve Regina für Altsolo, Chor und Orchester von Prof. Alexander Reichel und eine Friedens-Kantate, konzertmäßige Bearbeitung des ersten Finales aus der Oper »Die Braut von Messina«, von Privatdozent Julius Mai. Zwischen hinein schoben sich die älteren Kompositionen, zunächst das Zwinglilied (1531) in der Bearbeitung von Herzogenberg mit dem Vorspiel von Max Reger. Diese eine Nummer trug der Studentengesangverein mit Blasinstrumenten-Begleitung unter Leitung des Herrn Eugen Hoechle vor. Es folgte für gemischten Chor a cappella ein Lied Senfl's (1530): »Was wirt es doch des wunders noch« und ein fünfstimmiger Festchor des aus Glarean bekannten bernischen Komponisten Johannes Wannenmacher: Salve Berna! Alle Gesänge mit Ausnahme des Zwingliliedes wurden von dem Cäcilienverein und der Liedertafel unter Leitung des Herrn Dr. Carl Munzinger ausgeführt. Herr Heß trug noch ein Orgelstück aus dem Orgelbuch des Fridolin Sicher (1490—1546) vor. Den Übergang zwischen diesen Erzeugnissen des 16. und denen des 20. Jahrhunderts bildete eine für Streichorchester mit Soli bearbeitete Klaviersuite von Nic. Ant. Le Bègue, vorgetragen vom städtischen Orchester mit Solokräften unter Munzinger's Direktion. Alle diese alten Sachen waren von Prof. Adolf Thürlings ausgewählt und unter Mithilfe eines Schülers, stud. phil. Wilhelm Müller aus Lindenthal, eingerichtet worden. A. Th.

Dresden. Ganz ordnungsgemäß, am 4. Juni, wie ich in meinem letzten Berichte voraussagen konnte, hat die erste Aufführung der indischen Legende »Das Opferfeuer« stattgefunden und den Verfassern, dem Dramatiker Karl Gjellerup und dem Musiker Gerhard Schjelderup reichen Beifall eingebracht. Das Publikum schien einen ganz besonderen Reiz darin zu finden, die beiden nordischen Helden, die ebenso begabt wie bescheiden sind, immer wieder auf der Bühne erscheinen zu sehen: zu zählen waren die Hervorrufe nicht. Den Inhalt zu seiner einaktigen »Legende« hat Gjellerup aus den von Schopenhauer so verehrten Upanischaden, dem tiefen Schatz indischer Weisheit, geschöpft. Auf der einen Seite finden wir eine im Opferdienst wurzelnde materialistische Naturreligion, auf der anderen eine ganz dem Innern zugewandte idealistische Weltanschauung. Vergeblich forscht der junge Gottsucher Cvetatretu nach dem Brahman, der unendlichen Gotteskraft. Die drei Opferfeuer klären ihn darüber auf: das Brahman ist unsere Seele, in der die Welt als Erscheinung lebt. Nach dem Empfange dieser Erkenntnis eilt er mit der lieblichen Lundari, der Tochter des Meisters, dem er an Wissen nun weit überlegen ist, in den Urwald, wo sich frei von allen kulturellen Formen der reine Gottesgedanke erhebt.

Durch die melodramatische Musik des feinsinnigen und formengewandten Schjelderup kommen die symbolische Sphäre und der exotische Zauber des Gjellerup'schen Werkes erst zur vollen Geltung. Der Musiker hat sich mit Liebe in die Geheimnisse der Dichtkunst versenkt und setzt verständnisvoll immer dort ein, wo eben die Musik die Helferin sein muß, die die Stimmung vertieft und sie klar zum Ausdruck bringt. Zu großer Schönheit und bedeutender Steigerung wird sie in der Liebesszene zwischen Cvetatretu und Lundari und in den daran sich anschließenden Gesängen der Opferfeuer erhoben. Nur stellt sich hier ein technischer Fehler ein, durch den eben dieser rätsellösende Gesang nicht vollkommen verstanden werden kann, selbst wenn die drei Vertreterinnen des Opferfeuer bedeutend deutlicher aussprechen würden, als es in der hiesigen Aufführung des Königlichen Schauspielhauses der Fall war. Sie müssen nämlich aus den Kästen, die die Opferaltäre vorstellen sollen, heraussingen: und das erschwert das Verständnis außerordentlich. Es müßte daher vorher erst eine gründliche

Lesung des Textes stattfinden: und dazu hat der heutige Theaterbesucher keine Zeit. Wenn trotz jenes Fehlers diese Musik doch im Stande ist, einen tieferen Eindruck zu hinterlassen, so ist das entschieden ein gutes Zeichen für ihre Bedeutung.

Hoffentlich erhält der eifrig und trotz vieler Anfechtung unbeirrt vorwärtsstrebende Komponist nun bald Gelegenheit, in der Vorführung einer seiner größeren, wirklich musikdramatischen Werke sein beachtenswertes Können ganz zu zeigen: Er beherrscht vollkommen den modernen Orchesterapparat, zeigt seine kontrapunktische Geschicklich-. keit nur in den notwendigen Fällen und versteht seine Melodik in langatmigen Zügen zu offenbaren. Auch liefert seine Musik zu den »Opferfeuern« den Beweis dafür, daß er stets mit Rücksicht auf die Bühne zu Werke geht, und dadurch stellt er die wirkungsvolle Verbindung dieser beiden Faktoren her, wodurch einzig und allein das Musikdramatische zu seinem Rechte gelangen kann.   E. R.

Duisburg. Zur Feier des fünfzigjährigen Bestehens des Duisburger Gesangvereins. der zugleich der Hauptträger der Konzertgesellschaft ist, fand hier ein zweitägiges Musikfest statt, dessen Clou Bruckner's unvollendete neunte Symphonie war. Dieselbe erlebte ihre erste Aufführung im deutschen Reiche und gibt daher zu einigen Bemerkungen Anlaß. Weder vermag eine unbefangene Beurteilung die hohen Lobsprüche des antibrahmsisch angehauchten Teils der Wiener Presse zu teilen, noch auch verdient das Werk wie im allgemeinen die Erzeugnisse der Bruckner'schen Muse die liebenswürdigen Ehrentitel, wie senile Faselei, unmännliches Spinthisiren und dergleichen mehr, mit denen seine Gegner ihn auszustatten für gut befinden. Richtig ist, daß es Bruckner an der Kunst der folgerichtigen organischen Gestaltung gebricht, daß ihm allmähliche Steigerungen, daß ihm der Aufbau bis zu einem »erlösenden« Höhepunkt kaum irgendwo gelingt. Zugegeben muß auch ferner werden, daß viele seiner harmonischen Kombinationen auf eigenwillige Sonderlichkeitssucht zurückzuführen sind, gleichviel ob Bruckner ihr mit Bedacht oder aus dem Hange, dem lieben Gott zu dienen, nachhing. Ihm fehlt die Kritik, Spreu vom Weizen zu scheiden, und so sehen wir ihn oft genug einen unbedeutenden Anlaß zu einer Staatsaffäre aufbauschen. Dann wieder spannt er unsere Erwartungen durch Akkordfolgen merkwürdigster Art, sogar unter Verwendung der ihm sonst nicht gerade ans Herz gewachsenen Polyphonie aufs höchste, um uns dann durch eine Fadheit zu enttäuschen. Dennoch findet sich bald wieder Reizendes und dabei Ursprüngliches bei ihm vor, seine Phantasie ist oft so blühend und mannigfaltig, daß man aufmerksam zuhören muß, um ihr gleich als bewußter Würdiger zu folgen und daß man, indem man es tut, ganz beträchtlich auf seine Genußkosten kommt. Weit über dem lang ausgesponnenen ersten und dritten Satz steht der zweite, das Scherzo, wo Bruckner schon durch die knappe Form gehindert wurde, seine »Kunst zu fabulieren«, all zu sehr ins Kraut schießen zu lassen. Soviel über Bruckner, der überdieß noch mit seinem Tedeum vertreten war. Das Programm des zweiten Tages, an welchem die Brucknerschlacht geschlagen wurde. enthielt im übrigen mehrere Richard Strauß-Nummern, von ihm selber vorgeführt, »Tod und Verklärung«, das eine tiefe Wirkung ausübte, das bekannte Notturno sowie das liebenswürdig behaglich gestimmte »Tal« von Uhland, beides von Messchaert mit meisterhaftem Vortrage, obschon etwas ermüdeter Stimme gesungen. Als deutsche Urneuheit gelangte weiter eine Ode für achtstimmigen Chor, Orchester und Orgel von Hubert Parry, dem Leiter der Londoner Royal Academy of Music zur Aufführung. die sich durch schönen Klang und gediegene Arbeit empfahl. Stürmisch gefeiert wurde Busoni, der unter anderem seine durch eigenartige Klangverknüpfungen fesselnden Übertragungen Bach'scher Choralvorspiele vortrug. Den ersten Tag nahm Händel's Messias ein, in welchem außer Messchaert noch Hedwig Kaufmann, Frau Geller-Wolter und Tenorist Fischer in bekannter vortrefflicher Weise mitwirkten. Die Einrichtung, in welcher das Händelsche Oratorium unter Leitung des Duisburger städtischen Musikdirektors Josephson aufgeführt wurde, stammt vom Kölner Organisten Prof. F r a n k e, geht bei weitem nicht so eigenmächtig vor, wie die Chrysander'sche und zeichnet sich vor allem durch die Heranziehung des Clavicembalo aus. Ein vollständig ausgeführtes Streichquartett, Verwendung von Posaunen, der Harfe in der ganzen Weihnachtsszene sind weitere Merkmale der sehr empfehlenswerten Franke'schen Einrichtung. Das ganze Fest bewies, daß auch an Duisburg die Tonkunst eine eifrige Pflegestätte besitzt.   O. N.

Frankfurt am Main. Die großen Vorbereitungen zu dem zweiten Wettstreit deutscher Männergesangvereine hielten unsere Stadt seit Wochen in Atem. Glänzend sind die Festtage (3.—6. Juni) verlaufen, sodaß auch diesmal der alte Philosoph Platon mit seinem Ausspruch »Die Götter sind Freunde der Wettspiele!« Recht behalten durfte. Wie fleißig im Laufe vieler Monate in einer Unzahl von Vorproben und den elf großen Ensembleproben gearbeitet wurde, bewies die glänzende Ausführung des Begrüßungskonzerts am Abend des 3. Juni. Auf dem Podium der gleich imposanten, als in akustischer Hinsicht ganz zweckdienlichen Halle hatten der Sängerbund und die Sängervereinigung in der stattlichen Zahl von 1700 Sängern und das auf 130 Mann verstärkte Opernhaus-Orchester Platz genommen. Der rauschende Chor »Dem Kaiser Heil!«, Melodie von Beethoven (aus Op. 124), für Männerchor und Orchester bearbeitet von Bernhard Scholz, einem der hiesigen Preisrichter, begrüßte den Eintritt des Kaiserpaares und seines großen Gefolges. Als größte Nummer des geschickt gewählten Programms folgten die bekannten Szenen aus »Frithjof«, Op. 23 von Max Bruch mit dem trefflichen Solistenpaar, Kammersängerin Johanna Dietz und Adolf Müller; die Ausführung des gelegentlich in den Farben schon etwas verblassenden Werkes war, von dem manchmal etwas zu matten Orchesterklang abgesehen, eine musikalisch äußerst abgerundete, besonders die Steigerungen des »Tempelbrand!« wirkten bei dem Massenchor ausgezeichnet. Nach dem Waldchor aus Schumann's »Rose Pilgerfahrt« kam Goldmark's »Frühlingsnetz« zu Gehör, ein Chor, der durch die reizvolle Instrumentation des greisen Autors des »Götz« noch mehr gewonnen, und wohl bald noch mehr gesungen wird, als früher. Den Schluß des von Professor Maximilian Fleisch sorglich vorbereiteten und trefflich geleiteten Konzerts bildeten zwei Volkslieder, die entzückende »Scharwache« von Grétry, — bezüglich der ausgefeilten Dynamik ein kleines Kabinetstückchen im Vortrag — und der »Prinz Eugen« nach der ältesten Aufzeichnung von 1717, für Chor und Orchester eingerichtet von Eduard Kremser.

An dem Wettsingen selbst beteiligten sich diesmal 34 Vereine (gegen 18 in Kassel) mit rund 5480 Sängern. Es war sehr interessant zu beobachten, welche oft recht eigentümlichen Wege die Pflege des deutschen Männergesangs in den letzten Jahren eingeschlagen. Die in der ganzen in- und ausländischen Tages- und Fachpresse bereits hinlänglich kommentierte Kaiserrede hatte, mußte man die Tage lang zuhören absolut nicht Unrecht, wenn sie auf die große Künstelei, das Hervorsuchen der allerschwierigsten Kompositionen und in vielen Fällen nach der Riesenarbeit auf den geringen Erfolg hinwies. Wie oft galt es doch nur: »Zwangvolle Plage, Müh' ohne Zweck!« Daß überall, und namentlich bei den großen und bewährten Vereinen musikalisch das Menschenmöglichste erreicht und geboten wurde, versteht sich von selbst. Den kleineren Vereinen, die über ein weniger gutes Material verfügten, wurde aber vor allem der unpraktisch geschriebene Preischor, ein Doppelchor mit drei Oktaven im Umfang, zu vollem Verderben. Nur wenigen Ensembles, wie der künstlerisch fein disziplinierte Berliner Lehrergesangverein (Dirigent Professor Felix Schmidt), der sich diesmal sehr verdienter Weise den ersten Preis der Kaiserkette holte, dann der Kölner Männergesangverein, der Bremer Lehrergesangverein, die Berliner Liedertafel und der leider nicht einmal in die engere Konkurrenz gekommene Dortmunder Lehrergesangverein kamen bei dem Preischor von G. Meßner glücklich um die gefährliche Klippe herum. Den zweckentsprechender gewählten Stundenchor, ein hübsches »Volkslied« von W. Kienzl, sang der Berliner Lehrergesangverein wirklich am allerbesten, während den Kölnern, die ihnen den Siegespreis strittig zu machen im stande waren, das bekannte große Malheur gerade hier passieren mußte. Laut dem Spruche der Preisrichter: Dr. Beier-Kassel, Clarus-Braunschweig, Foerstler-Stuttgart, Ochs-Berlin, v. Perfall-München, Dr. Scholz-Frankfurt, v. Schuch-Dresden und Dr. Volbach-Mainz (Zöllner-Leipzig war wegen Differenzen mit seinen Kollegen gleich nach dem ersten Tag ausgeschieden) wurden die Preise in folgender Reihe den nachstehenden Vereinen zuerkannt: 1. Berliner Lehrergesangverein, 2. Kölner Männergesangverein, 3. Sängerchor des Turnvereins Offenbach am Main, 4. die sehr gut geschulte Berliner Liedertafel, 5. der Potsdamer Männergesangverein, der die Schubertsche »Sehnsucht« zu allen Ehren kommen ließ, 6. Die Aachener Konkordia, 7. der Bremer Lehrergesangverein, dem mit Fug und Recht eine frühere Stelle gebührt hätte, 8. der Krefelder Sängerbund, 9. die stimmfrische Liedertafel München-Gladbach, 10., 11. und 12. der Männergesangverein, der Verein »Sanssouci« und die Konkordia, alle drei Vereine aus Essen a. d. Ruhr. Hat man die drei Tage des Wettkampfes miterlebt, so kann nicht geleugnet werden, daß der Spruch des Preisgerichts im allgemeinen ebenso oft viele Überraschung als manches Befremden erregen mußte. Auf alle Fälle muß für das nächste Sängerfest eine gänzlich andere Norm der Beurteilung eingeführt werden, soll nach so vielem ehrlichen Bemühen von dem Doppelwort »Wettstreit« nicht der unangenehme Nachgeschmack des zweiten Begriffs übrig bleiben. Hoffentlich werden die bestgemeinten Kaiserworte später nicht einem dienststeifrigen Mißverständnis begegnen, denn wohl kein kunstverständiger Mensch sehnt sich nach den glücklich überwundenen Zeiten einer öden Liedertafelei zurück, wohl aber recht Viele nach der Umkehr zu größerer Einfachheit und Natürlichkeit, den beiden wirkungsvollen Momenten des Wesens des richtigen Männergesangs. Und in dieser Beziehung wäre es führwahr so manchem der kleineren Vereine vorteilhafter gewesen, einen schönen Chor von Schubert oder ein Silcher'sches Volkslied gewählt zu haben, statt eine ihre Kräfte in jeder Hinsicht übersteigende schwere Komposition von Hegar oder Zerlett. Videant consules! H. P.

Görlitz. 24. Juni. Zum 15. schlesischen Musikfest, das wie eine Anzahl der vorhergehenden und alle künftigen schlesischen Musikfeste hier abgehalten wurde, vereinten sich mit 8 Solisten und den 120 Mitgliedern der Königlichen Hof-Opernkapelle aus Berlin die Mitglieder 14 niederschlesischer Gesangvereine, 610 Damen und 243 Herren. unter dem Taktstock des Königlichen Hof-Kapellmeisters Dr. Muck aus Berlin. Der erste Tag, Sonntag den 21. dieses Monats, brachte zunächst die weihevolle und erhabene C-moll-Messe von Mozart, ein 1782 komponiertes, lange Zeit verschollenes und von Alois Schmitt in Dresden der Vergessenheit entrissenes und mit Geschmack ergänztes Werk, voll von reifer Süßigkeit, edler Anmut und hehrer Majestät. Die Soli wurden gesungen von Alois Schmitt's Witwe, Frau Schmitt-Czany-Dresden, Frau Schumann-Heink-Berlin, Kammersänger Heß-Berlin und Hofopernsänger Hoffmann-Berlin. Hierauf folgte Beethoven's 9. Symphonie, die mit ihren stimmungsreichen ersten Sätzen und den gewaltigen Chören im Schlußsatze auf die Zuhörer einen tiefgehenden Eindruck machte. Am Montage sang nach dem Vorspiel zu Wagner's »Meistersingern« Frau Schumann-Heink Schubert's »Allmacht« und dann kam ein äußerst interessantes Stück, Seb. Bach's »Dramma par musica« »Wettstreit zwischen Phöbus und Pan« zur Aufführung, eine witzige, an Wohlklang und Komik reiche Satire, die wider die Gegner des Meisters gerichtet war. Schubert's unvollendete H-moll-Symphonie und Mendelsohn's phantasievolle »Erste Walpurgisnacht« vervollständigten das Programm des Tages. Die dritte Aufführung am Dienstag brachte Tschaikowski's 4. Symphonie in F-moll, ferner eine Alt-Arie aus Mozart's »Titus« (Frau Schumann-Heink), Liszt's symphonische Dichtung »Mazeppa«, die heitere Ouvertüre zu d'Albert's »Improvisator« und eine Anzahl sehr stimmungsvoller lyrischer Lieder von Schumann, Schubert, Brahms. Wolf u. s. w., worauf Wagner's »Kaisermarsch« mit seiner wuchtigen Polyphonie den Tag abschloß. Der Besuch war sehr zufriedenstellend, die 1500 Sitzplätz ein der Festhalle, die nun bald einem Prachtbau im Görlitzer Stadtpark weichen wird, waren zu allen Aufführungen und Generalproben ausverkauft, und außerdem fanden noch mehrere Hundert Personen Stehplätze. Sicherem Vernehmen nach ist ein Überschuß über die 2700 Mark betragenden Unkosten erzielt worden. Ein Ausflug auf die weithin ragende Landeskron schloß am Mittwoch das Fest ab. A. Th.

Leeds. — These notes (IV, 481) from Leeds are for the northern counties generally. — One result of the dearth of orchestras in provincial England is the growth of "festivals". In view of the difficulty and cost of collecting together a competent orchestra, it is well to make the most of it when once organised. Thus at Middlesborough, where there is a powerful choral society, the orchestra employed is largely amateur; and, when it celebrated its majority last April, it was thought worth while to engage a first-rate band of artists from the Hallé Orchestra in Manchester, and give a small festival at which a really interesting programme of unfamiliar music, both choral and orchestral, could be given with some degree of all-round efficiency. Details of this enterprise were given at IV, 582, and it need only be added that F. Volbach's cantata proved a romantic and strongly coloured work. The miniature Bridlington Festival also was noticed at IV, 579. Josef Nešvera, in his work "De Profundis", appeared to have imbibed much of the spirit of Dvořák, though with not the same degree of spontaneity. J. G. Putman's "Cinderella" was a clever little tone-poem. Mention of the conductor will be found at IV, 129. — To another category belong the music-competitions, which are doing an educational work in country districts the value of which cannot easily be overestimated. During the past few months competitions of this kind have been held at five centres in Yorkshire; York, Whitby, Wensleydale (Leyburn), Swaledale (Northallerton) and Pontefract; to which must be added Carlisle and Kendal (Westmoreland), the last being the model on which all the rest are based. The principle by which these competitions are organized is that during the autumn a list of test pieces is published; madrigals, anthems and the like for choirs; songs, duets, quartets for soloists; and in some cases instrumental music for pianists, violinists, and even for village orchestras. It is of course a point of importance that the music, however simple, is good; so that a high standard is put before the intending competitors. At the actual competition a musician of recognized ability, unconnected with the district judges the respective performances, and not only places them in order of merit, but gives in detail the reasons for his decisions, and criticizes at length the various competitors. By this plan a standard of comparison is afforded, and from this and from the practical advice which an experienced musician can give those who take part have a means of self-improvement which is of the greatest possible utility. As a matter of fact, those who are able to follow the course, year by year, of any of these competitions, know what an extraordinary improvement they soon effect in the musicianship of the district. Particularly is this the case in the children's classes, in which both teachers and pupils learn much from their experience. A very marked distinction exists between competitions organised on these educational lines, and those which exist chiefly for the "sport" of putting one performer against another, the value of which is purely problematical. In these last-named cases prizes of considerable value are given, the compositions sung are in many cases left to the choice of the competitors and are too often of little value, and there is no restriction as to the locality from which the choirs, &c. come; so that the immediate district is apt to be neglected and populous towns swamp the villages; while the general tendency is not in the direction of improving artistic taste, but solely in that of technical efficiency, and that merely as much as can be acquired in polishing up two or three test pieces. In the educational competitions, on the other hand, there is every encouragement to the improvement of general musicianship, and a great feature is the introduction of sight-reading tests. At first these have to be made very elementary indeed, especially when, as in the case of choirs, they must be gone through in public; but it is astonishing how soon an improvement is noticeable, and the fact that those choirs which are successful in sight-reading are often successful in performing prepared works seems to indicate that this policy tends to all-round musical improvement. All the competitions above enumerated have been organized by enlightened and zealous amateurs, and in this connection one cannot omit a reference to Miss Wakefield, the founder of the Westmoreland Competitions, which have furnished a model that has been imitated all over the country, or Dr. Mc. Naught, whose extensive experience causes him to be in great request as judge. — Among other recent musical events must be mentioned the opening of a fine new organ built by J. W. Walker & Co. in York Cathedral, at a cost of £ 5,000; and the completion of a sumptuous Kursaal at Harrogate, the fashionable Yorkshire health resort. Here there is an efficient permanent orchestra, subsidized by the Municipality. Its conductor, C. L. Naylor, is a musician of high aims and ability; but his efforts are necessarily restricted by the fact that the orchestra is organized less for artistic purposes than as an additional attraction for the gay crowd at a smart watering-place.   •   H. T.

London. — Again it has been a month during which one has hardly been able to hear any music for the mass of concerts. Since the last report they have numbered about 200 and most of them must remain unhonoured and unsung. It is to be feared they will not be unwept; because some of the unhappy givers must weep bitter tears, since many concerts are given with no object save that of notice in the press, which in the circumstances is as hard to get as a pecuniary profit. The last report finished in the middle of Weingartner's Beethoven concerts, organized by Johann Kruse, with a promise to deal with the whole series this time. The concerts were all of surpassing interest, especially the performances of the nine Symphonies. A Beethoven specialist is not exactly a necessity in these days; but if we must have one, we cannot have a better one than Weingartner. He is a curious mixture of opposites; his intense nervous energy is essentially modern and instinct with Zeitgeist, yet he always gives readings of Beethoven which are essentially che reverse of modern. Richter makes Beethoven somehow sound much nearer to us in point of time than Weingartner. There are other conductors of course who do that; but then they are generally mere academic Taktschläger, and that of course is just the one thing Weingartner is not. As a rule Weingartner's reading of the slow movements is not the best feature of his interpretations. There is a little want of softness of contour and colouring in them, but on the other hand a more sensitive or a nobler performance of the slow movement of the 9th no reasonable hearer could ask for. His chief triumphs were earned in movements like the finale of the Eroica and the 5th, and the Scherzo and Finale of the 7th, and above all the Scherzo of the 9th, which was played with almost superhuman energy. The difference between him and conductors of what may be called the Richter school is that whereas the one gives the impression of a broad deep stream, the other is rather like a mountain torrent; they have this in common that both carry one quite away. Weingartner was also superb in the Leonora overture no. 3 and the Egmont overture, and Kruse played the violin concerto and the Romances with reverence for the classical traditions. As London has no choir available for ordinary purposes, the chorus of the Dulwich Philharmonic Society had to be imported for the Ninth Symphony. It sang very capably, and had obviously been very well trained by Arthur Fagge. The most notable feature of the choral performances was the great pace at which Weingartner took some of the movements. The public unfortunately did not attend well except at the last concert. There will however be another series of Weingartner concerts next year, not devoted to Beethoven exclusively.

Another Festival has come and gone, the Richard Strauss Festival (and next week we shall have another, the Triennial orgy of musical jumboism known as the Handel Festival). The Strauss Festival organised by Hugo Görlitz introduced us not only to many hitherto unknown works of Strauss (unknown that is in England), but to the famous Concertgebouw Orchestra of Amsterdam, with conductor Willem Mengelberg, to whom Ein Heldenleben is justly dedicated. It is a magnificent orchestra with a very perfect ensemble and noble tone, and an extraordinarily keen understanding of Strauss's music. The unfamiliar works of Richard Strauss played were: — Also sprach Zarathustra (twice), Don Quixote, Macbeth, Aus Italien (two movements), excerpts from Guntram, and the Burleske for piano and orchestra. "Also sprach Zarathustra" had been performed under Manns at the Crystal Palace on 6 March 1897, the Prelude to Guntram was played once at a Promenade Concert under Henry Wood, and at a Henschel concert the two middle movements of "Aus Italien" had been heard. This time we had the third and fourth movements played in inverse order, whereby the third "Am Strande von Sorrent" suffered not a little. The other works in the programmes were Till Eulenspiegel and Ein Heldenleben (twice each), Tod und Verklärung, and Don Juan; besides songs sung by the composer's talented wife Frau Pauline Strauss-de Ahna (who was most emphatically successful) and Ffrangcon Davies. The soloist in the Burleske was Wilhelm Backhaus, and in Guntram John Harrison, who has in a few months stepped from the weaver's loom in Lancashire to the front rank of concert tenors. The latter sang with good art and beauty of voice. Mengelberg is a conductor of great gifts and very catholic tastes, who can conduct Beethoven and Mozart with as much intimate understanding as a Strauss Tondichtung. He is original in the sense that he thinks things out for himself, not because he tries to be different to everybody else. Further acquaintance with him and his orchestra will be welcome. The net result of the Festival has been to consolidate Strauss's position to a very marked degree. The number of his convinced adherents has increased considerably, many doubtful critics have been converted, and even those who like him least have been compelled to treat him with the respect due to a very powerful opponent, instead of dismissing him in a superior way with a sniff as a person of no importance. They realise as fully as anyone else that he is the greatest, if not the only great, living force in the music of to-day, and destined to have a permanent and prominent place in the history of music. Another result has been that concert-goers here have had for the first time an opportunity of realising how varied and how logical has been the course of Strauss's development from the Burleske (1884) to Ein Heldenleben (1899). The public support was not what it should have been, but sufficient to justify a repetition of the experiment in 1904; and the enthusiasm was enormous. Anything in the shape of criticism of works like „Also sprach Zarathustra" or "Don Quixote" or "Macbeth" if not called for, is indeed impossible in this place; though their production here has been the most important musical event of the last few years.. The Amsterdam orchestra paid British music a compliment which many foreign visitors omit. They played some native works. Stanford's Second Irish Rhapsody, op. 84, Lament for the Sons of Ossian, was originally produced in Amsterdam about a fortnight ago, and was played for the first time in England on 8 June 1903 under Mengelberg at a concert given by the American pianist (who may be discussed next month) Richard Platt. The second Rhapsody is perhaps at little inferior to the first, but is one of its composer's finest works, and is, like its predecessor, based on Irish traditional airs. Edward Elgar's "Diarmid and Grania" music, heard once previously at Queen's Hall, also made a powerful impression. And both were magnificently played. Mengelberg gave further proof of his powers at the orchestral concert given by Willy Burmester. He conducted the accompaniments to Beethoven's, Mendelssohn's and Tschaikovsky's Violin Concertos superbly, and Burmester proved that he is now a splendid artist besides being a great master of technique. Another notable performance of Tschaikovsky's concerto was that by Marie Hall at the last concert of the season of the Queen's Hall orchestra under Henry Wood. Ysaye's concert (Beethoven concerto, Mendelssohn concerto. and Bach's concerto in E major) also deserves mention. René Ortmans conducted skilfully, and the enthusiasm was quite unparalleled. Kubelik was here too, and Kreisler; and the débuts of Oliveira, Edwin Grasse, and Zacherewitsch deserve record. Max Wolfsthal earned great applause at a Philharmonic concert. Marcella Lindh and Norah Meredith are the most promising new singers we have heard, and there have been many new pianists, none of any special merit. Pachmann, Busoni, and Josef Hoffmann have been heard several times.

The choral nakedness of London was exposed again when we had to invite a choir from Hanley (Staffordshire) to take part in the first London performance of Elgar's Dream of Gerontius in the Westminster (Catholic) Cathedral on 6th June. The Amsterdam band were according to original arrangements to have taken part in the performance, but a native orchestra led by Frye Parker played. Dr. Wüllner, Ffrangçon Davies, and Muriel Foster were the soloists, the first and last having taken part in the Düsseldorf performance of the Niederrheinisches Musikfest 1902. The composer conducted a performance which, though it had many merits, did not do the beauty and especially the variety of the work full justice, partly owing to acoustic effects in the unfinished building. There was an enormous audience, larger probably than any native work has ever had in London. The fact that London had to wait from October 1900 to June 1903 before hearing the "Dream of Gerontius" is quite the least creditable fact in the musical history of England at the beginning of the 20th century.

Alf. K.

An Independent Postscript. Knowing the exceptional technical difficulty of Richard Strauss's later works, and judging that it would cause their performance to be rarer than would otherwise be natural and right with things that have such decided claims to the attention of the public and musicians, I have spent most of my leisure in the last two years in the study of the scores of these symphonic poems. In consequence I cannot offer the following remarks as representing impressions of the Strauss Festival pure and simple; they are rather the impressions of one who hears for the first time works that he has been doing his best to get by heart, and moreover works of which the intellectual difficulty lies almost entirely in the reading of the score and needs nothing but application and time to disappear entirely. The works of Strauss need either a very serious study or none at all. If we are content to listen to Strauss's music merely as to any other new sensation that charms during its day, then we may content ourselves with the popular methods of criticism. A stock of phrases about intellect and emotion, a little knowledge of the poetic subjects of the symphonic poems, and a distant acquaintance with other music as an ingenious abstract science founded on strange obsolescent rules which the modern inspired modern artist condemns, — here we have the basis for that kind of Strauss-worship that bids fair to form a parallel to the Wagnermania that for so long hampered the world's understanding of Wagner's true greatness. On the other side we have the kind of criticism which assumes that rules make works of art, instead of works of art making rules. This criticism rests on a knowledge of classical music just as second-hand and superficial as that of the ultra-modern nincompoop; and it cannot account for the facts of classical music when it finds them out, — as the readers of the Sammelbände have had only too good an opportunity of seeing a few months ago. The kind of criticism that makes nonsense of Bach will, even in its mildest form, almost doubt its own sanity in the presence of "Des Helden Wahlstatt" or the passage in Till Eulenspiegel before the $\frac{3}{4}$ time in A flat. The fact is that both kinds of criticism, the Strauss-mania and the fifth-hunter's, are empty. The sheltered life is all very well if the sheltered patient is not merely bored and disciplined to take everything at second-hand and to see as little as possible within his limits. But we must not be surprised if a student who knows nothing of classical music except that it is orthodox and that he has to put up with it in large quantities, first becomes a Tschaikoffsky maniac, and then a Wagner maniac, and lastly a Strauss maniac, and never does a decent stroke of work for the rest of his days. If as teachers of composition we feel alarmed at the effect of Strauss's work on our pupils, the only thing for us to do is to see that we put into our pupils' minds a really living knowledge of other music. If a classical work is to them no mere mass of more or less pleasing illustration of ancient technique, or more or less interesting foreshadowings of modern thought, but the organisation of beautiful material into the form in which that material can become living and permanently intelligible, then I confess I do not see why they should not find out how far Strauss's music fulfils that ideal. For myself I feel fairly decided as to the works we have at present heard and keenly interested as to what the future developments will be.

Strauss with his immense knowledge of Mozart seems to me a wonderful illustration of the principle that artistic revolutions can only be accomplished by really learned artists. On the other hand it is not every artistic reformer who is a mature or even a great artist, and I cannot for a moment believe that any of Strauss's present works will reach posterity with an unimpaired theatrical reputation. And here again, his power to reform rests on his solid attainments, so (it seems to me) his failure to produce complete and convincing works come from a certain limit to his understanding of music, a limit which is most clearly evident in his earliest work. That such things as the Burleske, or still more strangely the Violin Sonata, should be cited as showing the influence of Brahms, only proves how completely Brahms's artistic methods are in advance of contemporary criticism. The Burlesque is an unusually well-built example of "Form as She is Taught", on a larger scale than most conservatoire-students would think of attempting, and certainly executed without any blunders. It would gladden the heart of any teacher who did not expect great things of his pupil. But as a work of art in which the material makes the form (whether that form be new or familiar), it simply does not exist. It is the sort of thing Brahms himself never dreamt of putting up with. Now, take such exercise-form as that of this Burleske and expand it: and use it as a mould for rather crude material with a wealth of undigested new harmonic ideas. Then you will get such things as Strauss's Violin Sonata. It needs no extravagant prophetic effort to fore-tell that in another hundred years it will seem to be as nonsensical to speak of such a sonata as showing the influence of Brahms as to speak of Monteverde's madrigals as showing the influence of Palestrina. On the contrary, such works show an utter lack of intelligent sympathy for the classical forms which they ostensibly imitate. No wonder Strauss took to other forms if he saw no more in Brahms than he wrings out of the stubborn material of this sonata, of which the middle movement (entitled "Improvisation") is the only one which shows anything like the real classical relation between matter and form. Hence arise such works as "Aus Italien" in which very poetical orchestral colour and quite good ideas of expressive new form exist side by side with such bewildering instances of obtuseness in matters of feeling and style as the selection of that atrociously vulgar tune "Funiculi funiculà" to illustrate "Volksleben". Even if it did illustrate it, why in the name of realism itself take "Volksleben" at its most artificial form of vulgarity?

Then our symphonic poet proceeds to more serious things, Macbeth, Don Juan, Tod und Verklärung; here we find the growing artist; still one-sided and prosaic in many points, but undoubtedly interesting and sometimes (as at the end of Tod und Verklärung, the ¾ passage in B♭ in Macbeth, and the G minor and G major themes in Don Juan) really beautiful and noble. Certainly such works cannot be demolished by a priori metaphysics as to the legitimacy of programme-music. A really beautiful symphonic poem will demolish all that sort of discussion at once, and for my own part the only objection I have ever had to symphonic poems is that most of those that I know are very bad music. Strauss's works can drive them all into their native limbo. The first few pages of "Also sprach Zarathustra" (surely by far the greatest of his works) are enough to atone for all that is blatant in the works of Liszt. They even incite one to hope that the outbreaks of bad temper and sulky Weltschmerz that make the general effect of "Ein Heldenleben" totally unworthy of a great man, may be only a passing phase. There seem to be three main types of Strauss's symphonic poems. First we have the early and serious (the group of three ending with "Tod und Verklärung"), containing nothing that is more than a legitimate development of what has been known before; rather avoiding stiffness than attaining freedom of form and proportion (indeed Macbeth is distinctly stodgy in parts). Then we have the later works in which an entire revolution in harmonic matters is carried out rather as a joke or an excursion into the region of imaginative nonsense like "The Hunting of the Snark", and amusing realism like a stage railway accident. This is represented by two works, "Till Eulenspiegel" and "Don Quixote". Lastly we have the attempt to use this revolutionary harmony entirely seriously, in "Also sprach Zarathustra" and "Ein Heldenleben". In "Zarathustra" this new element is less prominent, and the harmonic invention of an intelligible kind is here at a higher level than anywhere else; while in "Ein Heldenleben" it is distinctly poorer and cruder. And it is interesting to note that in the harmonically nonsensical battle-movement the rhythm and sequences relapse into almost the stiffness of the docile conservatoire student. Every large work Strauss hereafter produces will be an event in history; but what will he become? Will his art go on breaking up from Heldenleben onwards, and will he settle down as a mere Monteverde whose work destroys without building up? Will he prefer his half-cheery, half-melancholy cynicism and indulgence in fantastic nonsense, as in the pathetic extravaganza Don Quixote; dazzling us as Philipp Emanuel Bach dazzled his age; rejoicing in that splendid toy his orchestral technique as Philipp Emanuel Bach rejoiced in the pianoforte, "firing his imagination" with weird overlapping dissonance as Philipp Emanuel Bach fired his with the effects of the undamped instruments he preferred; and will the whole huge paraphernalia of Heldenleben be, like the whole work of the earlier "Bahnbrecher", mere bricks for the future Mozart of the symphonic poem to build with? Or will Strauss's own future works reveal the modern Mozart? And what will be the place of the "programme" in them? Space has forbidden me to discuss his programmes, and I can only excuse myself on the ground that, as far as they are clearly expressed, it seems to me the most peevish Lebensanschauung ever embodied in art. The music is incomparably more interesting, and perfectly easy, without the programme. Hitherto, except in Zarathustra (and that breaks down completely in the Tanzlied; I am unable to see a greater than Philipp Emanuel Bach in these works. But they are the only decadent productions that has ever been of any interest to those who devote themselves to classical music, and where they fail musically the programme does not explain them in the least. Contemporaries used to try in just the same way to defend Philipp Emanuel Bach by talking bad metaphysics. It is enough for us that we should have a new Philipp Emanuel to show us the way to new art-forms.   D. F. T.

Another Independent Postscript. Irrefragably Strauss has conquered here. A rather scanty audience, only gradually increasing, proved nothing. Henry J. Wood (Strauss's chief pioneer here) had played "Heldenleben" at Queen's Hall to audiences without standing room on 6th December 1902, 1 January 1903, and 28 March 1903; which might imply a now waning interest. But the press had specially written up the "Heldenleben" event, and Wood's orchestra is established in esteem with its own specially-attracted audience. Furthermore and principally the English public has not yet assimilated one-man festivals, and when this also fell in Whitsun week that was a very adverse concurrence. Neither was anything definite to be learned from the applause given. According to the present strange primitive and inefficacious double-acting method of applause, there is only the simple hand-clap wherewith to notice both execution and composition, two things very distinct and sometimes diametrically opposed. Thus the most profuse applause was given to the Burleske, assuredly the weakest composition in the Festival, because young Wilhelm Backhaus much distinguished himself in playing it. Still the expert concert-frequenter may be credited with a sixth sense to test the state of mind of an audience, and undoubtedly the St. James's Hall audiences were largely excited and carried away by the music. Strauss himself acknowledged the English reception of "Don Quixote" to surpass what he had had thereon elsewhere. At the end of each concert, and especially the last, a long plaudit-homage brought this quiet-mannered composer again and again to the platform. Then, however many thanks are due to the impresario who offered this fine opportunity of studying an artist in his entirety, however much the necessities of programme-making are recognised, it must be admitted that the chronological topsy-turvy of the concerts, the perpetual ὕστερον πρότερον, hurrying the hearer backwards and forwards between almost opposite poles of style, was most damaging to judgment; and this will account for many hesitating opinions. Under "Notizen" a conspectus is given by chronology of composition, but it was wholly otherwise in the performances.

As to the attitude of the English Press, it has in the main been hostile. The "Times" would have S. employ himself better than in "elucidating the philosophies or writing his autobiography in music". The mass of the newspapers think that S. has "gone too far". Ernest Newman, supporting the composer with literary acumen, regards the realism of S. as book-illustration versus the large canvas of Wagner. There has been much clever writing and perhaps little thorough sympathy. A few only have really fought round the standard. The present writer would beg permission to join the latter body, and to repeat that Richard Strauss has through this Festival indisputably conquered in England. We have had here whole sacks of husk; i. e. post-Lisztian symphonic-poems, in which the hearer knows precisely when the violins will rush scale-wise to a high note, precisely when the inevitable gong-stroke will come, precisely when Polyphemus will blow through a hair-comb in the form of muted horns (for no apparent reason except that this must occur in every symphonic-poem). Our typical symphonic-poem has contained all orchestral tricks, because they are tricks. For melody and harmony one has been beset by the fateful feeling that it has all been heard somewhere else before. Against this has now been heard the real thing, in Strauss's haunting tunes, splendidly moving progressions, closely concentrated construction, and really deep emotional imaginative feeling. This stands to the ordinary symphonic-poem, as Wagner stands to mock-Wagner. And technically Strauss begins where Wagner left off. As to his "suggestive and imitative realism", it cannot be whittled away by saying that he does not mean it. He has confessed that he means what is shown and much more. Every composer truly is assailed by darts of fancy-sprites attaching fantastic analogies to the tunes and harmonies of his brain. But (the modern heart being more and more on the sleeve), Strauss has systematised, and made public property of all this; of such pin-pricks of fancy, or wider soarings of imagination. It is true that the music itself will never really mean these things, and six clever poets can make six, nay six hundred, poetic constructions to match any music. Still if Strauss says that this and that was his fancy in such particular case, that fact must be taken as a fact and applied quoad raleat.

Theorizing anyhow becomes irrelevant in the presence of genius, and every musician who has listened must feel in his heart the conviction that, whatever may be the secondary reflections attached to it, this is the most wonderful music since the days of Wagner and Brahms. Also each work seems to be cloud the previous, culminating in Heldenleben and Feuersnot. And Feuersnot comes at a remarkably early age; at the same age Wagner had only reached "Rienzi". Strauss has also done well to show himself personally in England. His portraits are disappointing, and no one was prepared for that tranquil deeply-meditative eye. In person he has evinced great modesty. He had an "interview" with C. Karlyle for "Daily News" of 12 June 1903, in which he made many self-revealing sagacious remarks about the theory of the beautiful; among them the really penetrating reflection that "only amateurishness is ugly". Mengelberg conducted better than Strauss. Frau Strauss sang the songs to perfection. Zimmermann was excellent in the sardonic Heldenleben violin solo. The Amsterdam orchestra, though playing with immense spirit and very familiar with this new music, produced a total effect inferior to that of Queens' Hall or Philharmonic bands. And now it is to be hoped that the Nile will not inundate here with imitation-Strauss. Our younger composers will get little good from that, and had much better follow their own leaders (admirably typified by a new Stanford Irish Rhapsody at an extra Platt-Strauss concert) and develop the genius of their own country.

Closely connected with the Strauss question is that of Elgar and his "Gerontius" performed on 6th June 1903 at the new vast Catholic cathedral in Westminster. The result was very disappointing, for the plain reason that the building discovered the weakness of the style. The Palestrina, Byrd, Gibbons &c. style proportioned means to grandeur of building, and was really weaving and interweaving on little more than a single common chord. The great choral writers held vocal wandering in check by at any rate some broad formal instinct and reverence for tonality. Brahms endeavoured to make instrumental and vocal form one and the same thing. The watchword now is "follow the words"; a very miserable substitute for either of the above. In "Gerontius" at Westminster, some of the strongest effects of Elgar's keen invention still made their point; the daemonic chorus, the one "great moment", the final melody for once sustained. The far greater part sounded just like one rambling on a harmonium. The doctrine of "follow the words" may answer in camera; it is wholly unsuited to a vast edifice. Elgar was ill-advised thus to introduce his chief work to London.

C. M.

Mannheim. Unsere Konzertsaison ist zwar schon mehrere Wochen tot, oder hat vielmehr ihren Sommerschlaf angetreten; aber als gewissenhafter Berichterstatter habe ich noch nachzutragen, daß im April vier Beethoven-Konzerte des Kaim-Orchesters unter Felix Weingartner's Leitung, welche die vergangene Saison abschließend krönten und unserer Festhalle, dem »Rosengarten«, die zweite Weihe gaben, mit dem denkbar größten Erfolg stattfanden, so daß uns Dr. Kaim im kommenden Herbst mit einem weiteren Cyklus erfreuen wird. Erwähnung verdient ferner ein Volks-Konzert des Lehrergesangvereins Mannheim-Ludwigshafen, dessen volkstümliches Programm bei vorzüglicher Ausführung und volkstümlichen Preisen (40 Pfennig für alle Plätze

solchen Beifall fand, daß der hocherfreuliche erste Versuch zweifellos zu weiterem
Beschreiten dieser Bahn ermutigen wird. Gleichzeitig bewährte wieder der große
Festsaal des »Rosengartens«, der pompöse Nibelungensaal, bei dieser Gelegenheit seine
ganz hervorragend schöne Akustik. In denselben Räumen fand zu Pfingsten das
Sängerfest des Badischen Sängerbundes mit Wettsingen u. s. w. unter reger Beteiligung
von auswärts statt. Dem Feste wird ein schöner Verlauf nachgerühmt. — Von
unserer Oper ist zu berichten, daß der neue Heldentenor, Herr Carlèn (früher in
Bremen), sich sehr schnell in die volle Gunst seines hiesigen Publikums hineingesungen
hat, und daß Rendano's Oper »Consuelo«, die zuerst von der Stuttgarter Bühne aufgeführt wurde, als gehaltvolles musikalisches Werk freundliche Aufnahme fand. F. W.

München. In den Konzertsälen schläft nun alles den großen Winterschlaf, und
auch in der Oper zeigt sich wenig Leben. Die umfangreichen Vorbereitungen für die
Festspiele im Prinzregententheater scheinen alle Kräfte in Anspruch zu nehmen. Zwar
hat man uns ein schönes Versprechen um das andre gemacht, Hugo Wolf's »Corregidor«.
Pfitzner's »Rose vom Liebesgarten«, Schillings' »Pfeifertag« sollten erscheinen. Statt
dessen überraschte die Hofoper das ahnungslose Publikum mit Massenet's »Der Gaukler
unserer lieben Frau«. Parturiunt montes, nascetur ridiculus mus! Auf das Werk
selbst näher einzugehen, kann ich mir im Hinweis auf Ferd. Pfohl's geistvolle und
treffende Kritik in Heft 2 dieses Jahrgangs ersparen. Man kann nur immer wieder
auf's neue bedauern, daß unsere trefflichen Opernkräfte fast stets bei den Neuaufführ-
rungen auf verlorene Posten gestellt werden. Die Aufführung an und für sich war,
abgesehen von dem wieder recht geschmacklosen Schlußbild mit seinen Reminiscenzen
an »Messidor«, ausgezeichnet und namentlich Dr. Walter leistete in der Titelrolle hervorragendes. Doch die öde »Handlung«, die ein liebliches Novellenmotiv drei Akte hindurch breit tritt, und die erfindungslose, wenn auch feinsinnig instrumentierte Musik
des französischen Meisters vermochten auf die Hörer nur geringen Eindruck zu machen.
Massenet, durch günstige Verlegerkontrakte verlockt, ist eben leider zum Vielschreiber
herabgesunken, und schon seine vorletzte Oper »Grisélidis«, die ich im vorigen Jahre
in Frankreich hörte, ist trotz aller Feinheit der äußeren Mache nicht mehr ernst zu
nehmen. Das ist angesichts der berechtigten Stellung, die Massenet durch seine früheren
Werke in Frankreich einnimmt, sehr bedauerlich. — Im Gärtnerplatztheater, das sonst
nur der Operette dient, absolvierte das Teatro Lirico aus Mailand ein mehrtägiges
Opern-Gastspiel unter Leitung seines wahrhaft genialen Kapellmeisters Giulio Falconi,
der mit dem sonst nichts weniger als künstlerisch geschulten Hausorchester wahre
Wunder verrichtete. Zur Aufführung kamen Puccini's Manon (für München Novität)
und Bohème, Verdi's Rigoletto und Traviata sowie Donizetti's Lucia. Unter den
Sängern ragten besonders die beiden Baritonisten Pasquale Amato und Romano Con-
statini, die Primadonna Amelia Pollini, der Tenor Angelo Tomasini und der Bassist
Carlo Rossini hervor. Die Einstudierung des Ensembles ist besonders zu rühmen und
auch die Regie des Herrn Napoleone Carotini erreichte mit den gerade vorhandenen
Dekorationen was irgend zu erreichen war. Leider konnte Referent nur dem vorletzten
Abend, der einen für unseren Geschmack nicht gerade erquicklichen Mischmasch aus
drei verschiedenen Opern bot, beiwohnen und muß sich daher im übrigen auf ein
»relata refero« beschränken. E. I.

Paris. Les Théâtres lyriques continuent à faire preuve d'une activité des plus
médiocres. L'Opéra, après la reprise de Henry VIII, n'a offert à ses habitués
que la 200ᵉ représentation, sans aucun apparat d'ailleurs, de Samson et Dalila
(19 juin); plusieurs représentations des Huguenots, dont la 1000ᵉ naguère annoncée
comme devant être une grande solennité artistique, est déjà loin aujourd'hui.

A l'Opéra-Comique, où l'on travaille beaucoup plus qu'à l'Opéra, cette fin de
saison léguera au répertoire, au moins pour quelques soirées de tout repos, la Petite Maison, de MM. Docquois et Alexandre Bisson, musique de M. Chaumet,
véritable opéra-comique qui se semble bien dépaysé dans la nouvelle salle Favart
(13 juin). L'hiver prochain, on verra au pupitre de l'Opéra-Comique, le maître Alfred Bruneau, grand admirateur de Mozart, ce qui peut influencer heureusement
la composition des spectacles de notre meilleure scène lyrique.

Je ne crois pas sortir tout-à-fait du cadre de ces chroniques en parlant du passage à Paris, sur la scène même où, le mois dernier, M. Gunzbourg faisait représenter la Damnation de Faust, de Miss Isadora Duncan. La jeune danseuse américaine qui s'est fait connaître l'hiver dernier en Allemagne, a donné toute une série de soirées au théâtre Sarah-Bernhardt. Elle se faisait accompagner par un groupe d'artiste jouant des instruments anciens, clavecin et violes, dans une partie de son programme; elle obtint un succès très mérité dans ses interprétations plastiques de la musique de Chopin.

Concerts. Les grands concerts une fois fermés, les soirées musicales se sont faites de plus en plus rares. Salle Æolian, le Quatuor Parent a terminé ses dix séances, au cours desquels les œuvres de cinq compositeurs allemands, de deux russes et de onze français ont été interprétées. Salle Victor-Hugo, le Quatuor, au cours de dix Concerts également, a donné les dix premiers Quatuors, le 13e et le 16e, de Beethoven, avec un certain nombre d'œuvre vocales et instrumentales anciennes et modernes.

La Société des Concerts de Chant classique (fondation Beaulieu) a fait exécuter le 26 mai, salle Humbert de Romans, la Cantate no. 156 de J.-S. Bach, un fragment de Sapho, de Louis Lacombe, du deuxième acte intégral de Dardanus de Rameau et le Désert de Félicien David: le tout par les Chanteurs de Saint-Gervais sous la direction de M. Charles Bordes. L'exécution de ces œuvres, trop peu connues fut exacte sinon brillante et, qualité trop rare, scrupuleusement conforme aux textes.

Parmi les virtuoses qui n'ont pas craint d'affronter le public en cette fin de saison, je rappellerai: Mlle Berthe Valmont, jeune cantatrice américaine qui, accompagnée par M. Lucien Wurmser, a fort bien chanté la Dichterliebe de Schumann; MM. Hollmann et Wurmser jouèrent le même soir la Sonate pour piano et violoncelle de Grieg; Mlle Germaine Pelletier, violoncelliste, 1er prix du Conservatoire de Bruxelles, donnait le lendemain 29 mai, une séance consacrée à Boellmann (Sonate pour piano et violoncelle), G. Fauré (Elégie), Boccherini (Sonate), Popper (les Elfes) et Bach (Aria); Mme Laënnec (piano) et Gaëtane Vicq (mélodies de Berlioz et de Mme Sauvrezis) lui prêtèrent leur concours.

Avec les soirées de MM. Risler et Oliveira, dont l'éloge n'est plus à faire; du Trio Moscovite: MM. D. Schorn, Krein, et R. Erlich (Trios de Schubert et de Rachmaninoff; Sonates de Mozart et de Grieg); et du baryton tchèque Bagea Oumiroff, on peut considérer la saison parisienne comme définitivement close.

Nous allons maintenant entrer dans l'ère des Concours du Conservatoire. Un concours de pianistes a déjà eu lieu, celui fondé par M. Diémer. Il a été chaudement disputé le 18 mai, par MM. Malats, venu spécialement de Barcelone, et Lazare Lévi; six morceaux, de Beethoven, Chopin, Liszt et Saint-Saëns, devaient être exécutés par les candidats; en tête de ceux-ci se sont tout de suite placés MM. Malats et Lévi, ce dernier a été finalement battu, très honorablement, par le pianiste espagnol, auquel le prix de 4000 Fr. a été remis.

Avant de quitter Paris, je mentionnerai l'inauguration, sur la façade ouest de l'Opéra, rue Auber, du monument élevé à l'architecte Charles Garnier, en présence du ministre de l'Instruction publique qu'a, par la même occasion inauguré officiellement le musée de l'Académie de Musique.

Quant à la province, où se préparent pour les vacances différentes manifestations musicales, elle ne présente, ces dernières semaines, que peu d'intérêt. A Nantes, on a exécuté ce mois-ci la Lyre et la Harpe, la Danse macabre, de Saint-Saëns; l'Etoile, de H. Maréchal. Au Conservatoire de Toulouse où M. Crocé-Spinelli a pour la première fois, dirigé six concerts au cours de la saison, ce jeune Kapellmeister a donné une séance supplémentaire dont le programme ne contenait que des noms de musiciens toulousains: Emile Domerg (Chanson des Nuages); Henri Busser (Hercule au jardin des Hespérides); G. Salvayre (duo du Bravo); Pierre Kunc (Fantaisie pour piano et orchestre); Deffès (Cantate à Clémence Isaure); Paul Vidal (Vision de Jeanne d'Arc); Ch. Guirand (Pour l'Assomp-

tion); Jules Bouval (la Chaîne d'amour); Aymé Kunc (Fantaisie en forme de
danse); C. Planchet (fragments du Grand Ferré). A la fin de mai, toujours sous
la direction de M. Crocé-Spinelli, trois auditions furent données de la Damnation
de Faust, avec Mᵐᵉ Auguez, MM. Cazeneuve, Daraux et Cabral.

A Tunis, le Politeama Rossini, inauguré il y a quelques mois s'est con-
stitué un répertoire italien, avec Manon et la Tosca (Puccini), le Barbier de Sé-
ville (Rossini) et la Traviata (Verdi).   J.-G. P.

Prag. Die Maifestspiele gehören schon seit einer Reihe von Jahren zu den ständigen Einrichtungen der Prager Bühne. Ihr Leiter, Direktor Angelo Neumann,
hat es verstanden, durch nicht alltägliche Veranstaltungen das gegen Ende der Saison
naturgemäß erlahmende Interesse auf eine fast verwunderlich hohe Stufe zu schrauben;
er hat es aber auch verstanden, sein Publikum für ernste Kunst zu erziehen, und daß
er in diesem Streben auch wirklich Erfolge erzielt hat, das bewies ein bei jeder Vorstellung bis an den Giebel hinauf gefülltes Haus. Heuer galten die Festspiele der
Entwicklung der Oper. Teils durch die heimischen Kräfte, teils durch Heranziehung
auswärtiger Künstler, die freilich nicht immer auf jener Höhe standen, wie man sie
nach deren Renommé hätte erwarten dürfen, wurde eine Reihe von Opern vorgeführt,
die mit das köstlichste enthalten, was die deutsche Bühne ihr eigen nennt. Eingeleitet wurden die Abende mit Gluck's »Iphigenie in Aulis«. Ohne fremden Aufputz hat unser heimisches Ensemble sich in dieser Vorstellung ein ehrendes Denkmal
gesetzt. Bis auf die Titelheldin waren alle Rollen gut besetzt. Und während sonst
eine Aufführung Gluck's — an und für sich schon eine relative Seltenheit — vor leeren
Bänken vor sich geht, im Rahmen der Festspiele fand Gluck ein volles Haus, ein Publikum, das den geraden Linien seiner Melodien mit einer Aufmerksamkeit folgte, als
habe es eine Première vor sich. Das eben ist die suggestive Kraft der Festspiele,
daß sie es ermöglichen, auch selten gehörte Werke aufzuführen, die dann mit Rücksicht auf die im weiteren Verlaufe der Festspiele noch zu gewärtigenden und bereits
beglaubigten Opern derselben Anteilnahme begegnen wie die sogenannten Kassen-
opern. Auf Gluck folgte Mozart's »Figaros Hochzeit«, Beethoven's »Fidelio«,
Weber's »Freischütz«, Lortzing's »Wildschütz«, und zu Ehren des Leipziger Riedel-
Vereins Richard Wagner's »Die Meistersinger von Nürnberg«. Gäste kamen von
den Hoftheatern aus Berlin, Dresden, München und Wien. Wir hörten in verschiedenen Rollen die Damen Nast und Herzog, die Herren Knüpfer, Mantler,
Slezak und den ausgesprochenen Liebling des Prager Publikums Theodor Bertram
aus Bayreuth. Einen auch äußerlich glanzvollen Abschluß fanden die Festspiele in
zwei Konzerten des Leipziger Riedel-Vereins, der in einer Stärke von 280 Mitgliedern, einer Einladung der hiesigen deutschen Gesellschaft folgend, die Pfingsttage
bei uns verbrachte. Unter der Leitung seines genialen Dirigenten, des Hofkapellmeisters Dr. Georg Göhler gab der Riedelverein zunächst ein historisches Konzert
geistlicher und weltlicher Kompositionen, das zu den erlesensten Genüssen gehörte, die
in Prag angesichts unserer ganz verfahrenen Chorverhältnisse seit langem erlebt wurden. Achstimmige Motetten von Bach, Cornelius Freundt, u. s. w., und auch englische,
italienische und deutsche Madrigalisten gehören durchaus nicht zu dem Brot, das wir
in den Saisonkonzerten zu essen bekommen. Wenn uns, von den wirklich klassischen
Darbietungen ganz zu schweigen, der Riedelverein nur gezeigt hat, wie echter Chorgesang zu pflegen ist; wenn nun unsere Chorvereine — es gibt deren eine ganze Anzahl, die sich aber aus nationalen und konfessionellen Gründen in den Haaren liegen
— sich an dem Wirken unserer Gäste ein Beispiel nehmen und trachten werden, auch
nur annähernd Ähnliches zu erzielen, so wäre das kein geringer Vorteil. Im zweiten
Konzert dirigierte Dr. Göhler Beethoven's »Missa solemnis« und nach einstündiger
Pause die »Neunte«. Wiederum war es eine große Freude, den Schwung und das
belebende Feuer wahrzunehmen, welches die instrumentalen und vokalen Massen erfüllte; kurz die Gastfahrt der Leipziger und die Festspiele endeten mit einer Begeisterung, wie sie in dem sonst kühlen und beobachtenden Prag noch kaum jemals das
Publikum ergriffen haben dürfte.   E. Ry.

Wiesbaden. Die Wiesbadener Festvorstellungen boten besonders dem Auge vieles sehr reizvolle, wie man das ja dabei gewohnt ist. Über die musikalische Ausbeute ist fast nichts zu sagen, als daß die Aufführungen gut vorbereitet, und vortrefflich durchgeführt wurden. Über den »Schlaar'schen« Oberon ist bereits im vorigen Jahre genügend berichtet worden; am besten hätte Schlaar das, was von Weber dabei gespielt wird, weggestrichen und auch durch »eigenes« ersetzt. Dasselbe gilt von Gluck's Armide. Gegen derartige Bearbeitungen ist es Pflicht stets von Neuem zu protestieren. War es ferner notwendig, eine Oper, wie die Afrikanerin, aufzuführen? Man hätte auf diese musikalische Lüge wahrlich verzichten sollen. Bleibt noch die Weiße Dame als die einzig wirklich dankenswerte Tat. Dieses Werk kam unter Mannstädt's feinfühliger Leitung wirklich erquickend heraus.   Fr. V.

Vorlesungen über Musik.

Bern. An hiesiger Universität kündigt für das Winter-Semester Privatdozent Carl Heß Vorlesungen über Harmonielehre und Kontrapunkt (je 2 stündig) und Erklärung einiger bedeutender Meisterwerke an. Professor Thürlings von der altkatholisch-theologischen Fakultät wird sein musikwissenschaftlich - liturgisches Seminar fortsetzen und darin die bisherigen Gegenstände, die altkirchlichen Gesangsformen (nach P. Wagner) und das deutsche Lied im 18. Jahrhundert (nach Friedländer) zu Ende bringen, als Hauptthema aber die schweizerische Musikbibliographie in Angriff nehmen.   A. Th.

Notizen.

Cambridge. — The notice of *Music in the Cambridge University Library*, otherwise Fitzwilliam Museum Library, at IV, 499, should have been more full, in explanation of the various bearings. The whole of the music in the Fitzwilliam Museum has been catalogued by J. A. Fuller Maitland and A. H. Mann (org. of King's College, Cambridge), As to the "Queen Elizabeth's Virginal Book", — so called by historian Sir John Hawkins (1719—1789) in his chapter 192, perhaps on the authority of J. C. Pepusch (1667—1752) to whom it had once belonged, and meaning really only a MS. book of pieces composed for the Virginals by musicians flourishing in or about the reign of Queen Elizabeth (1528—1603) and now found in the Fitzwilliam Museum, — this was described and listed by W. Barclay Squire in Grove's Dictionary under the head "Virginals" 591 pieces on 6-line staves in 418 pages, copied about 1635), along with "Lady Neville's Book" 1591, "Cosyn's Book" circa 1600, and "Forster's Book" 1624; was further described, esp. as to notation, by J. A. Fuller Maitland in lecture at Musical Association 9th April 1895; and was published in 1899 by Messrs. Breitkopf & Härtel (folio, 6 braces to the page, 40 parts at 3 Marks each, or 2 vols. for 100 Marks) being transcribed from Elizabethan various notations to modern notation and furnished with an Introduction by the editors W. Barclay Squire and J. A. Fuller Maitland. Pepusch may have shown off the book in his library as once used by Queen Elizabeth, regardless of inner dates; or title may have accrued as a loose definition. The pieces contained are by 20 or 30 writers, of whom the best known: — Blitheman (d. 1591), Bull 1562—1628), Byrd (1538—1623), Dowland (1562—1626), G. Farnaby (born about 1560). Gibbons (1583—1625), Hooper (d. 1621), Inglot (1554—1621), Morley (1557—1604), Munday (d. 1630), Parsons d. 1623), Peerson d. 1650), Philips (d. 1625), Sweelinck (1562—1621), Tallis (d. 1585), Tomkins (1586—1656). Bull and Byrd furnished large number. Many anonymous. The editors' very instructive Introduction might well be republished, along with the German translation there found, in pamphlet form. — As to the publication by Vincent Novello (1781—1861) of "Fitzwilliam Music" Novello

& Co., 1 vol. 42/.), it consists of 67 sacred works, in full score with added organ-reduction or alternative-accompaniment, of the Italian composers: — Benno (1710—1788), Bononcini (1660—c. 1750), Cafaro (1706—1787), Carissimi (c. 1604—1674), Clari (1669—c. 1745), Colonna (1640—1695), Conti (1681—1732), Durante (1684—1755), Jomelli (1714—1774), Lasso (1532—1594), Leo (1694—1746), Martini (1706—1784), Palestrina (c. 1514—1594), Perti (1661—1756), Stradella (1645—1681), Vittoria (c. 1540—c. 1608. Also one or two others. — The ancient Oxford University Library, otherwise Bodleian Library, was described at IV, 145.   G. B.

Eton. — The Union of *Directors of Music in Secondary Schools* already recorded has now been formed definitely with Rules and a Constitution. "Secondary" schools mean Higher Schools, the reverse of Primary or elementary. Committee of President, Secretary, Treasurer, and 6 ordinary members. The 3 officers retire annually, but eligible for re-election. Two of the 6 members retire annually, and ineligible for re-election till after one year has elapsed. At annual general meeting papers "on practical subjects" may be read, with discussion. Annual subscription 3/6. Year runs from beginning of May. Present year's Committee: — Rev. Dr. Rowton of Bradfield (Pres.), Dr. P. C. Buck of Harrow (Sec. and Treas.), Drs. C. Harford Lloyd of Eton, H. A. Harding of Bedford, E. T. Sweeting of Winchester, and Messrs. Basil Johnson of Rugby, F. Cunningham Woods of Highbury, A. H. Peppin of Clifton. There are about 100 members, all music-directors as above.   R. A. M.

Genua. Die *Geige Paganini's*, die dieser seiner Vaterstadt testamentarisch vermacht hat und die vom Magistrat der Stadt Genua mit größter Gewissenhaftigkeit und Sorgfalt aufbewahrt wird, wurde kürzlich auf Einladung des Bürgermeisters von Genua, Boraggini, von dem Violin-Virtuosen Bronislaw Hubermann vor einem auserwählten Kreis geladener Gäste zum ersten Male seit Paganini's Tode wieder gespielt.

Leipzig. Das aus einer großen Anzahl hervorragender Persönlichkeiten bestehende Komitee zur Errichtung eines *Richard Wagner-Denkmales* in Leipzig hat am 90. Geburtstage des Meisters seinen Aufruf zu Beiträgen erneuert. Die Stadtbehörde hat einen Platz für das Denkmal in der Nähe des Geburtshauses Wagner's und des alten Theaters bereits zur Verfügung gestellt.

London. — The *Richard Strauss Festival* given by Hugo Görlitz at St. James's Hall on 3, 4, 5, and 9 June 1903, the real baptism of a Strauß movement in England, contained (though performed quite out of order chronologically) the following works: — For Orchestra; Aus Italien, op. 16; Don Juan. op. 20; Macbeth. op. 23; two Guntram preludes. op. 25; Till Eulenspiegel, op. 28; Tod und Verklärung, op. 29; Zarathustra, op. 30; Don Quixote, op. 35; Heldenleben, op. 40; Love-scene from Feuersnot, op. 50. For Pianoforte and orchestra; Burleske. For Song with orchestra; 2 Guntram scenes (tenor) from op. 25; op. 27, nos. 2 and 4 (sop.); op. 33 (bar.); op. 36, no. 1 (sop.). For Song with pianoforte (all soprano); op. 17, no. 2; op. 27, no. 3; op. 29, no. 1; op. 39. no. 4; op. 46, no. 1; op. 48. no. 1. — Orchestra, the Concertgebouw Symphonic Orchestra from Amsterdam. Conductors, Richard Strauss and Willem Mengelberg. Vocalists: — Frau Pauline Strauss-de Ahna (sop.), John Harrison (tenor), Ffrangçon Davies (bar... Solo violin in Heldenleben, Zimmermann. Solo pianoforte, Wilhelm Backhaus. Translators from German, Alf. Kalisch and C. Karlyle (mostly the former). — Following are abstracts of remarks on particular works (chronologically according to composition) by certain writers: — (a) Burleske, 1884, Percy Pitt; (b) Aus Italien, 1886, P. Pitt and Alf. Kalisch, (c) Macbeth. 1887, ditto; (d) Don Juan, 1888, E. F. Jacques; (e) Tod und Verklärung, 1889, ditto; (f) Guntram, 1893, Kalisch; (g) Eulenspiegel, 1894, Jacques; (h) Zarathustra, 1896, Pitt and Kalisch; (i) Don Quixote, 1897, Kalisch; (k) Heldenleben, 1899, Jacques; (l) Feuersnot, (1901), Kalisch.

(a) Burleske, for Pianoforte and Orchestra. No opus number. Composed 1884. Strauss. born 11th June 1864 at Munich, was then assistant conductor at Meiningen under Bülow. The influence of Brahms is very noticeable.

(b) "From Italy", Symphonic Fantasia, op. 16. On the Campagna; Amid the Ruins of Rome; By Sorrento's Strand; Popular Scenes in Naples. Only the last 2 movements played, and these in inverted order. The Symphony, op. 12, first perf. by Theodore Thomas, New York, 13th Dec., 1884, had shown S. simply as a young composer working steadily and conscientiously in the ancient ways, but treating them with a sureness of gait and a mastery of workmanship extraordinary in one so young. But there is nothing in the Symphony — able, and in parts beautiful, as it is — that bespeaks a strongly original personality or a new outlook. "Aus Italien" was composed in the early summer of 1886, and first performed in 1887. S., having completed his term at Meiningen, had been to Italy, and then became assistant conductor at Munich, under the late Hermann Levi and Franz Fischer. This work shows the germ of the later Strauss, though the workings of the old spirit are not absent. It shows first results of Strauss's intercourse with Alexander Ritter (see below under "Macbeth"). That there was no sudden change is shown by the Violin Sonata, op. 18, written after "Aus Italien", but sounding as if it dated from 36 or 40 years earlier. It was a slow conversion, based on steadily growing convictions, and therefore the more lasting and the more valuable. The programme-tendency of "Aus Italien" is more mood-painting than realistic. And within the 4 corners of each movement more weight is given to considerations of purely musical design, than in the later works. The first subject of the Scenes from Naples is Luigi Denza's air "Funiculi, funiculà", mistaken by S. for a folk-tune. The "Sorrento's Strand" gives the first sign of Strauss, the unapproachable orchestral colourist.

(c) **Macbeth**, Tone-poem on Shakespeare's Drama, op. 23. Composed 1887, a year before Don Juan, published after it. The dedication "Meinem hochverehrten teuren Freunde Alexander Ritter" is significant, for it was to Ritter that S. owed, more than to anyone else, his conversion to the gospel of "Music as Expression", or in other words to programme-music. The first-fruit of this conversion had already been "Aus Italien". Some critics see in "Macbeth" and "Don Juan" less of Liszt's influence than in the later "Tod und Verklärung"; and this is true in the sense that in the later works S. has illustrated broadly human types rather than individuals, as Liszt had done in his Tasso and Dante. "Macbeth" is not an attempt to tell the story of Shakespeare's tragedy in music. It is a delineation of the character of Macbeth; Lady Macbeth is only introduced episodically, as one of the influences which shaped his fate and lured him to his end. There is no Banquo theme, no Macduff theme or Duncan theme, no sleep-walking motive. It is Macbeth alone whom the composer has in his mind. Arthur Seidl in "Der Moderne Geist in der Deutschen Tonkunst" says, "As in Don Juan the composer expresses, with the utmost precision, the intoxication of enjoyment which leads to disgust and satiety, so in Macbeth his subject is the madness of relentless cruelty. He strives to depict in tones the daemonic horror of this terrible character; no colour is too crude for his purpose, no manner of expression too harsh. Those who admire a creative impulse of elemental strength and complete independence will know how to appreciate at its true value the genius of this strong ruthless incisive piece of poetry in tones". Macbeth is in fact, though it is "after Shakespeare's Drama", psychological and not narrative. As to Lady Macbeth, Strauss writes in his score the following quotation from Shakespeare (Act I, Scene 4): — ". . . Hie thee hither. That I may pour all my spirits in thine ear, And chastise with the valour of my tongue All that impedes thee from the golden round Which fate and metaphysical aid doth seem To have thee crown'd withal". The theme representing her is one of the earliest examples of Strauss's power of delineating character in sound. He obviously does not conceive of her as a virago with no instinct but that of cruelty. Of "the undaunted mettle" of one who "should bring forth men-children only", there is but little trace; it is rather a coldly-cruel and subtly-calculating character, yet capable of great tenderness, which he seems to be depicting. The end is full of noble dignity, as though bidding us remember only "Bellona's bridegroom" and forget the tyrant and the assassin.

(d) **Don Juan**, Orchestral Fantasia, op. 20. Written at Munich in or about 1888. Based on Nicholaus Lenau's poem, which shows Don Juan in a very different light from that in the Mozart opera. Lenau's Don Juan is in search of the ideal woman, who shall unite in herself all the virtues possible to the sex; and very naturally failing to find one who reaches this Utopian standard, he becomes disgusted with life, and practically commits suicide by dropping this sword in a duel which he fights with the son of a man he had formerly killed. Before dying however he has the grace to provide in his will for the women he has betrayed and deserted. The score is prefaced by 3 extracts from Lenau, and the emotional phases of the poem are: — The fiery ardour with which Don Juan pursues his ideal; The charm of woman; The selfish idealist's disappointment and partial atonement by death.

(e) **Death and Transfiguration**, Symphonic Poem, op. 29. Composed 1889. Alexander Ritter's verses giving the poetic basis of the 4 sections are thus translated by

Alfred Kalisch: — I. In the narrow sordid garret, By the one spent rushlight's gleam, Lies the sick man on his pallet. Even now he fought with death — Fought a grim despairing battle. Nerveless now he sinks in sleep, And the wall-clock's gentle ticking Only in the room is heard, Where the mystery of stillness Bodes the near approach of death. O'er the sick man's sunken features Flits a sorrow-laden smile; Dreams he now, on Life's dim threshold, Of his childhood's golden day? II. Brief the respite that death grants. Ruthlessly he wrests his victim From the peace of joyous dreams. And anew the battle rages — Will to live, and might of death. Battle fraught with direst horror, Neither leaves the field victorious, And once more are all things still. III. Sinking back, his strength all wasted, Sleepless as in fevered trance, Now his whole life sees the sick man, Scene by scene and hour by hour Pass before his inward eye. First, pure childhood's hopeful dawn, With sweet innocence illumined; Next the youth's rash heedless sport, Putting to the proof his powers; Till in manhood's riper hour Wildest battle-lust inflames him, Striving for life's highest goods. What he saw transfigured, radiant With more radiance to adorn — That alone his holy impulse, The one lodestar of his life. In his path the world's cold scorn Raises barrier upon barrier. Thinks he that the goal is nigh, Cries a thunderous voice "No further". "Turn to stepping-stones the barriers Ever higher, ever on". Thus he climbs, for ever striving, Never his high impulse flags, That which ever he has sought With his heart's whole longing seeks, he At the very gates of death — Seeks alas and never finds it. Though the knowledge slowly dawns, Of the mystery eternal Never will he reach the depths, Never can his mind conceive it. Then the iron club of death Strikes with dreadful clang its last strokes. Shattered is the earthly frame, Closed his eyes in night eternal. IV. But he hears from out high heaven Mighty voices call, revealing All that here he strove to know; "World transfigured — world redeemed".

(f) "Guntram", Opera, op. 25. Performed only Preludes to Acts I and II, the "Vision of Peace" for tenor, and last scene of Act III for tenor. Opera written and composed in 1892 and 1893. After a severe illness early in 1892 the composer travelled for a year, and wrote the first act in Egypt, the second in Sicily, and the third in Marquartstein in the Bavarian Highlands where he has a country house. The opera was first performed at Weimar, on May 12th 1894, chief female part being taken by Fräulein Pauline de Ahna, who soon afterwards became the composer's wife. At the time he wrote the libretto and composed the music, Strauss was in the stage of his musical development best represented by Tod und Verklärung, while intellectually he was casting off the influences of Schopenhauer; and, as a critic has remarked, in the hero of the music drama S. has represented himself "in his transition between Socialism and Individualism". The action is not without suggestions of Lohengrin, Tannhäuser, Meistersinger, and Parsifal; but it bears throughout the stamp of ideas which belong to a later phase of German thought. The composer has said that the idea of the plot was first suggested to him by an article he read in a newspaper on the half religious, half artistic secret societies which had sprung up in Austria to combat the secularization of the Minnesang. Guntram is a member of one of these secret societies, and is despatched by his Order, the Champions of Love, to the court of an aged Duke, whose country is groaning under the tyranny of Duke Robert, the husband of Freihild "the Mother of the Poor", the old Duke's daughter. The Order has bidden him go to the court and strive to soften Duke Robert's breast by the power of song. On his way he meets in a forest a woman who is about to lay violent hands on herself, and saves her from death. It is Freihild herself, whose heart is driven to despair by her husband's cruelties to the people. The 2 Dukes find the pair, and on discovering what Guntram has effected, the old Duke asks him what reward he claims. He asks only for the pardon of some rebels, which the Duke grants in spite of Robert's protests. In the second Act we are at the Duke's court, where the crushing of a rebellion is being celebrated by a great banquet, and Guntram is invited to sing. He sings in praise of peace (Friedenserzählung), but carried away by his feelings bursts into condemnation of the blood-stained tyrant. Duke Robert highly incensed is about to stab him, when he defends himself and Duke Robert falls. He is led off to prison. Later Freihild with the aid of the court fool secures his freedom. His boldness and the power of his song have engaged her affections. But in the prison Guntram has discovered the truth in his own soul. It was not for the sake of his ideal that he killed the Duke, but because he was the husband of a woman he loved. On the other hand he holds that the punishment is in his own hands, not in those of the Order to which he belongs, and says, "Mein Gott spricht durch mich selbst zu mir". Freihold succeeding, by the old Duke's death, he might marry her, but renounces her in self-punishment. One author sees in Guntram's relation to the Order, an allusion to Strauss's own attitude, at the time of the composition of the music drama, to the inner ring of Wagnerians at Bayreuth. Be that as it may, the whole action betrays a still unresolved conflict between Schopenhauer's and Nietzsche's conceptions of life. Seidl's observation is: — "On the one side then we have the old romantic idea of the tragedy of Redemption — on the other, we are beckoning to us a newer modern life of inner enfranchisement, with an inalienable right of self-determination".

(g) Till Eulenspiegel's Merry Pranks. An Old Rogue's Tale set in Rondo-form for full orchestra, op. 28. He is better known in this country as "Tyll Owlglass". The hero of a number of old German tales, ballads, and dramas, he is the typical scapegrace, and figures as physican, charlatan, soldier, fool, valet, artist, and jack-of-all-trades. But though he is a rogue, his exploits always show him as a humourist. Carlyle writes, "We may say that to few mortals has it been granted to earn such a place in Universal History as Till; for now after 5 centuries ... Till's native village is pointed out with pride to the traveller, and his tombstone, with a sculptured pun on his name — an Owl and a Glass — still stands, or pretends to stand, at Mölln near Lubeck, where since 1350 his once nimble bones have been at rest". Present work (composed 1894) first performed at Gürzenich concert, Cologne, 5 November 1895, under Wüllner. Strauss then asked for programme said, "It is impossible for me to furnish a programme to Eulenspiegel; were I to put into words the thoughts which its several incidents suggested to me, they would seldom suffice, and they might even give rise to offence. Let me leave it therefore to my hearers to crack the hard nut which the Rogue has provided for them. By way of helping them to a better understanding, it seems sufficient to point out the two Eulenspiegel motives — which in the most manifold disguises, moods, and situations pervade the whole up to the catastrophe, when, after he has been condemned to death (a descending major seventh, F to G flat) Till is strung up to the gibbet. For the rest, let them guess at the musical joke which a Rogue has offered them". Needless to say, numerous attempts have been made in print to crack the hard nut.

(h) "Thus spake Zarathustra", Tone-poem, Free paraphrase of Fr. Nietzsche, op. 30. Composed between February and August 1896, was first performed at Frankfort in following November. Only English performance hitherto on 6 March 1897, at Crystal Palace, Sydenham. No work of Strauss' has caused more vehement controversy. He has been accused over and over again of the madly futile attempt to set to music the philosophy of Nietzsche, and has been asked for instance, what would be the musical symbol of the Categorical Imperative or of Entelechy? But such attacks — except in so far as they are the result of a desire to be witty at all costs — are based on a misconception. This tone-poem is merely to be regarded as a musical representation of the various stages of development of humanity as conceived by Nietzsche, or the soul's history of a man who ends by becoming a disciple of Nietzsche. Or still better, the individual may be taken as typical of the race, for that is more in accordance with Strauss' usual method. His Symphonic Poems owe much of their value to the fact that his heroes, if so they may be called, are always types of character rather than individuals. And this must be borne in mind when mention is made of Strauss's power of delineating character in music. It is not meant for instance that he can bring before the mind's eye figures or features; but that he has carried further than any of his predecessors the power of music to symbolize the whole inner character of a human soul. Seidl says (page 99), "Without question the Zarathustra-material would be thoroughly worthless, nay bad, as a subject for programme-music, if it did not speak to us of something more or less applicable to all and each of us. ... But at the same time the world cannot be full of Uebermenschen — heaven forbid — and Nietzsche's system has special applicat on to one great soul". Seidl also says (page 94), "In Friedrich Nietzsche's monumental masterpiece, it is not so much a question of the relentlessly logical building up of a System of Thought, as of a world of feeling (Gemütswelt) and of the poetical-prophetic Apotheosis of the new Uebermensch as the future law-giver of the world". — As a preface to the score, Strauss has printed "Zarathustra's Vorrede" from Nietzsche, of which the following is a translation: — "When Zarathustra was 30 years old he left home and his country's lake, and betook himself to the mountains. There, communing with his soul, he felt the joy of his loneliness, and did not tire of it for 10 years; but at last his heart changed. One morning he rose with the dawn, stood before the sun, and addressed him in the following words. Thou mighty Star! What were Thy happiness hadst Thou not those to whom Thou givest light? For 10 years Thou camest to me here in this cavern. Thou wouldst have tired of Thy light and of Thy journey, but for me, my eagle, and my serpent. But we waited for Thee every morning, took from Thine abundance, and blessed Thee for it. Look! I am weary of my wisdom, like the bee that has gathered too much honey; I need hands which will distribute it. I desire to give away and to distribute, until the wise amongst mankind once more enjoy their folly, and the poor their riches. For that I must descend below, as Thou dost at even, when Thou disappearest behind the sea and

takest light to those in the lower regions, Thou resplendent Star! I must, like Thee, descend,
as men say, to those to whom I would go. So bless Thou me, Thou peaceful Eye, that
can regard without envy a too great happiness. Bless the cup, which will overflow, that the
water may flow golden from it, and carry everywhere the reflected splendour of Thy joy.
Look! This cup desires to be emptied again, and Zarathustra desires to become man again.
Thus began Zarathustra's down-going". — From the following brief outline-scheme which
Strauss had before him, it will be seen that the similarity between Zarathustra (who is
only philologically akin to Zoroaster), and Goethe's Faust is marked: — I. The stupendous
spectacle of sunrise awakens in man the irresistible desire to solve the riddle of the Kosmos.
And he seeks satisfaction in the transcendental things of the Hinterwelt, the men of the
Back-World. II. His longing however remains unsatisfied, nay grows greater. III. He renounces religion and seeks satisfaction in the joys and passions of active life. IV. But wild
disgust seizes him, and in solitude he sings the grave-song of his youth. V. The desire of
knowledge awakens again, and he now seeks satisfaction in Science, and with joy the soul
seems to feel itself freed from the spirit of heaviness (Geist der Schwere) and to dance in
the regions of light. VI. But again the thought of the unsolved riddle damps his joy. But
he attains to Convalescence as he realizes that not through science in the old sense, but
in the new sense (meaning the Nietzschean system) lies the road to true happiness. VII. Then
the soul sings its real song of joy (Tanzlied). VIII. And finally the victorious Uebermensch
chants his 'Night-Wanderer's song; "Oh men, give heed! What says deep midnight?
I slept, I slept; from deep dreams was I awakened. The world is deep, and deeper than
day deemed. Deep is her woe — Joy deeper than heart's woe; Woe says Perish! — But
all Joy craves for Eternity — craves for deep, deep Eternity". But it all ends, as it began,
with the great unalterable fact of the unsolved, insoluble riddle. — The Nature Theme is
the "Great C major of Life", but in a sense precisely opposite to that imagined by the poet,
who found in it the solution of all things; for here it expresses the great insoluble riddle,
and the contrast between it and the questioning man dominates the whole work, even to
the very last bar, where there is (a feint of) C major and B major sounding together. In
this close, Strauss parts company with Nietzsche; for whereas the philosopher canceives of
the Uebermensch as victorious to the end, the musician knows that the riddle of existence
is still unsolved, insoluble.

(j) Don Quixote, Fantastic Variations on a Theme of a Knightly character, op. 35.
This (1897) is by many considered Strauss' most completely characteristic work; and certainly
is the one in which musical characterization, complex polyphony, musical realism, and musical
humor are put to bolder and fuller uses than in any other. When talk is made of musical
characterization, in the sense in which modern music characterizes, it must be repeated
that music cannot draw a picture of Don Quixote and Sancho Panza, so as to indicate that
the one was tall and thin and the other short and stout, any more than it could describe
the colour of Dulcinea's eyes. But it is, in the view of the modern writers, possible for
music, by means of harmonic colour, tone colour, and melodic contour, to symbolize a
character. Further, it must be repeated, an individual is a fit subject for a symphonic
poem only in so far as he is typical of something common to all human nature. And so
Don Quixote is synonymous with the hyper-idealist whose lack of practical wisdom brings
shipwreck to all his noble schemes; just as Sancho Panzo is the embodiment of sound and
homely common sense. After all, it is largely because Cervantes had the skill to elevate
Don Quixote into a broadly human type which is for all time, that his work has endured;
and the composer's main object has been to grasp just those enduring features. Without
going so far as some commentators who see in the curious progressions in the Don Quixote
theme "his ineradicable tendency to wander from the point and draw wrong conclusions",
one can see in it a musical picture of a "beautiful ineffectual" nature, infinitely pathetic
though we cannot but smile at it. In the Sancho Panza theme there is a contrasting humour;
and it is in the constant action and re-action of these two elements that the chief musical
as well as psychological interest of the tone-poem resides. Whereas in older composers the
main object of polyphony was to build up a euphonious and symmetrical structure, its
object in the hands of specifically modern writers is to illustrate by the combination and
the mutual interaction of themes, the relations between the things which the themes represent,
and their effects on each other or on the souls of the persons with whom the music deals.
And nowhere can this be seen better than in the dialogues between Don Quixote and Sancho
Panza. The famous passage at the end of the Meistersinger Prelude may be said to be the
beginning of modern polyphony in this sense. But it is also one of the most euphonious
pages extant, and there is much truth in the remark that it is the meeting-place of the
two. With regard to the intense realism of Don Quixote, the title-epithet "fantastic" is to
be remembered; the music is in short mostly a realistic representation of phantasms rather

than of actual occurrences. It is said also that Don Quixote was written at a time when Strauss was himself inclined to "be conscious of and ironical at the expense of the tragicomedy of his own over-zealous hyper-idealism", which may throw light on some characteristics of the music. — Don Quixote is divided into Introduction, a Theme with Variations, and a Finale; and the sections run into one another without break. The solo violoncello represents the hero, and the viola stands for Sancho Panza; just as the viola does in Berlioz' "Harold in Italy". And each variation bears the title of a well-known incident in Cervantes' novel. The Introduction represents Don Quixote as sitting and reading old romances of chivalry, and gradually forming the hare-brained scheme of becoming a Knight-errant himself. Before long in his reading he sees the Ideal Woman; a Giant attacks her, and a Knight gallops to her rescue. Here the use of mutes on all the instruments (including the tuba, so treated for the first time) creates an indescribable effect of vagueness and confusion, indicating that it is mere phantasms with which the Knight is concerned, and which cloud his brain. Soon in a series of themes is seen the Knight in love. Thereafter the confusion of ideas grows wilder and wilder, till an augmented version of the initial theme on trumpets and tubas, followed by a reckless glissando on the harps, leads to shrill discord — and the Knight has lost his reason. He also decides to become a Knight-errant. — The Theme for variation then shows 2 members, one for the Knight of the Doleful Visage, the other for his equerry. In Var. 1 they set out on their journey, and Don Quixote tilts at windmills; a breeze springing up, he is thrown to the ground. Var. 2 is the Victorious Battle against the Host of the Great Emperor Alifanfaron; really a flock of sheep, whose bleats are imitated on the muted brass. Var. 3 is dialogue. In Var. 4 Don Quixote attacks some penitents as robbers, and is worsted. In Var. 5 he holds vigil for his knighthood. In Var. 6 he meets his seraphic Dulcinea, really an ordinary peasant-wench. In Var. 7 Don Quixote and his squire sit with bandaged eyes on a wooden horse, and believe they are careering through mid-air in a furious gale; the score uses a stage wind-machine as special "effect"; the persistent tremolo of the double-basses on one note may be taken to mean that the two did not really leave the solid earth. In Var. 8 he is upset in the boat. In Var. 9 he fights 2 monks as magicians. In Var. 10 he is defeated in fight with the Knight of the Silver Moon, in reality a friend, who has made him promise that if beaten he will forswear knight-errantry. Thus he retires to the country (like the hero of Heldenleben), and becomes a shepherd. From this point onwards his mind shakes off its delusions, and the process is illustrated in characteristically Straussian manner in the orchestra. The Finale is the death of Don Quixote. Harmonies before very chromatic are here converted as quite simple and commonplace. Don Quixote is no longer a knight-errant, but just a plain man. Soon tremolos in the strings indicate the first shiver of a deadly fever, and he feels his end near. The violoncello speaks his last words with infinite pathos; he sees his past life in his mind's eye and knows that it was all in vain, and so he breathes his last.

(k) A Hero's Life, Tone-poem for Full Orchestra, op. 40. First performed at concert of Museum Society of Frankfurt, March 1899. F. Roesch in his analysis authorized by S. (F. Leuckart, Leipzig) says that "having in Don Quixote sketched the tragic-comic figure of the Spanish knight whose vainsearch after heroism leads to insanity, S. presents in A Hero's Life not a single poetical or historical figure, but rather a more general and free ideal of great and manly heroism — not again the heroism to which one can apply an everyday standard of valour, with its material and exterior rewards, but that heroism which aspires through effort and renouncement towards the elevation of the soul". With regard to musical structure it is a small "Ring des Nibelungen". No such complex utilization of the leitmotiv system exists outside of Wagner's tetralogy. The 6 sections are: — The hero; His antagonists; His companion; His battlefield; His works of peace; His renouncement of the world and the fulfilment. The Companion is feminine by the style; the works of peace, embodying 20 and odd themes from the other works or S., pronounce this an autobiography.

(l) Love Scene from the Vocal Poem of Opera, Feuersnot, op. 50. Produced November 1901 in Dresden; since heard at Munich, Vienna, Berlin, and elsewhere. Ernst von Wolzogen, author of the Singgedicht, has chosen for subject an old Dutch legend, which he combines with the German folklore of Midsummer Eve fires, giving to the whole a symbolical meaning. The scene is laid in Munich in the Fabulous No-time, on Sonnwend or Sabend (Midsummer Eve). According to time-honoured custom the children beg wood for the fires from everyone, among others from Kunrad, a noble youth who has lived aloof immersed in abstract studies. On hearing what is happening he bids the boys heap on to the fires all his old books and furniture, and he gives himself up to the influences of the day. Soon he sees Diemut, the Burgomaster's daughter, and courts her vehemently, finally embracing her in view of all the people. Indignant at this, she plans revenge. She pretends that she will grant him a midnight interview, and says she will admit him to her room if he will enter the wood-basket, which she promises to hoist up. But she leaves him to hang in mid-air, while she calls the crowd to scoff at him. Angry in his turn, he summons his magic powers to his aid, and extinguishes all the fires and lights in the town, and explains to the populace that they can burn again only when the maiden returns his love. She leads him to her room, and the town waits in darkness for the success of his wooing. The "Love-scene" is played while the crowd is waiting, and contains a resumé of all the chief themes of the opera.   E. G. R.

In "Musical Times" of 1 June Sir Alexander *Mackenzie* gives a second graphic report of his *tour* (IV, 499) through Canada with British-composer concerts, posted at "Moose-jaw". It records 18 concerts in 14 days, at Brantford, Hamilton, London, Montreal, Ottawa, Toronto, Woodstock, &c. — In ditto of today (1 July) F. E. Edwards begins a series of articles on "*Berlioz in England*"; valuable record, England having helped B. more than is generally supposed. Sir A. M. gives 3rd and last letter on his Canadian tour. Portraits of Earl of Minto (Governor General), Charles A. E. Harriss (Director), and 40 coadjutors. The tour has awaked a new Canadian life. R. A. M.

Prag. Im Nachlasse *Friedrich Smetana's* sind zahlreiche bisher unbekannt gebliebene *Manuskripte* aufgefunden worden. Nach der hier erscheinenden Zeitung »Politik« handelt es sich hauptsächlich um Klavier-Kompositionen, die in dem von Teige verfaßten Kataloge der Werke Smetana's gar nicht erwähnt sind. Aus dem Jahre 1844 stammen acht kleine Piècen, »Bagatelles et Impromptus«, in denen der Komponist seine Liebe zu Katharina Kolar schildert, ferner sechs Walzer, von denen der letzte unvollendet ist. Aus dem Jahre 1845 sind ein »Stammbuchblatt« in Es-moll, ein »Trauermarsch«, ein »Notturno« und eine ganze Reihe von Kompositionen, mit welchen er sich unter Proksch's Leitung in den strengen Kompositionen übte, erhalten. Von den Kompositionen, die Teige zwar erwähnt, die aber bis jetzt unbekannt blieben, seien zwei Etüden aus dem Jahre 1846, Polkas aus dem Jahre 1848, ein »Allegro capriccioso« aus dem Jahre 1852 (Alexander Dreyschock gewidmet), eine Transskription des Schubert'schen Liedes »Der Neugierige«, eine große Etüde aus dem Jahre 1858, eine »Bettina-Polka« aus dem Jahre 1859 und eine umfangreiche, in der Abschrift 14 Seiten füllende Skizze »Macbeth und die Hexen« angeführt. Überdies enthält der Nachlaß einige vierhändige Klavierstücke, ferner Kompositionen für acht Hände (Sonate, Rondo), zwei Offertorien für gemischten Chor, Orgel, zwei Violinen, Viola und Waldhörner, sowie Violin-Duos und mehrere Lieder für zwei Klaviere arrangiert. Unvollendete Skizzen (darunter unter anderem Szenen aus dem »Cid«, eine Ouvertüre »Wikingerfahrt«) gibt es genug. Es ist Hoffnung vorhanden, daß in nicht allzu langer Zeit einige der hinterlassenen Kompositionen Smetana's im Druck erscheinen werden) Zwei von den letzteren und zwar Motetten für gemischten Chor mit Orchesterbegleitung (eine nach Smetana's eigener Angabe im Stil Händel's, die zweite im reinen Smetanastil geschrieben) werden demnächst in der Kirche in Karolinenthal (Prag) zur Aufführung gelangen.

Regensburg. In Nürnberg beschloß die Versammlung des Musikfest-Vereins die Abhaltung des *II. Bayrischen Musikfestes* zu Pfingsten 1904 in Regensburg. Das Münchener Kaim-Orchester ist bereits für das Fest engagiert, und Generalmusikdirektor Zumpe aus München wird, da Herr Weingartner zu jener Zeit für London verpflichtet ist, die Leitung des Festes übernehmen.

Salzburg. Der Bau eines großen *Mozarthauses*, das in erster Linie der Abhaltung der großen Mozartfeste und der Pflege des Mozartkultus, dann aber auch zur Aufnahme der mehr und mehr sich entwickelnden Musikschule der internationalen Stiftung »Mozarteum« dienen soll, ist gesichert. Die Gemeindebehörde hat beschlossen, der Mozartgemeinde einen großen Gebäudekomplex zu annehmbarem Preise abzutreten. Der Bau wird etwa 450000 Kronen kosten, die aus freiwilligen Beiträgen und den Erträgnissen der Mozart-Musikfeste aufzubringen sind.

Alfred James Hipkins, b. 17 June 1826. † 3 June 1903. Since age of 14 engaged at Broadwoods'. Fellow, Society of Arts. Musical antiquarian, mathematician, author. Expert clavichordist and harpsichordist. Has contributed to many public questions, e. g. introduction of English Philharmonic pitch A 439 at 68° (I, 21). Wrote some 130 articles in Grove's Dictionary.

Kritische Bücherschau

der neu-erschienenen Bücher und Schriften über Musik.

Referenten: J.-G. Prod'homme, E. Schmidt, J. Wolf.

Arnim, Georg, Gesammelte Aufsätze über Stimmbildung, Gesangskritik, moderne Sänger und Schauspieler. Berlin und Leipzig, Friedrich Luckhardt 1903. 175 S. 8⁰. ℳ 4.—.

Der Verfasser sagt schon in seiner Vorrede, daß die Müller-Brunow'sche Lehre über den primären Ton den Konzentrationspunkt dieser verschiedenen Aufsätze bildet, nach dem alle Fäden laufen. Er wünscht, eine Art Archiv zu bilden, um eine Lehre durchzusetzen, die ihm für die Gesangswissenschaft von höchster Bedeutung erscheint. Diese Wissenschaft befinde sich nach seiner Überzeugung durchaus im Verfall. Gegen die Lehrmethoden einer Viardot - Garcia, eines Stockhausen, des Professor Hey, der Frau Schröder-Hanfstaengl u. a. zieht er energisch zu Felde. Für ihn ist der Gesangsmeister Schmitt der größte Tonbildner der neueren Zeit, Müller-Brunow baut auf den von Schmitt gelegten Grundsteinen weiter, indem er beim Sänger die Bildung des vollendet schönen Tones als das höchste Ideal hinstellt, gegen welches alle anderen Erfordernisse der musikalischen Ausbildung zurückzutreten haben. Die geistvollen und lebendigen Ausführungen des Verfassers sind im Stande, den Leser im hohen Grade zu fesseln und über manche in der Gesangswelt wirklich bestehenden Mißstände aufzuklären. Die Form, in der es geschieht, ist mitunter recht scharf, auch kann man die heftigen Ausfälle gegen anerkannte Lehrkräfte nicht immer billigen. Der Raum ist hier zu beschränkt, um auf die verschiedenen interessanten Intentionen des Verfasser so speziell einzugehen, wie sie es verdienten.   E. S.

Barth, Hermann. Geschichte der geistlichen Musik. Hamburg, Schlößmann, 1903. 188 S. 8⁰ mit vielen Abbildungen. ℳ 2,—.

Auch ein jedes populär-wissenschaftliche Werk muß der Forderung genügen, daß es auf die Höhe der Forschung steht. Dieser Forderung entspricht vorliegende Arbeit, so anerkennenswerte Züge sie sonst aufweist, nicht. Eine Fülle von Unrichtigkeiten und veralteten Anschauungen sowie Oberflächlichkeiten lassen sich nachweisen.

Guido von Arezzo ist nicht schlechthin als ein Mönch des 10. Jahrhunderts zu bezeichnen. Franko von Köln hat nicht um 1190 gewirkt. Von der »herzbewegenden Sicherheit des Ausdruckes« echter Harmonie im 13. Jahrhundert kann nur der sprechen, der die erhaltenen praktischen Denkmäler jener Zeit nicht kennt. Seltsam berührt die Schreibweise »Willem Dufay«. Ihn als Vater der Kontrapunktik zu bezeichnen, geht nicht an. »Durchgesetzte Messen« existieren schon vor ihm, ich erinnere nur an die von Coussemaker herausgegebene Messe von Tournay und jene von Guillaume de Machaut. Die Darstellung von der Rettung der Figuralmusik durch Palestrina ist veraltet. Die ältesten Orgelstücke gehen nicht auf Conrad Paumann zurück, sondern stammen aus dem Anfange des 14. Jahrhunderts. Der Gedanke, die Oberstimme eines mehrstimmigen Choralsatzes zur führenden Melodiestimme zu machen, um der Gemeinde das Mitsingen zu ermöglichen, rührt nicht von Joh. Eccard, sondern von Lucas Osiander 1586 her. So ließen sich noch eine ganze Reihe Unrichtigkeiten aufzählen. Ich verfehle aber nicht darauf hinzuweisen, daß das Werkchen auch so manche Vorzüge aufzuweisen hat und immerhin nicht ungeeignet ist, in die Kirchenmusik einzuführen.   J. W.

Berlioz, Hector. Les Musiciens et la Musique. Introduction par André Hallays. Paris, Calmann-Lévy, 1903. L et 348 p. in 18.

Le centenaire prochain de Berlioz ne peut manquer de faire éclore un certain nombre de publications relatives au maître. M. Hallays, du Journal des Débats dont Berlioz fut, trente années durant, le collaborateur assidu, a cru bon de faire un choix de feuilletons du maître, tirés du collection du célèbre journal. Sous le titre: les Musiciens et la Musique, il a groupé en dix-huit chapitres, une trentaine de feuilletons ou fragments de feuilletons relatifs à: Mozart, Cherubini, Auber, Lesueur, Meyerbeer, Herold, Donizetti, Halévy, Bellini, Adam, Glinka, Félicien David, Ambroise Thomas, Gounod, Henry Litolff, Offenbach, Ernest Reyer et Bizet. Cette publication, où l'on retrouve du Berlioz des meilleurs jours, n'a qu'un tort à mes yeux, c'est d'être faite avec trop d'arbitraire, sans aucun appareil critique qui, chose utile souvent lorsqu'il s'agit d'événements vieux d'un demi-siècle au moins, permît au lecteur, même superficiel, d'être fixé sur maint événement, mainte personnalité auxquels le texte fait allusion. Ce recueil, fait sans doute hâtivement, montre combien il serait intéressant pour l'histoire de la musique au dix-neuvième siècle, de recueillir, intégralement, les articles de Berlioz, et non seulement ceux des Débats, mais ceux, presque aussi nombreux de la Gazette musicale, sans parler de quantité d'autres fragments, répandus dans des périodiques du temps de la Restauration, tels que le Corsaire, l'Europe littéraire, la Revue européenne, le Correspondant, le Monde dramatique, la Quotidienne etc.   J.-G. P.

Codazzi, Edgardo e **Andreoli**, Guglielmo. Manuale di Armonia. Seconda edizione corredata da 875 esempi musicali, da 350 esercizi pratici e da una bibliografia. Milano, L. F. Cogliati (Corso Porta Romana 17), 1903. 586 S. 8⁰. Lire 5,—.

Eine Harmonielehre, welche wirklich auf der Höhe steht, indem sie auch die Kunstübung unserer Zeit zu umfass ensucht, und deren Gediegenheit schon bei oberflächlicher Prüfung in die Augen springt. Mit aller Klarheit und Gründlichkeit werden die einzelnen Theoreme abgehandelt und durch ausgezeichnet gewählte Beispiele belegt und erhärtet. Besonders gern stützt sich das Werk auf Bach'sche Kunst, daneben werden aber zur Exemplifizierung Meisterwerke des 15—20. Jahrhunderts herangezogen, eines Guillaume Dufay sowohl wie eines Richard Strauß. Eine reiche Beispiel-Sammlung und ein Verzeichnis der bedeutendsten musikgeschichtlichen Literatur schließen das Lehrbuch ab, welches allgemeine Anerkennung verdient und einem jeden gebildeten Musiker warm zu empfehlen ist.   J. W.

Fantasio. Een kijkge in het koninglijk Conservatorium voor Muziek te 'S-Gravenhage. Met 31 oorsprongelijke afbeeldingen der verschillende klassen. 'S-Gravenhage, Martinus Nijhoff 1903. Preis: 1 fl.

Gleich, Ferdinand. Handbuch der modernen Instrumentierung für Orchester und Militär-Musikkorps mit Berücksichtigung der kleineren Orchester sowie der Arrangements von Bruchstücken größerer Werke für dieselben und der Tanzmusik. Vierte vermehrte Auflage. Leipzig, C. F. Kahnt. 108 S. 8⁰.

Ein brauchbares Werk. In knappen und klaren Worten werden wir mit den Instrumenten, ihrem Umfange, ihrer charakteristischen Verwendung und den hergebrachten Instrumenten-Zusammenstellungen bekannt gemacht. Bemerkt sei, daß das Werk als Lehrbuch an den Konservatorien der Musik zu Prag und Moskau eingeführt worden ist. Bei einer fünften Auflage, die das Werkchen sicher erleben wird, wäre es gut, Musterbeispiele unserer Meister der Instrumentation in reicherer Zahl einzuführen.   J. W.

Juon, Paul. Praktische Harmonielehre. I. Lehrbuch. II. Aufgabenbuch. Berlin, Schlesinger, 1903. ℳ 4,—.

Ein Werk, welches geeignet ist, mit den Grundzügen der Harmonielehre bekannt zu machen: klar in der Sprache, knapp im Ausdruck. Einzelne Kapitel, wie das über Modulation, sind zu kurz gefaßt. Besonders wertvoll ist das Aufgabenbuch.   J. W.

Molitor, Rafael. Eine werte Geschichte. Erinnerungsvolle Gedanken über »Geschichte und Wert der offiziellen Choralbücher«. Graz, Styria, 1903. 44 S. 8⁰. ℳ —,80.

Eine Schrift polemischen Charakters, welche Verfasser gegen 2 Referenten seiner »Choralreform«, die Herren Dr. Haberl und Prof. Weidinger, richtet.   J. W.

Pudor, Heinrich. Laokoon, kunsttheoretische Essays. Leipzig, Seemann, 1902. 251 S. 8⁰. ℳ 6,—.

Eine Reihe lebendig geschriebener geistvoller Plaudereien aus den Gebieten der Baukunst, Malerei, Plastik, Poesie und Musik. Überall läßt Verfasser ein offenes Herz für alles Schöne, und ein feines Stilgefühl erkennen. Das Werk verdient Interesse.   J. W.

Schade, Georg. Der deutsche Männergesang. Seine geschichtliche Entwickelung den deutschen Sängern erzählt. Kassel, A. Freyschmidt's Verlag, 1903. 144 S. 8⁰. ℳ 1,—.

Verfasser hat verabsäumt, sich vor Abfassung seines Buches mit der bereits vorliegenden Literatur über den deutschen Männergesang bekannt zu machen. Er stützt sich einzig und allein auf Elben's Schrift und schreibt, da er von der Existenz eines Artikels Philipp Spitta's über dieses Thema, der ihm ein trefflicher Führer hätte sein können, offenbar nichts weiß, alle Fehler des sonst verdienstvollen Werkes nach. Selbständiger Forschung begegnen wir bei Schade nicht. Seine Schrift hat nur als Popularisierung des Elben'schen Werkes Berechtigung. J. W.

Seidl, Arthur. Kunst und Kultur. Aus der Zeit — für die Zeit — wider die Zeit! Produktive Kritik in Vorträgen, Essais, Studien. Berlin und Leipzig, Schuster & Löffler, 1902. 528 S. 8⁰.

Mehr Feuilletons als wirkliche kritische Studien. Verfasser belehrt, indem er unterhält. Mit großem Vergnügen folgt man seinen Auseinandersetzungen, die von einem gesunden Urteil Zeugnis ablegen. J. W.

Sieber, Ferdinand. Katechismus der Gesangskunst. 6. Auflage. Mit vielen in den Text gedruckten Notenbeispielen. Verlag von J. J. Weber in Leipzig. — 176 S. kl. 8⁰. ℳ 2,50.—.

Eine ganz vorzügliche Anleitung in erotematischer Form für Gesanglehrer und Gesangstudierende. Der Verfasser berührt in klarer, anschaulicher Weise alle Punkte, die für eine schöne Tonbildung, eine gute Aussprache sowie eine technische Geschicklichkeit jeder Art für den Sänger in Betracht kommen. Ferner gibt er dem Lehrer wie dem Schüler reiche Anregungen über die künstlerische Verwendung der mannigfaltigen Vortragsmittel, indem er zugleich auf die Notwendigkeit einer allgemeinen umfassenden Bildung hinweist, um die Schöpfungen unserer Klassiker vollauf zu verstehen und zu würdigen. Der Anhang enthält eine Übersicht der verschiedenen Formen in der Vokalmusik, ferner eine Verdeutschung der italienischen Tempo- und Vortragsbezeichnungen mit einigen erklärenden Bemerkungen. E. S.

Wagenmann, J. H. Neue Ära der Stimmbildung für Singen und Sprechen. Berlin, Johannes Räde, 1903. — 32 S. 8⁰.

Zehrfeld, Oskar. Wegweiser für den Organisten. Ein literarischer Ratgeber bei der Auswahl geeigneter Vorspiele zu den einzelnen Nummern des Sächsischen Landes-Choralbuches. Löbau i. Sa., J. G. Walde. 76 S. 8⁰.

Ein treffliches Handbüchlein, das jedem dienen kann, der sich mit evangelischer Kirchenmusik beschäftigt. Um den Wert des Werkes zu charakterisieren, bedarf es nur der Inhaltsangabe desselben. Auf ein kurzes Kapitel, welches zum Gebrauche des Buches anleitet, folgt ein Abschnitt, der einen Überblick gibt über die Vorspiel-Literatur zu den evangelischen Choralbüchern, insbesondere zum Sächsischen Landes-Choralbuche. In einem dritten Kapitel wird die Vorspiel-Literatur zu den einzelnen Chorälen des Sächsischen Landes-Choralbuches behandelt. Choräle und Literatur sind alphabetisch angeordnet, also bequem zu benutzen. Eingeführte Siegel gaben Aufschluß über Länge und Schwierigkeitsgrad der einzelnen Kompositionen. J. W.

Eingesandte Musikalien.

Referenten: **W. Altmann, A. Mayer-Reinach, L. Meinecke, A. Neißer, C. H. Richter, J. Wolf.**

Verlag Bosworth & Co., Leipzig.

Ambrosio, A. d'Aubade. Op. 17, Rêverie; op. 18 pour Violon et Piano. Je ℳ 1,80.

Hübsche, leichte Vortragsstücke; namentlich die Aubade ist sehr dankbar. W. A.

Blaha, Josef: Kompositionen für Violine mit Piano. Nr. 1. Serenade ℳ 1,80, Nr. 2. Chanson triste ℳ 1,00, Nr. 3 Scherzo Bohémienne ℳ 2,00.

Unbedeutend; am ehesten ist das schwierige Scherzo zum Vortrag geeignet. W. A.

Kroß, Emil. Praktischer Unterrichts-
stoff. Solobuch für die Violine.
Eine Sammlung berühmter Solosätze
alter und neuer Meister ausgewählt,
revidiert und bezeichnet. Bd. 1—4
je *M* 1,50.

Der rühmlichst bekannte Herausgeber
von Violinwerken für Unterrichtszwecke
bietet in dieser neuen Sammlung wieder
ein ausgezeichnet ausgewähltes Studienmaterial, zu dem sich freilich so mancher
die Klavierbegleitung hinzuwünschen wird.
Daß er auch Arrangements, z. B. Chopin-
scher Werke aufgenommen hat, wird vielleicht nicht allgemein Billigung finden. Von
älteren Meistern haben u. a. Tenaglia, Bach,
Vitali, Nardini (nicht Tartini), von neueren
Bériot, Ernst, Molique, Eller und Tschaikowsky (Canzonetta) Aufnahme gefunden;
Kreutzer, Rode, Viotti und Mozart sind genügend berücksichtigt. Wenig angebracht
erscheint mir die reichliche Beigabe von
ersten Seiten anderer Werke desselben Verlags. Die äußere Ausstattung läßt sonst
nichts zu wünschen übrig.   W. A.

Liftl, F. L., Zwei kleine Trios (Mein
Liebling, An Dich) für Piano, Violine
und Violoncello. Je *M* 2,00.

Verlag Breitkopf & Härtel, Leipzig.

Collegium musicum, Auswahl älterer Kammermusikwerke für den praktischen Gebrauch bearbeitet und
herausgegeben von Prof. Dr. Hugo
Riemann. Johann Stamitz (1717—
1757), Orchestertrios für 2 Violinen,
Violoncello und Basso continuo.
Nr. 1 C-dur, Nr. 2 A-dur, Nr. 3
F-dur.

Nach den mir vorliegenden drei ersten Nummern, der bis jetzt 19 Werke
umfassenden Sammlung zu urteilen, haben
wir hier eine Publikation von großer Bedeutung vor uns, die nach der vorangegangenen Veröffentlichung einzelner Partituren und des gesamten thematischen
Materials der Meister der Mannheimer
Schule uns nun genauer mit ihrem Wirken
bekannt zu machen geeignet ist. Der Continuo ist von dem Herausgeber sehr wirkungsvoll ausgesetzt, nur vermag ich mich
mit den allzuvielen Phrasierungszeichen
nicht ganz zu befreunden. Warum übrigens
auf dem Titelblatt nur Stamitz, nicht Johann Stamitz gedruckt ist, vermag ich
nicht einzusehen, da leicht eine Verwechslung mit Anton Stamitz, falls später einmal ein Werk desselben gedruckt würde,
eintreten könnte.   A. M-R.

Verlag Drei Lilien, Berlin.

Kahn, Robert, op. 37, Sonate für Violoncello und Klavier. *M* 6,—n.

Gehört entschieden zu den besten Vio-
loncellsonaten der letzten Jahre; dem Charakter dieses Instruments ist sehr gut Rechnung getragen, das Passagenwerk auf ein
Minimum beschränkt; in dem langsamen
Satz dient das Klavier, das nie die Violoncellstimme zudeckt, im wesentlichen nur
zur Begleitung. Die beiden Ecksätze sind
kräftig und energisch gehalten; der Schlußsatz schließt übrigens mit dem Hauptthema
des ersten Satzes. Die thematische Arbeit
ist, wie wir das bei Kahn gewohnt sind,
eine feine und gediegene. Das Werk verdient nicht bloß die Runde durch die Konzertsäle zu machen, sondern auch in allen
musikalischen Häusern Eingang zu finden.
W. A.

Verlag E. Eulenburg, Leipzig.

Hummel, Ferdinand, Gesänge für eine
Singstimme mit Pianofortebegleitung
I. Frühlingslieder op. 75, II. Liebeslieder, op. 76. III. Zu spät!
op. 77. IV. Es war einmal op. 78.

Hummel gehört zu jenen Komponisten,
deren charakteristisches Merkmal die Routine ist. Er weiß den Stimmungsgehalt
jedweden Gedichtes wirkungsvoll herauszuarbeiten, ohne indessen mit der Seele dem
Dichter nachzufühlen. So sind denn auch
diese Gesänge glatte Mache, die sich um
des Effektes willen auch vor dem Banalen
nicht scheut. Relativ am besten trifft er
noch den schlichten Volkston, z. B. in Nr. 3
des »Liebesliedes« (An meine Königin).
A. N.

Verlag Otto Forberg, Leipzig.

Ruthardt, Adolf. Passacaglia für
Pianoforte. (Erweiterte Einzelausgabe von Nr. 10 der Oktaven-Studien für Pianoforte op. 41). *M* 1,50.

Ein nicht allein technisch höchst lehr-
reiches, sondern auch rein musikalisch wertvolles Werk.   J. W.

Verlag Freie musikalische Vereinigung, Berlin.

Mengewein, C., op. 79 Nr. 1 Cavatine in D-moll für Violine und Orgel. *M* 1,50.

Verlag Heinrichshofen, Magdeburg.

Kaufmann, Fritz. Op. 33. Zwei
Stücke für das Pianoforte. Nr. 1

Scherzo, ℳ 2.50; Nr. 2 Burleske
ℳ 2,—.

Kommissionsverlag von Gebrüder
Hug & Co., Leipzig.

Bauer, M. Op. 3. Der 28. Psalm:
Wenn ich rufe zu Dir, Herr, mein
Gott. Für dreistimmigen Frauenchor und Sopran-Solo mit Begleitung
der Orgel oder des Pianoforte.
Ein gediegen gearbeitetes Werk von
hübscher Wirkung.   J. W.

Germer, Heinrich, op. 28. Die Technik des Klavierspiels für den Stu-
diengebrauch als methodischer Lehrgang mit 4 Kursen in Form kon-
zentrischer Kreise neu bearbeitet.
Kursus I. II. III. IV. (à ℳ 1,50).
— Wie studiert man Klaviertechnik?
Methodische Anleitung für das praktische Studium. ℳ 2,—.
    Verfasser verlangt, daß das Studium der
Klaviertechnik von der unteren Mittelstufe
an als selbständiger Lehrgegenstand zu betreiben ist. Getreu seinem Motto: »Anschaulich sei der Unterricht, denn nur durch
der Sinne Pforten, zieht der Geist in unsern
Körper ein« gibt er uns weitere eine ausführliche Anleitung zum Studium des in den
oben erwähnten vier Kursen niedergelegten
ausserordentlich reichhaltigen Übungsmate-
rials. Viele der zu technischen Übungen
verwandten Motive entstammen der guten
Klavierlitteratur und wirken dadurch vorbereitend auf die Spielpraxis. Um das
Transponieren zu erleichtern sind bei schwierigen Aufgaben Modulationsmodelle vor-
angestellt. Leider kann hier nicht ausführlich auf das in den vier Heften gebotene
Material eingegangen werden. Das jetzt
in 10. Auflage vorliegende Werk sei aufs
wärmste empfohlen!   L. M.

Zumpe, Herman. Der 91. Psalm und
der 23. Psalm für gemischten Chor.
    Trefflich gesetzte Chöre, an denen hin-
sichtlich ihrer Bestimmung für die Kirche
vielleicht die zuweilen etwas weichliche
Melodik auszusetzen wäre.   J. W.

Verlag C. F. Kahnt Nachf., Leipzig.

Kindscher, Ludwig. Op. 10. Drei
Lieder für eine Baritonstimme mit
Klavier-Begleitung. 1. Friedhofs-
besuch; 2. Erinnerung; 3. Geistes-
gruß. ℳ 1,80.

Rochlich, Edmund op. 12. 5 Dichtungen für Pianoforte ℳ 2,50.

Von den 5 Stücken dürften besonders
»Ave Maria« und »Elegia« als warm empfundene harmonisch recht interessante
Kompositionen (etwa von der Schwierigkeit
der lyrischen Stücke von Grieg) gefallen.
                            L. M.

Verlag Fr. Kistner, Leipzig.

Heuser, Ernst. Op. 42. Drei Nacht-
stücke für Pianoforte. Nr. 1 Um
Mitternacht; Nr. 2 Totentanz; Nr. 3
Traumgestalten. Je ℳ 1,50.
    Wertvolle Klaviermusik mittlerer Schwie-
rigkeit. Besonders gelungen scheint mir in
Anbetracht der aufgewendeten Tonmittel
der Totentanz.   J. W.

Zweig, Otto. Op. 6. Suite (E) für
Pianoforte. ℳ 5,—. Einzeln: Präludium, Toccata, Scherzo, Tema con
Variazioni, Intermezzo, Rondo, je
ℳ 1,50.
    Eine Suite freier Form, welche von dem
trefflichen technischen Können des Verfassers Zeugnis ablegt. Die Themen sind
hübsch erfunden, der Satz pianistisch wirksam abgefaßt. Der Variationsreihe liegt
als Thema das Brahms'sche Liedchen »Der
Holdseligen sonder Wank« zu Grunde.
                            J. W.

Verlag F. E. C. Leuckart, Leipzig.

Kahn, Robert. Op. 38. Fünf Gesänge für tiefere Stimme mit Klavier-Begleitung. In einem Heft
ℳ 3,—. Einzeln: Nr. 1 Dämon;
Nr. 2 Fort; Nr. 3 Treugelöbnis;
Nr. 4 Dem aufgehenden Vollmond;
Nr. 5 Feuerbestattung, je ℳ —,80
bis ℳ 1,—.
    Kahn's Lieder zeigen einfachsten, klar
durchsichtigen Bau und schön geschwungene
melodische Linien. Die Stimmung der
Texte gelangt zu hübschem Ausdruck.
                            J. W.

Verlag Mozarthaus, Wien.

Reiter, Josef. Op. 58. Drei Klavier-
gedichte. Nr. 1 In stiller Abend-
stunde; Nr. 2 Kräftiger Entschluß;
Nr. 3 Gedanken. ℳ 3,—.
    Nicht besonders tief empfundene, aber
wirkungsvolle Kompositionen.   J. W.

Verlag Ries & Erler, Berlin.

Hausegger, Siegmund v. Todten-
marsch für Männerchor, Baß-Solo

und großes Orchester nach einer Dichtung von Martin Boelitz.

Man vergleiche hierzu das Urteil, das unser Heidelberger Korrespondent nach der Uraufführung des Werkes fällte: »ein gewaltig ergreifendes, grausiges Schicksalslied, ausklingend in wunderbaren Klängen des Friedens und der Erlösung«. (Zeitschrift IV. S. 336.) Ich kann dieses Urteil nur unterschreiben. Die Vertonung des stimmungsvollen Gedichtes ist Hausegger glänzend gelungen. Das Werk ist eine der wertvollsten Gaben, die der Männerchor-Litteratur in der letzten Zeit beschert wurden. A. M.-R.

Pringsheim, Klaus. Zwei Gedichte von Konr. Ferd. Meyer für eine Singstimme mit Klavierbegleitung. op. 20.
— Zwei Gesänge für Bariton mit Begleitung des Orchesters op. 21. Ausg. für Pianoforte
— Zwei Gesänge für eine Singstimme mit Begleitung des Pianoforte. op. 23.

Aus diesen Gesängen spricht eine reich entwickelte Individualität. Besonders erfreulich erscheint mir die Beschränkung auf ein adaequates Sondergebiet, das düstere Elegische. Am höchsten werte ich die beiden Gesänge aus op. 23, deren Komposition der Lenau'schen »Drei Zigeuner« darf sich kühnlich mit Liszt's Vertonung des gleichen Gedichtes messen. Die Lieder bleiben bei aller Modernität der Harmonik immer sanglich und speziell das Klavier wird mit beachtenswerter Selbständigkeit zu neuartigen Illustrations-Wirkungen benutzt. Alles in allem ein vielversprechendes Talent! A. N.

Zilcher. Herm. Op. 6. Nr. 1 Ballade; Nr. 2 Spieldose; Nr. 3 Intermezzo; Nr. 4 Capriccietto, je ℳ 1,50.

Verlag Rózsvölgyi & Co., Budapest und Leipzig.

Gaal, François. Op. 121. VIème Rhapsodie hongroise pour le piano. ℳ 2,50.

Verlag Rieter-Biedermann, Leipzig

Barblan. Otto. 5 Orgelstücke op. 5 und Passacaglia für Orgel op. 6.

Schön und von guter Faktur sind diese Kompositionen von Barblan; ich zögere nicht sie als Muster von solider und korrekter Musik, die oft auch tief empfunden ist, zu kennzeichnen. Die 5 Orgelstücke,

obgleich verschieden in Charakter und Form, tragen den Stempel besonderer Stileinheit. Ich glaube, daß gerade hierin ihre Hauptschönheit liegt und daß hieraus der gefällige Eindruck entsteht, den sie zu hinterlassen im stande sind. Hier ist wirklich in hohem Grade modern empfundener Orgelstil in kraftvollen Konturen, in eleganter Harmonisation, im leichten Fluß der polyphonen Bewegung, in raffinirtem Ausdruck, der aus jedem Akkorde spricht, einfache klare und bestimmte musikalische Gedanken, die anfänglich ganz bescheiden auftreten, die sich aber im Verlauf in ausgesuchter Formentwicklung immer interessanter gestalten. Nach dem ersten Anhören kann man dem Wunsche nicht widerstehen diese Stücke wieder erklingen zu lassen, so groß ist der Reiz einzelner melodischer Züge, die zuerst alleine auftreten, dann imitativ werden und in alle möglichen wechselseitigen Beziehungen treten. Dabei wird ein klarer und in allen Teilen harmonischer Satzbau berücksichtigt. Von Einzelheiten nenne ich besonders eine der kadenzierenden Wendungen, die zart und elegant, typisch auftritt und einem jeden Werke eine charakteristische Einheit des Kolorits gibt. Die Art und Weise der harmonischen Progressionen erscheint interessant und was den musikalischen Ausdruck betrifft, so glaube ich nicht, daß es leicht sei mit Tönen beredter zu sein. Ein geschickter Orgelspieler wird mit diesen Kompositionen die ganze Pracht der Orgel zur Geltung bringen, die durch wohlberechnete Registratur eine überschwängliche und mannigfaltige Ausdrucksfähigkeit besitzt. Die gewählten Harmonien begnügen sich nicht damit die musikalischen Gedanken ihrer Substanz nach nur notdürftig einzukleiden, sondern sie scheinen sich mit ganz natürlichem Fleiß aus den einzelnen melodischen Zügen zu entwickeln; in einer gewissen Schlichtheit und Ungezwungenheit der Bewegungen liegt eben die wahre Beherrschung der harmonischen Technik und des Kontrapunktes. Das Gesammte ist die Arbeit eines Meisters eleganter Formvollendung.

Wenn da im ersten Stück (con moto maestoso) der prächtige hymnusartige Choral erklingt, einschneidend, energisch, in idealer Form mit dem poetischen Duft feierlichen und schmerzlichen Ausdrucks, wenn zarte Erinnerung tönt mit innigem, schmachtendem Klang der religiöser Vertiefung, wie im zweiten und vierten Stück (Andante Tranquillo und Adagietto), wenn die Seele sich in erhabenem Schwung frohlockend erhebt zu neuem und herrlichem Triumph, wie im dritten und fünften Stück (con moto und Andante maestoso), so müssen wir bekennen: hier ist wahre Kunst!

Der echte Musiker, der die Poesie, die Seele der Töne wirklich empfindet, wird sich durch diese Kompositionen begeistern lassen, wie es der Autor in so hohem Maße tat. Die Richtung Barblan's ist zwar modern, jedoch ohne Zwang, ohne kabalistische, krankhafte und unüberlegte Sonderheit. Alles ist an der richtigen Stelle und alles kommt durch den Plan der Arbeit zur richtigen Geltung. Aber seine wenn auch noch so einfachen Entwürfe bedürfen zu ihrem Ausdruck einer ausgesuchten harmonischen Feinheit, die nicht um jeden Preis nach Originalität hascht, sondern in den Grenzen natürlicher und korrekter Fortschreitungen bleibt, so erreicht der Komponist jene Wirksamkeit und Kraft der Tonsprache, welche auf Ordnung und Proportion aller Teile beruht. Durch harmoniefremde Töne, in ganz modernem Empfinden, wird den Wendungen oft ein neues Licht gegeben voll Abwechslung und Originalität. Das Passacaglia entwickelt sich in Variationenform über einem auf einer Reihe stützender Baßnoten sich bewegenden Thema, welche den kontrapunktischen Figuren dann eine überraschende Vielheit und Schönheit der Harmonisation bietet. Die Variationen sind in der Anlage und Ausführung von wachsendem Interesse, reich an glänzenden Formen, feinen rhythmischen Kontrasten und ausdrucksvollen Accenten. Die solide Kenntnis der Werke J. S. Bach's, Frescobaldi's und der Orgelmeister der großen Epoche hat dem Komponisten diese Sicherheit in der Beherrschung des Tonmaterials gegeben; er ist augenscheinlich ein ernster und begabter Pfleger des klasaischen Orgelstils.

In Barblan offenbart sich eine eigenartige Individualität, die sich kund gibt durch eine wogende Flut edler und klarer Harmonien, eine Individualität, die nie ihren Charakter verleugnet, die sich in den einfachsten Sätzen, in der Rhythmik der Themata, in den Kadenzen, in der Wahl des Kolorits, oft in einem besonders charakteristischen Takt, ohne Verstellung, ohne Eitelkeit und erzwungene Wendungen, sondern natürlich und in seiner Kunstfreude so giebt, wie sie ist.

Barblan ist eine ungemein viel versprechende Künstlernatur. Sein Gedankenreichtum und Glanz der Formentwicklung wird sich immer bedeutender gestalten. Es ist eine gar leichte Prophezeihung und ein aufrichtiger Wunsch, daß die Künstler sich diese Werke zu eigen machen, sie werden sie aufrichtig bewundern und nicht so leicht wieder bei Seite legen, weil echte Musik darin ist, die immer etwas Herrliches und Gesundes zu verkünden hat.

C. H. R.

Barblan, Otto. Chaconne über »B.-A.-C.-H«.

Über die vier Buchstaben des Namens Bach hat Barblan diese Chaconne, eine ganz bewunderungswürdige Arbeit, geschrieben; dieselbe wird mit einigen wenigen ähnlichen Werken, welche den Vergleich aushalten können, und den herrlichsten und kühnsten Formen nach der Schreibweise des großen Leipziger Kantors, bestehen. Edel und erhaben im Stil zeigt das Werk vom Beginn an jene poetische Auffassung, welche weniger von romantischem Geschmack beeinflußt, als von allen Künsten des Kontrapunktes durchdrungen ist. Von vornherein wird das Interesse geweckt und steigert sich noch im Verlaufe des Stückes. Der Eindruck, welchen wir von diesem kraftvollen Werke empfangen, ist umso gewaltiger, als uns nicht nur die harmonischen Kombinationen fesseln, sondern auch die technischen Schwierigkeiten, die indeß nicht übermäßig, wenn auch sehr eigenartig sind. Sie verwirren niemals die lebendige Entfaltung der herrschenden Gedanken und des Gesanges, den sie umspielen und von allen Seiten empfangen; aus ihnen spricht der künstlerische Ernst und die magistrale Formsicherheit, welche Geist und Phantasie des Komponisten geleitet haben.

Solche Werke haben einen bleibenden Wert für alle Zeit. Im Verlauf der Jahrhunderte repräsentieren sie die herrliche Entfaltung einer Kunst, die in vollem Maße zu üben nur wenigen Auserwählten gestattet ist und die ihr Vorbild hat in den Monumenten, welche uns der große Sankt-Thomas-Kantor, der Meister aller Meister, gelassen hat.

Nach L. Torchi (Rivista musicale italiana, Turin) frei aus dem Italienischen von   C. H. R.

Verlag **Adolf Robitschek**, Leipzig.

Caro, Paul (op. 20.) Quartet für 2 Violinen, Viola und Violoncell, in Fismoll. ℳ 3,50.

Dieses gar nicht üble Werk hätte besser die Bezeichnung »Kleine Suite« führen müssen; es besteht aus 5 Sätzchen, von denen besonders die 3 mittleren (Adagio, Pastorale und Intermezzo) klangschön sind, freilich keinen höheren Geistesflug nehmen. Der Komponist scheint ein talentvoller Dilettant zu sein, der sich noch zu einem reifen Künstler auswachsen kann.   W. A.

Verlag **C. F. Schmidt,** Heilbronn a. N.

Lussatto, F. Op. 62. Zwei Stücke

45*

.für Violine und Pianoforte. Nr. 1 Gebet; Nr. 2 Romanze.

Verlag B. Schott's Söhne, Mainz, London, Brüssel, Paris.

Stojowski, Sigismond. Op. 4. Trois Intermèdes pour Piano. Je ℳ 1,25 bis ℳ 1,50.

Stojowski's Melodik zeigt die den Polen eigene Eleganz. Sie wird vertieft durch geistreiche Harmonik, die aber bei dem leichten Bau der Stücke häufig als hemmender Ballast empfunden wird. So bekommt das zweite Intermedium, welches mir als das musikalisch bedeutendste erscheint, durch Häufung von Dissonanzen etwas Unruhiges, das mit der Melodie selbst im Widerstreit steht.   J. W.

Edition Schubert, Leipzi.

Döring, C. H. op. 255. 12 melodische Klavier-Etuden in fortschreitender Folge für den Unterrichtsgebrauch auf der Mittelstufe. Heft 1, 2, 3 à ℳ 1,—.

Als wohlklingendes Studienmaterial verdienen die vorliegenden Etuden weite Verbreitung.   L. M.

Verlag Bartholf Senff, Leipzig.

Reger, Max. Op. 58. Sechs Burlesken. Zwei Hefte, je ℳ 3,—. Burleske Nr. VI für das Pianoforte zu zwei Händen bearbeitet vom Komponisten ℳ 1,50.

Die Genialität Reger's erkenne ich an, sein phänomenales Können macht mich staunen. Mich erbauen vermag aber seine Kunst nur selten. Seine ewigen harmonischen Künsteleien wirken ungesund und abstrus. Ziemlich verständlich und von drollig komischer Wirkung ist die sechste Burleske, in der Reger das Lied »Ach du lieber Augustin« und Anklänge an einen Strauß'schen Walzer mit einander in Verbindung bringt. Diese Burleske liegt auch in zweihändiger Bearbeitung des Komponisten vor. Die vierhändigen Burlesken werden nur gewandte Spieler zu einigermaßen klarem Vortrag bringen können.   J. W.

Reinecke. Carl. Op. 261. Lütten Kram, Gi de Weg und Anderes Sechs plattdeutsche Gedichte in dithmarscher Mundart von Johann Meyer komponiert für eine Singstimme und Pianoforte. Nr. 1 Süh so; Nr. 2 Weegenleed; Nr. 3 Grot-

vader; Nr. 4 In de Wish; Nr. 5 Rutenkönig; Nr. 6 En Meter. ℳ 4,—.

Harmlose kleine, ohne besondere Kunst hingeworfene Lieder.   J. W.

Verlag Carl Simon, Berlin SW.

Laurischkus, Max. Op. 2. Elegie. (e-moll) ℳ 1,20.

Eine solide gearbeitete Komposition, die an den Spieler nur geringe Anforderungen stellt.   L. M.

— Op. 3. Duos. Ausgaben: A. Für Oboe und Klavier. B. Für Violine mit Kl. C. Für Klarinette mit Kl. D. Für Flöte mit Kl. à ℳ 3,—.

In den letzten Jahrzehnten wurden auf dem Gebiete der Kammermusik die Holzblasinstrumente stark vernachlässigt. Es ist daher sehr erfreulich, daß sich ein junger Komponist findet, der diesem Zweige der Kammermusik Interesse und, was die Hauptsache ist, Verständnis entgegenbringt. Laurischkus' Kompositionen erfreuen durch ihre solide Arbeit und durch reizvolle oft stark nordisch gefärbte Melodik. Eine Barcarole, ein Pastorale, 2 arabische Tänze und ein Scherzo bilden den Inhalt des Heftes, das an die Ausführenden keine allzugroßen Anforderungen stellt und den Spielern von Holzblasinstrumenten warm empfohlen sei. Von der Barcarole ist auch eine Ausgabe für Violoncello und Klavier erschienen (ℳ 1,50).   L. M.

— Op. 4. Drei kleine Duos für Harmonium und Klavier nach den Miniaturen für Klarinette und Klavier. ℳ 2,—.

Gut gearbeitete kleine Stücke. Die Registrierung ist auch für das Mustel-Harmonium geeignet.   L. M.

— Op. 5. Suite in g-moll für Klavier (Alfred Reisenauer gewidmet) ℳ 3,—.

Diese Suite stellt an den Spieler beträchtliche Anforderungen. Die musikalischen Gedanken zeichnen sich nicht gerade durch Größe aus, sind aber ausgezeichnet verarbeitet. Der 2. Satz »Daina« (lithauisches Volkslied) und der 3. Satz »Humoreske« sind besonders gelungen, die Humoreske darf man sogar als ein dankbares Vortragsstück bezeichnen.   L. M.

— Op. 7. Drei Duos für Harmonium und Klavier. Nr. 1. Lied. B-dur. ℳ 1,20. Nr. 2. Reigen. C-dur. ℳ 1,50.

Nr. 3. Capriccio lizarro. A-moll.
M 1,80.

Als Op. 7 b. sind die 3 Kompositionen auch für 2 Klaviere erschienen. Empfehlenswerte Hausmusik. L. M.

— Op. 10. 6 Skizzen für Harmonium. *M* 2,50.

Alle Freunde des Harmoniums dürften bei der nicht allzu großen Auswahl von Originalkompositionen für ihr Instrument die vorliegenden aus dem Geiste des Instruments heraus entstandenen Skizzen mit Freude begrüßen. L. M.

Reinhard, August. Op. 94. Walzer-Suite für 2 Klaviere zu 4 Händen. *M* 4,—.

Ein geschickt gearbeitetes Werk, das bei mittlerer Schwierigkeit beiden Spielern gleich dankbare Aufgaben stellt und bei flottem Vortrag seiner Wirkung sicher sein dürfte. L. M.

Zeitschriftenschau

zusammengestellt von

Ernst Euting.

Verzeichnis der Abkürzungen siehe Zeitschrift IV, Heft 7, S. 435.

Abate, Nino. L' arpa cromatica — NM 9, Nr. 88.

Allihn, M. Das Harmonium und der Harmoniumspieler — ZfI 23, Nr. 26 ff.

Altberg, W. Über die Druckkräfte der Schallwellen und die absolute Messung der Schallintensität — Annalen der Physik (Leipzig, J. J. Barth) 1903, Seite 405 ff.

Altmann, Wilh. Die projektierte Uraufführung von »Tristan und Isolde« — Die Zeit (Wiener Wochenschrift), Nr. 452.

Anonym. Die Pittrich'schen Pedal-Maschinen-Pauken — ZfI 23, Nr. 24.

Anonym. Der Wettstreit der Männergesangvereine in Frankfurt a. M. (4., 5. und 6. Juni 1903) — AMZ 30, Nr. 24/25.

Anonym. Lina Ramann. Ein Gedenkblatt zur Vollendung ihres 70. Lebensjahres — SA 4, Nr. 10 (mit Porträt).

Anonym. Wilhelm Peterson-Berger — SM 23, Nr. 10 (mit Porträt).

Anonym. Le centenaire de la Villa Médicis. Faut-il envoyer les musiciens à Rome? Lettres de M. Th. Dubois, Ch. Lefebvre, H. Maréchal, G. Hue — MM 15, Nr. 10.

Anonym. Der Kirchengesang in den Klöstern — C 20, Nr. 6 f.

Anonym. Alte Glocken im Elsaß — ibid.

Anonym. Zur 39. Tonkünstler-Versammlung in Basel — Mk 2, Nr. 17 (mit ausführlichen Analysen der Hauptwerke des Programms).

Anonym. Ist Musik deutbar? — KW 16, Nr. 16.

Anonym. Trinity College, Cambridge — MT, Nr. 724 (mit musikgeschichtlichen Notizen).

Anonym. The Joachim-Quartet — — MT, Nr. 724 (mit Porträt).

Anonym (Dotted Crotchet). The musical zeal of a country gentleman. A study at Bridlington — MT, Nr. 724.

Anonym. La musique des chansons de Pierre Dupont — Intermédiaire des Chercheurs et Curieux (Paris) 30. April 1903.

Anonym. »Parsifal« in America — Nation (New-York), 2. April 1903.

Anonym. Die Einkünfte englischer Militärkapellen — DMMZ 25, Nr. 29.

Apel, Augustin. Einige empfehlenswerte Orgelkompositionen für den katholischen Gottesdienst — Cc 11, Nr. 6.

Averkamp, Ant. Historische aanteekeningen over a-cappella-muziek en hare beoefening — Cae 60, Nr. 9.

Avril, René d'. L'année musicale à Nancy — MSU 2, Nr. 39.

Behrend, William. Courrier de Danemark — MSu 2, Nr. 39.

Belen, J. Attaque et tenue des sons chantés — La Voix Parlée et Chantée (Paris), Januar 1903.

Bellaigue, Camille. Shakespeare et la musique — Revue des Deux Mondes (Paris, 15 rue de l'Université) 15. Mai 1903.

—— Silhouettes de musiciens: Victoria — TSG 9, Nr. 5.

Bernhard, Otto. Gartenmusik — KW 16, Nr. 17.

Bertini, Paolo. Luigi Arditi — NM 8, Nr. 88.

Bewerunge, H. The modes of Irish music — New Ireland Review (Dublin, Burns and Oats), Juni 1903.

Blümml, E. K. Über die Verbreitung des volkstümlichen Liedes ›Ach, weint mit mir, ihr nächtlich stillen Haine!‹ — DVL 5, Nr. 5ff.

Brenet, Michel. Un règlement pour les enfants de chœur de la Chapelle de Versailles — TSG 9, Nr. 5.

Bronisch. Ein evangelisch-reformatorisches Requiem in Görlitz 1525 — Si 28, Nr. 6.

Brounoff, Platon. Rimsky-Korsakoff as I know him — The Musical World (Boston, 146 Boylston Street) 3, Nr. 5.

C., P.-E. ›Le Voyage en Suisse‹, folie-opérette en trois actes, de M. Ernest Blum et de Raoul Toché [aux Folies-Dramatiques] — M, Nr. 3767.

Calvocoressi, M. D. ›L'Etranger‹ et l'esthétique de M. d'Indy — TSG 9, Nr. 4.

Cartwright, E. Meredith. A chat with Miss Marie Hall — Girl's Own Paper (London, 56 Paternoster Row) Juni 1903.

Cecil, George. How concert artists are advertised in England — The Musical World (Boston, 146 Boylston Street) 3 Nr. 5.

Chop, M. Die Tantièmefrage — DMMZ 25, Nr. 29.

Cleaves, A. B. Harmonium and piano duets — MO, Nr. 309.

Combe, Edouard. La musique du Centenaire vaudois — MSu 2, Nr. 38.

—— La question des droits d'auteur — ibid., Nr. 39.

Coquard. A. Critique musicale — Quinzaine (Paris) 1. April 1903.

Cords, Gustav. Wie heben wir das Ansehen des Musikerstandes? Betrachtungen eines Idealisten — DMZ 34, Nr. 21.

Coster, Johann H. Brieven uit Weenen — WvM 10, Nr. 21 [über die Weihe des Brahms-Denkmals auf dem Wiener Central-Friedhof].

Curzon, Henri de. Sybil Sanderson — GM 49, Nr. 22/23.

Daubresse, M. Les formes de la gamme occidentale — Vie Musicale, 21. März 1903, f.

Deppe, Ludwig. Armleiden der Klavierspieler — NZfM 70, Nr. 21.

Desvallons, Gilbert. La musique et la danse au Gabon (Congo français) — RM 3, Nr. 5.

Dieudonné, E. La fabrication d'un grand orgue — Science Illustrée, 21. und 28. Februar 1903.

Dippe, G. Oper und gesunder Menschenverstand — Deutschland (Berlin) 1, Nr. 1.

Donner, Askl. Ein deutsches National-Musik-Fest oder? Einige Worte zum Streite um die Richard Wagner-Denkmalsfeier in Berlin — L 26, Nr. 17.

Dresdner, Albert. La danse considérée comme art plastique — MSu 2, Nr. 38 ff.

Dubitzky, Franz. Nicola d'Arienzo: ›Die Entstehung der komischen Oper‹. (Deutsch von Ferd. Lugscheider) — AMZ 30, Nr. 21 [Besprechung].

Dupoux, J. Les chants de la messe — TSG 9, Nr. 4ff.

e. Carl Steinhäuser † — U 60, Nr. 5.

E., E. Ein kaiserliches Geburtstags-Geschenk — DIZ, 7. Juni 1903 [Beschreibung eines neu-artigen für den deutschen Kaiser angefertigten Musikinstruments].

E., E. Le 80me Festival Rhénan — GM 49, Nr. 24/25.

Eccarius-Sieber, A. Das sechste Kammermusikfest in Bonn (17.—21. Mai 1903) — NMP 12, Nr. 12.

—— Inwieweit wurden Richard Wagner's Reformideen bisher ausgeführt — MWB 34, Nr. 21.

Eisenmann, A. Das VII. Musikfest in Stuttgart (16.—18. Mai 1903) — NMP 12, Nr. 12.

Essen, J. F. van. Het tekstboek van de ›Freischütz‹ — SA 4, Nr. 10.

F., J. Le sixième Festival de Bonn. Les seize quatuors de Beethoven — GM 49, Nr. 22/23.

Flachsbart, G. Lina Ramann. Ein Gedenkblatt zur Vollendung ihres 70. Lebensjahres — AMZ 30, Nr. 24/25.

Fourcaut. Le centenaire de Berlioz — Semaine Française, 15. März 1903.

Gilmann, Lawrence. Elgar's ›Dream of Gerontius‹ — The Musical World (Boston, 146 Boylston Street) 3, Nr. 5 [mit Elgar's Porträt].

Golther. Wagner-Erinnerungen — Das Literarische Echo (Berlin, Fontane & Co.) 5, Nr. 12.

Griffith, M. Dinorben. Miss Marie Hall; Interview — Strand Magazine (London, Newnes) Juni 1903.

Großmann, Max. Über Geigenbau-Geheimnisse — ZfI 23, Nr. 25.

Grunsky, Karl. Bruckner's 9. Sinfonie. Eine Würdigung und Analyse des Werkes — NMP 12, Nr. 12 ff.

—— Der 90. Geburtstag R. Wagner's — NMZ 24, Nr. 14.

—— VII. Stuttgarter Musikfest — AMZ 30, Nr. 22.

—— Philipp Wolfrum — NMZ 24, Nr. 13 [mit Porträt].

Hallays, André. L'Esthétique de Berlioz — GM 49, Nr. 24/25.

Hallays, André. Hector Berlioz, critique musical — Revue de Paris, 1. April 1903.

Hamann, Ernst. XIV. Anhaltisches Musikfest — NMZ 24, Nr. 14.

Heine, Anselm. Vom alten Sebastian Bach — Die Nation (Berlin, Georg Reimer) 20, Nr. 34.

Heuß, Alfred. The Oxford History of Music. Band III — S 61, Nr. 32 [Besprechung].

Hindemann, W. Un teatro d'opera internazionale — NM 8, Nr. 88.

Hollander. Brief uit Venetië — Cae 60, Nr. 9.

Hollmann, Th. Der tonologische Stimmer. Eine Studie über die Reformation der Stimmkunst in Anlehnung an das vor Kurzem erschienene »Lehrbuch der Stimmkunst für Berufsstimmer« des Verfassers — ZfI 23, Nr. 25.

I., H. L'Union des Artistes Russes à Paris — GM 49, Nr. 24/25.

I., R. Chronique musicale neuchâteloise — MSu 2, Nr. 39.

Imbert. H. »La Petite Maison«. Opéracomique en trois actes, poème de MM. Alexander Bisson et Georges Docquois, musique de M. William Chaumet. Première représentation sur la scène de l'Opéra-Comique le 5 juin 1903 — GM 49, Nr. 24/25.

Indy, Vincent d'. César Franck — RM 3, Nr. 5.

Isaacs, L. M. Offenbach and Opéra bouffe — Bookman [New-York, Dodd, Mead & Co.] Mai 1903.

Jagow, Eugen von. Faust's Verdammnis in Paris — NMZ 24, Nr. 14.

Johannes, Eugen. »Catharina Cornaro« von Franz Lachner. Eine Aufführung zur 100 jährigen Wiederkehr des Geburtsfestes — NZfM 70, Nr. 21.

Joß, Victor. »Nadeya«. Große Oper in einem Vorspiel und drei Aufzügen von Luigi Illica. Deutsch von Richard Batka. Musik von Cesare Rossi [Uraufführung im Deutschen Theater in Prag am 5. Mai 1903] — NZfM 70. Nr. 23/24.
—— Prager Operettenpremièren — ibid.

Kahläne, Alfred. Schallgeschwindigkeit und Verhältnis der spezifischen Wärme der Luft bei hoher Temperatur — Annalen der Physik (Leipzig, J. J. Barth) 1903, S. 225 f.

Kappstein, Th. Ein Blick in alte Gesangbücher — Die Kultur (Köln, Schafstein & Co.) 1, Nr. 23.

Keeton, A. E. Richard Strauss as man and musician — The Contemporary Review (London, Horace Marshall & Son) Juni 1903.

Ketschau, Wilhelm. Das XIV. Anhaltische Musikfest — NZfM 70, Nr. 22.

Klauwell, Otto. Über das Verhältnis des Komponisten zum Dichter — BfHK 7, Nr. 6.

Kohlrausch, Robert. Das Urbild von Wagner's »Rienzi« — BW 5, Nr. 17.

Krauß, Rudolf. Das Hoftheater Herzog Karls von Württemberg — BW 5. Nr. 16 [behandelt u. a. das Wirken Jomelli's in Stuttgart].

Krueger, Felix. Differenztöne und Konsonanz — Archiv für die gesamte Psychologie (Leipzig, Wilhelm Engelmann) 1, Nr. 2/3.

L., O. Theodor Reichmann † — AMZ 30, Nr. 22.

Lalo, P. La musique française est-elle individualiste? — Le Temps (Paris) 21. April 1903.

Laloy, Louis. Phonographes et grammophone — RM 3, Nr. 5.

Latil, A. Spigolatura Cassinesi — Rassegna Gregoriana (Rom) 1903, Nr. 1.

Lasarus, Gustave. The Berlin music season — The Musical World (Boston, 146 Boylston Street) 3, Nr. 5.

Leclercq, H. Note sur les abbesses dans l'épigraphie et la liturgie — Rassegna Gregoriana (Rom) 1903, Nr. 1.

Levi, C. Il mistero di Roberto il Diavolo — Rivista Teatrale Italiana (Neapel), Januar 1903.

Lindig, Franz. Über die verstimmte Oktave bei Stimmgabeln und über Asymmetrietöne — Annalen der Physik (Leipzig, J. J. Barth) 1903, S. 31—53.

Louis, Rudolf. »Das neue Leben« von Wolf-Ferrari — BfHK 7, Nr. 6.

M., A. Reprise de Henri VIII, opéra en 4 actes et 5 tableaux, de MM. Detroyat et A. Sylvestre, musique de C. Saint-Saëns — MM 15, Nr. 10.

[Mackenzie, A. C.] Sir Alexander Mackenzie on his Canadian tour — MT, Nr. 724.

Mangeot, A. Le concours Louis Diémer — MM 15, Nr. 10.
—— »La Petite Maison«, opéra-comique en trois actes, de MM. Alexandre Bisson et Georges Docquois, musique de W. Chaumet — ibid., Nr. 11.

Mantovani, T. »La Damnazione di Faust« — La Cronaca Musicale (Pesaro) 1903, Nr. 5.
—— G. Rossini a Lugo, e il cembalo del suo maestro Malerbi — ibid., Nr. 6.

Matthias. Vortrag und Begleitung des deutschen Kirchenliedes — C 20, Nr. 6.

Mauclair, Camille. La musique française récente — La Revue, März 1903 f.

Mayrhofer, Isidor. Zur Schlüsselfrage — GR 2, Nr. 6.

Morsch, Anna. Musikpädagogischer Kongress (30. September bis 4. Oktober 1903 zu Berlin) — KL 26, Nr. 11.

—— IV. General-Versammlung der Musiksektion des Allgemeinen Deutschen Lehrerinnen-Vereins (31. Mai — 2. Juni 1903 zu Dresden) — ibid., Nr. 12.

Mulder, Jan. Luigi Arditi — WvM 10, Nr. 21.

Müller, Joseph Th. Die Singstunde der Brüdergemeine — MSfG 8, Nr. 6.

Naldo. A. R. Il congresso di Roma — NM 8, Nr. 88.

Ned. Inauguration du grand orgue de l'église Saint-Philippe du Roule — Art et l'Autel, 1. März 1903.

Niecks, F. A criticism of J. S. Bach — MMR, Nr. 390.

Niemann, Walter. The Oxford History of Music. Band IV — S 61, Nr. 32 [Besprechung].

Ochs, Siegfried. Mehr Johann Sebastian Bach! — AMZ 30, Nr. 24/25.

Oettingen, Arthur von. Das duale System der Harmonie — Annalen der Naturphilosophie (Leipzig, Veit & Co.; 2, Nr. 3.

Oszetzky, Adalbert. Das 50jährige Jubiläumsfest der Budapester Philharmoniker — NZfM 70, Nr. 21.

-p. Das Raff-Denkmal in Frankfurt a. M. — AMZ 30, Nr. 22.

Pagella, D. G. A proposito di ritmo — SC 4, Nr. 10.

Papus. Action de la musique sur les sujets hypnotiques et les états névropathiques — Vie Musicale, 12. März 1903, ff.

Patterson, Annie W. Teaching and practical work at the universities — MN, Nr. 637.

Peppin, A. H. Ideals in music teaching — MN, Nr. 637 ff.

Pothier, G. Le origini e la natura del canto gregoriano — Rassegna Gregoriana (Rom) 1903, Nr. 2.

Pougin, Arthur. Le concours Diémer (18 et 19 mai 1903) — M, Nr. 3765.

—— »La Petite Maison«, opéra-comique en trois actes, paroles de MM. Alexandre Bisson et Georges Docquois, musique de M. William Chaumet. (Première représentation le 5 juin 1903) — ibid., Nr. 3767.

Pudor, Heinrich. Die Musik als Erziehungsmittel — TK 7, Nr. 11.

Puttmann, Max. Giovanni Battista Viotti. Zu seinem 150. Geburtstage — AMZ 30, Nr. 21.

—— Der Begründer der russischen Oper. Ein Gedenkblatt zum 100. Geburtstage Glinka's — ibid., Nr. 22.

—— Das XIII. Mecklenburgische Musikfest (24.—26. Mai 1903) — NMP 12, Nr. 12.

—— Das XIII. Mecklenburgische Musikfest — AMZ 30, Nr. 23.

—— Giovanni Battista Viotti. Zu seinem 150. Geburtstage — DMMZ 25, Nr. 22.

-r. Brahms' Denkmal auf dem Wiener Zentralfriedhof — NMZ 24, Nr. 14 [mit Abbildung].

R. Ist ein bei einem preußischen Hoftheater angestellter Kammermusiker ein Beamter? — DMZ 34, Nr. 25.

R., E. Das Leipziger Soloquartett für Kirchengesang — BfHK 7, Nr. 6.

R., E. D. The prospects of an English opera — MMR, Nr. 390.

R., M. Das »Parsifal«-Monopol in Bayreuth — RMZ 4, Nr. 22 f.

R., M. »Till Eulenspiegel«. Opéra populaire en deux parties et un épilogue, texte et musique de E. N. von Reznicek (Opéra Royale de Berlin) — GM 49, Nr. 24/25.

Rabich, Ernst. Der Lehrer im Kirchendienst — BfHK 7, Nr. 6.

Reinhard, August. Das Harmonium von heute — RMZ 4, Nr. 22.

Reißmann, August. Vom Ton und Klang — Wartburgstimmen (Thüringische Verlagsanstalt, Eisenach und Leipzig) 1, Nr. 3 ff.

Reyer. La jeunesse et les souffrances d'Hector Berlioz — Annales Politiques et Littéraires, 8. März 1903.

Richter, Alfred. Die Akkorde mit übermäßiger Sexte. Ein Beitrag zur Lehre von der Harmonik — NMZ 24, Nr. 13 ff.

Richter, C. H. Das fünfundsiebzigjährige Jubiläum des Genfer »Chant sacré« — SMZ 43, Nr. 19.

Rietsch, H. Das musikalische Schaffen — Wiener Abendpost (Beilage zur Wiener Zeitung) 1903, Nr. 100.

Rikoff, Max. Die Enthüllung des Joachim Raff-Denkmals — NZfM 70, Nr. 23/24.

—— II. Sängerwettstreit zu Frankfurt am Main — ibid., Nr. 25.

Rolland, Romain. »Echo et Narcisse«, opéra de Gluck — RM 3, Nr. 5.

Rühling, E. Hic haeret aqua. Reformvorschläge — KCh 14, Nr. 6.

Ruland, W. Die Wirkungen der Musik — Internationale Litteratur- und Musikberichte 10, Nr. 10.

Saavedra, Dario. Über das musikalische Lehrfach — WvM 10, Nr. 21 f.

Saint-Saëns, C. Les oratorios de Bach et de Haendel — Vie Musicale, 5. Februar 1903.

Sch., O. 7. Schwäbisches Musikfest in Stuttgart — SH 43, Nr. 24.

Schaumberg, G. Ein biographisches Bühnen-Lexikon des XIX. Jahrhunderts — DBG 32, Nr. 20.

Schmidt, C. W. Die »Ideal - Bühne«.

System C. W. Schmidt-Berlin — DBG 32, Nr. 20.

Schlemüller, Hugo. Die Wiesbadener Kaiserfestspiele — S 61, Nr. 36.

Schönfeld, Hermann. Mitteilungen über die Bearbeitung des Händel'schen Messias durch Johann Adam Hiller — NZfM 70, Nr. 22.

Segnitz, Eugen. Zu Richard Wagner's Gedächtnis — SH 43, Nr. 21.

—— Aus Richard Wagner's Schulzeit — MWB 34, Nr. 21.

Seibert, Willy. Sechstes Kammermusik-Fest in Bonn — RMZ 4, Nr. 21.

—— Duisburger Musikfest — ibid., Nr. 22.

—— Ist Musik deutbar? — ibid., Nr. 23.

Seidl, Arthur. Das XIV. Anhaltische Musikfest — NMP 12, Nr. 12.

Siegfried, Eva. Robert Schumann's Liedercyklus »Frauenliebe und Leben« — NZfM 70, Nr. 25.

Söhle, Karl. »Die Opferfeuer«. Ein indisches Legendendrama von Karl Gjellerup, Musik von Gerh. Schjelderup — AMZ 30, Nr. 24/25.

Solerti, A. Precedenti del melodramma — RMI 10, Nr. 2.

Soubies, Albert. La musique dans la Grande-Bretagne — Œuvre d'Art, 20. März 1903.

Southgate, T. L. British Music in Canada — MN, Nr. 640.

Spalding, W. R. Advantages to the practical musician in the study of harmony and of counterpoint — The Musical World (Boston, 146 Boylston Street) 3, Nr. 5.

Spencer, H. La sviluppo della musica — RMI 10, Nr. 2.

St. Subjektives und objektives Tempo — RMZ 4, Nr. 20.

Steinitzer. 80. Niederrheinisches Musikfest zu Aachen am 31. Mai, 1. und 2. Juni 1903 — RMZ 4, Nr. 23.

Storck, Karl. Michael Glinka und die russische Musik — Der Türmer (Stuttgart, Greiner & Pfeiffer) 5, Nr. 9.

—— Bayreuth und Parsifal — ibid.

Tannery, P. Du rôle de la musique grecque dans le développement de la mathématique pure — Bibliotheca Mathematica (Leipzig, Teubner) 1902, Seite 161—175.

Tappert, Wilhelm. Das Gralthema in Richard Wagner's »Parsifal« — SH 43, Nr. 21.

—— Wagner's erstes Gedicht und seiner Minna Geburtstag — MWB 34, Nr. 21.

Taylor, Baynton. The choir organ — MO, Nr. 309 ff.

Tchobanian, A. Chants populaires arméniens — Mercure de France (Paris), April 1903.

Thecel. George Enescu ca musicant şi compositor — RoM 14. Nr. 10.

Thomas, Fannie Edgar. Should American musicians go to Paris to study? What is there for them to get there that we do not have at home? — The Musical World (Boston, 146 Boylston Street), 3, Nr. 5.

Thompson, Herbert. Music at the Royal Academy — MT, Nr. 724.

Tiersot, Julien. La musique et la convention nationale — RM 3, Nr. 5.

Torchi, Luigi. »Oceana«. Commedia fantastica in tre atti di Silvio Benco; musica di Antonio Smareglia — RMI 10, Nr. 2.

Urgiß, J. Michael Glinka. Ein kleines Gedenkblatt zu seinem hundertsten Geburtstage — Internationale Litteratur- und Musikberichte 10, Nr. 11.

Villams. Camille Saint-Saëns — Emporium, Februar 1903.

Viotta, Henri. Mozartiana — De Gids (Amsterdam, P. N. van Kampen & Zoon), Mai 1903.

—— Een feestweek vor Ernest Reyer — ibid.

—— »Meistersinger«-herinneringen — Cae 60, Nr. 9.

Waldeck, Hermann. Das Mannheimer Musikfest zur Weihe der neuen Festhalle »Rosengarten« — BW 5, Nr. 16.

Webster, A. G. On the mechanical efficiency of musical instruments as sound producers — The Physical Review (New York, Macmillan) 1903, Seite 248 f.

Wedgwood, James. The new organ in York Minster — MO, Nr. 309.

Wegelius, M. Franz Liszt und Carolyne Sayn-Wittgenstein — Finsk Tidskrift (Helsingfors) 1903, Nr. 3.

Welti, Heinrich. Die Zukunft des Männergesanges — Die Nation (Berlin, Georg Reimer) 20. Nr. 37.

Werner, Hildegard. Miss Marie Hall. Den nya violin-drottningen — SM 23, Nr. 1 [mit Porträt].

Widmann, B. Natur und Gnade nach ihren entgegengesetzten Richtungen und Bewegungen in Hinsicht auf die Tonkunst geschildert — GBl 28, Nr. 5.

Wiegler, Paul. Französischer Nachhall deutscher Musik — NMZ 24, Nr. 13 f.

Wien, Max. Über die Empfindlichkeit des menschlichen Ohres für Töne verschiedener Höhe (Vortrag gehalten auf der 74. Versammlung deutscher Naturforscher und Ärzte zu Karlsbad im September 1902) — Physikalische Zeitschrift (Leipzig, S. Hirzel) 4, Nr. 1 b.

Wolf, Berthold. Die Festvorstellungen im Wiesbadener Hoftheater — Illustrierte Zeitung (Leipzig, J. J. Weber) Nr. 3127 [mit Porträts der Mitwirkenden und Abbildungen der neuen Kostüme und Szenerien].

Wolzogen, H. v. Das Werk von Bayreuth. Zu Wagner's 90. Geburtstage am 22. Mai 1903 — Deutsche Monats-

schrift für das gesamte Leben der Gegenwart, 2, Nr. 8.

Zambiasi, G. Le »figure di Lissajous« nell' estetica dei suoni — RMI 10, Nr. 2.

Buchhändler-Kataloge.

Chevallier, P. Paris, 10 rue Grange-Batelière. Objets d'art de la Chine et du Japon: porcelaines, bronzes, laques, émaux cloisonnés, gardes de sabres, étoffes, etc. formant la collection de feu M. Paul Brenot. Auktion vom 5.—10. Juni 1903.

Auf Musik beziehen sich einige Bronzen, wie die der Biwa spielenden Göttin Bentén, sowie eine kleine Sammlung japanischer Instrumente nebst einigen Schriften über japanische Musik von Alexander Kraus Figlio, Piggott u. a.

Mitteilungen der „Internationalen Musikgesellschaft".

Ortsgruppen.

Berlin.

Um das Gelingen der Ortsgruppensitzung vom 17. Juni 1903 hat sich die »Vereinigung zur Förderung der Blas-Kammermusik« wiederum sehr verdient gemacht. Sie trug zuerst die reizvolle »Suite gauloise« von Gouvy vor und später auf vielfachen Wunsch die C-moll-Serenade von Mozart, die schon an einem der früheren Abende großen Beifall gefunden hatte. Unsere nächste Sitzung findet erst Mitte Oktober statt; es dürfte daher jetzt — bei Beginn der »Sommerferien« — angebracht sein, der Vereinigung zur Förderung der Blas-Kammermusik auch an dieser Stelle den Dank abzustatten für die zahlreichen Anregungen und genußreichen Stunden, welche der Ortsgruppe aus der Vorführung selten gehörter Kompositionen im abgelaufenen Jahre erwuchsen. Für das kommende Jahr hoffen wir gleichfalls auf die liebenswürdige Mitwirkung der Herren rechnen zu dürfen.

Zwischen den beiden Musikstücken hielt Herr Dr. Wagenmann einen Vortrag über »Neue Bahnen für die Stimmbildung zum Singen und Sprechen«. Es gelang dem Vortragenden jedoch nicht, seinen Zuhörern einen klaren Begriff vom eigentlichen Wesen seiner Reformvorschläge (vergleiche Kritische Bücherschau in diesem Hefte unter »Wagenmann«) zu geben und deren Zweckmäßigkeit überzeugend nachzuweisen; in der Diskussion erfuhr er daher auch eine Zurückweisung seitens der Herren Dr. Flatau und Professor Dr. Fleischer.

Ernst Euting.

London.

At a meeting of the Musical Association held at the residence of Mr. James E. Matthew, 100 Fellows Road, Hampstead, on Tuesday 21 April 1903, that gentleman exhibited to members his large library of musical works, and gave a lecture on such libraries generally and on his own. In the chair, Mr. A. H. D. Prendergast. Discussion by chairman, and Mr. T. L. Southgate.

An account was given of the most important musical libraries, foreign and English, past and present, public and private. Thus, the musical libraries, of the Escorial, the Vatican, King John IV of Portugal, Padre Martini, Liceo Musicale of Bologna, Paris Conservatoire, Paris Opera-house, Mecklenburg-Schwerin, Breslau, Augsburg, Göttingen, Peters library at Leipzig, Ratisbon, St. Gall, Brussels Conservatoire, Fétis, R. Wagner Museum at Eisenach, Otto Jahn, Coussemaker, Prince Borghese, Abbé Santini, British Museum, Royal Library at Berlin, Bodleian, Fitzwilliam, Sacred Harmonic Society, Ewing collection at Anderson's College in Glasgow, W. H. Cummings, F. A. Gore Ouseley, W. Taphouse, John Stainer. There are 2 ways of forming a library; one to collect all that is scarce, the other to make comprehensive collections on definite lines of study. Lecturer had done the latter, and mainly as to the literature of music. Fétis library as catalogued was 4221, Lecturer's was 1000 over that. He had a card catalogue; under authors, or in biography under name of the biographized plus author. Lecturer then gave history of many notable books &c. in his collection.

J. Percy Baker, Secretary.

Frage.

Winterfeld erwähnt in seinem »Evangelischen Kirchengesang« (II, S. 534, Leipzig, 1845', daß zu *Joh. Crüger's Psalmodia Sacra*, Teil II (D. Lutherie und anderer Gottseliger und Christlicher Leute Geistliche Lieder) Posaunenstimmen existieren. Es gelang mir bis jetzt, nur die drei Instrumentalstimmen zum ersten Teil (Psalmen Davids nach Ambrosius Lohwasser) zu finden. Ist jemand in der Lage, mir über die Aufbewahrungsstelle der übrigen Aufschluß zu geben?

Berlin-Wilmersdorf.   Posaunist Ludwig Plaß.

Neue Mitglieder.

Davidson, Frank, Buffalo, N. Y.   63 Linwood Ave.

Änderungen der Mitglieder-Liste.

Averkamp, Ant., Amsterdam jetzt Willemsparkweg 186.

Geiger, August, La Grange, Ga. jetzt Gainesville, Ga. Amerika.

Hirschberg, Eugen, Berlin, Viktoriastraße 17 jetzt Dr. Eugen Hirschberg.

Martienßen, C. A. stud. mus. et phil. Leipzig jetzt Körnerstraße 35 II r.

Ausgegeben Anfang Juli 1903.

Für die Redaktion verantwortlich: Professor Dr. Oskar Fleischer, Berlin W., Motzstr. 17.
Mitverantwortlich: Dr. Ernst Euting und Dr. Albert Mayer-Reinach in Berlin.
Druck und Verlag von Breitkopf & Härtel in Leipzig, Nürnberger Straße 36.

Beihefte.

Zu unseren beiden offiziellen Publikationsorganen ist seit Jahresfrist ein drittes, sozusagen nicht-offizielles getreten, zu dessen Bezug die Mitglieder nicht verpflichtet sind und welches in zwanglosen Heften erscheint. Diese **Beihefte der Internationalen Musikgesellschaft** haben den Zweck, die ›Sammelbände‹ zu entlasten. Wie in der ›Zeitschrift‹ nur Aufsätze von höchstens einem Druckbogen Länge aufgenommen werden können, so hat sich für die ›Sammelbände‹ das Prinzip als zweckmäßig herausgestellt, nur Abhandlungen von höchstens fünf Druckbogen Umfang aufzunehmen. Um aber den diesen Umfang übersteigenden Arbeiten von Wert ebenfalls Platz zu schaffen, sollen die ›Beihefte‹ dienen. Das schon vor Auftreten der Internationalen Musikgesellschaft unter dem Titel ›**Sammlung musikwissenschaftlicher Abhandlungen von deutschen Hochschulen**‹ begründete Unternehmen ist in den ›Beiheften‹ aufgegangen. Den Mitgliedern der Internationalen Musikgesellschaft steht es frei, ob sie die Beihefte, die selbständige neue Forschungen enthalten, beziehen wollen. Diese Beihefte, die durch sämtliche angesehene Buchhandlungen des In- und Auslandes oder unmittelbar von der Verlagshandlung Breitkopf & Härtel bezogen werden können, werden je nach Umfang zu mäßigen Preisen portofrei an die subskribierenden Mitglieder geliefert. Die bisher erschienenen Hefte der ersten Reihe der Sammlung musikwissenschaftlicher Arbeiten werden unter denselben Bedingungen den Mitgliedern abgegeben.

Die Centralgeschäftsstelle der Internationalen Musikgesellschaft.

Beihefte der Internationalen Musikgesellschaft.

ZEITSCHRIFT

DER

INTERNATIONALEN MUSIKGESELLSCHAFT.

Heft 11.   Vierter Jahrgang.   **1903.**

Erscheint monatlich. Für Mitglieder der Internationalen Musikgesellschaft kostenfrei, für Nichtmitglieder 10 ℳ. Anzeigen 25 ₰ für die 2 gespaltene Petitzeile. Beilagen 15 ℳ.

Über Harmonie und Komplikation.

Ein merkwürdig interessantes Buch ist es, welches der bedeutende Kristallograph Professor Viktor Goldschmidt unter obigem Titel bei Springer in Berlin (1901) veröffentlicht hat[1]). Erscheint es bei flüchtigem Durchblättern vielleicht anfangs als eine höchst geistreiche Spielerei mit mathematischen Formeln und Zahlen, so erkennen wir bald und leicht, wie diese unscheinbaren mathematischen Formeln einen Sinn in sich bergen, der im stande ist, uns nicht nur manchen neuen Aufschluß in musikalischen Dingen zu geben, die wir bisher auf Treue und Glauben hingenommen haben, sondern auch Einblicke in den inneren Mechanismus der Natur gestattet, die uns mit Staunen erfüllen. — Wenn ich hier versuchen will, das System Goldschmidt's in kurzen Zügen nachzuzeichnen, so ist es natürlich, daß ich mich nur auf die allgemeinen, großen Gesichtspunkte beschränken kann, und nur insoweit sie direkt Beziehung zur Musik haben. Zunächst wäre die Frage zu stellen: »Was ist Harmonie?« Obgleich ich wohl voraussetzen darf, daß jeder Musiker sich diesen Begriff klar gelegt hat, so ist die Definition Goldschmidt's doch so treffend, daß es gestattet sei, sie hier wörtlich anzuführen. »Harmonisch« heißt es im Vorwort, »nennen wir eine Gruppierung oder Gliederung, die unser Geist als seinem Wesen und den Sinnen angepaßt, dem Gemüt wohltuend aus der Welt der Erscheinungen auswählt oder, die Außenwelt verändernd, schafft. In dieser Auswahl und diesem Schaffen bilden unser Sinn, unser Geist und Gemüt ihr Wesen ab und wir können deren Eigenart in diesem Bild studieren. — Jeder Sinn zeigt, mehr oder minder deutlich erkennbar, seine Harmonie. — Aber auch der Geist und das Gemüt als Ganzes lassen eine Harmonie erkennen, genießend und schaffend. Die

---

[1]) Preis gebunden 4 Mark.

Harmonie in ihren verschiedenen Formen wird nun beherrscht durch ein einfaches Erscheinungs- und Entwicklungsgesetz, und dieses nennen wir das Gesetz der Komplikation. Wir finden es objektiv bei der Differenzierung der Naturgebilde vom Einfachen zum fein Gegliederten, so bei den Tönen, den Farben und besonders scharf präzisiert bei den Kristallen.

Jeder Versuch, die musikalische Harmonie aus der physikalischen Eigenart der Töne zu verstehen, baut sich auf dem Schwingungs-Verhältnis der Töne auf. Hat der Grundton eine gewisse Anzahl Schwingungen in der Sekunde, so hat seine Oktav 2mal soviel, die Quint $\frac{3}{2}$mal so viel, die Sext $\frac{5}{3}$mal so viel usw. Diese Verhältniszahlen nennt man Schwingungs-Zahlen (z). Sie sind für die diatonische Skala:

$$\begin{array}{cccccccc} & c & d & e & f & g & a & h & c \\ \text{Schwingungs-Zahlen: } z = & 1 & \tfrac{9}{8} & \tfrac{5}{4} & \tfrac{4}{3} & \tfrac{3}{2} & \tfrac{5}{3} & \tfrac{15}{8} & 2. \end{array}$$

Diese Zahlen sind bekannt. Man findet sie in jedem Lehrbuch der Akustik. Solche Reihen fand Goldschmidt in der Kristallographie und es zeigte sich, daß diese Reihen einfach werden, wenn man jede Zahl (z) der Reihe in eine andere (p) umrechnet nach der Formel:

$$p = \frac{z-1}{2-z}$$

So verwandelt sich zum Beispiel die zur Quart (f) gehörige Zahl $z = \frac{4}{3}$ in $p = \frac{\frac{4}{3}-1}{2-\frac{4}{3}} = \frac{1}{2}$. Die Zahlen p nennt Goldschmidt harmonische Zahlen. Danach ist $p = \frac{1}{2}$ die harmonische Zahl der Quart (f). Danach berechnet sich für die diatonische Leiter:

$$\begin{array}{cccccccc} \text{Diatonische Reihe:} & c & d & e & f & g & a & h & \ddot{c} \\ \text{Harmonische Zahlen: } p = & 0 & \tfrac{1}{7} & \tfrac{1}{3} & \tfrac{1}{2} & 1 & 2 & 7 & \infty \end{array}$$

In den Zahlen p ist auf den ersten Blick eine Einfachheit und Gesetzmäßigkeit zu erkennen, die wir in den entsprechenden Schwingungs-Zahlen (z) vergeblich suchen. Eine nähere Betrachtung zeigt dann, daß diese Zahlen p der Schlüssel sind zum Verständnis der musikalischen Harmonie.

Reihen von solchem Zahlen-Charakter wie die harmonischen Zahlen hat Goldschmidt zunächst bei den Kristallformen gefunden. Er nennt sie harmonische Reihen und die Reihen, wenn komplet, Normalreihen. Auf ihre Bedeutung für die Kristalle können wir hier nicht eingehen. Wir wollen den Zahlen die, wie oben abgeleitet, entsprechenden Töne zwischen c ċ anschreiben:

$$\text{Normalreihe } 0 = N_0 = 0 \ . \ . \ . \ . \ . \ . \ . \ \infty$$
$$c \ . \ . \ . \ . \ . \ . \ . \ c$$
$$\text{Normalreihe } 1 = N_1 = 0 \ . \ . \ . \ 1 \ . \ . \ . \ \infty$$
$$c \ . \ . \ . \ g \ . \ . \ . \ \bar{c}$$
$$\text{Normalreihe } 2 = N_2 = 0 \ . \ \tfrac{1}{2} \ . \ 1 \ . \ 2 \ . \ \infty$$
$$c \ . \ f \ . \ g \ . \ a \ . \ \bar{c}$$
$$\text{Normalreihe } 3 = N_3 = 0 \ \tfrac{1}{3} \ \tfrac{1}{2} \ \tfrac{2}{3} \ 1 \ \tfrac{3}{2} \ 2 \ 3 \ \infty$$
$$c \ e \ f \ \text{fis} \ g \ \text{as} \ a \ b \ \bar{c}.$$

Über diese dritte Komplikation N_3 geht die Natur bei ihren Entwicklungen selten hinaus.

Die Reihe N_3 nähert sich schon unserer chromatischen Tonleiter. Würden wir noch weiter gehen zur vierten Komplikation:

$$N_4 = 0 \ \tfrac{1}{4} \ \tfrac{1}{3} \ \tfrac{1}{2} \ \tfrac{3}{5} \ \tfrac{2}{3} \ \tfrac{3}{4} \ 1 \ \tfrac{4}{3} \ \tfrac{3}{2} \ \tfrac{3}{2} \ 2 \ \tfrac{5}{2} \ 3 \ 4 \ \infty$$

so würde eine solche Differenzierung der Leiter zu Schritten führen, die unserer Musik fern liegen. Goldschmidt meint, daß dort, wo mehrstimmige Entwicklung nicht stattgefunden hat, wo nicht Akkorde, sondern nur Tonfolgen benutzt werden, sich die Komplikation innerhalb der Oktav reicher gestalten dürfte. »Dabei dürfte die Reihe N_3 erreicht, vielleicht überschritten werden. Solche Musik hat sich im Orient hoch entwickelt, so bei den Arabern, Indiern, Japanern «.

Jede dieser Reihen bildet sich aus der vorhergehenden, indem sich zwischen je zwei Zahlen eine dritte kompliziertere einschiebt, entsprechend einem jüngeren, schwächeren Gebilde. Nach diesem Gesetz der Einschiebung bildet sich, wie in der Schrift gezeigt wird, aus dem einfachen das Mannigfaltige (Komplizierte) in der organischen, wie in der unorganischen Natur. Es wurde deshalb dies Entwicklungs-Gesetz Gesetz der Komplikation genannt.

Die harmonischen Zahlen der diatonischen Leiter enthalten die Normalreihe:

$$N_2 = 0 \ . \ \tfrac{1}{2} \ . \ 1 \ . \ 2 \ . \ \infty$$

außerdem von der nächst höheren Normalreihe noch $\tfrac{2}{3}$; dagegen fehlen die Zahlen 3, $\tfrac{3}{2}$, $\tfrac{1}{3}$, dafür finden wir $\tfrac{1}{7}$ und 7, die den Normalreihen fehlen. Es läßt sich nun zeigen, daß 3 entsprechend b mit der Schwingungszahl $z = \tfrac{1}{7}$ notwendig zur Harmonie $c \, \bar{c}$ gehört, ebenso $\tfrac{1}{3}$ und $\tfrac{3}{4}$. Letztere spielen eine eigentümliche, besonders in den Akkorden der modernen Musik wichtige Rolle, über die Goldschmidt nähere Mitteilung für eine nächste Publikation in Aussicht gestellt hat.

Fügen wir die 3 zunächst an ihrer Stelle ein, so erhalten wir:

$$c \quad d \quad e \quad f \quad g \quad a \quad b \quad h \quad c$$
$$p = 0 \ \tfrac{1}{7} \ \tfrac{1}{3} \ \tfrac{1}{2} \ 1 \ 2 \ 3 \ 7 \ \infty.$$

Was die Reihe sofort charakterisiert, ist deren symmetrischer Bau, das heißt die Erscheinung, daß ihre zweite Hälfte genau das reciproke Bild der ersten bildet. Dieses Resultat zwingt uns, die selbständige Bedeutung des Tones b = 3 anzuerkennen. b erscheint hier nicht als Erniedrigung des h, sondern als durchaus unabhängiger, frei dastehender Ton. Diese Bedeutung haben ihm die Alten — man denke an das Hexachord-System — auch stets zuerkannt, ohne eine wirkliche Begründung dafür zu wissen. Eine solche aber gibt uns unsere Reihe als erstes praktisches Resultat.

Sollte der streng symmetrische Aufbau nicht auch klanglich von Bedeutung sein, das heißt sollte die Zahl der ersten Hälfte nicht zu ihrer Reciproken besondere Beziehung haben? In der Tat ist eine solche ›harmonische Wirkung der Symmetrie‹ vorhanden, wie nachfolgende Verbindungen dartun sollen, welche sämtlich angenehm klingen:

$$c \quad g \quad \bar{c} : p = 0 \ldots 1 \ldots \infty$$
$$c \ f \ g \ a \ \bar{c} : p = 0 \ldots \tfrac{1}{4} \ 1 \ 2 \ldots \infty$$
$$c \ e \ g \ b \ \bar{c} : p = 0 \ . \ \tfrac{1}{4} \ . \ 1 \ . \ 3 \ . \ \infty$$
$$c \ d \ g \ h \ c : p = 0 \tfrac{1}{4} \ldots 1 \ldots 7 \ \infty$$

wohlgemerkt, nicht als Akkorde, sondern als Folgen. Als Akkord, das heißt Gruppe harmonischer Töne in gleichzeitigem Erklingen, würde außer der ersten Reihe 0 1 ∞ nur die dritte 0 $\frac{1}{4}$ 1 3 ∞ gelten, also der Septimenakkord c e g b c̄, oder aber mit Weglassung der Septime (3) der Akkord c e g, = 0 $\frac{1}{4}$ 1. Damit haben wir die Formel für den Grundakkord der Durleiter, das heißt des Dur-Akkords, dessen Töne sich auf den Grundton c beziehen. Diese Formel bleibt dieselbe auch dann, wenn die einzelnen Töne in anderer Reihenfolge stehen. Nur, wenn wir sie auf einen neuen Grundton beziehen, würde sie sich ändern; zum Beispiel g, c, e, ḡ mit dem Grundton g (1. Stufe von G-dur) würde sein 0 $\frac{1}{4}$ 2 ∞.

Auch 0 $\frac{1}{4}$ 2 ∞ ist ein symmetrisches Gebilde. Es ist die Normalreihe 2, aus der im Akkord der Mittelton weggelassen werden mußte, da er den Nachbarn $\frac{1}{4}$ 2 so nahe steht, daß er beim gleichzeitigen Erklingen durch Interferenz eine störende Rauhigkeit erzeugt. Auch 0 $\frac{1}{4}$ 2 ∞ ist ein Dur-Akkord. Wir haben also für diesen wichtigsten aller Akkorde zwei Arten der Entstehung. Die Symmetrie der harmonischen Zahlen (p) spielt eine hervorragende Rolle bei den Folgen der Grundtöne, die für den harmonischen Bau eines Stückes so wesentlich sind. Die unten gegebenen Analysen von zwei Musikstücken geben Beispiele dafür.

Die in die Normalreihen nicht passenden Zahlen $\frac{1}{4}$, 7 beziehungsweise die Töne d und h gehören in der Tat nicht zur Harmonie zwischen c c̄, sondern zu der zwischen g g. Kein Akkord zwischen c c enthält d oder h.

In der Harmonie g $\bar{g}$ dagegen bilden d und h mit dem Grundton g den Dur-Akkord g h d.

Es ist daraus zu schließen, daß die diatonische Leiter nicht ein einheitliches harmonisches Gebilde ist, sondern ein Aggregat von Tönen verschiedener Harmonien, zunächst der Harmonien c $\bar{c}$ und g $\bar{g}$, die Töne der Höhe nach geordnet — eine Vorrats-Kammer, aus der man die harmonisch zusammengehörigen Töne herausgreift. Eine solche Vorratskammer, nur noch reicher, aber ebenfalls ein Aggregat von Tönen verschiedener Harmonien, ist die chromatische Tonleiter. Ihr instrumentales Widerbild, die Klaviatur, hat die Töne zur harmonischen Auswahl bereit gelegt, aber erst der Spieler stellt daraus die Akkorde zusammen. Daß die Tonleiter kein einheitliches harmonisches Gebilde ist, bemerkt man leicht. Als Folge klingt sie allenfalls erträglich, im Zusammenklingen ganz abscheulich. Aber der Klavier- oder Orgelspieler greift die mannigfachsten Harmonien aus dem Vorrat heraus.

Beseitigen wir d $= \frac{1}{7}$ und h $= 7$, und fügen fis $= \frac{2}{3}$ und as $= \frac{1}{3}$ der diatonischen Reihe zu, so haben wir die Normalreihe:

$$N_3 = 0 \; . \; \tfrac{1}{4} \; \tfrac{1}{2} \; \tfrac{2}{3} \; 1 \; \tfrac{1}{3} \; 2 \; 3 \; . \; \infty$$
$$\text{c . e f fis g as a b . } \bar{c}.$$

Diese liefert in der Tat alle wichtigen harmonischen Klänge zwischen c $\bar{c}$:

den Dur-Akkord	$0 \; \tfrac{1}{4} \; 1 = $	c e g
den einfachen Moll-Akkord	$0 \; \tfrac{1}{4} \; 2 = $	c e a
den gesättigten Dur-Akkord	$0 \; \tfrac{1}{4} \; 1 \; 3 = $	c e g b
den gesättigten Moll-Akkord	$0 \; \tfrac{1}{4} \; \tfrac{2}{3} \; 2 = $	c e fis a.

Selten ist, wie die Analyse der Musikstücke zeigt, der Moll-Akkord aufzufassen als $0 \; \tfrac{1}{4} \; 1$ (Beispiel Palestrina, Stabat Mater[1]). In solchem Fall ist die Entwicklung der Reihe über N_3 hinausgegangen.

Wie wir einen Akkord von unten nach oben, also aufsteigend, deuten können, so können wir ihn auch absteigend deuten. Wir können nämlich die Tonleiter von c aus absteigend, gewissermaßen als ihr Spiegelbild, also mit genauer Beibehaltung der einzelnen Intervalle auffassen:

$$1\,T \quad 1\,T \quad \tfrac{1}{2}\,T \quad 1 \quad 1 \quad 1 \; \tfrac{1}{2}$$
$$\text{c} \quad \text{d} \quad \text{e} \quad \text{f} \quad \text{g} \quad \text{a} \quad \text{h} \quad \bar{\text{c}}$$

$$\tfrac{1}{2} \quad 1 \quad 1 \quad 1 \; \tfrac{1}{2}\,T \quad 1\,T \quad 1\,T$$
$$\text{c des es f g} \quad \text{as} \quad \text{b} \quad \bar{\text{c}}$$

Dieses Spiegelbild ist aber weiter nichts, als unsere Molltonleiter[2].

---

1) Harmonie und Komplipation, Seite 54 f.
2) Abgesehen von dem harmonisch bedeutungslosen *des* für *d*.

Wir können also unser Moll als absteigendes, Dur als aufsteigendes
Geschlecht betrachten, eine Bezeichnung, die zu neuen Ausblicken
führen kann. Danach würde auch der Grundakkord der Molleiter
aus dieser absteigenden Reihe zu bilden sein, da er, ebenfalls als
Spiegelbild von c e g nach unten gelesen c as f die Verbindung
von großer Terz mit kleiner darstellt. So kommt ihm also auch
die Formel 0 $\frac{1}{4}$ 1 zu, aber absteigend, was der Strich über den
Zahlen $\frac{1}{4}$ und $\bar{1}$ andeuten soll. Der obigen Formel 0 $\frac{1}{4}$1 3 (c e g b)
würde nach unten entsprechen c $\overline{as}$ f d (0 $\frac{1}{4}$ $\bar{1}$ $\bar{3}$) also der Septimenakkord der 2. Stufe in Moll, dessen tatsächlich selbständige Bedeu-
tung hier also eine Erklärung findet.

Ich wies schon hin auf die Mehrdeutigkeit eines Akkordes. Sie
hängt ab 1) von der Annahme des Grundtones, 2) ob ich ihn aufsteigend
oder absteigend lese. So wird der Dur-Akkord c e g:

    1) aufsteigend c e g = 0 $\frac{1}{4}$ 1 (Grundton c);
    2) g c e = 0 $\frac{1}{4}$ 2 (Grundton g) .
    3) absteigend e c g = 0 $\bar{\frac{1}{4}}$ $\dot{2}$ (Grundton c);
    4) g e c = $\bar{0}$ $\frac{1}{4}$$\bar{1}$ (Grundton g).

Ebenso in Moll:

    1) c as f = 0 $\bar{\frac{1}{4}}$ $\bar{1}$ (c) und
    2) f c as = 0 $\frac{1}{4}$ $\bar{2}$ (h) in fallender Harmonie;
    3) as c h = 0 $\frac{1}{4}$ 2 (as) und
    4) f as c = 0 $\frac{1}{4}$ 1 (h) in steigender Harmonie.

Welche von den Deutungen jedesmal gesetzt werden muß, wird von
Goldschmidt scharf und klar dargelegt. In den überaus meisten Fällen,
wird bei steigender Deutung des ganzen Stückes ein Dur-Akkord die Formel
0 $\frac{1}{4}$ 1 verlangen, ein Moll-Akkord die Formel 0 $\frac{1}{4}$ 2. Umgekehrt ist bei
fallender Deutung des ganzen Stückes für den Moll-Akkord 0 $\frac{1}{4}$ $\bar{1}$ zu
setzen, für den Dur-Akkord 0 $\bar{\frac{1}{4}}$ $\dot{2}$. Neben dem Grundakkord haben die
meiste Bedeutung der Unter- und Oberdominantakkord F a c und
g h d. Auch sie erhalten die Formel 0 $\frac{1}{4}$ 1 oder der Dominantsept-
Akkord in symmetrischer Ergänzung (g h d f) 0 $\frac{1}{4}$1 3, gerade als ob sie
aus F- beziehungsweise G-dur herübergenommen sind. Aber sie erscheinen
doch stets als zu C-dur gehörig, denn sie werden beherrscht von dem
Grundton des ganzen Stückes C.

Wir werden also zum Beispiel in einem einfachen diatonischen Stücke
in C-dur (aufsteigend) es mit Akkorden von C und deren Formeln zu
tun haben wie: c e g = 0 $\frac{1}{4}$1, c e a = 0 $\frac{1}{4}$ 2 usw., daneben aber auch

jedesmal mit Akkorden auf g zum Beispiel g h d = 0 ¦ 1 (g) und auf f.

Für den praktischen Musiker sind die Beziehungen zur Kristallographie gleichgiltig und entbehrlich. Sie können beim Lesen des Buches übergangen werden. Wichtig ist für ihn der Nachweis, daß nicht mit Hilfe der Schwingungszahlen $z = 1 .. \frac{3}{2} ... 2$, sondern der harmonischen Zahlen $p = 0 ... 1 ... \infty$ Musikstücke auf ihren harmonischen Bau analysiert werden können. Eine solche Analyse war bisher überhaupt nicht möglich. In der besprochenen Schrift »Über Harmonie und Komplikation« ist hierfür der Weg gezeigt und die Analyse an einer Anzahl Kompositionen durchgeführt.

Zu solcher Analyse genügt ein Akkord-Schlüssel (S. 39), der hier mit einer mir von Goldschmidt mitgeteilten Ergänzung abgedruckt werden möge.

Akkord-Schlüssel.

Harmon. Zahlen steigend →	p = 0	(½)	(¼)	⅓	⅕	⅔	1	(⅔)	2	3	∞
	c	d	es	e	f	fis	g	as	a	b	c
	cis	dis	e	eis	fis	g	gis	a	ais	h	cis
	des	es	fes	f	ges	g	as	a	b	ces	des
	d	e	f	fis	g	gis	a	b	h	c	d
	dis	f	fis	g	gis	a	ais	h	c	cis	dis
	es	f	ges	g	as	a	b	h	c	des	es
	e	fis	g	gis	a	ais	h	c	cis	d	e
	f	g	as	a	b	h	c	des	d	dis	f
	fis	gis	a	ais	h	c	cis	d	dis	e	fis
	ges	as	a	b	h	c	des	d	es	e	ges
	g	a	b	h	c	cis	d	es	e	f	g
	gis	ais	h	c	cis	d	dis	e	eis	fis	gis
	as	b	ces	c	des	d	es	e	f	ges	as
	a	h	c	cis	d	dis	e	f	fis	g	a
	ais	c	cis	d	dis	e	eis	fis	g	gis	ais
	b	c	des	d	es	e	f	ges	g	as	b
	h	cis	d	dis	e	f	fis	g	gis	a	h
	c	d	es	e	f	fis	g	as	a	b	c
Harmon. Zahlen fallend ←	p = ∞̄	3̄	2̄	(⅔)̄	1̄	⅓̄	½̄	¼̄	(¼)̄	(⅓)̄	0

In diesem Akkordschlüssel kann man für jeden Akkord die harmonischen Zahlen und den zugehörigen Grundton finden und zwar für steigende, wie für fallende Deutung.

Das hier Gesagte wird genügen, um zwei der interessantesten Analysen Goldschmidt's zu verstehen, deren Anfänge ich hierher setzen will.

Palestrina. (Kothe, Musica Sacra. Leuckart, Leipzig, S. 54.)

Sta - bat	ma - ter	do - lo - ro - sa						
Jux - ta	cru - cem	la - cry - mo - sa						
c	d	es es	es es	des	c			
g	b	c c	b c	b	g			
e	f	as as	g as	f	e			
c	b	as as	es as	b	c			
0$\frac{1}{3}$1 0$\frac{1}{3}$1	0$\frac{1}{3}$1 0$\frac{1}{3}$1	0$\frac{1}{3}$1 0$\frac{1}{3}$1	0$\frac{1}{3}$1 0$\frac{1}{3}$1					
c	b	as as	es as	b	c			

Dum	pen-de - bat	fi - li - us
g	f es	d d c h c
c	c c	b b as g g
g	as g	g f es d c
c	f c	g b f g c
01	0$\frac{1}{2}$2 0$\frac{1}{2}$2	0$\frac{1}{2}$2 0$\frac{1}{3}$1 0$\frac{1}{3}$12 0$\frac{1}{3}$1 01
c	as es	b b as g c

	es	as	b	c
	0	$\frac{1}{3}$	1	2

es

	es	g	as	b	c
	0	$\frac{1}{3}$	$\frac{1}{4}$	1	2

es

es

In wunderbarer Weise spricht sich in den Zahlen die Symmetrie des Aufbaues aus. Während Helmholtz[1] bei diesem Werke von einer Reihe von Akkorden aus den verschiedensten Tonarten von A-dur bis F-dur anscheinend »regellos durcheinander gewürfelt, gegen alle Regeln der Modulation«, spricht, enthüllt sich Goldschmidt in seinem System, wie von selbst, die Harmonie des Aufbaues.

Die Grundtöne der Akkorde zeigen folgende Zahlen:

Stabat ma-ter do - lo - ro - sa							ebenso:	Jux-ta cru-cem la - cry-mo-sa						
c	b	as	as	es	as	b	c		c	b	as	as	es	a	b	c
2	1	½	0	½	1	2		2	1	½	0	½	1	2

es   es

Steigerung nach der Mitte, dem Grundton es = 0 als Symmetriepunkt und von dort aus ein Ausklingen nach dem Schluß hin. Genau symmetrisch ist der Bau, wenn wir die zwei gleichen Akkorde auf »Mater« und »crucem« als einen ansehen. Kurz vor Schluß steht der einzige Mollakkord 0 ¼ 1 (b), aus dem dazu symmetrischen 0 ¾ 1 (b) durch Verminderung von d in des entstanden.

      Dum pen-de-bat fi - li - us
      c   as es   b   b. as   c
      2   ¼   0   1   1. ¼   2.
                  es

Die vollständige Symmetrie stört hier nur die Kürzung der 2. Hälfte zwischen 1 und ¼.

Cu-jus	a - ni-mam ge-men-tem con-tris - ta-tam et do - len - tem																	
c	c	as	as	as	as	des	as	as	es	as	as	as	es	des	as
¼	¼	0	0	0	1	½	0	0	1	0	0	0	1	¼	0

as   as

Nach diesen beiden parallelen Stellen folgt wieder, wie oben, der in seinen Zahlen symmetrische Abgesang:

     per-trans-i - vit   gladius
     as des as des c f c f
     0   1   0   1   1 0 1 0
         as   f

Diese charakteristische Symmetrie des Aufbaus erkennt Goldschmidt als Eigenart Palestrina's, und weist sie an verschiedenen Beispielen nach, von denen ich eines, welches mir vom Autor in liebenswürdiger Weise als Manuskript überlassen wurde, wiedergebe.

---

[1] Lehre von der Tonempfindung, 1877, S. 407.

Palestrina. (Volbach, Lehrbuch der Begleitung des gregorianischen Gesanges, 1888, Seite 50.)

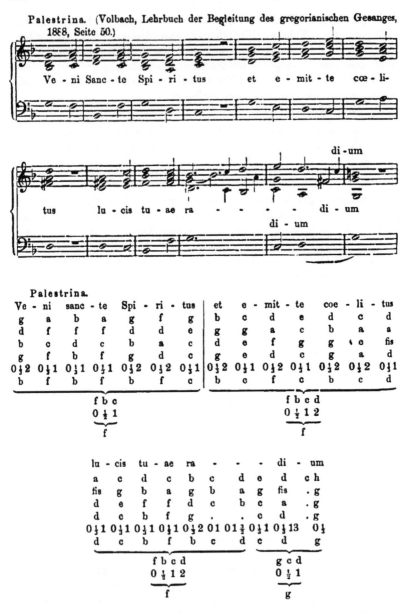

Die harmonischen Zahlen der Grundtöne geben folgendes Bild vom Aufbau des Stückes:

```
b f b f b . f c ] d c b f b c d . . c d g
b c f c b . c d ]
½ 0 ½ 0 ½ . 0 1 ] 2 1 ½ 0 ½ 1 2 . . ½ 1 0
½ 1 0 1 ½ . 1 2 ]
```

Stollen I
Stollen II   } Abgesang.

Jeder Teil besteht aus einem symmetrischen Stück mit einem kurzen Anhang. Die zwei Stollen sind gleich groß, der Abgesang etwas größer (2 : 3). Entsprechend ist auch sein Anhang größer als der der Stollen.

Merkwürdig ist dabei die Symmetrie im Wechsel von Dur- (d) und Moll- (m) Akkorden in den beiden Stollen. Genau entsprechend der Symmetrie in den Zahlen der Grundtöne:

m d d d m . m d   veni sancte spi - ritus
m d m d m . m d   et emitte coe - litus.

Die symmetrische Zahlenfolge 2 1 ½ 0 ½ 1 2 mit dem Grund-Akkord o in der Mitte hatten wir genau so oben bei »Stabat Mater dolorosa« kennen gelernt.

Ist es nicht wunderbar, wie sich der harmonische Bau der Komposition in den Zahlen 0 ½ 1 2 ausdrückt, den Zahlen der Normalreihe 2, wobei trotz der herrlichen Mannigfaltigkeit die Zahl 2 nicht überschritten wird. Das Gleiche sahen wir oben bei Palestrina's »Stabat Mater«, und wir finden es bei den übrigen Musikstücken, deren Analyse Goldschmidt in seiner Schrift mitteilt.

Die bisher geschilderte Entwicklung der Harmonie nach dem Gesetz der Komplikation führt nun Goldschmidt auf die Frage nach dem physiologischen und psychologischen Grunde der Harmonie der Töne. Entgegen der Theorie Helmholtz's von den Fasern des Corti'schen Organes kommt er zu folgendem Schlusse: »Aus der unendlichen Menge der Töne wählt unser Ohr Gruppen aus zum harmonischen (musikalischen) Genuß. Jede solche Gruppe baut sich auf nach dem Gesetz der Komplikation. In der Wahl der Töne bildet sich die Einrichtung des Ohres ab. Daher ist auch unser Ohr, beziehungsweise ein zur Aufnahme der Töne bestimmter Teil desselben, beherrscht durch das Gesetz der Komplikation. Wir wollen diesen Teil des Ohres das harmonische Organ des Ohres nennen. — Welcher dieser Teil sei, ist Gegenstand physiologischer Untersuchung. Für die vorliegende erkenntnis- und entwicklungstheoretische Betrachtung ist es gleichgiltig, welcher Teil es sei. In Frage kommen das Trommelfell und die Basilarmembran des Corti'schen Organs, vielleicht beide zugleich «.

»Wir stellen uns den Prozeß, wie die Übertragung geschieht, folgender Art vor: Ein herankommender Ton bestimmt das harmonische Organ

sich ihm anzupassen, das heißt in Längen zu schwingen, die den Wellen-
längen des Tones entsprechen. Damit fixieren sich im Organ die Primärknoten. Ist die Fixierung geschehen, so bedingt die Verteilung der
Primärknoten eine Fähigkeit zur Bildung abgeleiteter Knoten nach dem
Gesetz der Komplikation. Diese abgeleiteten Knoten teilen die
Gebiete zwischen den Primärknoten entsprechend den zum Grundton
gehörigen harmonischen Tönen. Nach Festlegung der Primärknoten
genügt eine leichte Anregung (Auslösung), um die abgeleiteten Knoten
zu erzeugen, das heißt nach Akkommodierung auf den Grundton spricht
das Ohr leicht an auf die zugehörigen harmonischen Töne; nicht so auf
andere.

»Zur Akkommodierung des harmonischen Organs sind Vorrichtungen
nötig, die dies ermöglichen. In der Tat besitzen sowohl das Trommelfell,
als das Corti'sche Organ Spann-Muskeln, deren physiologische Bedeutung,
soweit ich erfahren konnte, noch nicht gesichert ist.

»Eine bestimmte Spannung des harmonischen Organs, ein bestimmter
Grundton des Ohres, prädestiniert die Bildung bestimmter abgeleiteter
Knoten und zwar durch Halbierung (Oktaven) und weitergehende Teilung
innerhalb der Oktaven nach dem Gesetz der harmonischen Zahlen (Komplikation). Die Stücke, zwischen zwei abgeleiteten Knoten schwingend,
nehmen die zum Grundton gehörigen harmonischen Töne auf«.

Diese ganze geistvolle Entwicklung hier weiter zu verfolgen, gestattet der
Raum nicht, doch gehört gerade dieses Kapitel und seine Auseinandersetzung
über » musikalisch fein hören «, » falsche Töne «, »Aufnahme eines Akkordes «, »Spannen des harmonischen Organs «, »Grenzen der Tonempfin-
dung «, »die Arten der Dissonanz «, »die pathologischen Erscheinungen
(wie krankhaftes Falschhören)« zum Interessantesten des Buches. Den
Schluß bildet ein kurzer ästhetischer Teil: »Harmonie im psychologischen
Sinne «. Harmonie wird hier definiert als eine » den Sinnen und dem
Gemüt wohltuende Gruppierung «. Sie gewährt Genuß, das ist eine ge-
fühlte Förderung unserer Lebensfunktionen. Die Genüsse von Auge und
Ohr nennen wir das Schöne. Die Erzeugung der Genüsse für Auge und
Ohr nennen wir die Kunst, die Kunst des Schönen oder die schöne
Kunst. Weiter handelt der Abschnitt von der »Anregung und Erholung
beim Genuß der Harmonie der Töne «, über Harmoniewechsel, Geräusche,
Entwicklung und Verfeinerung von Ohr und Geist durch weitergehende
Komplikation, sowie schließlich über Rhythmus.

Der zweite Teil des Buches ist der Harmonie der Farben gewidmet.
Auch hier kommt Goldschmidt mittelst des Gesetzes der Komplikation
zu neuen bedeutungsvollen Aufschlüssen und Erkenntnissen.

Für unsere Kunst aber hat Goldschmidt's Lehre dadurch praktische
Bedeutung, daß sie ermöglicht, den harmonischen Bau eines Musikstückes

durch eine strenge und einfache Analyse klarzulegen, und daß sie für manches, was die Theorie in Regeln faßt, ohne eine Begründung gefunden zu haben, den Beweis bringt und bringen wird.

In der vorliegenden Besprechung konnte der Inhalt der Schrift nur unvollständig wiedergegeben, teilweise nur angedeutet werden. Der Musiker, der Aufschluß sucht über das Wesen der musikalischen Harmonie und deren Beziehung zu unserem Geist und unseren Sinnes-Organen, möge auf die Schrift selbst hingewiesen werden. Nur durch Zusammenarbeiten der Musiker mit den Naturforschern können die Geheimnisse der Musik enthüllt, eine Harmonielehre aus den Gesetzen der Natur und des menschlichen Geistes aufgebaut werden.

Mainz.   **Fritz Volbach.**

Ernest Legouvé et la Musique.

On a dit et répété d'Ernest Legouvé, qui s'éteignit il y a quelques semaines, presque centenaire, qu'il fut un homme heureux. Rien, en effet, ne troubla l'existence de cet homme qui portait allègrement ses quatre-vingt-seize ans, rien de ce qui caractérise si souvent la carrière des artistes et des littérateurs, rien de ce qui marqua si fortement surtout ceux de sa génération, les «fils du siècle», les romantiques. N'ayant pour toute ambition que de suivre les traces de son père, dont le souvenir, dans l'histoire de la littérature ne survivra guère que grâce aux pages émues que lui a consacrées son fils; indépendant par sa fortune personnelle, Legouvé fréquenta de bonne heure, grâce aux relations de sa famille, les personnages les plus en vue de Paris, soit dans la littérature et les arts, soit dans la société mondaine. Les musiciens ne pouvaient manquer d'être compris parmi ses relations, et dans ses Soixante ans de souvenirs, écrits voici bientôt vingt ans, Legouvé a conté avec ce merveilleux talent de causeur qui le caractérisait, des anecdotes dont l'historien de la musique peut faire son profit.

Legouvé fut «initié» à la musique, par la Malibran et Berlioz. Lorsque, étant encore au collège, il parla un jour de prendre des leçons de solfège: «C'est inutile, lui répondit-on, ton père avait la voix fausse!» Deux ans plus tard, âgé de seize ans, on le conduisit à l'Opéra-Comique où l'on représentait le Prisonnier de Della Maria. «Je fus touché, dit-il, de la grâce simple de certains accents, et je me hasardai à dire timidement: «Il me semble que j'aime la musique. — Mais non! Mais non! Ton père avait la voix fausse.» L'argument me parut sans réplique ....» Finalement, on lui permit de suivre son goût et l'audition de la Malibran, qui venait d'arriver à Paris fut pour lui un «chemin de Damas». Il fut parmi ses premiers auditeurs, au Conservatoire, dans un concert de bienfaisance où elle chanta la romance du Saule, d'Othello. «A la vingtième mesure, le public était conquis; à la fin de la première strophe, il était enivré; à la fin du morceau, il était fou ....

La musique, jusque-là, n'avait été pour moi qu'un art aimable, fait de grâce et d'esprit. Elle m'apparut tout à coup comme l'interprète le plus pur et le plus pathétique de la poésie, de l'amour, de la douleur.» Quelque temps après, Legouvé ayant fait la connaissance de Maria Malibran, celle-ci l'engagea à prendre des leçons de musique; il prit un maître de solfège et un maître de chant et c'est ainsi qu'il entra «en communication directe avec les chefs-d'œuvre de la musique de théâtre.» La Malibran a été immortalisée par les célèbres stances que Musset consacra à sa mémoire. Legouvé, dans ses Souvenirs, se proposait de rectifier l'image donnée par le poète, et il faut avouer que le mémorialiste n'est pas souvent d'accord avec celui-ci. Maria Malibran arriva à Paris vers 1829, «c'est-à-dire en pleine révolte poétique, dramatique, pittoresque et musicale. Hernani, Freyschütz, les symphonies de Beethoven, le Naufrage de la Méduse, avaient déchaîné, dans le domaine de l'art, des puissances et des orages inconnus; l'atmosphère y était toute chargée d'électricité. Eh bien, la Malibran fut le représentant de cet art nouveau, comme la Pasta avait été l'interprète sublime de l'art classique. Même dans les œuvres de Rossini, la Pasta mêlait à l'émotion une dignité, une gravité, une noblesse qui la rattachaient à l'ancienne école. Elle était vraiment la fille de Sophocle, de Corneille, de Racine: la Malibran fut la fille de Shakespeare, de Victor Hugo, de Lamartine, d'Alfred de Musset. Son génie était tout de spontanéité, d'inspiration, d'effervescence; mais en même temps, et là est un des côtés les plus caractéristiques de cette organisation si complexe, en même temps, par une contradiction singulière, la nature la condamnait à l'effort, au travail opiniâtre et sans cesse renouvelé.» Contrairement à l'assertion du poète, «la voix de la Malibran ne voltigeait pas. La voix de la Malibran n'avait rien d'un parfum léger. La voix de la Malibran n'était pas ce qu'on nomme une voix fraîche et sonore. Son organe, pathétique et puissant, était dur et rebelle..... La lutte était chez elle un besoin, une habitude qui, jointe à sa ténacité indomptable et à son amour de l'impossible, prêtait un caractère bien plus puissant et bien plus original à son talent que le poète ne l'a dit; il l'a amoindrie en supprimant l'effort.» La vie de la Malibran, telle que l'a dépeinte Legouvé, fut une lutte perpétuelle contre un organe rebelle, menée par un tempérament audacieux. «On sentait que l'impossible était son domaine, elle s'y jouait.»

Deux anecdotes achèveront le portrait de cette artiste rare. Se trouvant à Rome en 1832, Legouvé y rencontra la Malibran chez Horace Vernet qui dirigeait alors d'Ecole française à la Villa Médicis. Au cours d'une promenade à la villa Pamphili, la cantatrice à laquelle on n'avait pu arracher une note la veille au soir, se mit à chanter l'hymne à Diane de Norma «Casta diva!» du haut d'une fontaine de marbre auprès de laquelle ses compagnons de promenade s'étaient arrêtés. «Etait-ce la surprise, la singularité de cette mise en scène, le plaisir d'entendre dans un tel lieu cette voix silencieuse depuis quelques temps? Elle-même fut-elle émue par cette apparition sur cette sorte de piédestal? Nul ne le peut dire; mais ses accents, en se prolongeant sous la voûte des arbres, en se mêlant au bruit de l'eau, au souffle de l'air, à toutes les splendeurs de ce jardin, avaient je ne sais quoi de grandiose, qui nous saisit au cœur; les larmes nous coulaient à tous des yeux. Aperçue ainsi, au-dessus de nous, dans cet encadrement de ciel et de feuillage, elle nous faisait l'effet d'un être surnaturel; quand elle redescendit, son visage gardait encore une expression de gravité sérieuse, et nos premières paroles d'enthousiasme furent comme empreintes d'un respect religieux.»

L'autre anecdote se passe le soir de la célébration de son mariage avec Bériot, en 1836. Maria Malibran, séparée depuis plusieurs années de son premier mari, avait enfin obtenu le divorce qui lui permit d'épouser le célèbre violoniste. Après la cérémonie, une soirée intime réunit quelques amis chez l'éditeur de musique Troupenas rue Saint-Marc (la rue qu'habita Legouvé presque toute sa vie). La Malibran pria Thalberg de se mettre au piano: «Jouer devant vous, avant vous, madame, oh! c'est impossible! j'ai trop envie de vous entendre! — Mais vous ne m'entendrez pas. Ce n'est pas moi qui suis là! C'est une pauvre femme, accablée des fatigues de la journée. Je n'ai pas une note dans le gosier! Je serais exécrable! — Tant mieux! Cela me donnera du courage. — Vous le voulez! Soit!» Elle tint parole. Sa voix était dure, son génie absent. Sa mère lui en faisait un reproche: «Ah! que veux-tu, maman? On ne se marie qu'une fois.»

«Elle oubliait qu'elle avait épousé M. Malibran dix ans auparavant.

— A votre tour maintenant, monsieur Thalberg.

«Il ne s'était pas marié le matin, et, la présence d'une telle auditrice l'excitant sans le surexciter, il déploya dans toute sa souplesse et toute son ampleur cette richesse de sons qui faisait de son piano le plus harmonieux des chanteurs. A mesure qu'il jouait, la figure de la Malibran changeait, ses yeux éteints s'animaient, sa bouche se relevait, ses narines s'enflammaient. Quand il eut fini: «C'est admirable! s'écria-t-elle. A mon tour!» Et elle commence un second morceau. Oh! cette fois, plus de fatigue! plus de langueur! Thalberg, éperdu, suivait, sans pouvoir y croire, cette métamorphose. Ce n'était plus la même femme! Ce n'était plus la même voix! Il n'avait que la force de dire tout bas: «Oh! madame! madame!» et le morceau achevé: «A mon tour!» reprit-il vivement. Qui n'a pas entendu Thalberg ce jour-là ne l'a peut-être pas connu tout entier. Quelque chose du génie de la Malibran avait passé dans son jeu magistral mais sévère; la fièvre l'avait envahi. Des flots de fluide électrique couraient sur les touches et s'échappaient de ses doigts. Seulement, il ne put pas achever son morceaux. Aux dernières mesures, la Malibran éclata en sanglots, sa tête tomba entre ses mains, secouée convulsivement par les larmes, et il fallut l'emporter dans la chambre voisine. Elle n'y resta pas longtemps; cinq minutes après, elle reparaissait, la tête haute, le regard illuminé, et courant au piano, «A mon tour!» s'écria-t-elle; et elle recommença ce duel étrange et elle chanta quatre morceaux de suite, grandissant toujours, s'exaltant toujours, jusqu'à ce qu'elle eût vu le visage de Thalberg couvert de larmes comme avait été le sien. Jamais je n'ai mieux compris la tout-puissance de l'art, qu'à la vue de ces deux grands artistes, inconnus la veille l'un de l'autre, se révélant tout à coup l'un à l'autre, et s'élevant, emportés l'un par l'autre, dans ces régions de l'art où ils n'étaient peut-être jamais parvenus jusque-là.»

Quelques mois après, elle était morte . . . Elle était partie pour Londres au printemps; elle mourut des suites d'une chute de cheval qui la meurtrit cruellement; malgré ses douleurs, elle avait voulu chanter dans un concert où Bériot jouait un concerto de violon, et, tandis que celui-ci venait après elle se faire applaudir du public, on la saignait dans la coulisse. «Trente-six heures après, il ne restait plus de la Malibran qu'un nom.» Telle est la vérité simple et tragique, que les vers lyriques de Musset ne font guère soupçonner.

Le second «initiateur» de Legouvé fut Berlioz. La première fois qu'il entendit ce nom, c'était à Rome, chez les Vernet. De retour à Paris, Legouvé fit la connaissance du jeune musicien, et «l'intimité ne fut pas longue à s'établir.» Mais ce chapitre des Souvenirs de l'écrivain est assez connu, il a été traduit en allemand[1]). Nulle part n'a été mieux dépeint «cette créature pathétique, excessive, ingénue, violente, insensée, insensible, mais avant tout, sincère»; le Berlioz enthousiaste et moqueur, et le Berlioz passionné, dont la vie toute de luttes, fut secouée jusqu'à la fin par des crises, de véritables crises d'amour. «Avec Berlioz, il faut toujours en revenir à l'amour, c'est l'alpha et l'oméga de sa vie.» Il faut relire avec les Mémoires du compositeur les lettres, récemment publiées, qu'il adressa à la princesse Wittgenstein, le récit de cet amour de jeunesse qui le ressaisit à soixante ans; son vieil ami nous fait pénétrer aussi dans ses deux ménages qui ne furent, ni l'un ni l'autre bien réguliers. Legouvé avait une reconnaissance particulière pour Berlioz; c'est lui qui l'avait initié, par sa parole encore plus que par ses écrits, à la musique de Beethoven, à admirer en musicien les chefs-d'œuvre de Gluck.

Une anecdote que, dans sa modestie, l'écrivain s'est bien gardé de publier et qui lui fait de plus grand honneur, montrera à quel point ces deux hommes étaient liés. Berlioz venait de se marier, il avait un enfant; sa place de professeur (c'est bibliothécaire plutôt qu'il faut dire) au Conservatoire lui rapportait 118 francs par mois et la rédaction de la copie qu'il plaçait avec peine dans différents journaux lui prenait tout son temps. Il négligeait son opéra, Benvenuto Cellini, et ne pouvait travailler. Ernest Legouvé vint le voir.

«Où en est votre opéra? demanda Legouvé. — Je n'ai pas encore fini le premier acte. Je n'ai vraiment plus le temps d'y travailler. — Mais, si vous aviez le temps? — Parbleu! j'écrirais du matin au soir. — Que vous faudrait-il pour être libre? Deux mille francs que je n'ai pas. — Et si quelqu'un... Si on vous les... Voyons, aidez-moi donc. — Quoi? Que voulez-vous dire? — Eh bien! si un de vos amis vous les prêtait... — A quel ami pourrais-je demander une pareille somme? — Vous ne la demanderez pas; donc, c'est moi qui vous l'offre!» Et Berlioz se consacra tout entier à son œuvre. Et plus tard, il dédia à son vieil ami son volume A travers chants. Un pareil trait de générosité donne une idée de l'amitié rare qui unissait les deux hommes et du noble caractère de Legouvé.[2])

Chemin faisant, comme dans une libre causerie, l'écrivain donne un souvenir aux chanteurs Lablache dont la voix «résonne encore dans l'oreille de ceux qui l'ont entendue», qui était également admirable dans les passages pathétiques et dans la musique bouffe, — et Rubini, qui «complète Lablache parce qu'il représente autre chose que lui», une virtuosité incomparable, dont un chanteur alors ne pouvait pas plus se passer qu'un pianiste. «C'était bien l'âge d'or de la musique italienne! Dans le ciel de l'art, brillaient à la fois, différents de grandeur et de lumière, Cimarosa au couchant, Rossini au zénith, Bellini au levant, et un si rare assemblage de compositeurs et d'interprètes avait créé un public dont les salles de théâtre d'aujourd'hui ne nous offrent pas l'analogue.»

---

1) Par Mme S. Bräutigam (Breitkopf & Härtel, édit.).
2) Anecdote rapportée dans le Gil Blas du 17 mars dernier.

Un soir, Berlioz arrive chez Legouvé: «Venez, me dit-il, je vais vous faire voir quelque chose que vous n'avez jamais vu, et quelqu'un que vous n'oublierez pas.» Nous montons au second étage d'un petit hôtel meublé, et je me trouve vis-à-vis d'un jeune homme pâle, triste, élégant, ayant un léger accent étranger, des yeux bruns d'une douceur limpide incomparable, des cheveux châtains, presque aussi longs que ceux de Berlioz et retombant en gerbe sur son front.» C'était Chopin, qui venait d'arriver à Paris. «Je ne puis mieux définir Chopin, dit le chroniqueur, qu'en disant que c'était une trinité vivante. Il y avait entre sa personne, son jeu et ses ouvrages, un tel accord, qu'on ne peut pas plus les séparer, ce semble, que les divers traits d'un même visage ..... Il me faisait l'effet d'un fils naturel de Weber et d'une duchesse; ce que j'appelais ses trois lui n'en formaient qu'un.

«Son génie ne s'éveillait guère qu'à une heure du matin. Jusque-là, il n'était qu'un pianiste charmant. La nuit venue, il entrait dans le groupe des esprits aériens, des êtres ailés, de tout ce qui vole et brille au sein des demi-ténèbres d'une nuit d'été. Il lui fallait alors un auditoire très restreint et très choisi ..... Une fois au piano, il jouait jusqu'à épuisement. Atteint d'une maladie qui ne pardonne pas, ses yeux se cerclaient de noir, ses regards s'animaient d'un éclat fébrile, ses lèvres s'empourpraient d'un rouge sanglant, son souffle devenait plus court! Il sentait, nous sentions que quelque chose de sa vie s'en allait avec les sons, et il ne voulait pas s'arrêter, et nous n'avions pas la force de l'arrêter! la fièvre qui le brûlait nous envahissait tous!»

Une curieuse figure de musicien traverse les Soixante ans de souvenirs, celle de Chrétien Urhan, «un petit homme voûté, je pourrais dire bossu, enveloppé dans une longue redingote bleu clair», dont l'attitude méditative, le front penché, les yeux toujours tournés vers le sol, le long nez à la Pascal, la figure d'ascète du moyen-âge, faisaient dire à ceux qui le rencontraient: Qu'est-ce que c'est que cet homme-là? ..... «C'était en effet une sorte de moine du quatorzième siècle, égaré dans le Paris du dix-neuvième et à l'Opéra, c'était Urhan, à qui son père et sa mère avaient donné, comme par prévision, le prénom de Chrétien.»

«Chrétien Urhan avait deux cultes. La foi et la musique se partageaient son âme et sa vie.» Et son mysticisme lui faisant un crime de concourir à l'interprétation d'œuvres frappées d'anathème par l'Eglise, ce bon Urhan demanda naïvement à l'archevêque de Paris ·la permission d'être violon à l'Opéra. «Il ne se permettait jamais de regarder ni un artiste, ni un décor, ni un costume; la chose allait encore dans les morceaux où tout l'orchestre joue, mais il était premier violon, comme tel, il accompagnait seul certains pas de ballet; ces pas sont comme un duo entre l'instrumentiste et la danseuse; dans un duo, il faut que les deux artistes se regardent, l'échange des regards est leur seul trait d'union. Urhan n'en avait aucun! Au début du morceau, il prenait son instrument, comme on prend son chapelet, et les yeux fermés, il exécutait l'air du ballet, consciencieusement, religieusement, avec expression, mais sans s'occuper de la danseuse. Manquait-elle de mesure? tant pis pour elle ... Urhan continuait toujours. Elle serait tombée sur la scène, qu'Urhan, je crois, aurait été jusqu'au bout.» Cet original, sur lequel Legouvé conte encore quelques anecdotes caractéristiques, fut l'introducteur en France des premières œuvres de Schubert, qui a «tué la romance et créé la mélodie» en France. Il fut aussi des premiers interprètes des œuvres de musique de chambre de Beethoven, avec Batta comme violoncelliste.

Ce n'est pas sans émotion qu'après avoir évoqué le mystique Urhan, Legouvé rappelait le souvenir d'Adolphe Nourrit qui, âgé de trente-sept ans seulement, père de six enfants, se suicidait à Naples, non pas dans un accès de folie, mais de désespoir, après une courte carrière, mais extraordinairement brillante, que l'arrivée de Duprez à l'Opéra avait interrompue cruellement. Hors du théâtre, Nourrit, qui était d'un caractère très généreux et très curieux, fit connaître aux dilettantes parisiens ces œuvres de Schubert que Urhan avait importées. Legouvé écrivit une adaptation d'une de ces mélodies, les Astres, à laquelle le public fit un succès considérable. «Emilien Pacini. placé près de moi, dit le poète, me dit: «Savez-vous de qui sont des beaux vers? — C'est de la prose de moi, mon cher ami.» Le chanteur lui proposa encore une cantate dont le sujet, Silvio Pellico sous les plombs de Venise, l'enthousiasmait particulièrement: «il emporta le texte en Italie: Ambroise Thomas devait le mettre en musique; mais la mort subite du chanteur fit avorter ce projet.»

Tous ces personnages, tous ces menus faits évoqués par le mémorialiste. nous semblent bien loin dans le passé, aujourd'hui; le Théâtre Italien, l'Opéra-Comique d'autrefois, l'Opéra même si routinier, ont disparu ou changé profondément sous la grande révolution wagnérienne dont notre auteur, chose étrange, ne dit pas un mot. A l'art d'autrefois, frivole et léger évoqué par l'octogéniaire, les générations modernes, initiées aux grandes œuvres symphoniques, préfèrent un art incomparablement plus sérieux et procurant, non pas une simple distraction ou une agréable sensation de l'ouïe, mais la réflexion. l'enthousiasme; art fait de vie et de vérité plutôt que de fantaisie et d'imagination. Qui a tort? Qui a raison? Personne jamais ne pourra en décider je le crains. Et rien ne prouve que nous soyons meilleurs que nos pères, que charmaient la musiquette italienne et la virtuosité des chanteurs. «Mais à chaque jour suffit sa peine,» dit la sagesse des nations . . . .

Paris.   J.-G. Prod'homme.

Hubert Parry's Latest Work.

Parry's art stands above that of his fellows, as the Drachenfels above the Rhine; lofty, alone, perhaps even melancholy. A Seralim may have a sweeter harp; but his is the deep-lying thought, the persistent strength. He breathes to his genius sentiments remote from the ruder associations of our life, and pertaining to his own ideality alone.

Yet he has not attained this position without great effort. As Gorgo and Praxinoë were informed in the idyll, the Greeks got to Troy by trying. and Parry has had to try very much indeed. The English, stubborn ναυσίκλυτοι ἄνδρες, are insistent on doing one thing at a time; and have invented a new wrested-sense term "amateur", which means in effect him who, having already one main occupation, has only proclivities to give to another. This especially in arts. In the young professional life of Russia, this feeling must be much weaker, if existent; for nearly every best-known Russian composer of music for instance has been hampered by this very incompatibility of circumstance, of being half musician half something else, yet has suffered no disability of esteem. In England the amateur bar is a bar sinister. And the almost ineffaceable force of this can only be realised by one who has thorough perceptive knowledge of the castes and guilds, the horizontal strata and vertical sections, which make up, even sometimes without words to represent them yet always most tenaciously, the complex social existence of the insular English nation. Now Parry showed a youth's cleverness in music no doubt; but at school, at the University, in 5 years of "city" life, he, under the preoccupying silently-absorbing laws of the caste to which he belonged, was only musically an adjuvant. But it was not only a turn of language, not even only a public sentiment and prejudice, it was also an actuality, to combat. The steps of the "amateur" must of their essence lag behind those of the craftsman. It is the last nail in the mill which prevents the timbers from creaking. It is the last touch of beauty which makes beauty. Venus calva processerit, placere non poterit nec Vulcano suo. And these finality-processes arise either from long labour, or from the worker being born and bred in the work, which comes to much about the same thing. Parry's earlier compositions, however correct in bare acquired technicality, had always some aesthetic incongruence. A suspicion of Crotch conjoined with a suspicion of Brahms is an incongruence. Paper counterpoint not redeemed by harmonic beauty is an incongruence. An uncouth harmonic mannerism, whether scattered or pervasive, is an incongruence. It is said that Parry made studies with Henry Hugh Pearson, alias "Edgar Mansfeldt", in Stuttgart; if so, it can scarcely have helped him in this regard. This is the limber through which Parry has passed, owing to the circumstances of his life; and in estimating his total difficulty it has to be remembered that, whereas in a land of well-established musical styles like Germany it is somewhat easy for the amateur to slip from outside into one or the other, in England 30 years ago there was certainly no such style to be found, — even if there is now. Parry was also in the process of his evolution and in the end, decidedly original; with the usual result in the way of acknowledgment. Each member of the public feels that primordial instinct, the revolt of self against the un-accustomed, more and more intense in proportion as the subject-matter is abstract. As a nett result of all these things, Parry's music at first "begat reverie and murmur"; in other words was disapproved by the public and censured by the critics. And even to this day he has left a large block of stumbling in the way, by his procedure, whether arising from mere observance of an insular practice or (as is more probable) from innate modesty, in not numbering or overtly dating his works. So a Pianoforte Concerto in F$\sharp$ and a Peace-celebration Ode can for example be performed side by side without the public knowing in the least that there are 23 years, and a whole most specially conditioned art-lifetime, in between the two. This point is serious for Parry's reputation, and, whatever the scruples may hitherto have been, a chronological catalogue should be prepared.

And now what is Parry's art, assuming that he, a man of 55, has by this time definitely fixed it? For the difficulties just-named have only been named to show that he has overcome them. It is in effect a flat counter-check to various salient foibles of the times. It has no part or parcel in orchestral colouring taken for its own sake, that innutritious and subventaneous egg which so very many have learnt to hatch. It is objected no doubt to Parry in so many words that he should orchestrate more, but the answer is the same as in the well-worn case of Schumann's symphonies. This and that order of music bears only a certain amount of orchestral diversification proportionate to its own inherent nature, and pushed beyond that the diversification becomes artificiality. To ask an expert composer to change his orchestration is to ask him to change his music. As a matter of fact Parry can colour when he likes, and the orchestra in his vocal solos for instance sounds highly beautiful. Again his art has no sympathy with descriptive programme-writing. Descriptiveness is the Wukodlak sucking the life out of modern music, and dragging it to anaemism. And there are wise men of Gotham who are trying to fish the moon out of the sea, and make music express what it never will express. Parry takes no part in all this. Nevertheless his music in its widest aspects is highly suggestive of idea. His art is also a direct counterblast to preciosity and logodaedalism. In contour it is wholly broad. While in harmony it is free from decadent subtleties; indeed almost absolutely diatonic, a trait in common more or less with all British composers who are true to themselves, but carried in this beyond the practice of most of them. The amount of expression which Parry obtains with diatonic means is quite astonishing. And lest it should be thought that this is an obscure point, a matter for the harmony-books, let it be remembered that in ultimate analysis, whether we like the doctrine or not, it is the harmony which makes the style. When an auditor enters the concert-room and knows at once what school of music is being played, even what composer, it is the concurrent harmony which falls on the ear to tell him. Nor has Parry's art any sympathy with the liberty-hall, the Abbey of Thelème, of formlessness. As he is mainly a choral and vocal writer, his form is elastic, but yet it is traceable and distinct. Nor does his art yield to emotional excesses; he is greatly subjective, but his introspection is steadied by reflection so as to show the just amalgam of ἦθος and πάθος. Above all Parry's art never betrays pathos. The dangers of high flight are that the artist who fails in the consummate harmonies descends at once to platitude. It is Parry's chief claim to eminence that he neither fails nor descends, that he is level and equal with his music to a degree given to but very few. To furnish a definition of Parry's art more constructive and comprehensive than these semi-negative statements does not seem feasible. κρυπταί κλαῖδες ἐντι σοφᾶς πειθοῦς ἱερᾶν φιλοτάτων, "hidden are the keys of wise persuasion that would unlock sacred pleasures", as said of art by the oldest of ode-poets himself.

The Symphonic Ode "War and Peace" causing these remarks was written for Frederick Bridge's admirably organized and drilled choir of the Royal Choral Society (III, 370, 410), probably the best very large choir in the world, and produced at the Albert Hall on 30th May, 1903. Words, apparently in large part by composer, in 10 sections (4 in rhythmic prose, 6 in rhymed poetry), full of vigour, show the aspects of war, from basest motives to war-acquired halcyon repose. The music is Parry purified from mannerism or blemish, pushing new discoveries in poly-tonism without relinquishing his own diatonic habit, getting ever broader and broader, showing depths of harmonious sensibility in the solo numbers with long resistless force in the choral numbers, presenting scarcely a trace of lyricism but one great picture without pause from beginning to end. In a diorama of this sort there is little profit in standing opposite partial segments. If it is said that the introduction consists of Memnonian sounds, hovering in the region of the F minor and C major keys, and breaking after long delay into a great 4-time march-chorus in the latter key; if it is said that the conclusion consists of a soaring swinging cantilena of the highest sustained beauty, settling down to softer and softer close, — this, with scarcely felt tonal excursion, in the same key of C major; if it is said that in between beginning and end there is no "Lethe'd dulness", but a succession of climaxes and anticlimaxes; that will be sufficient categorical description. Harmonically Parry's muse is here stronger than ever; leaning neither on the one side to clogging elevenths and thirteenths, nor on the other side to the hollow fatiguing incessant diminished sevenths of the Lisztian school. In the counterpoint of choral writing Parry is of course now an acknowledged master. And to close, a remark is here necessary, demanded by justice to truth, if not due to our national position. Germany's foremost orchestral present-day composer has taken by the hand one of our English composers ten years younger than the subject of the present review, and said publicly (so it is publicly reported) that he is the one good and up-to-date thing which England can produce. Now that is a risky dictum even on abstract principle. Physical and mathe-matical truths are so cumulative that the latest works on these may fairly be presumed to be the best; but there is no such presumption in art-products, and there is therein at least as much chance of what is older being superior to what is younger, as vice-versâ. Furthermore it is risky to describe something as superlative in another country, merely because it has some affinities with oneself in one's own country. And furthermore as a matter of fact the arena has here just been cleared and a combat waged which all can see. A "Coronation Ode" has appeared almost simultaneously with "War and Peace", and practically for the same national occasion. The former, also written to sterling supporting words (by A. C. Benson), consists musically of little else than this; first a decided mannerism of the composer in descending bass scale-passages and certain treble suspensions, secondly music based on quite the weakest form of the English part-song style, thirdly a march-tune imported from another composition which has no affinity whatever with this one and is in this place at least extra-ordinarily common. It seems next to impossible that any musician could hear or read these two works side by side, and not realise that the work of the older man is on an immeasurably higher plane than that of the younger; and composers must be judged by their latest productions. Of course the younger composer has his very great merits; he has an immensely fertile running gift, he plays on the orchestra as on a pianoforte, he has mystic feeling if not the profoundest of feelings, he has a distinct and native-grown individuality which he honourably maintains, and he has lately produced a large work of strange brilliance capacity and insight. Unfortunately there is the suspicion that he trusts little if at all to intellect, and rushes wholly on impulse, passing thus quite recklessly from one level to another; and where that is the case even the tortoise will overtake the hare. For reason has just as much function to perform with art, as has the mould with quicksilver. As the whole of the musical Continent, so far as it concerns itself at all with England, is re-echoing the above-mentioned dictum of a German protagonist, it is necessary to say that the dictum is not true. We have more than one composer.

Though Parry has had to overcome the great difficulties mentioned at head, there are signs that his worth is yearly more and more understood; indeed that, without ever having stooped, he is becoming popular. Probably he will never be a chef d'école, his individuality is too strong; but on the other hand he is helping vigorously with that individuality the plangent wave of British art-progress. He is in truth a Titan. Not a Typho lying beneath Aetna, and breathing forth flames of passion. Not a Prometheus nursing a cold implacable spite, and disdaining the aid of Oceanus. But a patient Atlas, bearing in silence the burden of his own style, with its advantages and disadvantages. His self-contained power makes him one of the most notable figures of the music of the present day, whether in or out of England.

London.　　　　　　　　　　　　　　　　　**Charles Maclean.**

Neue musikdramatische Werke aus Karlsruhe.

Kurz nacheinander gelangten an der Karlsruher Hofbühne zwei Werke zur Aufführung, die als spezielle Erzeugnisse hiesigen Kunstlebens bezeichnet werden können. »Der Pulvermacher von Nürnberg« ist verfaßt von der hier heimischen Dichterin Alberta von Freydorf, komponiert von dem früher hier tätigen Herrn Ph. Bade, der jetzt in Mannheim als Lehrer der Komposition wirkt; die »dramatische Symphonie« »Ilsebill« oder »Das Märchen von dem Fischer und seiner Frau« ist eine Schöpfung des hier lebenden Komponisten Friedrich Klose (von dem vor mehreren Jahren eine sehr eigenartige symphonische Dichtung mit zugefügter Deklamation hier aufgeführt wurde), nach einer Dichtung seines Verwandten, des Herrn Hugo Hofmann.

Die Handlung des erstgenannten Werkes führt uns nach Nürnberg in den Anfang des 15. Jahrhunderts. Die freie Reichsstadt wird durch die Angriffe eines benachbarten Ritters, Wigolf von Lichtenhof, schwer belästigt, so daß die Bürger beschließen, einen Zug gegen ihn zu unternehmen, um ihn unschädlich zu machen; dazu soll ihnen der Pulvermacher Eckbrecht Horninger mit seinem »höllischen Kraut« helfen, und sie suchen ihn darum für sich zu gewinnen. Des Bürgermeisters Tochter Magda aber, die des Ritters Schwester schon lange kennt, liebt den jungen Helden und sucht ihn zu warnen. Bei einer Waldkapelle trifft sie ihn, da er eben von einem Streifzug zurückkehrt und verrät ihm alles. Sie schließen einen Liebesbund — da kommt gerade Horninger dazu, um nach Nürnberg zu ziehen; der Ritter überfällt ihn, läßt ihn verwundet auf seine Burg bringen und begibt sich nun in des Gefangenen Kleidern nach Nürnberg, um dort sich als Pulvermacher auszugeben und Magda's Hand als Lohn für seine Dienste zu verlangen. Der Bürgermeister ist nach langen Verhandlungen bereit, für die Stadt das Opfer zu bringen; Magda wird herbeigerufen, erkennt trotz der Verkleidung den Geliebten und bekennt, daß sie früher den Ritter geliebt habe, jetzt aber dem Fremden, der ihn überwunden, ihr Leben weihen wolle.

Doch muß sich der »Meister« gefallen lassen, bis die versprochenen 30 Pfund Pulver geliefert sind, in festem Gewahrsam zu bleiben. Unterdessen haben sich auf Wigolf's Burg der verwundete Pulvermacher und seine Pflegerin, des Ritters Schwester Klotilde, in Liebe gefunden, und nun zieht der Wiedergenesene aus, den ehemaligen Feind aus seiner schwierigen Lage zu befreien. Wigolf ist nämlich rat- und hilflos, da er trotz des erbeuteten Pergaments, welches das Geheimnis enthält, kein Pulver schaffen kann; ein Versuch Eckbrechts, ihm zu Hilfe zu kommen, verrät dem Bürgermeister die ganze List, und der Ritter ist trotz Magda's mutigem Dazwischentreten in großer Not — da erscheint als Retter der Burggraf von Nürnberg, auf dem Zuge nach Brandenburg begriffen, er fordert, daß Wigolf als Vasall ihn dorthin begleite; der Pulvermacher löst als Bräutigam Klotildens für ihn das Versprechen der 30 Pfund; der Bürgermeister gibt der Freude der Bürger Ausdruck, daß außer dem Gewinn des Pulvers noch der schlimmste Feind Nürnbergs jetzt für alle Zeit »zu Schutz und Trutz verwandt« ist, und mit begeistertem Hochruf auf Hohenzollerns Adlerflug schließt das Stück.

Dieser Stoff hat im ganzen entschieden einen einfach volkstümlichen Charakter und manche nicht unwirksame Szene. Freilich wäre die eine oder andere derselben als gar zu belanglos entbehrlich; auch der sprachliche Ausdruck dürfte oftmals kürzer und gehaltreicher sein. Die Komik ist ab und zu recht platt und tritt am unrechten Orte auf, so, wenn der Bürgermeister vor dem Burggrafen samt Gefolge und allem Volke singt:

> »Heil Nürnberg Dir!
> Du siehst in mir
> Die Klugheit siegen;
> Da fing ich, schwapp!
> Mit einem Klapp
> Zwei Fliegen:
> Ein Pulverfaß
> Und überdas
> Den schlimmsten Feind im ganzen Land
> Gekettet an der Tochter Hand
> Durch Nürnbergs Maid
> Für alle Zeit
> Und nun zu Schutz und Trutz verwandt.«

Geradezu unangenehm aufdringlich macht sich oft der Reim geltend, wie selbst die angegebene Stelle zeigt; unmittelbar vorher schließen sechs Verszeilen nacheinander mit den Worten »Braut, getraut, gebraut, Kraut, Braut, schaut«.

Die Musik verrät entschieden ein freundlich liebenswürdiges Talent, vor allem fehlt es nicht an Erfindung; so gewinnt den Hörer sofort ein sehr gefälliger Frauenchor »Maienmorgen, Maienduft« dem später ein lebendiger Gesang der Kriegsknechte folgt; wirkliche Innigkeit findet in dem Rosenlied des Ritters und in der ganzen Szene zwischen Klotilde und Eckbrecht im 3. Akte überzeugenden Ausdruck; dazu kommt mancher hübsche Zug der Instrumentenbehandlung, — sehr gut hat der Komponist die Solovioline bedacht — und manche überraschende harmonische Wendung. Ebenso finden sich nachdrückliche Ansätze zur Charakterisierung; so versucht der Komponist besonders die Muhme des Bürgermeisters, die geplagte Hüterin Magda's, die eine ähnliche Rolle hat, wie Magdalene bei Eva — mit humoristischen Zügen auszustatten; ebenso ergibt sich ja in der Ratsversammlung manche Gelegenheit zu komischer Wirkung. In einem Orchester-Zwischenspiel soll nach Weisung des Textbuches »dargetan werden, wie die Nürnberger Ratsherren zum Rathaus gahn«, und am Ende der Sitzung holen die unzufriedenen Frauen in scherzhafter Weise ihre Eheherren ab; in beiden Fällen aber, wie in den Partien der Tante Therese erscheint uns manches etwas platt, wie umgekehrt verschiedene Stellen, wie z. B. die Anrufung der heiligen Jungfrau durch Magda im 1. Akt oder später die Schmückung mit dem Brautstaat der Mutter, gar zu schwer und pathetisch gehalten sind. — Alles in allem eine Jugendarbeit — das Werk ist vor etwa 10 Jahren entstanden, — der man mehr Einheitlichkeit des Charakters und besonders mehr ausgesprochene Eigenart wünschen möchte, — aber entschieden von Begabung zeugend. — Die Aufführung unter der Leitung von Hofkapellmeister Lorentz war recht lobenswert, die Ausstattung vorzüglich; an freundlichem Beifall fehlte es nicht.

––––––––––

Weit größere Anforderungen an alle Mitwirkenden, wie an die Hörer stellt die »dramatische Symphonie« von Klose, ein Werk vornehmen Charakters und sorgfältigster künstlerischer Arbeit. — Schon der Text bewegt sich in diesen Bahnen; ernst, zum höchsten strebend, sucht der Dichter in dem bekannten plattdeutschen Märchen »von dem Fischer und sine Fru« den ethischen Grundzug, die Warnung vor der Ungenügsamkeit, der Unersättlichkeit der Wünsche und dem Hochmut noch zu vertiefen, indem er, abgesehen von einzelnen Zügen, den Humor, der über der schlichten Erzählung schwebt, aufgibt, und Frau Ilsebill einen geradezu dämonischen Charakter zuteilt. Der Stoff ist ja bekannt genug: der Fischer und seine Frau wohnen hier im hohlen Baum; er fängt den »grooten Butt«, aus dem ein Wels geworden ist, läßt ihn wieder frei und erhält nun die Zusage dankbarer Belohnung. Frau Ilsebill drängt den bescheidenen Gatten dazu, von dem Wels einen Bauernhof zu verlangen; durch die Erscheinung eines Ritterfräuleins unzufrieden geworden, wünscht sie sich eine mächtige Burg und Herrschaft über Land und Leute; aber das Auftreten eines Kreuzzugspredigers, der im Bewußtsein seiner Sendung ihrem Willen trotzt, läßt sie die Grenzen ihrer Gewalt erkennen, und als sie nun auch den weiteren Wunsch, als Bischof der Kirche volle Macht zur Verfügung zu haben, erfüllt sieht, da muß sie bei einem furchtbaren Gewitter erfahren, daß nicht einmal ihr Bannfluch die Betenden beisammen hält. Jetzt steigert sich ihr Wünschen ins ungeheuerlich Frevelhafte:

>Wolken und Wettern
will ich gebieten,
Den Winden weisen,
von wannen wohin!
Drohen will ich
mit der Donner Gedröhn,
ausstreuen der Blitze
blendenden Strahl
und lenken, wohin mirs beliebt!
Meinem Geheiß
soll der Sterne Heer
sich fügen und folgen,

> wo ich sie führe,
> und Sonn' und Mond
> soll auf- und untergehn,
> wann mirs gefällt!
> Und jetzt gefällt mirs,
> daß die Sonne strahle!
> die helle Sonne
> will ich sehn! —

Von selbst erscheint der Wels in »geisterhaftem Glanze«, und der Fischer, der schon in ihm den Rächer ahnt, hört nur die ruhigen Worte:

> »Nun geh nur hin, mein guter Sohn!
> was ihr gebührt, sie hat es schon.« —

Alles bricht zusammen, und als das Paar wieder zu sich gekommen ist, sehen sie, was ihnen früher erschienen, verschwunden; sie finden sich wieder an dem hohlen Baume — der Mond geht gerade auf, der ganze Kreislauf hat sich in einem Tage vollzogen. Ilsebill weiß nicht, ob sie »geträumt von heller Sonne« — der Fischer kehrt wie von der gewöhnlichen Tagesarbeit zurück.

> »Es folgt ein Tag
> dem andern Tag —
> Ein jeder bringt
> Nur Müh und Plag --
> — — — — — — —
> Jahr ein, Jahr aus.« —

Diese Reihe von äußerst abwechselnden, charakteristischen Bildern ist getragen von einer durchaus gehobenen, poetischen Sprache, in welcher die an Wagner anklingenden, allitterierenden Verse aufs geschmackvollste behandelt sind; nur stört hier im Märchen da und dort, namentlich bei dem Wels selbst, ein allzusehr philosophierender Vortrag. Man darf sich überhaupt fragen, ob der Dichter nicht besser getan hätte, die humoristischen Züge, die das Märchen hat — man denke nur an die Bezeichnung der ursprünglichen Wohnung — natürlich, soweit es für die greifbare Wirklichkeit der Bühne möglich ist, weiter auszubauen; jetzt stört es doch, daß nach all dieser Steigerung ins hochdramatische das Endergebnis eben nur Rückkehr zum ursprünglichen Zustande ist; für die eitle, lächerlich wirkende Selbstüberhebung wäre die einfache Rückversetzung in die alte Nichtigkeit die viel entsprechendere Strafe als für dieses Übermenschentum, so stimmungsvoll auch das Schlußbild von dem Dichter konzipiert und von dem Komponisten ausgeführt ist. —

Stimmungsmalerei ist nämlich das eigenste Gebiet des Komponisten, und hierin gibt er wirklich Bedeutendes.

Darum hat er wohl auch sein Werk dramatische Symphonie benannt, weil er damit von vornherein das Hauptaugenmerk auf die orchestrale Arbeit gelenkt wissen will, und so kann man ja wirklich einen einleitenden Andantesatz, ein Allegretto giocoso u. s. w. darin finden. —

Sofort zu Anfang ist die traumhafte Morgenstimmung mit dem leise einsetzenden und zu größerer Lebhaftigkeit sich steigernden Vogelsang in sehr fesselnder Weise wiedergegeben; bei Ilsebills Erzählung von dem beglückenden Traum führt uns die begleitende Musik in unbekannte Regionen. Muntere Frische atmet die Musik zu dem zweiten Bilde, wo der Fischer als Besitzer des Bauernhofes ganz der Freude sich hingibt und auch Ilsebill einen Augenblick befriedigt erscheint. Hier suchen Dichter und Komponist durch Einführung bekannter Volksweisen zu wirken. Das lustige Treiben der Knechte und Mägde steigert sich bis zum ausgelassenen Tanze, und hell erklingt der frohe Gesang der Jagdgesellen des Ritterfräuleins. Eine mächtige Steigerung erfährt der Charakter der Musik in dem ritterlichen Marsche der Burgbewohner mit seinen schmetternden Trompeten; aber weit überboten wird das alles durch den gewaltigen fanatischen Ruf des Kreuzzugspredigers, gegen den der Klagegesang der Chorknaben — ›Wehe, weh die Christenheit, klaget, klagt in Sack und Asche‹ — einen höchst wirksamen Gegensatz bildet. Und nun auf den wuchtig erklingenden Choral der Blechbläser, welcher Kontrast der tief empfundene Ausdruck der Heimatssehnsucht des Fischers! Endlich in dem vierten Bilde die Darstellung des brausenden Tobens aller Naturgewalten, durch das die Klänge einer ansprechenden Kirchenmusik sich kaum hindurch ringen, bis endlich auf die Frevelhaftigkeit Ilsebills alles zusammenstürzt — und dann das Bild der einsamen Abendlandschaft, wo an Stelle der wilden Wünsche nur noch das Verlangen nach Ruhe tritt, bis uns der Komponist mit der Wiedergabe des Abendliedes der Vögel entläßt, welche Fülle von bedeutenden Wirkungen!

Die motivische Arbeit, Harmonisierung und Instrumentierung nutzen alle Errungenschaften modernsten Schaffens aus; außer der Harfe gebraucht der Komponist auch das Klavier für das besonders ein ganz interessantes Motiv des aus der Tiefe emporsteigenden Fisches geschaffen ist; trotzdem möchten wir diese Neuerung nicht zur Verallgemeinerung empfehlen.

Weniger bedeutend sind die Singstimmen behandelt; so erscheint uns zum Beispiel das am Anfang ohne Begleitung gesungene Lied des Fischers zu wenig einfach und etwas mühsam.

Die Schwierigkeit des Ganzen wird dadurch erhöht, daß das Werk ohne jede Unterbrechung 2³/₄ Stunden bis zu Ende durchgespielt wird; eine gewisse Ermüdung ist bei solcher Ausdehnung ohne Ruhepause unausbleiblich. Trotzdem hielt das Publikum bis jetzt bei mehrmaliger Wiederholung tadellos aus; freilich war die Aufführung ganz ausgezeichnet; Mottl an der Spitze seiner getreuen Schar wußte das namentlich rhythmisch außergewöhnlich schwierige Werk in denkbarer Klarheit und Vollkommenheit herauszuarbeiten. Den Charakter der Ilsebill traf Fräulein Faßbender vorzüglich; Herr Pauli brachte den Gegensatz des stets zufriedenen und nur über die wachsende Begehrlichkeit Ilsebill's unglücklichen Gatten sehr gut zur Geltung; mit machtvoller Stimme sang H. Büttner den Wels, und eine Glanzleistung bot der fanatische Kreuzzugsprediger des H. Rémond. Auch die übrigen Mitwirkenden und der Chor taten ihre volle Schuldigkeit, und die szenische Darstellung der einzelnen Bilder ließ nichts zu wünschen übrig. Der zweiten Aufführung wohnte eine größere Anzahl der Teilnehmer an der Tonkünstlerversammlung in Basel bei.

Karlsruhe.   **C. Goos.**

Musikberichte.

Referenten: **E. Istel, Alfred Kalisch, J.-G. Prod'homme, Sibmacher-Zijnen.**

Amersfoort (Holland). Zur Feier des 25jährigen Bestehens der Tonkunst-Sektion fand hier ein zweitägiges Musikfest statt, unter Leitung des Herrn M. W. Petri. Den ersten Tag wurde Händel's Josua aufgeführt mit dem Utrecht'schen Orchester und den Gesangssolisten Emmy Kloos (Wiesbaden), Pauline de Haan-Manifarges (Rotterdam), Jos. Tyssen (Frankfurt a. M.) und Zalsman (Haarlem). Der zweite Tag brachte solistische Vorträge der genannten Gesangskünstler und des ausgezeichneten Violinisten Bram Eldering der — leider — bald nach Köln (als Konzertmeister des Gürznich-Orchesters) auswandern wird. Der Amersfoort'sche Chor, zu schwach für Händel, leistete sehr Gutes mit zwei interessanten Madrigalen für sechs Stimmen a-cappella des ungefähr 1550 in Amersfoort geborenen Komponisten Jan Tollius, der in Italien sein geistiges Vaterland gefunden hat. Gesungen wurden: »Il dolce sonno mi promise in pace« (auch von Palestrina in Musik gesetzt) und »Della veloce sona in su le sponde« — nach der Ausgabe von 1597 in Partitur gebracht und aufs Neue herausgegeben von Dr. Max Seiffert (Vereeniging voor Noord-Nederlands Muziekgeschiedenis, Amsterdam: Allgemeiner Muziekhandel, Leipzig: Breitkopf und Härtel). S.-Z.

Bethlehem (Pennsylvanien). Vom 11.—16. Mai fand hier ein sechstägiges *Bach-fest* statt. Außer verschiedenen Kantaten gelangten dabei folgende Werke zur Aufführung: Weihnachts-Oratorium, zweites Brandenburgisches Konzert, Matthäus-Passion, H-moll-Messe.

Florenz. Mehrere der bedeutendsten Musik-Aufführungen der letzten Wochen standen unter dem Zeichen Antonio Scontrino. Das Florentiner Quartett (Faini, Ciappi, Cagnacci, Broglio) brachte am 17. Juni im philharmonischen Saale ein neues Quartett in *C-dur* des genannten Meisters zur Aufführung, das allgemeinen Beifall fand. Wenige Tage später, am 21. Juni, erlebte eine Offertorium-Motette in der Basilica della Annunziata ihre Erstaufführung, zusammen mit einer vierstimmigen Messe von Luigi Mancinelli.

London. — The chief event since the last report has been the Handel Festival at the Crystal Palace which took place on June 23, 25 and 27, with a full rehearsal on June 20. The Handel Festival occupies a unique position among our musical institutions, just as Handel has a unique place in the affections of the British nation. This excessive Handel worship is not without bad effects on musical taste generally, and has no doubt helped to hinder the development of truly national music. We give Beethoven Festivals and Strauss Festivals to half empty benches, but over 80,000 people with the Prime Minister at their head flock to a Handel Festival, and the official programme gravely makes the statement, of which no one present seems to see the absurdity, that Handel was undoubtedly the greatest composer that ever lived. That many people believe it would not matter so much, were it not that the belief has come to be looked on by all Philistia as a mark of respectability. For the same reason it is melancholy to reflect how many people argue that, because the Handel Festival employs the largest number of executants, it is the greatest thing in British music. This year's Festival inaugurated several reforms which should help to remove from it some of the reproaches which have justly been made against it as a concession to the mere worship of bigness. There have been orchestral rehearsals, which has never been the case before; and the choral rehearsals have been much more complete than usual. This was made possible by the fact that the chorus, instead of being drawn from some 30 places, came only from six. London contributed 3200, Bristol 50, Birmingham 90, Bradford 90, Sheffield 200; while there were 56 volunteers, who brought up the total to 3756. This new arrangement made it possible for the conductor to have rehearsals with some at least of the provincial contingents, a thing previously undreamt of. The credit of initiating these reforms belongs to August

Manns, that of carrying them out to Frederick Cowen; the former being unfortunately incapacitated by rheumatism of the right arm from conducting, though he retained the position of musical director. It was obvious at the rehearsal that the chorus was a very fine one, and that Cowen had made a determined and successful effort to see that the chorus, in spite of its vast size, sang with vigour and attention to light and shade. On the 23rd the Messiah was given, and the performance was remarkable for the excellence of the choral singing. The pianissimos of the choir aroused special admiration; even more than the great fortissimos, and the "Hallelujah" Chorus and "Wonderful Counsellor". The second day of the Festival, the Selection Day, was the most generally interesting; though "Acis and Galatea" is as a whole unsuited to performance by so vast a body of singers. Amends were made however by "Wretched Lovers", which came out admirably, and "Mourn all ye Muses". The performance also contained the fourth Organ concerto; which is remarkable for its choral epilogue, a Hallelujah of no particular distinction. But this foreshadowing in 1735 of the Ninth Symphony is striking. Sir Walter Parratt played the solo. The selection of excerpts from "Solomon" was also very interesting, and nothing during the week was more finely sung or more characteristic of Handel at his best than the noble chorus "From the censer". On the 27th "Israel in Egypt" as usual ended the Festival, and the choral singing was again remarkable for its deviation from the Handel Festival tradition of unvarying loudness. The Hailstone chorus had to be repeated; but some of the other choruses, notably "Egypt was glad" and "He rebuked the Red Sea", were just as well done. Among the soloists was Santley, who has taken part in every Handel Festival since 1865, and still is a model to younger singers in respect of clearness of enunciation. Albani whose first Handel Festival was in 1874, Marguerite Macintyre, Clara Butt, Ben Davies, and Andrew Black are no strangers to Handel Festivals; and Charles Saunders, and Kennerley Rumford made very successful first appearances. The whole Festival was a great triumph for Cowen; who, it is interesting to note, is the first Englishman who has held the post of Handel Festival conductor.

Concerts have been numerous, but not many call for record. The most interesting was the great concert organized in aid of the "Union Jack Club" at the Albert Hall on June 25. But the interest was social and spectacular rather then strictly musical. The New Zealand Band made a creditable first appearance. It has for motto the words Kia Ora and Hinemoa. The first is equivalent to the German "Grüss Gott"; the second is the name of a legendary Maori princess, who loved a chieftain called Tatanekai because of the beauty of his flute playing, and swam across the Lake Rotorua to his island home, when her tribe, anxious to prevent her marriage, had hidden all the canoes. The band is said to include some descendants of the pair. The 1812 Overture of Tschaikowsky was also played by the Queen's Hall orchestra augmented to 150, and the drummer and trumpeters of the Guards regiments, with great effect under Henry J. Wood. A drum 9 feet in diameter was used on this occasion for the artillery effects. The Leeds Choral Union appeared in Elgar's "Coronation Ode", which was conducted by the composer. Lhevinne, a very talented Russian pianist, also appeared. At the last Philharmonic Concert on the same evening, conducted by Cowen who had already directed the Handel Festival in the afternoon, Kubelik played a Mozart concerto; there were also performed the Prelude and Angel's Farewell from "Gerontius" and Cowen's own "Phantasy of Life and Love". In one week we heard Marie Hall, Ysäye, Kubelik and Kreisler give recitals; but none introduced any novelties. Kubelik has, for the first time in London, shown himself to be an excellent quartet leader. Signorina Sassoli is a very talented and very young harpist, and at her orchestral concert she won great applause for the taste and brilliancy of her playing. Melba sang, and her Mozart singing disappointed her admirers. Henry Wood conducted the Queen's Hall orchestra. Wood conducted also at the concert given by Miss Polyxena Fletcher, an excellent pianist and former student of the Royal College of Music. She played for the first time in London the concerto in C sharp minor of Rimsky Korsakoff, a work in one movement like Liszt's Concertos. It is brilliantly clever in scoring and workmanship, but lacks, or at a first hearing seems to lack, higher qualities. The similarity of one of the leading themes, apparently a Russian folk song, to a well known Irish folk tune, is very interesting. Von Zur Mühlen, Van Rooy, and Bogea Oumiroff, a talented Bohemian baritone, are among those who have given vocal recitals. A noteworthy feature was Oumiroff's singing, for the first time, of some songs of Pfitzner, which proved very interesting. The admirably artistic ensemble playing of the Moscow Trio should not be passed over. The London musical season of 1902—1903 is now concluded.   Alf. K.

Madrid. Die »Sociedad Filarmonica Madrileña« veranstaltete im abgelaufenen zweiten Jahr ihres Bestehens 20 Kammermusik-Aufführungen, wobei außer einheimischen Künstlern das Frankfurter Trio (Friedberg, Rehner, Hegar), das Böhmische Streichquartett (Hoffmann, Suk, Nedbal, Wihan), das Holländische Vokal-Quartett (de Yong, Scholten, Philippeau, Zalsman), Eduard Risler und Jacques Thibaud, sowie die »Société de musique de chambre pour instruments à vent« aus Paris mitwirkten.

München. In den letzten Wochen, da auch unsere Hofoper in die Sommerferien eingetreten, sind nur zwei Konzerte von allgemeiner Bedeutung zu verzeichnen. Einen Ludwig Thuille-Abend, der dem vortrefflichen hier lebenden Komponisten wohlverdiente Ehrungen einbrachte, veranstaltete der Akademische Liederkranz unter Leitung des Herrn Kremhöller. Vornehmlich kamen Männerchöre, eine Kunstgattung, die Thuille als langjähriger Leiter einer unserer besten Vereine auf ein höheres Niveau zu heben mit Erfolg bemüht war, zu Gehör, daneben aber auch eine Reihe feinsinniger Lieder, zwei kleine Klavierstücke, sowie der erste Satz des Klavierquintetts. So konnte zwar kein erschöpfendes aber doch immerhin ein recht interessantes Bild der vielseitigen Komponistentätigkeit des hochbegabten Meisters dargeboten werden. — Zur Schlußfeier der Akademie der Tonkunst veranstaltete Direktor Stavenhagen eine Aufführung des sehr selten gehörten Berlioz'schen Werkes L'Enfance du Christ, das in seiner Schlichtheit den genialen Instrumentationskünstler von einer ganz neuen Seite zeigt. Bekanntlich mystifizierte Berlioz mit diesem kleinen Oratorium, das er für das Werk eines alten Meisters ausgab, fast die gesamte Pariser Kritik. Um die hiesige Aufführung, die in Anbetracht dessen, daß ausschließlich Zöglinge der Akademie mitwirkten, gut zu nennen ist, machten sich besonders die Herren Sommer und Köhler, sowie Frl. Knabl verdient. Sehr anzuerkennen ist, daß unter Stavenhagen's Direktion endlich mit den zopfigen Programmen der Schülerkonzerte aufgeräumt wurde.
E. I.

Naarden (Holland). Alljährlich im Sommer veranstaltet der junge, begabte Organist der schönen Naarden'schen Kirche, hier im Gooi — dem großen blühenden Garten Amsterdams — Aufführungen mit Orchester und einem Chor von 200 bis 250 Sängerinnen und Sängern aus Amsterdam, Hilversum und Umgegend. Im vorigen Sommer war es unser Alphonsus Diepenbrock der in dieser akustisch prachtvollen Kirche geehrt wurde, jetzt Brahms. Mit Feuer leitete Schoonderbeek — so heißt der Dirigent — die Vorführung der Tragischen Ouvertüre (Orchester aus Utrecht), der Rhapsodie (Alt-solo: Frau de Haan-Manifarges) und des Deutschen Requiems (Solisten: Anna Kappel und Zalsman). Im großen und ganzen stilgerecht und vornehm, machte sie auf das, wie immer hier, sehr zahlreiche Publikum einen tiefen Eindruck. Die Musik war mit diesem Ort der Ruhe und des Friedens in gutem Einklang.   S. Z.

New-York. »The Musical Art Society« hat auch in der abgelaufenen Saison wieder zwei bedeutsame Konzerte mit Chor-Werken älterer Meister veranstaltet. Das erste enthielt Kompositionen von Sweelinck, Eccard, Palestrina, Vittoria, Gabrieli, das zweite Kompositionen von Leonardo Leo (Miserere für Doppel-Chor) und an neueren Werken unter anderem Credo von Cherubini und Schicksalslied von Brahms. Das Verständnis der zu Gehör gebrachten Werke sucht die Gesellschaft durch ausführliche, trefflich redigierte Textbücher (nach Art der Musikführer) zu fördern.

Paris. La vie musicale, à Paris, est à peu près nulle en cette saison, et, sauf les concours du Conservatoire, dont je ferai connaître les résultats le mois prochain, rien n'y passionne ou n'y retient plus l'attention des dilettantes. La saison d'été est favorable, par contre, à des manifestations se rattachant plus ou moins à l'art musical:

inauguration de statues, célébration de centenaires, etc. Avant le centenaire de Berlioz, auquel la ville de Grenoble consacrera trois jours de fête, les 14, 15 et 16 août, la commune de Longjumeau, près de Paris, a célébré celui d'Adolphe Adam dont le Postillon fameux a donné une gloire universelle à cette petite localité. Longjumeau avait déjà élevé un monument à ce petit maître de la musique française; ses habitants ont voulu encore fêter l'anniversaire du compositeur en faisant exécuter, outre l'opéra comique bien connu, des fragments du ballet de Gisèle, depuis longtemps disparu du répertoire (19 juillet). Et pour donner une tournure plus romantique à ces réjouissances, les artistes de l'Opéra étaient venus à Longjumeau dans une vieille diligence, datant de Louis XV, conduite par un postillon véritable . . . .

Mais d'autres fêtes musicales ont lieu en ce moment dans le Midi où, depuis plusieurs années, se font avec succès des essais de décentralisations artistiques. Le 11 juillet, au théâtre romain d'Orange (Vaucluse), devant six à huit mille spectateurs, l'Orphée de Gluck, sous la direction de M. Henri Busser, a été exécuté par les artistes, les chœurs et l'orchestre de l'Opéra-Comique. Mlles Gerville-Réache, Mastio et Eyreams remplissaient les principaux rôles. L'impression était grandiose, d'une telle œuvre jouée dans un tel cadre, sans décor que le mur immense, vieux de dix-neuf siècles, où la scène est encadrée, en guise de coulisses, par des arbustes poussés librement du sol. Les représentations ayant lieu le soir, la scène et l'orchestre (trop visible seuls éclairés, l'illusion est presque aussi complète que dans le théâtre wagnérien. Malheureusement, le nombre des pièces susceptibles de s'adapter à ce monument vénérable ne peut être que très limité. Par contre, des concerts symphoniques y réussiraient à la perfection, l'acoustique étant extraordinaire. Après Orphée, le 12 juillet, Mme Sarah-Bernhard, joua Phèdre, avec la partition que M. Massenet a écrite pour encadrer le chef-d'œuvre de Racine. Depuis trente ans, M. Massenet avait composé son ouverture de Phèdre; il eût bien fait d'en rester là et de ne pas céder au désir d'écrire des entr'actes ou des mélodrames qui ne furent ni entendus, ni écoutés à la représentation d'Orange; il y a pourtant de jolies choses, comme M. Massenet sait toujours en écrire et la «suite», au concert, n'est pas désagréable à entendre; mais Racine ne se suffit-il pas à lui-même?

Après Orange [1]), Nîmes, dans son fameux amphithéâtre romain, qui peut contenir de 25 à 30 000 spectateurs, a donné le 26 juillet Œdipe-Roi, par les artistes de la Comédie-Française, avec la partition d'Edmond Membrée. Puis, dans ses arènes modernes, la ville de Béziers promet Déjanire et Parysatis, avec musique de M. Saint-Saëns. Toutes ces villes du Midi rivalisent d'entrain et d'initiative artistique; malheureusement, il n'en est de même ni dans toutes les provinces, ni en toute saison. Et une fois ces manifestations passées, pour lesquelles d'ailleurs sont toujours mis à contribution les artistes de la capitale, c'est toujours la même torpeur que devant.

J.-G. P.

Vorlesungen über Musik.

Helsingfors (Finnland). Der Privatdozent an der hiesigen Universität, Herr Dr. Ilmari Krohn wird im nächsten Winter lesen: 1) Das evangelische Kirchenlied, 2) Das wohltemperierte Klavier von J. S. Bach.

Tammerfors. Im Pädagogischen Verein hielt Herr Dr. Ilmari Krohn einen Vortrag über »*Die Bedeutung der Musik für die Erziehung*«.

---

1) On lira avec intérêt sur le théâtre antique d'Orange, la brochure du prof. Bräutigam: Das französische Bayreuth (Lattmann Verlag, Goslar, 1900).

Nachrichten von Lehranstalten und Vereinen.

Frankfurt am Main. Das **Dr. Hoch's che Konservatorium** leitete am 21. Juni das Fest seines **fünfundzwanzigjährigen Bestehens** mit einer würdigen akademischen Feier im Saale des schönen Anstaltsgebäudes ein. Von Dr. Hoch, einem kunstsinnigen Frankfurter Bürger gegründet und mit sehr ansehnlichen Mitteln ausgestattet, hat das Institut unter seinen beiden Direktoren **Joachim Raff** (von 1878 bis 1882) und **Bernhard Scholz** eine außerordentlich segensreiche Tätigkeit entwickelt, der eine Unmenge von heute in angesehenen Stellungen wirkenden Schülern Lehre und Unterweisung zu danken haben. Dem Lehrkörper der von über 400 Schülern besuchten Anstalt gehören seit ihrer Gründung der greise Cellist Coßmann, Professor Hugo Heermann und K. Hermann an, ferner die in der Kunstwelt bekannten Namen eines Hugo Becker, Karl Friedberg, Iwan Knorr und weitere tüchtige Kräfte. In der Festrede gab der Vorsitzende des Kuratoriums, Herr Heinrich Hanau, einen kurzen Überblick über die Geschichte der Anstalt, in dem er besonders der Verdienste Raff's und der Frau Klara Schumann um das Aufblühen des Konservatoriums herzlich gedachte. In der Reihe der Glückwünschenden betonte Professor Joachim, der von der Versammlung stürmisch begrüßt wurde, seine langjährige Freundschaft mit Dr. Scholz, und wünschte im Namen der Berliner Hochschule für Musik dem Hoch'schen Konservatorium auch ferner Blühen, Wachsen und Gedeihen. Scholz dankte für die herzlichen Worte seines Freundes; sie wollten auch fernerhin gemeinsam die Ehrfurcht vor der Kunst hüten und in der Bresche stehen im Kampfe gegen den anstürmenden Nihilismus in der Kunstbetätigung der heutigen Tage. In weiterer Folge gratulierten im Namen der Konservatorien und Musikschulen Dr. Lange-Stuttgart, das Stern'sche Konservatorium in Berlin, Dr. Klauwell-Köln, Hofrat Dr. Kliebert-Würzburg, die Musikschule der Stadt Basel, die Frankfurter musikalischen Vereine, zahlreiche auswärtigen Institute und Konzertvereinigungen. Der akademischen Feier wohnte auch die hochbetagte Witwe Joachim Raff's bei. Am 21. Juni fand eine Schüler-Matinée statt, deren Programm unter anderem den hübschen Frauenchor »Morgenwanderung«, op. 184, von Raff, das g-moll-Quartett von Mozart und Schumann's reizvolles Klavierquintett enthielt. Das eigentliche Festkonzert begann Abends mit der jetzt seltener gehörten Ouvertüre »Ein' feste Burg ist unser Gott«, op. 127, die Raff zu einem Drama aus dem dreißigjährigen Kriege geschrieben. Eine ganz vorzügliche Wiedergabe verliehen die Herren Engesser, Hugo Heermann und Hugo Becker dem schwierigen Tripelkonzert, op. 56, von Beethoven; eine angenehme Abwechslung im Programm boten die Damen Margarethe Gerstäcker-Hannover und Else Bengell-Hamburg — einst Schülerinnen der Anstalt — mit dem Vortrag Brahms'scher Lieder. Das aus 85 Mitwirkenden, Lehrern, früheren und jetzigen Schülern des Konservatoriums bestehende Orchester sprach unter Leitung von B. Scholz mit der ewig jugendfrischen G-moll-Symphonie von Mozart das Schlußwort des festlichen Abends. Die am 22. Juni stattgehabte Kammermusik-Matinée hatten die Lehrer des Instituts übernommen. Das hübsche, besonders in dem Scherzosatz recht anregende Quartett für Klavier und Streichinstrumente in Es-dur, op. 7 von Iwan Knorr spielten die Herren Uzielli, Heß, Küchler und Johannes Hegar; die von B. Scholz musikalisch trefflich geschriebenen Variationen für zwei Klaviere über eine Händel'sche Gavotte Herr Karl Friedberg und Fräulein Lina Mayer. Das von den Herren Heermann, Rehner, Baßermann und Becker (Museumsquartett) zu Gehör gebrachte dritte Streichquartett in E-moll, op. 136 von Raff ist trotz der beachtenswerten Arbeit in den Farben leider schon stark verblaßt, und steht zum Beispiel gegen den frischen Entwurf des heute leider so wenig berücksichtigten A-moll-Quintetts oder des ersten Quartetts in D-moll ganz erheblich zurück. Eine geradezu prächtige Leistung bot Professor Messchaërt aus Wiesbaden (früher auch ein Schüler der Anstalt) mit dem gesanglich fein ausgefeilten und charakteristischen Vortrag der »Gruppe aus dem Tartarus«, dem leichtbeschwingten Wanderliedchen »Wohin?«, der Idylle »Nacht und Träume« und dem kraftstrotzenden

›An Schwager Kronos‹ von Schubert. Es war wirklich eine selten schöne Gabe, die uns diesmal die Kunst eines Messchaërt gespendet. Mit ihr fand die reichbewegte musikalische Saison der letzten zehn Monate einen äußerst genußvollen Ausklang.

H. P.

Mannheim. Die *Hochschule für Musik* unter Direktion des ·Herrn Wilhelm Bopp zählte im vergangenen Unterrichtsjahre 1902—1903 400 Studierende und Schüler und veranstaltete im Laufe des Jahres elf öffentliche Prüfungsaufführungen und drei Opernabende. Die Hochschule ist zugleich Opern- und Schauspielschule.

München. Der 29. Jahresbericht der unter Leitung des Hofkapellmeisters Bernhard Stavenhagen stehenden *Königlichen Akademie der Tonkunst* für 1902—1903 ergibt einen Lehrbestand von· 40 Lehrern und 333 Schülern (darunter 16 Hospitanten und 63 Nichtdeutsche). 16 Vortragsabende wurden im Laufe des Jahres abgehalten. Dem früheren Lehrer an der Akademie, Franz Wüllner, widmet der 70 Quartseiten umfassende Jahresbericht einen Nachruf.

Stuttgart. An den 3 letzten Samstag-Abenden des Mai fanden im königlichen Konservatorim für Musik Klaviervorträge für die Schüler der Künstlerschule statt. Professor Max Pauer, der von seiner Konzertreise in Rußland zurückgekehrt ist, spielte die Beethoven'schen Sonaten op. 2 Nr. 2, op. 31 Nr. 1 und 2, op. 51, 101, 106, 109, 110, 111, sowie die symphonischen Etuden von Schumann und Kompositionen von Schubert, Mendelssohn, Chopin, Liszt und Liapunow. Dergleichen Vorträge, für die Schüler ebenso genuß ei wie fördernd, sind auch für andere Fächer in Aussicht genommen. — Über das verflossene Lehrjahr des *Königlichen Konservatoriums* für Musik (zugleich Theaterschule) macht der 46. Jahresbericht ausführliche Mitteilungen. Es fanden zum ersten Male die Prüfungen des neueingerichteten Klavierlehrer-Seminars statt, woraus sich ergab, daß die Einrichtung (unter Professor Max Pauer) sich bewährt. Das Konservatorium zählte im ganzen 517 Schüler, darunter 189 Berufsmusiker. 86 Nichtdeutsche genossen den Unterricht des Institutes. 28 Lehrer und 3 Lehrerinnen bilden das Lehrerkollegium, 35 Konzerte gelangten zur Ausführung.

Würzburg. Die *Königliche Musikschule* versendet ihren 28. Jahresbericht vom Jahre 1902—1903. Aufgenommen waren 218 Schüler, die die Musik berufsmäßig betreiben (darunter 10 Nichtdeutsche), und 296 Hospitanten; außerdem erhielten 407 Seminaristen und Gymnasiasten Unterricht im Chorgesange, von 19 Lehrkräften in wöchentlich 412 Stunden unterrichtet. An musikalischen Aufführungen fanden 6 Abonnementskonzerte und 1 Kirchenkonzert unter Mitwirkung sämtlicher Lehrkräfte und 8 Schülerkonzerte statt. Der 60 Seiten starke Bericht gibt auch diesmal eine Übersicht über den in den einzelnen Fächern vorgetragenen Lehrstoff und die benutzten Lehrmittel, sowie das in den Gesamtübungen benutzte Unterrichtsmaterial. Direktor ist Hofrat Dr. Karl Kliebert.

Notizen.

Berlin. Der Leiter der ›*Deutschen Südpolar-Expedition*‹ Herr Professor v o n Drygalski hat nach Berlin berichtet, daß das von dem hiesigen Pianofortefabrikanten Carl Ecke der Expedition zur Verfügung gestellte *Pianino* (vergl. Zeitschrift der IMG, II. Nr. 8) sich vorzüglich bewährt und trotz der außerordentlich großen Temperatur-Schwankungen, die es vom Äquator bis in die antarktischen Gewässer durchzumachen hatte, ausgezeichnet Stimmung gehalten hat. — Nach dreitägiger Beratung (9.—11 Juli) wurde hier ein ›*Zentral-Verband deutscher Tonkünstler und Tonkünstler-Vereine*‹ gegründet. Die Ziele des Vereins sind unter anderem: Begründung einer Pensions-Anstalt, Regelung der Honorar-Frage der Musiklehrer, Einführung von staatlichen Prüfungen für Musiklehrer, Regelung des Autorenrechts. Das Königlich preußische Unterrichts-Ministerium brachte dem Unternehmen das größte Interesse entgegen, was auch hoffentlich bei den übrigen Deutschen Unterrichtsministerien der Fall sein wird, da sich diese Vereinigung Aufgaben stellt, deren Lösung für die Kunst und Künstler sehr segensreich zu werden verspricht.

Bonn. 15. Juli. Das von Professor **A l b e r t K ü p p e r s** geschaffene *Denkmal Karl Simrock's* wurde heute im hiesigen Hofgarten enthüllt. Der Feier wohnten Prinz Eitel Friedrich, Prinz und Prinzessin von Schaumburg-Lippe, der Herzog von Sachsen-Koburg-Gotha, Regierungspräsident von Balan, die Spitzen der Bonner Behörden, die gesamte Studentenschaft, eine Anzahl Verwandte Simrock's und andere bei. Professor Litzmann und Geheimrat Zitelmann hielten Ansprachen.

Darmstadt. Dem Vorsitzenden des *Evangelischen Kirchengesangvereins für Deutschland* Geheimen Kirchenrat Professor D. H. A. **K ö s t l i n** in Darmstadt, ist von folgender *Verfügung* offiziell Kenntnis gegeben worden.

Berlin W. 64, den 19. Februar 1903.

Der Minister der geistlichen, Unterrichts- und Medizinal-Angelegenheiten.

Der siebzehnte deutsch-evangelische Kirchengesangvereinstag zu Hamm hat im Juni 1902 auf Antrag des Superintendenten Nelle folgenden Beschluß gefaßt: »Der Evangelische Kirchengesangverein für Deutschland legt den Provinzial- und Landesvereinen ans Herz, die kirchlichen Behörden oder die Synoden ihres Landes oder ihrer Provinz zu bitten, ihnen einen **jährlichen Beitrag zu ihrer Arbeit für Hebung des Kirchengesanges** zu bewilligen. Indem ich die Aufmerksamkeit des Königlichen Landeskonsistoriums auf diesen Beschluß lenke, spreche ich den Wunsch aus, daß etwaige Anträge in obiger Richtung von demselben mit **W o h l w o l l e n a u f g e n o m m e n** und eventuell der **Beratung und Berücksichtigung der Landessynode** empfohlen werden. Die Verhandlungen des siebzehnten deutsch-evangelischen Kirchengesangvereinstages sind bei Breitkopf & Härtel in Leipzig im Druck erschienen. Besondere Beachtung verdienen darunter die in dem Referate des Königlichen Musikdirektors und Kantors Richter in Eisleben über »Volkskirchenkonzerte und liturgische Andachten in Stadt und Land« gegebenen Anregungen.

In Vertretung:

W e v e r.

»An das Königliche Landeskonsistorium in Hannover«.

Dieselbe Verfügung ist an die sämtlichen Konsistorien der neun Provinzen der preußischen Monarchie ergangen. Sie bedeutet einen beherzigenswerten Vorgang für die auf die künstlerische Hebung des evangelischen Gottesdienstes gerichteten Bestrebungen der Kirchengesangvereine; es wäre gewiß mit Freuden zu begrüßen, wenn die Regierungen der anderen deutschen Staaten in Erkenntnis der großen Bedeutung der Sache bald folgen würden.

Delft (Holland). Die Studenten des hiesigen Polytechnikums haben bei Gelegenheit des elften Lustrums ihrer Vereinigung den Rundgang des Kaisers Nikephoros Phocas in Byzantium und Empfang der Großen seines Reiches und fremder Gäste im prunkvollen Byzantinischen Tronsaal dargestellt. Während der Zeremonien des Begrüßens sang der A-cappella-Chor aus Amsterdam (Direktor Anton A v e r k a m p) byzantinische Kaiserhymnen. Die von den Autoritäten der Griechischen Kirche in Paris dazu gelieferten Hymnen hatte Averkamp mit Anwendung der alten Kirchentonarten harmonisiert, einige antiphonisch, und einige — wo eine moderne Behandlung unumgänglich schien — für gewöhnlichen vierstimmigen Chor bearbeitet. In neugriechischer Sprache gesungen, haben diese Gesänge den Eindruck der Feierlichkeit merkwürdig erhöht und das Interesse für die historische Bedeutung der byzantinischen Hymnographie angeregt. S. Z.

Halle a. S. Am 28. Juni fand hier die Einweihung eines *Robert Franz-Denkmals* statt, wobei Herr Geheimrat Professor Dr. C o n r a d die Festrede hielt. Es ist ein Werk des Berliner Bildhauers Professor S c h a p e r.

London. — Grove's Dictionary (Vol. II and Supplement) contains, under title "*Musical Libraries*", very valuable notes on those in Austria, Belgium, France, Germany, Great Britain and Ireland. Italy, Portugal, Sweden, Switzerland, and United States of America; contributed by Gustave Chouquet (Paris), Franz Gehring (Vienna),

Russell Martineau, and W. Barclay Squire, mostly by the last-named. In course of his lecture on "Some notes on Musical Libraries", &c. (see "Mitteilungen", page 656, James E. Matthew gives information on those of (a) King John of Portugal, (b) Padre Martini, (c) Paris Conservatoire, (d) Fétis, — which is supplementary to the information in Grove on same heads. Following is abstract.

(a) One of the earliest general musical libraries of which any record exists is that founded by John IV, King of Portugal. The library itself has entirely disappeared; it is generally believed that it was swallowed up in the great earthquake at Lisbon in 1755. Fortunately the first volume of the catalogue was printed, and a copy was found in the National Library at Paris. This has been admirably reprinted by Joaquim de Vasconcellos, the well-known historian of Portuguese music. John was born in 1604, and came to the throne in 1640, dying in 1656. The catalogue is dated 1619, and it was the king's intention that the work should be continued, but unfortunately this design was never carried out. In addition to reprinting the catalogue, Vasconcellos published an essay upon it, and also wrote the article on John IV. in the supplement to Fétis's Dictionary. The library was on a most extensive scale. The catalogue comprises 931 numbers, but each number consists of many collections of works. All forms of composition common in those days are represented, and by the publications of composers in various languages — Latin, Flemish, German, English, French, and Dutch. The king must have been well served by his agents, as his collection of English madrigals was most extensive. The total number of English collections catalogued by Rimbault is ninety-four, and this probably approaches completeness. Of these fifty-four were included, with several other works not mentioned by Rimbault, to the number of seventy one in all. It is much to be regretted that the second volume was not printed, for as the king had distinguished himself in musical controversy, and was well instructed in theory, there can be no doubt that it would have contained an excellent collection of works on the subject. It is known that he possessed an autograph MS. of the "Micrologus" of Guido d'Arezzo, presented to him by Queen Christina of Sweden.

(b) The library of the famous Padre Martini is a little taxing to one's credulity. Our knowledge of it is mainly derived from Burney's account of his visit to Bologna in his "Present State of Music" in France and Italy. The description is as follows: — "Besides his immense collection of printed books, which cost him upwards of a thousand zechins, P. Martini is in possession of what no money can purchase, MSS, and copies of MSS in the Vatican and Ambrosian libraries, and in those of Florence, Pisa, and other places, for which he has had a faculty granted him by the Pope, and particular permission from others in power. He has ten different copies of the famous Micrologus of Guido Aretinus, and as many made from different manuscripts of John de Muris, with several other very ancient and valuable MSS. He has one room full of them; two other rooms are appropriated to the reception of printed books, of which he has all the several editions extant; and a fourth to practical music" (probably the first use of this convenient term in our language), "of which he has likewise a prodigious quantity in MS. The number of his books amounts to seventeen thousand volumes, and he is still increasing it from all parts of the world. He showed me several of his most curious books and MSS., upon which I communicated to him the catalogue of mine. He was surprised at some of them, and said they were extremely rare; of these he took down the titles". In a note Burney says that "he often paid a great price . . . . . . particularly for one written in Spanish. 1613, which cost him a hundred ducats, about twenty guineas, at Naples,' where it was printed". This of course was Cerone. Seventeen thousand volumes is an enormous collection, and one cannot help thinking that Burney must have misunderstood the Padre, who, from what we know of his character, would not wilfully exaggerate; but it is difficult to believe that in those days any such collection was possible. May it not have been the number of separate compositions, including of course the theoretical works? It is stated that a portion of this library found its way to the Court Library at Vienna; part remained in the Minorite Convent, of which he was a member; and on the suppression of religious houses consequent on Napoleon's creation of the kingdom of Italy, what was left was transfered to the Liceo Musicale of Bologna.

(c) The Paris Conservatoire possesses an excellent library, no complete catalogue of which however is available. Fétis held the position of librarian from 1827 to 1831, but his period of office seems to have left no trace in the history of its acquisitions. It is probably another instance of the danger of any curator being a collector on his own account. He was succeeded by another well-known musicologist, Bottée de Toulmon, whose zeal was only bounded by the limited amount of the subvention at his disposal. At his death in 1850, he was succeeded by Berlioz, who seems to have looked on the appointment as a sinecure; as did Félicien David, who was appointed in 1869. From 1850 to 1871 the library was really under the charge of M. Leroy, the sub-librarian, and in 1872 M. Weckerlin, the well-known musician and writer was appointed "Bibliothécaire". He has signalized his period of office by the publication of an excellent catalogue, with illustrative notes on the principal works of the "Réserve", i. e. the rarer books of the collection, both theoretical and practical. It is preceded by an account of the gradual growth of the collection, giving particulars of the important acquisitions, but unfortunately no figures enabling one to form any judgment as to the actual number of volumes contained in it. The notes are very pleasantly written and are of great interest. Among the rarer books may be mentioned five works of Martin Agricola, the "Orchesographie" of Thoinot Arbeau, Langres, 1596; Bonaventura, "Regola de musica plana", Venice, 1573; Caroso's "Il Ballarino", Venice, 1581, and a later work by the same; Cerone's "El Melopeo", Naples, 1613; all the works of Doni; the "Musica theorica" of Folianus, Venice, 1529; four works by Gafurius, including the rare quarto of 1480; the "Isagoge" and "Dodecachordon" of Glareanus; the "Flores Musice" of Hugo von Reutlingen, Strasburg, 1488; Luscinius, "Musurgia", Strasburg, 1556. One is glad to find Mace's "Musick's Monument", als well as Morley's "Plaine and Easie" — the second edition, however, 1608. Six works by Mersenne, including the "Harmonie Universelle", the very rare "Micrologus of Ornitoparchus", Cologne, 1533; the complete "Syntagma" of M. Praetorius; the "Bellum musicale" of Claude Sabastien, Strasburg, 1563, and many others. The collection of practical music is scarcely less interesting. It contains the "Balet comique da la Royne", Paris, 1582; Blow's "Amphion", with a beautiful facsimile of the portrait — not a rare book, but one which it is pleassant to find there; "Le Nuove Musiche", and another work of Caccini; Grabu's "Albion and Albanius", London, 1687; Lassus' "Magnum opus Musicum"; Lawes' Psalms, London, 1698; the "Odhecaton" of Petrucci, a complete copy, of which the librarian is naturally proud; the "Cantiones Sacrae" of Heinrich Schütz, Freiberg, 1625; and many sets of madrigals and other works too long to enumerate. A good collection of the works of "le grand" Couperin, two works of Frescobaldi, the "Componimenti" of Muffat, the second edition of Simpson's "Chelys", London, 1667, are some of the representative works in the instrumental department.

(d) Brussels contains the famous library collected by the late M. Fétis during his long life. It was bought by the State for the sum of 152,000 francs (£ 6,080), and now forms part of the Bibliothèque Royale. A further sum was devoted to the formation and printing of a catalogue, which was excellently carried out. The total number of works catalogued is 7,325, but of these 1,157 are general literature, having no connexion with music. Practical music occupies 1,994 numbers, the literature of music 4,222 numbers, and it is in this department that the remarkable strength of the library is to be found. Of the practical music, 1,045 numbers consist of religious music, including many manuscripts and rare printed Masses and other service books. It contains two specimens of the press of Ottaviano Petrucci; many original editions of Palestrina; the six volumes of the "Patrocinium Musices" of Adam Berg, exclusively devoted to the works of Lassus, and the great collection of the motets of the same composer, formed by his sons, numbering 526, known as the "Magnum Opus Musicum". Catholic Church music of course forms the larger part of this class, but the works of Protestant composers have not been neglected, as there is a complete copy of Bodenschatz's "Florilegium Portense", and several numbers of that book which it is almost hopeless to complete, the "Musae Sioniae" of Michael Praetorius, and there is a copy of Eslava's "Lira". In oratorios it is curiously weak. Of Handel, there is Arnold's edition. Coming to secular music, there is a fair collection of Italian madrigals, eighty-five sets in all, but in many instances, as is so frequently the case, incomplete. For English madrigals he appears to have been content with the "Musical Antiquarian" edition, but there is an original Wilbye's second set, and Gamble's "Ayres and Dialogues". Dramatic music is better represented; there is the "Balet comique de la Royne", the first edition of Peri's "Euridice" (Fiorenza 1600), "Le nuove musiche" of Caccini, the "Orfeo" of Monteverde (Venezia, 1615), and a fair collection of Italian operas, about seventy, ranging from A. Scarlatti to Bellini. In French opera he is naturally stronger; there is a fairly complete collection of those of Lully, several of Campra, Destouches, &c., as well as of Rameau, Philidor, and Grétry, coming down to our own days in the "Mignon" of Ambroise Thomas. Instrumental music is weak, but there are several very rare lute books, and for the harpsichord the works of Couperin and Rameau, the rare "Componimenti" of Theophile Muffat, as well as some examples of Frescobaldi and Froberger. As above said, it is in the literature of music that this collection is so remarkable. Of course it was bounded by the life of the owner, so that works issued subsequently to 1871 must not be looked for. This rules off the flood of literature — "höflich" and "unhöflich", in the words of Tappert — which gathered round the name of Wagner. It is altogether useless to recite the titles of the many rarities which it contains, for with the exception of the "Musica getutscht" of Virdung, it is hardly possible to think of a rare work, which is wanting. Fétis was fortunate in his time; the general upheaval throughout Europe consequent on the wars of Napoleon had the result of dispersing a vast number of Monastic and other libraries, a chance which he was able to seize and to avail himself of. His knowledge of the subject was extraordinary, and at that time altogether exceptional, and although it is easy to point out faults and omissions in his Dictionary, it is to him that most of us are indebted directly or indirectly for such knowledge of the bibliography of music as we may have been able to acquire. E. G. R.

Paris. Le 15 juin dernier, a eu lieu à l'Hôtel-Drouot la vente d'une importante collection d'autographes, qui comprenait entre autres, environ sixcents pièces émanant de compositeurs de musique, de musiciens et d'artistes lyriques. Parmi ces documents, un certain nombre sont assez importants pour intéresser les historiens de la musique. Voici l'analyse de leur contenu:

Une lettre de quatre pages d'Hector Berlioz à son fils, dont l'enveloppe porte le célèbre cachet représentant le profil de Beethoven; elle est datée de Paris, 2 décembre 1859, date à laquelle le compositeur écrivait à la princesse Sayn-Wittgenstein, lui mandant à peu près les mêmes nouvelles. Berlioz y parle de ses Troyens; il achève les airs de danse du ballet. Roger va quitter la direction de l'Opéra et sera, croit-on, remplacé par le prince Poniatowski, lequel prince se dit fort des amis de Berlioz et très désireux de monter les Troyens dès son arrivée à l'Opéra. «Mais aussi le prince a un ouvrage en répétition sur lequel j'aurai un feuilleton à faire bientôt, or, tu comprends la malice ... On connaît ce vieux tour.» Berlioz parle des représentations d'Orphée dont on lui attribue le succès. Les adversaires de Gluck, les Polonius mènent une vive campagne contre la pièce. L'un dit qu'il faut avoir perdu père et mère pour aller à Orphée, car c'est un enterrement. «Et un petit crétin de compositeur qui a donné au Théâtre-Lyrique dernièrement un opéra en style de cuisine accompagné par les casseroles des marmitons (Les violons du Roi) et dont j'ai assez maltraité la ratatouille, disait: «Orphée! ... il n'y a pas là-dedans deux phrases de chant, ce n'est qu'un long récitatif, si nous faisions de la musique comme çà, on nous jetterait des pommes.» [1]

Du célèbre chanteur Jean-Pierre Garat, une lettre du 30 nivôse an XIII (10 janvier 1805), où il réclamait la continuation de sa pension de 6000 francs, ainsi que le lui a promis l'Empereur. «J'ajouterai que je me suis rendu digne des bontés de l'Empereur en créant à Paris une école française de chant.»

De François Joseph Gossec, une lettre par laquelle l'illustre compositeur sollicitait un logement dans l'Académie royale de musique ou, à son défaut, une indemnité mensuelle qui lui serait payée avec ses appointements (30 août 1780, aux membres du Comité de l'Académie royale de musique).

De Liszt, une lettre à un ami, datée de Rome, 7 août 1864. Le génial compositeur y annonce à son correspondant qu'il allait partir pour Carlsruhe assister à des concerts dirigés par Hans von Bülow. De là, il ira à Weimar et à Paris. Il parle ensuite des psaumes 22e et 127e qu'il a composés, le premier pour voix de ténor, le second pour mezzo-soprano. Le chœur final de ce dernier, Jérusalem, doit être exécuté par des femmes. «Messieurs les Juifs, ajoute Liszt, ne sont pas capables, selon moi, de hurler et de soupirer de cette façon.»

La Malibran était représentée dans cette collection par une lettre datée de Bruxelles, 10 août (1831), où elle mande qu'elle vient d'assister aux fêtes données au nouveau roi Léopold, mais le roi Guillaume des Pays-Bas les a interrompues. Sa belle sœur, Mme de Franqueu (sœur de son second mari Bériot, le célèbre violoniste) ma-

---

[1] Les Petits Violons du Roi, trois actes de Scribe et Boisseaux, musique de Deffès (mort directeur du Conservatoire de Toulouse en 1901) avaient été représentés le 30 septembre.

riée depuis quatre mois, a dû se séparer de son mari, qui est parti se battre. Les Belges se lèvent en masse, depuis les enfants jusqu'aux vieillards. Elle parle ensuite de sa famille avec laquelle elle paraît fortement brouillée; et de sa «scurette» (Mᵐᵉ Pauline Viardot-Garcia); elle espère qu'on ne lui apprend pas à dire du mal d'elle. «Ne parlez de moi qu'à Pauline, ma petite sœur, ajoute-t-elle, qu'elle n'en parle pas à ma famille; elle m'exposerait de nouveau à quelque fausse interprétation, surtout de la part de Manuel[1]), qui se passionne pour ou contre avec la même facilité, et qui dans les deux cas, ne ménage pas ses expressions pour louer ou pour déprécier.»

De Meyerbeer, deux lettres adressées au chanteur P. Levasseur (de Milan, 5 et 11 juillet 1823), où le futur auteur de Robert-le-Diable parle d'abord de l'engagement de Levasseur en Italie; répondant ensuite au chanteur qui lui avait demandé s'il lui serait agréable de travailler pour l'Opéra de Paris, Meyerbeer s'exprime ainsi: «Je vous assure, que je serais bien plus glorieux de pouvoir avoir l'honneur d'écrire pour l'Opéra français, que pour tous les théâtres italiens (sur les principaux desquels. d'ailleurs, j'ai déjà donné de mes ouvrages). Où trouver ailleurs qu'à Paris les moyens immenses qu'offre l'Opéra français à un artiste qui désire écrire de la musique véritablement dramatique». Il explique enfin qu'il n'a pas encore écrit pour la scène française, parce qu'on la représente comme un champ hérissé de difficultés.

A la même époque (de Paris, 31 août 1823), Adolphe] Nourrit, qui devait se couvrir de gloire en créant les grandes œuvres de ce même Meyerbeer, écrivait à Habeneck, alors directeur de l'Académie royale de musique une lettre où il posait les conditions dans lesquelles il consentirait à rester à l'Opéra. Il demandait le titre de premier sujet, une augmentation d'appointements de 1000 francs et un accroissement annuel de 1000 francs, ce qui porterait son traitement annuel à 14000 frans en 1829. (Nourrit était né en 1802).

De Piccinni, dont on connaît de si nombreuses suppliques, voici une lettre de mars 1800, de l'année même de sa mort, adressée au ministre Chaptal. Le rival de Gluck demande que le nouveau gouvernement (le Consulat) répare les fautes commises envers lui par les gouvernements antérieurs. «Depuis l'année 1788, expose-t-il, j'ai achevé l'opéra de Clytemnestre. On l'a répété avant mon départ, et je puis dire que de tous mes ouvrages c'est le plus soigné, mais le crédit de mes ennemis est parvenu à ne jamais le faire jouer.» Et il termine, une fois de plus, en demandant un secours qui lui permette de vivre. Deux mois après, le 7 mai, il mourait à Passy...

D'Anvers, le 16 mars 1764, le chanteur Roger, mande à un certain Mathieu qu'il a donné seize représentations à Bruxelles, que la duchesse de Brabant l'a fort complimenté. «Lorsqu'hier soir en entrant dans une loge au théâtre où j'allais entendre Rigoletto, toute la salle, entraînée par l'orchestre, m'a applaudi comme un seul homme, moi simple bourgeois! Puissent-ils m'applaudir de même ce soir, moi beau Fernand!»

D'une chanteuse, la célèbre Marie Sass, une lettre adressée à un médecin, auquel elle mande de s'informer si elle pourra créer un rôle dans le Sigurd de Reyer (de Lisbonne, 27 novembre 1875).

Enfin Verdi, dans une lettre adressée à Manto Cortricelli, à Busseto, le compositeur parle d'Aïda et suppute l'argent que les représentations de cet opéra pourront lui rapporter (de Paris, 9 mai 1876).   J.-G. P.

----

1) Manuel Garcia, son frère, né en 1805.

Kritische Bücherschau

der neu-erschienenen Bücher und Schriften über Musik.

Referenten: O. Fleischer, J.-G. Prod'homme, J. Wolf.

Altmann, Dr. Wilhelm. Heinrich von Herzogenberg. Sein Leben und Schaffen. Leipzig, J. Rieter-Biedermann, 1903 — 30 S. Lex.-Format ℳ —,75.

Wesentlich erweiterter Abdruck des gleichnamigen Aufsatzes in der »Musik« II. Jahrgang, Heft 19. O. F.

Förster - Steger. Gesangbuch für evangelische Schulen. Halle, Richard Mühlmann, 1903. VIII und 176 S. 8⁰ ℳ —,70.

Vorliegendes Melodienbuch evangelischer Choräle hält sich in Text und Melodie an das sächsische Provinzial - Gesangbuch. Besondere Anerkennung verdienen die verschiedenen Anhänge, die den Schüler mit der musikalischen Liturgie der evangelischen Gottesdienste und mit den vornehmsten Dichtern, Sängern und Setzern unseres Kirchenliedes bekannt machen sowie ihm den »von den geistlichen und Schulbehörden der Provinz Sachsen festgesetzten religiösen Lernstoff« darbieten. J. W.

Hansen, R. Wie werde ich Solo-Klarinettist. Wie verfertige ich meine Solo-Klarinettenblätter selber? Ein unentbehrliches Lehr- und Hilfsbuch zum Selbstunterricht für jeden Klarinettisten, Lehrer und Schüler. (Leipzig, Reinhard Poehle) — 31 S. 16⁰ ℳ 1,20.

Brauchbare Winke eines Praktikers für den Praktiker, besonders über die Anfertigung der Klarinettenblätter. O. F.

Hellouin, Frédéric. Gossec et la Musique française à la fin du XVIII⁰ siècle, avec un portrait. 196 p. in-12. Feuillets d'Histoire musicale française, 1ʳᵉ Série. 167 p. in - 12. A. Charles, Paris 1903.

Dans le premier de ces deux petits volumes, M. Frédéric Hellouin étudie un des maîtres de la musique française qui est tombé dans un oubli pas trop immérité. Quoiqu'il ait enseigné jusqu'en 1816 et qu'il ne soit mort qu'en 1829, âgé de 96 ans, Gossec appartient tout entier au XVIII⁰ siècle. Né à Vergnies (Hainaut) en 1734, François Gossé ou Gossec vint à Paris dès l'âge de 17 ans; il débuta chez le financier de La Poupelinière, puis au Concert spirituel, et n'aborda le théâtre qu'en 1801, avec Le Tonnelier, opéra-comique. Mais c'est surtout comme auteur de symphonies que Gossec s'est fait un nom illustre. Outre une biographie des plus complètes quoique succincte, M. Hellouin a donné le premier une bibliographie aussi exacte que possible des œuvres du maître; tout cela contribue à faire de cette brochure importante une étude consciencieuse d'une époque mal connue encore de la musique française.

Plus oublié que Gossec était Mondonville, dont les Feuillets d'Histoire musicale nous donnent une biographie, couronnée l'an dernier par la Société des Compositeurs de Musique. M. Hellouin a ressuscité ce musicien avec le même souci d'exactitude qu'il avait fait pour Gossec. D'autres essais plus courts accompagnent cet important fragment: J.-J. Rousseau et la psychologie de l'orchestre; Charles IX et la Musique: histoire du métronome en France; les femmes enceintes, les médecins et la harpe au XVIII⁰ siècle; le courant biblique à l'Opéra au commencement du XIX⁰ siècle; les origines de l'orchestre invisible de Wagner; Louis XIV et la musique religieuse; la Sténographie musicale. J.-G. P.

Hetsch, Gustav. Jacob Adolf Hägg. Ein schwedischer Komponist und sein Verhältnis zu N. W. Gade. Deutsche Übersetzung von Dr. Joh. Fr. Werder. Leipzig, Friedrich Hofmeister, 1903. — 19 S. 8⁰ ℳ —,30.

Hägg ist ein begeisterter Schüler und Anhänger Gade's (1850 auf Gotland geboren), dessen bedeutendes Talent nicht zu voller Entwicklung gelangte, da sein verheißungsvoll begonnenes Leben der Nacht des Wahnsinns verfiel. O. F.

Humpert, Th. Der Musiker und seine Ideale. Stuttgart, Strecker und Schröder, 1903. 44 S. 8⁰.

Diese durchaus persönliche Schrift hätte Verfasser besser unterdrücken oder nur im engsten Freundeskreise kursieren lassen sollen. Weder sein Alter noch das, was er als Musiker geleistet, berechtigen ihn zu dem überhebenden und kritischen Ton, den er anschlägt. Mag auch manches, was er sagt, Hand und Fuß haben, so mischt sich doch recht viel Unreifes, ja auch recht viel Phrasenhaftes darunter. Überschäumender Most, kein abgeklärter Wein. **J. W.**

Meinhardt-Hoffmann. Schul-Liederbuch, neu bearbeitet und mit einem Anhang von Übungsbeispielen für das Gehör- und Notensingen versehen. Dritte Auflage Heft 2. Oberstufe. Halle, Richard Mühlmann, 1903. VI und 82 S. 8⁰ ./M —,40.

Meinhard's Schul-Liederbuch bildet eine hübsche Ergänzung zu Förster's Gesangbuch. Dort wird dem Schüler das geistliche Lied, hier das weltliche in einer ganz vortrefflichen Auswahl dargeboten. Im Satz hätte freilich manchmal größere Mannigfaltigkeit angestrebt werden können. Die Quarte hätte im zweistimmigen Satz besser nicht als Konsonanz gebraucht werden sollen. **J. W.**

Nejedlý, Dr. Zdeněk. Dějiny české hudby. Prag, Hejda & Tuček. (Illustrované katechismy naučné, rediguje V. J. Procházka II) 261 S. 8⁰ und 6 S. Musik.

Eine Geschichte der böhmischen Musik vom 15. Jahrhundert an mit einem Titelbild von Smetana, vielen in den Text gedruckten Bildern böhmischer Musiker und einem kleinen Anhange von 26 czechischen Melodien, deren Alter bis in das 14. Jahrhundert hinabgeht.

— **Bedřich Smetana.** Prag, Hejda und Tuček. (Duch a Práce IV) — 62 S. 8⁰. 1 Krone. Mit mehreren Bildern.

Rischbieter, Wilh. Erläuterungen und Beispiele für Harmonieschüler. Berlin, Ries und Erler. 72 S. 8⁰.

Rischbieter's Erläuterungen vermögen andere Harmonielehren glücklich zu ergänzen, sind aber vornehmlich für diejenigen Harmonie-Schüler bestimmt, welche sich der in demselben Verlage erschienenen ›Aufgaben und Regeln‹ desselben Verfassers bedienen. Wer diese ›Aufgaben‹ kennen gelernt hat, der weiß, daß von Rischbieter nur das Allerbeste zu erwarten ist. **J. W.**

Schwerin, Claudius Frhr., v. Richard Wagner's Frauengestalten. Brünhilde, Kundry. Leipzig, Feodor Reinboth. 88 S. 8⁰.

Verfasser versteht es trefflich, uns die beiden schwer verständlichen Charaktere der Brünhilde und Kundry näher zu bringen. Das Büchlein sei allen Wagnerfreunden empfohlen. **J. W.**

Zelle, Friedrich. Das erste evangelische Choralbuch (Osiander, 1586). Wissenschaftliche Beilage zum Jahresbericht der zehnten Realschule zu Berlin. Ostern 1903. Berlin, Weidmann'sche Buchhandlung, 1903. 20 S. 4⁰.

Der auf dem Gebiete der evangelischen Choralkunde rührig tätige Verfasser verdient allerwärmsten Dank für die Neuausgabe des Osiander'schen Choralwerkes, welches einen Markstein in der Geschichte unseres Gemeindegesanges darstellt. Die Neuausgabe, welche die vierstimmigen Choräle in kleiner Partitur darbietet, ist in jeder Beziehung trefflich zu nennen. **J. W.**

Eingesandte Musikalien.

Referenten: W. Altmann, G. Münzer, A. Neißer, C. Thiel, J. Wolf.

Verlag Jos. Aibl, München.

Walter-Choinanus, Ernst. Op. 20. Liebesglück und Liebesleid. Zwölf Lieder für eine Singstimme mit Klavierbegleitung komponiert. Heft I und II.

Zarte, empfindungswarme echte Herzensergüsse von großer, einheitlicher Stimmungskraft, dabei ungemein sanglich und reizvoll-schlicht in der gewählten aber ungekünstelten Harmonik.   A. N.

Verlag Anton Böhm & Sohn, Augsburg und Wien.

Herzog, Joh. G. 45 kleinere und größere Orgelstücke in den gebräuchlichsten neuen und alten Tonarten, op. 84. $\dfrac{\text{ℳ } 3,50}{\text{Kr. } 4,20}$ netto.

Wohlklingende, für den kirchlichen Gebrauch geeignete Tonstücke, die in der Ausführung kaum Schwierigkeiten bieten dürften. Die wenigen in den Kirchentonarten geschriebenen Nummern, unter denen Referent einen mixolydischen Satz vermißt, sind stilgemäß behandelt.   C. Th.

Lipp, Alban. Taschenbüchlein für Orgelspieler, enthaltend 55 Kadenzen und 23 leicht ausführbare Präludien in den gebräuchlichsten Dur- und Molltonarten, sowie 5 größere Orgelstücke. Herausgegeben unter Mitwirkung bekannter Komponisten der Jetztzeit op. 75. $\dfrac{\text{ℳ } 1,50}{\text{Kr. } 1,80}$.

Organisten, welche auch für die kürzesten Sätze Vorlagen benötigen, finden in dem Taschenbüchlein ausreichendes Material. Da nach der Absicht des Herausgebers das Werkchen auch zum unterrichtlichen Gebrauch an »Präparandenschulen und Lehrerseminarien« dienen soll, so wäre die Korrektur der fehlerhaften Fortschreitungen in Nr. 2 (vom 5. zum 6. Takt zwischen Sopran und Alt), in Nr. 22 (vom 17. zum 18. Takt zwischen Sopran und Tenor), sowie verschiedene Ungenauigkeiten in der Schreibweise und zwar in Nr. 40 (20. Takt eis statt f), in Nr. 44 (4. Takt as statt gis), Nr. 55 (6. Takt fis statt ges) u. s. w. für eine Neuauflage erwünscht.   C. Th.

Verlag Georg Bratfisch, Frankfurt a. d. Oder.

Mohaupt, Franz. Op. 4. Zwei Scherzi für Pianoforte. Je ℳ 1,50.

Viel Sturm und Drang, aber nicht ohne Rasse.   G. M.

Zingel, Rudolf Ewald. Op. 52. Vier Kantaten für gemischten Chor, Streichquartett ad libitum und Orgel. Nr. 1 Königs Geburtstag; Nr. 2 Reformationsfest; Nr. 3 Bußtag; Nr. 4 Totenfest. Jede Nummer komplett ℳ 3,—.

Besonderen musikalischen Wert kann ich den Werken Zingel's nicht zuerkennen. Mehr guter Wille als wirkliche Tat. Vieles klingt in ihnen recht unkirchlich. Gern anerkennen will ich die technische Glätte.   J. W.

Verlag Breitkopf & Härtel, Leipzig.

Bach, Trauermusik (Tombeau). Klavierauszug mit Text von Otto Taubmann. ℳ 1,50.

Ein trefflicher Klavierauszug nach der Einrichtung von Philipp Wolfrum. Verfasser hat an einigen Stellen in dem lobenswerten Streben, die ganze Partitur möglichst zu umfassen, des Guten vielleicht zu viel getan und den Klavierauszug zu dick gestaltet. Im übrigen ist er aber gut übersichtlich und klaviergerecht.   J. W.

— Klavierwerke Band XI. 16 Konzerte nach Konzerten von Benedetto Marcello, G. Ph. Telemann, A. Vivaldi u. a. Mit Fingersatz und und Vortragszeichen versehen von Carl Reinecke.

Der Name des anerkannten und allgemein verehrten Klavier-Pädagogen bürgt für die Vortrefflichkeit der Ausgabe. Lob verdient es, wie das Verlagshaus sich bemüht zeigt, ihre Ausgaben mit der musikgeschichtlichen Forschung in Einklang zu bringen.   J. W.

Berlioz, op. 4. König Lear. Ouvertüre. Arrangement von Otto Taubmann. ℳ 2,—.

Wenn ich auch die Notwendigkeit der Klavier-Übertragung anerkenne, so bedaure ich solche doch bei Berlioz, da seinen Werken mit dem Instrumentalkolorit der wesentlichste Zug genommen wird. Nach den Klavier-Arrangements werden wir jedenfalls nach meiner Überzeugung, Berlioz nicht richtig schätzen lernen. Und dabei sind diejenigen Taubmann's nicht schlecht, im Gegenteil äußerst klaviergerecht und berücksichtigen alle Hauptzüge der Partitur. **J. W.**

de Lange, S. Op. 86. Eines Königs Tränen. Kantate für Sopran-Solo, Chor und Orchester. Klavierauszug mit Text ℳ 3,—, 4 Solostimmen je ℳ —,60, Textbuch ℳ —,10.

Ein gut gearbeitetes, durch edle Melodik und Schlichtheit des Ausdrucks sich auszeichnendes Werk. Ein jeder nur einigermaßen geschulte Chor wird demselben gerecht werden können. Es sei unsern Chorleitern empfohlen. **J. W.**

Scharwenka, Xaver. Op. 77. Beiträge zur Fingerbildung. Technische Klavierstudien. Drei Hefte. I. Hand und Finger in der Grundstellung. Übungen mit Stützfinger. Für die Elementar- und Mittelklassen. ℳ 3,—.

Es hätten einige Übungen mit stark dissonierenden Zusammenklängen fortbleiben können; so gleich Seite drei, Zeile sechs die letzte, in welcher, wenn sie nach Vorschrift »mindestens« 20 mal repetiert würde, die Kakophonie c d f g mindestens 140 mal angeschlagen werden müßte! Armer Anfänger, der du dein Gehör auf diese Weise abstumpfen mußt, arme Familie und Anwohner, die ihr das mit anhören müßt! – Doch trifft diese Ausstellung nur wenige Übungen, die der einsichtvolle Lehrer fortlassen kann. Die Vortrefflichkeit des Werkes für den technischen Unterricht steht im übrigen außer Zweifel, es gehört zu dem Besten, was auf diesem Gebiet existiert. **G. M.**

Wallnöfer, Adolf. 25 Konzert-Gesänge für eine Singstimme mit Begleitung des Pianoforte. Vierter Band. Deutsch-Englisch. Original-Ausgabe 1903. ℳ 4,50 n.

Wallnöfer's Lieder sind, wenn auch harmonisch unruhig und nicht immer mustergiltig in der Textbehandlung. doch höchst beachtenswert und zeigen hübsches

Talent und feines Gefühl für das Wirkungsvolle. Seine Melodik ist reizvoll, aber nicht immer durchaus originell. Bei dem Nocturne Nr. 17 hat ihm zum Beispiel offenbar Chopin op. 9, Nr. 2 vorgeschwebt, Nr. 20 ist in leichter Anlehnung an Henselt Si oiseau j'étais entstanden. **J. W.**

—Carissimi, Giacomo (1604—1674). Vittoria mio core. Viktoria, nun end' ich das Bangen.

—Händel, G. F. (1685—1759) Tutta raccolta ancor. Gram füllt mein wundes Herz (aus Ezio).

— Giordani, Tommaso (c. 1744—18..) Caro mio ben. Teuerstes Lieb. Je ℳ —,50.

Der Herausgeber weist darauf hin, daß »bei diesen neu herausgegebenen Arien die Änderungen in der Harmonisierung, in den Vortragsbezeichnungen, sowie auch bei den Vor-, Zwischen- und Nachspielen wesentlich sind«. Die neuen deutschen Texte Wallnöfer's schmiegen sich eng den alten Melodien an, die in der Neubearbeitung ganz modern anmuten. **J. W.**

Verlag Drei Lilien, Berlin.

Ansorge, Conrad. Präludium und Fuge C-dur von Johann Sebastian Bach für Klavier übertragen. ℳ 2,40 n.

Eine wirkungsvolle Übertragung der Orgelfuge Peters Band IV Nr. 1. **J. W.**

— Op. 12. Vigilien (Stanislaus Przybyszewski).

Die Verse Przybyszewski's haben in Ansorge einen genialen Interpreten gefunden, ich könnte mir dieselben nicht wirkungsvoller, nicht charakteristischer vertont denken. Trefflich kommt das hoffnungslose Sehnen in der chromatisch hin- und herschwankenden Einleitung zum Ausdruck, die gleichsam das Leitmotiv für alle drei Lieder abgibt. Überwältigenden Ausdruck hat Ansorge im dritten Gesange für das Ringen nach der Erkenntnis gefunden. prachtvoll wirken die Sextakkorde mit großer Terz und kleiner Sexte. **J. W.**

Verlag Ebner'sche Musikalienhandlung, Stuttgart.

Zuschneid, Karl. Op. 59. Melodische Studien für Klavier. I. Heft.

1. Allegretto. 2. Allegretto scherzando, netto ℳ 1,50. II. Heft.
3. Vivace. 4. Andantino cantabile,
netto ℳ 1,25. III. Heft. 5. Moderato cantabile. 6. Con anima,
netto ℳ 1,50. Vollständig in einem
Heft netto ℳ 3,—.

— Op. 60. Zwei Impromptus für
Klavier. Nr. 1 Melancolico, netto
ℳ 1,40. Nr. 2. Marschmäßig,
netto ℳ 1,75.

Einwandsfreie Musik. Die Sachen sind,
ohne besondere Schwierigkeiten zu bieten,
pianistisch dankbar.　　　　　　　G. M.

Verlag Ernst Eulenburg, Leipzig.

Huber, Adolf. Op. 5. Schüler-Kon-
zertino für Violine mit Begleitung
des Pianoforte ℳ 2,40.

Hummel, Ferdinand. Gesänge für
eine Singstimme mit Pianoforte-
Begleitung. Op. 75. Frühlingslieder.
Vier Gedichte von Heinrich Seidel.
Mezzosopran oder Tenor. ℳ 2,—.

— Op. 76. Liebeslieder. Fünf Gedichte von Heinrich Seidel. Tenor
oder Mezzosopran. ℳ 2,—.

— Op. 77. Zu spät. Lieder-Zyklus
von Heinrich Seidel. Alt. ℳ 2,—.

— Op. 78. Es war einmal. Lieder-
Zyklus von Heinrich Seidel. ℳ 2,—.

— Op. 74. Nr. 3. Osterreigen: Das
Eis ist fortgeschwommen (Max Möl-
ler). Für zweistimmigen Frauenchor
mit Pianoforte-Begleitung. Als zwei-
stimmiger Kinderchor unter Hinweg-
lassung der Begleitung. Partitur
ℳ 1,20, Stimmen je ℳ —,10.

— Op. 74. Nr. 10. Hosianna, für
dreistimmigen Frauenchor a cappella.
Partitur ℳ —,80, Stimmen je ℳ
—,10.

— Op. 84. Vogellieder (Nr. 1. Der
Pirol; Nr. 2. Die Amsel; Nr. 3. Die
Nachtigall; Nr. 4. Die Meise. (Heinrich Seidel). Für Sopran und Alt
mit Pianoforte-Begleitung. Für
zweistimmigen Frauen-, Mädchen-
oder Knabenchor unter Hinweg-

lassung der Begleitung. Partitur
ℳ 2,40, Stimmen je ℳ —,40.

— Op. 85. Zwei Hochzeits-Kantaten.
I. Vor der Trauung (Wenn ich mit
Menschen- und mit Engelzungen
redete); II. Während des Ringe-
wechselns (Wo du hingehst, da will
auch ich hingehn) für eine mittlere
Singstimme mit Begleitung von
Pianoforte, Orgel oder Harmonium.
ℳ 2,—.

Hummel's Lieder werden sicherlich von
jedermann gern gesungen. Sie zeichnen
sich durch gefällige Melodik und wirkungsvollen Aufbau aus. Größere Bedeutung
ist ihnen allerdings nicht beizumessen.
Alle Gesänge die einstimmigen sowohl wie
die zweistimmigen sind leicht zu bewältigen.
　　　　　　　　　　　　　　J. W.

Kittel, Bruno. Technische Studien
zur Nachhilfe und Erweiterung der
Fertigkeit im Violinspiel. ℳ 4,—.

Enthält Strich-, Finger- und Lagen-
übungen nebst einem Anhange: Tonleitern
und Akkorde zum Gebrauche für Anfänger
und Vorgeschrittene.

Verlag Wilhelm Hansen, Kopenhagen und Leipzig.

Sinding, Christian. Op. 58. Cinq
études pour piano. Nr. 1 en sol
majeur (G-dur); Nr. 2 en si majeur
(H-dur); Nr. 3 en ut majeur (C-dur);
Nr. 4 en re majeur (D-dur); Nr. 5
en mi bémol majeur (Es-dur).

Eine wertvolle Bereicherung der Etüden-
Literatur. Oktaven-Technik und Arpeggien
macht Sinding zum Gegenstand seiner hier
vorliegenden Kompositionen, deren jede
ebenso technisch nützlich wie musikalisch
bedeutend ist.　　　　　　　　J. W.

Verlag Julius Hainauer, Breslau.

Berger, Fedor. Op. 11. Charakterstücke für Klavier.

Diese acht im Stimmungsgehalt und
Aufbau von Rob. Schumann etwas beeinflußten Stücke sind motivisch mit einander
verbunden, was der Geschlossenheit ihrer
Wirkung sehr zu Statten kommt. Es sind
wenn auch nicht besonders originelle, doch
sehr dankbare und instruktive Vortragsstücke von mittlerer Schwierigkeit.
　　　　　　　　　　　　　　A. N.

Verlag Heinrichshofen, Magdeburg.

Söchting, Emil. Op. 32. Kleine Trios für Violine, Violoncello und Klavier (Harmonium). Heft I, II, III je ℳ 1,50.

Eine ganz leichte Sammlung von Chorälen, Volksliedern, Arienmelodien »für die Jugend«. Für die Hausmusik recht zu empfehlen. G. M.

Verlag Fr. Kistner, Leipzig.

Huber, Hans. Op. 119. Sonata graciosa (Nr. 7 G) für Pianoforte und Violine. ℳ 7,50.

— Op. 120. Eine Bergnovelle (Nach E. Zahn's Bergvolk). Trio für Pianoforte, Violine und Violoncell (Nr. 4 B-dur). ℳ 9,— n.

Staunenswert ist die große Produktivität und Formgewandtheit Huber's, aber nur selten gelingt es ihm, einmal ein Werk zu schaffen, das ein reiches inneres Erleben erkennen läßt, die Ausführenden begeistern und nachhaltig fesselt. Von den beiden vorliegenden Werken möchte ich der Sonate entschieden den Vorzug geben, deren erster schön gebauter Satz namentlich eine Reihe Feinheiten enthält. Ein langsamer Satz fehlt. Nicht wenig interessant ist das fantastische Scherzo, das noch einmal in den Schluß des Finale hineinspukt. Dieses verdient überhaupt am ersten die Bezeichnung »gracioso«. Die Violinstimme bietet manche Intonationsschwierigkeit. In dem Trio sind eine Anzahl Schweizer Melodien sehr geschickt verarbeitet. Der erste und zweite Satz (Andante) enthalten mitunter »viel Lärm um nichts«. Weit inhaltsreicher sind die beiden das Scherzo vertretenden Serenaden; noch höher stelle ich das Finale, in welchem übrigens das Alphorn-Hauptthema des ersten Satzes nochmals Verwendung findet. Den Schluß bildet ein ergreifender Trauermarsch. W. A.

Suchsland, Leopold. Op. 15. Drei leichte Stücke für Violoncell. Nr. 1, Albumblatt. Nr. 2, Moto perpetuo. Nr. 3, Menuett. Je ℳ 1,—.

Diese Stückchen, die sich in der ersten Lage halten, sind »für Unterricht und Vortrag« komponiert und dürften diesem Zweck entsprechen. G. M.

Verlag Novello and Company, London.

Parry, C. H. H. Holde Sirenen, Ode

von Milton. Für Chor und Orchester. Klavierauszug ℳ 2,50. Chorstimmen ℳ 3,—. Partitur ℳ 7,50. Orchesterstimmen ℳ 12,—.

Ein ganz herrliches, kraftvolles, großzügiges Werk. in dem alle Mittel der musikalischen Technik meisterlich benutzt sind. Der Text bot einen begeisterten Hymnus auf »das selige Schwesternpaar, die himmlischen Freudenboten« Ton und Wort. Die Musik blieb in ihrem edlen Pathos. der Vornehmheit des Ausdrucks dem Text nichts schuldig. Der wuchtige achtstimmige Anfangschor, der reiche polyphone Schlußchor mit seiner glücklichen Klimax am Ende — müssen von gewaltiger Wirkung sein. Unsere Dirigenten sollten sich das Werk nicht entgehen lassen.
G. M.

Verlag H. Oppenheimer, Hameln.

Jessel, Léon. Op. 145. Geistliches Lied für eine Singstimme mit Begleitung der Orgel (Harmonium oder Pianoforte) ℳ 1,—.

Für die Kirche nicht geeignet. J. W.

Schreck, Gustav. Op. 37. Die Festzeiten für gemischten Chor. Nr. 1 Weihnachtsgesang mit Baß-Solo); Nr. 2 Zum Totenfest; Nr. 3 Pfingstgesang; Nr. 4 Passionslied: Nr. 5 Himmelfahrtslied. Partitur von Nr. 3 ℳ 1,50 n. à Stimme ℳ —,25, von den übrigen Nummern Preis der Partitur ℳ —,60, der Stimme ℳ —,15.

Gut gearbeitete gediegene Kirchenmusik, jedoch ohne besondere geistvolle Züge. Größeres Interesse verdient Nr. 3, in welche das Pfingstlied: »O heilger Geist kehr bei uns ein« eingeflochten ist. J. W.

Verlag Ries & Erler, Berlin.

Scheinpflug, Paul. Op. 4. Quartett (E-dur) für Klavier, Violine, Viola und Violoncell. ℳ 18,— n.

Auf jeden Fall eine Probe großen Talentes, eine sehr beachtenswerte Erscheinung; freilich mehr eine Sinfonie als ein Kammermusikwerk, durchaus modern, in direktem Gegensatz zu dem meines Erachtens idealen Klavierquartett in C-moll von Brahms stehend. Was der Komponist will, sagt das vorgesetzte Dehmel'sche Motto: »Raum! Raum! brich Bahnen, wilde Brust!

Ich fühl's und staune jede Nacht, daß nicht bloß eine Sonne lacht! das Leben ist des Lebens Lust u. s. w.« Eine Art Heldenleben schildert der erste Satz; das erste Thema, an das sich zwei Seitenthemen anschließen, versinnbildlicht wohl den Charakter des Helden, das zweite, das auch wieder zwei Seitenthemen hat, sein Glück. Sehr interessant ist die Durchführung. Eine grandiose Koda beschließt den Satz. Düster und schwermütig ist der Beginn des Andante, aber bald wird die Stimmung hoffnungsreich, ja steigert sich bis zur Begeisterung, um dann wieder dem inneren Kampfe Platz zu machen, freilich nur auf kurze Zeit; noch einmal tritt die Begeisterung ein, um dann ruhig auszuklingen. Wild und keck ist das Scherzo fantastique, vielleicht der eigenartigste Satz des Werkes. Nachdem im Finale die düstere Einleitung des Andante noch einmal erklungen ist, setzt das Allegro sehr energisch und schwungvoll ein; träumerisch dagegen erscheint das Gesangsthema; beide fechten dann einen originellen Kampf aus, in dem schließlich das lachende Leben über die wieder herangezogene düstere Stimmung der Einleitung triumphiert. Dieser Schlußsatz zeigt besonders, wie famos der Komponist sich auf Kombination der Themen versteht. Er verwendet übrigens auch gern Umkehrungen sowie die kanonische Form und scheut sich selbst vor einer Fuge nicht. Wechsel der Tempi und des Taktes liebt er sehr, seine Rhythmik ist ziemlich kompliziert, so daß nur geübte Ensemblespieler sich an das Werk, in welchem der Klavierpart die Hauptrolle spielt, wagen dürfen. Es wird jedenfalls, nachdem es auf der Tonkünstlerversammlung zu Basel bereits seine Feuerprobe bestanden, bald von allen besseren Kammermusikvereinigungen zur öffentlichen Aufführung gebracht werden. Für die Weiterentwicklung des hochbegabten Komponisten würde ein eingehendes Studium der Brahms'schen Kammermusik von größtem Nutzen sein. Warum er übrigens in seinen Bezeichnungen sich bald der italienischen bald der deutschen Sprache bedient und so ein häßliches Konglomerat schafft, ist mir wenigstens unerfindlich.　　W. A.

Zilcher, Hermann. Op. 3. Zwei Stücke. Nr. 1 Sicilienne, Nr. 2 Steppentanz, für Violine mit Begleitung des Pianoforte (oder kleines Orchester). Nr. 1 ℳ 2,—; Nr. 2 ℳ 2,50.

— Op. 7. Zwei Stücke für 2 Violinen (ohne Begleitung). ℳ 2,50.

Der junge Komponist, dessen sinfonisches Doppelkonzert für zwei Violinen mit großem Orchester im vorigen Winter berechtigtes Aufsehen erregt hat, als es von dem Ehepaar Petschnikoff aus dem Manuskript gespielt wurde, hat mit den oben genannten kleineren Kompositionen die Geiger mit vortrefflichen Vortragsstücken beschenkt; er bietet namentlich in der Harmonik viel Eigenartiges. Besonders sei auf den Steppentanz und die Tanzcaprice in Op. 7 aufmerksam gemacht.　　W. A.

Verlag A. Robitschek, Wien.

Caro, Paul. Op. 23. Acht Klavierstücke. Zwei Hefte, je ℳ 2,—.

Das vorliegende erste Heft enthält: 1. Einsamkeit. 2. Romanze. 3. Preludio. 4. Menuett. Die Stücke sind sehr ungleich an Wert. Niedlich und dankbar ist das letzte. Der Komponist möge das: »nonum premantur in annum« bedenken. G. M.

Verlag W. Sulzbach, Berlin.

Grabert, Martin. Op. 21. Vier leichte Motetten. Nr. 1 Gott ist die Liebe (1 Joh. 4, 16); Nr. 2 Also hat Gott die Welt geliebt (Ev. Joh. 3, 16); Nr. 3 Wenn ich mit Menschen- und mit Engelzungen redete (1 Cor. 13); Nr. 4 Das ist ein köstlich Ding, dem Herrn danken (Psalm 92) für 4 Chor- und 4 Solostimmen. Nr. 1—2 Partitur und Stimme je ℳ 1,—, Nr. 3 ℳ 1,20, Nr. 4 ℳ 2,—.

Glatt gearbeitete wohlklingende Werke, in denen ich aber höheren geistigen Schwung nicht zu erkennen vermag.　　J. W.

Thiel, Carl. Op. 22. Bußpsalm für gemischten Chor und Orchester (Orgel ad lib.). Partitur und Orchesterstimmen in Abschrift, Klavierauszug ℳ 2,— n., Stimmen je ℳ —,40.

Das Werk enthält viele Schönheiten. Verfasser weist sich nicht nur als tüchtiger Kontrapunktiker, sondern auch als feinsinniger Musiker aus, der mit der Jetztzeit Schritt hält und mit modernen Mitteln eine würdige Kirchenmusik zu schaffen vermag. Die Aufführung des Werkes erfordert einen tüchtig geschulten Chor.　　J. W.

Verlag Ernst Schellenberg, Wiesbaden.

Boehm, Adolph P. Fünf Lieder für eine Singstimme und Klavier.

Boehm, Adolph P. Zwei Lieder für eine tiefe Stimme.

Diese Lieder, wahre Ausgeburten hilflosesten Dilettantentums, übergeht Referent mit dringendst zur Umkehr mahnendem Stillschweigen! A. N.

Geist, Heinrich. Elf Lieder für eine Singstimme mit Klavierbegleitung.

Anspruchslose Lieder, ohne besondere persönliche Färbung. Über den Durchschnitt erheben sich Nr. 10 (»Kommen und Scheiden«) und besonders das ernst und schlicht empfundene »Über die Haide« (Nr. 11). A. N.

Verlag der Schlesinger'schen Buch- und Musikhandlung, (Rob. Lienau), Berlin.

Franck, Richard. Op. 35. Sonate Nr. 2 für Violine und Pianoforte, c-moll. ℳ 10,—

Eine äußerlich sehr anspruchsvolle Sonate mit sehr schwierigem Klavierpart, der die Violine arg bedrängt. Der thematische Gehalt ist knapp und wird bis zum äußersten ausgepreßt. Es fehlt trotz aller Anstrengungen, die der Komponist macht, und trotz tüchtigen Könnens, das ihm zweifellos eignet, ein interessierender Inhalt. Am liebsten verweilt man bei dem die Stelle des Scherzo vertretenden Allegretto. G. M.

Juon, Paul. Op. 7. Sonate A-dur für Violine und Klavier. Einzeln: Variationen für Violine und Klavier. Op. 7a. ℳ 3,—.

Wenn das ganze Werk auf der Höhe der Variationen steht, dann ist die Literatur um ein hochbedeutsames Opus reicher. Juon ist zum Unterschiede von Franck ein geborener, kein gelernter Komponist. Natürlich hat auch er gelernt, sehr viel sogar, aber das beste hat er doch von sich selbst. Man sehe das Thema der Variationen! Diese sinnige, weiche, träumerische Melodie mit ihrer interessanten Harmonik! Dann die Variationen; die erste wie ein Scherzo mit dem entzückenden Spiel des Stakkato-Motivchens in der Begleitung, dann die kraftvolle dritte (Menuett). Ganz in Mondscheinzauber ist die vierte gehüllt. Kurz jede einzelne ist ein Kabinettstück musikalischer Kleinkunst. Dabei ist das Ganze in sich abgerundet. Solche Variations-Werke sind nach Brahms nicht viel geschaffen worden. Die Nationalität Juons zeigt sich überdies nur von ihrer schwärmerischen, melancholischen Seite. G. M.

Verlag C. F. Schmidt, Heilbronn.

Hahn, A. Sonate für Violin-Solo mit Pianofortebegleitung. ℳ 4,—.

Ein sehr naives, stark antiquiertes Opus. Der große Umfang des Werkes steht in einem argen Mißverhältnis zu seinem Inhalt, der an seinen besten Stellen Haydn- und Mozart-Reminiszenzen bietet. Sollte es sich vielleicht um Neuausgabe eines ältern Werkes handeln? G. M.

Edition Schuberth, Leipzig.

Buongiorno, Crescenzo. »Michelangelo und Rolla«. Lyrisches Drama in einem Akt nach dem Schauspiel C. Lofont's bearbeitet von Ferd. Stiatti. Deutsch von Ludwig Hartmann. Vollständiger Klavierauszug mit deutschem und italienischem Text. ℳ 8,—.

Verlag Carl Simon, Berlin.

Söchting, Emil. Op. 28. Sonatine für Cello und Klavier. ℳ 2,50.

Verlag Jul. Heinr. Zimmermann, Leipzig.

Hollaender, Gustav. Op. 60. Andante cantabile für Flöte (Violine) mit Begleitung des Orchesters oder des Pianoforte. ℳ 2,—.

Zinke, Gustav. Tonleiterstudien für Violine. Eingeführt am Mozarteum zu Salzburg. ℳ 2,— netto.

Zeitschriftenschau

zusammengestellt von

Ernst Euting.

Verzeichnis der Abkürzungen siehe Zeitschrift IV, Heft 7, S. 435.

Altmann, Wilhelm. Heinrich von Herzogenberg. Sein Leben und Schaffen — Mk 2, Nr. 19.

—— Zur Erinnerung an Ferd. David — ibid., Nr. 20.

Anonym. Henschel's Requiem — Musical Life (Brooklyn, 113 Broadway) 2, Nr. 6.

Anonym. »The dream of Gerontius« — ibid.

Anonym. La »Damnation de Faust« de Berlioz — Art du Théâtre (Paris 51 rue des Ecoles) Juli 1903 (illustriert).

Anonym. »Yetta« de Lecocq — ibid.

Anonym. Die Tonkünstlerversammlung in Basel — SMZ 43, Nr. 20 f.

Anonym (An Ursuline). Dr. Elgar's »Dream of Gerontius« — Catholic World London, 22 Paternoster Row) Juni 1903.

Anonym. Partiture Puccin'iane ossia scarabocchi, scarafaggi e simili insetti — MuM 58, Nr. 6.

Anonym. Notes sur l'histoire de l'Opéra — RM 3, Nr. 6.

Anonym. Das 15. schlesische Musikfest in Görlitz 1903 — DMMZ 25, Nr. 27.

Anonym. Zur Musikpflege an den Mittelschulen — Si 28, Nr. 7.

Anonym. Zum 75jährigen Jubiläum der Pianofortefabrik von G. Heyl in Borna — ZfI 23, Nr. 27.

Anonym. A. G. Hipkins † — ZfI 23, Nr. 28 [mit Porträt].

Anonym. Die XXXIV. Generalversammlung des Cäcilienvereins der Erzdiöcese Cöln am 4. Juni 1903 zu Düsseldorf — GBo 20, Nr. 6.

Anonym. Ratschläge über die Behandlung des Kirchenliedes mit Rücksicht auf seine praktische Verwendung im Gottesdienste — Cc 11, Nr. 7 f.

Anonym. Die Einweihung des neuen Gebäudes des Königlichen akademischen Instituts für Kirchenmusik zu Charlottenburg — Si 28, Nr. 7.

Anonym. Boieldieu et Rossini — L'Art Moderne (Paris) 19. April 1903.

Bache, Constance. Alfred James Hipkins † — MMR, Nr. 391.

Bachmann. Peter Cornelius als Opernkomponist — Deutsche Zeitschrift für Politik und Volkswirtschaft, Literatur und Kunst, 5, Nr. 10.

Bartel, Günther. Einiges über Sünden

der Violin- und Violoncell-Solisten — RMZ 4, Nr. 27.

—— Eine Begegnung mit Richard Wagner in St. Petersberg — ibid., Nr. 28/29.

Bédart, Gabriel. L'orgue tubulaire est une invention française — MM 15, Nr. 12.

Bellaigue, Camille. Der »Esprit« in der Musik. Autorisierte Übersetzung von Margarete Toussaint — AMZ 30, Nr. 27 ff.

—— »La Damnation de Faust« au Théâtre Sarah-Bernhardt — Revue des Deux Mondes (Paris, 15 rue de l'Université) 1. Juli 1903.

Below, E. Die Möglichkeitsgrenze der Spannweite bei musikalischen Uebungen — AMZ 30, Nr. 28/29 [nach einem Vortrag].

Benedict, Marie. The pressure touch in fingerwork — The Musical World (Boston, Arthur P. Schmidt) 3, Nr. 6.

Berggruen, Julius. Paul Geisler. (Biographische Skizze) — NMZ 24, Nr. 17 [mit Porträt].

Bergh, Rud. Wagner's »Siegfried« — Tilskueren (Kopenhagen), Juni 1903.

Berlioz'. Une Page d'amour romantique. Lettres inédites à Mme Estelle F. Hector Berlioz — Revue Bleue (Paris) April 1903.

Bernoulli, C. Chr. und E. **Probst.** Musik und Musikvereine in Basel — Festschrift zur 39. Tonkünstlerversammlung in Basel (Zürich, Gebrüder Hug & Co.) 1903.

Bickford, Myron. The business side of music teaching — The Musical World (Boston, Arthur P. Schmidt) 3, Nr. 6.

Bohn, P. Über den Rhythmus des gregorianischen Gesanges — GBl 28, Nr. 26.

Boisard, A. La Damnation de Faust — Le Monde Illustré (Paris) 23. Mai 1903.

Bornewasser. Über das Rezitativ und die Psalmodie im Choralgesang. Vortrag gehalten auf der Versammlung des Cölner Diöcesan-Cäcilienvereins in Düsseldorf am 4. Juni 1903 — GBl 28, Nr. 26.

Boughton-Wilby, T. Odd corners of musical Vienna — Windsor Magazine, April 1903 [illustriert].

Bräutigam, L. Die Musik an Bord der Lloydschiffe — SH 43, Nr. 26.

Brell, H. Über die Anwendung des Prinzips des kleinsten Zwanges auf die

Schwingungen einer Saite — Sitzungsberichte der mathematisch-naturwissenschaftlichen Klasse der Kaiserlichen
Akademie der Wissenschaften (Wien. Carl
Gerold's Sohn) 1902, 111, S. 1038 ff.

Brenet, Michel. Le Psautier Huguenot
du XVI⁰ siècle — GM 49, Nr. 28/29.

Bridge, Frederik. The conditions to be
fulfilled by musical compositions submitted as exercises for degrees — MN,
Nr. 642 ff [nach einem Vortrag in der
Londoner Universität].

Bundt, H. Liszt und die Schweiz —
Festschrift zur 39. Tonkünstlerversammlung in Basel (Zürich, Gebrüder Hug & Co.)
1903.

Calvocoressi, M. D. Ernest Chausson
— The Weekly Critical Review (Paris,
336, rue St. Honoré) 2, Nr. 25.

Case, W. S. Mr. Wood and choral music
— MN, Nr. 642.

Clerjot, Maurice. Le quatuor à cordes en
sol mineur de Ch. Lefebvre — La Presse
Musicale (Paris, 3 Place Péreire) 3, Nr. 6.

Closson, Ernest. »Jean-Michel«, opéra
en quatre actes; poème de G. Garnis et
H. Vallier, musique d'Albert Dupuis.
Première représentation au Théâtre Royal
de la Monnaie le 4 mars 1903 — WvM
10, Nr. 28.

Conrat, Hugo. Ein altes Frühlingslied
[»Sumer is icumen in«] — AMZ 30,
Nr. 26 [mit Facsimile].

Curinier, C. E. Adolph Edouard Marie
Deslandres — La Presse Musicale
(Paris, 3 Place Péreire) 3, Nr. 6.

Curzon, Genri de. Le musée de l'Opéra
[à Paris] — GM 49, Nr. 26/27.

Dauriac, Lionel. »Critique musicale« et
»Chronique musicale« — RAD, Juni
1903.

Duhitzky, Franz. Hermann Ritter's
»Über die materielle und soziale Lage
des Orchester-Musikers« — AMZ 30,
Nr. 28/29 [Besprechung].

Dupoux, Abbé J. M. Il simbolo — L'Orazione domenicale — Canto del padre
nostro nella liturgia Armena — SC 4,
Nr. 12.

E. Alfred James Hipkins † — MT,
Nr. 725.

Eccarius-Sieber, A. Das 80. Niederrheinische Musikfest zu Aachen (31. Mai,
1. und 2. Juni 1903) — KL 26, Nr. 13.
—— Das sechste Kammermusikfest in Bonn
[17.—21. Mai 1903) — NMZ 24, Nr. 15.

Edwards, F. G. Berlioz in England.
A centenary retrospect — MT, Nr. 725
[mit Abbildungen].

Elsässer, W. Direkte und indirekte Bestimmung der Fortpflanzungsgeschwindig-
keit einer Wellenbewegung — Zeitschrift
für den Physikalischen und Chemischen

Unterricht (Berlin, Julius Springer) 16,
Nr. 4.

Evenepoel, Edmond. Album musical de
la Jeune Belgique — GM 49, Nr. 26/27.

Faelten, Mrs. Reinhold. The musical
training of children — The Musical World
(Boston, Arthur P. Schmidt) 3, Nr. 6.

Farwell, Arthur. Das Wesen der Musik
— Neue Metaphysische Rundschau (Groß-
Lichterfelde, Ringstraße 47a) 10, Nr. 2.
—— Music in the abstract — The Musical
World (Boston, Arthur P. Schmidt) 3,
Nr. 6.

Fiege, R. Richard Wagner-Erinnerungen
— Beilage zur Norddeutschen Allgemeinen Zeitung (Berlin) 1903, Nr. 118f.

Findeisen, Nic. Michael Iwanowitsch
Glinka — KL 26, Nr. 14 f [mit Porträt].

Flatau, Theodor S. Über die persistierende
Fistelstimme mit Bemerkungen über die
stimmärztliche Anwendung des Phonographen. (Nach einem im Dezember 1898
in der Berliner laryngologischen Gesellschaft gehaltenen Vortrage) — Phonographische Zeitschrift (Berlin W. 50) 4,
Nr. 25.

Fourcaud, M. L. de. Berlioz et Wagner — Le Gaulois (Paris) 7. Mai 1903.

Friedrich, Curt. Das vierte internationale
Musikfest zu Pyrmont [27. - 28. Juni 1903
— AMZ 30, Nr. 28/29.

Frimmel, Th. von. Zur Veröffentlichung
Beethoven'scher Briefe — Montags-
Revue (Wien) Nr. 21.

Garnier, Louise. Charles Garnier, vie
d'un artiste (1825—1898) — RM 3, Nr. 6.

Gerstenken, Franz. Richard Wagner
in Prag — Bohemia (Prag) 1903, Nr. 80.

Geyer, P. XV. Schlesisches Musikfest zu
Görlitz im Juni 1903 — DMZ 34, Nr. 28.

Giltay, E. Parallelversuche mit einer
schwingenden Saite und mit einem Kaut-
schukschlauch — Zeitschrift für den
Physikalischen und Chemischen Unterricht (Berlin, Julius Springer) 16, Nr. 4.

Gl., W. Die Tonkünstler-Versammlung
des Allgemeinen deutschen Musikvereins
zu Basel — NMZ 24, Nr. 17.

Glück, Aug. Der zweite Gesangswettstreit
deutscher Männergesangvereine in Frankfurt a. M. (3.—6. Juni 1903) — SMZ 43,
Nr. 20 ff.

Grapperhaus, L. Niederländisches Musikleben — NMZ 70, Nr. 16.

Grunsky, Karl. Zu Lina Ramann's
70. Geburtstag — NMZ 24, Nr. 15.
—— Eine neue Schumann-Biographie
[von Hermann Abert] — ibid., Nr. 17.

Guillemin, A. Allgemeine Tonskala, ein-
geteilt in Savarts und Millisavarts —
Journal de physique théorique et appliqué (Paris) 1 (1902), S. 504 ff.

Guillemin, A. Schwerpunkt binärer Akkorde. Ihre Einteilung. Spezifische Konsonanzen und Dissonanzen — Comptes Rendus Hebdomadaires des Séances de l'Académie des Sciences Paris, (Gauthier-Villars) 134, S. 1579 ff. und 135, S. 98 ff., S. 396.

Harzen-Müller, A. N. Musikalisches aus der Großen Berliner Kunstausstellung und der Sezession 1903 — NMZ 24, Nr. 17.

Hensen, V. Das Verhalten des Resonanzapparats im menschlichen Ohr — Sitzungsberichte der Königl. Preußischen Akademie der Wissenschaften zu Berlin (Berlin, Georg Reimer) 1902, S. 904 ff.

Herold, M. Gottesdienstliche Bilder aus der Stadtpfarrkirche Schwabach — Si 28, Nr. 7.

Hildebrand, Otto. Die Anwendug des elektrischen Schwachstromes beim Bau von Kirchen- und Konzert-Orgeln — DIZ, 17. Juli 1903.

Hiller, Paul. 80. Niederrheinisches Musikfest zu Aachen am 31. Mai, 1. und 2. Juni 1903 — NZfM 70, Nr. 27.

—— »Die weiße Flagge«, Szenen aus dem Burenkriege. Oper in einem Akt. Dichtung und Musik von Pierre Maurice. Uraufführung im Kgl. Theater zu Kassel — ibid., Nr. 28.

Hol, J. C. De toekomst der katholieke kerkmuziek — Cae 60, Nr. 10.

Hummrich, Alex. Das Tonharmonie-Gesetz — DMZ 34, Nr. 29.

Huneker, James. Chopin, l'homme et sa musique — The Weekly Critical Review (Paris, 336 rue St.-Honoré) 1, Nr. 23 ff.

(»Ignota«.) Miss Marie Hall — Woman at Home (London, Hodder & Stoughton) Juli 1903.

Imbert. H. Un troisième théâtre de musique à Paris — GM 49, Nr. 26/27.

Isaacs, L. M. Sullivan, Strauß and others — Bookman (New-York, Dodd, Mead & Co.) Juni 1903 (illustriert).

Ive, Oliver. The Handel Festival — MN, Nr. 643 f.

Jullien, A. La Damnation de Faust — Journal des Débats (Paris) 10. Mai 1903.

Kalisch, A. Music in London — The Weekly Critical Review (Paris, 336 rue St. Honoré) 1, Nr. 23 ff.

Kappstein, Th. Ein Blick in alte Gesangbücher — Die Kultur (Köln, Schaafstein) 1, Nr. 23.

Kaupert, Jean-Bernard. Esquisse autobiographique de J.-B. K., bourgeois de Morges dans le canton de Vaud, écrite à Berne pendant l'hiver 1849/1850 — MSu 2, Nr. 40 ff.

Keller, Otto. Zu Anton Door's 70. Geburtstage — NMP 12, Nr. 13.

Klein, H. Modern music celebrities — Century Magazine (London, Macmillan) Juli 1903 (illustriert).

Knapp, Eugen. VII. Musikfest in Stuttgart — Cae 60, Nr. 10.

Kohler, J. Richard Wallaschek's »Anfänge der Tonkunst« — Deutsche Literaturzeitung (Berlin) 1903, Nr. 22 (ausführliche Besprechung].

Krause, Emil. 13. Mecklenburgisches Musikfest in Schwerin vom 24. bis 26. Mai 1903 — SH 43, Nr. 27.

—— 39. Tonkünstlerversammlung des »Allgemeinen deutschen Musikvereins« in Basel, Juni 1903 — ibid., Nr. 29/30.

Krebs, C. Clara Schumann. — Deutsche Rundschau (Berlin, Paetel) 29, Nr. 9.

Kroeger, Ernest R. Music at the Louisiana Purchase Exporition — The Musical World (Boston, Arthur P. Schmidt) 3, Nr. 6.

Kühle, Gustav. Jan Kubelik — Neue Musik und Literatur-Zeitung (Leipzig, Carlstraße 6) 1, Nr. 1.

Kühn, Oswald. II. Wettstreit deutscher Männergesangvereine in Frankfurt a. M. — NMZ 24, Nr. 16.

L., N. Alphonse Mailly — GM 49, Nr. 26/27.

Lahee, Henry C. Some odd things in American musical life — The Musical World (Boston, Arthur P. Schmidt) 3, Nr. 6.

Laloy, Louis. Ambroise Thomas (1811 bis 1896) — RM 3, Nr. 7.

Laser, Arthur. Die Geschichte der Philharmonischen Gesellschaft in New-York — Mk 2, Nr. 19.

Leßmann, Otto. Die XXXIX. Tonkünstler-Versammlung des Allgemeinen Deutschen Musikvereins in Basel (12.—15. Juni — AMZ 30, Nr. 26 f.

Liepe, Emil. Hector Berlioz' Werke, VII. Band — AMZ 30, Nr. 26 [Besprechung].

Louis, Rudolf. Ludwig Thuille — AMZ 24, Nr. 15 (mit Porträt).

Malherbe, Charles. Archives et bibliothèque de l'Opéra — RM 3. Nr. 6.

Mangeot, A. H. Fantin-Latour — MM 15, Nr. 12.

—— Comment on devrait célébrer le Centenaire de Berlioz — ibid.

Marage, M. Messung der Hörschärfe — Journal de Physique Théorique et Appliquée (Paris) 1902, 1. S. 574 ff.

Markees, Ernst. XXXIX. Tonkünstler-Versammlung des Allgemeinen Deutschen Musikvereins zu Basel — S 61, Nr. 37.

Marnold, Jean. Sur quelques points de théorie musicale — CMu, 15. April 1903.

Meinerzhagen, Fritz. Bietet die Bekämpfung der Militärmusiker-Konkurrenz den Zivilmusikern Nutzen? Ein Beitrag zur Lösung einer aktuellen Frage — DMMZ 25, Nr. 27.

Méry, Jules. Le centenaire de Berlioz à Monte-Carlo. Photographies instantanées de l'auteur et de Chusseau-Flaviens — Revue Illustrée (Paris) 1. April 1903.

Milligen, S. van. XXXIX. muziekfeest der »Tonkünstler-Versammlung des Allgemeinen Deutschen Musikvereins« te Basel — Cae 60, Nr. 10 ff.

Morsch, Anna. Musikpädagogischer Kongress. Sektion für den musikalischen Lehrberuf (30. September bis 5. Oktober 1903 in Berlin) — KL 26, Nr. 13 ff.

Myers, C. S. Dependance of pitch of minute closed pipes on wind pressure — Report of the meeting of the British Association for the advancement of science (London, John Murray) 1902, S. 537.

Nagel, Wilibald. Die Entwicklung der Oper von den Anfängen bis zu Gluck — Mk 2, Nr. 19 ff. (nach einem Vortrage).

Nef, Karl. Zwei Musikfeste in Basel, 1820 und 1903 — Festschrift zur 39. Tonkünstlerversammlung in Basel (Zürich, Gebrüder Hug & Co.) 1903.

Neidlinger, W. H. Fundamental principles of singing — The Musical World (Boston, Arthur P. Schmidt) 3, Nr. 6.

Neitzel, Otto. Das Frankfurter Wettsingen — NMP 12, Nr. 13.

Neruda, Edwin. Das Pyrmonter Schubert-Liszt-Fest — DMZ 34, Nr. 28.

Newmann, Ernest. The London Strauß Festival and its lessons — MC, Nr. 1214.

—— The durability of music — The Weekly Critical Review (Paris, 325 Rue St-Honoré) 1, Nr. 23.

—— Is music the type of perfect art — ibid. 2, Nr. 25.

Newmarch, Rosa. Tschaikowsky und Tolstoi — Mk 2, Nr. 20.

—— Berlioz in Russia — MMR, Nr. 391.

Niemann, Walter. Neue jungrussische Kammermusik — S 61, Nr. 37.

Northrop, W. B. How Edison makes his phonographs — Leisure Hour, April 1903.

Oldys, H. Woodland music — Lippincott's Monthly Magazine (Philadelphia) Juni 1903.

Ostmann, Paul. Schwingungszahlen und Schwellenwerte — Archiv für Physiologie (Leipzig, Veit & Co.) 1903, S. 321 ff.

P., A. Le monument de Charles Garnier — M, Nr. 3770.

Pesold, Gustav. Stimmen der Väter über Kirchengesang und Kirchenmusik — CEK 17, Nr. 7.

Pirro, André. Un organiste au XVIIᵉ siècle. Nicolas Gigault — RM 3, Nr. 7 ff.

Pottgießer, Karl. Über die durch die Bühnendekoration ermöglichte Illusion und die Störung derselben — SA 4, Nr. 10.

—— Lina Ramann. (Zur Feier der Vollendung ihres siebzigsten Lebensjahres) — NZfM 70, Nr. 26.

Probst, E. vergleiche oben unter **Bernoulli.**

Prod'homme, J.-G. La Damnation de Faust de Berlioz au théâtre — The Weekly Critical Review (Paris, 336 rue St-Honoré) 1, Nr. 23 ff.

Prout, E. Graun's passion music — MMR, Nr. 391.

Puttmann, Max. Robert Franz und die Enthüllungsfeier des Franz-Denkmals in Halle a. S. — NMP 12, Nr. 13.

—— Das XIII. Mecklenburgische Musikfest — NMZ 24, Nr. 17.

-r. Tonkünstlerfest des Allgemeinen Deutschen Musikvereins in Basel (12.—15. Juni 1903) — NZfM 70, Nr. 27.

R., M. Schiller und die Oper — RMZ 4, Nr. 25.

Rassow, Fritz. Die Musik im heutigen Rom — Weser-Zeitung (Bremen) 1. April 1903.

Riesenfeld, P. Ludwig Wüllner — Nord und Süd, Juni 1903.

Rietsch, Heinrich. Zum Gedächtnis Hugo Wolf's — Österr.-ungar. Revue (Wien), Heft 3.

Ritter, Hermann. Etwas über die Entstehung von Mozart's Zauberflöte — NMZ 24, Nr. 16 [mit Facsimile des Theaterzettels der Uraufführung].

—— Über meine fünfsaitige Altviola — DMMZ 25, Nr. 27.

Rolland, Romain. Les origines de l'opéra italien — RM 3, Nr. 6.

Rosenthal, Felix. Musikalische Bildungsziele — DTK, 8. Juli 1903.

Rossat, Arthur. Chants patois jurassiens — Schweizerisches Archiv für Volkskunde (Zürich, Juchli & Beck) 7, Nr. 2.

Ruland, Wilhelm. Das Musikalisch-Schöne — Internationale Literatur- und Musikberichte (Berlin) 10, Nr. 14.

Runciman, John F. This festival of »British« music — The Weekly Critical Review (Paris, 336 rue St.-Honoré) 1, Nr. 23.

—— A musical critic's holiday — ibid., Nr. 24.

Schenk, Duisburger Musikfest am 23. und 24. Mai 1903 — AMZ 30, Nr. 26.

Schirmer, E. Briefe Felix Mendelssohn's an J. W. Schirmer — Mk 2, Nr. 20.

Schjelderup, Gerhard. Felix Draeseke — Bf HK 7, Nr. 7.

—— Edvard Grieg — AMZ 30, Nr. 26 [mit Porträt].

49

Schmidt, Leopold. Klopstock und die Musik — Berliner Tageblatt, 13. März 1903.

—— Zum Gedächtnis Franz Lachner's — ibid., 6. April 1903.

Schrijver, J. Tooneelspeelkunst en karakter — SA 4, Nr. 10.

Schwers, Paul. Musikalische Zukunftsblicke — DMMZ 25, Nr. 28.

Seifert, Willy. Der Frankfurter [Sänger-] Wettstreit — RMZ 4, Nr. 24.

Seidl, Arthur. Die 39. Tonkünstler-Versammlung in Basel (11.—15. Juni 1903) — Mk 2, Nr. 19.

Seiffert, Max. Händel's Oratorien in Fr. Chrysander's Neugestaltung — Cae 60, Nr. 10.

Seydlitz, R. Frh. von. Reform des Konzertsaales. Thesen eines Laien — Mk 2, Nr. 20.

Sivry, A. de. L'idéalisme passionel de Berlioz — MM 15, Nr. 13.

Sisia, Giacomo. Palestrina e la capella salesiana — SC 5, Nr. 1.

Skripture, E. W. A new machine for tracing speech curves — The American Journal of Science (New-Haven, Conn.) Juni 1903.

Solenière. Eugène de. Vincent d'Indy — WvM 10, Nr. 26.

Southgate, T. L. The late A. J. Hipkins — MN, Nr. 641.

Springer, Hermann. Adolph Charles Adam (geb. 24. Juli 1803) — Mk 2, Nr. 20.

Steinhauer, J. M. P. 80. Niederrheinisches Musikfest in Aachen — NMZ 24, Nr. 17.

Sternfeld, R. Zum Gedächtnis eines Meisters des deutschen Liedes (Hugo Wolf †) — Deutsche Revue, Juli 1903.

Steuer, Max. Tanzmusik im 19. Jahrhundert — Mk 2, Nr. 20.

T., G. Die Stellung der Frau im Musikleben der Gegenwart — RMZ 4, Nr. 25.

—— Kuriosa aus der Geschichte des Instrumentenbaues — ibid., Nr. 27.

Tauleigne, A. Le photophonographe — Cosmos (Paris) 23. Mai 1903.

Thießen, Karl. Das XV. Schlesische Musikfest in Görlitz — NZfM 70, Nr. 28.

Thompson, Herbert. The Richard Strauss Festival — MT, Nr. 725.

Thorel, R. La Genèse d'Henry VIII, racontée par Ch. Gounod, Camille

Saint-Saëns et Armand Silvestre — Le Gaulois (Paris) 17. Mai 1903.

Tottmann, Albert. Kompositionen von Prinz Heinrich XXIV., Reuß j. L. — NZfM 70, Nr. 27.

Vescelius, Eva A. Krankenheilung durch Musik — Neue Metaphysische Rundschau (Groß-Lichterfelde, Ringstraße 47a) 10, Nr. 2.

Villars, H. G. Berlioz et Wagner — Renaissance Latine (Paris) 13. Mai 1903.

Viotta, Henri. Mededeelingen over Beethoven — De Gids (Amsterdam, P. N. van Kampen & Zoon), Juni 1903.

Waldstein, O. Über longitudinale Schwingungen von Stäben, welche aus parallel zur Längsachse zusammengesetzten Stücken bestehen — Sitzungsberichte der mathematisch-naturwissenschaftlichen Klasse der Kaiserlichen Akademie der Wissenschaften (Wien, Carl Gerold's Sohn) 1902, 111, S. 930 ff.

Weckerlin, J.-B. Chansons populaires du pays de France. Introduction sous forme de résumé historique — M, Nr. 3770 ff.

Weerth, Moritz. Über Lamellentöne — Annalen der Physik (Leipzig, J. A. Barth) 1903, Nr. 8 b.

Wendlandt, Robert. Die preußische Militärmusik — DMMZ 25, Nr. 29.

Wieniawski, Joseph. A propos du »Festival-Beethoven de Musique de Chambre« à Bonn — MM 15, Nr. 12.

Winkler, Kantor. Neue Orgel zu Geithain — KCh 14, Nr. 7.

Wolzogen, H. v. Das Werk von Bayreuth. — Deutsche Monatsschrift für das gesamte Leben der Gegenwart (Berlin) 2, Nr. 9.

Z., P. Beethoven — Neue Metaphysische Rundschau (Groß-Lichterfelde, Ringstraße 47a) 10, Nr. 2.

Zakone, Constant. J.-Ph. Rameau au théâtre — RM 3, Nr. 7.

Ziehn, Bernhard. Über den ersten Akkord im Scherzo der neunten Sinfonie von Bruckner — AMZ 30, Nr. 28/29.

Zschorlich, Paul. Das Wagner-Denkmal in Berlin — Die Zeit (Berlin) 2, Nr. 35.

Zuylen v. Nijvelt, V. 39e Tonkünstler-Versammlung in Basel — WvM 10, Nr. 25 f.

Buchhändler-Kataloge.

Breitkopf & Härtel. Leipzig. — Mitteilungen der Musikalienhandlung. Juli 1903, Nr. 74, S. 2857—2904. Zeigt an und bespricht u. a. die Chrysander'sche Bearbeitung des Messias und Orchester- und Kammermusik von Händel, Ausgaben von Berlioz', Victoria's, Rameau's Werken, Liliencron-Eyken's Chorordnung, Gesänge des Thomanerchors von G. Schreck, Geistliche Musik des Riedel-Vereins von G. Göhler, Denkmäler deutscher Tonkunst u. s. w.

Wernthal, Otto. Berlin. Charlottenstr. 4. — Chor-Almanach. Verzeichnis ausgewählter Werke für Männerchor, gemischten Chor, Frauenchor und Kinderchor. Nebst Anhang: Humoristika. Bringt von den meisten der Chöre den Anfang in Noten.

Mitteilungen der „Internationalen Musikgesellschaft".

Ortsgruppen.

Malmö (Schweden).

Die südschwedischen Mitglieder der Internationalen Musikgesellschaft haben beschlossen, sich zu einer Ortsgruppe in Malmö zu vereinigen. Der Vorstand der neuen Ortsgruppe wird aus folgenden Mitgliedern bestehen: als Vorsitzender fungiert Herr Fabrikant C. Claudius, als Sekretär Herr Musikschriftsteller Tobias Norlind und als Kassierer Herr Domkapellmeister Dr. Preben Nodermann.

Anfrage an die Buchhändler.

Die Central-Geschäftsstelle sucht ein wohlerhaltenes und vollständiges Exemplar von Coussemaker, *Scriptorum de Musica Medii Aeri nova series*, vier Bände, Paris, 1864—1875.

Zum internationalen Musikkongreß

sind bisher über 40 Vorträge und Referate angemeldet worden, und zwar sowohl aus deutschen Ländern, als aus dem Auslande, wie Frankreich, England, Rußland, Schweiz, Schweden, Amerika. Die Themata behandeln zumeist wichtige Fragen der Musikwissenschaft, Musikpädagogik, des Instrumentenbaues, des Buch- und Schriftwesens der Musik und der Phonographie. Es wird von Interesse sein, einige derselben hier zu nennen, damit etwaige Diskussionen dazu angemeldet werden können: I. Das wichtigste rhythmische Gesetz aller Völker und Zeiten. — Einheitliche Gesichtspunkte der Volksmelodienforschung. — Volksliedersammlungen im Dienste der vergleichenden Musikwissenschaft. — Einwirkung des 5. Psalmtones auf das deutsche Volkslied. — Griechische Musik im Mittelalter. — Die Musikästhetik des Mittelalters. — Kaukasische Musik in Vergangenheit und Gegenwart. — Wiedergefundene Denkmäler deutscher Tonkunst des 17. Jahrhunderts (mit Vorführung neuentdeckter Werke von Weckmann, Georg Böhm u. a.). Physiologie der Bogenführung auf Streichinstrumenten. — Über den Anschlag beim Klavierspiel. — II. Solfège-Formeln zur Erzielung absoluter Tonreinheit mit Ausnützung der Riemann'schen Molltheorie. — Eine Statistik über die Verteilung der praktischen Musiker auf die Unterrichtsfächer in den Konservatorien. — Einrichtung von Fortbildungskursen für Elementargesanglehrer. — Öffentliche Volkskonzerte. — Erziehung der Jugend zum Hören von Musik. — Das Harmonium und seine Stellung in der Musikpflege. — Sind die Gesangkompositionen J. S. Bach's für den Unterricht an höheren Schulen geeignet oder nicht? — Der Gesangunterricht an amerikanischen Schulen. — Reformen auf dem Gebiete des Musikunterrichtes. — III. Verschiedene Vorschläge über Verbesserung der Notenschrift: a) über die Versetzungszeichen, b) über Tonnamen und Tonbuchstaben, c) über Vereinfachung der Partituren. — IV. Tonskalen altdeutscher Musikinstrumente. — Physiologie über Geigenkauf und Geigenreparaturen (mit Vorführung von Meistergeigen). — Eine neue Harfe ohne Pedale. — Über den neuen Janko-Flügel. — Neue Verbesserungen am Klavier. — V. Neuere Entwicklung der Phonographie. — Zur Gesangsphysiologie mit Benützung der Photophonographie. — Fortschritte der Photophonographie. — Über einen Sprachzeichner. — Photophonographische Vokal- und Konsonantenkurven. — Das Photographon. — Das Telegraphon. — Über ein lautsprechendes Telephon.

Außerdem werden die wichtigsten Erfindungen der jüngsten Zeit auf dem Gebiete des Instrumentenbaues mit Wort und Ton vorgeführt werden.

Wo sich dies nötig macht, werden die verschiedenen Sektionen nebeneinander tagen, um für die Vorträge Zeit zu schaffen. Eine Liste der Herren Vortragenden und ihrer Vorträge wird gedruckt werden.

Auf den Namen lautende Legitimationskarten werden den Herren Teilnehmern am Kongresse dieser Tage zugehen.   I. A.

Oskar Fleischer

Adresse während des August: Holleben a. Saale.

Neue Mitglieder.

Beaumont, A, S. Capt. London, S. E. South Norwood Park.

Browning, Oscar. Kings College, Cambridge.

Lacy, J. St. John. Savage Club. London, W. C. 6 Adelphi Terrace.

Lee, Dr. E. Markham, London, N.E. Whitehall Rd. Woodford Green.

Rinne, Wilhelm, Landgerichtsrat, Berlin, W. Luitpold Straße 4 III.

Sharp, H. Granville. Lingwood, East Liss, Hampshire, England.

Änderungen der Mitglieder-Liste.

Hochberg, Hans Ferd. Graf von. Nicht Potsdam sondern Berlin, Wichmannstraße 20.

Müller, Wilhelm, stud, phil. Bern jetzt Köln-Lindental. Bachemer Straße 193/5.

Tiersot, Julien, Paris jetzt 9 rue Say.

Inhalt des gleichzeitig erscheinenden

Sammelbandes.

Frederick Niecks (Edinburgh). The Foundations of Harmony.
Robert Lach (Lussingrande). Über einen interessanten Spezialfall von »Audition colorée«.
Robert Lach (Lussingrande). Volkslieder in Lussingrande.
Ilmari Krohn (Helsingfors). Welche ist die beste Methode, um Volks- und volksmäßige Lieder nach ihrer melodischen (nicht textlichen) Beschaffenheit lexikalisch zu ordnen?
F. W. Galpin (Hatfield, near Harlow). Aztec Influence on American Indian Instruments.
Hugo Goldschmidt (Berlin). Monteverdi's Ritorno d' Ulisse.
J. W. Enschedé (Overveen). Zur Battaglia del Re di Prussia.
Amalie Arnheim (Berlin). Welche devin du village von Jean-Jacques Rousseau und die Parodie Les amours de Bastien et Bastienne.
J.-G. Prod'homme (Paris). Les Musiciens Français à Rome (1803-1903).
Hugo Botstiber (Wien). Musicalia in der New York Public Library.

Ausgegeben Anfang August 1903.

Für die Redaktion verantwortlich: Professor Dr. Oskar Fleischer, Berlin W., Motzstr. 17
Mitverantwortlich: Dr. Ernst Euting und Dr. Albert Mayer-Reinach in Berlin.
Druck und Verlag von Breitkopf & Härtel in Leipzig, Nürnberger Straße 36.

ZEITSCHRIFT

DER

INTERNATIONALEN MUSIKGESELLSCHAFT.

Heft 12.   **Vierter Jahrgang.**   **1903.**

Erscheint monatlich. Für Mitglieder der Internationalen Musikgesellschaft kostenfrei,
für Nichtmitglieder 10 .*. Anzeigen 25 .*/ für die 2 gespaltene Petitzeile. Beilagen 15 .*.

Wie soll man Musik lehren?
Plaudereien eines praktischen Pädagogen.

Der Titel ist recht protzig, viel versprechend und viel verlangend; es
mag der Leser gütigst verzeihen, wenn der Verfasser den Ansprüchen,
die solch ein Thema stellt, lange nicht genügt. Der Zweck ist auch nur,
die traurigen mangelhaften Lehrarten zu beleuchten, keinesfalls die
brennende Frage zu erschöpfen. An dieser Stelle ist oftmals besprochen
und untersucht worden, wie man dem mehr und mehr um sich Greifen
der nicht berufenen Lehrkräfte einen Damm entgegensetze; man dachte,
hoffte, war überzeugt, daß Staatsexamina oder überhaupt Examina, welcher
Art sie auch seien, von Nöten wären; daß, wenn man die Zahl der
»Meister« beschränkte, auch das Übel der musikalischen Stümperei behoben wäre. Dem ist leider nicht so. Prüfungen und Prüfungen, Strenge
und Zucht würden sicherlich zu keinem Resultate führen; es würde nur
so und so vielen armen Teufeln das tägliche Brot fortnehmen, vielen die
Gesundheit; Überarbeitung und Nervenschwäche würde die einzige Folge
solcher Prüfungen sein. Denn ein Jeder von uns, der einem solchen
Examen unterworfen gewesen, weiß, wie viele der tüchtigsten Kameraden
unterliegen, nicht aus Mangel an Wissen, sondern nur vor Angst einer
solchen Prüfung gegenüber. So vielen Wissenden ist die Gabe des Wortes
im Sprechen versagt; so vielen mangelt's an der rechten Ausdrucksweise,
und den besten kommt vor Angstschweiß überhaupt im gegebenen Moment
kein einziger Gedanke. Man wäre also nur einen Schritt rückwärts
gegangen; es kämen ebenso viele Unberufene an das Ruder und ebenso
viel schreckliche Musiziererei in die Welt. Denn in der Musik, wie auf
so vielen anderen Gebieten, liegt der wunde Punkt nicht nur im mangelnden
Wissen, sondern, und viel mehr, in der moralischen Auffassung der Sache.

Der Lehrer bestrebt sich, eine gewisse äußere Geleckth̓eit zu geben, selten aber der wahren Aufgabe näher zu treten. Es liegt neun auf zehnmal nicht am Mangel an Wissen, sondern am nicht anerzogenen Gefühl, sachgemäß sein Handwerk zu betreiben. Eine gewisse leichtfertige Auffassung der Tätigkeit liegt den meisten Lehrenden im Charakter; natürlich kommt dies von der gesellschaftlichen Erziehung überhaupt, und diese allgemein-pädagogische Frage verdient eine nähere Betrachtung, gehört aber hier nicht zur Sache und ist auch nicht unser Zweck. Nur möchte ich darauf aufmerksam machen, daß eine Staatsprüfung wieder ein in sich begrenztes spezielles Programm für die Massen aufstellen muß, und folglich für die Kunst, die ganz auf Individualität basiert ist und in keinem Rahmen enger Spezialität Platz haben darf, nicht passen würde. — Diese Parenthese sollte nur beweisen, daß ein Examen das Übel, d. h. die schlechten Lehrkräfte im allgemeinen, nicht heben würde. Und nun zum Thema.

Jeder ernst fühlende, jeder ernst empfindende Musiker wünscht sich, wenn er ein Stück vortragen hört, daß dies Stück Leben habe; daß man nicht nur mehr oder minder gut laufende Noten, sondern auch etwas Auffassung oder Geist, Temperament oder Farbe höre. Nun ist ja natürlich jeder erste beste Schüler keine Individualität, im Gegenteil, höchstens einer von Hundert etwas begabt; und Dinge, wie Feuer, Temperament, Gemüt und Auffassung im wahren Sinne, sind überhaupt keinem beizubringen. Aber eine gewisse geistige Farbe ist Jedem beizubringen. Dies pflegen wir Tempo, Nuancen, Anschlag oder Ton zu nennen. Nun frage ich hier alle Lesenden: sind Ihnen unter den Durchschnittslehrern — ich meine solche an höheren Musikschulen oder beliebte Privatlehrer und -Lehrerinnen — viele begegnet, die über diese wichtigsten Dinge in unserer Musik ernste Studien und Betrachtungen gemacht, und gesucht haben, sie dem Schüler beizubringen? Hat der Leser in seinem näheren Kreise einer Stunde beiwohnend, oft gehört, daß der Lehrer dem Schüler klar mache, was Forte, Crescendo, Piano ist; wie wichtig eine jede dieser Nuancen für sich selbst und gar im Zusammenhange sei? Mir, ich gestehe es, sind bei den Hunderten von Lehrern, die ich sprach und die ich sah, nur wenige begegnet. Unter allen Durchschnitts-Konservatoristinnen, die ich Gelegenheit hatte zu hören, traf ich keine, die richtig pedalisierte; die vielen, die ich sprach, wunderten sich sehr, daß das Pedalisieren ein in sich abgeschlossenes Studium sein müßte, viel wichtiger als die Passagen. Von Form und Wichtigkeit der thematischen Motive haben die meisten überhaupt keinen Begriff; von der Hauptwichtigkeit im Stück, gerade solche Stellen zu betonen, keine Ahnung; von der Bedeutung, die oft eine einzige Note für eine ganze Seite haben mag, weil tonaler Wechsel entsteht, keinen Begriff; mit einem Worte: blind, und wie lächerlich es auch klingen mag, taub spielen diese meisten Schüler und Schülerinnen und viele der sogenannten Virtuosen, Lehrer und Lehrerinnen ihre Stücke herunter. Oskar Fleischer bemerkt mit Recht in seinem Aufsatze »Musik und Lehrberuf« (1901, S. 309), daß die tausend Lehrer und Lehrerinnen den Fehler haben, die Künstlerschule zu kopieren, was für einen Elementarunterricht nicht passe; er vergißt aber dabei zu bemerken, daß der Fehler leider schon in unseren Kunstschulen liegt, denn dort wird vor allen Dingen falsch gelehrt. Fleischer sagt selbst, daß sogar dort der Prozentsatz der zu Künstlern auszubildenden Kräfte minimal sei. Er hat mehr als Recht; denn auf zehntausend Spielende kommt erst ein Künstler, aber dieser Künstler wird Künstler trotz unserer Schulen, nicht in ihnen. Und wahrlich! es kommt nicht daher, daß die Lehrer der höheren Schulen nicht wissen; es kommt daher, daß sie nicht wollen. Ein Beispiel unter Tausenden: jeder Stümper sogar, geschweige denn Lehrer, weiß, daß man die sogenannte Technik nur dann erreicht, wenn man Klavier mit den Fingern, nicht mit dem Arme, Geige mit dem Handgelenk, nicht mit dem Arme spielt. Und doch spielen sämtliche Dilettanten und drei Viertel aller Konservatoristen mit dem Arme. Der Leser wird vielleicht die Achsel zucken und sagen »es liegt am Schüler«; bitte sehr! es liegt am Lehrer. Denn wenn der Lehrer dem Schüler sagt: »üben Sie, die Stelle geht nicht« und nicht zeigt — zehn, zwanzig, hundertmal — wie es der Schüler üben soll, so ist er nur mit einem Arzte zu vergleichen, der sagen würde: »ja armer Mensch, Sie sind krank«, im übrigen aber den Kranken nicht kurieren sollte. Nun muß mir ein jeder Unparteiische, Uninteressierte zugeben, daß man meistens ein Heft eines Schülers schmutzig mit Strichen aller Art, in rot, grau, blau, lila sieht, aber nie hört, daß der Lehrer ordentlich und bestimmt die Geduld hat, zu zeigen, wie diese rot-blau-grauen Stellen zu üben sind. Er begnügt sich mit einem ungeduldigen Wiederholen: »aber es geht ja wieder nicht!« — Und es wird nie gehen und kann nie gehen. Wir kommen da auf einen sehr wunden Punkt, den aufzudecken ich mich sogar scheue, weil ich von vornherein weiß, daß ich vielfach auf üble Deutung und Mißverständnis stoßen werde; der gute Zweck aber soll meine Offenheit rechtfertigen. Neunmal auf zehn zögert der Lehrer, welcher Art er auch sei — die Größten leider nicht ausgeschlossen — dem Schüler seine durch lange Studien erworbenen, lehrbaren Fähigkeiten beizubringen; er fürchtet, der Schüler möchte eventuell zu gut werden, ihn erreichen, womöglich überflügeln. Anderseits gönnt er ihm nicht die Frucht zu essen, die ihm nach so vielen Stunden mühevoller Arbeit reif geworden. Wie falsch ist dies und wie kleinlich! Wieviel Sorge, Mühe, Zeit, Geld wäre einem jeden erspart! Denn daß ein kluger Schüler doch endlich mit demselben Fleiß, den der Lehrer für sich hatte, die Fähigkeiten erreicht, die der Lehrer sich erwarb, ist klar; und wiederum, weiß nicht ein jeder, daß dasselbe, von zwei Verschiedenen gemacht, doch nicht dasselbe ist? Der Lehrer würde also nur das rein Technische der Fähigkeit dem Schüler geben und ihm und sich tausend Stunden Schweißes ersparen. Wenn Herr d'Albert, Herr Ansorge oder Herr Risler dieselbe Sonate im selben Tempo mit denselben Nuancen spielen, so ist doch etwas ganz verschiedenes, individuelles in Jedem; und hätten sich die Herren in ihrer Jugend gegenseitig die Mittel und Mittelchen gezeigt, so hätten sie sich täglich nur drei Stunden unnützen Suchens erspart, sich gegenseitig weder geschadet noch überflügelt. Man spricht so oft von der Unbildung der Musiker, und mit Recht; bei der Art, wie das Ziel, das ein jeder selbst Mittelmäßige erreichen muß, gestellt ist, und dem Weg, der zu seiner Erreichung vorgeschrieben ist, bleibt dem armen Studierenden nicht einmal Zeit, geschweige denn Lust, ein Buch vorzunehmen; ja, nicht nur kein Buch, sondern nicht einmal ein Stück, das nicht eng zu seinen momentanen Studien gehört. Der Weg ist so steinig, daß man sich wundern muß, wie nicht ein hoher Prozentsatz im Heim für arme Verblödete endet. Acht Stunden Klavier oder sechs bis sieben Geige, eine bis zwei Theorie — das ist die Ration eines unglückseligen Konservatoristen, der noch dazu, da er gewöhnlich mittellos, eine bis drei Stunden zu 50 Pfennig gibt. Man hat soviele Tierschutzvereine; man spricht soviel von Verbesserungen für die armen Arbeiter; der unglückliche Musikstudent dagegen ist noch nie bedauert, nur gefürchtet worden, in jedem Hause verpönt. »Ach meine Nerven! der Junge spielt schon wieder!« sagt der erste Stock, wenn im fünften das Klavierspielen, Blasen oder Geigen ertönt. Und die Schuld liegt nur am Lehren. Es wissen vielleicht die Wenigsten, daß, wenn man nicht gerade Rosenthal, Kubelik oder dergl. werden will, vier Stunden, gut angewendet, mehr als ausreichend sind, und gar Kinder, die zum Vergnügen lernen, höchstens zwei Stunden üben dürfen; wenn der Lehrer das »Wie man üben soll« gut gelehrt hat, so müssen sie sehr viel besser spielen als jetzt. Wo man den Anfang machen muß, das ist natürlich beim Lehrer. Nicht durch ein Staatsexamen, das höchstens ihm selbst nützen könnte ohne den Schülern zu gute zu kommen, sondern durch Aufmerksammachen: wie lehrt man Musik? Zuerst und vor allen Dingen: was nennen wir Musizieren? Ist etwa das mehr oder minder gute Herunter-Seiltanzen von zwanzig 1000 mal gehörten und 10000 mal gespielten Stücken Musizieren? oder das Kennen der Werke überhaupt und das Vortragen? Ich fürchte, ich entschließe mich, das letztere Musikmachen zu nennen. Aber gesetzt den Fall, wir nehmen auch das erstere dazu: so wie es jetzt gelehrt wird, ist's ein Unding. Man verlangt doch sonst durchweg, der Mensch soll das gesprochene Wort richtig schreiben und richtig lesen oder zum mindesten richtig sprechen; wir werden nie das Wort Abendrot auf der zweiten Silbe ›Abéndrot‹ betonen, oder Mutter mit einem t oder mit drei t schreiben: wir hören aber täglich die Menschheit so spielen, als ob sie Abéndrot sagte und Muttter schriebe. Man erlaubt sich selbst in Konzerten ein Stück so herzurichten, daß man unwillkürlich an den Ungarn denkt, der einem Maler befahl, seinen dem Maler ganz unbekannten Vater zu malen, und, als dieser irgend jemanden hinklexte, sagte: ›Vater meiniges, wie hast du dir verändert!‹ — Rein technisch gesprochen, passieren schon solche Ungeheuerlichkeiten; wieviel mehr in den Dingen, die ich oben als geistige Farbe bezeichnete. Wenden wir uns zuerst an den Elementarlehrer. Was muß er einem Kinde beibringen? Erstens muß er sehen, was für angeborene Fehler so eine Kinderhand hat. Es ist klar, daß kurze dicke Finger ganz andere Fehler zeigen werden als lange schmale. So soll man ein klavierspielendes Wurm nicht Daumenstudien machen lassen, wenn es einen natürlichen Daumenfall hat, und z. B. den zweiten Finger vernachlässigen, der schwerfällig und krumm daliegt. Bei geigespielenden Kindern nicht die linke Hand quälen, wenn die rechte nicht den Bogen zu halten vermag; also: korrekte Stellung der Hände und des Körpers zuerst, und zwar korrekt im Sinne der persönlichen Eigenschaften des Kindes. Ich weiß aus Erfahrung: bei ganz unbegabten Kindern braucht man dazu, bei täglich dreiviertelstündiger Lektion über sehr leichte Übungen, drei bis vier Monate. Dann ist man so weit, daß das Kind ziemlich die Finger, wenn es Klavier, die linke Hand und das Handgelenk der rechten, wenn es Geige spielt, mit dem Köpfchen beherrscht. Natürlich ist ein ewiges Zurechtrücken der Hände drei Jahre lang notwendig; aber ich spreche hier vom ersten Grundstein, auf dem man schon etwas bauen kann. Der Elementarlehrer darf keinen Schritt unnütz machen lassen, also z. B. sich nicht darauf verlassen, daß das siebenjährige Kind mit dreizehn Jahren lernen wird, den Arm ruhig zu halten; mit dreizehn Jahren wird es dem Kinde viermal soviel Zeit und Tränen kosten, und ist dennoch neun auf zehnmal unnütz. Also aufpassen auf die Handstellung, so daß es dem Kinde selbst klar wird; nicht mechanisch, automatisch es lehren.

Sodann Notenlesen, und gleich etwas Theorie, wie: was ist eine Tonleiter? wieviel solche haben wir? Kreuze, Been und die Intervalle. Die Elementarlehrbücher, die z. B. an den Konservatorien von Paris und Rom eingeführt sind, sind viel zu schwülstig und für Kinder unverständlich; dem Kinde muß alles, sowohl theoretische wie praktische, äußerst leicht und einfach vorgetragen werden. Im ersten Jahre lernt das Kind diese theoretischen Dinge schnell, und sie werden ihm in späteren Jahren zur zweiten Natur.

Drittens: Takt. Bloß Takt, nicht Rhythmus. Also wieviel Viertel eine

ganze Note hat, usw.; Taktstriche, zwei Schlüssel. — Vom ersten Jahre
verlangen wir nichts weiter. Es gehört eine unendliche Geduld dazu,
ich gesteh es gern, jeden Tag dem Kinde dasselbe drei Viertelstunden
lang zu wiederholen, aber es muß sein. Nun sind wir so weit, daß die
Fingerchen sich bewegen und im Takt sich bewegen. Ich möchte hier
die Lehrer und Lehrerinnen fragen, wie viele Schüler sie nach einem
Jahre — die begabten ausgenommen — im Takte spielen hörten. Ich
fürchte, wenn man sich's ehrlich eingesteht, nicht ein Prozent. Und das
Im-Takte-Spielen ist so wichtig! denn mit dem ersten Im-Takte-Spielen
wird der Grundstein fürs musikalisch-thematische Verständnis überhaupt
gelegt.

Nun kommt das zweite Jahr: rein technische Studien; theoretisch
braucht das Kind nur zu wiederholen. Technisch ist nun wichtig, daß
die leichteren oder schwereren Studien nicht so geübt werden, wie man
es in aller Herren Ländern hört: von Anfang bis zu Ende immer mit
denselben Fehlern; sondern der Lehrer muß sehen, wo die schwere Stelle
steckt, und muß diese, ausschließlich diese, mit Geduld üben. Zu gleicher
Zeit gewöhnt sich das Ohr des Kindes, das Holperige vom Guten zu unterscheiden, und es wird nicht mehr passieren, daß das Kind sonst hübsch
ein Stücklein im Tempo spielt, nur die Schwierigkeiten langsamer. Auf
den ersten Blick scheint es uns, daß diese Untugend kein Unglück sei;
und doch entsteht dadurch der erste rhythmische Fehler, der bei Vielen
nur in späteren Jahren, bei manchen gar nicht auszumerzen ist. In diesem
zweiten Jahre beobachte der Lehrer streng, was dem Kinde Schwierigkeiten macht: das Untersetzen oder die schwarzen Tasten, der erste
zweite, dritte, vierte oder fünfte Finger, oder dergl.; bei der Geige der
Übergang von einer Saite zur anderen, die Bogenhaltung usw., und trainiert
dann meist auf diese den Schüler, indem er gerade diejenigen Studien
heraussucht, die die entsprechenden Fehler vermindern. Mit einem Worte:
weniger hergebrachte und mehr individuelle Systematik! — Dies alles
wird wohl so manches Mal gesagt und geschrieben worden sein; wenn
ich hier das Wohlbekannte wiederhole, so geschieht es in der Hoffnung,
daß es endlich nicht nur gewußt, sondern auch praktisch verwertet wird.
Es sind allzu wichtige Sachen, um übergangen oder in Vorworten von
Schulen begraben zu werden.

Nun kommt das dritte Jahr, das Jahr, wo der Elementarlehrer seine
Saat aufgehen sieht. Das Kind ist soweit, in ziemlich richtiger Haltung,
im Takte und in gleichmäßigem, je nach Begabung schnellerem oder
langsamerem Tempo seine kleineren und größeren Stückchen zu spielen.
In diesem Jahre muß man schon anfangen, das Tempo zu erklären,
d. h. aufmerksam zu machen, daß es zwischen Schnell und Langsam viele,
viele Abstufungen gibt. NB: es wäre an der Zeit, daß alle Musiklehrer

wüßten, daß Allegro assai viel schneller ist als Allegro molto, Lento oder
Largo erheblich langsamer als Adagio, Allegretto ziemlich lebhaft, Allegro
moderato ruhiger als Allegretto, und daß Andante »gehend« aber nicht
»langsam« heißt usw. usw. Das dritte Jahr ist auch dasjenige, wo das
Kind etwas Musik hören, muß, so daß der Lehrer ihm etwa eine Viertel-
stunde vorspiele, eventuell auch ernstere Stücke, um das Kind an die
Musik überhaupt zu gewöhnen. Auch muß das Kind ein bischen vom
Blatte lesen, viel leichtere Sachen natürlich als die, die es schon be-
herrscht. —. Hiermit wäre in allergröbsten Zügen angedeutet, was der
Elementarlehrer leisten muß. Es versteht sich von selbst, daß dieser
Lehrer kein Elementarlehrer zu sein braucht, im Gegenteil; ich will nur
sagen: bis dahin muß er den Elementarlehrer spielen.

Nun kommt allmählich die Musik zur Geltung. Im vierten Jahr hat
das Kind, wenn es nicht gar zu klotzig ist — in diesem Falle wär es
besser, es gar nicht weiter zu lehren — Begriffe. Im Durchschnitt ist
es 11—12 Jahre alt; fürs klavierspielende Kind kommt die Schule des
Pedals, fürs geigende, cellospielende die des Tremolo an die Reihe. Es
würde Seiten erfordern, diese Gegenstände hier im Detail zu erläutern;
auch lassen sie sich — außer dem allgemein theoretisch Bekannten wie:
nicht über Harmoniewechsel das Pedal halten, nicht mitten in der Melodie
wechseln, nicht vor sondern gleich nach der Note setzen — kaum beschreiben. Alles ist lediglich durch Praxis an den Stücken selbst sehr
peinlich und regelmäßig zu lehren. Das Tremolo ist vollends nicht zu
beschreiben; die mindestens achtfache Art ist nur praktisch zu zeigen.
Beim Gesang, wo andere Details noch wichtiger sind, kann man sie ebenfalls nur praktisch erreichen. Ein gewisses Nachdenken, besonders beim
Lehrer, ist nicht nur erwünscht, sondern erforderlich. Außer diesen
Studien kommt nun die Hauptsache der ganzen Musik ans Tageslicht:
die Nuance oder Farbe. Hierzu brauchen wir Menschen, die etwas können;
dies ist nicht abzuleugnen. Wie wenig sich die Menschen im allgemeinen
das Wesen der Musik überlegen, dafür folgendes Beispiel als Belag.
Ein etwa 11—12 jähriges Kind spielt Mozart. Man kann's in Deutschland,
Frankreich, England, Rußland, ja selbst Italien hören: »mein Kind spielt
noch leichte Sachen, Mozart!« — Ein jeder Stümper wird wohl sagen
»Mozart ist leicht«, weil die Passagen im Verhältnis zu Liszt anscheinend
weniger Fingerfertigkeit verlangen, aber nur anscheinend: bis jetzt habe
ich nur von sehr bedeutenden Künstlern eine Mozartsche Passage wirklich gleichmäßig spielen gehört. Und dies gilt lediglich von Noten; aber
was sind Noten im Verhältnis zur Musik, d. h. dem wirklich empfundenen
und tiefen Gehalt des Gehörten? Jeder wird zugeben müssen: es gibt
kaum etwas so schweres wie Mozart. Dieses von jedem Menschen ge-
wußte Beispiel mag dienen um zu zeigen, wie wenig sich die Lehrer, d. h.

die Bildner der Gesellschaft, ihre Pflicht überlegen; denn würden sie es
tun, so wäre ein derartiger Mißgriff, Mozart für leicht zu erklären, unmöglich. Sie wissen alle aus Erfahrung, wieviel Zeit sie verwenden müssen,
damit im Konzert ein auch noch so kleiner Sonatensatz gelinge, wieviel
Technik, Zartheit, Esprit und Gemüt man braucht, um so ein Stück
einigermaßen zu färben. Also die Lehrer wissen ihre Aufgabe, aber
wollen ihr nicht nahe treten. Es gehört ja viel Zeit und viel Liebe dazu,
die Stücke bis ins Einzelne zu analysieren; ja, solche Analyse wechselt
auch mit den Jahren und unseren Empfindungen; und doch ist sie
eine ganz unumgängliche Notwendigkeit, ohne die gar keine Musik im
wahren Sinne existiert. Ein Lehrer, der nicht mehr das erste ABC
beibringt, muß dem Schüler die Individualität des Stückes ans Herz legen,
ihm auf Schritt und Tritt eine Idee, einen Leitfaden geben, ihm die
Schattirung, die durch Pedal, Stellung der Hand, Binden, Stoßen, Pausen
usw. entsteht, bis ins kleinste Detail beizubringen suchen. Er muß sogar
soweit gehen, daß er erkennen soll, warum eine Passage oder Nuance
dem Schüler nicht gelingt. Jede Hand ist verschieden; der Lehrer erkennt, wenn er sich Mühe gibt oder geben will, was der Schüler nicht
ahnt. Oft liegt die Schwierigkeit an einer nichtssagenden Bewegung, an
einem Fingersatze, der für die Hand gerade nicht paßt: der Lehrer muß
es erkennen und dem Schüler das Bessere zeigen, damit die kleinen
technischen Lappalien, die doch natürlich sehr wichtig sind, nicht die
ganze Zeit vorwegnehmen, so daß man danach für das Geistige nichts
übrig behielte. Allerdings muß solche Lektion nicht 50 Minuten sondern
80 dauern; aber das Resultat ist ein solches, daß man viel schneller
vorwärts kommt und deshalb mehr für die Stunde verlangen kann. Wie
ich oben schon bemerkte und wie es wissenschaftlichere Männer als ich
1000mal sagten und noch zuletzt Prof. Fleischer: vieles läßt sich nicht
erlernen; also nach all der Mühe, die wir da angewendet, wird der Schüler
sicherlich kein Rubinstein und kein Joachim; aber Stil und Farbe wird
doch vorhanden sein. Es wird, wenn man die drei Elementarjahre richtig
angewendet hat, nie solch furchtbare Stümperei erklingen, wo die rechte
Hand nicht weiß, was die linke tut. Wenn dann im vierten Jahre das
Stück erläutert wird, ist es unmöglich, daß man eine Melodie zerreißt,
die thematischen Noten nicht betont, die wichtigen seelischen Momente
nicht hervorhebt, mit einem Wort: nicht wenigstens ein Schattenbild vom
Original, eine Photographie gibt. Daß es dann noch lange nicht die
ideale Wiedergabe ist, wird keiner bestreiten; aber immerhin wird sich
der Autor nicht im Grabe herumdrehen.

Indessen denke man nicht, daß mit dieser Arbeit allein die Hauptsache des Lehrens erledigt sei. Ebenso wichtig, ja für Dilettanten viel
wichtiger ist noch das Hörenlernen. Dies kann nicht dadurch geschehen,

daß man einen Schüler drei Stunden des Tages an dasselbe Stück fesselt;
sondern der Lehrer muß nun allmählich den Schüler für die Werke der
Meister interessieren. In Berlin ist das natürlich leicht; man braucht
nur in die Konzerte zu gehen. Aber Berlin wollen wir hier gar nicht
in Betracht ziehen; die Musikstadt par excellence hat nicht einmal eine
Ahnung, wie es in anderen Städten, wie Paris, Petersburg oder gar Rom
und all den kleineren zugeht. Nehmen wir eine mittelgroße Stadt, wo
das meiste Hören sich auf die paar Ausübenden konzentriert. Da muß
der Lehrer, soviel er vermag, dem Schüler vorspielen; der Schüler selbst
muß, soviel er irgend kann, vom Blatte lesen; es müssen ein paar Lehrer,
ein paar Schüler zusammengebracht werden, damit sie sich gegenseitig
etwas vorspielen und dergl. m., und zwar nicht nur die Literatur ihres
Instrumentes, im Gegenteil: soviel als möglich Musik im allgemeinen, wie
Symphonien, Quartette, Chormusik usw. usw., allmählich, dem Verständnis
der Schüler entsprechend, vom elften Jahre ab. Dann kennt so ein
Schüler mit 16 Jahren schon manches; jetzt kennt er höchstens ewig die ·
selbe Polonaise von Chopin oder zwei Konzerte von Viotti und eines von
Spohr. Es geht soweit, daß mich mancher Kleinstädter mit Verwunderung
gefragt hat, ob Bach etwas anderes als Heft I—II vom wohltemperierten
Klavier und die sechs Violinsonaten mit der Begleitung von Schumann
geschrieben habe. Der Leser möge nicht ungläubig dreinschauen: in Rom
hat der erste Gesanglehrer soeben Mozart's »Veilchen« kennen gelernt,
und in Petersburg hörte ein ganz gut bekannter Kritiker die G-moll-Sonate
von Tartini und das A-moll-konzert für Violine von Bach kürzlich zum
ersten Male, von Durante, Corelli und dergl. ganz zu schweigen. Nun
fragt man sich: kann bei vollkommener Unkenntnis der großen Werke
der großen Meister je von Auffassung die Rede sein? Kann je ein
Musiker, wenn er nicht gerade ein von Gott begnadetes, intuitiv empfindendes
Talent ist, ahnen, wie er eine Mondscheinsonate aufzufassen hat, wenn
er sonst von Beethoven nur weniges oder gar nichts kennt? wie das
Adagio aus der zehnten Violinsonate klingen muß, wenn er die Quartette
gar nicht kennt? oder das Adagio im letzten Satze derselben Sonate,
wenn er nicht weiß, daß ein Cyklus Lieder »An die ferne Geliebte« existiert?
Also das ist die zweite Hauptaufgabe des Lehrers: den Schüler aufzu-
wecken, ihm Verschiedenes vom Meister und verschiedene Meister vorzuführen und jede Individualität nach Möglichkeit nahezubringen. Wir
haben ja selbst in den Hauptstädten nur selten wirklich bildende Konzerte;
die Virtuosen, ja selbst die großen Künstler spielen meistens dieselben
Stücke. Den Geigern kann man dies nicht verargen. Wir armen Schlucker
haben ein wirklich winziges Repertoire guter und ein minimales vorzüglicher
Sachen; die Unsterblichen haben uns schlecht bedacht! Aber die Klavierspielenden und vollends die Sänger, was haben die nicht alles zu spielen

und zu singen! und doch spielen und singen sie stets dieselben Sachen. Mir ist es seit dem Tode Rubinstein's nicht oft gelungen, anderes als vier bis fünf Präludien von Chopin im Winter zu hören, und stets waren's dieselben; von 25 Etuden immer nur die 6, von 32 Sonaten Beethoven's immer nur die 2, die gerade das Jahr Furore machten. Irgend ein »Künstler« hat z. B. mit dem Grieg'schen Klavierkonzert einen Erfolg: man hört das Jahr weit und breit von Sibirien bis Chile dies Stück von Allen im Konzert, von Allen, die sich zum Schlussexamen vorbereiten, von Allen, die mehr oder weniger schnell spielen können, aus allen Etagen. Diese üble Gewohnheit, die Musik zum Spielkasten zu machen, ist der schlimmste Auswuchs der heutzutage herrschenden Mißerziehung der Schüler. Hätte man, wie wir es vorhin andeuteten, ihren Wissensdrang in der Kindheit geweckt, wahrlich, solche Narrenspossen kämen nicht vor.

Und nun die Sänger! Ich möchte zehn gegen eins wetten, daß die wenigsten ahnen, Schubert habe sechshundert Lieder geschrieben; ich will nicht sagen, daß alle vorzüglich seien, im Gegenteil, es gibt darunter viele, die nur den Historiker zu interessieren vermögen, aber wie viele, die schöner sind als alles bis jetzt Gehörte! Jedoch ist es unnütze Mühe, die lehrenden Sänger oder Sängerinnen darauf aufmerksam zu machen; Sie hören als Antwort: ja, die Patti hat soviel Erfolg mit »Home, sweet home« gehabt, oder Lili Lehmann mit dem »Nußbaum«; wir müssen das singen lehren, es gefällt dem Publikum.« So eine Antwort wäre unmöglich, wenn es diesen Herren und Damen um die Musik ernst wäre, um das Innere der Musik und nicht das sogenannte Musizieren. Das Publikum, dem man so viele Schuld gibt, ist viel besser; die Lehrer, und nachher natürlich die Schüler, sind an solchem Elende schuld. Hat Herr Siegfried Ochs nicht bewiesen, daß mit dem Wollen viel zu erreichen sei? hört jetzt Berlin etwa nicht die herrlichsten Chorwerke Bach's mit immer wachsendem Interesse und immer wachsendem Verständnis? Also ist das Publikum in allen seinen Schichten erziehbar. Aber etwas läßt in solchen Konzerten stark zu wünschen übrig: die Solisten. Solisten! wieder Produkte der Lehrprogramme! Wer hat diesen Menschen, als sie in die Schule gingen, je gesagt: »Meine Herrschaften, es gibt drei Arten von Singerei, Konzert, Theater und Oratorium. Alle drei sind in sich so verschieden, wie Tag und Nacht. Erst lernen wir das Leichtere, die Lieder; dann, wenn die Stimmmittel ausreichen, die Oper, und wenn die Stimme dazu paßt, das Oratorium!« Wer von diesen Sängern will überhaupt wissen, daß eine Arie in einer italienischen Oper einer Aria der Mathäuspassion oder H-moll-Messe oder einer Kantate gar nicht entspricht? Wer will es sich überlegen? denn wissen wird es ein Jeder, daß, wer den »Jasminenstrauch« ganz gut vorträgt, noch lange nicht für eine Kantate, und vollends fürs Ensemble-Singen reif ist. Wie viele Sänger geben sich überhaupt Rechenschaft, wie schwer das Ensemble-Singen ist? und wie viele Lehrer trainieren ihre Schüler aufs Ensemble-Singen? wie viele wissen von den höchsten Anforderungen der Kunst? — Was entsteht nun aus diesem mangelnden Wissen? Sänger kommen zwei, im besten Fall drei Tage vor der Aufführung und sollen in einem Werke, von dem sie höchstens ihre Partie und oft auch diese nicht kennen, öffentlich singen. Nun, in manchen Fällen ist es kein Staatsverbrechen; aber z. B. in der Missa sollemnis von Beethoven ist's ein solches. Da, wo das Soloquartett absolut mit dem ganzen Gewebe verschmilzt, ganz und gar einen Geist, einen Körper, eine Seele bildet, da ist's ein fürchterliches, grausiges Empfinden, die Solisten für sich selbst, und noch dazu nicht nur geistig sondern technisch schlecht singen zu hören. Wäre solch ein Verbrechen möglich, wenn dem Anfänger vom Lehrer wie das Gebot ›du sollst nicht stehlen‹ das Wort eingeprägt wäre ›du sollst die Musik verstehen?‹ Dies Verständnis anzuerziehen, dieses Wecken des moralischen Empfindens für die Musik, des Ehrlichkeitsgefühles für die höchste Kunst, diese Fähigkeit ist es, die dem Lehrer, nebst der Geduld im Elementarunterricht, bis jetzt meistens mangelt. Solange der Lehrer nicht in sich wird gehen wollen, so lange er selbstsüchtig sein Wissen für sich behalten wird, so lange die Musik nur als tägliches Brot, als Karriere angesehen wird, so lange werden wir von dem, was das Größte in dieser Kunst ist, dem Gehalt und dem Menschlich-Göttlichen, keine Ahnung haben.

Rom.   **Assia Spiro-Rombro.**

Über Busoni's Ausgaben und Bearbeitungen Bach'scher Werke.

Eine durchgebildete Anschauung in allen Künsten und daher auch in der Musik hat sich von der besonderen Bevorzugung einzelner Epochen oder einzelner Erscheinungen losgemacht, wodurch die persönliche Vorliebe für Dieses oder Jenes nicht verhindert wird; aber der Blick für das Ganze bleibt frei, und sowohl Beobachtung als auch Beurteilung neuer Regungen gründen sich nun auf die Einsicht in das weite Gebiet der hervorgebrachten Kunsterzeugnisse und verhindern dadurch einerseits die Unterschätzung, die in dem Vorhandenen den Abschluß der menschlichen Kunstkraft erblickt, und andererseits die Überschätzung, die schon in einer verwegenen Handhabung verfügbarer Mittel eine bisher ungekannte Erfindung anpreisen zu können vermeint. Vor ähnlichen Verirrungen schützt jene Kunstanschauung auch die ausübenden Künstler, deren Aufgabe es ist, mit ihr gleichen Schritt zu halten und darum auch das ganze Feld der Kunstwerke in den Kreis ihrer Tätigkeit einzuschließen. Nur entsteht hier eine besondere Schwierigkeit. Jedes lebens-

fähige Kunstwerk birgt in sich eine Kraft, durch deren Wirkungsmöglichkeit
die Länge seiner Dauer bestimmt wird; aber die Bedingungen, unter denen
sich diese Kraft äußern kann, wechseln im Laufe der Zeit und nehmen oft
Gestalten an, die dem ursprünglichen Gedanken an eine Ausführung direkt
entgegen laufen. Diesem Umstande muß jeder Rechnung tragen, der sein
Leben und Weben mit den Forderungen der Gegenwart in Einklang bringen
will; denn nur auf diesem Wege kann er den Nutzen stiften, wozu er vermöge seiner Fähigkeiten berufen ist.

Jedoch werden bei der Verschiedenheit dieser Bedingungen auch die Ansichten darüber verschieden sein und oft auseinander laufen, wie sie, die
früheren und die gegenwärtigen, mit einander in Einklang zu bringen sind.
Daraus, daß ältere Meister sich in der Anwendung der Ausdrucksmittel oft
große Beschränkung haben auferlegen müssen, kann doch unmöglich der Schluß
gezogen werden, daß sie reichere Mittel, wenn sie ihnen zu Gebote gestanden
hätten, verschmäht haben würden. Bei genauerer Prüfung ist ganz deutlich
zu sehen, wie sie sofort beim Eintritt der Erweiterung eines Mittels zur
Benutzung dieser Erweiterung vorgeschritten sind. Ich brauche nur, um
dies zu verdeutlichen, auf die Klavier-Sonaten Beethoven's hinzuweisen, deren
Gestaltungen nicht bloß durch den größer werdenden Umfang des Instruments,
sondern auch durch dessen immer mächtiger anwachsende Tonfülle und An-
schlagsmannigfaltigkeit wesentlich beeinflußt worden sind. Der Meister hat
über das vorhandene Material hinaus gedacht und empfunden und ist so dem
Erfindungsgeiste der Klavierbauer vorangeschritten. Anders liegt die Bestimmung des Verhältnisses zwischen dem vorliegenden Kunstwerke und den
mutmaßlichen Absichten seines Schöpfers, wenn es sich um das Orchester
handelt; denn eine Partitur birgt unendlich viele Geheimnisse in sich, deren
Zahl sich steigert, je weiter ihr Ursprung zurückliegt. Sie kann nicht ohne
weiteres so benutzt werden, wie sie geschrieben worden ist, und sie kann
auch nicht willkürlich verändert werden. Wenn der in bezug auf Aufführung und Darstellung viel umstrittene »Don Juan« von Mozart sich plötzlich wieder die Besetzungszahlen der früheren Zeit gefallen lassen muß, so
geschieht das nur, um Aufsehen zu erregen und volle Häuser — aus Neu-
gier — zu erzielen: mit der Pietät vor dem Genius, dem die Schöpfung
des Werkes zu verdanken ist, hat ein solches Vorgehen gar nichts zu tun.
Diese könnte eher ein Bedauern erwecken, daß ein solcher Genius, der in
der Schönheit und in der Fülle des Klanges geradezu schwelgte, mit so bescheidenen Mitteln, mit einer so geringen Anzahl von Streichern zufrieden
sein mußte! Wie anders würde er seinen »Don Juan« instrumentiert haben,
wenn die Orchester der damaligen Zeit anders beschaffen gewesen wären,
und die Bläser eine vollkommenere Technik gehabt hätten!

Ähnliches nun läßt sich von einem anderen großen Werke der Vergangenheit sagen: von der »Matthäus-Passion« von Bach. Wohl läßt sie sich so
aufführen, wie sie uns geschrieben vorliegt. Ist das aber das Werk des
alten Sebastian, wie es seinem Geiste vorgeschwebt hat? oder wie er es
aufgeführt hat? Wir wissen zwar, daß er dabei auf der Orgelbank gesessen
und es von hier aus geleitet hat. Was er aber dazu gespielt hat, das ist
uns nicht aufbewahrt worden, und doch ist dies gerade vielleicht einer der
wichtigsten Bestandteile der ganzen Aufführung gewesen. Wohl hat Bach
einen Bildhauer gefunden, der seinen gewaltigen Kopf aus den ausgegrabenen Schädelknochen wieder herzustellen vermocht hat; aber einen musika-

lischen Bildhauer, einen gleichartigen Genius, der aus dem Gerippe der hinterlassenen Andeutungen die ganze gewaltige Orgelstimme zurückzuschaffen befähigt gewesen wäre, den hat er noch nicht gefunden. Auch der sonst so verdienstvolle Robert Franz hat sich der Lösung dieser schwierigen Aufgabe nicht zu unterziehen getraut und daher einen anderen Weg eingeschlagen, indem er eine neue, moderne Instrumentation geschaffen hat. Daß diese nicht im richtigen Verhältnis zu dem Stile des Werkes steht, braucht hier nicht weiter ausgeführt zu werden. Wirklich stilvolle Veränderungen hat nur einmal ein Meister zu stande gebracht: Richard Wagner in seiner Umarbeitung der »Iphigenie in Aulis« von Gluck und in der Ausgestaltung der Stellen in den Symphonien Beethoven's, in denen diesem selbst die Beschränkung der Instrumente und ihrer Handhabung im Wege gestanden hatte.

Bei der Aufführung der Werke Bach's ist dem Ermessen und dem Geschmacke des Vortragenden nun noch ein weiterer Spielraum dadurch offen gelassen, daß der Meister so gut wie gar keine Vorschriften über Tempo, Dynamik und Phrasierung gemacht hat, so daß oft auch der Eingeweihte in eine nicht leicht zu beseitigende Ratlosigkeit geraten kann. Hieraus entsprang das Bedürfnis, Ausgaben zu veranstalten, in denen jenem Mangel Abhilfe geboten werden sollte. Zuerst trat Czerny mit einer Ausgabe des »Wohltemperierten Klaviers« hervor, in welcher er, wie er behauptet, die Art und Weise angegeben haben will, wie Beethoven die Präludien und Fugen dieser Sammlung zu spielen gepflegt habe. An der Richtigkeit dieser Darstellung muß jedoch Zweifel gehegt werden. Selbst wenn einmal Beethoven die eine oder andere Nummer auf die angegebene Art gespielt haben sollte, so könnte daraus noch nicht gefolgert werden, daß dies seine tatsächliche Auffassung von der Sache gewesen sei, da sein Spiel nach zuverlässigen Überlieferungen ganz von seiner augenblicklichen Laune und der Beschaffenheit der Zuhörer abhing. Nur vereinzelte Züge erinnern in dieser Ausgabe an die Größe des Beethoven'schen Vortragsstiles, wie er ihn selbst in seinen eigenen Werken durch sorgfältige Bezeichnungen kundgetan hat. Man kann daher mit einiger Sicherheit behaupten, daß Beethoven zuweilen für den Vortrag einzelner Stellen seine Auffassung flüchtig angedeutet, und daß Czerny sich nun hieraus ein System zurechtgezimmert hat, nach dem er das ganze Werk »beethovensch« auszulegen wagte. Einen bedeutenden Schritt vorwärts hat Tausig auf diesem Wege mit seiner Ausgabe einer Anzahl von Nummern aus dem »Wohltemperierten Klavier« getan, gestützt auf die gründliche und fruchtreiche Unterweisung, die er bei Liszt in dem Vortrage Bach'scher Werke genossen hatte. In der neuesten Zeit hat es Ferruccio Busoni unternommen, in einer umfangreichen, dreibändigen Ausgabe des Werkes alle in bezug auf den Vortrag bisher gefundenen Resultate aufzuzeichnen, etwa noch Fehlendes selbständig zu ergänzen und den Bau einer jeden Nummer durch geistvolle Erläuterungen und genaue Zergliederungen verständlich zu machen. Felix Draeseke sagt in seinem — 1902 bei Oertel in Hannover erschienenen — unübertrefflichen »Lehrbuch für Kontrapunkt und Fuge« über den Zweck der letzteren, daß er nicht darin bestehe, »uns gelehrten Kontrapunkt vor die Augen zu führen«, sondern daß die Fuge »eine Kunstform darstellt, ähnlich den größern Formen des freien Satzes, die uns in erster Linie Musik bieten soll. Erhalten wir von Fugenkomponisten keine Musik, sondern nur trockenen Kontrapunkt, der unter Beobachtung der erlernten Regeln in Form einer Fuge uns vorgeführt wird, so hat der betreffende im

wesentlichen das Ziel verfehlt und uns das nicht gegeben, was wir zu erwarten
berechtigt waren, nämlich eine künstlerische Schöpfung. Als eine solche soll
die Fuge sich zu erkennen geben, und um eine solche zu liefern bedarf der
Komponist eben so gut, wie wenn er im freien Stile arbeitete, der Erfindung,
der geistvollen Einfälle, ja geradezu der Inspiration«. Von gleichen Ansichten
hat sich Busoni bei seiner Arbeit leiten' lassen und damit im bejahenden
Sinne bewiesen, daß jedes Präludium und jede Fuge auf einer Inspiration
beruht, und daß darum alle als künstlerische Schöpfungen und nicht, wie es
leider beim Unterricht noch immer im verneinenden Sinne geschieht, als
trockene Formenübungen geschätzt werden müssen. Durch eine Unterweisung
an der Hand der Busoni'schen Ausgabe wird dem Jünger der Kunst alle
Furcht vor den Schrecken und Qualen der vermeintlichen Hölle verscheucht.
Der Verfasser verbreitet mit treffenden Worten völlige Klarheit über den oft
poetischen Sinn der Präludien und entwirrt mit großer Sicherheit die häufig
·verschlungenen Knoten der Fugen, indem er von jeder eine bis ins Kleinste
gehende Analyse bietet. Außerdem gibt er zahllose Anweisungen für die
Bewältigung der technischen Schwierigkeiten und entwickelt aus verschiedenen
von diesen eigenartige neue Studien. Wenn seine Vorschriften für den Vortrag
dieser Schöpfungen befolgt werden, und wenn unter den vorgeschlagenen Erweiterungen eine freie Auswahl, je nach Gefallen und Zustimmung, getroffen
wird, so wird die Beschäftigung mit dem »Wohltemperierten Klavier« eine
äußerst reizvolle und fruchtbringende werden, indem der Gewinn aus Arbeiten,
die mit Lust und Liebe unternommen werden, mindestens der doppelte ist.
Im Anhang zu dieser Ausgabe befindet sich noch eine wertvolle Analyse der
großen Fuge aus Op. 106 von Beethoven, wie sie übrigens in gleicher Vollendung schon Hans von Bülow in seinem wunderbaren »Interpretationsver-
suche« geboten hat.

Das »Wohltemperierte Klavier« in dieser Gestalt bildet ein Glied in einer
längeren Kette von Ausgaben Bach'scher Werke, die Busoni »im Sinne einer
Hochschule des Klavierspieles entworfen hat«. Es gehören dazu noch verschiedene Übertragungen, von denen weiter unten die Rede sein soll, und
die Ausgaben der Inventionen, die das gleiche Gepräge wie die schon besprochene Ausgabe tragen. Die Inventionen gelten für die Vorläufer des
»Wohltemperierten Klaviers« und werden im Durchschnitt in der entsetzlich
trockenen Weise wie dieses behandelt, so daß sie ebenfalls eher als Furcht
und Schrecken einflößendes Gespenst denn als lebendige Gestalt angestarrt
werden. Darum behauptet Busoni in seinem »Vorwort« mit Recht, »daß
seitens der Herren Klavierlehrer wenig und selten Etwas geschieht, um bei
den Schülern das Verständnis für die tiefere Bedeutung dieser Bach'schen
Schöpfungen zu erwecken. Gewöhnlich beschränkt sich das Studium der
Inventionen auf eine, ohne jedes System getroffene Auswahl derselben; die
häufige Benutzung fehlerhafter oder schlecht redigierter, mit unzuverlässigen
Verzierungs- und Vortragszeichen ausgestatteter Ausgaben ist nur dazu angetan,
dem Lernenden die Erfassung des Bach'schen Geistes zu erschweren; endlich
ist es das kompositorisch bedeutende Moment, welches bei dem Unter-
richte gänzlich übergangen wird, während es — wie kein anderes Mittel —
dazu berufen ist, die rein musikalische Seite des Schülers zu entwickeln
und seinen kritischen Sinn zu heben«. Er entwickelt ferner aus den eigenen
Worten des Meisters den bedeutungsvollen Satz, daß dieser nach einem wohl
überdachten Plane gearbeitet hat, und daß jede einzelne der in seinem Werke

vorkommenden Kombinationen ihr Geheimnis und ihre Bedeutung birgt. Und diese Bedeutung will der Herausgeber dem allgemeinen Verständnis näher rücken. Dazu bedient er sich der folgenden Momente: erstens gibt er »eine durchwegs unzweideutige Darstellung des Textes«. Sodann sorgt er für die »Wahl des geeigneten Fingersatzes«. Drittens macht er Vorschläge für die »Bezeichnung des Zeitmaßes« und läßt dabei italienische und deutsche Überschriften »sich gegenseitig ergänzen«. Er begründet diese doppelte Bezeichnung damit, daß die italienische Ausdrucksart oftmals steif und konventionell und daher nicht nüancentähig genug ist, daß andrerseits die deutsche nicht immer über gewisse feststehende Begriffe wie Allegro, Andante und andere verfügt. Übrigens mag dies auch der Grund sein, warum die großen Meister, besonders Beethoven, so oft sie versucht haben, die italienischen Ausdrücke zu verdeutschen, immer wieder zu ihnen zurückgekehrt sind. Was birgt nicht das Wort Adagio alles in sich? Ist es nun nötig, sich seines Gebrauches zu schämen, weil es nicht deutschen Ursprunges ist? Wahrlich, die Sprachreiniger sollten zunächst an die Reinigung ihres Stiles denken: da gibt es Arbeit genug. Wer in einer Sache zu engherzig vorgeht, der muß sich schon den Ehrennamen eines »Pedanten« gefallen lassen, für den Schiller in einer seiner Xenien ironisch die Verdeutschung verlangt! — Busoni fügt viertens »die Vortragszeichen« hinzu, die zur richtigen Auffassung des Bach'schen Stiles anleiten sollen. Er zählt die Eigenschaften auf, wodurch sich dieser auszeichnet, und warnt auch vor verschiedenen Gewohnheiten im Vortrage, die dem Bach'schen Charakter widersprechen. Darunter nennt er auch merkwürdigerweise »ein zu glattes Legatospiel und ein zu häufiges Piano«. Beide Eigenschaften würden jedoch einem »männlichen, energischen, breiten und großen« Vortrage gar nicht im Wege stehen, und der Herausgeber macht denn auch von ihnen im Verlaufe seiner Anleitungen den richtigen Gebrauch. Schließlich bietet er noch einen Kommentar, der »vorzugsweise einen Beitrag zur Formenlehre liefern soll«.

Es ist dem Herausgeber vollkommen gelungen, nach diesen fünf Momenten, wie er sie selbst genannt hat, durchgehends zu verfahren, so daß er, wie ein weiser Gesetzgeber, nicht bloß Gesetze und Regeln aufgestellt hat, sondern ihnen auch gefolgt ist. Soweit sich, ohne bei dem Mangel der Vorlage zu weitschweifig zu werden, seine lehrreichen Bemerkungen anführen lassen, mögen einige von ihnen hier besonders beleuchtet werden. Die zehnte zweistimmige Invention hat Mozart zweifelsohne als Vorbild für seine «Gigue« gedient. Darum gibt Busoni auch für jene ein »Tempo di Gigue« an und läßt sie »sehr lebhaft und mit springendem Anschlag« spielen. Von den vier letzten Takten des Stückes erscheinen ihm die zwei ersten lediglich als die innere Erweiterung des Satzes, die »der melodischen Phrase eine schwungvolle Langatmigkeit und der Schlußresolution gewissermaßen das Gepräge der ‚Unwiderruflichkeit' verleiht. Im streng-organischen Sinne hängt der vorhergehende Takt mit dem vorletzten des Stückes unmittelbar zusammen, wobei allerdings die Oberstimme zuletzt in der höheren Oktave gedacht werden muß«. Solche Erläuterungen klingen sehr einfach und natürlich und werden deshalb meistens für selbstverständlich gehalten; sie zu finden und auszusprechen ist aber doch nicht einem Jeden vergönnt gewesen. Der Vortrag der fünften dreistimmigen Invention die nach seinem Dafürhalten einem beinahe romantisch angehauchten ‚Duett mit Lautenbegleitung' gleicht, erheischt »ein sehr ausdrucksvolles Spiel, das namentlich an die Weichheit des Anschlages und die Mannigfaltigkeit der Nuancierung erhebliche Forderungen stellt«. Die wertvollste Unterweisung bietet er unstreitig in der Anmerkung zu der neunten dreistimmigen Invention, die ich eine Vorahnung des Beethoven'schen Adagios nennen möchte. Busoni erblickt in ihr ein Stück echter ‚Passionsmusik' und hält sie an Gehalt für den »vielleicht bedeutendsten Abschnitt der Sammlung«, wobei er das Wort »vielleicht« ruhig hätte fortlassen können. »Dieser Tonsatz weist in der Behandlung des dreifachen Kontrapunktes eine, mit Tiefe der Empfindung gepaarte, plastische Klarheit der Form auf, welche diese Invention zu einem Musterbeispiel ihrer Gattung gestaltet. Jedem der drei, in wechselseitig kontrastierendem Verhältnis gehaltenen, gleichberechtigten Themas (Themata!) muß dementsprechend im Vortrage zu gleichem Rechte verholfen werden. Da sich aber bei dem Bestreben, alle Stimmen gleichzeitig zur Geltung zu bringen, leicht ereignen könnte, daß die eine die andere nur zwecklos übertönt, so ist es ratsam, ein gewisses ‚diplomatisches' Verfahren anzuwenden«, für das der Herausgeber nun eine Reihe von Regeln aufstellt, nach denen er die geschickte Hervorhebung der geltenden Stimmen gehandhabt wissen will. Wer diese Regeln verständnisvoll befolgt, wird das schwierige Stück seinem kontrapunktischen und seelischen Gehalte nach sicher und stilvoll vortragen lernen. Als ein Muster wissenschaftlicher Befähigung muß die Entwirrung der formellen Gestalt der elften dreistimmigen Invention gepriesen werden. »Die Aufgabe, das Verhältnis der einzelnen Glieder dieser großen Satzkette«, als welche das Stück sich dem Herausgeber gezeigt hat, »zu einander übersichtlich darzustellen, war keine ganz einfache. Nach mehrfacher Erwägung entschied er sich für die folgende, den Forderungen der Klarheit, der Logik und der Proportion wohl am besten entsprechende Zusammenstellung«: erster Teil, aus einem achttaktigen Vorder- und einem achttaktigen Nachsatze bestehend; zweiter Teil, aus einem zwölftaktigen Vorder- und einem achttaktigen Nachsatze bestehend, dessen letzter Takt zugleich der Anfangstakt des dritten Teiles ist, der aus einem zwölftaktigen Vorder- und siebzehntaktigen Nachsatze gebildet wird, worauf ein Epilog, auch Coda genannt, von acht Takten das Ganze abschließt.

Diese bei Breitkopf & Härtel in Leipzig herausgekommene Ausgabe der Bach'schen Inventionen muß das bedeutendste Stück der Busoni'schen »Hochschule« genannt werden. Jene bilden an und für sich schon den Vorhof, durch den der Kunstjünger in das Allerheiligste der Bach'schen Kunst einzutreten pflegt. Tut er dies in Zukunft an der Hand dieser neuen Ausgabe, so wird ihm mancher Schleier schneller als bisher gelüftet werden, und die ganze Herrlichkeit wird ihm in einer Klarheit entgegenstrahlen, die zu schauen bisher nur wenigen Auserwählten vergönnt gewesen ist.

In dem weiteren Verlaufe dieser Erörterungen gelangen wir nun zu den Übertragungen, bei deren Schätzung von ganz anderen Voraussetzungen ausgegangen werden muß. Entspringen derartige Ausgaben, die wir im Vorhergehenden betrachtet haben, dem Bewußtsein, daß es eine Notwendigkeit war sie zu schaffen, um dadurch das Verständnis unveränderlicher Kunstwerke zu erleichtern und zu verallgemeinern, so haben die Übertragungen den Zweck, einmal die Geschicklichkeit des Verfassers in der Übertragungskunst zu zeigen, sodann aber durch die Übertragung das Werk auch Denen zugänglich zu machen, die es in seiner wirklichen Gestalt nicht genießen können. Wie vollkommen dieser Zweck gleich beim ersten Male erreicht worden ist, das hat sich gezeigt, als Liszt die Sinfonie fantastique von Berlioz für das

Klavier übertragen hatte, eine der rätselhaftesten Arbeiten, die jemals auf diesem Gebiete veranstaltet worden sind. Durch diese Übertragung lernte Robert Schumann das Werk kennen und schrieb über dieses wie über jene eine glänzende Abhandlung, die als kritische Musterleistung einzig in ihrer Art geblieben ist und auch wohl sofort viele Aufführungen des Werkes in seinem orchestralen Gewande veranlaßt haben würde, wenn nicht Unvermögen, Beschränkung und Eigensinn hindernd in den Weg getreten wären. Von den vielen anderen Arbeiten, die Liszt in dieser Art geschaffen hat, können an dieser Stelle nur seine Übertragungen der Bach'schen Orgelfugen erwähnt werden. Sie sind zunächst nur in der Absicht verfaßt worden, um sein bisher unerreicht gebliebenes Fugenspiel, das durch die polyphone Klarheit und Ausdrucksmannigfaltigkeit dem Klavier einen orgelartigen und orchestralen Charakter verlieh, auch an ihnen zu offenbaren. Er schrieb darum sechs Fugen in dieser Form nieder und veröffentlichte sie, gleich wie es Bach selbst getan hatte, ohne Angabe der Tempi und der Vortragszeichen. Sie blieben so nur Skizzen, und wer die Werke in ihrer Ausführung kennen lernen wollte, der mußte sich entweder von Liszt selbst oder von seinen Schülern Bülow und Tausig, denen er die Geheimnisse dieses seines Spieles anvertraut hatte, vorspielen lassen. Was der zuletzt Genannte bei Liszt nach dieser Richtung hin gelernt hatte, das legte er in der Bearbeitung der Toccata und Fuge in D moll nieder, woraus sich viel deutlicher erkennen läßt, wie getreu Liszt den Charakter der Orgel wiederzugeben verstanden hatte. Schließlich zeigte dieser selbst es noch am allerdeutlichsten in der Übertragung der großen Phantasie und Fuge in G moll. In späterer Zeit versuchte sich d'Albert in dieser Kunst auch und bewies seine diesbezügliche Fähigkeit in der Behandlung des Präludiums und der Fuge in D dur, eine tüchtige Arbeit, die jedoch mehr den Eindruck einer wohlgelungenen Photographie hervorruft, während Busoni, der dieselbe Aufgabe gelöst hat, darin den kunstvollen Radierer bekundete. Als solchen wird er sich auch wohl in der Bearbeitung des Präludiums und der Fuge in Es dur gezeigt haben; doch ist mir diese nicht bekannt geworden. Wenn alle diese Leistungen auch in erster Linie nur die bewundernswerte Kunst ihrer Verfasser dargetan haben, so haben sie doch auch größtenteils zur Verbreitung der Bach'schen Orgelwerke beigetragen. Es genügt nicht, diesen Arbeiten entgegenzuhalten, daß zu jener Verbreitung die Orgelspieler selbst vorhanden sind. Gewiß gibt es unter ihnen ganz hervorragende Vertreter ihres Faches, die sich nicht bloß durch ihr Können, sondern auch durch die Reichhaltigkeit ihrer Programme auszeichnen. Man bedenke aber einmal, wie wenig Orgelkonzerte im Verhältnis zu den unzähligen Klavierkonzerten gegeben werden, und sodann, wie wenig Orgeln in unsern Kirchen Vertretern anvertraut werden, denen jene guten und notwendigen Eigenschaften nachgerühmt werden können. Der überwiegend größte Teil der Organisten besteht aus Volksschullehrern, von denen eine Bewältigung einer Bach'schen Orgelfuge kaum verlangt werden kann. So kommt es, daß eine große Anzahl der Bach'schen Orgelwerke fast gänzlich unbekannt geblieben ist. Dazu gehören auch die Choralvorspiele. Diese Erwägung hat nun Busoni veranlaßt, sie für das Klavier zu übertragen, um »ein größeres Publikum für diese an Kunst, Empfindung und Phantasie so reichen Kompositionen des Meisters zu interessieren und damit in musikliebenden Kreisen allmählich das Verlangen zu erwecken, auch die übrigen Werke dieser Gattung (über hundert an der Zahl) kennen zu lernen«. Die Art der Übertragung,

die er im Gegensatz zu seinen ‚Konzertbearbeitungen' als eine solche ‚im
Kammerstil' bezeichnet, soll an die Fähigkeit des Spielers nur selten die
höchsten Anforderungen stellen, wenn man zu diesen nicht die Kunst des
Anschlags zählen will, der es »beim Vortrage dieser Choralvorspiele allerdings
im umfassendsten Maße bedarf«. Nach allen vorhergegangenen Äußerungen
über die Behandlung, die Busoni Bach'schen Werken zuteil werden läßt,
braucht über diese weitere Bereicherung seiner »Hochschule« nichts Besonderes
mehr hinzugefügt zu werden. Sie verraten in gleicher Weise die ungewöhnliche Beherrschung des Bach'schen Stiles und die außerordentliche Meisterschaft in deren Bekundung.

Ein eigenartiges Werk, das gleichsam als Gesamtergebnis des Studiums
der Bach'schen Werke aufgefaßt werden muß, ist die Konzertbearbeitung der
bekannten Violin-Ciaconna für Klavier. Es ist eines der wenigen Solostücke,
die die Violinisten besitzen, und schon aus diesem Grunde sollte es ihnen
nicht geraubt werden. Auch hat es schon einmal eine Bearbeitung erleiden
müssen, indem Brahms es in eine Klavierstudie — für die linke Hand allein —
umgewandelt hat. Dagegen erscheint nun freilich die Busoni'sche Arbeit als
eine Riesenleistung, die immerhin so reichhaltig an interessanten Wendungen
und Gestaltungen ist, daß sie wohl einer größeren Beachtung und vielfacher
Verwendung wert erscheint.

Noch muß ein Werk erwähnt werden, dem Busoni vielfach einen andern
Anstrich verliehen hat: das ist das D moll-Konzert für Klavier und Streichorchester. Das letztere ist unverändert geblieben; das erstere hat einen
reicheren Satz erhalten, entsprechend dem reicheren Bau der heutigen Klaviere,
jedoch unter völliger Wahrung Bach'schen Geistes, wenn auch die Akkorde
am Schlusse des zweiten Satzes manches Gewaltsame zeigen. Auch einige
vorsichtige Kürzungen kommen der Wirkung des Ganzen zu Gute.

Außer den Inventionen sind die Choralvorspiele, die Ciaconna, Präludium
und Fuge in D-dur und das eben erwähnte Konzert gleichfalls im Verlage
von Breitkopf & Härtel in Leipzig erschienen. Sowohl den Verlegern wie
dem Bearbeiter ist eine möglichst weite Verbreitung dieser neuen Erscheinungen zu wünschen, um so mehr, als durch sie der Sinn und das Verständnis
für die Werke des gewaltigen Thomaskantors nur vermehrt und vertieft werden
können.

Altenberg/Erzgebirge.   **Eduard Reuß.**

Das Musikleben in Rußland.

Saison 1902—1903.

II.

Während der Fastenzeit und Frühlingssaison bot das russische Musikleben
wohl wenig besonders Erwähnungswertes. Nach meinem ersten Berichte
(Zeitschrift IV, 8) brachte nur die Moskauer Privatoper eine hervorragende
Novität: »Die Sage von der Stadt Großer Kytège« von Wassilenko, einem
jungen begabten Moskauer Komponisten. Die einaktige Oper ist nach seiner

gleichnamigen Kantate bearbeitet, die schon bei ihrer Konzertaufführung (Saison 1901—1902) in Moskau einen durchschlagenden Erfolg hatte. — Noch ein anderes junges Moskauer Privatunternehmen im Theater Hermitage, aus jungen »unberühmten« Sängerkräften bestehend, brachte eine neue russische komische Oper »Kamorra« des Moskauer Dirigenten Esposito, unter des Komponisten Leitung; sie wurde dann während der Frühlingssaison in einem Garten-Theater noch ca. 30mal gegeben. Wie auch früher ist die Tätigkeit der Operntruppe des St. Petersburger »Kaiser Nikolai II Volkstheaters« erwähnungswert. Dieselbe hat in der letzten Zeit nicht nur Novitäten für ihr eigenes Repertoire einstudiert, sondern führte auch noch ein talentvolles, der St. Petersburger Musikwelt ganz unbekanntes Werk auf — die Jugendoper von A. Arensky »Traum an der Wolga«; außerdem wurden hier neu aufgeführt: »Judith« von Sseroff (gerade zum 40. Jahre ihrer Erstaufführung), die »Zarenbraut« von Rimsky-Korsakoff, und endlich im Juli Nikolai's »Lustige Weiber«.

Vom Konzertleben ist noch folgendes nachzutragen: in St. Petersburg die »Russischen Symphonie-Konzerte« mit einer neuen Orchestersuite aus lettischen Volksliedern — ein kurzes, wenig gelungenes Werk von Witol. — Das Symphonie-Konzert, welches die bekannte Altistin Frau Dolina alljährlich für wohltätige Zwecke gibt, wurde jetzt unter Leitung des Musikdirektors Wlad. Zeleński aus Krakau gegeben. Herr Zeleński, der seine Ouverture »In den Gebirgen Tatra's« und eine »Tanz-Suite« spielte, gehört als Komponist und Dirigent zur alten Richtung. Einen ganz anders gearteten künstlerischen Eindruck machten zwei Werke neuester Meister: die Alt-Rhapsodie (Fragment aus Goethes »Harzreise«) mit Männerchor und Orchester von Brahms und eine Szene aus der neuesten Oper von Rimsky-Korsakoff »Unhold Ohnseele«, beide prachtvoll gesungen von Frau Dolina. — In der ersten Fastenwoche führte der St. Petri-Gesangverein »Judas Maccabäus« von Händel unter der Leitung von Prof. Homilius auf. — Die in meinem ersten Berichte erwähnten »Populären-Konzerte« brachten (im 73. Konzert) zwei große Werke: »Symphonie triomphale et funèbre« von Berlioz und die ganze Manfred-Musik von Schumann. Die dreisätzige, nicht in der Sonatenform gehaltene Symphonie von Berlioz (1840) mit Chor erlebte wahrscheinlich bei dieser Gelegenheit in Rußland ihre Erstaufführung. Sie ist ein imposantes Werk, mit manchen echt Berlioz'schen Charakterzügen, aber wenig zur Aufführung in gewöhnlichen Konzertsälen geeignet, da sie mit ihrem großen Blas-Orchester und dem Chor für .große Räume, sogar für Aufführung unter freiem Himmel bestimmt war. — Endlich muß ich hier des Historischen Konzertes gedenken, welches die St. Petersburger Kaiserl. Musik-Gesellschaft zum Schluß der 200jährigen Jubiläums-Feier der russischen Hauptstadt (am 31. Mai) gab. Dieses Konzert war mißlungen — ebenso bezüglich seines Programms, als auch der Aufführung, in der vor allem geladene Gäste (auch aus fremden Ländern), hauptsächlich die unlängst nach Beendigung ihrer Studien entlassenen Schüler des Konservatoriums und des Schulorchesters auftraten! Das Programm brachte, außer einigen historischen Chören und einem Marsche aus der Zeit Peters des Gr., ein Orchester-Rondo des kirchlichen Meisters Bortniansky, einige Lieder von Warlamoff usw., einige Vokalbruchstücke der Opernkomponisten Glinka und Dargomischsky, den I. Teil eines Klavier-Konzertes von Rubinstein (des Reformators unseres Musiklebens und Stifters des St. Petersburger Konservatoriums), drei Werke von Tschaikowsky und

kleinere Bruchstücke alter Meister. Eine dilettantische »Festkantate« von
Herrn Iwanoff wurde auf dem offenen Platz vor dem Denkmal Peters des
Großen in Gegenwart der Kaiserfamilie und aller Eingeladenen aufgeführt;
in einer Manege wurde für die Soldaten Tschaikowsky's Oper »Mazeppa«
aufgeführt. Die Festlichkeiten endigten mit einer gewöhnlichen Aufführung
der Nationaloper »Das Leben für den Zaren« von Glinka.

In dem Moskauer Konzertleben standen wie auch früher an der Spitze
die Symphonie-Konzerte der Kaiserlichen Musikgesellschaft (ständiger Dirigent:
Musikdirektor Ssafonoff) und der Philharmonischen Gesellschaft (Dirigent:
A. Siloti). Hier wie dort brachten die Konzerte nichts neues an größeren
Werken. In der Kaiserlichen Musik-Gesellschaft konnte man an den Symphonie-
Abenden u. a. Bruchstücke aus der Oper »Les Pêcheurs de St. Jean« von
Ch. Widor hören, welche der französische Komponist selbst leitete; sie fanden
nur einen lauen Beifall. Von neuen Werken russischen Ursprungs wurden
hier eine Ouvertüre »Don Carlos« des Petersburger Organisten Capp
und eine neue Es-dur Symphonie von R. Glier aufgeführt, die beide, besonders das letztere Werk, gefielen. Das Konservatorium hatte für das alljährliche Prüfungs-Konzert wieder die geniale Mozart-Oper »Figaros Hochzeit«
einstudiert. — Herr Siloti, der als Dirigent der Philharmonie-Konzerte für
die nächste Saison abgedankt hat, führte hier an größeren Werken nur
Schumann's »Manfred« auf, an Novitäten die VII. Symphonie von Glazunoff, eine andere von W. Zolotareff (die auch in Petersburg Erfolg hatte),
zwei Orchesterstücke des jungen Petersburger Komponisten Tscherepnin
(Vorspiel zu »Prinzessin Träumerei« und »Allegro dramatique«) und ein neues
Klavierkonzert von Arensky. Die Musikschule der Philharmonischen Gesellschaft bescherte als Examens-Vorstellung die reizende lyrische Oper »Le
roi l'a dit« von Léo Delibes, unter der Leitung ihres Musikdirektors
W. Kess. — Außer diesen ständigen Konzertunternehmungen muß ich hier
noch erwähnen: die mit glänzendem Erfolg gegebenen 2 Symphonie-Konzerte
von A. Nikisch (II. Symphonie von Brahms, Werke von Tschaikowsky
und Wagner) und ein eigenes Orchester-Konzert, das Prof. Ilynsky gab
und bei welcher Gelegenheit er seine eigenen Werke (u. a. Bruchstücke aus
seiner I. Suite, Suite »Nur und Anitra«) dirigierte. Da der Komponist zu
keiner Musikpartei gehört, so ist er auch gezwungen, das Publikum mit
seinen unbedingt gelungenen Werken selbst bekannt zu machen.

In Kiew gastierte außer dem ständigen Dirigenten A. Winogradsky in
der verflossenen Saison noch der junge Petersburger Dirigent Herr Hessin,
der hier die »Fantastische Symphonie« von Berlioz aufführte.

In Tiflis erfreut sich jetzt, nach der Abreise des bisherigen Musikdirektors
(jetzigen Inspektors der Kaiserlichen Hof-Kapelle) Klenowsky, das Musikleben eines beschaulichen Daseins. Die Kaiserliche Musik-Gesellschaft gab hier
kein einziges Symphonie-Konzert!

Im Musikleben der sibirischen Hauptstadt Tomsk sind wohl erwähnens-
wert die drei historischen Violin-Sonaten-Abende, welche in der dortigen
Sektion der Kaiserlichen Musik-Gesellschaft von Herrn Mödlin (Violine) und
Frau A. Alexandrowa-Lewenssohn (Piano) gegeben wurden, wobei Violin-
Sonaten von Corelli, Geminiani, Händel, Le Clair, S. Bach, Haydn
u. A., ferner von Rubinstein, Goedicke und Ippolitoff-Iwanoff. zu
Gehör gebracht wurden.

In Charkow dirigierte Herr Slatin u. a. die Faust-Symphonie von

Liszt, die Märchenmusik »Schneewitchen« und die Manfred-Symphonie von Tschaikowsky, und die C-dur-Symphonie von Balakirew alles hier zum erstenmal.

Die Namen der konzertierenden Künstler teilte ich schon in meinem ersten Berichte mit. Den durchschlagendsten und glänzendsten Erfolg hatte überall der junge geniale Geiger H. Kubelik — der echte Musikheros der verflossenen Saison in Rußland.

Zum Schluß dieser Saison fand noch die Grundlegung des National-denkmals Glinka's auf dem Theaterplatze zu Petersburg am 99. Geburtstage (2. Juni) des großen russischen Meisters statt. Die Enthüllung des Denkmals wird gerade übers Jahr stattfinden.

Die Sommermonate fließen in gewöhnlicher Stille dahin — es ist die Zeit der Operette und der Café-chantants! Schwerverdauliche Musik bringen nur die genügend langweiligen Konzerte in Pawlowsk und Sestroretzk (beide unweit der Hauptstadt). Herr Galkin, Dirigent des ersteren Orchesters, brachte bis jetzt alle sieben (6 und Manfred) Symphonien von Tschaikowsky. In Sestroretzk wurden auch 2 interessante Abende arrangiert: der eine dem Andenken Wagner's (alle Ouvertüren, Vorspiele und einige Bruchstücke seiner Opern), der andere zu Ehren Edw. Grieg's — als Feier des 66jährigen Geburtstags des norwegischen Tonpoeten.

St. Petersburg.   **Nic. Findeisen.**

Zur Neueinstudierung des Nibelungenringes im Münchner Prinzregenten-Theater.

Während in den beiden vergangenen Sommern Bayreuth und München gleichzeitig die Festvorstellungen Wagner'scher Werke bestritten, tritt in diesem Jahre, da Bayreuth sich auf die nächstjährigen Spiele vorbereitend schweigt, das Prinzregenten-Theater allein als Vertreterin der Wagner'schen Muse auf den Plan. War somit schon aus diesem Grunde größeres Interesse für die Münchener Spiele vorhanden, so wurde dies noch durch den Umstand gesteigert, daß zum erstenmal seit Bestehen des Theaters der »Ring des Nibelungen« zur Darstellung kam. Frau Cosima Wagner hat ja seinerzeit die Bedingung durchgesetzt, daß in München nur solche Werke Wagner's aufgeführt werden dürfen, die nicht auf dem gleichzeitigen Spielplan der Bayreuther Bühne stehen: so konnte also in München der Ring bislang nicht aufgeführt werden. Die diesjährigen Münchner Festspiele bringen neben mehrfachen Wiederholungen des Tannhäuser, Lohengrin, Tristan und der Meistersinger im ganzen drei Ringcyklen, von denen ich den ersten, in der Zeit vom 8.—11. August stattgehabten, hier einer näheren kritischen Betrachtung unterziehen will, während über den weiteren Verlauf der Spiele in einem späteren Hefte noch kurz gesprochen werden wird. Mein Bericht kann also kein Gesamtbild der Aufführungen geben: nur über die Wiedergabe des Ringes — denn bei den weiteren Cyklen können nur einige Besetzungs-änderungen vorkommen — dürfte er einigermaßen Klarheit gewähren, um so

mehr, als anzunehmen ist, daß das Prinzregenten-Theater darauf zu sehen
hatte, diesen ersten Cyklus, der vor der gesamten auswärtigen Kritik sich
abspielte, so gut wie möglich zu gestalten.

Gar oft wurde in diesen Tagen in München die Frage erwogen: wird
das Prinzregententheater Bayreuth eine solche Konkurrenz machen, daß es
in einigen Jahren die dortigen Spiele außer Kurs zu setzen imstande ist?
Mir scheint die Frage unnütz zu sein, aber sie wurde soviel besprochen, daß
ich glaube, sie kurz berühren zu müssen. In meiner Abhandlung über die
letztjährigen Bayreuther Festspiele (Jahrgang III, Heft 12) habe ich die Frage
der Rivalität der beiden Wagnerbühnen eingehend besprochen und kam damals
zu dem Schlusse, daß Bayreuth unbedingt als der Ort der größeren Kunsttätig-
keit und der größeren Weihe anzusehen sei. Diesem meinem Ausspruch vom
vorigen Jahre muß ich auch in diesem Jahr unbedingt treu bleiben. München
ist kein Bayreuth, selbst die besten dort denkbaren Vorstellungen werden den
Bayreuther Eindruck nie erreichen. Es liegen über dem fränkischen Festspielhaus ein Zauber und eine Weihe, die sich im Münchner Hause nicht einstellen
können. Bei denkbar besten beiderseitigen Aufführungen — und wir wollen
solche auf beiden Bühnen für die Zukunft erhoffen, das scheint mir die beste
Lösung der Frage — wird Bayreuth doch immer der Ort der höheren Weihe
bleiben, vorausgesetzt, daß es in seinen Leistungen nicht zurückgeht. Ich
kann nur wiederholen: wer das nicht glauben kann und will, der sehe sich
Vorstellungen in Bayreuth und München an; jeder wahr und aufrichtig
Empfindende wird meinem Urteil dann beipflichten.

Wäre diese erste Ring-Aufführung nun sehr hervorragend ausgefallen, so
wäre für den, der unter Umständen die beiden Bühnen ihren Leistungen
nach gegeneinander ausspielen will, allenfalls Grund hierzu vorhanden gewesen.
Leider muß nun aber konstatiert werden, daß dieser erste diesjährige Ring–Cyklus
im Prinzregenten-Theater gar nicht darnach angetan war, einen nur äußerlichen
Vergleich zwischen München und Bayreuth zu gestatten. Vielleicht mögen die
weiteren Cyklen wie auch die übrigen Einzelvorstellungen besser geraten, zu wünschen wäre es im Interesse des Theaters unbedingt. Ich hatte von der modern
eingerichteten Münchner Bühne vor allem die Lösung der schwierigeren szenisch-
technischen Probleme des Ringes erhofft, und war — mit Ausnahme des Götter-
dämmerungsschlusses — höchst enttäuscht. Was ferner die Besetzung anbelangt,
so konnte dieselbe in einigen Partien tatsächlich nur mittleren Ansprüchen genügen. Hier scheint mir überhaupt der wundeste Punkt der Münchner Festspiele zu liegen. Während man in Bayreuth frei von allen Rücksichten die
geeignet scheinenden Künstler engagiert, scheint die Leitung des Prinzregenten-
Theaters auf die Künstler der Münchner Hofbühne in erster Linie Rücksicht
nehmen zu müssen. So kam es, daß wir einen Siegfried zu hören bekamen,
der weder stimmlich noch darstellerisch als gut bezeichnet werden kann, so
hörten wir einen sonst trefflichen Künstler in der ihm gar nicht zusagenden
Partie des Wotan, so sahen wir einen Donner, der trotz schöner Stimmittel
doch viel zu unförmig aussah, um einen Gott vorzustellen, und hörten schließlich eine Gutrune, die selbst bescheidenen Ansprüchen nicht genügen konnte.
Besetzungsfehler kamen auch in den letzten Bayreuther Spielen vor, aber sie
häuften sich doch nicht so sehr wie jetzt in München. Gerade bei dem ersten
Cyklus, wo es galt, mit dem »Ring« die Feuerprobe abzulegen, hätte man
in diesem Punkt vorsichtiger verfahren sollen. Hinsichtlich der szenisch-
technischen Leistungen schien man das Hauptaugenmerk auf die Schlußszene

der Götterdämmerung gerichtet zu haben. Dieselbe gelang auch verhältnismäßig gut, besser als ich sie je gesehen habe, man merkte hier das Walten
eines der erfindungsreichsten Regisseure. Aber leider konnte man nicht sagen
»Ende gut, alles gut«. Im Rheingold wie im Siegfried gelangen die offenen
Verwandlungen nicht recht; im dritten Akt des Siegfried war der Aufstieg Siegfrieds zum brennenden Berg derart ungeschickt arrangiert, daß Siegfried, statt
aufwärts zu steigen, vor den Augen der Zuschauer in der Versenkung verschwand. Aber am schlimmsten war doch die Drachenszene im 2. Akt Siegfried. Dies Ungetier, das sich mit solch unerhörter Gemütsruhe abschlachten
ließ, dürfte in der Geschichte der Drachen seinesgleichen vergebens suchen.
Als ich beim Aufgehen des Vorhanges in diesem Akt das große Plateau erkannte, das die Regie für diese Waldszene vor der Drachenhöhle geschaffen
hatte, freute ich mich darauf, endlich einmal einen Drachen zu sehen, der
Siegfried den Sieg etwas schwer zu machen geeignet war. Das Untier dagegen schob sich einfach in die Mitte dieser Fläche vor, um weiter nichts
zu tun, als gelegentlich seine »zierliche Fresse« zu öffnen, während es sonst
gänzlich bewegungslos zu sein schien. Siegfried sprang um den Wurm herum,
fand die Stelle, wo das Schwert eindringen sollte, offenbar einige Takte zu
früh, wartete aber geduldig neben dem sich kaum rührenden Untier bis zum
richtigen Takt der Musik, um ihm dann Nothung ins Herz zu stoßen. Sehr
ernst blieben bei dieser Szene die Mienen der Zuschauer gewiß nicht! Zwei
weitere offenkundige Regiefehler zeigten sich im 1. Akt der Walküre und im
1. Akt des Siegfried. In der Walküre war — das gefiel mir sehr gut —
der Tisch nicht in der Mitte vor der Esche, sondern seitwärts aufgestellt, so
daß Siegmund beim Herausziehen des Schwertes nicht erst auf den Tisch zu
springen brauchte. Diese Idee scheint sehr richtig zu sein, denn Wotan, den
wir uns ja nicht als Riesen zu denken haben, dürfte schwerlich zuerst auf den
Tisch gesprungen sein, um das Schwert in den Baum zu stoßen. Aber während
nun die rechts stehende Sieglinde im hellen, durch die Tür eindringenden Sonnenschein stand, hatte man große Mühe, Siegmund, der das Schwert aus dem
Stamm zog, überhaupt zu sehen. Er stand vollständig im Dunkeln. Desgleichen
war im ersten Akt Siegfried, der sein Schwert schmiedende Siegfried, in
solche Dunkelheit gehüllt, daß man kaum sehen konnte, was er tat. Und soweit
man noch etwas erspähen konnte, war der Blasebalg so modern angelegt,
daß er nicht ganz zur einfachen Waldhöhle passen wollte. Merkwürdige Dinge
erlebte man auch bei verschiedenen Aktschlüssen hinsichtlich des Fallens des
Vorhanges. Im ersten Akt der Walküre ging der Vorhang viel zu spät herab;
nach der Vorschrift, von hunderten der besten Regisseure mit Erfolg benutzt wird, fällt der Vorhang so schnell wie möglich nach den Schlußworten
Siegmunds: »so blühe denn Wälsungenblut!« Hier dagegen blieb der Vorhang
bis zum Schluß des Nachspiels offen. Das ist entschieden verkehrt und ein
guter Teil der dramatischen Wirkung ging so verloren. Das gleiche gilt für die
Schlüsse der ersten und dritten Akte Siegfried, wo man immer das Gefühl
hatte, der Vorhang sei durch irgend eine Beschädigung am Fallen verhindert.
Und dann sah ich zu meiner größten Verwunderung den jungen Siegfried
im zweiten Akt sein Schwert in eine kunstgerecht geschmiedete Scheide stecken;
Siegfried trägt doch sein Schwert »in einem Gehenke von Bastseil!« Das sind
Sachen, die nicht vorkommen sollten. Ebenso ging es äußerst unbeholfen
bei all den Szenen her, in denen mit herabsteigenden Wolkenzügen gearbeitet
ward. Diese Wolken sahen alle aus wie mit einem Lineal abgeschnitten.

Das sind natürlich alles Dinge, die für denjenigen, der an die Münchner Festspielbühne hohe, das heißt berechtigte Anforderungen stellt, den Eindruck vieler Szenen stark herabminderten. Wenn trotzdem ein befriedigender Gesamteindruck erzielt wurde — ich sage allerdings befriedigend, denn hervorragend war er keinesfalls — so liegt das zunächst am Orchester, das sich unter Zumpe glänzend hielt, sowie an einzelnen ausgezeichneten Vertretern der Partien. Die besten Leistungen boten Ernst Kraus als Siegmund, Frau Schumann-Heink als Erda, Frl. Morena als Sieglinde, Dr. Briesemeister als Loge, Klöpfer als Hunding und die drei Vertreterinnen der Rheintöchter, die Damen Bosseti, David und Metzger. Diese Leistungen sind — teils von Bayreuth her — schon bestens bekannt und brauchen hier nicht weiter besprochen zu werden. Die Brünhilde der Frau Senger-Bettaque ist wohl eine recht gute Leistung, aber ganz vermag die Künstlerin die Partie doch nicht zu erschöpfen. Sehr ungleich war der sonst so treffliche Feinhals als Wotan. Am besten geriet ihm noch der erste Tag, in der Walküre versagte er so ziemlich, die Wanderer-Szenen gelangen wieder besser. Er ist aber keinesfalls für den Wotan geschaffen, und es nimmt mich Wunder, daß die musikalische Leitung ihm die Partie anvertraute. Ebenso unzutreffend war die Besetzung des Siegfried durch Knote. Seiner Stimme mangelt das weiche, lyrische, das ein Vertreter des jungen Siegfried unbedingt besitzen muß, darstellerisch ist er zu klein und zu stark für die Partie. In der Götterdämmerung war er stimmlich eher am Platze, aber die untersetzte Gestalt vermag keinen Siegfried zu verkörpern. Verhältnismäßig gut waren die Vertreter des Alberich (Zador), des Mime (Hofmüller, der im Siegfried leider etwas indisponiert war), des Gunther (Brodersen) und Hagen (Bauberger). Letzterem, der die Partie stimmlich sehr gut bewältigte, gelang es leider garnicht, den der Figur innewohnenden dämonischen Zug zur Darstellung zu bringen. Immerhin war er besser als der letztjährige Bayreuther Vertreter der Partie. Auch die Fricka des Frl. Huhn war nicht einwandfrei. Dagegen waren die Freia (Ada Robinson) und die Riesen (Bender und Klöpfer) recht gut besetzt.

Mein Urteil wird vielleicht als etwas zu scharf empfunden werden, aber von dem Standpunkte ausgehend, daß wir in München etwas hören müssen, das, wenn auch nicht ganz an Bayreuth heranreichend, doch weit über den Leistungen selbst unserer besten Hofbühnen stehen soll, kann ich zu keiner anderen Beurteilung dieses ersten Cyklus gelangen. Vielleicht werden im Verlaufe der beiden anderen Cyklen manche Fehler in der Besetzung wie in der szenischen Anordnung noch beseitigt. Das wäre im Interesse der Festspiele sehr zu wünschen. Jeder vernünftige Mensch wird die Tatsache, daß wir neben Bayreuth noch eine Bühne besitzen, die imstande ist, stilvolle Wagner-Aufführungen heraus zu bringen, mit Freude begrüßen, aber sollen die Münchner Aufführungen wirklich stilvoll genannt werden, so müssen sie doch auf einem höheren Niveau stehen, als dies bei dieser ersten Ring-Wiedergabe der Fall war.

Berlin.   **Albert Mayer-Reinach.**

Musikberichte.

Referenten: A. Chybiński, J.-G..Prod'homme.

Les fêtes du **Centenaire de Berlioz** à Grenoble et à La Côte-Saint-André. Berlioz a écrit dans ses *Mémoires* qu'il tenait les Dauphinois, ses compatriotes, pour «les plus innocents hommes du monde en tout ce qui se rattache à l'art musical». (*Mémoires*, I, p. 281.) Les fêtes qui viennent d'avoir lieu à Grenoble et à La Côte-Saint-André tendraient à prouver que les Dauphinois ne tiennent pas rigueur à Berlioz de cette boutade et que, s'ils n'ont pas été très musiciens jusqu'à présent, conscients d'avoir pour compatriote le plus grand musicien français, ils veulent, les premiers en France, lui rendre un hommage digne de lui, digne de son art. Sans attendre la date anniversaire exacte de la naissance de Berlioz, 19 primaire an XII en style révolutionnaire, la ville de Grenoble a, le 15 août dernier, élevé sur sa place la plus centrale, une statue à Hector Berlioz. La solennité fut contrariée par un fort mauvais temps, mais le lendemain et le surlendemain, deux concerts fort brillants réparèrent ce contre-temps; et si notre collègue, M. Julien Tiersot, ne put faire exécuter comme il l'eût voulu, au pied de la statue, la **Marseillaise** et le finale de la **Symphonie funèbre et triomphale** qu'il faisait répéter depuis trois semaines à des chœurs difficiles à recruter et à exercer, il prit une revanche au théâtre lorsque, avant l'exécution de la **Fantastique**, il fit sur Berlioz une conférence applaudie, à la fin de laquelle, aux applaudissements de tous, il proposa les honneurs du Panthéon pour les cendres du maître. La partie «populaire» des fêtes comportait un grand concours, d'orphéons, fanfares, etc. qui n'avait aucun rapport avec Berlioz et où peut-être pas une mesure ne fut jouée de la musique du compositeur. Mais la partie artistique se composait de deux programmes, exécutés par l'orchestre d'Aix-les-Bains, dont voici la composition. Le dimanche 16 en soirée, on joua la **Damnation de Faust**, fort bien dirigée par M. Jehin, Kapellmeister, l'hiver à Monte-Carlo, l'été à Aix-les-Bains; l'orchestre, quoique assez peu nombreux, fut excellent, dans une œuvre qu'il connait d'ailleurs et qu'il avait exécutée quelques jours auparavant, à Aix même, avec les mêmes solistes: Mme Lina Pacary et M. Laffitte, l'une et l'autre parfaites dans les rôles de Marguerite et de Faust; Dangès et Ferran, très inférieurs à leurs partenaires. Les chœurs laissèrent également beaucoup à désirer, trop peu nombreux, et placés trop loin du public. L'ensemble, excellent, fit une impression immense sur le public grenoblois qui entendait pour la première fois intégralement l'œuvre de Berlioz. Le lendemain, après-midi, ce fut au tour de MM. Marty, du Conservatoire de Paris, et Felix Weingartner à diriger; le premier se fit fort applaudir dans le **Carnaval Romain** les fragments de **Roméo** (*Strophes*, chantées par Mme Deschamps-Jehin; *Roméo seul, Tristesse, Concert et Bal, Grande fête chez Capulet*), l'ouverture du **Corsaire**; il dut bisser la **Marche des Pélerins**, de **Harold en Italie**; **Absence** (chantée, ainsi que le **Jeune Pâtre breton**, par Mlle Eléonore Blanc) et le duo-nocturne de **Béatrice et Bénédict**, chanté par les deux cantatrices que je viens de nommer. Après la conférence de M. Tiersot et la lecture d'une poésie inédite de Saint-Saëns, Weingartner monta au pupitre et, sous sa direction enthousiaste, la **Symphonie fantastique** étincela de tout son romantisme; après chacun des morceaux ce furent des ovations inexprimables; la **Marche au supplice** fut bissée par un public en délire et, lorsqu'après la cinquième et dernière partie, Weingartner couronna la partition berliozienne avec les palmes qu'on venait de lui offrir à lui-même, ce fut un véritable tumulte d'applaudissements et de cris d'enthousiasme! Jamais, je crois, M. Weingartner n'a joui de pareil triomphe et plus sensible pour lui. On a regretté que le gouvernement ne se soit fait représenter aux fêtes de Berlioz que par M. Henri Maréchal; certaines personnes, qui escomptaient la présence de MM. Saint-Saëns ou Reyer, à défaut du ministre de l'Instruction publique, voire même du président de la République, dauphinois comme Berlioz, certaines personnes dis-je, croyaient bien que la croix de la Légion d'honneur serait venu s'accrocher à l'habit du Kapellmeister, en récompense des hauts services qu'il rend à l'art français; ce sera pour une occasion prochaine, espérons-le.

Ne pouvant rester plus longtemps en France, M. Weingartner partit le soir pour La Côte-Saint-André, ville natale de Berlioz. Toute la population l'y attendait; une fête de nuit fut organisée en son honneur et après avoir visité la maison de Berlioz où il déposa la couronne aux couleurs allemandes portant l'inscription: **Dem unsterblichen Meister**, qu'il avait l'avant-veille portée au pied de la statue de Grenoble; après avoir prononcé quelques mots, avec une émotion indescriptible, sur la place de l'esplanade où s'élève depuis treize ans, à La Côte, une autre statue, il repartit, laissant au cœur de chacun et emportant pour lui-même, le souvenir d'une soirée inoubliable.

Ce n'est que huit jours plus tard, le 23, que La Côte-Saint-André a célébré, de façon plus intime et plus pieuse que la capitale dauphinoise, le centenaire berliozien. Là, aucun ministre, aucun membre de l'Institut, aucun représentant même du gouvernement, n'était présent. La célébration du centenaire revêtit plutôt le caractère d'une fête familiale. Toute la population de La Côte et des environs, abdiquant pour un jour ses petites dissensions intestines, avait tenu à célébrer dignement le plus célèbre de ses enfants. En attendant que la France possède son **Berlioz-Haus**, les Côtois ont approprié une partie de la maison natale du compositeur, 'ancien cabinet de son père le docteur en médecine Louis Berlioz, pour en faire un musée. On y voit déjà les premiers cahiers de musique du futur poète des **Troyens** des mélodies avec accompagnement de guitarre (sic) dont quelques-unes, sur des paroles de Florian, sont très probablement de lui; les flûtes qui servirent à ses premières études musicales; plus de cent portraits; ses œuvres complètes; un grand nombre d'ouvrages écrits sur lui; le manuscrit de **Roméo**, offert au roi de Prusse, don de M. Weingartner; la couronne en argent massif envoyée à l'auteur de la **Marche hongroise**, en 1861, par la jeunesse de Gior, etc., etc. Avec le temps, le musée s'accroîtra, rapidement si l'on en juge par la quantité de reliques déjà réunies; on achètera la maison entière, on reconstituera la demeure ancestrale de Berlioz telle qu'elle était il y a un siècle, et, autant que possible, on renouvellera chaque année le concert qui eut lieu l'autre dimanche. Dirigé par le jeune Kapellmeister Mariotte à la tête de sa «Symphonie lyonnaise», ce concert comprenait le **Carnaval romain**, trois morceaux de **Harold en Italie**; les deux mélodies déjà chantées à Grenoble et le fragment de la **Damnation: D'amour l'ardente flamme**, par la même interprète, Mlle E. Blanc; des fragments de l'**Enfance du Christ**. L'effet en fut très grand, dans l'immense halle de la Côte dont une partie deviendra peut-être un jour salle de concert; car ces deux manifestations données à quelques jours de distance n'auront pas peu contribué, à faire sortir les Dauphinois de l'«innocence» musicale que Berlioz leur reprochait jadis. Et déjà, dans son propre pays, d'autres manifestations se préparent pour le mois de décembre. Le maître doit en tressaillir d'aise dans son repos éternel! **J.-G. P.**

Krakau. Die letzte Saison war eigentlich die erste wichtige im Musikleben von Krakau. Die zwei hiesigen Musikinstitutionen (»Lutnia« und »Musik-Gesellschaft«) konnten niemals ihre Aufgabe völlig lösen. »Lutnia« ist eine Art Liedertafel mit gesellig-dilettantenartigem Charakter, durch Militärorchester unterstützt. Die Produktionen sind nicht ernst zu nehmen. — Die »Musik-Gesellschaft« besitzt ihr eigenes Streichorchester, vermehrt durch bessere Militärbläser, unter der Leitung des Konservatorium-Lehrers Wiktor Barabasz. Diese Gesellschaft hat leider mit vielen Mängeln zu kämpfen, sie erhält seitens der Kenner keine Hilfe außer der moralischen. Sie verfügt über kein großes Programm; jahrelang werden dieselben Werke wiederholt und es gibt nur 3—4 Konzerte in einer Saison. In der letzten wurden aufgeführt: »Jupiter-Symphonie« von Mozart, die »Vierte« von Beethoven, »Ländliche Hochzeit« von Goldmark, Klavierkonzert G-moll von Saint-Saëns, und schließlich die Chorwerke der älteren (XVI. Jahrhundert) und neueren polnischen Komponisten (Gall, Noskowski, Zelensky). — Der Konservatorium-Direktor Ladislaus Zelenski veranstaltete zwei eigene Kompositionsabende. Seine Kammermusik ist ohne jede Bedeutung, seine Klavierkompositionen sind schwerfällig, die Orchester-sachen verraten ziemlich gute thematische Arbeit, doch ohne freie Ideen-Kontinuität und dazu kommt eine veraltete Weise der Instrumentierung. Dagegen sind seine Chöre (größtenteils im Volkston) sehr edel und schön in ihrer Einfachheit, wenn auch ohne ausgeprägte Individualität. Ihrem Charakter nach gehören Zelenski's Sachen der vor-wagnerschen Epoche an. — In hohem Grade erfrischend wirkten drei Konzerte der Lem-berger Philharmonie unter der Leitung Ludwig Celansky's. Wir hörten die Sym-phonien von Dvořák (»Aus der neuen Welt«) und Tschaikowsky (»Pathetische«), die symphonischen Dichtungen von Smetana (»Vltawa«), Z. Fibich (»Abends«), Noskowski (»Steppe«), Zelenski (»Tatra«), endlich die Tannhäuser-Ouvertüre und zwei Lohengrin-Vorspiele und die zweite Rhapsodie von Liszt. Herr Celansky erntete als Dirigent großen Beifall, besonders bei der »Pathetischen« Tschaikowsky's. Als Solisten wirkten: Sarasate, Kubelik, Hubermann, B. Marx, Stojowski, J. Hofman, Sliwinski, Bellincioni, Didur und Bandrowski. — Vom Mai bis August fanden die Opernvorstellungen im Stadttheater statt. Als Novitäten für Krakau wurden gegeben: »Walküre« (leider nur der 1. Akt), »Tosca« und »Bohème« von Puccini, »Onegin« von Tschaikowsky und »Mephistopheles« von Arrigo Boito. Nur eine polnische Oper wurde gespielt: »Mazeppa« von Minhajmer — doch ohne rechten Erfolg. Sonst beherrschten das Programm (außer »Lohengrin« und »Tannhäuser«): Verdi, Mascagni, Leoncavallo, Meyerbeer, Thomas, Gounod, Bizet. Die Oper leitete Herr Celansky, das Orchester stellte die »Philharmonie« aus Lemberg. Die Chöre sangen (gräßlich) italienisch. Die besten Solisten waren: Bandrowski (der ehemalige Frankfurter), Di-dur (der ausgezeichnete Baßsänger), Werner und Dianni, Frau Bohus-Heller und Frau Karolewicz-Weyda. — Nur wenige Vorstellungen (»Bohème«, »Tosca«, »Walküre«, »Faust«) standen auf der Höhe ihrer Aufgabe. Die Regie war bedauernswert.

A. Ch.

Notizen.

Eisenach. Zum Hüter und Leiter des hiesigen *Richard Wagner-Museums* ist vom Magistrat der Stadt der Herausgeber der neuen Zeitschrift »Wartburgstimmen« Hans Buhmann ernannt worden. Es besteht die Hoffnung, daß dem Museum, das unter anderem auch die vollständige Partitur zum »Rienzi« mit eigenhändigen Verbesse-rungen und Zusätzen des Meisters zu seinen Schätzen zählt, auch die erste Nieder-schrift von »Tristan und Isolde«, die Wagner einst seinem Freunde Hektor Berlioz zusandte und die vor kurzem in der Universitätsbibliothek zu Grenoble entdeckt worden ist, zugeführt werden wird.

Graz. Hier in Graz, dem Geburtsort Hugo Wolf's, werden für das nächste Jahr *Hugo-Wolf-Festspiele* geplant. Die Einleitung dieser Festspiele wird ein Liederabend, den Mittelpunkt eine Aufführung des »Corregidor«, den Schluß eine Aufführung von Wolf'schen Chören und des nachgelassenen Manuel-Venegas-Fragmentes bilden.

Grenoble. Avant les manifestations, pour ainsi dire extérieures, qui ont accom-pagné l'inauguration de la statue de *Berlioz* à Grenoble: banquet, discours plus ou moins officiels où l'on parla fort peu musique, concours d'orphéons et fanfares où l'on ne joua pas plus ses œuvres que s'il n'avait jamais existé, il y eut à l'Académie delphinale de cette ville une séance tout entière consacrée à celui dont le centenaire est célébré cette année.

M. G. Allix, érudit musicographe dauphinois, fit une conférence «sur les éléments dont s'est formée la personnalité artistique de Berlioz». Dans ce travail, M. Allix examine successivement l'influence exercée sur le compositeur par ses impressions d'en-fance et son premier contact avec Virgile; — par les représentations auxquelles il assiste en arrivant à Paris, en 1822; — par Gluck et Spontini; — par le répertoire

de l'Opéra; — par Weber et son instrumentation caractéristique (1824); — par ses
maîtres Le Sueur et Reicha; — par le milieu romantique; — par les drames de Shakespeare (1827) et les symphonies de Beethoven, et par la lecture du Faust de Goethe
(1828). A ce moment, Berlioz a pris pleine conscience de son génie et fait acte de
majorité artistique en écrivant les Huit Scènes de Faust et la Symphonie fantastique. Après avoir conduit le compositeur en Italie, et montré qu'il y apprit à
voir et à comprendre la nature, l'auteur conclut en exposant comment Berlioz a interprété et s'est appliqué les leçons de Gluck et de Beethoven.

Après cette communication d'ordre esthétique, M. L. Michaud, professeur à la
faculté de Droit de Grenoble, donna lectures à l'Académie d'un certain nombre de
lettres adressées, à l'un de ses parents, Thomas Gounet par Berlioz, de 1830 à 1834.
Gounet, on le sait par les lettres déjà publiées du compositeur, était un ami de celui-
ci; il traduisit les Mélodies irlandaises de Moore que Berlioz mit en musique
et que les deux amis publièrent à frais communs en février 1830. Les plus intéressantes
des vingt-trois lettres trouvées dans les papiers de Gounet sont datées de Rome, où
Berlioz fut retenu, bien malgré lui, par les règlements de la Villa Médicis, pendant
plus de dix-huit mois. En écrivant à son ami, il exprime avec la verve mordante qui
lui est habituelle, sa haine pour la musique italienne, le spleen qui le ronge loin de
Paris, dont il rappelle les plaisirs passés «et la musique, et nos thés au café de la
Bourse, et nos fins dîners chez Lemardelay, et les récits, et les caquets: car nous
pourrons nous en permettre, nous, nous qui ne sommes pas mariés» (17 février 1832).
La vie de Paris n'était donc pas si dure que Berlioz s'est plu à le dire dans ses
Mémoires. Il raconte encore dans ces lettres le plaisir qu'il éprouve à vagabonder
autour de Rome, ses excursions à Tivoli, à Subiaco, à Naples, au Vésuve, à Pompeï
toujours à pied et sans guide, «à travers les montagnes, par les bois, les rochers, les
hauts pâturages» (28 novembre 1831). De retour en France, au moins de juin 1832,
Berlioz passa l'été en Dauphiné, d'où il écrivit plusieurs fois à son ami, puis rentra
à Paris au commencement de novembre. Les lettres qui suivent font allusion à quelques-unes des péripéties orageuses qui précédèrent son mariage avec miss Henriette
Smithson, et nous montrent le Berlioz de la lune de miel, ayant enfin trouvé, momen-
tanément, le bonheur tant désiré et écrivant à Gounet un billet qui se termine par
cette ligne: «Adieu à vous sur votre terre, je retourne à mon ciel». (24 octobre 1833.)
Ces lettres n'ajoutent peut-être pas grand, chose à la physionomie bien connue de
Berlioz; néanmoins elles la font revivre tout entière et révèlent une fois de plus, en
même temps que son talent d'écrivain, la profonde affection qu'il avait pour ses amis.

Dans la séance solennelle de l'Académie delphinale qui suivit ces communications
faites en petit comité, M. Paul Fournier, président de l'Académie montra en quelques
mots que Berlioz ne fut pas seulement l'héritier de Beethoven, suivant l'expression
de Liszt, mais aussi le Dauphinois qui n'oublia jamais sa terre natale. Il rappela
l'hommage que, le 16 août 1868, la municipalité de Grenoble, au cours d'un banquet
donné à l'Hôtel-de-Ville, rendit à Hector Berlioz qui, gravement atteint par la maladie,
avait consenti cependant à présider les fêtes musicales par lesquelles fut célébrée l'inauguration de la statue de Napoléon Ier.

Enfin, M. Morillot, professeur à l'Université de Grenoble, lut des fragments d'une
étude sur Berlioz écrivain. Après avoir passé rapidement sur les originaux livrets
du compositeur et sur les divers recueils de lettres publiés depuis vingt-cinq ans, il
s'attacha à montrer les grandes qualités d'imagination, de sensibilité et de style qui
font des Mémoires une œuvre émouvante et charmante à la fois. Signalant les
principales influences littéraires qui ont contribué à la formation de l'esprit de Berlioz,
le culte de Virgile et celui de Shakespeare, auxquelles ont correspondu dans la vie de
l'artiste la printanière idylle de Meylan et la grande passion romantique de la trentième année, l'auteur note la mélancolie pénétrante des derniers chapitres des Mémoires, où le compositeur-écrivain raconte ses pieux pèlerinages aux lieux de sa jeunesse,
ses tortures morales toujours renouvelées et ses espoirs renaissants. M. Morillot étudia
ensuite la critique chez Berlioz. Par quelques citations empruntées aux Soirées de
l'orchestre, aux Grotesques de la Musique, à A travers chants, il fit goûter

au public la saveur amère et piquante de ce style, la verve pétillante de l'auteur, sa
fantaisie toujours spirituelle mais parfois outrancière, la vivacité de sa satire, la clarté
de sa langue, le don puissant d'invention verbale qui le distingue. Il termina en sou-
haitant aux livres de Berlioz, une part de l'admiration qui va si justement aux compositions immortelles du grand artiste, «écrivain original, conteur de bonne race, au
style clair et savoureux, à l'humeur poétique et railleuse, vrai Français de France, et
très authentique Dauphinois». J.-G. P.

Heidelberg. Anläßlich der Jubelfeier der Universität wurde neben anderen auch
Richard Strauß zum Ehrendoktor ernannt (»der die mit der Poesie verschwisterte
Musik durch neue Kompositionen und ausgezeichnetes Können derart förderte, daß
sein Name unter den deutschen Musikern der Gegenwart wohl den ersten Rang einnimmt«). Strauß übermittelte telegraphisch seinen »herzlichen Dank für die überaus
große Anszeichnung und wärmsten Glückwunsch zum Jubelfest« und widmete der
philosophischen Fakultät seine Komposition der Uhland'schen Ballade »Taillefer«, die
beim Heidelberger Musikfest Ende Oktober in Gegenwart des Tondichters ihre
erste Aufführung erleben wird. — Die nach Angaben des Universitätsprofessors Dr.
Philipp Wolfrum mit verschiedenen Neuerungen hinsichtlich der äußeren Form und
der akustischen Wirkung versehenen Musiksäle der *neuen Stadthalle* sollen auf Wunsch
des Stadtrates durch ein *dreitägiges Musikfest* und zwar in der Zeit vom 24.—26. Oktober 1903 eröffnet werden unter Mitwirkung eines Festorchesters, des Bachvereins
und eines Heidelberger »Volkschores«, einer Kammermusikvereinigung, verschiedener
Solisten und unter Leitung Wolfrum's. Das Orchesterpodium, aus vier Etagen
bestehend, kann durch eine Person in wenig Augenblicken in jeder Höhe, Steigung
usw. eingestellt, es kann auf das Niveau des Saalbodens gebracht und es kann in die
Tiefe gesenkt werden. Die viermanualige, auf einer Empore aufgestellte Orgel ist
ein großes Schwellwerk; der Spieltisch kann an beliebigem Orte, beim Dirigenten
oder sonst wo im Saale aufgestellt werden; er ist durch ein Kabel mit dem Pfeifen-
körper verbunden, die Registrierung, das crescendo und decrescendo in verschiedener
Art erfolgt durch elektrische Kraft (neueste Systeme des englischen Ingenieurs Hope-
Jones). Erst hierdurch ist ein präzises Zusammengehen von Orgel, Orchester und
Soli ermöglicht. Die Chöre können gleich dem Orchester auch unsichtbar musizieren.
Der Kammermusiksaal ermöglicht ebenfalls unsichtbares Musizieren. Hierzu
kommt die Einrichtung, das Licht in den verschiedensten Stärkegraden zur »Mitwirkung« heranzuziehen. Um diese Einrichtungen zu zeigen, sollen bei jenem Musikfeste die Vorträge auf vier Darbietungen verteilt werden: 1) Ein Konzert bei ver-
senktem Orchester und unsichtbarem (beziehungsweise sichtbarem) Chor und Solisten;
2) ein Konzert bei offenem Musikapparat (aber vielleicht mit verschiedenen akustischen
»Nuancen«); 3) eine Oratorienaufführung volkstümlicher Art; Chor auf dem Podium,
das Orchester davor auf dem Saalboden plaziert, mit einer Schallwand vom Publikum
abgeschlossen, also von den parterre Sitzenden nicht zu sehen; 4) eine Kammermusik-
aufführung, halb offen und »hell«, halb unsichtbar und halb gedämpften Licht. Die
Aufführung der folgenden Werke ist in Aussicht genommen: Johann Sebastian
Bach, Goldberg-Variationen (für 2 Klaviere), Orgelwerk; Ludwig van Beethoven,
Violinkonzert, Streichquartett, op. 127; Anton Bruckner, 9. Symphonie; Josef
Haydn, Die Schöpfung; Franz Liszt, eine Symphonie zu Dante's »Divina com-
media«; Wolfgang Amadeus Mozart, Streichquartett in C; Max Schillings,
Das Hexenlied (Wildenbruch), Melodram; Richard Strauß, Taillefer (Uhland), Bal-
lade für Chor, großes Orchester und Solostimmen (Uraufführung unter Leitung des
Komponisten); Tod und Verklärung, symphonische Dichtung; Lieder und Gesänge mit
Orchester; Richard Wagner, Vorspiel zu »Parsifal«; Philipp Wolfrum, Fest-
musik zum Universitätsjubiläum 1903.

Leipzig. Die Zeitschrift »Musikhandel und Musikpflege« gibt in ihrer Nr. 45/46 des
laufenden Jahrganges eine interessante Zusammenstellung der *Veröffentlichungen des
deutschen Musikalienhandels im Jahre 1902.* Es erschienen: Instrumentalmusik 7383, Gesangmusik 4730, Schriften usw. 475, zusammen 12588 Werke. Unter den Instrumentalwerken werden genannt 514 Werke für Orchester (darunter 176 Symphonien, Fanta-

sien, Potpourris usw., 57 Ouvertüren¦, 822 Werke für Streichinstrumente (darunter 3 Sextette, 3 Quintette, 40 Quartette für 2 Violinen, Viola und Violoncello, 14 Trios ohne Klavier), 276 Werke für Blasinstrumente (1 Oktett, 16 Quartette, 3 Trios¦, für Pianoforte 3571 Werke (darunter 4 Konzerte mit Orchester beziehungsweise Streich-orchester, 8 Sextette, 33 Quintette, 44 Quartette, 120 Trios, 324 Duos, 47 für 2 Klaviere, 301 für Klavier zu 4 Händen), 181 Werke für Orgel, 2 Werke für Pedalflügel, 136 Werke für Harmonium. Die Gesangsmusik umfaßte 4730 Werke (darunter 2117 einstimmige Gesänge mit Pianoforte-Begleitung, 115 Opern, Operetten usw.). Ferner wurden gezählt 321 Bücher und Schriften über Musik, 53 Musik-Zeitschriften, 65 Textbücher, 36 Ab-bildungen.

London. — In the "Classical Review", vol. XVI, no. 8, C. F. Abdy Williams (II. 433; III, 30) treats of the pipes in 2 instruments, the debris of which was found at Pom-peii and now lies in the Naples Museum. He considers that the instruments were "some kind of *portable pneumatic organ*, the mechanism of which being of leather and wood has entirely disappeared, leaving only the bronze pipes and outer casing"; also that the pipes were flue pipes and not reed pipes, and had mouth-pieces of wood. One instrument has 9 pipes, the other 11. Some of the pipes have slits near the open end, and there are bronze plugs which fit them and apparently belong to them. Pipe-measurements of the smaller instrument were taken by the writer of the article 10 years ago; the Naples Museum authorities in April 1902 did the same for him for the larger. The following are the figures given in centimetres. For the 9-pipe instrument: — diameter of pipes, 1·45; lengths, 24·5, 22, 20·9, 18·8, 17, 15, 13·2, 11·1, 9. For the 11-pipe instrument: — diameter of pipes, 1·2; lengths, 27, 26·5, 24, 21, 20, 17, 17, 15, 12, 10, 9. With regard to the two 17's, writer of article thinks they have been corro-ded, and that there was a $\delta\iota\epsilon\sigma\iota\varsigma$ between them. He sets out the presumed scale of the 11-pipe instrument in staff-notation running from C below treble stave (Middle C) to G first space above it, approximately thus: — c'-c$\sharp$'-d'-e'-f'-a'-b♭'-d"-f"-g"; where the two a's represent a $\delta\iota\epsilon\sigma\iota\varsigma$. The writer then quotes the "Iastian" mode of Aris-teides Quintilianus (ed. Meibom), apparently coinciding with the 6 upper notes of the above. As the "Anonymi Scriptio de Musica" speaks of $\iota\mu\pi\nu\epsilon\upsilon\sigma\tau\acute{\alpha}$ $\tau\epsilon$ $\alpha\dot{\upsilon}\lambda o\acute{\iota}$ $\tau\epsilon$ $\varkappa\alpha\dot{\iota}$ $\dot{\upsilon}\delta\rho\alpha\acute{\upsilon}\lambda\epsilon\iota\varsigma$ $\varkappa\alpha\dot{\iota}$ $\pi\tau\epsilon\rho\acute{\alpha}$; and as the only other writer who mentions the $\pi\tau\epsilon\rho\grave{o}\nu$ or Flügel-instrument (a Hagiopolite quoted by Vincent, Notices des Manuscripts de la Biblio-thèque du Roi, Paris, 1847, p. 266) says that the Iastian trope is suitable to it; the writer concludes that these 2 Pompeiian instruments are $\pi\tau\epsilon\rho\acute{\alpha}$. He proceeds with a discussion on the ditones &c. in the Aristeidian modes generally, and in the apparent scales of ancient instruments. — The following comments may be made: — first that one diameter for pipes running through a 12th seems an impossibility, nor does it agree with the diagram given in the article; secondly that the real pitch of a flue pipe of 27 centimetres (or 10·6 inches) long is about a tenth higher than the middle C with which it is notated by the writer of the article; thirdly that the theory ad-vanced of the bronze plugs being used to raise pitch a 12th is for flue pipes quite impossible, as the sounds would be mere shrieks; fourthly that it would be necessary to ascertain exactly where the mouth was before any accurate conclusions could be made as to speaking lengths, and so as to any subtleties connected with intervals bet-ween the pipes. It seems doubtful whether these pipes (of the length stated in the article) could have been open flue pipes; if so the whole machine was nothing but a box of whistles. The subject generally needs investigation. — Regarding Greek scales' especially tetrachordic, see IV, 498, 501. **C. M.**

Kritische Bücherschau

der neu-erschienenen Bücher und Schriften über Musik.

Referenten: Geo. Beckett, O. Fleischer, W. Barclay Squire.

Bäuerle, Hermann. Palestrina muß populärer werden und zwar auf breiterer, dabei zeitgemäßer Grundlage. Leicht verständliche Worte der Einladung an strebsame Dirigenten und eifrige Anhänger einer heiligen Musik, in heiligem Ernste und bester Absicht offen ausgesprochen am Anfang des 20. Jahrhunderts. Regensburg, A. Coppenrath (H. Pawelek), 1903 — 30 S. gr. 8⁰.

— Pierluigi da Palestrina in moderner Notation unter Zusammenziehung auf zwei Liniensysteme. Zehn ausgewählte vierstimmige Messen. Ebenda, 1903 — IX und 204 S. Musik Lex. 8", ℳ 10.—, jede einzelne Messe: Part. ℳ 1,—, Einzelstimme ℳ 0,20.

Der Verfasser, fürstlicher Thurn und Taxis'scher Hofgeistlicher in Regensburg, hat es, entgegen den altkonservativen Autoritäten, welche an den alten Notenschlüsseln und der alten Partitur-Einrichtung festgehalten wissen wollen, kühn unternommen, Palestrina's vierstimmige Kompositionen in das neuzeitliche und der Massenverbreitung günstigere Gewand der Partitur von zwei Liniensystemen mit den modernen Schlüsseln zu kleiden, ohne an der Urgestalt der Musik zu ändern. Verfasser geht ganz folgerichtig vor. Die Musiker ziehen alle den Hut vor Palestrina, aber wie viele kennen ihn denn? Für die katholische Kirche ist er der unerreichte Klassiker, aber wo singt man ihn? Die Palestrina-Musik ist nur das Monopol allererster Chöre, weil ihrer Ausführung durch Dilettanten, auf welche die übrigen Chöre doch angewiesen sind, das falsche Dogma von der Heiligkeit der alten Schlüssel entgegensteht. Geläufiges Lesen von Partituren in alten Schlüsseln und mit alten Pfundnoten ist eben nicht jedermanns und selbst nicht einmal der meisten Musiker Sache, ergo lassen sie die Finger von Palestrina, dessen Werke damit der Vergessenheit anheimfallen. Das ist doch jammerschade. Also: entweder man liebt den Inhalt der Palestrinischen Musik und sorgt für seine möglichste Verbreitung auch in zeitgemäßem Gewande, oder man stellt die Form der Musik des herrlichen Meisters, d. i. die veraltete Notation, höher als ihren Inhalt und ihre Verbreitung. So liegt nunmehr ein handlicher Band in Lexikon-Format mit 40 vierstimmigen Messen Palestrinas vor uns. Die vier Notensysteme sind in zwei zusammengezogen, die großen Pfundnoten verschwinden durch Reduzierung des großen Allabrevetaktes auf unsern modernen ⁴/₄- und ³/₄-Takt und Ersetzung der alten f, c und g-Schlüssel durch den modernen Violin- und Baß-Schlüssel. Man ist erfreut über die Schnelligkeit, Sicherheit und Klarheit, mit der man diese edlen Kunstwerke wie auf einen Blick überschaut, und schon beim ersten Schauen gewinnt man die Überzeugung, daß allerdings diese populäre Ausgabe viel zum Wiederaufleben der alten Meisterwerke beitragen wird. Leider läßt sich bei den vielstimmigen Kompositionen Palästrina's ein solches einfaches und populäres Verfahren nicht durchführen; hier liegt die Schwierigkeit nicht bloß an der Form, sonder auch am vielgliedrigen Inhalt und der oft verwickelten Struktur; aber es ist doch ein erheblicher Gewinn, wenn wenigstens die vierstimmigen Gesänge in breitere Volksmassen dringen und damit jene wohltätige Gärung in unserem Musikleben erzeugen helfen, die dringend nötig ist, um dem Übergewicht instrumentaler Technik im Gesange einen Damm entgegenzusetzen.   O. F.

Hennig, C. R. Einführung in den Beruf des Klavierlehrers. A. Die Erfordernisse für den Beruf eines Klavierlehrers. B. Die Lehrtätigkeit. Leipzig, Carl Merseburger, 1902 — 334 S. 8⁰. Geheftet ℳ 3,—, geb. ℳ 3,75.

— Der Musiktheoretische Unterricht. A. Musiktheoretisches Hilfsbuch für den elementaren theoretischen Unterricht (auch einzeln ebenda 1903 erschienen 31 S. 8⁰, ℳ 0,40), B. Musiktheoretischer Leitfaden für den theoretischen Unterricht fortgeschrittener Schüler. Ebenda, 1903 — 140 S. 8⁰. *M* 1,60.

Das zweitgenannte Werk ist nur Separatabdruck eines Teiles des ersten, das ein gediegenes Schulwerk genannt werden darf. Es ist mit seinen knappen Schlagwörtern, Definitionen und Andeutungen nicht für den Autodidakten, sondern für den geschulten und erfahrenen Fachmann bestimmt; ein solcher wird darin aber auch ein nützliches Vademecum erkennen. Der Verfasser hat nicht nur sehr Tüchtiges gelernt, sondern auch — was mehr ist — die große Summe des Gelernten gründlich durchdacht. Heute, wo die Musiklehrer mit Recht vom Staate fordern, in ihrem Bestreben nach Reinigung ihres Standes unterstützt zu werden, ist es natürlich umsomehr nötig, der musikalischen Pädagogik immer klarere, durchsichtigere, festere, wissenschaftlichere Grundlagen zu geben. Hennig's Werk bespricht die Erfordernisse für den Beruf eines Klavierlehrers, wie Beanlagung für die Musik, Durchbildung in praktisch- und theoretisch-musikalischer Hinsicht und methodische resp. höhere musikalische und ästhetische Schulung. Hier betont er besonders seine Forderung, die sich erfreulicherweise durch das ganze Buch zieht: daß der Klavier- resp. Musiklehrer die Pflicht habe, auch ästhetisch und allgemein geistig bildend und erzieherisch zu wirken. So zeigt er, namentlich im letzten Teile über die Lehrtätigkeit des Klavierlehrers, durch die Aufstellung eines wohl durchdachten und bis ins Kleinste ausgearbeiteten Unterrichtsganges, daß ein Klavierlehrer nicht mechanisch drillen darf, sondern immer, selber von eigenem Nachdenken und gebildetem Seelenleben ausgehend, auf die Anregung des Nachdenkens und die Seelenbildung seines Schülers bedacht sein und auf diese Weise ein wichtiger Baustein in dem Dome der Kulturentwicklung werden kann.   O. F.

Kelvey, Henry Frederick. Musical Addresses. London, Charles H. Kelly, 1903. Demy 12mo. pp. 136. 1/6.

A series of addresses from the Wesleyan pulpit on the occasion of Choir Festivals etc., designed to show the influence of music on life and character. Clever essays and instructive discourses. "There is in Italian waters a fish that sings; raising its head above the water, it warbles like a bird". One does not wish to laugh, but is this true?   G. B.

Molldur, Karl. Die Kunst- und Wissenschaft der Musik: I. in ihrem Verhältnis zur Religion, II. als Me-

dium zur Krankenheilung, III. als Farben-Komposition zur Unterstützung der Tonmusik bei der Heilung aller Seelen, IV. als Geisterdemonstration — Entsprechungswissenschaft — nebst geistigem »Darwinismus« aus verklärten Sphären. Lorch, Karl Rohm (Kommission), ohne Jahr. — 296 S. kl. 8⁰. *M* 2,—.

Ein theosophisch-mystisches Kunterbunt, so kraus wie der Titel, auf dem ein NB. sagt: »Diese drei Abhandlungen geben der Christenheit einen wesentlichen Teil der durch geistige Verdunkelung einst verloren gegangenen wissenschaftlichen Entsprechungslehre zwischen Natur und Geist, das heißt das klare Verständnis für die *Bibelbildersprache* zurück«. Die Offenbarung St. Johannis, Darwin, Musiktheorie, Anna Rothe, Etymologien zum Beispiel von Medi-bums-el, Tonmystik, Philosophie, usw. gehen wir in pathologischem Chaos durcheinander.   O. F.

Müller, Wilhelm. Diary and Letters. Edited by P. S. Allen and J. T. Hatfield. Chicago University Press. London, Luzac and Co. 1902.

The diary of this short-lived man was found by Max Müller among his mother's papers, and runs only for 2 years 1815 and 1816; but the letters run from 1816 down to 1827 just before his death. The editors have given judicious notes and a biographical index. A frontispiece sketch-portrait by Hensel.   G. B.

Pearse, Mark Guy. West Country Songs. London, Horace Marshall and Son, 1902. Large Crown 8vo. pp. 131. 3/6.

Author is a Wesleyan minister, and for last 14 years Missioner of West London Mission; a poet and voluminous author. These short original poems reflect the spirit of damp, breezy, hardy, and large-souled Cornwall; which Celtic country parted finally with its own language 100 years ago, and is gradually losing its dialect-English. The standard of the poetry is very high. There are 8 excellent illustrations, by different artists.   G. B.

Prümers, Adolf. Silcher oder Hegar? Ein Wort über den deutschen Männergesang und seine Literatur. Leipzig, H. Seemann Nachfolger, 1903. — 15 S. 8⁰. *M* 0,50.

Anknüpfend an die Frankfurter Kritik

des Kaisers über den Männergesang, die unzweifelhaft zum Nachdenken über die einzuschlagenden Bahnen der Männergesangs-Komponisten angeregt haben, bespricht Verfasser die beiden Haupteinrichtungen des einfach-alten deutschen Volksliedsatzes und des modernen Kunstliedes; als ihre Hauptvertreter gelten Silcher und Hegar. Beide stehen sich anscheinend als Gegensätze gegenüber, besonders in ihren Extremen, wenn nämlich das Volkslied versimpelt und zur Liedertafel- und Schmachtlappen-Musik wird, und anderseitig das Kunstlied zum technischen Raffinement und zur instrumentalen Malerei und Effekthascherei greift. Beide Extreme sind gleicherweise verwerflich, beide Richtungen aber in ihrer edlen Form gleicherweise berechtigt und auch gar nicht so unvereinbar, als man glaubt. Denn beide erwachsen, wenn sie echt sind, auf dem gemeinsamen Grunde der ganzen Seele eines Tonpoeten. Will man einerseits die Versimpelung der Männerchor-Literatur, andererseits die Künstelei und äußerliche Technik vermeiden, das heißt die Zukunft beider Richtungen und damit die gesamte Männergesangs-Komposition sicher stellen, so muß auf eine Verschmelzung von Volks- und Kunstliedsatz hingearbeitet werden. »Möchten unsere Tondichter nur immer an Hegar denken, wenn sie etwas Volkstümliches schreiben wollen, so werden sie vor Seichtheit bewahrt bleiben; möchten die modernen Kunstakrobaten nur immer an den kleinen Silcher denken, damit sie nicht tollkühn werden und zu Falle kommen.«

O. F.

Ricci, Vittorio. L'Antica Scuola di Canto. Solfeggi per tutte le voci dei più celebri compositori e maestri di Canto Italiani del XVII, XVIII, e principio del XIX Secolo. Tratti dai manoscritti, ordinati etc. London, Joseph Williams, 1902. 4 to. 3 Series, each 3 sh.

A valuable and interesting collection of Solfeggi by Scarlatti, Leo, Durante, Cimarosa, Zingarelli. Hasse, Guglielmi, Aprile, Mazzoni, Felici, Marchesi, Valenti, Cafora, Montuoli, Mosca, Rastrelli, La Barbiera, Clari, Cotumacci, Florimo, Porpora, Martini, Marcello, Rossini, etc. The first series contains 50 solfeggi for soprano or tenor; the second 40 for contralto or bass, and the third 45 for mezzo soprano or baritone. Two further series are promised to complete the work. The solfeggi are printed in modern (G and F) clefs. All the editor's accompaniments are in excellent taste,

and thoroughly in keeping with the voice-parts.

W. B. S.

Riehl, W. H. Kulturstudien aus drei Jahrhunderten. 6. Auflage. Stuttgart und Berlin, J. G. Cotta'sche Buchhandlung Nachf., 1903 — XII und 446 S. 8°. *M* 6,—.

Im Jahre 1858 erschienen diese Studien zuerst; die sechs Auflagen haben aber an der ursprünglichen Form nichts geändert, weil das Buch — wie alle Werke des feinsinnigen Kultur-Historikers — mehr unterhalten, erfrischen und zum Nachdenken leiten, als ein Lehrbuch sein will. Es behandelt kunsthistorische Themata und Betrachtungen über »Volkskunde der Gegenwart« und »musikalische Erziehung«. Letztere gehen uns an. In den Jahren 1853 bis 1858 geschrieben, sind sie heute noch nicht ganz veraltet. Wie ein roter Faden zieht sich durch diese Aufsätze Riehl's Klage, daß man über dem Musikunterrichte die musikalische Erziehung, über der Erziehung für die Kunst die Erziehung durch sie vergesse oder vernachlässige. Das Volk höre von Kunstmusik kaum etwas; die *geistliche Musik*, besonders die auf der Gasse, das heißt das Choralblasen vom Turme und das Kurrendesingen, werde abgeschafft, die *Kirchenmusik* sei unleugbar in starkem Verfalle, ja selbst die *Volksmusik* müsse sich vor dem allmächtigen Vordringen der städtischen Künsteleien zurückziehen. Die *Militärmusik* setze an Stelle frischer, kriegerischer oder lustiger Volksweisen Parademusik von Donizetti und Verdi, Polkas und Mazurkas. Im *Bürgerhause* gehe es musikalisch nicht besser zu; da lernten die Kinder Klavier oder Geige »spielen«, würden dabei aber eher dümmer als klüger. Im *Musikunterrichte* sei das einseitige Haften am bloß Technischen ein wahrer Fluch. Der eigentliche Zweck des allgemeinen Musikunterrichtes sei doch nicht etwa, ein wenig Fingerfertigkeit zu gewinnen, sondern gute Musik würdigen, die Gesetze des Tonsatzes begreifen, die Stile und großen Meister der verschiedenen Zeiten ehren und sich durch ihre Werke bilden zu lernen. Nicht bloß Musik spielen, sondern sie auch verstehen, das sei doch der Sinn einer rechtschaffenen musikalischen Schulung. Dazu gehöre aber unweigerlich Partiturlesen und musikgeschichtliche Bildung. Letztere vermisse man nur zu sehr im *Konservatoriums-Unterrichte*. Hier müßte Geschichte und Ästhetik der Tonkunst und Kompositionslehre voran stehen, die rein technischen Fächer aber dürften nur nebenher gehen. »Die Fäden der ganzen Anstalt sollen zusammenlaufen in den Händen des Geschichtslehrers, des Ästhetikers uud Kompositionslehrers. Denn Sänger, Geiger und Flötisten werden immer nur Musikunterricht erteilen, jene aber leiten die musikalische Erziehung.« (Seite 441.) Schließlich wäre es nötig, an den *Universitäten* »tüchtige Männer zum Anbau der Geschichte und Ästhetik der Tonkunst zu berufen und zwar in einer äußeren Stellung, welche den Studenten den alten Glauben benähme, als sei die Musikprofessur eine bloße Dekoration und Spielerei«. Es sei an der Zeit, über die Musik auch noch von anderem Standpunkt zu reden, als dem musikalischen. Wie man Homer und Sophocles, Dante und Goethe in Schule und Universität würdigen lerne, so seien es auch Palestrina, Bach, Händel usw. wert, geschichtlich und ästhetisch in unserer Jugendbildung gewürdigt zu werden. Denn das Alte, Einfache, Strenge tauge besser zur sittlichen und künstlerischen Zucht, als das Moderne, das uns von selber angeflogen komme. Den Einflüssen der Gegenwart kann sich (außer dem Philister) niemand entziehen; wer sich aber die Vergangenheit mit eigener Arbeit errungen, der wird inmitten dieser Einflüsse wenigstens fest auf seinen eigenen Beinen stehen.

In den 50 Jahren, die zwischen der ersten und neuesten Auflage dieses Werkes vergangen sind, hat sich manches geändert und gebessert. Sagt doch Riehl selbst, daß zwar seine heiße Liebe für die Musik heute noch dieselbe sei, sein heller Zorn aber über die Musikanten sei ein anderer geworden. Auch die »Musikanten« sind andere geworden und verlangen jetzt aus sich selbst heraus diejenigen Reformen, die früher Andere für sie aufstellen mußten.

O. F.

Schneider, Otto. Heinrich Bellermann. Gedächtnisrede, gehalten bei der vom Akademischen Gesang-Verein zu Berlin veranstalteten Feier am 3. Mai 1903. Nebst dem Bilde Bellermann's in Heliogravüre und einem Verzeichnis seiner Kompositionen und Werke. Berlin, J. Springer, 1903. — 18 S. gr. 8º.

Die biographischen Nachrichten sind mehr andeutend als ausführend, das Verzeichnis seiner Werke vollständig, das Bild sehr lebensvoll.

O. F.

Snoeck, C. C. Catalogue de la Collection d'Instruments de Musique Flamands et Néerlandais. Gand, Vanderpoorten, 1903. — 61 S. gr. 8º.

Neben der großen, von der preußischen Regierung für die Königliche Sammlung alter Musikinstrumente gekauften Sammlung hinterließ César Snoeck auch eine kleinere, bestehend ausschließlich aus Instrumenten flämischer und niederländischer Meister, die in 437 Nummern in diesem Kataloge kurz gekennzeichnet sind. Den Hauptteil davon bilden Streichinstrumente (149 Nummern) aus dem 17.—19. Jahrhundert von Hendrik Willems und Matthys Hofmans (Genf), Gaspar und Peter Borbon in Brüssel, Egidus und Marcus Snoeck (Brüssel), H. Aerminck (Leyden), H. Jacobs (Amsterdam), Pieter Rombouts, Vuillaume u. v. a. zum Theil bisher wenig oder garnicht bekannter Geigenbauer. Von Blasinstrumenten sind 188 vorhanden, und von Klavieren 24, worunter mehrere von Ruckers. Die Sammlung ist für den Spezialforscher wichtig, weil sie das Bild des flämischen Instrumentenbaues, besonders des 16. und 17. Jahrhunderts, wesentlich vervollständigt. Namentlich aber hat sie, als einzige und umfangreiche nationale Sammlung, von nationalem Standpunkt aus ganz gewiß eine hervorragende Bedeutung, die wahrscheinlich über kurz oder lang ihre zu wünschende endgiltige Erhaltung als Ganzes zur Folge haben wird.

O. F.

Somervell, Arthur. Chart of the Rules of Counterpoint. Cambridge University Press. 1903. 1 sh.

Contains all the main rules, with examples and 14 Cantus Firmi for practice; presented in card, at one opening. Highly convenient. Author has published similar for Harmony. Is Inspector of Music to the Board of Education, having succeeded Sir John Stainer.

G. B.

Verlag **Anton Böhm & Sohn**, Augsburg und Wien.

Filke, Max. Op. 88. Ave maris stella. Hymnus für Sopran, Alt, Tenor, Baß, 2 Violinen, Viola, Violoncello, Basso, 2 Klarinetten, 2 Hörner und Orgel. Preise: Orgel als Direktionsstimme *M* 1,20, jede Singstimme *M* 0,20, Orchesterstimmen *M* 2,—.

Ein gut gearbeiter Hymnus, aber nicht selten weichlich in der Melodik, wie z. B. bei der Stelle Ave maris stella. Etwas größere Vertiefung hätte dem Werk nur zum Vorteil gereicht.

Verlag **Breitkopf & Härtel**, Leipzig.

Rahner, Hugo. I. K. F. Fischer. Präludium, Arie und Fuge. Partitur *M* 3,— n.

Nicht ohne Geschick hat hier Rahner drei von einander unabhängige und zwar zwei aus dem »Musikalischen Blumen-Büschlein« 1696 (Ausgabe v. d. Werra, S. 22 u. 18) und ein aus dem »Blumenstrauß aus dem anmuthigsten Musicalischen Kunstgarten« (v. d. Werra, S. 121) entlehnte Orgelsätze mit einander in Verbindung gebracht und für Solo- Streichquartett, Streichorchester und Orgel bearbeitet. Der ursprüngliche Orgelpart hat hierbei mannigfache Veränderungen erfahren. Bald sind Töne fortgelassen, bald größere Volltönigkeit gebraucht worden wie am Schluß jedes schnelleren Tempos. Unglücklich scheint mir die Zwei-Teilung des ursprünglichen Taktes der schnelleren Tempi im ersten Satz, wodurch die Accentuation verändert wird. Der zweite Satz, das Adagio, steht eine Quarte höher als das Original. Auch hier ist der Orgelpart voller gehalten. Ornamente sind zum Teil ausgeschrieben, zum Teil fortgelassen. Von der Variationsreihe, welche sich an die Arie anschließt, sind nur die Nummern 5, 6 und 8 benutzt. Ziemlich willkürlich ist mit der Fuge verfahren, in welche eine Periode von 8 Takten frei eingeführt ist. Die Instrumentation ist ganz einfach, der Eindruck der Fischer'schen Kompositionen in der neuen Form ein gefälliger.

Seiffert, Max. G. F. Händels Werke für Orchester. Orgel-Konzerte. Auf Grund von F. Chrysanders Gesamtausgabe der Werke Händels nach den Quellen revidiert und für den praktischen Gebrauch bearbeitet.

Orgel-Konzert Nr. 1, op. 4, Nr. 1. Partitur *M* 3,— n.

Verfasser versucht, »Händel's Orgelkonzerte aus ihrer starren originellen Aufzeichnung durch reichere harmonische Ausfüllung und Ergänzung der dem freien Belieben des Spielers überlassenen Stellen wieder zu regerem Leben zu erwecken«. Er geht über den nach seinem Urteil sonst anerkennenswerten kritischen Versuch Reimann's damit hinaus, daß er, gestützt auf genaueste Kenntnis der Spieltechnik jener Zeit, die Melodie führende Stimme des Orgelparts figurativ ausgestaltet und sie fast überreich aber geschmackvoll mit Ornamenten versieht. Die Hinzufügung von Vortrags-Bezeichnungen geht nach meiner Ansicht etwas zu weit. Es ist nicht gut, die individuelle Auffassung zu sehr zu unterbinden.

— G. F. Händels Kammermusik. Kammersonaten für Flöte, Oboe oder Violine mit Cembalo. Auf Grund von Fr. Chrysanders Gesamtausgabe der Werke Händels nach den Quellen revidiert und für den praktischen Gebrauch bearbeitet. Kammersonate Nr. 4., Op. 1, Nr. 3. Part. *M* 1,80 n.

Den Verfasser leitet der aus historischer Forschung gewonnene Grundsatz, daß »die virtuose Praxis damaliger Zeit in der Solostimme ein subjektives Verfahren, Belebung der gegebenen einfachen melodischen Linien durch Verzierungen und leichte Umspielungen, breite Dehnung der Kadenzstellen und Veränderung der Reprisen erforderte.« Seine Bearbeitung legt von feinem musikalischen Empfinden Zeugnis ab. Der Baß ist wirkungsvoll ausgesetzt. der Vortrag wieder aufs genaueste festgelegt. Das Werk hat durch die Neubearbeitung entschieden gewonnen.

Verlag der **Ebner'schen Musikalienhandlung**, Stuttgart.

Stein, Richard H. op. 3. Aus meinem Leben. Zwölf kleine Tongedichte für Pianoforte zu zwei Händen. Abteilung I. II. je netto *M* 2,50; Heft 1, 2, 5, 6 je netto *M* 1,—, Heft 3 netto *M* 1,25, Heft 4 netto *M* 1,50.

Verfasser verspricht Tüchtiges, ist aber vorläufig noch etwas ungelenk in der Form und etwas einseitig im Ausdruck. Seine Stücke offenbaren feinen Klangsinn und zeigen schöne melodische Linie. Bei einzelnen Nummern wie bei Nr. 12 hat man stellenweis den Eindruck des Bedeutenden.

Verlag Ernst Eulenburg, Leipzig.

Eschmann-Dumur, Carl. Rythme et agilité Exercices techniques pour Piano. Prix: 4 marcs.

Eine brauchbare Schule der Rhythmik und Fingerfertigkeit, die bereits in der Lausanner Musikschule eingeführt ist und sich als Arbeit eines ausgezeichneten Klavier-Pädagogen sicherlich in der Praxis bewähren wird.

Hummel, Ferdinand op. 74., Nr. 15. Huldigungsmarsch für großes Orchester. Partitur Preis $\mathcal{M}$ 4,— netto.

Eine einfach angelegte, wohlklingende Partitur ohne bedeutende Züge.

Verlag Fr. Kistner, Leipzig.

Reuß, August. Op. 16. Drei Stimmungen am Klavier. Nr. 1 Märchen, Nr. 2 Trübe Stunden, Nr. 3 Erfüllung je $\mathcal{M}$ 1,50.

Fein empfundene, talentvolle Musik.

Verlag Adolf Robitschek, Wien und Leipzig.

Caro, Paul. Lieder für hohe Stimme mit Begleitung des Pianoforte, op. 28. Drei Lieder: Nähe des Geliebten, Der Liebe Lohn, Wie lieb ich dich hab; op. 29. Zwei Lieder: Ruhe in der Geliebten, Gabe.

Gewisses melodisches Talent ist dem Verfasser nicht abzusprechen, ab und zu gelingt ihm eine fein geschwungene Melodie wie op. 29 Nr. 2. Meist ist er aber unerträglich süß und flach. Man vermißt gediegene Arbeit.

Verlag Bartholf Senff, Leipzig.

Reinecke, Carl. Frau Mutter Erde. Gedicht aus den Papieren einer alten Dame. Lied für eine Singstimme mit Begleitung des Pianoforte. $\mathcal{M}$ 1,50.

Ein ganz reizendes Liedchen. Der feine Humor des Textes kommt in der Komposition trefflich zum Ausdruck.

Wulfius, Arthur. Op. 8. Vier Lieder für eine Singstimme mit Begleitung des Pianoforte. Nr. 1 Wiegenlied, Nr. 2 Sehnsucht, Nr. 3 Märzensturm, Nr. 4 In goldener Fülle. Preis $\mathcal{M}$ 3, einzeln je $\mathcal{M}$ 1,—.

Hübsch empfundene, durch flüssige Melodik und gediegene Arbeit sich auszeichnende Lieder.

Verlag Carl Simon, Berlin.

Scharf, Moritz. Op. 12. Der Brief aus der Fremde. Ausgabe B. für eine Singstimme, Violoncello, Harmonium und Klavier. $\mathcal{M}$ 2,50.

Poenitz, Franz. Op. 22. Friede in Jesu. Ausgabe C. für mittlere Stimme, Violoncello und Klavier (Harmonium oder Orgel) mit Harfe ad libitum. $\mathcal{M}$ 1,80.

Ein ausdrucksvolles Werk, durchaus kirchlich in der Stimmung.

Verlag W. Sulzbach, Berlin.

Thiel, Carl. Auswahl hervorragender Meisterwerke des A cappella-Stils aus dem 16., 17. und 18. Jahrhundert für den praktischen Gebrauch herausgegeben. Bd. III Madrigale: Nr. 1 Cole, John. Englisches Jagdlied (um 1470) und Nr. 2 Thibault, König von Navarra (1201—1253) Chanson Partitur $\mathcal{M}$ —,40, Stimmen $\mathcal{M}$ —,60 n. Nr. 3 Marenzio, Luca. Schau ich dir in den Augen die glühenden Strahlen; Nr. 4 Eccard, Joh. (1553—1611) Hochzeitslied; Nr. 5 Lemblin, Laurentius (16. Jahrhundert) Der Kuckuck. Partitur der Nummern 3—5 je $\mathcal{M}$ —,60, Stimmen $\mathcal{M}$ —,60 bis —,75.

Eine hübsche Sammlung gemischter Chöre, die allen Gesangvereinen warm empfohlen sei, trefflich in der Faktur und frisch in der Wirkung, obgleich entlegener Zeit entstammend.

Thiel, Carl. Mirantische Maienpfeiff. Weise aus dem Ende des 17. Jahrhunderts für fünfstimmigen gemischten Chor a cappella (Sopran 1. 2., Alt, Tenor, Baß) bearbeitet. Partitur $\mathcal{M}$ 1.—, netto, Stimmen je $\mathcal{M}$ —,20.

Die, wenn ich nicht irre, aus der Sammlung des Laurentius von Schnüffis stammende Melodie hat hier treffliche Bearbeitung gefunden. Die Stimmen sind schön geführt, der ganze Chorsatz leicht ausführbar.

Verlag Jul. Heinr. Zimmermann, Leipzig.

Melling, Einar. Op. 3. Sechs lyrische Stücke für Pianoforte.

Gefällige Musik individuellen Gepräges, hübsch in der Melodik, originell und interessant in der Harmonik.

Zeitschriftenschau

zusammengestellt von

Ernst Euting.

Verzeichnis der Abkürzungen siehe Zeitschrift IV, Heft 7, S. 435.

Adam, Ad. Selbstbiographie — MM 15, Nr. 14, [mit Porträt].

Anonym. Der Organist und der unreine Volksgesang in der Kirche — Cc 11, Nr. 8.

Anonym. Abbé Alphons Straub † — C 20, Nr. 8.

Anonym. I. Allgemeiner Deutscher Tonkünstler- und Musiker-Delegiertentag am 9., 10. und 11. Juli 1903 im Rathause zu Berlin — DTK 25. Juli 1903 [offizieller Bericht].

Anonym. The sagas and songs of the Grael — The Quarterly Review [London, John Murray) Juli 1903.

Anonym. »La Petite Maison.« Opéra comique en trois actes. Musique de M. William Chaumet — RAD, Juli 1903.

Anonym. Constance Bache † — MMR, Nr. 392.

Anonym. Zum 80. Geburtstage von Joh. Jos. Held in Beuel — ZfI 23, Nr. 30.

Anonym. Deutschlands Außenhandel in Musikinstrumenten im ersten Halbjahr 1903, 1902 und 1901 — ZfI 23, Nr. 32.

Anonym. Einstellvorrichtung für Klaviatur und Mechanik von Pianos — ZfI 23, Nr. 32 [illustriert].

Anonym. Aussprache des H. Bischofs von Metz über den Kirchengesang in der Ostersynode 1903 — C 20, Nr. 7.

Anonym. Das XI. Kirchengesangsfest des Evangelischen Kirchengesangvereins für Baden in Lahr am 21. Juni 1903 — CEK 17, Nr. 8.

Anonym. Truro cathedral — MT, Nr. 726 [mit musikgeschichtlichen Notizen].

Anonym. Das neue deutsche Urheberrecht und die Genossenschaft deutscher Tonsetzer — NZfM 70, Nr. 31/32.

Antcliffe, Herbert. Anton Bruckner — Mc 1903, Nr. 10.

Arend, Max, Eine Neuerung im Orgelbau — BfHK 7, Nr. 8.

Auerbach, Siegmund. Zum Kampfe gegen den Musiklärm in den Häusern der Großstädte — Münchener Allgemeine Zeitung, 27. Juni 1903.

Bache, Constance. Karl Klindworth — MMR, Nr. 392.

Baltzell, W. J. Information v. development as an educational ideal — Musical World (Boston, Arthur P. Schmidt) Juli 1903.

Batka, R. Theod. Streicher's Wunder-hornlieder — Beilage zur Täglichen Rundschau (Berlin) 1903, Nr. 161.

Bernhard, Walter. Handelian jottings — MO, Nr. 311.

Blaschke, Julius. »Der gebundene Stil,« Lehrbuch für Kontrapunkt und Fuge von Felix Draeseke — DMMZ 25, Nr. 33 [Kritik].

Boltz, Marie. Celeste Chop-Groenevelt — NMZ 24, Nr. 19.

Bornewasser, Rud. Eine wichtige Novität für Choralfreunde — GBl 28, Nr. 7 [»Der Straßburger Chronist Königshoven als Choralist« von Mathias].

Bouillat, J. M. J. Liszt, pianiste et compositeur — Contemporains (Paris) 21. Juni 1903.

Bour, J. Alte Glocken in Lothringen — C 20, Nr. 8 ff.

Brandes, Fred. Dr. August Friedrich Manns — NMZ 24, Nr. 19 [mit Porträt].

Brown, Jean Parkman. A lesson in practising — Musical World (Boston, Arthur P. Schmidt) Juli 1903.

Case, W. S. The cult of the foreigner — MN, Nr. 646.

—— Some features of the past season — ibid., Nr. 648.

Castéra, René de. A co-operative publishing Co. — Musical World (Boston, Arthur P. Schmidt) Juli 1903.

—— La condamnation de Berlioz par M. Raoul Günzburg — L'Occident (Paris) 1. Juni 1903.

Cecil, George. Hints to the singing student — MO, Nr. 311.

Ch. Musikalische Reminiszenzen-Jägerei. Eine kritische Plauderei — DMMZ 25, Nr. 32.

—— Die idealen Aufgaben der deutschen Militärmusik — ibid., Nr. 33.

Clausetti, Carlo. La gita della »Dante Alighieri« a Pozzuoli — MuM 58, Nr. 7 [Enthält aus dem Totenregister von Pozzuoli die Eintragung über den Tod Giambattista Pergolesi's, teilt den Wortlaut der Inschriften in der Grabkammer dieses Meisters im Dom mit und bringt Abbildungen der Büsten von Antonio Sacchini und G. Pergolesi].

Cohen, Carl. Die XXXIV. Generalversammlung des Cäcilienvereins der Erzdiöcese Cöln am 4. Juni zu Düsseldorf — GBo 20, Nr. 7.

Combarieu, Jules. Les origines de la symphonie — RM 3, Nr. 8.

Conrat, Hugo Joh. Archangelo Corelli, geboren im Februar 1653, gestorben 19. Januar 1713. — AMZ 30, Nr. 30/31.

—— Das große Händel-Fest in London (23., 25. und 27. Juni 1903) — NMZ 24, Nr. 18.

Cretius, Fernando. Vom Musikleben in Santiago — Mk 2, Nr. 21.

Currier, T. P. Isidor Philipp and French piano-playing — Musical World (Boston, Arthur P. Schmidt) Juli 1903.

Curtis, Georgina P. Ludwig van Beethoven — Catholic World (London, 22 Paternoster Row) Juli 1903.

Daubresse, M. Mignon, épisodes lyriques tirés de »Wilhelm Meister«, Goethe-Schumann — GM 49. Nr. 32/33.

—— Pédagogie musicale — MM 15, Nr. 14.

Dorn, Otto. Das Wiesbadener Theater-Orchester und seine Dirigenten — Mk 2, Nr. 21.

Dreux, A. L'anneau du Nibelung — Revue Générale, Juni 1903.

Durand, Georges. Les orgues de la Cathédrale d'Amiens — TSG 9, Nr. 7ff.

Duval, Gaston. Un cas nouveau de vandalisme musical: J.-M. Leclair, violiniste-compositeur parisien (1687—1764) — RM 3, Nr. 9 [betrifft die neue Peters'sche Ausgabe].

Ehrenhofer, W. E. Zur Frage der Röhren-pneumatik — ZfI 23, Nr. 30.

Enschedé. J. W. Florimond van Duyse en het Nederlandsche Liedonderzoek — Cae 60, Nr. 11.

Feyler. F. Festival Vaudois [à Lausanne] — MM 15, Nr. 15.

Fiege. Rud. Der neue General-Intendant in Berlin — BfHK 7, Nr. 8 [Reform-vorschläge für die Leitung der Hofoper].

Fiorini, Giuseppe. Bestimmung der Holz-stärke der Resonanzplatten an Streich-instrumenten durch die Akustik — ZfI 23, Nr. 31.

Franklin, W. S. Derivation of equation of decaying sound in a room and defini-tion ot open window equivalent of ab-sorbing power — The Physical Review (New-York, Macmillan Company) 1903, S. 372 ff.

Fröhlich, Hans. Singen ist gesund — DMZ 34, Nr. 33.

Gehring, A. The expression of emotions in music — Philosophical Review (London, Macmillan), Juli 1903.

Girard, L. »Orphée et Phèdre« au théâtre antique d'Orange — Le Courrier Musical (Paris, 2 rue Louvois) 1. August 1903.

Goetschel, L. XV. Schlesisches Musikfest in Görlitz (21.—23. Juni 1903, — NMZ 24, Nr. 18.

Graevenitz, G. v. Liszt in Rom — Bei-lage zur Täglichen Rundschau (Berlin 1903, Nr. 169f.

Grove, George. Beethoven's »Leonora« overture Nr. 3 — MT, Nr. 726.

Guilbert, L. F. Une conférence musicale à l'Institut catholique de Paris — En-seignement Chrétien (Paris) 1. Juni 1903.

H., É. Die 39. Tonkünstler-Versammlung des Allgemeinen Deutschen Musikvereins vom 12.—15. Juni in Basel — KL 26. Nr. 15.

Hadden, J. Cuthbert. Hector Berlioz — Macmillan's Magazine (London, Mac-millan) August 1903.

Halama, Adolf. Zu dem Artikel: »Die Stellung des Kontrapunktes im zwei-stimmigen Satze« (GBl 28, Nr. 3 — GBl 28, Nr. 7.

Helm, Theodor. Theodor Reichmann MWB 34, Nr. 25 [mit Porträt].

Henderson, W. J. The intellectual and romantic in Beethoven — Mc 1903. Nr. 10.

Hertel, V. Ein Wort zu den Gedanken von H. Post über den Rhythmus — CEK 17, Nr. 8.

Hirschfeld, Robert. Brahms und seine Bücher — Frankfurter Zeitung, 7. Mai 1903.

Horn, Michael. Der Straßburger Chronist Königshofen als Choralist — C 20. Nr. 8.

Imbert, Hugues. Un maître musicien de la Renaissance française: François Reg-nart — GM 49, Nr. 30/31.

Isnardon, Jacques. Les concours du Con-servatoire. La semaine terrible — Musica (Paris, Pierre Lafitte & Cie), August 1903 [mit zahlreichen photographischen Auf-nahmen].

Jenkins, D. The disadvantages of Welsh choirs — Mc 1903, Nr. 10.

Joncières, V. Saint-Saëns intime — Le Gaulois (Paris) 19. Juni 1903.

Jones, Helen Lukens. The music of na-ture — Temple Magazine (London, 3 Bolt Court) August 1903.

Joß, Victor. Die Maifestspiele in Prag 1903 — NZfM 70, Nr. 31/32.

K., W. VII. Badisches Sängerbundesfest zu Mannheim (Pfingsten 1903) — TK 7, Nr. 12.

Kalischer, Alfr. Chr. Ungedruckte Briefe Beethoven's an die Familie Brentano und andere — Sonntagsbeilage zur Vossi-schen Zeitung (Berlin). 26. Juli und 2. Au-gust 1903.

—— Ludwig van Beethoven's Leben von Alexander Wheelock Thayer — Mk 2, Nr. 21.

Kappstein, Theodor. Richard W a g n e r als Denker — Breslauer Zeitung, 1903, Nr. 358.

Keßler, F. Das VIII. Kirchengesangfest des evangelischen Kirchengesangvereins für die Pfalz in Wolfstein am 21. Juni 1903 — CEK 17, Nr. 8.

Kirchfeld, A. La musique et l'enseignement supérieur en France et à l'Etranger. La musique dans l'enseignement secondaire — RM 3, Nr. 8.

Klemetti, H. Die finnischen Volkslieder — Husi Suometar, 28. Februar 1903.

Kohut, Adolph. Adolph A d a m. Ein Gedenkblatt zum 100. Geburtstag — NMZ 24, Nr. 18 [mit Porträt].

—— Ein Doppelgänger Otto Nicolai's [Gustav Nicolai] — NZfM 70, Nr. 31/32.

Korngold, J. Theodor R e i c h m a n n † — Neue Freie Presse (Wien) Nr. 13915.

Kramer, R. Das Klavierharmonium — ZfI 23, Nr. 32.

Krause, Emil. 39. Tonkünstler-Versammlung in Basel — BfHK 7, Nr. 8.

Kretzschmar, Herm. G r i e g's » Lyrische Stücke — BfHK 7, Nr. 8.

Krtsmary, Anton. August K l u g h a r d t [1847—1902] — NMP 12, Nr. 14/15.

Laloy, Louis. Les concours du Conservatoire — RM 3, Nr. 9.

Landi, Claude P. Musical training in England and on the continent — MO, Nr. 311.

Lassery, Auguste. M. Guillaume Guidé, directeur du Théâtre Royal de la Monnaie à Bruxelles — RM 3, Nr. 9.

Laurencie, L. de la. Le goût musical — Mercurie de France (Paris, rue de Condé 26), August 1903.

Lawrence, J. T. Some old organs — MO, Nr. 311.

Leßmann, Otto. Die Wagner-Festspiele im Prinzregenten-Theater zu München — AMZ 30, Nr. 34/35.

Löscher, P. Mahnung eines Musiker zur Neubelebung des protestantischen Gemeindegesanges — KCh 14. Nr. 8.

m. Das profane Volkslied — KVS 18, Nr. 2.

Mansfield, Orlando A. Employment of double counterpoint in B e e t h o v e n's symphonies — MO, Nr. 311.

Marsop, Paul. Das Bonner Kammermusikfest — Nationalzeitung (Berlin) 31. Mai 1903.

—— Vom allgemeinen deutschen Musikverein — Münchener Allgemeine Zeitung, 1903, Nr. 168 ff.

Mauclair, Camille. Richard S t r a u ß und die Musik seit W a g n e r — NMZ 24, Nr. 19.

Maurras, C. Chansons provençales — Action Française (Paris) 1. Juni 1903.

Mey, Kurt. Schädlinge der deutschen Musikkultur — Wartburgstimmen (Thüringische Verlagsanstalt. Eisenach und Leipzig) 1, Nr. 2 f.

Michelsen. De vingerzetting van de toonladders in het pianospel — Cae 60, Nr. 11.

Milligen, S. van. XXXIX⁰ Muziekfeest der » Tonkünstler-Versammlung des Allgemeinen Deutschen Musikvereins « te Basel — Cae 60, Nr. 11.

Monaldi, G. Intorno all' autore della » Germania « [F r a n c h e t t i] — Cosmos Illustrato, März 1903.

Morice, C. Le Music-hall — L'Occident (Paris) Juni 1903.

Nagel. Wilibald. Zur Hugo W o l f-Literatur — BfHK 7, Nr. 8.

Nède, André. Pie X et la musique réligieuse — M, Nr. 3776.

Neruda, Edwin. Das Pyrmonter S c h u-b e r t - L i s z t-Fest — NZfM 70, Nr. 29/30.

Newman, Ernest. Music in the new ·Encyclopædia Britannica — The Weekly Critical Review (Paris, 336 rue St-Honoré) 2, Nr. 25 ff.

—— Novelist and musician — Mc 1903, Nr. 10.

Niemann, Walter. Wir und die alte Klaviermusik. Anregungen zur einheitlichen Reform künftiger Neuausgaben — S 61, Nr. 40.

Ochs, Traugott. IV. Internationales Musikfest zu Pyrmont am 27. und 28. Juni 1903 — MWB 34, Nr. 8.

Offoel, J. d'. L'œuvre musicale de Fantin-Latour: L'or du Rhin — MM 15, Nr. 15.

Paul, Ernst. Empfindung, Vorstellung und Gedächtnis. Abhandlung aus dem Gebiete der pädagogischen Tonpsychologie — KL 26, Nr. 16 f.

Pierre. Constant. Le Conservatoire National de Musique: les élèves et l'enseignement — RM 3, Nr. 8.

Platzkoff-Lejeune, E. Das waadtländische Festspiel von E. J a c q u e s - D a l c r o z e [3.—6. Juli 1903) — SMZ 43, Nr. 22 f.

Pougin, Arthur. Les concours du Conservatoire — M. Nr. 3773 ff.

—— Le » Postillon de Lonjumeau « à Lonjumeau — ibid., Nr. 3774.

—— Rosine S t o l t z — ibid., Nr. 3775.

Pratt, Harry Rogers. Music study at Harvard — Musical World (Boston, Arthur P. Schmidt) Juli 1903.

Prod'homme, J.-G. Le monument G a r-n i e r à l'Opéra — Musica (Paris, Pierre Lafitte & Cie.) August 1903 [illustriert).

—— Les représentations d'Orange — The Weekly Critical Review (Paris, 336 rue St-Honoré) 2, Nr. 27.

Prüfer, Arthur. Der Leipziger Thomaskantor Johann Hermann S c h e i n — BB 26, Nr. 7/9.

Puttmann, Max. Allgemeiner Deutscher Tonkünstler- und Musiker-Delegierten-tag — NMZ 24, Nr. 18.
—— Die Enthüllung des Robert Franz-Denkmals in Halle a. S. — ibid.
—— Ein Gedenkblatt zum 100. Geburts-tage Adolphe Charles Adam's — AMZ 30, Nr. 30/31.
—— Das XV. Schlesische Musikfest (21. bis 23. Juni 1903) — NMP 12, Nr. 14/15.
Quittard, Henri. Un chanteur compositeur de musique sous Louis XIII: Nicolas Formé (1567—1638) — RM 3, Nr. 9.
Quix, F. H. Bestimmung der Gehörschärfe auf physikalischer Grundlage — Zeitschrift für Ohrenheilkunde (Wiesbaden, J. F. Bergmann) Juli 1903.
R., E. Der mehrstimmige Gemeindegesang — BfHK 7, Nr. 8.
Rabich, Ernst. Kirchenmusik und Seminarunterricht — BfHK 7, Nr. 8.
Reuilly, Henri de. Les pianos Gaveau — RM 3, Nr. 8.
Ritter, Hermann. Der »Volkschor« in Barmen — NMZ 24, Nr. 19.
Robinson, Frances C. Music a revealer of self — Musical World (Boston, Arthur P. Schmidt) Juli 1903.
Rost, P. In welchen Stücken ist eine Abänderung des musikalischen Teils unserer Agende und Gottesdienstordnung zu wünschen? — KCh 14, Nr. 8 f. (Vortrag auf der Versammlung des Kirchenchorverbandes der Ephorie Leisnig zu Döbeln, 13. Mai 1903).
Rothenburg, A. Kopenhagener Musikleben. Ein Rückblick auf die vergangene Saison — NMZ 24, Nr. 19.
Rutz, Ottmar. Die Rutz'schen Tonstudien und die Reform des Kunstgesanges — NZfM 70 Nr. 33/34.
Sch., R. Die Musik im Jildiz-Kiosk — NMZ 24, Nr. 19.
Schaefer, H. Die älteste Sequenz auf den heiligen Gereon und seine Gefährten aus dem 10. Jahrhundert — GBl 28, Nr. 7.
Schmid, T. Choral-Reform unter Clement VIII — Stimmen aus Maria-Laach (Freiburg i. B., Herder) Juli 1903.
Schmidkunz, H. Der Unterricht in der Musik — Nord und Süd, August 1903.
Schmidt, Karl Wilhelm. Goethe und Beethoven — Sonntagsbeilage zur Vossischen Zeitung (Berlin) 1903, Nr. 33.
Schoen, H. Das französische Bayreuth und die klassischen Festvorstellungen im römischen Theater — Die Grenzboten (Berlin) 62, Nr. 29.
Schröder, Karl Ludwig. Prüfungsaufführungen — RMZ 4, Nr. 31.
Segnitz, Eugen. Hugo Riemann's »Große

Kompositionslehre« — KL 26, Nr. 16 [Kritik].
—— Aus dem Leben eines deutschen Organisten in Rom (Otto Nicolai — AMZ 30, Nr. 32/33.
Seidl, Arthur. Die XXXIX. Tonkünstlerversammlung des Allgemeinen Deutschen Musikvereins (Basel, 12.—15. Juni 1903). Tonkünstlerversammlung oder Musikfest? — NMP 12, Nr. 14/15.
—— Die 39. Tonkünstler-Versammlung des »Allgemeinen deutschen Musikvereins« (Basel, 12.—15. Juni 1903) — MWB 34, Nr. 27 ff.
Seydler, Anton. Tomae Ludovici Victoria Abulenris opera omnia. Tom. I. Motecta. Lipsia 1902 — GR 2, Nr. 8 [Kritik].
Sikkus. Gustav Mahler — RMZ 4. Nr. 31.
Smend, Julius. Kirche und Schule in der Provinz Sachsen — MSfG, August 1903.
Sonne, H. Das XXIV. Kirchengesang-fest des Evangelischen Kirchengesangvereins für Hessen in Groß-Steinheim am 14. Juni 1903 — CEK 17, Nr. 8.
Sonneck, O. G. Samiel hilf — »Parsifal« in New-York — MWB 34, Nr. 26.
Southgate, T. L. Some ancient musical instruments — MN, Nr. 648 [in Ägypten aufgefunden].
Spannuth, August. Die Musiker in Amerika — S 61, Nr. 38.
Speidel, Ludwig. Beethoven in Heiligenstadt — Neue Freie Presse (Wien), Nr. 13923.
Spencer, Vernon. Die Klavierbearbeitungen Liszt'scher Lieder von August Stradal — NZfM 70, Nr. 29/30.
Spies, Hermann. Die neue Orgel in der Stadtpfarrkirche zu St. Andrä in Salzburg — KVS 18, Nr. 2.
Spitta, Friedrich. »Allein zu dir, Herr Jesu Christ.« Ein Beitrag zur hymnologischen Geschichte des Elsasses — MSfG 8, Nr. 7 ff.
Stellmacher, Käte. Vor Klinger's »Beethoven« — NZfM 70, Nr. 29/30.
Stewart, G. W. Architectural acoustics: some experiments in reverberation. Abstract of a paper presented at the meeting of the Physical Society — The Physical Review (New-York, Macmillan Company) 1903, S. 379 f.
Tappert, Wilhelm. Das Gralthema in Richard Wagner's »Parsifal« — MWB 34, Nr. 31/32.
Taubmann, Otto. Modernes Konzertwesen — MWB 34, Nr. 27 ff.
Taylor, Baynton. Small pipe organs for music rooms — MO, Nr. 311.
Thibaud, Francis. Une leçon de violon-

celle — Musica (Paris, Pierre Lafitte & Cie.) August 1903 [mit Abbildungen die Bogenhaltung illustrierend].

Thießen', Karl. Musikfestliche Unsitten. Eine zeitgemäße Betrachtung — S 61, Nr. 38.

—— Fünfzehntes schlesisches Musikfest — ibid.

Thorel, René. La musique aux Arènes de Béziers: »Parysatis« et »Dejanire« de Camille Saint-Saëns — Musica (Paris, Pierre Lafitte & Cie.) August 1903 [mit zahlreichen Abbildungen].

—— La 200e représentation de » Samson et Dalila« à l'Opéra — MM 15, Nr. 14.

Toop, Augustus. Hints on singing — MO, Nr. 311.

Tracy, James M. Successful writers of piano etudes — Mc 1903, Nr. 10.

Truxa, Celestine. Am Sterbebette Brahms' — Neue Freie Presse (Wien), Nr. 13899 [T. war beim Tode Brahms' zugegen.]

Tschiedel, J. Adolph Adam und der »Postillon von Lonjumeau« — Beilage zur Täglichen Rundschau (Berlin) 1903, Nr. 170.

Tuker, M. A. R. The lost art of singing — Nineteenth Century (London, Sampson Low), August 1903.

Urgiß, J. Adolph Charles Adam — Internationale Literatur und Musikberichte (Berlin) 10, Nr. 15.

Vantyn, Sidney. Revue musicale — Revue de Belgique (Bruxelles, rue du Poinçon 49) 15. Juli 1903 [behandelt das Leben und Schaffen Paul Juon's].

Viotta, Henri. Plannen voor en Wagnerfeest in Berlijn — De Gids (Amsterdam, P. N. van Kampen & Zoon) Juli 1903.

—— Theodor Reichmann — ibid.

[Wagner.] Richard Wagner an Heinrich Feustel — BB 26, Nr. 7/9.

Weber, Julius R. Some considerations on phrasing — Musical World (Boston, Arthur P. Schmidt) Juli 1903.

Wedgwood, James. The York Minster organ — Mc 1903, Nr. 10.

Weißmann, A. W. Uit Mendelssohn's tijd — Cae 60, Nr. 11.

Wibl, J. Variationen über das Thema: »Die Kunst im Leben des Kindes« — GR 2, Nr. 8.

Witting, C. Berlioz in den Jahren 1848—1852 in Paris — KL 26, Nr. 15.

—— Vom Witz in der Musik — Mk 2, Nr. 21.

Wolfrum, Karl. Das Verhältnis des evangelischen Kirchenliedes zum Volksliede — Si 28, Nr. 8 f.

Woodruff, Eugene Cyrus. A study of the effects of temperature upon a tuning fork — The Physical Review (New-York, Macmillan Company) 1903, S. 325 ff.

Zschorlich. Die Zukunft des Liedes — RMZ 4, Nr. 30.

Mitteilungen der „Internationalen Musikgesellschaft".

Ortsgruppen.

London.

At the Musical Association: — (a) On 12th May 1903 Dr. A. Madely Richardson lectured on "The Influence of the Organ in Musical History", Mr. T. L. Southgate in the chair; discussion by Chairman and Messrs. Goldschmidt, Matthew and Prendergast. (b) On 9th June 1903, Professor Fr. Niecks lectured on "The Two Keys to the Theory and Practice of Harmony"; Dr. W. G. Mc Naught in the chair; discussion by Chairman and Messrs. Goddard, Goldschmidt, Maclean, and Shedlock.

The English Section of the International Musical Society contains at this date 136 members, of whom 107 are members of the Musical Association.

Neue Mitglieder.

Landshoff, Dr. phil. Ludwig, Komponist. Solln II bei München. Prinz Ludwigshöhe, Albrecht Dürerstraße.

Änderungen der Mitglieder-Liste.

Chybiński, Adolf, jetzt Gymnasiallehrer und Musikschriftsteller, Krakau, Floriansgasse 32 II.

Heuß, Dr. Alfred, Leipzig, jetzt Salomonstraße 11.

Krohn, Dr. Ilmari, Helsingfors, jetzt Katajanokkakatu 6.

Philipp, J., Professeur au Conservatoire, Paris, jetzt 37, rue de Châteaudun.

Zum internationalen Musikkongreß.

Mit schwerem Herzen machen wir unseren Mitgliedern folgende Meldung:

Da neuerdings in bestimmtester Form als wesentlicher Hinderungsgrund für das Erscheinen der Angehörigen Richard Wagner's bei der Enthüllung seines Denkmales der Internationale Musikkongreß bezeichnet wird, so bringen wir, um diesem Hinderungsgrunde — was unsere Person betrifft — nicht Vorschub zu leisten, das Opfer, von der Leitung des Kongresses zurückzutreten.

Berlin, den 6. September 1903.

Bolko Graf von Hochberg.
Prof. Dr. Oskar Fleischer.

Es ist auf das höchste bedauerlich, daß damit das schöne und wohlvorbereitete Unternehmen unmittelbar vor seiner Durchführung wenigstens für jetzt aller Wahrscheinlichkeit nach unmöglich gemacht worden ist. 971 Teilnehmer aus allen Ländern hatten ihr Erscheinen zugesagt, und ein ganz besonderer Stolz war die ungemein rege Teilnahme des Auslandes an dem Kongreß; 60 Vortragende, Referenten und Diskutenten hatten sich gemeldet, und unter den Vorträgen waren viele von hervorragendem Interesse. Eine erfreuliche Zahl staatlicher und privater musikalischer Körperschaften hatten — selbst von Amerika her — Deputierte und mehrere Ministerien Vertreter zu senden zugesagt. Ob es gelingen wird, den Kongreß ganz oder teilweise später zur Ausführung gelangen zu lassen, steht dahin; immerhin ist aber aufgeschoben nicht aufgehoben.

Bitte.

Die Besitzer Robert Schumann'scher Briefe werden gebeten, dieselben in Abschrift (oder in Original gegen Rückgabe) an Herrn Professor F. Gustav Jansen in Hannover-Steuerndieb Nr. 13 zur Aufnahme in die vorbereitete zweite Auflage der Schumann'schen Briefe, Neue Folge, gütigst einzusenden.

Peter Cornelius betreffend.

Mit der Herausgabe der Schriften des Meisters im Verlage von Breitkopf & Härtel beschäftigt, habe ich trotz aller Bemühungen die von P. Cornelius in den 60er Jahren im »Berliner Börsencourier« veröffentlichten Artikel sowie einen in den 50er Jahren in der Pariser »Gazette musicale« französisch publizierten Aufsatz über Berlioz noch nicht auftreiben können. Besitzer der betreffenden Arbeiten werden höflich gebeten, mir Nachricht zu geben oder die betreffenden Jahrgänge gegen Erstattung der Unkosten auf kurze Zeit zur Verfügung zu stellen.   Dr. Edgar Istel.

München 31, Schnorrstraße 10.

Ausgegeben Anfang September 1903.

Für die Redaktion verantwortlich: Professor Dr. Oskar Fleischer, Berlin W., Motzstr. 17
Mitverantwortlich: Dr. Ernst Euting und Dr. Albert Mayer-Reinach in Berlin.
Druck und Verlag von Breitkopf & Härtel in Leipzig, Nürnberger Straße 36.

Inhalts-Verzeichnis

des

vierten Jahrgangs von Zeitschrift und Sammelbänden der Internationalen Musikgesellschaft.

Zusammengestellt von **Gerhard Tischer.**

Vorbemerkung.

1. **Erklärung der Schriftzeichen:**
   a) **Musikgeschichtliche Begriffe:** . . . . fetter Druck (**Violine, Palestrina**).
   b) **Autoren der Zeitschrift, der Sammelbände, der Kritischen Bücherschau, der Zeitschriften-Schau:** . . . . gewöhnliche Schrift.
   c) **Autoren, die berichtigt oder kritisiert werden:** . . . . . . Sperrdruck (A m b r o s).
   d) **Komponisten, die kritisiert werden:** . . . . Fraktur (Schütz).
   e) **Orts- und Länder-Namen:** . . . . Kapital-Schrift (Paris).
   f) Die **Zahlen** bedeuten die Seiten, und zwar gelten die schrägliegenden [Cursiv] für die Sammelbände, die gewöhnlichen für die Zeitschrift.
   g) † bedeutet: gestorben.
2. **Bezüglich C und K** sehe man in zweifelhaften Fällen bei beiden Buchstaben nach. Analog C und Z.

Referenten der „Kritischen Bücherschau" der Zeitschrift:

Lightning Source UK Ltd.
Milton Keynes UK
UKHW020731190219
337527UK00012B/974/P